Amico Lettore

Questa 42 esima edizione della Guida Michelin Italia propone una selezione aggiornata di alberghi e ristoranti.

Realizzata dai nostri ispettori in piena autonomia offre al viaggiatore di passaggio un'ampia scelta a tutti i livelli di confort e prezzo.

Con l'intento di fornire ai nostri lettori l'informazione più recente, abbiamo aggiornato questa edizione con la massima cura.

Per questo solo la Guida dell'anno in corso merita pienamente la vostra fiducia.

Grazie delle vostre segnalazioni sempre gradite.

Michelin vi augura « Buon Viaggio ! »

Sommario

La scelta di un albergo, di un ristorante

Questa guida propone una selezione di alberghi e ristoranti per orientare la scelta dell'automobilista. Gli esercizi, classificati in base al confort che offrono, vengono citati in ordine di preferenza per ogni categoria.

Categorie

⌂⌂⌂⌂⌂	XXXXX	*Gran lusso e tradizione*
⌂⌂⌂⌂	XXXX	*Gran confort*
⌂⌂⌂	XXX	*Molto confortevole*
⌂⌂	XX	*Di buon confort*
⌂	X	*Abbastanza confortevole*
⌂		*Semplice, ma conveniente*
M		*Nella sua categoria, albergo con installazioni moderne*
senza rist		*L'albergo non ha ristorante*
	con cam	*Il ristorante dispone di camere*

Amenità e tranquillità

Alcuni esercizi sono evidenziati nella guida dai simboli rossi indicati qui di seguito. Il soggiorno in questi alberghi si rivela particolarmente ameno o riposante grazie alle caratteristiche dell'edificio, alle decorazioni non comuni, alla sua posizione ed al servizio offerto, nonchè alla tranquillità dei luoghi.

⌂⌂⌂⌂⌂ a ⌂	*Alberghi ameni*
XXXXX a X	*Ristoranti ameni*
« Parco fiorito »	*Un particolare piacevole*
🪑	*Albergo molto tranquillo o isolato e tranquillo*
🪑	*Albergo tranquillo*
< mare	*Vista eccezionale*
<	*Vista interessante o estesa*

Le località che possiedono degli esercizi ameni o tranquilli sono riportate sulle carte da pagina 56 a 65.

Consultatele per la preparazione dei vostri viaggi e, al ritorno, inviateci i vostri pareri ; in tal modo agevolerete le nostre indagini.

Installazioni

Le camere degli alberghi che raccomandiamo possiedono, generalmente, delle installazioni sanitarie complete. È possibile tuttavia che nelle categorie 🏨, 🏠 e ⛱ alcune camere ne siano sprovviste.

30 cam	*Numero di camere*
[ascensore]	*Ascensore*
[aria condizionata]	*Aria condizionata*
TV	*Televisione in camera*
[non fumatori]	*Esercizio riservato in parte ai non fumatori*
☎	*Telefono in camera comunicante direttamente con l'esterno*
♿	*Camere di agevole accesso per portatori di handicap*
[terrazza]	*Pasti serviti in giardino o in terrazza*
[cura termale]	*Cura termale, Idroterapia*
[piscina] [piscina coperta]	*Piscina : all'aperto, coperta*
[sauna] [palestra]	*Sauna – Palestra*
[spiaggia] [giardino]	*Spiaggia attrezzata – Giardino*
[tennis] 18	*Tennis appartenente all'albergo – Golf e numero di buche*
[sale conferenze] 150	*Sale per conferenze : capienza massima*
[garage]	*Garage gratuito (una notte) per chi presenta la guida dell'anno*
[garage]	*Garage a pagamento*
P	*Parcheggio riservato alla clientela*
[cani]	*Accesso vietato ai cani (in tutto o in parte dell'esercizio)*
Fax	*Trasmissione telefonica di documenti*
20 aprile-5 ottobre	*Periodo di apertura, comunicato dall'albergatore*
stagionale	*Probabile apertura in stagione, ma periodo non precisato. Gli esercizi senza tali menzioni sono aperti tutto l'anno.*

Camere

cam 60/90000	*Prezzo* 60000 *per una camera singola/prezzo massimo* 90000 *per una camera per due persone*
cam ☕ 75/110000	*Prezzo della camera compresa la prima colazione*
☕ 10000	*Prezzo della prima colazione (supplemento eventuale se servita in camera)*
▤ 5000	*Supplemento per l'aria condizionata*

Mezza pensione

½ P 90/110000	*Prezzo minimo e massimo della mezza pensione (camera, prima colazione ed un pasto) per persona e al giorno, in alta stagione.*

Questi prezzi sono validi per la camera doppia occupata da due persone, per un soggiorno minimo di tre giorni; la persona singola che occupi una camera doppia, potrà talvolta vedersi applicata una maggiorazione.
La maggior parte degli alberghi pratica anche, su richiesta, la pensione completa.
E' comunque consigliabile prendere accordi preventivi con l'albergatore per stabilire le condizioni definitive.

La caparra

Alcuni albergatori chiedono il versamento di una caparra. Si tratta di un deposito-garanzia che impegna sia l'albergatore che il cliente.
Vi consigliamo di farvi precisare le norme riguardanti la reciproca garanzia di tale caparra.

Carte di credito

AE Ⓢ ◑ E VISA JCB	*Carte di credito accettate dall'esercizio*

Le città

20100	*Codice di Avviamento Postale*
✉ 28042 Baveno	*Numero di codice e sede dell'Ufficio Postale*
☎ 0371	*Prefisso telefonico interurbano. Dall'estero non comporre lo 0*
P	*Capoluogo di Provincia*
Piacenza	*Provincia alla quale la località appartiene*
428 D9 988 ②	*Numero della carta Michelin e del riquadro o numero della piega*
G. Toscana	*Vedere Guida Verde Michelin Toscana*
108 872 ab	*Popolazione residente al 31-12-1995*
alt. 175	*Altitudine*
Stazione termale / Sport invernali	*Genere della stazione*
1500/2000 m	*Altitudine della stazione e altitudine massima raggiungibile con gli impianti di risalita*
3	*Numero di funivie o cabinovie*
7	*Numero di sciovie e seggiovie*
	Sci di fondo
a.s. luglio-settembre	*Periodo di alta stagione*
EX **A**	*Lettere indicanti l'ubicazione sulla pianta*
18	*Golf e numero di buche*
✻ ←	*Panorama, vista*
	Aeroporto
	Località con servizio auto su treno. Informarsi al numero di telefono indicato
	Trasporti marittimi
	Trasporti marittimi (solo passeggeri)
	Ufficio informazioni turistiche
A.C.I.	*Automobile Club d'Italia*

Le curiosità

Grado di interesse

★★★	*Vale il viaggio*
★★	*Merita una deviazione*
★	*Interessante*

I musei sono generalmente chiusi il lunedì

Ubicazione

Vedere	*Nella città*
Dintorni	*Nei dintorni della città*
Escursioni	*Nella regione*
N, S, E, O	*La curiosità è situata : a Nord, a Sud, a Est, a Ovest*
per ① o ④	*Ci si va dall'uscita ① o ④ indicata con lo stesso segno sulla pianta*
6 km	*Distanza chilometrica*

Le carte dei dintorni

Sapete come usarle ?

Desiderate, per esempio, trovare un buon indirizzo nei dintorni di Siena ?
D'ora in avanti potrete consultare la carta che accompagna la pianta della città.
La « carta dei dintorni » (qui accanto) richiama la vostra attenzione su tutte le località citate nella Guida che si trovino nei dintorni della città prescelta, e in particolare su quelle raggiungibili nel raggio di 50 km (limite di colore).
In tal modo, le « carte dei dintorni » permettono la localizzazione rapida di tutte le risorse proposte dalla Guida nei dintorni delle metropoli regionali.

Nota :

Quando una località è presente su una « carta dei dintorni », la città a cui ci si riferisce è scritta in BLU nella linea delle distanze da città a città.

Troverete MONTEPULCIANO sulla carta dei dintorni di SIENA.

Esempio :

MONTEPULCIANO *53045 Siena* 988 ⑮, 430 *M 17 –*
Vedere *Città Antica★ – Piazza Grande★*
Roma 176 – Siena 65 – Arezzo 60 – Firenze 119 – Perugia 74

San Miniato
S. Casciano in Val di Pesa
Incisa in Val d'A.
Reggello
Castelfranco di Sopra
Montespertoli
Figline V.
Loro Ciuffenna
S 429
Tavarnelle Val di Pesa
Greve in Chianti
Montaione
Terranuova Bracciolini
Certaldo
Barberino Val d'Elsa
Cavriglia
Montevarchi
Radda in Chianti
San Gimignano
Poggibonsi
Castellina in Chianti
Gaiole in Chianti
Bucine-Ambra
A1
Colle di Val d'Elsa
Volterra
Monteriggioni
Castelnuovo Berardenga
Casole d'Elsa
SIENA
Monte S. Savino
S 73
Elsa
Sovicille
Rapolano Terme
S 326
Montecastelli Pisano
S. Rocco a Pilli
S 2
Arbia
Asciano
Sinalunga
Trequanda
Vescovado
M. Oliveto Maggiore
Monticiano
Casciano
Montefollonico
Montieri
Ombrone
Montepulciano
S 223
Montalcino
San Quirico d'Orcia
Pienza
Chianciano Terme
Massa Marittima
50 km
Scarlino
Seggiano
Radicofani
0
20 km
Abbadia San Salvatore

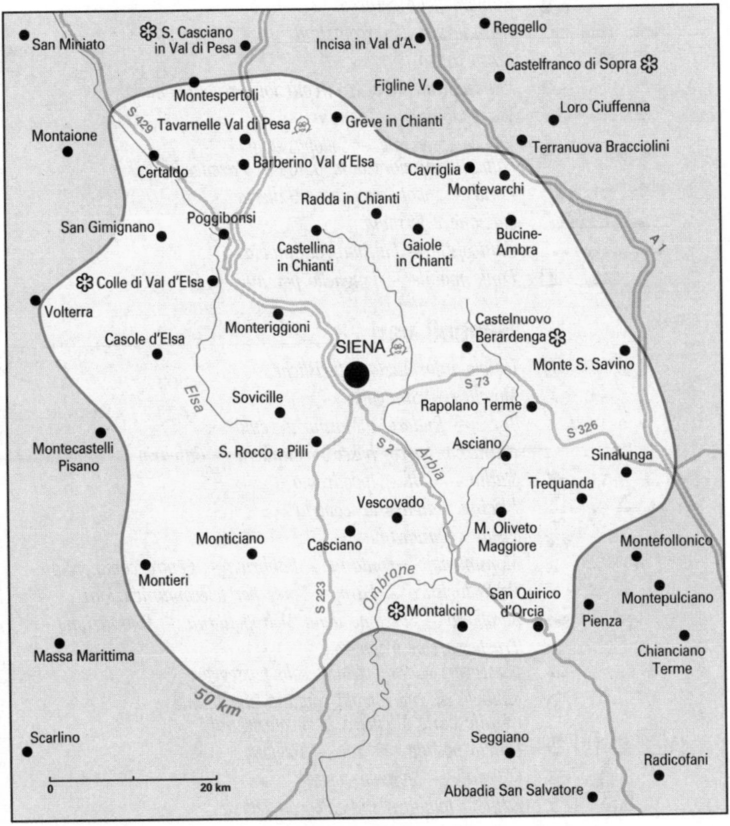

Tutte le « carte dei dintorni » sono localizzate sull'atlantino alla fine della Guida.

Le piante

Alberghi
Ristoranti

Curiosità

Edificio interessante ed entrata principale
Costruzione religiosa interessante : cattedrale, chiesa o cappella

Viabilità

Autostrada, strada a carreggiate separate
numero dello svincolo
Grande via di circolazione
Senso unico
Via impraticabile, a circolazione regolamentata
Via pedonale – Tranvia
Pasteur *Via commerciale – Sottopassaggio (altezza inferiore a m 4,40) – Parcheggio*
Porta – Sottopassaggio – Galleria
Stazione e ferrovia
Funicolare – Funivia, Cabinovia
Ponte mobile – Traghetto per auto

Simboli vari

Ufficio informazioni turistiche
Moschea – Sinagoga
Torre – Ruderi – Mulino a vento
Giardino, parco, bosco – Cimitero – Calvario
Stadio – Golf – Ippodromo
Piscina : all'aperto, coperta
Vista – Panorama
Monumento – Fontana – Fabbrica – Centro commerciale
Porto turistico – Faro – Torre per telecomunicazioni
Aeroporto – Stazione della Metropolitana – Autostazione
Trasporto con traghetto : passeggeri ed autovetture, solo passeggeri
③ *Simbolo di riferimento comune alle piante ed alle carte Michelin particolareggiate*
Ufficio postale centrale – Telefono
Ospedale – Mercato coperto
Edificio pubblico indicato con lettera :
P H - *Prefettura – Municipio*
J - *Palazzo di Giustizia*
M T - *Museo – Teatro*
U - *Università*
POL. - *Polizia (Questura, nelle grandi città)*
A.C.I. *Automobile Club d'Italia*

Ami lecteur

Cette 42e édition du Guide Michelin Italia propose une sélection actualisée d'hôtels et de restaurants.

Réalisée en toute indépendance par nos inspecteurs, elle offre au voyageur de passage un large choix d'adresses à tous les niveaux de confort et de prix.

Toujours soucieux d'apporter à nos lecteurs l'information la plus récente, nous avons mis à jour cette édition avec le plus grand soin.

C'est pourquoi, seul le Guide de l'année en cours mérite votre confiance.

Merci de vos commentaires toujours appréciés.

Michelin vous souhaite « Bon voyage ! ».

Sommaire

Le choix d'un hôtel, d'un restaurant

Ce guide vous propose une sélection d'hôtels et restaurants établie à l'usage de l'automobiliste de passage. Les établissements, classés selon leur confort, sont cités par ordre de préférence dans chaque catégorie.

Catégories

XXXXX	*Grand luxe et tradition*
XXXX	*Grand confort*
XXX	*Très confortable*
XX	*De bon confort*
X	*Assez confortable*
	Simple mais convenable
	Dans sa catégorie, hôtel d'équipement moderne
senza rist	*L'hôtel n'a pas de restaurant*
con cam	*Le restaurant possède des chambres*

Agrément et tranquillité

Certains établissements se distinguent dans le guide par les symboles rouges indiqués ci-après. Le séjour dans ces hôtels se révèle particulièrement agréable ou reposant.

Cela peut tenir d'une part au caractère de l'édifice, au décor original, au site, à l'accueil et aux services qui sont proposés, d'autre part à la tranquillité des lieux.

à	*Hôtels agréables*
XXXXX à X	*Restaurants agréables*
« Parco fiorito »	*Élément particulièrement agréable*
	Hôtel très tranquille ou isolé et tranquille
	Hôtel tranquille
< mare	*Vue exceptionnelle*
<	*Vue intéressante ou étendue.*

Les localités possédant des établissements agréables ou tranquilles sont repérées sur les cartes pages 56 à 65.

Consultez-les pour la préparation de vos voyages et donnez-nous vos appréciations à votre retour, vous faciliterez ainsi nos enquêtes.

L'installation

Les chambres des hôtels que nous recommandons possèdent, en général, des installations sanitaires complètes. Il est toutefois possible que dans les catégories 🏘, 🏠 et 🏝, certaines chambres en soient dépourvues.

30 cam	*Nombre de chambres*
	Ascenseur
	Air conditionné
	Télévision dans la chambre
	Établissement en partie réservé aux non-fumeurs
	Téléphone dans la chambre, direct avec l'extérieur
	Chambres accessibles aux handicapés physiques
	Repas servis au jardin ou en terrasse
	Cure thermale, Balnéothérapie
	Piscine : de plein air ou couverte
	Sauna – Salle de remise en forme
	Plage aménagée – Jardin de repos
18	*Tennis à l'hôtel – Golf et nombre de trous*
150	*Salles de conférences : capacité maximum*
	Garage gratuit (une nuit) aux porteurs du Guide de l'année
	Garage payant
	Parking réservé à la clientèle
	Accès interdit aux chiens (dans tout ou partie de l'établissement)
Fax	*Transmission de documents par télécopie*
20 aprile-5 ottobre	*Période d'ouverture, communiquée par l'hôtelier*
stagionale	*Ouverture probable en saison mais dates non précisées. En l'absence de mention, l'établissement est ouvert toute l'année.*

La table

Les étoiles

Certains établissements méritent d'être signalés à votre attention pour la qualité de leur cuisine. Nous les distinguons par les étoiles de bonne table.

Nous indiquons, pour ces établissements, trois spécialités culinaires qui pourront orienter votre choix.

✿✿✿ **Une des meilleures tables, vaut le voyage**
On y mange toujours très bien, parfois merveilleusement, grands vins, service impeccable, cadre élégant... Prix en conséquence.

✿✿ **Table excellente, mérite un détour**
Spécialités et vins de choix... Attendez-vous à une dépense en rapport.

✿ **Une très bonne table dans sa catégorie**
L'étoile marque une bonne étape sur votre itinéraire. Mais ne comparez pas l'étoile d'un établissement de luxe à prix élevés avec celle d'une petite maison où à prix raisonnables, on sert également une cuisine de qualité.

Repas soignés à prix modérés

Vous souhaitez parfois trouver des tables plus simples, à prix modérés ; c'est pourquoi nous avons sélectionné des restaurants proposant, pour un rapport qualité-prix particulièrement favorable, un repas soigné, souvent de type régional. Ces restaurants sont signalés par 🙂 *et* Pasto.

Consultez les cartes des localités (étoiles de bonne table et 🙂 Pasto*) pages 56 à 65.*

Principaux vins et spécialités régionales : voir p. 51 à 55

Les prix

Les prix que nous indiquons dans ce guide ont été établis en été 1996. Ils sont susceptibles de modifications, notamment en cas de variations des prix des biens et services. Ils s'entendent taxes et services compris (sauf indication spéciale, ex. 15 %). A l'occasion de certaines manifestations commerciales ou touristiques, les prix demandés par les hôteliers risquent d'être sensiblement majorés dans certaines villes jusqu'à leurs lointains environs.

Les hôtels et restaurants figurent en gros caractères lorsque les hôteliers nous ont donné tous leurs prix et se sont engagés, sous leur propre responsabilité, à les appliquer aux touristes de passage porteurs de notre guide.

Hors saison, certains établissements proposent des conditions avantageuses, renseignez-vous lors de votre réservation.

Entrez à l'hôtel le Guide à la main, vous montrerez ainsi qu'il vous conduit là en confiance.

Repas

Menus à prix fixe :

Pasto 25/50000 bc

minimum 25000 *maximum* 50000
Boisson comprise

Repas à la carte :

Pasto carta 40/70000

Le premier prix correspond à un repas normal comprenant : entrée, plat du jour et dessert.
Le 2e prix concerne un repas plus complet (avec spécialité) comprenant : hors-d'œuvre, deux plats, fromage et dessert.
Parfois, en l'absence de menu et de carte, les plats sont proposés verbalement.

Chambres

cam 60/90000	*Prix* 60000 *pour une chambre d'une personne/ prix maximum* 90000 *pour une chambre de deux personnes.*
cam ☕ 75/110000	*Prix des chambres petit déjeuner compris*
☕ 10 000	*Prix du petit déjeuner (supplément éventuel si servi en chambre).*
▤ 5000	*Supplément pour l'air conditionné*

Demi-pension

½ P 90/110000	*Prix minimum et maximum de la demi-pension (chambre, petit déjeuner et un repas) par personne et par jour ; en saison, ces prix s'entendent pour une chambre double occupée par deux personnes, pour un séjour de trois jours minimum. Une personne seule occupant une chambre double se voit parfois appliquer une majoration. La plupart des hôtels saisonniers pratiquent également, sur demande, la pension complète. Dans tous les cas, il est indispensable de s'entendre par avance avec l'hôtelier pour conclure un arrangement définitif.*

Les arrhes

Certains hôteliers demandent le versement d'arrhes. Il s'agit d'un dépôt-garantie qui engage l'hôtelier comme le client. Bien faire préciser les dispositions de cette garantie.

Cartes de crédit

AE VISA JCB	*Cartes de crédit acceptées par l'établissement*

Les villes

20100	*Numéro de code postal*
✉ 28042 Baveno	*Numéro de code postal et nom du bureau distributeur du courrier*
☏ 0371	*Indicatif téléphonique interurbain (de l'étranger ne pas composer le zéro)*
P	*Capitale de Province*
Piacenza	*Province à laquelle la localité appartient*
428 D9 988 ②	*Numéro de la Carte Michelin et carroyage ou numéro du pli*
G. Toscana	*Voir le Guide Vert Michelin Toscana*
108 872 ab	*Population résidente au 31-12-1995*
alt. 175	*Altitude de la localité*
Stazione termale	*Station thermale*
Sport invernali	*Sports d'hiver*
1500/2000 m	*Altitude de la station et altitude maximum atteinte par les remontées mécaniques*
3	*Nombre de téléphériques ou télécabines*
7	*Nombre de remonte-pentes et télésièges*
	Ski de fond
a.s. luglio-settembre	*Période de haute saison*
EX A	*Lettres repérant un emplacement sur le plan*
18	*Golf et nombre de trous*
	Panorama, point de vue
	Aéroport
	Localité desservie par train-auto. Renseignements au numéro de téléphone indiqué
	Transports maritimes
	Transports maritimes pour passagers seulement
	Information touristique
A.C.I.	*Automobile Club d'Italie*

Les curiosités

Intérêt

★★★	*Vaut le voyage*
★★	*Mérite un détour*
★	*Intéressant*
	Les musées sont généralement fermés le lundi

Situation

Vedere	*Dans la ville*
Dintorni	*Aux environs de la ville*
Escursioni	*Excursions dans la ville*
N, S, E, O	*La curiosité est située : au Nord, au Sud, à l'Est, à l'Ouest*
per ① *o* ④	*On s'y rend par la sortie ① ou ④ repérée par le même signe sur le plan du Guide et sur la carte*
6 km	*Distance en kilomètres*

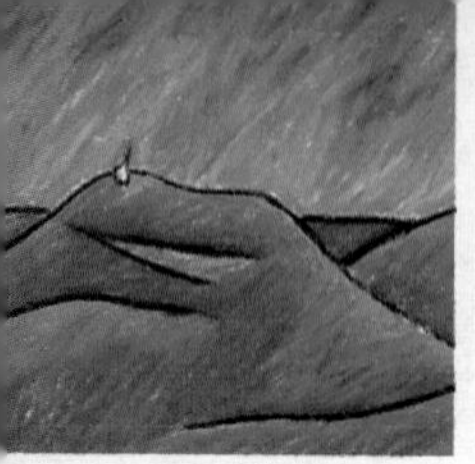

Les cartes de voisinage

Avez-vous pensé à les consulter ?

Vous souhaitez trouver une bonne adresse, par exemple, aux environs de Siena (Sienne) ?

Consultez désormais la carte qui accompagne le plan de la ville.

La « carte de voisinage » (ci-contre) attire votre attention sur toutes les localités citées au Guide autour de la ville choisie, et particulièrement celles situées dans un rayon de 50 km (limite de couleur).

Les « cartes de voisinage » vous permettent ainsi le repérage rapide de toutes les ressources proposées par le Guide autour des métropoles régionales.

Nota :

Lorsqu'une localité est présente sur une « carte de voisinage », sa métropole de rattachement est imprimée en BLEU sur la ligne des distances de ville à ville.

Exemple :

Vous trouverez MONTEPULCIANO sur la carte de voisinage de SIENA.

MONTEPULCIANO *53045 Siena* 988 ⑮, 430 *M 17 –*
Vedere *Città Antica★ – Piazza Grande★*
Roma 176 – Siena 65 – Arezzo 60 – Firenze 119 – Perugia 74

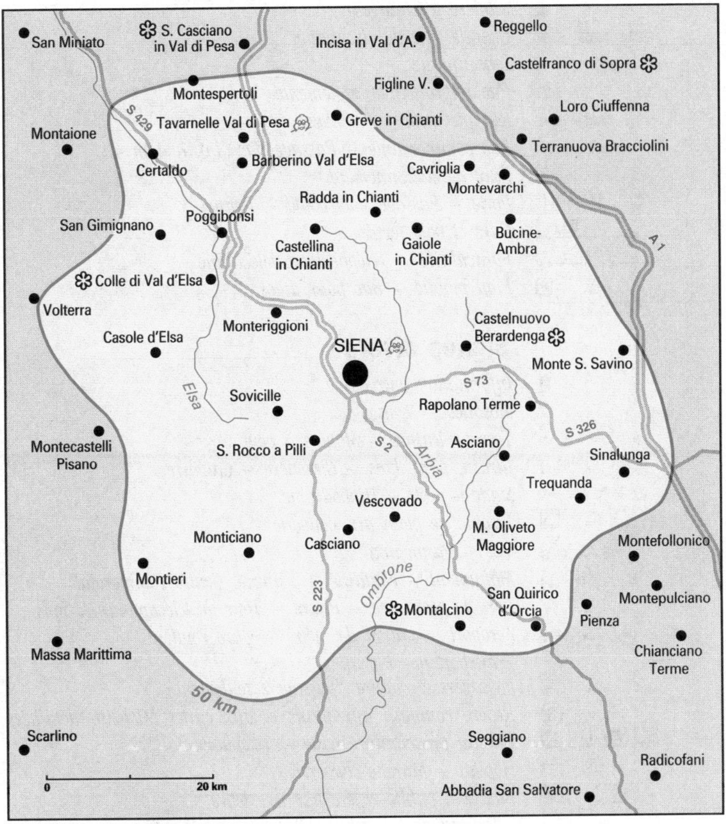

Toutes les « Cartes de voisinage » sont localisées sur l'Atlas en fin de Guide.

Les plans

Hôtels
Restaurants

Curiosités

Bâtiment intéressant et entrée principale
Édifice religieux intéressant :
Cathédrale, église ou chapelle

Voirie

Autoroute, route à chaussées séparées
numéro d'échangeur
Grande voie de circulation
Sens unique
Rue impraticable, réglementée
Rue piétonne – Tramway
Pasteur 4m4 *Rue commerçante – Passage bas (inf. à 4 m 40)*
Parc de stationnement
Porte – Passage sous voûte – Tunnel
Gare et voie ferrée
Funiculaire – Téléphérique, télécabine
Pont mobile – Bac pour autos

Signes divers

Information touristique
Mosquée – Synagogue
Tour – Ruines – Moulin à vent
Jardin, parc, bois – Cimetière – Calvaire
Stade – Golf – Hippodrome
Piscine de plein air, couverte
Vue – Panorama
Monument – Fontaine – Usine – Centre commercial
Port de plaisance – Phare – Tour de télécommunications
Aéroport – Station de métro – Gare routière
Transport par bateau :
passagers et voitures, passagers seulement
③ *Repère commun aux plans et aux cartes Michelin détaillées*
Bureau principal de poste – Téléphone
Hôpital – Marché couvert
Bâtiment public repéré par une lettre :
P H *- Préfecture – Hôtel de ville*
J *- Palais de justice*
M T *- Musée – Théâtre*
U *- Université*
POL. *- Police (commissariat central)*
A.C.I. *Automobile Club*

Lieber Leser

Die 42. Ausgabe des Michelin-Hotelführers Italia bietet Ihnen eine aktualisierte Auswahl an Hotels und Restaurants.

Von unseren unabhängigen Hotelinspektoren ausgearbeitet, bietet der Hotelführer dem Reisenden eine große Auswahl an Hotels und Restaurants in jeder Kategorie sowohl was den Preis als auch den Komfort anbelangt.

Stets bemüht, unseren Lesern die neueste Information anzubieten, wurde diese Ausgabe mit größter Sorgfalt erstellt.

Deshalb sollten Sie immer nur dem aktuellen Hotelführer Ihr Vertrauen schenken.

Ihre Kommentare sind uns immer willkommen.

Michelin wünscht Ihnen « Gute Reise ! »

Inhaltsverzeichnis

Wahl eines Hotels, eines Restaurants

Die Auswahl der in diesem Führer aufgeführten Hotels und Restaurants ist für Durchreisende gedacht. In jeder Kategorie drückt die Reihenfolge der Betriebe (sie sind nach ihrem Komfort klassifiziert) eine weitere Rangordnung aus.

Kategorien

Hotel	Restaurant	
	XXXXX	*Großer Luxus und Tradition*
	XXXX	*Großer Komfort*
	XXX	*Sehr komfortabel*
	XX	*Mit gutem Komfort*
	X	*Mit Standard Komfort*
		Bürgerlich
M		*Moderne Einrichtung*
senza rist		*Hotel ohne Restaurant*
	con cam	*Restaurant vermietet auch Zimmer*

Annehmlichkeiten

Manche Häuser sind im Führer durch rote Symbole gekennzeichnet (s. unten.) Der Aufenthalt in diesen ist wegen der schönen, ruhigen Lage, der nicht alltäglichen Einrichtung und Atmosphäre sowie dem gebotenen Service besonders angenehm und erholsam.

bis	*Angenehme Hotels*
XXXXX bis X	*Angenehme Restaurants*
« Parco fiorito »	*Besondere Annehmlichkeit*
	Sehr ruhiges, oder abgelegenes und ruhiges Hotel
	Ruhiges Hotel
< mare	*Reizvolle Aussicht*
<	*Interessante oder weite Sicht*

Die Übersichtskarten S. 56 bis 65, auf denen die Orte mit besonders angenehmen oder ruhigen Häusern eingezeichnet sind, helfen Ihnen bei der Reisevorbereitung. Teilen Sie uns bitte nach der Reise Ihre Erfahrungen und Meinungen mit. Sie helfen uns damit, den Führer weiter zu verbessern.

Einrichtung

Die meisten der empfohlenen Hotels verfügen über Zimmer, die alle oder doch zum größten Teil mit Bad oder Dusche ausgestattet sind. In den Häusern der Kategorien , und kann diese jedoch in einigen Zimmern fehlen.

30 cam	*Anzahl der Zimmer*
	Fahrstuhl
	Klimaanlage
TV	*Fernsehen im Zimmer*
	Haus teilweise reserviert für Nichtraucher
	Zimmertelefon mit direkter Außenverbindung
	Für Körperbehinderte leicht zugängliche Zimmer
	Garten-, Terrassenrestaurant
	Thermalkur, Badeabteilung
	Freibad, Hallenbad
	Sauna – Fitneßraum
	Strandbad – Liegewiese, Garten
18	*Hoteleigener Tennisplatz – Golfplatz und Lochzahl*
150	*Konferenzräume (Höchstkapazität)*
	Garage kostenlos (nur für eine Nacht) für die Besitzer des Michelin-Führers des laufenden Jahres
	Garage wird berechnet
P	*Parkplatz reserviert für Gäste*
	Hunde sind unerwünscht (im ganzen Haus bzw. in den Zimmern oder im Restaurant)
Fax	*Telefonische Dokumentenübermittlung*
20 aprile-5 ottobre	*Öffnungszeit, vom Hotelier mitgeteilt*
stagionale	*Unbestimmte Öffnungszeit eines Saisonhotels. Häuser ohne Angabe von Schließungszeiten sind ganzjährig geöffnet.*

Küche

Die Sterne

Einige Häuser verdienen wegen ihrer überdurchschnittlich guten Küche Ihre besondere Beachtung. Auf diese Häuser weisen die Sterne hin. Bei den mit « Stern » ausgezeichneten Betrieben nennen wir drei kulinarische Spezialitäten, die Sie probieren sollten.

✿✿✿ **Eine der besten Küchen : eine Reise wert**
Man ißt hier immer sehr gut, öfters auch exzellent, edle Weine, tadelloser Service, gepflegte Atmosphäre ... entsprechende Preise.

✿✿ **Eine hervorragende Küche : verdient einen Umweg**
Ausgesuchte Menus und Weine ... angemessene Preise.

✿ **Eine sehr gute Küche : verdient Ihre besondere Beachtung**
Der Stern bedeutet eine angenehme Unterbrechung Ihrer Reise.
Vergleichen Sie aber bitte nicht den Stern eines sehr teuren Luxusrestaurants mit dem Stern eines kleineren oder mittleren Hauses, wo man Ihnen zu einem annehmbaren Preis eine ebenfalls vorzügliche Mahlzeit reicht.

Sorgfältig zubereitete, preiswerte Mahlzeiten

Für Sie wird es interessant sein, auch solche Häuser kennenzulernen, die eine etwas einfachere, vorzugsweise regionale Küche zu einem besonders günstigen Preis/Leistungs-Verhältnis bieten.
Im Text sind die betreffenden Restaurants durch das rote Symbol ☺ *und* Pasto *vor dem Menupreis kenntlich gemacht.*

Siehe Karten der Orte mit « Stern » und ☺ Pasto *S. 56 bis S. 65.*

Wichtigste Weine und regionale Spezialitäten : siehe S. 51 bis 55

Preise

Die in diesem Führer genannten Preise wurden uns im Sommer 1996 angegeben. Sie können sich mit den Preisen von Waren und Dienstleistungen ändern. Sie enthalten Bedienung und MWSt. (wenn kein besonderer Hinweis gegeben wird, z B 15 %).

Erfahrungsgemäß werden bei größeren Veranstaltungen, Messen und Ausstellungen in vielen Städten und deren Umgebung erhöhte Preise verlangt.

Die Namen der Hotels und Restaurants, die ihre Preise genannt haben, sind fett gedruckt. Gleichzeitig haben sich diese Häuser verpflichtet, die von den Hoteliers selbst angegebenen Preise den Benutzern des Michelin-Führers zu berechnen.

Außerhalb der Saison bieten einige Betriebe günstigere Preise an. Erkundigen Sie sich bei Ihrer Reservierung danach.
Halten Sie beim Betreten des Hotels den Führer in der Hand. Sie zeigen damit, daß Sie aufgrund dieser Empfehlung gekommen sind.

Mahlzeiten

Feste Menupreise :

Pasto 25/50000 bc

Mindestpreis 25000, *Höchstpreis* 50000
Getränke inbegriffen

Mahlzeiten « à la carte » :

Pasto carta 40/70000

Der erste Preis entspricht einer einfachen Mahlzeit und umfaßt Vorspeise, Hauptgericht, Dessert.
Der zweite Preis entspricht einer reichlicheren Mahlzeit (mit Spezialität) bestehend aus :
Vorspeise, zwei Hauptgängen, Käse, Dessert
Falls weder eine Menu- noch eine « à la carte » – Karte vorhanden ist, wird das Tagesgericht mündlich angeboten

Zimmer

cam 60/90000	*Preis* 60000 *für ein Einzelzimmer, Höchstpreis* 90000 *für ein Doppelzimmer*
cam ☕ 75/110000	*Zimmerpreis inkl. Frühstück*
☕ 10000	*Preis des Frühstücks (wenn es im Zimmer serviert wird kann ein Zuschlag erhoben werden)*
▤ 5000	*Zuschlag für Klimaanlage*

Halbpension

½ P 90/110000	*Mindestpreis und Höchstpreis für Halbpension (Zimmerpreis inkl Frühstück und eine Mahlzeit) pro Person und Tag während der Hauptsaison bei einem von zwei Personen belegten Doppelzimmer für einen Aufenthalt von mindestens drei Tagen. Falls eine Einzelperson ein Doppelzimmer belegt, kann ein Preisaufschlag verlangt werden. In den meisten Hotels können Sie auf Anfrage auch Vollpension erhalten. Auf jeden Fall sollten Sie den Endpreis vorher mit dem Hotelier vereinbaren.*

Anzahlung

Einige Hoteliers verlangen eine Anzahlung. Diese ist als Garantie sowohl für den Hotelier als auch für den Gast anzusehen. Es ist ratsam, sich beim Hotelier nach den genauen Bestimmungen zu erkundigen.

Kreditkarten

AE ⓢ ◐ E VISA JCB	*Vom Haus akzeptierte Kreditkarten*

Städte

20100	*Postleitzahl*
✉ 28042 Baveno	*Postleitzahl und Name des Verteilerpostamtes*
☎ 0371	*Vorwahlnummer (bei Gesprächen vom Ausland wird die erste Null weggelassen)*
P	*Provinzhauptstadt*
Piacenza	*Provinz, in der der Ort liegt*
428 D9	*Nummer der Michelin-Karte mit Koordinaten bzw*
988 ②	*Faltseite*
G. Toscana	*Siehe Grünen Michelin – Reiseführer Toscana*
108872 ab	*Einwohnerzahl (Volkszählung vom 31.12.1995)*
alt. 175	*Höhe*
Stazione termale	*Thermalbad*
Sport invernali	*Wintersport*
1500/2000 m	*Höhe des Wintersportortes und Maximal-Höhe, die mit Kabinenbahn oder Lift erreicht werden kann*
3	*Anzahl der Kabinenbahnen*
7	*Anzahl der Schlepp- oder Sessellifts*
	Langlaufloipen
a. s. luglio-settembre	*Hauptsaison von ... bis ...*
EX **A**	*Markierung auf dem Stadtplan*
18	*Golfplatz und Lochzahl*
✻ ⪡	*Rundblick – Aussichtspunkt*
	Flughafen
	Ladestelle für Autoreisezüge – Nähere Auskunft unter der angegebenen Telefonnummer
	Autofähre
	Personenfähre
i	*Informationsstelle*
A.C.I.	*Automobilclub von Italien*

Sehenswürdigkeiten

Bewertung

★★★	*Eine Reise wert*
★★	*Verdient einen Umweg*
★	*Sehenswert*

Museen sind im allgemeinen montags geschlossen.

Lage

Vedere	*In der Stadt*
Dintorni	*In der Umgebung der Stadt*
Escursioni	*Ausflugsziele*
N, S, E, O	*Im Norden (N), Süden (S), Osten (E), Westen (O) der Stadt*
per ① o ④	*Zu erreichen über die Ausfallstraße ① bzw. ④, die auf dem Stadtplan und auf der Michelin-Karte identisch gekennzeichnet sind*
6 km	*Entfernung in Kilometern*

Umgebungskarten

Denken Sie daran sie zu benutzen

Die Umgebungskarten sollen Ihnen die Suche eines Hotels oder Restaurants in der Nähe der größeren Städte erleichtern.

Wenn Sie beispielsweise eine gute Adresse in der Nähe von Siena brauchen, gibt Ihnen die Karte schnell einen Überblick über alle Orte, die in diesem Michelin-Führer erwähnt sind. Innerhalb der in Kontrastfarbe gedruckten Grenze liegen Gemeinden, die im Umkreis von 50 km sind.

Anmerkung :

Auf der Linie der Entfernungen zu anderen Orten erscheint im Ortstext die jeweils nächste Stadt mit Umgebungskarte in BLAU.

Beispiel :

Sie finden MONTEPULCIANO auf der Umgebungskarte von SIENA.

MONTEPULCIANO *53045 Siena 988 ⑮, 430 M 17 –*
Vedere *Città Antica★ – Piazza Grande★*
Roma 176 – Siena 65 – Arezzo 60 – Firenze 119 – Perugia 74

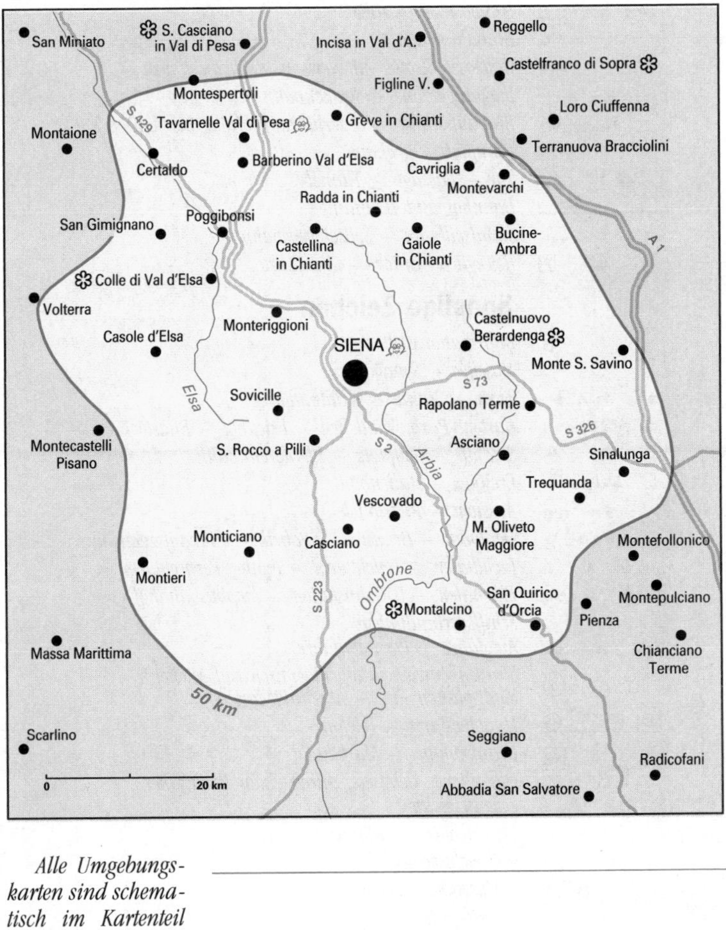

San Miniato
S. Casciano in Val di Pesa
Incisa in Val d'A.
Reggello
Castelfranco di Sopra
Montespertoli
Figline V.
S 429
Tavarnelle Val di Pesa
Greve in Chianti
Loro Ciuffenna
Montaione
Terranuova Bracciolini
Certaldo
Barberino Val d'Elsa
Cavriglia
Montevarchi
Radda in Chianti
Poggibonsi
San Gimignano
Castellina in Chianti
Gaiole in Chianti
Bucine-Ambra
A 1
Colle di Val d'Elsa
Volterra
Monteriggioni
Castelnuovo Berardenga
Casole d'Elsa
SIENA
Monte S. Savino
Elsa
S 73
Sovicille
Rapolano Terme
S 326
Montecastelli Pisano
S. Rocco a Pilli
S 2
Arbia
Asciano
Sinalunga
Trequanda
Vescovado
M. Oliveto Maggiore
Monticiano
Casciano
Montefollonico
Montieri
Ombrone
San Quirico d'Orcia
Montepulciano
S 223
Montalcino
Pienza
Chianciano Terme
Massa Marittima
50 km
Scarlino
Seggiano
Radicofani
0
20 km
Abbadia San Salvatore

Alle Umgebungskarten sind schematisch im Kartenteil am Ende des Bandes eingezeichnet.

Stadtpläne

Hotels
Restaurants

Sehenswürdigkeiten

Sehenswertes Gebäude mit Haupteingang
Sehenswerter Sakralbau
Kathedrale, Kirche oder Kapelle

Straßen

Autobahn, Schnellstraße
Nummer der Anschlußstelle
Hauptverkehrsstraße
Einbahnstraße
Gesperrte Straße, mit Verkehrsbeschränkungen
Fußgängerzone – Straßenbahn
Pasteur *Einkaufsstraße – Unterführung (Höhe bis 4,40 m)*
Parkplatz, Parkhaus
Tor – Passage – Tunnel
Bahnhof und Bahnlinie
Standseilbahn – Seilschwebebahn
Bewegliche Brücke – Autofähre

Sonstige Zeichen

Informationsstelle
Moschee – Synagoge
Turm – Ruine – Windmühle
Garten, Park, Wäldchen – Friedhof – Bildstock
Stadion – Golfplatz – Pferderennbahn
Freibad – Hallenbad
Aussicht – Rundblick
Denkmal – Brunnen – Fabrik – Einkaufszentrum
Jachthafen – Leuchtturm – Funk-, Fernsehturm
Flughafen – U-Bahnstation – Autobusbahnhof
Schiffsverbindungen :
Autofähre – Personenfähre
③ *Straßenkennzeichnung (identisch auf Michelin – Stadt-plänen und – Abschnittskarten)*
Hauptpostamt – Telefon
Krankenhaus – Markthalle
Öffentliches Gebäude, durch einen Buchstaben gekennzeichnet :
P H *- Präfektur – Rathaus*
J *- Gerichtsgebäude*
M T *- Museum – Theater*
U *- Universität*
POL. *- Polizei (in größeren Städten Polizeipräsidium)*
A.C.I. *Automobilclub von Italien*

Dear Reader

This 42nd edition of the Michelin Guide to Italia offers the latest selection of hotels and restaurants.

Independently compiled by our inspectors, the Guide provides travellers with a wide choice of establishments at all levels of comfort and price.

We are committed to providing readers with the most up to date information and this edition has been produced with the greatest care.

That is why only this year's guide merits your complete confidence.

Thank you for your comments, which are always appreciated.

Bon voyage

Contents

Choosing a hotel or restaurant

This guide offers a selection of hotels and restaurants to help the motorist on his travels. In each category establishments are listed in order of preference according to the degree of comfort they offer.

Categories

	XXXXX	*Luxury in the traditional style*
	XXXX	*Top class comfort*
	XXX	*Very comfortable*
	XX	*Comfortable*
	X	*Quite comfortable*
		Simple comfort
M		*In its category, hotel with modern amenities*
senza rist		*The hotel has no restaurant*
	con cam	*The restaurant also offers accommodation*

Peaceful atmosphere and setting

Certain establishments are distinguished in the guide by the red symbols shown below. Your stay in such hotels will be particularly pleasant or restful, owing to the character of the building, its decor, the setting, the welcome and services offered, or simply the peace and quiet to be enjoyed there.

to	*Pleasant hotels*
XXXXX to X	*Pleasant restaurants*
« Parco fiorito »	*Particularly attractive feature*
	Very quiet or quiet, secluded hotel
	Quiet hotel
≤ mare	*Exceptional view*
≤	*Interesting or extensive view*

The maps on pages 56 to 65 indicate places with such peaceful, pleasant hotels and restaurants. By consulting them before setting out and sending us your comments on your return you can help us with our enquiries.

Hotel facilities

In general the hotels we recommend have full bathroom and toilet facilities in each room. This may not be the case, however, for certain rooms in categories 🏘, 🏠 *and* ⛱.

30 cam	*Number of rooms*
[lift symbol]	*Lift (elevator)*
[air conditioning symbol]	*Air conditioning*
TV	*Television in room*
[no smoking symbol]	*Hotel partly reserved for non-smokers*
☎	*Direct-dial phone in room*
♿	*Rooms accessible to disabled people*
[terrace symbol]	*Meals served in garden or on terrace*
[hydrotherapy symbol]	*Hydrotherapy*
[outdoor pool symbol] [indoor pool symbol]	*Outdoor or indoor swimming pool*
[sauna symbol] [exercise symbol]	*Sauna – Exercise room*
[beach symbol] [garden symbol]	*Beach with bathing facilities – Garden*
[tennis symbol] [golf symbol] 18	*Hotel tennis court – Golf course and number of holes*
[conference symbol] 150	*Equipped conference hall (maximum capacity)*
[free garage symbol]	*Free garage (one night) for those in possession of the current Michelin Guide*
[garage symbol]	*Hotel garage (additional charge in most cases)*
P	*Car park for customers only*
[no dogs symbol]	*Dogs are excluded from all or part of the hotel*
Fax	*Telephone document transmission*
20 aprile-5 ottobre	*Dates when open, as indicated by the hotelier*
stagionale	*Probably open for the season – precise dates not available. Where no date or season is shown, establishments are open all year round.*

Cuisine

Stars

Certain establishments deserve to be brought to your attention for the particularly fine quality of their cooking. Michelin stars are awarded for the standard of meals served.

For such restaurants we list three culinary specialities to assist you in your choice.

✿✿✿ **Exceptional cuisine, worth a special journey**
One always eats here extremely well, sometimes superbly. Fine wines, faultless service, elegant surroundings. One will pay accordingly !

✿✿ **Excellent cooking, worth a detour**
Specialities and wines of first class quality. This will be reflected in the price.

✿ **A very good restaurant in its category**
The star indicates a good place to stop on your journey. But beware of comparing the star given to an expensive « de luxe » establishment to that of a simple restaurant where you can appreciate fine cuisine at a reasonable price.

Good food at moderate prices

You may also like to know of other restaurants with less elaborate, moderately priced menus that offer good value for money and serve carefully prepared meals, often of regional cooking. In the guide such establishments are marked Pasto *just before the price of the menu.*

Please refer to the map of star-rated restaurants and good food at moderate prices Pasto *(pp 56 to 65).*

Main wines and regional specialities : see pages 51 to 55

Prices

Prices quoted are valid for summer 1996. Changes may arise if goods and service costs are revised. The rates include tax and service charge (unless otherwise indicated, eg. 15 %).

In the case of certain trade exhibitions or tourist events prices demanded by hoteliers are liable to reasonable increases in certain cities and for some distance in the area around them.

Hotels and restaurants in bold type have supplied details of all their rates and have assumed responsibility for maintaining them for all travellers in possession of this Guide.

Out of season certain establishments offer special rates. Ask when booking.

Your recommendation is self evident if you always walk into a hotel, Guide in hand.

Meals

Set meals :

Pasto 25/50000 — *Lowest* 25000 *and highest* 50000 *prices for set meals*

bc — *House wine included*

« A la carte » meals :

Pasto carta 40/70000 — *The first figure is for a plain meal and includes entrée, main dish of the day with vegetables and dessert. The second figure is for a fuller meal (with « spécialité ») and includes hors-d'œuvre, 2 main courses, cheese, and dessert.*

When the establishment has neither table d'hôte nor « à la carte » menus, the dishes of the day are given verbally.

Rooms

cam 60/90000	*Price* 60000 *for a single room and highest price* 90000 *for a double*
cam ☕ 75/110000	*Price includes breakfast*
☕ 10000	*Price of continental breakfast (additional charge when served in the bedroom)*
▤ 5000	*Additional charge for air conditioning*

Half board

½ P 90/110000 — *Lowest and highest prices of half board (room, breakfast and a meal) per person, per day in the season. These prices are valid for a double room occupied by two people for a minimum stay of three days. When a single person occupies a double room he may have to pay a supplement. Most of the hotels also offer full board terms on request. It is essential to agree on terms with the hotelier before making a firm reservation.*

Deposits

Some hotels will require a deposit, which confirms the commitment of customer and hotelier alike. Make sure the terms of the agreement are clear.

Credit cards

AE Ⓢ ◑ E VISA JCB — *Credit cards accepted by the establishment*

Towns

20100	Postal number
✉ 28042 Baveno	Postal number and name of the post office serving the town
☎ 0371	Telephone dialling code. Omit 0 when dialling from abroad
P	Provincial capital
Piacenza	Province in which a town is situated
428 D9 988 ②	Number of the appropriate sheet and co-ordinates or fold of the Michelin road map
108872 ab	Population (figures from 31.12.95 census)
G. Toscana	See the Michelin Green Guide Toscana
alt. 175	Altitude (in metres)
Stazione termale	Spa
Sport invernali	Winter sports
1500/2000 m	Altitude (in metres) of resort and highest point reached by lifts
3	Number of cable-cars
7	Number of ski and chair-lifts
	Cross-country skiing
a. s. luglio-settembre	High season period
EX A	Letters giving the location of a place on the town plan
18	Golf course and number of holes
✳ <	Panoramic view, viewpoint
	Airport
	Place with a motorail connection; further information from phone no. listed
	Shipping line
	Passenger transport only
	Tourist Information Centre
A.C.I.	Italian Automobile Club

Sights

Star-rating

★★★	*Worth a journey*
★★	*Worth a detour*
★	*Interesting*

Museums and art galleries are generally closed on Mondays

Location

Vedere	*Sights in town*
Dintorni	*On the outskirts*
Escursioni	*In the surrounding area*
N, S, E, O	*The sight lies north, south, east or west of the town*
per ①, ④	*Sign on town plan and on the Michelin road map indicating the road leading to a place of interest*
6 km	*Distance in kilometres*

Local maps

May we suggest that you consult them

Should you be looking for a hotel or restaurant not too far from Siena, for example, you can now consult the map along with the town plan.

The local map (opposite) draws your attention to all places around the town or city selected, provided they are mentioned in the Guide. Places located within a range of 50 km are clearly identified by the use of a different coloured background. The various facilities recommended near the different regional capitals can be located quickly and easily.

Note :

Entries in the Guide provide information on distances to nearby towns. Whenever a place appears on one of the local maps, the name of the town or city to which it is attached is printed in BLUE.

Example :

MONTEPULCIANO is to be found on the local map SIENA

MONTEPULCIANO *53045 Siena* 988 ⑮, 430 *M 17 –*
Vedere *Città Antica★ – Piazza Grande★*
Roma 176 – Siena 65 – Arezzo 60 – Firenze 119 – Perugia 74

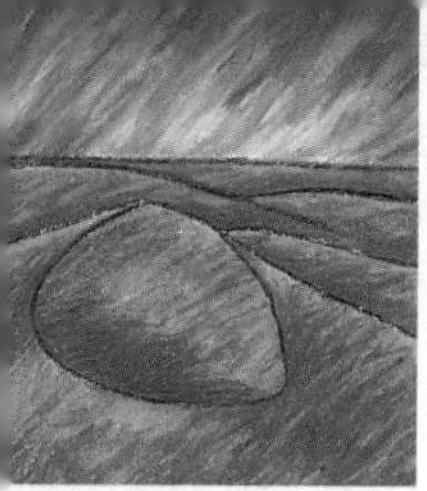

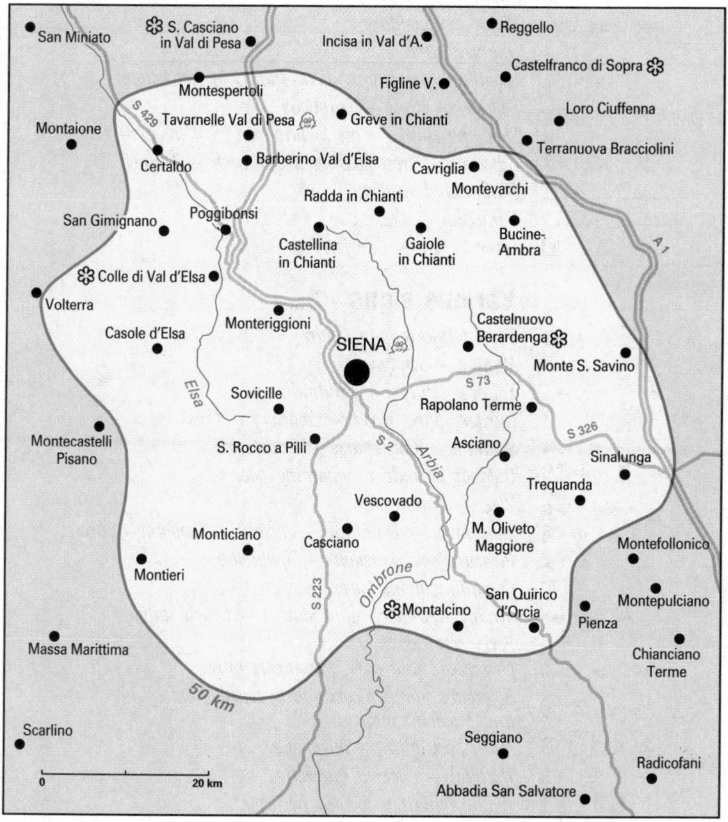

All local maps are located on the Atlas at the end of the Guide.

Town plans

- Hotels
- Restaurants

Sights

Place of interest and its main entrance
Interesting place of worship: cathedral, church or chapel

Roads

Motorway, dual carriageway
number of junction
Major thoroughfare
One-way street
Unsuitable for traffic, street subject to restrictions
Pedestrian street – Tramway
Pasteur — Shopping street – Low headroom (15 ft max) – Car park
Gateway – Street passing under arch – Tunnel
Station and railway
Funicular – Cable-car
Lever bridge – Car ferry

Various signs

Tourist Information Centre
Mosque – Synagogue
Tower – Ruins – Windmill
Garden, park, wood – Cemetery – Cross
Stadium – Golf course – Racecourse
Outdoor or indoor swimming pool
View – Panorama
Monument – Fountain – Factory – Shopping centre
Pleasure boat harbour – Lighthouse
Communications tower
Airport – Underground station – Coach station
Ferry services:
passengers and cars, passengers only
Reference number common to town plans and Michelin maps
Main post office – Telephone
Hospital – Covered market
Public buildings located by letter:
P H - Prefecture – Town Hall
J - Law Courts
M T - Museum – Theatre
U - University
POL. - Police (in large towns police headquarters)
A.C.I. Italian Automobile Club

I vini e le vivande

E' impossibile parlare di una cucina nazionale italiana, ma, in compenso, esiste una ricchissima cucina regionale. Per agevolare la vostra scelta, nella cartina che segue, abbiamo indicato accanto ad ogni regione i piatti piu rinomati, di piu facile reperibilità ed i vini più conosciuti ; lasciamo ai ristoratori il piacere di illustrarvene le caratteristiche. Cibi e vini di una stessa regione costituiscono spesso un buon connubio.

Les vins et les mets

L'Italie possède une cuisine régionale riche et variée. Partout, il vous sera possible d'apprécier les spécialités locales et les restaurateurs auront plaisir à vous en expliquer les originalités. Les cartes qui suivent indiquent, dans chaque région, les vins et les mets les plus connus. Les vins et les mets d'une même région s'associent souvent avec succès.

Food and wine

Italy's cuisine is rich and varied in its regional specialities, which can be enjoyed throughout the country. Restaurateurs will take pleasure in describing each more fully to you. The following maps give an indication of the most well-known dishes and wines in each region. Food and wine from the same region often complement each other perfectly.

Weine und Gerichte

Italien besitzt eine sehr variationsreiche Regionalküche. Es ist überal möglich die vielfalt der regionalen Spezialitäten zu geniessen. Gerne werden die Restaurantbesitzer Ihnen die einzelnen Spezialitäten erklären. Die nachfolgende Karte nennt Ihnen die wichtigsten Gerichte un Weine der einzelnen Regionen. Die Weine und die Gerichte einer Region sind allgemeinen harmonisch aufeinander abgestimmt.

Vini per regione	**Vins par région**	**Régional wines**	**Regiognale Weine**
Bianco	*Blanc*	*White*	*Weißweine*
Rosso o rosato	*Rouge ou rosé*	*Red or rosé*	*Rot-oder Roséweine*
Dessert	*De dessert*	*Sweet*	*Dessertweine*
*Spumante**	*Petillant**	*Sparkling**	*Schaumweine**

Specialità per regione	**Spécialités par région**	**Regional specialities**	**Regiognale Spezialitäten**
Primi piatti	*Entrées*	*Appetizers*	*Vorspeisen*
Piatti di carne	*Plats de viande*	*Meat dishes*	*Fleischgerichte*
Piatti di pesce	*Plats de poisson*	*Fish dishes*	*Fischgerichte*
Dolci	*Desserts*	*Desserts*	*Dessert*

LOMBARDIA
Franciacorta
Franciacorta
Franciacorta*
Riesling Italico
Oltrepò Pinot Nero*
Oltrepò Pavese Rosso
Valtellina Superiore
Casoncelli
Pizzoccheri
Risotto alla Milanese
Tortelli di zucca
Casoeûla
Cotoletta alla Milanese
Rostisciada
Trippa alla Milanese
VALLE D'AOSTA
Blanc de Morgex et de la Salle
Enfer d'Arvier
Chambave Moscato
Fonduta alla Valdostana
Carbonada
TRENTINO
ALTO
ADIGE
TRENTO
AOSTA
VALLE
D'AOSTA
LOMBARDIA
VERONA
MILANO
PIEMONTE
TORINO
EMILIA-ROMAGNA
BOLOGNA
LIGURIA
GENOVA
PIEMONTE
Arneis
Erbaluce di Caluso
Gavi
Barbaresco
Barolo
Barbera
Dolcetto
Freisa
Grignolino
Nebbiolo
Asti spumante*
Brachetto
Moscato d'Asti
Agnolotti
Bagna cauda
Bolliti
Fritto alla Piemontese
Bonet
EMILIA-ROMAGNA
Malvasia dei Colli Piacentini
Trebbiano di Romagna
Gutturnio
Lambrusco
Sangiovese
Albana Passito
Garganelli al ragù
Gramigna con salsiccia
Lasagne al forno
Passatelli romagnoli
Pisarei e Fasö
Tortellini
Anguilla arrosto
Cotoletta alla Bolognese
Petto d'anatra al Balsamico
Cotechino e zampone
FIRENZE
TOSCANA
LIGURIA
Vermentino
Pigato
Rossese di Dolceacqua
Sciacchetrà
Trofie al pesto
Pansotti alle noci
Buridda
Ciuppin
Cappon magro
Cima alla Genovese
TOSCANA
Bianco di Pitigliano
Montecarlo Bianco
Vernaccia di San Gimignano
Brunello di Montalcino
Carmignano
Chianti
Morellino di Scansano
Nobile di Montepulciano
Rosso di Montalcino
Vin Santo
Acquacotta
Pappardelle con la lepre
Pici
Ribollita
Testaroli al pesto
Cacciucco alla Livornese
Triglie alla Livornese
Costata alla Fiorentina
Rosticciana
Scottiglia di cinghiale
LAZIO
Est ! Est ! Est !
Frascati
Marino
Cesanese del Piglio
Bucatini all'Amatriciana
Fettuccine alla Romana
Gnocchi alla Romana
Abbacchio arrosto
Coda alla Vaccinara
Pagliata
Saltimbocca alla Roma

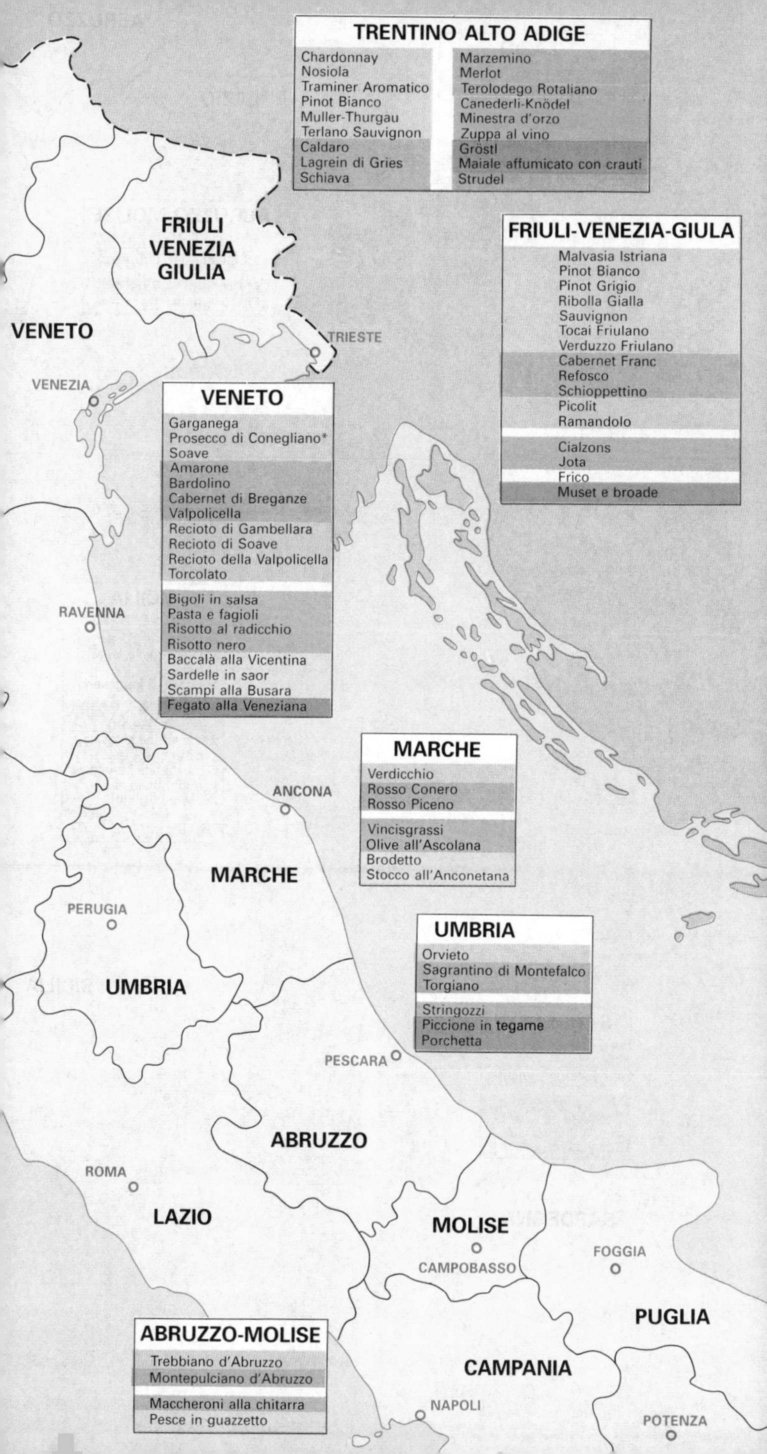

TRENTINO ALTO ADIGE
Chardonnay
Nosiola
Traminer Aromatico
Pinot Bianco
Muller-Thurgau
Terlano Sauvignon
Caldaro
Lagrein di Gries
Schiava
Marzemino
Merlot
Terolodego Rotaliano
Canederli-Knödel
Minestra d'orzo
Zuppa al vino
Gröstl
Maiale affumicato con crauti
Strudel
FRIULI VENEZIA GIULIA
VENETO
TRIESTE
VENEZIA
FRIULI-VENEZIA-GIULA
Malvasia Istriana
Pinot Bianco
Pinot Grigio
Ribolla Gialla
Sauvignon
Tocai Friulano
Verduzzo Friulano
Cabernet Franc
Refosco
Schioppettino
Picolit
Ramandolo
Cialzons
Jota
Frico
Muset e broade
VENETO
Garganega
Prosecco di Conegliano*
Soave
Amarone
Bardolino
Cabernet di Breganze
Valpolicella
Recioto di Gambellara
Recioto di Soave
Recioto della Valpolicella
Torcolato
Bigoli in salsa
Pasta e fagioli
Risotto al radicchio
Risotto nero
Baccalà alla Vicentina
Sardelle in saor
Scampi alla Busara
Fegato alla Veneziana
RAVENNA
MARCHE
Verdicchio
Rosso Conero
Rosso Piceno
Vincisgrassi
Olive all'Ascolana
Brodetto
Stocco all'Anconetana
ANCONA
MARCHE
PERUGIA
UMBRIA
Orvieto
Sagrantino di Montefalco
Torgiano
Stringozzi
Piccione in tegame
Porchetta
UMBRIA
PESCARA
ABRUZZO
ROMA
LAZIO
MOLISE
CAMPOBASSO
FOGGIA
PUGLIA
ABRUZZO-MOLISE
Trebbiano d'Abruzzo
Montepulciano d'Abruzzo
Maccheroni alla chitarra
Pesce in guazzetto
CAMPANIA
NAPOLI
POTENZA

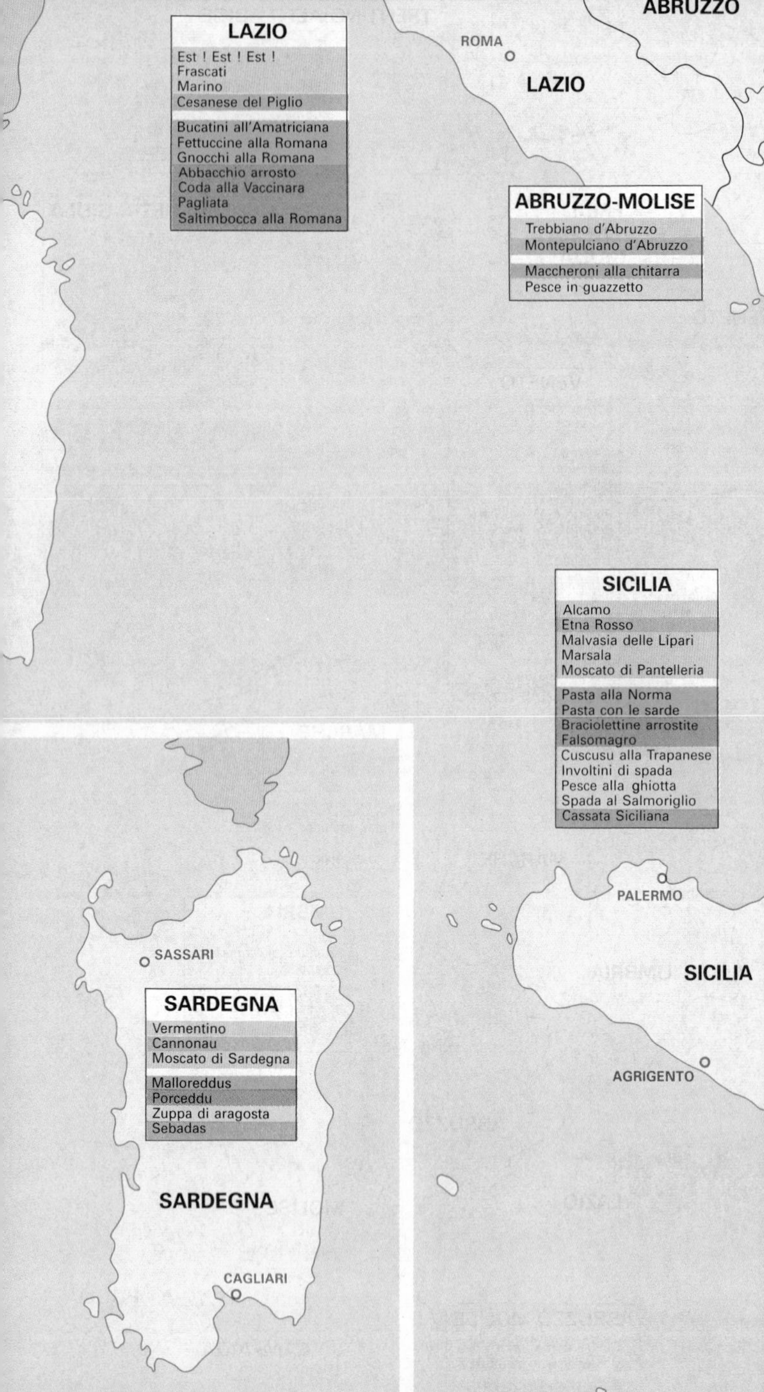

ABRUZZO
ROMA
LAZIO
LAZIO
Est ! Est ! Est !
Frascati
Marino
Cesanese del Piglio
Bucatini all'Amatriciana
Fettuccine alla Romana
Gnocchi alla Romana
Abbacchio arrosto
Coda alla Vaccinara
Pagliata
Saltimbocca alla Romana
ABRUZZO-MOLISE
Trebbiano d'Abruzzo
Montepulciano d'Abruzzo
Maccheroni alla chitarra
Pesce in guazzetto
SICILIA
Alcamo
Etna Rosso
Malvasia delle Lipari
Marsala
Moscato di Pantelleria
Pasta alla Norma
Pasta con le sarde
Braciolettine arrostite
Falsomagro
Cuscusu alla Trapanese
Involtini di spada
Pesce alla ghiotta
Spada al Salmoriglio
Cassata Siciliana
PALERMO
SICILIA
AGRIGENTO
SASSARI
SARDEGNA
Vermentino
Cannonau
Moscato di Sardegna
Malloreddus
Porceddu
Zuppa di aragosta
Sebadas
SARDEGNA
CAGLIARI

MOLISE
CAMPOBASSO
FOGGIA
PUGLIA
BARI
CAMPANIA
NAPOLI
POTENZA
BRINDISI
TARANTO
BASILICATA
CALABRIA
CROTONE
MESSINA
REGGIO DI CALABRIA
CATANIA
SIRACUSA
PUGLIA
Locorotondo
San Severo
Cacc'e mmitte
Castel del Monte Rosato
Salice Salentino
Moscato di Trani
Orecchiette con cime di rapa
Riso e cozze
Troccoli
Braciole alla Barese
Seppie ripiene
CAMPANIA
Fiano di Avellino
Greco Di Tufo
Ischia Bianco
Solopaca Rosso
Taurasi
Maccheroni alla Napoletana
Pizze e calzoni
Sartù di riso
Impepata di cozze
Polpetti affogati
Pastiera
BASILICATA
Aglianico del Vulture
Pasta alla Potentina
Strascinati al pomodoro
Marretto di agnello
CALABRIA
Cirò
Maccheroni ripieni
Capretto allo spiedo
Stocco alla Calabrese

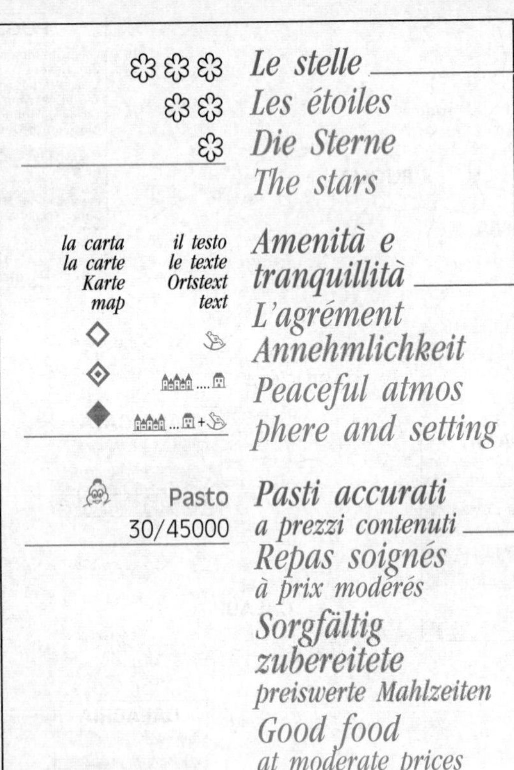

Le stelle
Les étoiles
Die Sterne
The stars
la carta
la carte
Karte
map
il testo
le texte
Ortstext
text
Amenità e tranquillità
L'agrément
Annehmlichkeit
Peaceful atmosphere and setting
Pasto
30/45000
Pasti accurati a prezzi contenuti
Repas soignés à prix modérés
Sorgfältig zubereitete preiswerte Mahlzeiten
Good food at moderate prices

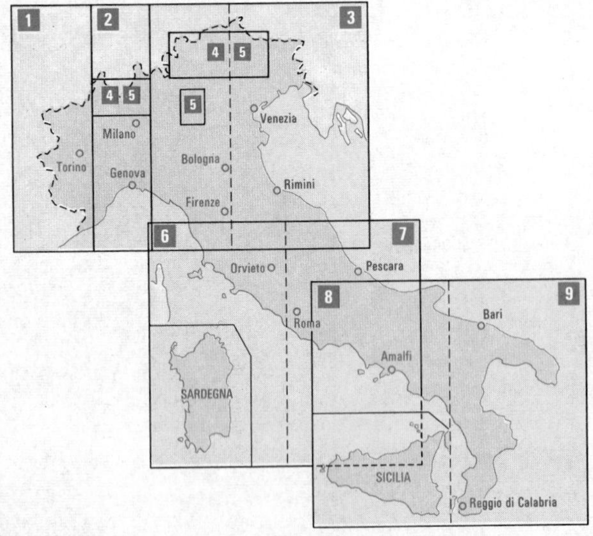

1
2
3
4
5
4
5
5
6
7
8
9
Torino
Milano
Genova
Venezia
Bologna
Firenze
Rimini
Orvieto
Pescara
Roma
Bari
Amalfi
SARDEGNA
SICILIA
Reggio di Calabria

1

La carta tematica raggruppa l'insieme delle risorse a lato ed indica le località che ne possiedono almeno una.

La carte regroupe l'ensemble de ces ressources, elle situe les localités possédant au moins l'une d'entre elles.

Jede Ortschaft auf der Karte besitzt mindestens ein Haus, das mit einem der nebenstehenden Symbole ausgezeichnet ist.

The map shows places with at least one of these special attributes.

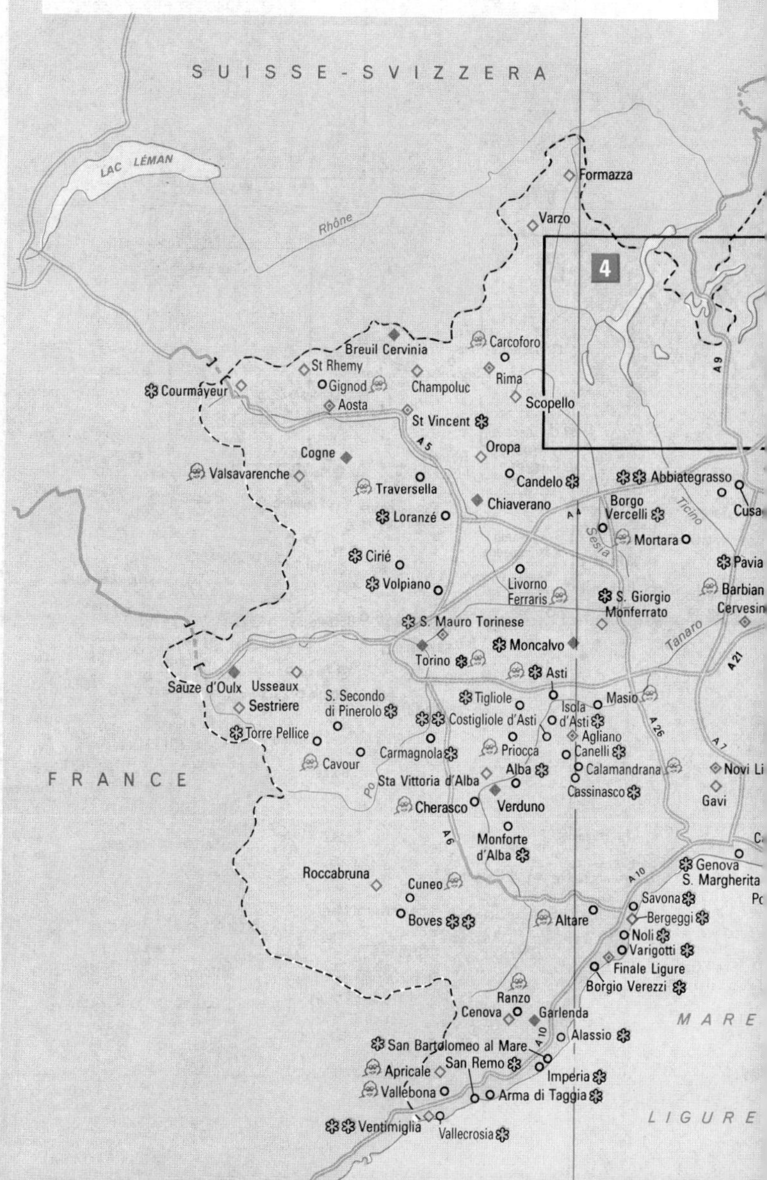

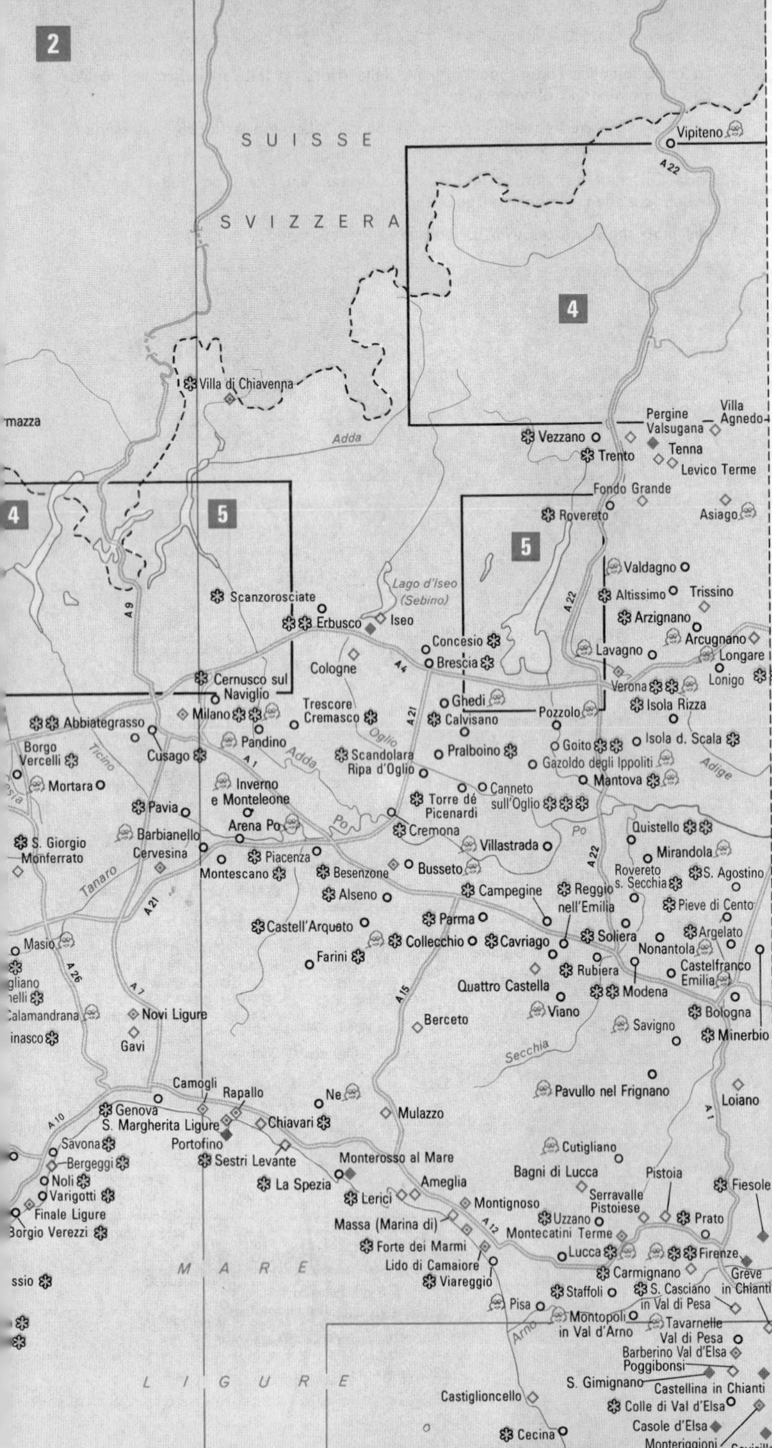
2
SUISSE
SVIZZERA
Vipiteno
A22
4
Villa di Chiavenna
Adda
Pergine Valsugana
Villa Agnedo
Vezzano
Tenna
Trento
Levico Terme
Fondo Grande
Asiago
4
5
Rovereto
5
Valdagno
Lago d'Iseo (Sebino)
Scanzorosciate
Altissimo
Trissino
Arzignano
Erbusco
Iseo
Arcugnano
Concesio
Lavagno
Longare
Cologne
Brescia
A4
Verona
Lonigo
Cernusco sul Naviglio
Trescore Cremasco
Ghedi
Pozzolo
Isola Rizza
Abbiategrasso
Milano
A21
Calvisano
Goito
Isola d. Scala
Borgo Vercelli
Cusago
Pandino
Oglio
Scandolara Ripa d'Oglio
Pralboino
Gazoldo degli Ippoliti
Adige
Ticino
A1
Adda
Mantova
Mortara
Inverno e Monteleone
Canneto sull'Oglio
Torre dé Picenardi
Pavia
Po
Quistello
Barbianello
Arena Po
Cremona
Mirandola
S. Giorgio Monferrato
Cervesina
Piacenza
Villastrada
Rovereto s. Secchia
S. Agostino
Montescano
Besenzone
Busseto
A22
Tanaro
Alseno
Campegine
Reggio nell'Emilia
Pieve di Cento
A21
Castell'Arquato
Parma
Argelato
Masio
Collecchio
Cavriago
Soliera
Nonantola
Farini
Rubiera
Castelfranco Emilia
A26
A7
A15
Quattro Castella
Modena
Calamandrana
Novi Ligure
Viano
Bologna
Berceto
Savigno
Gavi
Minerbio
Secchia
Camogli
Rapallo
Ne
Pavullo nel Frignano
Genova
Chiavari
Mulazzo
Loiano
A10
S. Margherita Ligure
A1
Savona
Portofino
Cutigliano
Bergeggi
Sestri Levante
Monterosso al Mare
Noli
La Spezia
Bagni di Lucca
Pistoia
Varigotti
Ameglia
Fiesole
Finale Ligure
Lerici
Serravalle Pistoiese
Montignoso
Uzzano
Prato
Borgio Verezzi
Massa (Marina di)
A12
Montecatini Terme
Forte dei Marmi
Lucca
Firenze
Lido di Camaiore
MARE
Carmignano
Greve in Chianti
Viareggio
Staffoli
S. Casciano in Val di Pesa
Pisa
Montopoli in Val d'Arno
Tavarnelle Val di Pesa
Arno
Barberino Val d'Elsa
Poggibonsi
LIGURE
S. Gimignano
Castellina in Chianti
Castiglioncello
Colle di Val d'Elsa
Casole d'Elsa
Cecina
Monteriggioni

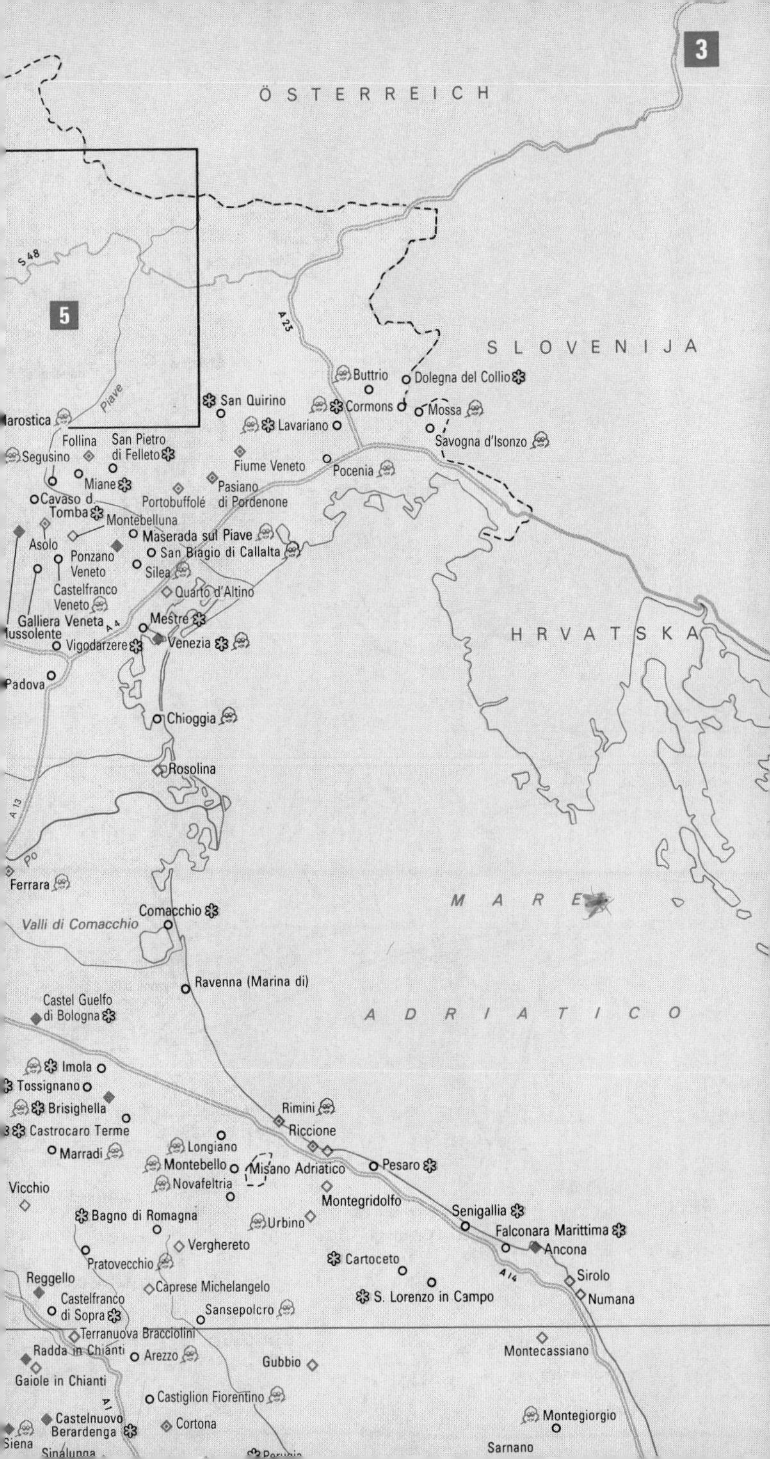

3
ÖSTERREICH
SLOVENIJA
HRVATSKA
MARE
ADRIATICO
5
S 48
A 23
A 4
A 13
A 14
A 1
Piave
Po
Buttrio
Dolegna del Collio
San Quirino
Cormons
Mossa
Lavariano
Savogna d'Isonzo
Marostica
Follina
San Pietro
di Felleto
Segusino
Fiume Veneto
Pocenia
Miane
Pasiano
di Pordenone
Portobuffolé
Cavaso d.
Tomba
Montebelluna
Maserada sul Piave
Asolo
San Biagio di Callalta
Ponzano
Veneto
Silea
Castelfranco
Veneto
Quarto d'Altino
Galliera Veneta
Mestre
Mussolente
Vigodarzere
Venezia
Padova
Chioggia
Rosolina
Ferrara
Comacchio
Valli di Comacchio
Ravenna (Marina di)
Castel Guelfo
di Bologna
Imola
Tossignano
Brisighella
Rimini
Castrocaro Terme
Riccione
Longiano
Marradi
Montebello
Misano Adriatico
Pesaro
Novafeltria
Vicchio
Montegridolfo
Senigallia
Bagno di Romagna
Urbino
Falconara Marittima
Verghereto
Ancona
Pratovecchio
Cartoceto
Sirolo
Reggello
Caprese Michelangelo
Castelfranco
di Sopra
S. Lorenzo in Campo
Numana
Sansepolcro
Terranuova Bracciolini
Montecassiano
Radda in Chianti
Arezzo
Gubbio
Gaiole in Chianti
Castiglion Fiorentino
Castelnuovo
Berardenga
Cortona
Montegiorgio
Siena
Sarnano

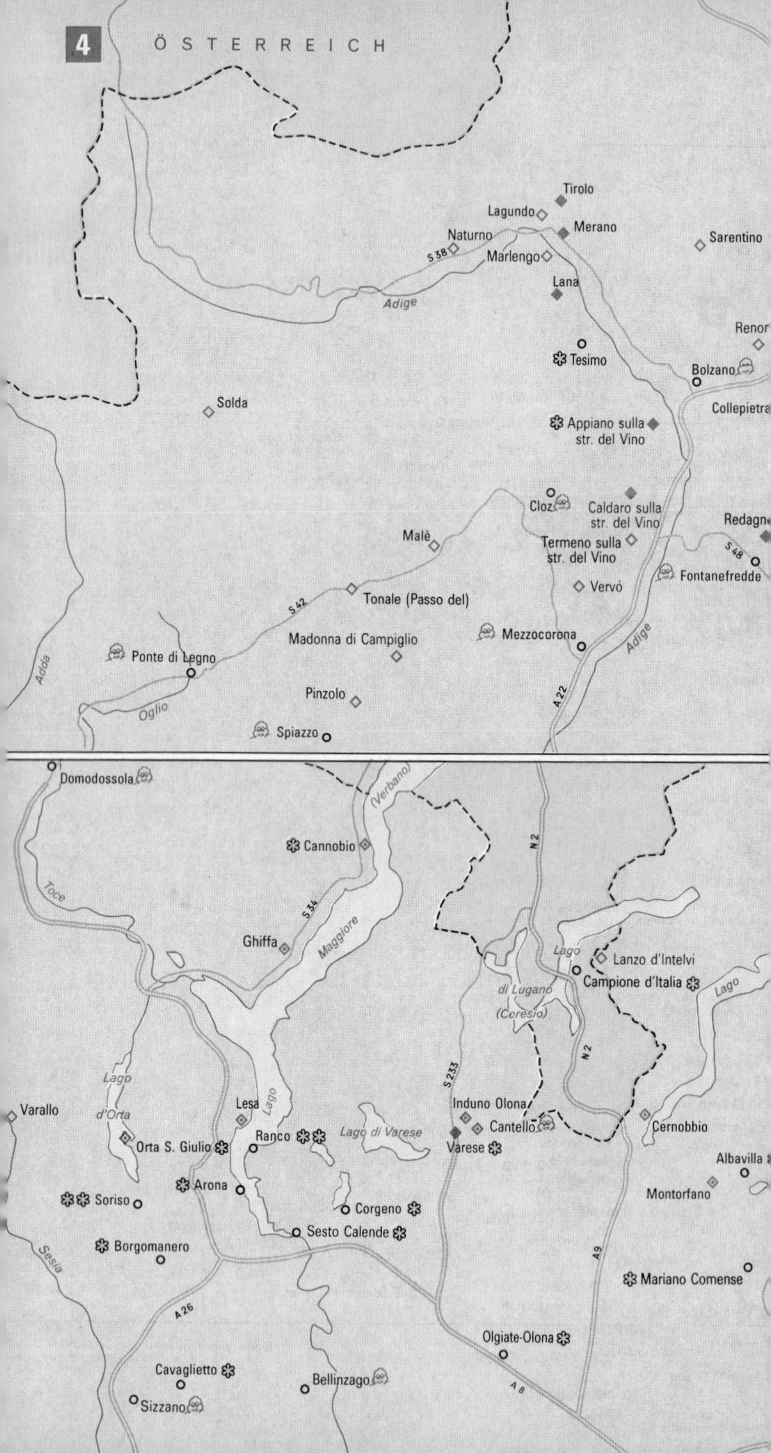
4
ÖSTERREICH
Tirolo
Lagundo
Merano
Naturno
Sarentino
S 38
Marlengo
Lana
Adige
Renon
Tesimo
Bolzano
Collepietra
Solda
Appiano sulla
str. del Vino
Cloz
Caldaro sulla
str. del Vino
Redagno
Malè
Termeno sulla
str. del Vino
S 48
Fontanefredde
Vervó
Tonale (Passo del)
S 42
Mezzocorona
Madonna di Campiglio
Adige
Ponte di Legno
Adda
A 22
Pinzolo
Oglio
Spiazzo
Domodossola
(Verbano)
Cannobio
N 2
Toce
S 34
Ghiffa
Maggiore
Lago
Lanzo d'Intelvi
Campione d'Italia
di Lugano
Lago
(Ceresio)
N 2
S 233
Lago
Lesa
Lago
Induno Olona
Varallo
d'Orta
Ranco
Lago di Varese
Cantello
Cernobbio
Orta S. Giulio
Varese
Albavilla
Arona
Montorfano
Soriso
Corgeno
Sesto Calende
Borgomanero
Sesia
A 9
Mariano Comense
A 26
Olgiate-Olona
Cavaglietto
Bellinzago
A 8
Sizzano

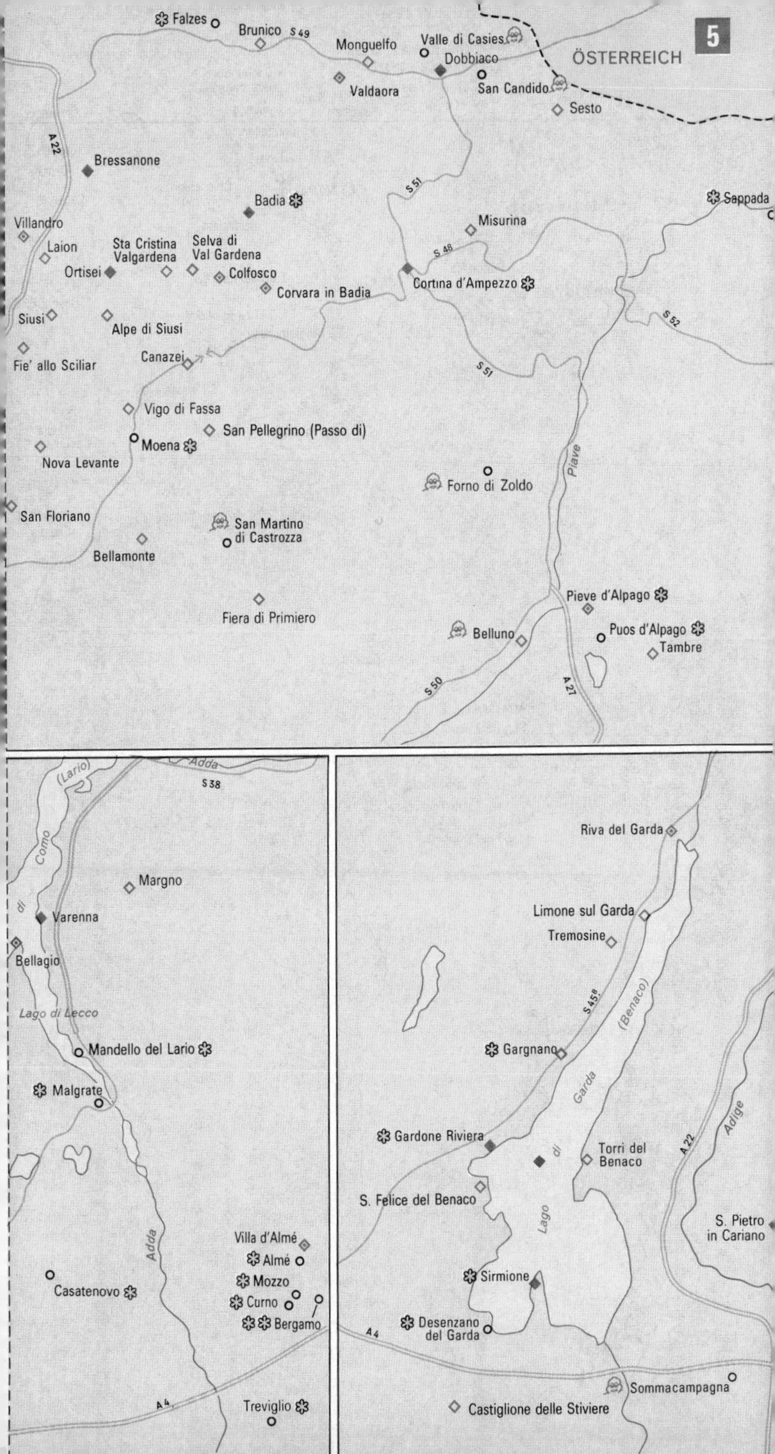

5
ÖSTERREICH
Falzes
Brunico
S 49
Monguelfo
Valle di Casies
Dobbiaco
Valdaora
San Candido
Sesto
A 22
Bressanone
S 51
Badia
Sappada
Villandro
Misurina
Laion
Sta Cristina
Valgardena
Selva di
Val Gardena
S 48
Ortisei
Colfosco
Corvara in Badia
Cortina d'Ampezzo
Siusi
Alpe di Siusi
S 52
Fie' allo Sciliar
Canazei
S 51
Vigo di Fassa
San Pellegrino (Passo di)
Moena
Nova Levante
Piave
Forno di Zoldo
San Floriano
San Martino
di Castrozza
Bellamonte
Pieve d'Alpago
Fiera di Primiero
Belluno
Puos d'Alpago
Tambre
S 50
A 27
(Lario)
Adda
S 38
Como
di
Margno
Varenna
Bellagio
Lago di Lecco
Mandello del Lario
Malgrate
Adda
Villa d'Almé
Almé
Mozzo
Casatenovo
Curno
Bergamo
A 4
Treviglio
Riva del Garda
Limone sul Garda
Tremosine
S 45
(Benaco)
Gargnano
Garda
Adige
Gardone Riviera
di
Torri del
Benaco
A 22
S. Felice del Benaco
Lago
S. Pietro
in Cariano
Sirmione
Desenzano
del Garda
A 4
Sommacampagna
Castiglione delle Stiviere

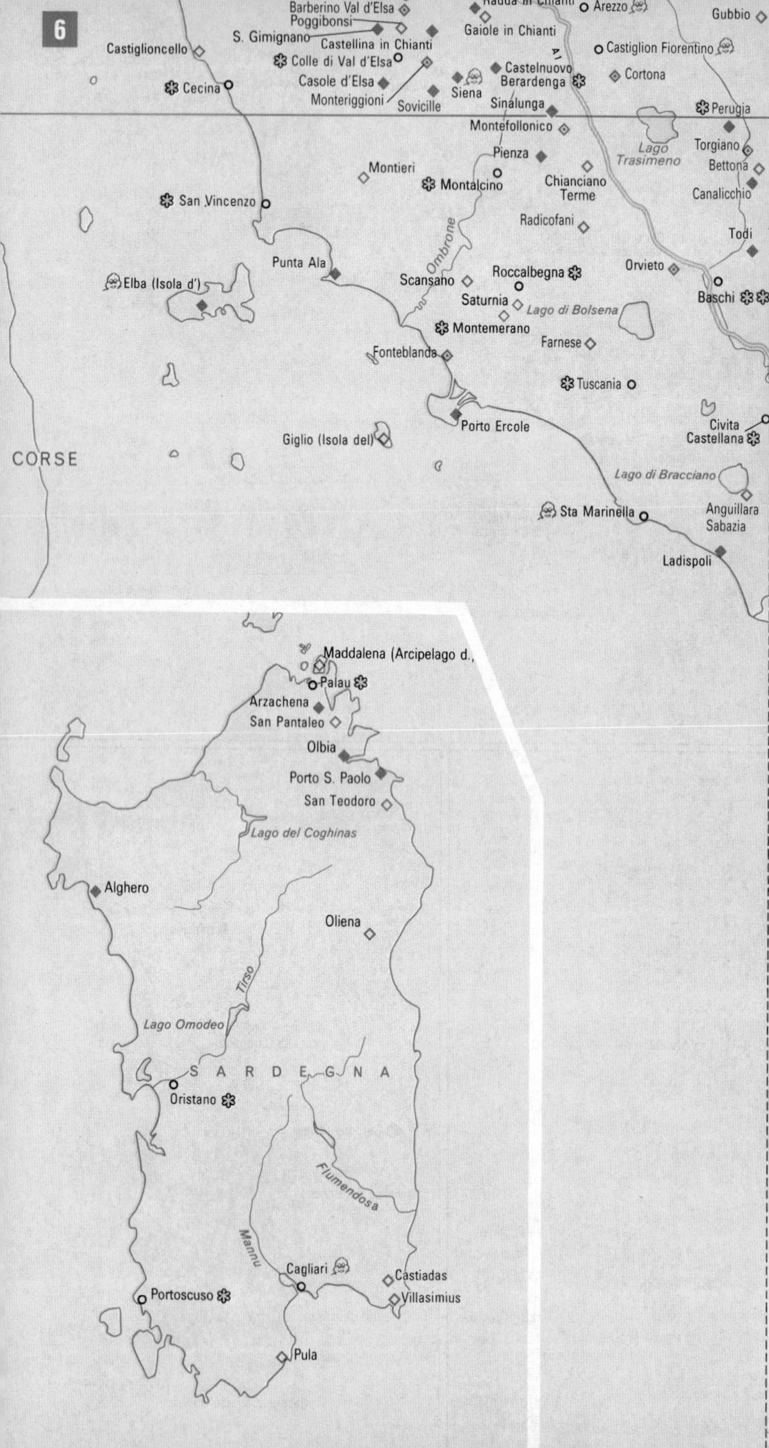

6
Barberino Val d'Elsa
Radda in Chianti
Arezzo
Gubbio
Poggibonsi
S. Gimignano
Castellina in Chianti
Gaiole in Chianti
Castiglioncello
Colle di Val d'Elsa
Castiglion Fiorentino
Castelnuovo Berardenga
Cortona
Casole d'Elsa
Siena
Cecina
Monteriggioni
Sovicille
Sinalunga
Perugia
Montefollonico
Lago Trasimeno
Torgiano
Pienza
Bettona
Montieri
Montalcino
Chianciano Terme
Canalicchio
San Vincenzo
Radicofani
Todi
Ombrone
Punta Ala
Orvieto
Roccalbegna
Elba (Isola d')
Scansano
Baschi
Saturnia
Lago di Bolsena
Montemerano
Farnese
Fonteblanda
Tuscania
Civita Castellana
Porto Ercole
Giglio (Isola del)
CORSE
Lago di Bracciano
Sta Marinella
Anguillara Sabazia
Ladispoli
Maddalena (Arcipelago d.)
Palau
Arzachena
San Pantaleo
Olbia
Porto S. Paolo
San Teodoro
Lago del Coghinas
Alghero
Oliena
Tirso
Lago Omodeo
S A R D E G N A
Oristano
Flumendosa
Mannu
Cagliari
Castiadas
Villasimius
Portoscuso
Pula

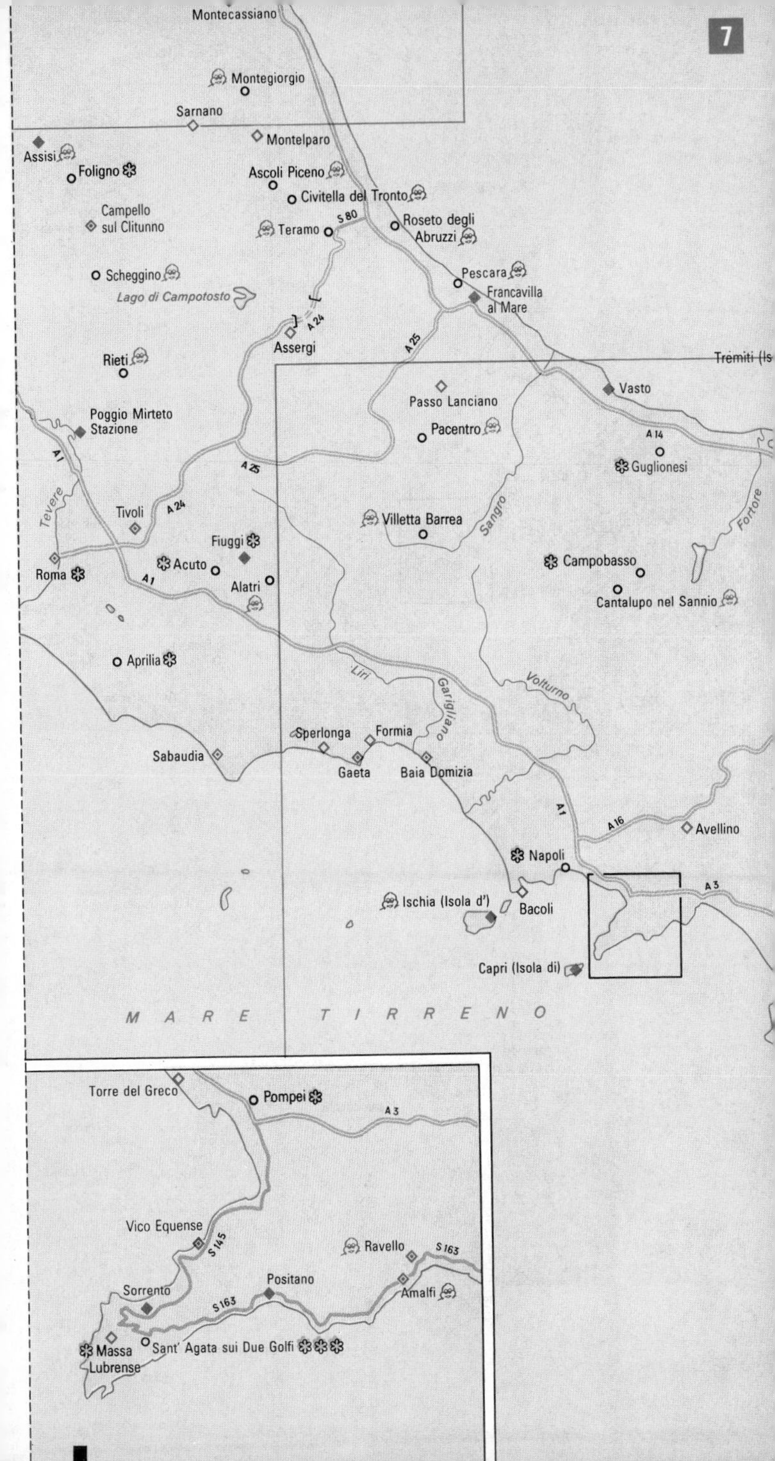
7
Montecassiano
Montegiorgio
Sarnano
Montelparo
Assisi
Foligno
Ascoli Piceno
Civitella del Tronto
Campello sul Clitunno
Teramo
S 80
Roseto degli Abruzzi
Scheggino
Lago di Campotosto
Pescara
Francavilla al Mare
A 24
Assergi
A 25
Tremiti (Is
Rieti
Passo Lanciano
Vasto
Poggio Mirteto Stazione
Pacentro
A 14
A 1
A 25
Guglionesi
Tevere
Tivoli
A 24
Villetta Barrea
Sangro
Fortore
Fiuggi
Roma
Acuto
Campobasso
A 1
Alatri
Cantalupo nel Sannio
Aprilia
Liri
Garigliano
Volturno
Sperlonga
Formia
Sabaudia
Gaeta
Baia Domizia
A 1
A 16
Avellino
Napoli
A 3
Ischia (Isola d')
Bacoli
Capri (Isola di)
MARE TIRRENO
Torre del Greco
Pompei
A 3
Vico Equense
S 145
Ravello
S 163
Positano
Sorrento
Amalfi
S 163
Massa Lubrense
Sant' Agata sui Due Golfi

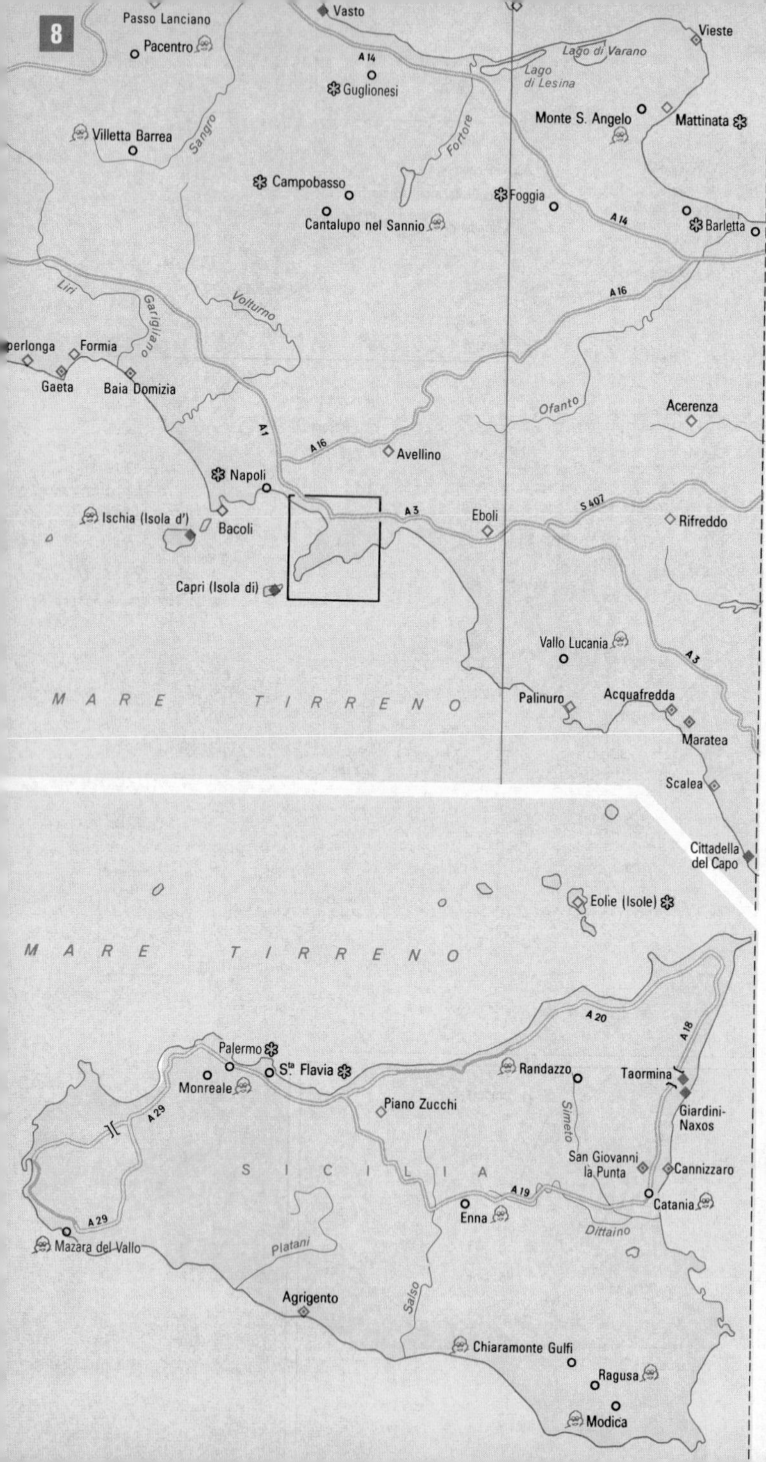
8
Passo Lanciano
Pacentro
Vasto
A 14
Guglionesi
Vieste
Lago di Varano
Lago di Lesina
Monte S. Angelo
Mattinata
Villetta Barrea
Sangro
Fortore
Campobasso
Cantalupo nel Sannio
Foggia
A 14
Barletta
Liri
Garigliano
Volturno
A 16
perlonga
Formia
Gaeta
Baia Domizia
Ofanto
Acerenza
A 1
A 16
Avellino
Napoli
Ischia (Isola d')
Bacoli
A 3
Eboli
S 407
Rifreddo
Capri (Isola di)
Vallo Lucania
A 3
M A R E T I R R E N O
Palinuro
Acquafredda
Maratea
Scalea
Cittadella del Capo
Eolie (Isole)
M A R E T I R R E N O
A 20
A 18
Palermo
Sta Flavia
Randazzo
Taormina
Monreale
A 29
Piano Zucchi
Giardini-Naxos
Simeto
S I C I L I A
San Giovanni la Punta
Cannizzaro
A 19
Catania
Enna
A 29
Dittaino
Mazara del Vallo
Platani
Agrigento
Salso
Chiaramonte Gulfi
Ragusa
Modica

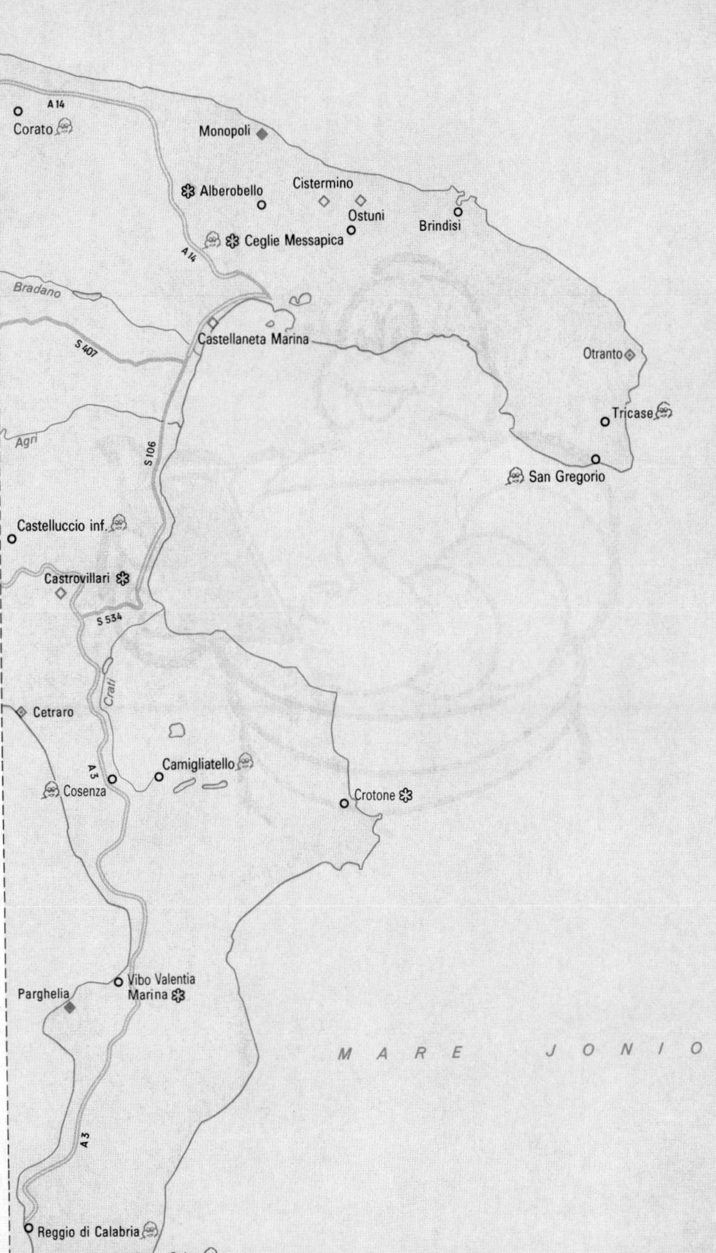
MARE ADRIATICO
A 14
Corato
Monopoli
Alberobello
Cistermino
Ostuni
Brindisi
Ceglie Messapica
A 14
Bradano
Castellaneta Marina
S 407
Otranto
Tricase
Agri
S 106
San Gregorio
Castelluccio inf.
Castrovillari
S 534
Crati
Cetraro
Camigliatello
A 3
Cosenza
Crotone
Vibo Valentia
Marina
Parghelia
MARE JONIO
A 3
Reggio di Calabria
Melito di Porto Salvo

Località

Localités

Ortsverzeichnis

Places

ABANO TERME *35031 Padova* 988 ⑤, 429 F 17 *G. Italia – 18 192 ab. alt. 14 – Stazione termale a.s. aprile-ottobre e Natale – 049.*

via Pietro d'Abano 18 ✆ 8669055, Telex 431417, Fax 8669053.

Roma 485 ③ – Padova 11 ① – Ferrara 69 ③ – Milano 246 ① – Rovigo 35 ③ – Venezia 56 ① – Vicenza 44 ①.

Pianta pagina seguente

Bristol Buja, via Monteortone 2 ✆ 8669390, Telex 430210, Fax 667910, « Giardino-pineta con riscaldata », – 100. AE. VISA rist AY g
chiuso dal 24 novembre al 21 dicembre – **Pasto** 50/60000 – 19000 – **116 cam** 145/220000, 25 appartamenti – ½ P 140/200000.

President, via Montirone 31 ✆ 8668288, Fax 667909, termale, – . AE. VISA. rist AY t
Pasto 55/65000 – 15000 – **114 cam** 145/240000, 5 appartamenti – ½ P 185/195000.

Trieste e Victoria, via Pietro d'Abano 1 ✆ 8669101, Telex 430250, Fax 8669779, « Parco-giardino con termale », – . AE. VISA. rist AZ v
13 marzo-20 novembre – **Pasto** carta 60/90000 – **113 cam** 195/280000, 15 appartamenti – ½ P 160/220000.

La Residence, via Monte Ceva 8 ✆ 8668333, Fax 8668396, « Giardino ombreggiato con termale e », – – 40. AE. VISA. AY d
marzo-15 novembre – **Pasto** 30/60000 – 18000 – **103 cam** 175/230000, 3 appartamenti – ½ P 150/205000.

Due Torri, via Pietro d'Abano 18 ✆ 8669277, Fax 8669927, « Giardino-pineta », termale, – . AE. VISA. rist AZ b
chiuso dall'8 gennaio al 14 marzo – **Pasto** 50000 – 15000 – **77 cam** 100/150000, 3 appartamenti – ½ P 135/155000.

Ritz, via Monteortone 19 ✆ 8669990, Fax 667549, termale, – – 80. AE. VISA. AY f
Pasto 50/55000 – **147 cam** 145/240000, 2 appartamenti – ½ P 165/210000.

Savoia, via Pietro d'Abano 49 ✆ 667111, Fax 779080, « Parco-giardino », termale, – – 100. AE. VISA. rist AZ q
chiuso dal 7 gennaio al 12 marzo – **Pasto** carta 65/80000 – 20000 – **170 cam** 175/215000, 6 appartamenti – ½ P 160/180000.

Metropole, via Valerio Flacco 99 ✆ 8600777, Telex 431509, Fax 8600935, « Giardino con termale e minigolf », – . AE. VISA. BZ n
chiuso dal 6 gennaio al 5 marzo – **Pasto** 55/75000 – **145 cam** 140/210000, 6000 – ½ P 125/200000.

Mioni Pezzato, via Marzia 34 ✆ 8668377, Fax 8669338, « Parco-giardino con termale », – . AE. VISA. rist AZ u
9 marzo-23 novembre – **Pasto** 50000 – **151 cam** 115/195000, 8 appartamenti – ½ P 125/135000.

Terme Astoria, piazza Cristoforo Colombo 1 ✆ 8601530, Fax 8600730, « Giardino con termale », – . AE. VISA. BZ m
chiuso dal 5 dicembre al 20 febbraio – **Pasto** 40000 – 18000 – **93 cam** 105/140000 – ½ P 110/125000.

Ariston Molino, via Augure 5 ✆ 8669061, Fax 8669153, « Giardino con termale », – – 60. AE. VISA. rist AZ n
marzo-novembre – **Pasto** 55000 – 18000 – **175 cam** 140/200000, 8000 – ½ P 115/145000.

Panoramic Hotel Plaza, piazza Repubblica 23 ✆ 8669333, Fax 8669379, – . AE. VISA. JCB. rist BY c
chiuso dal 10 gennaio a febbraio – **Pasto** 40/50000 – 12000 – **130 cam** 85/150000, 3 appartamenti, 8000 – ½ P 120/135000.

Harrys' Terme, via Marzia 50 ✆ 667011, Fax 8668500, « Grande giardino ombreggiato con termale », – . VISA. rist AZ a
15 febbraio-novembre – **Pasto** 40000 – 12000 – **66 cam** 95/145000, 6000 – ½ P 110/120000.

Smeraldo, via Flavio Busonera 174 ✆ 8669555, Fax 8669752, termale, – . AE. VISA. rist ABZ c
chiuso dal 6 gennaio al 7 febbraio e dal 23 novembre al 19 dicembre – **Pasto** (solo per alloggiati) 40/45000 – **132 cam** 120/190000, 9000 – ½ P 105/130000.

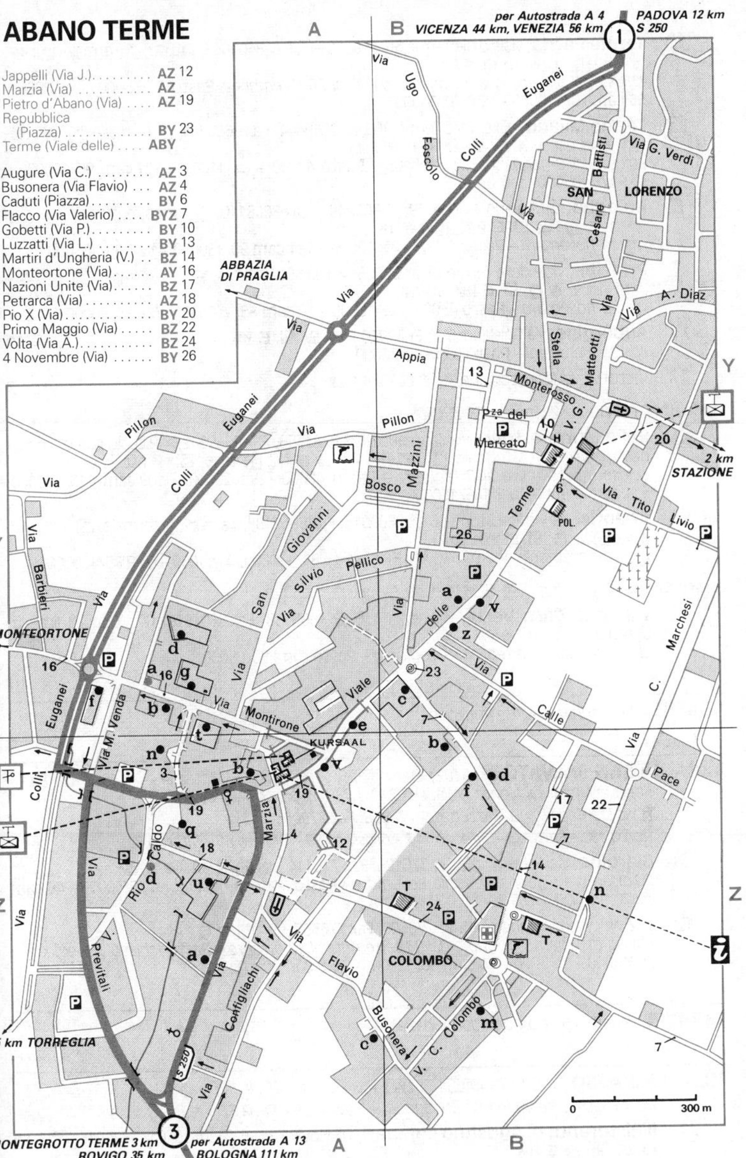

🏨 **Universal,** via Valerio Flacco 28 ✆ 8669349, Fax 8669772, termale, ▢, ▢, ▢ – ▢ BZ b
▤ rist ☎ Ⓟ. AE. Ⓢ. E VISA. ✻ rist
Pasto 45000 – ▭ 14000 – **114 cam** 100/155000 – 1/2 P 120/130000.

🏨 **Terme Columbia,** via Augure 15 ✆ 8669606, Fax 8669430, termale, ▢, ▢, ▢ – ▢ AY b
▤ ☎ Ⓟ. AE. Ⓢ. ◑ E VISA. ✻ rist
chiuso dal 6 gennaio al 28 febbraio e dal 30 novembre al 19 dicembre – **Pasto** (solo per alloggiati) 40/45000 – **108 cam** ▭ 120/190000, ▤ 9000 – 1/2 P 105/125000.

Terme Patria, viale delle Terme 56 ✆ 8600644, Fax 8600635, termale, rist. rist BY a
chiuso dal 5 gennaio a febbraio e dal 1° al 20 dicembre – **Pasto** 30/35000 – 8000 – **95 cam** 70/110000 – ½ P 70/90000.

Terme Milano, viale delle Terme 169 ✆ 8669444, Fax 8630244, termale, rist. rist AY e
chiuso dall'8 gennaio al 23 febbraio – **Pasto** 40000 – 11000 – **101 cam** 95/160000 – ½ P 85/105000.

Bologna, via Valerio Flacco 29 ✆ 8669499, Fax 8668110, termale, rist. rist BZ d
marzo-novembre – **Pasto** 40000 – 12000 – **121 cam** 90/150000 – ½ P 95/105000.

Principe, viale delle Terme 87 ✆ 8600844, Fax 8601031, termale, rist. rist BY z
marzo-novembre – **Pasto** 45000 – 10000 – **70 cam** 85/130000 – ½ P 85/95000.

Aubergine, via Ghislandi 5 ✆ 8669910 – AZ d
chiuso mercoledì – **Pasto** carta 40/70000.

Victoria, via Monteortone 30 ✆ 667684 – AY a

a Monteortone *O : 2 km* AY – ✉ *35030 :*

Reve Monteortone, via Santuario 2 ✆ 8243555, Fax 8669042, « Piccolo parco Kinderheim », termale, rist. rist
chiuso da dicembre all'8 febbraio – **Pasto** 40000 – 20000 – **109 cam** 110/160000, 5 appartamenti – ½ P 145/160000.

Atlantic, via Monteortone 66 ✆ 8669015, Fax 8669188, termale,
marzo-novembre – **Pasto** 35000 – **56 cam** 85/120000, 11000 – ½ P 85/100000.

a Monterosso *O : 3 km* – ✉ *35031 Abano Terme :*

Trattoria Casa Vecia, via Appia 130 ✆ 8600138, Fax 8601859, Coperti limitati; prenotare –
chiuso lunedì e martedì a mezzogiorno – **Pasto** carta 50/85000.

ABASSE *Alessandria* – *Vedere Ponzone.*

ABBADIA SAN SALVATORE *53021 Siena* 988 ⑮ ㉕, 430 N 17 *G. Toscana* – *7 148 ab. alt. 825* – *Sport invernali : al Monte Amiata : 1 270/1 738 m 8,* – *0577.*

via Mentana 97-La Piazzetta ✆ 778608, Fax 779013.

Roma 181 – *Siena 73* – *Firenze 143* – *Grosseto 80* – *Orvieto 65* – *Viterbo 82.*

Giardino, via 1° Maggio 63 ✆ 778106, Fax 776444 –
20 dicembre-6 gennaio e aprile-novembre – **Pasto** *(Pasqua-novembre)* 25/30000 – **46 cam** 70/110000 – ½ P 70/110000.

K 2, via del Laghetto 15 ✆ 778609, Fax 776337,
chiuso dal 1° al 15 giugno e dal 20 settembre al 10 ottobre – **Pasto** *(chiuso giovedì)* carta 30/40000 – 7000 – **14 cam** 80/120000 – ½ P 80/100000.

ABBAZIA *Vedere nome proprio dell'abbazia.*

ABBIATEGRASSO *20081 Milano* 988 ③, 428 F 8 – *27 249 ab. alt. 120* – *02.*

Roma 590 – *Alessandria 80* – *Milano 24* – *Novara 29* – *Pavia 33.*

Il Ristorante di Agostino Campari, via Novara 81 ✆ 9420329, Fax 9421216,
chiuso lunedì e dal 16 al 31 agosto – **Pasto** cucina lombarda carta 40/65000.

Da Nico il Tarantino, via Dante 140 ✆ 94966498 –

a Cassinetta di Lugagnano *N : 3 km* – ✉ *20081 :*

Antica Osteria del Ponte, ✆ 9420034, Fax 9420610, Coperti limitati; prenotare –
chiuso domenica, lunedì, dal 25 dicembre al 12 gennaio ed agosto – **Pasto** 75000 (a mezzogiorno) 150000 (alla sera) e carta 100/185000
Spec. Tagliolini alla chitarra in ragoût di porcini (estate-autunno). Brandade di stoccafisso (inverno-estate). Crépinette di capretto alle mandorle (primavera).

ABETONE *51021 Pistoia* [988] ⑭, [428], [429], *430* J 14 *G. Toscana – 744 ab. alt. 1 388 – a.s. Pasqua, 29 luglio-agosto e Natale – Sport invernali : 1 318/1 892 m* 🚡 *3* ⛷ *17,* ⛷ *–* ☎ *0573.*

[i] *piazzale delle Piramidi* ☎ *60231, Fax 60232.*

Roma 361 – Pisa 85 – Bologna 109 – Firenze 90 – Lucca 65 – Milano 271 – Modena 96 – Pistoia 51.

🏨 **Regina,** ☎ 60007, Fax 60257, ← – |☰| [TV] ☎ 🚗 [P]. [AE]. [S]. ● E [VISA]. ✗ rist
20 dicembre-6 aprile e 28 giugno-14 settembre – **Pasto** carta 40/55000 – ☕ 12000 – **25 cam** 130/160000 – 1/2 P 110/130000.

🍴🍴 **Da Pierone,** via Brennero 556 ☎ 60068, ← – [AE]. [S]. ● E [VISA]. ✗
chiuso dal 15 al 30 giugno, dal 10 al 30 ottobre e giovedì (escluso dal 23 dicembre al 2 gennaio e dal 15 luglio a settembre) – **Pasto** carta 35/55000 (10 %).

a Le Regine *SE : 2,5 km –* ✉ *51020 :*

🏨 **Da Tosca,** via Brennero 85 ☎ 60317, Fax 60317, ← – [P]. [S]. ● [VISA]. ✗
20 dicembre-20 aprile e luglio-15 settembre – **Pasto** carta 30/40000 – ☕ 10000 – **13 cam** 70/110000 – 1/2 P 70/90000.

ABRUZZI (Massiccio degli) *L'Aquila* [988] ㉗ *G. Italia.*

ABTEI = *Badia.*

ACERENZA *85011 Potenza* [431] E 29 – *3 042 ab. alt. 833 –* ☎ *0971.*

Roma 364 – Potenza 40 – Bari 120 – Foggia 98 – Napoli 186.

🏨 **Il Casone** 🐦, località Bosco San Giuliano NO : 6 km ☎ 741141, Fax 741039, ✗ – ☰ [TV] ☎ ♿ [P]. [S]. E [VISA]. ✗
Pasto carta 30/50000 – **18 cam** ☕ 60/110000.

ACI CASTELLO *Catania* [988] ㊲, [432] O 27 – *Vedere Sicilia alla fine dell'elenco alfabetico.*

ACILIA *00125 Roma* [430] Q 19 – *alt. 50 –* ☎ *06.*

Roma 18 – Anzio 45 – Civitavecchia 65.

🍴🍴 **Cavalieri del Buongusto,** via di Acilia 172 ☎ 52353889 – [AE]. [S]. E [VISA]. ✗
chiuso a mezzogiorno – **Pasto** carta 45/65000.

ACIREALE *Catania* [988] ㊲, [432] O 27 – *Vedere Sicilia alla fine dell'elenco alfabetico.*

ACI TREZZA *Catania* [988] ㊲, [432] O 27 – *Vedere Sicilia (Aci Castello) alla fine dell'elenco alfabetico.*

ACQUAFREDDA *Potenza* [431] G 29 – *Vedere Maratea.*

ACQUAPARTITA *Forlì-Cesena – Vedere Bagno di Romagna.*

ACQUARIA *Modena* [430] J 14 – *Vedere Montecreto.*

ACQUASPARTA *05021 Terni* [988] ㉖, [430] N 19 – *4 411 ab. alt. 320 –* ☎ *0744.*

Roma 111 – Terni 22 – Orvieto 61 – Perugia 61 – Spoleto 24 – Viterbo 70.

🏨 **Villa Stella** senza rist, ☎ 930758, Fax 930063, 🌳 – [TV] ☎ [P]. [S]. E [VISA]. ✗
aprile-settembre – ☕ 5000 – **10 cam** 60/85000.

🏨 **Martini,** ☎ 943696, Fax 943696 – [TV] ☎ [P]. [AE]. [S]. ● E [VISA]
Pasto 25/55000 e al Rist. ***Taverna da Franz*** *(chiuso martedì da ottobre a giugno)* carta 25/50000 – ☕ 8000 – **19 cam** 55/80000 – 1/2 P 75000.

ACQUAVIVA *Livorno – Vedere Elba (Isola d') : Portoferraio.*

ACQUAVIVA PICENA *63030 Ascoli Piceno* [430] N 23 – *3 225 ab. alt. 360 –* ☎ *0735.*

Roma 239 – Ascoli Piceno 47 – Ancona 96 – Macerata 76 – Pescara 75 – Teramo 57.

🏨 **Abbadetta** 🐦, ☎ 764041, Fax 764945, ← campagna e mare, « Terrazze-giardino con 🏊 », ✗ – |☰| ☎ [P]. [S]. ✗ rist
15 maggio-settembre – **Pasto** 25/35000 – **50 cam** ☕ 70/110000 – 1/2 P 100/110000.

ACQUI TERME *15011 Alessandria 988 ⑫ ⑬, 428 H 7 – 20 017 ab. alt. 164 – Stazione termale – ☎ 0144.*
corso Bagni 8 ✆ 322142, Fax 322143.
Roma 573 – Alessandria 35 – Genova 74 – Asti 47 – Milano 130 – Savona 59 – Torino 106.

La Schiavia, vicolo della Schiavia ✆ 55939, solo su prenotazione

Parisio 1933, via Cesare Battisti 7 ✆ 57034 – AE. 🅂. E VISA
chiuso lunedì, dal 24 dicembre al 10 gennaio e dal 25 luglio al 9 agosto – **Pasto** carta 35/65000.

Carlo Parisio, via Mazzini 14 ✆ 56650, prenotare – AE. 🅂. ⓓ E VISA.
chiuso lunedì e dal 1º al 20 agosto – **Pasto** carta 35/65000.

San Marco, via Chione 5 ✆ 322456 – Ⓟ
chiuso gennaio, dal 1º al 14 luglio e lunedì in dicembre – **Pasto** carta 30/50000.

ACRI *87041 Cosenza 988 ㊴, 431 I 31 – 22 295 ab. alt. 700 – ☎ 0984.*
Roma 560 – Cosenza 44 – Taranto 168.

Panoramik senza rist, via Seggio 38/E ✆ 954885, Fax 941618 – ⎮ TV ☎ Ⓟ. 🅂. E VISA.
5000 – **24 cam** 50/70000.

Panoramik, via Seggio 87/90 ✆ 941551, Fax 941258 – Ⓟ. AE. 🅂. E VISA.
chiuso venerdì – **Pasto** carta 25/40000.

ACUTO *03010 Frosinone 430 Q 21 – 1 898 ab. alt. 724 – ☎ 0775.*
Roma 77 – Frosinone 36 – Avezzano 99 – Latina 87 – Napoli 180.

Colline Ciociare, via Prenestina 27 ✆ 56049, Fax 56049, ←, Coperti limitati; prenotare – AE. 🅂. ⓓ E.
chiuso lunedì, martedì a mezzogiorno e dal 10 al 20 ottobre – **Pasto** 75000 e carta 55/95000
Spec. Baccalà marinato con mentuccia e porcini (estate). Lasagnetta croccante di ricotta con tartufo nero e porri (inverno). Agnello farcito di bietole, alici e scorza di arancia (primavera).

ADRIA *45011 Rovigo 988 ⑮, 429 G 18 – 20 857 ab. – ☎ 0426.*
piazza Bocchi 6 ✆ 42554, Fax 42458.
Roma 478 – Padova 60 – Chioggia 33 – Ferrara 55 – Milano 290 – Rovigo 22 – Venezia 64.

Molteni con cam, via Ruzzina 2 ✆ 42520, Fax 42520, – TV ☎. 🅂. E VISA.
Pasto *(chiuso sabato e dal 23 dicembre al 6 gennaio)* carta 40/65000 – 10000 – **8 cam** 80/120000, appartamento.

AGLIANO *14041 Asti 428 H 6 – 1 743 ab. alt. 262 – ☎ 0141.*
Roma 603 – Alessandria 43 – Asti 19 – Milano 139 – Torino 79.

San Giacomo senza rist, via Arullani 4 ✆ 954178, ←, – TV ☎. AE. 🅂. ⓓ E VISA.
chiuso gennaio, febbraio ed agosto – **6 cam** 160/260000.

Fons Salutis, via alle Fonti 125 O : 2 km ✆ 954018, Fax 954554, , « Parco ombreggiato », , – TV ☎ Ⓟ. AE. 🅂. ⓓ E VISA.
chiuso dal 9 dicembre a gennaio – **Pasto** carta 35/60000 – 12000 – **30 cam** 85/110000 – ½ P 85/95000.

AGLIENTU *Sassari 433 D 9 – Vedere Sardegna alla fine dell'elenco alfabetico.*

AGNANO TERME *Napoli 431 E 24 – Vedere Napoli.*

AGNONE *86061 Isernia 988 ㉗, 430 Q 25, 431 B 25 – 6 068 ab. alt. 800 – ☎ 0865.*
Roma 220 – Campobasso 86 – Isernia 45.

Sammartino, largo Pietro Micca 44 ✆ 78239, Fax 78239 – ⎮ TV – 100. 🅂. E VISA.
Pasto carta 30/40000 – 5000 – **20 cam** 65/90000 – ½ P 70000.

Un conseil ***Michelin*** *:*
pour réussir vos voyages, préparez-les à l'avance.
Les ***cartes*** *et* ***guides Michelin,*** *vous donnent toutes indications utiles sur : itinéraires, visite des curiosités, logement, prix, etc.*

AGORDO *32021 Belluno* 988 ⑤, 429 D 18 – *4 380 ab. alt. 611* – ☎ *0437.*

Dintorni *Valle del Cordevole** NO per la strada S 203.*

via 4 Novembre 4 ☎ 62105.

Roma 646 – Belluno 32 – Cortina d'Ampezzo 59 – Bolzano 85 – Milano 338 – Venezia 135.

Erice, via 4 Novembre 13/b ☎ 65011 – TV ☎ P. AE VISA.
Pasto *(chiuso lunedì)* carta 40/60000 – ☕ 8000 – **15 cam** 80/120000 – 1/2 P 90000.

AGRATE BRIANZA *20041 Milano* 988 ③, 428 F 10 – *12 492 ab. alt. 162* – ☎ *039.*

Roma 587 – Milano 23 – Bergamo 31 – Brescia 77 – Monza 7.

Colleoni, via Cardano 2 ☎ 68371, Fax 654495 – TV ☎ P – 200. AE. E VISA. rist
Pasto *(chiuso sabato e domenica a mezzogiorno)* 50/55000 – ☕ 25000 – **146 cam** 225/265000, 8 appartamenti – 1/2 P 205/250000.

Hostaria la Carbonara, a Cascina Offelera SO : 3 km ☎ 651896, prenotare – P

AGRIGENTO P 988 ㊱, 432 P 22 – *Vedere Sicilia alla fine dell'elenco alfabetico.*

AGROPOLI *84043 Salerno* 988 ㉘ ㊳, 431 F 26 – *18 687 ab. – a.s. Pasqua e 15 giugno-15 settembre* – ☎ *0974.*

Dintorni *Rovine di Paestum*** N : 11 km.*

Roma 312 – Potenza 106 – Battipaglia 33 – Napoli 107 – Salerno 57 – Sapri 110.

Il Ceppo, SE : 1,5 km ☎ 843044, Fax 843108 – TV ☎ P. AE. E VISA.
Pasto vedere rist ***Il Ceppo*** – **4 cam** ☕ 70/100000, 6 appartamenti 160/180000, 15000 – 1/2 P 75/90000.

Serenella, ☎ 823333, Fax 825562, ← – rist TV ☎ P. E VISA. rist
Pasto carta 25/50000 (10%) – ☕ 10000 – **32 cam** 80/95000 – 1/2 P 70/85000.

Il Ceppo, SE : 1,5 km ☎ 843036, Rist. e pizzeria alla sera – P. AE. E VISA.
chiuso lunedì e dal 1° al 21 novembre – **Pasto** carta 30/60000 (10%).

Carola con cam, ☎ 826422, Fax 826425, « Servizio rist. estivo all'aperto » – ☎ P. AE. E VISA. cam
chiuso dall'8 gennaio all'8 febbraio – **Pasto** carta 40/55000 – ☕ 9000 – **34 cam** 65/85000 – 1/2 P 70/80000.

AGUGLIANO *60020 Ancona* 430 L 22 – *3 668 ab. alt. 203* – ☎ *071.*

Roma 279 – Ancona 16 – Macerata 44 – Pesaro 67.

Al Belvedere, piazza Vittorio Emanuele II 3 ☎ 907190, Fax 908008 – TV ☎ P – 60. E VISA.
Pasto *(chiuso mercoledì)* carta 30/45000 – ☕ 8000 – **18 cam** 60/80000 – 1/2 P 65000.

AHRNTAL = *Valle Aurina.*

AIELLI *67040 L'Aquila* 430 P 22 – *1 499 ab. alt. 1030* – ☎ *0863.*

Roma 127 – L'Aquila 69 – Avezzano 20 – Pescara 98 – Sulmona 43.

Al Castello, via Cipresso ☎ 78347, Fax 78347, « Caratteristiche decorazioni » – P. AE. E VISA
chiuso martedì, mercoledì e novembre – **Pasto** carta 30/40000.

ALA DI STURA *10070 Torino* 988 ⑫, 219 ⑫ – *510 ab. alt. 1075 – a.s. dicembre-aprile* – ☎ *0123.*

Roma 729 – Torino 44 – Balme 7,5 – Milano 177 – Vercelli 117.

Raggio di Sole, via Ceres 7 ☎ 55191, Fax 55313, ← – ☎ P. E VISA
chiuso ottobre – **Pasto** *(chiuso giovedì)* carta 35/50000 – ☕ 10000 – **28 cam** 60/120000 – 1/2 P 95000.

ALANNO *65020 Pescara* 430 P 23 – *3 786 ab. alt. 295* – ☎ *085.*

Roma 188 – Pescara 37 – L'Aquila 84.

Villa Alessandra con cam, via Circonterranea 51 ☎ 8573108, Fax 8573687 – TV ☎ P. AE. E VISA.
Pasto *(chiuso martedì e novembre)* carta 35/50000 – ☕ 8000 – **6 cam** 80/110000 – 1/2 P 70/90000.

ALASSIO *17021 Savona* 988 ⑫, 428 J 6 – *11 512 ab.* – ☎ *0182.*

Garlenda (chiuso mercoledì escluso luglio-agosto) a Garlenda ✉ 17030 ☎ 580012, Fax 580561, NO : 17 km Y.

via Gibb 26 ☎ 640346, Fax 644690.

Roma 597 ① – Imperia 23 ② – Cuneo 117 ① – Genova 98 ① – Milano 221 ① – San Remo 47 ② – Savona 52 ① – Torino 160 ①.

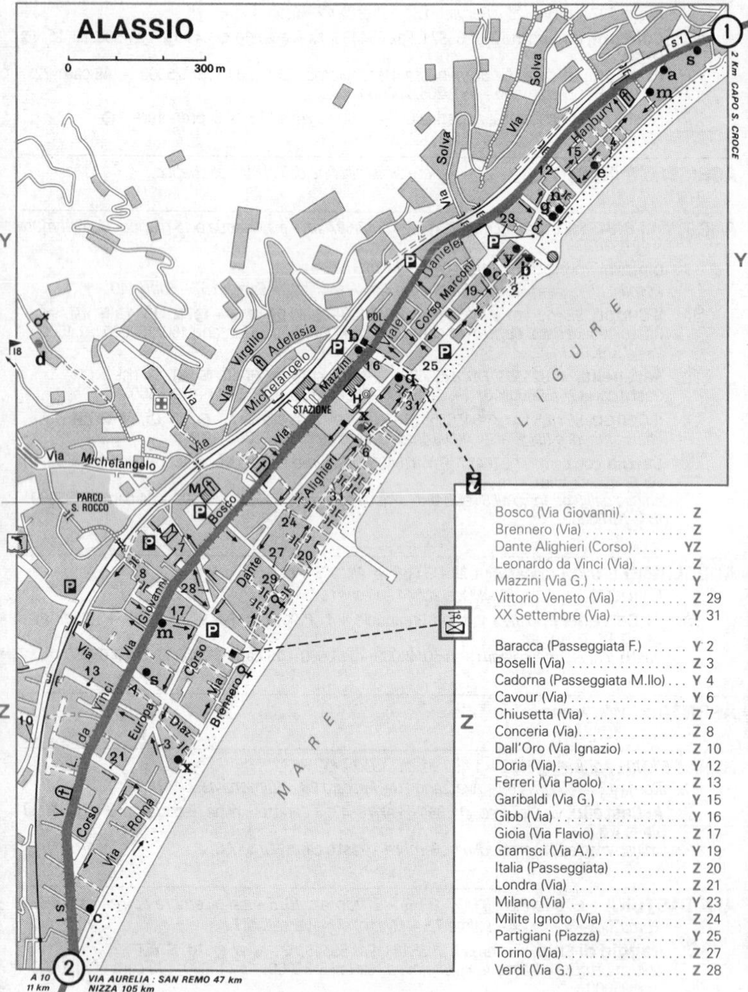

Gd H. Diana, via Garibaldi 110 ☎ 642701, Fax 640304, ←, «Terrazza-giardino ombreggiata», – 90. – rist
chiuso dal 10 gennaio al 10 febbraio e dal 23 novembre al 23 dicembre – **Pasto** carta 55/85000 e al Rist. ***A' Marina*** *(Pasqua-15 ottobre; chiuso la sera escluso luglio-agosto)* 35/50000 bc – **52 cam** 240/330000 – ½ P 110/295000. Y a

Spiaggia, via Roma 78 ☎ 643403, Fax 640279, ≤, « in terrazza panoramica », – ▤ TV ☎ ♿ – 50. AE. E VISA. ✻ rist Z c
chiuso dal 3 novembre al 7 dicembre – **Pasto** 50/60000 – **89 cam** ☕ 170/305000 – ½ P 120/200000.

Savoia, via Milano 14 ☎ 640277, Fax 640125, ≤, – ▤ TV ☎. AE. E VISA. JCB. ✻ rist Y b
Pasto 35/45000 – ☕ 15000 – **35 cam** 170/190000 – ½ P 140/165000.

Regina, viale Hanbury 220 ☎ 640215, Fax 660092, ≤, – TV ☎ ♿ P – 60. E VISA. ✻ rist Y s
15 marzo-ottobre – **Pasto** 30/45000 – **39 cam** ☕ 125/240000 – ½ P 85/160000.

Toscana, via Flavio Gioia 4 ☎ 640657, Fax 643146, – ▤ rist TV ☎ – 80. AE. E VISA. ✻ rist Z m
chiuso dal 15 ottobre al 19 dicembre – **Pasto** *(chiuso lunedì)* carta 35/45000 – **53 cam** ☕ 75/125000 – ½ P 70/90000.

Columbia, passeggiata Cadorna 12 ☎ 640329, Fax 642893, ≤, – TV ☎. E VISA. ✻
chiuso dal 21 ottobre al 20 dicembre – **Pasto** *(chiuso lunedì)* 35/45000 – ☕ 10000 – **26 cam** 95/180000 – ½ P 100/125000. Y n

Enrico, corso Dante 368 ☎ 640000, Fax 640075, – ▤ rist TV ☎. E VISA. ✻
chiuso da novembre al 15 dicembre – **Pasto** *(chiuso lunedì)* carta 40/75000 (10%) – ☕ 15000 – **32 cam** 85/120000 – ½ P 100/110000. Y q

Dei Fiori, viale Marconi 78 ☎ 640519, Fax 644116, – ▤ rist TV ☎ – 35. AE. E VISA. ✻ rist Y c
Pasto 35/40000 – ☕ 15000 – **63 cam** 100/150000 – ½ P 110/120000.

Beau Sejour, via Garibaldi 102 ☎ 640303, Fax 646391, ≤, « Servizio rist. estivo in terrazza », – TV ☎ P. AE. E VISA. ✻ rist Y m
Pasqua-ottobre – **Pasto** 55000 – **51 cam** ☕ 140/205000 – ½ P 150/180000.

Corso, via Diaz 28 ☎ 642494, Fax 642495 – TV ☎. AE. E VISA. ✻ rist Z s
chiuso dal 5 novembre al 23 dicembre – **Pasto** (solo per alloggiati) 30000 – ☕ 15000 – **45 cam** 100/130000 – ½ P 65/110000.

Lido, via 4 Novembre 9 ☎ 640158, Fax 660198, ≤, – ▤ TV ☎. E VISA. ✻ rist
aprile-ottobre – **Pasto** (solo per alloggiati) 55000 – **55 cam** ☕ 125/230000 – ½ P 85/170000. Y g

Lamberti, via Gramsci 57 ☎ 642747, Fax 642438 – ▤ TV ☎ P. AE. E VISA. ✻
chiuso dal 20 ottobre al 18 dicembre – **Pasto** 30/45000 – **25 cam** ☕ 100/180000 – ½ P 75/125000. Y y

Nuovo Suisse, via Mazzini 119 ☎ 640192, Fax 660267, – TV ☎. E VISA. ✻
chiuso dal 15 ottobre al 20 dicembre – **Pasto** 30/35000 – **49 cam** ☕ 90/145000 – ½ P 70/120000. Y b

Beau Rivage, via Roma 82 ☎ 640585, Fax 640585, ≤ – TV ☎ P. AE. E VISA. ✻
chiuso dal 2 novembre al 26 dicembre – **Pasto** (solo per alloggiati) 35/45000 – **20 cam** ☕ 110/210000 – ½ P 75/130000. Z c

Danio Lungomare, via Roma 23 ☎ 640683, Fax 640347, ≤, – TV ☎. AE. E VISA. ✻ Z x
chiuso dal 2 novembre al 26 dicembre – **Pasto** carta 30/60000 – ☕ 10000 – **27 cam** 75/140000 – ½ P 70/110000.

Eden, passeggiata Cadorna 20 ☎ 640281, Fax 643037, ≤, « Servizio rist. estivo in terrazza », – TV ☎. E VISA. ✻ rist Y d
Pasto (solo per alloggiati) 30/35000 – ☕ 8000 – **29 cam** 140/150000.

XXX ✿ **Palma,** via Cavour 5 ☎ 640314, Fax 640314, Coperti limitati; prenotare – AE. E VISA. ✻ Y x
chiuso dal 10 al 22 dicembre, dal 1° al 15 giugno, domenica sera-lunedì da ottobre a marzo, lunedì-martedì a mezzogiorno negli altri mesi – **Pasto** 95/140000
Spec. Noci di cappesante su canapè di foie gras d'anatra. Branzino ai carciofi (inverno). Millefoglie meringata al mascarpone e salsa al caramello.

ALATRI *03011 Frosinone* 988 ㉖, 430 Q 22 *G. Italia* – *26 637 ab. alt. 502* – ☎ *0775.*
Vedere *Acropoli★ : ≤★★ – Chiesa di Santa Maria Maggiore★.*
Roma 93 – Frosinone 14 – Avezzano 89 – Latina 65 – Rieti 125 – Sora 39.

X **La Rosetta** con cam, via Duomo 37 ☎ 434568 – TV. AE. E VISA. ✻
chiuso dal 5 al 30 novembre – **Pasto** *(chiuso martedì)* carta 30/45000 – ☕ 7000 – **10 cam** 45/80000 – ½ P 65/75000.

sulla strada statale 155 *S : 6,5 km :*

XX **Le Tre Stelle,** ✉ 03011 Alatri ☎ 407833, Fax 409048 – ▤ P – 160. AE. E VISA. JCB. ✻
chiuso lunedì – **Pasto** 35/60000.

ALBA *12051 Cuneo 988 ⑫, 428 H 6 G. Italia – 29 630 ab. alt. 172 – ☎ 0173.*

Dintorni *Strada panoramica★ delle Langhe verso Ceva.*

piazza Medford ☎ 35833, Fax 363878.

Roma 644 – Cuneo 64 – Torino 62 – Alessandria 65 – Asti 30 – Milano 155 – Savona 99.

I Castelli senza rist, corso Torino 14/1 ☎ 361978, Fax 361974, – 150. AE. 🅂. ① E VISA.
57 cam 140/180000, 3 appartamenti.

Savona, via Roma 1 ☎ 440440, Fax 364312 – – 150. AE. 🅂. ① E VISA.
Pasto *(chiuso martedì)* carta 40/65000 – 15000 – **100 cam** 85/120000, 5 appartamenti – 1/2 P 100/130000.

Motel Alba senza rist, corso Asti 5 ☎ 363251, Fax 362990, – – 150. AE. 🅂. ① E VISA
94 cam 100/140000.

Daniel's, corso Canale 28 (NO : 1 km) ☎ 441977, Fax 441977, – . AE. 🅂. ① E VISA
chiuso dal 27 dicembre al 6 gennaio, dal 27 luglio al 20 agosto e domenica (escluso da settembre a dicembre) – **Pasto** carta 50/70000.

Il Vicoletto, via Bertero 6 ☎ 363196, Fax 363196, Coperti limitati; prenotare – AE. 🅂. E VISA
chiuso lunedì e dal 15 luglio al 15 agosto – **Pasto** carta 55/75000
Spec. Insalata di carne cruda alla piemontese. Tagliolini ai porcini (autunno). Piccione al tartufo nero.

San Cassiano, località San Cassiano 6 SO : 2 km ☎ 281630, Fax 281630 – . AE. 🅂. E VISA
chiuso domenica sera e lunedì – **Pasto** carta 30/55000.

Porta San Martino, via Einaudi 5 ☎ 362335, Coperti limitati; prenotare

Osteria dell'Arco, piazza Savona 5 ☎ 363974, Coperti limitati; prenotare – . AE. 🅂. ① E VISA. JCB
chiuso domenica e lunedì a mezzogiorno (escluso dal 25 settembre al 25 novembre) – **Pasto** carta 35/50000.

ALBA *Trento 429 C 17 – Vedere Canazei.*

ALBA ADRIATICA *64011 Teramo 988 ⑰, 430 N 23 – 9 802 ab. – a.s. luglio-agosto – ☎ 0861.*

lungomare Marconi 1 ☎ 712426, Fax 713993.

Roma 219 – Ascoli Piceno 40 – Pescara 57 – Ancona 104 – L'Aquila 110 – Teramo 37.

Meripol, lungomare Marconi 390 ☎ 714744, Fax 752292, ←, – . AE. 🅂. ① E VISA. rist
aprile-settembre – **Pasto** (solo per alloggiati) – 15000 – **60 cam** 200/230000 – 1/2 P 65/180000.

Impero, lungomare Marconi 216 ☎ 712422, Fax 751615, ←, – rist .
maggio-settembre – **Pasto** 40000 – **60 cam** 90/150000 – 1/2 P 85/110000.

Eden, lungomare Marconi 328 ☎ 714251, Fax 713785, ←, – . 🅂. E VISA.
27 marzo-settembre – **Pasto** 35/50000 – 17000 – **56 cam** 80/140000 – 1/2 P 80/120000.

Doge, lungomare Marconi 292 ☎ 712508, Fax 711862, ←, – . VISA. rist
15 maggio-15 settembre – **Pasto** (solo per alloggiati) 25000 – 8000 – **54 cam** 100/180000 – P 60/130000.

Royal, lungomare Marconi 146 ☎ 712644, Fax 712645, ←, – rist . rist
10 maggio-20 settembre – **Pasto** 30/40000 – 15000 – **64 cam** 100/140000 – 1/2 P 85/110000.

Riccione, viale della Vittoria 257 ☎ 712337, Fax 710489, – . AE. 🅂. E VISA. rist
28 maggio-20 settembre – **Pasto** (solo per alloggiati) 20/25000 – **70 cam** 120/150000 – 1/2 P 60/110000.

La Taverna Abruzzo Ieri e Oggi, viale della Vittoria 334 ☎ 713762, prenotare – . AE. 🅂. ① E VISA
chiuso domenica e dal 23 dicembre al 6 gennaio – **Pasto** carta 30/60000.

ALBAIRATE *20080 Milano* 428 F 8, 219 ⑱ – *3 737 ab. alt. 125* – ☎ *02.*
Roma 590 – Milano 23 – Novara 36 – Pavia 37.

XXX **Charlie,** via Pisani Dossi 28 ✆ 9406635, Fax 94920288, Coperti limitati; prenotare – Ⓟ – 🏛 110. AE. ⑤. ⓓ E VISA. ✻
chiuso domenica sera, mercoledì, dal 1° al 10 gennaio e dal 7 al 26 agosto – **Pasto** carta 65/125000.

ALBANO LAZIALE *00041 Roma* 988 ㉖, 430 Q 19 *G. Roma* – *33 673 ab. alt. 384* – ☎ *06.*
Vedere *Villa Comunale★ – Chiesa di Santa Maria della Rotonda★.*
ℹ *viale Risorgimento 1 ✆ 9384082, Fax 9320040.*
Roma 23 – Anzio 33 – Frosinone 75 – Latina 43 – Terracina 77.

🏨 **Miralago,** via dei Cappuccini 12 (NE : 1,5 km) ✆ 9322253, Fax 9322253, « Servizio rist. estivo in giardino », 🌳 – TV ☎ Ⓟ – 🏛 100. AE. ⑤. E VISA
Pasto 40/55000 – **45 cam** ☕ 90/130000 – ½ P 100/120000.

ALBARELLA (Isola di) *Rovigo – Vedere Rosolina.*

ALBAVILLA *22031 Como* 428 E 9, 219 ⑨ – *5 774 ab. alt. 331* – ☎ *031.*
Roma 628 – Como 11 – Lecco 20 – Milano 48 – Varese 38.

XXX ✿ **Il Cantuccio,** ✆ 628736, Fax 627189, Coperti limitati; prenotare –. ⑤. E VISA. ✻
chiuso lunedì, martedì a mezzogiorno ed agosto – **Pasto** carta 65/95000 (10%)
Spec. Storione marinato "all'antica" (aprile-settembre). Ravioli vegetali alla cannella (giugno-settembre). Filetto di maialino al finocchio selvatico (settembre-marzo).

ALBENGA *17031 Savona* 988 ⑫, 428 J 6 *G. Italia* – *22 440 ab.* – ☎ *0182.*
Vedere *Città vecchia★.*
Roma 589 – Imperia 32 – Cuneo 109 – Genova 90 – Milano 213 – San Remo 57 – Savona 44.

🏠 **Sole e Mare,** lungomare Cristoforo Colombo 15 ✆ 51817, Fax 52752 – TV ☎. AE. ⑤. ⓓ E VISA. ✻ rist
chiuso dal 15 ottobre al 15 novembre – **Pasto** (solo per alloggiati; *chiuso sabato e domenica escluso da maggio a settembre*) 30/40000 – **26 cam** ☕ 120/170000 – ½ P 80/110000.

XX **Minisport-Pernambucco,** viale Italia 35 ✆ 53458 – AE. ⑤. ⓓ E VISA
chiuso gennaio e mercoledì (escluso da giugno a settembre) – **Pasto** specialità di mare carta 55/70000.

XX **Vento di Greco,** lungomare Doria ✆ 51651, <, 🍽 – ▤. AE. ⑤. ⓓ E VISA. ✻
chiuso lunedì, dal 20 agosto al 10 settembre e dal 24 dicembre al 2 gennaio – **Pasto** solo piatti di pesce carta 45/90000.

ALBEROBELLO *70011 Bari* 988 ㉙, 431 E 33 *G. Italia* – *10 731 ab. alt. 416* – ☎ *080.*
Vedere *Località★★★ – Trullo Sovrano★.*
Roma 502 – Bari 55 – Brindisi 77 – Lecce 106 – Matera 69 – Taranto 45.

🏨 **Dei Trulli** 🐦, via Cadore 32 ✆ 9323555, Fax 9323560, 🍽, « Caratteristiche costruzioni indipendenti », 🏊, 🌳 – ▤ TV ☎ Ⓟ – 🏛 200. AE. ⑤. E VISA. ✻ rist
Pasto carta 45/75000 (20%) – ☕ 10000 – 19 appartamenti 180/260000 – ½ P 210000.

🏠 **Colle del Sole,** via Indipendenza 63 ✆ 721814, Fax 721370, 🍽 – ☎ 🚗. AE. ⑤. ⓓ E VISA. ✻
Pasto carta 25/40000 – ☕ 10000 – **24 cam** 45/75000 – ½ P 50/70000.

XXX ✿ **Il Poeta Contadino,** via Indipendenza 21 ✆ 721917, Fax 721917 – ▤. AE ⓓ VISA
chiuso dal 9 al 21 gennaio, dal 26 giugno al 7 luglio, domenica serae lunedì (escluso dal 7 luglio al 20 settembre e i giorni festivi) – **Pasto** 60/80000 e carta 55/75000
Spec. Sformato di carciofi con crema di pomodoro (gennaio-giugno). Grano, fagioli e riso nero con "poesia". Orata in salsa mediterranea.

XX **Trullo d'Oro,** via Cavallotti 27 ✆ 721820, Fax 721820, « Cucina tipica in ambiente caratteristico » – ▤. AE. ⑤. ⓓ E VISA
chiuso lunedì e dal 7 gennaio al 6 febbraio – **Pasto** carta 40/70000.

XX **L'Olmo Bello,** via Indipendenza 33 ✆ 9323607, Fax 9323607, « In una caratteristica casa colonica a trulli », 🌳 – Ⓟ. AE. ⑤. ⓓ VISA. ✻
chiuso novembre o gennaio e martedì (escluso agosto) – **Pasto** carta 25/55000.

sulla strada statale 172 *NO : 4 km :*

XX **La Chiusa di Chietri,** ✉ 70011 ✆ 9325481, Fax 9325481, « Grazioso giardino ombreggiato » – ▤ Ⓟ – 🏛 200. AE. ⑤. E VISA. ✻
chiuso martedì e novembre – **Pasto** carta 40/80000.

ALBINIA *58010 Grosseto* 430 O 15 – ☎ *0564.*
Roma 144 – Grosseto 32 – Civitavecchia 75 – Orbetello 13 – Orvieto 94 – Viterbo 90.

X **Il Pescatore,** località Torre Saline S : 2,5 km ☎ 870085, . ✻
aprile-settembre – **Pasto** specilità di mare carta 40/55000.

ALBINO *24021 Bergamo* 428 , 429 E 11 – *16 499 ab. alt. 347* – ☎ *035.*
Roma 621 – Bergamo 14 – Brescia 65 – Milano 67.

XX **Angelo Bianco,** via Mazzini 78 ☎ 754255, Fax 754255, solo su prenotazione la sera – AE. Ⓢ. E VISA. ✻
chiuso domenica, lunedì ed agosto – **Pasto** carta 45/60000.

XX **Becco Fino,** via Mazzini 200 ☎ 773900 – AE. Ⓢ. E VISA. JCB
chiuso domenica sera e lunedì – **Pasto** carta 45/60000.

ALBIONS *Bolzano – Vedere Laion.*

ALBISANO *Verona – Vedere Torri del Benaco.*

*Un consiglio **Michelin:***
per la buona riuscita di un viaggio, preparatelo in anticipo.
*Le **carte** e le **guide Michelin** vi danno tutte le indicazioni utili su: itinerari, curiosità, sistemazioni, prezzi, ecc.*

ALBISSOLA MARINA *17012 Savona* 988 ⑬, 428 J 7 *G. Italia – 5 947 ab.* – ☎ *019.*
Vedere *Parco★ e sala da ballo★ della Villa Faraggiana.*
via dell'Oratorio 2 ☎ 481648.
Roma 541 – Genova 43 – Alessandria 90 – Cuneo 103 – Milano 164 – Savona 4,5 – Torino 146.
Pianta : vedere Savona.

Garden, viale Faraggiana 6 ☎ 485253, Fax 485255, – – 60. AE. Ⓢ. ⓓ E VISA. ✻ rist — CV b
Pasto carta 45/80000 – **34 cam** 160000 – ½ P 110/130000.

Corallo, via Repetto 116 ☎ 481784, – ☎. AE. Ⓢ. ⓓ E VISA. ✻ rist — CV a
aprile-novembre – **Pasto** *(chiuso lunedì)* 25/40000 – 11000 – **20 cam** 90/120000 – P 100/120000.

XX **Al Cambusiere,** via Repetto 86 ☎ 481663 – AE. Ⓢ. ⓓ E VISA. ✻ — CV a
chiuso lunedì – **Pasto** specialità di mare carta 45/75000.

XX **Da Mario,** corso Bigliati 70 ☎ 481640 – AE. Ⓢ. ⓓ E VISA — CV y
chiuso mercoledì e settembre – **Pasto** carta 50/70000 (10 %).

ad Albisola Superiore *N : 1,5 km – ✉ 17011 :*

X **Au Fùndegu,** via Spotorno 87 ☎ 480341 – AE. Ⓢ. ⓓ E VISA — CV e
chiuso mercoledì e a mezzogiorno (escluso domenica) – **Pasto** carta 45/65000.

ad Albisola Capo *E : 2 km – ✉ 17011 :*

Park Hotel, via Alba Docilia 3 ☎ 482355, Fax 482355 – ☎. ✻ — CV d
15 marzo-15 novembre – **Pasto** (solo per alloggiati) – 15000 – **11 cam** 100/130000 – ½ P 100/110000.

ad Ellera *NO : 6 km – ✉ 17040 :*

X **Trattoria del Mulino,** ☎ 49043
chiuso a mezzogiorno (escluso sabato-domenica) e martedì – **Pasto** carta 30/50000.

ALBOGASIO *Como* 219 ⑧ – *Vedere Valsolda.*

ALESSANDRIA *15100* P 988 ⑬, 428 H 7 – *89 196 ab. alt. 95* – ☎ *0131.*
, e Margara (chiuso lunedì e gennaio) a Fubine ✉ 15043 ☎ 778555, Fax 778772, per ④ 17,5 km;
La Serra (marzo-novembre; chiuso mercoledì) a Valenza ✉ 15048 ☎ 954778, Fax 954778, per ① : 7 km.
via Savona 26 ☎ 251021, Fax 253656.
A.C.I. *corso Cavallotti 19 ☎ 260553.*
Roma 575 ② – Genova 81 ② – Milano 90 ② – Piacenza 94 ② – Torino 91 ④.

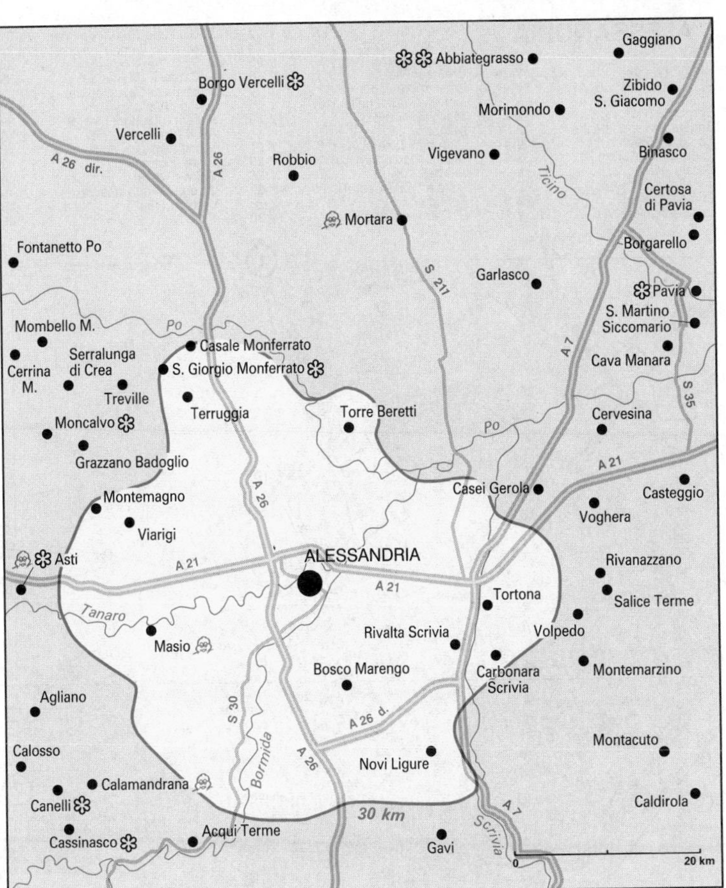

Alli Due Buoi Rossi Ⓜ, via Cavour 32 ✆ 445252, Fax 445255 – ⬍ ▤ TV ☎ 🚗 – 🧑‍🏫 100. AE. Ⓢ. ⓞ E VISA. ✂ Z v
chiuso Natale ed agosto – **Pasto** carta 45/80000 – ☐ 21000 – **49 cam** 220/340000, appartamento – ½ P 200/270000.

Lux senza rist, via Piacenza 72 ✆ 251661, Fax 441091 – ⬍ ▤ TV ☎ 🚗 – 🧑‍🏫 100. AE. Ⓢ. ⓞ E VISA Y a
52 cam ☐ 130/180000.

Domus senza rist, via Castellani 12 ✆ 43305, Fax 232019 – ⬍ ▤ TV ☎. AE. Ⓢ. ⓞ E VISA Z t
27 cam ☐ 110/150000.

Europa, via Palestro 1 ✆ 236226, Fax 252498 – ⬍ ▤ TV ☎ 🚗 – 🧑‍🏫 35. AE. Ⓢ. ⓞ E VISA. ✂ Y s
Pasto *(chiuso domenica ed agosto)* carta 45/60000 – ☐ 14000 – **30 cam** 80/120000 – ½ P 120000.

La Fermata, via Vochieri 120 ✆ 251350, prenotare – ▤. Ⓢ. VISA. ✂ Y c
chiuso domenica ed agosto – **Pasto** carta 50/75000.

Il Grappolo, via Casale 28 ✆ 253217 – AE. Ⓢ. ⓞ E VISA Y e
chiuso lunedì sera, martedì, dal 15 al 24 gennaio e dal 1° al 21 agosto – **Pasto** carta 45/65000.

ALESSANDRIA

Martiri (Via dei) .... Y 24
Roma (Corso) .... YZ

Bergamo (Via) .... Z 2
Brigata Ravenna (Viale) .... Z 3
Carducci (Piazza) .... Y 4
Carlo Marx (Corso) .... Z 6
Casale (Via) .... Y 7
Cavallotti (Corso) .... Z 8
Crimea (Corso) .... Z 9
Dante Alighieri (Via) .... Y 10
Fiume (Via) .... Y 12
Garibaldi (Piazza) .... Z 14
Gobetti (Piazza) .... Y 15
Gramsci (Via) .... Z 16
Lamarmora (Corso) .... Z 18
Libertà (Piazza della) .... Y 19
Machiavelli (Via) .... YZ 20
Magenta (Lungo Tanaro) .... Y 21
Marini (Corso Virginia) .... Y 23
Morbelli (Via) .... Y 26
Pistoia (Via Ernesto) .... YZ 27
Pontida (Via) .... YZ 28
S. Dalmazzo (Via) .... Y 30
S. Giacomo d. Vittoria (Via) .... YZ 31
S. Martino (Lungo Tanaro) .... Y 32
S. Pio V (Via) .... Y 34
S. Caterina da Siena (Via) .... Y 35
S. Maria di Castello (Via) .... Y 36
Savona (Via) .... Z 38
Solferino (Lungo Tanaro) .... Y 39
Tivoli (Via) .... Z 40
Tripoli (Via) .... YZ 42
Turati (Piazza) .... YZ 43
Valfré (Piazza) .... Z 44
Vittorio Veneto (Piazza) .... Z 45
Vochieri (Via) .... Y 46
1821 (Via) .... Y 48

L'Arcimboldo, via Legnano 2 ☎ 52022 – ▤. AE. 🅢. E. JCB — Z m
chiuso a mezzogiorno, domenica, dal 10 al 20 gennaio ed agosto – **Pasto** carta 40/55000.

Il Gallo d'Oro, via Chenna 44 ☎ 43160 –. 🅢. E VISA. ✻ — Y b
chiuso lunedì, dal 7 al 15 gennaio e dal 5 al 25 agosto – **Pasto** carta 30/40000.

Carte stradali MICHELIN 1/400 000 :
428 ITALIA Nord-Ovest/ 429 ITALIA Nord-Est/ 430 ITALIA Centro
431 ITALIA Sud/ 432 SICILIA/ 433 SARDEGNA
Le località sottolineate in rosso su queste carte sono citate in guida.

ALFONSINE *48011 Ravenna 988 ⑮, 429, 430 I 18 – 11 800 ab. – ☎ 0544.*
Roma 396 – Ravenna 16 – Bologna 73 – Ferrara 57 – Firenze 133 – Forlì 42 – Milano 283.

XX **Stella** con cam, corso Matteotti 12 ☎ 81148 – ▤ rist. AE. 🅂. ⓓ E VISA. JCB. ✻
chiuso dal 1° al 10 gennaio e dal 7 al 28 agosto – **Pasto** *(chiuso sabato)* 25/40000 bc carta 30/45000 e al Rist. ***Della Rosa*** 36000 bc e carta 30/50000 – ☕ 9000 – **10 cam** 50/70000 – P 75000.

ALGHERO *Sassari 988 ㉝, 433 F 6 – Vedere Sardegna alla fine dell'elenco alfabetico.*

ALGUND = *Lagundo.*

ALLEGHE *32022 Belluno 988 ⑤, 429 C 18 G. Italia – 1 441 ab. alt. 979 – Sport invernali : 1 000/2 100 m 2 20, a Caprile (vedere anche Zoldo Alto) – ☎ 0437.*
Vedere *Lago★.*
Escursioni *Valle del Cordevole★★ Sud per la strada S 203.*
piazza Kennedy 17 ☎ 523333, Fax 723881.
Roma 665 – Cortina d'Ampezzo 40 – Belluno 48 – Bolzano 84 – Milano 357 – Venezia 154.

Sport Hotel Europa, via Europa 10 ☎ 523362, Fax 723906, ≤ lago e monti, – rist TV ☎ P. AE. 🅂. E VISA. ✻ cam
15 dicembre-aprile e 20 giugno-settembre – **Pasto** *(chiuso mercoledì)* carta 45/60000 – ☕ 20000 – **33 cam** 125/180000 – ½ P 60/160000.

a Caprile *NO : 4 km – ✉ 32023 :*

Alla Posta, ☎ 721171, Fax 721677, – TV ☎ P. VISA. ✻
20 dicembre-aprile e 15 giugno-25 settembre – **Pasto** *(chiuso mercoledì)* carta 40/65000 – ☕ 15000 – **55 cam** 110/180000 – ½ P 80/200000.

Monte Civetta, via Nazionale 23 ☎ 721680, Fax 721714 – TV ☎ P. AE. 🅂. ⓓ E VISA. JCB. ✻ rist
dicembre-aprile e giugno-settembre – **Pasto** carta 35/55000 – **26 cam** ☕ 80/160000 – ½ P 70/125000.

ALMÈ *24011 Bergamo 428 E 10, 219 ⑳ – 5 792 ab. alt. 289 – ☎ 035.*
Roma 610 – Bergamo 9 – Lecco 26 – Milano 49 – San Pellegrino Terme 15.

XXX ✿ **Frosio**, piazza Unità 1 ☎ 541633, prenotare, « In un edificio del 17° secolo; servizio estivo in giardino » – AE. 🅂. ⓓ E VISA
chiuso mercoledì e dal 4 al 25 agosto – **Pasto** carta 60/90000
Spec. Tortino di cipolle con tartufo nero e bacon (settembre-gennaio). Branzino cotto al piatto con insalata di porcini (luglio-ottobre). Flan di cioccolato.

a Paladina *SO : 7 km – ✉ 24030 :*

X Paladina, via Piave 6 ☎ 545603, Fax 545603, , prenotare

ALMENNO SAN SALVATORE *24031 Bergamo 428 E 10, 219 ⑳ – 5 638 ab. alt. 325 – ☎ 035.*
Roma 612 – Bergamo 13 – Lecco 27 – Milano 54 – San Pellegrino Terme 17.

X **Palanca**, ☎ 640800, ≤ – P. AE. 🅂. ⓓ E VISA
chiuso martedì e luglio – **Pasto** carta 30/45000.

ALPE DI MERA *Vercelli 428 E 6, 219 ⑤ – Vedere Scopello.*

ALPE DI SIUSI (SEISER ALM) *39040 Bolzano 429 C 16 G. Italia – alt. 1 826 – Sport invernali : 1 826/2 212 m 1 19, – ☎ 0471.*
La limitazione d'accesso degli autoveicoli è regolata da norme legislative.
Vedere *Posizione pittoresca★★.*
☎ 727904, Fax 727828.
Roma 674 – Bolzano 23 – Bressanone 28 – Milano 332 – Ortisei 15 – Trento 89.

Plaza, ☎ 727973, Fax 727820, ≤, – TV ☎ P. 🅂. E VISA. ✻ rist
chiuso aprile e maggio – **Pasto** 35/60000 – **39 cam** solo ½ P 180/330000, 3 appartamenti.

Sporthotel Floralpina, a Saltria E : 7 km ☎ 727907, Fax 727803, ≤ monti e pinete, riscaldata, – TV ☎ P. 🅂. E VISA. ✻ rist
20 dicembre-10 aprile e 8 giugno-12 ottobre – **Pasto** carta 45/70000 – **48 cam** solo ½ P 150/220000.

ALPE FAGGETO *Arezzo – Vedere Caprese Michelangelo.*

ALPINO *Verbania* 428 *E 7,* 219 ⑥ *– alt. 800 – ✉ 28040 Gignese – ☎ 0323.*

(aprile-novembre; chiuso martedì escluso dal 27 giugno al 5 settembre) a Vezzo ✉ 28040 ℘ 20642, Fax 20642, SE : 1,5 km.

Roma 666 – Stresa 9 – Milano 89 – Novara 65 – Orta San Giulio 17 – Torino 141.

Alpino Fiorente, piazza Stazione 2 ℘ 20103, Fax 20104, ←, – |‡| ☎ P. ✂
10 giugno-10 settembre – **Pasto** carta 35/55000 – **39 cam** ☐ 70/120000 – ½ P 80/90000.

ALSENO *29010 Piacenza* 428, 429 *H 11 – 4 525 ab. alt. 79 – ☎ 0523.*

Roma 487 – Parma 32 – Piacenza 30 – Milano 93.

a Cortina Vecchia *SO : 5 km – ✉ 29010 :*

Da Giovanni, ℘ 948304, Fax 948355, Coperti limitati; prenotare – P. AE. S. ◑ E VISA. JCB. ✂
chiuso lunedì sera, martedì, dal 1° al 18 gennaio e dal 15 agosto al 5 settembre – **Pasto** carta 45/70000
Spec. Sfogliatina calda di more con caponata di melanzane. Pisarèi e fasô. Petto di faraona al cipollotto dolce.

ALTAMURA *70022 Bari* 988 ㉙, 431 *E 31 G. Italia – 60 463 ab. alt. 473 – ☎ 080.*

Vedere *Rosone★ e portale★ della Cattedrale.*

Roma 461 – Bari 46 – Brindisi 128 – Matera 19 – Potenza 102 – Taranto 84.

San Nicola, via Luca De Samuele Cagnazzi 29 ℘ 8705199, Fax 844752, « In un antico palazzo del 1700 » – |‡| cam ▤ TV ☎ ♿ – 150. AE. S. ◑ E VISA. ✂ rist
Pasto *(chiuso domenica sera)* carta 50/85000 – **26 cam** ☐ 115/200000, appartamento – ½ P 135000.

Svevia, via Matera 2/a ℘ 8712570, Fax 8712677, – |‡| ▤ TV ☎ P – 50. AE. S. ◑ E VISA. ✂ rist
Pasto carta 35/45000 – ☐ 9000 – **25 cam** 90/120000 – ½ P 85000.

Del Corso, corso Federico di Svevia 76 ℘ 841453 – ▤. AE. S. ◑ E VISA. ✂
chiuso mercoledì e dal 15 al 30 luglio – **Pasto** carta 40/60000.

ALTARE *17041 Savona* 428 *I 7 – 2 422 ab. alt. 397 – ☎ 019.*

Roma 567 – Genova 68 – Asti 101 – Cuneo 80 – Milano 191 – Savona 14 – Torino 123.

Quintilio con cam, via Gramsci 23 ℘ 58000 – AE. S. E VISA. ✂
chiuso luglio – Pasto *(chiuso domenica sera e lunedì)* carta 40/55000 – ☐ 5000 – **7 cam** 35/60000 – ½ P 60000.

ALTAVILLA VICENTINA *36077 Vicenza* 429 *F 16 – 8 570 ab. alt. 45 – ☎ 0444.*

Roma 541 – Padova 42 – Milano 198 – Venezia 73 – Verona 44 – Vicenza 8.

Genziana, località Selva SO : 2,5 km, via Mazzini 75/77 ℘ 572159, Fax 574310, ←, ⛱, ✂ – ▤ TV ☎ P. AE. S. ◑ E VISA. ✂
Pasto *(chiuso sabato a mezzogiorno, domenica ed agosto)* carta 35/50000 – **24 cam** ☐ 110/160000, 3 appartamenti.

ALTE *Vicenza – Vedere Montecchio Maggiore.*

ALTICHIERO *Padova – Vedere Padova.*

ALTISSIMO *36070 Vicenza* 429 *F 15 – 1 984 ab. alt. 672 – ☎ 0444.*

Roma 568 – Verona 65 – Milano 218 – Trento 102 – Vicenza 36.

Casin del Gamba, strada per Castelvecchio NE : 2,5 km ℘ 687709, Coperti limitati; prenotare – P. AE. S. E VISA. ✂
chiuso domenica sera, lunedì, dal 1° al 15 gennaio e dal 15 al 31 agosto – **Pasto** carta 75/85000
Spec. Pappardelle con rigaglie e asparagi verdi (primavera). Giambonetto di pollo farcito e verdure croccanti (estate). Semifreddo alla crema e cioccolata con strudel tiepido su salsa all'arancia (inverno).

When visiting **northern Italy** *use* **Michelin maps** 428 *and* 429.

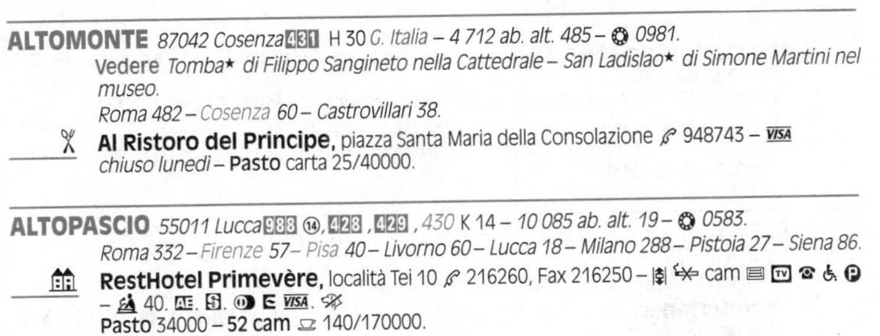

ALTOMONTE *87042 Cosenza* [431] H 30 *G. Italia – 4 712 ab. alt. 485 – ☎ 0981.*
Vedere *Tomba★ di Filippo Sangineto nella Cattedrale – San Ladislao★ di Simone Martini nel museo.*
Roma 482 – Cosenza 60 – Castrovillari 38.

🍴 **Al Ristoro del Principe,** piazza Santa Maria della Consolazione ☎ 948743 – VISA
chiuso lunedì – **Pasto** carta 25/40000.

ALTOPASCIO *55011 Lucca* [988] ⑭, [428], [429], *430* K 14 – *10 085 ab. alt. 19 – ☎ 0583.*
Roma 332 – Firenze 57 – Pisa 40 – Livorno 60 – Lucca 18 – Milano 288 – Pistoia 27 – Siena 86.

🏨 **RestHotel Primevère,** località Tei 10 ☎ 216260, Fax 216250 – |♦| ⚡ cam ▤ [TV] ☎ ♿ [P] – 🏛 40. [AE]. [$]. ⦿ [E] VISA. ✂
Pasto 34000 – **52 cam** ☕ 140/170000.

ALZANO LOMBARDO *24022 Bergamo* [428], [429] E 11 – *11 891 ab. alt. 294 – ☎ 035.*
Roma 608 – Bergamo 8 – Brescia 59 – Milano 54.

🍴🍴🍴 **Al Catenone** con cam, via Fantoni 1 ☎ 516134, Fax 516134, prenotare – [AE]. [$]. ⦿ [E] VISA
chiuso dal 1° al 15 gennaio e dal 20 luglio al 20 agosto – **Pasto** *(chiuso domenica sera e lunedì)* carta 50/75000 – ☕ 5000 – **8 cam** 50/65000 – 1/2 P 75000.

ALZATE BRIANZA *22040 Como* [428] E 9, [219] ⑲ – *4 211 ab. alt. 371 – ☎ 031.*
Roma 621 – Como 10 – Bergamo 46 – Milano 42.

🏨 **Villa Odescalchi** 🐦, ☎ 630822, Fax 632079, « Villa del 17° secolo in un parco », 🏋, ≘s, 🏊, 🏊, 🎾, ⛳9 ⛳9 – |♦| ▤ [TV] ☎ ♿ 🚗 – 🏛 300. [AE]. [$]. ⦿ [E] VISA. ✂ rist
Pasto *(chiuso martedì)* carta 55/90000 – **64 cam** ☕ 170/240000 – 1/2 P 160000.

AMALFI *84011 Salerno* [988] ㉗, [431] F 25 *G. Italia – 5 656 ab. – a.s. Pasqua, giugno-settembre e Natale – ☎ 089.*
Vedere *Posizione e cornice pittoresche★★★ – Duomo di Sant'Andrea★ : chiostro del Paradiso★★ – Vie★ Genova e Capuano.*
Dintorni *Atrani★ E : 1 km – Ravello★★★ NE : 6 km – Grotta dello Smeraldo★★ O : 5 km – Vallone di Furore★★ O : 7 km.*
[i] *corso delle Repubbliche Marinare 19/21 ☎ 871107, Fax 872619.*
Roma 272 – Napoli 70 – Avellino 61 – Caserta 85 – Salerno 25 – Sorrento 34.

🏨 **Santa Caterina** 🐦, ☎ 871012, Telex 770093, Fax 871351, ≤ golfo, 🌳, « Terrazze fiorite digradanti sul mare con ascensori per la spiaggia », 🏊, 🏖 – |♦| ▤ [TV] ☎ 🚗 [P] – 🏛 50. [AE]. [$]. ⦿ [E] VISA. ✂
Pasto 75/90000 – **70 cam** ☕ 450/540000, 12 appartamenti – 1/2 P 320/350000.

🏨 **Luna Convento,** via P. Comite 33 ☎ 871002, Fax 871333, ≤ Golfo, « Soggiorno in un chiostro del 13° secolo », 🏊 – [TV] ☎ 🚗. [AE]. [$]. ⦿ [E] VISA. JCB. ✂
Pasto 60/70000 – **42 cam** ☕ 280000, 3 appartamenti – 1/2 P 210/260000.

🏨 **Cappuccini-Convento,** via Annunziatella 46 ☎ 871877, Fax 871886, 🌳, « Antico monastero in posizione pittoresca », 🏖 – |♦| [TV] ☎. [AE]. [$]. ⦿ [E] VISA. ✂ rist
Pasto 60000 – **48 cam** ☕ 180/240000 – 1/2 P 150/170000.

🏨 **Marina Riviera** senza rist, ☎ 871104, Fax 871024, ≤ Golfo – [TV] ☎. [AE]. [$]. [E] VISA. ✂
Pasqua-ottobre – **20 cam** ☕ 130/200000.

🏨 **Dei Cavalieri,** ☎ 831333, Fax 831354, ≤ Amalfi e golfo, 🌳 – |♦| ▤ ☎ [P]. [AE]. [$]. ⦿ [E] VISA. ✂
Pasto (solo per alloggiati) 30000 – ☕ 20000 – **60 cam** 150000, ▤ 10000.

🏨 **Aurora** senza rist, piazza dei Protontini 7 ☎ 871209, Fax 872980, ≤, 🌳 – |♦| ☎ 🚗 [P]. [AE]. [$]. [E] VISA
Natale e aprile-15 ottobre – **29 cam** ☕ 160/190000.

🍴🍴🍴 **Eolo,** via Comite 3 ☎ 871241, Fax 871024, ≤ – [AE]. [$]. ⦿ VISA. ✂
chiuso dal 15 novembre al 26 dicembre e martedì (escluso da giugno a settembre) – **Pasto** carta 35/90000.

🍴🍴 **La Caravella,** via Matteo Camera 12 ☎ 871029, Fax 871029 – ▤. [AE]. [$]. ⦿ [E] VISA. ✂
chiuso novembre e martedì (escluso agosto) – **Pasto** carta 45/70000.

🍴🍴 **Marina Grande,** viale delle Regioni ☎ 871129, Fax 871129, ≤ mare, 🌳 – [AE]. [$]. [E] VISA
chiuso mercoledì (escluso maggio-settembre), dal 25 novembre al 10 dicembre e dal 10 gennaio al 10 febbraio – **Pasto** carta 45/80000.

🍴 **Lo Smeraldino,** ☎ 871070, ≤, 🌳, Rist. e pizzeria – [P]. [AE]. [$]. ⦿ [E] VISA. ✂
chiuso dal 7 gennaio al 25 febbraio e mercoledì (escluso da luglio a settembre) – **Pasto** carta 30/75000 (10%).

X **Da Ciccio Cielo-Mare-Terra,** O : 3 km ☎ 831265, Fax 831265, ≤ mare e costa – P. AE. S. O E VISA. ✻
chiuso febbraio e martedì (escluso da luglio a settembre) – **Pasto** carta 30/45000.

X **Il Tarì,** via Capuano 9/11 ☎ 871832, Fax 871832 – AE. S. VISA
chiuso dal 5 novembre al 5 dicembre e martedì (escluso dal 15 giugno al 15 settembre) – **Pasto** carta 45/75000.

AMANTEA *87032 Cosenza 988 ㊴, 431 J 30 – 12 908 ab. – ☎ 0982.*
☎ *41785.*
Roma 514 – Cosenza 38 – Catanzaro 67 – Reggio di Calabria 160.

Mediterraneo, via Dogana 64 ☎ 426364, Fax 426247 – |‡| ▤ TV ☎ ♿ P. AE. S. O E VISA. ✻
Pasto carta 30/45000 – **28 cam** ☐ 90/100000 – ½ P 110/120000.

Palmar, strada statale 18-Colongi (S : 1,5 km) ☎ 41673, Fax 42043, ▲, ✻ – |‡| ▤ TV ☎ ⇔ P – 🏛 200.
45 cam.

a Corica *S : 4 km – ✉ 87032 Amantea :*

Mare Blu, via Corica ☎ 46296, Fax 46507, ≤, ☂, ▲ – |‡| ▤ TV ☎ ⇔ P. S. E VISA. ✻ rist
Pasto carta 40/60000 – **24 cam** 60/90000 – ½ P 70/100000.

XX **La Scogliera** con cam, ☎ 46219, Fax 46803, ≤, ☂ – ▤ cam TV ☎ P – 🏛 50. AE. S. O E VISA JCB
Pasto *(chiuso mercoledì)* carta 35/50000 – **38 cam** ☐ 95/130000 – ½ P 65/100000.

Europe

Se il nome di un albergo è stampato in carattere magro, chiedete al vostro arrivo le condizioni che vi saranno praticate.

AMATRICE *02012 Rieti 988 ㉖, 430 O 21 – 2 940 ab. alt. 955 – ☎ 0746.*
Roma 144 – Ascoli Piceno 50 – L'Aquila 75 – Rieti 66 – Terni 91.

X **La Conca** con cam, via della Madonnella ☎ 826791, ≤, ⛱ – TV ⇔ P. ✻ cam
Pasto *(chiuso lunedì)* carta 30/50000 – **12 cam** ☐ 60/80000 – ½ P 65/70000.

X Lo Scoiattolo, S : 1,5 km ☎ 85086, ≤, ☂, « Laghetto con pesca sportiva », ⛱ – P

AMBIVERE *24030 Bergamo 219 ⑳ – 2 113 ab. alt. 261 – ☎ 035.*
Roma 607 – Bergamo 18 – Brescia 58 – Milano 49.

XX **Antica Osteria dei Camelì,** ☎ 908000, ☂, solo su prenotazione – P. AE. S. E VISA. ✻
chiuso lunedì, martedì sera, dal 28 dicembre al 3 gennaio e dal 10 al 28 agosto – **Pasto** carta 55/85000.

AMBRIA *Bergamo – Vedere Zogno.*

AMEGLIA *19031 La Spezia 428, 429, 430 J 11 – 4 433 ab. alt. 80 – ☎ 0187.*
Roma 400 – La Spezia 18 – Genova 107 – Massa 17 – Milano 224 – Pisa 57.

Paracucchi-Locanda dell'Angelo ♨, SE : 4,5 km strada provinciale Sarzana-Marinella ☎ 64391, Fax 64393, prenotare, ⛱ – ▤ TV ☎ P – 🏛 250. AE. S. O E VISA. ✻
Pasto *(chiuso dal 7 al 28 gennaio e lunedì escluso dal 15 luglio al 15 settembre)* carta 55/100000 – ☐ 21000 – **37 cam** 75/155000 – ½ P 140/150000.

XX **Locanda delle Tamerici** ♨ con cam, località Fiumaretta SE : 3,5 km ☎ 64262, Fax 64627, ≤, ☂, ▲, ⛱ – ▤ rist TV ☎. S. E VISA. ✻ cam
chiuso martedì e mercoledì a mezzogiorno (escluso dal 15 giugno al 15 settembre – **Pasto** carta 50/80000 – **7 cam** ☐ 140/195000.

a Montemarcello *S : 5,5 km – ✉ 19030 :*

Il Gabbiano ♨, via della Pace 2 ☎ 600066, « Servizio rist. estivo in terrazza con ≤ », ⛱ – P. AE. S. VISA. ✻
giugno-settembre – **Pasto** carta 40/75000 – ☐ 15000 – **10 cam** 80/100000 – ½ P 90/100000.

X **Trattoria dai Pironcelli,** via delle Mora 45 ☎ 601252, Trattoria rustica, prenotare
chiuso novembre, mercoledì e a mezzogiorno (escluso domenica) – **Pasto** cucina casalinga carta 45/60000.

AMELIA *05022 Terni* 988 ㉕ ㉖, 430 O 19 – *11 342 ab. alt. 406* – ☎ *0744*.
via Orvieto 1 ☎ 981453, Fax 981566.
Roma 93 – Terni 24 – Viterbo 43 – Perugia 92.

Scoglio dell'Aquilone, via Orvieto 23 (O : 2 km) ☎ 982445, Fax 983025, ≤ vallata e borgo, – ▤ TV ☎ P. AE. ⑤. E VISA.
Pasto *(chiuso martedì)* carta 30/55000 – ☕ 9000 – **38 cam** 70/100000 – 1/2 P 80000.

ANACAPRI *Napoli* 431 F 24 – *Vedere Capri (Isola di).*

ANAGNI *03012 Frosinone* 988 ㉖, 430 Q 21 *G. Italia* – *19 668 ab. alt. 460* – ☎ *0775*.
Roma 65 – Frosinone 30 – Anzio 78 – Avezzano 106 – Rieti 131 – Tivoli 60.

Villa la Floridiana, strada statale Casilina km 63,700 ☎ 769960, Fax 769960 – ▤ TV ☎ P. AE. ⑤. ⓞ E VISA. JCB.
chiuso agosto – **Pasto** *(chiuso domenica sera)* 40/70000 – **9 cam** ☕ 110/160000 – 1/2 P 130/160000.

ANCONA *60100* **P** 988 ⑯, 429, 430 L 22 *G. Italia* – *99 732 ab. – a.s. luglio-agosto* – ☎ *071*.
Vedere *Duomo di San Ciriaco*★ AY – *Loggia dei Mercanti*★ AZ **F** – *Chiesa di Santa Maria della Piazza*★ AZ **B**.
18 e 9 *Conero (chiuso dal 15 gennaio al 15 febbraio e il martedì da novembre a marzo) a Sirolo ✉ 60020 ☎ 7360613, Fax 7360380, per ① : 12 km.*
✈ *di Falconara per ③ : 13 km ☎ 28271, Fax 2070096 – Alitalia, piazza Roma 21 ✉ 60121 ☎ 205434, Telex 560067, Fax 2037 00.*
Stazione Ferrovie Stato ✉ 60126 ☎ 41703 – via Thaon de Revel 4 ✉ 60124 ☎ 33249, Fax 31966.
A.C.I. *corso Stamira 78 ✉ 60122 ☎ 55335.*
Roma 319 ③ – Firenze 263 ③ – Milano 426 ③ – Perugia 166 ③ – Pescara 156 ② – Ravenna 161 ③.

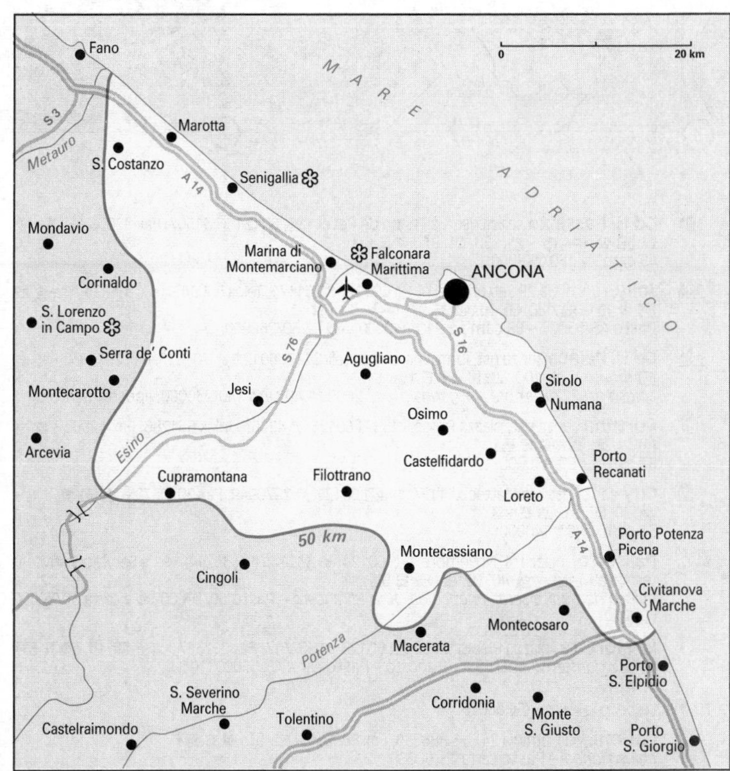

ANCONA

Gd H. Passetto senza rist, via Thaon de Revel 1 ✉ 60124 ✆ 31307, Fax 32856, ←, – 150. AE. ⑤. ⓞ E VISA CZ d
45 cam ☐ 160/290000.

Jolly, rupi di via 29 Settembre 14 ✉ 60122 ✆ 201171, Telex 560343, Fax 206823, ← – – 180. AE. ⑤. ⓞ E VISA. JCB. rist AZ a
Pasto 45/55000 – **89 cam** ☐ 210/240000 – ½ P 230/260000.

Gd H. Palace senza rist, lungomare Vanvitelli 24 ✉ 60121 ✆ 201813, Fax 2074832 – – 100. AE. ⑤. ⓞ E VISA AY k
chiuso dal 22 dicembre al 7 gennaio – ☐ 20000 – **40 cam** 130/230000, appartamento.

Fortuna senza rist, piazza Rosselli 15 ✉ 60126 ✆ 42663, Telex 561286, Fax 42662 – . AE. ⑤. ⓞ E VISA CY a
57 cam ☐ 90/150000.

City senza rist, via Matteotti 112/114 ✉ 60121 ✆ 2070949, Fax 2070372 – – 80. AE. ⑤. ⓞ E VISA BZ a
39 cam ☐ 90/140000.

Passetto, piazza 4 Novembre ✉ 60124 ✆ 33214, Fax 33214, ←, « Servizio estivo in terrazza » – – 40. AE. ⑤. ⓞ E VISA. CZ a
chiuso domenica sera, lunedì e dal 10 al 25 agosto – **Pasto** 60/70000 bc e carta 50/80000 (13 %).

La Moretta, piazza Plebiscito 52 ✉ 60122 ✆ 202317, Fax 202317, – AE. ⑤. ⓞ E VISA
chiuso domenica e dal 13 al 18 agosto – **Pasto** carta 45/55000 (10 %). AZ n

a Torrette *per ③ : 4 km – ✉ 60020 :*

Carloni, via Flaminia 247 ✆ 888239, Fax 888239 – AE. ⑤. ⓞ E VISA
chiuso lunedì – **Pasto** carta 35/60000.

a Portonovo *per ① : 12 km – ✉ 60020.*

Vedere *Chiesa di Santa Maria★.*

Fortino Napoleonico ⑤, via Poggio 166 ☎ 801450, Fax 801454, « In una fortezza ottocentesca sul mare », – ▤ TV ☎ ♿ P. AE. ⑤. ◑ E VISA. JCB
Pasto vedere rist. ***Fortino Napoleonico*** – ☐ 20000 – **26 cam** 220/260000, 4 appartamenti – ½ P 200/210000.

Excelsior la Fonte ⑤, ☎ 801470, Fax 801474, ⛱, – TV ☎ P – 🏠 300. AE. ⑤. E VISA. ✂ rist
Pasto 50/70000 – ☐ 15000 – **60 cam** 140/170000 – ½ P 120/150000.

Emilia ⑤, in collina O : 2 km ☎ 801117, Fax 801330, ≤ mare, « Collezione di quadri d'arte moderna », ⛱, – |♦| ▤ cam TV ☎ ♿ P – 🏠 30. AE. ⑤. ◑ E VISA. JCB. ✂
Pasto carta 55/85000 – **27 cam** ☐ 200/300000, 3 appartamenti – ½ P 170/190000.

Internazionale ⑤, ☎ 801001, Fax 801082, ≤ mare e costa, – TV ☎ P – 🏠 80. AE. ⑤. ◑ E VISA. ✂
Pasto *(chiuso domenica sera escluso da aprile ad ottobre)* carta 55/85000 – ☐ 8000 – **25 cam** 130/160000 – ½ P 130/150000.

XXX **Fortino Napoleonico,** via Poggio 166 ☎ 801450, Fax 801454, , prenotare – ♿ P. AE. ⑤. ◑ E VISA. JCB. ✂
Pasto carta 60/85000 (10 %).

MICHELIN, strada statale 16 - Adriatica km 307 - località Baraccola (zona P.I.P.) CY – ✉ 60131, ☎ 2865333, Fax 2872085.

ANDALO *38010 Trento* 988 ④, 428, 429 D 15 *G. Italia – 1 007 ab. alt. 1 050 – a.s. febbraio, Pasqua e Natale – Sport invernali : 1 050/2 103 m 1 8, (vedere anche Fai della Paganella e Molveno) – 0461.*

Dintorni *✳★★ dal Monte Paganella 30 mn di funivia.*

piazza Dolomiti ☎ 585836, Fax 585570.

Roma 625 – Trento 40 – Bolzano 60 – Milano 214 – Riva del Garda 48.

Piccolo Hotel ⑤, via Pegorar 2 ☎ 585710, Fax 585436, ≤ gruppo di Brenta – |♦| ▤ rist TV ☎ P. AE. ⑤. ◑ E VISA. ✂
20 dicembre-20 aprile e 15 giugno-16 settembre – **Pasto** carta 40/55000 – ☐ 15000 – **26 cam** 95/150000, 5 appartamenti – ½ P 75/125000.

Dal Bon ⑤, via Dossi ☎ 585839, Fax 585910, ≤ – |♦| TV ☎ P. AE. ⑤. ◑ VISA. ✂
20 dicembre-15 aprile e 10 giugno-20 settembre – **Pasto** (solo per alloggiati) 30/40000 – **30 cam** ☐ 70/115000 – ½ P 90/120000.

Maria, ✆ 585828, Fax 585855 – ▯ ▯ ☎ ♿ Ⓟ – 150. AE. Ⓢ. E VISA. ✻
Natale-Pasqua e 15 giugno 15 settembre – **Pasto** carta 40/60000 – **70 cam** ☕ 95/180000 – ½ P 60/140000.

Continental ⛄, via Laghet 1 ✆ 585689, Fax 585815, ← – ▯ ☎ Ⓟ. AE. Ⓢ. ⓞ E VISA. ✻
chiuso da novembre al 20 dicembre – **Pasto** 20/25000 – ☕ 8000 – **27 cam** 90/135000 – ½ P 70/100000.

Bass, ✆ 585560, Fax 585482, ← – ▯ ▤ rist ▯ ☎ 🚗 Ⓟ. AE. Ⓢ. E VISA. ✻
dicembre-20 aprile e luglio-settembre – **Pasto** (solo per alloggiati) 25/30000 – ☕ 10000 – **20 cam** 140000 – ½ P 80/100000.

Cristallo, ✆ 585744, Fax 585970, ← – ▯ ▯ ☎ Ⓟ. AE. Ⓢ. VISA. ✻
dicembre-23 aprile e 15 giugno-15 settembre – **Pasto** carta 30/40000 – ☕ 12000 – **31 cam** 80/140000 – ½ P 100/110000.

Alaska, ✆ 585631, Fax 585631, ← – ▯ ☎ 🚗 Ⓟ. AE VISA. ✻
dicembre-marzo e 15 giugno-10 settembre – **Pasto** (solo per alloggiati) 25000 – ☕ 10000 – **26 cam** 100/150000 – ½ P 90/100000.

Olimpia, via Paganella ✆ 585715, Fax 585458, ←, 🌳 – ▯ ▯ ☎ 🚗 Ⓟ. Ⓢ. VISA. ✻
15 dicembre-22 aprile e 20 giugno-15 settembre – **Pasto** (solo per alloggiati) 30/35000 – ☕ 16000 – **27 cam** 80/125000 – ½ P 70/95000.

Serena, via Crosare 15 ✆ 585727, Fax 585702, ← – ▯ ▯ ☎ 🚗 Ⓟ. AE. Ⓢ. ⓞ E VISA. ✻
20 dicembre-22 aprile e 15 giugno-15 settembre – **Pasto** (solo per alloggiati) 35000 – ☕ 12000 – **33 cam** 70/100000 – ½ P 75/95000.

Ambiez, via Priori 8 ✆ 585556, Fax 585343 – ▯ ▯ ☎ Ⓟ. ✻
20 dicembre-Pasqua e 15 giugno-25 settembre – **Pasto** (solo per alloggiati) 20/30000 – **26 cam** ☕ 80/150000 – P 100/110000.

Lo Scoiattolo, via del Moro 1 ✆ 585912, Fax 585912, ←, ≘s, 🌳 – ▯ ▯ ☎ 🚗 Ⓟ. ✻
22 dicembre-5 aprile e 20 giugno-15 settembre – **Pasto** (solo per alloggiati) 25/35000 – ☕ 10000 – **20 cam** 90/120000 – ½ P 80/110000.

ANDORA *17020 Savona* 428 K 6 – *6 534 ab.* – ☎ *0182.*

ℹ *via Fontana 1* ✆ *85796, Fax 85797.*

Roma 601 – Imperia 16 – Genova 102 – Milano 225 – Savona 56 – Ventimiglia 63.

Liliana, via del Poggio 23 ✆ 85083, Fax 684694, 🏋 – ▯ ▯ ☎ ♿ 🚗. AE. Ⓢ. E VISA. ✻
chiuso dal 20 ottobre al 20 dicembre – **Pasto** 30/45000 – ☕ 12000 – **38 cam** 60/120000, 8 appartamenti – ½ P 75/90000.

Moresco, via Aurelia 96 ✆ 89141, Fax 85414, ← – ▯ ▤ rist ▯ ☎. AE. Ⓢ. ⓞ E VISA. ✻ rist
chiuso da novembre al 22 dicembre – **Pasto** (solo per alloggiati) 35/40000 – ☕ 14000 – **35 cam** 75/115000 – ½ P 65/115000.

Garden, via Aurelia 60 ✆ 88678, Fax 87653 – ▯ ☎ Ⓟ. AE. Ⓢ. ⓞ E VISA. ✻ rist
chiuso da ottobre a Natale – **Pasto** 40000 – ☕ 10000 – **16 cam** 80/120000 – ½ P 65/95000.

XX **Rocce di Pinamare,** via Aurelia 39 ✆ 85223, Fax 684478, ←, 🍽, « Terrazze fiorite sul mare », 🏖 – Ⓟ. AE. Ⓢ. ⓞ E VISA
chiuso mercoledì (escluso giugno-settembre) e novembre – **Pasto** carta 70/90000.

XX **La Casa del Priore,** via Castello 34 (N : 2 km) ✆ 87330, ←, prenotare, « Ambiente caratteristico » – Ⓟ. AE. Ⓢ. ⓞ E VISA
chiuso a mezzogiorno (escluso i giorni festivi), lunedì e dal 3 gennaio all'11 febbraio – **Pasto** 80000 e alla ***Brasserie*** carta 75/105000.

XX **Pan de Cà,** via Conna 13 (N : 4 km) ✆ 80290, 🍽 – Ⓟ. AE. Ⓢ. ⓞ E VISA. JCB
chiuso dal 30 ottobre al 7 dicembre e martedì da settembre a maggio – **Pasto** 40000.

ANDRIA *70031 Bari* 988 ㉙, 431 D 30 – *92 321 ab. alt. 151* – ☎ *0883.*

Roma 399 – Bari 57 – Barletta 12 – Foggia 82 – Matera 78 – Potenza 119.

Cristal Palace Hotel, via Firenze 35/a ✆ 556444 e rist ✆ 550260, Fax 556444 – ▯ ▤ ▯ ☎ ♿ 🚗 – 150. AE. Ⓢ. ⓞ E VISA. JCB. ✻
Pasto al Rist. ***La Fenice*** *(chiuso domenica sera, lunedì e dal 1° al 20 agosto)* carta 40/70000 – **40 cam** ☕ 110/160000.

L'Ottagono, via Barletta 218 ✆ 557888, Fax 556098, Campi calcetto, 🌳, 🎾 – ▯ ▤ ▯ ☎ Ⓟ – 250. AE. Ⓢ. ⓞ E VISA. ✻ rist
Pasto carta 35/60000 – **24 cam** ☕ 110/160000 – ½ P 110/130000.

XX **La Siepe,** via Bonomo 97/b ✆ 594413, Fax 557047 – ▤. AE. Ⓢ. ⓞ VISA. ✻
chiuso venerdì (escluso i giorni festivi) e dal 20 luglio al 20 agosto – **Pasto** carta 25/35000 (10%).

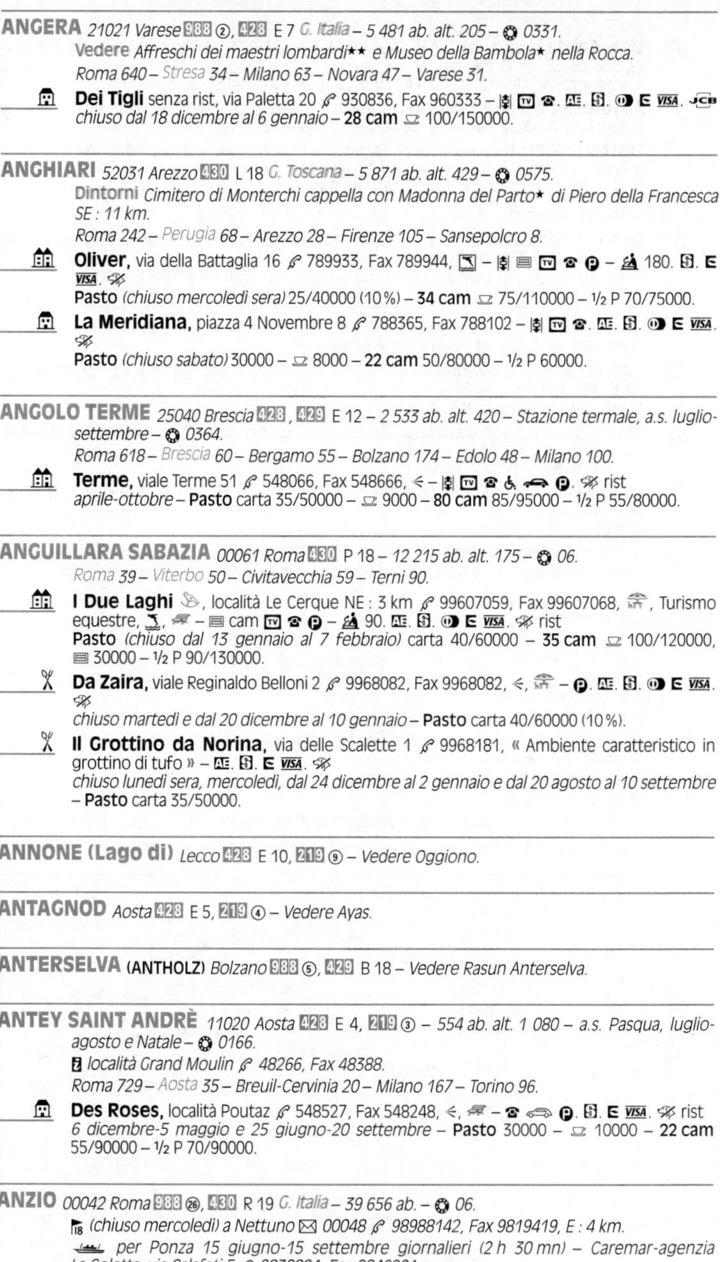

ANGERA *21021 Varese* 988 ②, 428 E 7 *G. Italia – 5 481 ab. alt. 205 – ☎ 0331.*

Vedere Affreschi dei maestri lombardi★★ e Museo della Bambola★ nella Rocca.

Roma 640 – Stresa 34 – Milano 63 – Novara 47 – Varese 31.

Dei Tigli senza rist, via Paletta 20 ℘ 930836, Fax 960333 – AE. ⑤. ⓓ E VISA. JCB
chiuso dal 18 dicembre al 6 gennaio – **28 cam** 100/150000.

ANGHIARI *52031 Arezzo* 430 L 18 *G. Toscana – 5 871 ab. alt. 429 – ☎ 0575.*

Dintorni Cimitero di Monterchi cappella con Madonna del Parto★ di Piero della Francesca SE : 11 km.

Roma 242 – Perugia 68 – Arezzo 28 – Firenze 105 – Sansepolcro 8.

Oliver, via della Battaglia 16 ℘ 789933, Fax 789944, – 180. ⑤. E VISA.
Pasto *(chiuso mercoledì sera)* 25/40000 (10 %) – **34 cam** 75/110000 – ½ P 70/75000.

La Meridiana, piazza 4 Novembre 8 ℘ 788365, Fax 788102 – AE. ⑤. ⓓ E VISA.
Pasto *(chiuso sabato)* 30000 – 8000 – **22 cam** 50/80000 – ½ P 60000.

ANGOLO TERME *25040 Brescia* 428, 429 E 12 – *2 533 ab. alt. 420 – Stazione termale, a.s. luglio-settembre – ☎ 0364.*

Roma 618 – Brescia 60 – Bergamo 55 – Bolzano 174 – Edolo 48 – Milano 100.

Terme, viale Terme 51 ℘ 548066, Fax 548666, ← – rist
aprile-ottobre – **Pasto** carta 35/50000 – 9000 – **80 cam** 85/95000 – ½ P 55/80000.

ANGUILLARA SABAZIA *00061 Roma* 430 P 18 – *12 215 ab. alt. 175 – ☎ 06.*

Roma 39 – Viterbo 50 – Civitavecchia 59 – Terni 90.

I Due Laghi, località Le Cerque NE : 3 km ℘ 99607059, Fax 99607068, Turismo equestre, – cam – 90. AE. ⑤. ⓓ E VISA. rist
Pasto *(chiuso dal 13 gennaio al 7 febbraio)* carta 40/60000 – **35 cam** 100/120000, 30000 – ½ P 90/130000.

Da Zaira, viale Reginaldo Belloni 2 ℘ 9968082, Fax 9968082, ←, – AE. ⑤. ⓓ E VISA.
chiuso martedì e dal 20 dicembre al 10 gennaio – **Pasto** carta 40/60000 (10 %).

Il Grottino da Norina, via delle Scalette 1 ℘ 9968181, « Ambiente caratteristico in grottino di tufo » – AE. ⑤. E VISA.
chiuso lunedì sera, mercoledì, dal 24 dicembre al 2 gennaio e dal 20 agosto al 10 settembre – **Pasto** carta 35/50000.

ANNONE (Lago di) *Lecco* 428 E 10, 219 ⑨ – *Vedere Oggiono.*

ANTAGNOD *Aosta* 428 E 5, 219 ④ – *Vedere Ayas.*

ANTERSELVA (ANTHOLZ) *Bolzano* 988 ⑤, 429 B 18 – *Vedere Rasun Anterselva.*

ANTEY SAINT ANDRÈ *11020 Aosta* 428 E 4, 219 ③ – *554 ab. alt. 1 080 – a.s. Pasqua, luglio-agosto e Natale – ☎ 0166.*

località Grand Moulin ℘ 48266, Fax 48388.

Roma 729 – Aosta 35 – Breuil-Cervinia 20 – Milano 167 – Torino 96.

Des Roses, località Poutaz ℘ 548527, Fax 548248, ←, – ⑤. E VISA. rist
6 dicembre-5 maggio e 25 giugno-20 settembre – **Pasto** 30000 – 10000 – **22 cam** 55/90000 – ½ P 70/90000.

ANZIO *00042 Roma* 988 ㉖, 430 R 19 *G. Italia – 39 656 ab. – ☎ 06.*

(chiuso mercoledì) a Nettuno ✉ 00048 ℘ 98988142, Fax 9819419, E : 4 km.

per Ponza 15 giugno-15 settembre giornalieri (2 h 30 mn) – Caremar-agenzia La Coletta, via Calafati 5 ℘ 9830804, Fax 9846291.

per Ponza giornalieri (1 h 10 mn) – Agenzia Helios, via Porto Innocenziano 18 ℘ 9845085, Telex 613086, Fax 9845097.

riviera Zanardelli 3/5 ℘ 9846119, Fax 9848135.

Roma 52 – Frosinone 81 – Latina 25 – Ostia Antica 49.

Lido Garda, piazza Caboto 8 ☎ 9870354, Fax 9865386, ≤, ⛱, ▲, 🏊 – |♦| TV ☎ – 🏛 300. AE. ⓢ. ● E VISA. ✂ rist
marzo-ottobre – **Pasto** 50000 – **42 cam** ☐ 105/135000 – ½ P 90/140000.

All'Antica Darsena, piazza Sant'Antonio 1 ☎ 9845146, ≤ – AE. ⓢ. ● E VISA
chiuso lunedì e dal 20 dicembre al 10 gennaio – **Pasto** carta 40/60000 (10 %).

Trattoria Pierino, piazza Cesare Battisti 3 ☎ 9845683, 🏠 – AE. ⓢ. ● E VISA. ✂
chiuso dal 15 al 28 febbraio, dal 15 al 30 novembre, lunedì e da luglio a settembre anche a mezzogiorno (escluso sabato-domenica) – **Pasto** carta 35/60000.

a Lavinio Lido di Enea *NO : 8 km – ✉ 00040 – a.s. 15 giugno-agosto :*

Succi 🐎, località Tor Materno ☎ 9873923, Telex 610448, Fax 9871798, ≤, 🏠, ▲ – |♦| ▤ TV ☎ 🚗. AE. ⓢ. ● E VISA. ✂
Pasto 40/45000 – **47 cam** ☐ 130/160000, 2 appartamenti – ½ P 105/125000.

ANZOLA DELL'EMILIA *40011 Bologna 429, 430 I 15 – 9 941 ab. alt. 40 – ☎ 051.*

Roma 381 – Bologna 13 – Ferrara 57 – Modena 26.

Garden senza rist, via Emilia 29 ☎ 735200, Fax 735673 – |♦| ▤ TV ☎ ♿ P – 🏛 70. AE. ⓢ. ● E VISA. JCB
chiuso dal 22 dicembre al 6 gennaio ed agosto – **56 cam** ☐ 210/300000.

Alan senza rist, via Emilia 46/b ☎ 733562, Fax 735376 – |♦| ▤ TV ☎ 🚗 P. AE. ⓢ. ● E VISA
☐ 15000 – **61 cam** 120/160000.

Lu King senza rist, via Emilia 65 ☎ 734273, Fax 735098 – |♦| ⇄ ▤ TV ☎ P. AE. ⓢ. ● E VISA. JCB
42 cam ☐ 135/220000.

Il Ristorantino-da Dino, via 25 Aprile 11 ☎ 732364, Fax 732364 – ▤. AE. ⓢ. ● VISA. ✂
chiuso domenica sera, lunedì, dal 7 al 14 gennaio ed agosto – **Pasto** carta 40/60000.

AOSTA (AOSTE) *11100 P 988 ②, 428 E 3 G. Italia – 35 292 ab. alt. 583 – a.s. Pasqua, luglio-settembre e Natale – Sport invernali : a Pila : 1 765/2 709 m 🚡4 ⛷8, 🎿 – ☎ 0165.*

Vedere *Collegiata di Sant'Orso Y : capitelli★★ del chiostro★ – Finestre★ del Priorato di Sant'Orso Y – Monumenti romani★ : Porta Pretoria Y* **A**, *Arco di Augusto Y* **B**, *Teatro Y* **D**, *Anfiteatro Y* **E**, *Ponte Y* **G**.

Escursioni *Valle d'Aosta★★ : ≤★★★ Est, Sud-Ovest.*

⛳9 *(aprile-ottobre; chiuso mercoledì escluso agosto) località Arsanières ✉ 11010 Gignod ☎ 56020, Fax 56020, N : 9 km.*

ℹ *piazza Chanoux 8 ☎ 236627, Fax 34657.*

A.C.I. *località Borgnalle 10 ☎ 262208.*

Roma 746 ② – Chambéry 197 ③ – Genève 139 ③ – Martigny 72 ① – Milano 184 ② – Novara 139 ② – Torino 113 ②.

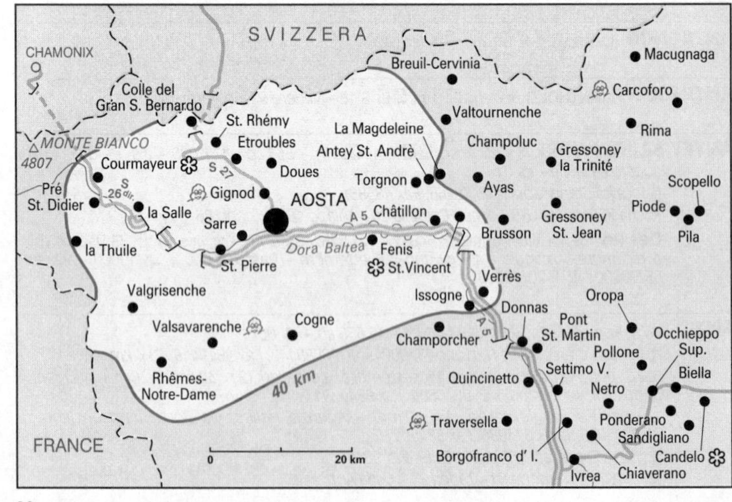

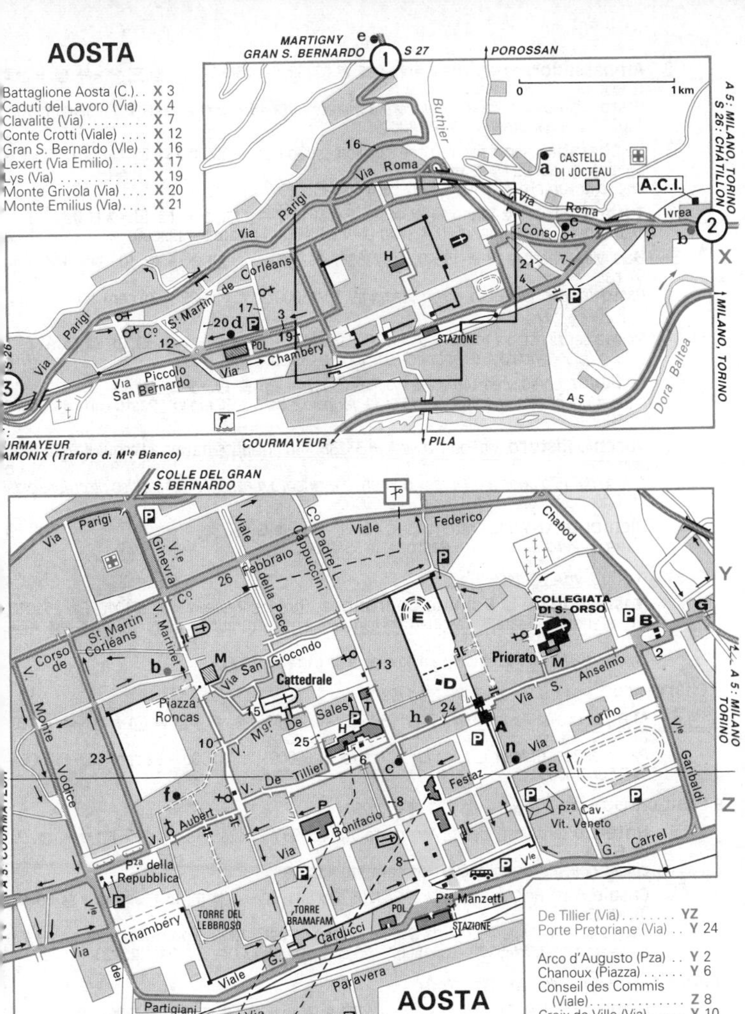

Europe, piazza Narbonne 8 ☏ 236363, Fax 40566, – |♦| ▤ TV ☎ – 100. AE. ⑤. ● E VISA. JCB. ✂ rist Y c
Pasto *(chiuso domenica)* carta 40/70000 – **63 cam** ☕ 190/280000, 8 appartamenti – 1/2 P 130/170000.

Holiday Inn Aosta, corso Battaglione Aosta 30 ☏ 236356, Fax 236837 – |♦| ✂ cam ▤ TV ☎ ♿ 🚗 P. AE. ⑤. ● E VISA. JCB. ✂ rist X d
Pasto al Rist. ***La Taverne Provençale*** *(chiuso domenica)* carta 35/65000 – **50 cam** 220/260000 – 1/2 P 120/160000.

Milleluci 🐌 senza rist, località Porossan Roppoz 15 ☏ 235278, Fax 235284, ←, ✂ – TV ☎ P. AE. ⑤. E VISA X a
12 cam ☕ 110/150000.

Ambassador, via Duca degli Abruzzi 2 ☎ 42230, Fax 236851, ≤ – |‡| TV ☎ ⇔ P. AE. S. ⊙ E VISA. ✻ X
Pasto *(chiuso domenica da ottobre a marzo)* carta 45/65000 – ☐ 12000 – **39 cam** 100/120000, 2 appartamenti – ½ P 110000.

Le Charaban senza rist, regione Saraillon - strada statale 27 ☎ 238289, Fax 361230, ⚘ – TV ☎ ♿ P. AE. S. ⊙ E VISA. ✻ X
chiuso novembre – ☐ 10000 – **22 cam** 100/130000.

Turin senza rist, via Torino 14 ☎ 44593, Fax 361377 – |‡| TV ☎ ♿. AE. S. ⊙ E VISA Y
chiuso dal 15 novembre al 20 dicembre – ☐ 10000 – **50 cam** 85/125000.

Bus, via Malherbes 18 ☎ 43645, Fax 236962, ≤ – |‡| ≡ rist TV ☎ P. AE. S. ⊙ E VISA. JCB ✻ rist Z
Pasto *(chiuso lunedì in bassa stagione)* 30/45000 – ☐ 15000 – **39 cam** 90/130000 – ½ P 70/110000.

Roma senza rist, via Torino 7 ☎ 41000, Fax 32404 – |‡| TV ☎ ♿ ⇔. AE. S. ⊙ E VISA Y
chiuso dal 7 gennaio al 6 febbraio – ☐ 10000 – **38 cam** 85/125000.

Le Foyer, corso Ivrea 146 ☎ 32136, Fax 239474 – P. AE. S. ⊙ E VISA. ✻ X
chiuso lunedì sera, martedì, dal 15 al 31 gennaio e dal 5 al 20 luglio – **Pasto** carta 45/80000 (10 %).

Vecchio Ristoro, via Tourneuve 4 ☎ 33238, « In un antico mulino ad acqua » – AE. S. E VISA Y
chiuso dal 15 giugno al 15 luglio, domenica e lunedì a mezzogiorno (escluso dicembre e da 15 luglio ad agosto) – **Pasto** carta 40/60000.

Piemonte, via Porta Pretoria 13 ☎ 40111 –. S. ⊙ E VISA. ✻ Y
chiuso venerdì e febbraio – **Pasto** carta 35/70000.

a Gressan *SO : 3 km – ✉ 11020 :*

Hostellerie de la Pomme Couronnée, frazione Resselin 3 ☎ 251010, Fax 251010 ⚘, prenotare la sera, « Cascinetta di campagna ristrutturata » – ≡ P. S. ⊙ E VISA. JCB ✻
chiuso martedì – **Pasto** cucina a base di mele carta 35/70000.

a Charvensod *S : 4 km Z – alt. 746 – ✉ 11020 :*

Miage, località Ponte Suaz 137 ☎ 238585, Fax 236355, ≤, ⚘ – |‡| ≡ TV ☎ ♿ ⇔ P. AE. S. ⊙ E VISA. ✻
Pasto al Rist. ***Glacier*** *(chiuso lunedì)* carta 35/60000 – ☐ 15000 – **32 cam** 100/160000 – ½ P 80/110000.

a Saint Christophe *E : 4 km – alt. 700 – ✉ 11020 :*

Hotelalp senza rist, località Aeroporto 8 ☎ 236900, Fax 239119, ≤, ⚘ – TV ☎ ♿ P. AE. S. E VISA
chiuso novembre – ☐ 12000 – **51 cam** 110/130000.

Casale, frazione Condemine 2 ☎ 541203, Fax 541962, ≤ – |‡| TV ☎ ♿ ⇔ P – 🏛 60. AE. S. ⊙ E VISA
chiuso dal 5 al 20 gennaio e dal 5 al 20 giugno – **Pasto** *(chiuso domenica sera e lunedì in bassa stagione)* 35/65000 – ☐ 15000 – **25 cam** 100/130000 – ½ P 100/120000.

a Pollein *SE : 5 km – alt. 608 – ✉ 11020 :*

Diana, ☎ 53120, Fax 53321, ≤, ⚘ – |‡| TV ☎ ♿ P – 🏛 50. AE. S. ⊙ E VISA. JCB. ✻ rist
chiuso dal 10 al 30 giugno – **Pasto** *(chiuso lunedì)* carta 25/65000 – **30 cam** ☐ 85/130000 – ½ P 80/90000.

a Villair de Quart *E : 9 km – ✉ 11020 :*

Cavallo Bianco, frazione Larey 5 ☎ 765503, Fax 765503, ⚘, Coperti limitati; prenotare – P. AE. S. ⊙ E VISA
chiuso lunedì, dal 1° al 15 febbraio e dal 22 settembre al 10 ottobre – **Pasto** carta 40/70000.

Le Bourricot Fleuri-Motel Village con cam, prossimità casello autostrada ☎ 765996, Fax 765726, ≤, « Chalets indipendenti », ⚘ – ≡ rist TV ☎ P. AE. S. ⊙ E VISA. ✻
Pasto *(chiuso mercoledì)* carta 35/55000 – ☐ 13000 – **20 cam** 80/120000 – ½ P 95000.

APPIANO GENTILE *22070 Como* 428 E 8, 219 ⑱ – *6 981 ab. alt. 368* – ☎ *031.*

La Pinetina (chiuso martedì) ☎ *933202, Fax 890342.*
Roma 617 – Como 20 – Milano 43 – Saronno 18 – Varese 20.

Tarantola, strada per Tradate NO : 2,5 km ☎ 930990, Fax 891101 – P. AE. S. ⊙ E VISA
chiuso lunedì sera, martedì e dal 1° al 15 gennaio – **Pasto** carta 50/85000.

APPIANO SULLA STRADA DEL VINO (EPPAN AN DER WEINSTRASSE) *39057 Bolzano* 988 ④, 429 C 15 – *11 652 ab. alt. (frazione San Michele) 418* – ☎ *0471*.
Roma 641 – Bolzano 10 – Merano 32 – Milano 295 – Trento 57.

a San Michele (St. Michael) – ✉ *39057 San Michele Appiano.*
piazza Municipio 1 ✆ 662206, Fax 663546 :

Tschindlhof ⛰, ✆ 662225, Fax 663649, ≤, « Giardino-frutteto con ⛱ » – TV ☎ P. AE. ⓢ. ◑ E VISA. ✻ rist
25 marzo-5 novembre – **Pasto** (solo per alloggiati e *chiuso a mezzogiorno*) 35/45000 – **13 cam** ☕ 130/230000, 4 appartamenti – ½ P 120/150000.

Castello Aichberg ⛰ senza rist, via Monte 31 ✆ 662247, Fax 660908, « Giardino-frutteto con ⛱ riscaldata », ≘ – TV ☎ P. AE E VISA. ✻
marzo-15 novembre – **10 cam** ☕ 95/190000, 3 appartamenti.

Ansitz Angerburg, ✆ 662107, Fax 660993, « Grazioso giardino con ⛱ » – ☎ P. ✻ rist
20 marzo-5 novembre – **Pasto** 50/65000 – **33 cam** ☕ 100/210000 – ½ P 85/105000.

Zur Rose, ✆ 662249, Fax 662485, Coperti limitati; prenotare – ✈ AE. ⓢ. ◑ E VISA
chiuso domenica, lunedì a mezzogiorno e luglio – **Pasto** carta 60/90000
Spec. Salsiccia di finferli con vinaigrette di patate o verdure. Zuppa di polenta con olio di semi di zucca. Controfiletto di manzo in crosta di senape.

a Pigeno (Pigen) *NO : 1,5 km* – ✉ *39057 San Michele Appiano :*

Schloss Englar ⛰ senza rist, via Pigenoweg 42 ✆ 662628, Fax 660404, ≤, « In un castello medioevale », ⛱, ⚘ – ☎ P
aprile-novembre – **10 cam** ☕ 100/190000, appartamento.

a Cornaiano (Girlan) *NE : 2 km* – ✉ *39050 :*

Girlanerhof ⛰ ✆ 662442, Fax 661259, ≤, ⛱, ≘, ⛱ riscaldata, ⚘ – TV ☎ P
Pasqua-5 novembre – **Pasto** *(chiuso martedì)* 45/70000 – **20 cam** ☕ 100/220000 – ½ P 110/160000.

Marklhof-Bellavista, ✆ 662407, Fax 661522, ≤, « Servizio estivo in terrazza » – P. AE. ⓢ. E VISA
chiuso dal 25 giugno al 7 luglio, domenica sera e lunedì – **Pasto** carta 60/80000.

a Monte (Berg) *NO : 2 km* – ✉ *39057 San Michele Appiano :*

Schloss Freudenstein ⛰ ✆ 660638, Fax 660122, ≤ monti e frutteti, « In un castello medioevale », ⛱, ⚘ – ☎ P. ✻
marzo-novembre – **Pasto** *(chiuso a mezzogiorno)* 45/80000 – **10 cam** ☕ 200/360000, appartamento – ½ P 180/220000.

Steinegger ⛰, via Masaccio 9 ✆ 662248, Fax 660517, ≤ vallata, ≘, ⛱, ⛱, ⚘, ✂ – ☎ P. ✻ rist
aprile-novembre – **Pasto** *(chiuso mercoledì)* 25/50000 – **29 cam** ☕ 90/180000 – ½ P 80/100000.

a San Paolo (St. Pauls) *N : 3 km* – ✉ *39050 San Paolo Appiano :*

Weingarten ⛰, ✆ 662299, Fax 661166, ⛱, ≘, ⛱, ⚘, ✂ – ☎ P. ✻ rist
20 marzo-16 novembre – **Pasto** (solo per alloggiati) – **29 cam** ☕ 85/200000 – ½ P 85/120000.

Michaelis Hof ⛰ senza rist, ✆ 664432, Fax 664432, ≤, ⚘ – ✈ TV ☎ P. ✻
Pasqua-5 novembre – **12 cam** ☕ 80/140000.

a Missiano (Missian) *N : 4 km* – ✉ *39050 San Paolo Appiano :*

Schloss Korb ⛰, via Castel d'Appiano 5 ✆ 636000, Fax 636033, ≤ vallata, ⛱, « In un castello medioevale », ≘, ⛱, ⛱, ⚘, ✂ – ⧉ TV ☎ P – 🏛 100
aprile-5 novembre – **Pasto** 60/70000 – **56 cam** ☕ 155/285000, 4 appartamenti – ½ P 150/220000.

APRICA *23031 Sondrio* 988 ③ ④, 428, 429 D 12 – *1 614 ab. alt. 1 181 – Sport invernali : 1 181/2 360 m* 🚡 2 ⛷ 12, ⛷ – ☎ *0342*.
corso Roma 150 ✆ 746113, Fax 747732.
Roma 674 – Sondrio 30 – Bolzano 141 – Brescia 116 – Milano 157 – Passo dello Stelvio 79.

Park Hotel Bozzi, via Europa ✆ 746169, Fax 747766, ≤, « Giardino » – ⧉ TV ☎ 🚗 P – 🏛 50. ✻ rist
dicembre-Pasqua e luglio-agosto – **Pasto** 35/45000 – ☕ 12000 – **45 cam** 180/200000 – ½ P 80/155000.

Eden, via Adamello 34 ✆ 746253, Fax 745393, ≤ – ⧉ TV ☎ P. AE. ⓢ. E VISA. ✻ rist
dicembre-aprile e 20 giugno-20 settembre – **Pasto** *(chiuso venerdì)* carta 35/55000 – ☕ 15000 – **21 cam** 75/110000 – ½ P 105000.

Larice Bianco, via Adamello 38 ✆ 746275, Fax 745454, ≤ – ⧉ TV ☎ P. ⓢ. VISA. ✻
dicembre-aprile e giugno-settembre – **Pasto** *(chiuso mercoledì)* 40/50000 – ☕ 25000 – **25 cam** 85/140000 – P 80/140000.

Sport, via Europa 140 ✆ 746134, Fax 746836 – |‡| TV ☎ P. S. ◑ E VISA. ✻ rist
dicembre-aprile e giugno-3 ottobre – **Pasto** *(chiuso martedì)* 35000 – **22 cam** ☕ 90/140000 – ½ P 60/120000.

XX Di Arrigo, via Roma 238 ✆ 746131, ☂

APRICALE *18030 Imperia* 428 K 4, 115 ⑲ – *574 ab. alt. 273* – ☎ *0184.*
Roma 668 – Imperia 63 – Genova 169 – Milano 292 – San Remo 30 – Ventimiglia 16.

XX **La Capanna-da Bacì,** ✆ 208137, Fax 208137, ≤ monti, ☂, prenotare –. S. ◑ E VISA
chiuso lunedì sera, martedì, dal 1° al 22 dicembre e dal 13 al 23 giugno – **Pasto** carta 35/45000.

X **La Favorita** con cam, località Richelmo ✆ 208186, ☂, prenotare – P. AE. S. ◑ E VISA
chiuso dal 20 al 30 giugno e dal 4 al 28 novembre – **Pasto** *(chiuso mercoledì)* 30/40000 – ☕ 7000 – **7 cam** 50/65000 – ½ P 75000.

APRILIA *04011 Latina* 988 ㉖, 430 R 19 – *54 359 ab. alt. 80* – ☎ *06.*
Eucalyptus (chiuso martedì) ✆ 926252, Fax 9268502.
Roma 44 – Latina 26 – Napoli 190.

XXX **Il Focarile,** via Pontina al km 46,5 ✆ 9282549, Fax 9280392, – ▤ P. AE. S. ◑ E VISA. ✻
✿ *chiuso domenica sera, lunedì, Natale e dal 10 al 20 agosto* – **Pasto** carta 55/80000 (10 %)
Spec. Pesce spada marinato con verdure all'aceto balsamico. Spaghetti con vongole e alici fresche. Rombo al forno con seppie e carciofi.

XX **Da Elena,** via Matteotti 14 ✆ 924098, Fax 924098 – ▤ P. AE. S. ◑ E VISA. ✻
chiuso domenica ed agosto – **Pasto** carta 35/70000.

AQUILEIA *33051 Udine* 988 ⑥, 429 E 22 *G. Italia* – *3 320 ab.* – *a.s. luglio-agosto* – ☎ *0431.*
Vedere *Basilica★★ : affreschi★★ della cripta carolingia, pavimenti★★ della cripta degli Scavi – Rovine romane★.*
Roma 635 – Udine 41 – Gorizia 32 – Grado 11 – Milano 374 – Trieste 45 – Venezia 124.

Patriarchi, via Augusta 12 ✆ 919595, Fax 919596, – TV ☎ P. AE. S. ◑ E VISA. ✻ rist
chiuso dal 10 al 25 novembre – **Pasto** al Rist. ***Fonzari*** *(chiuso mercoledì escluso da aprile a settembre)* carta 40/75000 – **21 cam** ☕ 85/150000 – ½ P 85/100000.

XX **La Colombara,** NE : 2 km ✆ 91513, Fax 919560, ☂ – P. AE. S. ◑ E VISA. ✻
chiuso lunedì – **Pasto** carta 25/45000.

ARABBA *32020 Belluno* 988 ⑤, 429 C 17 *G. Italia* – *alt. 1 602* – *Sport invernali : 1 602/2 950 m* 2 24, – ☎ *0436.*
✆ 79130, Fax 79300.
Roma 709 – Belluno 74 – Cortina d'Ampezzo 36 – Milano 363 – Passo del Pordoi 11 – Trento 127 – Venezia 180.

Sport Hotel Arabba, via Pordoi 80 ✆ 79321, Fax 79121, ≤ Dolomiti, – |‡| TV ☎ ♿ P. S. E VISA. ✻
20 dicembre-9 aprile e luglio-15 settembre – **Pasto** carta 50/75000 – **38 cam** ☕ 200/240000 – ½ P 100/235000.

Evaldo, ✆ 79281, Fax 79358, ≤, – |‡| TV ☎ P. AE. S. E VISA. ✻
18 dicembre-20 aprile e maggio-ottobre – **Pasto** 55000 – ☕ 40000 – **35 cam** 150/240000 – ½ P 90/190000.

Malita , ✆ 79103, Fax 79391, – |‡| TV ☎ ♿ P. AE. S. ◑ E VISA. ✻ rist
chiuso maggio o giugno e novembre – **Pasto** carta 30/50000 – **24 cam** ☕ 130/240000 – ½ P 90/150000.

Olympia, ✆ 79135, Fax 79354, ≤ Dolomiti, – |‡| TV ☎ P. S. E VISA. ✻ rist
21 dicembre-14 aprile e giugno-ottobre – **Pasto** *(chiuso a mezzogiorno dal 21 dicembre al 14 aprile)* carta 30/50000 – ☕ 20000 – **29 cam** 165/270000 – ½ P 115/180000.

Royal senza rist, ✆ 79293, Fax 79293, ≤, – TV ☎ P. ✻
☕ 12000 – **12 cam** 90/130000.

ARCETO *Reggio nell'Emilia* 428, 429, 430 I 14 – *Vedere Scandiano.*

ARCETRI *Firenze* 430 K 15 – *Vedere Firenze.*

ARCEVIA *60011 Ancona 988 ⑯, 430 L 20 – 5 671 ab. alt. 535 – ☎ 0731.*
Roma 240 – Ancona 73 – Foligno 83 – Pesaro 74.

Park Hotel, ☎ 9595, Fax 9596, – rist ☎ – 80
38 cam.

ARCIDOSSO *58031 Grosseto 988 ㉕, 430 N 16 – 4 176 ab. alt. 661 – ☎ 0564.*
Roma 183 – Grosseto 59 – Orvieto 74 – Siena 75 – Viterbo 91.

Toscana, via Davide Lazzaretti 47 ☎ 967486, Fax 967000 – rist ☎ – 100. AE. E VISA.
chiuso dal 5 novembre al 10 dicembre – **Pasto** (solo per alloggiati) 20/30000 – **49 cam** 90/120000 – ½ P 80/90000.

ARCISATE *21051 Varese 428 E 8, 219 ⑧ – 9 256 ab. alt. 381 – ☎ 0332.*
Roma 631 – Como 33 – Lugano 27 – Milano 63 – Varese 6.

Amadeus, via Cesare Battisti 15, località Brenno E : 2 km ☎ 473709, Fax 473709, prenotare – AE. E VISA
chiuso lunedì, martedì, dal 19 febbraio al 12 marzo e dal 23 luglio al 13 agosto – **Pasto** carta 55/80000.

ARCO *38062 Trento 988 ④, 428, 429 E 14 – 13 578 ab. alt. 91 – a.s. Pasqua e Natale – ☎ 0464.*
viale delle Palme 1 ☎ 532255, Fax 532353.
Roma 576 – Trento 33 – Brescia 81 – Milano 176 – Riva del Garda 6 – Vicenza 95.

Palace Hotel Città, ☎ 531100, Fax 516208, riscaldata, – ☎ – 50. AE. E VISA. rist
chiuso dal 4 novembre al 22 dicembre e dal 7 gennaio a marzo – **Pasto** *(chiuso martedì)* carta 45/65000 – 19000 – **80 cam** 130/190000 – ½ P 140/160000.

Villa delle Rose, via Santa Caterina 4/P ☎ 519091, Fax 516617, riscaldata, – ☎ – 200. AE. E VISA. rist
Pasto *(chiuso martedì in bassa stagione)* carta 40/65000 – **49 cam** 150/260000 – ½ P 110/140000.

Everest, località Vignole E : 2 km ☎ 519277, Fax 519280, – ☎ – 60. E VISA.
Pasto *(chiuso lunedì escluso da giugno a settembre)* carta 35/55000 – **55 cam** 125/145000 – ½ P 100/115000.

Pace, via Vergolano 50 ☎ 516398, Fax 518421, – rist ☎. AE. E VISA. rist
chiuso dal 16 gennaio al 20 febbraio e dal 15 novembre al 18 dicembre – **Pasto** *(chiuso lunedì)* carta 30/40000 – 10000 – **42 cam** 65/120000 – ½ P 75/80000.

Al Sole, ☎ 516676, Fax 518585, – ☎. AE. E VISA. JCB
chiuso dicembre – **Pasto** *(chiuso lunedì)* carta 40/70000 – 7000 – **20 cam** 70/125000 – ½ P 80000.

La Lanterna, località Prabi 30 (N : 2,5 km) ☎ 517013, prenotare – E VISA
chiuso martedì e dal 20 giugno al 20 luglio – **Pasto** carta 40/80000.

ARCORE *20043 Milano 428 F 9, 219 ⑲ – 16 411 ab. alt. 193 – ☎ 039.*
Roma 594 – Milano 31 – Bergamo 39 – Como 43 – Lecco 30 – Monza 7.

Sant'Eustorgio, ☎ 6013718, Fax 617531, « Giardino ombreggiato » – ☎. AE. E VISA
chiuso dal 26 dicembre al 7 gennaio e dal 7 al 30 agosto – **Pasto** *(chiuso venerdì e domenica sera)* carta 55/80000 – **35 cam** 135/190000, 5 appartamenti.

ARCUGNANO *36057 Vicenza 429 F 16 – 6 519 ab. alt. 160 – ☎ 0444.*
Roma 530 – Padova 40 – Milano 211 – Vicenza 7.

Villa Michelangelo, via Sacco 19 ☎ 550300, Fax 550490, Colli Berici, « In un parco », coperta in inverno – ☎ – 300. AE. E VISA. rist
Pasto 65000 e al Rist. ***La Loggia*** *(chiuso domenica)* carta 55/85000 – **34 cam** 210/310000.

Antica Osteria da Penacio, località Soghe S : 10 km, via Soghe 22 ☎ 273540, Fax 273081 – AE. E VISA.
chiuso mercoledì, dal 25 gennaio al 10 febbraio e dal 15 al 25 agosto – **Pasto** carta 45/55000.

Trattoria Zamboni, via Santa Croce 14 (S : 4 km) ☎ 273079, Fax 273079, Trattoria di campagna – E.
chiuso lunedì e martedì – **Pasto** carta 35/60000.

ARDENZA *Livorno* 428, 430 L 12 – *Vedere Livorno.*

ARDORE MARINA *89037 Reggio di Calabria* 431 M 30 – *5 056 ab. alt. 250 – ☎ 0964.*
Roma 711 – Reggio di Calabria 88 – Catanzaro 107.

XX **L'Aranceto,** ☎ 629271, Fax 629030, 余 – P. AE. S. E VISA
chiuso martedì ed ottobre – **Pasto** carta 45/80000.

AREMOGNA *L'Aquila* 430 Q 24, 431 B 24 – *Vedere Roccaraso.*

ARENA PO *27040 Pavia* 428 G 10 – *1 576 ab. alt. 60 – ☎ 0385.*
Roma 537 – Piacenza 31 – Alessandria 81 – Milano 67 – Pavia 29.

a Parpanese *S : 6 km – ✉ 27040 Arena Po :*

XX **Parpanese,** ☎ 70476, Coperti limitati; prenotare – ▤ P. S. E VISA. ✻
chiuso domenica sera, lunedì e dall'8 agosto all'8 settembre – **Pasto** carta 45/75000.

ARENZANO *16011 Genova* 988 ⑬, 428 I 8 – *11 554 ab. – a.s. 15 dicembre-15 gennaio, 22 marzo-maggio e ottobre – ☎ 010.*
Della Pineta (chiuso martedì ed ottobre) ☎ 9111817, Fax 9111270, O : 1 km.
via Cambiaso 2 ☎ 9127581, Fax 9127581.
Roma 527 – Genova 24 – Alessandria 77 – Milano 151 – Savona 23.

Gd H. Arenzano, ☎ 91091, Fax 9109444, ≤, 余, 🏊, 🏊 – |‡| ▤ TV ☎ ♿ P – 🏛 250. AE. S. ⦿ E VISA. JCB. ✻
Pasto carta 50/80000 – **105 cam** ☕ 250/320000, 5 appartamenti – ½ P 205/295000.

Poggio Hotel, via di Francia 24 (O : 2 km) ☎ 9135320, Fax 9135320, 🏊 – TV ☎ ♿ 🚗 P. AE. S. ⦿ E VISA. JCB. ✻ rist
Pasto vedere rist ***La Buca*** – ☕ 12000 – **36 cam** 90/130000, 4 appartamenti – ½ P 95/110000.

XX La Buca - Poggio Hotel, via di Francia 24 O : 2 km ☎ 9135350, Fax 9135352, 余 – ▤ P

ARESE *20020 Milano* 428 F 9, 219 ⑱ – *19 230 ab. alt. 160 – ☎ 02.*
Roma 597 – Milano 16 – Como 36 – Varese 50.

XX **Castanei,** viale Alfa Romeo NO : 1,5 km ☎ 9380053, Fax 9380053 – ▤ P. AE. S. ⦿ E VISA. JCB. ✻
chiuso domenica, mercoledì sera, dal 24 dicembre al 2 gennaio ed agosto – **Pasto** carta 35/60000.

AREZZO *52100* P 988 ⑮, 430 L 17 *G. Toscana – 90 805 ab. alt. 296 – ☎ 0575.*
Vedere *Affreschi di Piero della Francesca*★★★ *nella chiesa di San Francesco* **ABY** – *Chiesa di Santa Maria della Pieve*★ *: facciata*★★ **BY** – *Crocifisso*★★ *nella chiesa di San Domenico* **BY** – *Piazza Grande*★ **BY** – *Museo d'Arte Medievale e Moderna*★ *: maioliche*★★ **AY M1** – *Portico*★ *e ancona*★ *della chiesa di Santa Maria delle Grazie* **AZ** – *Opere d'arte*★ *nel Duomo* **BY.**
piazza della Repubblica 28 ☎ 377678, Fax 28042.
A.C.I. *viale Luca Signorelli 24/a ☎ 303603.*
Roma 214 ④ – Perugia 74 ③ – Ancona 211 ② – Firenze 81 ④ – Milano 376 ④ – Rimini 153 ①.

Pianta pagina a lato

Etrusco, via Fleming 39 ☎ 984067, Fax 382131 – |‡| ▤ TV ☎ 🚗 P – 🏛 400. AE. S. ⦿ E VISA. ✻ 1 km per ④
Pasto *(chiuso domenica)* carta 45/60000 – ☕ 15000 – **80 cam** 135/165000 – ½ P 135000.

Minerva, via Fiorentina 6 ☎ 370390, Fax 302415 – |‡| ▤ TV ☎ ♿ 🚗 P – 🏛 400. AE. S. ⦿ E VISA. ✻ AY n
Pasto *(chiuso dal 1° al 20 agosto)* carta 35/50000 (15 %) – ☕ 15000 – **129 cam** 130/160000 – ½ P 140/150000.

Continentale, piazza Guido Monaco 7 ☎ 20251, Fax 350485 – |‡| ▤ TV ☎ – 🏛 100. AE. S. ⦿ E VISA. ✻ rist AZ r
Pasto *(chiuso domenica sera e dal 15 luglio al 15 agosto)* carta 35/55000 – ☕ 15000 – **74 cam** 100/160000 – ½ P 125/150000.

Milano, via Madonna del Prato 83 ☎ 26836, Fax 21925 – |‡| ▤ cam TV ☎. AE. S. ⦿ E VISA. JCB. ✻ rist AZ m
Pasto (solo per alloggiati) 30/35000 – ☕ 10000 – **27 cam** 105/155000 – ½ P 90/105000.

Circolazione regolamentata nel centro città

Cavour (Via) .... ABY 2
Grande (Piazza)............. BY
Italia (Corso)............. ABYZ

Cesalpino (Via) .... BY 3
Chimera (Via della) .... AY 5
Fontanella (Via) .... BZ 6
Garibaldi (Via)............ ABYZ 8
Giotto (Viale) .... BZ 9

Madonna del Prato (V.) .... AYZ 13
Maginardo (Viale)........... AZ 14
Mecenate (Viale) .... AZ 16
Mino da Poppi (Via) .... BZ 17
Mochi (Via F.) .... AY 19
Monaco (Via G.) .... AYZ 20
Murello (Piagga del)......... AY 22
Niccolò Aretino (Via) .... AZ 23
Pellicceria (Via) .... BY 25

Pescioni (Via) .... BZ 26
Pileati (Via dei) .... BY 28
Ricasoli (Via) .... BY 30
S. Clemente (Via) .... AY 32
S. Domenico (Via) .... BY 33
Saracino (Via del) .... AY 35
Sasso Verde (Via)........... BY 36
Vittorio Veneto (Via)........ AZ 38
20 Settembre (Via).......... AY 40

XX **Buca di San Francesco,** piazza San Francesco 1 ✆ 23271, Fax 23271, « Ambiente d'intonazione trecentesca » – AE. S. ⓓ E VISA. JCB. ✂ BY c
chiuso lunedì sera, martedì e luglio – **Pasto** carta 40/55000 (12 %).

XX **Le Tastevin,** via de' Cenci 9 ✆ 28304, Fax 28304, Piano-bar – ▤. AE. S. E VISA. ✂ AZ x
chiuso lunedì e dal 5 al 27 agosto – **Pasto** carta 35/50000.

X **Trattoria il Saraceno,** via Mazzini 6/a ✆ 27644, Fax 27644 – AE. S. ⓓ E VISA. JCB BY a
chiuso mercoledì, dal 3 al 15 gennaio e dal 7 al 20 luglio – **Pasto** carta 30/40000.

X **Antica Osteria l'Agania,** via Mazzini 10 ✆ 25381 – AE. S. E VISA BY a
chiuso lunedì e dal 10 al 25 giugno – **Pasto** cucina casalinga 30/40000 bc.

a Giovi *per ① : 8 km* – ✉ *52010 :*

XX **Antica Trattoria al Principe,** via Giovi 25 ✆ 362046 – AE. S. ⓓ E VISA. ✂
chiuso lunedì e dal 25 luglio al 20 agosto – **Pasto** carta 40/60000.

a Chiassa *per ① : 9 km – ✉ 52030 :*

X **Il Mulino,** strada provinciale della Libbia ☎ 361878, ⛱, 🚗 – Ⓟ. AE. ⓢ. ⓞ E VISA. ✂
chiuso martedì e dal 1° al 25 agosto – **Pasto** carta 30/50000.

ARGEGNO *22010 Como* 428 E 9, 219 ⑨ – *679 ab. alt. 220* – ☎ *031.*
Roma 645 – Como 20 – Lugano 43 – Menaggio 15 – Milano 68 – Varese 44.

X **La Griglia** ⛫ con cam, strada per Schignano SO : 3 km ☎ 821147, Fax 821427, « Servizio estivo all'aperto », 🚗 – ☎ Ⓟ. AE. ⓢ. ⓞ E VISA
chiuso gennaio e febbraio – **Pasto** *(chiuso martedì escluso da luglio a settembre)* carta 50/70000 – ☕ 8000 – **6 cam** 65/80000 – 1/2 P 65/75000.

ARGELATO *40050 Bologna* 429, 430 I 16 – *7 787 ab. alt. 21* – ☎ *051.*
Roma 393 – Bologna 20 – Ferrara 34 – Milano 223 – Modena 41.

XX **L'800,** via Centese 33 ☎ 893032, Fax 893032 – ▤ Ⓟ. ⓢ. ⓞ E VISA. ✂
✿ *chiuso domenica sera, lunedì ed agosto* – **Pasto** carta 35/55000
Spec. Tagliatelle alle lumache. Rane al vino bianco. Medaglione di filetto ai finferli.

a Funo *SE : 9 km – ✉ 40050 :*

XX **Il Gotha,** via Galliera 92 ☎ 864070 – ▤. AE. ⓢ. ⓞ E VISA. ✂
chiuso domenica e dal 1° al 20 agosto – **Pasto** carta 40/60000.

ARGENTA *44011 Ferrara* 988 ⑮, 429, 430 I 17 – *22 099 ab.* – ☎ *0532.*
⛳18 *(chiuso martedì e dal 7 gennaio al 7 febbraio) località Bosco Vecchio ✉ 44011 Argenta ☎ 852545, Fax 802545.*
Roma 432 – Bologna 53 – Ravenna 40 – Ferrara 34 – Milano 261.

🏨 **Villa Reale** senza rist, viale Roiti 16/a ☎ 852334, Fax 852353 – 🛗 ▤ 📺 ☎ ♿ 🚗 Ⓟ – 🏛 80. AE. ⓢ. ⓞ E VISA. ✂
☕ 15000 – **30 cam** 125/140000.

ARIANO NEL POLESINE *45012 Rovigo* 988 ⑮, 429 H 18 – *5 133 ab.* – ☎ *0426.*
Roma 473 – Padova 66 – Ravenna 72 – Ferrara 50 – Milano 304 – Rovigo 36 – Venezia 97.

XX **Due Leoni** con cam, corso del Popolo 21 ☎ 372129, Fax 372129 – ▤ rist ☎. AE. ⓢ. E VISA
chiuso dal 3 al 17 luglio – **Pasto** *(chiuso lunedì)* carta 45/65000 – **12 cam** ☕ 65/85000 – 1/2 P 75000.

ARICCIA *00040 Roma* 430 Q 20 *G. Roma* – *17 691 ab. alt. 412* – ☎ *06.*
Roma 25 – Latina 39.

🏨 **Villa Aricia,** via Villini 4/6 (Appia Nuova) ☎ 9321161, Fax 9320065, « Servizio rist. estivo all'aperto nel parco secolare » – 🛗 📺 ☎ Ⓟ – 🏛 180. AE. ⓢ. ⓞ E VISA. ✂
Pasto carta 35/60000 – ☕ 7500 – **63 cam** 100/140000 – 1/2 P 95/125000.

ARITZO *Nuoro* 988 ㉝, 433 H 9 – *Vedere Sardegna alla fine dell'elenco alfabetico.*

ARMA DI TAGGIA *18011 Imperia* 988 ⑫, 428 K 5 – ☎ *0184.*
Vedere *Dipinti★ nella chiesa di San Domenico a Taggia★ N : 3,5 km.*
ℹ *via Blengino 5 ☎ 43733, Fax 43333.*
Roma 631 – Imperia 22 – Genova 132 – Milano 255 – Ventimiglia 25.

🏨 Vittoria Grattacielo, Lungomare 1 ☎ 43495, Fax 448578, ≤, « Giardino con 🏊 », 🏖 – 🛗 ▤ rist 📺 ☎ 🚗 – 🏛 200
77 cam.

XXX **La Conchiglia,** Lungomare 33 ☎ 43169, ⛱, Coperti limitati; prenotare – ▤. AE. ⓢ. ⓞ E VISA. ✂
✿ *chiuso dal 1° al 15 giugno, dal 16 novembre al 1° dicembre e mercoledì (escluso luglio-agosto)* – **Pasto** 45/65000 (a mezzogiorno) 95000 (alla sera) e carta 50/110000
Spec. Novellame in zimino con porcini, gamberi, fagioli e tapenade leggera (primavera-estate). Tortelli di zucchine con gamberi (primavera-estate). Bianco di San Pietro in tegame con carciofi (autunno-inverno).

XX **Da Pino,** via Andrea Doria 66 ☎ 42463, prenotare – AE. ⓢ. ⓞ E VISA. JCB
chiuso giovedì e dal 30 novembre al 20 dicembre – **Pasto** carta 30/70000.

ARMENZANO *Perugia* 430 M 20 – *Vedere Assisi.*

AROLA *28010 Verbania* 428 *E 7,* 219 ⑥ *– 299 ab. alt. 615 – ☎ 0323.*
Roma 663 – Stresa 28 – Domodossola 38 – Milano 95 – Novara 53 – Varese 62.

XX **La Zucca,** via Colma 18 bis ☎ 821114, , prenotare, – P. . E VISA.
chiuso lunedì, martedì e dal 27 agosto al 15 settembre – **Pasto** carta 40/75000.

AROLO *Varese* 428 *E 7,* 219 ⑦ *– alt. 225 – ✉ 21038 Leggiuno Sangiano – ☎ 0332.*
Roma 651 – Stresa 45 – Laveno Mombello 8 – Milano 74 – Novara 61 – Sesto Calende 22 – Varese 23.

X **Campagna** con cam, ☎ 647107, Fax 647107 – TV ☎ P. AE. . E VISA.
chiuso dal 24 dicembre a gennaio – **Pasto** *(chiuso martedì)* carta 40/75000 – ☐ 8000 – **18 cam** 60/80000 – 1/2 P 70000.

ARONA *28041 Novara* 988 ② ③, 428 *E 7 G. Italia – 15 143 ab. alt. 212 – ☎ 0322.*
Vedere *Lago Maggiore*** – Colosso di San Carlone* – Polittico* nella chiesa di Santa Maria – ≤* sul lago e Angera dalla Rocca.*
piazzale Duca d'Aosta ☎ 243601, Fax 243601.
Roma 641 – Stresa 16 – Milano 40 – Novara 64 – Torino 116 – Varese 32.

Concorde M, via Verbano 1 ☎ 249321, Fax 249372, ≤ Rocca di Angera e lago – TV ☎ & P – 240. AE. . E VISA. JCB. rist
Pasto al Rist. ***La Gioconda*** carta 55/85000 – ☐ 20000 – **82 cam** 120/240000 – 1/2 P 160/230000.

Atlantic, corso Repubblica 124 ☎ 46521, Fax 48358, « Rist.-piano bar in terrazza con ≤ Rocca di Angera e lago » – TV ☎ – 100. AE. . E VISA. rist
Pasto 45000 e al Rist. ***Arc en Ciel*** *(chiuso a mezzogiorno, domenica ed agosto)* carta 55/80000 – ☐ 20000 – **77 cam** 155/195000, 2 appartamenti – P 140/180000.

Giardino, corso Repubblica 1 ☎ 45994, Fax 249401, ≤ – TV ☎. AE. . E VISA. rist
Pasto carta 40/65000 – ☐ 14000 – **55 cam** 130/145000 – 1/2 P 100/125000.

XXX **Taverna del Pittore,** piazza del Popolo 39 ☎ 243366, Fax 48016, , prenotare, « Veranda sul lago con ≤ sulla Rocca di Angera » – AE. . E VISA.
chiuso lunedì, Natale e novembre – **Pasto** 98000 (10 %) e carta 70/100000 (10 %)
Spec. Fegato grasso d'oca e uva al Verduzzo di Ramandolo (settembre-dicembre). Lavarello affumicato con patate e caviale. Orata in crosta di patate.

XX **Al Cantuccio,** piazza del Popolo 1 ☎ 243343 – . AE. . E VISA
chiuso lunedì ed agosto – **Pasto** carta 50/80000 (10 %).

XX **Del Barcaiolo,** piazza del Popolo 20/23 ☎ 243388, Fax 45716, , « Taverna caratteristica » – AE. . E VISA. JCB.
chiuso mercoledì, dal 25 gennaio al 7 febbraio e dal 20 luglio al 20 agosto – **Pasto** carta 55/80000.

ad Oleggio Castello *O : 3 km – ✉ 28040 :*

XX **Bue D'Oro,** via Vittorio Veneto 2 ☎ 53624, , prenotare – P. AE. . E VISA
chiuso mercoledì, dal 2 al 12 gennaio e dal 20 agosto al 10 settembre – **Pasto** carta 45/65000.

ARQUÀ PETRARCA *35032 Padova* 429 *G 17 G. Italia – 1 923 ab. alt. 56 – ☎ 0429.*
Roma 478 – Padova 22 – Mantova 85 – Milano 268 – Rovigo 27 – Venezia 61.

XXX **La Montanella,** ☎ 718200, Fax 777177, ≤, – P. AE. . E VISA.
chiuso martedì sera, mercoledì, da gennaio al 15 febbraio e dall'8 al 20 agosto – **Pasto** 40000 (solo a mezzogiorno) 60/65000 (alla sera) e carta 45/70000.

ARTA TERME *33022 Udine* 429 C 21 – *2 241 ab. alt. 442 – Stazione termale (maggio-ottobre), a 10 luglio-14 settembre e Natale –* ☎ *0433.*

ℹ *via Umberto I 15 ☏ 929290, Fax 92104.*

Roma 696 – Udine 56 – Milano 435 – Monte Croce Carnico 25 – Tarvisio 71 – Tolmezzo 8 Trieste 129.

a Piano d'Arta *N : 2 km – alt. 564 – ✉ 33020 :*

Gardel, via Marconi 6/8 ☏ 92588, Fax 92153, ≤, 🏊, ⚘ – 🛗 TV ☎ P. AE. 🏦. ◑ E VISA JCB. ✗ rist
chiuso dal 16 al 30 gennaio e dal 16 novembre al 16 dicembre – **Pasto** 25/50000 – **55 ca** ☕ 60/120000 – ½ P 60/70000.

ARTIMINO *Prato* 428, 430 K 15 – *Vedere Carmignano.*

ARZACHENA *Sassari* 988 ㉓, 433 D 10 – *Vedere Sardegna alla fine dell'elenco alfabetico.*

ARZIGNANO *36071 Vicenza* 988 ④, 429 F 15 – *21 826 ab. alt. 116 –* ☎ *0444.*

Roma 536 – Verona 48 – Venezia 87 – Vicenza 22.

XXX ✿ **Principe** con cam, via Caboto 16 ☏ 675131, Fax 675921, ≤ – 🛗 ▤ TV ☎ ♿ 🚗 P. AE. 🏦. ◑ E VISA. JCB. ✗ rist
chiuso agosto – **Pasto** *(chiuso domenica)* carta 50/80000 – **12 cam** ☕ 120/180000
Spec. Torcione d'oca con sedano fritto. Fine cannellone di baccalà in salsa di caprino. Grazielle di polpo con pancetta affumicata.

ASCIANO *53041 Siena* 988 ⑮, 430 M 16 *G. Toscana – 6 357 ab. alt. 200 –* ☎ *0577.*

Roma 200 – Siena 26 – Arezzo 64 – Firenze 98 – Perugia 81.

X **La Mencia,** corso Matteotti 77 ☏ 718227, Fax 718206, 🏡 – AE. 🏦. ◑ E VISA
chiuso lunedì – **Pasto** carta 40/60000.

ASCOLI PICENO *63100* P 988 ⑯, 430 N 22 *G. Italia – 52 606 ab. alt. 153 –* ☎ *0736.*

Vedere *Piazza del Popolo*★★ **B** *: palazzo dei Capitani del Popolo*★*, chiesa di San Francesco*★*, Loggia dei Mercanti*★ **A** *– Quartiere vecchio*★ **AB** *: ponte di Solestà*★*, chiesa dei Santi Vicenzo ed Anastasio*★ **N** *– Corso Mazzini*★ **ABC** *– Polittico del Crivelli*★ *nel Duomo* **C** *– Battistero*★ **C E.**

ℹ *piazza del Popolo 1 ☏ 253045, Fax 252391.*

A.C.I. *viale Indipendenza 38/a ☏ 45920.*

Roma 191 ② – Ancona 122 ① – L'Aquila 101 ② – Napoli 331 ② – Perugia 175 ② – Pescara 88 ① – Terni 150 ②.

ASCOLI PICENO

Popolo (Piazza del) . . B
Roma (Piazza) . . . . . . B 22
Trento e Trieste (Corso) . . . . . . B 33
Alighieri (Via D.) C
Arringo (Piazza) . . . . . . BC
Bonaccorsi (Via del) . . . . . BC
Buonaparte (Via) . C

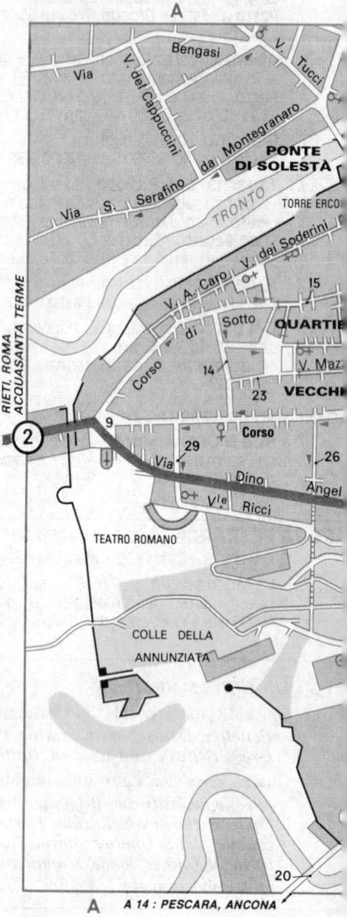

Villa Pigna ⑤, località Pigna Bassa ✉ 63040 Folignano ☎ 491868, Fax 491868, « Giardino ombreggiato » – ⫶ ▤ TV ☎ P – 300. AE. ⑤. ⓓ E VISA. ✂
Pasto carta 35/45000 – **52 cam** ☕ 140/200000. 5 km per ①

Gioli senza rist, viale De Gasperi 14 ☎ 255550, Fax 255550, – ⫶ TV ☎ . AE. ⑤. ⓓ E VISA. ✂ C a
56 cam ☕ 90/135000.

Gallo d'Oro, corso Vittorio Emanuele 13 ☎ 253520 – ▤. AE. ⑤. ⓓ E VISA. ✂ C n
chiuso sabato, domenica sera, dal 23 dicembre al 3 gennaio e dal 5 al 20 agosto – **Pasto** carta 30/45000.

Tornasacco, piazza del Popolo 36 ☎ 254151, Fax 258579 – ▤. AE. ⑤. ⓓ E VISA. JCB B a
chiuso venerdì e dal 1° al 15 luglio – **Pasto** carta 35/55000.

Cairoli (Via) . . . . B 7
Cecco d'Ascoli (Piazza) . . . . A 9
Corfino (Via di) . . . . . . A 10
Fortezza (V. della) . . . . B 13
Lazzari Tullio (Via) . . . . A 14
Manilia (Via) . . . . A 15
Matteotti (Piazza) . . . C 17
Ponte Maggiore . . . . . C 18
Ponte Pta Cartara . . . A 20
Ponte Pta Tuffilla (Nuovo) . . . . C 21
Pozzetto (Rua del) . . A 23
S. Agostino (Piazza) . . . . B 24
S. Angelo (Via) . . . . B 25
S. Giuliano (Via) . . . . A 26
Solestà (Via di) . . . . . B 28
Templari (Via dei) . . . . A 29
Trebbiani (Via) . . . . . . B 32
Trivio (Via del) . . . . . . B 34
Vidacilio (Via) . . . . B 35
20 Settembre (Via) . . . . B 37

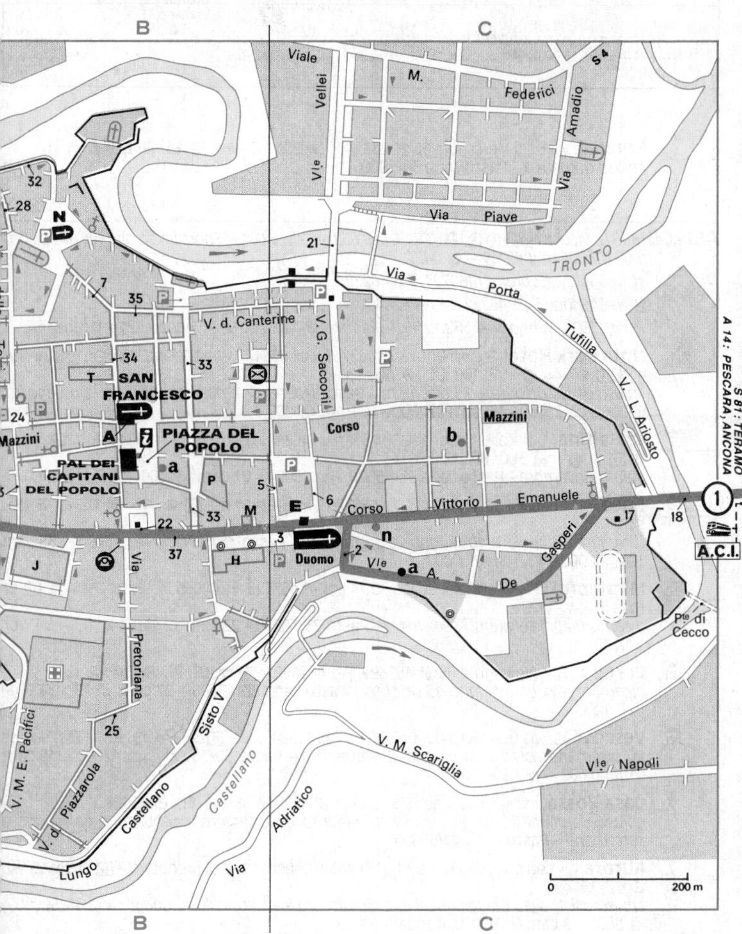

X **Kursaal,** via Luigi Mercantini 66 ☎ 253140, Fax 253140 – ▤. AE. ⑤. ⓓ E VISA
chiuso domenica – **Pasto** carta 30/50000. C b

ASIAGO *36012 Vicenza 988 ④ ⑤, 429 E 16 – 6 652 ab. alt. 1 001 – Sport invernali : sull'Altopiano : 1 001/2 005 m ⛷ 49, ⛷ – ☎ 0424.*

(maggio-ottobre) ☎ 462721, Fax 462721.

via Stazione 5 ☎ 462221, Fax 462445.

Roma 589 – Trento 64 – Milano 261 – Padova 88 – Treviso 83 – Venezia 121 – Vicenza 55.

Linta Park Hotel, via Linta 6 ☎ 462753, Fax 463477, ≤ Altopiano, Ⓕ, ≘s, ⊠, ☎, ✗ – |‡| ▢ ☎ ⇔ Ⓟ – 🏛 100. ⑤. ⓓ VISA. ✻
chiuso dal 30 ottobre al 23 dicembre – **Pasto** *(aperto dicembre-gennaio e giugno-agosto)* 65000 – ☐ 20000 – **98 cam** 222000 – ½ P 105/200000.

La Baitina località Kaberlaba SO : 5 km ☎ 462149, Fax 463677, ≤ Altopiano, ≘s, ☎ – |‡| ▢ ☎ Ⓟ – 🏛 300. VISA. ✻
chiuso novembre – **Pasto** carta 35/45000 – ☐ 15000 – **27 cam** 130000 – ½ P 110/120000.

Erica, via Garibaldi 55 ☎ 462113, Fax 462861, ☎ – |‡| ▤ rist ▢ ☎ ⇔ Ⓟ. AE. ⑤. E VISA ✻
dicembre-18 aprile e 10 giugno-20 settembre – **Pasto** 35/50000 – ☐ 13000 – **35 cam** 100/130000 – ½ P 90/130000.

Miramonti, località Kaberlaba SO : 4 km ☎ 462526, Fax 463533, ≤, ☎, ✗ – |‡| ▢ ☎ Ⓟ. ✻
dicembre-aprile e giugno-settembre – **Pasto** 25/30000 – **29 cam** ☐ 110/140000 – ½ P 70/120000.

Europa, via 4 Novembre 65 ☎ 462399, Fax 462659 – ▢ ☎. AE. ⑤. ⓓ VISA. ✻ rist
dicembre-Pasqua e giugno-15 ottobre – **Pasto** carta 30/45000 – **27 cam** ☐ 75/100000 – ½ P 100000.

Vescovi, via Don Viero 80 ☎ 462614, Fax 462840, ≤ – ▢ ☎ ⇔ Ⓟ. ⑤. VISA. ✻ rist
20 dicembre-marzo e 15 giugno-15 settembre – **Pasto** 30/35000 – ☐ 12000 – **19 cam** 110/125000 – ½ P 50/130000.

X **Casa Rossa,** località Kaberlaba SO : 3,5 km ☎ 462017, ≤ – Ⓟ. AE. ⑤. E VISA
chiuso dal 1° al 25 giugno e giovedì (escluso da dicembre a febbraio e da giugno a settembre) – **Pasto** carta 40/55000.

X **Aurora** con cam, via Ebene 71 ☎ 462469, Coperti limitati; prenotare – ▢ ☎ Ⓟ. AE. ⑤. E VISA. ✻ rist
chiuso dal 1° al 15 maggio e dal 1° al 15 ottobre – **Pasto** *(chiuso lunedì)* carta 35/50000 – ☐ 8000 – **8 cam** 60/90000, 4 appartamenti.

ASOLA *46041 Mantova* 988 ⑭, 428, 429 G 13 – *8 871 ab. alt. 42* – ☎ *0376.*
Roma 496 – Brescia 44 – Mantova 40 – Parma 55 – Piacenza 71 – Verona 73.

Le Seriole, via Compagnotti 6 (O : 2,5 km) ☎ 729837, ☎, – TV ☎ P – 60. AE. E VISA
9 cam.

ASOLO *31011 Treviso* 988 ⑤, 429 E 17 *G. Italia – 6 906 ab. alt. 204 – ☎ 0423.*
piazza D'Annunzio 2 ☎ 529046, Fax 524137.
Roma 559 – Padova 52 – Belluno 65 – Milano 255 – Trento 104 – Treviso 35 – Venezia 66 – Vicenza 51.

Villa Cipriani, via Canova 298 ☎ 952166, Telex 411060, Fax 952095, ≤ pianura e colline, – TV ☎ P. AE. E VISA. JCB. rist
Pasto carta 100/140000 – ☐ 29000 – **31 cam** 510000 – 1/2 P 365000.

Villa al Sole senza rist, via Collegio 33 ☎ 528111, Fax 528399 – cam TV ☎ P. AE. E VISA.
23 cam ☐ 250/350000.

Ai Due Archi, via Roma 55 ☎ 952201, – AE. E VISA
chiuso mercoledì sera, giovedì e dal 15 al 30 gennaio – **Pasto** carta 40/55000.

Da Gigi Bindi, località Casonetto N : 1 km ☎ 952842, prenotare – P. AE. E VISA.
chiuso a mezzogiorno (escluso i giorni festivi), domenica sera e lunedì) – **Pasto** specialità di mare carta 50/60000.

Tavernetta, via Schiavonesca 45 (S : 2 km) ☎ 952273, Coperti limitati; prenotare – P. AE
chiuso martedì e dal 15 al 30 luglio – **Pasto** carta 35/50000.

ASSAGO *Milano* 219 ⑲ – *Vedere Milano, dintorni.*

ASSEMINI *Cagliari* 988 ㉝, 433 J 8 – *Vedere Sardegna alla fine dell'elenco alfabetico.*

ASSERGI *67010 L'Aquila* 988 ㉖, 430 O 22 – *alt. 867* – ☎ *0862.*
Dintorni *Campo Imperatore*** *E : 22 km : funivia per il Gran Sasso***.
Roma 134 – L'Aquila 14 – Pescara 109 – Rieti 72 – Teramo 88.

a Fonte Cerreto *NE : 4 km – alt. 1 120 – ✉ 67010 Assergi :*

Campo Imperatore, località Campo Imperatore 7 mn di funivia alt. 2 130 ☎ 400000, Fax 400004, ≤ monti e vallate – TV ☎. AE. E VISA.
20 dicembre-7 aprile e luglio-15 settembre – **Pasto** carta 45/65000 – **50 cam** ☐ 100/140000 – 1/2 P 95/105000.

Cristallo, alla base della funivia del Gran Sasso ☎ 606678, Fax 606688, « Servizio rist. estivo all'aperto » – TV ☎. AE. E VISA.
Pasto 30/50000 e al Rist. ***Il Geranio*** carta 40/55000 – **21 cam** ☐ 90/120000 – 1/2 P 90/120000.

Fiordigigli alla base della funivia del Gran Sasso ☎ 606171, Fax 606674, ≤ – TV ☎ P – 70. AE. E VISA.
Pasto carta 40/60000 – **55 cam** ☐ 80/110000 – 1/2 P 85/95000.

La Villetta senza rist, alla base della funivia del Gran Sasso ☎ 606134 – TV ☎ P. AE. E VISA.
10 cam ☐ 80/110000.

ASSISI *06081 e 06082 Perugia* 988 ⑯, 430 M 19
G. Italia – *25 270 ab. alt. 424* – ☎ *075.*

Vedere *Basilica di San Francesco**** A *: affreschi*** nella Basilica inferiore, affreschi di Giotto*** nella Basilica superioreChiesa di Santa Chiara*** BC – *Rocca Maggiore*** B *: ✻*** – Duomo di San Rufino** C *: facciata** – Piazza del Comune** B **3** *: tempio di Minerva* – Via San Francesco** AB – *Chiesa di San Pietro** A.

Dintorni *Eremo delle Carceri** E : 4 km* C – *Convento di San Damiano* S : 2 km* BC – *Basilica di Santa Maria degli Angeli* SO : 5 km* A.

ℹ *piazza del Comune 12* ✉ *06081* ✆ *812534, Fax 813727.*

Roma 177 ① – Perugia *23* ③ – *Arezzo 99* ② – *Milano 475* ② – *Siena 131* ② – *Terni 76* ①.

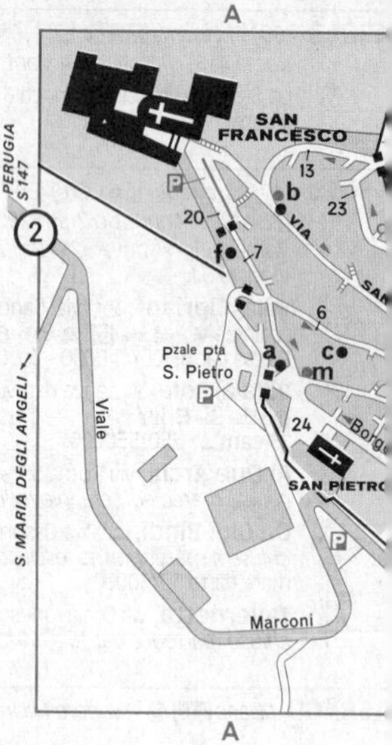

Subasio, via Frate Elia 2 ✉ 06082 ✆ 812206, Telex 662029, Fax 816691, ←, «Terrazze fiorite » – ⧉ ▤ cam TV ☎. AE. ⑤. ◑ E VISA. JCB. ⊁ rist A f
Pasto carta 40/55000 – **61 cam** ☕ 190/290000, 5 appartamenti – ½ P 170/200000.

Giotto, via Fontebella 41 ✉ 06082 ✆ 812209, Telex 563259, Fax 816479, ←, – TV ☎ 🚗 Ⓟ – 50. AE. ⑤. ◑ E VISA. JCB A c
Pasto 45/55000 – **62 cam** ☕ 130/195000 – ½ P 170/190000.

Umbra , vicolo degli Archi 6 ✉ 06081 ✆ 812240, Fax 813653, «Servizio rist. estivo all'aperto » – ▤ cam TV ☎. AE. ⑤. ◑ E VISA. ⊁ B x
chiuso dal 10 gennaio al 15 marzo – **Pasto** *(chiuso domenica, lunedì a mezzogiorno e dal 15 novembre al 15 dicembre)* carta 35/65000 – ☕ 15000 – **25 cam** 110/170000.

Fontebella, via Fontebella 25 ✉ 06081 ✆ 812883, Fax 812941, ← – ⧉ TV ☎. AE. ⑤. ◑ E VISA. JCB B e
Pasto vedere rist ***Il Frantoio*** – **43 cam** ☕ 170/260000 – P 185/210000.

Dei Priori, corso Mazzini 15 ✉ 06081 ✆ 812237, Fax 816804 – ⧉ TV ☎. AE. ⑤. ◑ E VISA. JCB. ⊁ B n
10 marzo-31 novembre – **Pasto** 25/50000 – ☕ 12000 – **34 cam** 115/155000 – ½ P 120/155000.

La Terrazza, via F.lli Canonichetti ✉ 06081 ✆ 812368, Fax 816142, ←, – ⧉ ▤ TV ☎ Ⓟ. AE. ⑤. ◑ E VISA. ⊁ rist per ① *: 2 km*
Pasto carta 30/50000 – **26 cam** ☕ 110/125000 – ½ P 85/100000.

San Francesco, via San Francesco 48 ✉ 06082 ✆ 812281, Fax 816237, ← – ⧉ ▤ TV ☎. AE. ⑤. ◑ E VISA. JCB. ⊁ rist A b
Pasto (solo per alloggiati) 55/70000 – ☕ 25000 – **44 cam** 130/180000 – ½ P 140/170000.

Sole, corso Mazzini 35 ✉ 06081 ✆ 812373, Fax 813706 – ⧉ ☎. AE. ⑤. ◑ E VISA. JCB. ⊁
Pasto *(aprile-ottobre;* solo per clienti alloggiati*)* – ☕ 12000 – **37 cam** 70/100000 – ½ P 80/85000. B z

Ideale senza rist, piazza Matteotti 1 ✉ 06081 ✆ 813570, Fax 813020, ←, – TV ☎ Ⓟ. AE. ⑤. E VISA. ⊁ C a
12 cam ☕ 80/130000.

Berti, piazza San Pietro 24 ✉ 06081 ✆ 813466, Fax 816870 – ⧉ TV ☎. AE. ⑤. ◑ E VISA. JCB. ⊁ A a
chiuso dall'11 gennaio a febbraio – **Pasto** vedere rist ***Da Cecco*** – ☕ 8000 – **10 cam** 65/95000.

Del Viaggiatore, via Sant'Antonio 14 ✉ 06081 ✆ 816297, Fax 813051 – ⧉ ▤ rist ☎. AE. ⑤. ◑ VISA. ⊁ B g
Pasto carta 30/50000 – ☕ 8500 – **16 cam** 65/95000 – ½ P 80000.

Medio Evo, via Arco dei Priori 4/b ✉ 06081 ✆ 813068, Fax 812870, «Rinvenimenti archeologici » – ▤. AE. ⑤. ◑ E VISA. JCB. ⊁ B h
chiuso mercoledì, dal 7 gennaio al 1° febbraio e dal 3 al 21 luglio – **Pasto** carta 50/70000.

San Francesco, via San Francesco 52 ✉ 06081 ✆ 813302, Fax 815201, ← Basilica di San Francesco, prenotare – ▤. AE. ⑤. ◑ E VISA. JCB A b
chiuso mercoledì e dal 1° al 15 luglio – **Pasto** carta 55/85000.

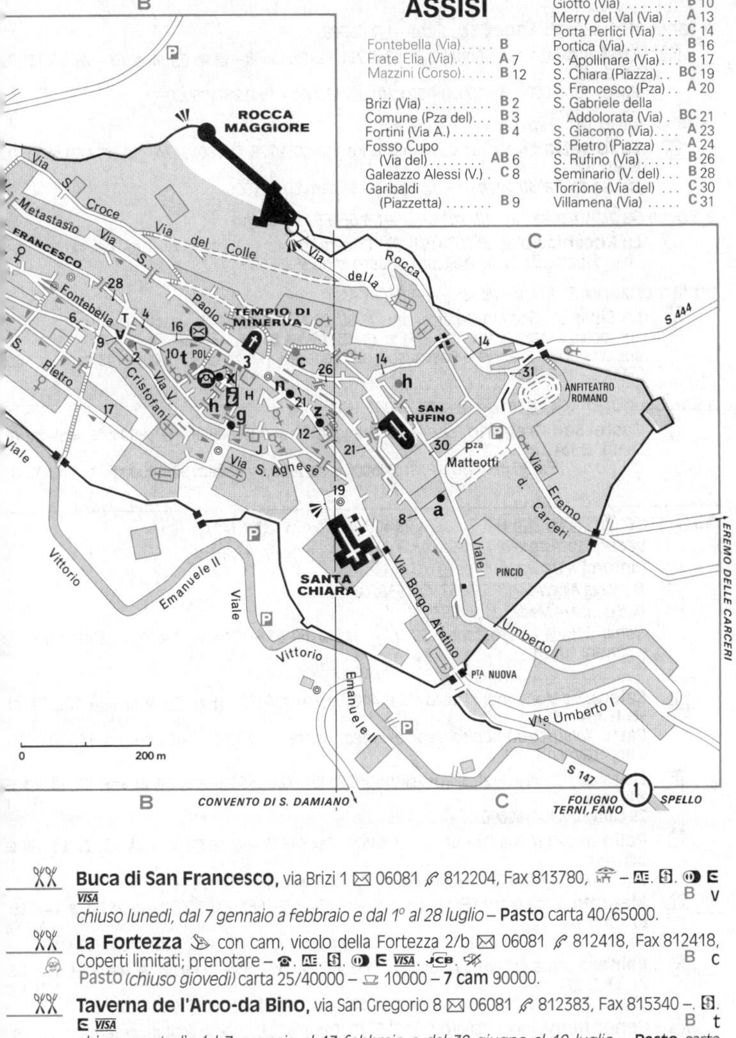

XX **Buca di San Francesco,** via Brizi 1 ✉ 06081 ✆ 812204, Fax 813780, 余 – AE. Ⓢ. ⓓ E VISA — B v
chiuso lunedì, dal 7 gennaio a febbraio e dal 1° al 28 luglio – **Pasto** carta 40/65000.

XX **La Fortezza** ⛰ con cam, vicolo della Fortezza 2/b ✉ 06081 ✆ 812418, Fax 812418, Coperti limitati; prenotare – ☎. AE. Ⓢ. ⓓ E VISA. JCB. ✂ — B c
Pasto *(chiuso giovedì)* carta 25/40000 – ☕ 10000 – **7 cam** 90000.

XX **Taverna de l'Arco-da Bino,** via San Gregorio 8 ✉ 06081 ✆ 812383, Fax 815340 –. Ⓢ. E VISA — B t
chiuso martedì, dal 7 gennaio al 13 febbraio e dal 30 giugno al 10 luglio – **Pasto** carta 40/65000.

XX **Il Frantoio,** vicolo Illuminati - via Fontebella 25 ✉ 06081 ✆ 812977 – AE. Ⓢ. ⓓ E VISA. JCB — B e
Pasto carta 55/80000.

X **Da Erminio,** via Montecavallo 19 ✉ 06081 ✆ 812506. AE. Ⓢ. VISA — C h
chiuso giovedì – **Pasto** carta 35/55000.

X **Da Cecco,** piazza San Pietro 8 ✉ 06081 ✆ 812437 – AE. Ⓢ. ⓓ E VISA. JCB. ✂ — A m
chiuso mercoledì – **Pasto** carta 35/55000.

a Biagiano-San Fortunato *N : 4 km per ② – ✉ 06081 Assisi :*

🏠 **Il Maniero** ⛰, via San Pietro Campagna 32 ✆ 816379, Fax 816379, 余 – TV ☎ P. AE. Ⓢ. ⓓ E VISA. ✂ rist
Pasto *(chiuso martedì escluso da aprile ad ottobre)* 35/65000 – **17 cam** ☕ 95/130000 – ½ P 85/95000.

a Santa Maria degli Angeli *SO : 5 km – ✉ 06088 :*

Cristallo Ⓜ, via Los Angeles ✆ 8043094, Fax 8043538 – 50. AE.
VISA
Pasto 30/45000 – ☐ 10000 – **52 cam** 90/130000 – ½ P 95/105000.

a Petrignano *NO : 9 km per ② – ✉ 06086 :*

La Torretta senza rist, via del Ponte 1 ✆ 8038778, Fax 8039474, – .
E VISA.
chiuso dal 5 al 30 gennaio – ☐ 10000 – **31 cam** 80/115000.

a Rocca Sant'Angelo *NO : 12 km per ② – ✉ 06086 Petrignano :*

La Rocchicciola, ✆ 8038161, , Coperti limitati; prenotare, – . VISA.
chiuso martedì e luglio o agosto – **Pasto** carta 35/55000.

ad Armenzano *E : 12 km – alt. 759 – ✉ 06081 Assisi :*

Le Silve , località Caparrocchie ✆ 8019000, Fax 8019005, , , « In un casale d
10° secolo », , , , – . AE. . E VISA. JCB.
chiuso sino al 1° aprile – **Pasto** (solo su prenotazione) carta 55/65000 – **13 cam** ☐ 140
280000 – ½ P 180000.

a San Gregorio *NO : 13 km per ② – ✉ 06081 Assisi :*

Castel San Gregorio , via San Gregorio 16 ✆ 8038009, Fax 8038904, , –
AE. . E VISA.
chiuso dal 15 al 30 gennaio – **Pasto** 45000 – ☐ 16000 – **12 cam** 90/140000 – ½ P 110000.

ASTI *14100 P 988 ⑫, 428 H 6 G. Italia – 73 500 ab. alt. 123 – ☎ 0141.*

Vedere *Battistero di San Pietro★ B A.*

Dintorni *Monferrato★ per ①.*

piazza Alfieri 34 ✆ 530357, Fax 538200.

A.C.I. *piazza Medici 21 ✆ 593534.*

*Roma 615 ② – Alessandria 38 ② – Torino 60 ④ – Genova 116 ② – Milano 127 ②
– Novara 103 ②.*

Pianta pagina a lato

Salera, via Monsignor Marello 19 ✆ 410169, Fax 410372 – – 100. AE.
E VISA. rist per strada Fortino B
Pasto *(chiuso domenica sera e lunedì)* carta 45/70000 – **48 cam** ☐ 130/190000
2 appartamenti.

Lis senza rist, viale Fratelli Rosselli 10 ✆ 595051, Fax 353845 – . AE. .
VISA. JCB B
29 cam ☐ 110/160000.

Palio senza rist, via Cavour 106 ✆ 34371, Fax 34373 – – 25. AE. .
VISA. JCB B b
chiuso dal 1° al 15 agosto – **29 cam** ☐ 130/220000, appartamento.

Aleramo senza rist, via Emanuele Filiberto 13 ✆ 595661, Fax 30039 – . AE
. E VISA B a
chiuso dal 24 al 26 dicembre e dal 1° al 17 agosto – ☐ 15000 – **42 cam** 110/180000.

Rainero senza rist, via Cavour 85 ✆ 353866, Fax 594985 – – 100. AE
. E VISA B c
chiuso dal 1° all'8 gennaio – ☐ 12000 – **53 cam** 85/130000, 10000.

Gener Neuv, lungo Tanaro 4 ✆ 557270, Fax 436723, Coperti limitati; prenotare –
AE. . E VISA. per ③
chiuso agosto, dicembre o gennaio, lunedì, domenica sera e in giugno-luglio nche domenica a mezzogiorno – **Pasto** 70/90000 e carta 70/95000
Spec. Antipasti tipici piemontesi. Lasagne. Finanziera all'astigiana.

L'Angolo del Beato, via Guttuari 12 ✆ 531668 – . AE. . E VISA. B c
chiuso dall'11 al 17 agosto e domenica (escluso maggio e settembre-ottobre) – **Pasto** carta
45/75000.

La Greppia, corso Alba 140 ✆ 593262 – . AE E VISA A
chiuso lunedì – **Pasto** carta 30/50000.

Falcon Vecchio, via San Secondo 8 ✆ 593106 –. . E VISA B e
chiuso domenica sera, lunedì e dal 9 al 21 agosto – **Pasto** carta 50/80000.

Il Convivio Vini e Cucina, via G.B. Giuliani 6 ✆ 594188, Fax 594188, Coperti limitati;
prenotare – . AE. . E VISA. B f
chiuso domenica, dal 24 dicembre al 2 gennaio e dal 10 al 19 agosto – **Pasto** carta
40/70000.

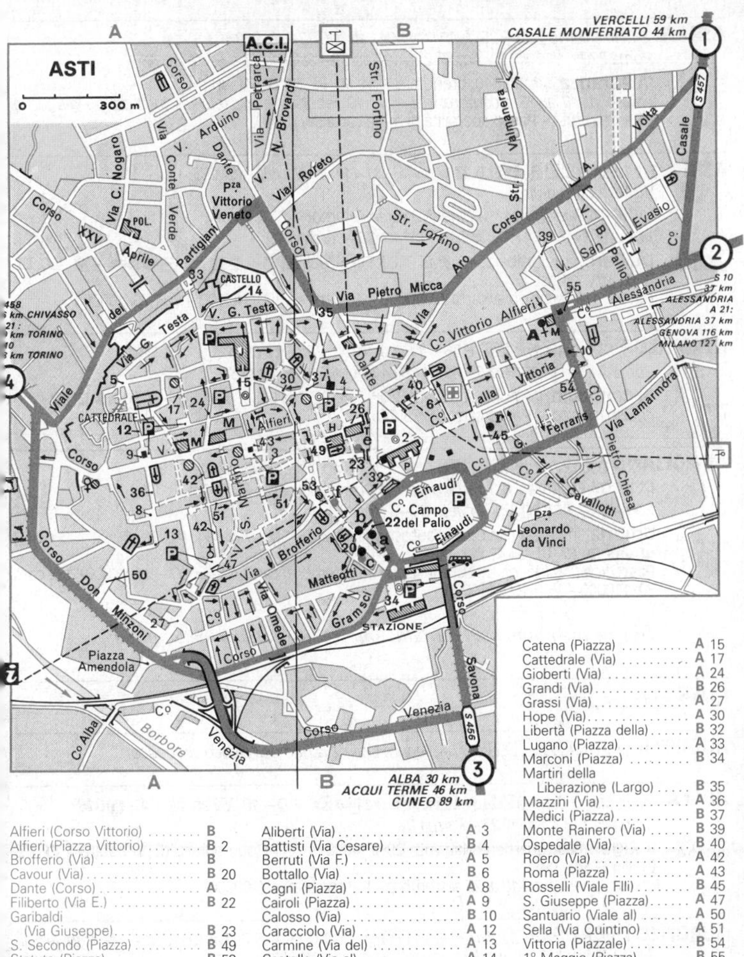

a Caniglie *per ① : 5 km – ✉ 14100 Asti :*

XX **Da Dirce,** via Valleversa 53 ✆ 272949, prenotare – 🅢. VISA
chiuso lunedì, martedì, dal 1° al 7 gennaio ed agosto – Pasto carta 35/45000.

a Castiglione *per ② : 8 km – ✉ 14037 :*

X **Da Aldo,** ✆ 206008 – Ⓟ. AE. 🅢. ⓓ E VISA. ✂
chiuso mercoledì, dal 7 al 31 gennaio e dal 25 al 31 luglio – **Pasto** carta 40/60000.

ATENA LUCANA *84030 Salerno* 431 F 28 – *2 352 ab. alt. 642* – ☎ *0975.*
Roma 346 – Potenza 54 – Napoli 140 – Salerno 89.

in prossimità casello autostrada A 3 :

Kristall Palace, ✆ 71152, Fax 71153 – |♦| ▤ TV ☎ 🚗 Ⓟ – 🏊 700. AE. 🅢. ⓓ E VISA
Pasto 20/25000 – ☕ 5000 – **22 cam** 70/90000 – 1/2 P 70/75000.

When visiting ***northern Italy*** *use* ***Michelin maps*** 428 *and* 429.

ATRANI *84010 Salerno* [431] F 25 *G. Italia – 1 041 ab. alt. 12 –* ☎ *089.*
Roma 270 – Napoli 69 – Amalfi 2 – Avellino 59 – Salerno 23 – Sorrento 36.

🍴 **'A Paranza,** ✆ 871840, prenotare – ❄. [AE]. [S]. ● E [VISA]. ✗
chiuso dall'8 al 25 dicembre, dal 1° al 10 febbraio e martedì (escluso dal 15 giugno al 15 settembre) – **Pasto** specialità di mare carta 50/70000.

ATRI *64032 Teramo* [988] ㉗, [430] O 23 *G. Italia – 11 447 ab. alt. 442 –* ☎ *085.*
Vedere *Cattedrale★.*
Dintorni *Paesaggio★★ (Bolge) NO verso Teramo.*
Roma 203 – Ascoli Piceno 80 – Pescara 26 – Teramo 45.

🏨 **Du Parc,** viale Umberto I 6 ✆ 870260, Fax 8798326, 🏊 – 🛗 ❄ rist [TV] ☎ 🚗 – 🏛 200. [AE]. [S]. E [VISA]. ✗ rist
Pasto *(marzo-ottobre)* carta 30/50000 – **35 cam** ☕ 100/145000 – ½ P 70/100000.

ATRIPALDA *83042 Avellino* [431] E 26 – *11 410 ab. alt. 280 –* ☎ *0825.*
Roma 249 – Potenza 136 – Avellino 4 – Napoli 61 – Salerno 38.

🍴🍴 **Al Cenacolo,** via Appia III Traversa 7 ✆ 623586, Fax 623586 – ❄ [P]. [AE]. [S]. ● E [VISA]
chiuso martedì – **Pasto** carta 45/75000.

ATTIGLIANO *05012 Terni* [988] ㉕, [430] O 18 – *1 755 ab. alt. 95 –* ☎ *0744.*
Dintorni *Sculture★ nel parco della villa Orsini a Bomarzo SO : 6 km.*
Roma 87 – Viterbo 27 – Orvieto 34 – Terni 42.

🏨 **Umbria,** in prossimità casello autostrada A1 ✆ 994222, Fax 994340, 🏊, 🌳, 🎾 – 🛗 ❄ [TV] ☎ 🚗 [P]. [AE]. [S]. ● E [VISA]. ✗
Pasto *(chiuso lunedì escluso da luglio a settembre)* carta 40/60000 – ☕ 14000 – **62 cam** 80/110000 – ½ P 100/110000.

Leggete attentamente l'introduzione : è la « chiave » della guida.

AUER = *Ora.*

AUGUSTA *Siracusa* [988] ㊲, [432] P 27 – *Vedere Sicilia alla fine dell'elenco alfabetico.*

AULLA *54011 Massa Carrara* [988] ⑭, [428], [429] J 11 *G. Toscana – 10 269 ab. alt. 64 –* ☎ *0187.*
Roma 418 – La Spezia 23 – Parma 92.

🍴🍴 **Il Rigoletto,** quartiere Matteotti 29 ✆ 409879, 🏡, Coperti limitati; prenotare – [P]. [AE]. [S]. ● E [VISA]. ✗
chiuso lunedì e dal 10 al 25 settembre – **Pasto** carta 60/100000.

AURONZO DI CADORE *32041 Belluno* [988] ⑤, [429] C 19 – *3 732 ab. alt. 864 – Sport invernali : 864/2 220 m* ⛷ *3,* ⛷ *(vedere anche Misurina) –* ☎ *0435.*
[i] *via Roma 10* ✉ *32041* ✆ *9426, Fax 400161.*
Roma 663 – Cortina d'Ampezzo 34 – Belluno 62 – Milano 402 – Tarvisio 135 – Treviso 123 – Udine 124 – Venezia 152.

🏨 **Panoramic** 🐦, via Padova 17 ✆ 409198, ←, 🌳 – [TV] ☎ [P]. ✗
20 giugno-20 settembre – **Pasto** carta 35/55000 – ☕ 12000 – **31 cam** 110/130000 – ½ P 60/110000.

🏨 **La Montanina** 🐦, via Monti 3 ✆ 400005, Fax 400090, 🌳 – ☎ [P]. [S]. ● E [VISA]. ✗
20 dicembre-20 marzo e 15 giugno-15 settembre – **Pasto** carta 30/45000 – ☕ 8000 – **17 cam** 80/120000 – ½ P 90000.

🏨 **Victoria** senza rist, via Cella 23 ✆ 99933 (prenderà il 407090), Fax 400305 (o 409305) – [TV] ☎ [P]
18 cam ☕ 100/130000.

AVEGNO *16030 Genova* [428] I 9 – *2 091 ab. alt. 92 –* ☎ *0185.*
Roma 486 – Genova 37 – Milano 161 – Portofino 22 – La Spezia 88.

🍴 **Lagoscuro-da Ferreccio** 🐦 con cam, via Antica Romana 5 ✆ 79017, Fax 79317 – ☎. [S]. E [VISA]. ✗
chiuso dal 15 gennaio al 15 febbraio – **Pasto** *(chiuso martedì)* carta 30/45000 – ☕ 8000 – **13 cam** 70/100000 – ½ P 55/65000.

AVELENGO (HAFLING) *39010 Bolzano* 429 C 15, 218 ⑳ *G. Italia – 650 ab. alt. 1 290 – Sport invernali : a Merano 2000 : 1 946/2 260 m 2 6, – 0473.*

99457, Fax 99540.

Roma 680 – Bolzano 37 – Merano 15 – Milano 341.

Viktoria, via Falzeben 9 279422, Fax 279522, –
chiuso novembre – **Pasto** carta 50/70000 – **25 cam** 125/250000 – 1/2 P 90/100000.

Viertlerhof, via Falzeben 126 279428, Fax 279446, –
chiuso da novembre al 25 dicembre – **Pasto** (solo per alloggiati e *chiuso a mezzogiorno*) 30/35000 – **23 cam** 85/150000 – 1/2 P 80/90000.

Messnerwirt, 279493, Fax 279530, – . rist
chiuso dal 15 novembre al 20 dicembre – **Pasto** *(chiuso lunedì)* carta 30/60000 – **10 cam** 65/120000, 3 appartamenti – 1/2 P 80000.

AVELLINO *83100* P 988 ㉗ ㉘, 431 E 26 – *55 910 ab. alt. 351 – 0825.*

piazza Libertà 50 74732, Fax 74757.

A.C.I. *corso da Baccanico 36459.*

Roma 245 – Napoli 57 – Benevento 39 – Caserta 58 – Foggia 118 – Potenza 138 – Salerno 38.

De la Ville, via Palatucci 20 780911, Fax 780921 – – 380. AE. E VISA. JCB
Pasto al Rist. ***Il Cavallino*** carta 45/80000 (10 %) – **57 cam** 180/240000, 6 appartamenti – 1/2 P 170/230000.

Jolly, via Tuoro Cappuccini 97/a 25922, Telex 722584, Fax 780029 – – 300. AE. E VISA. rist
Pasto carta 55/90000 – **72 cam** 170/200000.

sulla strada statale 88 *SO : 5 km :*

Hermitage, 83020 Contrada 674788, Fax 674772, , « Costruzione del XVII secolo in un parco », – rist – 250. AE. E VISA. JCB.
aprile-ottobre – **Pasto** carta 35/55000 – **30 cam** 170/240000 – 1/2 P 180/200000.

AVEZZANO *67051 L'Aquila* 988 ㉖, 430 P 22 – *38 858 ab. alt. 697 – 0863.*

Roma 105 – L'Aquila 52 – Latina 133 – Napoli 188 – Pescara 107.

Velino, via Montello 9 412696, Fax 34263 – . AE. E VISA. rist
Pasto vedere rist ***La Stia*** – **26 cam** 100/140000, appartamento – 1/2 P 100/140000.

Le Jardin, via Sabotino 40 414710, Coperti limitati; prenotare, « Servizio estivo in giardino »

Napoleone, via Tiburtina Valeria al km 112.700 413687, Fax 413687, solo su prenotazione la sera – . AE. E VISA.
chiuso lunedì – **Pasto** carta 40/55000.

La Stia, via Montello 7 410572, prenotare – AE. E VISA.
chiuso domenica e dal 14 al 24 agosto – **Pasto** carta 35/65000.

AVIGLIANA *10051 Torino* 988 ⑫, 428 G 4 – *10 455 ab. alt. 390 – 011.*

Dintorni *Sacra di San Michele*** : *** NO : 13,5 km.*

Le Fronde (chiuso martedì, gennaio e febbraio) 938053, Fax 930928.

piazza del Popolo 6 938650, Fax 938650.

Roma 689 – Torino 26 – Milano 161 – Col du Mont Cenis 59 – Pinerolo 33.

Corona Grossa, piazza Conte Rosso 38 938371 – . AE. E VISA
chiuso domenica, lunedì ed agosto – **Pasto** carta 30/75000.

AYAS *11020 Aosta* 428 E 5, 219 ④ – *1 253 ab. alt. 1 453 – Sport invernali : 1 267/2 714 m 5, – 0125.*

a Champoluc, via Varasc 307113, Fax 307785.

Roma 732 – Aosta 61 – Ivrea 57 – Milano 170 – Torino 99.

ad Antagnod *N : 3,5 km – alt. 1 699 – 11020 Ayas – a.s. febbraio-Pasqua, luglio-agosto e Natale :*

Petit Prince senza rist, 306662, Fax 306622, Monte Rosa e vallata, – . E VISA
chiuso dal 10 al 30 giugno e dal 10 al 30 settembre – 12000 – **22 cam** 90/155000, appartamento.

Santa San senza rist, 306597, Fax 306357, Monte Rosa e vallata – . E VISA
chiuso maggio ed ottobre – 11000 – **9 cam** 80/135000.

BACCHERETO *Prato* 429, 430 K 15 – *Vedere Carmignano.*

BACOLI *80070 Napoli* 988 ㉗, 431 E 24 *G. Italia – 27 884 ab. – a.s. luglio-settembre –* ☎ *081.*
Vedere *Cento Camerelle★ – Piscina Mirabile★.*
Roma 242 – Napoli 27 – Formia 77 – Pozzuoli 8.

XXX **La Misenetta,** via Lungolago 2 ℘ 5234169, Fax 5231510, « Giardino d'inverno » – AE. 🅂 E VISA
chiuso lunedì, dal 23 dicembre al 3 gennaio e dal 12 al 28 agosto – **Pasto** carta 60/75000 (15 %).

a Capo Miseno *SE : 2 km – ✉ 80070 :*

Cala Moresca ⛰, via del Faro 44 ℘ 5235595, Fax 5235557, ≤ golfo e costa, – |‡| TV ☎ P – 70. AE. 🅂. ⓞ E VISA. JCB. ✧
Pasto 55/85000 e al Rist. ***La Cala*** carta 55/90000 – **28 cam** ☐ 105/160000 – 1/2 P 120/140000.

a Baia *N : 3,5 km – ✉ 80070 :*
Vedere *Terme★★.*

XX **Dal Tedesco** ⛰ con cam, via Temporini 12 (N : 1,5 km) ℘ 8687175, Fax 8687336, ≤, « Servizio estivo in terrazza » – ☎ P. AE. 🅂. ⓞ E VISA. ✧ rist
Pasto *(chiuso martedì e dal 20 dicembre al 4 gennaio)* carta 45/65000 (12 %) – ☐ 7000 – **9 cam** 70/110000 – 1/2 P 90/110000.

BADALUCCO *18010 Imperia* 428 K 5 – *1 335 ab. alt. 179 –* ☎ *0184.*
Roma 643 – Imperia 31 – Cuneo 124 – San Remo 24 – Savona 103.

XX **Il Ponte,** via Ortai 3/5 ℘ 408000, prenotare – AE. 🅂. ⓞ E VISA. ✧
chiuso mercoledì e dal 1º al 15 settembre – **Pasto** 40000.

BADIA (ABTEI) *Bolzano* 429 C 17 – *2 838 ab. – a.s. Pasqua, agosto e Natale – Sport invernali : 1 315/2 085 m* ≴ 1 ≴ 16, ⛷ – ☎ *0471.*
Da Pedraces : Roma 712 – Cortina d'Ampezzo 35 – Belluno 92 – Bolzano 71 – Milano 366 – Trento 132.

a Pedraces (Pedratsches) *– alt. 1 315 – ✉ 39036.*
ℹ ℘ 839695, Fax 839573 :

Sporthotel Teresa, ℘ 839623, Fax 839823, ≤, ⛺, ≘s, ⊡, – |‡| ▤ rist TV ☎ P. VISA. ✧
chiuso maggio e novembre – **Pasto** *(chiuso lunedì)* carta 60/90000 – ☐ 25000 – **42 cam** 150/320000, 8 appartamenti – 1/2 P 160/270000.

Serena, Pedraces 31 ℘ 839664, Fax 839854, ≤ Dolomiti, ⛺, ≘s, ⊡, – |‡| ⇔ rist TV ☎ P. ✧ rist
21 dicembre-5 aprile e 22 giugno-27 settembre – **Pasto** carta 30/45000 – ☐ 18000 – **45 cam** 70/125000 – P 115/160000.

Lech da Sompunt ⛰, SO : 3 km ℘ 847015, Fax 847464, ≤, , « Parco con laghetto », ≘s – TV ☎ P. 🅂. ✧ cam
dicembre-aprile e giugno-settembre – **Pasto** carta 40/55000 – **30 cam** ☐ 75/140000 – 1/2 P 90/120000.

Gran Ander ⛰, ℘ 839718, Fax 839741, ≤ Dolomiti – ▤ rist TV ☎ P. 🅂. E VISA. ✧ rist
dicembre-10 aprile e luglio-settembre – **Pasto** (solo per alloggiati) 30/50000 – ☐ 18000 – **16 cam** 85/160000 – 1/2 P 110/130000.

a La Villa (Stern) *S : 3 km – alt. 1 484 – ✉ 39030.*
ℹ ℘ 847037, Fax 847277 :

Christiania, via Nazionale 146 ℘ 847016, Fax 847056, ≤ Dolomiti, ≘s, , – |‡| TV ☎ P. 🅂. E VISA. ✧
dicembre-marzo e luglio-settembre – **Pasto** (solo per alloggiati) – ☐ 28000 – **27 cam** 140/280000 – 1/2 P 125/225000.

La Villa ⛰, ℘ 847035, Fax 847393, ≤ Dolomiti, « Giardino-pineta », ⛺, ≘s – |‡| TV ☎ P. ✧
21 dicembre-13 aprile e 21 giugno-27 settembre – **Pasto** 35/50000 – ☐ 20000 – **27 cam** 80/160000 – 1/2 P 90/160000.

Dolomiti, ℘ 847143, Fax 847390, ≤, ≘s, – |‡| TV ☎ P. ⓞ. ✧ rist
chiuso maggio e novembre – **Pasto** carta 40/70000 – **45 cam** ☐ 130/240000 – 1/2 P 95/160000.

XX **L'Fanà,** ℘ 847022, Fax 847022, , Rist. e pizzeria, « Stube caratteristica » – ▤ P. AE. 🅂. E VISA
chiuso maggio e novembre – **Pasto** carta 40/60000.

San Cassiano (**St. Kassian**) *SE : 6 km – alt. 1 535 – ✉ 39030.*

ℰ 849422, Fax 849249 :

Rosa Alpina, ℰ 849500, Fax 849377, ≘s, ☒, – |♦| ☎ ♿ ⇔ P. ⓘ. ⊙ E VISA. ✡ rist
dicembre-15 aprile e 15 giugno-10 ottobre – **Pasto** 40/70000 e al Rist. ***Hubertusstube*** carta 50/75000 – **35 cam** ☐ 180/340000, 2 appartamenti – ½ P 180/350000.

Armentarola, SE : 2 km ℰ 849522, Fax 849389, ≤ pinete e Dolomiti, ≘s, ☒, – |♦| ☎ ⇔ P
6 dicembre-6 aprile e 14 giugno-12 ottobre – **Pasto** carta 50/70000 – **42 cam** ☐ 160/340000, 8 appartamenti – ½ P 150/200000.

Ciasa Salares, SE : 2 km ℰ 849445, Fax 849369, ≤ pinete e Dolomiti, ≘s, ☒, – ☎ ⇔ P. ⓘ. ⊙ E VISA. ✡
15 dicembre-15 aprile e 20 giugno-settembre – **Pasto** 45000 vedere anche Rist. ***La Siriola*** – **42 cam** solo ½ P 135/260000, appartamento.

Fanes, Peccei 23 ℰ 849470, Fax 849403, ≤ pinete e Dolomiti, ≘s, – ☎ P. ✡ rist
4 dicembre-7 aprile e luglio-29 settembre – **Pasto** 40/70000 – **40 cam** ☐ 160/400000 – ½ P 100/200000.

La Stüa, San Cassiano 121 ℰ 849456, Fax 849311, ≤ pinete e Dolomiti, ≘s – rist rist ☎ P. ✡ rist
21 dicembre-6 aprile e 21 giugno-28 settembre – **Pasto** (solo per alloggiati) – **25 cam** ☐ 100/200000 – ½ P 95/160000.

Ciasa Antersìes, ℰ 849417, Fax 849319, ≤ pinete e Dolomiti, – |♦| rist ☎ P. VISA. ✡ rist
4 dicembre-10 aprile e luglio-settembre – **Pasto** (solo per alloggiati) 30/50000 – **25 cam** ☐ 70/120000 – ½ P 105/150000.

Gran Ancëi, SE : 2,5 km ℰ 849540, Fax 849210, ≤ Dolomiti, « In pineta », ≘s, – ☎ P. ✡
4 dicembre-25 aprile e giugno-settembre – **Pasto** 25/35000 – **30 cam** solo ½ P 100/110000.

La Siriola - Hotel Ciasa Salares, SE : 2 km ℰ 849445, Fax 849369, Coperti limitati; prenotare – P. AE. ⓘ. E VISA. ✡
7 dicembre-Pasqua e giugno-settembre – **Pasto** carta 55/95000
Spec. Ravioli di quaglia con formaggio caprino e timo. Spezzato di guanciale di manzo alla grappa di ginepro con crostini di polenta di grano saraceno. Crema vaniglia dorata e tortino di marroni con salsa al cioccolato.

BADIA DI DULZAGO *Novara* – *Vedere Bellinzago Novarese.*

BAGNACAVALLO *48012 Ravenna* 988 ⑮, 429, 430 I 17 – *16 406 ab. alt. 11* – ☎ *0545.*
Roma 360 – *Ravenna 23* – *Bologna 61* – *Faenza 16* – *Ferrara 64* – *Forlì 33.*

Al Palazzo Tesorieri, via Garibaldi 75 ℰ 61156, prenotare – AE. ⓘ. ⊙ E VISA. JCB
chiuso lunedì – **Pasto** carta 45/65000.

BAGNAIA *01031 Viterbo* 430 O 18 *G. Italia* – *alt. 441* – ☎ *0761.*
Vedere *Villa Lante*★★.
Roma 109 – *Viterbo 5* – *Civitavecchia 63* – *Orvieto 52* – *Terni 57.*

Biscetti con cam, via Gandin 11 ℰ 288252, Fax 289254, – P. AE. ⓘ. ⊙ E VISA. ✡
chiuso luglio – **Pasto** *(chiuso giovedì)* carta 35/55000 (10 %) – ☐ 9000 – **10 cam** 60/90000 – ½ P 60/90000.

BAGNARA *Perugia* 430 M 20 – *Vedere Nocera Umbra.*

BAGNARA CALABRA *89011 Reggio di Calabria* 988 ㊴, 431 M 29 *G. Italia* – *11 318 ab. alt. 50* – ☎ *0966.*
Roma 679 – *Reggio di Calabria 33* – *Catanzaro 135* – *Cosenza 164.*

Taverna Kerkira, ℰ 372260 – AE VISA
chiuso lunedì, martedì, dal 20 dicembre al 10 gennaio e luglio – **Pasto** specialità greche carta 40/70000.

Le **carte stradali Michelin** sono costantemente aggiornate.

BAGNI DI LUCCA *55021 e 55022 Lucca* 988 ⑭, 428, 429, 430 J 13 – *7 021 ab. alt. 150 – Stazione termale (15 maggio-15 ottobre), a.s. luglio-agosto e Natale* – ☎ *0583.*

via Umberto I 139 ☎ 87946.

Roma 375 – Pisa 48 – Bologna 113 – Firenze 101 – Lucca 27 – Massa 72 – Milano 301 – Pistoia 53 – La Spezia 101.

Bridge senza rist, piazza di Ponte a Serraglio 5 (O : 1,5 km) ✉ 55021 ☎ 805324 Fax 805324 – 🛗 📺 ☎. AE. 🅂. ⓓ E VISA. JCB. ✗ ☕ 8000 – **12 cam** 60/90000.

Locanda Maiola con cam, località Maiola di Sotto N : 2 km ✉ 55022 ☎ 86296 – Ⓟ AE. 🅂. ⓓ E VISA. ✗ rist
chiuso dal 15 al 30 gennaio e dal 1° al 20 novembre – **Pasto** *(chiuso martedì)* carta 30/45000 – ☕ 10000 – **4 cam** 40/80000 – 1/2 P 70/80000.

BAGNI DI TIVOLI *Roma* 430 Q 20 – *Vedere Tivoli.*

BAGNO A RIPOLI *50012 Firenze* 988 ⑮, 430 K 15 – *26 365 ab. alt. 77* – ☎ *055.*

Roma 270 – Firenze 9 – Arezzo 74 – Montecatini Terme 63 – Pisa 106 – Siena 71.

Centanni con cam, via di Centanni 8/7 ☎ 630122, Fax 6512044, ≤ colline, « Servizio estivo serale in giardino » – ▤ 📺 ☎ Ⓟ. AE. 🅂. E VISA
Pasto *(chiuso sabato a mezzogiorno e domenica)* carta 60/75000 – ☕ 10000 – **10 cam** 160/300000.

BAGNO DI ROMAGNA *47021 Forlì-Cesena* 988 ⑮, 429, 430 K 17 – *6 252 ab. alt. 491 – Stazione termale (marzo-novembre), a.s. 10 luglio-20 settembre* – ☎ *0543.*

via Lungo Savio 14 ☎ 911046, Fax 911026.

Roma 289 – Rimini 90 – Arezzo 65 – Bologna 125 – Firenze 90 – Forlì 62 – Milano 346 – Ravenna 86.

Tosco Romagnolo, piazza Dante 2 ☎ 911260, Fax 911014, « Terrazza-solarium con 🏊 », Fō, ≘s – 🛗 ▤ 📺 ☎ ♿ 🚗. AE. 🅂. ⓓ E VISA. JCB. ✗
aprile-17 novembre – **Pasto** carta 30/45000 vedere anche Rist. **Paolo Teverini** – ☕ 18000 – **51 cam** 150/170000 – 1/2 P 60/185000.

Gd H. Terme Roseo, piazza Ricasoli 2 ☎ 911016, Fax 911360, Fō, 🏊 termale, ⚕ – 🛗 ▤ rist 📺 ☎. AE. 🅂. ⓓ E VISA. JCB. ✗
aprile-novembre – **Pasto** 35/40000 – **73 cam** ☕ 120/160000, 3 appartamenti – 1/2 P 65/110000.

Balneum, ☎ 911085, Fax 911252, 🌳 – 🛗 📺 ☎ 🚗 Ⓟ. AE. 🅂. ⓓ E VISA. ✗
aprile-dicembre – **Pasto** carta 30/45000 – **40 cam** ☕ 70/120000 – P 55/90000.

Al Tiglio, via Lungosavio 7/9 ☎ 911266, 🌳 – 🛗 📺 Ⓟ. AE. 🅂. ⓓ E VISA. JCB. ✗ rist
Pasto carta 30/40000 – ☕ 10000 – **16 cam** 50/80000 – 1/2 P 65000.

Paolo Teverini, ☎ 911260, Fax 911014, Coperti limitati; prenotare – ▤. AE. 🅂. ⓓ E VISA. JCB. ✗
aprile-17 novembre – **Pasto** carta 60/100000
Spec. Tortelli di patate al tartufo scorzone. Gamberi di fiume su ratatouille di verdure e gelatina allo zafferano (giugno-settembre). Lombo d'agnello al profumo di aglio e rosmarino.

ad Acquapartita *NE : 10 km* – ✉ *47021 Bagno di Romagna :*

Belvedere-da Crescio con cam, ☎ 917352, ≤, 🏡 – Ⓟ
chiuso dal 15 gennaio al 15 febbraio – **Pasto** carta 40/60000 – **10 cam** *(giugno-settembre)* ☕ 60/80000 – P 60/85000.

BAGNOLO IN PIANO *42011 Reggio nell'Emilia* 429 H 14 – *7 634 ab. alt. 32* – ☎ *0522.*

Roma 433 – Parma 38 – Modena 30 – Reggio nell'Emilia 8.

Trattoria da Probo, via Provinciale nord 13 ☎ 951001, Fax 951300 – ▤ Ⓟ. AE. 🅂. ⓓ E VISA. JCB. ✗
chiuso lunedì e dal 5 al 20 agosto – **Pasto** carta 40/60000.

BAGNOLO SAN VITO *46031 Mantova* 428, 429 G 14 – *5 278 ab. alt. 18* – ☎ *0376.*

Roma 460 – Verona 48 – Mantova 13 – Milano 188 – Modena 58.

Villa Eden, via Gazzo 2 ☎ 415684, Fax 415738, 🏡, prenotare, 🌳 – Ⓟ – 🏛 30. 🅂. ⓓ. ✗
chiuso a mezzogiorno (escluso sabato-domenica), martedì e dal 6 al 27 agosto – **Pasto** carta 40/60000.

BAGNOREGIO *01022 Viterbo* 988 ㉕, 430 O 18 – *3 891 ab. alt. 485 – ☎ 0761.*
Roma 125 – Viterbo 28 – Orvieto 20 – Terni 82.

✗ **Da Nello il Fumatore,** piazza Marconi 5 ✆ 792642 –. Ⓢ. E VISA. ✂
chiuso a mezzogiorno da ottobre a marzo, venerdì e giugno – **Pasto** carta 35/45000.

BAGNO VIGNONI *Siena* 430 M 16 – *Vedere San Quirico d'Orcia.*

BAIA *Napoli* 431 E 24 – *Vedere Bacoli.*

BAIA DOMIZIA *81030 Caserta* 430 S 23 – *a.s. 15 giugno-15 settembre – ☎ 0823.*
Roma 167 – Frosinone 98 – Caserta 53 – Gaeta 29 – Abbazia di Montecassino 53 – Napoli 67.

Della Baia ⛵, via dell'Erikavia dell'Erica ✆ 721344, Fax 721556, ≤, ▲, ⛱, ✂ – ☎ Ⓟ. AE. Ⓢ. ⓓ E VISA. ✂ rist
11 maggio-29 settembre – **Pasto** 55/60000 – ☕ 15000 – **56 cam** 160000 – ½ P 130/155000.

Domizia Palace ⛵, via dei Tamerici 55 ✆ 930100, Fax 930068, ≤, « Giardino-pineta con ⛱ », ▲ – |‡| ▤ ☎ Ⓟ – 🏔 220. AE. Ⓢ. ⓓ E VISA. ✂
marzo-10 novembre – **Pasto** carta 50/70000 – **110 cam** ☕ 85/120000 – ½ P 135000.

BAIARDO *18031 Imperia* 428 K 5, 115 ⑲ ⑳ – *357 ab. alt. 900 – ☎ 0184.*
Roma 668 – Imperia 56 – Genova 169 – Milano 292 – San Remo 27 – Ventimiglia 23.

La Greppia ⛵, ✆ 673310, ≤, ⛱ – Ⓟ. Ⓢ. ⓓ E VISA. ✂
chiuso dal 1° al 15 maggio e dal 1° al 15 novembre – **Pasto** *(chiuso venerdì)* carta 45/60000 – **10 cam** ☕ 60/100000 – ½ P 80/85000.

BAIA SARDINIA *Sassari* 988 ㉓ ㉔, 433 D 10 – *Vedere Sardegna (Arzachena) alla fine dell'elenco alfabetico.*

BALDISSERO TORINESE *10020 Torino* 428 G 5 – *3 038 ab. alt. 421 – ☎ 011.*
Roma 656 – Torino 13 – Asti 42 – Milano 140.

✗✗ **Osteria del Paluch,** via Superga 44 (O : 3 km) ✆ 9408750, Fax 9407592, solo su prenotazione, « Servizio estivo all'aperto » – Ⓟ. AE. Ⓢ. ⓓ E VISA
chiuso domenica sera e lunedì escluso da giugno a settembre – **Pasto** 45/70000.

a Rivodora *NO : 5 km – ✉ 10099 :*

✗ **Torinese,** via Torino 42 ✆ 9460025, ⛱ – AE. Ⓢ. ⓓ E VISA. ✂
chiuso a mezzogiorno (escluso sabato-domenica), martedì, mercoledì ed agosto – **Pasto** carta 35/55000.

BALLABIO *22040 Lecco* 428 E 10, 219 ⑩ – *2 898 ab. alt. 732 – ☎ 0341.*
Roma 617 – Bergamo 41 – Como 38 – Lecco 6 – Milano 60 – Sondrio 90.

Sporting Club, a Ballabio Superiore N : 1 km, via Confalonieri 46 ✆ 530185, Fax 530185 – |‡| TV ☎ ♿ Ⓟ. AE. Ⓢ. ⓓ E VISA
Pasto carta 35/45000 – ☕ 7000 – **14 cam** 60/105000 – ½ P 80/85000.

BALOCCO *13040 Vercelli* 428 F 6 – *276 ab. alt. 166 – ☎ 0161.*
Roma 646 – Stresa 66 – Biella 25 – Milano 80 – Torino 66 – Vercelli 21.

✗✗ **L'Osteria,** piazza Castello 1 ✆ 853210 – AE. Ⓢ. ⓓ E VISA. JCB
chiuso domenica sera, lunedì, dal 2 al 10 gennaio e dal 1° al 25 agosto – **Pasto** carta 30/60000.

BALZE *Forlì-Cesena* 430 K 18 – *Vedere Verghereto.*

BARAGAZZA *Bologna* 429, 430 J 15 – *Vedere Castiglione dei Pepoli.*

BARANO D'ISCHIA *Napoli* 431 E 23 – *Vedere Ischia (Isola d').*

BARBARANO *Brescia – Vedere Salò.*

BARBARESCO *12050 Cuneo* [428] H 6 – *639 ab. alt. 274* – ☏ *0173.*
Roma 642 – Genova 129 – Torino 57 – Alessandria 63 – Asti 28 – Cuneo 64 – Savona 101.

🍴🍴 **Rabaya,** via Rabaya 9 ℘ 635223, Fax 635226, Coperti limitati; prenotare, « Servizio estivo in terrazza con < sulle langhe » – [P]. [AE]. [S]. [D] [E] [VISA]. 🚫
chiuso giovedì, dal 4 al 14 febbraio e dal 20 al 30 agosto – **Pasto** carta 40/60000.

BARBERINO DI MUGELLO *50031 Firenze* [988] ⑭ ⑮, [429], [430] J 15 – *8 967 ab. alt. 268* – ☏ *055.*
Roma 308 – Firenze 34 – Bologna 79 – Milano 273 – Pistoia 49.

in prossimità casello autostrada A 1 *SO : 4 km :*

🍴🍴 **Cosimo de' Medici,** viale Don Minzoni 57 ✉ 50030 Cavallina ℘ 8420370 – [P]. [AE]. [S]. [D] [E] [VISA]. [JCB]
chiuso lunedì – **Pasto** carta 35/50000 (10 %).

BARBERINO VAL D'ELSA *50021 Firenze* [430] L 15 *G. Toscana – 100 ab. alt. 373* – ☏ *055.*
Roma 260 – Firenze 32 – Siena 36 – Livorno 109.

a Petrognano *O : 3 km – ✉ 50021 Barberino Val d'Elsa :*

🍴🍴 **Il Paese dei Campanelli,** località Petrognano 4 ℘ 8075318, 🌳, prenotare la sera, « In una vecchia cantina di campagna » – [P]. [AE]. [S]. [D] [E] [VISA]
chiuso a mezzogiorno (escluso i giorni festivi) e lunedì – **Pasto** carta 60/80000.

BARBIANELLO *27041 Pavia* [428] G 9 – *778 ab. alt. 67* – ☏ *0385.*
Roma 557 – Piacenza 45 – Alessandria 68 – Milano 56 – Pavia 18.

🍴 **Da Roberto,** via Barbiano 21 ℘ 57396 – [AE]. [S]. [D] [VISA]
☺ *chiuso domenica sera, lunedì, dal 1° al 7 gennaio ed agosto* – **Pasto** carta 20/40000.

BARCELLONA POZZO DI GOTTO *Messina* [988] ㉔, [432] M 27 – *Vedere Sicilia alla fine dell'elenco alfabetico.*

BARCUZZI *Brescia – Vedere Lonato.*

BARDASSANO *Torino – Vedere Cassino Torinese.*

BARDINETO *17020 Savona* [988] ⑫, [428] J 6 – *638 ab. alt. 711* – ☏ *019.*
Roma 604 – Genova 100 – Cuneo 84 – Imperia 65 – Milano 228 – Savona 59.

🏨 **Piccolo Ranch,** ℘ 7907038, Fax 7907377, < – ⇅ [TV] ☎ [P] – 👥 100. [AE]. [S]. [D] [E] [VISA]. 🚫
chiuso dal 15 gennaio a febbraio – **Pasto** *(chiuso mercoledì)* carta 30/45000 – **22 cam** ☕ 130/160000 – ½ P 85/140000.

🏨 **Maria Nella,** via Cave 1 ℘ 7907017, Fax 7907017, 🌳 – ⇅ [TV] ☎ [P]. [AE]. [S]. [D] [E] [VISA]. 🚫
chiuso novembre e dicembre – **Pasto** *(chiuso venerdì)* carta 30/50000 – ☕ 10000 – **45 cam** 75/100000 – ½ P 75/80000.

BARDOLINO *37011 Verona* [988] ④, [428], [429] F 14 *G. Italia – 6 181 ab. alt. 68* – ☏ *045.*
Vedere *Chiesa*★.
⛳18 e ⛳9 *Cà degli Ulivi a Marciaga-Castion di Costermano* ✉ *37010* ℘ *6279030, Fax 6279039, N : 7 km.*
[i] *piazza Matteotti 53* ℘ *7210078.*
Roma 517 – Verona 27 – Brescia 60 – Mantova 59 – Milano 147 – Trento 84 – Venezia 145.

🏨 **San Pietro,** ℘ 7210588, Fax 7210023, 🏊, 🌳 – ⇅ ❄ [TV] ☎ [P]. [AE]. [S] [E] [VISA]. 🚫
10 marzo-ottobre – **Pasto** *(chiuso venerdì)* carta 40/55000 – **44 cam** ☕ 120/200000 – ½ P 70/110000.

🏨 **Kriss Internazionale,** lungolago Cipriani 3 ℘ 6212433, Fax 7210242, ⛵, 🌳 – ⇅ 🚭 rist ❄ cam [TV] ☎ 🚗 [P] – 👥 35. [AE] [D] [VISA]. 🚫 rist
Pasto *(chiuso martedì)* carta 35/50000 – **32 cam** ☕ 120/195000 – ½ P 105/115000.

🏨 **Cristina,** ℘ 6210857, Fax 6212697, 🏊, 🌳, 🎾 – ⇅ ❄ cam [TV] ☎ [P]. [VISA]. 🚫 rist
aprile-ottobre – **Pasto** (solo per alloggiati) 40000 – **48 cam** ☕ 120/190000 – ½ P 60/125000.

🏨 **Maria Pia,** ℘ 6210857, 🏊, 🌳, 🎾 – ☎ [P]. 🚫 rist
aprile-ottobre – **Pasto** (solo per alloggiati) 35000 – **28 cam** ☕ 105/160000 – ½ P 45/95000.

🏨 **Speranza,** borgo Garibaldi 51 ℘ 7210355, Fax 7210858 – ⇅ ❄ [TV] ☎. [S]. [E] [VISA]. 🚫
chiuso dal 15 gennaio al 20 febbraio – **Pasto** *(chiuso mercoledì)* carta 35/55000 – **22 cam** ☕ 80/120000 – ½ P 60/80000.

Bologna, 7210003, Fax 7210003 – . rist
10 marzo-20 ottobre – **Pasto** *(chiuso venerdì)* 30/60000 – 15000 – **21 cam** 65/90000 – ½ P 55/75000.

Benacus senza rist, 6210282, Fax 6210283 –
28 marzo-16 ottobre – 15000 – **12 cam** 100/140000.

XXX **Aurora**, piazza san Severo 1 7210038, Fax 7210038, – . . . E VISA.
chiuso lunedì – **Pasto** carta 45/60000.

BARDONECCHIA *10052 Torino* 988 ⑪, 428 G 2 – *3 036 ab. alt. 1 312 – a.s. 13 febbraio-7 aprile e luglio-agosto – Sport invernali : 1 312/2 740 m 19, – 0122.*
viale della Vittoria 44 99032, Fax 980612.
Roma 754 – Briançon 46 – Milano 226 – Col du Mont Cenis 51 – Sestriere 36 – Torino 89.

Des Geneys-Splendid, viale Einaudi 21 99001, Fax 999295, , – . . VISA.
15 dicembre-15 aprile e 15 giugno-15 settembre – **Pasto** 45000 – 20000 – **57 cam** 130/190000 – ½ P 160/180000.

I Larici, via Montenero 28 902490, Fax 96518, « Piccolo parco », –
12 cam.

a Melezet *SO : 2 km – 10052 Bardonecchia :*

X **La Ciaburna**, via della Scala 48 999849, Fax 999849 – . . . E VISA
chiuso dal 15 al 30 maggio, dal 15 al 30 ottobre e mercoledì in bassa stagione – **Pasto** carta 40/55000.

Per spostarvi più rapidamente utilizzate le ***carte Michelin "Grandi Strade"*** *:*
nº 970 Europa, nº 976 Rep. Ceca/Slovacchia, nº 980 Grecia,
nº 984 Germania, nº 985 Scandinavia-Finlandia,
nº 986 Gran Bretagna-Irlanda, nº 987 Germania-Austria-Benelux,
nº 988 Italia, nº 989 Francia, nº 990 Spagna-Portogallo, nº 991 Jugoslavia.

BAREGGIO *20010 Milano* 428 F 8, 219 ⑱ – *15 062 ab. alt. 138 – 02.*
Roma 590 – Milano 19 – Novara 33 – Pavia 49.

Novara Fiera, strada statale 90361322, Fax 90276224 – – 100. . . E VISA.
Pasto carta 40/65000 – **51 cam** 95/145000 – ½ P 105/125000.

XX **Joe il Marinaio**, via Roma 69 9028693 – . . . E VISA
chiuso domenica sera, lunedì, dal 1º al 10 gennaio e dal 16 agosto all'8 settembre – **Pasto** specialità di mare carta 45/85000 (10 %).

BARGA *55051 Lucca* 428, 429, 430 J 13 *G. Toscana – 10 104 ab. alt. 410 – 0583.*
Roma 385 – Pisa 58 – Firenze 111 – Lucca 37 – Massa 56 – Milano 277 – Pistoia 71 – La Spezia 95.

La Pergola, via S. Antonio 1 711239, Fax 710433 – . .
Pasto vedere rist ***La Pergola*** – 12000 – **23 cam** 80/100000.

X **La Pergola**, via Del Giardino 723086 – .
chiuso venerdì e dal 15 novembre a gennaio – **Pasto** carta 35/50000.

BARGE *12032 Cuneo* 428 H 3 – *7 037 ab. alt. 355 – 0175.*
Roma 694 – Torino 61 – Cuneo 50 – Sestriere 75.

XX **San Giovanni**, piazza San Giovanni 10 346078 –. . E VISA.
chiuso lunedì e martedì a mezzogiorno – **Pasto** carta 35/55000.

BARGECCHIA *Lucca* 428, 429, 430 K 12 – *Vedere Massarosa.*

BARGHE *25070 Brescia* 428, 429 E 13 – *1 071 ab. alt. 295 – 0365.*
Roma 564 – Brescia 32 – Gardone Riviera 23 – Milano 122 – Verona 79.

XX **Da Girelli Benedetto**, 84140, prenotare – . . VISA.
chiuso martedì, Natale, Pasqua e dal 15 al 30 giugno – **Pasto** carta 55/70000 (15 %).

BARI *70100* 🅿 988 ㉙, 431 D 32 *G. Italia – 336 560 ab. – a.s. 21 giugno-settembre* – ☎ *080.*

Vedere *Città vecchia*★ **CDY** : *basilica di San Nicola*★★ **DY**, *Cattedrale*★ **DY B**, *castello*★ **CY** – *Cristo*★ *in legno nella pinacoteca* **BX M.**

✈ *di Palese per viale Europa : 9 km* **AX** ☎ *5316220, Fax 5383850 – Alitalia, via Calefati 37/41* ✉ *70121* ☎ *5244441.*

🚗 ☎ *5216801.*

ℹ *piazza Aldo Moro 32/a* ✉ *70122* ☎ *5242244, Fax 5242329 – corso Vittorio Emanuele 68* ✉ *70121* ☎ *5219951.*

A.C.I. *via Serena 26* ✉ *70126* ☎ *5534901.*

Roma 449 ④ *– Napoli 261* ④.

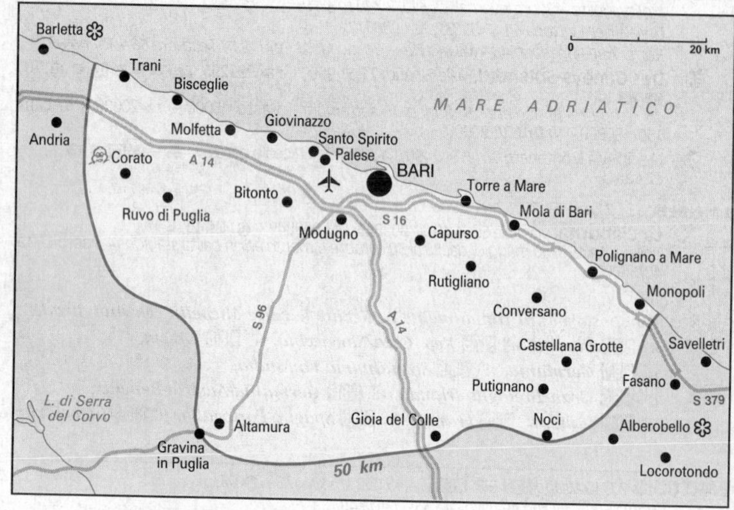

Palace Hotel, via Lombardi 13 ✉ 70122 ☎ 5216551, Telex 810111, Fax 5211499, – 🛗 ✂ cam ▤ 📺 ☎ ♿ 🚗 – 🏛 420. AE. 🅂. ⦿ E VISA. JCB — CY b
Pasto al Rist. ***Murat*** *(chiuso a mezzogiorno, domenica ed agosto)* carta 45/75000 – **197 cam** ☕ 250/310000, 7 appartamenti – ½ P 310/370000.

Sheraton Nicolaus Hotel, via Cardinale Agostino Ciasca 9 ✉ 70124 ☎ 5042626, Fax 5042058, ≘s, 🏊, – 🛗 ▤ 📺 ☎ ♿ 🚗 🅟 – 🏛 750. AE. 🅂. ⦿ E VISA. JCB. ✂
Pasto carta 60/80000 – **172 cam** ☕ 230/330000. — AX e

Villa Romanazzi-Carducci, via Capruzzi 326 ✉ 70124 ☎ 5427400, Telex 812292, Fax 5560297, « Parco con 🏊 », 🏋, ≘s – 🛗 ▤ 📺 ☎ ♿ 🚗 🅟 – 🏛 500. AE. 🅂. ⦿ E VISA. ✂ rist — CZ c
Pasto 45/75000 –, 89 appartamenti ☕ 150/250000 – ½ P 170/190000.

Gd H. Ambasciatori, via Omodeo 51 ✉ 70125 ☎ 5010077, Telex 810405, Fax 5021678, ←, 🏊 panoramica, – 🛗 ▤ 📺 ☎ ♿ 🚗 – 🏛 400. AE. 🅂. ⦿ E VISA. ✂ rist
Pasto *(chiuso agosto)* carta 50/80000 – **177 cam** ☕ 225/300000, 14 appartamenti – ½ P 150/245000. — BX v

Boston senza rist, via Piccinni 155 ✉ 70122 ☎ 5216633, Fax 5246802 – 🛗 ▤ 📺 ☎ 🚗 – 🏛 50. AE. 🅂. ⦿ E VISA. JCB — CY e
70 cam ☕ 140/200000.

Jolly, via Giulio Petroni 15 ✉ 70124 ☎ 5564366, Telex 810274, Fax 5565219 – 🛗 ▤ 📺 ☎ 🚗 – 🏛 700. AE. 🅂. ⦿ E VISA. JCB. ✂ rist — DZ c
Pasto 40/60000 – **164 cam** ☕ 215/270000 – ½ P 230/270000.

La Pignata, corso Vittorio Emanuele 173 ✉ 70122 ☎ 5232481 – ▤. AE. 🅂. ⦿ E VISA. ✂
chiuso lunedì ed agosto – **Pasto** carta 40/70000. — CY c

Ai 2 Ghiottoni, via Putignani 11 ✉ 70121 ☎ 5232240, Fax 5233330 – ▤. AE. 🅂. ⦿ E VISA. ✂ — DY d
chiuso domenica e dal 5 al 20 agosto – **Pasto** carta 50/70000.

La Nuova Vecchia Bari, via Dante Alighieri 47 ✉ 70121 ☎ 5216496, Fax 5216496 – AE. 🅂. ⦿ E VISA. ✂ — DZ b
chiuso venerdì e domenica sera – **Pasto** carta 45/60000.

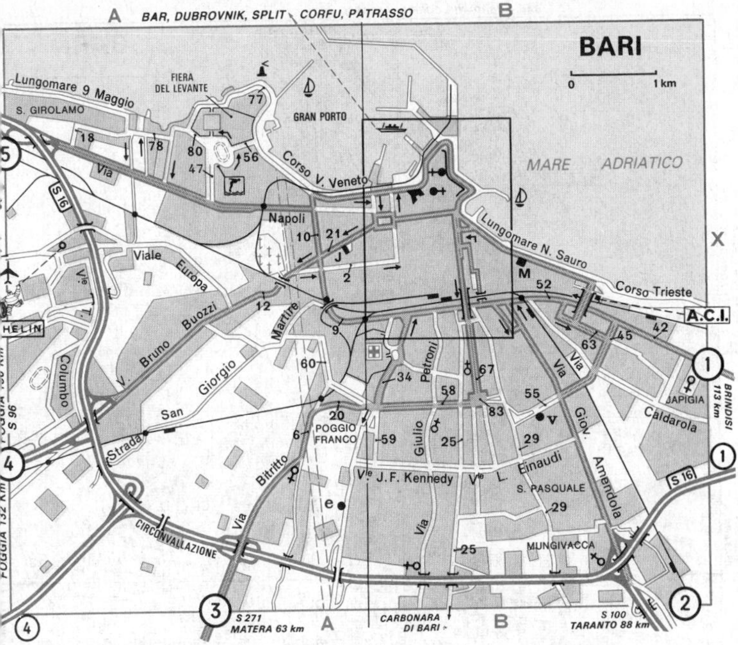

Alighieri (Via Dante)	AX 2	Fanelli (Via Giuseppe)	BX 29	Papa Pio XII (Viale)	BX 59
Bellomo (Via Generale N.)	AX 6	Flacco (Via Orazio)	BX 34	Pasteur (Via Louis)	AX 60
Brigata Bari (Via)	AX 9	Japigia (Viale)	BX 42	Peucetia (Via)	BX 63
Brigata Regina (Via)	AX 10	Magna Grecia (Via)	BX 45	Repubblica (Viale della)	BX 67
Buozzi (Sottovia Bruno)	AX 12	Maratona (Via di)	AX 47	Starita (Lungomare Giambattista)	AX 77
Costa (Via Nicola)	AX 18	Oberdan (Via Guglielmo)	BX 52	Van Westerhout (Viale)	AX 78
Cotugno (Via Domenico)	AX 20	Omodeo (Via Adolfo)	BX 55	Verdi (Via Giuseppe)	AX 80
Crispi (Via Francesco)	AX 21	Orlando (Viale V.E.)	AX 56	2 Giugno (Largo)	BX 83
De Gasperi (Corso Alcide)	BX 25	Papa Giovanni XXIII (Viale)	BX 58		

XX **Al Sorso Preferito,** via Vito Nicola De Nicolò 46 ⊠ 70121 ℘ 5235747, prenotare – ▤. AE. Ⓢ. ⓓ E VISA DY m
chiuso domenica – **Pasto** carta 35/60000.

XX **Al Sorso Preferito 2,** lungomare Araldo Crollalanza 1 ⊠ 70121 ℘ 5240022 – ▤. AE. Ⓢ. ⓓ E VISA. JCB DY b
chiuso domenica sera e lunedì – **Pasto** carta 35/60000.

X **Lo Sprofondo,** corso Vittorio Emanuele 111 ⊠ 70122 ℘ 5213697, Fax 5213697, Rist. e pizzeria – ▤. Ⓢ. ⓓ E VISA. ⚘ DY a
chiuso sabato a mezzogiorno, domenica, dal 23 dicembre al 3 gennaio e dal 9 al 20 agosto – **Pasto** carta 45/70000.

sulla tangenziale sud-complanare ovest *SE : 5 km per ①* :

Majesty, ⊠ 70126 ℘ 5491099, Fax 5492397, ⛱, XX – ▤ ▤ TV ☎ Ⓟ – 🏛 150. AE. Ⓢ. E VISA. ⚘
chiuso dal 22 dicembre al 7 gennaio e dal 26 luglio al 26 agosto – **Pasto** *(chiuso le sere di venerdì e domenica)* carta 45/65000 – **75 cam** ☕ 135/200000 – 1/2 P 155000.

a Carbonara di Bari *S : 6,5 km* BX – ⊠ *70012* :

XX **Taberna,** via Ospedale di Venere 6 ℘ 5650557, « Ambiente caratteristico » – ▤ Ⓟ. AE. Ⓢ. ⓓ E VISA. JCB. ⚘
chiuso lunedì ed agosto – **Pasto** carta 40/70000.

MICHELIN, contrada Prete 5 (zona industriale - strada per l'aeroporto) AX – ⊠ 70123, ℘ 5341511, Fax 5387867.

Carta Michelin n° 429 ITALIA Nord-Est scala 1:400 000.

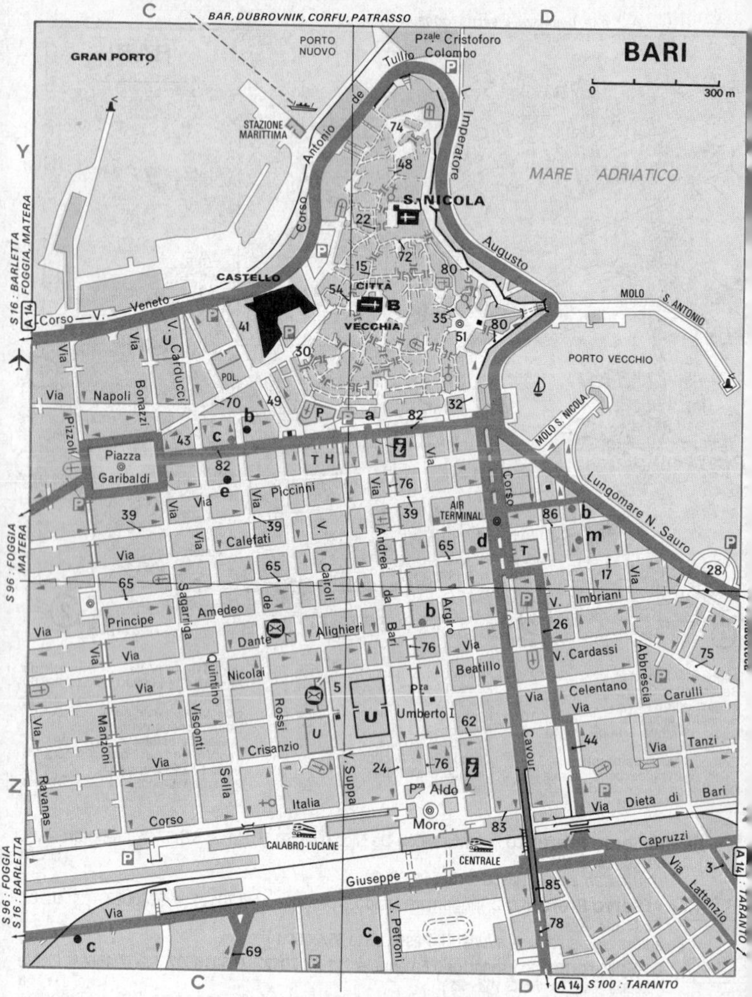

BARI

BAR, DUBROVNIK, CORFU, PATRASSO

GRAN PORTO · PORTO NUOVO · P^zale Cristoforo Colombo · STAZIONE MARITTIMA · MARE ADRIATICO · S. NICOLA · CASTELLO · CITTÀ VECCHIA · MOLO S. ANTONIO · PORTO VECCHIO · MOLO S. NICOLA · Lungomare N. Sauro · Piazza Garibaldi · AIR TERMINAL · CALABRO-LUCANE · CENTRALE

Corso Antonio de Tullio · Imperatore Augusto · Corso V. Veneto · Via Napoli · Via Piccinni · Via Calefati · Via Principe Amedeo · Via Dante Alighieri · Via Nicolai · Via Crisanzio · Corso Italia · Via Giuseppe Capruzzi · Corso Cavour · Via Andrea da Bari · V. Cairoli · Via Sagarriga Visconti · Via Quintino Sella · Via Manzoni · Via Ravanas · Via Pizzoli · Via Bonazzi · V. Carducci · Via Argiro · Via Beatillo · P^za Umberto I · P^za Aldo Moro · V. Suppa · V. Petroni · V. Imbriani · V. Cardassi · Via Celentano · Via Abbrescia · Carulli · Via Tanzi · Via Dieta di Bari · Via Lattanzio · Via De Rossi

S 16: BARLETTA · A 14 FOGGIA, MATERA · S 96: FOGGIA MATERA · S 96: FOGGIA S 16: BARLETTA · A 14: TARANTO · A 14 S 100: TARANTO

0 — 300 m

Cavour (Corso) . . . . DYZ
Piccini (Via) . . . . CY
Sparano (Via) . . . . DYZ 76
Vittorio Emanuele II (C.) . . CDY 82

Amendola (Via Giovanni) . . . DZ 3
Battisti (Piazza Cesare) . . . CDZ 5
Carmine (Strada del) . . . . . . DY 15
Cognetti (Via Salvatore) . . . . DY 17
Crociate (Strada delle) . . . . . DY 22
De Cesare (Via Raffaele) . . . DZ 24
De Giosa (Via) . . . . DZ 26

Diaz (Piazza Armando) . . . . . DY 28
Federico II (Piazza) . . . . CY 30
Ferrarese (Piazza del) . . . . . . DY 32
Fragigena (Rua) . . . . DY 35
Gimma (Via Abate) . . . . CDY 39
Isabella d'Aragona (Giardini) CY 41
Latilla (Via) . . . . CY 43
Luigi di Savoia (Piazza) . . . . . DZ 44
Martinez (Strada) . . . . DY 48
Massari (Piazza G.) . . . . CY 49
Mercantile (Piazza) . . . . DY 51
Odegitria (Piazza dell') . . . . CDY 54

Petroni (Via Prospero) . . . . . DZ 62
Putignani (Via) . . . . CDYZ 65
Salandra (Viale) . . . . CZ 69
S. Francesco d'Assisi (Via) . CY 70
S. Marco (Strada) . . . . DY 72
S. Pietro (Piazza) . . . . DY 74
Sonnino (Corso Sidney) . . . . DZ 75
Unità d'Italia (Via) . . . . DZ 78
Venezia (Via) . . . . DY 80
Zuppetta (Via Luigi) . . . . DZ 83
20 Settembre (Ponte) . . . . . . DZ 85
24 Maggio (Via) . . . . DY 86

Non confondete :

Confort degli alberghi : 🏨🏨🏨 ... 🏨, ⌂
Confort dei ristoranti : ✕✕✕✕✕ ... ✕
Qualità della tavola : ✿✿✿, ✿✿, ✿

BARLETTA *70051 Bari* 988 ㉘ ㉙, 431 D 30 *G. Italia – 90 079 ab. – a.s. 21 giugno-settembre –* *0883.*

Vedere *Colosso★★ – Castello★ – Museo Civico★* **M** *– Reliquiario★ nella basilica di San Sepolcro.*

via Ferdinando d'Aragona 95 ℘ 331331.

Roma 397 ③ – Bari 69 ② – Foggia 79 ③ – Napoli 208 ③ – Potenza 128 ③ – Taranto 145 ②.

Garibaldi (Corso)
Vittorio Emanuele (Corso)

Baccarini (Via) 2
Brigata Barletta (V.) 3
Caduti in Guerra (Piazza dei) 4
Colombo (Via Cristoforo) 6
Consalvo da Cordova (Via) 7
Conteduca (Piazza) 8
Discanno (V. Geremia) 9
Duomo (Via del) 10
Ferdinando d'Aragona (V.) 14
Fraganzano (V.) 16
Giannone (Viale) 17
Marina (Piazza) 18
Monfalcone (V.) 20
Municipio (Via) 21
Nanula (Via A.) 23
Nazareth (Via) 24
Pier delle Vigne (Via) 25
Plebiscito (Piazza) 27
Principe Umberto (Piazza) 28
Regina Elena (Via) 29
Regina Margherita (Via) 30
S. Andrea (Via) 31
3 Novembre (Via) 33

Itaca, viale Regina Elena 30 ℘ 37741, Fax 37786, ←, 🏊, – ▤ – 🅿 – 🏢 300. AE. 🅂. ⓓ E VISA. per ①
Pasto *(chiuso lunedì a mezzogiorno)* carta 35/55000 – **27 cam** 120/190000 – ½ P 125/150000.

Dei Cavalieri M senza rist, via Foggia 24 ℘ 571461, Fax 526640, – ▤ – 🅿 – 🏢 100. AE. 🅂. ⓓ E VISA. per ④
49 cam 110/160000, 2 appartamenti.

Artù, piazza Castello 67 ℘ 332121, Fax 332214, – ▤ 🅿. AE. 🅂. ⓓ E VISA. b
Pasto *(chiuso domenica sera)* carta 45/70000 – 15000 – **32 cam** 120/190000 – ½ P 120/155000.

Royal senza rist, via Leontina de Nittis 13 ℘ 531139, Fax 331466 – ▤. AE. 🅂. ⓓ E VISA e
34 cam 100/160000.

Antica Cucina, via Milano 73 ℘ 521718, prenotare – ▤. AE. 🅂. ⓓ E VISA. JCB. f
chiuso dal 27 gennaio al 3 febbraio, dal 17 al 31 luglio, lunedì e la sera dei giorni festivi –
Pasto carta 45/70000
Spec. Strascinati con pomodorini appesi e ricotta murgiana stagionata. Frittura di paranza barlettana. Tortino tiepido di cioccolato amaro (autunno-inverno).

Il Brigantino, litoranea di Levante ℘ 533345, Fax 533248, ←, 🏊, – ▤ 🅿 – 🏢 100. AE. 🅂. ⓓ E VISA per ①
chiuso mercoledì e gennaio – **Pasto** carta 45/60000 (15 %).

BAROLO *12060 Cuneo* 428 *I 5 – 681 ab. alt. 301 – ☎ 0173.*
Roma 627 – Cuneo 68 – Asti 42 – Milano 164 – Savona 83 – Torino 72.

Barolo ⨀, via Lomondo 2 ☎ 56354, Fax 56354, ≤, – |‡| TV ☎ P. AE. ⓢ. E VISA
chiuso dal 1° al 15 febbraio – **Pasto** 30/50000 e al Rist. ***Brezza*** *(chiuso martedì)* carta 35/50000 – ☐ 10000 – **30 cam** 80/120000 – ½ P 110000.

XX **Locanda nel Borgo Antico,** piazza Municipio 2 ☎ 56355, Fax 56355, , Coperti limitati; prenotare – AE. ⓢ. ◐ E VISA. ✱
chiuso dal 25 febbraio al 15 marzo, dal 25 luglio al 14 agosto, mercoledì e giovedì a mezzogiorno (escluso da settembre a dicembre) – **Pasto** 45/55000 e carta 50/65000.

X Del Buon Padre, località Vergne O : 3 km ☎ 56192, Fax 56192, prenotare

BARZANÒ *22062 Lecco* 428 *E 9,* 219 ⑱ *– 4 609 ab. alt. 370 – ☎ 039.*
Roma 605 – Como 27 – Bergamo 36 – Lecco 19 – Milano 34.

X **I Ronchi** con cam, via Roma 86 ☎ 957612, , prenotare – TV ☎. ⓢ. E VISA
chiuso dal 2 al 10 gennaio e dal 16 agosto al 7 settembre – **Pasto** *(chiuso domenica sera)* carta 35/60000 – ☐ 12000 – **9 cam** 75/120000 – ½ P 75/90000.

BASCHI *05023 Terni* 988 ㉕, 430 *N 18 – 2 726 ab. alt. 165 – ☎ 0744.*
Roma 118 – Viterbo 46 – Orvieto 10 – Terni 70.

XX **La Marroca,** via Roma 11 ☎ 957193, – AE. ⓢ. E VISA. ✱
chiuso martedì, dal 1° al 15 luglio e dal 17 al 30 novembre – **Pasto** carta 35/60000.

sulla strada statale 448 :

Villa Bellago ⨀, N : 4 km ✉ 05023 ☎ 950521, Fax 950524, « Servizio rist. estivo all'aperto », Fб, ⛱, ✗ – TV ☎ P. AE. ⓢ. ◐ E VISA. ✱ rist
Pasto *(chiuso martedì e dal 9 gennaio al 9 febbraio)* carta 35/55000 – **10 cam** ☐ 135/175000 – ½ P 90/160000.

XXX ✿✿ **Vissani,** N : 12 km ✉ 05020 Civitella del Lago ☎ 950396, Fax 950396, Coperti limitati; prenotare – ✱ ▤ P. AE. ⓢ. ◐ E VISA. ✱
chiuso domenica sera, mercoledì e giovedì a mezzogiorno – **Pasto** 100/160000 e carta 145/250000 (15 %)
Spec. San Pietro in cocotte con ravioli al grano saraceno e salsa agli asparagi. Carré d'agnello al forno con gâteau di zucchine e mentuccia. Anatra con ratatouille di melanzane all'origano fresco, salsa di zucchine al profumo di zenzero.

a Civitella del Lago *NE : 12 km – ✉ 05020 :*

XX **Trippini,** via Italia 8 ☎ 950316, Fax 950316, ≤ lago e dintorni – AE. ⓢ. ◐ E VISA. ✱
chiuso mercoledì e dal 15 al 30 gennaio – **Pasto** carta 45/80000.

BASELGA DI PINÈ *38042 Trento* 988 ④, 429 *D 15 – 4 128 ab. alt. 964 – a.s. Pasqua e Natale – ☎ 0461.*
ℹ a Serraia via Cesare Battisti 98 ☎ 557028, Fax 557577.
Roma 606 – Trento 19 – Belluno 116 – Bolzano 75 – Milano 260 – Padova 136 – Venezia 169.

Edera, a Tressilla ☎ 557221, Fax 558977 – |‡| TV ☎ ⇔ P. AE. ⓢ. E VISA. ✱
chiuso dal 23 ottobre al 10 novembre – **Pasto** *(chiuso lunedì escluso da Natale-6 gennaio, Pasqua e luglio-settembre)* carta 40/55000 – **40 cam** ☐ 85/125000 – ½ P 85/105000.

Villa Anita, a Serraia via Cesare Battisti 120 ☎ 557106, Fax 558694, ⛱ – |‡| ▤ TV ☎ P. ⓢ. E VISA. ✱ rist
Pasto *(chiuso giovedì)* carta 20/30000 – **23 cam** ☐ 100/190000.

XX **2 Camini** con cam, a Vigo, via Pontara 352 ☎ 557200, Fax 558833, – TV P. AE E VISA. ✱
chiuso dal 15 ottobre al 15 novembre – **Pasto** *(chiuso domenica sera e lunedì escluso dal 15 giugno al 15 settembre)* carta 40/60000 – ☐ 9000 – **10 cam** 90/120000 – ½ P 75/115000.

BASSANO DEL GRAPPA *36061 Vicenza* 988 ⑤, 429 *E 17 G. Italia – 39 289 ab. alt. 129 – ☎ 0424.*
Vedere *Museo Civico★.*
Escursioni *Monte Grappa★★★ NE : 32 km.*
ℹ largo Corona d'Italia 35 ☎ 524351, Fax 525301.
Roma 543 – Padova 45 – Belluno 80 – Milano 234 – Trento 88 – Treviso 47 – Venezia 76 – Vicenza 35.

Belvedere, piazzale Generale Giardino 14 ☏ 529845, Fax 529849 – 120. AE. 🅂. E VISA. JCB.
Pasto vedere rist **Belvedere** – **91 cam** 150/220000.

Palladio, via Gramsci 2 ☏ 523777, Fax 524050 – 160. AE. 🅂. E VISA.
Pasto vedere rist **Belvedere** – **66 cam** 165/250000.

Alla Corte, località Sant'Eusebio via Corte 54 (N : 2 km) ☏ 502114, Fax 502410 – AE. 🅂. E VISA
Pasto *(chiuso lunedì sera, martedì, dal 4 al 18 gennaio e dal 17 luglio al 2 agosto)* carta 40/50000 – 7000 – **30 cam** 70/110000 – ½ P 80/85000.

Victoria senza rist, viale Diaz 33 ☏ 503620, Fax 503130 – AE. 🅂. E VISA
23 cam 70/110000.

Brennero senza rist, via Torino 7 ☏ 228544, Fax 227021 – AE. 🅂. E VISA. JCB
6000 – **22 cam** 70/105000.

Belvedere, via delle Fosse 1 ☏ 524988 – AE. 🅂. E VISA. JCB.
chiuso domenica – **Pasto** carta 50/70000.

Al Sole-da Tiziano, via Vittorelli 41/43 ☏ 523206 – AE. 🅂. E VISA. JCB
chiuso lunedì e luglio – **Pasto** carta 45/60000 (10 %).

Al Ponte-da Renzo, via Volpato 60 ☏ 503055, ≤, « Servizio estivo in giardino » – 🅂. E VISA
chiuso lunedì sera, martedì e gennaio – **Pasto** carta 45/60000.

Bauto, via Trozzetti 27 ☏ 34696, Fax 34696 – AE. 🅂. E VISA.
chiuso domenica ed agosto – **Pasto** carta 40/60000.

Al Giardinetto, via Fontanelle 30 (N : 1,5 km) ☏ 502277 – AE. 🅂. E VISA
chiuso martedì sera e mercoledì – **Pasto** carta 30/45000.

sulla strada statale 47 :

Al Camin, via Valsugana 64 (SE : 2 km) ✉ 36022 Cassola ☏ 566134, Fax 566822, « Servizio rist. estivo in giardino » – 80. AE. 🅂. E VISA.
Pasto *(chiuso domenica e dal 4 al 16 agosto)* carta 40/70000 – **43 cam** 180/220000 – ½ P 130/190000.

BASTIA *06083 Perugia* 430 M 19 – *17 256 ab. alt. 201* – *075.*
Roma 176 – Perugia 17 – Assisi 9,5 – Terni 77.

sulla strada statale 147 Assisana :

La Villa, via Bastiola 124 ☏ 8010011, Fax 8010574, « Giardino con » – 400. AE. 🅂. E VISA.
chiuso dal 23 al 26 dicembre – **Pasto** carta 45/70000 – 15000 – **23 cam** 120/180000 – ½ P 90/160000.

Campiglione, via Campiglione 11 ✉ 06083 ☏ 8010767, Fax 8010767 – 🅂. E VISA.
Pasto carta 30/55000 – 8000 – **21 cam** 70/100000, 15000 – ½ P 75/85000.

ad Ospedalicchio *O : 5 km* – ✉ *06080 :*

Lo Spedalicchio, piazza Bruno Buozzi 3 ☏ 8010323, Fax 8010323, « In una fortezza trecentesca » – 80. AE. 🅂. E VISA.
Pasto *(chiuso lunedì e dal 15 al 30 luglio)* carta 40/60000 – 14000 – **25 cam** 110/125000 – ½ P 95/105000.

BAVENO *28042 Verbania* 988 ②, 428 E 7 *G. Italia* – *4 524 ab. alt. 205* – *0323.*
per le Isole Borromee giornalieri (10 mn) – Navigazione Lago Maggiore-agenzia Verbano Viaggi, corso Garibaldi 27 ☏ 923196, Fax 922303.
corso Garibaldi 16 ☏ 924632, Fax 924632.
Roma 661 – Stresa 4 – Domodossola 37 – Locarno 51 – Milano 84 – Novara 60 – Torino 137.

Gd H. Dino, corso Garibaldi 52 ☏ 922201, Fax 924515, ≤ isole Borromee, « Giardino sul lago con » – 1300. AE. 🅂. E VISA.
rist
Pasto carta 70/90000 – 25000 – **316 cam** 240/360000, 65 appartamenti 450/650000 – ½ P 140/280000.

Simplon, corso Garibaldi 52 ☏ 924112, Fax 924112, ≤, « Parco ombreggiato con e » – cam AE. 🅂. E VISA. rist
23 marzo-7 novembre – **Pasto** 50/70000 – 20000 – **124 cam** 170/280000 – ½ P 130/180000.

Splendid, via Sempione 12 ✆ 924583, Fax 922200, ← lago e monti, « Giardino ombreggiato », 🏊, 🏖, 🎾 – 🛗 ❄ cam [TV] ☎ 🅿. [AE]. [S]. ⊙ [E] [VISA]. 🚫🐕 rist
20 marzo-5 novembre – **Pasto** carta 55/80000 – ☕ 22000 – **105 cam** 170/280000 – ½ P 130/180000.

Rigoli 🔕, via Piave 48 ✆ 924756, Fax 925156, ← lago e isole Borromee, 🏖, ☂ – 🛗 [TV] ☎ 🅿. [AE]. [S]. [E] [VISA]. 🚫🐕 rist
Pasqua-ottobre – **Pasto** carta 40/60000 – ☕ 15000 – **31 cam** 90/130000 – ½ P 100/110000.

XX **Ascot,** via Libertà 9 ✆ 925226 – [AE]. [S]. ⊙ [E] [VISA]. [JCB]
chiuso mercoledì escluso da luglio a settembre – **Pasto** carta 40/70000.

X **Il Gabbiano,** via I° Maggio 19 ✆ 924496, prenotare la sera – [AE]. [S]. ⊙ [E] [VISA]
chiuso mercoledì (escluso dal 15 giugno al 15 settembre) e dal 15 gennaio al 15 febbraio – **Pasto** carta 35/55000.

Vedere anche : **Borromee (Isole)** *SE : 10/30 mn di battello.*

BAZZANO *40053 Bologna [988] ⑭, [429], [430] I 15 – 5 539 ab. alt. 93 – ☎ 051.*

Roma 382 – Bologna 24 – Modena 23 – Ostiglia 86.

Alla Rocca, via Matteotti 76 ✆ 831217, Fax 830690 – 🛗 ❄ [TV] ☎ ♿ 🚗 🅿 – 👥 150. [AE]. [S]. ⊙ [E] [VISA]
Pasto carta 45/55000 – **53 cam** ☕ 170/185000, 2 appartamenti.

X **Trattoria al Parco,** viale Carducci 13/a ✆ 830800 –. [S]. [E] [VISA]. 🚫🐕
chiuso lunedì sera, martedì ed agosto – **Pasto** carta 40/50000.

BEDIZZOLE *25081 Brescia [428], [429] F 13 – 8 508 ab. alt. 184 – ☎ 030.*

Roma 539 – Brescia 17 – Milano 111 – Verona 54.

XX **La Casa,** via Capuzzi 3 ✆ 675280, Fax 675280 – 🅿. [AE]. [S]. ⊙ [E] [VISA]. 🚫🐕
chiuso domenica sera, lunedì e dal 1° al 21 agosto – **Pasto** carta 50/90000.

X **Borgo Antico,** località Masciaga O : 1 km ✆ 674291, ☂ – 🅿. [AE]. [S]. ⊙ [E] [VISA]. [JCB]
chiuso lunedì sera e dal 5 al 20 agosto – **Pasto** carta 30/50000.

BEDONIA *43041 Parma [988] ⑬, [428] I 10 – 4 268 ab. alt. 500 – a.s. luglio-agosto – ☎ 0525.*

Roma 483 – La Spezia 86 – Bologna 177 – Genova 91 – Milano 151 – Parma 81 – Piacenza 87.

San Marco, piazza Senatore Micheli ✆ 824436 – 🛗 [TV] ☎
25 cam.

XX **La Pergola,** via Garibaldi 19 ✆ 826612, Fax 826612, Coperti limitati; prenotare, « Servizio estivo all'aperto », ☂ –. [S]. ⊙ [E] [VISA]. 🚫🐕
chiuso giovedì escluso i giorni festivi e da maggio ad ottobre – **Pasto** carta 40/60000.

BELGIRATE *28040 Verbania [428] E 7, [219] ⑦ – 514 ab. alt. 200 – ☎ 0322.*

Roma 651 – Stresa 6 – Locarno 61 – Milano 74 – Novara 50 – Torino 127.

Villa Carlotta, via Sempione 121/125 ✆ 76461, Telex 200490, Fax 76705, ←, ☂, « Parco secolare con 🏊 riscaldata », 🏖 – 🛗 ❄ [TV] ☎ ♿ 🅿 – 👥 600. [AE]. [S]. ⊙ [E] [VISA]. 🚫🐕 rist
Pasto carta 45/75000 – ☕ 15000 – **128 cam** 145/195000, appartamento, ❄ 25000 – ½ P 105/165000.

Milano, via Sempione 4/8 ✆ 76525, Fax 76295, ←, « Servizio rist. estivo in terrazza sul lago », 🏖 – 🛗 ❄ rist [TV] ☎ 🅿 – 👥 40. [AE]. [S]. ⊙ [E] [VISA]
Pasto carta 45/75000 – ☕ 15000 – **52 cam** 105/165000 – ½ P 100/140000.

BELLAGIO *22021 Como [988] ③, [428] E 9 G. Italia – 2 932 ab. alt. 216 – ☎ 031.*

Vedere *Posizione pittoresca*** – Giardini** di Villa Serbelloni – Giardini** di Villa Melzi.*

⛴ *per Varenna giornalieri (da 15 a 30 mn) – Navigazione Lago di Como, al pontile ✆ 950180.*

[i] *piazza della Chiesa 14 ✆ 950204.*

Roma 643 – Como 29 – Bergamo 55 – Lecco 22 – Lugano 63 – Milano 78 – Sondrio 104.

Gd H. Villa Serbelloni 🔕, ✆ 950216, Telex 380330, Fax 951529, ← lago e monti, ☂, « Parco digradante sul lago », 🏋, ♨, 🏊, 🏖, 🎾 – 🛗 ❄ [TV] ☎ ♿ 🚗 🅿 – 👥 400. [AE]. [S]. ⊙ [E] [VISA]. 🚫🐕 rist
aprile-ottobre – **Pasto** carta 75/110000 – **78 cam** ☕ 330/655000, 10 appartamenti – ½ P 325/385000.

Belvedere, via Valassina 31 ✆ 950410, Fax 950102, ← lago e Grigna, ☂, 🏊, ☂ – 🛗 [TV] ☎ 🅿 – 👥 90. [AE]. [S]. [E] [VISA]. 🚫🐕 rist
20 aprile-25 ottobre – **Pasto** carta 50/75000 – **58 cam** ☕ 135/215000 – ½ P 135/155000.

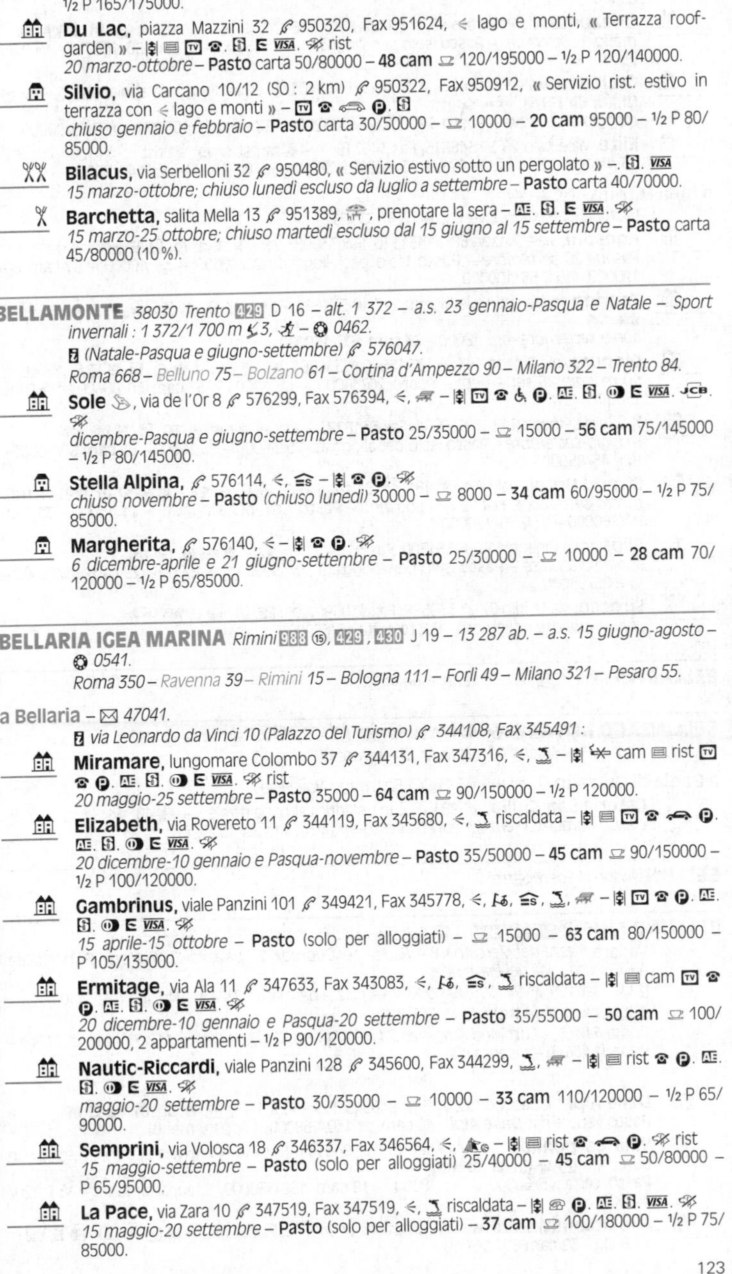

Florence, piazza Mazzini 46 950342, Fax 951722, « Servizio rist. estivo in terrazza ombreggiata in riva al lago » – . AE. . E VISA. rist
aprile-20 ottobre – **Pasto** carta 60/90000 – **31 cam** 155/210000, appartamento – 1/2 P 165/175000.

Du Lac, piazza Mazzini 32 950320, Fax 951624, lago e monti, « Terrazza roof-garden » – . . E VISA. rist
20 marzo-ottobre – **Pasto** carta 50/80000 – **48 cam** 120/195000 – 1/2 P 120/140000.

Silvio, via Carcano 10/12 (SO : 2 km) 950322, Fax 950912, « Servizio rist. estivo in terrazza con lago e monti » – .
chiuso gennaio e febbraio – **Pasto** carta 30/50000 – 10000 – **20 cam** 95000 – 1/2 P 80/85000.

Bilacus, via Serbelloni 32 950480, « Servizio estivo sotto un pergolato » –. . VISA
15 marzo-ottobre; chiuso lunedì escluso da luglio a settembre – **Pasto** carta 40/70000.

Barchetta, salita Mella 13 951389, , prenotare la sera – AE. . E VISA.
15 marzo-25 ottobre; chiuso martedì escluso dal 15 giugno al 15 settembre – **Pasto** carta 45/80000 (10%).

BELLAMONTE *38030 Trento* 429 D 16 – *alt. 1 372 – a.s. 23 gennaio-Pasqua e Natale – Sport invernali : 1 372/1 700 m 3, – 0462.*
(Natale-Pasqua e giugno-settembre) 576047.
Roma 668 – Belluno 75 – Bolzano 61 – Cortina d'Ampezzo 90 – Milano 322 – Trento 84.

Sole , via de l'Or 8 576299, Fax 576394, , – . AE. . E VISA. JCB.
dicembre-Pasqua e giugno-settembre – **Pasto** 25/35000 – 15000 – **56 cam** 75/145000 – 1/2 P 80/145000.

Stella Alpina, 576114, , – .
chiuso novembre – **Pasto** *(chiuso lunedì)* 30000 – 8000 – **34 cam** 60/95000 – 1/2 P 75/85000.

Margherita, 576140, – .
6 dicembre-aprile e 21 giugno-settembre – **Pasto** 25/30000 – 10000 – **28 cam** 70/120000 – 1/2 P 65/85000.

BELLARIA IGEA MARINA *Rimini* 988 ⑮, 429, 430 J 19 – *13 287 ab. – a.s. 15 giugno-agosto – 0541.*
Roma 350 – Ravenna 39 – Rimini 15 – Bologna 111 – Forlì 49 – Milano 321 – Pesaro 55.

a Bellaria – *47041.*
via Leonardo da Vinci 10 (Palazzo del Turismo) 344108, Fax 345491 :

Miramare, lungomare Colombo 37 344131, Fax 347316, , – cam rist . AE. . E VISA. rist
20 maggio-25 settembre – **Pasto** 35000 – **64 cam** 90/150000 – 1/2 P 120000.

Elizabeth, via Rovereto 11 344119, Fax 345680, , riscaldata – . AE. . E VISA.
20 dicembre-10 gennaio e Pasqua-novembre – **Pasto** 35/50000 – **45 cam** 90/150000 – 1/2 P 100/120000.

Gambrinus, viale Panzini 101 349421, Fax 345778, , , , , – . AE. . E VISA.
15 aprile-15 ottobre – **Pasto** (solo per alloggiati) – 15000 – **63 cam** 80/150000 – P 105/135000.

Ermitage, via Ala 11 347633, Fax 343083, , , , riscaldata – cam . AE. . E VISA.
20 dicembre-10 gennaio e Pasqua-20 settembre – **Pasto** 35/55000 – **50 cam** 100/200000, 2 appartamenti – 1/2 P 90/120000.

Nautic-Riccardi, viale Panzini 128 345600, Fax 344299, , – rist . AE. . E VISA.
maggio-20 settembre – **Pasto** 30/35000 – 10000 – **33 cam** 110/120000 – 1/2 P 65/90000.

Semprini, via Volosca 18 346337, Fax 346564, , – rist . rist
15 maggio-settembre – **Pasto** (solo per alloggiati) 25/40000 – **45 cam** 50/80000 – P 65/95000.

La Pace, via Zara 10 347519, Fax 347519, , riscaldata – . AE. . VISA.
15 maggio-20 settembre – **Pasto** (solo per alloggiati) – **37 cam** 100/180000 – 1/2 P 75/85000.

Roma, via Arbe 13 ☎ 344225, Fax 344225, ≤, riscaldata – |♦| ▤ rist ☎ ℗. AE. ₪. VISA. ✻
15 maggio-settembre – **Pasto** (solo per alloggiati) – **67 cam** ▭ 100/180000 – ½ P 75/85000.

Orizzonte, via Rovereto 10 ☎ 344298, Fax 346804, ≤, – ▤ rist ☎ ℗. ₪. E VISA. ✻
maggio-settembre – **Pasto** (solo per alloggiati) – ▭ 15000 – **38 cam** 90/160000 – ½ P 65/95000.

Orchidea, viale Panzini 37 ☎ 347425, Fax 340120, « Giardino ombreggiato », – ☎ ℗. AE. ₪. ⓓ E VISA. JCB. ✻ rist
maggio-settembre – **Pasto** 30/45000 – ▭ 12000 – **33 cam** 65/105000 – ½ P 55/90000.

Elite, viale Italia 29 ☎ 346615, Fax 346716, ≤ – |♦| ▤ rist ☎ ℗. ✻ rist
15 maggio-settembre – **Pasto** 25/30000 – **30 cam** ▭ 80/90000 – ½ P 60/70000.

a Igea Marina – ✉ *47044.*

(aprile-settembre), via Catullo 6 ☎ 330052 :

Agostini, viale Pinzon 68 ☎ 331510, Fax 330085, ≤ – |♦| ▤ ☎ ℗. ₪. E VISA. ✻ rist
Pasqua-20 settembre – **Pasto** (solo per alloggiati) 20/40000 – ▭ 10000 – **57 cam** 80/120000 – ½ P 55/100000.

Touring senza rist, viale Pinzon 217 ☎ 331619, Fax 330319, ≤, – |♦| ☎ ℗. ₪. E VISA. ✻
aprile-settembre – ▭ 18000 – **33 cam** 100/160000.

Globus, viale Pinzon 193 ☎ 330195, Fax 330864, ≤ – |♦| ▤ rist ☎ ℗. ₪. E VISA. ✻ rist
10 maggio-25 settembre – **Pasto** 20/30000 – ▭ 12000 – **57 cam** 60/80000 – ½ P 65/75000.

K 2, viale Pinzon 212 ☎ 330064, Fax 331828, ≤ – |♦| ▤ rist ☎ ℗. AE. ₪. E VISA. ✻
maggio-settembre – **Pasto** (solo per alloggiati) 25/35000 – ▭ 15000 – **62 cam** 60/90000 – ½ P 45/85000.

Strand Hotel, viale Pinzon 161 ☎ 331726, Fax 331900, ≤, – |♦| ▤ ☎ ℗. VISA. ✻ rist
marzo-settembre, Natale e Capodanno – **Pasto** (solo per alloggiati) – ▭ 15000 – **31 cam** 80/160000 – ½ P 70/120000.

Elios, viale Pinzon 116 ☎ 331300, Fax 331772, ≤, – |♦| ☎ ℗. ✻ rist
aprile-settembre – **Pasto** (solo per alloggiati) 30/35000 – ▭ 15000 – **29 cam** 65/95000 – ½ P 85/95000.

Sirocco, via Ovidio 57 ☎ 330590, Fax 330590, . AE. ₪. ⓓ E VISA JCB
chiuso lunedì e novembre – **Pasto** carta 45/65000.

BELLARIVA *Rimini* 430 J 19 – *Vedere Rimini.*

BELLINZAGO NOVARESE *28043 Novara* 428 F 7 – *8 250 ab. alt. 191* – ☎ *0321.*
Roma 634 – Milano 60 – Novara 15 – Varese 45.

a Badia di Dulzago *O : 3 km* – ✉ *28043 Bellinzago Novarese :*

Osteria San Giulio, ☎ 98101, « In un'antica abbazia rurale » – 40. ✻
chiuso domenica sera, lunedì ed agosto – **Pasto** carta 25/45000.

BELLUN *Aosta* – *Vedere Sarre.*

BELLUNO *32100* P 988 ⑤, 429 D 18 *G. Italia* – *35 375 ab. alt. 389* – ☎ *0437.*
Vedere *Piazza del Mercato*★ **8** – *Piazza del Duomo*★ **2** : *palazzo dei Rettori*★ **P**, *polittico*★ *nel Duomo* – *Via del Piave* : ≤★.
via Psaro 21 ☎ 940083, Fax 940073 – piazza dei Martiri 27/e ☎ 941746, Telex 440077.
A.C.I. *piazza dei Martiri 46 ☎ 943132.*
Roma 617 ① – Cortina d'Ampezzo 71 ① – Milano 320 ② – Trento 112 ② – Udine 117 ① – Venezia 106 ① – Vicenza 120 ②.

Pianta pagina a lato

Delle Alpi, via Jacopo Tasso 13 ☎ 940545, Fax 940565 – |♦| TV ☎. AE. ₪. ⓓ E VISA a
Pasto vedere rist ***Delle Alpi*** – **40 cam** ▭ 130/160000, 2 appartamenti.

Villa Carpenada , via Mier 158 ☎ 948343, Fax 948345, « Villa settecentesca in un bosco » – TV ☎ ℗. AE. ₪. VISA 2 km per ②
Pasto carta 45/60000 – ▭ 18000 – **19 cam** 130/150000, 2 appartamenti – ½ P 120/140000.

Alle Dolomiti senza rist, via Carrera 46 ☎ 941660, Fax 941436 – |♦| TV ☎. ₪. ⓓ E VISA s
▭ 8000 – **32 cam** 80/125000.

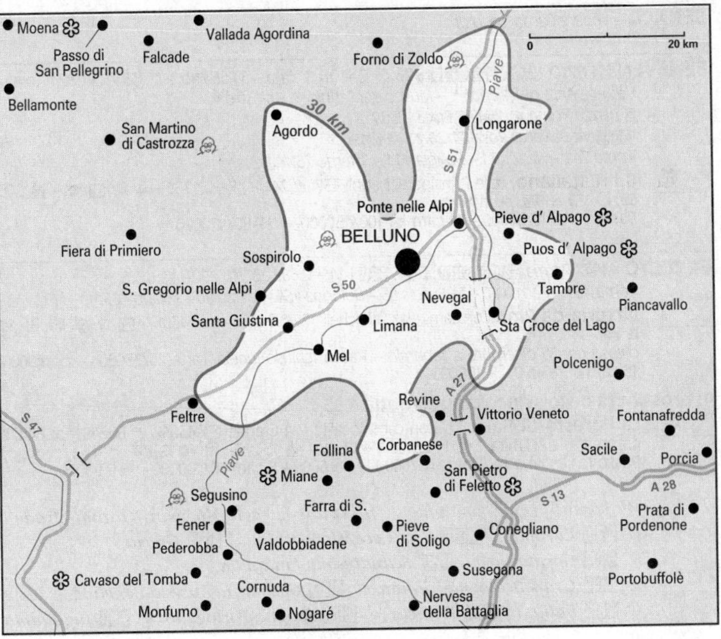

Astor senza rist, piazza dei Martiri 26/e ✆ 942094, Fax 942493, ← – |‡| TV ☎. AE. 🅂. ⓓ E VISA n
☕ 5000 – **32 cam** 100/150000.

XXX **Delle Alpi,** via Jacopo Tasso 15 ✆ 940302 – AE. 🅂. ⓓ E VISA a
chiuso domenica, dal 1° al 7 gennaio e dall'11 al 25 agosto – **Pasto** carta 35/55000.

XX **Al Borgo,** via Anconetta 8 ✆ 926755, Fax 926411, ☂, « Villa settecentesca in un parco » – Ⓟ. AE. 🅂. ⓓ E VISA.
✈ per Ponte dell'Anta
chiuso lunedì sera, martedì e dal 15 al 30 gennaio – Pasto carta 40/55000.

X **Terracotta,** borgo Garibaldi 61 ✆ 942644, Fax 942644, ☂ b
chiuso sabato a mezzogiorno, domenica, dal 13 al 19 gennaio e dall'11 al 18 agosto – **Pasto** carta 35/55000.

BELLUNO

Martiri (Piazza dei)	6
Duomo (Pza)	2
Gabelli (Via A.)	3
Grappa (Via M.)	4
Matteotti (Via)	7
Mercato (Pza del)	8
Ponte dell'Anta	9
Rialto (Via)	10

BENACO – *Vedere Garda (Lago di).*

BENEVENTO *82100* [P] [988] ㉗, [430] S 26, [431] D 26 *G. Italia – 63 563 ab. alt. 135 –* ☎ *0824.*

Vedere *Arco di Traiano★★ – Museo del Sannio★ : Chiostro★.*

[i] *piazza Roma* ☎ *25424, Fax 312309.*

[A.C.I.] *via Salvator Rosa 24/26* ☎ *314849.*

Roma 241 – Napoli 71 – Foggia 111 – Salerno 75.

Gd H. Italiano, viale Principe di Napoli 137 ☎ 24111, Fax 21758 – [TV] ☎ – 200. [AE]. [S]. [E] [VISA]. rist
Pasto carta 40/50000 – **71 cam** 100/150000 – 1/2 P 80/120000.

BERCETO *43042 Parma* [988] ⑭, [428], [429], [430] *I 11 – 2 689 ab. alt. 790 –* ☎ *0525.*

Roma 463 – Parma 60 – La Spezia 65 – Bologna 156 – Massa 80 – Milano 165.

🍴 **Vittoria-da Rino** con cam, piazza Micheli 12 ☎ 64306, Fax 64306 – [TV] ☎ [P]. [AE]. [S]. [E] [VISA].
chiuso dal 20 dicembre a febbraio – **Pasto** *(chiuso lunedì)* carta 45/75000 – 14000 – **15 cam** 65/85000 – P 100000.

in prossimità dello svincolo autostrada A 15 :

🍴🍴 **La Foresta di Bard** con cam, località Prà Grande ✉ 43042 ☎ 60248, Fax 64477, prenotare, « Al limitare di un bosco » – ☎ [P] – 150. [AE]. [S]. [E] [VISA]
Pasto *(chiuso martedì)* carta 45/60000 – 6000 – **8 cam** 60/100000 – 1/2 P 90000.

Per spostarvi più rapidamente utilizzate le ***carte Michelin "Grandi Strade"*** *:*
n° [970] ***Europa,*** *n° [976]* ***Rep. Ceca/Slovacchia,*** *n° [980]* ***Grecia,***
n° [984] ***Germania,*** *n° [985]* ***Scandinavia-Finlandia,***
n° [986] ***Gran Bretagna-Irlanda,*** *n° [987]* ***Germania-Austria-Benelux,***
n° [988] ***Italia,*** *n° [989]* ***Francia,*** *n° [990]* ***Spagna-Portogallo,*** *n° [991]* ***Jugoslavia.***

BERGAMO *24100* [P] [988] ③, [428] *E 11 G. Italia – 116 990 ab. alt. 249 –* ☎ *035.*

Vedere *Città alta★★★* ABY *– Piazza del Duomo★★* AY **12** *: Cappella Colleoni★★, Basilica di Santa Maria Maggiore★ : arazzi★★, arazzo della Crocifissione★★, pannelli★★, abside★, Battistero★ – Piazza Vecchia★* AY **38** *– ≤★ dalla Rocca* AY *– Città bassa★ : Accademia Carrara★★* BY **M1** *– Quartiere vecchio★* BYZ *– Piazza Matteotti★* BZ **19.**

⛳, ⛳ e ⛳ *L'Albenza (chiuso lunedì) ad Almenno San Bartolomeo* ✉ *24030* ☎ *640028, Fax 643066, per ⑧ : 15 km;*

⛳ *La Rossera (chiuso martedì) a Chiuduno* ✉ *24060* ☎ *838600, Fax 4427047 per ② : 15 km.*

✈ *di Orio al Serio per ③ : 3,5 km* ☎ *326323, Fax 313432 – Alitalia, via Casalino 5* ☎ *224044, Fax 235127.*

[i] *piazzale Marconi 7* ✉ *24122* ☎ *242226, Fax 242994.*

[A.C.I.] *via Angelo Maj 16* ✉ *24121* ☎ *247621.*

Roma 601 ④ – Brescia 52 ④ – Milano 47 ④.

Pianta pagina seguente

Radisson SAS Hotel, via Borgo Palazzo 154 ✉ 24125 ☎ 308111, Fax 308308, – [TV] ☎ & [P] – 300. [AE]. [S]. [E] [VISA]. [JCB]. rist 1,5 km per ②
Pasto al Rist. ***Relais Bonaparte*** carta 45/55000 – **86 cam** 210/270000, 8 appartamenti – 1/2 P 130/260000.

Starhotel Cristallo Palace, via Betty Ambiveri 35 ✉ 24126 ☎ 311211, Telex 304090, Fax 312031 – [TV] ☎ – 500. [AE]. [S]. [E] [VISA]. [JCB]. rist
Pasto 45/55000 e al Rist. ***L'Antica Perosa*** *(chiuso domenica)* carta 65/90000 – **90 cam** 265/350000 – 1/2 P 300000. per via San Giovanni Bosco BZ

Excelsior San Marco, piazza della Repubblica 6 ✉ 24122 ☎ 366111, Telex 301295, Fax 223201 – [TV] ☎ – 400. [AE]. [S]. [E] [VISA]. rist AZ a
Pasto al Rist. ***Colonna*** carta 60/100000 – **162 cam** 240/310000 – 1/2 P 200000.

Arli senza rist, largo Porta Nuova 12 ✉ 24122 ☎ 222014, Fax 239732 – [TV] ☎. [AE]. [S]. [E] [VISA] BZ s
18000 – **56 cam** 105/170000.

🍴🍴🍴 ✿✿ **Da Vittorio,** viale Papa Giovanni XXIII 21 ✉ 24121 ☎ 218060, Fax 218060 – . [AE]. [S]. [E] [VISA] BZ b
chiuso mercoledì ed agosto – **Pasto** 60/95000 (a mezzogiorno) 95/130000 (alla sera) e carta 90/120000
Spec. Insalata tiepida di pesci al vapore con pesto gentile. Spaghetti ai porcini in bianco. Spiedino di gamberoni e scampi alla "Vittorio".

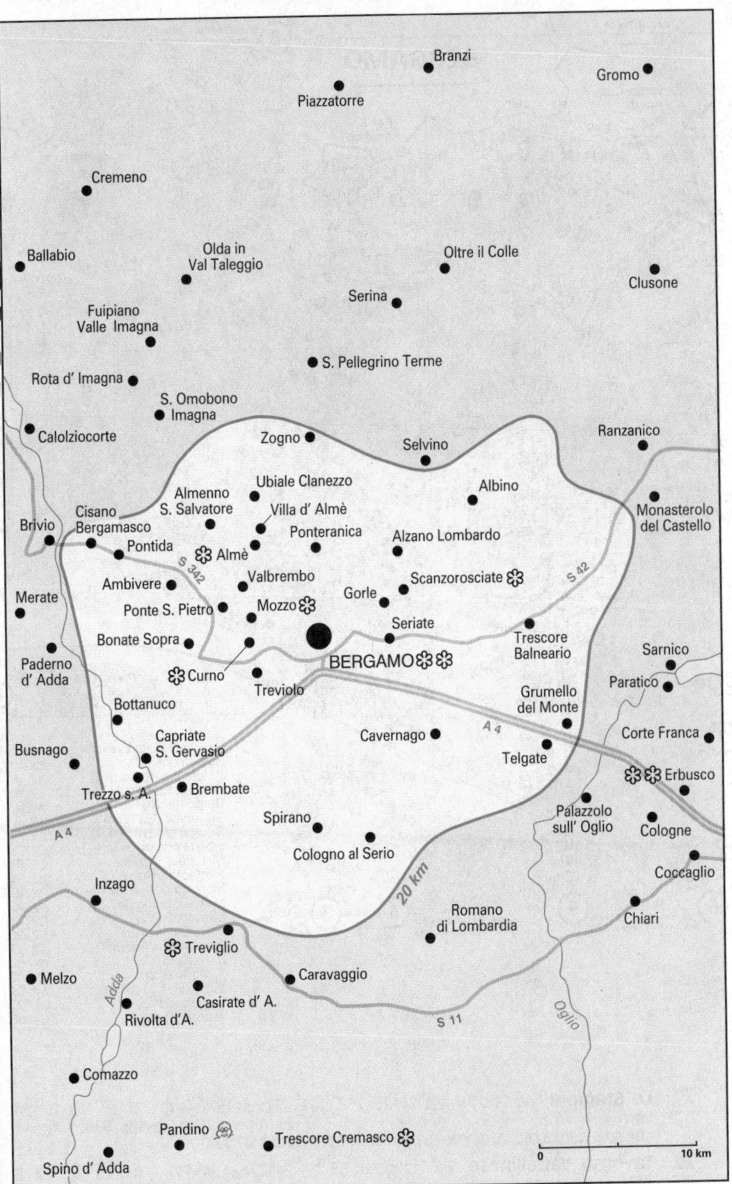

XX **Lio Pellegrini,** via San Tomaso 47 ✉ 24121 ☎ 247813, Fax 247813, ☂, Coperti limitati; prenotare – AE ①. ✈ BY e

✿ *chiuso lunedì, martedì a mezzogiorno, dal 2 al 9 gennaio e dal 6 al 27 agosto* – **Pasto** carta 60/140000

Spec. Spaghetti alle arselle (maggio-agosto). Anatra muta brasata con salsa di fegatini. Sfogliatina calda tartufata ai formaggi di Langa.

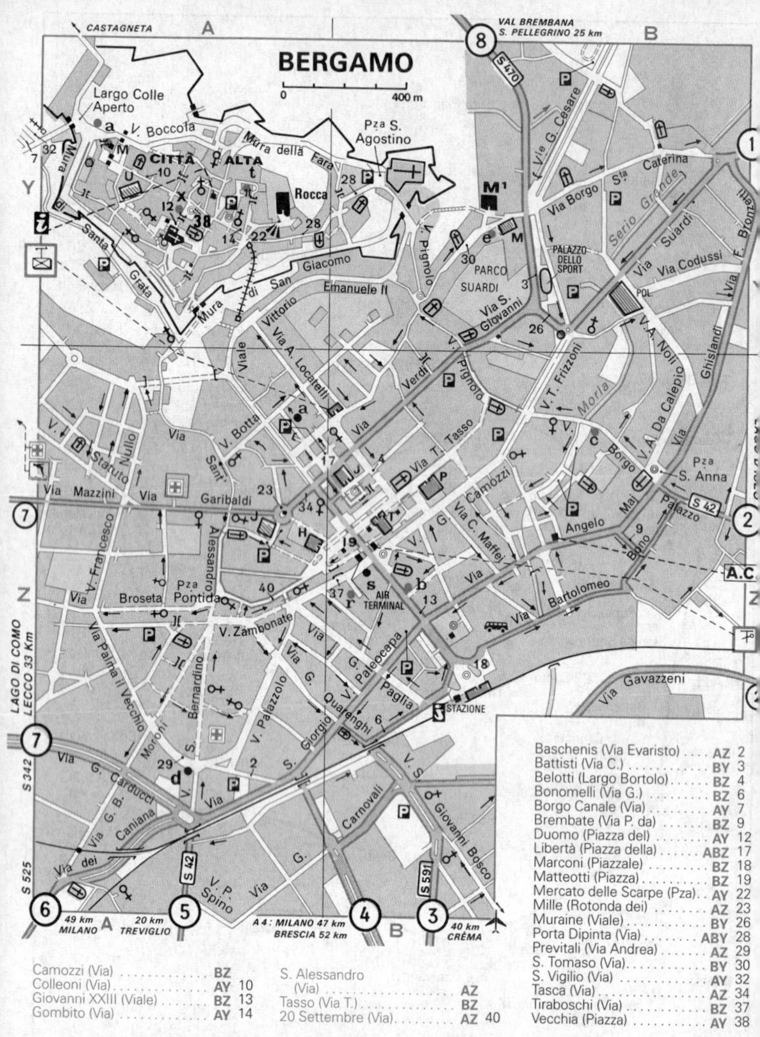

Circolazione stradale regolamentata nella « Città Alta »

XX **Le Stagioni,** via Orio 97 ✉ 24126 ☎ 311613, Fax 311321 – Ⓟ. AE. 🅂. ⓞ E VISA. ⌀
2 km per via San Giovanni Bosco BZ
chiuso sabato a mezzogiorno e martedì – **Pasto** carta 45/70000.

XX **Taverna Valtellinese,** via Tiraboschi 57 ✉ 24122 ☎ 243331 – ▤. AE. 🅂. ⓞ E VISA
chiuso lunedì – **Pasto** cucina valtellinese carta 50/65000. BZ r

XX **Ar Ti,** via Previtali 5/7 ✉ 24122 ☎ 252020, prenotare – Ⓟ. AE. 🅂. ⓞ E VISA AZ d
chiuso domenica, lunedì a mezzogiorno, dal 1° al 6 gennaio e dal 5 al 25 agosto – **Pasto** specialità di mare 45000 (solo a mezzogiorno) e carta 50/80000.

XX **Öl Giopì e la Margì,** via Borgo Palazzo 27 ✉ 24125 ☎ 242366, Fax 249206 – ▤. AE. 🅂. E VISA. ⌀ BZ c
chiuso domenica sera, lunedì, dal 1° al 10 gennaio ed agosto – **Pasto** cucina tipica bergamasca 45/60000 bc.

alla città alta – *alt. 366 :*

(marzo-ottobre) vicolo Aquila Nera 2 ✆ 232730.

XXX **Taverna Colleoni dell'Angelo,** piazza Vecchia 7 ✉ 24129 ✆ 232596, Fax 231991, – . AE. ⑤. ⓞ E VISA. JCB. ✻ AY x
chiuso lunedì e dal 13 al 25 agosto – **Pasto** carta 65/100000.

XX **Il Gourmet** con cam, via San Vigilio 1 ✉ 24129 ✆ 4373004, Fax 4373004, « Servizio estivo in terrazza panoramica » – rist TV ☎ P. AE. ⑤. ⓞ E VISA. JCB. ✻ AY
chiuso dal 27 dicembre al 5 gennaio – **Pasto** *(chiuso martedì)* carta 65/85000 – ☕ 20000 – **10 cam** 95/135000.

XX **I Musicanti** con cam, via San Vigilio 15 ✉ 24129 ✆ 253179, Fax 402081, ≤, Coperti limitati; prenotare, « Servizio estivo in terrazza panoramica » – TV ☎ P. AE. ⑤. ⓞ E VISA. JCB. ✻ AY
Pasto *(chiuso dal 1º al 10 gennaio)* carta 50/100000 – ☕ 15000 – **7 cam** 160000 – 1/2 P 135000.

XX **Il Pianone,** vicolo al Pianone 21 ✉ 24129 ✆ 216016, ≤, « Servizio estivo in terrazza panoramica » – P. AE. ⑤. ⓞ E VISA. JCB 2,5 km per via Castagneta AY
chiuso mercoledì, giovedì a mezzogiorno e dal 20 gennaio al 10 febbraio – **Pasto** carta 60/75000.

XX **La Marianna,** largo Colle Aperto 2/4 ✉ 24129 ✆ 237027, Fax 211314, , « Servizio estivo in terrazza-giardino » AY a
chiuso lunedì e dal 7 al 23 gennaio – **Pasto** carta 45/80000.

XX **Trattoria del Teatro,** piazza Mascheroni 3 ✉ 24129 ✆ 238862, prenotare –
chiuso lunedì e dal 15 al 30 luglio – **Pasto** carta 40/55000. AY a

XX **La Valletta,** via Castagneta 19 ✉ 24129 ✆ 239587, Fax 238459, prenotare, « Servizio estivo in terrazza » – AE. ⑤. ⓞ E VISA. ✻ AY
chiuso lunedì, dal 5 al 15 gennaio e dal 10 al 20 agosto – **Pasto** carta 50/75000.

BERGEGGI *17042 Savona* 428 *J 7 – 1 090 ab. alt. 110 – ☎ 019.*
Roma 556 – Genova 58 – Cuneo 102 – Imperia 63 – Milano 180 – Savona 11.

XXX ✿ **Claudio** con cam, via XXV Aprile 37 ✆ 859750, Fax 859750, prenotare, « Servizio estivo in terrazza con ≤ mare e costa », – TV ☎ P – 100. AE. ⑤. E VISA. ✻
chiuso dal 2 al 25 gennaio – **Pasto** *(chiuso lunedì e martedì a mezzogiorno)* 90/130000 bc – **15 cam** ☕ 150/260000 – 1/2 P 220000
Spec. Bouquet di crostacei agli agrumi. Penne alle triglie con olive, pinoli e basilico. Rombo chiodato in foglia di bietola.

BERGIOLA MAGGIORE *Massa-Carrara – Vedere Massa.*

BERSANO *Piacenza* 428 *H 12 – Vedere Besenzone.*

BERTINORO *47032 Forlì-Cesena* 988 ⑮, 429, 430 *J 18 G. Italia – 8 855 ab. alt. 257 – ☎ 0543.*
Vedere ≤★ *dalla terrazza vicino alla Colonna dell'Ospitalità.*
Roma 343 – Ravenna 46 – Rimini 54 – Bologna 77 – Forlì 14 – Milano 296.

Panorama senza rist, piazza della Libertà 11 ✆ 445465, Fax 445465, ≤ – TV ☎. AE. ⑤. ⓞ E VISA. ✻
senza ☕ – **16 cam** 65/120000.

X **Belvedere,** via Mazzini 7 ✆ 445127, « Servizio estivo in terrazza panoramica » –. ⑤. ⓞ E VISA. JCB. ✻
chiuso mercoledì e novembre – **Pasto** carta 40/55000.

BESENZONE *29010 Piacenza* 428 *H 11 – 1 001 ab. alt. 48 – ☎ 0523.*
Roma 472 – Parma 44 – Piacenza 23 – Cremona 23 – Milano 90.

a Bersano *E : 5,5 km – ✉ 29010 Besenzone :*

XX ✿ **La Fiaschetteria,** via Bersano ✆ 830444, Coperti limitati; prenotare, « In una casa colonica di fine '600 » – P. AE. ⑤. E VISA. ✻
chiuso lunedì, Natale ed agosto – **Pasto** carta 50/70000
Spec. Insalata di fagianella all'aspretto di mirtilli con porri. Caramelle ripiene di stracotto condite con crema di tartufo bianco. Filetto di manzo con pesto e olive nere.

BESNATE *21010 Varese* 428 E 8, 219 ⑦ – *4 649 ab. alt. 300 –* ☎ *0331.*
Roma 622 – Stresa 37 – Gallarate 7 – Milano 45 – Novara 40 – Varese 17.

XX **La Maggiolina,** via per Gallarate 9 ✆ 274225 – ▤ P. AE. ⑤. ⓓ E VISA
chiuso martedì ed agosto – **Pasto** carta 45/70000.

BETTOLA *29021 Piacenza* 988 ⑬, 428, 429 H 10 – *3 387 ab. alt. 329 –* ☎ *0523.*
Roma 546 – Piacenza 34 – Bologna 184 – Milano 99.

X Due Spade, piazza Cristoforo Colombo 62 ✆ 917789, ⛱

BETTOLLE *Siena* 988 ⑮, 430 M 17 – *Vedere Sinalunga.*

BETTONA *06084 Perugia* 430 M 19 – *3 644 ab. alt. 355 –* ☎ *075.*
Roma 167 – Perugia 21 – Assisi 15 – Orvieto 71 – Terni 78.

a Passaggio *NE : 3 km –* ✉ *06080 :*

X **Il Poggio degli Olivi** ⑤ con cam, località Cerreto Alto S : 3,5 km ✆ 9869023, Fax 9869023, ← vallata, « Servizio estivo serale in terrazza panoramica », ⛱, ⛱, % – TV P. AE. ⑤. ⓓ E VISA. JCB. ✻
Pasto *(chiuso mercoledì)* carta 40/60000 – 10 appartamenti ☐ 120/180000 – 1/2 P 90/110000.

BEVAGNA *06031 Perugia* 988 ⑯, 430 N 19 – *4 719 ab. alt. 225 –* ☎ *0742.*
Roma 148 – Perugia 35 – Asti 24 – Macerata 100 – Terni 59.

X **Ottavius,** via del Gonfalone 4 ✆ 360555 – ▤. AE. ⑤. ⓓ E VISA
chiuso lunedì, dal 7 al 14 gennaio e dal 1° al 15 luglio – **Pasto** carta 35/50000.

BIAGIANO - SAN FORTUNATO *Perugia – Vedere Assisi.*

BIANCO *89032 Reggio di Calabria* 988 ㊴, 431 M 30 – *4 138 ab. –* ☎ *0964.*
Roma 722 – Reggio di Calabria 73 – Catanzaro 118.

⌂ Vittoria, ✆ 911015, Fax 911014, ⛱ – |‡| ☎ P
64 cam

BIBBIENA *52011 Arezzo* 988 ⑮, 430 K 17 *G. Toscana – 11 214 ab. alt. 425 –* ☎ *0575.*
Roma 249 – Arezzo 32 – Firenze 60 – Rimini 113 – Ravenna 122.

⌂ **Borgo Antico,** via B. Dovizi 18 ✆ 536445, Fax 536447 – |‡| TV ☎ – 🏛 30. ⑤. ⓓ E VISA
Pasto carta 30/45000 – **15 cam** ☐ 80/100000 – 1/2 P 70/80000.

BIBBONA (Marina di) *57020 Livorno* 430 M 13 – ☎ *0586.*
Roma 285 – Cecina 14 – Grosseto 92 – Livorno 45 – Piombino 43 – Siena 100.

⌂ **Hermitage,** via dei Melograni 13 ✆ 600218, Fax 600760, ⛱, ⛱ – ▤ TV ☎ P. ⑤ E VISA. ✻
chiuso sino al 15 marzo – **Pasto** 25/30000 e al Rist. ***Eldorado*** carta 40/70000 (15 %) – **39 cam** ☐ 180/260000 – 1/2 P 95/160000.

BIBIONE *30020 Venezia* 988 ⑥, 429 F 21 – ☎ *0431.*
🅸 *viale Aurora 101* ✆ *442111, Telex 450377, Fax 439997.*
Roma 613 – Udine 59 – Latisana 19 – Milano 352 – Treviso 89 – Trieste 98 – Venezia 102.

⌂ **Principe,** via Ariete 41 ✆ 43256, Fax 439234, ←, ⛱, ⛱, % – |‡| ▤ ☎ P. AE. ⑤. ⓓ E VISA. ✻ rist
15 maggio-15 settembre – **Pasto** (solo per alloggiati) 25/30000 – **80 cam** ☐ 155/255000 – 1/2 P 130/145000.

⌂ Corallo, via Pegaso 38 ✆ 43222, Fax 439928, ←, ⛱, ⛱, ⛱, % – |‡| ▤ rist TV ☎ P
stagionale – **80 cam.**

⌂ **Astoria,** corso Europa 86 ✆ 43148, Fax 439383, ⛱, % – |‡| ▤ rist ☎ 🚗 P. ⑤. ⓓ E VISA. ✻ rist
16 maggio-19 settembre – **Pasto** 35000 – **56 cam** ☐ 75/140000 – 1/2 P 65/95000.

⌂ **Leonardo da Vinci,** corso Europa 92 ✆ 43416, Fax 438009, ⛱, ⛱ – |‡| ☎ P. ✻ rist
20 maggio-15 settembre – **Pasto** (solo per alloggiati) 30/40000 – ☐ 15000 – **54 cam** 100/160000 – 1/2 P 85/95000.

Nevada, località Lido del Sole O : 2,5 km ✆ 430000, Telex 450417, Fax 439291, – cam ☎ . rist
maggio-settembre – **Pasto** carta 40/50000 – **40 cam** ☐ 100/150000 – ½ P 90/95000.

Concordia, via Maia 149 ✆ 43433, ≤, riscaldata, – ☎ . rist
20 maggio-20 settembre – **Pasto** 35000 – **44 cam** ☐ 80/140000 – ½ P 75/100000.

a Bibione Pineda *O : 5 km – ✉ 30020 Bibione.*

viale dei Ginepri 244 ✆ 442233 :

Esplanada, via delle Dune 6 ✆ 43260, Fax 430832, « Pineta con e » , – ☎ . E VISA.
15 maggio-settembre – **Pasto** 45000 – **74 cam** ☐ 135/250000, 30000 – ½ P 135000.

San Marco, via delle Ortensie 2 ✆ 43301, Fax 438381, « Giardino fiorito con » , , – ☎ .
15 maggio-15 settembre – **Pasto** (solo per alloggiati) 35000 – ☐ 15000 – **57 cam** 95/150000 – ½ P 90/115000.

Horizonte, via degli Ontani 31 ✆ 43218, Fax 439246, « Giardino ombreggiato » – rist
. E VISA. rist
15 maggio-20 settembre – **Pasto** 25/30000 – **25 cam** ☐ 55/130000 – ½ P 70/85000.

BIELLA *13051* P 988 ②, 428 F 6 – *48 303 ab. alt. 424* – ☎ *015.*

Le Betulle (aprile-novembre; chiuso lunedì escluso agosto) a Magnano ✉ 13050 ✆ 679151, Fax 679276, per ④ 18 km.

piazza Vittorio Veneto 3 ✆ 351128, Fax 34612.

A.C.I. *viale Matteotti 11 ✆ 351047.*

Roma 676 ② – Aosta 88 ④ – Milano 102 ② – Novara 56 ② – Stresa 72 ① – Torino 74 ③ – Vercelli 42 ②.

Astoria senza rist, viale Roma 9 ✆ 402750, Fax 8491691 – TV ☎ – 75. AE. . E VISA **V**
chiuso agosto – **49 cam** ☐ 150/190000.

Augustus senza rist, via Orfanotrofio 6 ✆ 27554, Fax 29257 – TV ☎ . AE. . E VISA. **s**
36 cam ☐ 150/190000.

Michelangelo, piazza Adua 5 ✆ 8492362, Fax 8492649, Rist. a buffet – TV ☎ – 30. AE. . E VISA. **r**
Pasto *(chiuso alla sera, sabato e domenica)* 40000 bc – **21 cam** ☐ 150/190000.

Prinz Grill, via Torino 14 ✆ 23876, Coperti limitati; prenotare – AE. . E VISA. **u**
chiuso domenica, dal 1° al 10 gennaio ed agosto – **Pasto** carta 45/70000.

L'Orso Poeta, via Orfanotrofio 7 ✆ 21252, , « Rist. caratteristico » – AE. . E VISA **h**
chiuso sabato a mezzogiorno, domenica, dal 1° al 10 gennaio e dal 14 al 28 agosto – **Pasto** carta 55/75000.

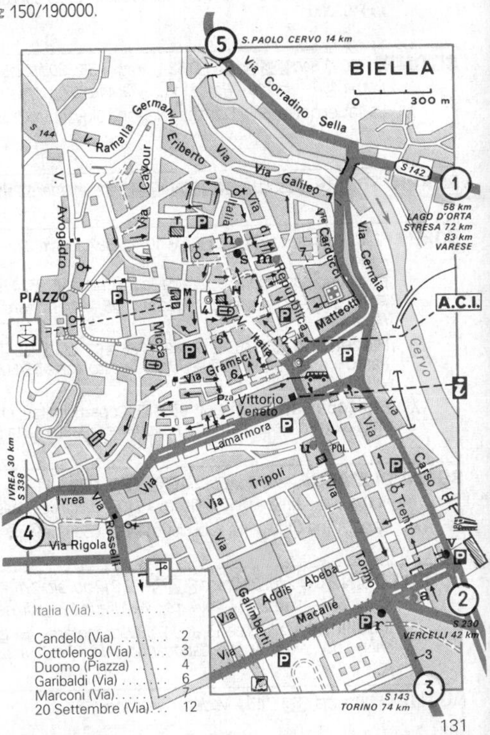

BIELLA

Italia (Via)

Candelo (Via) 2
Cottolengo (Via) 3
Duomo (Piazza) 4
Garibaldi (Via) 6
Marconi (Via) 7
20 Settembre (Via) 12

XX **Il Bagatto,** via della Repubblica 45 ☎ 28671 – AE. $. ⓓ E VISA. ✻
chiuso martedì – **Pasto** carta 40/65000.

XX **San Paolo,** viale Roma 4 ☎ 8493236, prenotare – ▤. AE. $. ⓓ E VISA. JCB. ✻
chiuso venerdì ed agosto – **Pasto** carta 50/90000.

BIGOLINO *Treviso* – *Vedere Valdobbiadene.*

BINASCO *20082 Milano* 988 ③ ⑬, 428 G 9 – *6 573 ab. alt. 101* – ☎ *02.*
Ambrosiano (chiuso martedì) a Bubbiano ✉ 20088 ☎ 90849365, O : 8 km;
9, 9 e 9 Castello di Tolcinasco (chiuso lunedì) località Tolcinasco ✉ 20080 Pieve Emanuele ☎ 904671, Fax 90467201, NE : 12 km.
Roma 573 – Alessandria 76 – Milano 21 – Novara 63 – Pavia 19 – Torino 152.

Corona, via Matteotti 20 ☎ 9052280, Fax 9054353 – ⬍ ▤ TV ☎ P. AE. $. ⓓ E VISA. JCB. ✻ rist
chiuso agosto – **Pasto** *(chiuso sabato)* carta 35/60000 – ☕ 8000 – **50 cam** 80/100000 – P 85/105000.

BIODOLA *Livorno* 430 N 12 – *Vedere Elba (Isola d') : Portoferraio.*

BISCEGLIE *70052 Bari* 988 ㉙, 431 D 31 *G. Italia* – *49 739 ab.* – ☎ *080.*
Roma 422 – Bari 39 – Foggia 105 – Taranto 124.

Salsello, via Siciliani 32/33 ☎ 3955953, Fax 3955951, ⛱, ⛱ – ⬍ ▤ TV ☎ 🚗 P – 🏔 500. AE. $. ⓓ E VISA. ✻
Pasto carta 30/50000 (15 %) – **52 cam** ☕ 100/140000 – 1/2 P 105/130000.

XX **Memory** ✿ con cam, Panoramica Paternostro 63 ☎ 9580149, Fax 9580304, ⛱ – ▤ TV ☎ P. AE. $. ⓓ E VISA
chiuso novembre – **Pasto** *(chiuso lunedì)* carta 35/70000 – ☕ 3000 – **8 cam** 75/100000 – 1/2 P 90000.

BITONTO *70032 Bari* 988 ㉙, 431 D 32 *G. Italia* – *55 880 ab. alt. 118* – ☎ *080.*
Roma 450 – Bari 16 – Foggia 113 – Taranto 97.

X La Tabernetta-Sala Dante, viale Papa Giovanni XXIII 163/E ☎ 9518511, ⛱, Rist. e pizzeria – ▤

BOARIO TERME *Brescia* 988 ④, 428, 429 E 12 – *Vedere Darfo Boario Terme.*

BOBBIO *29022 Piacenza* 988 ⑬, 428 H 10 – *3 897 ab. alt. 272 – Stazione termale (maggio-ottobre)* – ☎ *0523.*
(giugno-settembre) piazzetta Santa Chiara ☎ 932419.
Roma 558 – Genova 90 – Piacenza 45 – Alessandria 84 – Bologna 196 – Milano 110 – Pavia 88.

Piacentino, ☎ 936563, Fax 936266 – TV ☎ P. AE. $. ⓓ E VISA. JCB. ✻
Pasto *(chiuso lunedì escluso luglio-agosto)* carta 35/60000 – ☕ 12000 – **20 cam** 80/130000 – 1/2 P 80/100000.

XX **Enoteca San Nicola,** ☎ 932355, Coperti limitati; prenotare – AE. $. ⓓ E VISA. JCB
chiuso lunedì sera, martedì e novembre – **Pasto** carta 35/55000.

BOCCA DI MAGRA *19030 La Spezia* 428, 429, 430 J 11 – ☎ *0187.*
Roma 404 – La Spezia 22 – Genova 110 – Lucca 60 – Massa 21 – Milano 227.

XX Capannina Ciccio, via Fabbricotti 71 ☎ 65568, ≤, ⛱

BODIO LOMNAGO *21020 Varese* 219 ⑦ – *2 012 ab. alt. 275* – ☎ *0332.*
Roma 627 – Stresa 40 – Gavirate 14 – Milano 59 – Varese 8.

X **Il Gallione,** via Sceree 13 ☎ 947383, prenotare – ▤ P
chiuso domenica, Natale, Capodanno e dal 10 al 20 agosto – **Pasto** carta 45/65000.

BOGLIACO *Brescia* 428 E 13 – *Vedere Gargnano.*

BOGLIASCO *16031 Genova* 428 I 9 – *4 575 ab.* – ☎ *010.*
Roma 491 – Genova 13 – Milano 150 – Portofino 23 – La Spezia 92.

XX **Il Tipico,** località San Bernardo 20 (N : 4 km) ✆ 3470754, Fax 3471061, ≤ mare e costa – ▤ P. AE. S. ⊙ E VISA. ✻
chiuso lunedì, dall'8 al 31 gennaio e dal 12 al 23 agosto – **Pasto** carta 60/90000.

BOGNANCO (Fonti) *28030 Verbania* 988 ②, 428 D 6 – *359 ab. alt. 986* – ☎ *0324.*
ℹ *piazzale Giannini 5* ✆ *234127.*
Roma 709 – Stresa 40 – Domodossola 11 – Milano 132 – Novara 102 – Torino 176.

Villa Elda, via Marconi ✆ 46975, Fax 46975 – |♦| ☎ P. ✻
Pasqua-settembre – **Pasto** 25/30000 – **38 cam** ☕ 40/75000 – P 75/85000.

BOJANO *86021 Campobasso* 988 ㉗, 430 R 25 – *8 592 ab. alt. 488* – ☎ *0874.*
Roma 197 – Campobasso 24 – Benevento 56 – Isernia 29 – Napoli 134.

Pleiadi's, via Molise 40 ✆ 773088, Fax 773088 – |♦| ▤ TV ☎ 🚗 P – 🏛 200. AE. S. ⊙ E VISA. ✻ cam
Pasto carta 30/45000 – **28 cam** ☕ 70/110000 – P 105000.

BOLETO *Novara* 428 E 7, 219 ⑥ – *alt. 696.*
Vedere *Santuario della Madonna del Sasso*★★ *NO : 4 km.*
Roma 664 – Domodossola 54 – Milano 87 – Novara 49 – Stresa 35 – Torino 123 – Varese 55.

BOLLATE *20021 Milano* 428 F 9, 219 ⑱ ⑲ – *45 040 ab. alt. 154* – ☎ *02.*
Roma 595 – Milano 10 – Como 37 – Novara 45 – Varese 40.

Pianta d'insieme di Milano (Milano p. 6).

La Torretta, strada statale Varesina NO : 2 km ✆ 3505996, Fax 33300826, 🏖 – |♦| ▤ cam TV ☎ P – 🏛 100. AE. S. ⊙ E VISA. ✻ AO d
Pasto *(chiuso venerdì, domenica sera e dal 2 al 23 agosto)* carta 50/75000 – ☕ 14000 – **60 cam** 110/170000, appartamento – P 180000.

ad Ospiate *O : 1 km* – ✉ *20021 Ospiate di Bollate :*

XX **Al Mulino** 🐦 con cam, viale Repubblica 75 ✆ 38302190, Fax 38302218, 🏖 – ▤ TV ☎ P. AE. S. E VISA. ✻ AO b
chiuso dal 7 al 28 agosto – **Pasto** *(chiuso lunedì)* carta 65/90000 – **7 cam** ☕ 105/165000.

BOLOGNA *40100* P 988 ⑭ ⑮, 429, 430 I 15 *G. Italia* – *386 491 ab. alt. 55* – ☎ *051.*
Vedere *Piazza Maggiore* BY *e del Nettuno*★★★ BY **58**: *fontana del Nettuno*★★, *basilica di San Petronio*★★ BY **A**, *palazzo Comunale*★ BY **H**, *palazzo del Podestà*★ BY **B** – *Piazza di Porta Ravegnana*★★ CY **74**: *Torri Pendenti*★★ (✻★★) – *Mercanzia*★ CY **C** – *Chiesa di Santo Stefano*★ CY **F** – *Museo Civico Archeologico*★★ BY **M1** – *Pinacoteca Nazionale*★★ CX **M2** – *Chiesa di San Giacomo Maggiore*★ CX **D** – *Strada Maggiore*★ CY – *Chiesa di San Domenico*★ BZ **K**: *arca*★★ *del Santo, tavola*★ *di Filippino Lippi* – *Palazzo Bevilacqua*★ BY **E** – *Postergale*★ *nella chiesa di San Francesco* AX **N**.
Dintorni *Madonna di San Luca : portico*★, ≤★ *su Bologna e gli Appennini SO : 5 km* EU.
⛳18 *(chiuso lunedì, febbraio e dicembre) a Chiesa Nuova di Monte San Pietro* ✉ *40050* ✆ *969100, Fax 6720017, O : 16 km* DU;
⛳9 *Castenaso (chiuso lunedì) a Castenaso* ✉ *40055* ✆ *6050164, Fax 789006, E : 10 km.*
✈ *di Borgo Panigale NO : 6 km* DET ✆ *6479615 – Alitalia, via Marconi 34* ✉ *40122* ✆ *6300333.*
🚗 ✆ *246490.*
ℹ *piazza Maggiore 6* ✉ *40121* ✆ *239660, Fax 231454 – Stazione Ferrovie Stato* ✉ *40121* ✆ *246541 – Aeroporto* ✆ *6472036.*
A.C.I. *via F.Baracca 2* ✉ *40122* ✆ *389908.*
Roma 379 ⑥ *– Firenze 105* ⑥ *– Milano 210* ⑧ *– Venezia 152* ①.

Piante pagine seguenti

Gd H. Baglioni, via dell'Indipendenza 8 ✉ 40121 ✆ 225445, Telex 510242, Fax 234840 – |♦| ⇔ cam ▤ TV ☎ – 🏛 80. AE. S. ⊙ E VISA. ✻ BX e
Pasto al Rist. ***I Carracci*** *(chiuso domenica e dal 1° al 25 agosto)* carta 65/100000 – **117 cam** ☕ 390/610000, 3 appartamenti – ½ P 305/360000.

Royal Hotel Carlton, via Montebello 8 ✉ 40121 ✆ 249361, Telex 510356, Fax 249724 – |♦| ▤ TV ☎ ♿ 🚗 – 🏛 450. AE. S. ⊙ E VISA. ✻ BV g
Pasto *(chiuso domenica)* 65/80000 – **228 cam** ☕ 320/415000, 22 appartamenti 500/700000.

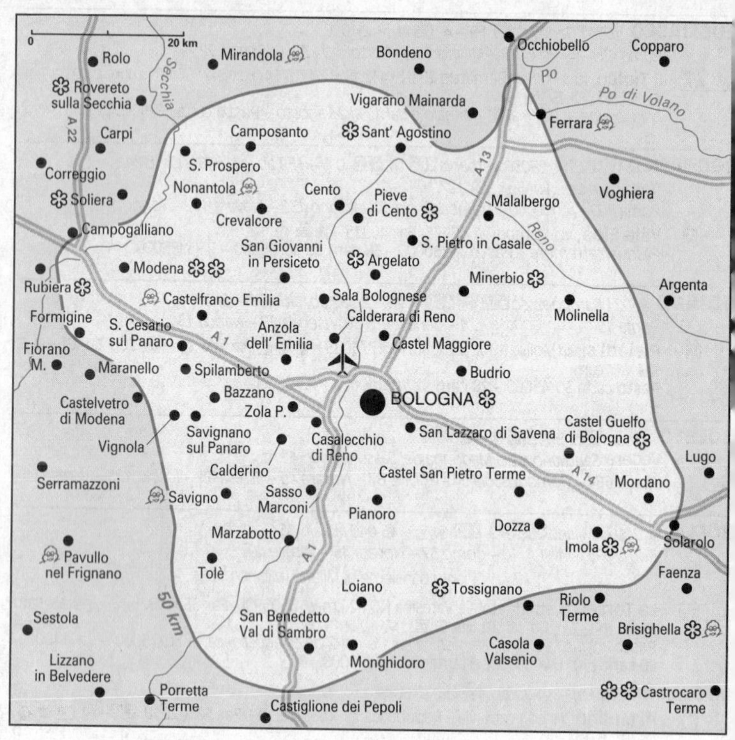

Jolly, piazza 20 Settembre 2 ✉ 40121 ☎ 248921, Telex 510076, Fax 249764 – |♦| ⇆ cam ▤ TV ☎ – 🔔 270. AE. 🅂. ⊙ E VISA. JCB. ✂ rist CV a
Pasto 45/65000 e al Rist. ***Amarcord*** carta 60/110000 – **168 cam** ☕ 280/410000, 8 appartamenti – ½ P 215/270000.

Sofitel, viale Pietramellara 59 ✉ 40121 ☎ 248248, Telex 520643, Fax 249421 – |♦| ⇆ cam ▤ TV ☎ ♿ – 🔔 80. AE. 🅂. ⊙ E VISA. ✂ BV q
Pasto *(chiuso domenica)* carta 50/85000 – **244 cam** ☕ 320/400000 – ½ P 240/360000.

Holiday Inn Bologna Tower, viale Lenin 43 ✉ 40138 ☎ 6010909, Fax 6010700 – |♦| ⇆ ▤ TV ☎ P – 🔔 450. AE. 🅂. ⊙ E VISA. JCB. ✂ GU e
Pasto carta 55/85000 – **136 cam** ☕ 240/320000, 14 appartamenti – ½ P 260/390000.

Holiday Inn Bologna City, piazza della Costituzione 1 ✉ 40128 ☎ 372172, Fax 357662, ☂, 🏊 riscaldata, 🌳 – |♦| ⇆ cam ▤ TV ☎ 🚗 P – 🔔 350. AE. 🅂. ⊙ E VISA. JCB. ✂ rist FT h
Pasto carta 65/105000 – **162 cam** ☕ 260/350000, appartamento.

Corona d'Oro 1890 senza rist, via Oberdan 12 ✉ 40126 ☎ 236456, Fax 262679 – |♦| ▤ TV ☎ – 🔔 30. AE. 🅂. ⊙ E VISA. JCB CX r
chiuso dal 24 luglio al 22 agosto – **35 cam** ☕ 260/360000.

Roma, via Massimo d'Azeglio 9 ✉ 40123 ☎ 226322, Telex 512863, Fax 239909 – |♦| ▤ TV ☎ 🚗. AE. 🅂. ⊙ E VISA. JCB. ✂ rist BY x
Pasto carta 40/50000 – ☕ 20000 – **80 cam** 145/185000, 4 appartamenti – ½ P 170/205000.

Residence Executive senza rist, via Ferrarese 161 ✉ 40128 ☎ 372960, Fax 372127 – |♦| ▤ TV ☎ ♿ 🚗 P. AE. 🅂. ⊙ E VISA. JCB FT a
40 cam ☕ 110/150000.

Internazionale senza rist, via dell'Indipendenza 60 ✉ 40121 ☎ 245544, Telex 511038, Fax 249544 – |♦| ▤ TV ☎ 🚗. AE. 🅂. ⊙ E VISA BCV p
114 cam ☕ 225/330000.

Al Cappello Rosso senza rist, via de' Fusari 9 ✉ 40123 ☎ 261891, Fax 227179 – |♦| ▤ TV ☎ 🚗 – 🔔 25. AE. 🅂. ⊙ E VISA BY v
33 cam ☕ 310/450000.

Tre Vecchi senza rist, via dell'Indipendenza 47 ✉ 40121 ✆ 231991, Fax 224143 – |♦| ▤ TV ☎ – 🏛 30. AE. ⓢ. ⊙ E VISA CX a
☕ 20000 – **96 cam** 260/420000.

Savoia, via San Donato 161 ✉ 40127 ✆ 6332366, Fax 6332366 – |♦| ▤ TV ☎ P – 🏛 400. AE. ⓢ. ⊙ E VISA. ✱ rist GT a
Pasto *(chiuso lunedì)* carta 45/60000 – **42 cam** ☕ 290/410000.

Dei Commercianti senza rist, via de' Pignattari 11 ✉ 40124 ✆ 233052, Fax 224733 – |♦| ▤ TV ☎ 🚗. AE. ⓢ. ⊙ E VISA. JCB BY n
35 cam ☕ 160/245000.

Regina senza rist, via dell'Indipendenza 51 ✉ 40121 ✆ 248878, Fax 224143 – |♦| ▤ TV ☎. AE. ⓢ. ⊙ E VISA CX a
☕ 20000 – **61 cam** 165/260000.

San Donato senza rist, via Zamboni 16 ✉ 40126 ✆ 235395, Fax 230547 – |♦| TV ☎. AE. ⓢ. ⊙ E VISA. ✱ CX d
☕ 17000 – **59 cam** 210/265000.

Re Enzo senza rist, via Santa Croce 26 ✉ 40122 ✆ 523322, Fax 554035 – |♦| ▤ TV ☎ 🚗. AE. ⓢ. ⊙ E VISA. ✱ AX a
☕ 20000 – **51 cam** 160/240000.

Orologio senza rist, via IV Novembre 10 ✉ 40123 ✆ 231253, Fax 260552 – |♦| ▤ TV ☎. AE. ⓢ. ⊙ E VISA. JCB BY x
31 cam ☕ 160/245000.

City Hotel senza rist, via Magenta 10 ✉ 40128 ✆ 372676, Fax 372032, 🏞 – |♦| ▤ TV ☎ 🚗 P – 🏛 40. AE. ⓢ. ⊙ E VISA. ✱ FT e
60 cam ☕ 155/220000.

Maxim, via Stalingrado 152 ✉ 40128 ✆ 323235, Fax 320535 – |♦| ▤ TV ☎ P. AE. ⓢ. ⊙ E VISA FT z
Pasto vedere rist ***Al Cambio*** – **28 cam** ☕ 150/220000, appartamento – ½ P 115/160000.

Donatello senza rist, via dell'Indipendenza 65 ✉ 40121 ✆ 248174, Fax 248174 – |♦| ▤ TV ☎. AE. ⓢ. ⊙ E VISA CV c
☕ 15000 – **38 cam** 120/160000.

Maggiore senza rist, via Emilia Ponente 62/3 ✉ 40133 ✆ 381634, Fax 312161 – |♦| ▤ TV ☎ P – 🏛 35. AE. ⓢ. ⊙ E VISA. ✱ ET c
chiuso dal 24 dicembre al 3 gennaio e dal 1º al 23 agosto – **60 cam** ☕ 120/180000.

Il Guercino, senza rist, via Luigi Serra 7 ✉ 40129 ✆ 369893, Fax 369893 – |♦| ▤ TV ☎ ♿ P. AE. ⓢ. ⊙ E VISA CV d
30 cam ☕ 110/180000.

San Felice senza rist, via Riva di Reno 2 ✉ 40122 ✆ 557457, Fax 558258 – |♦| TV ☎ ♿. AE. ⓢ. ⊙ E VISA. ✱ AX f
chiuso agosto – ☕ 13500 – **36 cam** 130/170000.

Touring senza rist, via dè Mattuiani 1/2 ✉ 40124 ✆ 584305, Fax 334763 – |♦| TV ☎. AE. ⓢ. E VISA BZ b
33 cam ☕ 150/230000, appartamento.

Pappagallo, piazza della Mercanzia 3 c ✉ 40125 ✆ 232807, Fax 232807, Confort accurato; prenotare – ▤ CY n

Battibecco, via Battibecco 4 ✉ 40123 ✆ 223298, 🏠 – ▤. AE. ⓢ. ⊙ E VISA BY v
chiuso domenica – **Pasto** carta 75/130000.

Torre de' Galluzzi, Corte de' Galluzzi 5/a ✉ 40124 ✆ 267638, Fax 223297 – ▤. AE. ⓢ. ⊙ E VISA BY a
chiuso sabato a mezzogiorno da giugno a settembre, domenica e dal 13 al 18 agosto – **Pasto** carta 50/95000.

Bitone, via Emilia Levante 111 ✉ 40139 ✆ 546110 – ▤. AE ⊙ VISA. ✱ GU m
chiuso lunedì, martedì ed agosto – **Pasto** carta 55/75000
✿ **Spec.** Sfogliatelle del "Cardinale". Spiedino di filetti mignon lardellati. Tronchetto "Paradiso".

Franco Rossi, via Goito 3 ✉ 40126 ✆ 238818, Fax 238818, Coperti limitati; prenotare – ▤. AE. ⓢ. ⊙ E VISA BX p
chiuso domenica – **Pasto** 70000 (10 %).

Rodrigo, via della Zecca 2/h ✉ 40121 ✆ 220445, Fax 220445 – ▤. AE. ⓢ. ⊙ E VISA. ✱ BX w
chiuso domenica e dal 4 al 24 agosto – **Pasto** carta 60/100000 (10 %).

Rosteria Luciano, via Nazario Sauro 19 ✉ 40121 ✆ 231249, Coperti limitati; prenotare – ▤. AE. ⓢ. ⊙ E VISA. ✱ BX r
chiuso mercoledì ed agosto – **Pasto** carta 55/70000.

BOLOGNA
PIANTA D'INSIEME

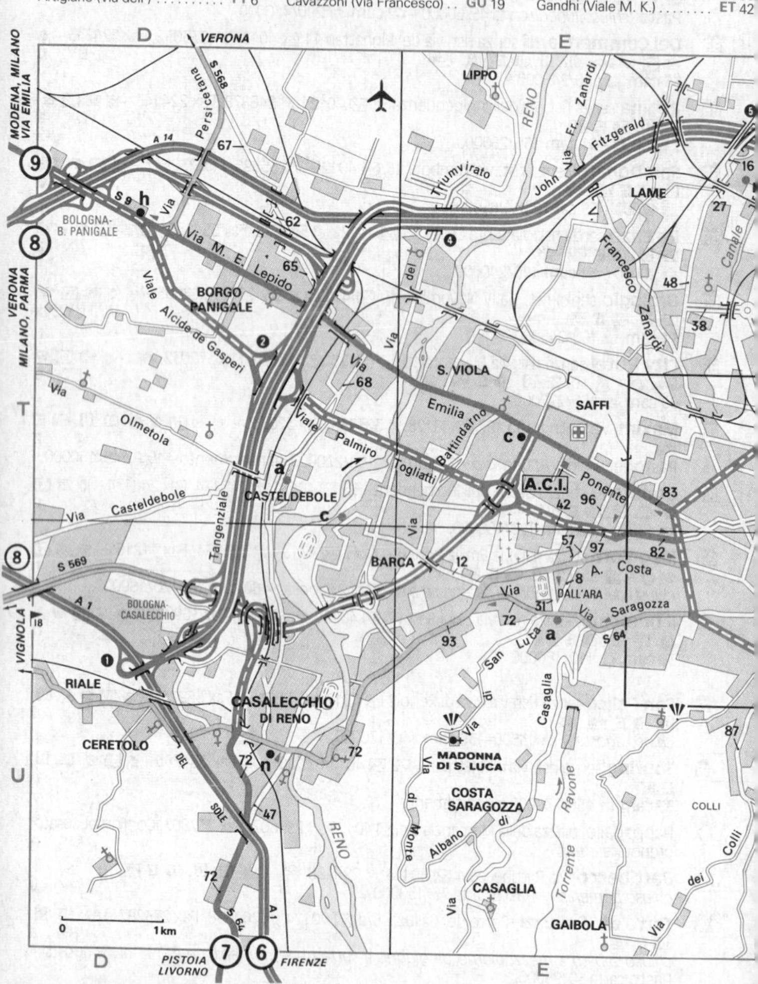

XX **Diana,** via dell'Indipendenza 24 ✉ 40121 ☎ 231302, Fax 228162, – ▤. AE. ⓢ. ⓪ VISA. BX s
chiuso lunedì, dal 1° al 15 gennaio e dal 1° al 28 agosto – **Pasto** carta 55/80000.

XX **La Cesoia-da Pietro,** via Massarenti 90 ✉ 40138 ☎ 342854 – AE. ⓢ. ⓪ E VISA CY c
chiuso domenica sera e lunedì – **Pasto** specialità umbro-laziali carta 50/75000.

XX **Panoramica,** via San Mamolo 31 ✉ 40136 ☎ 580337, Fax 580337, – AE. ⓢ. ⓪ E VISA. JCB BZ a
chiuso domenica – **Pasto** carta 35/55000.

Iacopo della Lana (Via)	FU 43	Ospedaletto (Via dell')	DT 62	Sabotino (Via)	EU 82
Marconi (Via Guglielmo)	DU 47	Palagi (Via Pelagio)	FU 64	Saffi (Via Aurelio)	ET 83
Marco Polo (Via)	ET 48	Panigale (Via)	DT 65	San Mamolo (Via)	EU 87
Martelli (Via Tommaso)	GU 49	Persicetana Vecchia (Via)	DT 67	Santa Barbara (Via)	FU 89
Matteotti (Via Giacomo)	FT 52	Pietra (Via della)	DT 68	Sigonio (Via Carlo)	FU 92
Mazzini (Via Giuseppe)	FU 54	Pirandello (Via Luigi)	GT 69	Sturzo (Via Don Luigi)	EU 93
Mezzofanti (Via Giuseppe)	FU 55	Porrettana (Via)	DEU 72	Timavo (Via del)	ET 96
Montefiorino (Via)	EU 57	Putti (Via Vittorio)	FU 75	Tolmino (Via)	EU 97
Oriani (Viale Alfredo)	FU 61	Sabbioni (Via dei)	FU 81	Tosarelli (Via Bruno)	GT 98

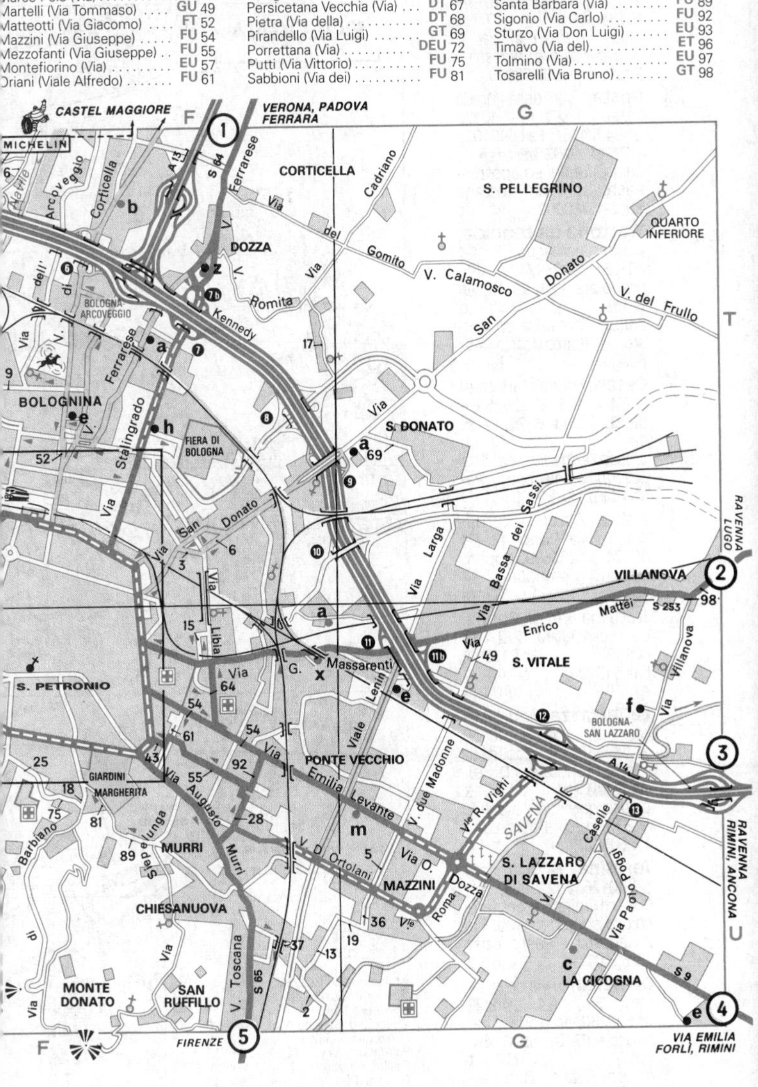

XX **Grassilli,** via del Luzzo 3 ✉ 40125 ☎ 222961, Fax 222961, 🏠, Coperti limitati; prenotare – ▤. AE. 🅂. ⦿ E VISA CY a
chiuso dal 23 dicembre al 1º gennaio, dal 15 luglio al 15 agosto, le sere dei giorni festivi, mercoledì e domenica (in luglio-agosto) – **Pasto** carta 50/55000.

XX Cesarina, via Santo Stefano 19 ✉ 40125 ☎ 232037, 🏠 CY b

XX **Da Sandro al Navile,** via del Sostegno 15 ✉ 40131 ☎ 6343100, Fax 6347592, 🏠, Rist. con enoteca, prenotare – ▤ Ⓟ – 🏠 50. AE. 🅂. ⦿ E VISA. ✂ ET r
chiuso domenica, dal 29 dicembre al 6 gennaio e dal 1º al 26 agosto – **Pasto** carta 55/70000.

XX **Al Cambio,** via Stalingrado 150 ✉ 40128 ✆ 328118 – ▤. AE. ⓢ. ⊕ E VISA. ✻ FT z *chiuso domenica, dal 1° all'8 gennaio ed agosto* – **Pasto** carta 35/55000.

XX **Posta,** via della Grada 21/a ✉ 40122 ✆ 6492106, Fax 6491022 – AE. ⓢ. ⊕ E VISA. JCB *chiuso lunedì ed agosto* – **Pasto** specialità toscane carta 45/60000. AX c

XX **Trattoria da Leonida,** vicolo Alemagna 2 ✉ 40125 ✆ 239742, 爺, prenotare – ▤. AE. ⓢ. ⊕ E VISA CY d *chiuso domenica ed agosto* – **Pasto** carta 45/60000.

XX **Cesari,** via de' Carbonesi 8 ✉ 40123 ✆ 226769 – ▤. AE. ⓢ. ⊕ E VISA. JCB. ✻ BY b *chiuso domenica, dal 1° al 5 gennaio ed agosto* – **Pasto** carta 40/60000.

X Antica Osteria Romagnola, via Rialto 13 ✉ 40124 ✆ 263699, Coperti limitati; prenotare – ▤ CZ a

X Trattoria Re di Coppe, via Scandellara 7/2 ✉ 40138 ✆ 513294, Fax 513294, 爺 – Ⓟ FU a

X **La Terrazza,** via del Parco 20 ✉ 40138 ✆ 531330, 爺, Coperti limitati; prenotare – AE. ⓢ. ⊕ E VISA. ✻ FU x *chiuso domenica e dal 10 al 20 agosto* – **Pasto** carta 45/60000.

X **Teresina,** via Oberdan 4 ✉ 40126 ✆ 228985, 爺, Coperti limitati; prenotare *chiuso domenica e dal 5 al 23 agosto* – **Pasto** carta 45/65000 bc. CY z

X **Da Bertino,** via delle Lame 55 ✉ 40122 ✆ 522230, Trattoria d'habitués – AE. ⓢ. ⊕ E VISA. ✻ BX t *chiuso Natale, Capodanno, dal 4 al 31 agosto, domenica, sabato sera dal 20 giugno a luglio e lunedì sera negli altri mesi* – **Pasto** carta 35/50000.

X **Trattoria Meloncello,** via Saragozza 240/a ✉ 40135 ✆ 6143947, 爺 *chiuso lunedì sera e martedì* – **Pasto** carta 35/50000. EU a

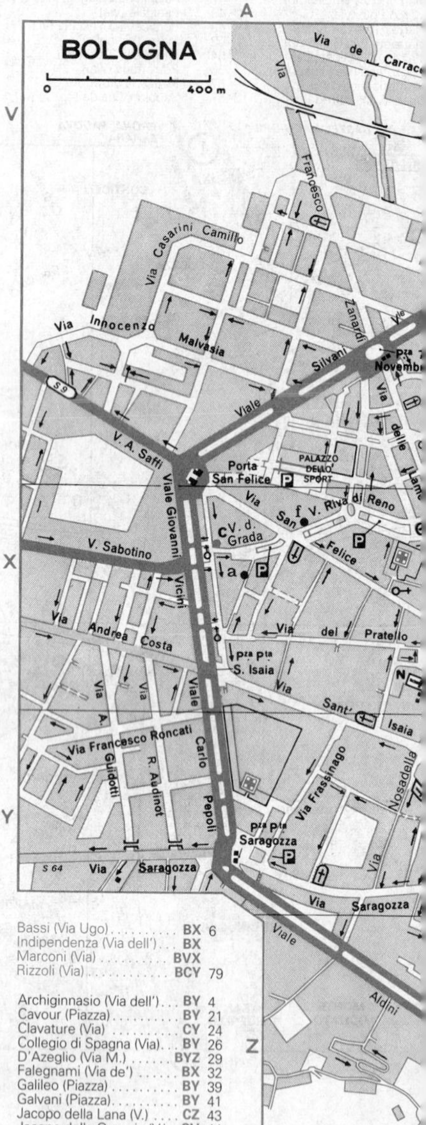

BOLOGNA

0 — 400 m

Via	Grid	No.
Bassi (Via Ugo)	BX	6
Indipendenza (Via dell')	BX	
Marconi (Via)	BVX	
Rizzoli (Via)	BCY	79
Archiginnasio (Via dell')	BY	4
Cavour (Piazza)	BY	21
Clavature (Via)	CY	24
Collegio di Spagna (Via)	BY	26
D'Azeglio (Via M.)	BYZ	29
Falegnami (Via de')	BX	32
Galileo (Piazza)	BY	39
Galvani (Piazza)	BY	41
Jacopo della Lana (V.)	CZ	43
Jacopo della Quercia (V.)	CV	44
Maggiore (Piazza)	BY	45
Malpighi (Piazza)	BY	46
Massarenti (Via)	CY	51
Nettuno (Piazza del)	BXY	58
Portanova (Via)	BXY	73
Porta Ravegnana (Pza)	CY	74
Ranzani (Via)	CV	76
S. Donato (Via)	CX	85
S. Giacomo (Via)	CX	86
Selmi (Via)	CX	91
Tagliapietre (Via)	BY	95
Venezian (Via Giacomo)	BY	101
4 Novembre (Via)	BXY	102

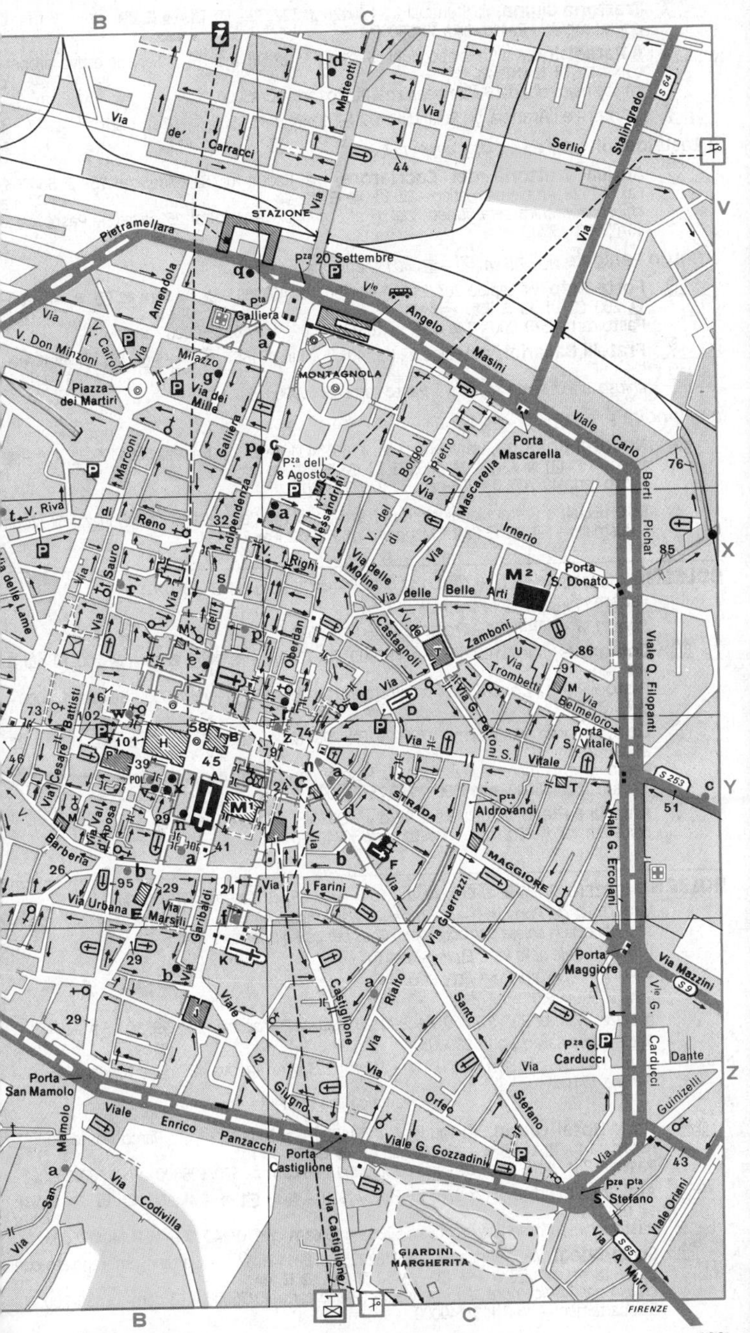
STAZIONE
Pietramellara
Pza 20 Settembre
Vle Angelo Masini
MONTAGNOLA
Piazza dei Martiri
Viale Carlo Berti Pichat
Porta Mascarella
Porta S. Donato
Viale Q. Filopanti
Porta S. Vitale
Pza Aldrovandi
STRADA MAGGIORE
Viale G. Ercolani
Porta Maggiore
Via Mazzini
Pza G. Carducci
Porta San Mamolo
Viale Enrico Panzacchi
Porta Castiglione
Viale G. Gozzadini
Pza Pta S. Stefano
GIARDINI MARGHERITA
Via A. Murri
Viale Oriani
FIRENZE

X **Trattoria Gigina,** via Stendhal 1 ✉ 40128 ☎ 322132 – AE. 🅂. ⓓ E VISA. ✻ FT b
chiuso sabato – **Pasto** carta 35/55000.

X **Il Paradisino,** via Coriolano Vighi 33 ✉ 40133 ☎ 566401, « Servizio estivo all'aperto » – AE. 🅂. E VISA. ✻ DT c
chiuso martedì e dal 6 al 31 gennaio – **Pasto** carta 40/45000.

X L'Anatra e l'Arancia, via Rolandino 1/2 ✉ 40124 ☎ 225505, Rist.-bistrot BY f

a Casteldebole *O : 7 km* DT – ✉ *40132 Bologna :*

XX **Antica Trattoria del Cacciatore,** via Caduti di Casteldebole 25 ☎ 564203, Fax 567128, Ambiente rustico – AE. 🅂. ⓓ E VISA. ✻ DT a
chiuso domenica sera, lunedì, dal 1° al 6 gennaio e dal 9 al 25 agosto – **Pasto** carta 55/65000 (13 %).

a Borgo Panigale *NO : 7,5 km* DT – ✉ *40132 Bologna :*

Forte Agip, via Lepido 203/214 ☎ 401130, Fax 405969 – |‡| ✻ cam ▤ TV ☎ P – 200. AE. 🅂. ⓓ E VISA. JCB. ✻ DT h
Pasto carta 55/80000 – **143 cam** ☐ 185/220000 – ½ P 165/230000.

X **Fratelli Ballarini,** via Lepido 224 ☎ 401357, Fax 401357, – ▤ P. AE. 🅂. ⓓ E VISA. ✻ DT
chiuso lunedì sera e martedì – **Pasto** carta 45/60000.

a Villanova *E : 7,5 km* GU – ✉ *40050 :*

Novotel Bologna, via Villanova 31 ☎ 6053434, Telex 521071, Fax 6053300, ✻ – |‡| ✻ cam ▤ TV ☎ ♿ P – 400. AE. 🅂. ⓓ E VISA. ✻ rist GU f
Pasto carta 40/70000 – **206 cam** ☐ 270/365000.

MICHELIN, a Castel Maggiore (N : 10 km per via di Corticella FT), via Bonazzi 32 (zona industriale) – ✉ 40013 Castel Maggiore, ☎ 713157, Fax 712354.

BOLSENA *01023 Viterbo 988 ㉕, 430 O 17 G. Italia – 4 177 ab. alt. 348 – ☎ 0761.*

Vedere *Chiesa di Santa Cristina★.*

Roma 138 – Viterbo 31 – Grosseto 121 – Siena 109.

Columbus, viale Colesanti 27 ☎ 799009, Fax 798172 – |‡| ▤ TV ☎ P – 200. 🅂. ⓓ E VISA. ✻
Pasto al Rist. ***La Conchiglia*** *(aprile-ottobre)* carta 35/45000 – ☐ 13000 – **38 cam** 150000 – ½ P 100000.

Lido, via Cassia NO : 1,5 km ☎ 799026, Fax 798479, ≤, – ▤ TV ☎ P – 250. AE. 🅂. E VISA. ✻
Pasto *(chiuso mercoledì escluso da Pasqua ad ottobre)* carta 40/60000 – ☐ 15000 – **12 cam** 100/155000, ▤ 15000 – ½ P 75/95000.

X **Angela e Piero,** via della Rena 98/d ☎ 799264, ≤ lago, – P
chiuso martedì ed ottobre – **Pasto** carta 30/40000 (15 %).

BOLZANO (BOZEN) *39100* P *988 ④, 429 C 16 G. Italia – 97 078 ab. alt. 262 – ☎ 0471.*

Vedere *Via dei Portici★* B *– Duomo★* B *– Pala★ nella chiesa dei Francescani* B *– Pala d'altare scolpita★ nella chiesa parrocchiale di Gries per corso Libertà* A.

Dintorni *Gole della Val d'Ega★ SE per ①.*

Escursioni *Dolomiti★★★ Est per ①.*

☎ 972072.

piazza Walther 8 ☎ 970660, Fax 980128 – piazza Parrocchia 11 ☎ 993808, Fax 975448.

A.C.I. *corso Italia 19/a ☎ 280003.*

Roma 641 ② – Innsbruck 118 ① – Milano 283 ② – Padova 182 ② – Venezia 215 ② – Verona 154 ②.

Pianta pagina seguente

Park Hotel Laurin, via Laurin 4 ☎ 311000, Fax 311148, « Parco fiorito con riscaldata » – |‡| ▤ TV ☎ – 200. AE. 🅂. ⓓ E VISA. ✻ rist B e
Pasto al Rist. ***Belle Epoque*** carta 60/100000 – **96 cam** ☐ 320/395000 – ½ P 180/235000.

Alpi, via Alto Adige 35 ☎ 970535, Fax 971929 – |‡| ▤ TV ☎ – 100. AE. 🅂. ⓓ E VISA. ✻ rist B u
Pasto *(chiuso domenica)* carta 35/55000 – **110 cam** ☐ 170/240000 – ½ P 140/175000.

Scala-Stiegl, via Brennero 11 ☎ 976222, Fax 981141, « Giardino ombreggiato con » – |‡| ✻ cam TV ☎ P – 60. AE. 🅂. ⓓ E VISA B b
chiuso dal 24 dicembre al 15 gennaio – **Pasto** carta 40/75000 – **63 cam** ☐ 130/200000, 5 appartamenti – ½ P 110/140000.

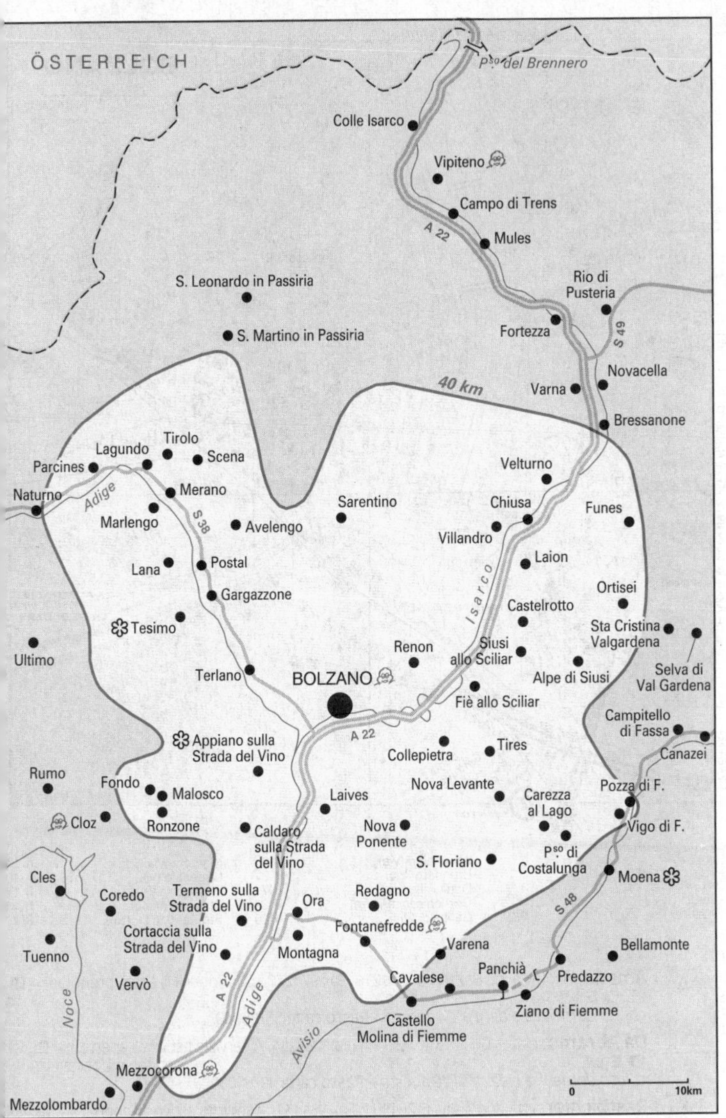

Magdalenerhof, via Rencio 48 ☎ 978267, Fax 981076, ≤, 🌳, 🏊, 🎾 – 🛗 📺 ☎ 🅿. AE. 🅂. ⓓ E VISA. JCB per via Renon B
Pasto *(chiuso domenica sera e lunedì)* carta 40/85000 – ☕ 15000 – **21 cam** 120/150000 – ½ P 90/120000.

Rentschner Hof, via Rencio 70 ☎ 975346, Fax 977098, ≤, 🌳, 🏊 – 🛗 📺 ☎ 🅿. AE. 🅂. ⓓ E VISA. ✂ per via Renon B
Pasto carta 40/70000 – **20 cam** ☕ 85/150000 – ½ P 100/110000.

Gurhof 🐦, via Rafenstein 17 ☎ 975012, Fax 975247, ≤, 🌳 – 🛗 📺 ☎ 🚗 🅿. AE. 🅂. ⓓ E VISA per via Cadorna A
Pasto *(chiuso mercoledì)* 30/45000 – **18 cam** ☕ 80/120000 – ½ P 80/90000.

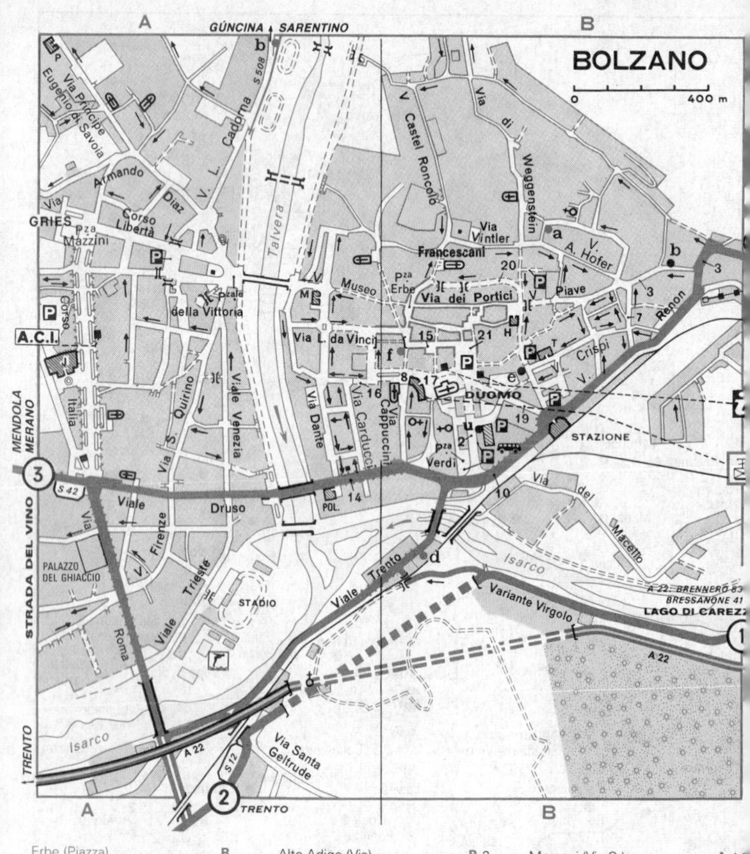

Erbe (Piazza) . . . . B
Mostra (Via della) . . . . B 15
Museo (Via) . . . . AB
Portici (Via) . . . . B
Walther (Piazza) . . . . B 21

Alto Adige (Via) . . . . B 2
Brennero (Via) . . . . B 3
Dodiciville (Via) . . . . B 7
Domenicani (Piazza) . . . . B 8
Garibaldi (Via) . . . . B 10

Marconi (Via G.) . . . . A 14
Ospedale (Via) . . . . A 16
Parrocchia (Piazza) . . . . B 17
Stazione (Viale) . . . . B 19
Streiter (Via Dottor) . . . . B 20

XXX **Amadè,** vicolo ca' de Bezzi 8 ✆ 971278, Fax 971278, ☂, Coperti limitati; prenotare – AE. S. ● E VISA — B a
chiuso domenica e dal 4 al 24 agosto – **Pasto** carta 55/85000.

XXX **Da Abramo,** piazza Gries 16 ✆ 280141, Fax 288214, « Servizio estivo all'aperto » – AE. S. ● E VISA — per corso Libertà A
chiuso domenica e dal 1° al 20 agosto – **Pasto** carta 40/60000.

XX **Rastbichler,** via Cadorna 1 ✆ 261131, Fax 261131, « Servizio estivo all'aperto » – P. AE. S. E VISA. ✕ — A b
chiuso domenica, dal 15 al 31 gennaio e dal 1° al 15 luglio – **Pasto** carta 45/60000.

XX **Da Franco,** viale Trento 8 ✆ 979590 – P. AE. S. ● E VISA. JCB — B d
chiuso domenica, lunedì e dal 1° al 15 agosto – **Pasto** specialità di mare carta 40/65000.

X **Vögele,** via Goethe 3 ✆ 973938, ☂, « Ambiente tipico » – ✕. S — B f
chiuso la sera, sabato, domenica e dal 15 al 30 luglio – **Pasto** cucina tradizionale locale carta 40/65000.

sulla strada statale 12 *per ② : 4 km :*

Park Hotel Werth senza rist, via Maso della Pieve 19 ✉ 39050 San Giacomo ✆ 250103, Fax 251514, ⛹, ⛲, ⛱, ✕ – ▮ TV ☎ ⇔ P. S. ● E VISA. JCB
32 cam ☕ 130/190000.

XX **Lewald** con cam, via Maso della Pieve 17 ✉ 39050 San Giacomo ☎ 250330, Fax 251916, « Servizio estivo all'aperto », 🍴 – [TV] ☎ [P]. [AE]. [S]. [D] [E] [VISA]. [JCB]
chiuso dal 10 al 25 febbraio e dal 21 giugno al 10 luglio – **Pasto** *(chiuso sabato e domenica)* carta 50/80000 – ☕ 10000 – **14 cam** 90/150000 – ½ P 110000.

ulla strada statale 38 :

🏨 **Pircher,** via Merano 52 (per ③ : *4 km*) ✉ 39100 ☎ 917513, Fax 202433, 🏊, 🌳 – 🛗 [TV] ☎ [P]. [AE]. [S]. [D] [E] [VISA]. 🚫
Pasto vedere rist ***Pircher*** – **22 cam** ☕ 120/150000 – ½ P 110/120000.

XX **Pircher** - Hotel Pircher, via Merano 52 (per ③ : *4 km*) ✉ 39100 ☎ 917513, Fax 202433, ⛱ – ❄ [P]. [AE]. [S]. [D] [E] [VISA]. 🚫
chiuso sabato sera e domenica – **Pasto** carta 45/65000.

X **Moritzingerhof,** via Merano 113 (per ③ : *5 km*) ✉ 39100 ☎ 917491, ⛱ – [P]. [AE]. [S]. [D] [VISA]. 🚫
chiuso domenica sera e lunedì – Pasto carta 35/45000.

OLZANO VICENTINO *36050 Vicenza* [429] F 16 – *4 736 ab. alt. 44* – ☎ *0444.*

Roma 539 – Padova 41 – Treviso 54 – Vicenza 9.

🏨 **Locanda Grego,** via Roma 24 ☎ 350588, Fax 350695 – [TV] ☎ [P] – 🏛 35. [AE]. [S]. [D] [E] [VISA]. [JCB]. 🚫
Pasto *(chiuso domenica, dal 26 dicembre al 5 gennaio e dal 29 luglio al 24 agosto)* carta 40/70000 – ☕ 8000 – **17 cam** 80/120000 – ½ P 100/130000.

OLZONE *Cremona – Vedere Ripalta Cremasca.*

ONASSOLA *19011 La Spezia* [988] ⑬, [428] J 10 – *1 018 ab.* – ☎ *0187.*

Roma 456 – La Spezia 38 – Genova 83 – Milano 218.

🏨 **Belvedere** 🔇, via Serra 15 ☎ 813709, Fax 814240, ≤, « Giardino-uliveto » – ☎ [P]. [S]. [E] [VISA]. 🚫
2 marzo-9 ottobre – **Pasto** carta 35/55000 – **24 cam** ☕ 80/125000 – ½ P 90/100000.

🏨 **Delle Rose,** via Garibaldi 8 ☎ 813713, Fax 814268 – 🛗 ☎. [AE]. [S]. [E] [VISA]. 🚫
aprile-ottobre – **Pasto** 30/35000 – ☕ 7000 – **27 cam** 80/120000 – ½ P 80/95000.

ONATE SOPRA *24040 Bergamo* [428] E 10 – *5 579 ab. alt. 230* – ☎ *035.*

Roma 583 – Bergamo 11 – Lecco 27 – Milano 50.

XX Favaron, via Como 9 N : 1 km ☎ 993242, ⛱ – [P]

BONDENO *44012 Ferrara* [988] ⑭ ⑮, [429] H 16 – *16 496 ab. alt. 11* – ☎ *0532.*

Roma 443 – Bologna 69 – Ferrara 20 – Mantova 72 – Milano 227 – Modena 57 – Rovigo 52.

XX **Tassi** con cam, viale Repubblica 23 ☎ 893030, Fax 893030 – ❄ [TV] ☎ [P]. [S]. [E] [VISA]. 🚫 cam
Pasto *(chiuso lunedì, dal 1° al 10 gennaio e dal 1° al 27 luglio)* carta 40/55000 – ☕ 5000 – **8 cam** 100/110000, ❄ 20000 – ½ P 110000.

BONDONE (Monte) *Trento* [988] ④, [428], [429] D 15 – *670 ab. alt. 2 098 – a.s. Pasqua e Natale – Sport invernali : 1 184/2 090 m* 🚡 1 ⛷ 8, ⛷ – ☎ *0461.*

[i] *(dicembre-aprile e luglio-agosto) a Vaneze* ☎ *947128, Fax 947188.*

Roma 611 – Trento 24 – Bolzano 78 – Milano 263 – Riva del Garda 57.

a Vason *N : 2 km – alt. 1 680 –* ✉ *38040 Vaneze :*

🏨 **Montana,** ☎ 948200, Fax 948177, ≤ gruppo di Brenta, 🌳, 🍴 – 🛗 [TV] ☎ 🚗 [P]. [AE]. [S]. [D] [E] [VISA]. 🚫 rist
dicembre-15 aprile e 20 giugno-15 settembre – **Pasto** carta 30/45000 – ☕ 10000 – **30 cam** 75/140000 – ½ P 60/125000.

BONFERRARO *37060 Verona* [428], [429] G 15 – *alt. 20* – ☎ *045.*

Roma 481 – Verona 35 – Ferrara 35 – Mantova 17 – Modena 79.

XX **Sarti,** ☎ 7320233, Fax 7320023, « Servizio estivo in giardino » – ❄ [P]. [AE]. [S]. [E] [VISA]. 🚫
chiuso martedì e dal 10 al 20 agosto – **Pasto** carta 40/75000.

BORDIGHERA *18012 Imperia 988 ⑫, 428 K 4 G. Italia – 10 922 ab. – ☎ 0184.*
Vedere *Località★★.*
ℹ via Roberto 1 (palazzo del Parco) ✆ 262322, Fax 264455.
Roma 654 – Imperia 45 – Genova 155 – Milano 278 – Monte Carlo 32 – San Remo 12 – Savona 109.

Gd H. del Mare ⛰, via Portico della Punta 34 (E : 2 km) ✆ 262201, Fax 262394, ≤ mare, « Giardino pensile con 🏊 », Fø, ≘s, 🏊, 🏖, 🎾 – |♦| ▤ TV ☎ P – 🏛 180. AE. 🅂. ⦿ E VISA. ✻ rist
chiuso da novembre a Natale – **Pasto** carta 60/95000 – **84 cam** ☕ 250/300000, appartamento – ½ P 150/360000.

Parigi, lungomare Argentina 16/18 ✆ 261405, Fax 260421, ≤, Fø, ≘s, 🏖 – |♦| ▤ cam TV ☎ ♿. AE. 🅂. ⦿ E VISA. JCB. ✻
Pasto 45/55000 – **52 cam** ☕ 170/240000, ▤ 10000 – ½ P 140/200000.

Gd H. Cap Ampelio ⛰, via Virgilio 5 ✆ 264333, Fax 264244, ≤ mare e costa, « Giardino con 🏊 », 🏊 – |♦| ▤ TV ☎ 🚗 P – 🏛 170. AE. 🅂. ⦿ E VISA. ✻ rist
chiuso dal 3 novembre al 22 dicembre – **Pasto** *(chiuso martedì)* 70000 – ☕ 15000 – **104 cam** 140/235000 – P 190/235000.

Piccolo Lido, lungomare Argentina 2 ✆ 261297, Fax 262316, ≤ – |♦| ▤ TV ☎ ♿ 🚗. AE 🅂. ⦿ E VISA. ✻ rist
chiuso da ottobre al 15 dicembre – **Pasto** (solo per alloggiati) 60000 – **33 cam** ☕ 160/220000 – ½ P 100/160000.

Britannique et Jolie, via Regina Margherita 35 ✆ 261464, Fax 260375, « Giardino fiorito » – |♦| ▤ rist TV ☎ P. AE. 🅂. E VISA. ✻
chiuso dal 26 settembre al 19 dicembre – **Pasto** *(chiuso lunedì)* 50000 – ☕ 10000 – **56 cam** 80/130000 – ½ P 100/120000.

Villa Elisa ⛰, via Romana 70 ✆ 261313, Fax 261942, 🌂, « Giardino fiorito », 🏊 – |♦| ▤ rist TV ☎ P. AE. 🅂. ⦿ E VISA. ✻ rist
chiuso da novembre al 20 dicembre – **Pasto** (solo per alloggiati) 65000 – ☕ 20000 – **35 cam** 130/170000 – ½ P 105/185000.

Centrohotel senza rist, piazza Eroi della Libertà 10 ✆ 265265, Fax 265265, ≘s – |♦| ⚡ cam TV ☎. AE. 🅂. ⦿ E VISA
chiuso dal 5 al 30 novembre – ☕ 13000 – **38 cam** 80/130000.

Aurora ⛰, via Pelloux 42/b ✆ 261311, Fax 261312 – |♦| ☎ P. AE. 🅂. ⦿ E VISA. ✻
chiuso dal 21 ottobre al 19 dicembre – **Pasto** (solo per alloggiati) 25/45000 – ☕ 17000 – **30 cam** 85/130000 – ½ P 85/125000.

XXX **La Via Romana,** via Romana 57 ✆ 266681, Fax 266681, prenotare – ▤. AE. 🅂. ⦿ E VISA
chiuso mercoledì e giovedì a mezzogiorno – **Pasto** 55/90000 bc (a mezzogiorno) 70/90000 (alla sera) e carta 75/120000.

XXX **Carletto,** via Vittorio Emanuele 339 ✆ 261725, Coperti limitati; prenotare – ▤. AE. 🅂. ⦿ E VISA. JCB
chiuso mercoledì, dal 20 giugno al 12 luglio e dal 5 novembre al 20 dicembre – **Pasto** 90000 e carta 65/110000.

XXX **Le Chaudron,** piazza Bengasi 2 ✆ 263592, Coperti limitati; prenotare –. 🅂. ⦿ E VISA. JCB
chiuso lunedì, febbraio e dal 1º al 15 luglio – **Pasto** 55/70000 e carta 60/85000 (10 %).

XX **Piemontese,** via Roseto 8 ✆ 261651 – AE. 🅂. E VISA
chiuso martedì e dal 20 novembre al 20 dicembre – **Pasto** carta 35/50000.

X **Mimmo,** via Vittorio Emanuele II 302 ✆ 261840, 🌂 – AE. 🅂. E VISA. ✻
chiuso mercoledì e dal 30 giugno al 10 luglio – **Pasto** specialità di mare carta 65/115000.

BORETTO *42022 Reggio nell'Emilia 428, 429 H 13 – 4 402 ab. alt. 23 – ☎ 0522.*
Roma 448 – Parma 26 – Mantova 42 – Modena 54 – Reggio nell'Emilia 28.

X **La Bussola,** via F.lli Cervi 40/a località Santa Croce ✆ 684643, 🌂, prenotare – P. 🅂. E VISA. ✻
chiuso mercoledì – **Pasto** specialità di pesce carta 35/70000.

BORGARELLO *27010 Pavia 428 G 9 – 1 212 ab. alt. 91 – ☎ 0382.*
Roma 564 – Alessandria 72 – Bergamo 86 – Milano 34 – Pavia 6 – Piacenza 58.

XX **Locanda degli Eventi,** via Principale 4/6 ✆ 933303, Fax 933303 – ▤. AE. 🅂. ⦿ E VISA. ✻
chiuso mercoledì, dal 1º al 7 gennaio e dal 5 al 25 agosto – **Pasto** 35000 bc (solo a mezzogiorno escluso sabato-domenica) e carta 55/80000.

BORGARO TORINESE *10071 Torino* [428] *G 4 – 11 496 ab. alt. 254 – ☎ 011.*
Roma 689 – Torino 10 – Milano 142.

🏨 **Atlantic,** via Lanzo 163 ☎ 4500055, Telex 221440, Fax 4701783, « Terrazza panoramica con piscina » – ascensore ▤ TV ☎ ♿ ⇔ [P] – 🏛 500. [AE] [S] ● E VISA
Pasto vedere rist ***Rubino*** – **110 cam** ☐ 200/300000 – 1/2 P 230/265000.

🏨 **Pacific,** viale Martiri della Libertà 76 ☎ 4704666, Fax 4703293 – ascensore ▤ TV ☎ ♿ ⇔ [P] – 🏛 50. [AE] [S] ● E VISA JCB
Pasto (solo per alloggiati e *chiuso a mezzogiorno*) 45/60000 – **56 cam** ☐ 200/245000.

🍴🍴 **Rubino** - Hotel Atlantic, via Lanzo 165 ☎ 4500055 – ▤. [AE] [S] ● E VISA
chiuso domenica e dal 5 al 20 agosto – **Pasto** carta 45/70000.

BORGATA SESTRIERE *Torino – Vedere Sestriere.*

BORGHETTO *Verona – Vedere Valeggio sul Mincio.*

BORGHETTO D'ARROSCIA *18020 Imperia* [428] *J 5 – 552 ab. alt. 155 – ☎ 0183.*
Roma 604 – Imperia 28 – Genova 105 – Milano 228 – Savona 59.

a Gazzo *NO : 6 km – alt. 610 – ✉ 18020 Borghetto d'Arroscia :*

🍴🍴 **La Baita,** ☎ 31083, Fax 31083, prenotare – [P]. [S] VISA
luglio-settembre; chiuso mercoledì, da ottobre a giugno aperto da venerdì a domenica ed i giorni festivi – **Pasto** 55000 bc.

BORGIO VEREZZI *17022 Savona* [428] *J 6 – 2 254 ab. – ☎ 019.*
[i] *(maggio-settembre) via 25 Aprile 1 ☎ 610412.*
Roma 574 – Genova 75 – Imperia 47 – Milano 198 – Savona 29.

🏨 Ideal, via 25 Aprile 32 ☎ 610438, Fax 612095 – ascensore ▤ rist TV ☎
31 cam

🍴🍴🍴 **Doc,** via Vittorio Veneto 1 ☎ 611477, Fax 611477, 🌳, Coperti limitati; prenotare, 🌳 – [AE] [S]. VISA. ✗
✿ *chiuso lunedì a mezzogiorno da giugno a settembre, tutto il giorno negli altri mesi* – **Pasto** carta 60/80000
Spec. Calamaretti allo scalogno e buccia d'arancia. Lasagne di borragine ai crostacei con erbe di Liguria. Pescatrice in crosta di olive.

🍴🍴 **Da Casetta,** piazza San Pietro ☎ 610166, Coperti limitati; prenotare – [AE] [S]. ● VISA
chiuso a mezzogiorno (escluso i giorni festivi), martedì e novembre – **Pasto** carta 45/60000.

BORGO A BUGGIANO *51011 Pistoia* [428], [429], [430] *K 14 – 7 718 ab. alt. 41 – ☎ 0572.*
Roma 326 – Firenze 52 – Pisa 49 – Livorno 68 – Lucca 24 – Milano 296 – Pistoia 18.

🍴🍴 **Da Angiolo,** piazza Del Popolo 2 ☎ 32014 – ▤. [AE] [S]. E VISA
chiuso a mezzogiorno (escluso i giorni festivi), lunedì, dal 10 al 20 marzo e dal 1° al 21 agosto – **Pasto** specialità di mare carta 50/70000 (15 %).

BORGO A MOZZANO *55023 Lucca* [428], [429], [430] *K 13 G. Toscana – 7 432 ab. alt. 97 – ☎ 0583.*
Roma 368 – Pisa 42 – Firenze 96 – Lucca 22 – Milano 296 – Pistoia 65.

🏨 **Milano,** località Socciglia ☎ 889191, Fax 889180, 🌳 – ascensore TV ☎ [P] – 🏛 100. [AE] [S]. ● E VISA
chiuso novembre – **Pasto** *(chiuso lunedì)* carta 30/40000 – ☐ 10000 – **34 cam** 80/140000 – 1/2 P 90000.

BORGOFRANCO D'IVREA *10013 Torino* [428] *F 5,* [219] *⑭ – 3 633 ab. alt. 253 – ☎ 0125.*
Roma 688 – Aosta 62 – Ivrea 6 – Milano 121 – Torino 56.

🍴🍴 **Casa Vicina-da Roberto,** via Palma 146/a località Ivozio ☎ 752180, Fax 751888, ≤, prenotare a mezzogiorno, « Servizio estivo in terrazza panoramica » – [P]. [AE] [S]. ● E VISA
chiuso mercoledì, dal 20 al 31 gennaio e dal 7 al 17 luglio – **Pasto** carta 50/80000.

BORGOMANERO *28021 Novara* [988] *②,* [428] *E 7 – 19 406 ab. alt. 306 – ☎ 0322.*
⛳9, ⛳9 e ⛳9 Castelconturbia (chiuso lunedì) ad Agrate Conturbia ✉ 28010 ☎ 832093, Fax 832428, SE : 10 km.
Roma 647 – Stresa 27 – Domodossola 59 – Milano 70 – Novara 32 – Torino 106 – Varese 38.

Ramoverde senza rist, via Matteotti 1 ✆ 81479, Fax 844594, – |‡| ⇔ TV ☎ ⇔ P AE. Ⓢ. ⓞ E VISA. JCB
chiuso dal 24 dicembre al 6 gennaio e dal 25 luglio all'8 agosto – ☐ 13000 – **40 cam** 75/110000.

XXX **Pinocchio,** via Matteotti 147 ✆ 82273, Fax 835075, prenotare, « Giardino » – P. AE. Ⓢ ⓞ E VISA. JCB
chiuso lunedì, martedì a mezzogiorno, dal 24 al 30 dicembre e dal 1° al 20 agosto – **Pasto** 55/100000 (a mezzogiorno) 85/100000 (alla sera) e carta 80/120000
Spec. Lumache alle noci e burro verde (inverno). Tortino di porcini su patate in fonduta di toma (estate-autunno). Piccione al Madera farcito di frattaglie (autunno).

XXX **Il Bersagliere,** corso Mazzini 11 ✆ 835322, Fax 82277, prenotare – AE. Ⓢ. ⓞ E VISA
chiuso lunedì, dal 7 al 15 gennaio e dal 9 al 30 giugno – **Pasto** carta 50/85000.

XX **San Pietro,** piazza Martiri 6 ✆ 82285, Fax 82285, – AE. Ⓢ. E VISA.
chiuso mercoledì, dal 1° al 10 gennaio e dal 5 al 25 agosto – **Pasto** carta 35/65000.

X **Trattoria dei Commercianti,** via dei Mille 27 ✆ 841392
chiuso martedì ed agosto – **Pasto** carta 35/50000.

BORGO PACE *61040 Pesaro e Urbino* 429, 430 L 18 – *690 ab. alt. 469 – a.s. 25 giugno-agosto – ✆ 0722.*
Roma 291 – Rimini 99 – Ancona 134 – Arezzo 69 – Pesaro 74 – San Marino 67 – Urbino 38.

XX **Da Rodolfo-la Diligenza** con cam, ✆ 89124 – ▤ cam TV ☎. AE. Ⓢ. E VISA. rist
chiuso dal 1° al 15 settembre – **Pasto** *(chiuso mercoledì)* carta 35/45000 – ☐ 12000 – **7 cam** 50/60000 – ½ P 50/60000.

BORGO PANIGALE *Bologna* 430 I 15 – *Vedere Bologna.*

BORGO SAN DALMAZZO *12011 Cuneo* 988 ⑫, 428 J 4 – *11 157 ab. alt. 641 – ✆ 0171.*
Roma 651 – Cuneo 8 – Milano 224 – Savona 106 – Colle di Tenda 25 – Torino 102.

Oasis senza rist, via Po 28 ✆ 262121, Fax 262680 – |‡| TV ☎ ⇔ P – 50. Ⓢ. E VISA
☐ 12000 – **49 cam** 90/110000.

BORGO SAN LORENZO *50032 Firenze* 988 ⑮, 429, 430 K 16 *G. Toscana – 15 453 ab. alt. 193 – ✆ 055.*
Autodromo *NO : 5 km ✆ 8499111.*
Roma 308 – Firenze 25 – Bologna 89 – Forlì 97.

Park Hotel Ripaverde Ⓜ, viale Giovanni XXIII 36 ✆ 8496003, Fax 8459379 – |‡| ▤ TV ☎ ♿ P – 120. AE. Ⓢ. ⓞ E VISA. JCB.
Pasto al Rist. ***L'O di Giotto*** *(chiuso lunedì)* carta 40/55000 – **51 cam** ☐ 220/280000, 6 appartamenti – ½ P 190/260000.

sulla strada statale 302 *SO : 15 km :*

XX **Feriolo,** via Faentina 32 ✉ 50032 ✆ 8409928, , « In un edificio del 1300 » – P. AE. Ⓢ ⓞ E VISA.
chiuso martedì e dal 16 agosto al 1° settembre – **Pasto** carta 45/60000.

BORGOSESIA *13011 Vercelli* 988 ②, 428 E 6 – *14 440 ab. alt. 354 – ✆ 0163.*
Roma 665 – Stresa 51 – Biella 45 – Milano 91 – Novara 45 – Torino 107 – Vercelli 51.

La Campagnola, via Varallo 244 (N : 2 km) ✆ 22676, Fax 25448 – |‡| TV ☎ P – 120 AE. Ⓢ. ⓞ E VISA
Pasto *(chiuso venerdì)* carta 35/60000 – ☐ 12000 – **33 cam** 75/90000 – ½ P 75000.

XX **Agnona Tennis,** via Casazza 9, località Agnona ✆ 21849, prenotare, – AE. Ⓢ. ⓞ E VISA.
chiuso mercoledì e dal 15 al 30 agosto – **Pasto** carta 45/60000.

BORGO VERCELLI *13012 Vercelli* 428 F 7 – *2 133 ab. alt. 126 – ✆ 0161.*
Roma 640 – Alessandria 59 – Milano 68 – Novara 15 – Pavia 62.

XX **Osteria Cascina dei Fiori,** regione Forte - Cascina dei Fiori ✆ 32827, Fax 329928 Coperti limitati; prenotare – ▤ P. AE. Ⓢ. E VISA.
chiuso domenica, dal 1° al 15 gennaio e luglio – **Pasto** carta 45/115000
Spec. Carciofi e animelle brasate all'Arneis (inverno). Risotto con le rane disossate e fiori di zucchina (estate). Coda di manzo disossata e stracotta al Barbera (primavera).

BORMIO 23032 Sondrio 988 ④, 428, 429 C 13 – 4 166 ab. alt. 1 225 – Stazione termale: febbraio-8 aprile e Natale – Sport invernali : 1 225/3 012 m 3 11, – 0342.

(15 aprile-1º novembre) 910730, Fax 903790.

via Roma 131/b 903300, Fax 904696.

Roma 763 – Sondrio 64 – Bolzano 123 – Milano 202 – Passo dello Stelvio 20.

Palace Hotel, via Milano 54 903131, Fax 903366, « Piccolo parco », – rist – 110. AE. . E VISA.
chiuso maggio, ottobre e novembre – **Pasto** 45/80000 – 20000 – **70 cam** 250/320000, 12 appartamenti – ½ P 160/245000.

Posta, via Roma 66 904753, Fax 904484, – – 30. AE. . E VISA. rist
dicembre-aprile e 20 giugno-settembre – **Pasto** carta 50/75000 (15 %) – 18000 – **52 cam** 160/240000, 2 appartamenti – ½ P 105/205000.

Rezia, via Milano 9 904721, Fax 905197, – – 45. AE. . E VISA. rist
chiuso maggio e novembre – **Pasto** 40/60000 – **45 cam** 160/260000 – ½ P 140/180000.

Baita dei Pini, via Peccedi 15 904346, Fax 904700, – – 100. AE. . E VISA.
dicembre-20 aprile e 15 giugno-20 settembre – **Pasto** 40/80000 – 15000 – **51 cam** 130/260000 – ½ P 135/205000.

Baita Clementi, via Milano 46 904473, Fax 903649, – . AE. . VISA. rist
dicembre-aprile e giugno-settembre – **Pasto** 30/35000 – 18000 – **40 cam** 110/190000 – ½ P 120/160000.

Alù , via Btg. Morbegno 20 904504, Fax 910444, , – . VISA.
4 dicembre-aprile e luglio-15 settembre – **Pasto** 35/45000 – 15000 – **30 cam** 100/170000 – ½ P 140000.

Larice Bianco, via Funivia 10 904693, Fax 904614, – . AE. . E VISA.
dicembre-Pasqua e giugno-settembre – **Pasto** 45000 – 18000 – **45 cam** 95/170000 – ½ P 85/150000.

Nazionale, via al Forte 28 903361, Fax 905294, – . AE. . E VISA.
dicembre-aprile e giugno-ottobre – **Pasto** 30/50000 – **48 cam** 115/210000 – ½ P 85/160000.

Funivia, via Funivia 34 903242, Fax 905337, – . . VISA. rist
chiuso maggio e novembre – **Pasto** carta 40/60000 – 15000 – **39 cam** 90/170000 – ½ P 70/140000.

Astoria, via Roma 73 910900, Fax 905253 – . AE. . E VISA.
dicembre-aprile e 10 giugno-20 settembre – **Pasto** 25/35000 – 16000 – **44 cam** 85/140000 – ½ P 70/140000.

Silene, via Roma 121 905455, Fax 905311 – .
chiuso maggio e novembre – **Pasto** 25/35000 – 12000 – **15 cam** 80/130000 – ½ P 70/115000.

Vallecetta, via Milano 107 (S : 1 km) 911400, Fax 904334, , « Giardino ombreggiato » – . . E VISA. rist
4 dicembre-29 aprile e 15 giugno-settembre – **Pasto** 30/40000 – 13000 – **38 cam** 85/140000 – ½ P 70/120000.

Genzianella, via Funivie 6 904485, Fax 904158, –
stagionale – **34 cam**

Adele, via Monte Braulio 38 910175, Fax 901526 – . . E VISA.
dicembre-aprile e giugno-ottobre – **Pasto** 25/35000 – 10000 – **31 cam** 70/110000 – ½ P 60/90000.

La Baitina dei Pini senza rist, via Peccedi 26 903022, – .
dicembre-20 aprile e giugno-20 settembre – 20000 – **10 cam** 100/120000.

Taulà, via Dante 6 904771, « Ambiente caratteristico » – AE. . E VISA.
chiuso maggio, novembre e martedì in bassa stagione – **Pasto** carta 55/75000.

Kuerc, piazza Cavour 7 904738, Fax 910787 – AE. . E VISA. JCB
chiuso dal 25 settembre al 25 ottobre e martedì in bassa stagione – **Pasto** carta 50/80000.

Piccolo Mondo via Coltura 18 905054 – . . VISA
chiuso mercoledì e giugno – **Pasto** carta 40/55000.

a Ciuk *SE : 5,5 km o 10 mn di funivia – alt. 1 690 – ✉ 23030 Valdisotto :*

✗ **Baita de Mario** ⛰ con cam, ☎ 901424, Fax 910880, ≤ – ▮ TV ☎ P. ✖ cam
dicembre-25 aprile e luglio-20 settembre – **Pasto** carta 40/50000 – ☕ 12000 – **22 cam** 110000 – ½ P 90/115000.

BORNO *25042 Brescia* 428, 429 E 12 – *2 781 ab. alt. 903 – a.s. febbraio, Pasqua, 14 luglio-18 agosto e Natale – Sport invernali : 903/1 780 m* ≰ 1 ≰ 4, ⛷ – ☎ *0364.*
Roma 634 – Brescia 79 – Bergamo 72 – Bolzano 171 – Milano 117.

✗ **Belvedere** con cam, viale Giardini 30 ☎ 41052 – P. AE. ₿. ⊕ E VISA. ✖ cam
chiuso dal 15 settembre al 15 ottobre – **Pasto** *(chiuso mercoledì)* carta 35/50000 – ☕ 6000 – **24 cam** 45/85000 – ½ P 60/70000.

BORROMEE (Isole) *Verbania* 428 E 7, 219 ⑦ *G. Italia – alt. 200 – a.s. aprile e luglio-15 settembre – ☎ 0323.*
Vedere *Isola Bella★★★ – Isola Madre★★★ – Isola dei Pescatori★★.*
⛴ *per Baveno, Verbania-Pallanza e Stresa giornalieri (da 10 a 30 mn) – Navigazione Lago Maggiore: Isola Bella ☎ 30391 e Isola dei Pescatori ☎ 30392.*

Piante delle Isole : vedere Stresa.

Isola Superiore o dei Pescatori – *✉ 28049 Stresa :*

🏠 **Verbano** ⛰, via Ugo Ara 12 ☎ 30408, Fax 33129, ≤ Isola Bella e lago, servizio motoscafo, « Servizio rist. estivo in terrazza », 🌳 – ☎. AE. ₿. ⊕ E VISA Z
chiuso sino a marzo – **Pasto** *(chiuso mercoledì escluso dal 15 aprile a ottobre)* carta 50/75000 – **12 cam** ☕ 160/230000 – ½ P 160000.

BOSA *Nuoro* 988 ㉝, 433 G 7 – *Vedere Sardegna alla fine dell'elenco alfabetico.*

BOSCO *Perugia – Vedere Perugia.*

BOSCO CHIESANUOVA *37021 Verona* 988 ④, 428, 429 F 15 – *2 981 ab. alt. 1 104 – Sport invernali : 1 104/1 806 m* ≰ 11 – ☎ *045.*
ℹ *piazza della Chiesa 34 ☎ 7050088.*
Roma 534 – Verona 32 – Brescia 101 – Milano 188 – Venezia 145 – Vicenza 82.

🏠 **Lessinia,** piazzetta degli Alpini 2/3 ☎ 6780151, Fax 6780098 – ▮ ☎ 🚗 P. ✖ rist
chiuso dal 1° al 15 giugno e dal 10 al 30 settembre – **Pasto** *(chiuso mercoledì)* carta 30/35000 – ☕ 10000 – **21 cam** 60/90000 – ½ P 50/85000.

BOSCO MARENGO *15062 Alessandria* 428 H 8 – *2 437 ab. alt. 121 – ☎ 0131.*
Roma 565 – Alessandria 18 – Genova 60 – Milano 96.

✗✗ **Pio V,** via Pio V 41 ☎ 299666, Fax 299666, Coperti limitati; prenotare, « Edificio settecentesco con giardino fiorito » – P. AE. ₿. ⊕ E VISA. ✖
chiuso mercoledì e dal 7 al 21 agosto – **Pasto** carta 50/70000.

BOTTANUCO *24040 Bergamo – 4 270 ab. alt. 211 – ☎ 035.*
Roma 597 – Bergamo 21 – Milano 41 – Lecco 45.

🏨 **Cavour,** via Cavour 49 ☎ 907242, Fax 906434 – ▮ ▤ TV ☎ 🚗 P. AE. ₿ ⊕. E VISA ✖ rist
Pasto *(chiuso lunedì)* carta 50/90000 – ☕ 15000 – **12 cam** 100/130000 – ½ P 130000.

BOTTICINO *Brescia* 428, 429 F 12 – *9 621 ab. alt. 160 – ✉ 25080 Botticino Mattina – ☎ 030.*
Roma 560 – Brescia 9 – Milano 103 – Verona 44.

✗ **Eva,** a Botticino Mattina NE : 2,5 km ☎ 2691522 – P. AE. ₿. ⊕ E VISA. ✖
chiuso mercoledì, dal 1° al 18 gennaio e dal 1° al 20 agosto – **Pasto** carta 45/65000.

BOVES *12012 Cuneo* 988 ⑫, 428 J 4 – *8 927 ab. alt. 590 – ☎ 0171.*
⛳18 *Golf Club (aprile-novembre; chiuso mercoledì escluso da giugno a settembre) ☎ 387041, Fax 387512.*
Roma 645 – Cuneo 15 – Milano 225 – Savona 100 – Colle di Tenda 32 – Torino 103.

🏠 **Trieste,** corso Trieste 33 ☎ 380375, Fax 387362, 🌳 – ▮ TV ☎ P. ₿. E VISA. ✖
Pasto *(chiuso lunedì)* carta 35/50000 – ☕ 8500 – **19 cam** 80/100000 – ½ P 75/85000.

a **Fontanelle** *O : 2 km – ✉ 12012 Fontanelle di Boves :*

XX ✿ **Della Pace,** via Santuario 87 ✆ 380398, Fax 387604, Coperti limitati; prenotare – AE. 🅂. ⓓ E VISA. JCB
chiuso domenica sera, lunedì e dal 2 al 18 gennaio – **Pasto** 40/70000 (a mezzogiorno) 50/80000 (alla sera) e carta 55/80000
Spec. Gnocchetti di patate al luppolo e pancetta croccante (primavera). Cappelle di porcini in foglia di vite (estate). Scamone di vitello al Barolo (autunno-inverno).

X **Fontanelle-da Politano** con cam, via Santuario 125 ✆ 380383, Fax 380383, – TV ☎ P. 🅂. ✗ rist
Pasto *(chiuso lunedì sera e martedì)* carta 30/40000 – ☐ 6000 – **14 cam** 40/80000 – ½ P 60/65000.

a **San Giacomo** *S : 6 km – ✉ 12012 San Giacomo di Boves :*

XXX ✿✿ **Al Rododendro,** via San Giacomo 73 ✆ 380372, solo su prenotazione – AE. 🅂. ⓓ E VISA. ✗
chiuso domenica sera, lunedì e dal 15 al 30 giugno – **Pasto** 90/130000 e carta 65/105000
Spec. Terrina di verdure (estate). Maltagliati con le rane (primavera). Filetto di coniglio al rosmarino.

BOVOLONE *37051 Verona* 988 ④, 429 G 15 – *13 117 ab. alt. 24* – ☎ *045.*
Roma 498 – Verona 23 – Ferrara 76 – Mantova 41 – Milano 174 – Padova 74.

🏨 **Sasso,** via San Pierino SE : 3 km ✆ 7100228, Fax 7100433 – |‡| ▤ TV ☎ ⇔ P. AE. 🅂. ⓓ E VISA. ✗
Pasto *(chiuso sabato e dal 2 al 20 gennaio)* 30/50000 – ☐ 12000 – **32 cam** 90/120000 – ½ P 90000.

🏨 **Nuovo Sole,** via Madonna 332 (NO : 2 km) ✆ 6900122, Fax 6900122 – |‡| ▤ TV ☎ P. AE. 🅂. ⓓ E VISA. ✗ cam
Pasto carta 35/45000 – **23 cam** ☐ 90/130000 – ½ P 70/80000.

BOZEN = *Bolzano.*

BRA *12042 Cuneo* 988 ⑫, 428 H 5 – *27 131 ab. alt. 280* – ☎ *0172.*
Roma 648 – Cuneo 47 – Torino 49 – Asti 46 – Milano 170 – Savona 103.

🏨 **Elisabeth,** piazza Giolitti 8 ✆ 422486, Fax 412214 – |‡| TV ☎. AE. 🅂. E VISA. ✗
Pasto carta 30/40000 – ☐ 12000 – **27 cam** 90/130000.

XX **Badellino** con cam, piazza 20 Settembre 3 ✆ 439050, Fax 432231 – TV ☎. AE. 🅂. ⓓ E VISA
chiuso dal 1° al 22 agosto e dal 29 gennaio al 4 febbraio – **Pasto** *(chiuso martedì)* carta 35/55000 – ☐ 5000 – **20 cam** 60/90000 – ½ P 85/90000.

XX **Battaglino,** piazza Roma 18 ✆ 412509, Fax 412874 – AE. 🅂. ⓓ E VISA
chiuso lunedì ed agosto – **Pasto** carta 40/60000.

BRAIES (PRAGS) *Bolzano* 988 ⑤ *G. Italia – 635 ab. alt. 1 383 – ✉ 39030 – ☎ 0474.*
Vedere *Lago***.*
Roma 744 – Cortina d'Ampezzo 47 – Bolzano 106 – Brennero 97 – Milano 405 – Trento 166.

🏨 **Erika,** ✆ 748684, Fax 748755, ≤, ≘ – ⇹ TV ☎ P. AE. 🅂. ⓓ E VISA. ✗ rist
20 dicembre-20 aprile e 15 maggio-2 novembre – **Pasto** carta 35/50000 – ☐ 10000 – **19 cam** 65/120000 – ½ P 60/110000.

BRALLO DI PREGOLA *27050 Pavia* 988 ⑬, 428 H 9 – *1 081 ab. alt. 951* – ☎ *0383.*
Roma 586 – Genova 82 – Piacenza 65 – Milano 110 – Pavia 78 – Varzi 17.

🏨 Normanno, ✆ 550038 – TV ☎ P
25 cam.

BRANZI *24010 Bergamo* 428, 429 D 11 – *791 ab. alt. 874 – a.s. luglio-agosto* – ☎ *0345.*
Roma 650 – Bergamo 48 – Foppolo 9 – Lecco 71 – Milano 91 – San Pellegrino Terme 24.

🏨 **Branzi,** via Umberto I 25 ✆ 71121, Fax 71121 – |‡| ☎ P. VISA. ✗ rist
Pasto *(chiuso martedì)* carta 35/50000 – ☐ 6000 – **24 cam** 50/90000 – ½ P 60/80000.

BRATTO *Bergamo* 428 I 11 – *Vedere Castione della Presolana.*

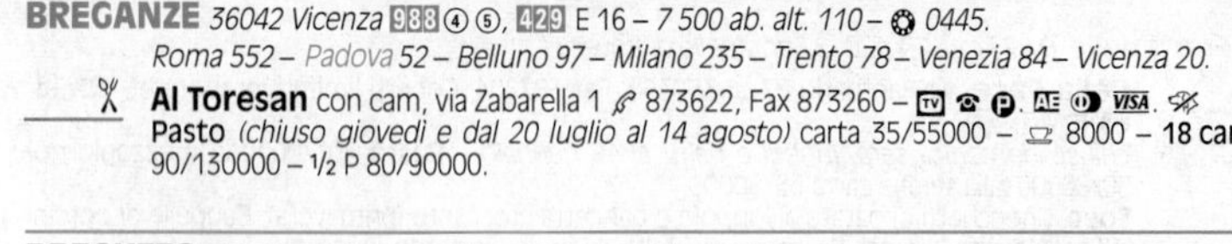

BREGANZE *36042 Vicenza* 988 ④ ⑤, 429 E 16 – *7 500 ab. alt. 110* – ☎ *0445.*

Roma 552 – Padova 52 – Belluno 97 – Milano 235 – Trento 78 – Venezia 84 – Vicenza 20.

Al Toresan con cam, via Zabarella 1 ✆ 873622, Fax 873260 – TV ☎ P. AE ① VISA. ✻
Pasto *(chiuso giovedì e dal 20 luglio al 14 agosto)* carta 35/55000 – ☕ 8000 – **18 cam** 90/130000 – ½ P 80/90000.

BREGUZZO *38081 Trento* 428, 429 D 14 – *566 ab. alt. 798 – a.s. 22 gennaio-19 marzo, Pasqua e Natale* – ☎ *0465.*

Roma 617 – Trento 45 – Bolzano 107 – Brescia 83 – Milano 174.

Carlone, ✆ 901014, Fax 901014 – |‡| ▤ rist TV ☎ P – 🏛 45. 🅂. ✻
chiuso novembre – **Pasto** *(chiuso martedì)* carta 30/50000 – **60 cam** ☕ 85000 – ½ P 70/80000.

BREMBATE *24041 Bergamo* 428 F 10 – *6 587 ab. alt. 173* – ☎ *035.*

Roma 537 – Bergamo 13 – Lecco 44 – Milano 41.

Guglielmotel senza rist, via delle Industrie 1 ✆ 4826248, Fax 4826222 – |‡| ▤ TV ☎ 🚗 P. AE ① E VISA
84 cam ☕ 150/210000.

*Le nuove **guide Verdi turistiche Michelin** offrono :*
- *un testo descrittivo più ricco,*
- *un'informazione pratica più chiara,*
- *piante, schemi e foto a colori.*

... e naturalmente sono delle opere aggiornate costantemente.

Utilizzate sempre l'ultima edizione.

BRENTA (Massiccio del) *Trento* 988 ④, 428, 429 D 14 *G. Italia.*

BRENZONE *37010 Verona* 428, 429 E 14 – *2 371 ab. alt. 75* – ☎ *045.*

🅘 *(15 giugno-15 settembre) via Colombo località Assenza 4* ✆ *7420076.*

Roma 547 – Verona 50 – Brescia 85 – Mantova 86 – Milano 172 – Trento 69 – Venezia 172.

Piccolo Hotel 🐦, via Lavesino 12 ✆ 7420024, Fax 7420688, ≤ – ☎ P. 🅂. E VISA. ✻
Pasto *(chiuso dal 20 novembre al 20 dicembre)* 25/45000 – ☕ 10000 – **22 cam** 60/110000 – ½ P 60/90000.

a Castelletto di Brenzone *SO : 3 km* – ✉ *37010 Brenzone :*

Rabay, via Vespucci 89 ✆ 6599103, Fax 6599103, ⛱, 🏊, 🏖, 🌳 – |‡| ☎ P. ✻ rist
10 marzo-20 ottobre – **Pasto** 30/40000 – ☕ 20000 – **37 cam** 90/150000 – ½ P 100/120000.

Alla Fassa, via Nascimbeni 13 ✆ 7430319, Fax 7430319, ⛱ – P. AE. 🅂. E VISA. ✻
chiuso martedì e dal 6 gennaio a febbraio – **Pasto** carta 35/50000.

BRESCIA *25100* P 988 ④, 428, 429 F 12 *G. Italia* – *190 208 ab. alt. 149* – ☎ *030.*

Vedere *Piazza della Loggia★* **BY 9** *-Duomo Vecchio★* **BY** – *Pinacoteca Tosio Martinengo★* **CZ** – *Via dei Musei★* **CY** – *Museo romano★ costruito sulle rovine di un tempio Capitolino★* **CY** – *Croce di Desiderio★★ nel monastero★ di San Salvatore e Santa Giulia* **CY** – *Chiesa di San Francesco★* **AY** – *Facciata★ della chiesa di Santa Maria dei Miracoli* **AYZ A** – *Incoronazione della Vergine★ nella chiesa dei SS. Nazaro e Celso* **AZ** – *Annunciazione★ e Deposizione dalla Croce★ nella chiesa di Sant'Alessandro* **BZ** – *Interno★, polittico★ e affresco★ nella chiesa di Sant'Agata* **BY.**

🏌 18 e 🏌 9 *Franciacorta (chiuso martedì escluso da giugno ad agosto) località Castagnola* ✉ *25040 Corte Franca* ✆ *984167, Fax 984393, per* ⑤ *: 20 km.*

🅘 *corso Zanardelli 34* ✉ *25121* ✆ *43418, Fax 293284.*

A.C.I. *via 25 Aprile 16* ✉ *25123* ✆ *37461.*

Roma 535 ④ – *Milano 93* ⑤ – *Verona 66* ②.

Pianta pagine seguenti

Vittoria, via delle 10 Giornate 20 ✉ 25121 ✆ 280061, Fax 280065 – |‡| ▤ TV ☎ ♿ – 🏛 200. AE. 🅂. ① E VISA. ✻ rist **BY**
Pasto *(chiuso domenica ed agosto)* carta 65/100000 – **65 cam** ☕ 300/400000.

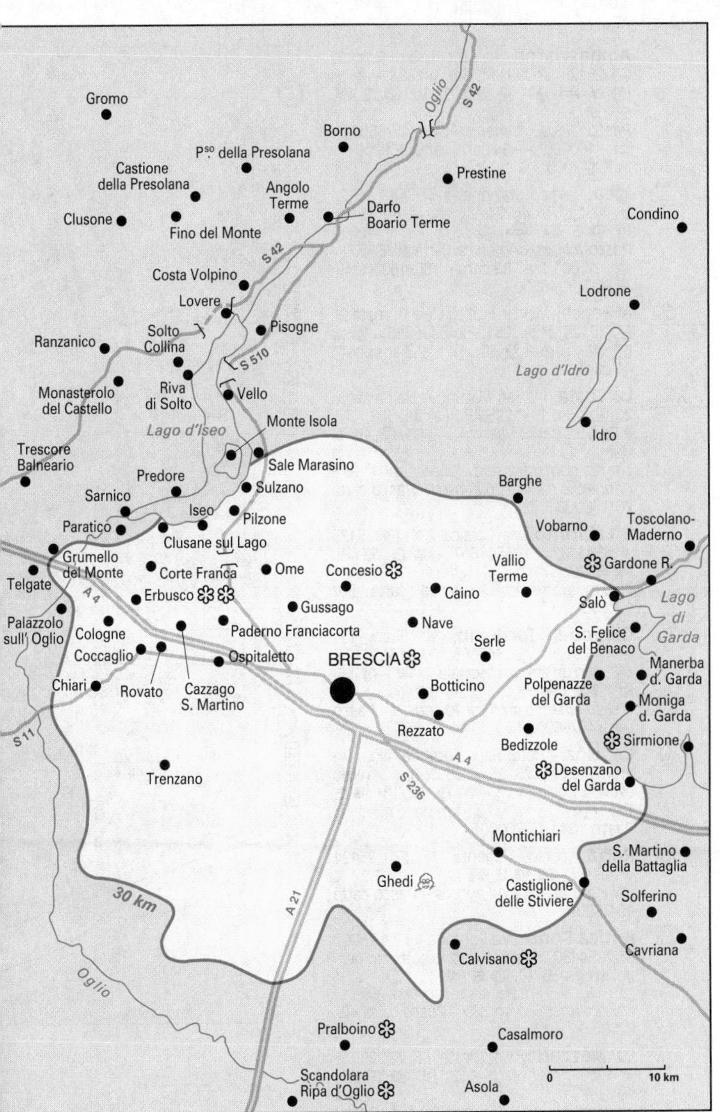

Park Hotel Ca' Nöa, via Triumplina 66 ✉ 25060 ☎ 398762, Fax 398764, ⛩, 🏊 – |‡| ▤ TV ☎ ♿ 🚗 P – 🏛 300. AE. 🅢. ⓓ E VISA. JCB 2,5 km per ①
Pasto vedere rist ***Ca' Nöa*** – ☕ 14000 – **79 cam** 140/200000 – 1/2 P 130/150000.

Novotel Brescia 2, via Pietro Nenni 22 ✉ 25124 ☎ 2425858, Telex 300024, Fax 2425959, 🏊 – |‡| ⊁ cam ▤ TV ☎ ♿ 🚗 P – 🏛 180. AE. 🅢. ⓓ E VISA. ⊁ rist
Pasto carta 40/65000 – **120 cam** ☕ 170/220000 – 1/2 P 215000. per via C. Zima **CZ**

Radisson SAS Hotel, via Europa 45 ✉ 25060 ☎ 2091824, Fax 2009741 – |‡| ▤ TV ☎ 🚗 P – 🏛 180. AE. 🅢. ⓓ E VISA. ⊁ rist 2,5 km per via Lombroso **CY**
Pasto *(chiuso domenica)* carta 55/85000 – **107 cam** ☕ 135/185000, 19 appartamenti – 1/2 P 150/185000.

Ambasciatori, via Crocifissa di Rosa 92 ✉ 25128 ☏ 399114, Fax 381883 – |‡| ▤ TV ☎ ⇔ P – ⚲ 200. AE. Ⓢ. ◑ E VISA. ✗ rist CY
Pasto *(chiuso domenica)* carta 45/65000 – ☕ 16000 – **64 cam** 110/160000 – 1/2 P 140000.

Igea, viale Stazione 15 ✉ 25122 ☏ 44221, Fax 44224 – |‡| ▤ rist TV ☎. AE. Ⓢ. ◑ E VISA. JCB. ✗ AZ a
Pasto *(chiuso domenica)* carta 30/60000 – ☕ 12000 – **85 cam** 100/160000 – 1/2 P 135/140000.

Ai Ronchi-Motor Hotel, viale Bornata 22 ✉ 25123 ☏ 362061, Fax 3366315 – |‡| ▤ TV ☎ ⇔ P – ⚲ 50 2,5 km per ②
44 cam

La Sosta, via San Martino della Battaglia 20 ✉ 25121 ☏ 295603, Fax 292589, ☂, « Edificio del 17° secolo » – AE. Ⓢ. ◑ E VISA BZ n
chiuso domenica sera, lunedì, dal 1° all'8 gennaio e dal 4 al 26 agosto – **Pasto** carta 70/130000.

Il Labirinto, via Corsica 224 ✉ 25125 ☏ 3541607, Fax 3541607 – ▤ P. AE. Ⓢ. ◑ E VISA. ✗ AZ
chiuso domenica – **Pasto** carta 50/100000.

Olimpo-il Torricino, via Fura 131 ✉ 25125 ☏ 347565, Fax 3533175, ☂, « In un antico cascinale », ⚘ – P. AE. Ⓢ. ◑ E VISA per ⑤
chiuso lunedì e dal 1° al 20 agosto – **Pasto** carta 40/60000.

Ca' Nöa - Hotel Park Hotel Ca' Nöa, via Branze 61 ✉ 25123 ☏ 381528, « Servizio estivo in giardino » – ▤ P. AE. Ⓢ. ◑ E VISA. JCB 2,5 km per ①
Pasto carta 45/70000.

Raffa, corso Magenta 15 ✉ 25121 ☏ 49037 – AE ◑ E VISA BZ c
chiuso domenica ed agosto – **Pasto** carta 40/70000.

Antica Fonte, via Fontane 45 ✉ 25060 ☏ 2004480, « Servizio estivo sotto un pergolato » – AE. Ⓢ. ◑ E VISA 2,5 km per via Lombroso CY
chiuso lunedì ed agosto – **Pasto** carta 40/60000.

La Mezzeria, via Trieste 66 ✉ 25121 ☏ 40306, prenotare – AE. Ⓢ. ◑ E VISA. ✗ CZ a
chiuso domenica, luglio ed agosto – **Pasto** carta 35/60000.

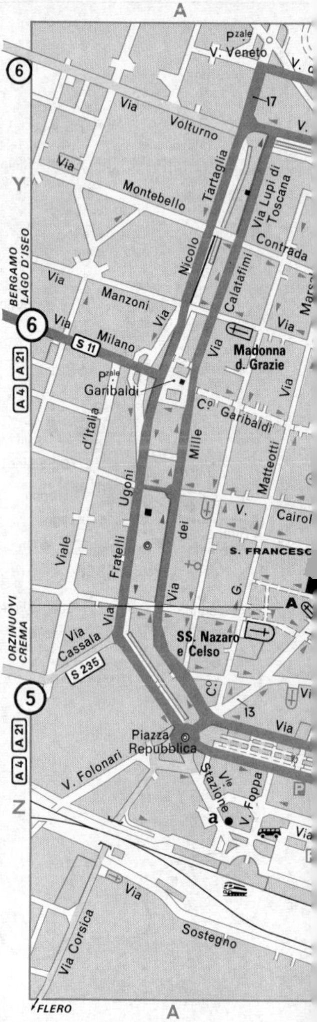

La Campagnola, via Val Daone 25 ✉ 25123 ☏ 300678, ☂ – P. ✗
chiuso lunedì sera, martedì ed agosto – **Pasto** carta 40/55000. 2 km per via Lombroso CY

Nuovo Nando, via Amba d'Oro 119 ✉ 25123 ☏ 364288, ≤, « Servizio estivo in terrazza » – P. AE ◑ VISA per ②
chiuso giovedì – **Pasto** carta 40/60000.

Sant'Eufemia della Fonte *per ② : 2 km* – ✉ *25135* :

Capri senza rist, viale Sant'Eufemia 37 ☏ 3761069, Fax 3761079 – ▤ TV ☎ P. AE. Ⓢ. ◑ E VISA
chiuso dal 20 luglio al 5 agosto – ☕ 13000 – **22 cam** 75/130000.

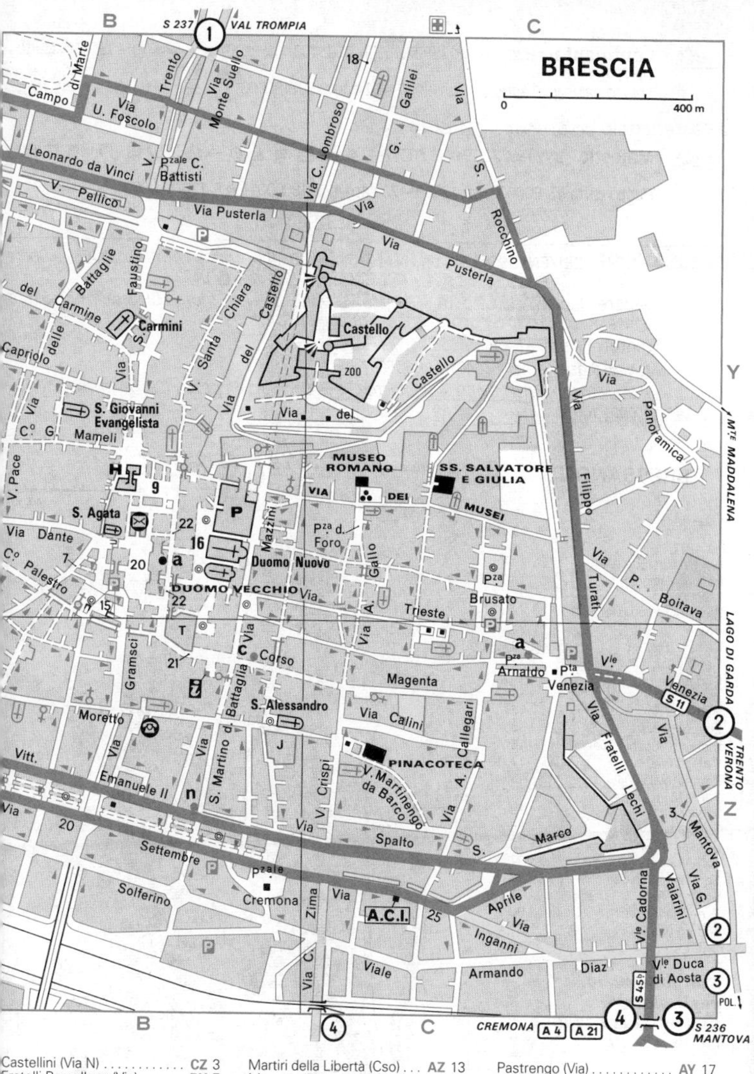

Castellini (Via N)	CZ 3	Martiri della Libertà (Cso)	AZ 13	Pastrengo (Via)	AY 17
Fratelli Porcellaga (Via)	BY 7	Mercato (Piazza del)	BY 15	S. Crocifissa di Rosa (Via)	CY 18
Loggia (Piazza della)	BY 9	Paolo VI (Piazza)	BY 16	Vittoria (Piazza)	BY 20

XXX ✿ **La Piazzetta,** via Indipendenza 87/c ✆ 362668, Fax 362668, Coperti limitati; prenotare – ▤. AE. ⑤. ◑ E. ✂
chiuso sabato a mezzogiorno, domenica, dal 1° al 7 gennaio e dal 5 al 26 agosto – **Pasto** specialità di mare carta 40/65000
Spec. Polpo al vapore con olio di Lucca e passata di patate. Linguine con scampi e zucchine. Rombo chiodato al forno con asparagi, buccia di limone patate croccanti.

XX **Hosteria,** via 28 Marzo 2/A ✆ 360605, Coperti limitati; prenotare – AE. ⑤. ◑ E VISA
chiuso martedì e dal 1° al 29 agosto – **Pasto** carta 45/65000.

a Roncadelle *per ⑤ : 7 km* – ✉ *25030* :

President, ✆ 2584444, Fax 2780260 – ⫼ ▤ TV ☎ ♿ 🚗 Ⓟ – 🏛 500. AE. ⑤. ◑ E VISA. ✂
Pasto *(chiuso domenica)* carta 50/75000 – **104 cam** ☕ 125/230000 – P 220/250000.

Continental senza rist, ℘ 2582721, Fax 2583108 – 110. AE. 🅂 ⓞ E VISA. ✻
chiuso dal 5 al 18 agosto – ☕ 15000 – **52 cam** 150/180000.

a Castenedolo *per ③ : 7 km : – ✉ 25014 :*

Majestic, ℘ 2130222, Fax 2130077 – 250. AE. 🅂. ⓞ E VISA ✻
Pasto carta 45/60000 – ☕ 12000 – **70 cam** 120/180000 – ½ P 120/130000.

BRESSANONE (BRIXEN) *39042 Bolzano* 988 ④ ⑤, 429 B 16 *G. Italia – 17 610 ab. alt. 559 – Spor invernali : a La Plose-Plancios : 1 900/2 502 m ⛷1 ⛷8, ⛷ – ⛳ 0472.*

Vedere *Duomo : chiostro*★ **A** – *Palazzo Vescovile: cortile*★, *museo Diocesano*★, *scultur lignee*★★, *pale scolpite*★, *collezione di presepi*★, *tesoro*★.

Dintorni *Plose*★★★ : ※★★★ *SE per via Plose.*

🅘 *viale Stazione 9 ℘ 836401, Fax 836067.*

Roma 681 ② – Bolzano 40 ② – Brennero 43 ① – Cortina d'Ampezzo 109 ② – Milano 336 ② – Trento 100 ②.

BRESSANONE

Portici Maggiori	22
Portici Minori	23
Angelo Custode (Via)	2
Bastioni Maggiori (Via)	3
Bastioni Minori (Via)	4
Bruno (Via G.)	8
Duomo (Piazza)	10
Fienili (Via)	12
Guggenberg (Via Otto V.)	13
Hartwig (Via)	14
Lungo Rienza	15
Mercato Vecchio (Via)	16
Platsch (Via)	17
Ponte Aquila (Via)	18
Ponte Widmann (Via)	19
Rio Bianco (Via)	25
Roncato (Via)	26
San Albuino (Via)	27
Seminario (Via del)	28
Stufles (Via)	29
Torre Bianca (Via)	30
Tratten (Via)	31

Non fate rumore negli alberghi: i vicini vi saranno riconoscenti.

Ne faites pas de bruit à l'hôtel, vos voisins vous en sauront gré.

Elefante, via Rio Bianco 4 ℘ 832750, Fax 836579, « Costruzione del 16° secolo con arredamento antico; giardino con ⛱ riscaldata », – ▤ rist – 50. AE ⓞ E VISA. ✻ rist a
Natale-7 gennaio e marzo-10 novembre – **Pasto** *(chiuso lunedì escluso dal 30 luglio a 10 novembre)* carta 60/90000 – ☕ 25000 – **44 cam** 120/240000 – ½ P 185/210000.

Dominik ⛰, via Terzo di Sotto 13 ℘ 830144, Fax 836554, ≤, « Servizio rist. estivo sotto un pergolato », – . AE. 🅂. ⓞ E VISA. ✻ rist b
7 dicembre-5 gennaio e 15 marzo-2 novembre – **Pasto** *(chiuso martedì escluso agosto-settembre)* carta 60/95000 – **29 cam** ☕ 170/340000 – ½ P 180/260000.

Temlhof, via Elvas 76 836658, Fax 835539, monti e città, « Giardino con ; raccolta di attrezzi agricoli e mobili antichi », . – . AE. . E VISA. rist v
chiuso dal 10 novembre al 20 dicembre – **Pasto** *(chiuso martedì e a mezzogiorno escluso luglio-agosto;* solo su prenotazione*)* carta 55/80000 – **48 cam** 135/300000, 4 appartamenti – 1/2 P 110/150000.

Grüner Baum, via Stufles 11 832732, Fax 832607, « Giardino con riscaldata », , – rist – 100. AE. . E VISA. rist e
chiuso dal 10 novembre al 13 dicembre – **Pasto** carta 30/50000 – 20000 – **80 cam** 110/180000 – 1/2 P 95/170000.

Corona d'Oro-Goldene Krone, via Fienili 4 835154, Fax 835014, – . . E VISA. rist d
chiuso dal 15 al 25 dicembre e dal 6 al 20 gennaio – **Pasto** *(chiuso lunedì e da ottobre a marzo anche domenica sera)* carta 35/55000 – **30 cam** 110/180000, 2 appartamenti – 1/2 P 90/120000.

Senoner-Unterdrittel, lungo Rienza 22 832525, Fax 832436, , – . AE. . E VISA r
Pasto *(chiuso da novembre al 20 dicembre)* carta 40/65000 – **22 cam** 95/170000 – 1/2 P 145000.

Sole-Sonne senza rist, via Sant'Erardo 8 836271, Fax 837347 – . AE. . E VISA n
chiuso dal 7 gennaio a febbraio – **16 cam** 100/160000.

Jarolim, piazza Stazione 1 836230, Fax 833155, « Giardino ombreggiato con » – . AE. . E VISA. rist f
Pasto *(chiuso giovedì)* carta 40/50000 – 15000 – **35 cam** 80/130000 – 1/2 P 80/110000.

Oste Scuro-Finsterwirt, vicolo del Duomo 3 835343, Fax 835624, « Ambiente tipico tirolese con arredamento antico » – AE. . E VISA. m
chiuso domenica sera, lunedì, dal 10 gennaio al 5 febbraio e dal 20 giugno al 6 luglio – **Pasto** carta 40/70000.

Fink, via Portici Minori 4 834883, Fax 835268 – . AE. . E VISA. JCB n
chiuso martedì sera (escluso da luglio ad ottobre), mercoledì e dal 1º al 18 luglio – **Pasto** carta 40/70000.

ad Elvas *NE : 4 km – alt. 814 – 39042 Bressanone :*

Hofstatt, 835420, Fax 836249, – . . E VISA. rist
chiuso da novembre al 26 dicembre – **Pasto** (solo per alloggiati) – **18 cam** 55/100000 – 1/2 P 65/70000.

a Cleran (Klerant) *S : 5 km – alt. 856 – 39040 Sant'Andrea in Monte :*

Fischer, Cleran 196 852075, Fax 852060, Bressanone e valle d'Isarco, – . . E VISA
chiuso novembre – **Pasto** *(chiuso lunedì)* carta 40/55000 – **23 cam** 75/140000 – 1/2 P 65/100000.

BREUIL-CERVINIA

BREUIL-CERVINIA *11021 Aosta* 988 ②, 428 E 4 *G. Italia – alt. 2 050 – a.s. 27 marzo-10 aprile, agosto e Natale – Sport invernali : 2 050/3 480 m 7 19, (anche sci estivo) – 0166.*
Vedere *Località★★.*
Cervino (luglio-15 settembre) 949131, Fax 949131 o (011) 5818432, Fax 5818432.
via Carrel 29 949136, Fax 949731.
Roma 749 – Aosta 55 – Biella 104 – Milano 187 – Torino 116 – Vercelli 122.

Hermitage, strada Cristallo 948998, Fax 949032, Cervino e Grandes Murailles, , , , – cam – 40. AE. . E VISA.
dicembre-1º maggio e 8 luglio-7 settembre – **Pasto** 70/100000 – 35000 – **32 cam** 500/600000, 7 appartamenti – 1/2 P 260/350000.

Europa, via Pellissier 2 948660, Fax 949650, Cervino e Grandes Murailles, , – – 50. AE. . E VISA. JCB.
novembre-10 maggio e luglio-20 settembre – **Pasto** 35/45000 – 25000 – **61 cam** 180/280000, 6 appartamenti – 1/2 P 110/220000.

Excelsior-Planet, piazzale Planet 1 949426, Fax 948827, Cervino e Grandes Murailles, – . AE. . E VISA. JCB.
novembre-aprile e luglio-agosto – **Pasto** *(chiuso mercoledì)* 40/55000 – 25000 – **21 cam** 160/170000, 25 appartamenti 160/265000 – 1/2 P 120/195000.

Bucaneve, piazza Jumeaux 10 949119, Fax 948308, Cervino e Grandes Murailles, , , – . AE. . E VISA. rist
15 novembre-aprile e luglio-15 settembre – **Pasto** carta 50/75000 – 20000 – **23 cam** 120/240000, 5 appartamenti – 1/2 P 120/280000.

Punta Maquignaz, piazza Guide Maquignaz ✆ 949145, Fax 948055, ≤ Cervino e Grandes Murailles, – TV ☎ P. AE. 🄱. ⓞ E VISA.
dicembre-aprile e luglio-settembre – **Pasto** al Rist. ***Ymeletrob*** *(chiuso lunedì in bassa stagione)* carta 45/105000 – **32 cam** 200/380000 – ½ P 135/250000.

Mignon, via Carrel 50 ✆ 949344, Fax 949687 – TV ☎. 🄱. E VISA.
novembre-14 maggio e luglio-14 settembre – **Pasto** (solo per alloggiati) 35/45000 – **20 cam** 130/260000 – ½ P 100/155000.

Jumeaux senza rist, piazza Jumeaux 8 ✆ 949044, Fax 949886, ≤ Cervino – TV ☎ P. AE. 🄱. E VISA.
novembre-aprile e luglio-settembre – **29 cam** 130/200000, appartamento.

Breithorn, via Guido Rey ✆ 949042, Fax 948363, ≤ Cervino e Grandes Murailles – ☎ P. AE. 🄱. E VISA. rist
dicembre-15 maggio e luglio-25 settembre – **Pasto** carta 35/45000 – 15000 – **24 cam** 80/150000 – ½ P 85/125000.

Il Capriccio, via A. Gorret 1 ✆ 949060, Coperti limitati; prenotare – AE. 🄱. E VISA. JCB
novembre-4 maggio e 4 luglio-agosto; chiuso lunedì e martedì a mezzogiorno – **Pasto** carta 60/120000.

Cime Bianche con cam, località La Vieille ✆ 949046, Fax 949046, ≤ Cervino e Grandes Murailles, prenotare, « Ambiente tipico » – TV ☎ P. 🄱. VISA.
chiuso dal 15 maggio al 10 luglio – **Pasto** *(chiuso dal 15 settembre ad ottobre e lunedì in bassa stagione)* carta 45/80000 – 15000 – **15 cam** 80/160000 – ½ P 125/135000.

Maison de Saussure, via Carrel 4 ✆ 948259, prenotare –. 🄱. E VISA
chiuso lunedì, dal 10 maggio al 10 giugno e dal 15 settembre al 20 ottobre – **Pasto** cucina tipica valdostana carta 50/70000.

sulla strada regionale 46 :

Chalet Valdôtain, via Lac Blue 2 (SO : 1,4 km) ✉ 11021 ✆ 949428, Fax 948874, ≤ Cervino e Grandes Murailles, – TV ☎ P. AE. 🄱. E VISA.
dicembre-aprile e giugno-settembre – **Pasto** carta 45/75000 – 25000 – **35 cam** 140/250000 – ½ P 125/230000.

Les Neiges d'Antan, Cret de Perreres 10 (SO : 4 km) ✉ 11021 ✆ 948775, Fax 948852, ≤ Cervino e Grandes Murailles – TV ☎ P. AE. 🄱. E VISA. rist
6 dicembre-12 maggio e 28 giugno-15 settembre – **Pasto** carta 50/100000 – **28 cam** 170/210000 – ½ P 95/150000.

Lac Bleu, località Lago Blu SO : 1 km ✉ 11021 ✆ 949103, Fax 949902, ≤ monti e Cervino, – ☎ P. rist
3 dicembre-aprile e luglio-25 settembre – **Pasto** *(chiuso lunedì)* carta 40/60000 – 15000 – **20 cam** 65/120000 – ½ P 85/110000.

BRIAGLIA *12080 Cuneo 428 I 5 – 289 ab. alt. 557 – ☎ 0174.*

Roma 608 – Cuneo 31 – Savona 68 – Torino 80.

Marsupino, piazza Serra 20 ✆ 563888, prenotare – 🄱. ⓞ E VISA.
chiuso mercoledì e dall'8 al 31 gennaio – **Pasto** carta 25/50000.

BRINDISI *72100 P 988 ㉚, 431 F 35 G. Italia – 95 027 ab. – a.s. 18 luglio-settembre – ☎ 0831.*

Vedere *Colonna romana★ (termine della via Appia)* Y **A.**

di Papola-Casale per ④ : 6 km ✆ 418963, Fax 413231 – Alitalia, corso Garibaldi 53 ✆ 529091, Fax 560241.

✆ 521975.

piazza Dionisi ✆ 521944.

A.C.I. *via Aldo Moro 61 ✆ 583053.*

Roma 563 ④ – Bari 113 ④ – Napoli 375 ④ – Taranto 72 ③.

Pianta pagina a lato

Orientale M senza rist, corso Garibaldi 40 ✆ 568451, Fax 568460 – TV ☎ P – 140. AE. 🄱. ⓞ E VISA. JCB. Y c
50 cam 150/220000.

Majestic, corso Umberto I 151 ✆ 222941, Telex 813378, Fax 524071 – TV ☎ P – 80 Z a
68 cam

Mediterraneo, viale Aldo Moro 70 ✆ 582811, Fax 587858 – TV ☎ – 40. AE. 🄱. ⓞ E VISA. rist X h
Pasto (solo per alloggiati) – **65 cam** 135/190000 – ½ P 120/175000.

BRINDISI

ıribaldi (Corso) . . . . Y
ıberto I (Corso) . . . . . . YZ

ıalfi (Via) . . . . V 2
ıena (Via) . . . . Y 3
ınunziata (Via) . . . . Y 4
ılsamo (Via G.) . . . . X 6
ıtolo (Via) . . . . Z 8
ıgni (Via Amm.) . . . . V 9
ıppellini (Via) . . . . Z 10
ıciriello (Via E.) . . . . V 12
ıttadella (Via) . . . . Y 13
ıolonne (Via) . . . . Y 15
ıommenda (Viale) . . . . X 16
ıe Marco (Via C.) . . . . Z 17
ıuca degli Abruzzi (Vle) . . V 19
ımperatore Augusto (V.) . . X 22
Maddalena (Vle Umberto) V 23
Madonna della Neve (V.) . Y 25
Madonna della Scala (V.) . . Z 26
Magaldi (Via Nicola) . . . . . V 27
Maria Ausiliatrice (Via) . . . X 29
Matteotti (Piazza) . . . . Y 30
Mecenate (Via) . . . . X 31
Montenegro (Via) . . . . Y 33
Osanna (Via) . . . . VXZ 34
Pace Brindisina (Via) . . . . . X 35
Pozzo Traiano (Via) . . . . Y 38
Regina Margherita (Lungomare) . . . . Y 39
Ruggero di Flores (Via) . . . V 41
S. Dionisio (Via) . . . . Y 42
S. Barbara (Via) . . . . Y 43
S. Giovanni Bosco (Via) . . X 44
S. Margherita (Via) . . . . Y 45
Santi (Via) . . . . Y 46
Sauro (Via Nazario) . . . . . . Z 47
Tarantini (Via) . . . . Y 49
Tirolo (Via) . . . . X 51
Tunisi (Via) . . . . Y 53

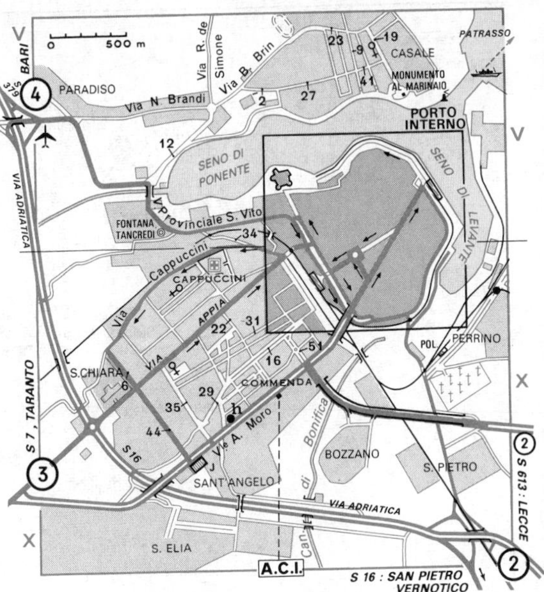

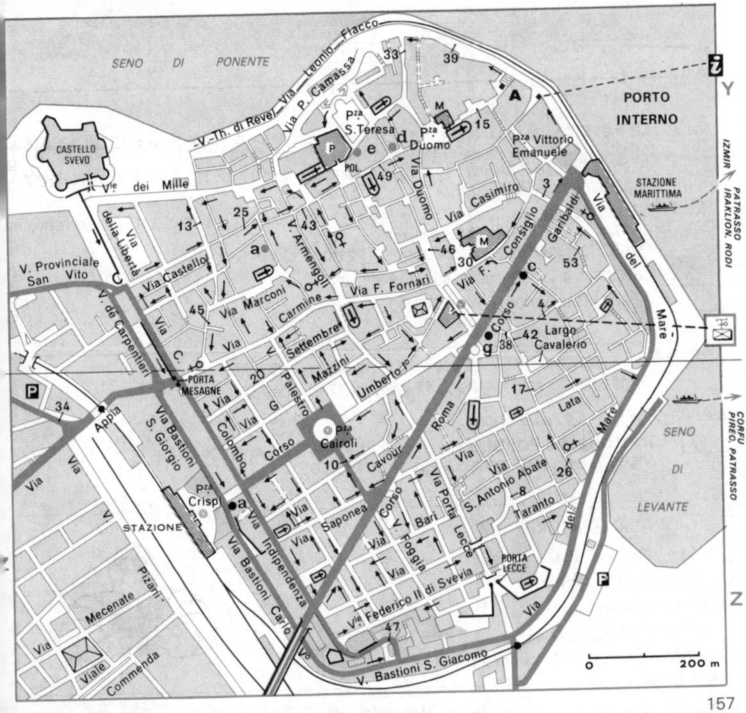

SENO DI PONENTE
CASTELLO SVEVO
PORTO INTERNO
Pza S.Teresa
Pza Duomo
Pza Vittorio Emanuele
STAZIONE MARITTIMA
IZMIR PATRASSO IRAKLION, RODI
Via del Mare
Largo Cavalerio
Corso Garibaldi
Corso Umberto I
Pza Cairoli
PORTA MESAGNE
Pza Crispi
STAZIONE
PORTA LECCE
CORFU PIREO, PATRASSO
SENO DI LEVANTE
V. Bastioni S. Giacomo
200 m

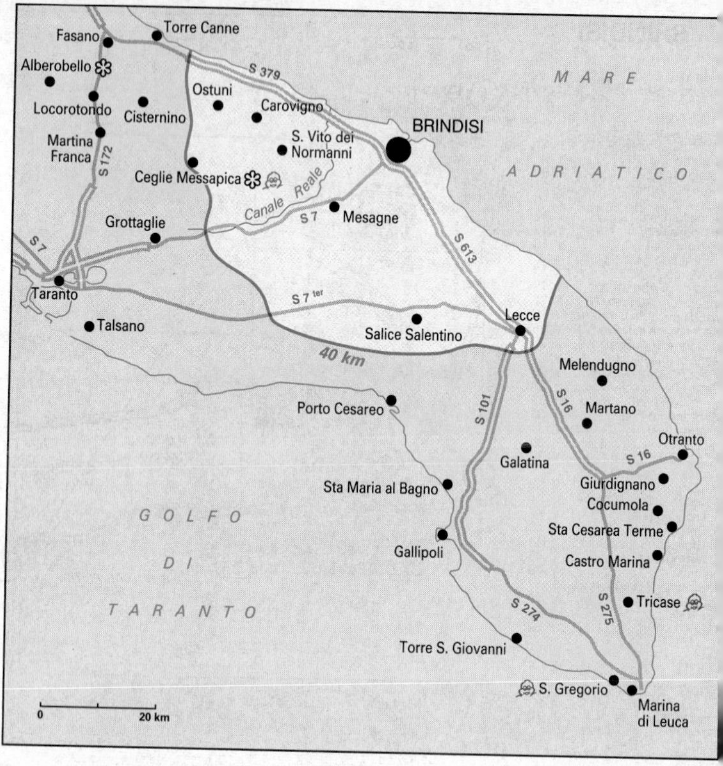

La Rosetta, via San Dionisio 2 ✆ 590461, Fax 563110 – AE. 🅂. ⓓ E VISA. ✻ rist — Y g

Pasto al Rist. ***Le Privè*** *(chiuso domenica)* carta 35/55000 – ☕ 15000 – **40 cam** 120/180000, appartamento – ½ P 170000.

La Lanterna, via Tarantini 14 ✆ 564026, « In un antico palazzo con servizio estivo in giardino » – AE. 🅂. ⓓ E VISA. JCB — Y d

chiuso domenica e dal 10 al 30 agosto – **Pasto** carta 45/70000.

Cascipò, via San Benedetto 45/47 ✆ 528348 — Y a

Il Cantinone, via De Leo 4 ✆ 562122 — Y e

BRIONA *28072 Novara* 428 *F 7,* 219 ⑯ *– 1 115 ab. alt. 216 – ✪ 0321.*

Roma 636 – Stresa 51 – Milano 63 – Novara 17 – Vercelli 32.

a Proh *SE : 5 km – ✉ 28072 Briona :*

Trattoria del Ponte, via per Oleggio 1 ✆ 826282 – Ⓟ. ✻
chiuso lunedì sera e martedì – **Pasto** carta 35/60000.

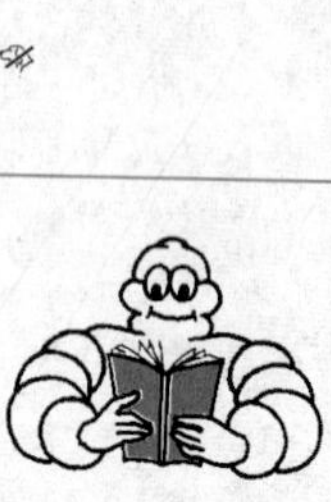

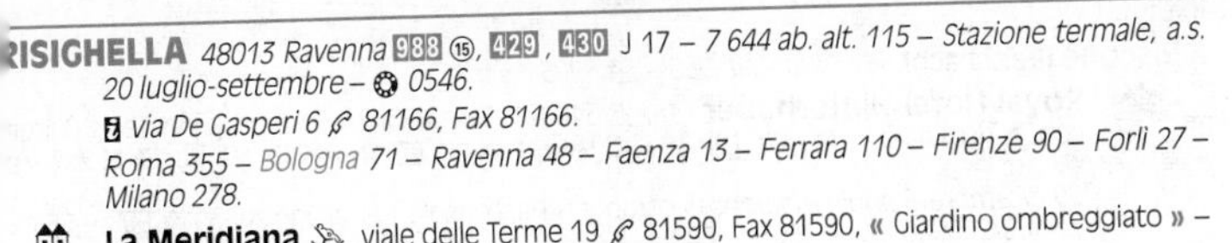

BRISIGHELLA *48013 Ravenna* 988 ⑮, 429, 430 J 17 – *7 644 ab. alt. 115 – Stazione termale, a.s. 20 luglio-settembre* – *0546.*

via De Gasperi 6 ☎ 81166, Fax 81166.

Roma 355 – Bologna *71* – *Ravenna 48* – *Faenza 13* – *Ferrara 110* – *Firenze 90* – *Forlì 27* – *Milano 278.*

La Meridiana, viale delle Terme 19 ☎ 81590, Fax 81590, « Giardino ombreggiato » – 50. AE. 🅂. E VISA. rist *20 aprile-20 ottobre* – **Pasto** *(giugno-settembre; solo per alloggiati)* – 10000 – **56 cam** 95/135000.

Terme, viale delle Terme 37 ☎ 81144, Fax 81144, ←, « Giardino ombreggiato », – AE. 🅂. E VISA. rist *maggio-15 ottobre* – **Pasto** carta 30/40000 – **57 cam** 100/130000 – 1/2 P 70/85000.

Gigiolè con cam, piazza Carducci 5 ☎ 81209, Fax 81209, prenotare – AE. 🅂. E VISA *chiuso dal 16 febbraio al 15 marzo* – **Pasto** *(chiuso lunedì)* carta 65/75000 – **6 cam** 150/180000 – 1/2 P 150000
Spec. Terrina di coniglio all'olio di Brisighella. "Guanti" alle verdure e ricotta (estate). Sella di castrato con gnocchi e verdure.

La Grotta, via Metelli 1 ☎ 81829, prenotare – AE. 🅂. E VISA. JCB. *chiuso martedì e dal 7 al 30 gennaio* – **Pasto** 35/70000 bc.

La Rocca con cam, via Delle Volte 10 ☎ 81180, Fax 80289 – AE. 🅂. E VISA. *chiuso dall'8 gennaio al 23 febbraio* – **Pasto** carta 40/60000 – **18 cam** 65/100000.

Cavina *SO : 8 km* – ✉ *48013 Brisighella :*

Torre Pratesi, ☎ 84545, Fax 84558, ← monti e vallata, « In una torre di guardia medioevale », – AE. 🅂. E VISA. JCB **Pasto** *(chiuso martedì)* 50/60000 bc – **4 cam** 150/200000, 3 appartamenti 250000 – 1/2 P 150/170000.

La Strada Casale *SO : 8 km* – ✉ *48010 Fognano :*

Strada Casale, via Statale 22 ☎ 88054, prenotare – AE. 🅂. E VISA. JCB *chiuso mercoledì e dal 10 al 31 gennaio* – **Pasto** carta 30/50000.

BRIXEN = *Bressanone.*

BRONI *27043 Pavia* 988 ⑮, 428 G 9 – *9 876 ab. alt. 88* – *0385.*

Roma 548 – Piacenza *37* – *Alessandria 62* – *Milano 58* – *Pavia 20.*

sulla strada statale 10 *NE : 2 km :*

Liros, quartiere Piave 104 ✉ 27043 ☎ 51007, Fax 52000 – 120. AE. 🅂. E VISA. JCB **Pasto** *(chiuso lunedì e dal 1° all'8 gennaio)* carta 45/65000 – 7000 – **22 cam** 75/90000.

BRUNECK = *Brunico.*

BRUNICO (BRUNECK) *39031 Bolzano* 988 ⑤, 429 B 17 G. Italia – *12 955 ab. alt. 835 – Sport invernali : Plan de Corones : 835/2 273 m 11 21,* – *0474.*

Vedere *Museo etnografico★ di Teodone.*

via Europa 24 ☎ 555722, Fax 555544.

Roma 715 – Cortina d'Ampezzo *59* – *Bolzano 77* – *Brennero 68* – *Dobbiaco 28* – *Milano 369* – *Trento 137.*

Andreas Hofer, via Campo Tures 1 ☎ 551469, Fax 551283, – 🅂. E VISA. rist *chiuso dal 10 al 24 dicembre e dal 10 aprile al 1° maggio* – **Pasto** *(chiuso sabato)* carta 30/50000 – **54 cam** 90/160000 – 1/2 P 90/115000.

a San Giorgio (St. Georgen) *N : 2 km* – *alt. 823* – ✉ *39031 :*

Gissbach, via Gissbach 27 ☎ 551173, Fax 550714, – rist *dicembre-Pasqua e giugno-ottobre* – **Pasto** carta 40/65000 – **24 cam** 220/235000 – 1/2 P 125/135000.

a Riscone (Reischach) *SE : 3 km – alt. 960 – ✉ 39031 :*

Royal Hotel Hinterhuber ⑤, ☎ 548221, Fax 548048, ≤ monti e pinete, « Giardino con ⚓ riscaldata », ₺, ≘s, ⊠, ✗ – ▯ ⇔ rist ≡ rist ▣ ☎ ⇐ ℗. AE. ⑤. ⊙ E VISA. JCB ✽ rist
20 dicembre-6 aprile e giugno-5 ottobre – **Pasto** (solo per alloggiati) 30/40000 – **55 cam** ☐ 160/280000 – ½ P 150/190000.

Rudolf, ☎ 570570, Fax 550806, ≤, ₺, ≘s, ⊠ – ▯ ▣ ☎ ⇐ ℗. AE. ⑤. ⊙ E VISA. ✽ rist
Pasto *(chiuso novembre)* carta 40/70000 – **37 cam** ☐ 225/300000 – P 115/180000.

Majestic ⑤, ☎ 410993, Fax 550821, ≤, ≘s, ⚓ riscaldata, ⛱ – ▯ ▣ ☎ ℗. ✽ rist
dicembre-6 aprile e giugno-12 ottobre – **Pasto** (solo per alloggiati e *chiuso lunedì*) 25/35000 – **33 cam** ☐ 105/190000 – ½ P 85/115000.

Heinz, ☎ 548163, Fax 20031, ≘s, ⛱ – ▯ ▣ ☎ ⇐ ℗. ⑤. E VISA. ✽ cam
dicembre-20 aprile e luglio-settembre – **Pasto** carta 30/50000 – **10 cam** ☐ 105/140000 – ½ P 110000.

BRUSIMPIANO

21050 Varese 428 E 8, 219 ⑧ – *1 033 ab. alt. 290* – ☎ *0332.*
Roma 638 – Como 41 – Lugano 19 – Milano 70 – Varese 18.

XX **La Vecchia Valigia**, via Repubblica 2 ☎ 934593, ⛱ – ≡. ⑤. E VISA
chiuso novembre e a mezzogiorno dal 15 ottobre al 15 marzo (escluso sabato-domenica) – **Pasto** carta 45/80000.

BRUSSON

11022 Aosta 988 ②, 428 E 5 – *894 ab. alt. 1 331 – a.s. Pasqua, febbraio, marzo e Natale – Sport invernali : 1 331/2 714 m* ≰4, ⛷ – ☎ *0125.*
ℹ *piazza Municipio 1* ☎ *300240, Fax 300691.*
Roma 726 – Aosta 53 – Ivrea 51 – Milano 164 – Torino 93.

Laghetto, località Diga ☎ 300179, Fax 300613, ≤ – ☎ ℗
chiuso da novembre al 7 dicembre – **Pasto** *(chiuso mercoledì)* carta 35/45000 – ☐ 15000 – **18 cam** 50/80000 – P 80/90000.

BUCCINASCO

20090 Milano 428 F 9, 219 ⑲ – *23 448 ab. alt. 112* – ☎ *02.*
Roma 575 – Milano 13 – Alessandria 88 – Novara 63 – Pavia 30 – Vigevano 36.

XX **Molin de la Paja**, via Petrarca 23 ☎ 4406231, ⛱ – ℗. AE. ⑤. ⊙ E VISA. JCB
chiuso domenica sera, lunedì ed agosto – **Pasto** carta 40/65000.

BUCINE

52021 Arezzo 988 ⑮, 430 L 16 – *9 055 ab. alt. 249* – ☎ *055.*
Roma 215 – Firenze 58 – Siena 41 – Arezzo 30.

XX **Le Antiche Sere**, a Sogna SE : 3 km da Ambra ✉ 52020 Ambra ☎ 998149, Coperti limitati; prenotare, « Borgo medioevale » – ≡ ℗. ⊙ VISA
chiuso a mezzogiorno (escluso sabato e domenica) e martedì – **Pasto** carta 65/105000.

BUDONI

Nuoro 433 E 11 – *Vedere Sardegna alla fine dell'elenco alfabetico.*

BUDRIO

40054 Bologna 988 ⑮, 428, 429, 430 I 16 – *14 824 ab. alt. 25* – ☎ *051.*
Roma 401 – Bologna 22 – Ferrara 46 – Ravenna 66.

XX **Elle 70**, via Garibaldi 10 ☎ 801678, Coperti limitati; prenotare – AE. ⑤. ⊙ E VISA. ✽
chiuso domenica, dal 1° al 5 gennaio ed agosto – **Pasto** carta 40/55000.

BUDRIO

Reggio nell'Emilia – Vedere Correggio.

BULLA (PUFELS)

Bolzano – Vedere Ortisei.

BURAGO DI MOLGORA

20040 Milano 428 F 10, 219 ⑲ – *4 260 ab. alt. 182* – ☎ *039.*
Roma 591 – Milano 22 – Bergamo 37 – Lecco 33 – Monza 9.

Brianteo, via Martin Luther King 3/5 ☎ 6082118, Fax 6084338 – ▯ ≡ ▣ ☎ ℗ – 🔺 60. AE. ⑤. ⊙ E VISA. JCB. ✽
chiuso dal 23 dicembre al 3 gennaio e dal 1° al 24 agosto – **Pasto** *(chiuso domenica)* carta 45/70000 – ☐ 12000 – **50 cam** 115/175000, 2 appartamenti – ½ P 150/165000.

BURANO *Venezia – Vedere Venezia.*

BURGUSIO (BURGEIS) *Bolzano* [428] B 13, [218] ⑧ – *Vedere Malles Venosta.*

BUSCATE *20010 Milano* [428] F 8, [219] ⑰ – *4 318 ab. alt. 177 –* ☎ *0331.*

Roma 611 – Milano 38 – Gallarate 15 – Novara 21.

🍴🍴 **Scià on Martin** con cam, viale 2 Giugno 1 ☎ 670112, Fax 670093, prenotare – ▤ cam [TV] ☎ [P]. [AE]. [S]. E VISA. JCB. ✈
chiuso Natale ed agosto – **Pasto** *(chiuso sabato a mezzogiorno e domenica)* carta 45/70000 – **12 cam** ☕ 110/150000, appartamento – ½ P 165000.

BUSNAGO *20040 Milano* [428] F 10, [219] ⑳ – *4 086 ab. alt. 210 –* ☎ *039.*

Roma 594 – Bergamo 22 – Milano 36 – Brescia 68 – Piacenza 95.

🏠 Pianura Inn, viale Lombardia 20 ☎ 6957412, Fax 6959025, ⛲ – |‡| [TV] ☎ [P] – 🎤 150
20 cam

BUSSANA *Imperia – Vedere San Remo.*

BUSSETO *43011 Parma* [988] ⑭, [428], [429] H 12 – *6 928 ab. alt. 39 –* ☎ *0524.*

[i] piazza Verdi 10 ☎ 92487.

Roma 490 – Parma 35 – Piacenza 32 – Bologna 128 – Cremona 25 – Fidenza 15 – Milano 93.

🍴🍴 **Ugo,** via Mozart 3 ☎ 92307, Fax 91811, Coperti limitati; prenotare – ▤. [S]. E VISA
chiuso lunedì, martedì, dal 5 al 25 gennaio e dal 5 al 25 luglio – **Pasto** carta 40/60000.

a Frescarolo *E : 3 km – ✉ 43011 Busseto :*

🍴 **Vernizzi,** ☎ 92423, « Ambiente tipico » – [P].
✈
chiuso martedì, dal 24 dicembre al 7 gennaio, luglio ed agosto – **Pasto** carta 30/40000.

a Samboseto *E : 8 km – alt. 37 – ✉ 43011 Busseto :*

🍴🍴 **Vecchia Samboseto,** ☎ 90136, Fax 90234 – [P]. [AE]. [S]. ⓓ E VISA. ✈
chiuso domenica sera, lunedì e dal 15 luglio al 15 agosto – **Pasto** specialità di mare carta 45/85000 (5 %).

BUSSOLENGO *37012 Verona* [988] ④, [428], [429] F 14 – *15 095 ab. alt. 127 –* ☎ *045.*

Roma 504 – Verona 13 – Garda 20 – Mantova 43 – Milano 150 – Trento 87 – Venezia 128.

🏨 **Montresor Hotel Concorde** [M] senza rist, via Mantegna 30 ☎ 6761000, Fax 6762777 – |‡| ⇔ cam ▤ [TV] ☎ ♿ 🚗 [P] – 🎤 500. [AE]. [S]. ⓓ E VISA. JCB. ✈
144 cam ☕ 230/250000.

🏨 **Krystal** senza rist, via Dante Alighieri 8 ☎ 6700433, Fax 6700447 – |‡| ▤ [TV] ☎ 🚗 [P]. [AE]. [S]. ⓓ E VISA. ✈
60 cam ☕ 150/180000.

sulla strada statale 11 *S : 3 km :*

🏨 **Crocioni Hotel Rizzi** senza rist, località Crocioni 46 a/b ✉ 37012 ☎ 6700200, Fax 6767490 – |‡| ▤ [TV] ☎ 🚗 [P] – 🎤 40. [AE]. [S]. ⓓ E VISA. ✈
chiuso dal 22 dicembre al 10 gennaio – **54 cam** ☕ 115/145000.

BUSTO ARSIZIO *21052 Varese* [988] ③, [428] F 8 – *77 427 ab. alt. 224 –* ☎ *0331.*

⛳18 *Le Robinie (chiuso martedì) via per Busto Arsizio ✉ 21058 Solbiate Olona ☎ 329260, Fax 329266.*

Roma 611 – Milano 35 – Stresa 52 – Como 40 – Novara 30 – Varese 27.

Pineta, via Sempione 150 (N : 2 km) ✆ 381220 e rist ✆ 685343, Fax 381220, – |‡| ▤ ☎ Ⓟ – 200. AE. ⓢ. ⓞ E VISA
Pasto al Rist. ***Mosaico*** *(chiuso domenica e lunedì a mezzogiorno)* carta 35/60000 – **58 cam** 200/250000.

Astoria, viale Duca d'Aosta 14 ✆ 636422, Fax 679610 – ▤ TV ☎ – 200. AE. ⓢ. VISA. rist
Pasto al Rist. ***Da Moreno*** *(chiuso sabato ed agosto)* carta 50/80000 (15 %) – 10000 – **47 cam** 125/170000.

Casa Radice, via Roma 8 ✆ 620454 – ▤. ⓢ. E VISA.
chiuso domenica ed agosto – **Pasto** carta 60/80000 (10 %).

BUTTRIO *33042 Udine* 429 D 21 – *3 662 ab. alt. 79* – ✆ *0432.*
Roma 641 – Udine 12 – Gorizia 26 – Milano 381 – Trieste 57.

Locanda alle Officine, via Nazionale 46/48 (SE : 1 km) ✆ 673304, Fax 673408 – |‡| ▤ TV ☎ Ⓟ – 50. AE. ⓢ. ⓞ E VISA. rist
Pasto *(chiuso domenica)* carta 35/55000 – **30 cam** 120/180000 – P 160/190000.

Trattoria al Parco, ✆ 674025, « Servizio estivo in giardino » – Ⓟ. AE VISA
chiuso martedì sera, mercoledì, dal 2 al 10 gennaio e dal 10 al 25 agosto – **Pasto** carta 35/50000.

CABRAS *Oristano* 988 ㉝, 433 H 7 – *Vedere Sardegna alla fine dell'elenco alfabetico.*

CACCAMO *Palermo* 988 ㊱, 432 N 22 – *Vedere Sicilia alla fine dell'elenco alfabetico.*

CADEO *29010 Piacenza* 428, 429 H 11 – *5 407 ab. alt. 67* – ✆ *0523.*
Roma 501 – Piacenza 15 – Cremona 34 – Milano 76 – Parma 46.

Lanterna Rossa con cam, località Saliceto NE : 4 km ✆ 509774, Fax 500563, , – TV ☎ Ⓟ. AE. ⓢ. E VISA.
chiuso dal 1° al 10 gennaio ed agosto – **Pasto** *(chiuso lunedì sera e martedì)* carta 45/70000 – 8000 – **7 cam** 80/120000 – ½ P 95/105000.

CAERANO DI SAN MARCO *31031 Treviso* 429 E 17 – *6 773 ab. alt. 123* – ✆ *0423.*
Roma 548 – Padova 50 – Belluno 59 – Milano 253 – Trento 109 – Treviso 26 – Venezia 57 – Vicenza 48.

Europa senza rist, via Don Sturzo 17 ✆ 650341, Fax 650397 – |‡| ▤ TV ☎ . AE. ⓢ. ⓞ E VISA.
10000 – **24 cam** 80/115000.

CAFRAGNA *Parma* 428, 429, 430 H 12 – *Vedere Collecchio.*

CAGLIARI P 988 ㉝, 433 J 9 – *Vedere Sardegna alla fine dell'elenco alfabetico.*

CAINO *25070 Brescia* 428, 429 F 12 – *1 416 ab. alt. 398* – ✆ *030.*
Roma 539 – Brescia 15 – Bergamo 62 – Milano 110.

sulla strada statale 237 *E : 3 km :*

Il Miramonti, ✉ 25070 ✆ 6830023 – Ⓟ

CAIRO MONTENOTTE *17014 Savona* 988 ⑫, 428 E 4 – *13 745 ab. alt. 320* – ✆ *019.*
Roma 566 – Genova 72 – Alba 69 – Cuneo 76 – Imperia 81 – Savona 25.

La Bruschetta, corso Dante 114 ✆ 504023, prenotare – ▤. AE. ⓢ. ⓞ E VISA.
chiuso lunedì, dal 10 al 25 gennaio e dal 15 al 30 agosto – **Pasto** carta 30/45000.

CALA GINEPRO *Nuoro – Vedere Sardegna (Orosei) alla fine dell'elenco alfabetico.*

CALA GONONE *Nuoro* 988 ㉞, 433 G 10 – *Vedere Sardegna (Dorgali) alla fine dell'elenco alfabetico.*

CALALZO DI CADORE *32042 Belluno* 429 C 19 – *2 447 ab. alt. 806 – ☎ 0435.*

ℰ 32300 – ℹ bivio Stazione 9 ℰ 32348, Fax 32349.

Roma 646 – Cortina d'Ampezzo 34 – Belluno 45 – Milano 388 – Venezia 135.

Ferrovia, bivio Stazione ℰ 500705, Fax 500384, – ℰ 60. AE. ⑤. VISA.

Pasto *(chiuso domenica)* carta 30/45000 – ☐ 10000 – **36 cam** 100/140000, 3 appartamenti – P 130000.

Calalzo, bivio Stazione ℰ 32248, Fax 33600, – . AE. ⑤. ⓓ E VISA

chiuso dal 25 ottobre al 15 novembre – **Pasto** *(chiuso venerdì)* carta 30/45000 – ☐ 10000 – **45 cam** 90/140000 – ½ P 80/120000.

CALAMANDRANA *14042 Asti* 428 H 7 – *1 492 ab. alt. 314 – ☎ 0141.*

Roma 599 – Alessandria 38 – Genova 98 – Asti 35 – Milano 130 – Torino 95.

Doc, via Canelli 102, località Borgo San Vito ℰ 718066 – . AE. ⑤. ⓓ E VISA. JCB

Pasto *(chiuso domenica)* 35/40000 – ☐ 18000 – **7 cam** 110/160000.

Violetta, valle San Giovanni 1 (N : 2,5 km) ℰ 75151, prenotare – .

chiuso domenica sera, mercoledì e gennaio – **Pasto** carta 35/60000.

CALASETTA *Cagliari* 988 ㉝, 433 J 7 – *Vedere Sardegna alla fine dell'elenco alfabetico.*

CALAVINO *38072 Trento – 1 218 ab. alt. 409 – a.s. Pasqua e Natale – ☎ 0461.*

Roma 605 – Trento 15 – Bolzano 77 – Brescia 100.

Da Cipriano, via Graziadei 13 ℰ 564720, – . ⑤.

chiuso a mezzogiorno, mercoledì e dal 20 giugno al 10 luglio – **Pasto** carta 30/50000.

CALCERANICA AL LAGO *38050 Trento* 429 D 15 – *1 120 ab. alt. 463 – a.s. Pasqua e Natale – ☎ 0461 – ℹ (giugno-settembre) ℰ 723301.*

Roma 606 – Trento 18 – Belluno 95 – Bolzano 75 – Milano 260 – Venezia 147.

Micamada, via San Pietro 3 ℰ 723328, Fax 723349, – . rist

aprile-settembre – **Pasto** carta 35/50000 – **18 cam** ☐ 65/120000 – ½ P 65/75000.

CALCINAIA *Firenze* 428, 429 K 13 – *Vedere Lastra a Signa.*

CALDARO SULLA STRADA DEL VINO **(KALTERN AN DER WEINSTRASSE)** *39052 Bolzano* 988 ④, 429 C 15 – *6 573 ab. alt. 426 – ☎ 0471.*

ℹ piazza Principale 8 ℰ 963169, Fax 963469.

Roma 635 – Bolzano 15 – Merano 37 – Milano 292 – Trento 53.

Kartheiner, via Trucci 22 ℰ 963240, Fax 963145, – . ⑤. E VISA. rist

Pasto carta 50/75000 – **48 cam** ☐ 120/220000 – ½ P 110/150000.

Cavallino Bianco-Weisses Rössl, piazza Principale 11 ℰ 963137, Fax 964069 –

marzo-novembre – **Pasto** *(chiuso mercoledì)* 30000 – **20 cam** ☐ 70/130000.

Stella d'Oro-Goldener Stern, via Hofer 28 ℰ 963153, Fax 964232, – . ⑤. E VISA

aprile-ottobre – **Pasto** *(chiuso lunedì)* carta 30/45000 – **30 cam** ☐ 75/120000 – ½ P 70/80000.

Ritterhof, strada del Vino 1 ✉ 39052 ℰ 963330 – . AE. ⑤. ⓓ E VISA.

chiuso domenica sera, lunedì e dal 10 luglio al 10 agosto – **Pasto** carta 55/110000.

al lago *S : 5 km :*

Seehof-Ambach , ✉ 39052 ℰ 960098, Fax 960099, ←, , « Pregevole architettura moderna in riva al lago », – . rist

aprile-2 novembre – **Pasto** carta 45/70000 – **29 cam** ☐ 140/260000 – ½ P 110/190000.

Seeleiten, strada del Vino 30 ✉ 39052 ℰ 960200, Fax 960064, ←, – . AE. rist

aprile-15 novembre – **Pasto** carta 45/60000 – **38 cam** ☐ 130/240000 – ½ P 110/170000.

Seegarten, ✉ 39052 ℰ 960260, Fax 960066, ←, « Servizio rist. estivo in terrazza », –

aprile-ottobre – **Pasto** *(chiuso mercoledì)* carta 35/55000 – **22 cam** ☐ 80/160000 – ½ P 95/105000.

Seeberg senza rist, ✉ 39052 ℰ 960038, ←, –

aprile-ottobre – **16 cam** ☐ 60/120000.

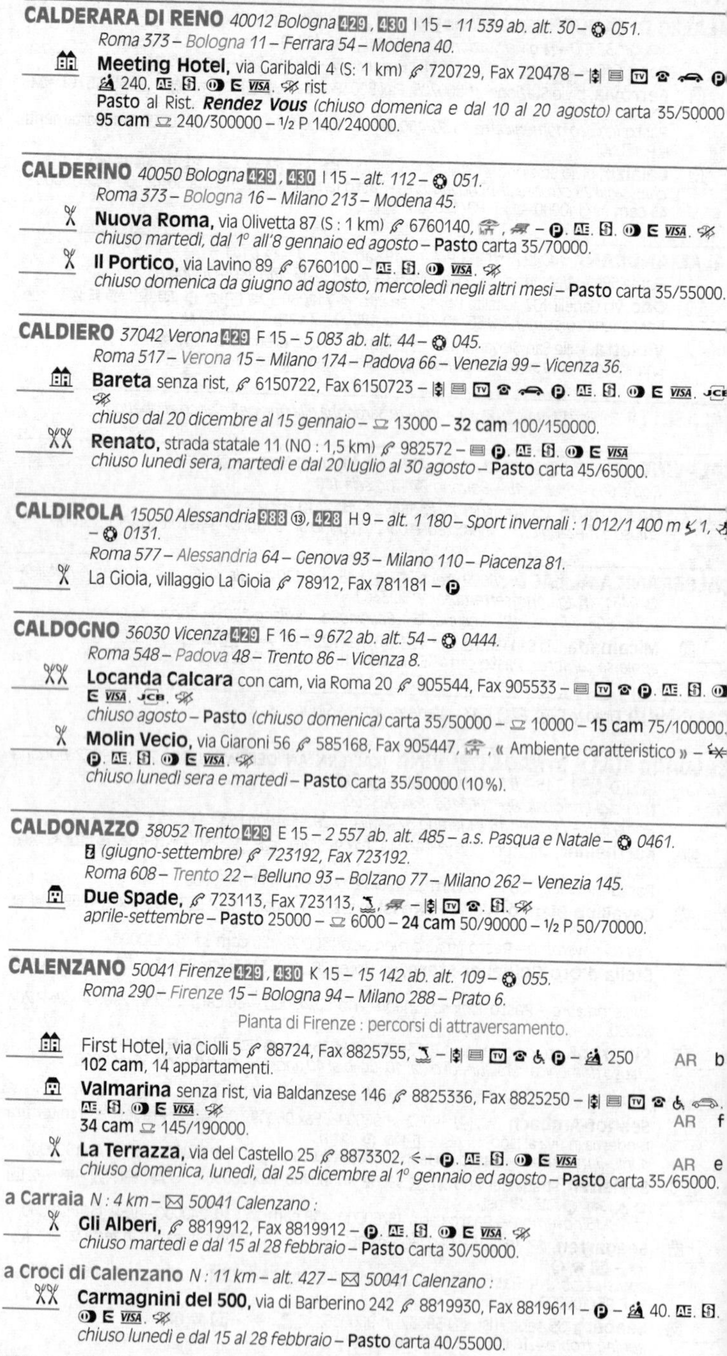

CALDERARA DI RENO *40012 Bologna* 429, 430 *I 15 – 11 539 ab. alt. 30 – ☎ 051.*
Roma 373 – Bologna 11 – Ferrara 54 – Modena 40.

Meeting Hotel, via Garibaldi 4 (S: 1 km) ☎ 720729, Fax 720478 – 240. AE. Ⓢ. VISA. rist
Pasto al Rist. ***Rendez Vous*** *(chiuso domenica e dal 10 al 20 agosto)* carta 35/50000
95 cam 240/300000 – ½ P 140/240000.

CALDERINO *40050 Bologna* 429, 430 *I 15 – alt. 112 – ☎ 051.*
Roma 373 – Bologna 16 – Milano 213 – Modena 45.

Nuova Roma, via Olivetta 87 (S : 1 km) ☎ 6760140, – AE. Ⓢ. VISA.
chiuso martedì, dal 1º all'8 gennaio ed agosto – **Pasto** carta 35/70000.

Il Portico, via Lavino 89 ☎ 6760100 – AE. Ⓢ. VISA.
chiuso domenica da giugno ad agosto, mercoledì negli altri mesi – **Pasto** carta 35/55000.

CALDIERO *37042 Verona* 429 *F 15 – 5 083 ab. alt. 44 – ☎ 045.*
Roma 517 – Verona 15 – Milano 174 – Padova 66 – Venezia 99 – Vicenza 36.

Bareta senza rist, ☎ 6150722, Fax 6150723 – AE. Ⓢ. VISA. JCB
chiuso dal 20 dicembre al 15 gennaio – 13000 – **32 cam** 100/150000.

Renato, strada statale 11 (NO : 1,5 km) ☎ 982572 – AE. Ⓢ. VISA
chiuso lunedì sera, martedì e dal 20 luglio al 30 agosto – **Pasto** carta 45/65000.

CALDIROLA *15050 Alessandria* 988 ⑬, 428 *H 9 – alt. 1 180 – Sport invernali : 1 012/1 400 m* 1, – *☎ 0131.*
Roma 577 – Alessandria 64 – Genova 93 – Milano 110 – Piacenza 81.

La Gioia, villaggio La Gioia ☎ 78912, Fax 781181 –

CALDOGNO *36030 Vicenza* 429 *F 16 – 9 672 ab. alt. 54 – ☎ 0444.*
Roma 548 – Padova 48 – Trento 86 – Vicenza 8.

Locanda Calcara con cam, via Roma 20 ☎ 905544, Fax 905533 – AE. Ⓢ. VISA. JCB.
chiuso agosto – **Pasto** *(chiuso domenica)* carta 35/50000 – 10000 – **15 cam** 75/100000.

Molin Vecio, via Giaroni 56 ☎ 585168, Fax 905447, « Ambiente caratteristico » – AE. Ⓢ. VISA.
chiuso lunedì sera e martedì – **Pasto** carta 35/50000 (10 %).

CALDONAZZO *38052 Trento* 429 *E 15 – 2 557 ab. alt. 485 – a.s. Pasqua e Natale – ☎ 0461.*
(giugno-settembre) ☎ *723192, Fax 723192.*
Roma 608 – Trento 22 – Belluno 93 – Bolzano 77 – Milano 262 – Venezia 145.

Due Spade, ☎ 723113, Fax 723113, – Ⓢ.
aprile-settembre – **Pasto** 25000 – 6000 – **24 cam** 50/90000 – ½ P 50/70000.

CALENZANO *50041 Firenze* 429, 430 *K 15 – 15 142 ab. alt. 109 – ☎ 055.*
Roma 290 – Firenze 15 – Bologna 94 – Milano 288 – Prato 6.

Pianta di Firenze : percorsi di attraversamento.

First Hotel, via Ciolli 5 ☎ 88724, Fax 8825755, – 250 AR b
102 cam, 14 appartamenti.

Valmarina senza rist, via Baldanzese 146 ☎ 8825336, Fax 8825250 – AE. Ⓢ. VISA.
34 cam 145/190000. AR f

La Terrazza, via del Castello 25 ☎ 8873302, – AE. Ⓢ. VISA AR e
chiuso domenica, lunedì, dal 25 dicembre al 1º gennaio ed agosto – **Pasto** carta 35/65000.

a Carraia *N : 4 km – ✉ 50041 Calenzano :*

Gli Alberi, ☎ 8819912, Fax 8819912 – AE. Ⓢ. VISA.
chiuso martedì e dal 15 al 28 febbraio – **Pasto** carta 30/50000.

a Croci di Calenzano *N : 11 km – alt. 427 – ✉ 50041 Calenzano :*

Carmagnini del 500, via di Barberino 242 ☎ 8819930, Fax 8819611 – 40. AE. Ⓢ. VISA.
chiuso lunedì e dal 15 al 28 febbraio – **Pasto** carta 40/55000.

ALIZZANO *17020 Savona* 988 ⑫, 428 J 6 – *1 611 ab. alt. 660* – ☎ *019.*
Roma 588 – Genova 94 – Alba 75 – Cuneo 69 – Imperia 70 – Savona 49.

Villa Elia ⛰, via Valle 26 ☎ 79619, Fax 79633, ⊞ – 🛗 📺 ☎ 🅿. AE. 🅢. ⓓ E VISA. ✻
maggio-ottobre – **Pasto** carta 35/50000 – ☕ 8000 – **35 cam** 65/95000 – ½ P 75/90000.

Miramonti, via 5 Martiri 6 ☎ 79604, Fax 79796, ⊞ – 📺 ☎. AE. 🅢. ⓓ E VISA. ✻ cam
chiuso da dicembre a febbraio – **Pasto** *(chiuso lunedì escluso da giugno a settembre)* carta 25/45000 – **37 cam** ☕ 60/100000 – ½ P 70/75000.

CALLIANO *38060 Trento* 429 E 15 – *975 ab. alt. 186 – a.s. dicembre-aprile* – ☎ *0464.*
Roma 570 – Trento 17 – Milano 225 – Riva del Garda 31 – Rovereto 9.

Aquila, via 3 Novembre 11 ☎ 834566, Fax 834110, « Giardino con 🏊 » – 🛗 ▤ rist ☎. AE. 🅢. ⓓ E VISA. ✻ rist
Pasto *(chiuso domenica)* carta 35/45000 – ☕ 9000 – **47 cam** 80/140000 – ½ P 95000.

CALOLZIOCORTE *24032 Lecco* 988 ③, 428 E 10 – *14 347 ab. alt. 237* – ☎ *0341.*
Roma 616 – Bergamo 28 – Como 36 – Lecco 7 – Milano 47.

Lavello, S : 1 km ☎ 641088, Fax 641088, ≤, « Servizio estivo in giardino ombreggiato in riva all'Adda » – 🅿. AE. 🅢. ⓓ E VISA. ✻
chiuso martedì sera, mercoledì e dal 2 al 31 gennaio – **Pasto** carta 40/60000.

CALOSSO *14052 Asti* 428 H 6 – *1 337 ab. alt. 399* – ☎ *0141.*
Roma 636 – Alessandria 48 – Asti 24 – Genova 112 – Milano 142 – Torino 84.

Da Elsa, frazione San Bovo 4 (E : 1 km) ☎ 853142 – 🅿
chiuso la sera da domenica a mercoledì – **Pasto** 30/45000.

CALTAGIRONE *Catania* 988 ㊱ ㊲, 432 P 25 – *Vedere Sicilia alla fine dell'elenco alfabetico.*

CALTANISSETTA P 988 ㊱, 432 O 24 – *Vedere Sicilia alla fine dell'elenco alfabetico.*

CALTIGNAGA *28010 Novara* 219 ⑰ – *2 226 ab. alt. 179* – ☎ *0321.*
Roma 633 – Stresa 53 – Milano 59 – Novara 8,5 – Torino 99.

Cravero con cam, via Novara 8 ☎ 652696, Fax 652697, ⊞ – ▤ 📺 ☎ 🚗 🅿. AE. 🅢. E VISA. ✻
chiuso dal 1° al 15 gennaio ed agosto – **Pasto** *(chiuso lunedì sera e martedì)* carta 40/65000 – ☕ 15000 – **12 cam** 75/95000 – ½ P 70/100000.

CALUSO *10014 Torino* 988 ⑫, 428 G 5 – *7 329 ab. alt. 303* – ☎ *011.*
Roma 678 – Torino 32 – Aosta 88 – Milano 121 – Novara 75.

Gardenia, corso Torino 9 ☎ 9833297, 🏠, Coperti limitati; prenotare – 🅿. AE. 🅢. ⓓ E VISA
chiuso giovedì, venerdì a mezzogiorno e dal 25 luglio al 25 agosto – **Pasto** carta 40/65000.

CALVISANO *25012 Brescia* 428, 429 F 13 – *6 947 ab. alt. 63* – ☎ *030.*
Roma 523 – Brescia 27 – Cremona 44 – Mantova 55 – Milano 117 – Verona 66.

Al Gambero, ☎ 968009, Fax 9968161, Coperti limitati; prenotare – ▤. 🅢. ⓓ E VISA. ✻
chiuso mercoledì, il 24 dicembre, dal 7 al 10 gennaio ed agosto – **Pasto** 45000 bc (solo a mezzogiorno dei giorni feriali) e carta 50/85000
Spec. Petto d'anatra fresco e affumicato con carpaccio di fegato (primavera -estate). Risotto con asparagi e crema di formaggi. Costata di manzo in salsa pepata con mostarda di frutta (autunno-inverno).

Fiamma Cremisi, località Viadana N : 2 km ☎ 9686300, prenotare – 🅿. ✻
chiuso lunedì sera, martedì, dal 1° all'8 gennaio ed agosto – **Pasto** carta 40/60000.

CAMAIORE *55041 Lucca* [988] ⑭, [428], [429], [430] K 12 *G. Toscana – 30 855 ab. alt. 47 – a.s. Carnevale, Pasqua, 15 giugno-15 settembre e Natale –* ✆ *0584.*
Roma 376 – Pisa 29 – Livorno 51 – Lucca 18 – La Spezia 59.

🍴🍴 **Emilio e Bona,** località Lombrici 22 (N : 3 km) ℘ 989289, « Vecchio frantoio in riva ad un torrente » – 🅿. [AE]. [S]. ◐ E [VISA]. [JCB]. 🚫
chiuso gennaio e lunedì (escluso luglio-agosto) – **Pasto** carta 50/75000.

🍴🍴 **Locanda le Monache** con cam, piazza XXIX Maggio 36 ℘ 989258, Fax 984011 – ⇅ [TV] ☎. [AE]. [S]. ◐ E [VISA]
chiuso dal 15 febbraio al 6 marzo – **Pasto** *(chiuso mercoledì escluso agosto)* carta 40/60000 – ☕ 5000 – **12 cam** 50/90000 – ½ P 65/75000.

🍴 **Il Centro Storico** con cam, via Cesare Battisti 66 ℘ 989786, ⛱ – 🅿. [AE]. [S]. ◐ E [VISA] [JCB]. 🚫
chiuso dal 7 al 18 gennaio – **Pasto** *(chiuso lunedì)* carta 30/55000 – ☕ 5000 – **8 cam** 60/80000.

a Capezzano Pianore *O : 4 km* – ✉ *55040 :*

🍴 Il Campagnolo, via Italica 332 ℘ 913675, Fax 913675, ⛱, Rist. e pizzeria – 🅿

CAMALDOLI *52010 Arezzo* [988] ⑮, [429], [430] K 17 *G. Toscana – alt. 816 –* ✆ *0575.*
Vedere *Località★★ – Eremo★ N : 2,5 km.*
Roma 261 – Rimini 117 – Arezzo 46 – Firenze 71 – Forlì 90 – Perugia 123 – Ravenna 113.

a Moggiona *SO : 5 km strada per Poppi – alt. 708 –* ✉ *52010 :*

🍴 **Il Cedro,** via Camaldoli 20 ℘ 556080, prenotare i giorni festivi
chiuso Natale, Capodanno e lunedì escluso dal 15 luglio ad agosto – **Pasto** carta 30/40000.

CAMARDA *L'Aquila* [430] O 22 – *Vedere L'Aquila.*

CAMBIANO *10020 Torino* [428] H 5 – *5 675 ab. alt. 257 –* ✆ *011.*
Roma 651 – Torino 19 – Asti 41 – Cuneo 76.

Pianta d'insieme di Torino (Torino p. 3).

🍴 **Il Cigno,** via IV Novembre 4 ℘ 9441456 – 🅿. [AE]. [S]. ◐ E [VISA]. 🚫 HU b
chiuso lunedì, martedì a mezzogiorno, dal 1º al 15 gennaio e dal 7 al 30 agosto – **Pasto** carta 35/65000.

CAMERINO *62032 Macerata* [988] ⑯, [430] M 16 – *7 391 ab. alt. 661 –* ✆ *0737.*
[i] *piazza Cavour 9* ℘ *2534.*
Roma 203 – Ascoli Piceno 82 – Ancona 90 – Fabriano 37 – Foligno 52 – Macerata 46 – Perugia 85.

🏨 **I Duchi,** via Varino Favorino 72 ℘ 630440, Fax 630440 – ⇅ [TV] ☎ – 👥 30. [S]. ◐ E [VISA]
Pasto carta 30/50000 – ☕ 7000 – **49 cam** 70/100000 – ½ P 80/95000.

🍴 **Rocca del Borgia,** piazzale Marconi 1 ℘ 636769, Fax 630338, « In un convento roccaforte » – [AE]. [S]. ◐ E [VISA]. 🚫
chiuso lunedì e dal 15 al 30 luglio – **Pasto** carta 30/70000.

CAMIGLIATELLO SILANO *87052 Cosenza* [988] ㊴, [431] I 31 – *alt. 1 272 – Sport invernali : 1 272/1 786 m* 🚡 1 ⛷ 4 – ✆ *0984.*
Escursioni *Massiccio della Sila★★ Sud.*
[i] *via Roma* ℘ *578243.*
Roma 553 – Cosenza 32 – Catanzaro 128 – Rossano 83.

🏨🏨 Camigliatello, via Federici ℘ 578496, Fax 578628 – ⇅ [TV] ☎ 🅿 – 👥 40
40 cam

🏨 **Aquila-Edelweiss,** via Stazione 11 ℘ 578044, Fax 578753, prenotare – ⇅ [TV] ☎ – 👥 50. ☺ [S]. E [VISA]. 🚫
Pasto *(chiuso lunedì)* carta 35/70000 – ☕ 10000 – **48 cam** 80/150000 – P 75/135000.

🏨 **Tasso,** via degli Impianti Sportivi ℘ 578113 – ⇅ ☎ 🚗 🅿. [S]. E [VISA]. 🚫 rist
12 dicembre-febbraio e 15 giugno-20 settembre – **Pasto** 25/45000 – ☕ 8000 – **82 cam** 100/130000 – ½ P 80/90000.

🏨 **Cozza,** via Roma 85 ℘ 578034, Fax 578088 – ⇅ [TV] ☎. [AE]. [S]. ◐ E [VISA]. 🚫
Pasto carta 25/40000 – **38 cam** ☕ 65/105000 – ½ P 65/95000.

Croce di Magara *E : 5 km – ✉ 87052 :*

Magara ⛰, località Spezzano Piccolo ✆ 578712, Fax 578115, ... – 🅿 – 150. AE. ⓢ. ⓓ E VISA. rist
Pasto carta 35/50000 – **101 cam** solo 1/2 P 120/160000.

verso il lago di Cecita : *NE : 5 km – ✉ 87052 Camigliatello Silano :*

La Tavernetta, contrada Campo S. Lorenzo NE : 5 km ✉ 87052 Camigliatello Silano ✆ 579026 – 🅿. AE. ⓢ. E VISA.
chiuso mercoledì e dal 15 al 30 novembre – **Pasto** carta 35/60000.

CAMIN *Padova – Vedere Padova.*

CAMNAGO VOLTA *Como – Vedere Como.*

CAMOGLI *16032 Genova 988 ⑬, 428 I 9 G. Italia – 5 909 ab. – a.s. Pasqua, 15 giugno-ottobre e Natale – ☎ 0185.*

Vedere *Località★★.*

Dintorni *Penisola di Portofino★★★ – San Fruttuoso★★ SE : 30 mn di motobarca.*

ℹ via 20 Settembre 33/r ✆ 771066, Fax 771066.

Roma 486 – Genova 26 – Milano 162 – Portofino 15 – Rapallo 11 – La Spezia 88.

Cenobio dei Dogi ⛰, via Cuneo 34 ✆ 7241, Fax 772796, ←, « Parco e terrazze sul mare », ... – 🅿 – 200. AE. ⓢ. E VISA. rist
Pasto carta 65/95000 – **103 cam** 220/480000, 4 appartamenti – 1/2 P 280/360000.

Rosa, largo Casabona 11 ✆ 773411, Fax 771088, ← porticciolo e golfo Paradiso, – AE. ⓢ. ⓓ E VISA
chiuso martedì, dal 7 gennaio al 7 febbraio e dal 17 novembre al 5 dicembre – **Pasto** carta 60/100000.

Vento Ariel, calata Castelletto 1 ✆ 771080, Fax 771080, Coperti limitati; prenotare – AE. ⓢ. ⓓ E VISA. JCB
chiuso mercoledì e dal 2 al 15 gennaio – **Pasto** specialità di mare carta 60/80000.

Da Paolo, via San Fortunato 14 ✆ 773595, Coperti limitati; prenotare – AE. ⓢ. ⓓ E VISA. JCB.
chiuso lunedì e febbraio – **Pasto** specialità di mare carta 55/105000.

a Ruta *E : 4 km – alt. 265 – ✉ 16030.*

Vedere *Portofino Vetta★★ S 2 km (strada a pedaggio) – Trittico★ nella chiesa di San Lorenzo a San Lorenzo della Costa E : 1 km :*

Bana, via Costa di Bana 26 ✆ 772478, ←, , prenotare – 🅿.
chiuso lunedì, martedì e dal 3 novembre al 7 dicembre – **Pasto** carta 35/55000.

a San Rocco *S : 6 km – alt. 221 – ✉ 16030 San Rocco di Camogli.*

Vedere *Belvedere★★ dalla terrazza della chiesa :*

La Cucina di Nonna Nina, via Molfino 126 ✆ 773835, Coperti limitati; prenotare –
chiuso mercoledì e a mezzogiorno (escluso sabato-domenica) – **Pasto** carta 40/75000.

CAMPALTO *Venezia – Vedere Mestre.*

CAMPEGINE *42040 Reggio nell'Emilia 428, 429 H 13 – 4 129 ab. alt. 34 – ☎ 0522.*

Roma 442 – Parma 22 – Mantova 59 – Reggio nell'Emilia 16.

in prossimità strada statale 9 - via Emilia *SO : 3,5 km :*

Trattoria Lago di Gruma, ✉ 42040 ✆ 679336, Fax 679336, , Coperti limitati; prenotare – 🅿. AE. ⓢ. ⓓ VISA.
chiuso martedì, gennaio e luglio – **Pasto** carta 60/85000
Spec. Insalata tiepida di cappesante e porcini (estate-autunno). Tagliatelle con scampi, zafferano e tartufo nero (estate-inverno). Filetto di rombo in crosta di patate e crema di asparagi (primavera-estate).

Carte stradali MICHELIN 1/400 000 :
428 ITALIA Nord-Ovest/ 429 ITALIA Nord-Est/ 430 ITALIA Centro
431 ITALIA Sud/ 432 SICILIA/ 433 SARDEGNA

Le località sottolineate in rosso su queste carte sono citate in guida.

CAMPELLO SUL CLITUNNO *06042 Perugia* [430] N 20 – *2 312 ab. alt. 290* – ☏ *0743.*
Vedere *Fonti del Clitunno★ N : 1 km – Tempietto di Clitunno★ N : 3 km.*
Roma 141 – Perugia 53 – Foligno 16 – Spoleto 11 – Terni 42.

🏨 **Benedetti,** via Giuseppe Verdi 32 📞 520080, Fax 520045 – ≡ [TV] ☎ [P]. [AE]. [S]. ⓞ E VISA 🚫🐕 cam
Pasto *(chiuso martedì e dal 15 al 31 luglio)* carta 30/50000 – ☕ 10000 – **22 cam** 85/100000 – ½ P 75/85000.

🍴🍴 **Le Casaline** 🪑 con cam, località Casaline, verso Silvignano E : 4 km ✉ 06049 Spoleto 📞 521113, Fax 275099, ⛱, « In un tipico casolare di campagna », 🌳 – [P]. [AE]. [S]. ⓞ E VISA
Pasto *(chiuso lunedì)* carta 35/55000 (10 %) – ☕ 8000 – **7 cam** 70/85000 – ½ P 75/90000.

a Pissignano *NO : 3 km* [430] N 20 – ✉ *06042 Campello sul Clitunno :*

🏨 **Vecchio Molino** 🪑 senza rist, via del Tempio 34 📞 521122, Fax 275097, « Piccolo borgo sulla rive del Clitunno », 🌳 – ≡ ☎ [P] – 👥 70. [AE]. [S]. ⓞ E VISA. 🚫🐕
aprile-ottobre – **10 cam** ☕ 145/195000, 3 appartamenti.

CAMPESE *Grosseto* [430] O 14 – *Vedere Giglio (Isola del) : Giglio Porto.*

CAMPESTRI *Firenze – Vedere Vicchio.*

CAMPI BISENZIO *50013 Firenze* [988] ⑭, [429], [430] K 15 – *35 761 ab. alt. 41* – ☏ *055.*
Roma 291 – Firenze 12 – Livorno 97 – Pistoia 20.

🏨 **Kristal** senza rist, via Barberinese 109 📞 890999, Fax 8951123 – ⇅ ≡ [TV] ☎ ♿ 🚗 [P]. [AE]. [S]. ⓞ E VISA. JCB
☕ 10000 – **29 cam** 130/180000.

🍴🍴 **L'Ostrica Blu,** via Vittorio Veneto 6 📞 891036, prenotare – ≡. [AE]. [S]. ⓞ E VISA. 🚫🐕
chiuso sabato a mezzogiorno, domenica ed agosto – **Pasto** specialità di mare carta 50/95000.

CAMPIGLIA *19023 La Spezia* [428], [430] J 11 – *alt. 382* – ☏ *0187.*
Roma 427 – La Spezia 8 – Genova 111 – Milano 229 – Portovenere 15.

🍴 **La Lampara,** via Tramonti 4 📞 758035, 👁, ⛱, prenotare
chiuso lunedì, dal 2 gennaio al 1º marzo e dal 25 settembre al 25 ottobre – **Pasto** carta 45/65000.

CAMPIGLIA MARITTIMA *57021 Livorno* [988] ⑭, [430] M 13 *G. Toscana* – *12 604 ab. alt. 276* – ☏ *0565.*
Roma 252 – Grosseto 65 – Livorno 68 – Piombino 18 – Siena 101.

🍴 **Dal Cappellaio Pazzo,** località S. Antonio N : 2,2 km 📞 838358, prenotare, « Servizio estivo sotto un pergolato » – [P]. [AE]. [S]. E VISA. JCB
chiuso martedì, febbraio e dal 4 al 24 novembre – **Pasto** carta 60/85000.

CAMPIONE D'ITALIA *22060 (e* **CH 6911***) Como* [988] ③, [428] E 8 *G. Italia* – *2 288 ab. alt. 280* – ☏ *091 di Lugano,dall'Italia 00.41.91.*
Roma 648 – Como 27 – Lugano 10 – Milano 72 – Varese 30.

I prezzi sono indicati in franchi svizzeri.

🍴🍴 ✿ **Da Candida,** via Marco 4 📞 6497541, Fax 6497541, Coperti limitati; prenotare – [AE]. [S]. E VISA
chiuso dal 24 giugno al 25 luglio, lunedì ed in agosto anche martedì a mezzogiorno – **Pasto** carta 50/80
Spec. Terrina di foie gras d'anatra marinato al Vin Santo trentino. Strozzapreti all'astice. Sfoglia di branzino con porri al burro.

🍴🍴 **Taverna,** 📞 6494797, ⛱ – [AE]. [S]. E VISA
chiuso mercoledì, giovedì a mezzogiorno e Natale – **Pasto** carta 60/90 (15 %).

CAMPITELLO DI FASSA *38031 Trento* [429] C 17 – *710 ab. alt. 1 442* – *a.s. febbraio-Pasqua e Natale* – *Sport invernali : 1 411/2 424 m (passo Sella)* 🚡 1 🎿 7, ⛷ – ☏ *0462.*
[i] 📞 61137, Fax 62771.
Roma 684 – Bolzano 48 – Cortina d'Ampezzo 61 – Milano 342 – Moena 13 – Trento 102.

Rubino Executive, via Pent de Sera ✆ 750225, Fax 750138, – 80. . .
20 dicembre-aprile e 20 giugno-settembre – **Pasto** carta 65/95000 – ☕ 27000 – **35 cam** 240/320000 – ½ P 175/235000.

Gran Paradis, via Dolomiti 2 ✆ 750135, Fax 750148, ≤ Catinaccio e pinete, –
18 dicembre-10 aprile e 18 giugno-15 ottobre – **Pasto** 25/35000 – ☕ 12000 – **39 cam** 75/140000 – ½ P 80/120000.

Salvan, via Dolomiti 20 ✆ 750307, Fax 750199, ≤ Dolomiti, – . E VISA.
20 dicembre-aprile e 20 giugno-settembre – **Pasto** 35/40000 – ☕ 12000 – **27 cam** 105/190000 – ½ P 95/135000.

Alaska, via Dolomiti 42 ✆ 750430, Fax 750503, ≤ Dolomiti e pinete, –
20 dicembre-aprile e giugno-settembre – **Pasto** 25/40000 – ☕ 15000 – **30 cam** 85/140000 – ½ P 100/125000.

Crepes de Sela, via Dolomiti 30 ✆ 750538, Fax 750356, ≤ Dolomiti, – . cam
15 dicembre-aprile e giugno-15 ottobre – **Pasto** carta 30/40000 – **16 cam** ☕ 90/150000 – ½ P 80/110000.

CAMPO *Trento – Vedere Lomaso.*

CAMPO ALL'AIA *Livorno – Vedere Elba (Isola d') : Marciana Marina.*

CAMPOBASSO *86100* 988 ㉗, 430 R 25, 431 C 25 – *51 859 ab. alt. 700 –* *0874.*
piazza Vittoria 14 ✆ 415662, Fax 415663 – A.C.I. *via Cavour 10/14 ✆ 92941.*
Roma 226 – Benevento 63 – Foggia 88 – Isernia 49 – Napoli 131 – Pescara 161.

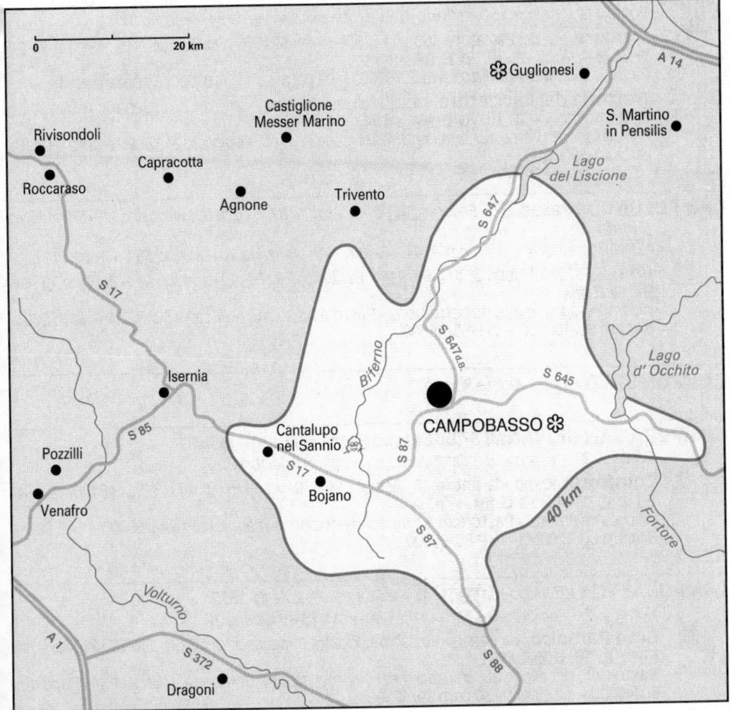

Eden, contrada Colle delle Api N : 3 km ✆ 698441, Fax 698443 – 🛗 📺 ☎ 🅿. AE. 🅂. ⓓ E VISA. ✂ rist
Pasto carta 30/40000 – ☕ 10000 – **58 cam** 65/110000 – ½ P 70/80000.

XX **Vecchia Trattoria da Tonino,** corso Vittorio Emanuele 8 ✆ 415200, 🏖 – AE. 🅂. E VISA. JCB. ✂
✿ *chiuso sabato, la sera dei giorni festivi ed in luglio-agosto anche domenica* – **Pasto** carta 40/60000
Spec. Tagliatelle di farina di castagne ai porcini e salsiccia (autunno-inverno). Filetto di vitello con caciocavallo e rosmarino. Bianco d'anatra muta.

a Ferrazzano *SE : 4 km – alt. 872 – ✉ 86010 :*

XX **Da Emilio,** ✆ 416576, 🏖 – AE. 🅂. E VISA. ✂
chiuso martedì e dal 1° al 15 luglio – **Pasto** carta 35/45000.

CAMPO CARLO MAGNO *Trento* 988 ④, 218 ⑱ ⑲ – *Vedere Madonna di Campiglio.*

CAMPO DI TRENS (FREIENFELD) *39040 Bolzano* 429 B 16 – *2 438 ab. alt. 993* – ☎ *0472.*
Roma 703 – Bolzano 62 – Brennero 19 – Bressanone 25 – Merano 94 – Milano 356.

Bircher, località Maria Trens O : 0,5 km ✆ 647122, Fax 647350, 🏖, ≘s, 🏊 – 🛗 📺 ☎ 🅿. 🅂. E VISA. ✂
chiuso dall'8 gennaio al 9 febbraio e dal 22 novembre a Natale – **Pasto** *(chiuso martedì)* carta 45/70000 – **34 cam** ☕ 80/160000 – ½ P 95/105000.

CAMPOFELICE DI ROCCELLA *Palermo* 432 N 23 – *Vedere Sicilia alla fine dell'elenco alfabetico.*

CAMPO FISCALINO (FISCHLEINBODEN) *Bolzano – Vedere Sesto.*

CAMPOGALLIANO *41011 Modena* 988 ⑭, 428, 429, 430 H 14 – *7 158 ab. alt. 43* – ☎ *059.*
Roma 412 – Bologna 50 – Milano 168 – Modena 11 – Parma 54 – Verona 94.

Mercure, via del Passatore 160 ✆ 851505, Telex 521070, Fax 851505 – 🛗 ⇎ cam ▤ 📺 ☎ ♿ 🅿 – 🏛 80. AE. 🅂. ⓓ E VISA. ✂ rist
Pasto al Rist. ***Il Ghibellino*** carta 30/65000 – **94 cam** ☕ 145/180000, 3 appartamenti.

X **Trattoria del Cacciatore,** località Saliceto Buzzalino ✆ 526227, « Servizio estivo sotto un pergolato » – AE. 🅂. ⓓ E VISA. ✂
chiuso lunedì, mercoledì sera, dal 1° al 21 gennaio e dal 23 agosto al 27 settembre – **Pasto** carta 40/55000.

CAMPOLONGO (Passo di) *Belluno* 429 C 17 – *alt. 1 875 – Sport invernali : 1 875/2 450 m* ⛷9, ⛷.
Roma 711 – Cortina d'Ampezzo 41 – Belluno 78 – Bolzano 70 – Milano 367 – Trento 131.

Boé, ✉ 32020 Arabba ✆ (0436) 79144, Fax (0436)79275, ≤ Dolomiti, ≘s – 🛗 📺 ☎ 🅿. AE. 🅂. ⓓ E VISA. ✂
dicembre-aprile e giugno-settembre – **Pasto** *(chiuso martedì)* carta 30/50000 – ☕ 25000 – **36 cam** 95/180000 – ½ P 65/155000.

CAMPOMORTO *Pavia – Vedere Siziano.*

CAMPORA SAN GIOVANNI *87030 Cosenza* 988 ㊴, 431 J 30 – ☎ *0982.*
Roma 522 – Cosenza 58 – Catanzaro 59 – Reggio di Calabria 152.

Comfortable, strada statale 18 - località Olivo (N : 1,5 km) ✆ 46048, Fax 48106, 🏖 – 🛗 📺 ☎ 🅿. AE. 🅂. ⓓ E VISA. JCB. ✂
chiuso novembre – **Pasto** *(chiuso lunedì da ottobre a maggio)* carta 45/60000 – ☕ 6000 – **34 cam** 60/120000 – ½ P 80/95000.

CAMPOSANTO *41031 Modena* 429 H 15 – *2 969 ab. alt. 20* – ☎ *0535.*
Roma 409 – Bologna 40 – Ferrara 45 – Mantova 73 – Modena 27.

Gran Paradiso, via Panaria Bassa 569, località Cadecoppi ✆ 87391, Fax 87391, 🚗 – ▤ 📺 ☎ 🅿. 🅂. E VISA. ✂
Pasto (solo per alloggiati; *chiuso a mezzogiorno, sabato, domenica e dal dal 1° al 27 agosto*) 30/40000 – ☕ 15000 – **30 cam** 80/105000.

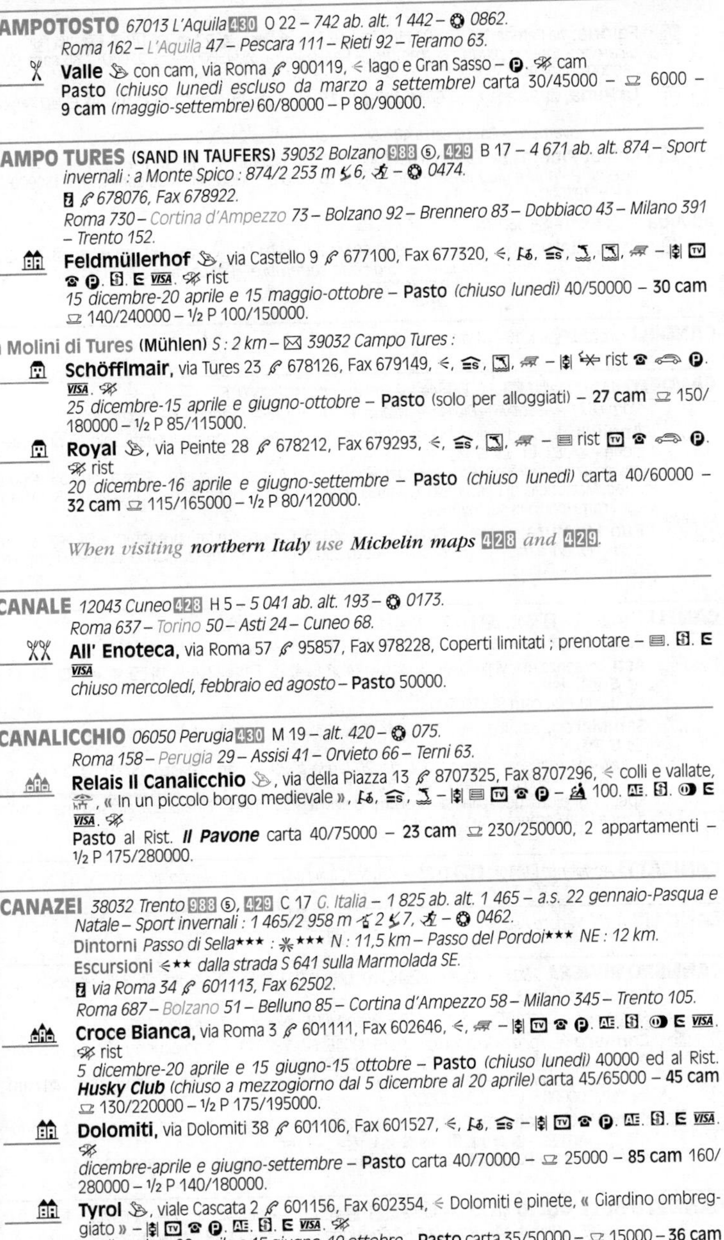

AMPOTOSTO *67013 L'Aquila 430 O 22 – 742 ab. alt. 1 442 – ✆ 0862.*
Roma 162 – L'Aquila 47 – Pescara 111 – Rieti 92 – Teramo 63.

Valle con cam, via Roma ✆ 900119, ≤ lago e Gran Sasso – 🅟. cam
Pasto *(chiuso lunedì escluso da marzo a settembre)* carta 30/45000 – ☕ 6000 – **9 cam** *(maggio-settembre)* 60/80000 – P 80/90000.

CAMPO TURES (SAND IN TAUFERS) *39032 Bolzano 988 ⑤, 429 B 17 – 4 671 ab. alt. 874 – Sport invernali : a Monte Spico : 874/2 253 m 6, – ✆ 0474.*
✆ 678076, Fax 678922.
Roma 730 – Cortina d'Ampezzo 73 – Bolzano 92 – Brennero 83 – Dobbiaco 43 – Milano 391 – Trento 152.

Feldmüllerhof, via Castello 9 ✆ 677100, Fax 677320, ≤, – 🅟. E VISA. rist
15 dicembre-20 aprile e 15 maggio-ottobre – **Pasto** *(chiuso lunedì)* 40/50000 – **30 cam** ☕ 140/240000 – ½ P 100/150000.

Molini di Tures (Mühlen) *S : 2 km – ✉ 39032 Campo Tures :*

Schöfflmair, via Tures 23 ✆ 678126, Fax 679149, ≤, – rist 🅟. VISA.
25 dicembre-15 aprile e giugno-ottobre – **Pasto** (solo per alloggiati) – **27 cam** ☕ 150/180000 – ½ P 85/115000.

Royal, via Peinte 28 ✆ 678212, Fax 679293, ≤, – rist 🅟. rist
20 dicembre-16 aprile e giugno-settembre – **Pasto** *(chiuso lunedì)* carta 40/60000 – **32 cam** ☕ 115/165000 – ½ P 80/120000.

When visiting ***northern Italy*** *use* ***Michelin maps*** **428** *and* **429**.

CANALE *12043 Cuneo 428 H 5 – 5 041 ab. alt. 193 – ✆ 0173.*
Roma 637 – Torino 50 – Asti 24 – Cuneo 68.

All' Enoteca, via Roma 57 ✆ 95857, Fax 978228, Coperti limitati ; prenotare – . E VISA
chiuso mercoledì, febbraio ed agosto – **Pasto** 50000.

CANALICCHIO *06050 Perugia 430 M 19 – alt. 420 – ✆ 075.*
Roma 158 – Perugia 29 – Assisi 41 – Orvieto 66 – Terni 63.

Relais Il Canalicchio, via della Piazza 13 ✆ 8707325, Fax 8707296, ≤ colli e vallate, , « In un piccolo borgo medievale », – 🅟 – 100. AE. E VISA.
Pasto al Rist. ***Il Pavone*** carta 40/75000 – **23 cam** ☕ 230/250000, 2 appartamenti – ½ P 175/280000.

CANAZEI *38032 Trento 988 ⑤, 429 C 17 G. Italia – 1 825 ab. alt. 1 465 – a.s. 22 gennaio-Pasqua e Natale – Sport invernali : 1 465/2 958 m 2 7, – ✆ 0462.*
Dintorni *Passo di Sella★★★ : ★★★ N : 11,5 km – Passo del Pordoi★★★ NE : 12 km.*
Escursioni *≤★★ dalla strada S 641 sulla Marmolada SE.*
via Roma 34 ✆ 601113, Fax 62502.
Roma 687 – Bolzano 51 – Belluno 85 – Cortina d'Ampezzo 58 – Milano 345 – Trento 105.

Croce Bianca, via Roma 3 ✆ 601111, Fax 602646, ≤, – 🅟. AE. E VISA. rist
5 dicembre-20 aprile e 15 giugno-15 ottobre – **Pasto** *(chiuso lunedì)* 40000 ed al Rist. ***Husky Club*** *(chiuso a mezzogiorno dal 5 dicembre al 20 aprile)* carta 45/65000 – **45 cam** ☕ 130/220000 – ½ P 175/195000.

Dolomiti, via Dolomiti 38 ✆ 601106, Fax 601527, ≤, – 🅟. AE. E VISA.
dicembre-aprile e giugno-settembre – **Pasto** carta 40/70000 – ☕ 25000 – **85 cam** 160/280000 – ½ P 140/180000.

Tyrol, viale Cascata 2 ✆ 601156, Fax 602354, ≤ Dolomiti e pinete, « Giardino ombreggiato » – 🅟. AE. E VISA.
20 dicembre-20 aprile e 15 giugno-10 ottobre – **Pasto** carta 35/50000 – ☕ 15000 – **36 cam** 90/160000 – ½ P 100/140000.

Andreas, via Dolomiti 36 ✆ 602106, Fax 602284, ≤, – 🅟. AE. E VISA. JCB.
20 dicembre-6 aprile e luglio-settembre – **Pasto** carta 45/90000 – ☕ 40000 – **32 cam** 150/250000 – ½ P 100/210000.

Faloria, via Pareda 103 ✆ 601118, Fax 602715, ≤, – |♦| TV ☎ P. 🅂. E VISA. ✻ rist
dicembre-aprile e giugno-settembre – **Pasto** carta 35/45000 – ☐ 22000 – **35 cam** 90/160000 – 1/2 P 90/135000.

La Perla, via Pareda 26 ✆ 602453, Fax 602501, ≤, – |♦| TV ☎ P. 🅂. ⓪ E VISA. JCB. ✻ rist
chiuso novembre – **Pasto** carta 40/65000 – **36 cam** ☐ 218000 – 1/2 P 175000.

Chalet Pineta ⛰, via Roma 66 ✆ 601162, Fax 602183, ≤ – TV ☎ P. ✻
dicembre-aprile e giugno-settembre – **Pasto** (solo per alloggiati) – **20 cam** ☐ 65/130000 – 1/2 P 85/95000.

ad Alba *SE : 1,5 km – ✉ 38030 :*

La Cacciatora ⛰, via Costa 298 ✆ 601411, Fax 601718, ≤, – TV ☎ P. 🅂. E VISA. ✻ cam – *8 dicembre-10 aprile e 25 giugno-settembre* – **Pasto** carta 35/75000 – ☐ 15000 – **19 cam** 110/160000 – 1/2 P 80/120000.

CANDELI *Firenze* 430 K 16 – *Vedere Firenze.*

CANDELO *13062 Biella* 428 F 6, 219 ⑮ – *7 711 ab. alt. 340* – ☎ *015.*

Roma 671 – Aosta 96 – Biella 5 – Milano 97 – Novara 51 – Torino 77 – Vercelli 37.

XXX ✿ **Angiulli,** via Sandigliano 112 ✆ 2538998, Fax 2538998, Coperti limitati; solo su prenotazione – ▤. AE. 🅂. ⓪ E VISA. ✻
chiuso a mezzogiorno (escluso sabato-domenica), lunedì ed agosto – **Pasto** carta 55/90000
Spec. Mattonella di pesci misti. Cavatelli al ragù d'agnello e finocchietto selvatico. Branzino agli aromi (cotto in sottovuoto).

XX **Fuori le Mura,** via Marco Pozzo 4 ✆ 2536155, Coperti limitati; prenotare – AE. ✻
chiuso lunedì e dal 1° al 15 agosto – **Pasto** 25000 bc (solo a mezzogiorno, escluso i festivi) e carta 35/55000.

CANELLI *14053 Asti* 988 ⑫, 428 H 6 – *10 411 ab. alt. 157* – ☎ *0141.*

Roma 603 – Alessandria 43 – Genova 104 – Torino 92 – Asti 29 – Milano 131.

Asti ⛰ senza rist, viale Risorgimento 174 ✆ 824220, Fax 822449 – |♦| TV ☎ P. AE. 🅂. ⓪ E VISA. JCB
☐ 15000 – **24 cam** 85/130000.

XXX ✿ **San Marco,** via Alba 136 ✆ 823544, Fax 823544, Coperti limitati; prenotare – ▤. AE. 🅂. ⓪ E VISA
chiuso martedì sera, mercoledì e dal 20 luglio al 20 agosto – **Pasto** 35/75000 (a mezzogiorno) 55/75000 (alla sera) e carta 50/80000
Spec. Agnolotti del "plin" ai profumi dell'orto (autunno). Finanziera all'astigiana. Carrè d'agnello al Barbera e tartufo nero.

CANICATTÌ *Agrigento* 988 ㊱, 432 O 23 – *Vedere Sicilia alla fine dell'elenco alfabetico.*

CANIGLIE *Asti – Vedere Asti.*

CANNERO RIVIERA *28051 Verbania* 988 ② ③, 428 D 8 *G. Italia* – *1 176 ab. alt. 225* – ☎ *0323.*

Vedere *Insieme*★★.

Roma 687 – Stresa 30 – Locarno 25 – Milano 110 – Novara 87 – Torino 161.

Cannero ⛰, piazza Umberto I, 2 ✆ 788046, Fax 788048, ≤ lago e monti, riscaldata, – |♦| rist ▤ ☎ ♿ P. AE. 🅂. ⓪ E VISA. ✻ rist
7 marzo-3 novembre – **Pasto** *(chiuso lunedì in marzo ed ottobre)* carta 50/90000 – **40 cam** ☐ 160/200000 – 1/2 P 100/120000.

Park Hotel Italia ⛰, viale delle Magnolie 19 ✆ 788488, Fax 788498, ≤ lago e monti, – |♦| ☎ P. 🅂. ⓪ E VISA. JCB. ✻ rist
aprile-ottobre – **Pasto** 40/65000 – **25 cam** ☐ 145/170000 – 1/2 P 100/110000.

CANNETO SULL'OGLIO *46013 Mantova* 428, 429 G 13 – *4 564 ab. alt. 35* – ☎ *0376.*

Roma 493 – Parma 44 – Brescia 51 – Cremona 32 – Mantova 38 – Milano 123.

Margot senza rist, via Tazzoli (s.s. Asolana) ✆ 709011, Fax 723961 – |♦| ▤ TV ☎ ♿ P. AE. 🅂. ⓪ E VISA
23 cam ☐ 95/145000.

X **Alla Torre,** piazza Matteotti 5 ✆ 70121, Fax 70121 – AE. 🅂. ⓪ E VISA. ✻
chiuso mercoledì, dal 1° al 15 gennaio e dal 1° al 15 agosto – **Pasto** carta 45/60000.

verso Carzaghetto *NO : 3 km :*

XXXX Dal Pescatore, ⊠ 46013 ✆ 723001, Fax 70304, Coperti limitati; prenotare, « Servizio serale estivo in giardino » – ▤ Ⓟ. AE. Ⓢ. ◑ E VISA. JCB. ✻
✿✿✿ *chiuso lunedì, martedì, Natale, dal 2 al 19 gennaio e dall'11 al 31 agosto* – **Pasto** 135000 e carta 100/155000
Spec. Tortelli di zucca. Coscette di rane gratinate alle erbe (marzo-novembre). Stracotto di cavallo al Barbera con polenta.

CANNIZZARO *Catania* 432 0 27 – *Vedere Sicilia alla fine dell'elenco alfabetico.*

CANNOBIO *28052 Verbania* 988 ② ③, 428 D 8 *G. Italia* – *5 109 ab. alt. 224* – ☎ *0323.*
Vedere *Orrido di Sant'Anna★ O : 3 km.*
Roma 694 – Stresa 37 – Locarno 18 – Milano 117 – Novara 94 – Torino 168.

Pironi senza rist, via Marconi 35 (nel centro storico) ✆ 70624, Fax 72184, « In un monastero del 1400 » – |‡| ☎. AE. Ⓢ. E VISA. ✻
marzo-novembre – **12 cam** ☕ 120/180000.

Belvedere ⑤, via Casali Cuserina 2 (O : 1 km) ✆ 70159, ☂, « Parco giardino con ⛱ riscaldata » – ☎ Ⓟ. Ⓢ. E VISA. ✻ rist
20 marzo-10 ottobre – **Pasto** (solo per alloggiati) – **18 cam** ☕ 110/170000 – ½ P 110/115000.

XXX **Scalo,** piazza Vittorio Emanuele 32 ✆ 71480, Fax 71480, ☂ – AE. Ⓢ. E VISA. ✻
chiuso lunedì, dal 15 gennaio all'8 febbraio e dal 15 al 30 novembre – **Pasto** carta 55/85000.

XX **Grotto-Sant'Anna,** all'Orrido di Sant'Anna ✆ 70682, prenotare, « Servizio estivo all'aperto con ≤ sull'orrido » – Ⓟ. Ⓢ. VISA. ✻
chiuso lunedì, dal 7 al 21 novembre e dall'8 gennaio al 28 febbraio – **Pasto** carta 45/75000.

sulla strada statale 34 :

XXX **Del Lago** con cam, località Carmine Inferiore, via Nazionale 2 ⊠ 28052 ✆ 70595, Fax 70595, ≤, ☂, prenotare, « Terrazze-giardino in riva al lago », ⚓ – TV ☎ Ⓟ. AE. Ⓢ. E VISA. ✻
✿ *marzo-novembre* – **Pasto** *(chiuso martedì e mercoledì a mezzogiorno)* 75/90000 (a mezzogiorno) 120000 (alla sera) e carta 75/135000 – ☕ 25000 – **10 cam** 75/130000
Spec. Gamberi al vapore in insalata all'aceto di lamponi. Salmone marinato all'aneto in crosta di patate. Fagiano arrosto all'uva di moscato (autunno).

Leggete attentamente l'introduzione : è la « chiave » della guida.

CANONICA LAMBRO *Milano* 428 F 9, 219 ⑲ – *alt. 231* – ⊠ *20050 Triuggio* – ☎ *0362.*
Roma 597 – Como 34 – Milano 35 – Bergamo 37 – Lecco 31 – Monza 9.

Fossati ⑤ senza rist, via Taverna 20 ✆ 970402, Fax 971396, Lö, ≘s, ⛱ riscaldata, ✻ – |‡| ▤ TV ☎ ⇔ Ⓟ – 🏛 40. AE. Ⓢ. ◑ E VISA
☕ 15000 – **45 cam** 110/135000, ▤ 15000.

XX **Canonica-Fossati,** via Taverna 2 ✆ 997799, Fax 997788, ☂, « Caratteristica antica costruzione in luogo verdeggiante » – Ⓟ. Ⓢ. ◑ E VISA
chiuso lunedì, dal 3 al 10 gennaio e dall'8 al 22 agosto – **Pasto** carta 50/70000 (15 %).

X **La Zuccona,** via Immacolata 29, (N : 2 km) ✆ 919720, prenotare – AE. Ⓢ. ◑ E VISA. ✻
chiuso lunedì sera, martedì ed agosto – **Pasto** carta 50/70000.

CANOVE DI ROANA *36010 Vicenza* 429 E 16 – *alt. 1 001* – *a.s. febbraio, luglio-agosto e Natale* – ☎ *0424.*
Roma 585 – Trento 68 – Asiago 4 – Milano 66 – Venezia 117 – Vicenza 51.

Paradiso, ✆ 692037 – TV ☎ ⇔. ✻
Pasto *(chiuso lunedì)* carta 30/45000 – ☕ 15000 – **36 cam** 80/140000 – ½ P 70/80000.

CANTALUPO *Milano* – *Vedere Cerro Maggiore.*

CANTALUPO NEL SANNIO *86092 Isernia* 430 R 25, 431 C 25 – *784 ab. alt. 587* – ☎ *0865.*
Roma 227 – Campobasso 32 – Foggia 120 – Isernia 19 – Napoli 132.

X **Antica Trattoria del Riccio,** via Sannio 7 ✆ 814246 – ✻
chiuso la sera, lunedì, dal 1° al 15 giugno e dal 1° al 20 settembre – **Pasto** carta 30/40000.

CANTELLO *21050 Varese* 428 E 8, 219 ⑧ – *4 147 ab. alt. 404* – ☎ *0332.*
Roma 640 – Como 26 – Lugano 29 – Milano 59 – Varese 9.

XX **Madonnina** con cam, località Ligurno ✆ 417731, Fax 418403, 🏖, « Parco-giardino » – TV ☎ P – 🎪 100. AE. 🅂. ◑ E VISA
Pasto *(chiuso lunedì)* carta 60/85000 – ☕ 16000 – **14 cam** 110/145000 – 1/2 P 150000.

X **L'Osteria,** via Roma 4 ✆ 417802 – AE
chiuso mercoledì, Natale ed agosto – **Pasto** carta 20/45000.

CANTÙ *22063 Como* 988 ③, 428 E 9 – *35 968 ab. alt. 369* – ☎ *031.*
Roma 608 – Como 10 – Bergamo 53 – Lecco 33 – Milano 38.

Canturio senza rist, via Vergani 28 ✆ 716035, Fax 720211 – 🛗 ▤ TV ☎ ♿ P – 🎪 35. AE 🅂. ◑ E VISA. ⚒
chiuso dal 24 al 31 dicembre ed agosto – ☕ 12000 – **30 cam** 125/165000.

XX **Le Querce,** località Mirabello SE : 2 km ✆ 731336, Fax 735038, 🏖, « Nel bosco », 🌳 – P. AE. 🅂. ◑ VISA
chiuso lunedì sera, martedì e dal 1° al 28 agosto – **Pasto** 25000 (solo a mezzogiorno) e carta 45/80000.

XX **Al Ponte,** via Vergani 25 ✆ 712561, 🏖 –. 🅂
chiuso lunedì ed agosto – **Pasto** carta 40/70000.

CANZO *22035 Como* 428 E 9, 219 ⑨ – *4 672 ab. alt. 387* – ☎ *031.*
Roma 620 – Como 20 – Bellagio 20 – Bergamo 56 – Lecco 23 – Milano 52.

Volta, via Volta 58 ✆ 681225, Fax 670167 – 🛗 TV ☎ P. AE. 🅂. ◑ E VISA. ⚒ rist
chiuso dal 24 dicembre al 10 gennaio – **Pasto** carta 45/65000 – ☕ 20000 – **16 cam** 110/160000 – 1/2 P 110/130000.

X **Locanda La Zuppiera** con cam, via Verza 56 ✆ 681431, Fax 681431, 🌳 – 🛗 TV ☎ ♿ P. AE. 🅂. ◑ E VISA. ⚒
Pasto *(chiuso mercoledì)* carta 45/75000 – ☕ 8500 – **11 cam** 90/130000 – 1/2 P 100000.

CANZOLINO *Trento – Vedere Pergine Valsugana.*

CAORLE *30021 Venezia* 988 ⑤, 429 F 20 – *11 378 ab. – a.s. luglio-agosto* – ☎ *0421.*
⛳9 *Prà delle Torri (chiuso martedì e gennaio) località Valle Altanea* ✉ *30020 Porto Santa Margherita* ✆ *299570, Fax 299035, S : 7 km.*
ℹ *piazza Giovanni XXIII 3* ✆ *81401, Fax 84251.*
Roma 587 – Udine 74 – Milano 326 – Padova 96 – Treviso 63 – Trieste 112 – Venezia 76.

Airone, via Pola 1 ✆ 81570, Fax 81570, ≤, « Parco-pineta con 🏊 e 🎾 », 🏖 – 🛗 ▤ ☎ P. AE. 🅂. ◑ E VISA. ⚒
26 maggio-22 settembre – **Pasto** (solo per alloggiati) – **77 cam** ☕ 140/230000 – 1/2 P 120/150000.

Metropol, via Emilia 1 ✆ 82091, Fax 81416, 🏊, 🏊 riscaldata, 🏖, 🎾 – 🛗 ▤ rist ☎ P. AE. 🅂. E VISA. ⚒
10 maggio-23 settembre – **Pasto** 30/40000 – **44 cam** ☕ 100/180000 – 1/2 P 95/120000.

Sara, piazza Veneto 6 ✆ 81123, Fax 210378, ≤, 🏖 – 🛗 ▤ TV ☎ P. AE. 🅂. E VISA. ⚒ rist
marzo-15 ottobre – **Pasto** 45/130000 – **42 cam** ☕ 100/170000 – 1/2 P 100/130000.

Savoy, riviera Marconi ✆ 81879, Fax 83379, ≤, 🏊, 🏖 – 🛗 ▤ rist TV ☎ P. ⚒ rist
26 aprile-25 settembre – **Pasto** 35/40000 – **44 cam** ☕ 120/180000 – 1/2 P 100/110000.

Stellamare, via del Mare 8 ✆ 81203, Fax 83752, ≤, 🏖 – 🛗 ☎ P. AE. 🅂. E VISA. ⚒ rist
Pasqua-15 ottobre – **Pasto** carta 40/55000 – ☕ 20000 – **30 cam** 120/140000 – 1/2 P 90/100000.

Serena senza rist, lungomare Trieste 39 ✆ 210757, Fax 210830, ≤, 🏖 – 🛗 ☎ P. 🅂. E VISA. ⚒
23 aprile-25 settembre – **36 cam** ☕ 80/160000.

XX **Duilio** con cam, strada Nuova 19 ✆ 81087, Fax 210089, 🏖, prenotare – TV ☎ P – 🎪 50. AE. 🅂. ◑ E VISA. JCB. ⚒ cam
Pasto *(chiuso dal 3 al 25 gennaio e lunedì escluso da maggio ad agosto)* carta 30/45000 – ☕ 7500 – **22 cam** 65/100000.

a Porto Santa Margherita *SO : 6 km oppure 2 km e traghetto* – ✉ *30021 Caorle.*
ℹ *(maggio-settembre) corso Genova 21* ✆ *260230.*

Grand Hotel San Giorgio, ✆ 260050, Fax 261077, ≤, « Parco-pineta con 🏊 », 🏖, 🎾 – 🛗 ▤ rist TV ☎ P. AE. 🅂. ◑ E VISA. ⚒
24 maggio-15 settembre – **Pasto** (solo per alloggiati) 35/40000 – **100 cam** ☕ 165/205000 – 1/2 P 150/180000.

Oliver, ☎ 260002, Fax 261330, ≤, « Piccola pineta », ⛱, ⛺ – ▤ rist ☎ Ⓟ. Ⓢ. ✂
maggio-settembre – **Pasto** carta 45/60000 – ☕ 16000 – **66 cam** 110/170000 – 1/2 P 90/115000.

Ausonia senza rist, al Centro Vacanze Prà delle Torri SO : 3 km ☎ 299445, Fax 299035, ⛱, ⛺, ⚔, 9 – ☎ Ⓟ
stagionale – **63 cam.**

a Duna Verde *SO : 10 km – ✉ 30021 Caorle :*

Playa Blanca, viale Cherso 80 ☎ 299282, Fax 299283, ≤, « Piccola pineta con ⛱ », ⛺ – ⛶ ☎ Ⓟ. Ⓢ. E VISA. ✂ rist
15 maggio-20 settembre – **Pasto** (solo per alloggiati) – **45 cam** ☕ 130/200000 – 1/2 P 110/115000.

a San Giorgio di Livenza *NO : 12 km – ✉ 30020 :*

XX **Al Cacciatore,** corso Risorgimento 35 ☎ 80331 – ▤ Ⓟ. AE. Ⓢ. ⦿ E VISA. JCB. ✂
chiuso mercoledì e dal 1° al 25 luglio – **Pasto** specialità di mare carta 35/70000.

CAPACCIO SCALO *Salerno* 988 ㉘, 431 F 27 – *Vedere Paestum.*

CAPALBIO *58011 Grosseto* 988 ㉕, 430 O 16 *G. Toscana – 3 931 ab. alt. 217 – a.s. Pasqua e 15 giugno-15 settembre* – ☎ *0564.*
Roma 139 – Grosseto 60 – Civitavecchia 63 – Orbetello 25 – Viterbo 75.

Valle del Buttero ⛭ senza rist, via Silone 21 ☎ 896097, Fax 896518, ≤ – TV ☎ Ⓟ. AE. Ⓢ. E VISA. ✂
chiuso febbraio – ☕ 12000 – **42 cam** 80/120000.

X **Da Maria,** via Nuova 3 ☎ 896014, ⛱ – ▤. AE. Ⓢ. ⦿ E VISA
chiuso dal 10 gennaio al 10 febbraio e martedì in bassa stagione – **Pasto** carta 45/60000 (15 %).

X **La Porta,** via Vittorio Emanuele II 1 ☎ 896311 – AE. Ⓢ. ⦿ E VISA. ✂
chiuso dal 2 al 25 dicembre e martedì in bassa stagione – **Pasto** carta 35/50000.

CAPANNETTE DI PEJ *Piacenza – Vedere Pian dell'Armà.*

CAPANNORI *Lucca* 428, 430 K 13 – *Vedere Lucca.*

CAPEZZANO PIANORE *Lucca* 428, 429, 430 K 12 – *Vedere Camaiore.*

CAPIAGO INTIMIANO *22070 Como* 428 E 9, 219 ⑨ – *4 633 ab. alt. 424* – ☎ *031.*
Roma 600 – Como 4 – Bergamo 65 – Lecco 27 – Milano 41.

XX **Grillo,** località Chigollo NE : 1,3 km ☎ 460185, Fax 560132, ⛱, Elegante trattoria di campagna, « Servizio estivo all'aperto » – Ⓟ. AE. Ⓢ. ⦿ VISA
chiuso martedì e dal 1° al 20 gennaio – **Pasto** carta 55/80000.

CAPO D'ORLANDO *Messina* 988 ㊱ ㊲ ㊳, 432 M 26 – *Vedere Sicilia alla fine dell'elenco alfabetico.*

CAPO D'ORSO *Sassari – Vedere Sardegna (Palau) alla fine dell'elenco alfabetico.*

CAPO LA GALA *Napoli – Vedere Vico Equense.*

CAPOLAGO *Varese* 219 ⑦ ⑧ – *Vedere Varese.*

CAPOLIVERI *Livorno* 430 N 13 – *Vedere Elba (Isola d').*

CAPO MISENO *Napoli – Vedere Bacoli.*

CAPORIACCO *Udine – Vedere Colloredo di Monte Albano.*

CAPO VATICANO *Vibo Valentia* 431 L 29 – *Vedere Tropea.*

CAPPELLE *L'Aquila* 430 P 22 – *Vedere Scurcola Marsicana.*

CAPRACOTTA *86077 Isernia* 988 ㉗, 430 Q 24 – *1 258 ab. alt. 1421 – ☎ 0865.*
Roma 212 – Campobasso 86 – Avezzano 127 – Isernia 43 – Pescara 107.

Capracotta, via Vallesorda ☎ 945140, Fax 945140, ≤ monti e dintorni – |‡| TV ☎ ♿ – P. AE. S. ⓓ E VISA. ✻
chiuso novembre – **Pasto** al Rist. ***Il Ginepro*** carta 40/60000 – ☐ 13000 – **25 cam** 90/140000, 2 appartamenti – ½ P 90/125000.

CAPRESE MICHELANGELO *52033 Arezzo* 429, 430 L 17 *G. Toscana – 1 642 ab. alt. 653 – ☎ 0575.*
Roma 260 – Rimini 121 – Arezzo 45 – Firenze 123 – Perugia 95 – Sansepolcro 26.

Buca di Michelangelo ⊗ con cam, via Roma 51 ☎ 793921, Fax 793941, ≤ – TV ☎. AE. S. VISA. ✻
chiuso dal 10 al 25 febbraio – **Pasto** *(chiuso mercoledì)* carta 25/40000 – ☐ 6000 – **19 cam** 45/75000 – ½ P 55/65000.

ad Alpe Faggeto *O : 6 km – alt. 1 177 – ✉ 52033 Caprese Michelangelo :*

Fonte della Galletta ⊗ con cam, ☎ 793925, Fax 793925, ≤ val Tiberina, ♣ – TV ☎ P. AE. S. ⓓ E VISA. ✻
chiuso martedì da ottobre a giugno – **Pasto** carta 30/40000 – ☐ 12000 – **19 cam** *(luglio-dicembre)* 55/85000 – ½ P 70/75000.

Dans ce guide
un même symbole, un même mot,
imprimé en rouge ou en **noir**, en maigre ou en ***gras***,
n'ont pas tout à fait la même signification.
Lisez attentivement les pages explicatives.

CAPRI (Isola di) *Napoli* 988 ㉗, 431 F 24 *G. Italia – 12 972 ab. alt. da 0 a 589 (monte Solaro) – a.s. Pasqua e giugno-settembre – ☎ 081.*
La limitazione d'accesso degli autoveicoli è regolata da norme legislative.
Vedere *Marina Grande*★ **BY** – *Escursioni in battello : giro dell'isola*★★★ **BY**, *grotta Azzurra*★★ **BY** *(partenza da Marina Grande).*
per Napoli (1 h 15 mn) e Sorrento (45 mn), giornalieri – Caremar-agenzia Angelina, Marina Grande ☎ 8370700, Fax 8376147; per Ischia aprile-ottobre giornaliero (1 h) – Linee Lauro, Marina Grande 2/4 ☎ 8377577.
per Napoli giornalieri (40 mn), Sorrento giornalieri (1 h) e Ischia aprile-ottobre giornalieri (50 mn) – Alilauro e Linee Lauro, Marina Grande 2/4 ☎ 8377577; per Sorrento giornalieri (da 20 mn a 35 mn).
– Navigazione Libera del Golfo, Marina Grande ☎ 8370819; per Napoli giornalieri (45 mn) – a Marina Grande, Aliscafi SNAV-agenzia Staiano ☎ 8377577, Caremar-agenzia Angelina ☎ 8370700, Fax 8376147 e Navigazione Libera del Golfo ☎ 8370819.

Pianta pagina a lato

Anacapri 431 F 24 – *5 720 ab. alt. 275 – ✉ 80071.*
Vedere *Monte Solaro*★★★ **BY** : ✻★★★ *per seggiovia 15 mn – Villa San Michele*★ **BY** : ✻★★★ *– Belvedere di Migliara*★ **BY** *1 h AR a piedi – Pavimento in maiolica*★ *nella chiesa di San Michele* **AZ**.
ℹ *via Orlandi 19/a ☎ 8371524.*

Europa Palace, via Capodimonte 2 ☎ 8373800, Fax 8373191, ≤, ⛱, « Terrazze fiorite con ⛱ », ⚒, ≘, ⛱ – |‡| ▤ TV ☎ – 🏛 200. AE. S. ⓓ E VISA. JCB. ✻ **AZ p**
aprile-ottobre – **Pasto** carta 70/105000 – **90 cam** ☐ 260/480000, appartamento – ½ P 220/310000.

Caesar Augustus ⊗ senza rist, via Orlandi 4 ☎ 8373395, Fax 8371444, « Posizione panoramica a strapiombo sul mare » – ☎ P. AE. S. ⓓ E VISA. JCB **BY c**
Pasqua-ottobre – **54 cam** ☐ 200/300000.

CAPRI

ANACAPRI

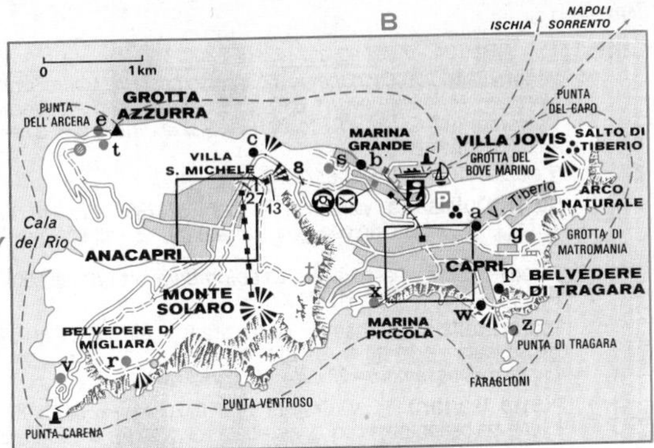

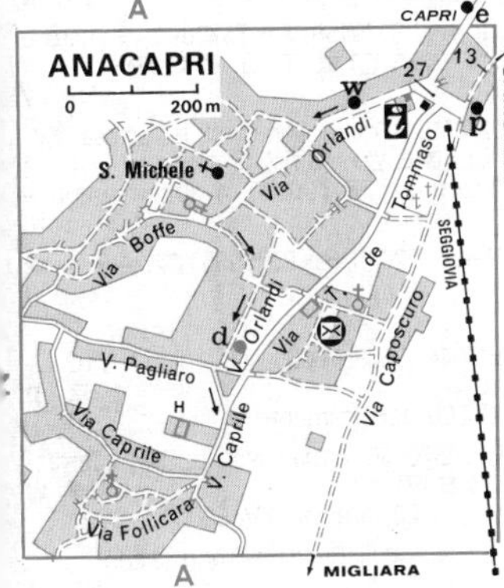

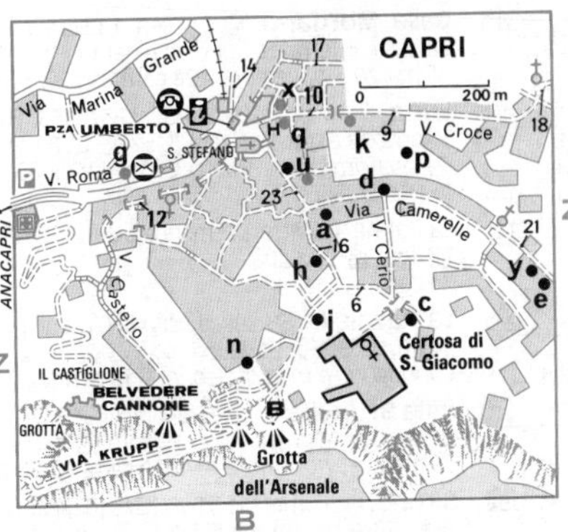

Bella Vista, via Orlandi 10 ☎ 8371463, < – ☎ 🅟. AE. 🅢. ⓓ E VISA. ⚔
aprile-ottobre – **Pasto** *(chiuso lunedì)* carta 40/55000 – **15 cam** ☕ 90/160000 – P 125/150000. AZ e

Biancamaria senza rist, via Orlandi 54 ☎ 8371000, Fax 8372060 – ☎. 🅢. VISA. ⚔
aprile-ottobre – **15 cam** ☕ 150/190000. AZ w

La Rondinella, via Orlandi 245 ☎ 8371223, Rist. e pizzeria alla sera – AE. 🅢. E VISA
chiuso febbraio e giovedì in bassa stagione – **Pasto** carta 45/65000 (10 %). AZ d

a Damecuta *NE : 3 km :*

Il Cucciolo, via La Fabbrica 52 ☎ 8371917, prenotare, « Servizio estivo in terrazza con < mare e golfo di Napoli » – AE. 🅢. ⓓ E VISA BY t
15 marzo-ottobre; chiuso martedì escluso dal 21 giugno al 20 settembre – **Pasto** carta 35/80000.

a Punta Carena *SO : 4 km :*

Lido del Faro, ☎ 8371798, < mare e scogli, « Stabilimento balneare con 🏊 » – AE. 🅢. VISA BY v
15 aprile-15 ottobre; chiuso la sera escluso luglio-agosto – **Pasto** carta 45/75000.

alla Grotta Azzurra *NO : 4,5 km :*

Add'ò Riccio, via Gradula 4 ☎ 8371380, « Servizio estivo in terrazza sul mare » BY e
stagionale.

alla Migliara *SO : 30 mn a piedi :*

Da Gelsomina, via Migliera 72 ☎ 8371499, Fax 8371499, < Ischia e golfo di Napoli, su prenotazione servizio navetta da Anacapri, « Servizio estivo in terrazza panoramica », 🏊 – AE. 🅢. E VISA BY r
chiuso dal 1° al 15 febbraio e martedì in bassa stagione – **Pasto** carta 40/55000 (12 %).

Capri 988 ㉗, 431 F 24 – *7 252 ab. alt. 142* – ✉ *80073.*

Vedere *Belvedere Cannone*** BZ *accesso per la via Madre Serafina** BZ 12 – *Belvedere di Tragara*** BY – *Villa Jovis*** BY : ✳**, *salto di Tiberio** – *Giardini di Augusto* ≤** BZ B – *Via Krupp** BZ – *Marina Piccola** BY – *Piazza Umberto I** BZ – *Via Le Botteghe** BZ 10 – *Arco Naturale** BY.

piazza Umberto I 19 ☎ 8370686.

Gd H. Quisisana, via Camerelle 2 ☎ 8370788, Telex 710520, Fax 8376080, ≤ mare e Certosa, « Giardino con ⛱ », – 550. AE. VISA. BZ a
Pasqua-ottobre – **Pasto** al Rist. ***La Colombaia*** carta 70/120000 – **150 cam** 350/750000, 14 appartamenti – ½ P 510/710000.

Scalinatella senza rist, via Tragara 8 ☎ 8370633, Fax 8378291, ≤ mare e Certosa, riscaldata – AE. E VISA BZ e
15 marzo-5 novembre – **28 cam** 520/670000.

Punta Tragara, via Tragara 57 ☎ 8370844, Fax 8377790, ≤ Faraglioni e costa, « Terrazza panoramica con riscaldata » – AE. E VISA. JCB.
Pasqua-ottobre – **Pasto** carta 55/80000 (15 %) – **10 cam** 450/520000, 30 appartamenti 630/800000 – ½ P 295/330000. BY p

Casa Morgano M senza rist, via Tragara 6 ☎ 8370158, Fax 8370681, ≤ mare e Certosa, « Terrazze fiorite in pineta », riscaldata – AE. E VISA
15 marzo-5 novembre – **28 cam** 320/500000. BZ y

Luna, viale Matteotti 3 ☎ 8370433, Fax 8377459, ≤ mare, Faraglioni e Certosa, « Terrazze e giardino con » – AE. E VISA. rist BZ j
Pasqua-ottobre – **Pasto** carta 60/75000 – **50 cam** 350/460000, 4 appartamenti – ½ P 210/285000.

La Palma, via Vittorio Emanuele 39 ☎ 8370133, Telex 722015, Fax 8376966, – – 25 a 200 BZ u
74 cam.

La Pazziella senza rist, via Giuliani 4 ☎ 8370044, Fax 8370085, « Giardino fiorito » – AE. E VISA. BZ p
Capodanno e marzo-ottobre – **19 cam** 220/320000, appartamento.

Villa Brunella, via Tragara 24 ☎ 8370122, Fax 8370430, ≤ mare e costa, « Terrazze fiorite », riscaldata – cam AE. E VISA. BY w
19 marzo-5 novembre – **Pasto** carta 40/80000 (12 %) – **20 cam** 300/450000.

Sirene, via Camerelle 51 ☎ 8370102, Fax 8370957, ≤, « Giardino-limonaia con » – AE. E VISA. JCB. BZ d
aprile-ottobre – **Pasto** *(chiuso martedì escluso da giugno a settembre)* carta 45/60000 – **35 cam** 280/360000 – ½ P 190/220000.

Canasta senza rist, via Campo di Teste ☎ 8370561, Fax 8376675, – AE. E VISA. BZ c
17 cam 160/280000.

Villa Sarah senza rist, via Tiberio 3/a ☎ 8377817, Fax 8377215, ≤, « Giardino ombreggiato » – AE. E VISA. BY a
Pasqua-ottobre – **20 cam** 150/260000.

Villa Krupp senza rist, via Matteotti 12 ☎ 8370362, Fax 8376489, ≤ Faraglioni e costa – E VISA. BZ n
marzo-ottobre – **12 cam** 110/220000.

Florida senza rist, via Fuorlovado 34 ☎ 8370710, Fax 8370042, – AE. E VISA. JCB BZ k
marzo-11 novembre – 18000 – **17 cam** 85/140000.

Quisi, via Camerelle 2 ☎ 8370788, Fax 8376080 – AE. E VISA. BZ a
Pasqua-ottobre ; chiuso a mezzogiorno – **Pasto** carta 80/135000.

La Capannina, via Le Botteghe 14 ☎ 8370732, Fax 8376990, prenotare la sera – AE. E VISA. BZ q
15 marzo-10 novembre – **Pasto** carta 55/80000 (15 %).

Tavernetta Namarì, via Lo Palazzo 23/a ☎ 8376864, Fax 8377195, – BZ g

Villa Verde, via Sella Orta 6/a ☎ 8377024, Rist. e pizzeria – AE. E VISA BZ u
chiuso martedì da ottobre a febbraio – **Pasto** carta 45/55000.

Buca di Bacco-da Serafina, via Longano 35 ☎ 8370723, Rist. e pizzeria – AE. E VISA. BZ x
chiuso mercoledì e novembre – **Pasto** carta 30/55000 (15 %).

Aurora, via Fuorlovado 18 ☎ 8370181, Fax 8376533, Rist. e pizzeria – AE. VISA BZ k
chiuso martedì e da gennaio a marzo – **Pasto** carta 50/75000 (15 %).

...ll'arco naturale *E : 20 mn a piedi :*

X **Le Grottelle,** via Arco Naturale 5 ✆ 8375719, ≤ mare, « Servizio estivo in terrazza panoramica » – AE. 🅂 BY g
Pasqua-ottobre; chiuso giovedì – **Pasto** carta 35/85000 (10 %).

...ai Faraglioni *SE : 30 mn a piedi oppure 10 mn di barca da Marina Piccola :*

X Da Luigi, ✆ 8370591, « Servizio estivo all'aperto con ≤ Faraglioni e mare », BY z
stagionale; chiuso la sera.

Marina Grande *80070* 431 F 24.

banchina del Porto ✆ 8370634.

Palatium, ✆ 8376144, Fax 8376150, ≤ golfo di Napoli, , – ▤ TV ☎ P – 150. AE. 🅂. ⓓ E VISA. ✻ rist BY b
Pasto al Rist. ***La Scogliera*** carta 45/75000 – **10 cam** ☐ 300/360000, 36 appartamenti ☐ 440/500000 – 1/2 P 210/300000.

X **Da Paolino,** via Palazzo a Mare 11 ✆ 8375611, Fax 8376102, , « Servizio estivo in giardino-limonaia » – AE. 🅂. ⓓ E VISA. JCB BY s
chiuso da febbraio a Pasqua, a mezzogiorno da giugno a settembre e martedì in bassa stagione – **Pasto** carta 50/70000.

Marina Piccola 431 F 24 – ✉ *80073 Capri :*

XXX Canzone del Mare, ✆ 8370104, Fax 8370541, ≤ Faraglioni e mare, , « Stabilimento balneare con » BY x
stagionale; chiuso la sera.

CAPRIATE SAN GERVASIO *24042 Bergamo* 428 F 10, 219 ⑳ – *7 067 ab. alt. 186* – ✆ *02.*

Roma 601 – Bergamo 16 – Lecco 38 – Milano 38 – Treviglio 17.

XXX **Vigneto** con cam, via al Porto 1 ✆ 90939351, Fax 9090179, ≤ Adda, « Servizio estivo all'aperto in riva al fiume », – ▤ rist TV ☎ P – 25. AE. 🅂. ⓓ E VISA. ✻ cam
chiuso dal 1° al 15 gennaio ed agosto – **Pasto** *(chiuso lunedì)* carta 65/90000 – ☐ 10000 – **11 cam** 120/180000.

CAPRILE *Belluno – Vedere Alleghe.*

CAPURSO *70010 Bari* 988 ㉙, 431 D 32 – *13 838 ab. alt. 74* – ✆ *080.*

Roma 459 – Bari 10 – Foggia 143 – Taranto 84.

90, via Magliano 62 ✆ 6953419, Fax 6959003, – ▤ TV ☎ ♿ P – 250. AE. 🅂. ⓓ E VISA JCB. ✻ rist
Pasto *(chiuso dal 3 al 24 agosto)* carta 35/60000 – **56 cam** ☐ 140/220000 – 1/2 P 125/175000.

CARAGLIO *12023 Cuneo* 428 I 4 – *5 864 ab. alt. 575* – ✆ *0171.*

Roma 655 – Cuneo 12 – Alessandria 138 – Genova 156 – Torino 106.

Quadrifoglio, via C.L.N. 20 ✆ 817666 e rist. ✆ 619685, Fax 817666 – TV ☎ P – 100. AE. 🅂. ⓓ VISA. ✻ rist
Pasto al Rist. ***Il Quadrifoglio*** *(chiuso lunedì)* carta 20/40000 – ☐ 12000 – **38 cam** 85/105000, 2 appartamenti – 1/2 P 80000.

X **Il Portichetto,** via Roma 178 ✆ 817575 – P. AE. 🅂. VISA
chiuso mercoledì e dal 5 al 25 agosto – **Pasto** carta 35/50000.

CARAMANICO TERME *65023 Pescara* 988 ㉗, 430 P 23 – *2 245 ab. alt. 700* – ✆ *085.*

viale della Libertà 19 ✆ 922202, Fax 922202.

Roma 202 – Pescara 54 – L'Aquila 88 – Chieti 43 – Sulmona 45.

Cercone, viale Torre Alta 13 ✆ 922118, Fax 922271, – TV ☎ P. 🅂. VISA. ✻ rist
maggio-novembre – **Pasto** carta 25/45000 – **38 cam** ☐ 80/120000 – 1/2 P 70/80000.

Petit Hotel Viola, viale della Libertà 5 ✆ 922292 – TV ☎. VISA. ✻
15 aprile-15 novembre – **Pasto** 20/25000 – ☐ 5000 – **28 cam** 60/110000 – P 75000.

Europe

Se il nome di un albergo è stampato in carattere magro, chiedete al vostro arrivo le condizioni che vi saranno praticate.

CARANO *38033 Trento* 429 D 16 – *880 ab. alt. 1 086 – a.s. 23 gennaio-Pasqua e Natale –* ☎ *0462.*
(luglio-settembre) ☎ *241160.*
Roma 648 – Trento 62 – Bolzano 46 – Cortina d'Ampezzo 100.

Bagni e Miramonti, ☎ 340220, Fax 340210, ← monti e vallata, – *stagionale* – **32 cam.**

CARASCO *16030 Genova* 428 I 10 – *3 131 ab. alt. 31 –* ☎ *0185.*
Roma 466 – Genova 53 – Parma 164 – Portofino 27 – La Spezia 72.

Beppa, località Graveglia E : 3 km ☎ 380725 – P.
chiuso martedì e dal 10 al 31 gennaio – **Pasto** carta 35/45000.

CARATE BRIANZA *20048 Milano* 428 E 9, 219 ⑲ – *16 018 ab. alt. 252 –* ☎ *0362.*
Roma 598 – Como 28 – Bergamo 38 – Milano 31 – Monza 12.

Taverna degli Artisti, a Costa Lambro N : 2 km ☎ 902729, « In un vecchio fienile » – AE. $. E VISA
chiuso lunedì, dal 14 al 21 gennaio e dal 4 al 24 agosto – **Pasto** carta 50/80000.

CARAVAGGIO *24043 Bergamo* 428 F 10 – *14 015 ab. alt. 111 –* ☎ *0363.*
Roma 564 – Bergamo 26 – Brescia 55 – Crema 19 – Cremona 57 – Milano 37 – Piacenza 57.

al Santuario *SO : 1,5 km :*

Verri, via Beata Vergine ✉ 24040 Misano di Gera d'Adda ☎ 84622, Fax 340350, – P – 200
48 cam.

Belvedere, via Beata Vergine 1 ✉ 24040 Misano di Gera d'Adda ☎ 340695, Fax 340695, P. AE. $. E VISA
Pasto *(chiuso mercoledì)* carta 40/75000 – 10000 – **14 cam** 80/100000 – 1/2 P 90/110000.

CARBONARA DI BARI *Bari* 431 D 32 – *Vedere Bari.*

CARBONARA DI PO *46020 Mantova* 429 G 15 – *1 353 ab. alt. 14 –* ☎ *0386.*
Roma 457 – Verona 58 – Ferrara 51 – Mantova 55 – Modena 59.

Passacör, ☎ 41461, Fax 41895 – P. AE. $. E VISA. rist
Pasto (solo per alloggiati e *chiuso a mezzogiorno)* 25/35000 – **37 cam** 95/135000 – 1/2 P 80/100000.

CARBONARA SCRIVIA *15050 Alessandria* 428 H 8 – *999 ab. alt. 177 –* ☎ *0131.*
Roma 563 – Alessandria 27 – Genova 69 – Milano 79 – Piacenza 82 – Torino 118.

Locanda Malpassuti, via Cantù 11 ☎ 892643, , Coperti limitati; prenotare, P.
AE. $. E VISA.
chiuso lunedì e martedì – **Pasto** carta 50/95000.

CARBONERA *31030 Treviso* 429 E 18 – *9 122 ab. alt. 17 –* ☎ *0422.*
Roma 536 – Venezia 33 – Padova 55 – Treviso 5.

a Pezzan *N : 2 km –* ✉ *31030 Carbonera :*

La Sosta, via Cal di Breda 2 ☎ 397867, – . AE. $. E VISA.
chiuso domenica sera, lunedì, dal 7 al 12 gennaio e dal 1° al 20 luglio – **Pasto** carta 35/80000.

CARBONIA *Cagliari* 988 ㉝, 433 J 7 – *Vedere Sardegna alla fine dell'elenco alfabetico.*

CARCARE *17043 Savona* 988 ⑫, 428 I 6 – *5 767 ab. alt. 350 –* ☎ *019.*
Roma 562 – Genova 68 – Alba 68 – Cuneo 72 – Imperia 88 – Savona 20.

Il Quadrifoglio, via 25 Aprile 29 ☎ 517289 – P. AE. $. VISA
chiuso martedì, mercoledì sera e dal 1° all'8 agosto – **Pasto** carta 30/50000.

CARCOFORO *13026 Vercelli* 428 E 6, 219 ⑤ *– 87 ab. alt. 1 304 –* ☎ *0163.*

Roma 705 – Aosta 191 – Biella 85 – Milano 132 – Novara 85 – Torino 147 – Vercelli 91.

XX **Scoiattolo,** via Casa del Ponte 3/b ☎ 95612, ≤, ⛱, Coperti limitati; prenotare – P. VISA. ✻
chiuso lunedì, dal 10 gennaio al 10 febbraio e dal 1° all'8 settembre – **Pasto** carta 35/55000.

CARDANO AL CAMPO *21010 Varese* 219 ⑰ *– 11 544 ab. alt. 238 –* ☎ *0331.*

Roma 620 – Stresa 45 – Gallarate 3 – Milano 43 – Novara 34 – Varese 21.

Cardano senza rist, via al Campo 10 ☎ 261011, Fax 730829 – |‡| ▤ TV ☎ 🚗 – 🏛 70. AE. ⑤. ⑩ E VISA
☕ 16000 – **33 cam** 160/220000.

CAREZZA AL LAGO (KARERSEE) *Bolzano* 429 C 16 *G. Italia – alt. 1 609 –* ✉ *39056 Nova Levante – Sport invernali : vedere Costalunga (Passo di) e Nova Levante –* ☎ *0471.*

Vedere *Lago*★.

🏌9 *(maggio-ottobre) località Carezza* ✉ *39056 Nova Levante* ☎ *612200, Fax 612200.*

Roma 672 – Bolzano 26 – Passo Costalunga 2 – Milano 330 – Trento 91.

Moser Alm 🔈, O : 3 km ☎ 612171, Fax 612406, ≤ monti Latemar e Catinaccio, Ƒ₆, ≘s, 🏊, 🌳 – |‡| ☎ P
stagionale – **36 cam.**

Sport Hotel Alpenrose, ☎ 612139, Fax 612336, ≤, ≘s – |‡| ☎ 🚗 P. ⑤. E VISA. ✻ rist
dicembre-aprile e giugno-ottobre – **Pasto** carta 30/45000 – **28 cam** ☕ 80/150000 – ½ P 80/125000.

Read carefully the introduction it is the key to the Guide.

CAREZZA (Passo di) (KARERPASS) *Bolzano e Trento – Vedere Costalunga (Passo di).*

CARIMATE *22060 Como* 219 ⑲ *– 3 618 ab. alt. 296 –* ☎ *031.*

🏌18 *(chiuso lunedì)* ☎ *790226, Fax 790226.*

Roma 620 – Como 19 – Milano 30.

Il Castello, piazza Castello 1 ☎ 791770, Fax 790683, ≤, « Castello del 14° secolo con parco » – |‡| TV ☎ ♿ P – 🏛 140. AE. ⑤. ⑩ E VISA. ✻ rist
Pasto carta 65/95000 – **54 cam** ☕ 140/260000 – ½ P 160/180000.

XX **Al Torchio di Carimate,** piazza Castello 4 ☎ 791486, prenotare – ▤. AE. ⑤. ⑩ E VISA. JCB. ✻
chiuso domenica sera, lunedì e dal 2 al 22 agosto – **Pasto** carta 50/75000.

CARISIO *13040 Vercelli* 988 ②, 428 F 6 *– 955 ab. alt. 183 –* ☎ *0161.*

Roma 648 – Torino 58 – Aosta 103 – Biella 26 – Novara 39 – Vercelli 26.

sulla strada statale 230 *NE : 6 km :*

La Bettola, località Fornace Crocicchio, strada statale Vercelli-Biella 9 ✉ 13040 ☎ 858045, Fax 858100 – |‡| ▤ TV ☎ ♿ P – 🏛 50. AE. ⑤. ⑩ E VISA. JCB. ✻
Pasto *(chiuso giovedì ed agosto)* carta 40/65000 – ☕ 5000 – **40 cam** 70/120000.

CARISOLO *38080 Trento* 428, 429 D 14 *– 845 ab. alt. 824 –* ☎ *0465.*

Roma 630 – Trento 55 – Bolzano 104 – Brescia 104 – Madonna di Campiglio 13.

Orso Grigio, via Roncag 6 ☎ 502189, Fax 502189 – |‡| TV ☎ ♿ 🚗 P. ✻ rist
Pasto carta 35/50000 – ☕ 10000 – **21 cam** 75/120000 – ½ P 80/95000.

CARLINO *33050 Udine* 429 E 21 *– 2 783 ab. –* ☎ *0431.*

Roma 603 – Udine 38 – Gorizia 46 – Pordenone 55 – Portogruaro 31 – Trieste 64.

XX Trattoria alla Risata, via Marano 94 (SO : 1,5 km), ⛱ – ▤ P

CARLOFORTE *Cagliari* 988 ㉝, 433 J 6 *– Vedere Sardegna (San Pietro, isola di) alla fine dell'elenco alfabetico.*

CARMAGNOLA *10022 Torino* [988] ⑫, [428] H 5 – *24 875 ab. alt. 240* – ☎ *011.*

⛳ *I Girasoli (chiuso martedì ed agosto)* ✆ *9795088, Fax 9254691;*

⛳ *La Margherita (chiuso martedì, gennaio e febbraio)* ✆ *9795113, Fax 9795204.*

Roma 663 – Torino 29 – Asti 58 – Cuneo 71 – Milano 184 – Savona 118 – Sestriere 92.

🍴🍴🍴 ✿ **La Carmagnole,** via Sottotenente Chiffi 31 ✆ 9712673, solo su prenotazione, « In un antico palazzo » – Ⓟ
chiuso a mezzogiorno (escluso domenica), domenica sera, lunedì e dal 1° al 21 agosto – **Pasto** 120000
Spec. Carciofo con quenelle di prosciutto (inverno). Cofanetto di sfoglia con quaglie alla cannella. Luccio al curry con porri.

🍴🍴 **San Marco,** via San Francesco di Sales 18 ✆ 9720485, Fax 9720485, 🌂 – Ⓟ. [AE]. [S]. ⓓ E VISA. 🚫
chiuso domenica sera, lunedì e dal 1° al 21 agosto – **Pasto** carta 35/55000.

CARMIGNANO *50042 Prato* [429], [430] K 15 *G. Toscana* – *10 290 ab. alt. 200* – ☎ *055.*

Roma 298 – Firenze 24 – Milano 305 – Pistoia 23 – Prato 15.

ad Artimino *S : 7 km – alt. 260 – ✉ 50040 :*

🏨 **Paggeria Medicea** 🌿, viale Papa Giovanni XXIII ✆ 8718081, Telex 571502, Fax 8718080, ≤, « Edificio del '500, giardino con 🏊 », 🎾 – ▤ 📺 ☎ ♿ Ⓟ – 🏛 300. [AE]. [S]. ⓓ E VISA. 🚫
chiuso dal 18 al 27 dicembre – **Pasto** vedere rist **Biagio Pignatta** – ☕ 20000 – **37 cam** 200/300000 – ½ P 195/220000.

🍴🍴 ✿ **Da Delfina,** via Della Chiesa 1 ✆ 8718074, Fax 8718175, prenotare, « Servizio estivo in terrazza con ≤ colline » – Ⓟ. 🚫
chiuso domenica sera, lunedì, dal 28 dicembre al 10 gennaio ed agosto – **Pasto** carta 45/70000 (10 %)
Spec. Ribollita. Coniglio con olive e pinoli. Bistecca alla fiorentina..

🍴🍴 **Biagio Pignatta** - Hotel Paggeria Medicea, viale Papa Giovanni XXIII, 1 ✆ 8718086, ≤ – Ⓟ. [AE]. [S]. ⓓ E VISA. JCB. 🚫
chiuso mercoledì, giovedì a mezzogiorno e dal 1° al 15 novembre – **Pasto** carta 40/70000.

a Bacchereto *SO : 5 km – ✉ 50040 :*

🍴🍴 **La Cantina di Toia,** ✆ 8717135, Fax 8717135, 🌂, prenotare, « In un edificio storico del 1300 » – ▤ Ⓟ. [AE]. [S]. ⓓ E VISA. JCB
chiuso lunedì, martedì e novembre – **Pasto** carta 45/70000.

CARMIGNANO DI BRENTA *35010 Padova* [429] F 17 – *6 960 ab. alt. 45* – ☎ *049.*

Roma 505 – Padova 33 – Belluno 96 – Tarvisio 47 – Venezia 57.

🏨 Zenit, piazza del Popolo 5 ✆ 9430388 – 🛗 ▤ 📺 ☎ Ⓟ
22 cam.

CARNIA *33010 Udine* [988] ⑥, [429] C 21 – *alt. 257* – ☎ *0432.*

Roma 681 – Udine 47 – Milano 420 – Tarvisio 51 – Trieste 114 – Venezia 170.

🏨 **Carnia,** via Canal del Ferro 28 ✆ 978106, Fax 978187 – 📺 ☎ 🚗 Ⓟ – 🏛 40. [AE]. [S]. ⓓ E VISA. 🚫
Pasto carta 40/50000 – ☕ 10000 – **41 cam** 90/110000 – ½ P 70/85000.

CARONNO PERTUSELLA *21042 Varese* [428] F 9, [219] ⑱ – *11 714 ab. alt. 192* – ☎ *02.*

Roma 593 – Milano 19 – Bergamo 61 – Como 29 – Novara 54 – Varese 33.

🍴🍴 **Da Piero,** corso Della Vittoria 439 ✆ 9655488 – ▤. [AE]. [S]. ⓓ E VISA
chiuso sabato a mezzogiorno e domenica – **Pasto** carta 65/90000.

CAROVIGNO *72012 Brindisi* [988] ㉚, [431] E 34 – *15 092 ab. alt. 171* – ☎ *0831.*

Roma 538 – Brindisi 28 – Bari 88 – Taranto 61.

🏨 **Villa Jole,** via Ostuni 45 (O : 1 km) ✆ 991311, Fax 996888, 🌳 – 🛗 ▤ 📺 ☎ Ⓟ. [AE]. [S]. ⓓ E VISA. 🚫
Pasto *(chiuso dal 2 al 19 novembre)* carta 30/45000 – ☕ 9000 – **34 cam** 75/105000 – ½ P 80/90000.

🍴 **Gallo d'Oro,** via Benedetto Croce 51 ✆ 994215 – 🚫
chiuso martedì e dal 25 giugno al 20 luglio – **Pasto** carta 25/40000.

CARPI *41012 Modena* [988] ⑭, [428], [429] H 14 *G. Italia* – *60 187 ab. alt. 28* – ☎ *059.*

Vedere *Piazza dei Martiri★ – Castello dei Pio★.*

Roma 424 – Bologna 60 – Ferrara 73 – Mantova 53 – Milano 176 – Modena 18 – Reggio nell'Emilia 27 – Verona 87.

🏠 **Duomo** senza rist, via Cesare Battisti 25 ☎ 686745, Fax 686745 – 🛗 ❄ [TV] ☎ 🅿. [AE] [O] [E] [VISA]. 🐕
chiuso dal 3 al 26 agosto – ☕ 18000 – **16 cam** 115/170000, ❄ 18000.

CARPIANO *20080 Milano* [428] *F 9 – 2 347 ab. alt. 91 –* ☎ *02.*
Roma 558 – Milano 19 – Piacenza 53 – Pavia 23.

🍴🍴 **Lodigiani,** località Francolino NE : 1,5 km ☎ 9815538 – ❄ 🅿. [AE]. [S]. [O] [E] [VISA]. 🐕
chiuso lunedì e dal 1° al 15 gennaio – **Pasto** carta 45/80000.

CARRAIA *Firenze – Vedere Calenzano.*

CARRARA *54033 Massa-Carrara* [988] *⑭,* [428] *,* [429] *,* [430] *J 12 G. Toscana – 66 416 ab. alt. 80 –* ☎ *0585.*
Dintorni *Cave di marmo di Fantiscritti★★ NE : 5 km – Cave di Colonnata★ E : 7 km.*
Roma 400 – La Spezia 31 – Firenze 126 – Massa 7 – Milano 233 – Pisa 55.

a Colonnata *E : 7 km –* ✉ *54030 :*

🍴 Venanzio, piazza Palestro 3 ☎ 73617, Fax 73617, Coperti limitati; prenotare

---

CARRARA (Marina di) *54036 Massa-Carrara* [988] *⑭,* [430] *J 12 – a.s. Pasqua e luglio-agosto –* ☎ *0585.*
[i] *piazza Menconi 5/b* ☎ *632218.*
Roma 396 – La Spezia 26 – Carrara 7 – Firenze 122 – Massa 10 – Milano 229 – Pisa 53.

🏠🏠 **Mediterraneo,** via Genova 2/h ☎ 785222, Fax 785222, 🌳 – 🛗 ❄ [TV] ☎ ♿ 🅿 – 🧑‍🤝‍🧑 80. [AE]. [S]. [O] [E] [VISA]. 🐕
Pasto 30/80000 – **48 cam** ☕ 120/180000.

🏠 **Carrara,** via Petacchi 21 ✉ 54031 Avenza ☎ 52371, Fax 50344 – 🛗 [TV] ☎ 🅿. [AE]. [S]. [O] [E] [VISA]. 🐕
Pasto (solo per alloggiati) 25/35000 – ☕ 12000 – **32 cam** 90/130000 – ½ P 95000.

🍴🍴 **Il Muraglione,** via del Parmignola 13 ✉ 54031 Avenza ☎ 52337, ⛱, prenotare – ❄ 🅿. [S]. [VISA]
chiuso domenica – **Pasto** carta 65/105000.

🍴🍴 **Da Gero,** viale 20 Settembre 305 ☎ 55255, ⛱ – 🐕
chiuso domenica, dal 23 dicembre al 10 gennaio e dal 28 luglio al 15 agosto – **Pasto** carta 45/75000.

CARRÈ *36010 Vicenza* [429] *E 16 – 2 893 ab. alt. 219 –* ☎ *0445.*
Roma 545 – Padova 66 – Trento 63 – Belluno 106 – Treviso 73 – Verona 72 – Vicenza 29.

🏠 **La Rua** 🐦, località Cà Vecchia O : 4 km ☎ 893088, Fax 893147, 🏋, 🎾 – ☎ 🅿. [AE] [VISA]. 🐕 rist
Pasto (solo per alloggiati) carta 30/40000 – **13 cam** ☕ 75/110000 – ½ P 90/105000.

CARRÙ *12061 Cuneo* [988] *⑫,* [428] *I 5 – 3 958 ab. alt. 364 –* ☎ *0173.*
Roma 620 – Cuneo 31 – Milano 203 – Savona 75 – Torino 74.

🍴 **Moderno,** via della Misericordia 12 ☎ 75493 –. [S]. [VISA]
chiuso lunedì sera, martedì ed agosto – **Pasto** carta 35/55000.

🍴 **Vascello d'Oro,** via San Giuseppe 9 ☎ 75478, « Ambiente tipico » – 🐕
chiuso domenica sera, lunedì e luglio – **Pasto** carta 35/60000.

CARSOLI *67061 L'Aquila* [988] *㉖,* [430] *P 21 – 5 161 ab. alt. 640 –* ☎ *0863.*
Roma 68 – L'Aquila 63 – Avezzano 45 – Frosinone 81 – Rieti 56.

🍴🍴 **L'Angolo d'Abruzzo,** ☎ 997429, Fax 997429 – [AE]. [S]. [O] [E] [VISA]. 🐕
chiuso lunedì, dal 23 al 30 dicembre e dal 1° al 15 luglio – **Pasto** carta 40/70000.

🍴🍴 **Al Caminetto,** via degli Alpini 95 ☎ 995105, Fax 995479, ⛱ – [AE]. [S]. [O] [E] [VISA]
chiuso dal 3 al 17 luglio e lunedì (escluso luglio ed agosto) – **Pasto** carta 35/55000.

in prossimità dello svincolo Carsoli-Oricola *SO : 2 km :*

🍴🍴 **Nuova Fattoria** con cam, via Tiburtina km. 68.3 ✉ 67061 ☎ 997388, Fax 992173, ⛱, 🌳 – [TV] ☎ 🅿. [AE]. [S]. [O] [E] [VISA]
Pasto *(chiuso lunedì)* carta 40/55000 – **23 cam** ☕ 75/95000 – ½ P 75/85000.

CARTOCETO 61030 Pesaro e Urbino 429, 430 L 20 – 5 979 ab. alt. 235 – ☎ 0721.

Roma 280 – Rimini 83 – Ancona 78 – Pesaro 30 – Urbino 33.

XXX ✿ **Symposium,** O : 1,5 km ☎ 898320, Fax 898493, Coperti limitati; prenotare, « Giardino fiorito con piscina » – P. AE. Ⓢ. ⓓ E VISA. ✂
chiuso lunedì martedì (escluso dal 10 luglio al 20 agosto) e dall'8 gennaio al 10 febbraio – **Pasto** 80/120000 bc (a mezzogiorno) 100/150000 bc (alla sera) e carta 65/100000.
Spec. Passata di fagioli di Sorana con scampi e fegato grasso d'oca (primavera-estate). Tagliatelle cotte in brodo di cappone con tartufo di Acqualagna (autunno-inverno). Oca alle albicocche e arance con salsa bigarade (estate-autunno).

CARTOSIO 15015 Alessandria 428 I 7 – 813 ab. alt. 236 – ☎ 0144.

Roma 578 – Genova 83 – Acqui Terme 13 – Alessandria 47 – Milano 137 – Savona 46 – Torino 115.

XX **Cacciatori** ⛰ con cam, via Moreno 30 ☎ 40123, Fax 40524, Coperti limitati; prenotare – ☎ P. Ⓢ. E VISA. ✂
chiuso dal 23 dicembre al 24 gennaio e dal 1º al 15 luglio – **Pasto** *(chiuso giovedì)* carta 40/60000 – ☐ 10000 – **12 cam** 55/80000, 2 appartamenti.

CASAGIOVE 81022 Caserta 431 D 25 – 14 676 ab. alt. 53 – ☎ 0823.

Roma 190 – Napoli 29 – Avellino 58 – Benevento 49 – Campobasso 99.

X **Le Quattro Fontane,** via Quartier Vecchio 60 ☎ 468970, ☂, prenotare – AE. Ⓢ. ⓓ VISA. ✂
chiuso domenica, dal 23 dicembre al 2 gennaio ed agosto – **Pasto** cucina casalinga regionale carta 30/55000.

CASAL BORSETTI 48010 Ravenna 429, 430 J 18 – ☎ 0544.

Roma 386 – Ravenna 20 – Bologna 94 – Ferrara 71 – Firenze 156 – Venezia 129.

X **La Botte,** via Casal Borsetti 181 ☎ 445153 – ▤ rist. AE. Ⓢ. ⓓ E VISA. JCB. ✂
chiuso martedì e novembre – **Pasto** carta 45/65000.

CASALECCHIO DI RENO 40033 Bologna 988 ⑭, 429, 430 I 15 – 33 283 ab. alt. 60 – ☎ 051.

ℹ *autostrada A 1-Cantagallo ☎ 572263.*

Roma 372 – Bologna 6 – Firenze 98 – Milano 205 – Modena 36.

Pianta d'insieme di Bologna.

🏠 **Pedretti,** via Porrettana 255 ☎ 572149, Fax 578286, ☂ – TV ☎ P – 🏔 30. AE. Ⓢ. ⓓ E VISA. JCB. ✂ DU n
Pasto *(chiuso venerdì e dal 1º al 15 agosto)* carta 45/70000 – ☐ 8000 – **24 cam** 100/150000.

CASALE CORTE CERRO 28022 Verbania 428 E 7, 219 ⑥ – 3 243 ab. alt. 372 – ☎ 0323.

Roma 671 – Stresa 14 – Domodossola 32 – Locarno 53 – Milano 94 – Novara 61 – Torino 135.

XX **Da Cicin** con cam, reg. Gabbio, strada statale E : 1 km ☎ 840045, Fax 840046, ✂ – TV ☎ P – 🏔 120. Ⓢ. ⓓ E VISA. ✂
chiuso dal 1º al 23 agosto – **Pasto** *(chiuso lunedì)* carta 40/65000 – ☐ 8000 – **26 cam** 50/70000 – 1/2 P 65000.

CASALE MARITTIMO 56040 Pisa 430 M 13 – 946 ab. alt. 214 – ☎ 0586.

Roma 282 – Pisa 67 – Firenze 120 – Grosseto 104 – Livorno 47 – Piombino 54 – Siena 79.

X **L'Erba Voglio,** via Roma 6 ☎ 652384, Fax 652384, « Servizio estivo in terrazza con ≤ sulla campagna toscana » – AE. Ⓢ. ⓓ E VISA
chiuso a mezzogiorno, lunedì, febbraio e dal 18 al 30 novembre – **Pasto** carta 40/70000.

CASALE MONFERRATO 15033 Alessandria 988 ⑫, 428 G 7 – 37 943 ab. alt. 116 – ☎ 0142.

ℹ *via Marchino 2 ☎ 70243, Fax 781811 – piazza Castello ☎ 444330.*

Roma 611 – Alessandria 31 – Asti 42 – Milano 75 – Pavia 66 – Torino 70 – Vercelli 23.

🏨 **Business** senza rist, strada per Valenza 4 G ☎ 456400, Fax 456446 – ▤ TV ☎ P – 🏔 40. AE. Ⓢ. E VISA
chiuso dal 22 al 28 dicembre – ☐ 10000 – **50 cam** 115000.

XXX **La Torre,** via Garoglio 3 per salita Sant'Anna ☎ 70295, Fax 70295 – ▤ P. AE. Ⓢ. ⓓ E VISA. JCB
chiuso mercoledì, dal 24 dicembre al 6 gennaio e dal 1º al 20 agosto – **Pasto** carta 55/100000.

CASALINCONTRADA *66012 Chieti* [430] P 24 – *2 849 ab. alt. 300* – ☎ *0871.*
Roma 216 – Pescara 31 – Campobasso 130 – Chieti 13 – L'Aquila 110.

🍴 **La Buca del Grano,** largo degli Alberelli 1 ℘ 370016, prenotare, « Ambiente caratteristico » – [S]
chiuso a mezzogiorno, martedì e mercoledì – **Pasto** carta 35/60000.

CASALMAGGIORE *26041 Cremona* [988] [14], [428], [429] H 13 – *13 195 ab. alt. 26* – ☎ *0375.*
Roma 46 – Parma 24 – Brescia 69 – Cremona 40 – Mantova 41 – Piacenza 75.

🏨 **Bifi Hotel,** località Rotonda, strada statale 420 km 36 ℘ 200938, Fax 200960 – |‡| ▤ [TV] ☎ 🚗 [P] – 🏫 200. [AE]. [S]. [O] [E] [VISA]. ✂
Pasto carta 50/65000 – **78 cam** ☕ 100/120000, 4 appartamenti – ½ P 90/130000.

CASALMORO *46040 Mantova* [428], [429] G 13 – *1 795 ab. alt. 47* – ☎ *0376.*
Roma 502 – Brescia 38 – Cremona 42 – Parma 61 – Piacenza 77 – Verona 67.

🏨 **Park Hotel,** via Asola 1 ℘ 737706, Fax 737174 – |‡| ▤ [TV] ☎ ♿ [P] – 🏫 50. [AE]. [S]. [E] [VISA]. ✂
Pasto *(chiuso domenica e lunedì)* carta 35/55000 – ☕ 15000 – **31 cam** 140/180000 – ½ P 100000.

CASAMICCIOLA TERME *Napoli* [988] [27], [431] E 23 – *Vedere Ischia (Isola d').*

CASARSA DELLA DELIZIA *33072 Pordenone* [988] [5], [429] E 20 – *7 633 ab. alt. 44* – ☎ *0434.*
Roma 608 – Udine 40 – Pordenone 20 – Venezia 95.

🏨 Al Posta, ℘ 870808, Fax 870804, 🌳, 🌲 – ▤ [TV] ☎ [P] – 🏫 50
33 cam, 2 appartamenti.

CASARZA LIGURE *16030 Genova* [428] J 10 – *5 296 ab. alt. 34* – ☎ *0185.*
Roma 457 – Genova 50 – Portofino 38 – La Spezia 59.

🍴🍴 **San Giovanni,** via Monsignor Podestà 1 ℘ 467244, 🌳 – [P]. [AE]. [S]. [O] [E] [VISA]
chiuso novembre e lunedì (escluso luglio-agosto) – **Pasto** carta 50/70000.

CASATEIA (GASTEIG) *Bolzano* – *Vedere Vipiteno.*

CASATENOVO *22064 Lecco* [428] E 9, [219] [19] – *11 316 ab. alt. 359* – ☎ *039.*
Roma 590 – Como 31 – Bergamo 47 – Lecco 21 – Milano 30.

🍴🍴 ✿ **La Fermata,** via De Gasperi 2 (S : 1,5 km) ℘ 9202153, Fax 9202715, solo su prenotazione – [AE]. [S]. [E] [VISA]. ✂
chiuso lunedì, martedì e giugno o luglio – **Pasto** carta 50/105000
Spec. Insalata di pollo con spugnole e noci. Gnocchi di patate, radicchio trevisano e crema di taleggio (novembre-marzo). Composizione di rombo all'infuso di basilico e fantasia di verdura (maggio-settembre).

CASCIA *06043 Perugia* [988] [16] [26], [430] N 21 – *3 264 ab. alt. 645* – ☎ *0743.*
[i] *piazza Garibaldi 1 ℘ 71147, Fax 76630.*
Roma 138 – Ascoli Piceno 75 – Perugia 104 – Rieti 60 – Terni 66.

🏨 **Monte Meraviglia,** via Roma ℘ 76142, Telex 564007, Fax 71127, ⋞ – |‡| [TV] ☎ ♿ [P] – 🏫 150. [S]. [E] [VISA]. ✂ rist
Pasto 30/45000 e al Rist. ***Il Tartufo*** carta 40/55000 – ☕ 10000 – **133 cam** 120/140000 – ½ P 60/100000.

🏨 **Delle Rose,** via del Santuario 2 ℘ 76241, Fax 76240, 🌲 – |‡| 📷 [P] – 🏫 600. [S]. [O] [E] [VISA]. ✂ rist
23 marzo-25 ottobre – **Pasto** carta 40/45000 – ☕ 5000 – **160 cam** 50/90000 – ½ P 50/60000.

🏠 **Cursula,** viale Cavour 3 ℘ 76206, Fax 76262 – |‡| [TV] ☎ [P]. [AE]. [S]. [O] [E] [VISA]. [JCB]
chiuso gennaio e febbraio – **Pasto** *(chiuso mercoledì)* carta 35/65000 – **34 cam** ☕ 70/100000 – ½ P 75/80000.

a Roccaporena *O : 6 km – alt. 707 – ✉ 06043 Cascia :*

🏠 **Hotel Roccaporena,** ℘ 76348, Fax 76348, ⋞, 🏋, 🌲, 🎾 – |‡| [TV] ☎ ♿ [P] – 🏫 600. [AE]. [S]. [O] [E] [VISA]. ✂
aprile-ottobre – **Pasto** carta 35/45000 – ☕ 8000 – **75 cam** 70/95000 – ½ P 65/75000.

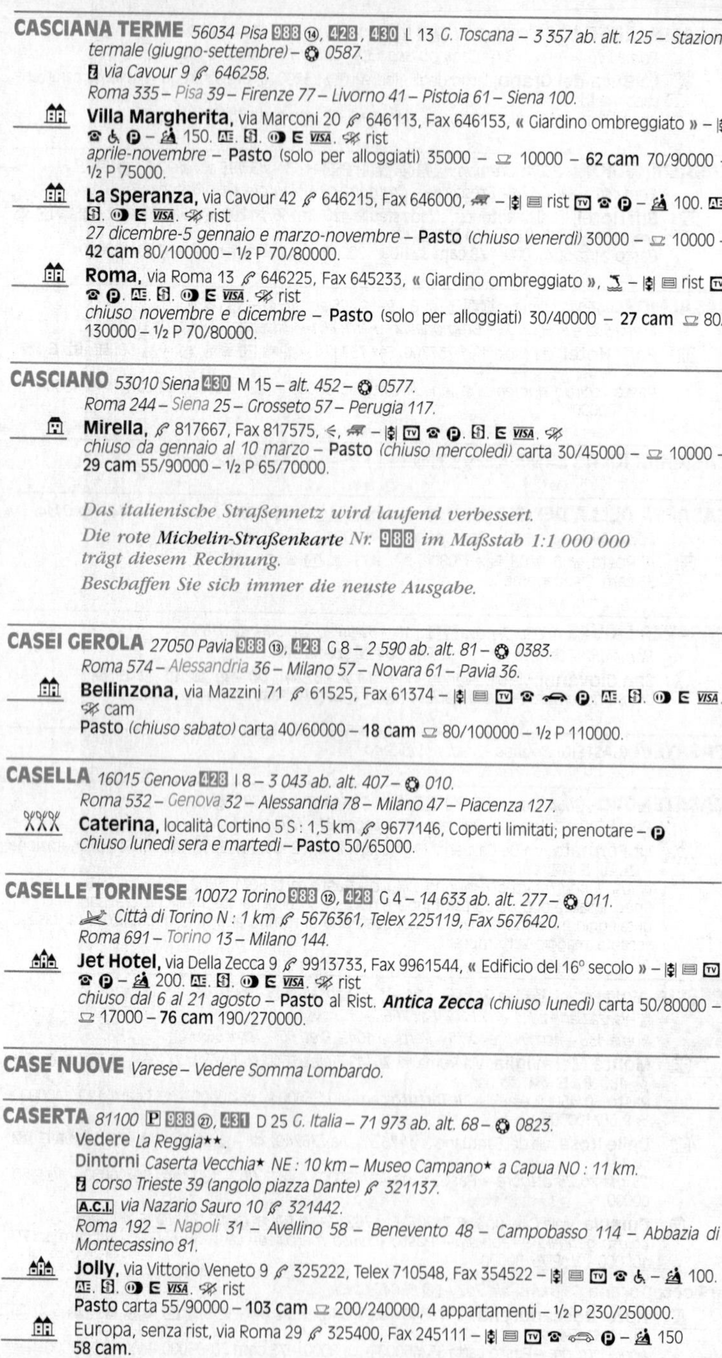

CASCIANA TERME *56034 Pisa* 988 ⑭, 428, 430 L 13 *G. Toscana – 3 357 ab. alt. 125 – Stazione termale (giugno-settembre) – ☎ 0587.*

via Cavour 9 ☎ 646258.

Roma 335 – Pisa 39 – Firenze 77 – Livorno 41 – Pistoia 61 – Siena 100.

Villa Margherita, via Marconi 20 ☎ 646113, Fax 646153, « Giardino ombreggiato » – ☎ – 150. AE. ⑤. E VISA. rist
aprile-novembre – **Pasto** (solo per alloggiati) 35000 – ☐ 10000 – **62 cam** 70/90000 – ½ P 75000.

La Speranza, via Cavour 42 ☎ 646215, Fax 646000, – rist ☎ – 100. AE. ⑤. E VISA. rist
27 dicembre-5 gennaio e marzo-novembre – **Pasto** *(chiuso venerdì)* 30000 – ☐ 10000 – **42 cam** 80/100000 – ½ P 70/80000.

Roma, via Roma 13 ☎ 646225, Fax 645233, « Giardino ombreggiato », – rist ☎ AE. ⑤. E VISA. rist
chiuso novembre e dicembre – **Pasto** (solo per alloggiati) 30/40000 – **27 cam** ☐ 80/130000 – ½ P 70/80000.

CASCIANO *53010 Siena* 430 M 15 – *alt. 452 – ☎ 0577.*

Roma 244 – Siena 25 – Grosseto 57 – Perugia 117.

Mirella, ☎ 817667, Fax 817575, ←, – ☎ ⑤. E VISA.
chiuso da gennaio al 10 marzo – **Pasto** *(chiuso mercoledì)* carta 30/45000 – ☐ 10000 – **29 cam** 55/90000 – ½ P 65/70000.

Das italienische Straßennetz wird laufend verbessert.
Die rote ***Michelin-Straßenkarte*** *Nr.* 988 *im Maßstab 1:1 000 000 trägt diesem Rechnung.*
Beschaffen Sie sich immer die neuste Ausgabe.

CASEI GEROLA *27050 Pavia* 988 ⑬, 428 G 8 – *2 590 ab. alt. 81 – ☎ 0383.*

Roma 574 – Alessandria 36 – Milano 57 – Novara 61 – Pavia 36.

Bellinzona, via Mazzini 71 ☎ 61525, Fax 61374 – ☎ AE. ⑤. E VISA. cam
Pasto *(chiuso sabato)* carta 40/60000 – **18 cam** ☐ 80/100000 – ½ P 110000.

CASELLA *16015 Genova* 428 I 8 – *3 043 ab. alt. 407 – ☎ 010.*

Roma 532 – Genova 32 – Alessandria 78 – Milano 47 – Piacenza 127.

XXX **Caterina,** località Cortino 5 S : 1,5 km ☎ 9677146, Coperti limitati; prenotare –
chiuso lunedì sera e martedì – **Pasto** 50/65000.

CASELLE TORINESE *10072 Torino* 988 ⑫, 428 G 4 – *14 633 ab. alt. 277 – ☎ 011.*

Città di Torino N : 1 km ☎ 5676361, Telex 225119, Fax 5676420.

Roma 691 – Torino 13 – Milano 144.

Jet Hotel, via Della Zecca 9 ☎ 9913733, Fax 9961544, « Edificio del 16° secolo » – ☎ – 200. AE. ⑤. E VISA. rist
chiuso dal 6 al 21 agosto – **Pasto** al Rist. ***Antica Zecca*** *(chiuso lunedì)* carta 50/80000 – ☐ 17000 – **76 cam** 190/270000.

CASE NUOVE *Varese – Vedere Somma Lombardo.*

CASERTA *81100* P 988 ㉗, 431 D 25 *G. Italia – 71 973 ab. alt. 68 – ☎ 0823.*

Vedere *La Reggia★★.*

Dintorni *Caserta Vecchia★ NE : 10 km – Museo Campano★ a Capua NO : 11 km.*

corso Trieste 39 (angolo piazza Dante) ☎ 321137.

A.C.I. *via Nazario Sauro 10 ☎ 321442.*

Roma 192 – Napoli 31 – Avellino 58 – Benevento 48 – Campobasso 114 – Abbazia di Montecassino 81.

Jolly, via Vittorio Veneto 9 ☎ 325222, Telex 710548, Fax 354522 – ☎ – 100. AE. ⑤. E VISA. rist
Pasto carta 55/90000 – **103 cam** ☐ 200/240000, 4 appartamenti – ½ P 230/250000.

Europa, senza rist, via Roma 29 ☎ 325400, Fax 245111 – ☎ – 150
58 cam.

XX **Antica Locanda,** piazza della Seta, località San Leucio ☎ 305444 – ▤. AE. ⑤. ⓓ E VISA. ⌘ – *chiuso domenica sera, lunedì e dall'8 al 22 agosto* – **Pasto** carta 35/60000.

XX **Leucio,** località San Leucio NO : 4 km ✉ 81020 San Leucio ☎ 301241, Fax 301241 – Ⓟ. AE. ⑤. E VISA. ⌘
chiuso domenica sera, lunedì, Natale, Pasqua ed agosto – **Pasto** specialità di mare carta 35/65000 (15 %).

XX **Ciacco,** via Maielli 37 ☎ 327505, prenotare – ▤. AE. ⑤. ⓓ VISA. ⌘
chiuso domenica e dal 15 al 18 agosto – **Pasto** carta 35/55000.

in prossimità casello autostrada A 1 - Caserta Sud *S : 6 km – ✉ 81020 Capodrise :*

Novotel Caserta Sud Ⓜ, strada statale 87 Sannitica ☎ 826553, Fax 827238, ⛱, ⌘ – ⇆ cam ▤ TV ☎ ♿ Ⓟ – 🏛 250. AE. ⑤. ⓓ E VISA. ⌘ rist
Pasto carta 45/75000 – **126 cam** ☕ 190/235000 – ½ P 155/250000.

a Caserta Vecchia *NE : 10 km – alt. 401 – ✉ 81020 :*

X **Al Ritrovo dei Patriarchi,** località Sommana ☎ 371510 – ▤ Ⓟ. ⌘
chiuso giovedì ed agosto – **Pasto** specialità carne e cacciagione carta 35/50000 (15 %).

CASIER *31030 Treviso* 429 F 18 – *7 255 ab.* – ☎ *0422.*
Roma 539 – Venezia 32 – Padova 52 – Treviso 6.

a Dosson *SO : 3,5 km – ✉ 31030 :*

X **Alla Pasina,** via Peschiere 15 ☎ 382112, Fax 382112 – ▤. AE. ⑤. ⓓ E VISA. JCB. ⌘
chiuso lunedì sera, martedì, sabato a mezzogiorno, dal 26 dicembre al 4 gennaio ed agosto – **Pasto** carta 35/45000.

CASIRATE D'ADDA *24040 Bergamo* 428 F 10 – *3 110 ab. alt. 115* – ☎ *0363.*
Roma 574 – Bergamo 26 – Brescia 59 – Cremona 60 – Milano 34 – Piacenza 60.

XX **Il Portico,** via Rimembranze 9 ☎ 87574, Fax 87574, ⛱ – Ⓟ. AE. ⑤. E VISA. ⌘
chiuso lunedì sera, martedì e dal 5 al 20 agosto – **Pasto** 25000 bc e carta 40/75000.

CASOLA VALSENIO *48010 Ravenna* 429, 430 J 16 – *2 887 ab. alt. 195* – ☎ *0546.*
ℹ *(aprile-settembre) via Roma 50 ☎ 73033.*
Roma 380 – Bologna 64 – Firenze 82 – Forlì 42 – Milano 277 – Ravenna 60.

XX **Mozart,** ☎ 73508, Coperti limitati; prenotare, ⌘ – Ⓟ. AE. ⑤. ⓓ E VISA
chiuso lunedì, martedì a mezzogiorno, dal 2 gennaio al 10 febbraio e dal 2 al 15 novembre – **Pasto** 25/35000 (solo a mezzogiorno) 40/50000 (alla sera) e carta 50/70000.

X **Valsenio,** località Valsenio NE : 2 km ☎ 73179 – Ⓟ. ⌘
chiuso a mezzogiorno (escluso sabato-domenica), lunedì e dal 10 gennaio al 12 febbraio – **Pasto** carta 25/35000.

CASOLE D'ELSA *53031 Siena* 430 L 15 – *2 700 ab. alt. 417* – ☎ *0577.*
Roma 269 – Siena 48 – Firenze 63 – Livorno 97.

Gemini, via Provinciale 4 ☎ 948622, Fax 948241, ≤, ⛱ – TV ☎ ♿ Ⓟ. AE. ⑤. E VISA. ⌘ cam
chiuso gennaio e febbraio – **Pasto** *(chiuso martedì)* carta 35/70000 (10 %) – **42 cam** ☕ 125/135000 – ½ P 95/150000.

a Pievescola *SE : 12 km – ✉ 53030 :*

Relais la Suvera ⌘, via La Suvera ☎ 960300, Fax 960220, ≤ dintorni, ⛱, « Complesso patrizio del 16° secolo », ⛱ riscaldata, ⌘, ⌘ – |‡| ▤ TV ☎ ♿ Ⓟ – 🏛 70. AE. ⑤. ⓓ E VISA. ⌘
12 aprile-1° novembre – **Pasto** al Rist. ***Oliviera*** carta 60/90000 – **16 cam** ☕ 280/500000, 19 appartamenti 470/700000 – ½ P 320/350000.

CASSANIGO *Ravenna – Vedere Cotignola.*

CASSINA SAVINA *Milano* 219 ⑲ *– Vedere Cesano Maderno.*

CASSINASCO *14050 Asti* 428 H 6 – *608 ab. alt. 447* – ☎ *0141.*
Roma 594 – Alessandria 49 – Genova 95 – Torino 98 – Asti 34 – Milano 137.

XX **I Caffi,** reg. Caffi O : 2 km ☎ 826900, Fax 826900, Coperti limitati; prenotare – ⌘
✿ *chiuso domenica sera, mercoledì, dal 1° al 20 gennaio e dal 10 al 20luglio* – **Pasto** 55/75000
Spec. Sfogliatina di formaggio con crema di pere (autunno-inverno). Ravioli alle verdure di stagione. Capretto all'Arneis (primavera).

CASSINETTA DI LUGAGNANO *Milano* 428 F 8, 219 ⑱ – *Vedere Abbiategrasso.*

CASSINO *03043 Frosinone* 988 ㉗, 430 R 23 – *33 029 ab. alt. 45* – *0776.*

Dintorni *Abbazia di Montecassino*★★ – *Museo dell'abbazia*★★ *O : 9 km.*

piazza De Gasperi 10 *26842, Fax 25692.*

Roma 130 – *Frosinone 53* – *Caserta 71* – *Gaeta 47* – *Isernia 48* – *Napoli 98.*

Forum Palace Hotel, via Casilina Nord 301211, Telex 610641, Fax 302116 – – 300. AE. . E.
Pasto carta 50/70000 – **100 cam** 130/155000 – ½ P 120/160000.

Rocca, via Sferracavallo 105 311212, Fax 311212, Parco acquatico con , , , – rist . AE. . E VISA.
Pasto carta 25/40000 – 8000 – **35 cam** 60/85000 – ½ P 80000.

Al Boschetto, via Ausonia 54 (SE : 2 km) 301227, Fax 301227, , –
AE. . E VISA.
Pasto carta 30/50000 – 10000 – **46 cam** 100/125000 – ½ P 95/100000.

Alba, via G. di Biasio 53 21873, Fax 25700, – – 50. AE. . E VISA
Pasto 30/40000 e al Rist. ***Da Mario*** carta 35/50000 – **26 cam** 90/130000 – P 80/110000.

CASTAGNETO CARDUCCI *57022 Livorno* 430 M 13 *G. Toscana* – *8 262 ab. alt. 194* – *a.s. 15 giugno-15 settembre* – *0565.*

Roma 272 – *Firenze 143* – *Grosseto 84* – *Livorno 57* – *Piombino 33* – *Siena 119.*

Zì Martino, località San Giusto 264/a (O : 2 km) 766000, Fax 763444, –
. . E VISA. rist
Pasto carta 30/45000 – 13000 – **23 cam** 195000 – ½ P 125/135000.

a Donoratico *NO : 6 km* – *57024 :*

Nuovo Hotel Bambolo senza rist, N : 1 km 775206, Fax 775346, , , –
. AE. . E VISA. JCB.
35 cam 160/220000, 10000.

a Marina di Castagneto *NO : 9 km* – *57024 Donoratico :*

(maggio-settembre) via della Marina 8 *744276, Fax 744276.*

Alle Dune , via Milano 14 745790, Fax 744478, « Parco-pineta », , , –
.
8 aprile-10 ottobre – **Pasto** carta 40/60000 (10%) – 10000 – **34 cam** 85/145000 – P 105/200000.

Il Tirreno, via della Triglia 4 744036, Fax 744187 – rist . AE. . VISA.
febbraio-ottobre – **Pasto** carta 35/55000 – **29 cam** 120/150000 – ½ P 85/145000.

La Tana del Pirata, via Milano 17 744143, Fax 744548, , – . AE. . E VISA.
10 aprile-10 ottobre; chiuso martedì escluso da giugno a settembre – **Pasto** carta 60/95000.

CASTAGNETO PO *10090 Torino* 428 G 5 – *1 334 ab. alt. 473* – *011.*

Roma 685 – *Torino 26* – *Aosta 105* – *Milano 122* – *Novara 77* – *Vercelli 59.*

La Pergola, via delle Scuole 2 912933, – . . E VISA
chiuso dall'8 gennaio al 4 febbraio, martedì a mezzogiorno in luglio-agosto, tutto il giorno negli altri mesi – **Pasto** carta 40/60000.

CASTEGGIO *27045 Pavia* 988 ⑬, 428 G 9 – *6 973 ab. alt. 90* – *0383.*

Roma 549 – *Alessandria 47* – *Genova 101* – *Milano 59* – *Pavia 21* – *Piacenza 51.*

Ai Colli di Mairano, località Mairano 83296 – . AE. . E VISA.
chiuso lunedì, dal 7 al 15 gennaio e luglio – **Pasto** carta 30/55000.

CASTELBELLO CIARDES (KASTELBELL TSCHARS) *39020 Bolzano* 428, 429 C 14, 218 ⑲ – *2 316 ab. alt. 586* – *0473.*

Roma 688 – *Bolzano 51* – *Merano 23.*

sulla strada statale 38 *E : 4,5 km :*

Sand, 39020 624130, Fax 624406, , « Giardino con », , , – .
. E VISA. rist
16 marzo-14 novembre – **Pasto** *(chiuso mercoledì)* 35/65000 – **30 cam** 120/220000 – ½ P 100/150000.

CASTEL D'APPIO *Imperia – Vedere Ventimiglia.*

CASTEL D'ARIO *46033 Mantova* [428], [429] G 14 – *4 056 ab. alt. 24* – ☎ *0376.*

Roma 478 – Verona 47 – Ferrara 96 – Mantova 15 – Milano 188.

🍴 **Edelweiss** con cam, strada statale O : 1 km ✆ 665885, Fax 665893 – [TV] ☎ [P]. [AE]. [S]. [O] [E] [VISA]. [JCB]. ⊗ rist
chiuso dal 3 al 24 gennaio – **Pasto** *(chiuso mercoledì)* carta 35/60000 – ☕ 15000 – **7 cam** 75/100000 – P 90000.

🍴 **Stazione,** ✆ 660217 – ▤. ⊗
chiuso lunedì sera, martedì, dal 3 al 17 gennaio e luglio – **Pasto** carta 35/50000.

CASTEL D'AZZANO *37060 Verona* [428], [429] F 14 – *9 559 ab. alt. 44* – ☎ *045.*

Roma 495 – Verona 12 – Mantova 32 – Milano 162 – Padova 92.

🏨 **Cristallo,** ✆ 8520932 e rist ✆ 8520512, Fax 8520244 – [ascensore] ▤ [TV] ☎ ♿ 🚗 [P] – 🎓 40. [AE]. [S]. [E] [VISA]. ⊗
chiuso dal 15 dicembre al 15 gennaio – **Pasto** al Rist. ***Allo Scudo d'Orlando*** *(chiuso mercoledì e dal 1° al 15 gennaio)* carta 35/50000 – **80 cam** ☕ 110/180000.

Les prix — Pour toutes précisions sur les prix indiqués dans ce guide, reportez-vous aux pages de l'introduction.

CASTELDEBOLE *Bologna – Vedere Bologna.*

CASTELDIMEZZO *Pesaro e Urbino* [429], [430] K 20 – *alt. 197* – ✉ *61010 Fiorenzuola di Focara* – ☎ *0721.*

Roma 312 – Rimini 27 – Milano 348 – Pesaro 12 – Urbino 41.

🍴🍴 **Taverna del Pescatore,** ✆ 208116, Fax 208408, « Servizio estivo in terrazza con ← mare e dintorni » – [AE]. [S]. [O] [E] [VISA]. ⊗
9 marzo-26 ottobre; chiuso a mezzogiorno da lunedì a giovedì – **Pasto** specialità di mare carta 55/105000.

CASTEL DI TUSA *Messina* [432] M 24 – *Vedere Sicilia alla fine dell'elenco alfabetico.*

CASTELFIDARDO *60022 Ancona* [988] ⑯, [430] L 22 – *15 664 ab. alt. 199* – ☎ *071.*

Roma 303 – Ancona 27 – Macerata 40 – Pescara 125.

🏨 **Parco** senza rist, via Donizetti 2 ✆ 7821605, Fax 7820309 – [ascensore] ▤ [TV] ☎ [P]. [AE]. [S]. [O] [E] [VISA]. [JCB]
☕ 12500 – **32 cam** 110/160000, appartamento.

CASTELFRANCO DI SOPRA *52020 Arezzo* [429], [430] L 16 – *2 703 ab. alt. 280* – ☎ *055.*

Roma 238 – Firenze 43 – Siena 68 – Arezzo 46 – Forlì 140.

🍴🍴 ✿ **Vicolo del Contento,** località Mandri N : 1,5 km, via Ponte a Mandri 38 ✆ 9149277, Fax 9149906, [terrazza], prenotare – [P]. [AE]. [S]. [O] [E] [VISA]
chiuso a mezzogiorno, lunedì e martedì – **Pasto** 80000 e carta 55/85000
Spec. Insalata di mazzancolle in salsa di basilico. Trofie con melanzane, pomodorini e gamberetti. Filetto di branzino avvolto in scaglie di porcini (giugno-ottobre).

CASTELFRANCO EMILIA *41013 Modena* [988] ⑭, [429], [430] I 15 – *21 920 ab. alt. 42* – ☎ *059.*

Roma 398 – Bologna 25 – Ferrara 69 – Firenze 125 – Milano 183 – Modena 13.

🏨 **Aquila** senza rist, via Leonardo Da Vinci 5 ✆ 923208, Fax 927159 – ▤ [TV] ☎ [P]. [AE]. [S]. [O] [E] [VISA]. ⊗
☕ 15000 – **27 cam** 90/130000.

🍴 **La Lumira,** corso Martiri 74 ✆ 926550, « Ristorante caratteristico » – [P]. [AE]. [S]. [O] [E] [VISA]. ⊗
chiuso domenica, lunedì a mezzogiorno, dal 1° al 7 gennaio, Pasqua ed agosto – **Pasto** carta 40/60000.

a Rastellino *NE : 6 km* – ✉ *41013 :*

🍴 **Osteria di Rastellino,** ✆ 937151, « Servizio estivo all'aperto » – [P]. [AE]. [S]. [O] [VISA]. ⊗
chiuso lunedì, sabato a mezzogiorno e dal 10 agosto al 5 settembre – **Pasto** carta 35/40000.

CASTELFRANCO VENETO *31033 Treviso* 988 ⑤, 429 E 17 *G. Italia – 30 079 ab. alt. 42 –* *0423.*

Vedere *Madonna col Bambino** del Giorgione nella Cattedrale.*

Ca' Amata (chiuso dal 18 dicembre al 3 febbraio, dal 30 luglio al 1° settembre e lunedì solo su prenotazione negli altri mesi) 746711, Fax 721842.

Roma 532 – Padova 34 – Belluno 74 – Milano 239 – Trento 109 – Treviso 27 – Venezia 56 – Vicenza 34.

Alla Torre senza rist, piazzetta Trento e Trieste 7 498707, Fax 498737 – – 70. AE. . . E VISA
14000 – **39 cam** 95/150000.

Al Moretto senza rist, via San Pio X 10 721313, Fax 721066, – – 40. AE. . E VISA.
18000 – **34 cam** 110/140000.

Alle Mura, via Preti 69 498098, « Servizio estivo in giardino »
chiuso giovedì, gennaio ed agosto – **Pasto** specialità di mare carta 55/95000.

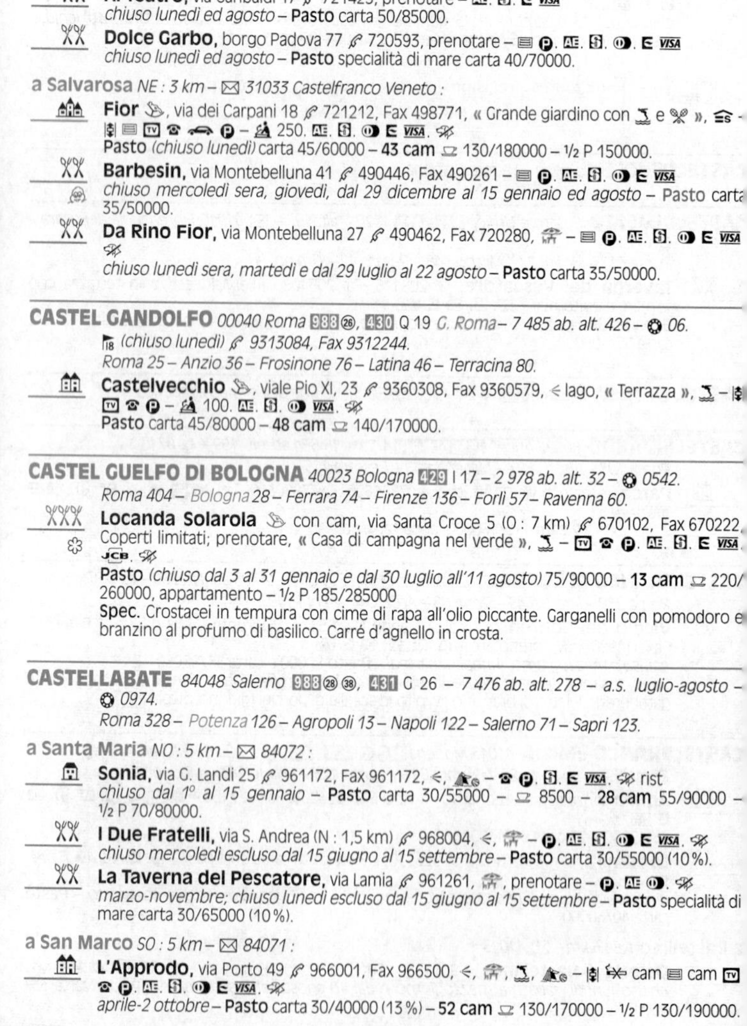

Al Teatro, via Garibaldi 17 721425, prenotare – AE. . E VISA
chiuso lunedì ed agosto – **Pasto** carta 50/85000.

Dolce Garbo, borgo Padova 77 720593, prenotare – . AE. . . E VISA
chiuso lunedì ed agosto – **Pasto** specialità di mare carta 40/70000.

a Salvarosa *NE : 3 km – 31033 Castelfranco Veneto :*

Fior , via dei Carpani 18 721212, Fax 498771, « Grande giardino con e », – – 250. AE. . . E VISA.
Pasto *(chiuso lunedì)* carta 45/60000 – **43 cam** 130/180000 – ½ P 150000.

Barbesin, via Montebelluna 41 490446, Fax 490261 – . AE. . E VISA
chiuso mercoledì sera, giovedì, dal 29 dicembre al 15 gennaio ed agosto – **Pasto** carta 35/50000.

Da Rino Fior, via Montebelluna 27 490462, Fax 720280, – . AE. . E VISA
chiuso lunedì sera, martedì e dal 29 luglio al 22 agosto – **Pasto** carta 35/50000.

CASTEL GANDOLFO *00040 Roma* 988 ㉖, 430 Q 19 *G. Roma – 7 485 ab. alt. 426 –* *06.*

(chiuso lunedì) 9313084, Fax 9312244.

Roma 25 – Anzio 36 – Frosinone 76 – Latina 46 – Terracina 80.

Castelvecchio , viale Pio XI, 23 9360308, Fax 9360579, ≤ lago, « Terrazza », – – 100. AE. . VISA.
Pasto carta 45/80000 – **48 cam** 140/170000.

CASTEL GUELFO DI BOLOGNA *40023 Bologna* 429 I 17 *– 2 978 ab. alt. 32 –* *0542.*

Roma 404 – Bologna 28 – Ferrara 74 – Firenze 136 – Forlì 57 – Ravenna 60.

Locanda Solarola con cam, via Santa Croce 5 (O : 7 km) 670102, Fax 670222, Coperti limitati; prenotare, « Casa di campagna nel verde », – . AE. . E VISA JCB.
Pasto *(chiuso dal 3 al 31 gennaio e dal 30 luglio all'11 agosto)* 75/90000 – **13 cam** 220/260000, appartamento – ½ P 185/285000
Spec. Crostacei in tempura con cime di rapa all'olio piccante. Garganelli con pomodoro e branzino al profumo di basilico. Carré d'agnello in crosta.

CASTELLABATE *84048 Salerno* 988 ㉘ ㊳, 431 G 26 *– 7 476 ab. alt. 278 – a.s. luglio-agosto –* *0974.*

Roma 328 – Potenza 126 – Agropoli 13 – Napoli 122 – Salerno 71 – Sapri 123.

a Santa Maria *NO : 5 km – 84072 :*

Sonia, via G. Landi 25 961172, Fax 961172, ≤, – . . E VISA. rist
chiuso dal 1° al 15 gennaio – **Pasto** carta 30/55000 – 8500 – **28 cam** 55/90000 – ½ P 70/80000.

I Due Fratelli, via S. Andrea (N : 1,5 km) 968004, ≤, – . AE. . E VISA.
chiuso mercoledì escluso dal 15 giugno al 15 settembre – **Pasto** carta 30/55000 (10 %).

La Taverna del Pescatore, via Lamia 961261, , prenotare – . AE .
marzo-novembre; chiuso lunedì escluso dal 15 giugno al 15 settembre – **Pasto** specialità di mare carta 30/65000 (10 %).

a San Marco *SO : 5 km – 84071 :*

L'Approdo, via Porto 49 966001, Fax 966500, ≤, , , – cam cam . AE. . E VISA.
aprile-2 ottobre – **Pasto** carta 30/40000 (13 %) – **52 cam** 130/170000 – ½ P 130/190000.

ASTELLAMMARE DEL GOLFO *Trapani* 988 ㉟, 432 M 20 – *Vedere Sicilia alla fine dell'elenco alfabetico.*

ASTELLAMMARE DI STABIA *80053 Napoli* 988 ㉗, 431 E 25 *G. Italia – 66 985 ab. – Stazione termale, a.s. luglio-settembre –* ✆ *081.*

Vedere *Antiquarium★.*

Dintorni *Scavi di Pompei★★★ N : 5 km – Monte Faito★★ : ※★★★ dal belvedere dei Capi e ※★★★ dalla cappella di San Michele (strada a pedaggio).*

piazza Matteotti 34/35 ✆ 8711334.

Roma 238 – Napoli 31 – Avellino 50 – Caserta 55 – Salerno 31 – Sorrento 19.

La Medusa ⊗, via Passeggiata Archeologica 5 ✆ 8723383, Fax 8717009, ←, ☂, ⛱, – ♿ TV ☎ P – 🅰 60. AE. Ⓢ. ◑ E VISA. ✂
Pasto carta 50/85000 – **53 cam** ☕ 150/200000, appartamento – ½ P 130/140000.

ASTELLANA GROTTE *70013 Bari* 988 ㉙, 431 E 33 *G. Italia – 18 218 ab. alt. 290 –* ✆ *080.*

Vedere *Grotte★★★ SO : 2 km.*

Roma 488 – Bari 40 – Brindisi 82 – Lecce 120 – Matera 65 – Potenza 154 – Taranto 60.

Le Soleil, via Conversano 157 (N : 1 km) ✆ 4965133, Fax 4961409 – ▤ TV ☎ P – 🅰 120. AE. Ⓢ. ◑ VISA. ✂
Pasto *(chiuso novembre)* carta 40/60000 – ☕ 10000 – **60 cam** 90/110000, ▤ 10000 – ½ P 110000.

Le Jardin ⊗ con cam, via Conversano N : 1,5 km ✆ 4966300, Fax 4965520, ☂ – ▤ TV ☎ P. AE. Ⓢ. ◑ E VISA. ✂
Pasto *(chiuso lunedì)* 45/75000 – ☕ 15000 – **10 cam** 125/180000.

Da Ernesto e Rosa-Taverna degli Artisti, alle grotte SO : 2 km ✉ 70013 ✆ 4968234, Fax 4968234, ☂ – AE. Ⓢ. E VISA. ✂
chiuso dicembre, la sera da gennaio al 15 marzo e giovedì (escluso da luglio a settembre) – **Pasto** carta 30/50000 (15 %).

ASTELLANETA MARINA *74011 Taranto* 431 F 32 – *17 390 ab. – a.s. 20 giugno-agosto –* ✆ *099.*

(chiuso martedì da ottobre a maggio) a Riva dei Tessali ✉ 74011 Castellaneta ✆ 6439251, Telex 860086, Fax 6439255, SO : 10 km.

Roma 487 – Matera 56 – Bari 99 – Potenza 128 – Taranto 33.

Riva dei Tessali *SO : 10 km – ✉ 74025 Marina di Ginosa :*

Golf Hotel ⊗, ✆ 6439251, Telex 860086, Fax 6439255, ☂, « In un vasto parco-pineta », ⛱, ⛵, ✂, 9 18 – ▤ TV ☎ P – 🅰 150. AE. Ⓢ. ◑ E VISA. ✂ rist
15 giugno-15 settembre – **Pasto** carta 55/75000 – **70 cam** ☕ 160/240000 – ½ P 170/220000.

ASTELL' APERTOLE *Vercelli – Vedere Livorno Ferraris.*

ASTELL'ARQUATO *29014 Piacenza* 988 ⑬, 428, 429 H 11 – *4 577 ab. alt. 225 –* ✆ *0523.*

18 (chiuso lunedì) località Bacedasco Terme ✉ 29014 Castell'Arquato ✆ 895544, Fax 895544.

(aprile-settembre) viale Remondini 1 ✆ 803091.

Roma 495 – Piacenza 34 – Bologna 134 – Cremona 39 – Milano 96 – Parma 41.

La Rocca-da Franco, via Asilo 4 ✆ 805154, ← –. Ⓢ. E VISA. ✂
chiuso martedì sera, mercoledì, gennaio e luglio – **Pasto** carta 40/60000.

Maps, piazza Europa 3 ✆ 804411, ☂, Coperti limitati; prenotare – AE. Ⓢ. ◑ E VISA. ✂
chiuso Natale, gennaio, dal 1° all'8 settembre, martedì e da novembre a marzo anche lunedì sera – **Pasto** carta 50/70000
Spec. Piccolo strudel caldo con punte di asparagi. Pisarèi e fasô. Tagliata di manzo al Gutturnio e scalogno.

Faccini, località Sant'Antonio N : 3 km ✆ 896340, Fax 896470, ☂ – P – 🅰 70. AE. Ⓢ. ◑ E VISA. JCB. ✂
chiuso mercoledì, dal 20 al 30 gennaio e dal 4 al 15 luglio – **Pasto** carta 45/60000.

CASTELLETTO DI BRENZONE *Verona* 428 E 14 – *Vedere Brenzone.*

Prices — For notes on the prices quoted in this Guide, see the introduction.

CASTELLINA IN CHIANTI *53011 Siena* 988 ⑭ ⑮, 430 L 15 – *2 518 ab. alt. 578* – ☎ *0577.*
Roma 251 – Firenze 61 – Siena 24 – Arezzo 67 – Pisa 98.

Villa Casalecchi, località Casalecchi di Sotto 18 (S : 1 km) ☎ 740240, Fax 741111, ≤, – ☎ P. AE. S. E VISA. rist
28 marzo-ottobre – **Pasto** carta 80/120000 – **16 cam** 310/360000, 3 appartamenti ½ P 240/270000.

Salivolpi senza rist, via Fiorentina 89 (NE : 1 km) ☎ 740484, Fax 740998, ≤, ☎ P. AE. S. E VISA.
19 cam 135000.

Albergaccio di Castellina, via Fiorentina 35 ☎ 741042, Fax 741250, prenotare P
chiuso domenica ed a mezzogiorno da martedì a giovedì – **Pasto** carta 55/80000.

a Ricavo *N : 4 km* – ✉ *53011 Castellina in Chianti :*

Tenuta di Ricavo, località Ricavo 4 ☎ 740221, Fax 741014, ≤, « Borgo rustico », – ☎ P.
maggio-novembre – **Pasto** (*chiuso martedì e mercoledì a mezzogiorno*; prenotare) carta 55/95000 – **18 cam** 300/370000, 5 appartamenti.

a San Leonino *S : 9 km* – ✉ *53011 Castellina in Chianti :*

Belvedere di San Leonino, località San Leonino ☎ 740887, Fax 740924, ≤, « In un'antica casa colonica », – ☎ P. AE. S. E VISA.
26 dicembre-6 gennaio e 20 marzo-15 novembre – **Pasto** (solo per alloggiati e *chiuso mezzogiorno*) 25/40000 – **28 cam** 160000 – ½ P 100/120000.

a Piazza *N : 10 km* – ✉ *53011 Castellina in Chianti :*

Poggio al Sorbo senza rist, località Poggio al Sorbo 48 (O : 1 km) ☎ 749731 Fax 749731, ≤ colline e borghi circostanti, « In un piccolo borgo agrituristico del 1400 in zona colllinare e verdeggiante », – P
4 appartamenti 275/320000.

CASTELLINA MARITTIMA *56040 Pisa* 430 L 13 – *1 898 ab. alt. 375* – ☎ *050.*
Roma 308 – Pisa 49 – Firenze 105 – Livorno 40 – Pistoia 89 – Siena 103.

Il Poggetto, via Giardini 3 ☎ 695205, Fax 695246, ≤, « Giardino ombreggiato », – TV ☎ P. AE. S. E VISA.
chiuso gennaio – **Pasto** (*chiuso lunedì escluso da luglio a settembre*) 30000 – 11000 – **31 cam** 55/110000 – ½ P 60/80000.

CASTELLO *Brescia* 428, 429 F 13 – *Vedere Serle.*

CASTELLO DI CERI *Roma* – *Vedere Cerveteri.*

CASTELLO MOLINA DI FIEMME *38030 Trento* 429 D 16 – *1 997 ab. alt. 963* – *a.s. 23 gennaio Pasqua e Natale* – ☎ *0462.*
(luglio-settembre) a Castello di Fiemme ☎ 241150 – (luglio-settembre) a Molina di Fiemme ☎ 241155.
Roma 645 – Bolzano 41 – Trento 64 – Belluno 95 – Cortina d'Ampezzo 100 – Milano 303.

Los Andes, via Dolomiti 5 ☎ 340098, Fax 342230, ≤, – TV ☎ P. S. E VISA.
dicembre-aprile e giugno-ottobre – **Pasto** 35000 – 18000 – **39 cam** 100/160000 – ½ P 80/120000.

Vecchia Stazione, ☎ 230571 – P. AE. S. E VISA
chiuso dal 15 al 30 maggio, dal 15 al 30 ottobre e giovedì (escluso luglio-agosto) – **Pasto** carta 35/60000.

CASTELLUCCHIO *46014 Mantova* 428, 429 G 13 – *4 876 ab. alt. 26* – ☎ *0376.*
Roma 467 – Parma 55 – Brescia 65 – Mantova 11 – Piacenza 91 – Verona 53.

Antica Locanda Tre Re con cam, via Roma 112/a ☎ 439848, Fax 438940, Rist. e bistrot – TV P. AE. S. E VISA.
chiuso dal 18 agosto al 2 settembre – **Pasto** (*chiuso martedì*) carta 40/60000 – **14 cam** 80/140000.

Usate le ***carte Michelin*** 428, 429, 430, 431, 432, 433
per programmare agevolmente i vostri viaggi in ***Italia.***

CASTELLUCCIO INFERIORE *85040 Potenza* [431] G 29 – *2 545 ab. alt. 479* – ☏ *0973.*
Roma 402 – Cosenza 118 – Potenza 138 – Salerno 146.

🍴🍴 **Il Beccaccino,** largo Marconi ℘ 662129, Fax 662129, ⇐ – ▤ [P]. [AE]. [S]. ◑ [E] [VISA]. 🚫🐕
😋 *chiuso mercoledì, dall'8 al 14 giugno e dal 10 al 30 novembre* – **Pasto** carta 20/40000.

CASTEL MADAMA *00024 Roma* [988] ㉖, [430] Q 20 – *6 613 ab. alt. 453* – ☏ *0774.*
Roma 42 – Avezzano 70.

🍴 **Sgommarello,** a Collerminio SO : 4 km, via S. Anna 77 ℘ 411431, ⇐, ⛱, 🌳 – [P]. [AE]. [S]. ◑ [E] [VISA]. 🚫🐕
chiuso domenica sera, mercoledì e dal 20 luglio al 10 agosto – **Pasto** carta 35/50000.

🍴 **Porta Luisa,** via Aniene 6 ℘ 449405 – [AE]. [S]. ◑ [E] [VISA]
chiuso martedì e dal 18 agosto al 4 settembre – **Pasto** carta 35/45000.

CASTEL MAGGIORE *40013 Bologna* [429], [430] I 16 – *15 306 ab. alt. 20* – ☏ *051.*
Roma 387 – Bologna 10 – Ferrara 38 – Milano 214.

🏨 **Olimpic,** via Galliera 23 ℘ 700861, Fax 700776 – ⇅ ▤ [TV] ☎ 🚗 [P] – 👥 40. [AE]. [S]. ◑ [E] [VISA]. [JCB]. 🚫🐕 rist
Pasto carta 30/45000 – ☕ 8000 – **62 cam** 70/100000 – ½ P 80/90000.

🍴🍴 **Alla Scuderia,** località Castello E : 1,5 km ℘ 713302, prenotare – ▤ [P]. [AE]. [S]. ◑ [E]. 🚫🐕
chiuso domenica e dal 6 al 27 agosto – **Pasto** carta 45/65000.

sulla strada statale 64 *SE : 3 km :*

🏨 **Nettuno,** via Serenari 13 ✉ 40013 ℘ 704050, Fax 702292 – ⇅ 🚭 cam ▤ [TV] ☎ ♿ 🚗 [P] – 👥 150. [AE]. [S]. ◑ [E] [VISA]. 🚫🐕
Pasto carta 45/70000 – **114 cam** ☕ 130/230000.

a Trebbo di Reno *SO : 6 km* – ✉ *40060 :*

🍴🍴 Il Sole-Antica Locanda del Trebbo, via Lame 67 ℘ 700102, Fax 701138, ⛱, Coperti limitati; prenotare – ▤ [P]

MICHELIN, via Bonazzi 32 (zona Industriale), ℘ 713157, Fax 712952.

CASTELMASSA *45035 Rovigo* [988] ⑭, [429] G 15 – *4 513 ab. alt. 12* – ☏ *0425.*
Roma 460 – Verona 64 – Ferrara 37 – Mantova 51 – Modena 73 – Padova 82.

🍴🍴 **Portoncino Rosso,** via Matteotti 15/a ℘ 81698 (prenderà il 840597), Coperti limitati; prenotare – ▤. [AE]. [S]. ◑ [E] [VISA]. 🚫🐕
chiuso domenica sera, lunedì ed agosto – **Pasto** carta 25/50000.

CASTELNOVATE *Varese* – *Vedere Vizzola Ticino.*

CASTELNOVO DI BAGANZOLA *Parma* – *Vedere Parma.*

CASTELNOVO DI SOTTO *42024 Reggio nell'Emilia* [428], [429] H 13 – *7 213 ab. alt. 27* – ☏ *0522.*
Roma 440 – Parma 26 – Bologna 78 – Mantova 56 – Milano 142 – Reggio nell'Emilia 15.

🏨 **Poli,** via Puccini 1 ℘ 683168, Fax 683774, 🌳 – ⇅ ▤ [TV] ☎ ♿ [P]. [AE]. [S]. ◑ [E] [VISA]
Pasto vedere rist ***Poli-alla Stazione*** – **42 cam** ☕ 100/160000.

🍴🍴 **Poli-alla Stazione,** viale della Repubblica 10 ℘ 682342, ⛱, 🏊 – [P]. [AE]. [S]. ◑ [E] [VISA]. 🚫🐕
chiuso domenica sera ed agosto – **Pasto** carta 50/80000.

CASTELNOVO NE' MONTI *42035 Reggio nell'Emilia* [988] ⑭, [428], [429], [430] I 13 – *9 821 ab. alt. 700 – a.s. luglio-13 settembre* – ☏ *0522.*
ℹ *piazza Martiri della Libertà 12* ℘ *810430, Fax 810430.*
Roma 470 – Parma 58 – Bologna 108 – Milano 180 – Reggio nell'Emilia 43 – La Spezia 90.

🏨 **Bismantova,** via Roma 73 ℘ 812218 – [TV] ☎. [AE]. [S]. [E] [VISA]. 🚫🐕 cam
chiuso novembre – **Pasto** *(chiuso martedì escluso luglio-agosto)* carta 40/60000 – ☕ 12000 – **18 cam** 75/100000 – ½ P 75/85000.

CASTELNUOVO *Padova* [429] G 17 – *Vedere Teolo.*

CASTELNUOVO BERARDENGA *53019 Siena* [988] ⑮, [430] L 16 *G. Toscana – 7 032 ab. alt. 351*
☎ 0577.
Roma 215 – Siena 19 – Arezzo 50 – Perugia 93.

Villa Arceno 🔇, località Arceno - San Gusmè N : 4,5 km ✉ 53010 San Gusmè ☎ 359292 Telex 574047, Fax 359276, « Villa seicentesca in una tenuta agricola, giardino con 🏊 🎾 parco con lago » – 🛗 ≡ 📺 ☎ 🅿. AE. 🅂. ⓪ E VISA. ✗
chiuso gennaio – **Pasto** 90/120000 – **12 cam** ☐ 350/450000, 4 appartamenti – ½ P 380000.

Relais Borgo San Felice 🔇, località San Felice NO : 10 km ☎ 359260, Fax 359089, ≤ 🍴, « In un antico borgo tra i vigneti », 🏊 riscaldata, 🌳, 🎾 – ≡ 📺 ☎ 🅿 – 🏛 60. AE. 🅂. ⓪ E VISA. JCB. ✗
aprile-ottobre – **Pasto** 80/150000 – **33 cam** ☐ 300/430000, 12 appartamenti 530/600000 – ½ P 340/400000.

🍴 ✿ **La Bottega del 30,** località Villa a Sesta N : 5 km, via Santa Caterina 2 ☎ 359226 Fax 359226, 🍴, Coperti limitati; prenotare – ✗
chiuso a mezzogiorno (escluso domenica e i giorni festivi), martedì e mercoledì – **Pasto** 85/95000
Spec. Terrina d'anatra in sfoglia. Maltagliati con fonduta di pecorino e tartufo. Faraona in cartoccio di foglie di vite.

CASTELNUOVO DELLA DAUNIA *71034 Foggia* [988] ㉘, [431] C 27 – *1 902 ab. alt. 553* – *☎ 0881.*
Roma 332 – Foggia 38 – San Severo 31 – Termoli 78.

🍴🍴 **Il Cenacolo,** ☎ 559587, 🍴 – AE. 🅂. ⓪ E VISA
chiuso domenica sera, lunedì, febbraio ed agosto – **Pasto** carta 30/55000.

CASTELNUOVO DI GARFAGNANA *55032 Lucca* [988] ⑭, [428], [429], [430] J 13 – *6 217 ab. alt. 277* – *☎ 0583.*
Roma 395 – Pisa 67 – Bologna 141 – Firenze 121 – Lucca 47 – Milano 263 – La Spezia 81.

La Lanterna, località Piano Pieve N : 1,5 km ☎ 63364, Fax 62272, 🌳 – 🛗 📺 ☎ ♿ 🅿. AE. 🅂. ⓪ E VISA
Pasto carta 30/45000 – **22 cam** ☐ 70/110000 – ½ P 55/85000.

CASTELNUOVO DON BOSCO *14022 Asti* [428] *G 5 – 2 895 ab. alt. 306* – *☎ 011.*
Roma 655 – Torino 31 – Asti 33 – Cuneo 93 – Vercelli 78.

🍴 Nuovo Monferrato, via Marconi 16 ☎ 9876284

CASTELNUOVO MAGRA *19030 La Spezia* [428], [429], [430] J 12 – *8 074 ab. alt. 188* – *☎ 0187.*
Roma 404 – La Spezia 24 – Pisa 61 – Reggio nell'Emilia 149.

🍴 **Armanda,** piazza Garibaldi 6 ☎ 674410, Coperti limitati; prenotare –. 🅂. ✗
chiuso mercoledì, dal 24 dicembre al 6 gennaio e dal 15 al 30 giugno – **Pasto** carta 35/55000.

CASTELRAIMONDO *62022 Macerata* [988] ⑯, [430] M 21 – *4 390 ab. alt. 307* – *☎ 0737.*
Roma 217 – Ancona 85 – Fabriano 27 – Foligno 60 – Macerata 42 – Perugia 93.

Bellavista 🔇, via Sant'Anna 11 ☎ 640717, Fax 642110, ≤ – 🛗 📺 ☎ 🅿. AE. 🅂. ⓪ E VISA ✗
chiuso dal 23 dicembre al 7 gennaio – **Pasto** *(chiuso sabato)* carta 35/50000 – ☐ 8000 – **23 cam** 60/95000 – ½ P 75/90000.

CASTEL RIGONE *06060 Perugia* [430] M 18 – *alt. 653* – *☎ 075.*
Roma 208 – Perugia 26 – Arezzo 58 – Siena 90.

Relais la Fattoria 🔇, via Rigone 1 ☎ 845322, Fax 845197, 🏊 riscaldata – 🛗 📺 ☎ 🅿 – 🏛 120. AE. 🅂. ⓪ E VISA. ✗
Pasto al Rist. ***La Corte*** carta 40/65000 – **29 cam** ☐ 145/270000 – ½ P 80/160000.

CASTELROTTO (KASTELRUTH) *39040 Bolzano* [988] ④, [429] C 16 – *5 818 ab. alt. 1 060 – Sport invernali : vedere Alpe di Siusi* – *☎ 0471.*
[i] ☎ *706333, Fax 705188.*
Roma 667 – Bolzano 26 – Bressanone 25 – Milano 325 – Ortisei 12 – Trento 86.

Posthotel Lamm, piazza Krausen 3 ✆ 706343, Fax 707063, ←, ⛷, 🏊 – 🛗 📺 ☎ 🅿. 💳. E VISA. JCB. ✻ rist
chiuso dal 28 aprile al 12 maggio e dal 7 novembre al 18 dicembre – **Pasto** *(chiuso lunedì da ottobre a marzo)* carta 50/65000 – **42 cam** solo ½ P 180/370000, 4 appartamenti.

Cavallino d'Oro, piazza Kraus ✆ 706337, Fax 707172, ←, « Ambiente tipico tirolese » – 📺 ☎. AE. 💳. ◑ E VISA. ✻ rist
chiuso dal 10 novembre al 5 dicembre – **Pasto** *(chiuso martedì)* carta 40/60000 – **20 cam** ☕ 100/160000 – ½ P 85/130000.

Belvedere-Schönblick senza rist, ✆ 706336, Fax 706172, ←, ⛷ – ☎ 🅿
21 dicembre-Pasqua e giugno-ottobre – **34 cam** ☕ 80/140000.

CASTEL SAN PIETRO TERME *40024 Bologna* 988 ⑮, 429, 430 I 16 – *18 768 ab. alt. 75 – Stazione termale (aprile-novembre), a.s. luglio-13 settembre* – ✆ *051.*

ℹ *piazza 20 Settembre 3* ✆ *6954157, Fax 6954141.*

Roma 395 – Bologna 24 – Ferrara 67 – Firenze 109 – Forlì 41 – Milano 235 – Ravenna 55.

Castello, viale delle Terme 1010/b ✆ 943509, Fax 944573 – 🛗 ▤ 📺 ☎ 🅿 – 🎪 50. AE. 💳. ◑ E VISA. ✻
Pasto vedere rist ***Da Willy*** – ☕ 15000 – **54 cam** 120/160000, 3 appartamenti.

Park Hotel, viale Terme 1010 ✆ 941101, Fax 944374, 🌳 – 🛗 ▤ 📺 ☎ 🅿 – 🎪 50. AE. 💳. VISA. ✻
chiuso dal 20 dicembre a gennaio – **Pasto** (solo per alloggiati) – ☕ 8000 – **40 cam** 85/130000 – ½ P 75000.

Maraz, piazzale Vittorio Veneto 1 ✆ 941236, Fax 944422 – AE. 💳. ◑ E VISA. JCB. ✻
chiuso mercoledì e dal 25 agosto al 5 settembre – **Pasto** carta 45/65000.

Da Willy - Hotel Castello, via Terme 1010/b ✆ 944264, Fax 944264 – ▤. AE. 💳. E VISA. ✻
chiuso lunedì – **Pasto** carta 35/50000.

Trattoria Trifoglio, località San Giovanni dei Boschi N : 13 km ✆ 949066, Fax 949266, 🏡 – 🅿. AE. 💳. ◑ E VISA. ✻
chiuso lunedì ed agosto – **Pasto** carta 40/65000.

CASTELSARDO *Sassari* 988 ㉓, 433 E 8 – *Vedere Sardegna alla fine dell'elenco alfabetico.*

CASTEL TOBLINO *Trento* 429 D 14 – *alt. 243* – ✉ *38070 Sarche – a.s. dicembre-Pasqua* – ✆ *0461.*

Roma 605 – Trento 18 – Bolzano 78 – Brescia 100 – Milano 195 – Riva del Garda 25.

Castel Toblino, via Caffaro 1 ✆ 864036, Fax 864036, « In un castello medioevale; piccolo parco » – 🅿. 💳. E VISA. ✻
10 marzo-10 novembre; chiuso martedì escluso agosto – **Pasto** carta 50/65000.

CASTELVECCANA *21010 Varese* 428 E 8, 219 ⑦ – *1 935 ab. alt. 281* – ✆ *0332.*

Roma 666 – Bellinzona 46 – Como 59 – Milano 87 – Novara 79 – Varese 29.

Da Pio 🐦, località San Pietro ✆ 520511, Fax 520510, 🏡 – 📺 ☎ 🅿. AE. 💳. ◑ E VISA. ✻
Pasto *(15 maggio-settembre; chiuso martedì)* carta 40/80000 – **12 cam** ☕ 80/120000 – ½ P 80000.

CASTELVETRO DI MODENA *41014 Modena* 428, 429, 430 I 14 – *8 558 ab. alt. 152* – ✆ *059.*

Roma 406 – Bologna 50 – Milano 189 – Modena 19.

Zoello, località Settecani N : 5 km - via Modena 181 ✆ 702635, Fax 702000, 🏡, ✂ – 🛗 ▤ 📺 ☎ 🅿. AE. 💳. ◑ E VISA. ✻
chiuso dal 24 dicembre al 6 gennaio ed agosto – **Pasto** al Rist. ***Zoello*** *(chiuso venerdì)* carta 30/45000 – ☕ 10000 – **25 cam** 70/100000 – ½ P 90000.

Al Castello, piazza Roma 7 ✆ 790276, Fax 790736, ←, « Servizio estivo all'aperto » – AE. 💳. ◑ E VISA. ✻
chiuso lunedì e gennaio – **Pasto** carta 50/80000.

CASTEL VOLTURNO *81030 Caserta* [988] ㉗, [431] D 23 – *16 903 ab. – a.s. 15 giugno-15 settemb.*
– ☎ *0823.*
Roma 190 – Napoli 40 – Caserta 37.

🏨 **Holiday Inn Resort** Ⓜ 🌙, via Domiziana km 35,300 ✆ 5095150, Fax 5095855, ⛱, « … con acqua di mare riscaldata e piccola pineta », 🌳, 🎾, ⛳9 ⛳9 – 🛗 🚭 cam ❄ 📺 ☎ ♿ 🚗 🅿 – 🎪 1000. [AE]. [S]. ⓓ E VISA. JCB. ✂
Pasto carta 55/75000 – **126 cam** ☕ 180/220000, 14 appartamenti – ½ P 160/210000.

🍴🍴 **Scalzone,** via Domiziana al km 34,200 ✆ 851217, Fax 851217 – ❄ 🅿. [AE]. [S]. E VISA
chiuso lunedì, Natale e Pasqua – **Pasto** carta 30/50000 (15 %).

CASTENEDOLO *Brescia* [428], [429] F 12 – *Vedere Brescia.*

CASTIADAS *Cagliari* [988] ㉞, [433] J 10 – *Vedere Sardegna alla fine dell'elenco alfabetico.*

CASTIGLIONCELLO *57012 Livorno* [988] ⑭, [430] L 13 *G. Toscana – a.s. 15 giugno-15 settembre*
☎ *0586.*
ℹ *(maggio-settembre) via Aurelia 967 ✆ 752017, Fax 752291.*
Roma 300 – Pisa 40 – Firenze 137 – Livorno 21 – Piombino 61 – Siena 109.

🏨 **Atlantico** 🌙, via Martelli 12 ✆ 752440, Fax 752494, 🌳 – 🛗 📺 ☎ 🅿. [S]. E VISA. ✂ rist
marzo-4 ottobre – **Pasto** 35/45000 – **44 cam** ☕ 90/150000 – ½ P 85/110000.

🏨 **Martini** 🌙, via Martelli 3 ✆ 752140, Fax 752140, ⛱, « Giardino ombreggiato », 🌳 – …
📺 ☎ 🅿. [S]. E VISA
Pasqua-ottobre – **Pasto** 30/50000 – ☕ 25000 – **35 cam** ☕ 120/160000 – ½ P 120000.

🏨 **Villa Parisi** 🌙, via Monti 10 ✆ 751698, Fax 751167, ≤, « Parco con discesa a mare », …
🎾 – 🛗 ❄ 📺 ☎ 🅿 – 🎪 50. [AE]. [S]. ⓓ E VISA. ✂ rist
Pasto *(giugno-settembre)* 40000 – **20 cam** ☕ 250/350000 – ½ P 215/290000.

🍴 **Nonna Isola,** statale Aurelia 558 ✆ 753492, Coperti limitati; prenotare – ❄. [S]. ⓓ E VISA
✂
Pasqua-settembre; chiuso lunedì escluso agosto – **Pasto** specialità di mare carta 40/5500…

CASTIGLIONE *Asti – Vedere Asti.*

CASTIGLIONE DEI PEPOLI *40035 Bologna* [988] ⑭, [429], [430] J 15 – *6 176 ab. alt. 691* – ☎ *053…*
Roma 328 – Bologna 54 – Firenze 60 – Ravenna 134.

a Baragazza *E : 6 km – ✉ 40031 :*

🏨 **Bellavista,** via Sant'Antonio 123 ✆ 898166, Fax 898166, ⛱ – 🛗 📺 ☎. [AE]. [S]. E VISA
✂ rist
Pasto carta 40/55000 – ☕ 10000 – **19 cam** 75/105000 – ½ P 70/75000.

CASTIGLIONE DEL LAGO *06061 Perugia* [988] ⑮, [430] M 18 – *13 722 ab. alt. 304* – ☎ *075.*
⛳9 *Panicale-Lamborghini (chiuso gennaio o febbraio) località Soderi ✉ 06064 Panical…*
✆ 837582, Fax 837582, S : 8 km.
ℹ *piazza Mazzini 10 ✆ 9652484, Fax 9652763.*
Roma 182 – Perugia 46 – Arezzo 46 – Firenze 126 – Orvieto 74 – Siena 78.

🏨 **Miralago,** piazza Mazzini 6 ✆ 951157, Fax 951924, « Servizio rist. estivo in giardino co… ≤ lago » – 📺 ☎. [AE]. [S]. ⓓ E VISA. JCB. ✂
Pasto *(chiuso giovedì)* carta 40/80000 – **19 cam** ☕ 95/140000 – ½ P 75/90000.

🏨 **Duca della Corgna,** via Buozzi 143 ✆ 953238, Fax 9652446, 🌳 – ❄ 📺 ☎ 🚗 🅿 –
🎪 60. [AE]. [S]. ⓓ E VISA. ✂ rist
Pasto *(giugno-settembre; solo per alloggiati)* – **16 cam** ☕ 90/120000, ❄ 20000 –
P 100000.

🏨 **Fazzuoli** senza rist, piazza Marconi 11 ✆ 951119, Fax 951112 – 📺 ☎ 🅿. [S]. VISA. ✂
chiuso dal 7 gennaio a febbraio – ☕ 5000 – **27 cam** 65/85000.

🍴🍴 **L'Acquario,** via Vittorio Emanuele 69 ✆ 9652432 – [AE]. [S]. E VISA. ✂
chiuso da gennaio al 15 febbraio, mercoledì e da novembre a marzo anche martedì – **Past…**
carta 35/50000.

🍴 **La Cantina,** via Vittorio Emanuele 91 ✆ 9652463, Fax 951003, ⛱, Rist. e pizzeria – [AE]. [S]
ⓓ E VISA. ✂
chiuso lunedì escluso da giugno ad agosto – **Pasto** carta 40/55000.

a Panicarola *SE : 11 km – ✉ 06060 :*

🍴🍴 **Il Bisteccaro,** via Trasimeno 15 ✆ 9589327, ⛱ – [AE] ⓓ
chiuso martedì e dal 7 al 31 gennaio – **Pasto** carta 40/70000.

ASTIGLIONE DELLA PESCAIA *58043 Grosseto* 988 ㉔, 430 N 14 *G. Toscana – 7 635 ab. – a.s. Pasqua e 15 giugno-15 settembre –* ☎ *0564.*

ℹ piazza Garibaldi ☎ *933678, Fax 933959.*

Roma 205 – Grosseto 23 – Firenze 162 – Livorno 114 – Siena 94 – Viterbo 141.

L'Approdo, via Ponte Giorgini 29 ☎ 933466, Fax 933086, < – |‡| ▤ TV ☎ ♿ – 🏛 100. AE. 🅂. ◑ VISA. ✂
chiuso novembre e gennaio – **Pasto** 40000 – ☕ 14000 – **48 cam** 250000 – ½ P 110/180000.

Miramare, via Veneto 35 ☎ 933524, Fax 933695, <, ▲ – |‡| ▤ cam TV ☎. AE. 🅂. ◑ E VISA. JCB. ✂
Pasqua-novembre – **Pasto** carta 35/55000 – ☕ 10000 – **34 cam** 90/125000 – ½ P 120000.

Sabrina, via Ricci 12 ☎ 933568, Fax 933592, 🌳 – ▤ ☎ Ⓟ. AE. 🅂. ◑ E VISA. ✂
giugno-settembre – **Pasto** (solo per alloggiati) 25/35000 – ☕ 13000 – **37 cam** 110/115000 – ½ P 100/115000.

Piccolo Hotel, via Montecristo 7 ☎ 937081, ⛱ – |‡| ☎ Ⓟ. AE. 🅂. E VISA. ✂
Pasqua e 15 maggio-settembre – **Pasto** 40000 – **22 cam** ☕ 170000 – ½ P 120000.

Perla, via Arenile 3 ☎ 938023 – Ⓟ. ✂
Pasqua-ottobre – **Pasto** 35000 – ☕ 8000 – **13 cam** 60/90000 – ½ P 90000.

Corallo con cam, via Nazario Sauro 1 ☎ 933668, Fax 936268, ⛱ – |‡| ▤ TV ☎ ♿. AE. 🅂. ◑ E VISA. ✂ cam
chiuso novembre – **Pasto** *(chiuso martedì escluso da Pasqua ad ottobre)* carta 45/85000 – **14 cam** ☕ 100/140000, ▤ 10000 – ½ P 95/120000.

Pierbacco, piazza Repubblica 24 ☎ 933522, ⛱ – ▤. AE. 🅂. E VISA
chiuso a mezzogiorno in luglio-agosto e mercoledì (escluso da giugno a settembre) – **Pasto** carta 40/60000.

Da Romolo, corso della Libertà 10 ☎ 933533, ⛱ – AE. 🅂. ◑ E VISA. ✂
chiuso martedì e novembre – **Pasto** carta 40/70000.

ASTIGLIONE DELLE STIVIERE *46043 Mantova* 988 ④, 428 F 13 – *17 240 ab. alt. 116 –* ☎ *0376.*

Roma 509 – Brescia 28 – Cremona 57 – Mantova 38 – Milano 122 – Verona 49.

La Grotta 🔇 senza rist, viale dei Mandorli 22 ☎ 632530, Fax 639295, 🌳 – TV ☎ Ⓟ. AE. 🅂. E VISA
chiuso dal 20 al 30 dicembre – ☕ 12000 – **27 cam** 95/130000.

Hostaria Viola, località Fontane, via Verdi 32 ☎ 638277, Fax 632336, Coperti limitati; prenotare, 🚲 – ▤ Ⓟ. AE. 🅂. ◑ E VISA. JCB. ✂
chiuso dal 10 luglio al 20 agosto, lunedì e da ottobre a Pasqua anche domenica sera – **Pasto** carta 35/55000.

Palazzina, rione Palazzina 40 ☎ 632143 – Ⓟ. AE. 🅂. E VISA
chiuso domenica e dal 15 al 30 agosto – **Pasto** carta 45/70000.

Grole *SE : 3 km – ✉ 46043 Castiglione delle Stiviere :*

Tomasi, ☎ 632968, Fax 672586, prenotare – ▤ Ⓟ. AE. 🅂. ◑ E VISA. JCB. ✂
chiuso lunedì, dal 1° al 7 gennaio e dal 1° al 21 agosto – **Pasto** carta 40/60000.

ASTIGLIONE FALLETTO *12060 Cuneo* 428 I 5 – *555 ab. alt. 350 –* ☎ *0173.*

Roma 614 – Cuneo 68 – Torino 70 – Asti 39 – Savona 74.

Le Torri senza rist, via Roma 29 ☎ 62961, Fax 62961, < colline e vigneti, 🌳 – TV ☎ 🚗. 🅂. E VISA
chiuso dal 15 al 31 gennaio – **9 cam** ☕ 85/135000, 5 appartamenti 145/165000.

Le Torri, piazza Vittorio Veneto 10 ☎ 62930, < colline e vigneti, ⛱ – AE. 🅂. E VISA
chiuso mercoledì e dal 29 luglio al 10 agosto – **Pasto** carta 35/45000.

ASTIGLIONE MESSER MARINO *66033 Chieti* 988 ㉗, 430 Q 25 – *2 481 ab. alt. 1 081 –* ☎ *0873.*

Roma 224 – Campobasso 74 – Isernia 56 – Termoli 86.

Santa Maria del Monte *N : 9 km – ✉ 66033 Castiglione Messer Marino :*

Rifugio del Cinghiale 🔇 con cam, ☎ 978675, Fax 978675, <, prenotare – ☎ Ⓟ
Pasto *(chiuso lunedì)* carta 35/50000 – ☕ 5000 – **13 cam** 40/70000 – ½ P 50/60000.

ASTIGLIONE TINELLA *12053 Cuneo* 428 H 6 – *930 ab. alt. 408 –* ☎ *0141.*

Roma 622 – Genova 102 – Torino 80 – Acqui Terme 27 – Alessandria 58 – Asti 22.

Palmira, piazza 20 Settembre 18 ☎ 855176, prenotare – AE. 🅂. E VISA
chiuso lunedì sera, martedì e luglio – **Pasto** carta 25/40000.

CASTIGLION FIORENTINO *52043 Arezzo* 988 ⑮, 430 L 17 – *11 504 ab. alt. 345* – ☎ *0575.*
Roma 198 – Perugia 57 – Arezzo 17 – Chianciano Terme 51 – Firenze 93 – Siena 59.

Da Muzzicone, piazza San Francesco 7 ☎ 658403, Fax 658813 –. 🅂. E VISA. ※
chiuso martedì – **Pasto** carta 25/45000.

CASTIGNANO *63032 Ascoli Piceno* 430 N 22 – *3 041 ab. alt. 474* – ☎ *0736.*
Roma 225 – Ascoli Piceno 34 – Ancona 120 – Pescara 95.

Teta, via Borgo Garibaldi 100 ☎ 821412, Fax 821593, ≤ – |🛗| ☎ 🅟 – 🅐 200. AE. 🅂. E VISA ※
chiuso dall'8 al 25 novembre – **Pasto** *(chiuso venerdì)* 30/40000 – **19 cam** ☕ 60/80000 – P 60/80000.

CASTIONE DELLA PRESOLANA *24020 Bergamo* 428 E 12 – *3 265 ab. alt. 870 – a.s. luglio-agosto e Natale – Sport invernali : al Monte Pora : 1 350/1 900 m* ⛷ *8,* ⛷ – ☎ *0346.*
Roma 643 – Brescia 89 – Bergamo 42 – Edolo 80 – Milano 88.

Aurora, via S. Antonio 19 ☎ 60004, Fax 60246, ≤, ※ – |🛗| TV ☎ 🅟. AE. 🅂. ⓞ E VISA ※ rist
chiuso dal 15 al 30 ottobre – **Pasto** *(chiuso martedì)* carta 45/65000 – ☕ 10000 – **26 cam** 120000 – P 70/120000.

a Bratto *NE : 2 km – alt. 1 007 – ✉ 24020 :*

Milano, ☎ 31211, Fax 36236, ≤, « Piccolo parco ombreggiato », 🏋 – |🛗| TV ☎ ♿ 🚗 🅟 – 🅐 180
63 cam, 4 appartamenti.

Pineta, via Cantoniera 29 ☎ 31121, Fax 36133, ≤, 🌳 – |🛗| TV ☎ 🅟. AE. ※ rist
Pasto *(chiuso lunedì)* carta 30/40000 – **40 cam** ☕ 100/130000 – 1/2 P 80/110000.

Cascina delle Noci, ☎ 31251, Fax 36246, prenotare, « Giardino ombreggiato con mini-golf » – 🅟. 🅂. E VISA
chiuso da lunedì a venerdì da ottobre a maggio – **Pasto** 45/55000 bc e carta 45/60000.

CASTROCARO TERME *47011 Forlì-Cesena* 988 ⑮, 429, 430 J 17 – *5 513 ab. alt. 68 – Stazione termale (aprile-novembre), a.s. 15 luglio-settembre* – ☎ *0543.*
ℹ *via Garibaldi 1 ☎ 767162, Fax 767162.*
Roma 342 – Bologna 74 – Ravenna 40 – Rimini 65 – Firenze 98 – Forlì 11 – Milano 293.

Gd H. Terme, via Roma 2 ☎ 767114, Fax 768135, « Parco ombreggiato », 🏊, ♆ – |🛗| TV ☎ ♿ 🅟 – 🅐 150. AE. 🅂. ⓞ E VISA. ※ rist
15 aprile-ottobre – **Pasto** 40/50000 – ☕ 15000 – **95 cam** 135/210000, appartamento – 1/2 P 100/140000.

Ambasciatori, via Cantarelli 10 ☎ 767345, Fax 767345, ≘s, 🏊, 🌳 – |🛗| TV ☎ 🅟. AE. 🅂 ⓞ E VISA
chiuso gennaio – **Pasto** *(aprile-novembre)* 30/40000 – ☕ 10000 – **28 cam** 95/130000 – P 90/120000.

Garden, via Cantarelli 14 ☎ 766366, Fax 766366, 🏊, 🌳, ※ – |🛗| ▤ rist TV ☎ 🅟 – 🅐 60. AE. 🅂. ⓞ E VISA. ※
Pasto 30/40000 – **29 cam** ☕ 85/125000 – 1/2 P 90/110000.

Eden, via Samorì 11 ☎ 767600, Fax 768233, ≤, 🌳 – |🛗| TV ☎ 🅟. AE. 🅂. ⓞ E VISA. ※
aprile-15 novembre – **Pasto** 30/35000 – **32 cam** ☕ 70/110000 – 1/2 P 60/75000.

La Frasca con cam, viale Matteotti 34 ☎ 767471, Fax 766625, Coperti limitati; prenotare, « Servizio estivo in giardino », 🌳 – 🅟 – 🅐 30. AE. 🅂. ⓞ E VISA. ※
chiuso martedì, dal 1° al 20 gennaio e dal 2 al 16 settembre – **Pasto** 65000 (a mezzogiorno) 100/130000 (alla sera) e carta 80/165000 – 2 appartamenti ☕ 350/400000
Spec. Strozzapreti con crostacei, verdure e pesto leggero. Tagliatelle "all'antica" con tartufi di Dovadola (autunno-inverno). Rosette d'agnello con gratin di patate e anelli di cipolle dorati.

Al Laghetto, via Flavio Biondo 32 ☎ 767230, 🍽 – 🅟. AE. 🅂. ⓞ VISA. ※
chiuso lunedì e febbraio – **Pasto** carta 35/50000.

CASTROCIELO *03030 Frosinone* 430 R 23 – *3 811 ab. alt. 250* – ☎ *0776.*
Roma 116 – Frosinone 42 – Caserta 85 – Gaeta 61 – Isernia 82 – Napoli 112.

Al Mulino, via Casilina 47 (S : 2 km) ☎ 79306, Fax 79824, 🍽 – ▤ 🅟. AE. 🅂. ⓞ E VISA. ※
chiuso lunedì e dal 23 dicembre al 10 gennaio – **Pasto** specialità di mare carta 50/80000.

CASTROCUCCO *Potenza* 431 H 29 – *Vedere Maratea.*

ASTRO MARINA *73030 Lecce* 431 G 37 *G. Italia – 2 469 ab. – a.s. luglio-agosto –* ☎ *0836.*

Roma 660 – Brindisi 86 – Bari 199 – Lecce 48 – Otranto 23 – Taranto 125.

Degli Ulivi, ☎ 943037, Fax 943084, ≤, – |‡| ▤ rist TV ☎ P. AE. 🅂. E VISA. ℅
Pasto carta 30/45000 – **30 cam** ☐ 70/110000 – ½ P 85/95000.

lla grotta Zinzulusa *N : 2 km G. Italia :*

Piccolo Mondo ⚐, ✉ 73030 ☎ 97035, Fax 97139, ≤, « Costruzioni indipendenti sulla scogliera », ⛱, ℅ – ☎ P. AE. 🅂. ⊙ E VISA. ℅ rist
maggio-settembre – **Pasto** 30/70000 – ☐ 18500 – **48 cam** 100/130000 – ½ P 150/165000.

Orsa Maggiore ⚐, litoranea per S. Cesarea Terme 103 ✉ 73030 ☎ 97029, Fax 97766, ≤, – |‡| ▤ ☎ P – 🏛 50. AE. 🅂. ⊙ E VISA
Pasto carta 25/50000 – ☐ 9000 – **30 cam** 85/90000 – ½ P 70/100000.

ASTROVILLARI *87012 Cosenza* 988 ㊴, 431 H 30 – *23 285 ab. alt. 350 –* ☎ *0981.*

ℹ *sull'autostrada SA-RC, area servizio Frascineto Ovest* ☎ *32591.*

Roma 453 – Cosenza 74 – Catanzaro 168 – Napoli 247 – Reggio di Calabria 261 – Taranto 152.

La Locanda di Alìa ⚐, via Jetticelle 69 ☎ 46370, Fax 46370, – ▤ TV ☎ P – 🏛 70. AE. 🅂. ⊙ E VISA. ℅ rist
✿ **Pasto** *(chiuso domenica)* carta 45/65000 – ☐ 10000 – **11 cam** 110/160000, 3 appartamenti – ½ P 140/160000
Spec. Porcini "riposti" su fonduta di pecorino fresco. Panzerotti in salsa di anice silano. Fagottini di zucchine e mazzancolle.

President Joli Hotel, corso Luigi Saraceni 22 ☎ 21122, Fax 28653 – |‡| ▤ TV ☎ P – 🏛 80
42 cam.

Sono utili complementi di questa guida, per i viaggi in ***ITALIA*** *:*

- *La* ***carta stradale Michelin*** *n°* 988 *in scala 1/1 000 000.*
- *Le* ***carte*** 428, 429, 430, 431, 432, 433 *in scala 1/400 000.*
- *L'Atlante stradale Italia in scala 1/300 000.*
  - *Le* ***guide Verdi turistiche Michelin "Italia", "Roma", "Venezia"*** *e* ***"Toscana"*** *:*
    itinerari regionali,
    musei, chiese,
    monumenti e bellezze artistiche.

CATANIA P 988 ㊲, 432 O 27 – *Vedere Sicilia alla fine dell'elenco alfabetico.*

CATANZARO *88100* P 988 ㊴, 431 K 31 *G. Italia – 97 038 ab. alt. 343 –* ☎ *0961.*

Vedere *Villa Trieste*★ Z – *Pala*★ *della Madonna del Rosario nella chiesa di San Domenico* Z.

⛳ *Porto d'Orra (chiuso martedì dal 10 settembre al 15 giugno) a Catanzaro Lido* ✉ *88063* ☎ *791045, NE : 7 km.*

ℹ *piazza Prefettura* ☎ *741764, Fax 727973.*

A.C.I. *viale dei Normanni 99* ☎ *754131.*

Roma 612 ③ *– Cosenza 97* ③ *– Bari 364* ③ *– Napoli 406* ③ *– Reggio di Calabria 161* ③ *– Taranto 298* ③.

Pianta pagina seguente

Guglielmo, via Tedeschi 1 ☎ 741922, Fax 722181 – |‡| ▤ TV ☎ ⇔ – 🏛 150. AE. 🅂. ⊙ E VISA. ℅ rist Y a
Pasto carta 40/60000 – **46 cam** ☐ 180/230000 – ½ P 190000.

Grand Hotel senza rist, piazza Matteotti ☎ 701256, Fax 741621 – |‡| ▤ TV ☎ P Y s
79 cam.

a Catanzaro Lido *per* ② *: 14 km –* ✉ *88063 :*

Stillhotel ⚐, via Melito Porto Salvo 102/A ☎ 32851, Fax 33818, ≤ – ▤ TV ☎ P. AE. 🅂. ⊙ E VISA
Pasto vedere rist ***La Brace*** – **30 cam** ☐ 100/140000.

✕✕ **La Brace,** via Melito di Porto Salvo 102 ☎ 31340, ≤, – ▤ P. AE. 🅂. ⊙ E VISA
Pasto carta 45/60000.

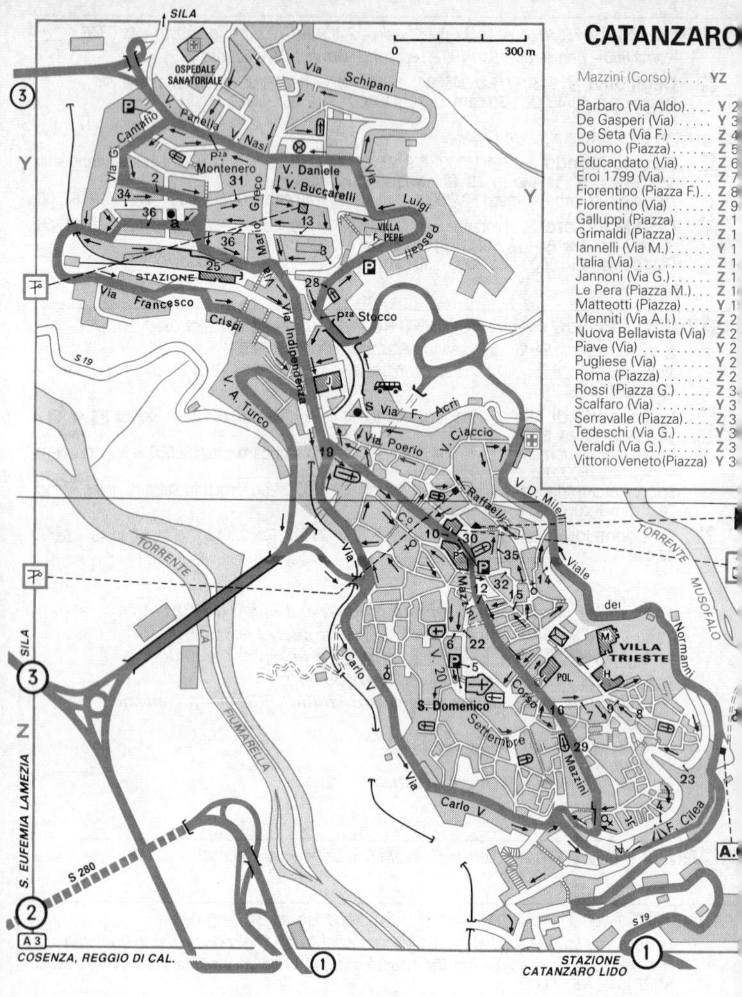

CATENA *Pistoia – Vedere Quarrata.*

CATTOLICA *47033 Rimini* 988 ⑯, 429, 430 K 20 – *15 550 ab. – a.s. 15 giugno-agosto* – ☎ *0541.*

ℹ *piazza Nettuno 1 ☎ 963341, Fax 963344.*

Roma 315 – Rimini 22 – Ancona 92 – Bologna 130 – Forlì 69 – Milano 341 – Pesaro 17 – Ravenna 74.

Caravelle, via Padova 6 ☎ 962416, Fax 962417, ←, Fб, ≘s, ⛱, ▲▲, ✕ – |♦| 📺 ☎ ♿ – 🏛 50. AE. 🅢. ⓓ E VISA. JCB. ✻ rist
Pasto carta 40/55000 – ☕ 15000 – **44 cam** 100/190000 – P 150/200000.

Park Hotel, lungomare Rasi Spinelli 46 ☎ 953732, Fax 961503, ⛱ – |♦| ▤ 📺 ☎ 🚗. AE 🅢. ⓓ E VISA. ✻ rist
Pasto *(16 marzo-9 novembre)* 45000 – ☕ 20000 – **48 cam** 160/235000 – ½ P 175000.

Negresco, viale del Turismo 6 ☎ 963281, Fax 954932, ←, ⛱ – |♦| ▤ 📺 ☎ ♿ Ⓟ. 🅢. E VISA ✻ rist
10 maggio-settembre – **Pasto** 35/45000 – ☕ 15000 – **80 cam** 110/170000 – ½ P 100/125000.

Kursaal, senza rist, piazza I° Maggio 2 ✆ 962305, ≤ – |♦| ▤ TV ☎ ⇔ – 🏛 320
51 cam.

Napoleon, viale Carducci 52 ✆ 963439, Fax 961434, ≤, – |♦| ▤ ☎ Ⓟ. AE. 🅂. ◑ E VISA. ✻ rist
aprile-ottobre – **Pasto** 55000 – ☕ 20000 – **40 cam** 130/200000, ▤ 10000 – P 95/190000.

Victoria Palace, viale Carducci 24 ✆ 962921, Fax 962921, ≤ – |♦| ▤ TV ☎ Ⓟ. AE. 🅂. ◑ E VISA. JCB. ✻
Pasto 35/45000 – **88 cam** ☕ 195/270000 – ½ P 70/160000.

Diplomat senza rist, viale del Turismo 9 ✆ 967442, Fax 967445, ≤, ≘s – |♦| ☎ ♿ Ⓟ. 🅂. E VISA
19 maggio-19 settembre – **81 cam** ☕ 140/260000.

Cristallo, via Matteotti 37 ✆ 953614, Fax 963474, ≘s – |♦| ▤ TV ☎ Ⓟ. AE. 🅂. ◑ E VISA. ✻
Pasto (solo per alloggiati) 30/50000 – **36 cam** ☕ 130/240000 – ½ P 170/190000.

Europa Monetti, via Curiel 39 ✆ 954159, Fax 958176, Fø, ⛱ – |♦| ▤ TV ☎ ⇔ Ⓟ – 🏛 30. VISA. ✻
15 maggio-20 settembre – **Pasto** 25/35000 – **70 cam** ☕ 100/140000 – ½ P 100/120000.

Moderno-Majestic, via D'Annunzio 15 ✆ 954169, Fax 953292, ≤, 🏖 – |♦| TV ☎ Ⓟ. AE. 🅂. E VISA. ✻ rist
20 maggio-20 settembre – **Pasto** (solo per alloggiati) 25/40000 – ☕ 15000 – **60 cam** 80/140000 – ½ P 80/90000.

Columbia, lungomare Rasi Spinelli 36 ✆ 953122, Fax 952355, ≤, ≘s, ⛱ – |♦| TV ☎ ⇔ Ⓟ. E. ✻
maggio-settembre – **Pasto** (solo per alloggiati) – **52 cam** (solo pens) – P 60/120000.

Beaurivage, viale Carducci 82 ✆ 963101, Fax 963101, ≤, Fø, – |♦| ☎ Ⓟ. AE. 🅂. ◑ E VISA. ✻ rist
maggio-settembre – **Pasto** 30/45000 – ☕ 15000 – **69 cam** 80/150000 – ½ P 60/115000.

Splendid, viale Carducci 84 ✆ 961520, Fax 967149, ≤, ⛱, – TV ☎ Ⓟ.
stagionale – **60 cam.**

Regina, viale Carducci 40 ✆ 954167, Fax 961261, ≤, ⛱ riscaldata – |♦| ☎ Ⓟ. ✻
15 maggio-27 settembre – **Pasto** (solo per alloggiati) 25/30000 – ☕ 15000 – **62 cam** 70/115000 – ½ P 90/115000.

Maxim, via Facchini 7 ✆ 962137, Fax 967650, Fø, ≘s, ⛱ riscaldata – |♦| ▤ rist ☎ Ⓟ – 🏛 50. 🅂. E VISA. ✻ rist
20 maggio-20 settembre – **Pasto** carta 30/40000 – **66 cam** ☕ 70/120000 – ½ P 60/100000.

Belsoggiorno, viale Carducci 88 ✆ 963133, Fax 963133, ≤, – |♦| ☎ Ⓟ. 🅂. E VISA. ✻ rist
20 maggio-20 settembre – **Pasto** (solo per alloggiati) 25/35000 – ☕ 8000 – **44 cam** 55/120000 – ½ P 85/100000.

Astoria, viale Carducci 22 ✆ 961328, Fax 963074, ≤ – |♦| ☏ Ⓟ. ✻ rist
maggio-settembre – **Pasto** (solo per alloggiati) – ☕ 20000 – **54 cam** 90/130000 – ½ P 100/115000.

Sole, via Verdi 7 ✆ 961248, Fax 963946 – |♦| ☎. AE. 🅂. E VISA. ✻ rist
20 maggio-20 settembre – **Pasto** (solo per alloggiati) 20/30000 – ☕ 10000 – **46 cam** 65/120000 – P 50/100000.

Protti con cam, via Emilia Romagna 185 ✆ 958161, Fax 954457 – |♦| ▤ TV ☎ Ⓟ. AE. 🅂. ◑ E VISA
Pasto *(chiuso lunedì escluso dal 16 maggio a settembre)* carta 40/60000 – ☕ 6000 – **25 cam** 55/80000.

Stazione con cam, via Nazario Sauro 3 ✆ 830421 – TV ☎. AE. 🅂. ◑ E VISA. ✻ rist
Pasto *(chiuso dal 23 dicembre al 6 gennaio e domenica escluso da giugno a settembre)* carta 40/55000 – **9 cam** ☕ 70/90000 – ½ P 50/80000.

AVA DE' TIRRENI

84013 Salerno 988 ㉗, 431 E 26 – *53 235 ab. alt. 196 – a.s. Pasqua, giugno-settembre e Natale* – ✆ *089.*

ℹ *corso Umberto I 208* ✆ *341572.*

Roma 254 – Napoli 47 – Avellino 43 – Caserta 76 – Salerno 8.

Da Vincenzo, via Garibaldi 7 ✆ 464654, Fax 464654 – ▤. AE. 🅂. ◑. ✻
chiuso domenica e dal 20 al 31 agosto – **Pasto** carta 30/45000 (10%).

L'Incanto, località Annunziata NE : 3 km, via Pineta La Serra ✆ 561820, « Servizio estivo in terrazza con ≤ dintorni » – Ⓟ. ✻
chiuso lunedì a mezzogiorno, martedì e dal 18 dicembre al 5 gennaio – **Pasto** carta 30/70000.

a Corpo di Cava *SO : 4 km – alt. 400 – ✉ 84010 Badia di Cava de' Tirreni :*

Scapolatiello ⛰, ☎ 443611, Fax 443611, ≤, « Terrazze-giardino con 🏊 » – |♦| 📺 ☎ – 🏛 80. AE. 🅂. ⦿ E VISA. ✂ rist
Pasto carta 30/45000 (15 %) – ☕ 10000 – **44 cam** 130/150000, 2 appartamenti – ½ P 1C 130000.

CAVAGLIÀ *13042 Biella 988 ② ⑫, 428 F 6 – 3 648 ab. alt. 272 – ☎ 0161.*
Roma 657 – Torino 54 – Aosta 99 – Milano 93 – Vercelli 28.

sulla strada statale 143 *SE : 3,5 km :*

Green Park Hotel, località Navilotto 75 ✉ 13042 ☎ 966771, Fax 966620, 🏊, 🌳, 🎾 – ▤ 📺 ☎ 🚗 🅟 – 🏛 150. AE. 🅂. ⦿ E VISA. JCB. ✂
Pasto *(chiuso domenica sera)* carta 40/65000 – ☕ 12000 – **38 cam** 130/185000 ½ P 165000.

CAVAGLIETTO *28010 Novara 428 F 7, 219 ⑯ – 403 ab. alt. 233 – ☎ 0322.*
Roma 647 – Stresa 42 – Milano 74 – Novara 22.

XXX ✿ **Arianna** con cam, via Umberto 4 ☎ 806134, prenotare – ▤ rist 🅟. AE. 🅂. E VISA. ✂
chiuso dal 1° al 15 gennaio e dal 22 luglio al 12 agosto – **Pasto** *(chiuso martedì e mercolec mezzogiorno)* carta 60/95000 – ☕ 10000 – **6 cam** 55/75000
Spec. Risotto al pesce persico e fiori di zucchina (estate). Cosce di rana in crosta croccar (primavera). Guancia di manzo stufata al Gattinara (inverno).

CAVAGNANO *Varese 219 ⑧ – Vedere Cuasso al Monte.*

CAVAION VERONESE *37010 Verona 428, 429 F 14 – 3 702 ab. alt. 190 – ☎ 045.*
Roma 521 – Verona 24 – Brescia 81 – Milano 169 – Trento 74.

Andreis, via Berengario 26 ☎ 7235035 – 🅟. ✂
Pasto *(chiuso lunedì escluso da luglio a settembre)* 30/35000 – ☕ 10000 – **15 ca** 50/65000 – ½ P 60/65000.

XX **San Fiorenzo** con cam, via Vittorio Veneto 18 ☎ 7235141 – 📺 🅟. 🅂. E VISA. ✂
Pasto *(chiuso domenica sera e lunedì)* carta 40/55000 – **7 cam** ☕ 65/95000.

CAVALESE *38033 Trento 988 ④, 429 D 16 G. Italia – 3 566 ab. alt. 1 000 – a.s. 25 gennaio-Pasqua Natale – Sport invernali : ad Alpe Cermis : 1 000/2 230 m ⛡ 2 ⛷ 6, ⛷ – ☎ 0462.*
i *via Fratelli Bronzetti 60 ☎ 241111, Fax 230649.*
Roma 648 – Bolzano 43 – Trento 50 – Belluno 92 – Cortina d'Ampezzo 97 – Milano 302.

Park Hotel Bella Costa, ☎ 231154, Fax 231646, ≘s, 🏊 – |♦| 📺 ☎ 🚗
38 cam.

Park Hotel Villa Trunka Lunka, via De Gasperi 4 ☎ 340233, Fax 340233, ≘s, 🌳 – [☎ 🚗 🅟. AE. 🅂. VISA. ✂
dicembre-aprile e giugno-settembre – **Pasto** (solo per alloggiati) 35/50000 – ☕ 15000 **21 cam** 100/150000 – ½ P 135/180000.

La Roccia, ☎ 231133, Fax 231135, ≤ vallata e monti, ⛹, ≘s – |♦| 📺 ☎ 🚗 🅟. AE. E VISA. ✂
dicembre-Pasqua e giugno-settembre – **Pasto** (solo per alloggiati) 30000 – ☕ 20000 **41 cam** 90/140000 – ½ P 130000.

Park Hotel Azalea ⛰, via Cesure 1 ☎ 340109, Fax 231200, ≤, « Giardino fiorito » – 📺 ☎ 🅟. AE. 🅂. ⦿ E VISA. ✂
dicembre-aprile e giugno-ottobre – **Pasto** carta 45/65000 – ☕ 15000 – **35 cam** 80/1300C – ½ P 115000.

Orso Grigio, ☎ 341481, Fax 31035 – |♦| 📺 ☎. AE. 🅂. ⦿ E VISA. ✂ rist
chiuso maggio e novembre – **Pasto** carta 40/65000 – ☕ 15000 – **27 cam** 95/160000 ½ P 125/145000.

Fiemme ⛰ senza rist, via Cavazzal 7 ☎ 341720, Fax 231151, ≤ monti e vallata, ≘s – [☎ 🅟. 🅂. E VISA. ✂
☕ 15000 – **15 cam** 80/110000.

XX **Al Cantuccio,** ☎ 340140, Fax 340140, Coperti limitati; prenotare – AE. 🅂. ⦿ E VISA. ✂
chiuso novembre, lunedì sera e martedì (escluso Natale, Pasqua, luglio-agosto) – **Past** carta 50/75000.

Tesero *E : 4 km – ✉ 38033.*

ℹ via Roma 35 ✆ 83032 :

Shandrani, località Stava ✆ 814737, Fax 814764, ≤, Ⓛ, ⛱, ▣ – |‡| ▣ ☎ ♿ ⇐ Ⓟ. AE. Ⓢ. ⊙ E VISA
6 dicembre-5 aprile e 15 giugno-13 settembre – **Pasto** carta 45/70000 – **93 cam** ☐ 170/250000 – 1/2 P 120/180000.

Park Hotel Rio Stava, via Molini 20, località Stava ✆ 814446, Fax 813785, ≤, « Giardino-pineta », ⛱, ⛰ – |‡| ▣ ♿ ⇐ Ⓟ. AE. Ⓢ. E VISA. ✻
chiuso dal 15 maggio al 15 giugno e dal 16 ottobre a novembre – **Pasto** carta 35/45000 – ☐ 12000 – **46 cam** 100/140000, appartamento – 1/2 P 75/120000.

AVALLINO *30013 Venezia* 429 *F 19 – ☎ 041.*

⛴ da Treporti (O : 11 km) per le isole di : Burano (20 mn), Torcello (25 mn), Murano (1 h) e Venezia-Fondamenta Nuove (1 h 10 mn), giornalieri – Informazioni : ACTV-Azienda Consorzio Trasporti Veneziano, piazzale Roma ✉ 30135 ✆ 5287886, Fax 5207135.

Roma 571 – Venezia 53 – Belluno 117 – Milano 310 – Padova 80 – Treviso 61 – Trieste 136 – Udine 105.

Park Hotel Union Lido, ✆ 968043, Fax 5370355, ⛱ riscaldata, ⛵, ⛰, ✻ – |‡| ☎ Ⓟ – 🏛 200. Ⓢ. E VISA. ✻
aprile-settembre – **Pasto** carta 40/65000 – ☐ 10500 – **72 cam** 100/140000 – 1/2 P 105/135000.

Trattoria Laguna, via Pordelio 444 ✆ 968058, Fax 968058 – ▤. AE. Ⓢ. ⊙ E VISA. ✻
chiuso giovedì a mezzogiorno dal 15 giugno al 15 settembre, tutto il giorno negli altri mesi – **Pasto** carta 45/85000.

Da Achille, piazza Santa Maria Elisabetta 16 ✆ 968005 – ▤. ✻
chiuso novembre, dicembre, lunedì a mezzogiorno da giugno a settembre, tutto il giorno negli altri mesi – **Pasto** carta 50/75000.

AVALLIRIO *28010 Novara* 428 *F 7,* 219 ⑯ *– 1 112 ab. alt. 367 – ☎ 0163.*

Roma 654 – Stresa 40 – Biella 36 – Milano 80 – Novara 34 – Torino 97.

ulla strada statale 142 *S : 2 km :*

Imazio, ✉ 28010 ✆ 80944, ⛰ – Ⓟ. ✻
chiuso martedì, dal 9 al 29 gennaio e dal 12 al 27 agosto – **Pasto** carta 35/55000.

AVA MANARA *27051 Pavia* 428 *G 9 – 5 152 ab. alt. 79 – ☎ 0382.*

Roma 560 – Alessandria 61 – Genova 117 – Milano 46 – Pavia 8 – Piacenza 62.

ulla strada statale 35 *SE : 2 km :*

Le Gronde, località Tre Re ✉ 27051 ✆ 553942, Fax 553942 – |‡| ▤ ▣ ☎ Ⓟ – 🏛 25 a 200. AE. Ⓢ. ⊙ E VISA. JCB. ✻ cam
Pasto carta 40/60000 – ☐ 8000 – **28 cam** 90/130000 – 1/2 P 120000.

Bixio, località Tre Re - via F. Turati 23 ✉ 27051 ✆ 553588, Coperti limitati; prenotare – Ⓟ. AE. Ⓢ. ⊙ VISA
chiuso lunedì e dal 16 al 31 agosto – **Pasto** 25/40000 (solo a mezzogiorno) e carta 40/75000.

AVANELLA D'ADIGE *Venezia – Vedere Chioggia.*

AVASO DEL TOMBA *31034 Treviso* 429 *E 17 – 2 471 ab. alt. 248 – ☎ 0423.*

Roma 550 – Belluno 51 – Padova 67 – Treviso 40 – Venezia 71.

Al Ringraziamento, via S. Pio X n° 107 ✆ 543271, Coperti limitati; prenotare – AE. Ⓢ. ⊙ E VISA
chiuso lunedì, martedì a mezzogiorno ed agosto – **Pasto** carta 50/70000
Spec. Lumache alle erbe (inverno). Ravioli di patate ai porcini (autunno). Coniglio farcito alle melanzane.

Locanda alla Posta con cam, piazza Martiri 13 ✆ 543112, Fax 543112, ⛱, prenotare – ▣ ☎. AE. Ⓢ. ⊙ E VISA. JCB. ✻ rist
chiuso dal 14 al 30 giugno – **Pasto** *(chiuso mercoledì sera e giovedì)* carta 35/55000 – **7 cam** ☐ 50/80000.

AVAZZALE *Vicenza – Vedere Vicenza.*

CAVERNAGO *24050 Bergamo* [428], [429] F 11 – *1 376 ab. alt. 202* – ☎ *035.*
Roma 600 – Bergamo 13 – Brescia 45 – Milano 54.

Giordano 🐕, via Leopardi 1 ☎ 840266, Fax 840212, ☂ – ▤ cam [TV] ☎ [P]. [AE]. [S]. ● [VISA]. 🚫
chiuso agosto – **Pasto** *(chiuso lunedì)* carta 40/60000 – ☕ 15000 – **22 cam** 65/10000
▤ 10000 – P 140000.

CAVI *Genova* [428] J 10 – *Vedere Lavagna.*

CAVINA *Ravenna – Vedere Brisighella.*

CAVO *Livorno* [988] ㉔, [430] N 13 – *Vedere Elba (Isola d') : Rio Marina.*

CAVOUR *10061 Torino* [988] ⑫, [428] H 4 – *5 268 ab. alt. 300* – ☎ *0121.*
Roma 698 – Torino 54 – Asti 93 – Cuneo 51 – Sestriere 67.

Locanda La Posta, via dei Fossi 4 ☎ 69989, Fax 69790 – ▤ [TV] ☎ [P]. [AE]. [S]. ● [E] [VISA] [JCB]
Pasto *(chiuso venerdì e dal 23 luglio al 5 agosto)* carta 35/55000 – **18 cam** ☕ 90/120000
½ P 90/120000.

CAVRIAGO *42025 Reggio nell'Emilia* [428], [429], [430] H 13 – *8 445 ab. alt. 78* – ☎ *0522.*
Roma 436 – Parma 26 – Milano 145 – Reggio nell'Emilia 9.

🍴🍴🍴 **Picci,** via XX Settembre 4 ☎ 371801, Fax 577180, Coperti limitati; prenotare – ▤. [AE]. [S]
● [E] [VISA]. 🚫
chiuso domenica sera, lunedì, dal 26 dicembre al 20 gennaio e dal 5 al 25 agosto – **Past**
45/65000 e carta 55/80000
Spec. Composizione di gamberi e fegato d'oca all'aceto balsamico tradizionale. Cannello ai funghi gratinati (estate-autunno). Coscia di coniglio alla reggiana in salsa agrodolce.

CAVRIANA *46040 Mantova* [428], [429] F 13 – *3 555 ab. alt. 170* – ☎ *0376.*
Roma 502 – Brescia 39 – Verona 42 – Mantova 32 – Milano 131.

🍴🍴🍴 **La Capra,** via Pieve 2 ☎ 82101, Fax 82002, Coperti limitati; prenotare – [P] – 🏛 120. [S]
● [E] [VISA]. 🚫
chiuso martedì, dal 1° al 15 gennaio e dal 1° al 14 agosto – **Pasto** carta 60/80000.

CAVRIGLIA *52022 Arezzo* [430] L 16 – *7 031 ab. alt. 312* – ☎ *055.*
Roma 238 – Firenze 58 – Siena 41 – Arezzo 49.

🍴 **Il Cenacolo,** via del Riposo 6 ☎ 9166123, ☂ – [P]. [S]. [E] [VISA]
chiuso lunedì e dal 16 al 31 gennaio – **Pasto** carta 40/50000.

CAZZAGO SAN MARTINO *25046 Brescia* [428], [429] F 12 – *9 278 ab. alt. 200* – ☎ *030.*
Roma 560 – Brescia 17 – Bergamo 40 – Milano 81.

Papillon, strada statale S : 2,5 km ☎ 7750843, Fax 7750843, 🎾 – |‡| ▤ [TV] ☎ ♿ 🚗 [P]
🏛 150. [AE]. [S]. ● [E] [VISA]. [JCB]. 🚫 cam
chiuso agosto – **Pasto** carta 25/55000 – ☕ 8000 – **32 cam** 65/100000 – P 90/120000.

🍴🍴 **Il Priore,** località Calino via Sala 70 (O : 1 km) ☎ 7254665, « Servizio estivo in terrazz panoramica » – [P]. [S]. ● [VISA]
chiuso martedì e dal 7 al 30 gennaio – **Pasto** carta 50/90000.

CECCHINI DI PASIANO *Pordenone* [429] E 19 – *Vedere Pasiano di Pordenone.*

CECINA *57023 Livorno* [988] ⑭, [430] M 13 *G. Toscana* – *25 641 ab. alt. 15* – ☎ *0586.*
Roma 285 – Pisa 55 – Firenze 122 – Grosseto 98 – Livorno 36 – Piombino 46 – Siena 98.

Il Palazzaccio senza rist, via Aurelia Sud 300 ☎ 682510, Fax 686221 – |‡| ▤ [TV] ☎ [P]. [AE]
[S]. [E] [VISA]. 🚫
☕ 16000 – **34 cam** 100/140000.

Posta senza rist, piazza Gramsci 12 ☎ 685573, Fax 680724 – |‡| ▤ [TV] ☎ ♿. [AE]. [S]. ●
[VISA]. 🚫
☕ 15000 – **14 cam** 100/150000.

XX Scacciapensieri, via Verdi 22 ✆ 680900, Fax 680900, Coperti limitati; prenotare – AE. ⑤. ⓓ E VISA. ✻
✿ *chiuso lunedì e dal 10 al 28 ottobre* – **Pasto** carta 65/90000
Spec. Insalata di mare tiepida. Spaghetti all'astice. Branzino al cartoccio con frutti di mare.

XX **Trattoria Senese,** via Diaz 23 ✆ 680335 – ▤. AE. ⑤. E VISA. ✻
chiuso martedì e dal 10 al 31 gennaio – **Pasto** specialità di mare carta 55/85000.

ECINA (Marina di) *57023 Livorno* 430 M 13 – *a.s. 15 giugno-15 settembre* – ✆ *0586.*

Roma 288 – Pisa 57 – Cecina 3 – Firenze 125 – Livorno 39.

Il Gabbiano, viale della Vittoria 109 ✆ 620248, Fax 620867, ≤, ▲ – TV ☎ P. AE. ⑤. E VISA. ✻
chiuso dal 15 gennaio al 15 febbraio e novembre – **Pasto** carta 45/70000 – ☐ 16000 – **23 cam** 95/135000 – P 100/150000.

XX **Olimpia-da Gianni,** viale della Vittoria 68 ✆ 621193, ☂ – ▤. AE. ⑤. ⓓ E VISA. ✻
chiuso novembre, lunedì e da gennaio a marzo anche domenica sera – **Pasto** carta 60/90000.

X **El Faro,** viale della Vittoria 70 ✆ 620164, Fax 620274, ≤, ▲ – AE. ⑤. ⓓ E VISA. ✻
chiuso mercoledì e novembre – **Pasto** specialità di mare carta 55/70000.

EFALÙ *Palermo* 988 ㊱, 432 M 24 – *Vedere Sicilia alla fine dell'elenco alfabetico.*

EGLIE MESSAPICA *72013 Brindisi* 988 ㉚, 431 F 34 – *20 863 ab. alt. 303* – ✆ *0831.*

Roma 564 – Brindisi 38 – Bari 92 – Taranto 38.

XX **Al Fornello-da Ricci,** contrada Montevicoli ✆ 377104, Fax 377104, « Servizio estivo in giardino » – P. ⑤. ⓓ E VISA. ✻
✿ *chiuso lunedì sera, martedì, dal 1º al 10 febbraio e dal 10 al 30 settembre* – **Pasto** 50/60000 e carta 40/70000
Spec. Fichi con pancetta salata (giugno-settembre). Tagliolini ai rognoncini e animelle di agnello. Costolette di capretto ai pomodorini appesi.

X **Da Gino,** contrada Montevicoli ✆ 377916 – P. AE. ⑤. ⓓ E VISA. ✻
chiuso venerdì e settembre – **Pasto** carta 30/55000.

CELANO *67043 L'Aquila* 988 ㉖, 430 P 22 – *11 456 ab. alt. 800* – ✆ *0863.*

Roma 118 – L'Aquila 44 – Avezzano 16 – Pescara 94.

XX Le Gole-da Guerrinuccio, via Sardellino S : 1,5 km ✉ 67041 Aielli ✆ 791471, Fax 792654, « Giardino ombreggiato » – ▤ P

CELLE LIGURE *17015 Savona* 988 ⑬, 428 I 7 – *5 365 ab.* – ✆ *019.*

ℹ *via Boagno (palazzo Comunale)* ✆ *990021.*

Roma 538 – Genova 40 – Alessandria 86 – Milano 162 – Savona 7,5.

Piccolo Hotel, via Lagorio 25 ✆ 990015 – |‡| ☎ P. AE. ⑤. ⓓ E VISA. ✻
chiuso dicembre, gennaio ed ottobre – **Pasto** 40000 – ☐ 15000 – **26 cam** 90/115000 – ½ P 65/95000.

La Giara, via Dante Alighieri 3 ✆ 993773, Fax 993973 – TV ☎. AE. ⑤. E VISA. JCB. ✻ rist
chiuso dal 15 novembre al 24 dicembre – **Pasto** *(chiuso a mezzogiorno; prenotare)* 30/40000 – **18 cam** ☐ 120/150000 – ½ P 90/110000.

Ancora, via De Amicis 3 ✆ 990052, Fax 993249 – |‡| TV ☎ P. AE. ⑤. E VISA. ✻
Pasqua-20 settembre – **Pasto** carta 50/65000 – ☐ 10000 – **16 cam** 60/105000 – ½ P 80000.

XX **Mosè,** via Colla 30 ✆ 991560, prenotare – ▤. AE. ⑤. ⓓ E VISA
chiuso mercoledì e dal 15 ottobre al 15 dicembre – **Pasto** carta 50/70000.

X **Sotto in Su,** via Sanda 143 (NO : 1,3 km) ✆ 991619, ☂ – P. AE. ⑤. ⓓ E VISA
chiuso lunedì e novembre – **Pasto** carta 40/65000.

sulla strada statale 1 - via Aurelia *E : 1,5 km :*

XX **Villa Alta,** via Negri 2 ✉ 17015 ✆ 990939, ≤, ☂, Coperti limitati; prenotare, ☂ – AE. ⑤. ⓓ E VISA. JCB
chiuso martedì e dal 7 gennaio al 10 marzo – **Pasto** carta 65/100000.

CELLORE *Verona* – *Vedere Illasi.*

CEMBRA *38034 Trento* [429] D 15 – *1 712 ab. alt. 677 – a.s.Pasqua e Natale – ☎ 0461.*
[i] via 4 Novembre 3 ☎ 683110, Fax 683257.
Roma 611 – Trento 22 – Belluno 130 – Bolzano 63 – Milano 267.

🏠 **Europa** 🐎, ☎ 683032, Fax 683032, ≤, 🌳 – |‡| ☎ ♿ [P]. [S]. [E] [VISA]. ⊗
Pasto *(chiuso domenica)* carta 30/40000 – **28 cam** ☕ 80/105000 – 1/2 P 55/70000.

CENERENTE *Perugia – Vedere Perugia.*

CENOVA *Imperia* [428] J 5 – *alt. 558 – ✉ 18020 Rezzo – ☎ 0183.*
Roma 613 – Imperia 27 – Genova 114.

🏠 **Negro** 🐎, via Canada 10 ☎ 34089, Fax 324991, ≤ monti – [TV] ☎ [P]. [S]. ◑ [E] [VISA]. ⊗
Pasto 35/45000 e al Rist. ***I Cavallini*** *(chiuso mercoledì e dal 10 gennaio a Pasqua)* carta 30/55000 – ☕ 12000 – **12 cam** 55/70000 – 1/2 P 60/70000.

CENTO *44042 Ferrara* [988] ⑭ ⑮, [429] H 15 – *29 149 ab. alt. 15 – ☎ 051.*
⛳ (chiuso lunedì) località Parco del Reno ✉ 44042 Cento ☎ 6830504, Fax 6830504.
Roma 410 – Bologna 34 – Ferrara 35 – Milano 207 – Modena 37 – Padova 103.

🏨 **Europa,** via 4 Novembre 16 ☎ 903319, Fax 902213 – |‡| ▤ [TV] ☎ [P]. [AE]. [S]. ◑ [E] [VISA]. ⊗
Pasto *(chiuso venerdì)* carta 35/55000 – ☕ 12000 – **44 cam** 90/120000 – 1/2 P 80/115000.

🏨 **Al Castello,** via Giovannina 57 (O : 2 km) ☎ 6836066, Fax 6835990 – |‡| ▤ [TV] ☎ [P] 🏔 300. [AE]. [S]. [E] [VISA]. ⊗
Pasto *(chiuso venerdì)* 35000 – ☕ 9000 – **68 cam** 80/120000, 2 appartamenti, ▤ 12000 P 120000.

CEPRANO *03024 Frosinone* [988] ㉖, [430] R 22 – *8 638 ab. alt. 120 – ☎ 0775.*
Roma 99 – Frosinone 23 – Avezzano 84 – Isernia 78 – Latina 71 – Napoli 122.

🏨 **Ida,** in prossimità casello autostrada A 1 ☎ 950040, Fax 950040 – |‡| ▤ rist [TV] ☎ 🚗 [P] [AE]. [S]. ◑ [E] [VISA]. ⊗
Pasto carta 35/50000 – ☕ 6000 – **36 cam** 70/90000 – 1/2 P 60/80000.

🏨 Al Borgo Antico, via Campidoglio 266 ☎ 94145, Fax 912978 – [TV] ☎ [P]
29 cam.

CERBAIA *Firenze* [430] K 15 – *Vedere San Casciano in Val di Pesa.*

CERCENASCO *10060 Torino* [428] H 4 – *1 686 ab. alt. 256 – ☎ 011.*
Roma 689 – Torino 34 – Cuneo 60 – Milano 183 – Sestriere 70.

🍴🍴 **Centro,** via Vittorio Emanuele 8 ☎ 9809247, 🌂 – [AE]. [S]. ◑ [E] [VISA]
chiuso mercoledì e dal 1° al 10 agosto – **Pasto** carta 35/75000.

CERES *10070 Torino* [988] ⑫, [428] G 4, [219] ⑫ – *998 ab. alt. 704 – ☎ 0123.*
Roma 699 – Torino 38 – Aosta 141 – Ivrea 78 – Vercelli 104.

🍴 **Valli di Lanzo** con cam, via Roma 15 ☎ 53397, 🌂 – [TV] ☎. ⊗
chiuso dal 1° al 15 settembre – **Pasto** *(chiuso mercoledì escluso luglio ed agosto)* carta 30/60000 – **10 cam** ☕ 70/130000 – 1/2 P 90/100000.

CERESE DI VIRGILIO *Mantova* [428] G 14 – *Vedere Mantova.*

CERESOLE REALE *10080 Torino* [988] ⑫, [428] F 3 – *162 ab. alt. 1 620 – ☎ 0124.*
Roma 738 – Torino 77 – Aosta 126 – Milano 176.

🏠 **Blanchetti** 🐎, borgata Prese 13 ☎ 953174, Fax 953126, ≤ – ☎. [AE]. [S]. [E] [VISA]. ⊗
chiuso dal 15 settembre al 15 dicembre – **Pasto** carta 40/55000 – **11 cam** ☕ 95000 – 1/2 P 85/95000.

CERIGNOLA *71042 Foggia* [988] ㉘, [431] D 29 – *55 716 ab. alt. 124 – ☎ 0885.*
Roma 366 – Foggia 31 – Bari 90 – Napoli 178.

🍴🍴 **Il Bagatto,** via Giovanni Gentile 7 ☎ 427850, 🌂 – ▤. [AE]. [S]. ◑ [E] [VISA]
chiuso domenica sera, lunedì e dal 10 al 25 luglio – **Pasto** carta 35/80000.

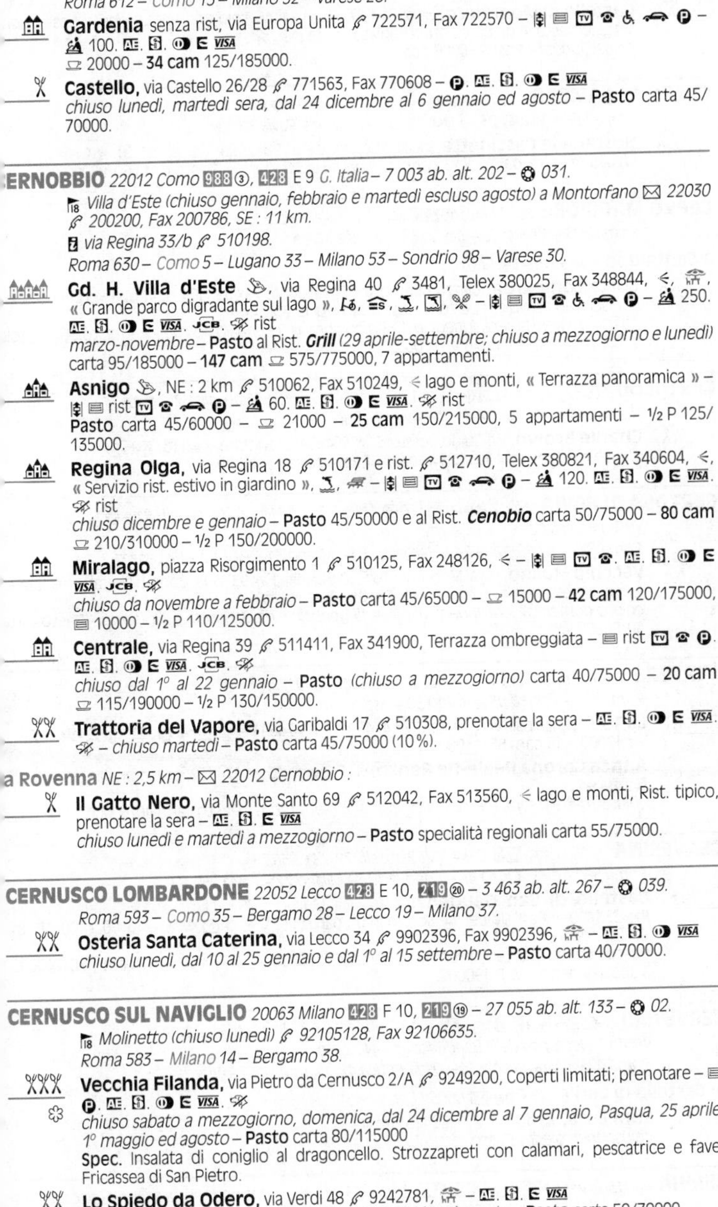

ERMENATE *22072 Como* 428 E 9, 219 ⑱ – *8 485 ab. alt. 332* – ☎ *031.*

Roma 612 – Como 15 – Milano 32 – Varese 28.

Gardenia senza rist, via Europa Unita ℘ 722571, Fax 722570 – 🅿 – 100. AE. 🅂. ⓞ E VISA
20000 – **34 cam** 125/185000.

Castello, via Castello 26/28 ℘ 771563, Fax 770608 – 🅿. AE. 🅂. ⓞ E VISA
chiuso lunedì, martedì sera, dal 24 dicembre al 6 gennaio ed agosto – **Pasto** carta 45/70000.

ERNOBBIO *22012 Como* 988 ③, 428 E 9 *G. Italia* – *7 003 ab. alt. 202* – ☎ *031.*

Villa d'Este (chiuso gennaio, febbraio e martedì escluso agosto) a Montorfano ✉ 22030 ℘ 200200, Fax 200786, SE : 11 km.

via Regina 33/b ℘ 510198.

Roma 630 – Como 5 – Lugano 33 – Milano 53 – Sondrio 98 – Varese 30.

Gd. H. Villa d'Este ⛵, via Regina 40 ℘ 3481, Telex 380025, Fax 348844, ≤, « Grande parco digradante sul lago », 🅿 – 250. AE. 🅂. ⓞ E VISA. JCB. rist
marzo-novembre – **Pasto** al Rist. ***Grill*** *(29 aprile-settembre; chiuso a mezzogiorno e lunedì)* carta 95/185000 – **147 cam** 575/775000, 7 appartamenti.

Asnigo ⛵, NE : 2 km ℘ 510062, Fax 510249, ≤ lago e monti, « Terrazza panoramica » – rist 🅿 – 60. AE. 🅂. ⓞ E VISA. rist
Pasto carta 45/60000 – 21000 – **25 cam** 150/215000, 5 appartamenti – ½ P 125/135000.

Regina Olga, via Regina 18 ℘ 510171 e rist. ℘ 512710, Telex 380821, Fax 340604, ≤, « Servizio rist. estivo in giardino », 🅿 – 120. AE. 🅂. ⓞ E VISA. rist
chiuso dicembre e gennaio – **Pasto** 45/50000 e al Rist. ***Cenobio*** carta 50/75000 – **80 cam** 210/310000 – ½ P 150/200000.

Miralago, piazza Risorgimento 1 ℘ 510125, Fax 248126, ≤ – AE. 🅂. ⓞ E VISA. JCB.
chiuso da novembre a febbraio – **Pasto** carta 45/65000 – 15000 – **42 cam** 120/175000, 10000 – ½ P 110/125000.

Centrale, via Regina 39 ℘ 511411, Fax 341900, Terrazza ombreggiata – rist 🅿. AE. 🅂. ⓞ E VISA. JCB.
chiuso dal 1° al 22 gennaio – **Pasto** *(chiuso a mezzogiorno)* carta 40/75000 – **20 cam** 115/190000 – ½ P 130/150000.

Trattoria del Vapore, via Garibaldi 17 ℘ 510308, prenotare la sera – AE. 🅂. ⓞ E VISA.
– chiuso martedì – **Pasto** carta 45/75000 (10 %).

a Rovenna *NE : 2,5 km – ✉ 22012 Cernobbio :*

Il Gatto Nero, via Monte Santo 69 ℘ 512042, Fax 513560, ≤ lago e monti, Rist. tipico, prenotare la sera – AE. 🅂. E VISA
chiuso lunedì e martedì a mezzogiorno – **Pasto** specialità regionali carta 55/75000.

CERNUSCO LOMBARDONE *22052 Lecco* 428 E 10, 219 ⑳ – *3 463 ab. alt. 267* – ☎ *039.*

Roma 593 – Como 35 – Bergamo 28 – Lecco 19 – Milano 37.

Osteria Santa Caterina, via Lecco 34 ℘ 9902396, Fax 9902396, – AE. 🅂. ⓞ VISA
chiuso lunedì, dal 10 al 25 gennaio e dal 1° al 15 settembre – **Pasto** carta 40/70000.

CERNUSCO SUL NAVIGLIO *20063 Milano* 428 F 10, 219 ⑲ – *27 055 ab. alt. 133* – ☎ *02.*

Molinetto (chiuso lunedì) ℘ 92105128, Fax 92106635.

Roma 583 – Milano 14 – Bergamo 38.

Vecchia Filanda, via Pietro da Cernusco 2/A ℘ 9249200, Coperti limitati; prenotare – 🅿. AE. 🅂. ⓞ E VISA.
chiuso sabato a mezzogiorno, domenica, dal 24 dicembre al 7 gennaio, Pasqua, 25 aprile, 1° maggio ed agosto – **Pasto** carta 80/115000
Spec. Insalata di coniglio al dragoncello. Strozzapreti con calamari, pescatrice e fave. Fricassea di San Pietro.

Lo Spiedo da Odero, via Verdi 48 ℘ 9242781, – AE. 🅂. E VISA
chiuso domenica sera, lunedì, dal 1° al 10 gennaio ed agosto – **Pasto** carta 50/70000.

CERRINA MONFERRATO *15020 Alessandria* 428 G 6 – *1 596 ab. alt. 225* – ☎ *0142.*

Roma 626 – Alessandria 49 – Torino 56 – Asti 37 – Milano 98 – Vercelli 40.

a Montalero *O : 3 km – ✉ 15020 :*

XX **Castello di Montalero,** via al Castello 10 ☎ 94146, solo su prenotazione, « Costruzior settecentesca in un parco ombreggiato » – [P]. ⊙. ⊘
chiuso lunedì – **Pasto** 60000 bc.

CERRO AL LAMBRO *20077 Milano – 4 431 ab. alt. 84 – 📞 02.*
Roma 558 – Milano 23 – Piacenza 56 – Lodi 14 – Pavia 32.

XX **Hostaria le Cascinette,** località Cascinette ☎ 9832159 – ❄ [P]. [AE]. [S]. [VISA]. ⊘
chiuso martedì, dal 10 al 25 gennaio e dal 16 al 31 agosto – **Pasto** carta 60/85000.

CERRO MAGGIORE *20023 Milano [219] ⑱ – 14 283 ab. alt. 206 – 📞 0331.*
Roma 603 – Milano 26 – Como 31 – Varese 32.

a Cantalupo *SO : 3 km – ✉ 20020 :*

XXX **Corte Lombarda,** piazza Matteotti 3 ☎ 535604, Fax 535604, « In una vecchia cascin con servizio estivo all'aperto » – [P]. [AE]. [S]. ⊙ [E] [VISA]. [JCB]
chiuso domenica sera, lunedì, dal 26 dicembre all'8 gennaio ed agosto – **Pasto** 55000 (sol a mezzogiorno) e carta 65/100000.

CERTALDO *50052 Firenze [988] ⑭, [430] L 15 G. Toscana – 16 036 ab. alt. 67 – 📞 0571.*
Roma 270 – Firenze 57 – Siena 42 – Livorno 75.

XX **Charlie Brown,** via Guido Rossa 13 ☎ 664534, prenotare – ❄. [S]. [VISA]. ⊘
chiuso martedì e dal 10 al 25 agosto – **Pasto** carta 25/45000.

CERTOSA DI PAVIA *27012 Pavia [988] ③ ⑬, [428] G 9 G. Italia – 3 288 ab. alt. 91 – 📞 0382.*
Vedere *Certosa★★★ E : 1,5 km.*
Roma 572 – Alessandria 74 – Bergamo 84 – Milano 31 – Pavia 9 – Piacenza 62.

XX **Vecchio Mulino,** via al Monumento 5 ☎ 925894, Fax 933300, Coperti limitati; prenotare « Servizio estivo in giardino » – [P]. [AE]. [S]. ⊙ [E] [VISA]. ⊘
chiuso domenica sera, lunedì, dal 1° al 15 gennaio e dal 30 luglio al 21 agosto – **Pasto** carta 60/85000.

CERVERE *12040 Cuneo [428] I 5 – 1 743 ab. alt. 304 – 📞 0172.*
Roma 656 – Cuneo 43 – Torino 58 – Asti 52.

🏨 **La Tour** senza rist, via Cavour 3 ☎ 474691, Fax 474693 – ⇅ [TV] ☎ [P]. [AE]. [S]. [E] [VISA]. ⊘
☕ 12000 – **13 cam** 85/130000.

X **Antica Corona Reale-Da Renzo,** via Fossano 13 ☎ 474132, prenotare la sera – [P]. [S]. [E] [VISA]. ⊘
chiuso martedì sera, mercoledì e dal 1° al 20 settembre – **Pasto** carta 40/60000.

CERVESINA *27050 Pavia [428] G 9 – 1 232 ab. alt. 72 – 📞 0383.*
Roma 580 – Alessandria 46 – Genova 102 – Milano 72 – Pavia 25.

🏰 **Castello di San Gaudenzio** 🐦, via Mulino 1 (S : 3 km) ☎ 3331, Telex 311399, Fax 333409, « Castello del 14° secolo in un parco », 🏊 – ❄ [TV] ☎ ♿ – 👥 80 a 400. [AE]. [S]. ⊙ [VISA]. ⊘
Pasto *(chiuso martedì; prenotare)* carta 70/125000 – ☕ 20000 – **45 cam** 170/240000, 3 appartamenti – 1/2 P 190000.

CERVETERI *00052 Roma [988] ㉕, [430] Q 18 G. Italia – 23 779 ab. alt. 81 – 📞 06.*
Vedere *Necropoli della Banditaccia★★ N : 2 km.*
Roma 42 – Civitavecchia 33 – Ostia Antica 42 – Tarquinia 52 – Viterbo 72.

al Castello di Ceri *E : 12 km – ✉ 00052 Ceri :*

X **Sora Lella,** via di Ceri ☎ 99204251 – ⊘
chiuso mercoledì – **Pasto** carta 40/55000.

CERVIA *48015 Ravenna [988] ⑮, [429], [430] J 19 – 25 419 ab. – Stazione termale (aprile-ottobre), a.s. Pasqua, luglio-agosto e ottobre-dicembre – 📞 0544.*
⛳18 *(chiuso gennaio e lunedì da ottobre a marzo) ☎ 992786, Fax 993410.*
ℹ *(maggio-settembre) viale Roma 86 ☎ 974400.*
Roma 382 – Ravenna 22 – Rimini 31 – Bologna 96 – Ferrara 98 – Forlì 28 – Milano 307 – Pesaro 76.

Gd H. Cervia, lungomare Grazia Deledda 9 ℘ 970500, Fax 972086, <, – P – 200. AE. E VISA. rist
marzo-ottobre – **Pasto** 55/105000 – 20000 – **56 cam** 210/315000 – ½ P 175/195000.

Nettuno, lungomare D'Annunzio 34 ℘ 971156, Fax 972082, <, riscaldata, – rist P. AE. E VISA.
25 aprile-settembre – **Pasto** 40/70000 – 15000 – **45 cam** 85/125000 – ½ P 85/135000.

Strand e Gambrinus, lungomare Grazia Deledda 104 ℘ 971773, Fax 973984, < – P – 50. AE. E VISA. JCB.
25 maggio-15 settembre – **Pasto** (solo per alloggiati) 30000 – 8000 – **33 cam** 50/80000 – ½ P 100/105000.

Universal, lungomare Grazia Deledda 118 ℘ 71418, Fax 971746, <, riscaldata – rist P. AE. E VISA. rist
marzo-ottobre – **Pasto** carta 35/45000 – 10000 – **42 cam** 75/105000 – ½ P 70/115000.

Beau Rivage, lungomare Grazia Deledda 116 ℘ 971010, <, riscaldata – rist P. AE. E VISA. rist
Pasqua-settembre – **Pasto** carta 35/45000 – 10000 – **40 cam** 75/105000 – ½ P 70/115000.

Ascot, viale Titano 14 ℘ 72318, riscaldata, – rist P. rist
15 maggio-15 settembre – **Pasto** 30000 – 10000 – **30 cam** 85000 – P 65/85000.

Al Teatro, via 20 Settembre 169 ℘ 71639, prenotare – AE. E VISA.
chiuso lunedì e dal 1º al 15 gennaio – **Pasto** solo specialità di mare carta 40/75000.

Pinarella *S : 2 km – ✉ 48015 Pinarella di Cervia.*
(maggio-settembre) viale Titano 51 ℘ 988869 :

Garden, viale Italia 250 ℘ 987144, Fax 980006, riscaldata, – P. VISA. rist
aprile-ottobre – **Pasto** 40/50000 – 15000 – **55 cam** 85/140000, 14000 – ½ P 90/115000.

Cinzia, viale Italia 252 ℘ 987241, Fax 987620, « riscaldata in terrazza panoramica », – P. VISA. rist
aprile-ottobre – **Pasto** 40/50000 – 10000 – **25 cam** 75/120000, 14000 – ½ P 90/105000.

Buratti, viale Italia 194 ℘ 987549, Fax 988716, – P.
Pasqua-settembre – **Pasto** 30000 – 15000 – **40 cam** 60/80000 – P 65/100000.

Milano Marittima *N : 2 km – ✉ 48016 Cervia - Milano Marittima.*
viale Romagna 107 ℘ 993435, Fax 992515 :

Mare e Pineta, viale Dante 40 ℘ 992262, Fax 992739, « Parco pineta », riscaldata, – P – 250. AE. E VISA. rist
6 aprile-settembre – **Pasto** 70/80000 – **163 cam** 230/350000 – ½ P 250/280000.

Le Palme, VII Traversa 12 ℘ 994661, Fax 994179, <, « Giardino ombreggiato », riscaldata, – P – 150. AE. VISA.
maggio-settembre – **Pasto** (solo per alloggiati) – 25000 – **103 cam** 190/270000 – ½ P 190/210000.

Exclusive Waldorf, VII Traversa 17 ℘ 994343, Fax 993428, <, riscaldata – P. AE. E VISA. rist
aprile-10 ottobre – **Pasto** carta 60/80000 – 20000 – **23 cam** 180/280000 – ½ P 225/250000.

Aurelia, viale 2 Giugno 34 ℘ 975451, Fax 972773, <, « Giardino », – P – 150. AE. E VISA. rist
25 marzo-10 ottobre – **Pasto** 50/75000 – **96 cam** 150/240000 – ½ P 185/210000.

Miami, III Traversa 31 ℘ 991628, Fax 992033, <, riscaldata, – P – 250. AE. E VISA. rist
marzo-novembre – **Pasto** (solo per alloggiati) 45/50000 – **72 cam** 230/330000 – ½ P 150/195000.

Rouge, III Traversa 26 ℘ 992201, Fax 994379, <, riscaldata, – P. AE. E VISA. rist
aprile-ottobre – **Pasto** carta 70/100000 – **84 cam** solo ½ P 155/190000.

Gallia, piazzale Torino 16 ℘ 994692, Fax 994693, « Giardino ombreggiato », riscaldata, – P. AE. E VISA. rist
Pasqua-settembre – **Pasto** 35/55000 – 15000 – **99 cam** 115/180000 – ½ P 90/190000.

Deanna Golf Hotel, viale Matteotti 131 ℘ 991365, Fax 994251, « Giardino », riscaldata – rist P – 150. AE. E VISA. rist
marzo-ottobre – **Pasto** carta 65/75000 – 20000 – **68 cam** 120/130000 – ½ P 125000.

Globus, viale 2 Giugno 59 ℘ 992115, Fax 992931, riscaldata, – P. AE. E VISA. rist
aprile-settembre – **Pasto** 65000 – 18000 – **50 cam** 125/170000 – P 95/165000.

Michelangelo, viale 2 Giugno 113 ℰ 994470, Fax 993534, « Giardino ombreggiato », 🏊 riscaldata – |‡| ▤ TV ☎ ♿ P. AE. 🅂. ⦿ E VISA. ✻ rist
marzo-novembre – **Pasto** 55/80000 – ⊐ 19000 – **48 cam** 170/200000 – ½ P 120/200000.

Metropolitan, via XVII Traversa 7 ℰ 994735, Fax 994735, ≤, Fб, ≘s, 🏊 riscaldata – |‡| TV ☎ P. 🅂. E VISA. ✻ rist
Pasqua- 25 settembre – **Pasto** (solo per alloggiati) – ⊐ 20000 – **75 cam** 115/135000, ½ P 115/150000.

Ariston, viale Corsica 16 ℰ 994659, Fax 991555, ≤, 🏊, ⛱ – |‡| ▤ rist TV ☎ P. 🅂. ⦿ VISA. ✻ rist
10 maggio-settembre – **Pasto** 30/35000 – ⊐ 10000 – **52 cam** 80/130000 – ½ P 9... 140000.

Kent, viale 2 Giugno 142 ℰ 992048, Fax 994472, « Piccolo giardino ombreggiato » – |‡| ☎ P. AE. 🅂. ⦿ E VISA. ✻ rist
maggio-settembre – **Pasto** 45000 – ⊐ 15000 – **35 cam** 60/120000, 2 appartamenti ½ P 95/120000.

Acapulco, VI Traversa 19 ℰ 992396, Fax 993833, ≤, ≘s, 🏊 riscaldata – |‡| ▤ TV ☎ P. AE. 🅂. ⦿ E VISA. ✻ rist
15 maggio-20 settembre – **Pasto** carta 45/50000 – ⊐ 15000 – **45 cam** 90/110000 ½ P 125/135000.

Parco, viale 2 Giugno 49 ℰ 991130, ⛱ – |‡| TV ☎ ♿ P. AE. 🅂. E VISA. ✻ rist
15 maggio-15 settembre – **Pasto** (solo per alloggiati) 35000 – **41 cam** ⊐ 80/115000 ½ P 100/110000.

Sorriso, VIII Traversa 19 ℰ 994063, Fax 993123, Fб, ≘s, 🏊 riscaldata – |‡| ▤ TV ☎ P. 🅂. E VISA. ✻ rist
15 marzo-settembre – **Pasto** (solo per alloggiati) – ⊐ 20000 – **32 cam** 85/130000 ½ P 105/125000.

Alexander, viale 2 Giugno 68 ℰ 991516, 🏊 riscaldata, ⛱ – |‡| ▤ rist ☎ P. AE. 🅂. E VISA. ✻ rist
aprile-20 settembre – **Pasto** 40/60000 – ⊐ 15000 – **51 cam** 110/135000 – P 80/135000.

Majestic, X Traversa 23 ℰ 994122, Fax 994123, ≤, 🏊 riscaldata – |‡| ▤ TV ☎ P. AE. 🅂. E VISA. ✻
Pasqua-14 ottobre – **Pasto** 45000 bc – ⊐ 15000 – **50 cam** 70/115000, ▤ 5000 – P 95/120000.

Mazzanti, via Forlì 51 ℰ 991207, Fax 991258, ≤, 🏊 riscaldata, ⛱ – |‡| ▤ rist TV ☎ P. AE. 🅂. E VISA. ✻ rist
10 maggio-20 settembre – **Pasto** (solo per alloggiati) 35000 – **42 cam** ⊐ 60/100000 ½ P 115/120000.

Nadir, viale Cadorna 3 ℰ 991322, Fax 991431, 🏊 – |‡| TV ☎ P
stagionale – **49 cam.**

Flora, viale Dante 42 ℰ 991209, Fax 991209, ⛱, Fб, ≘s, 🏊 riscaldata, ⛱ – TV ☎ P. AE. 🅂. ⦿ E VISA. ✻
Pasto 40000 – ⊐ 8000 – **28 cam** 60/100000 – P 90/100000.

Ridolfi, anello del Pino 18 ℰ 994547, Fax 991506, 🏊, ⛱ – |‡| ▤ rist TV ☎ P. ✻
maggio-settembre – **Pasto** 30000 – ⊐ 10000 – **36 cam** 60/100000 – ½ P 85/100000.

Abahotel, IV Traversa 19 ℰ 991701, Fax 993969 – |‡| ▤ rist TV ☎ P. 🅂. E VISA. ✻
23 maggio-19 settembre – **Pasto** (solo per alloggiati) 35000 – ⊐ 15000 – **32 cam** 80/120000 – ½ P 80/130000.

Santiago, viale 2 Giugno 42 ℰ 975477, Fax 975477 – |‡| ▤ TV ☎. AE. 🅂. E VISA. ✻ rist
Pasto 35/45000 – ⊐ 14000 – **26 cam** 70/100000 – P 100/120000.

Al Caminetto, viale Matteotti 46 ℰ 994479, Rist. e pizzeria, « Servizio estivo all'aperto » –. 🅂. ⦿ E VISA
dicembre-Epifania e marzo-ottobre; chiuso a mezzogiorno escluso i giorni festivi – **Pasto** carta 85/115000.

Dal Marinaio, viale Puccini 8 ℰ 975479, Fax 975479 – AE. 🅂. ⦿ E VISA. ✻
chiuso lunedì dal 16 maggio al 14 settembre e mercoledì negli altri mesi – **Pasto** specialità di mare carta 50/70000.

Acquario, viale Oriani 71 ℰ 975300, Fax 975300, ⛱, Rist. e pizzeria –. 🅂. ⦿ E VISA. ✻
chiuso dal 15 ottobre al 15 novembre e mercoledì (escluso da giugno ad agosto) – **Pasto** specialità di mare carta 45/65000.

a Tagliata *SE : 3,5 km* – ✉ *48015 Tagliata di Cervia.*
ℹ *(maggio-settembre) via Sicilia 61* ℰ *987945 :*

La Tortuga, viale Sicilia 26 ℰ 987193, Rist. e pizzeria, « Servizio estivo in giardino » – P. AE. 🅂. ⦿ E VISA
chiuso gennaio e mercoledì (escluso da giugno a settembre) – **Pasto** carta 30/65000.

ERVIGNANO DEL FRIULI *33052 Udine* 988 ⑥, 429 E 21 – *12 115 ab.* – ☎ *0431.*
Roma 627 – Udine 34 – Gorizia 28 – Milano 366 – Trieste 47 – Venezia 116.

Internazionale, via Ramazzotti 2 ☎ 30751, Fax 34801 – |¢| ▤ TV ☎ P – 🏛 250. AE. 🅂. ⓞ E VISA. ✻
Pasto al Rist. ***La Rotonda*** *(chiuso domenica sera, lunedì e dal 1° al 20 agosto)* carta 45/65000 – **62 cam** ☐ 100/190000 – ½ P 85/105000.

Al Campanile con cam, località Scodovacca E : 1,5 km ☎ 32018 – P. ✻
chiuso settembre – **Pasto** *(chiuso lunedì e martedì)* carta 40/50000 – ☐ 6000 – **10 cam** 40/70000.

ERVINIA *Aosta* 988 ②, 219 ③ – *Vedere Breuil-Cervinia.*

ERVO *18010 Imperia* 428 K 6 – *1 228 ab. alt. 66* – ☎ *0183.*
🅸 *piazza Santa Caterina (nel Castello)* ☎ *408197, Fax 403133.*
Roma 605 – Imperia 10 – Alassio 12 – Genova 106 – Milano 228 – San Remo 35.

San Giorgio, via Alessandro Volta 19 (centro storico) ☎ 400175, ≤, 🏖, prenotare – ▤
chiuso dal 10 al 31 gennaio, novembre, lunedì sera e martedì dal 20 ottobre a Pasqua, solo martedì a mezzogiorno dal 20 giugno al 10 settembre – **Pasto** specialità di mare 50000 bc (alla sera) e carta 60/95000.

Da Serafino, via Matteotti 8 (centro storico) ☎ 408185, « Servizio estivo in terrazza panoramica » –. 🅂. E VISA
chiuso novembre e martedì (escluso da giugno a settembre) – **Pasto** specialità di mare carta 45/80000.

CESANA TORINESE *10054 Torino* 988 ⑪, 428 H 2 – *970 ab. alt. 1 354 – a.s. febbraio-Pasqua, luglio-agosto e Natale – Sport invernali : a Sansicario, Monti della Luna e Claviere : 1 360/2 701 m* ⛡ *2* ⛷ *35,* ⛷ – ☎ *0122.*
🅸 *(dicembre-aprile e luglio-settembre, chiuso mercoledì) piazza VittorioAmedeo 3* ☎ *89202.*
Roma 752 – Bardonecchia 25 – Briançon 21 – Milano 224 – Sestriere 11 – Torino 87.

a Mollières *N : 2 km* – ✉ *10054 Cesana Torinese :*

La Selvaggia, frazione Mollieres 43 ☎ 89290 – P

a San Sicario *E : 5 km – alt. 1 700* – ✉ *10054 Cesana Torinese :*

Fraiteve, al borgo S : 2 km, via Principale 32 ☎ 832490, « Ambiente caratteristico » –. 🅂. E VISA. ✻
chiuso maggio, novembre, mercoledì a mezzogiorno da dicembre a Pasqua e martedì in tutti gli altri mesi – **Pasto** carta 35/95000.

CESANO *Ancona* 430 K 21 – *Vedere Senigallia.*

CESANO BOSCONE *20090 Milano* 428 F 9, 219 ⑱ – *25 692 ab. alt. 120* – ☎ *02.*
Roma 582 – Milano 10 – Novara 48 – Pavia 35 – Varese 54.

Pianta d'insieme di Milano (Milano p. 6).

Roma senza rist, via Poliziano 2 ☎ 4581805, Fax 4500473 – |¢| ▤ TV ☎ ♿ P – 🏛 25. AE. 🅂. ⓞ E VISA. JCB — AP k
chiuso dal 10 al 20 agosto – ☐ 25000 – **34 cam** 240/350000, 2 appartamenti.

CESANO MADERNO *20031 Milano* 428 F 9, 219 ⑲ – *31 563 ab. alt. 198* – ☎ *0362.*
Roma 613 – Milano 20 – Bergamo 52 – Como 29 – Novara 61 – Varese 41.

a Cassina Savina *E : 4 km* – ✉ *20030 :*

La Cometa, via Podgora 12 ☎ 504102 – ▤. 🅂. E VISA. ✻
chiuso lunedì ed agosto – **Pasto** specialità di mare carta 25/50000.

CESENA *47023 Forlì-Cesena* 988 ⑮, 429, 430 J 18 *G. Italia* – *89 307 ab. alt. 44* – ☎ *0547.*
Vedere *Biblioteca Malatestiana*★.
🅸 *piazza del Popolo 1* ☎ *356327, Fax 356329.*
Roma 336 – Ravenna 31 – Rimini 30 – Bologna 89 – Forlì 19 – Milano 300 – Perugia 168 – Pesaro 69.

Casali, via Benedetto Croce 81 ✆ 22745, Fax 22828 – |♣| ▤ TV ☎ ♿ ⇔ P – 🏛 150. AE 🅂. ⓞ E VISA. JCB
Pasto vedere rist ***Casali*** – ☐ 16000 – **45 cam** 125/180000.

Meeting Hotel senza rist, via Romea 545 ✆ 333160, Fax 334394 – |♣| ▤ TV ☎ P 🏛 60. 🅂. ⓞ E VISA. ✻
chiuso dal 20 al 30 dicembre – ☐ 15000 – **26 cam** 100/150000, ▤ 10000.

Alexander, piazzale Karl Marx 10 ✆ 27474, Fax 27874 – |♣| ▤ TV ☎ ⇔ P – 🏛 50. AE 🅂. E VISA. ✻ rist
Pasto *(giugno-agosto)* 30/40000 – ☐ 12000 – **32 cam** 115/165000 – ½ P 170000.

XXX Casali, via Benedetto Croce 81 ✆ 27485, Fax 27485, ☂ – ▤

XX **Gianni,** via Dell'Amore 9 ✆ 21328, Fax 21328, ☂ , Rist. e pizzeria – AE. 🅂. ⓞ E VISA. JCB
chiuso giovedì – **Pasto** carta 30/65000.

XX **Il Circolino,** corte Dandini 10 ✆ 21875, ☂ , Coperti limitati; solo su prenotazione mezzogiorno – AE. 🅂. E. VISA. ✻
chiuso martedì, dal 20 al 31 gennaio e dal 23 al 30 settembre – **Pasto** carta 40/60000.

CESENATICO *47042 Forlì-Cesena* 988 ⑮, 429 , 430 J 19 – *20 969 ab. – a.s. 21 giugno-agosto* ⊙ *0547.*

🅘 viale Roma 112 ✆ 674411, Fax 80129.

Roma 358 – Ravenna 31 – Rimini 22 – Bologna 98 – Milano 309.

Pino, via Anita Garibaldi 7 ✆ 80645, Fax 84788 – |♣| ▤ TV ☎ – 🏛 40. AE. 🅂. ⓞ E VISA. ✻
Pasto vedere rist ***Pino*** – ☐ 15000 – **66 cam** 110/185000.

Britannia, viale Carducci 129 ✆ 672500, Fax 81799, ←, « Giardino-terrazza », 🏊, 🏖 – |♣| ▤ TV ☎ ♿ ⇔ P – 🏛 50. AE. 🅂. ⓞ E VISA. ✻
aprile-settembre – **Pasto** *(chiuso sino al 25 maggio)* carta 40/70000 – ☐ 18000 – **35 cam** 160/220000, 4 appartamenti – P 120/190000.

San Pietro, viale Carducci 194 ✆ 82496, Fax 81830, ←, 🏊 – |♣| ☎ P – 🏛 250. AE. 🅂. ⓞ E VISA. ✻
15 marzo-13 ottobre – **Pasto** (solo per alloggiati e *chiuso sino al 25 aprile*) 35/50000 – **80 cam** ☐ 105/175000 – ½ P 110/125000.

Torino, viale Carducci 55 ✆ 80044, Fax 672510, ←, 🏊 riscaldata – |♣| ▤ rist TV ☎ P. AE 🅂. ⓞ E VISA. ✻
15 maggio-settembre – **Pasto** (solo per alloggiati) – ☐ 10000 – **45 cam** 170000 – ½ P 75/125000.

Sirena, viale Zara 42 ✆ 80548, Fax 672742 – |♣| ▤ TV ☎ ♿ ⇔ – 🏛 80. AE. 🅂. ⓞ E VISA ✻
Pasto *(chiuso lunedì)* carta 35/50000 – **37 cam** ☐ 110/140000 – ½ P 120/140000.

Esplanade, viale Carducci 120 ✆ 82405, Fax 672214 – |♣| ▤ TV ☎ ⇔. AE. 🅂. ⓞ E VISA JCB. ✻ rist
15 maggio-settembre – **Pasto** (solo per alloggiati) 40000 – ☐ 12000 – **66 cam** 120/150000 – ½ P 100/135000.

Executive, viale Cesare Abba 90 ✆ 672670, Fax 83823, Ⅎ₅, ≘s, 🏊, 🏖 – |♣| ▤ cam TV ☎ ♿ – 🏛 150. AE. 🅂. ⓞ E VISA. JCB. ✻ rist
Pasto (solo per alloggiati) 25/40000 – ☐ 15000 – **71 cam** 130/150000, ▤ 20000 – ½ P 100/120000.

Miramare, viale Carducci 2 ✆ 80006, Fax 84785, ←, 🏊 – |♣| ▤ TV ☎ P – 🏛 70. AE. 🅂. ⓞ E VISA. ✻ rist
Pasto *(chiuso martedì)* carta 40/60000 – ☐ 15000 – **30 cam** 100/180000, ▤ 10000 – ½ P 75/145000.

Sporting, viale Carducci 191 ✆ 83082, Fax 672172, ←, 🏖 – |♣| ▤ rist TV ☎ P. AE E VISA. ✻
20 maggio-20 settembre – **Pasto** (solo per alloggiati) – ☐ 15000 – **40 cam** 80/100000 – ½ P 60/90000.

Roxy, viale Carducci 193 ✆ 82004, Fax 672406, ←, 🏊 riscaldata, 🏖 – |♣| ▤ rist TV ☎ P. AE. 🅂. ⓞ VISA. ✻
Pasqua e 20 maggio-20 settembre – **Pasto** (solo per alloggiati) 30/70000 – ☐ 15000 – **32 cam** 85/130000 – ½ P 85/95000.

Atlantica, viale Bologna 28 ✆ 83630, Fax 75758, ← – |♣| TV ☎ P. AE. 🅂. E VISA. ✻
Pasqua-settembre – **Pasto** carta 50/70000 – ☐ 15000 – **35 cam** 100/160000 – ½ P 70/130000.

Ori, viale da Verrazzano 14 ✆ 81880 – |♣| ☎ P. E VISA. ✻ rist
aprile-settembre – **Pasto** 20/25000 – ☐ 10000 – **27 cam** 60/70000 – ½ P 60/70000.

Domus Mea senza rist, via del Fortino 7 ✆ 82119, Fax 82441 – |♦| 📺 ☎. AE. 🅂. ⓓ E VISA. ✗
maggio-settembre – ☐ 7500 – **29 cam** 85/100000.

Tiboni 🙢, via Abba 86 ✆ 82089 – AE. ✗
15 maggio-15 settembre – **Pasto** 20/25000 – ☐ 7000 – **18 cam** 40/70000 – 1/2 P 45/60000.

Pino, via Anita Garibaldi 7 ✆ 75350, Fax 84788, ⛱ – ▤. AE. 🅂. ⓓ E VISA. ✗
chiuso lunedì e dal 2 al 30 novembre – **Pasto** 40/60000 e carta 50/75000.

Bistrot Claridge, viale dei Mille 55 ✆ 82055, ⛱, prenotare – AE. 🅂. ⓓ E VISA. ✗
chiuso a mezzogiorno (escluso la domenica da dicembre a maggio), lunedì e novembre – **Pasto** carta 50/75000.

Teresina, viale Trento ✆ 81108, Fax 672234, ≤ – ▤ Ⓟ. AE. 🅂. ⓓ E VISA. JCB. ✗
chiuso mercoledì – **Pasto** carta 55/75000.

Al Gallo, via Baldini 21 ✆ 81067, Fax 672454, ⛱ – AE. 🅂. ⓓ E VISA. JCB
chiuso mercoledì e dal 2 al 16 gennaio – **Pasto** carta 45/85000.

La Buca, corso Garibaldi 41 ✆ 82474, Fax 82474, ⛱ – AE. 🅂. ⓓ E VISA. ✗
chiuso lunedì e dal 2 al 10 gennaio – **Pasto** specialità di mare carta 45/60000.

Gambero Rosso, molo Levante 21 ✆ 81260, ≤ – ▤. AE. 🅂. ⓓ E VISA. JCB
chiuso dal 10 al 31 gennaio e martedì (escluso dal 15 giugno al 15 settembre) – **Pasto** carta 50/60000.

Vittorio, porto turistico Onda Marina, via Andrea Doria ✆ 672588 – ▤ Ⓟ. AE. 🅂. ⓓ E VISA. ✗
chiuso martedì e dal 10 dicembre al 3 gennaio – **Pasto** (menu suggeriti dal proprietario) 80/100000 bc.

Trocadero-da Valeria, via Pasubio-spiaggia levante ✆ 81173, ≤ – Ⓟ. AE. 🅂. ⓓ E VISA
chiuso lunedì e dal 1° al 15 novembre – **Pasto** carta 50/80000.

Marengo, via Canale Bonificazione 71 ✆ 83200, ⛱ – Ⓟ. AE. 🅂. ⓓ VISA. ✗
chiuso martedì, gennaio e febbraio – **Pasto** solo piatti di carne carta 35/50000.

a Valverde *S : 2 km* – ✉ *47042 Cesenatico* :

Caesar, viale Carducci 290 ✆ 86500, Fax 86654, ≤, Fø, ⛱ riscaldata, ✗ – |♦| ☎ ♿ Ⓟ. 🅂. E VISA. ✗ rist
15 aprile-settembre – **Pasto** (solo per alloggiati) 25/40000 – ☐ 14000 – **45 cam** 100/140000 – P 70/130000.

Colorado, viale Carducci 306 ✆ 86242, Fax 680194, ⛱ – |♦| ☎ Ⓟ. AE. ✗
maggio-settembre – **Pasto** 40/60000 – **47 cam** ☐ 100/180000 – P 90/130000.

Wivien, via Guido Reni angolo via Canova 89 ✆ 85388, Fax 85455, Fø, ≘s, ⛱ – |♦| ▤ cam ☎ Ⓟ. AE. ✗ rist
aprile-ottobre – **Pasto** (solo per alloggiati) 30/35000 – ☐ 12000 – **37 cam** 85/120000, ▤ 8000 – 1/2 P 85/105000.

Tridentum, viale Michelangelo 25 ✆ 86287, Fax 87522, ⛱, 🏖 – |♦| ▤ ☎ Ⓟ
stagionale – **60 cam.**

a Zadina Pineta *N : 2 km* – ✉ *47042 Cesenatico* :

Beau Soleil-Wonderful 🙢, viale Mosca 43/45 ✆ 82209, Fax 82069, ⛱ riscaldata – |♦| ▤ ☎ Ⓟ. 🅂. E VISA. ✗ rist
16 marzo-25 settembre – **Pasto** (solo per alloggiati) 30/50000 – **86 cam** ☐ 110/170000 – 1/2 P 100/120000.

Renzo 🙢, viale dei Pini 55 ✆ 82316, Fax 82316 – |♦| ▤ rist ☎ Ⓟ. AE. 🅂. ✗ rist
15 maggio-settembre – **Pasto** (solo per alloggiati) 25000 – ☐ 10000 – **24 cam** 60/90000 – 1/2 P 75000.

a Villamarina *S : 3 km* – ✉ *47042 Cesenatico* :

David, viale Carducci 297 ✆ 86154, Fax 86154, ≤, « Grande terrazza con ⛱ riscaldata » – |♦| 📺 ☎ Ⓟ. 🅂 E. VISA. ✗ rist
Pasqua-ottobre – **Pasto** 35/45000 – ☐ 15000 – **46 cam** 105/205000 – 1/2 P 100/160000.

Park Hotel Grilli 🙢, viale Torricelli 12 ✆ 87174, Fax 87255, « Giardino ombreggiato », Fø, ≘s, ⛱ riscaldata, 🏖, ✗ – |♦| ⇔ rist ▤ 📺 ☎ 🚗 – 🏛 150. AE. 🅂. ⓓ E. ✗ rist
chiuso dal 5 novembre al 26 dicembre – **Pasto** carta 35/45000 – **44 cam** ☐ 120/200000 – 1/2 P 120/150000.

Duca di Kent, viale Euclide 23 ✆ 86307, Fax 86488, Fø, ≘s, ⛱, 🏖 – |♦| ☎ Ⓟ. 🅂. E VISA. ✗ rist
15 maggio-25 settembre – **Pasto** 30/50000 – ☐ 10000 – **40 cam** 80/120000 – 1/2 P 80/115000.

Lesen Sie die Einleitung, sie ist der Schlüssel zu diesem Führer.

CESSALTO *31040 Treviso* 988 ⑤, 429 E 19 – *3 121 ab.* – ✆ *0421.*
Roma 562 – Venezia 48 – Belluno 81 – Milano 301 – Treviso 33 – Udine 77.

Romana senza rist, via Donegal 16/1 ✆ 327194, Fax 327194 – ▤ 📺 ☎ 🅟. ⓓ. ✻
☕ 5000 – **19 cam** 50/80000.

CESUNA *36010 Vicenza* 429 E 16 – *alt. 1 052* – ✆ *0424.*
Roma 582 – Trento 72 – Asiago 8 – Milano 263 – Venezia 114 – Vicenza 48.

Belvedere, via Armistizio 6 ✆ 67000, Fax 67309, – 📺 ☎ 🅟. ✻ rist
Pasto *(chiuso martedì)* carta 35/55000 – ☕ 10000 – **24 cam** 85/125000 – ½ P 70/90000.

CETARA *84010 Salerno* 431 F 26 – *2 432 ab. alt. 15* – ✆ *089.*
Roma 255 – Napoli 56 – Amalfi 15 – Avellino 45 – Salerno 10 – Sorrento 49.

Cetus, strada statale 163 ✆ 261388, Fax 261388, « A picco sul mare con ≤ sul golfo Salerno », – |♦| ▤ rist 📺 ☎ 🅟 – 🏛 70. AE. 🅢. E VISA. JCB. ✻ rist
29 dicembre-15 gennaio e 15 marzo-14 ottobre – **Pasto** carta 35/60000 – **38 cam** ☕ 150/210000 – ½ P 145/160000.

San Pietro, piazzetta San Francesco 2 ✆ 261091,
chiuso martedì – **Pasto** carta 30/60000.

CETONA *53040 Siena* 430 N 17 *G. Toscana* – *2 966 ab. alt. 384* – ✆ *0578.*
Roma 155 – Perugia 59 – Orvieto 62 – Siena 89.

Osteria Vecchia, via Cherubini 11 ✆ 239040, Fax 239040 – ▤

a Piazze *S : 9 km* – ✉ *53040 :*

Bottega delle Piazze, via Provinciale 187 ✆ 244295, Coperti limitati; prenotare – AE 🅢. ⓓ E VISA
chiuso lunedì – **Pasto** carta 30/40000.

CETRARO *87022 Cosenza* 988 ㊴, 431 I 29 – *10 942 ab. alt. 120* – ✆ *0982.*
San Michele, località Bosco ✉ 87022 Cetraro ✆ 91012, Fax 91430, NO : 6 km.
Roma 466 – Cosenza 55 – Catanzaro 115 – Paola 21.

Il Casello, al porto NO : 2,5 km ✆ 971355 – 🅟. AE. 🅢
chiuso lunedì escluso da giugno a settembre – **Pasto** carta 40/60000.

sulla strada statale 18 *NO : 6 km :*

Gd H. San Michele ✉ 87022 ✆ 91012, Fax 91430, ≤, , « Giardino-frutteto e ascensore per la spiaggia », – |♦| ▤ 📺 ☎ 🅟 – 🏛 220. AE. 🅢. ⓓ E VISA
✻ rist
chiuso novembre – **Pasto** carta 75/100000 – **67 cam** ☕ 230/350000 – ½ P 200/335000.

CHAMOIS *11020 Aosta* 428 E 4, 219 ③ – *104 ab. alt. 1 815* – ✆ *0166*
Buisson 5 mn di funivia.

Edelweiss, frazione Corniolaz 4 ✆ 47137, ≤, , prenotare, « Servizio estivo in terrazza panoramica »
chiuso martedì, dal 1° al 13 aprile ed ottobre – **Pasto** carta 45/75000.

CHAMPLAS JANVIER *Torino – Vedere Sestriere.*

CHAMPOLUC *11020 Aosta* 988 ②, 428 E 5 – *alt. 1 570 – a.s. 13 febbraio-aprile, luglio-agosto e Natale – Sport invernali : 1 570/2 714 m 1 7,* – ✆ *0125.*
via Varasch ✆ 307113, Fax 307785.
Roma 737 – Aosta 64 – Biella 92 – Milano 175 – Torino 104.

Ayas, rue de Guides 19 bis ✆ 308128, Fax 308133, ≤ Monte Rosa, – |♦| 📺 ☎ 🅟. AE. 🅢. E VISA. ✻
chiuso ottobre e novembre – **Pasto** al Rist. ***La Fontaine*** 30/35000 – ☕ 15000 – **28 cam** 180/200000 – ½ P 95/135000.

Villa Anna Maria, via Croues 5 ✆ 307128, Fax 307984, ≤ monti, « Giardino e pineta » – 📺 ☎ 🅟. E VISA. ✻
Pasto *(5 dicembre-25 aprile e 20 giugno-20 settembre)* 35/50000 – ☕ 15000 – **20 cam** 75/110000 – ½ P 85/120000.

Castor, via Ramey 2 ✆ 307117, Fax 308040, ≤, – |♦| 📺 ☎ 🅟. AE. 🅢. E VISA. ✻ rist
Pasto *(dicembre-26 aprile e 26 giugno-20 settembre)* carta 35/60000 – ☕ 15000 – **32 cam** 80/130000 – ½ P 80/140000.

CHAMPORCHER *11020 Aosta 988 ②, 428 F 4 – 441 ab. alt. 1 427 – a.s. Pasqua e Natale – Sport invernali : 1 427/2 500 m 1 3, – 0125.*

Roma 716 – Aosta 61 – Ivrea 43 – Milano 156 – Torino 85.

Beau Séjour, frazione Loré 1 37122, Fax 37122, ≤ monti, – P.
Pasto 15/30000 – **21 cam** 50/80000 – 1/2 P 60/70000.

CHANAVEY *Aosta 428 F 3, 219 ⑪ ⑫ – Vedere Rhêmes Notre Dame.*

CHARVENSOD *Aosta 428 E 3 – Vedere Aosta.*

CHATILLON *11024 Aosta 988 ②, 428 E 4 – 4 713 ab. alt. 549 – a.s. luglio-agosto – 0166.*

Roma 723 – Aosta 28 – Breuil-Cervinia 27 – Milano 160 – Torino 89.

Rendez Vous, regione Soleil 3 563150, Fax 62480, ≤ – P. AE. E VISA
Pasto 30/40000 ed al Rist. ***Da Beppe*** carta 30/45000 – 10000 – **35 cam** 75/110000 – 1/2 P 75/90000.

Marisa, via Pellissier 10 563110, Fax 563114, ≤, – P. AE. E VISA. JCB.
chiuso novembre – **Pasto** *(chiuso lunedì escluso dal 15 luglio al 15 settembre)* carta 40/65000 – 10000 – **28 cam** 80/110000 – 1/2 P 75/90000.

La Rocca, località Perolle 563214, Fax 563215, – P. E VISA. JCB. rist
Pasto 30/35000 – 10000 – **30 cam** 80/120000 – 1/2 P 85/90000.

Le Verger senza rist, via Tour de Grange 53 563066, Fax 563133, ≤ – P. AE E VISA
8000 – **13 cam** 70/80000.

Parisien, regione Panorama 1 537053, Coperti limitati; prenotare – P. AE. E VISA
chiuso a mezzogiorno (escluso i giorni festivi e prefestivi), giovedì e dal 7 al 25 luglio – **Pasto** 60/80000 e carta 65/100000.

CHERASCO *12062 Cuneo 428 I 5 – 6 650 ab. alt. 288 – 0172.*

18 (chiuso dicembre, gennaio e martedì) località Fraschetta 12062 Cherasco 489772, Fax 488304.

Roma 646 – Cuneo 52 – Torino 53 – Asti 51 – Savona 97.

Napoleon, via Aldo Moro 1 488238, Fax 488435 – cam P – 200. E VISA. rist
Pasto al Rist. ***L'Escargot*** *(chiuso mercoledì)* carta 35/60000 – **22 cam** 110/140000 – 1/2 P 100000.

Osteria della Rosa Rossa, via San Pietro 31 488133 – AE. VISA
chiuso martedì, mercoledì, dal 15 gennaio al 15 febbraio e dal 24 al 31 agosto – **Pasto** carta 25/50000.

CHIANCIANO TERME *53042 Siena 988 ⑮, 430 M 17 G. Toscana – 7 205 ab. alt. 550 – Stazione termale (15 aprile-ottobre) – 0578.*

piazza Italia 67 63167, Fax 64623.

Roma 167 – Siena 74 – Arezzo 73 – Firenze 132 – Milano 428 – Perugia 65 – Terni 120 – Viterbo 104.

Gd H. Excelsior, via Sant'Agnese 6 64351, Fax 63214, riscaldata, – P – 700. AE. VISA.
Pasqua-ottobre – **Pasto** 60000 – 20000 – **66 cam** 150/240000, 9 appartamenti – 1/2 P 200000.

Grande Alb. Le Fonti, viale della Libertà 523 63701, Fax 63701, ≤ – – 250. VISA. rist
Pasto 35/50000 – 15000 – **66 cam** 170/200000, 4 appartamenti – 1/2 P 140/180000.

Michelangelo, via delle Piane 146 64004, Fax 60480, ≤ dintorni, « Parco ombreggiato », , riscaldata, – P – 40. AE. E VISA. rist
Capodanno, Pasqua e maggio-20 ottobre – **Pasto** 80000 – 20000 – **63 cam** 120/180000 – 1/2 P 165000.

Moderno, viale Baccelli 10 63754, Fax 60656, « Terrazza-giardino con riscaldata », – P. AE. E VISA. JCB.
Pasto 35/40000 – 10000 – **70 cam** 120/200000 – 1/2 P 100/160000.

Ambasciatori, viale della Libertà 512 64371, Fax 64371, « riscaldata in terrazza panoramica », – P – 350. AE. E VISA.
Pasto 45/65000 – **115 cam** 120/170000 – 1/2 P 120/150000.

Raffaello, via dei Monti 3 657000, Fax 64923, « Giardino con e », – . . . rist
15 aprile-ottobre – **Pasto** 40/45000 – 15000 – **70 cam** 100/150000 – 1/2 P 150/170000.

Gd H. Capitol, viale della Libertà 492 64681, Fax 64686, « in terrazza panoramica » – . . . .
Pasqua-ottobre – **Pasto** 35/40000 – 15000 – **68 cam** 110/160000 – 1/2 P 100/140000.

Majestic, via Buozzi 70 63042, Fax 62101, riscaldata, – . . rist
15 aprile-ottobre – **Pasto** 45/55000 – 15000 – **68 cam** 115/140000 – 1/2 P 95/135000.

Milano, viale Roma 46 63227, Fax 63227, – . . . rist
Pasqua-15 novembre – **Pasto** 45000 – **56 cam** 120/170000 – P 150000.

Sole, via delle Rose 40 60194, Fax 60196, – – 100. . . rist
Pasqua-ottobre – **Pasto** 35/45000 – **81 cam** 95/130000 – 1/2 P 75/120000.

Montecarlo, viale della Libertà 478 63903, Fax 63093, « riscaldata in terrazza panoramica », – rist . . . rist
maggio-ottobre – **Pasto** 30/40000 – 8000 – **41 cam** 75/105000 – 1/2 P 75/100000.

Alba, viale della Libertà 288 64300, Fax 60577, – rist – 200. . . rist
Pasto carta 30/50000 – 10000 – **66 cam** 80/120000 – 1/2 P 100000.

Continentale, piazza Italia 56 63272, Fax 60426, riscaldata – . . . rist
aprile-ottobre – **Pasto** *(chiuso martedì)* carta 40/55000 – 10000 – **42 cam** 110/150000 – 1/2 P 75/120000.

Ricci, via Giuseppe di Vittorio 51 63906, Fax 63906, – rist – 250. . . rist
Pasto 35/50000 – 10000 – **60 cam** 70/120000 – 1/2 P 80/90000.

Carlton Elite, via Ugo Foscolo 21 64395, Fax 64440, , – . rist
aprile-ottobre – **Pasto** 35/40000 – 15000 – **54 cam** 75/110000 – 1/2 P 95/100000.

Irma, viale della Libertà 302 63941, Fax 63941, – rist .
16 aprile-ottobre – **Pasto** 40000 – 10000 – **70 cam** 95/115000 – P 70/115000.

Cosmos, via delle Piane 44 60496, Fax 60497, , – . . . . rist
Pasqua-ottobre – **Pasto** (solo per alloggiati) – 8000 – **37 cam** 65/100000 – 1/2 P 90000.

Firenze, via della Valle 52 63706, Fax 63700, – rist . . . rist
Pasqua-ottobre – **Pasto** 35000 – 10000 – **33 cam** 70/90000 – 1/2 P 70000.

San Paolo, via Ingegnoli 22 60221, Fax 63753 – rist . .
marzo-novembre – **Pasto** (solo per alloggiati) – **38 cam** 65/95000 – P 55/90000.

Patria, viale Roma 56 64506 – . . . rist
maggio-15 novembre – **Pasto** 40000 – **30 cam** 80/110000 – P 110000.

Bellaria, via Verdi 57 64691, Fax 63979, – rist .
aprile-ottobre – **Pasto** 30000 – **52 cam** 55/85000 – 1/2 P 65/90000.

Suisse, via delle Piane 62 63820, Fax 63430, – . . . . rist
25 marzo-15 novembre – **Pasto** 20/30000 – 6000 – **33 cam** 65/100000 – 1/2 P 60/80000.

Santa Caterina, via Arno 64 31390, Fax 31333 – . rist
marzo-ottobre – **Pasto** 30/35000 – 5000 – **29 cam** 60/80000 – 1/2 P 55/65000.

Gallo Nero, via delle Piane 54 63680, Rist. e pizzeria –. .
chiuso giovedì – **Pasto** carta 30/40000.

CHIARAMONTE GULFI *Ragusa* 988 ㊲, 432 P 26 – *Vedere Sicilia alla fine dell'elenco alfabetico.*

CHIARAVALLE MILANESE *Milano* 428 F 9, 219 ⑲ *G. Italia – Vedere Milano, dintorni.*

CHIARI *25032 Brescia* 988 ③, 428, 429 F 11 – *17 254 ab. alt. 148 – 030.*
Roma 578 – Bergamo 40 – Brescia 25 – Cremona 74 – Milano 82 – Verona 93.

Zucca, via Andreoli 10 711739, – . . .
chiuso lunedì e dal 1° al 20 agosto – **Pasto** carta 35/50000.

CHIASSA *Arezzo* 430 L 17 – *Vedere Arezzo.*

When visiting **northern Italy** *use* **Michelin maps** 428 *and* 429.

CHIAVARI *16043 Genova* 988 ⑬, 428 J 9 *G. Italia – 28 692 ab. – ☎ 0185.*

Vedere *Basilica dei Fieschi*★.

corso Assarotti 1 ☎ 310241, Fax 324796.

Roma 467 – Genova 38 – Milano 173 – Parma 134 – Portofino 22 – La Spezia 69.

Monte Rosa, via Monsignor Marinetti 6 ☎ 300321, Fax 312868 – 80. AE. E VISA.
Pasto carta 40/65000 – **70 cam** 100/140000 – ½ P 95/120000.

Torino senza rist, corso Colombo 151 ☎ 312231, Fax 312233 – AE. E VISA.
32 cam 110/140000.

Mignon, via Salietti 7 ☎ 324977, Fax 309420 – AE. E VISA.
chiuso da novembre al 4 dicembre – **Pasto** *(chiuso dal 15 ottobre al 20 dicembre)* 30/35000 – **32 cam** 85/110000 – ½ P 80/90000.

Lord Nelson Pub con cam, corso Valparaiso 27 ☎ 302595, Fax 310397, ≤, Coperti limitati; prenotare, « Veranda in riva al mare » – cam AE. E VISA.
chiuso dal 5 novembre al 5 dicembre – **Pasto** *(chiuso mercoledì escluso agosto)* carta 65/115000 – 5 appartamenti 300000.

Vecchio Borgo, piazza Gagliardo 15/16 ☎ 309064, – AE. E VISA.
chiuso martedì e gennaio – **Pasto** carta 50/80000.

Piazzetta, piazza Cademartori 34 ☎ 301419, , Coperti limitati; prenotare – AE. E VISA
chiuso lunedì e dall'8 gennaio all'8 febbraio – **Pasto** carta 40/70000.

Il Portico, corso Assarotti 21 ☎ 310049, prenotare – AE. E VISA.
chiuso martedì e dal 25 agosto a settembre – **Pasto** carta 50/75000.

Camilla, corso Colombo 87 ☎ 309682

Da Felice, via Risso 71 ☎ 308016, Coperti limitati; prenotare – AE. E VISA.
chiuso lunedì e novembre – **Pasto** specialità di mare carta 35/60000.

Da Renato, corso Valparaiso 1 ☎ 303033, – AE. VISA
chiuso mercoledì e dal 5 al 15 novembre – **Pasto** carta 45/65000.

a Leivi *N : 6,5 km – alt. 300 – ✉ 16040 :*

Cà Peo con cam, sulla strada panoramica E 2 km, via dei Caduti 80 ☎ 319696, Fax 319671, ≤ mare e città, Coperti limitati; prenotare – AE VISA. rist
chiuso novembre – **Pasto** *(chiuso lunedì e martedì a mezzogiorno)* carta 65/90000 – 15000 – 5 appartamenti 160000
Spec. Lasagnette di farina di castagne al pesto di mortaio. Porcini al forno su sottile tortino di patate (maggio-ottobre). Bavarese di pere in salsa di pesche.

Pepèn, largo Marconi 1 ☎ 319010, Fax 319731, Ambiente tipico, prenotare – AE. E VISA.
chiuso martedì e a mezzogiorno (escluso domenica) – **Pasto** 50000 bc.

CHIAVENNA *23022 Sondrio* 988 ③, 428 D 10 *G. Italia – 7 418 ab. alt. 333 – ☎ 0343.*

Vedere *Fonte battesimale*★ *nel battistero.*

piazza Caduti per la Libertà ☎ 36384, Fax 36384.

Roma 684 – Sondrio 61 – Bergamo 96 – Como 85 – Lugano 77 – Milano 115 – St-Moritz 49.

Aurora, località Campedello E : 1 km ☎ 32708, Fax 35145 – 600. AE. E VISA.
Pasto *(chiuso giovedì da ottobre a maggio)* carta 45/70000 – 15000 – **48 cam** 110000 – ½ P 70/90000.

Crimea, viale Pratogiano 16 ☎ 34343, Fax 35935 – AE. E VISA. rist
chiuso dal 29 settembre al 23 ottobre – **Pasto** *(chiuso giovedì)* carta 35/60000 – 13000 – **35 cam** 70/95000 – ½ P 80/85000.

Passerini, via Dolzimo 128 ☎ 36166, Fax 36166, Coperti limitati; prenotare – AE. E VISA
chiuso lunedì e dal 29 giugno al 17 luglio – **Pasto** 30000 (solo a mezzogiorno) e carta 35/60000.

Al Cenacolo, via Pedretti 16 ☎ 32123, , Coperti limitati; prenotare
chiuso martedì sera, mercoledì e giugno – **Pasto** 35000 e carta 50/70000.

a Mese *SO : 2 km – ✉ 23020 :*

Crotasc, via Don Primo Lucchinetti 67 ☎ 41003, Fax 41003, « Servizio estivo in terrazza ombreggiata », – AE. E VISA.
chiuso lunedì, martedì e dal 2 al 20 giugno – **Pasto** carta 35/50000.

CHIAVERANO *10010 Torino* [428] F 5, [219] ⑭ *– 2 227 ab. alt. 329 – ☎ 0125.*
Roma 689 – Aosta 69 – Torino 55 – Biella 32 – Ivrea 6.

🏨 **Castello San Giuseppe** 🔇, O : 1 km ☎ 424370, Fax 641278, ← vallata e laghi, Coperti limitati; prenotare, « Edificio del 17° secolo in un giardino ombreggiato » – [TV] [P] – 25. [AE]. [S]. [E] [VISA]. 🚫
Pasto *(chiuso a mezzogiorno e domenica)* carta 50/80000 – **15 cam** ☕ 130/180000, appartamento – ½ P 135/165000.

🍴 **Vecchio Cipresso,** via Lago Sirio 19 (O : 2 km) ☎ 45555, « Terrazza sul lago » – [P]. [AE]. [S] [E] [VISA]. 🚫
chiuso mercoledì; in gennaio-febbraio aperto solo i week-end – **Pasto** carta 40/60000.

CHIENES (KIENS) *39030 Bolzano* [429] B 17 *– 2 582 ab. alt. 778 – Sport invernali : Plan de Corones 800/2 273 m* 🚡 *11* ⛷ *21,* ⛷ *– ☎ 0474.*
[i] *☎ 565245, Fax 565611.*
Roma 705 – Cortina d'Ampezzo 68 – Bolzano 67 – Brennero 58 – Brunico 10 – Milano 366 Trento 127.

a San Sigismondo (St. Sigmund) *O : 2,5 km – ✉ 39030 :*

🏨 **Tauber's Vital Hotel** 🔇, via Pusteria 7 ☎ 569500, Fax 569673, 🏊 – [lift] ☎ 🚗 [P]. 🚫
chiuso dall'11 aprile al 9 maggio e da novembre al 24 dicembre – **Pasto** (solo per alloggiati) – **18 cam** ☕ 155/285000, 2 appartamenti – ½ P 125/140000.

🏨 **Rastbichler,** via Pusteria 12 ☎ 569563, Fax 569628, ←, 🏊, 🏊, 🌳 – [lift] ▤ rist ☎ ♿ 🚗 [P]. [S]. [E] [VISA]. 🚫 rist
chiuso da novembre al 20 dicembre – **Pasto** *(chiuso lunedì)* 25/35000 – **39 cam** ☕ 80/160000 – ½ P 75/120000.

CHIERI *10023 Torino* [988] ⑫, [428] G 5 *G. Italia – 32 145 ab. alt. 315 – ☎ 011.*
Roma 649 – Torino 18 – Asti 35 – Cuneo 96 – Milano 159 – Vercelli 77.

🏨 **La Maddalena,** via Fenoglio 4 ☎ 9472729, Fax 9472729 – [TV] ☎ 🚗 [P]. 🚫
chiuso dal 4 al 25 agosto – **Pasto** carta 30/35000 – ☕ 5000 – **17 cam** 90/120000 – ½ P 95000.

🍴🍴 **San Domenico,** via San Domenico 2/b ☎ 9411864, Coperti limitati; prenotare – ▤. [AE] [S]. [E] [VISA]
chiuso sabato a mezzogiorno, lunedì ed agosto – **Pasto** carta 55/100000.

CHIESA IN VALMALENCO *23023 Sondrio* [988] ③, [428], [429] D 11 *– 2 778 ab. alt. 1 000 – Sport invernali : 1 000/2 330 m* 🚡 *1* ⛷ *4,* ⛷ *– ☎ 0342.*
[i] *piazza Santi Giacomo e Filippo 1 ☎ 451150, Fax 452505.*
Roma 712 – Sondrio 14 – Bergamo 129 – Milano 152.

🏨 **Tremoggia,** via Bernina 4 ☎ 451106, Fax 451718, ←, 🏋, 🏊, 🌳 – [lift] [TV] ☎ [P] – 80. [AE]. [S]. [E] [VISA]. [JCB]. 🚫
Pasto *(chiuso mercoledì)* carta 40/55000 – ☕ 16000 – **43 cam** 110/180000 – ½ P 90/135000.

🏨 **Rezia** 🔇, via Marconi 27 ☎ 451271, Fax 451271, ← monti e vallata, 🏊, 🌳 – [lift] [TV] ☎ [P]. 🚫
20 dicembre-15 aprile e 20 giugno-15 settembre – **Pasto** *(chiuso lunedì)* 35000 – ☕ 12000 – **27 cam** 50/80000 – ½ P 85/95000.

🏨 **La Betulla** senza rist, piazzale Funivia ☎ 556415, Fax 556294, ← – [lift] [TV] ☎ ♿ 🚗 [P]. [S]. [VISA]. 🚫
dicembre-aprile e 20 giugno-settembre – **30 cam** ☕ 75/120000.

🏨 **La Lanterna,** via Bernina 88 ☎ 451438, Fax 451438 – ☎ [P]. [AE]. [S]. [E] [VISA]. 🚫
chiuso giugno, ottobre e novembre – **Pasto** carta 30/45000 – ☕ 8000 – **20 cam** 50/90000 – ½ P 60/80000.

🍴🍴 **Malenco,** via Funivia 20 ☎ 452182 – [P]. [AE]. [S]. [E] [VISA]
chiuso mercoledì, dal 20 giugno al 5 luglio e dal 23 al 30 novembre – **Pasto** carta 35/55000.

CHIESSI *Livorno – Vedere Elba (Isola d') : Marciana.*

Cartes routières MICHELIN à 1/400 000 :
[428] ITALIE Nord-Ouest/ [429] ITALIE Nord-Est/ [430] ITALIE Centre
[431] ITALIE Sud/ [432] SICILE/ [433] SARDAIGNE

Les villes soulignées en rouge sur ces cartes sont citées dans le guide.

HIETI 66100 P 988 ㉗, 430 O 24 *G. Italia – 56 619 ab. alt. 330 – a.s. 20 giugno-agosto – ✪ 0871.*

Vedere *Giardini★ della Villa Comunale – Guerriero di Capestrano★ nel museo Archeologico degli Abruzzi* **M**¹.

Abruzzo (chiuso lunedì) a Brecciarola ☏ 684969, Fax 684969, O : 2 km.

via B. Spaventa 29 (palazzo Inail) ☏ 63640, Fax 63647.

A.C.I. *piazza Garibaldi 3 ☏ 345304.*

Roma 205 ③ – Pescara 14 ① – L'Aquila 101 ③ – Ascoli Piceno 103 ① – Foggia 186 ① – Napoli 244 ③.

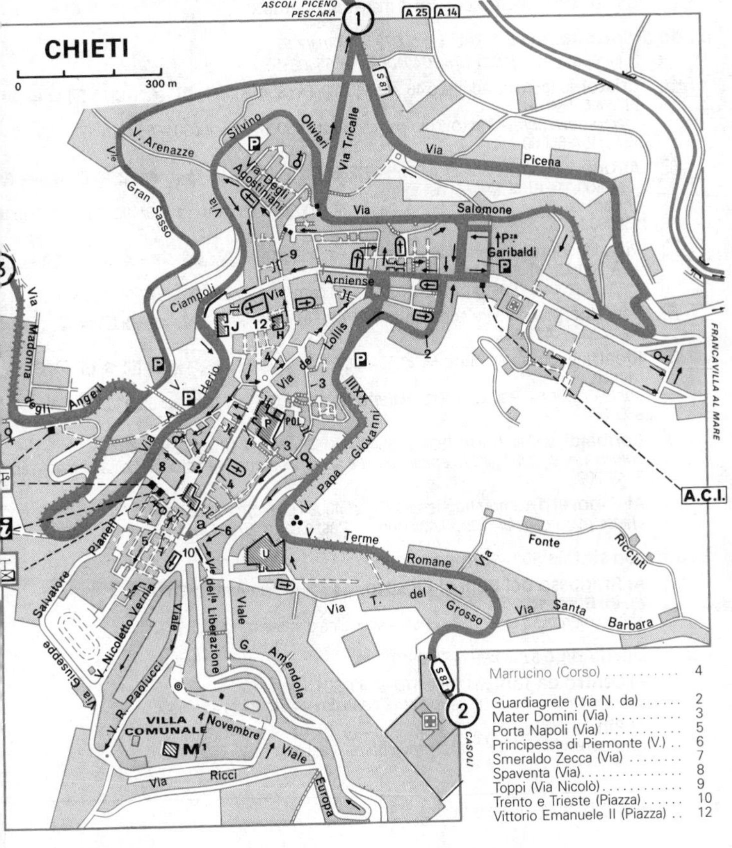

✕ **Nino,** via Principessa di Piemonte 7 ☏ 63781 – ▤. AE. Ⓢ. ⓞ E VISA. ✻ — a

chiuso venerdì e dal 1º al 7 agosto – **Pasto** carta 25/40000.

CHIGNOLO PO *27013 Pavia* 428 *G 10 – 3 145 ab. alt. 71 – ✪ 0382.*

Croce di Malta (chiuso martedì, dicembre e gennaio) ☏ 766476, Fax 303549.

Roma 537 – Piacenza 29 – Cremona 48 – Lodi 22 – Milano 55 – Pavia 30.

sulla strada statale 234 *NE : 3 km :*

✕✕ **Da Adriano,** via Cremona 18 ✉ 27013 ☏ 76119, ☂, ⛱ – ▤ Ⓟ. Ⓢ. E VISA

chiuso lunedì sera, martedì, dal 24 dicembre al 2 gennaio e dal 1º al 20 agosto – **Pasto** carta 40/60000.

Leggete attentamente l'introduzione : è la « chiave » della guida.

CHIOGGIA *30015 Venezia* 988 ⑤, 429 G 18 *G. Venezia – 52 805 ab. – ☎ 041.*

Vedere *Duomo★.*

Roma 510 – Venezia 53 – Ferrara 93 – Milano 279 – Padova 42 – Ravenna 98 – Rovigo 55.

XX **Bella Venezia,** calle Corona 51 ✆ 400500, Fax 5500750, 🏖 – ▤. AE. 🅂. ⓞ E VISA
chiuso giovedì e dal 2 gennaio al 1º febbraio – **Pasto** carta 40/55000.

XX **El Gato,** campo Sant'Andrea 653 ✆ 401806, Fax 405224, 🏖 – ▤. AE. 🅂. ⓞ E VISA
chiuso lunedì, martedì a mezzogiorno e dal 2 gennaio al 10 febbraio – **Pasto** carta 40/70000.

XX **Ai Dogi,** calle Ponte Zitelle Vecchie 708 ✆ 401525, 🏖 – ▤. 🅂. E VISA
chiuso lunedì – **Pasto** specialità di mare carta 45/65000.

a Lido di Sottomarina *E : 1 km – ✉ 30019 Sottomarina.*

ℹ *lungomare Adriatico 101 ✆ 401068, Fax 5540855 :*

Bristol, lungomare Adriatico 46 ✆ 5540389, Fax 5541813, ←, 🏊, 🏖 – |♦| ▤ 📺 ☎ 🅟. AE. 🅂. ⓞ E VISA. ✗
marzo-novembre – **Pasto** (solo per alloggiati) 45000 – ☕ 10000 – **65 cam** 170/180000 – ½ P 115/155000.

Airone, lungomare Adriatico 50 ✆ 492266, Fax 5541325, 🏊, 🏖, 🌳 – |♦| ▤ 📺 ☎ 🚗 🅟 – 🏟 500. AE. 🅂. E VISA. ✗ rist
chiuso dal 20 al 29 dicembre – **Pasto** 30/50000 – **95 cam** ☕ 150/190000 – ½ P 100/130000.

Ritz, lungomare Adriatico 48 ✆ 491700, Fax 493900, ←, 🏊, 🏖, 🌳 – |♦| ▤ cam 📺 ☎ 🅟 – 🏟 200. AE. 🅂. ⓞ E VISA. ✗ rist
marzo-ottobre – **Pasto** carta 50/80000 – **84 cam** ☕ 130/205000 – ½ P 90/130000.

Park Hotel, lungomare Adriatico ✆ 490740, Fax 490111, ←, 🏖, 🌳 – |♦| 📺 ☎ 🅟
stagionale – **41 cam.**

Ideal, lungomare Adriatico 34 ✆ 5541867, Fax 5540502, 🏖 – |♦| ▤ 📺 ☎ 🅟. 🅂. E VISA. ✗ rist
aprile-ottobre – **Pasto** al Rist. ***Valentino*** 25/30000 – **27 cam** ☕ 65/110000 – ½ P 70/95000.

X **Garibaldi,** via San Marco 1924 ✆ 5540042, 🏖 – ▤. AE. 🅂. ⓞ E VISA. ✗
chiuso lunedì, dal 7 all'11 gennaio e dal 4 al 24 novembre – **Pasto** specialità di mare carta 50/80000.

X **Ai Vaporetti,** campo Traghetto 1256 ✆ 400841, ←, 🏖 – AE. 🅂. ⓞ E VISA. JCB
chiuso martedì e dal 10 al 30 novembre – **Pasto** carta 45/60000.

sulla strada statale 309 - Romea *S : 8 km :*

XX **Al Bragosso del Bepi el Ciosoto,** ✉ 30010 Sant'Anna di Chioggia ✆ 4950395 – ▤ 🅟. 🅂. E VISA. ✗
chiuso mercoledì e gennaio – **Pasto** specialità di mare carta 35/55000.

a Cavanella d'Adige *S : 13 km – ✉ 30010 :*

X **Al Centro da Toni,** via Centro 62 ✆ 497501 – ▤. ✗
chiuso lunedì e dal 23 dicembre al 17 gennaio – **Pasto** carta 45/75000.

X **Al Pin,** strada Romea 96/b ✆ 497800 – 🅟. 🅂. ✗
chiuso mercoledì e dal 1º al 20 novembre – **Pasto** carta 35/65000.

CHIRIGNAGO *Venezia –* *Vedere Mestre.*

CHIUSA (KLAUSEN) *Bolzano* 988 ④, 429 C 16 *G. Italia – 4 440 ab. alt. 525 – ✉ 39043 Chiusa d'Isarco – ☎ 0472.*

Roma 671 – Bolzano 30 – Bressanone 11 – Cortina d'Ampezzo 98 – Milano 329 – Trento 90.

Posta-Post, piazza Tinne 3 ✆ 847514, Fax 846251, « Giardino con 🏊 » – |♦| 📺 ☎ 🚗. 🅂. E VISA
chiuso dal 10 novembre al 20 dicembre – **Pasto** *(chiuso a mezzogiorno e giovedì)* carta 45/85000 – **58 cam** ☕ 90/170000 – ½ P 75/120000.

CHIUSI *53043 Siena* 988 ⑮, 430 M 17 *G. Toscana – 8 865 ab. alt. 375 – ☎ 0578.*

Vedere *Museo Etrusco★.*

Roma 159 – Perugia 52 – Arezzo 67 – Chianciano Terme 12 – Firenze 126 – Orvieto 51 – Siena 79.

XX **Zaira,** via Arunte 12 ☎ 20260, Fax 21638, « Cantina ricavata in camminamenti etruschi » – AE. ⑤. ◑ E VISA. ✻
chiuso lunedì escluso da luglio a settembre – **Pasto** carta 40/60000.

X **Osteria La Solita Zuppa,** via Porsenna 21 ☎ 21006, Fax 21006, prenotare – AE. ⑤. ◑ E VISA
chiuso martedì e febbraio – **Pasto** carta 40/50000.

a **Querce al Pino** *O : 4 km* – ✉ *53043 Chiusi :*

Il Patriarca ⛰, uscita autostrada del Sole A-1 ☎ 274407, Fax 274594, ≤, « Parco » – |$| TV ☎ ♿ P – 🏛 100. ⑤. E VISA. ✻ rist
Pasto *(chiuso lunedì)* carta 50/65000 – ☐ 15000 – **21 cam** 110/150000, 4 appartamenti – ½ P 130000.

al **lago** *N : 3,5 km :*

X **La Fattoria** ⛰ con cam, località Paccianese ✉ 53043 ☎ 21407, Fax 20644, ≤, ⌂, ⌂ – TV ☎ P. AE. ⑤. ◑ E VISA
chiuso febbraio – **Pasto** *(chiuso lunedì escluso luglio-settembre)* carta 35/70000 – ☐ 10000 – **8 cam** 90/100000 – ½ P 95/120000.

CHIVASSO *10034 Torino* 988 ⑫, 428 *G 5 – 24 409 ab. alt. 183 –* ☎ *011.*
Roma 684 – Torino 22 – Aosta 103 – Milano 120 – Vercelli 57.

Ritz senza rist, via Roma 17 ☎ 9102191, Fax 9116068 – |$| TV ☎ ♿ P – 🏛 80. AE. ⑤. ◑ E VISA
☐ 15000 – **42 cam** 100/130000.

Europa, piazza d'Armi 5 ☎ 9171886 e rist. ☎ 9102187, Fax 9102025 – |$| TV ☎ P – 🏛 80. AE. ⑤. ◑ E VISA
Pasto al Rist. ***Papillon*** *(chiuso domenica)* carta 30/55000 – ☐ 15000 – **32 cam** 100/125000 – ½ P 90/130000.

City senza rist, via Torino 90 ☎ 9102169, Fax 9102169 – |$| TV ☎ ⇔ P. ⑤. E VISA. ✻
☐ 10000 – **15 cam** 85/110000.

X **Antica Trattoria Monferrato,** via Portis 4 ☎ 9172000, solo su prenotazione, « Ambiente tipico » – ✻. ✻
chiuso a mezzogiorno e lunedì – **Pasto** menù imposto 100000 bc.

X **Locanda del Sole,** via del Collegio 8/a ☎ 9101724 – ▤. ⑤. E VISA
chiuso lunedì ed agosto – **Pasto** carta 25/45000.

CIAMPINO *Roma* 430 Q 19 – *Vedere Roma.*

CICOGNARA *Mantova* 428, 429 H 13 – *Vedere Viadana.*

CIGLIANO *13043 Vercelli* 988 ⑫, 428 *G 6 – 4 575 ab. alt. 237 –* ☎ *0161.*
Roma 655 – Torino 40 – Asti 60 – Biella 32 – Novara 57 – Vercelli 39.

X **Del Moro** con cam, corso Umberto 93 ☎ 423186 – P. VISA ✻ cam
chiuso agosto – **Pasto** *(chiuso lunedì)* carta 30/50000 – ☐ 5000 – **10 cam** 40/70000 – P 80/85000.

CIMA SAPPADA *Belluno – Vedere Sappada.*

CINGOLI *62011 Macerata* 988 ⑯, 430 *L 21 – 10 078 ab. alt. 631 – a.s. 10 luglio-13 settembre –* ☎ *0733.*
ℹ *via Ferri 17* ☎ *602444, Fax 602444.*
Roma 250 – Ancona 52 – Ascoli Piceno 122 – Gubbio 96 – Macerata 30.

Miramonti ⛰, via dei Cerquatti 31 ☎ 604027, Fax 602239, ≤ vallata, « Giardino ombreggiato », ✻ – TV ☎ P. AE ◑ VISA. ✻
chiuso novembre – **Pasto** *(chiuso lunedì)* carta 40/50000 – ☐ 8000 – **22 cam** 55/75000 – ½ P 70000.

XX **Diana** con cam, via Cavour 21 ☎ 602313, Fax 603479 – TV ☎. AE. ⑤. ◑ E VISA. ✻
chiuso febbraio ed ottobre – **Pasto** *(chiuso lunedì)* carta 35/55000 – ☐ 9000 – **14 cam** 60/85000 – ½ P 75/80000.

CINISELLO BALSAMO *20092 Milano* 428 F 9, 219 ⑲ *– 75 284 ab. alt. 154 –* ☎ *02.*
Roma 583 – Milano 13 – Bergamo 42 – Como 41 – Lecco 44 – Monza 7.

Pianta d'insieme di Milano (Milano p. 7).

Lincoln senza rist, via Lincoln 65 ✆ 6172657, Fax 6185524 – AE. S. E VISA
chiuso dal 10 al 16 agosto – **18 cam** 160/190000. BO

New Garden senza rist, viale Brianza 50 ✆ 66012480, Fax 66048900, riscaldata – 200. AE. S. E VISA
chiuso dal 23 al 27 dicembre – **52 cam** 175/210000. CO

L'Angolo, via Libertà 86 ✆ 6120419, Rist. d'habitués – AE
chiuso sabato, domenica ed agosto – **Pasto** specialità di mare carta 55/90000 (10%). BO

CINQUALE *Massa* 428, 430 K 12 – *Vedere Montignoso.*

CIOCCARO *Asti* 428 G 6 – *Vedere Moncalvo.*

CIPRESSA *18010 Imperia* 428 K 5 – *1 209 ab. alt. 240 – 0183.*
Roma 628 – Imperia 19 – San Remo 12 – Savona 83.

La Torre, piazza Mazzini 2 ✆ 98000 –. S. E VISA
chiuso lunedì ed ottobre – **Pasto** carta 30/55000.

CIRIÉ *10073 Torino* 988 ⑫, 428 G 4 – *18 266 ab. alt. 344 – 011.*
Roma 698 – Torino 20 – Aosta 113 – Milano 144 – Vercelli 74.

Gotha M, via Torino 53 ✆ 9212059, Fax 9203661, – 200. AE. S. E VISA. JCB.
Pasto *(chiuso lunedì)* carta 40/60000 – **44 cam** 185/245000.

Mario, corso Martiri della Libertà 41 ✆ 9203490, prenotare – . S. E VISA.
chiuso agosto, domenica sera, lunedì e a mezzogiorno da martedì a venerdì – **Pasto** carta 45/65000.

Dolce Stil Novo, via Matteotti 8 ✆ 9211110, Coperti limitati; prenotare – . AE. S. E VISA.
chiuso domenica sera, lunedì, martedì a mezzogiorno ed agosto – **Pasto** carta 50/85000
Spec. Filetti di triglia con polvere di limone candita e mou all'aceto balsamico. Cocotte di patate con fonduta di toma di Lanzo e tartufo. Tortino di cioccolato caldo e composta di arance.

Roma, via Roma 17 ✆ 9203572 – . AE. S. E VISA.
chiuso mercoledì ed agosto – **Pasto** carta 45/75000.

CIRÒ MARINA *88072 Crotone* 988 ㊴ ㊵, 431 I 33 – *14 218 ab. – 0962.*
Roma 561 – Cosenza 133 – Catanzaro 114 – Crotone 36 – Taranto 210.

Il Gabbiano, località Punta Alice N : 2 km ✆ 31339, Fax 31338, ←, – 150. AE. S. E VISA
Pasto carta 30/60000 – **35 cam** 85/120000 – 1/2 P 70/100000.

CISANO BERGAMASCO *24034 Bergamo* 428 E 10 – *5 435 ab. alt. 275 – 035.*
Roma 605 – Bergamo 21 – Como 38 – Lecco 15 – Milano 45.

Fatur con cam, via Roma 2 ✆ 781287, Fax 787595, , prenotare – AE. S. E VISA.
chiuso dall'8 al 20 gennaio e dal 16 al 30 agosto – **Pasto** *(chiuso martedì)* carta 45/65000 – **6 cam** 95/160000, appartamento.

CISANO SUL NEVA *17035 Savona* 428 J 6 – *1 432 ab. alt. 52 – 0182.*
Roma 586 – Imperia 30 – Alassio 15 – Cuneo 96 – Genova 92 – San Remo 60 – Savona 46.

A me' Cantina, regione Ciamboschi 52 ✆ 595197 –

CISTERNINO *72014 Brindisi* 988 ㉙ ㉚, 431 E 34 – *12 099 ab. alt. 393 – 080.*
Roma 524 – Brindisi 56 – Bari 74 – Lecce 87 – Matera 87 – Taranto 42.

Lo Smeraldo, località Monti NE : 3 km ✆ 718709, Fax 718044, ← mare e costa, – 250. AE. S. E VISA.
Pasto *(chiuso martedì escluso luglio-agosto)* carta 30/40000 – **51 cam** 95/135000 – 1/2 P 75/95000.

verso Ceglie Messapica *SE : 2 km :*

Villa Cenci, ✉ 72014 ✆ 718208, Fax 718208, « Piccola masseria con casa padronale e trulli », – . E VISA
Pasqua-ottobre – **Pasto** carta 35/50000 – **13 cam** 90/160000 – P 100/120000.

CITARA *Napoli – Vedere Ischia (Isola d') : Forio.*

CITTADELLA *35013 Padova* 988 ⑤, 429 F 17 *G. Italia – 18 324 ab. alt. 49 –* ☎ *049.*

Vedere *Cinta muraria★.*

Roma 527 – Padova 31 – Belluno 94 – Milano 227 – Trento 102 – Treviso 38 – Venezia 66 – Vicenza 22.

Filanda, via Palladio 34 ☎ 9400000, Fax 9402111 – 80. AE. 🅢. ⓓ E VISA.
Pasto vedere rist **San Bassiano – 70 cam** ☐ 130/210000.

San Bassiano, via Palladio 34 ☎ 9402590, Fax 9402590 – AE. 🅢. ⓓ E VISA.
chiuso domenica sera, lunedì, dal 7 al 16 agosto e dal 1° all'8 gennaio – **Pasto** carta 50/75000.

2 Mori con cam, borgo Bassano 141 ☎ 9401422, Fax 9400200, « Servizio rist. estivo in giardino » – rist – 300. AE. 🅢. ⓓ E VISA. rist
Pasto *(chiuso domenica sera, lunedì, 20 agosto e 20 dicembre)* carta 50/60000 – ☐ 10000 – **26 cam** 80/100000 – ½ P 100/110000.

Europe

Si le nom d'un hôtel figure en petits caractères, demandez à l'arrivée les conditions à l'hôtelier.

CITTADELLA DEL CAPO *87020 Cosenza* 431 I 29 *– alt. 23 –* ☎ *0982.*

Roma 451 – Cosenza 61 – Castrovillari 65 – Catanzaro 121 – Sapri 71.

Palazzo Del Capo ⛱, via Cristoforo Colombo 5 ☎ 95674, Fax 95674, ←, « Residenza storica fortificata sul mare » – 150. AE. 🅢. ⓓ VISA
Pasto (solo per alloggiati) – **16 cam** ☐ 140/270000 – ½ P 195000.

CITTÀ DI CASTELLO *06012 Perugia* 988 ⑮, 430 L 18 *– 28 133 ab. alt. 288 –* ☎ *075.*

🅸 *piazza Fanti* ☎ *8554922, Fax 8552100.*

Roma 258 – Perugia 49 – Arezzo 42 – Ravenna 137.

Tiferno, piazza Raffaello Sanzio 13 ☎ 8550331, Telex 661020, Fax 8521196 – 120. AE. 🅢. ⓓ E VISA. JCB.
Pasto vedere rist **Tiferno da Marco e Barbara – 38 cam** ☐ 110/180000 – P 170/190000.

Le Mura via Borgo Farinario 24/26 ☎ 8521070, Fax 8521350 – 190. AE. 🅢. E VISA
Pasto al Rist. **Raffaello** *(chiuso lunedì e dal 7 al 14 luglio)* carta 30/55000 – ☐ 10000 – **35 cam** 85/135000 – ½ P 80/90000.

Garden, viale Bologni NE : 1 km ☎ 8550587, Fax 8550593 – 100. AE. 🅢. ⓓ E VISA. JCB. rist
Pasto carta 35/55000 – **57 cam** ☐ 85/120000 – ½ P 65/80000.

Il Bersaglio, viale Orlando 14 ☎ 8555534, prenotare – AE. 🅢. ⓓ E VISA.
chiuso mercoledì e dal 1° al 15 luglio – **Pasto** carta 45/60000.

Tiferno da Marco e Barbara - Hotel Tiferno, via Bufalini 1/a ☎ 8521356, Fax 8521356 – AE. 🅢. ⓓ E VISA. JCB
chiuso domenica sera da ottobre a marzo e lunedì negli altri mesi – **Pasto** 35000 bc e carta 45/70000.

CITTÀ SANT'ANGELO *65013 Pescara* 988 ㉗, 430 O 24 *– 10 328 ab. alt. 320 – a.s. luglio-agosto –* ☎ *085.*

Roma 223 – Pescara 25 – L'Aquila 120 – Chieti 34 – Teramo 58.

Sotto la Torre, largo Cavour 8 ☎ 969280, prenotare –. 🅢. E VISA.
chiuso novembre, a mezzogiorno e lunedì in bassa stagione – **Pasto** specialità russe carta 35/55000.

in prossimità casello autostrada A 14 *E : 9,5 km :*

Villa Nacalua senza rist, contrada Fonte Urnano ✉ 65013 ☎ 959225, Fax 959267 – 90. AE. 🅢. ⓓ E VISA.
32 cam ☐ 220/350000, 2 appartamenti.

Motel Amico, via Saline Est 26 ✉ 65013 ☎ 95174, Fax 95151 – 60. 🅢. E VISA
Pasto carta 35/50000 – ☐ 12000 – **62 cam** 80/120000.

Villa Sabelli con cam, contrada San Martino Alta 10 ✉ 65013 ☎ 95303, Fax 95431 – AE. 🅢. ⓓ E VISA. JCB.
Pasto carta 25/40000 – ☐ 6000 – **19 cam** 70/110000, appartamento – P 100/110000.

CITTIGLIO *21033 Varese* 428 E 7, 219 ⑦ *– 3 668 ab. alt. 275 – ☎ 0332.*
Roma 650 – Stresa 53 – Bellinzona 52 – Como 45 – Milano 73 – Novara 65 – Varese 18.

XX **La Bussola** con cam, via Marconi 28 ✆ 602291, Fax 602291 – TV ☎. 🅂. ⓞ E VISA. ✻
Pasto *(chiuso martedì e dal 5 al 20 agosto)* carta 50/95000 (10%) – ☕ 10000 – **21 cam** 85/120000 – ½ P 90/95000.

CIUK *Sondrio* 218 ⑰ *– Vedere Bormio.*

CIVATE *22040 Lecco* 428 E 10, 219 ⑨ *– 3 759 ab. alt. 269 – ☎ 0341.*
Roma 619 – Como 24 – Bellagio 23 – Lecco 5 – Milano 51.

X **Cascina Edvige,** via Roncaglio 11 ✆ 550350, Fax 550350, « In un cascinale » – P. AE. 🅂. E VISA. ✻
chiuso martedì ed agosto – **Pasto** carta 35/50000.

CIVIDALE DEL FRIULI *33043 Udine* 988 ⑥, 429 D 22 *G. Italia – 11 358 ab. alt. 138 – ☎ 0432.*
Vedere *Tempietto*★★ *– Museo Archeologico*★★.
🅸 *largo Boiani 4 ✆ 731398, Fax 731398.*
Roma 655 – Udine 16 – Gorizia 30 – Milano 394 – Tarvisio 102 – Trieste 65 – Venezia 144.

🏠 **Roma** senza rist, piazza Picco ✆ 731871, Fax 701033 – |‡| TV ☎ P. AE. 🅂. ⓞ E VISA
☕ 10000 – **50 cam** 75/115000.

XX **Zorutti,** borgo di Ponte 7 ✆ 731100 – ▤. 🅂. VISA. ✻
chiuso lunedì – **Pasto** carta 45/65000.

XX **Al Fortino,** via Carlo Alberto 46 ✆ 731217, Fax 731192 – P. AE. 🅂. ⓞ E VISA. ✻
chiuso lunedì sera, martedì, dal 1° al 15 gennaio e dal 1° al 15 agosto – **Pasto** carta 45/65000.

XX **Locanda al Castello** ⛰ con cam, via del Castello 20 (NO : 1,5 km) ✆ 733242, Fax 700901, ←, 🌳, 🌿 – TV ☎ P. AE. 🅂. ⓞ E VISA. JCB. ✻ rist
chiuso dal 1° al 15 novembre – **Pasto** *(chiuso mercoledì)* carta 35/65000 – ☕ 10000 – **10 cam** 95/130000 – ½ P 110000.

CIVITA CASTELLANA *01033 Viterbo* 988 ㉖, 430 P 19 *G. Italia – 15 877 ab. alt. 145 – ☎ 0761.*
Vedere *Portico*★ *del Duomo.*
Roma 55 – Viterbo 50 – Perugia 119 – Terni 50.

XXX **L'Altra Bottiglia,** via delle Palme 18 ✆ 517403, Coperti limitati; prenotare – ▤. 🅂. ⓞ E VISA. ✻
✿ *chiuso a mezzogiorno, domenica sera, mercoledì e dal 1° al 20 agosto* – **Pasto** carta 60/95000
Spec. Baccalà su schiacciata di ceci. Tagliolini con carciofi, guanciale e pecorino. Capretto al forno con erbe aromatiche.

XX **La Giaretta,** via Ferretti 108 ✆ 53398 – AE. 🅂. ⓞ E VISA. ✻
chiuso lunedì e dal 5 al 25 agosto – **Pasto** carta 35/45000.

a Quartaccio *NO : 5,5 km – ✉ 01034 Fabrica di Roma :*

🏠 **Aldero,** ✆ 514757 – TV ☎ P – 🎤 25. AE. 🅂. ⓞ E VISA. ✻
Pasto *(chiuso domenica e dal 5 al 20 agosto)* carta 35/55000 – **26 cam** ☕ 90/120000 – P 100/120000.

CIVITANOVA MARCHE *62012 Macerata* 988 ⑯, 430 M 23 *– 37 994 ab. – a.s. luglio-agosto – ☎ 0733.*
🅸 *via IV Novembre 20 ✆ 813967, Fax 815027.*
Roma 276 – Ancona 47 – Ascoli Piceno 79 – Macerata 27 – Pescara 113.

🏨 **Miramare,** viale Matteotti 1 ✆ 811511, Fax 810637, 🌿 – |‡| ▤ TV ☎ ♿ 🚗 – 🎤 100. AE. 🅂. ⓞ E VISA. JCB. ✻
Pasto *(chiuso domenica in bassa stagione)* 40/55000 – ☕ 15000 – **77 cam** 105/155000, 2 appartamenti – ½ P 110/120000.

🏨 **Palace** senza rist, piazza Rosselli 6 ✆ 810464, Fax 810769 – |‡| ▤ TV ☎ 🚗. AE. 🅂. ⓞ E VISA
☕ 10000 – **28 cam** 90/140000.

🏨 **Pamir,** via Santorre di Santarosa 17/19 ✆ 816816, Fax 816817 – |‡| TV ☎. AE. 🅂. ⓞ E VISA. ✻
Pasto *(chiuso lunedì)* 25/35000 – ☕ 10000 – **26 cam** 80/120000 – ½ P 75/115000.

Girasole, via Cristoforo Colombo 204 ✆ 771316, Fax 816100 – ▤ rist TV ☎ P – 🏛 70
30 cam.

CIVITAVECCHIA *00053 Roma* 988 ㉕, 430 P 17 *G. Italia – 51 562 ab. –* ✆ *0766.*

per Golfo Aranci aprile-settembre giornaliero (7 h) – Sardinia Ferries, Calata Laurenti ✆ 500714; per Cagliari giornaliero (13 h), Olbia giornaliero (da 3 h 30 mn a 7 h 30 mn) ed Arbatax mercoledì, venerdì e dal 25 luglio al 18 settembre anche sabato (10 h 30 mn) – Tirrenia Navigazione, Stazione Marittima ✆ 28801, Telex 610376, Fax 28804.

viale Garibaldi 42 ✆ 25348, Fax 21834.

Roma 78 – Viterbo 59 – Grosseto 111 – Napoli 293 – Perugia 186 – Terni 117.

De la Ville M, viale della Repubblica 4 ✆ 580507, Fax 29282 – |‡| ▤ TV ☎ P – 🏛 120. AE. 🅂. E VISA. ✀ rist
Pasto al Rist. ***Filippo III*** carta 60/80000 – **42 cam** ☕ 200/240000, 3 appartamenti – ½ P 180/200000.

Newport, via Aurelia S : 3,5 km (porto Riva di Traiano) ✆ 580410, Fax 580410, 🍽 – AE. 🅂. ⓞ E VISA. JCB
chiuso lunedì – **Pasto** carta 35/65000.

Villa dei Principi, via Borgo Odescalchi 11/a ✆ 502526, ≤ – P – 🏛 100. AE. 🅂. ⓞ E VISA. ✀
chiuso lunedì e luglio – **Pasto** carta 55/75000.

La Scaletta, lungoporto Gramsci 65 ✆ 24334, Fax 24334, 🍽 – 🅂. E VISA. ✀
chiuso martedì e dal 10 al 20 settembre – **Pasto** specialità di mare carta 50/80000.

L'Angoletto, via Pietro Guglielmotti 2 ang. viale della Vittoria ✆ 32825 – ▤. AE. 🅂. ⓞ E VISA
chiuso lunedì dal 3 al 18 gennaio e dal 20 luglio al 7 agosto – **Pasto** carta 40/80000.

Alla Lupa, viale della Vittoria 45 ✆ 25703 – ▤. AE. 🅂. E VISA. ✀
chiuso martedì, dal 22 al 28 dicembre e dal 1° al 15 settembre – **Pasto** carta 30/50000.

CIVITELLA DEL LAGO *Terni* 430 O 18 – *Vedere Baschi.*

CIVITELLA DEL TRONTO *64010 Teramo* 988 ⑯, 430 N 23 – *5 472 ab. alt. 580 –* ✆ *0861.*

Roma 200 – Ascoli Piceno 24 – Ancona 123 – Pescara 75 – Teramo 18.

Zunica con cam, ✆ 91319, Fax 91319, ≤ vallata – |‡| TV ☎. AE. 🅂. E VISA. ✀
chiuso dal 23 novembre al 2 dicembre – **Pasto** *(chiuso mercoledì)* carta 35/50000 – **21 cam** ☕ 70/100000 – ½ P 60/65000.

CIVITELLA PAGANICO *58040 Grosseto* 430 N 15 – *3 119 ab. alt. 591 –* ✆ *0564.*

Roma 198 – Grosseto 24 – Follonica 65 – Siena 45.

Terme di Petriolo, località Pari strada statale 223 ✆ 908871, Fax 908712, Fø, ≘s, termale, ⛱, ✤ – |‡| ▤ TV ☎ P – 🏛 180. AE. 🅂. ⓞ E VISA. ✀
Pasto *(chiuso lunedì)* 35/50000 – **58 cam** ☕ 220/380000 – ½ P 165/190000.

Park H. La Steccaia con cam, strada statale 223 km 20 ✆ 905590, Fax 905496, 🍽, ⛱, 🎾 – TV ☎ P – 🏛 40. AE. 🅂. ⓞ E VISA JCB
Pasto *(chiuso lunedì)* carta 40/60000 – ☕ 5000 – **16 cam** 120/200000 – ½ P 75/120000.

CLANEZZO *Bergamo* 428 E 11 – *Vedere Ubiale Clanezzo.*

CLAUZETTO *33090 Pordenone* 429 D 20 – *450 ab. alt. 553 –* ✆ *0427.*

Roma 658 – Udine 44 – Pordenone 53.

Corona, via Fabricio 14 ✆ 80668 – ☎ P. ✀
Pasto carta 30/45000 – ☕ 5000 – **12 cam** 45/65000 – ½ P 55000.

CLAVIERE *10050 Torino* 988 ⑪, 428 H 2 – *173 ab. alt. 1760 – a.s. febbraio-Pasqua, luglio-agosto e Natale – Sport invernali : ai Monti della Luna, Cesana Torinese e Sansicario : 1 360/2 290 m 2 35, – ✆ 0122.*

(giugno-settembre) ✆ 878917 o ✆ (011) 2398346, Fax 2398324.

(chiuso martedì) via Nazionale 30 ✆ 878856, Fax 878888.

Roma 758 – Bardonecchia 31 – Briançon 15 – Milano 230 – Sestriere 17 – Susa 40 – Torino 93.

Grande Albergo Claviere, via Nazionale 43 ✆ 878787, Fax 878636, ≤ – |‡| TV ☎ P
stagionale – **38 cam.**

Piccolo Chalet, via Torino 7 ✆ 878806, Fax 878884, ≤ – P. ✻
20 dicembre-Pasqua – **Pasto** (solo per alloggiati) 35/40000 – **23 cam** ☕ 120000 – ½ P 80/100000.

'l Gran Bouc, via Nazionale 24/a ✆ 878830, Fax 878730 – AE. S. ◑ E VISA. JCB
chiuso dal 1° novembre all'8 dicembre e mercoledì in bassa stagione – **Pasto** carta 40/70000.

CLERAN (KLERANT) *Bolzano – Vedere Bressanone.*

CLES *38023 Trento* 988 ④, 428, 429 C 15 – *6 249 ab. alt. 658 – a.s. Pasqua e Natale* – ☎ *0463.*
Dintorni *Lago di Tovel*** SO : 15 km.*
corso Dante 30 ✆ 21376, Fax 21376.
Roma 626 – Bolzano 68 – Passo di Gavia 73 – Merano 57 – Milano 284 – Trento 44.

Cles, piazza Navarino 7 ✆ 421300, Fax 424342, – |‡| TV ☎. AE. S. ◑ E VISA. ✻ rist
chiuso dal 1° al 15 giugno – **Pasto** *(chiuso domenica in bassa stagione)* carta 40/50000 – ☕ 10000 – **37 cam** 85/120000 – ½ P 70/90000.

Antica Trattoria con cam, via Roma 13 ✆ 421631 –. S. E VISA. ✻
chiuso giugno – **Pasto** *(chiuso sabato)* carta 45/70000 – ☕ 10000 – **7 cam** 75/115000 – ½ P 85/95000.

CLOZ *38020 Trento* 429 C 15 – *731 ab. alt. 793 – a.s. dicembre-aprile* – ☎ *0463.*
Roma 647 – Bolzano 44 – Brescia 167 – Trento 50.

Al Molin, ✆ 874617, Coperti limitati; prenotare –. S. E VISA. ✻
chiuso dal 29 giugno al 15 luglio, dal 15 al 30 ottobre e giovedì in bassa stagione – **Pasto** carta 35/60000.

CLUSANE SUL LAGO *25040 Brescia* 428, 429 F 12 – *alt. 195* – ☎ *030.*
Roma 580 – Brescia 29 – Bergamo 34 – Iseo 5 – Milano 75.

Dossello, via Risorgimento 14 (O: 1 km) ✆ 9829130, Fax 9829131, ≤ lago e monti – TV ☎ P
24 cam.

La Punta-da Dino, via Punta 33 ✆ 989037, – P. S. E VISA. ✻
chiuso novembre e mercoledì (escluso da giugno a settembre) – **Pasto** carta 40/60000.

Villa Giuseppina, via Risorgimento 2 (O : 1 km) ✆ 989172, – P. AE. S. ◑ E VISA. JCB. ✻
chiuso mercoledì, dal 15 febbraio al 1° marzo e dal 20 agosto al 5 settembre – **Pasto** carta 40/60000.

CLUSONE *24023 Bergamo* 988 ③, 428, 429 E 11 – *8 013 ab. alt. 648 – a.s. luglio-agosto* – ☎ *0346.*
Roma 635 – Bergamo 36 – Brescia 64 – Edolo 74 – Milano 80.

Erica, ✆ 21667, Fax 25268 – |‡| TV ☎ P. AE VISA. ✻
chiuso dal 15 febbraio al 15 marzo – **Pasto** carta 50/70000 – ☕ 8500 – **23 cam** 75/115000 – ½ P 100000.

COAREZZA *Varese* 219 ⑰ – *Vedere Somma Lombardo.*

COAZZE *10050 Torino* 428 G 3 – *2 669 ab. alt. 747* – ☎ *011.*
Roma 694 – Torino 43 – Milano 174 – Pinerolo 28 – Susa 42.

Piemonte, via Freinetto 5 ✆ 9349130, Fax 9349130, – |‡| TV ☎ P
29 cam, 9 appartamenti.

COAZZOLO *14054 Asti* 428 H 6 – *309 ab. alt. 323* – ☎ *0141.*
Roma 638 – Genova 144 – Torino 69 – Asti 32 – Cuneo 77 – Savona 85.

Linet, via Neive 1 ✆ 870161, solo su prenotazione – AE. S. ✻
chiuso domenica sera e martedì – **Pasto** cucina tipica casalinga 35/40000.

COCCAGLIO *25030 Brescia* 428, 429 F 11 – *6 730 ab. alt. 162* – ☎ *030.*
Roma 573 – Bergamo 35 – Brescia 20 – Cremona 69 – Milano 77 – Verona 88.

Touring, via Vittorio Emanuele 40-strada statale 11 ✆ 7721084, Fax 7721084 – ▤ cam TV ☎ 🚗 P. AE. 🅂. ⓞ E VISA. JCB. ✻
Pasto *(chiuso martedì)* carta 40/55000 – ☐ 8000 – **41 cam** 65/100000 – 1/2 P 80000.

COCCONATO *14023 Asti* 428 G 6 – *1 579 ab. alt. 491* – ☎ *0141.*
Roma 649 – Torino 50 – Alessandria 67 – Asti 32 – Milano 118 – Vercelli 50.

Cannon d'Oro con cam, piazza Cavour 21 ✆ 907024, Fax 907024 – TV ☎. AE. 🅂. ⓞ E VISA
chiuso dal 10 gennaio al 10 febbraio – **Pasto** *(chiuso lunedì sera e martedì)* carta 40/65000 – **8 cam** ☐ 70/140000, 6 appartamenti – P 100/120000.

COCQUIO TREVISAGO *21034 Varese* 219 ⑦ – *4 698 ab. alt. 319* – ☎ *0332.*
Roma 636 – Stresa 52 – Milano 67 – Varese 13.

Taverna del Chat Botte', via Roma 74 ✆ 700041 – AE. 🅂. ⓞ E VISA. JCB
chiuso lunedì, martedì a mezzogiorno, dal 1° al 15 gennaio e dal 15 al 30 agosto – **Pasto** carta 55/70000.

COCUMOLA *73020 Lecce* 431 G 37 – *alt. 105* – ☎ *0836.*
Roma 607 – Brindisi 80 – Lecce 44 – Taranto 123.

Da Cazzatino, via Manzoni 40 ✆ 954455, Rist. e pizzeria – AE. 🅂. ⓞ E VISA. ✻
chiuso martedì e novembre – **Pasto** carta 30/40000.

CODEMONDO *Reggio nell'Emilia – Vedere Reggio nell'Emilia.*

CODIGORO *44021 Ferrara* 988 ⑮, 429 H 18 – *13 591 ab.* – ☎ *0533.*
Roma 404 – Ravenna 56 – Bologna 93 – Chioggia 53 – Ferrara 42.

La Capanna località Ponte Vicini NO : 8 km ✆ 712154 – P. AE. 🅂. ⓞ E VISA. ✻
chiuso mercoledì sera, giovedì e dal 15 agosto al 12 settembre – **Pasto** carta 45/65000.

CODROIPO *33033 Udine* 988 ⑤ ⑥, 429 E 20 – *14 212 ab. alt. 44* – ☎ *0432.*
Roma 612 – Udine 29 – Belluno 93 – Milano 351 – Treviso 86 – Trieste 77.

Ai Gelsi, via Circonvallazione Ovest 12 ✆ 907064, Fax 908512, ☂, 🌳 – |‡| ▤ TV ☎ P – 🏛 300. AE. 🅂. ⓞ E VISA. ✻ rist
Pasto *(chiuso lunedì)* 55000 – ☐ 10000 – **38 cam** 110/150000 – 1/2 P 115000.

COGNE *11012 Aosta* 988 ②, 428 F 4 – *1 457 ab. alt. 1 534 – a.s. 9 gennaio-marzo, Pasqua e Natale – Sport invernali : 1 534/2 245 m* ⛡ 1 ⛷ 2, ⛷ – ☎ *0165.*
ℹ *piazza Chanoux 36* ✆ *74040, Fax 749125.*
Roma 774 – Aosta 27 – Courmayeur 52 – Colle del Gran San Bernardo 60 – Milano 212.

Bellevue, via Gran Paradiso 22 ✆ 74825, Fax 749192, ≤ Gran Paradiso, « Piccolo museo d'arte popolare valdostana », ≘, ⊠, 🌳 – |‡| TV ☎ 🚗 P – 🏛 120. 🅂. ⓞ E VISA. JCB. ✻
chiuso dal 14 settembre al 20 dicembre – **Pasto** 60/100000 e al Rist. ***Le Petit Restaurant*** (Coperti limitati, prenotare; *chiuso mercoledì in bassa stagione)* carta 50/70000 – **24 cam** ☐ 200/460000, 12 appartamenti 360/400000 – 1/2 P 120/275000.

Miramonti, viale Cavagnet 31 ✆ 74030, Fax 749378, ≤ Gran Paradiso, 🌳 – |‡| TV ☎ 🚗. 🅂. E VISA. ✻ rist
Pasto 40/70000 – **45 cam** ☐ 160/280000 – 1/2 P 95/200000.

Sant'Orso, via Bourgeois 2 ✆ 74821, Fax 74822, ≤ Gran Paradiso, « Giardino-solarium », 🏋, ≘ – |‡| TV ☎ 🚗. AE. 🅂. E VISA. ✻
chiuso maggio e dal 2 novembre al 3 dicembre – **Pasto** carta 40/55000 – **30 cam** ☐ 105/180000 – 1/2 P 90/125000.

Petit Hotel, viale Cavagnet 19 ✆ 74010, Fax 749131, ≤, ≘, ⊠ – |‡| TV ☎ 🚗 P. 🅂. ⓞ E VISA. ✻
5 dicembre-12 gennaio, febbraio-7 aprile e 7 giugno-5 ottobre – **Pasto** *(chiuso mercoledì)* 25/35000 – **24 cam** ☐ 90/180000 – 1/2 P 95/115000.

Mont Blanc, via Gran Paradiso 18 ✆ 74211, Fax 749293, ≤, 🌳, ✂ – |‡| TV ☎ 🚗. AE. 🅂. ⓞ E VISA. ✻
20 dicembre-Pasqua e 3 giugno-settembre – **Pasto** carta 35/65000 – **22 cam** ☐ 80/150000 – 1/2 P 90/105000.

Vallee de Cogne, viale Cavagnet 7 ✆ 74079, Fax 749279, ≤ – |‡| TV ☎ P
23 cam.

Grand Paradis, via dott. Grappein 45 ℘ 74070, Fax 74275, – AE. ⓢ. VISA. rist
21 dicembre-6 gennaio, febbraio-2 aprile e giugno-settembre – **Pasto** carta 40/60000 – **30 cam** 95/155000 – ½ P 105/125000.

La Madonnina del Gran Paradiso, via Laydetré 7 ℘ 74078, Fax 749392, ≤, – ⓢ. VISA. rist
chiuso da Pasqua al 1° giugno e dal 10 ottobre al 10 dicembre – **Pasto** *(chiuso mercoledì)* carta 40/55000 – **22 cam** 75/140000 – ½ P 105/110000.

Lo Stambecco senza rist, via des Clementines 21 ℘ 74068, Fax 74684, ≤ – ⓢ. E VISA.
giugno-settembre – **14 cam** 120/150000.

Lou Ressignon, via des Mines 23 ℘ 74034, Fax 74034 – AE. ⓢ. E VISA
chiuso dal 15 al 30 giugno, dal 15 al 30 settembre, dal 15 al 30 novembre, martedì e lunedì sera in bassa stagione – **Pasto** 40000 e carta 40/60000 (5 %).

Les Trompeurs, via dott. Grappein 73 ℘ 74804, Fax 74804 –. ⓢ. E VISA. JCB
chiuso dal 1° al 10 giugno, ottobre e mercoledì (escluso luglio-agosto) – **Pasto** carta 30/55000.

a Cretaz *N : 1,5 km – ✉ 11012 Cogne :*

Notre Maison con cam, ℘ 74104, Fax 749186, ≤, « Caratteristico chalet; giardino-solarium » – ⓢ. E VISA
chiuso ottobre e novembre – **Pasto** *(chiuso lunedì)* carta 35/60000 – **9 cam** 125/190000 – ½ P 120/150000.

a Lillaz *SE : 4 km – alt. 1 615 – ✉ 11012 Cogne :*

Lou Tchappè, ℘ 74379, – ⓢ. E VISA.
chiuso maggio, novembre e lunedì (escluso luglio-agosto) – **Pasto** carta 35/50000.

in Valnontey *SO : 3 km – ✉ 11012 Cogne :*

La Barme ℘ 749177, Fax 749213, ≤ Gran Paradiso, – AE. ⓢ. E VISA.
chiuso maggio e novembre – **Pasto** carta 30/45000 – 10000 – **15 cam** 120000 – ½ P 75/90000.

COGNOLA *Trento – Vedere Trento.*

COGOLETO *16016 Genova* 428 I 7 – *9 540 ab.* – *010.*
Roma 527 – Genova 28 – Alessandria 75 – Milano 151 – Savona 19.

Gustin, piazza Stella Maris 7 ℘ 9181925, Fax 9182935 – AE. ⓢ. E VISA
chiuso mercoledì – **Pasto** carta 45/70000.

COGOLLO DEL CENGIO *36010 Vicenza* 429 E 16 – *3 212 ab. alt. 357* – *0445.*
Roma 570 – Trento 57 – Milano 252 – Treviso 83 – Vicenza 31.

sulla strada statale 350 *NO : 3,5 km :*

All'Isola, via M. Schiro 14 ✉ 36010 ℘ 880341, Coperti limitati; prenotare – ⓢ. E VISA.
chiuso domenica, mercoledì sera e dal 10 al 24 agosto – **Pasto** carta 45/60000.

COGÒLO *Trento* 428, 429 C 14 – *Vedere Peio.*

COLAZZA *28010 Novara* 428 E 7, 219 ⑥ – *417 ab. alt. 540* – *0322.*
Roma 650 – Stresa 14 – Milano 61 – Novara 48.

Al Vecchio Glicine, ℘ 218123, Fax 218123 – AE. ⓢ. E VISA. JCB
chiuso martedì e dal 15 al 30 luglio – **Pasto** carta 45/75000.

COLFIORITO *06030 Perugia* 988 ⑯, 430 M 20 – *alt. 760* – *0742.*
Roma 182 – Perugia 62 – Ancona 121 – Foligno 26 – Macerata 66.

Villa Fiorita, via del Lago 9 ℘ 681326, Fax 681327, ≤, – 130. AE. ⓢ. E VISA
chiuso dal 24 gennaio al 7 febbraio – **Pasto** *(chiuso giovedì)* carta 30/40000 – 10000 – **40 cam** 80/130000 – ½ P 80/110000.

COLFOSCO (KOLFUSCHG) *Bolzano – Vedere Corvara in Badia.*

COLICO *Lecco* [988] ③, [428] D 10 – *alt. 209* – 📞 *0341.*
Vedere *Lago di Como* ★★★.
Roma 661 – Chiavenna 26 – Como 66 – Lecco 41 – Milano 97 – Sondrio 42.

COLLALBO (KLOBENSTEIN) *Bolzano – Vedere Renon.*

COLLE *Vedere nome proprio del colle.*

COLLECCHIO *43044 Parma* [988] ⑭, [428], [429] H 12 – *11 562 ab. alt. 106* – 📞 *0521.*
⛳ *La Rocca (chiuso lunedì e gennaio) a Sala Baganza* ✉ *43038* ✆ *834037, Fax 834575, SE : 4 km.*
Roma 469 – Parma 11 – Bologna 107 – Milano 126 – Piacenza 65 – La Spezia 101.

🏨 **Ilga Hotel** senza rist, via Pertini 42 ✆ 802645, Fax 802484 – ⇅ ▤ [TV] ☎ ♿ 🚗. [AE]. [$]. ◉ E [VISA]. JCB
☕ 10000 – **48 cam** 110/130000.

🏨 **Pineta,** via Spezia 109 ✆ 805226, Fax 806198 – ⇅ ▤ [TV] ☎ [P] – 👥 200. [AE]. [$]. E [VISA]. ✗ rist
Pasto *(chiuso martedì a mezzogiorno)* carta 40/50000 – ☕ 8000 – **43 cam** 90/125000, ▤ 5000 – 1/2 P 90000.

🍴🍴🍴 ✿ **Villa Maria Luigia-di Ceci,** via Galaverna 28 ✆ 805489, Fax 805711, « Giardino ombreggiato » – ✗ [P] – 👥 100. [AE]. [$]. ◉ E [VISA]. JCB. ✗
chiuso giovedì e dall'11 al 31 gennaio – **Pasto** carta 40/80000
Spec. "Gigli" della Lunigiana con ragoût bianco di pesce di fiume. Guanciale di maiale in guazzetto al limone con riso selvaggio al burro e salvia. Spuma di zabaione.

a Cafragna *SO : 9 km* – ✉ *43030 Gaiano :*

🍴🍴 ✿ ☺ **Cafragna-Camorali,** ✆ (0525) 2363, ☂, Coperti limitati; prenotare – [P]. [$]. ◉ E [VISA]. ✗
chiuso dal 24 dicembre al 15 gennaio, agosto, lunedì, domenica sera e in luglio anche domenica a mezzogiorno – **Pasto** carta 40/65000
Spec. Antipasto di salumi di Parma. Anolini in brodo. Lombatine di coniglio alla senape.

COLLE DI VAL D'ELSA *53034 Siena* [988] ⑭ ⑮, [430] L 15 *G. Toscana – 17 715 ab. alt. 223* – 📞 *0577.*
Roma 255 – Firenze 50 – Siena 24 – Arezzo 88 – Pisa 87.

🏨 **La Vecchia Cartiera,** via Oberdan 5/9 ✆ 921107, Fax 923688 – ⇅ ▤ [TV] ☎ 🚗 – 👥 70. [AE]. [$]. ◉ E [VISA]. ✗
Pasto vedere rist ***La Vecchia Cartiera*** – ☕ 12000 – **38 cam** 90/150000 – 1/2 P 110/130000.

🏨 **Villa Belvedere,** località Belvedere E : 3,5 km ✆ 920966, Fax 924128, ☂, « Villa settecentesca », 🏊, 🌳 – [TV] ☎ [P] – 👥 80. [AE]. [$]. ◉ E [VISA]. ✗
Pasto *(chiuso mercoledì)* carta 35/45000 – **15 cam** ☕ 180/230000 – 1/2 P 135/150000.

🍴🍴🍴 ✿ **Arnolfo,** piazza Santa Caterina 2 (trasferimento previsto nel primo semestre 1997 in via XX Settembre 52) ✆ 920549, Fax 920549, Coperti limitati; prenotare, « Servizio estivo in piazzetta » – [AE]. [$]. ◉ E [VISA] JCB. ✗
chiuso martedì, dal 10 gennaio al 10 febbraio e dal 1° al 10 agosto – **Pasto** 80/90000 e carta 75/110000
Spec. Saccottini di ricotta al dragoncello e pecorino (primavera). Piccione in casseruola con cipolline novelle (estate). Zuccotto con uvetta e pinoli al Vin Santo (autunno).

🍴🍴🍴 **L'Antica Trattoria,** piazza Arnolfo 23 ✆ 923747, Fax 923747, ☂, Coperti limitati; prenotare – [AE]. [$]. ◉ E [VISA] JCB. ✗
chiuso dal 3 al 10 febbraio, dal 15 al 22 agosto e martedì (escluso dal 15 giugno al 15 settembre) – **Pasto** carta 50/85000 e al Rist. ***La Cantinetta della Trattoria*** *(maggio-settembre)* carta 30/40000.

🍴🍴 **La Vecchia Cartiera,** via Oberdan 5 ✆ 924116 – ▤. [AE]. [$]. ◉ E [VISA]
chiuso domenica sera, lunedì e dal 4 al 23 luglio – **Pasto** carta 35/55000 (10 %).

🍴 Tenuta di Mugnano, con cam, località Mugnano SO : 7 km ✆ 959023, ←, ☂, « In un antico casolare di campagna » – [P] – **6 cam.**

COLLEFERRO *00034 Roma* [988] ㉖, [430] Q 21 – *21 472 ab. alt. 238* – 📞 *06.*
Roma 52 – Frosinone 38 – Fiuggi 33 – Latina 48 – Tivoli 44.

🍴🍴 **Muraccio di S. Antonio,** via Latina O : 2 km ✆ 974011, ←, ☂, 🌳 – [P]. [AE]. [$]. ◉ E [VISA]. ✗
chiuso lunedì – **Pasto** carta 40/50000.

COLLE ISARCO (GOSSENSASS) *39040 Bolzano* [988] ④, [429] B 16 – *alt. 1 098 – Sport invernali: 1 098/2 750 m* ⛷3, ⛷ – ☎ *0472.*

[i] piazza Ibsen ☎ *632372, Fax 632580.*

Roma 714 – Bolzano 76 – Brennero 7 – Bressanone 36 – Merano 64 – Milano 375 – Trento 136.

Erna, via Fleres 2 ☎ 632307, Fax 632183, ≤, ✂ – ☎ [P]. ✂
chiuso da ottobre al 15 dicembre – **Pasto** *(chiuso giovedì)* carta 40/60000 – ☕ 12500 – **15 cam** 70/120000 – ½ P 70/100000.

COLLEPIETRA (STEINEGG) *39050 Bolzano* [428] C 16 – *alt. 820* – ☎ *0471.*

Roma 656 – Bolzano 15 – Milano 314 – Trento 75.

Steineggerhof ⛰, NE : 1 km ☎ 376573, Fax 376661, ≤ Dolomiti, 🏋, ♨, [🏊], 🌳 – [♿] ☎ ♿ [P]. ✂
3 aprile-1° novembre – **Pasto** carta 35/40000 – **31 cam** ☕ 85/155000 – ½ P 75/85000.

COLLESECCO *Perugia* [430] N 19 – *Vedere Gualdo Cattaneo.*

COLLODI *51014 Pistoia* [988] ⑭, [428], [429], *430* K 13 *G. Toscana – alt. 120* – ☎ *0572.*

Vedere *Villa Garzoni** e giardino*** – Parco di Pinocchio*.*

Roma 337 – Pisa 37 – Firenze 63 – Lucca 17 – Milano 293 – Pistoia 32 – Siena 99.

🍴 **All'Osteria del Gambero Rosso,** via San Gennaro 1 ☎ 429364, Fax 429654 – ▤. [S]. E VISA
chiuso lunedì sera, martedì e novembre – **Pasto** carta 35/55000.

Se cercate un albergo tranquillo,
oltre a consultare le carte dell'introduzione,
rintracciate nell'elenco degli esercizi quelli con il simbolo ⛰ o ⛰.

COLLOREDO DI MONTE ALBANO *33010 Udine* [429] D 21 – *2 225 ab. alt. 213* – ☎ *0432.*

Roma 652 – Udine 15 – Tarvisio 80 – Trieste 85 – Venezia 141.

🍴🍴 **La Taverna,** piazza Castello 2 ☎ 889045, Fax 889676, ≤, ⛱, 🌳 – [AE]. [S]. ⦿ E VISA
chiuso mercoledì e domenica sera – **Pasto** carta 65/95000.

a Mels *NO : 3 km* – ✉ *33030 :*

🍴🍴 **Là di Pètros,** piazza del Tiglio 14 ☎ 889626, Fax 889626, ⛱ – ▤ [P]. [AE]. [S]. ⦿ E VISA
chiuso martedì e dall'8 al 28 luglio – **Pasto** carta 45/70000.

a Caporiacco *SO : 5 km* – ✉ *33010 :*

🍴 **Gabry,** via San Daniele 39 ☎ 889057, « Servizio estivo all'aperto » – [P]
chiuso mercoledì e dall'8 agosto al 19 settembre – **Pasto** carta 25/35000.

COLMEGNA *Varese* [219] ⑦ – *Vedere Luino.*

COLOGNA VENETA *37044 Verona* [988] ④, [429] G 16 – *7 492 ab. alt. 24* – ☎ *0442.*

Roma 482 – Verona 39 – Mantova 62 – Padova 61 – Vicenza 36.

La Torre, via Torcolo ☎ 410111, Fax 410111 – ▤ [TV] ☎ [P]. [AE]. [S]. E VISA. ✂
Pasto *(chiuso martedì)* carta 40/60000 (10 %) – ☕ 10000 – **10 cam** 70/100000 – P 150000.

COLOGNE *25033 Brescia* [428], [429] F 11 – *5 864 ab. alt. 184* – ☎ *030.*

Roma 575 – Bergamo 31 – Brescia 27 – Cremona 72 – Lovere 33 – Milano 74.

🍴🍴 **Cappuccini** ⛰ con cam, via Cappuccini 54 (E : 1,5 km) ☎ 7157254, Fax 7157257, prenotare, « In un convento del 16° secolo » – [♿] ▤ [TV] ☎ [P] – 🏛 60. [S]. E VISA. ✂
chiuso dal 7 al 20 gennaio e dal 1° al 20 agosto – **Pasto** *(chiuso mercoledì)* carta 60/85000 – **6 cam** 160/250000, appartamento.

COLOGNO AL SERIO *24055 Bergamo* [428] F 11 – *9 091 ab. alt. 156* – ☎ *035.*

Roma 562 – Bergamo 13 – Brescia 47 – Milano 50 – Piacenza 65.

Villa Manzoni, piazza Garibaldi 2 ☎ 891300, Fax 891300, 🌳 – [TV] ☎ [P] – 🏛 30. [AE]. [S]. E VISA
Pasto *(chiuso lunedì)* 30000 bc e carta 50/75000 – **8 cam** ☕ 95/145000 – ½ P 115/140000.

COLOGNOLA AI COLLI *37030 Verona* 429 F 15 – *6 759 ab. alt. 177* – ☎ *045.*
Roma 519 – Verona 17 – Milano 176 – Padova 68 – Venezia 101 – Vicenza 38.

sulla strada statale 11 *SO : 2,5 km :*

XX **Posta Vecia** con cam, via Strà 142 ✉ 37030 ✆ 7650243, Fax 6150859, « Piccolo zoo » – ▤ rist TV ☎ P – 🏔 80. AE. 🅂. ⓞ E VISA. ✂
chiuso agosto – **Pasto** *(chiuso domenica sera e lunedì)* carta 55/100000 – ☕ 15000 – **13 cam** 100/160000, appartamento – P 170/200000.

COLOMBARE *Brescia* 428 F 13 – *Vedere Sirmione.*

COLOMBARO *Brescia* – *Vedere Corte Franca.*

COLONNATA *Massa-Carrara* 428, 429, 430 J 12 – *Vedere Carrara.*

COLORNO *43052 Parma* 988 ⑭, 428, 429 H 13 – *7 878 ab. alt. 29* – ☎ *0521.*
Roma 466 – Parma 16 – Bologna 104 – Brescia 79 – Cremona 49 – Mantova 47 – Milano 130.

🏠 **Versailles** senza rist, via Saragat 3 ✆ 312099, Fax 816960 – |‡| ▤ TV ☎ ♿ P. AE. 🅂. ⓞ E VISA. ✂
chiuso dal 23 dicembre al 10 gennaio ed agosto – ☕ 12000 – **48 cam** 85/115000.

a Vedole *SO : 2 km – ✉ 43052 Colorno :*

X **Al Vedel,** via Vedole 68 ✆ 816169, 🏡 – P. AE. 🅂. E VISA. JCB
chiuso lunedì sera, martedì, dal 10 al 20 gennaio e luglio – **Pasto** carta 35/60000.

a Sacca *N : 4 km – ✉ 43052 Colorno :*

X **Stendhal-da Bruno,** ✆ 815493, Fax 814887, « Servizio estivo all'aperto » – P. AE. 🅂. ⓞ E VISA. JCB. ✂
chiuso martedì, dal 1° al 15 gennaio e dal 22 luglio all'8 agosto – **Pasto** carta 55/75000.

COMABBIO *21020 Varese* 428 E 8, 219 ⑦ – *898 ab. alt. 307* – ☎ *0331.*
Roma 634 – Stresa 35 – Laveno Mombello 20 – Milano 57 – Sesto Calende 10 – Varese 23.

al lago *S : 1,5 km :*

XX **Da Cesarino,** via Labiena 65 ✉ 21020 ✆ 968472, ← – P. AE. 🅂. E VISA. ✂
chiuso mercoledì, dal 1° al 13 febbraio e dal 12 al 30 agosto – **Pasto** carta 50/75000.

COMACCHIO *44022 Ferrara* 988 ⑮, 429, 430 H 18 *G. Italia* – *21 679 ab.* – *20 giugno-agosto* – ☎ *0533.*
Dintorni *Abbazia di Pomposa*** *N : 15 km – Regione del Polesine* Nord.*
Roma 419 – Ravenna 37 – Bologna 93 – Ferrara 53 – Milano 298 – Venezia 121.

a Porto Garibaldi *E : 5 km – ✉ 44029.*
🅘 *(maggio-settembre) S.S. Romea bivio Collinara ✆ 327580 :*

XX **Il Sambuco,** via Caduti del Mare 30 ✆ 327478, Solo piatti di mare – ▤. AE. 🅂. ⓞ E VISA. ✂
chiuso lunedì e dall'8 al 29 gennaio – **Pasto** carta 70/100000.

XX ✿ **Pacifico-da Franco,** via Caduti del Mare 10 ✆ 327169 – ▤. AE. 🅂. ⓞ E VISA. ✂
chiuso lunedì, dal 1° al 9 gennaio e dal 24 al 31 ottobre – **Pasto** specilità di mare carta 55/85000
Spec. Insalata di polpo. Spaghetti all'astice. Rombo con pomodori, capperi e olive.

X **Europa,** viale dei Mille ✆ 327362, ⛵ – AE. 🅂. ⓞ VISA. ✂
chiuso venerdì e settembre – **Pasto** specialità di mare carta 45/70000.

X **Bagno Sole,** via dei Mille 28 ✆ 327924, 🏡 – P. AE. 🅂. ⓞ E VISA. JCB. ✂
chiuso martedì e dal 6 al 15 novembre – **Pasto** carta 35/80000.

a Lido degli Estensi *SE : 7 km – ✉ 44024.*
🅘 *(maggio-settembre) viale Carducci 31 ✆ 327464 :*

🏨 **Logonovo,** viale delle Querce 109 ✆ 327520, Fax 327531, 🏊 – |‡| ▤ TV ☎ 🚗 P. AE. 🅂. E VISA. ✂
Pasto *(aprile-settembre)* carta 45/75000 – ☕ 12000 – **40 cam** 85/120000, ▤ 20000 – ½ P 105/120000.

XX **Setaccio,** viale Carducci 48 ✆ 327424, 🏡 – AE. 🅂. ⓞ E VISA. ✂
chiuso lunedì escluso da maggio a settembre – **Pasto** carta 35/80000 (10 %).

a Lido di Spina *SE : 9 km – ✉ 44024 Lido degli Estensi :*

Caravel, viale Leonardo 56 ☎ 330106, Fax 330107, « Giardino ombreggiato » – |♦| TV ☎ P. AE. ⓢ. ⓞ E VISA. ✻ rist
chiuso dal 24 dicembre al 6 gennaio – **Pasto** *(aprile-settembre)* 35/40000 – ☕ 12000 – **22 cam** 75/100000 – 1/2 P 80/100000.

Aroldo, viale delle Acacie 26 ☎ 330948, Fax 334100, ☂ – AE. ⓢ. ⓞ E VISA. ✻
chiuso martedì e da gennaio a marzo (escluso sabato-domenica) – **Pasto** specialità di mare carta 60/100000.

COMELICO SUPERIORE *32040 Belluno* **429** C 19 – *2 764 ab. alt. (frazione Candide) 1 210 –* ☎ *0435.*
Roma 678 – Cortina d'Ampezzo 52 – Belluno 77 – Dobbiaco 32 – Milano 420 – Venezia 167.

a Padola *NO : 4 km da Candide – ✉ 32040 :*

D'la Varda ⛰, via Martini 29 ☎ 67031, ← – P. ✻
dicembre-15 aprile e 15 giugno-settembre – **Pasto** carta 30/45000 – ☕ 6000 – **20 cam** 55/100000 – 1/2 P 75/95000.

Comelico, via Milano ☎ 470015, Fax 67229, ← – TV ☎ P. AE. ⓢ. ⓞ E VISA. ✻
Pasto 25/35000 – ☕ 8000 – **13 cam** 80/100000 – 1/2 P 65/105000.

COMERIO *21025 Varese* **219** ⑦ – *2 376 ab. alt. 382 –* ☎ *0332.*
Roma 631 – Stresa 54 – Lugano 39 – Milano 63 – Varese 10.

Da Beniamino, via Garibaldi 36 ☎ 737046, Fax 737620 – AE. ⓢ. ⓞ E VISA. ✻
chiuso martedì, mercoledì a mezzogiorno e dal 10 al 20 agosto – **Pasto** carta 50/80000.

COMISO *Ragusa* **988** ㊲, **432** Q 25 – *Vedere Sicilia alla fine dell'elenco alfabetico.*

COMMEZZADURA *38020 Trento* **218** ⑲ – *890 ab. alt. 852 –* ☎ *0463.*
Roma 656 – Bolzano 86 – Passo del Tonale 35 – Peio 32 – Pinzolo 54 – Trento 84.

Tevini, località Almazzago ☎ 974985, Fax 974892 – |♦| TV ☎ ♿ 🚗 P. ⓢ. ⓞ E VISA. ✻
dicembre-Pasqua e giugno-settembre – **Pasto** 30/35000 – ☕ 15000 – **46 cam** 130/160000 – 1/2 P 80/115000.

COMO *22100* P **988** ③, **428** E 9 *G. Italia – 84 713 ab. alt. 202 –* ☎ *031.*

Vedere *Lago★★★ – Duomo★★* **AY** *– Broletto★★* **AY A** *– Chiesa di San Fedele★* **AZ** *– Basilica di Sant'Abbondio★* **AZ** *– ←★ su Como e il lago da Villa Olmo 3 km per ④.*

⛳18 *Villa d'Este (chiuso gennaio, febbraio e martedì escluso agosto) a Montorfano ✉ 22030 ☎ 200200, Fax 200786, per ② : 6 km;*

⛳18 *e* ⛳18 *Monticello (chiuso lunedì) a Monticello di Cassina Rizzardi ✉ 22070 ☎ 928055, Fax 880207, per ③ : 10 km;*

⛳18 *(chiuso lunedì) a Carimate ✉ 22060 ☎ 790226, Fax 790226, per ③ : 18 km;*

⛳18 *La Pinetina (chiuso martedì) ad Appiano Gentile ✉ 22070 ☎ 933202, Fax 890342, per ③ : 15 km.*

⛴ *per Tremezzo-Bellagio-Colico giornalieri (da 1 h 30 mn a 3 h 30 mn) e Tremezzo-Bellaggio-Lecco luglio-settembre giornalieri (2 h 40 mn) – Navigazione Lago di Como, piazza Cavour ☎ 304060, Fax 270305.*

ℹ *piazza Cavour 17 ☎ 269712, Fax 261152 – Stazione Centrale ☎ 267214.*

A.C.I. *viale Masia 79 ☎ 573433.*

Roma 625 ③ – Bergamo 56 ② – Milano 48 ③ – Monza 42 ② – Novara 76 ③.

Pianta pagina seguente

Il Grand Hotel di Como, strada per Cernobbio ☎ 5161, Fax 516600, ≘s, 🌳 – |♦| ▤ TV ☎ ♿ 🚗 P – 🏛 300. AE. ⓢ. ⓞ E VISA. ✻ 1,5 km per ④
Pasto carta 55/100000 – **153 cam** ☕ 190/260000.

Barchetta Excelsior, piazza Cavour 1 ☎ 3221, Fax 302622, ← – |♦| ▤ TV ☎ – 🏛 60
80 cam, 4 appartamenti. AY a

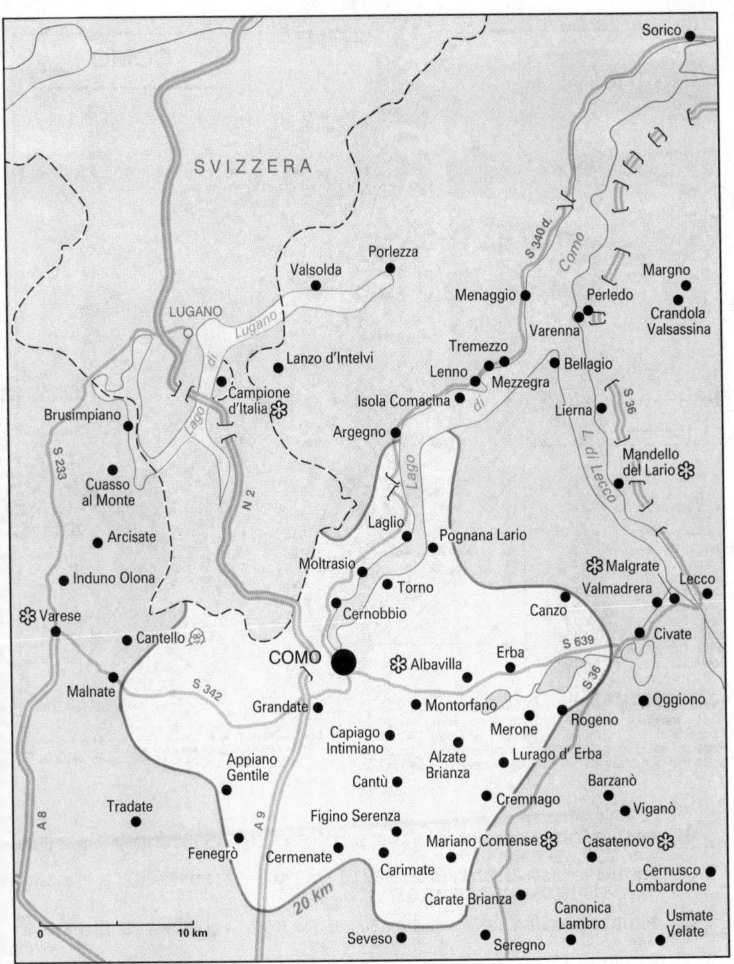

Palace Hotel senza rist, lungo Lario Trieste 16 ☎ 303303, Fax 303170, ← – AE. VISA AY c
100 cam 195/320000.

Terminus, lungo Lario Trieste 14 ☎ 329111, Fax 302550, ← lago e monti, « In un palazzo in stile liberty », – AE. VISA AY c
Pasto vedere hotel ***Villa Flori*** – 23000 – **38 cam** 200/290000, appartamento.

Metropole Suisse senza rist, piazza Cavour 19 ☎ 269444, Fax 300808, ←, – AE. VISA. JCB AY e
chiuso dal 18 dicembre al 7 gennaio – 20000 – **68 cam** 180/250000, 3 appartamenti.

Villa Flori, via per Cernobbio 12 ☎ 573105, Telex 380413, Fax 570379, ← lago, monti e città, « Giardino e terrazze » – rist – 100. AE. VISA. JCB. rist 1 km per ④
chiuso dicembre e gennaio – **Pasto** al Rist. ***Raimondi*** *(chiuso lunedì e dal 1° al 20 agosto)* carta 60/80000 – 23000 – **44 cam** 240/290000, appartamento.

Como, via Mentana 28 ☎ 266173, Fax 266020, « Terrazza fiorita e panoramica con riscaldata » – 80. AE. VISA. JCB. rist BZ f
chiuso dal 13 dicembre al 13 gennaio – **Pasto** 35/45000 – **72 cam** 200/255000, 4 appartamenti – 1/2 P 150/225000.

Le Due Corti, piazza Vittoria 12/13 ✆ 328111, Fax 328800, riscaldata, – . AE. . E VISA. rist AZ a
Pasto al Rist. ***Sala Radetzky*** carta 65/85000 – 22000 – **52 cam** 170/260000, 15 appartamenti 315/350000 – ½ P 125/170000.

Firenze senza rist, piazza Volta 16 ✆ 300333, Fax 300101 – . AE. . E VISA. JCB AY v
40 cam 100/150000.

Sant'Anna 1907, via Turati 1/3 ✆ 505266, Fax 520531, prenotare la sera – . AE. . E VISA. JCB per ③
chiuso venerdì, sabato a mezzogiorno e dal 25 luglio al 25 agosto – **Pasto** 35/40000 (solo a mezzogiorno) e carta 60/100000.

Imbarcadero, piazza Cavour 20 ✆ 270166, – . AE. . E VISA. JCB. AY r
chiuso dal 26 dicembre al 6 gennaio – **Pasto** 40000 e carta 55/95000.

Terrazzo Perlasca, piazza De Gasperi 8 ✆ 303936, Fax 303936, ← – . AE. . E VISA. AY p
chiuso lunedì e dal 6 al 20 agosto – **Pasto** 35000 (solo a mezzogiorno) e carta 55/80000.

Er Più, via Pastrengo 1 ✆ 272154 – . AE. . E VISA. per via Milano AZ
chiuso martedì, dal 2 al 10 gennaio ed agosto – **Pasto** carta 50/80000.

La Colombetta, via Diaz 40 ✆ 262703, Fax 262703, – AE. . E VISA. JCB. AZ w
chiuso martedì e dal 10 al 25 agosto – **Pasto** carta 60/95000.

Crotto del Lupo, località Cardina via Pisani Dossi 17 ✆ 570881, prenotare la sera, « Servizio estivo in terrazza ombreggiata » – P. AE. . E VISA. 3 km per ④
chiuso lunedì ed agosto – **Pasto** carta 40/55000.

Camnago Volta *per ② : 3 km – ✉ 22030 :*

XXX **Navedano,** via Pannilani ✆ 308080, Fax 308080, prenotare la sera, « Servizio estivo in terrazza », – P. AE. S. O E VISA. *chiuso martedì e dal 1° al 15 agosto* – **Pasto** carta 50/80000 (10 %).

COMO (Lago di) o LARIO *Como* 988 ③, 428 E 9 *G. Italia.*

CONCA DEI MARINI *84010 Salerno* 431 F 25 – *701 ab. – a.s. Pasqua, giugno-settembre e Natale – ☎ 089.*

Roma 272 – Napoli 58 – Amalfi 5 – Salerno 30 – Sorrento 35.

Belvedere ⑤, via Smeraldo 19 ✆ 831282, Fax 831439, ≤ mare e costa, « Terrazza con 🏊 », – | 🛗 ☎ P. AE. S. O E VISA. JCB. ✻ rist *Pasqua-ottobre* – **Pasto** 50000 – ☐ 15000 – **34 cam** 175/210000 – P 200000.

CONCESIO *25062 Brescia* 428, 429 F 12 – *12 638 ab. alt. 218 – ☎ 030.*

Roma 544 – Brescia 10 – Bergamo 50 – Milano 91.

XXX ✿ **Miramonti l'Altro,** località Costorio ✆ 2751063, prenotare – ▤ P – 25. S. O E VISA. ✻ *chiuso lunedì ed agosto* – **Pasto** carta 60/100000

Spec. Insalata di carne cruda con vinaigrette al tartufo. Risotto ai funghi e formaggi dolci di montagna. Testina di vitello con uova e verdure.

XX **Vecchio Podere,** località Roncaglie ✆ 2751065 – AE. S. O E VISA. JCB *chiuso dal 6 al 31 agosto, domenica in luglio e giovedì negli altri mesi* – **Pasto** carta 40/60000.

CONCO *36062 Vicenza* 429 E 16 – *2 250 ab. alt. 830 – ☎ 0424.*

Roma 556 – Padova 72 – Belluno 94 – Trento 64 – Treviso 67 – Venezia 104 – Vicenza 39.

La Bocchetta, sulla strada per Asiago N : 5 km ✆ 700024, Fax 700024, ≘s, 🏊 – | 🛗 TV ☎ P. AE. S. E VISA. ✻ rist **Pasto** *(chiuso lunedì sera e martedì)* 35/45000 – ☐ 15000 – **28 cam** 120/140000, 13 appartamenti – 1/2 P 95/115000.

CONCOREZZO *20049 Milano* 428 F 10, 219 ⑲ – *13 186 ab. alt. 171 – ☎ 039.*

Roma 587 – Milano 26 – Bergamo 33 – Como 43.

XX **Via del Borgo,** via Libertà 136 ✆ 6042615, Fax 6042615, Coperti limitati; prenotare – P. AE. S. O E VISA. JCB *chiuso lunedì, dal 1° all'8 gennaio e dal 10 al 30 agosto* – **Pasto** 35000 (solo a mezzogiorno) 40/50000 (alla sera) e carta 50/70000.

CONDINO *38083 Trento* 428, 429 E 13 – *1 508 ab. alt. 444 – ☎ 0465.*

Roma 598 – Brescia 65 – Milano 155 – Trento 64.

Rita, via Roma 140 ✆ 621225, Fax 621225, ≤, – TV ☎ P. S. E VISA. ✻ **Pasto** *(chiuso lunedì)* carta 25/35000 – ☐ 10000 – **16 cam** 60/90000 – 1/2 P 70000.

CONEGLIANO *31015 Treviso* 988 ⑤, 429 E 18 *G. Italia – 35 186 ab. alt. 65 – ☎ 0438.*

Vedere *Sacra Conversazione★ nel Duomo – ※★ dal castello – Affreschi★ nella Scuola dei Battuti.*

🅘 via Colombo 45 ✆ 21230, Fax 21230.

Roma 571 – Belluno 54 – Cortina d'Ampezzo 109 – Milano 310 – Treviso 28 – Udine 81 – Venezia 60 – Vicenza 88.

Sporting Hotel Ragno d'Oro ⑤ senza rist, via Diaz 37 ✆ 412300, Fax 412310, ≘s, 🏊, – TV ☎ P – 30. AE. S. E VISA. ✻ ☐ 10000 – **17 cam** 110/150000.

Città di Conegliano, via Parrilla 1 ✆ 21440, Fax 410950 – | 🛗 ▤ TV ☎ – 40. AE. S. O E VISA *chiuso dal 3 al 23 agosto* – **Pasto** (solo per alloggiati; *chiuso a mezzogiorno e sabato*) 35/50000 – ☐ 13000 – **57 cam** 85/130000 – 1/2 P 110000.

Canon d'Oro senza rist, via 20 Settembre 131 ✆ 34246, Fax 34246, « Terrazze fiorite » – | 🛗 ▤ cam TV ☎ P. AE. S. E VISA. ✻ ☐ 12000 – **35 cam** 80/135000.

XX **Tre Panoce,** via Vecchia Trevigiana 50 (O : 2 km) ℘ 60071, Fax 62230, prenotare, – AE. ⓢ. ⓓ E VISA. ※
chiuso domenica sera, lunedì, dal 26 dicembre al 15 gennaio ed agosto – **Pasto** car 40/55000.

XX **Al Salisà,** via 20 Settembre 2 ℘ 24288, Fax 35639, prenotare – AE. ⓢ. ⓓ E VISA. JCB
chiuso martedì sera, mercoledì ed agosto – **Pasto** carta 40/70000.

XX **Città di Venezia,** via 20 Settembre 77/79 ℘ 23186, – ≡. AE. ⓢ. ⓓ E VISA. JCB ※
chiuso domenica sera, lunedì, dal 2 al 9 gennaio e dal 10 al 30 agosto – **Pasto** specialità mare carta 45/60000.

CONERO (Monte) *Ancona 430 L 22 – Vedere Sirolo.*

CONSUMA *50060 Firenze ed Arezzo 988 ⑮, 430 K 16 – alt. 1 058 – ✆ 055.*

Roma 279 – Firenze 34 – Arezzo 57 – Pontassieve 16.

X **Sbaragli** con cam, ℘ 8306500 – Ⓟ. ⓢ. VISA
aprile-ottobre – **Pasto** *(chiuso martedì)* carta 35/45000 – ⊐ 7000 – **32 cam** 60/80000 ½ P 70/85000.

CONTARINA *45014 Rovigo 988 ⑮, 429 G 18 – 8 259 ab. – ✆ 0426.*

Roma 499 – Ravenna 74 – Chioggia 25 – Rovigo 45 – Venezia 74.

Delta Park, via Zara 12 ℘ 631763, Fax 631763 – ≡ TV ☎ Ⓟ – 35. AE. ⓢ. E VISA ※ rist
Pasto *(chiuso venerdì)* carta 35/60000 – ⊐ 10000 – **21 cam** 85/120000 – ½ P 80/90000.

CONTIGLIANO *02043 Rieti 988 ㉖, 430 O 20 – 3 292 ab. alt. 488 – ✆ 0746.*

Roma 88 – Terni 26 – L'Aquila 68 – Avezzano 81 – Rieti 10.

Le Vigne, via della Repubblica ℘ 706213, Fax 707077, – TV ☎ & Ⓟ. AE. ⓢ. E VISA. ※
Pasto *(chiuso venerdì)* carta 30/45000 – ⊐ 8000 – **19 cam** 75/95000 – ½ P 50/60000.

CONVENTO *Vedere nome proprio del convento.*

CONVERSANO *70014 Bari 988 ㉙, 431 E 33 – 23 373 ab. alt. 219 – ✆ 080.*

Roma 440 – Bari 31 – Brindisi 87 – Matera 68 – Taranto 80.

Gd H. D'Aragona, strada provinciale per Cozze ℘ 4952344, Fax 4954265, , ≡ TV ☎ Ⓟ – 60. AE. ⓢ. ⓓ E VISA. JCB. ※
Pasto carta 45/65000 (15 %) – ⊐ 12000 – **68 cam** 100/140000 – ½ P 150000.

COPPARO *44034 Ferrara 988 ⑮, 429 H 17 – 18 929 ab. alt. 74 – ✆ 0532.*

Roma 443 – Bologna 71 – Ravenna 83 – Ferrara 20 – Milano 274 – Venezia 103.

a Fossalta *SO : 9 km – ✉ 44030 :*

XX **Cavalier Uliva,** via San Marco 46 ℘ 866126, prenotare, « Ambiente caratteristico », – Ⓟ. ⓢ. ⓓ E VISA. ※
chiuso a mezzogiorno, lunedì ed agosto – **Pasto** 40000.

CORATO *70033 Bari 988 ㉙, 431 D 31 – 44 604 ab. alt. 232 – ✆ 080.*

Roma 414 – Bari 44 – Barletta 27 – Foggia 97 – Matera 64 – Taranto 132.

XX **Il Mulino,** via Castel del Monte 135 (SO : 1 km) ℘ 8723925, – ≡ Ⓟ. ⓢ VISA. ※
chiuso lunedì e dal 7 al 27 gennaio – **Pasto** carta 30/50000.

sulla strada statale 98 *S : 3 km :*

Appia Antica, ✉ 70033 ℘ 8722504, Fax 8724053, – ≡ TV ☎ Ⓟ – 60. AE. ⓢ. ⓓ E VISA. ※ rist
Pasto *(chiuso domenica sera)* 35000 – ⊐ 5000 – **48 cam** 90/115000 – ½ P 100000.

CORBANESE *31010 Treviso 429 E 18 – ✆ 0438.*

Roma 566 – Belluno 38 – Cortina d'Ampezzo 100 – Treviso 38 – Udine 98 – Vicenza 90.

XX **Il Capitello,** via San Francesco 1/e ℘ 564279, Ambiente rustico-elegante, Coperti limitati; prenotare – Ⓟ. AE. ⓢ. E VISA. ※
chiuso mercoledì, giovedì a mezzogiorno, dal 5 al 25 gennaio e dal 5 al 25 agosto – **Pasto** carta 40/65000.

ORBETTA *20011 Milano* 428 F 8 – *13 552 ab. alt. 140* – ☎ *02.*
Roma 589 – Milano 24 – Novara 23 – Pavia 59.

XXX **La Corte del Re-al Desco,** via Parini 4 ☎ 9771600, Fax 9771600, 🏠 – 🏗 100. AE. 🅂. ⓞ E VISA. ✻
chiuso domenica sera, lunedì, dal 1º al 9 gennaio e dal 4 al 28 agosto – **Pasto** carta 60/80000.

ORCIANO *06073 Perugia* 430 M 18 – *13 623 ab. alt. 368* – ☎ *075.*
Roma 185 – Perugia 13 – Arezzo 65 – Siena 97 – Terni 96.

San Mariano *S : 7,5 km* – ✉ *06070 :*

XX Ottavi, via Anita Garibaldi 20 ☎ 774718, Fax 774849, 🏠 – ▤ Ⓟ

OREDO *38010 Trento* 429 C 15 – *1 363 ab. alt. 831 – a.s.Pasqua e Natale* – ☎ *0463.*
Roma 624 – Bolzano 66 – Sondrio 130 – Trento 38.

XX **Roen,** piazza Cigni 8 ☎ 536295, Fax 536295, Coperti limitati; prenotare –. 🅂. VISA
chiuso lunedì sera, martedì, dal 15 al 30 giugno e dal 5 al 20 novembre – **Pasto** carta 40/70000.

ORGENO *Varese* 219 ⑰ – *alt. 270* – ✉ *21029 Vergiate* – ☎ *0331.*
Roma 631 – Stresa 35 – Laveno Mombello 25 – Milano 54 – Sesto Calende 7 – Varese 22.

XXX ✿ **La Cinzianella** 🐚 con cam, via Lago 26 ☎ 946337, Fax 948890, ←, « Servizio estivo in terrazza panoramica », 🌳 – 📺 ☎ Ⓟ – 🏗 80. AE. 🅂. ⓞ E VISA. ✻
chiuso gennaio e dal 16 al 25 agosto – **Pasto** *(chiuso martedì e da ottobre ad aprile anche lunedì sera)* 50/65000 e carta 65/90000 – **10 cam** ☕ 120/150000 – ½ P 110/130000
Spec. Gnocchi di patate al ragú di pesce di lago. Scaloppa di salmerino al Barbera e scarola. Pasticceria della casa.

ORICA *Cosenza* – *Vedere Amantea.*

ORINALDO *60013 Ancona* 988 ⑯, 429, 430 L 21 – *5 228 ab. alt. 203* – ☎ *071.*
Roma 285 – Ancona 51 – Macerata 74 – Pesaro 46 – Urbino 47.

XX **I Tigli** con cam, via del Teatro 31 ☎ 7975849, Fax 7975856, 🏠, « In un monastero seicentesco » – 📺 ☎. AE. 🅂. ⓞ E VISA
Pasto *(chiuso lunedì escluso dal 15 giugno al 15 settembre)* carta 30/50000 – ☕ 7000 – **13 cam** 50/80000 – ½ P 50/65000.

ORLO *Modena* – *Vedere Formigine.*

ORMANO *20032 Milano* 219 ⑲ – *18 354 ab. alt. 146* – ☎ *02.*
Roma 580 – Milano 12 – Bergamo 45 – Como 35.

XX **Al Carrello,** strada statale 35 dei Giovi ☎ 66303221, Fax 66300302, 🏠 – Ⓟ. AE. 🅂. ⓞ E VISA
chiuso domenica ed agosto – **Pasto** carta 45/65000.

ORMONS *34071 Gorizia* 988 ⑥, 429 E 22 – *7 489 ab. alt. 56* – ☎ *0481.*
Roma 645 – Udine 25 – Gorizia 13 – Milano 384 – Trieste 49 – Venezia 134.

🏨 **Felcaro** 🐚, via San Giovanni 45 ☎ 60214, Fax 630255, « Servizio rist. estivo all'aperto », ⛰, 🏊, 🌳, 🎾 – 🛗 📺 ☎ Ⓟ – 🏗 120. AE. 🅂. ⓞ E VISA. ✻ rist
Pasto *(chiuso lunedì e dal 2 al 31 gennaio)* carta 40/55000 – **42 cam** ☕ 90/160000, 19 appartamenti 110000 – ½ P 120000.

XX **Al Cacciatore-della Subida,** NE : 2 km ☎ 60531, Fax 61616, 🏠, « Ambiente caratteristico », 🌳, 🎾 – Ⓟ
chiuso martedì, mercoledì, dal 1º al 15 febbraio e dal 1º al 10 luglio – **Pasto** carta 55/75000.

XX ✿ **Al Giardinetto,** via Matteotti 54 ☎ 60257, 🏠, Coperti limitati; prenotare – Ⓟ. AE. 🅂. ⓞ E VISA
chiuso lunedì, martedì e luglio – Pasto carta 45/65000.
Spec. fagottini di melanzane e zucchine. Crocchette di patate e baccalà. Carrè di maiale affumicato con crauti.

XX **Da Biagi-la Pentolaccia,** via Isonzo 37 ☎ 60397, 🏠 – Ⓟ. AE VISA. ✻
chiuso domenica – **Pasto** carta 35/45000.

ORNAIANO (GIRLAN) *Bolzano* 218 ⑳ – *Vedere Appiano.*

CORNEDO VICENTINO *36073 Vicenza* [429] F 16 – *9 880 ab. alt. 200* – ☎ *0445.*
Roma 559 – Verona 58 – Milano 212 – Venezia 93 – Vicenza 29.

sulla strada statale 246 *SE : 4 km :*

🍴🍴 **Due Platani,** via Campagnola 16 ✉ 36073 ✆ 947007, Fax 947022, Coperti limitati; prenotare – ▤ [P]. [AE]. [$]. [D] [E] [VISA]. 🐕
chiuso domenica ed agosto – **Pasto** carta 45/70000.

CORNIGLIANO LIGURE *Genova – Vedere Genova.*

CORNUDA *31041 Treviso* [988]⑤, [429] E 18 – *5 514 ab. alt. 163* – ☎ *0423.*
Roma 553 – Belluno 54 – Milano 258 – Padova 62 – Trento 109 – Treviso 28 – Venezia 58 – Vicenza 58.

🍴 **Cavallino,** ✆ 83301, Fax 83301, 🌳 – [P]. [AE]. [$]. [D] [E] [VISA]. 🐕
chiuso domenica sera, lunedì e dal 6 al 28 agosto – **Pasto** specialità di mare carta 40/60000.

CORPO DI CAVA *Salerno* [431] E 26 – *Vedere Cava de' Tirreni.*

CORREGGIO *42015 Reggio nell'Emilia* [988]⑭, [428], [429] H 14 – *20 104 ab. alt. 33* – ☎ *0522.*
Roma 422 – Bologna 60 – Milano 167 – Verona 88.

🏨 **Dei Medaglioni,** corso Mazzini 8 ✆ 632233 e rist. ✆ 641000, Fax 693258 – [lift] ▤ [TV] ☎ ♿ – 🎤 70. [AE]. [$]. [D] [E] [VISA]. 🐕
chiuso agosto – **Pasto** 40/50000 e al Rist. ***Il Correggio*** *(chiuso domenica)* carta 45/65000 – **29 cam** ☕ 180/240000, 2 appartamenti – ½ P 190/220000.

🍴🍴 **Bel Sit,** viale Cottafavi 11 ✆ 692393 – ▤ [P]. [AE]. [$]. [D] [E] [VISA]. 🐕
chiuso lunedì ed agosto – **Pasto** carta 35/55000.

a Budrio *SO : 4 km* – ✉ *42015 Correggio :*

🏨 **Locanda delle Vigne** 🐦, ✆ 697345, Fax 697181, ≤, 🌳, 🪑 – [TV] ☎ [P]. [AE]. [$]. [E] [VISA]. [JCB]. 🐕 rist
chiuso dal 10 al 25 agosto – **Pasto** *(chiuso lunedì a mezzogiorno)* carta 40/55000 – **12 cam** ☕ 115/175000 – ½ P 150/170000.

CORRIDONIA *62014 Macerata* [988]⑯, [430] M 22 – *12 778 ab. alt. 255* – ☎ *0733.*
Roma 266 – Ancona 61 – Ascoli Piceno 90 – Macerata 10 – Perugia 121 – Pescara 132.

🏨 **Grassetti,** via Romolo Murri 1 ✆ 281261, Fax 281261 – [lift] [TV] ☎ [P] – 🎤 130. [AE]. [$]. [D] [E] [VISA]. 🐕 rist
Pasto carta 35/45000 – ☕ 10000 – **60 cam** 100/150000 – ½ P 120000.

CORTACCIA SULLA STRADA DEL VINO (KURTATSCH AN DER WEINSTRASSE) *39040 Bolzano* [429] D 15, [218]⑳ – *1 896 ab. alt. 333* – ☎ *0471.*
Roma 623 – Bolzano 20 – Trento 37.

🏨 **Schwarz-Adler Turm Hotel** [M], ✆ 880600, Fax 880601, ≤, « Giardino con 🏊 », [sauna] – [lift] [TV] ☎ ♿ 🚗 [P]. [AE]. [$]. [D] [E] [VISA]. 🐕 rist
Pasto (solo per alloggiati) – **24 cam** ☕ 125/200000 – ½ P 120/145000.

CORTALE *Udine – Vedere Reana del Roiale.*

CORTE BRUGNATELLA *29020 Piacenza* [428] H 10 – *895 ab. alt. 320* – ☎ *0523.*
Roma 558 – Piacenza 55 – Alessandria 91 – Genova 84.

🍴 Rocca Rosa, località Brugnello ✆ 934500, « In un villaggio caratteristico », 🪑

CORTE FRANCA *25040 Brescia* [429] F 11 – *5 643 ab. alt. 214* – ☎ *030.*
⛳18 e ⛳9 *Franciacorta (chiuso martedì escluso da giugno ad agosto) località Castagnola ✉ 25040 Corte Franca ✆ 984167, Fax 984393, S : 2 km.*
Roma 576 – Bergamo 32 – Brescia 28 – Milano 76.

a Timoline *E : 1 km* – ✉ *25040 Corte Franca :*

🍴🍴 **Santa Giulia,** via Cesare Battisti 7 ✆ 9828348, 🌳 – ▤ [P]. [AE]. [$]. [E] [VISA]. 🐕
chiuso lunedì sera e martedì – **Pasto** carta 35/55000.

Colombaro *N : 2 km – ✉ 25040 Corte Franca :*

XX **Trattoria la Colombara,** via Manzoni ☏ 9826461, Fax 9826461, 🏛 – P. AE. ⑤. ⊕ E VISA
chiuso lunedì sera, martedì e gennaio – **Pasto** carta 50/90000.

CORTEMAGGIORE *29016 Piacenza 988 ⑬, 428, 429 H 11 – 4 382 ab. alt. 50 – ☎ 0523.*
Roma 486 – Parma 42 – Piacenza 21 – Cremona 25 – Milano 88.

XX **Antica Corte,** via Manfredi 5 ☏ 836833 – ▤. ⊕ E VISA
chiuso lunedì sera, martedì, dal 1° al 15 agosto e dal 25 al 31 dicembre – **Pasto** carta 40/60000.

CORTEMILIA *12074 Cuneo 988 ⑫, 428 I 6 – 2 636 ab. alt. 247 – a.s. giugno-agosto – ☎ 0173.*
Roma 613 – Genova 108 – Alessandria 71 – Cuneo 106 – Milano 166 – Savona 68 – Torino 90.

San Carlo, corso Divisioni Alpine 41 ☏ 81546, Fax 81235, 🏛, « Giardino con ⛱ » – |≑| TV ☎ P. AE. ⑤. ⊕ E VISA. ✻
chiuso dal 22 al 30 dicembre e dal 3 gennaio al 25 febbraio – **Pasto** carta 40/50000 – ☕ 15000 – **22 cam** 85/120000.

Sono utili complementi di questa guida, per i viaggi in ITALIA :
- *La **carta stradale Michelin** n° 988 in scala 1/1 000 000.*
- *Le **carte** 428, 429, 430, 431, 432, 433 in scala 1/400 000.*
- *L'Atlante stradale Italia in scala 1/300 000.*
  - *Le **guide Verdi turistiche Michelin** "Italia", "Roma", "Venezia" e "Toscana" :*
    itinerari regionali,
    musei, chiese,
    monumenti e bellezze artistiche.

CORTINA D'AMPEZZO *32043 Belluno 988 ⑤, 429 C 18 G. Italia – 6 737 ab. alt. 1 224 – a.s. febbraio-10 aprile e Natale – Sport invernali : 1 224/3 243 m ⛡ 6 ⛷ 30, ⛷ – ☎ 0436.*
Vedere *Posizione pittoresca***.*
Dintorni *Tofana di Mezzo : ✻*** 15 mn di funivia – Tondi di Faloria : ✻*** 20 mn di funivia – Belvedere Pocol : ✻** 6 km per ④.*
Escursioni *Dolomiti*** per ④.*
ℹ *piazzetta San Francesco 8 ☏ 3231, Fax 3235.*
Roma 672 ③ – Belluno 71 ③ – Bolzano 133 ① – Innsbruck 165 ① – Milano 411 ③ – Treviso 132 ③.

Pianta pagina seguente

Miramonti Majestic ⛯, località Pezziè 103 ☏ 4201, Telex 440069, Fax 867019, ≤ conca di Cortina e Dolomiti, « Parco con ⛳ », ≘s, 🏊, ✂ – |≑| TV ☎ 🚗 P – 🔺 280. AE. ⑤. ⊕ E VISA. JCB. ✻ rist — 2 km per ③
23 dicembre-4 aprile e 8 luglio-28 agosto – **Pasto** 70/90000 e al Rist. ***Grill Enrose*** *(23 dicembre-4 aprile)* carta 80/115000 – **95 cam** ☕ 600/760000, 10 appartamenti – ½ P 320/360000.

De la Poste, piazza Roma 14 ☏ 4271, Fax 868435, ≤ Dolomiti – |≑| TV ☎ 🚗. P. AE. ⑤. ⊕ E VISA. ✻ — Z s
20 dicembre-8 aprile e 15 giugno-28 settembre – **Pasto** carta 70/145000 – **79 cam** ☕ 380/480000, 3 appartamenti – ½ P 280/350000.

Parc Hotel Victoria, corso Italia 1 ☏ 3246, Fax 4734, ≤ Dolomiti, « Arredamento rustico elegante; piccolo parco ombreggiato » – |≑| TV ☎ P. AE. ⑤. ⊕ E VISA. ✻ rist
21 dicembre-7 aprile e 10 luglio-15 settembre – **Pasto** carta 45/75000 – **40 cam** ☕ 250/380000, 3 appartamenti – ½ P 220/340000. — Z y

Ancora, corso Italia 62 ☏ 3261, Fax 3265, ≤ – |≑| TV ☎ P. AE. ⑤. ⊕ E VISA. JCB. ✻ rist
20 dicembre-Pasqua e giugno-settembre – **Pasto** carta 40/60000 – **67 cam** ☕ 300/420000, 3 appartamenti – ½ P 180/320000. — Z t

Europa, corso Italia 207 ☏ 3221, Telex 440043, Fax 868204, ≤ Dolomiti – |≑| TV ☎ P. AE. ⑤. ⊕ E VISA. JCB. ✻ rist — Y g
chiuso dal 15 ottobre al 5 dicembre – **Pasto** 60/90000 – **48 cam** ☕ 240/440000, 3 appartamenti – ½ P 100/370000.

Bellevue, corso Italia 197 ☏ 883400, Fax 867510, ≤ Dolomiti – |≑| TV ☎ 🚗. ⑤. VISA. ✻ — Y f
chiuso maggio e novembre – **Pasto** (solo per alloggiati) 40000 vedere anche rist ***Meloncino al Bellevue*** – **19 cam** ☕ 180/260000, 20 appartamenti 395/540000 – ½ P 185/300000.

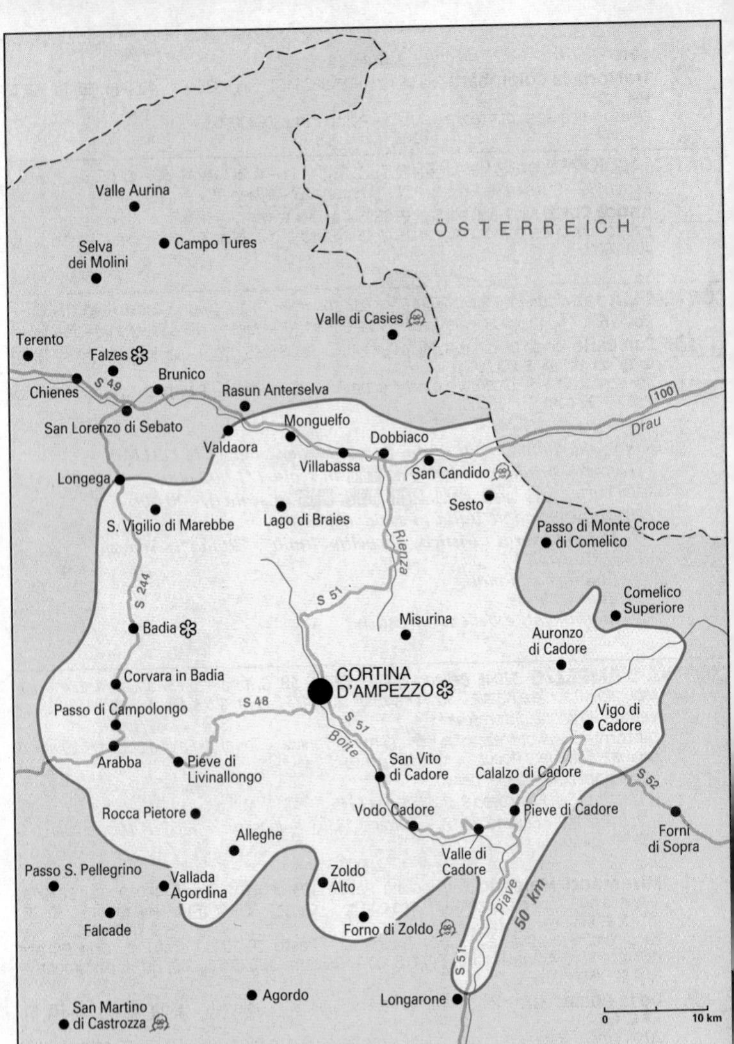

Cortina, corso Italia 92 ✆ 4221, Fax 860760 – |♯| TV ☎. AE. 🅂. ⦿ E VISA. ✂ rist
18 dicembre-10 aprile e 15 giugno-20 settembre – **Pasto** 50/100000 – **48 cam** ☐ 300/420000 – ½ P 140/340000.

Franceschi Park Hotel, via Cesare Battisti 86 ✆ 867041, Fax 2909, ≤ Dolomiti, « Parco », ≘s, ✂ – |♯| ✂ rist TV ☎ P. 🅂. VISA. ✂
21 dicembre-6 aprile e 20 giugno-21 settembre – **Pasto** 45/75000 – ☐ 12000 – **49 cam** 220/390000, 3 appartamenti – ½ P 140/275000.

Menardi, via Majon 110 ✆ 2400, Fax 862183, ≤ Dolomiti, « Elegante arredamento; parco ombreggiato » – TV ☎ 🚗 P. 🅂. E VISA. ✂
22 dicembre-6 aprile e 20 giugno-21 settembre – **Pasto** 30/55000 – **51 cam** ☐ 180/340000 – ½ P 115/220000.

Columbia senza rist, via Ronco 75 ✆ 3607, Fax 3607, ≤ Dolomiti, ✂ – TV ☎ P. 🅂. E VISA. ✂
dicembre-18 aprile e 9 giugno-14 ottobre – ☐ 10000 – **20 cam** 150/200000.

Capannina, via dello Stadio 11 ✆ 2950, Fax 868317, ≘, 🌳 – 🛗 📺 ☎ 🚗 🅟. 🅂. VISA. ✂ Y m
6 dicembre-marzo e luglio-10 settembre – **Pasto** *(chiuso a mezzogiorno e* solo su prenotazione alla sera*)* carta 60/95000 – **30 cam** ☕ 200/340000, 2 appartamenti – ½ P 140/270000.

Fanes, via Roma 136 ✆ 3427, Fax 5027, ≤ Dolomiti, 🌳 – 📺 ☎ 🅟. AE. 🅂. ⓓ E VISA. ✂ rist Z a
21 dicembre-marzo e 21 giugno-settembre – **Pasto** carta 35/70000 (15 %) – ☕ 25000 – **25 cam** 200/300000 – ½ P 160/240000.

Pontechiesa, via Marangoni 3 ✆ 2523, Fax 867343, ≤ Dolomiti, 🌳 – 🛗 📺 ☎ 🅟. VISA. ✂ Y s
dicembre-13 aprile e 15 giugno-27 settembre – **Pasto** carta 40/70000 – **31 cam** ☕ 110/200000 – ½ P 130/190000.

Concordia Parc Hotel, corso Italia 28 ✆ 4251, Fax 868151, « Parco ombreggiato » – 🛗 📺 ☎ 🚗 🅟. AE. 🅂. E VISA. ✂ Z v
23 dicembre-25 marzo e 10 luglio-agosto – **Pasto** 45/70000 – ☕ 15000 – **58 cam** 200/380000 – ½ P 135/270000.

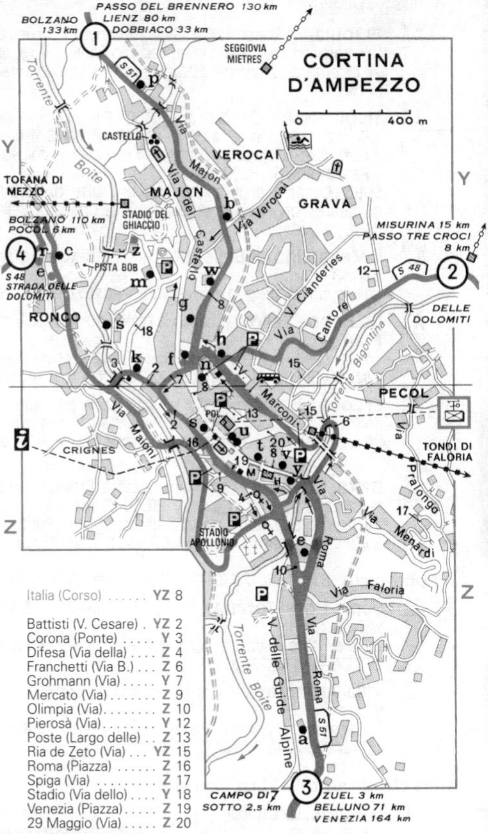

CORTINA D'AMPEZZO

Italia (Corso) . . . . . . YZ 8
Battisti (V. Cesare) . YZ 2
Corona (Ponte) . . . . . Y 3
Difesa (Via della) . . . . Z 4
Franchetti (Via B.) . . . Z 6
Grohmann (Via) . . . . . Y 7
Mercato (Via) . . . . Z 9
Olimpia (Via) . . . . Z 10
Pierosà (Via) . . . . Y 12
Poste (Largo delle) . . Z 13
Ria de Zeto (Via) . . . YZ 15
Roma (Piazza) . . . . . . Z 16
Spiga (Via) . . . . Z 17
Stadio (Via dello) . . . . Y 18
Venezia (Piazza) . . . . . Z 19
29 Maggio (Via) . . . . . Z 20

Aquila, corso Italia 168 ✆ 2618, Fax 867315, ≘, 🏊 – 🛗 📺 ☎ 🅟. 🅂. E VISA. ✂
dicembre-aprile e giugno-settembre – **Pasto** 30/70000 – **39 cam** ☕ 220/280000 – P 160/250000. Y n

Trieste, via Majon 28 ✆ 2245, Fax 868173, ≤ Dolomiti, 🌳 – 🛗 📺 ☎ 🅟. AE. 🅂. ⓓ E VISA. ✂ Y b
20 dicembre-marzo e luglio-20 settembre – **Pasto** 35/65000 – ☕ 25000 – **33 cam** 150/220000 – ½ P 90/180000.

Nord Hotel, via La Verra 1 ✆ 4707, Fax 868164, ≤ Dolomiti e conca di Cortina – 🅟. AE. 🅂. E VISA. ✂ rist 2 km per ①
6 dicembre-10 aprile e 20 giugno-settembre – **Pasto** 40/60000 – ☕ 20000 – **34 cam** 170/220000 – ½ P 95/190000.

Cornelio, via Cantore 1 ✆ 2232, Fax 867360 – 🛗 📺 ☎ 🅟. 🅂 VISA. ✂ Y h
dicembre-Pasqua e luglio-settembre – **Pasto** carta 35/65000 – **20 cam** ☕ 140/240000 – ½ P 95/160000.

Natale senza rist, corso Italia 229 ✆ 861210, Fax 867730, ≘ – 🛗 📺 ☎ 🚗 🅟. VISA. ✂
dicembre-5 maggio e giugno-5 novembre – **14 cam** ☕ 170/280000. Y w

Panda senza rist, via Roma 64 ✆ 860344, Fax 860345, ≤ Dolomiti – 📺 ☎ 🅟. AE. 🅂. ⓓ VISA. ✂ Z e
chiuso dal 5 maggio al 20 giugno e dal 2 novembre al 5 dicembre – **18 cam** ☕ 130/230000.

Montana senza rist, corso Italia 94 ✆ 862126, Fax 868211 – 🛗 📺 ☎ 🅟. AE. 🅂. ⓓ E VISA. JCB. ✂ Z u
chiuso dal 25 maggio al 25 giugno e dal 10 novembre al 15 dicembre – **30 cam** ☕ 95/175000.

XXX **El Toulà,** via Ronco 123 ℘ 3339, ≤ conca di Cortina e Dolomiti, ☂, prenotare, « Ambiente caratteristico ricavato in un vecchio fienile » – P. AE ① VISA Y
20 dicembre-12 aprile e 20 luglio-agosto; chiuso lunedì in gennaio – **Pasto** carta 60/85000 (13%).

XX **Tivoli,** località Lacedel ℘ 866400, Fax 3413, ≤ Dolomiti, Coperti limitati; prenotare « Servizio estivo in terrazza » – P. AE. ⑤. ① E VISA 2 km per ④
✿ *6 dicembre-10 aprile e 10 luglio-21 settembre; chiuso lunedì in gennaio, luglio e settembre* – **Pasto** carta 55/85000
Spec. Cocotte di lumache con brunoise di verdure e salsa al prezzemolo. Gnocchi di patate con salvia e petto d'oca affumicato. Sella di cervo speziata in salsa al ribes nero.

XX **Il Meloncino al Bellevue** - Hotel Bellevue, via del Castello ℘ 866278, prenotare – ⑤ VISA. ✂ Y
chiuso lunedì, giugno e novembre – **Pasto** carta 60/75000.

XX **Da Beppe Sello** con cam, via Ronco 68 ℘ 3236, Fax 3237, ≤ Dolomiti – ☎ P. AE. ⑤. ① E VISA. ✂ Y
chiuso dal 10 aprile al 15 maggio e dal 20 settembre ad ottobre – **Pasto** *(chiuso martedì)* carta 50/80000 – **13 cam** ☐ 140/220000 – ½ P 140/190000.

XX **El Zoco,** via Cademai 18 ℘ 860041, Coperti limitati; prenotare – P. ⑤. E VISA
chiuso dal 9 aprile a maggio, dall'8 al 27 novembre, a mezzogiorno dal 9 gennaio al 20 febbraio e lunedì (escluso dicembre, marzo ed agosto) – **Pasto** carta 65/90000. 1,5 km per ①

X **Baita Fraina** ⛰ con cam, località Fraina ℘ 3634, ≤ Dolomiti, « Servizio estivo in terrazza », ⌂, ⛬ – TV ☎ P. AE. ⑤. E VISA. ✂ 2 km per ③
15 dicembre-20 aprile e luglio-28 settembre – **Pasto** *(chiuso lunedì in bassa stagione)* carta 50/75000 – **4 cam** ☐ 75/150000 – ½ P 105/125000.

a Pocol *per ④ : 6 km – alt. 1 530 – ✉ 32043 Cortina d'Ampezzo :*

🏨 **Sport Hotel Tofana,** ℘ 3281, Fax 868074, ≤ Dolomiti, ⛬, ✂ – |♦| ☎ P. AE. ⑤. ① E VISA. ✂ rist
21 dicembre-marzo e luglio-10 settembre – **Pasto** carta 45/70000 – **83 cam** ☐ 160/250000 – P 170/220000.

🏨 **Villa Argentina,** Pocol 43 ℘ 5641, Fax 5078, ≤ Dolomiti, ⌂, ⛬ – |♦| ☎ P. AE VISA ✂ rist
20 dicembre-8 aprile e luglio-10 settembre – **Pasto** carta 40/60000 – ☐ 15000 – **95 cam** 130/240000 – ½ P 170/205000.

sulla strada statale 51 *per ① : 11 km :*

X **Ospitale,** via Ospitale 1 ✉ 32043 ℘ 4585 – AE. ⑤ VISA. ✂
chiuso giugno e lunedì in bassa stagione – **Pasto** carta 50/70000.

CORTINA VECCHIA *Piacenza – Vedere Alseno.*

CORTONA *52044 Arezzo 988 ⑮, 430 M 17 G. Toscana – 22 496 ab. alt. 650 – ☎ 0575.*

Vedere *Museo Diocesano★★ – Palazzo Comunale : sala del Consiglio★* **H** *– Museo dell'Accademia Etrusca★ nel palazzo Pretorio★* **M1** *– Tomba della Santa★ nel santuario di Santa Margherita – Chiesa di Santa Maria del Calcinaio★ 3 km per ②.*

ℹ *via Nazionale 42 ℘ 630352.*

Roma 200 ② – Perugia 51 ② – Arezzo 29 ② – Chianciano Terme 55 ② – Firenze 117 ② – Siena 70 ②.

Pianta pagina a lato

🏨 **San Michele** senza rist, via Guelfa 15 ℘ 604348, Fax 630147, « In un palazzo cinquecentesco » – |♦| ▤ TV ☎. AE. ⑤. ① E VISA. ✂
chiuso dal 10 gennaio al 15 marzo – **34 cam** ☐ 110/150000, 3 appartamenti.

XXX **Il Falconiere** ⛰ con cam, località San Martino 43, a Bocena N : 3 km ℘ 612679, Fax 612927, « Servizio estivo in terrazza con ≤ Cortona e vallata », ⛱, ⛬ – |♦| ▤ cam TV ☎ ♿ P. AE. ⑤. ① E VISA. ✂
chiuso dal 1º al 15 novembre – **Pasto** *(chiuso mercoledì escluso da marzo ad ottobre)* carta 75/100000 – **9 cam** ☐ 180/280000, 3 appartamenti – ½ P 200/285000.

X **Dardano,** via Dardano 24 ℘ 601944
chiuso mercoledì e febbraio – **Pasto** carta 25/35000.

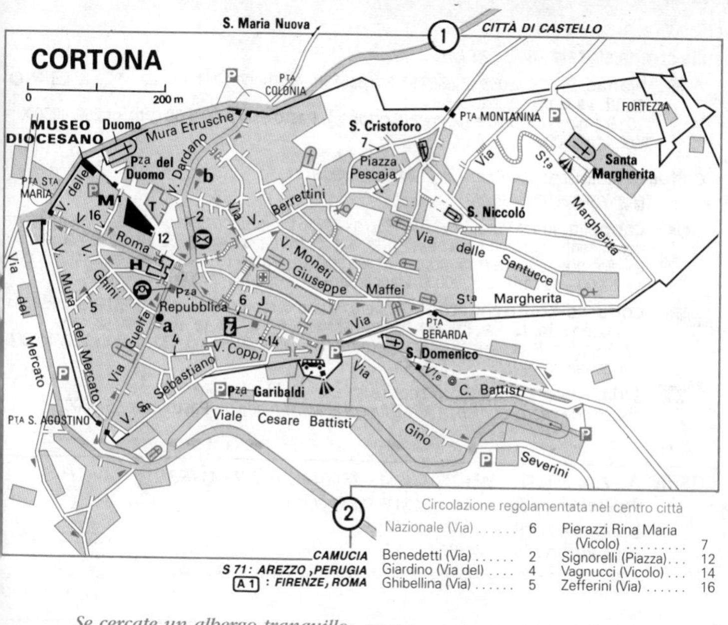

Se cercate un albergo tranquillo,
oltre a consultare le carte dell'introduzione,
rintracciate nell'elenco degli esercizi quelli con il simbolo ⛵ *o* ⛵

CORVARA IN BADIA *39033 Bolzano 988 ⑤, 429 C 17 G. Italia – 1 275 ab. alt. 1 568 – a.s. Pasqua, agosto e Natale – Sport invernali : 1 568/2 530 m 3 54, – ☎ 0471.*
Municipio ✆ 836176, Fax 836540.
Roma 704 – Cortina d'Ampezzo 36 – Belluno 85 – Bolzano 65 – Brunico 37 – Milano 364 – Trento 125.

Sassongher ⛵, strada Sassongher 45 ✆ 836085, Fax 836542, ≤ gruppo Sella e vallata, – rist – 90. AE. S. E VISA.
dicembre-10 aprile e 20 giugno-settembre – **Pasto** carta 50/60000 – **50 cam** 185/360000, appartamento – ½ P 260000.

La Perla, strada Col Alto 105 ✆ 836132, Fax 836568, ≤ Dolomiti, « Giardino con riscaldata », – rist rist . AE. S. E VISA.
3 dicembre-10 aprile e 25 giugno-settembre – **Pasto** 55/65000 (a mezzogiorno) 65/75000 (alla sera) e al Rist. ***La Stuä de Michil*** (prenotare e *chiuso a mezzogiorno*) carta 60/90000 – **50 cam** 280/520000, 5 appartamenti – ½ P 250/300000.

Sport Hotel Panorama ⛵, via Sciuz 1 ✆ 836083, Fax 836449, ≤ gruppo Sella e vallata, – rist . S. E VISA.
20 dicembre-20 aprile e luglio-22 settembre – **Pasto** carta 40/75000 – 30000 – **35 cam** 160/320000 – ½ P 195/235000.

Posta-Zirm, strada Col Alto 95 ✆ 836175, Fax 836580, ≤ gruppo Sella, – rist . AE. S. E VISA.
chiuso dal 15 aprile a maggio e dal 15 ottobre a novembre – **Pasto** carta 50/90000 – **70 cam** solo ½ P 180/225000.

Villa Eden, strada Col Alto 47 ✆ 836041, Fax 836489, ≤ gruppo Sella e Sassongher, – . S. E VISA. rist
5 dicembre-20 aprile e 15 giugno-20 settembre – **Pasto** (solo per alloggiati) 30/40000 – **38 cam** 130/250000 – ½ P 160/180000.

Col Alto, strada Col Alto 9 ✆ 836009, Fax 836066, ≤ gruppo Sella, – .
chiuso dal 15 aprile a maggio e novembre – **Pasto** carta 35/55000 – **62 cam** 125/220000 – P 120/185000.

Tablè, strada Col Alto 8 ✆ 836144, Fax 836313, ≤ gruppo Sella, – . AE. S. E VISA.
5 dicembre-marzo e luglio-10 settembre – **Pasto** (solo per alloggiati) – 20000 – **26 cam** 180/220000 – ½ P 140/180000.

sulla strada statale 244 *S : 2,5 km :*

Planac ⑤, ✉ 39033 ☎ 836210, Fax 836598, ≤ gruppo Sella, ⅠⅠ, ≘s, ⚘ – |🛗| ▣ ☎ ●. AE. ⑤. ⊙ E VISA. ✻ rist
20 dicembre-10 aprile e giugno-10 ottobre – **Pasto** 35/70000 – **39 cam** ☐ 250/400000 – ½ P 110/250000.

a Colfosco (Kolfuschg) *O : 3 km – alt. 1 645 – ✉ 39030.*

☎ 836145, Fax 836744 :

Cappella, strada Pecei 17 ☎ 836183, Fax 836561, ≤ gruppo Sella e vallata, « Mostra d'ar permanente, giardino », ⅠⅠ, ≘s, ⊡, ⚔ – |🛗| ▤ rist ▣ ☎ ⇔ ⓟ. AE. ⑤. ⊙ E VISA. ✻
21 dicembre-6 aprile e 15 giugno-28 settembre – **Pasto** *(chiuso lunedì)* carta 45/75000 ☐ 20000 – **40 cam** 160/280000, 2 appartamenti – ½ P 140/240000.

Colfosco-Kolfuschgerhof ⑤, verso Passo Gardena O : 2 km ☎ 836188, Fax 83635 ≤ gruppo Sella, ⅠⅠ, ≘s, ⊡, ⚘ – |🛗| ⇤ rist ▤ rist ▣ ☎ ⇔ ⓟ. ⑤. E VISA. ✻ cam
17 dicembre-10 aprile e 18 giugno-settembre – **Pasto** 40/55000 – **32 cam** ☐ 250/4400 6 appartamenti – ½ P 130/230000.

Stria, via Val 18 ☎ 836620, prenotare la sera – AE. ⑤. ⊙ E VISA. ✻
chiuso novembre, domenica sera e lunedì in aprile-maggio – **Pasto** carta 55/80000.

COSENZA *87100* **P** 988 ㊴, 431 *J 30 G. Italia – 78 064 ab. alt. 237 – ☎ 0984.*

Vedere *Tomba d'Isabella d'Aragona★ nel Duomo Z.*

corso Mazzini 92 ☎ 27821, Fax 27304.

A.C.I. *via Tocci 2/a ☎ 74381.*

Roma 519 ⑤ – Napoli 313 ⑤ – Reggio di Calabria 190 ⑤ – Taranto 205 ⑤.

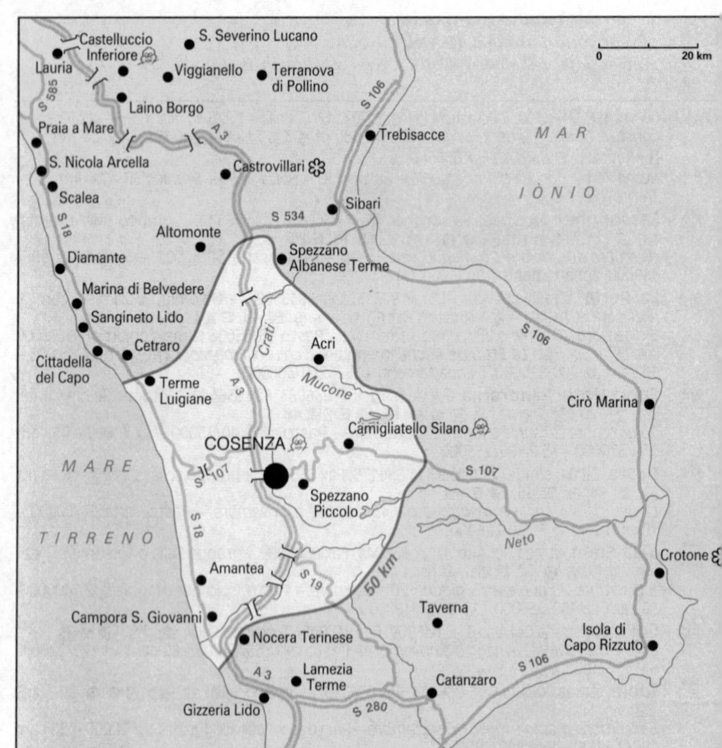

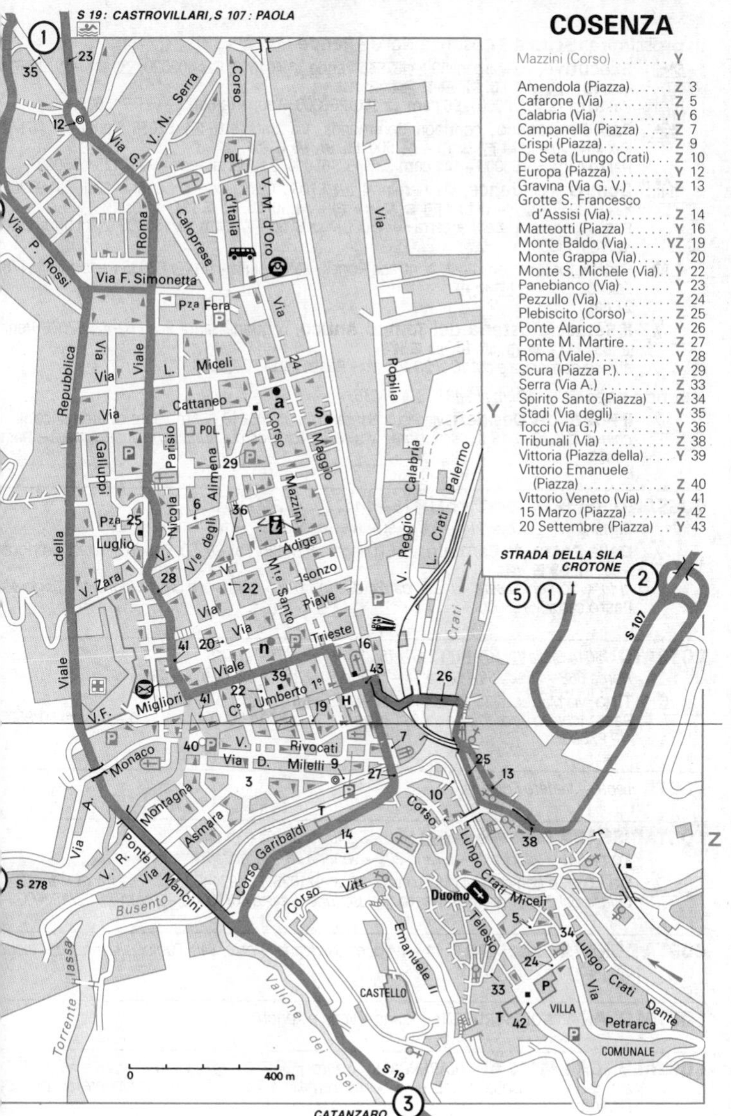

 Royal, via Molinella 24/e ☎ 412165, Fax 412461 – |‡| ▤ TV ☎ ♿ 🅟 – 🏔 25. AE. 🅢. ⓓ E VISA. JCB. ✻ Y a
Pasto carta 35/55000 – **44 cam** ☕ 105/150000 – ½ P 105/120000.

 Centrale, via del Tigrai 3 ☎ 73681, Fax 75750 – |‡| ▤ TV ☎ 🚗 🅟. AE. 🅢. E VISA
Pasto carta 40/60000 – **48 cam** ☕ 100/130000 – ½ P 90/105000. Y s

 Da Giocondo, via Piave 53 ☎ 29810 – ▤. 🅢. E VISA. ✻ Y n
chiuso domenica ed agosto – **Pasto** carta 40/60000.

in prossimità uscita A 3 Cosenza Nord - Rende :

Executive, via Marconi 59 ✉ 87036 Rende ✆ 401010, Fax 402020, ⛱, 🌳 – |♦| ▤ 📺 ☎ ⇔ P – 🚻 300. AE. 🅂. ⓞ E VISA. ✻ rist
Pasto carta 45/70000 – **96 cam** ☐ 180/260000, 2 appartamenti – ½ P 215000.

San Francesco, contrada Commenda, via Ungaretti ✉ 87036 Rende ✆ 46172 Fax 464520 – |♦| ▤ 📺 ☎ P – 🚻 500. AE. 🅂. ⓞ E VISA. ✻
Pasto carta 35/50000 – **142 cam** ☐ 145/165000, 2 appartamenti – ½ P 125/135000.

Domus Residence, via Bernini 4 ✉ 87030 Castiglione Cosentino Scalo ✆ 83965 Fax 839967 – |♦| ⇹ rist ▤ 📺 ☎ ♿ ⇔ P – 🚻 50. AE. 🅂. E VISA. ✻ rist
Pasto *(chiuso domenica)* carta 30/45000 – ☐ 8000 – **74 cam** 90/130000, 2 appartamenti ½ P 85/115000.

Sant'Agostino senza rist, contrada Roges, via Modigliani 49 ✉ 87036 Rende ✆ 46178 Fax 465358 – ▤ 📺 ☎ P
27 cam.

Il Setaccio-Osteria del Tempo Antico, contrada Santa Rosa 62 ✉ 87036 Renc ✆ 837211 – ▤ P. AE. 🅂. ⓞ E VISA
chiuso domenica e dal 10 al 20 agosto – **Pasto** carta 30/50000.

a Rende paese *NO : 10 km alt. 481 – ✉ 87036.*

Il Pozzo dei Desideri, via Pittor Santanna 5 ✆ 443618, « Ambiente caratteristico »
chiuso dal 10 al 18 agosto, domenica in luglio-agosto e lunedì negli altri mesi – Past 35000.

COSSANO BELBO *12054 Cuneo* 428 I 6 – *1 142 ab. alt. 244* – ☎ *0141.*

Roma 614 – Genova 114 – Torino 90 – Alessandria 52 – Asti 31 – Cuneo 89.

Della Posta-da Camulin, via F.lli Negro ✆ 88126, Fax 88559, Coperti limitati; prenotar – AE. 🅂. ⓞ E VISA
chiuso domenica sera, lunedì, dal 24 dicembre al 5 gennaio e dal 15 luglio al 13 agosto **Pasto** carta 35/55000.

COSSATO *13014 Biella* 988 ②, 428 F 6 – *15 259 ab. alt. 253* – ☎ *015.*

Roma 668 – Stresa 59 – Biella 11 – Milano 94 – Torino 82 – Vercelli 43.

Tina, via Matteotti 21 ✆ 93403, Fax 93403 – 📺. AE. 🅂. ⓞ E VISA
Pasto *(chiuso domenica e dal 6 al 26 agosto)* carta 30/65000 – ☐ 10000 – **10 cam** 60/8500 – P 85000.

COSTA *Trento – Vedere Folgaria.*

COSTABISSARA *36030 Vicenza* 429 F 16 – *5 340 ab. alt. 51* – ☎ *0444.*

Roma 546 – Padova 47 – Milano 209 – Venezia 78 – Vicenza 7.

Da Lovise con cam, via Marconi 17/22 ✆ 971026, Fax 971402, 🏡 – ▤ 📺 P. ⓞ. VISA
chiuso dal 2 al 21 agosto – **Pasto** *(chiuso lunedì)* carta 40/50000 – **9 cam** ☐ 95/130000.

COSTA DORATA *Sassari* 433 E 10 – *Vedere Sardegna (Porto San Paolo) alla fine dell'elenc alfabetico.*

COSTALOVARA (WOLFSGRUBEN) *Bolzano – Vedere Renon.*

COSTALUNGA (Passo di) (KARERPASS) *Trento* 988 ④ ⑤, 429 C 16 *G. Italia – alt. 1 753*

a.s. febbraio-Pasqua e Natale – Sport invernali : 1 735/2 041 m ⛷3 (vedere anche Nov Levante).

Vedere ≤★ *sul Catinaccio – Lago di Carezza★★★ O : 2 km.*

Roma 674 – Bolzano 28 – Cortina d'Ampezzo 81 – Milano 332 – Trento 93.

Savoy, ✉ 38039 Vigo di Fassa ✆ (0471) 612124, Fax (0471) 612132, ≤ Dolomiti e pinet ☎s, ⛱, 🌳 – |♦| 📺 ☎ ⇔ P. 🅂. ⓞ E VISA. ✻ rist
chiuso novembre – **Pasto** carta 40/55000 – **30 cam** ☐ 95/180000, 4 appartamenti P 110/135000.

COSTA MERLATA *Brindisi* 431 E 34 – *Vedere Ostuni.*

COSTA PARADISO *Sassari* 433 D 8 – *Vedere Sardegna (Trinità d'Agultu) alla fine dell'elenc alfabetico.*

OSTA REI *Cagliari* 433 J 10 – *Vedere Sardegna (Muravera) alla fine dell'elenco alfabetico.*

OSTA SMERALDA *Sassari* 988 ㉓ ㉔, 433 D 10 – *Vedere Sardegna (Arzachena) alla fine dell'elenco alfabetico.*

OSTA VOLPINO *24062 Bergamo* 428, 429 E 12 – *8 474 ab. alt. 251 – a.s. luglio-agosto – ✆ 035.*
Roma 608 – Brescia 47 – Bergamo 43 – Milano 88 – Sondrio 102.

XX **Franini** con cam, ✆ 988242, Fax 988243 – TV ☎ ✆ P. AE. S. ◑ E VISA. ✻ cam
Pasto *(chiuso mercoledì)* carta 45/70000 – ☕ 12000 – **14 cam** 80/130000 – ½ P 90/100000.

OSTERMANO *37010 Verona* 428, 429 F 14 – *2 522 ab. alt. 254 – ✆ 045.*
18 e 9 *Cà degli Ulivi a Marciaga-Castion di Costermano ✉ 37010 ✆ 6279030, Fax 6279039.*
Roma 531 – Verona 35 – Brescia 68 – Mantova 69 – Trento 78.

Marciaga *N : 3 km – ✉ 37010 Costermano :*

Madrigale ⛰, via Ghiandare 1 ✆ 6279001, Fax 6279125, ≤ lago, 🌳, « In collina tra il verde », ⛱ – 🛗 ▤ TV ☎ P. AE. S. ◑ E VISA. ✻
marzo-novembre – **Pasto** carta 45/60000 – **47 cam** ☕ 240/285000, 12 appartamenti – ½ P 105/160000.

OSTIERA AMALFITANA *Napoli e Salerno* 988 ㉗ ㉘, 431 F 25 *G. Italia.*

OSTIGLIOLE D'ASTI *14055 Asti* 988 ⑫, 428 H 6 – *5 923 ab. alt. 242 – ✆ 0141.*
Roma 629 – Torino 77 – Acqui Terme 34 – Alessandria 51 – Asti 15 – Genova 108.

XXX ✿✿ **Guido,** piazza Umberto I 27 ✆ 966012, Fax 966012, solo su prenotazione – AE. S. ◑ E VISA
chiuso a mezzogiorno, domenica, i giorni festivi, dal 23 dicembre al 10 gennaio e dal 1° al 20 agosto – **Pasto** 110000
Spec. Peperone farcito al forno (aprile-settembre). Zuppa di funghi e tartufi (settembre-dicembre). Capretto di Roccaverano (aprile-giugno).

X **La Madia,** strada Asti 40 (N : 1 km) ✆ 961170, 🌳, prenotare – P. S. E VISA. ✻
chiuso lunedì, dal 1° al 15 gennaio e dal 7 al 21 agosto – **Pasto** 45/50000.

OSTOZZA *Vicenza – Vedere Longare.*

OTIGNOLA *48010 Ravenna* 429, 430 I 17 – *6 797 ab. alt. 19 – ✆ 0545.*
Roma 396 – Ravenna 26 – Bologna 53 – Forlì 28.

X Da Giovanni con cam, ✆ 40138, Fax 40138, 🌳 – TV ☎
10 cam.

Cassanigo *SO : 8 km – ✉ 48010 Cotignola :*

X **Mazzoni,** ✆ 78332, Fax 78332, « Servizio estivo in giardino », 🌲 – P. AE. S. ◑ E VISA
chiuso mercoledì, dal 16 gennaio al 2 febbraio e dal 14 luglio al 14 agosto – **Pasto** carta 30/40000.

OURMAYEUR *11013 Aosta* 988 ①, 428 E 2 *G. Italia – 2 991 ab. alt. 1 228 – a.s. 26 marzo-Pasqua, 15 luglio-agosto e Natale – Sport invernali : 1 224/2 755 m* 🚡 9 ⛷ 15, ⛷*; anche sci estivo –* ✆ *0165.*
Vedere *Località★★.*
Escursioni *Valle d'Aosta★★ : ≤★★★ per ②.*
9 *(luglio-10 settembre) in Val Ferret ✉ 11013 Courmayeur ✆ 89103 o ✆ (011) 3185040, NE : 4 km* BX.
ℹ *piazzale Monte Bianco 3 ✆ 842060, Fax 842072.*
Roma 784 ② – Aosta 35 ② – Chamonix 24 ① – Colle del Gran San Bernardo 70 ② – Milano 222 ② – Colle del Piccolo San Bernardo 28 ②.

Pianta pagina seguente

Gallia Gran Baita M, Strada Larzey ✆ 844040, Fax 844805, ≤ monti, 🌳, « Terrazza panoramica con ⛱ riscaldata », ≘s, ⛱, 🌲 – 🛗 TV ☎ ♿ 🚗 – 🏛 100. AE. S. ◑ E VISA. JCB. ✻ rist BY e
dicembre-2 aprile e 28 giugno-7 settembre – **Pasto** carta 60/90000 – **53 cam** ☕ 295/525000 – ½ P 230/300000.

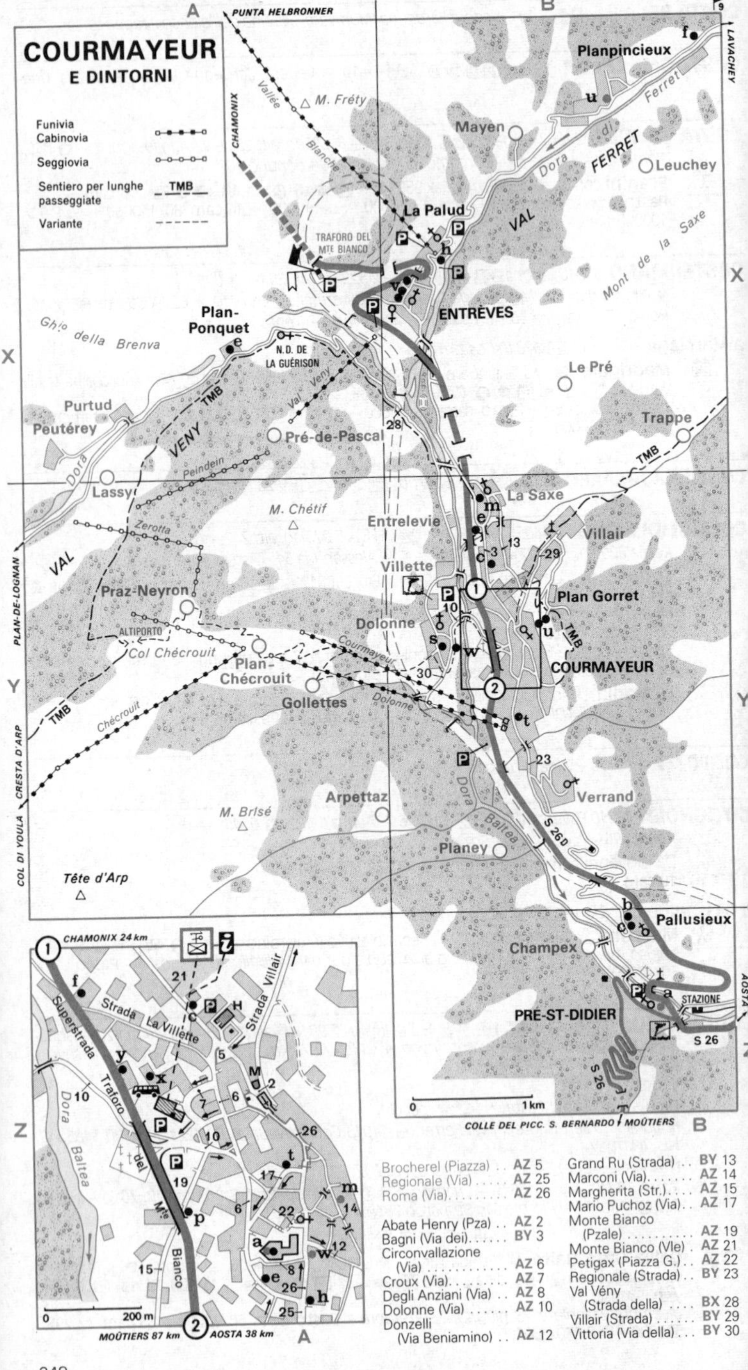
COURMAYEUR
E DINTORNI
Funivia
Cabinovia
Seggiovia
Sentiero per lunghe passeggiate
TMB
Variante
A
B
X
Y
Z
PUNTA HELBRONNER
LAVACHEY
CHAMONIX
Planpincieux
M. Fréty
Vallée Blanche
Mayen
Val Ferret
Dora di Ferret
Leuchey
La Palud
TRAFORO DEL Mte BIANCO
ENTRÈVES
Mont de la Saxe
Plan-Ponquet
Ghiacciaio della Brenva
N.D. DE LA GUÉRISON
Val Veny
Le Pré
Purtud
Peutérey
Pré-de-Pascal
Trappe
Dora
Lassy
Peindein
M. Chétif
La Saxe
Villair
Entrelevie
Zerotta
PLAN-DE-LOGNAN
Villette
Praz-Neyron
Plan Gorret
Dolonne
ALTIPORTO
Col Chécrouit
Plan-Chécrouit
COURMAYEUR
Gollettes
Courmayeur
Dolonne
Chécrouit
CRESTA D'ARP
Verrand
Arpettaz
Dora Baltea
M. Brisé
S 26D
Planey
COL DI YOULA
Tête d'Arp
Pallusieux
Champex
AOSTA
STAZIONE
PRÉ-ST-DIDIER
S 26
0
1 km
COLLE DEL PICC. S. BERNARDO MOÛTIERS
CHAMONIX 24 km
Superstrada Traforo del Mte Bianco
Strada La Villette
Strada Villair
Dora Baltea
0
200 m
MOÛTIERS 87 km
AOSTA 38 km
Brocherel (Piazza) . . AZ 5
Regionale (Via) . . . . . AZ 25
Roma (Via) . . . . AZ 26
Abate Henry (Pza) . . AZ 2
Bagni (Via dei) . . . . . BY 3
Circonvallazione (Via) . . . . AZ 6
Croux (Via) . . . . AZ 7
Degli Anziani (Via) . . AZ 8
Dolonne (Via) . . . . . . AZ 10
Donzelli (Via Beniamino) . . AZ 12
Grand Ru (Strada) . . BY 13
Marconi (Via) . . . . AZ 14
Margherita (Str.) . . . . AZ 15
Mario Puchoz (Via) . . AZ 17
Monte Bianco (Pzale) . . . . AZ 19
Monte Bianco (Vle) . . AZ 21
Petigax (Piazza G.) . . AZ 22
Regionale (Strada) . . BY 23
Val Vény (Strada della) . . . . BX 28
Villair (Strada) . . . . . . BY 29
Vittoria (Via della) . . . BY 30

Pavillon, strada Regionale 62 ✆ 846120, Fax 846122, ≤ monti, ⛶, ≘, ▣ – |$| ▣ ☎ ⇔ ℗ – 🏔 250. AE. ⓢ. ⓞ E VISA. JCB. ✻ rist BY t
2 dicembre-1° maggio e 16 giugno-2 ottobre – **Pasto** 60000 e al Rist. ***Grill Le Bistroquet*** *(dicembre-aprile; chiuso a mezzogiorno e lunedì)* carta 60/80000 – ☐ 25000 – **42 cam** 240/360000, 8 appartamenti – ½ P 210/290000.

Royal e Golf, via Roma 87 ✆ 846787, Fax 842093, ≤ monti e ghiacciai, « Giardino-solarium con ⛱ riscaldata », ≘ – |$| ▣ ☎ ⇔ ℗ – 🏔 90. AE. ⓢ. ⓞ E VISA. ✻ rist
dicembre-Pasqua e luglio-15 settembre – **Pasto** 50/65000 vedere anche Rist. ***Grill Royal e Golf*** – **85 cam** ☐ 290/520000, 4 appartamenti – ½ P 195/335000. AZ a

Palace Bron ⛰, a Plan Gorret E : 2 km ✆ 846742, Fax 844015, ≤ Dente del Gigante, monti e vallata, « Posizione panoramica in pineta », 🌲 – |$| ▣ ☎ ℗. AE. ⓢ. ⓞ E VISA. ✻ rist BY u
6 dicembre-13 aprile e 5 luglio-14 settembre – **Pasto** *(chiuso lunedì)* 50/70000 – ☐ 25000 – **26 cam** 180/350000, appartamento – ½ P 180/265000.

Mont Blanc, superstrada Traforo del Monte Bianco ✆ 846555, Fax 846633, ≤, ≘ – |$| ▣ ☎ ⇔ ℗ – 🏔 80. ⓢ. ⓞ E VISA AZ y
3 dicembre-15 maggio e 4 luglio-24 ottobre – **Pasto** al Rist. ***Le Relais*** *(chiuso a mezzogiorno)* 25/50000 e carta 45/85000 – ☐ 20000 – **40 cam** 125/210000 – ½ P 150/195000.

Cresta et Duc, via Circonvallazione 7 ✆ 842585, Fax 842591, ≤ monti – |$| ▤ rist ▣ ☎ ℗. AE. ⓢ. ⓞ E VISA. JCB. ✻ rist AZ e
18 dicembre-21 aprile e 24 giugno-9 settembre – **Pasto** 30/40000 – **39 cam** ☐ 100/160000 – ½ P 80/180000.

Bouton d'Or senza rist, superstrada Traforo del Monte Bianco ✆ 846729, Fax 842152, ≤ monti e vallata, ≘, 🌲 – |$| ▣ ☎ ♿ ⇔ ℗. AE. ⓢ. ⓞ VISA. ✻ AZ x
chiuso dal 9 giugno al 4 luglio e dal 3 novembre al 4 dicembre – **35 cam** ☐ 130/180000.

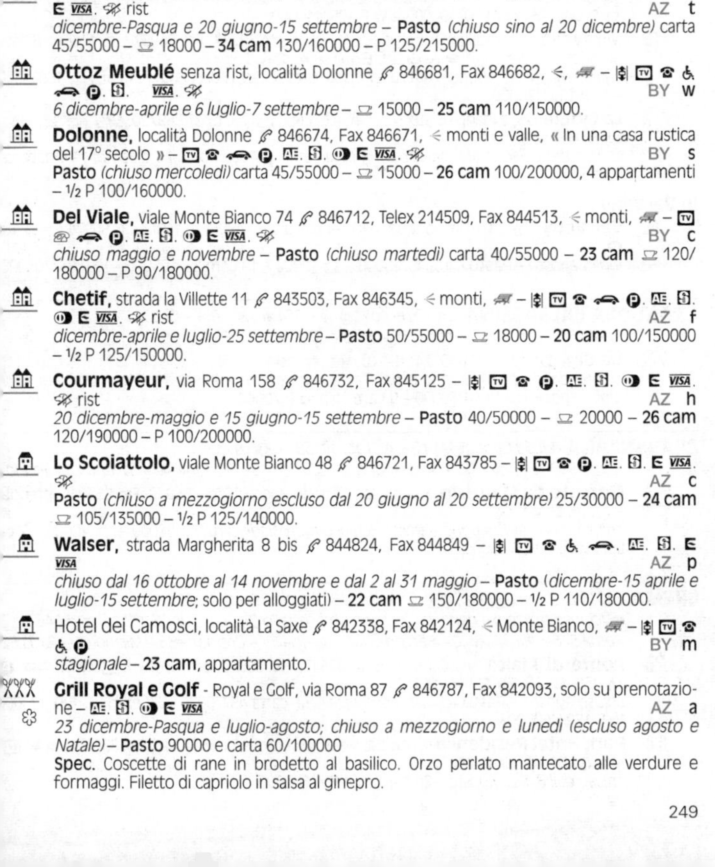

Centrale, via Mario Puchoz 7 ✆ 846644, Fax 846403, ≤, 🌲 – |$| ▣ ☎ ⇔ ℗. AE. ⓢ. ⓞ E VISA. ✻ rist AZ t
dicembre-Pasqua e 20 giugno-15 settembre – **Pasto** *(chiuso sino al 20 dicembre)* carta 45/55000 – ☐ 18000 – **34 cam** 130/160000 – P 125/215000.

Ottoz Meublé senza rist, località Dolonne ✆ 846681, Fax 846682, ≤, 🌲 – |$| ▣ ☎ ♿ ⇔ ℗. ⓢ. VISA. ✻ BY w
6 dicembre-aprile e 6 luglio-7 settembre – ☐ 15000 – **25 cam** 110/150000.

Dolonne, località Dolonne ✆ 846674, Fax 846671, ≤ monti e valle, « In una casa rustica del 17° secolo » – ▣ ☎ ⇔ ℗. AE. ⓢ. ⓞ E VISA. ✻ BY s
Pasto *(chiuso mercoledì)* carta 45/55000 – ☐ 15000 – **26 cam** 100/200000, 4 appartamenti – ½ P 100/160000.

Del Viale, viale Monte Bianco 74 ✆ 846712, Telex 214509, Fax 844513, ≤ monti, 🌲 – ▣ ☎ ⇔ ℗. AE. ⓢ. ⓞ E VISA. ✻ BY c
chiuso maggio e novembre – **Pasto** *(chiuso martedì)* carta 40/55000 – **23 cam** ☐ 120/180000 – P 90/180000.

Chetif, strada la Villette 11 ✆ 843503, Fax 846345, ≤ monti, 🌲 – |$| ▣ ☎ ⇔ ℗. AE. ⓢ. ⓞ E VISA. ✻ rist AZ f
dicembre-aprile e luglio-25 settembre – **Pasto** 50/55000 – ☐ 18000 – **20 cam** 100/150000 – ½ P 125/150000.

Courmayeur, via Roma 158 ✆ 846732, Fax 845125 – |$| ▣ ☎ ℗. AE. ⓢ. ⓞ E VISA. ✻ rist AZ h
20 dicembre-maggio e 15 giugno-15 settembre – **Pasto** 40/50000 – ☐ 20000 – **26 cam** 120/190000 – P 100/200000.

Lo Scoiattolo, viale Monte Bianco 48 ✆ 846721, Fax 843785 – |$| ▣ ☎ ℗. AE. ⓢ. E VISA. ✻ AZ c
Pasto *(chiuso a mezzogiorno escluso dal 20 giugno al 20 settembre)* 25/30000 – **24 cam** ☐ 105/135000 – ½ P 125/140000.

Walser, strada Margherita 8 bis ✆ 844824, Fax 844849 – |$| ▣ ☎ ♿ ⇔. AE. ⓢ. E VISA AZ p
chiuso dal 16 ottobre al 14 novembre e dal 2 al 31 maggio – **Pasto** *(dicembre-15 aprile e luglio-15 settembre*; solo per alloggiati) – **22 cam** ☐ 150/180000 – ½ P 110/180000.

Hotel dei Camosci, località La Saxe ✆ 842338, Fax 842124, ≤ Monte Bianco, 🌲 – |$| ▣ ☎ ♿ ℗ BY m
stagionale – **23 cam**, appartamento.

XXX ✿ **Grill Royal e Golf** - Royal e Golf, via Roma 87 ✆ 846787, Fax 842093, solo su prenotazione – AE. ⓢ. ⓞ E VISA AZ a
23 dicembre-Pasqua e luglio-agosto; chiuso a mezzogiorno e lunedì (escluso agosto e Natale) – **Pasto** 90000 e carta 60/100000
Spec. Coscette di rane in brodetto al basilico. Orzo perlato mantecato alle verdure e formaggi. Filetto di capriolo in salsa al ginepro.

XXX **Le Cadran Solaire,** via Roma 122 ✆ 844609, Fax 844609, ☂ – AE. 🅂. ⓓ VISA AZ
novembre-maggio e 15 giugno-settembre; chiuso martedì – **Pasto** carta 50/90000.

XX **Pierre Alexis 1877,** via Marconi 54 ✆ 843517 – 🅂. E VISA AZ
chiuso ottobre, novembre, lunedì (escluso agosto) e da dicembre a Pasqua i mezzogio di lunedì e martedì – **Pasto** carta 45/75000.

XX **Chalet Plan Gorret** ⛰ con cam, a Plan Gorret 45 ✆ 844832, Fax 844842, « Serv estivo in terrazza con ≤ monti », – TV ☎ P. 🅂. E VISA. ✻ rist BY
chiuso dal 5 maggio a giugno e da novembre al 20 dicembre – **Pasto** *(chiuso martedì)* ca 40/75000 – ☕ 15000 – **6 cam** 140000 – ½ P 160000.

ad Entrèves *N : 4 km – alt. 1 306 – ✉ 11013 Courmayeur :*

🏨 **Pilier d'Angle** ⛰, ✆ 869760, Fax 869770, ≤ Monte Bianco, – TV ☎ ⛟ P. AE. ⓓ E VISA. ✻ BX
chiuso maggio, ottobre e novembre – **Pasto** al Rist. ***Taverna del Pilier*** *(chiuso lun* carta 45/70000 – ☕ 16000 – **20 cam** 120/170000, 3 appartamenti – ½ P 85/175000.

🏨 **La Grange** ⛰ senza rist, strada La Brenva 1 ✆ 869733, Fax 869744, ≤ Monte Bian « In una baita del 14° secolo », Ls, ≘s, – |‡| TV ☎ P. AE. 🅂. ⓓ E VISA. ✻ BX
dicembre-aprile e luglio-settembre – **23 cam** ☕ 200000.

XX **La Brenva** ⛰ con cam, scorciatoia La Palud 14 ✆ 869780, Fax 869726, ≤ Monte Bianc TV ☎. 🅂. E VISA. ✻ rist ABX
chiuso maggio – **Pasto** *(chiuso lunedì)* carta 55/80000 – **12 cam** ☕ 170/200000 – ½ P 1 175000.

in Val Ferret :

🏨 **Astoria,** a La Palud N : 5 km alt. 1 360 ✉ 11013 ✆ 869740, Fax 869750, ≤ Monte Bianc |‡| TV ☎ ⛟ P. 🅂. E VISA. ✻ BX
15 dicembre-aprile e luglio-20 settembre – **Pasto** *(chiuso giovedì)* carta 45/7000 ☕ 15000 – **34 cam** 70/100000 – ½ P 105/110000.

🏨 **Miravalle** ⛰, località Planpincieux N :7 km ✆ 869777, Fax 869777, ≤ Monte Bianc Grandes Jorasses – TV ☎ ♿ P. 🅂. E VISA JCB. ✻ BX
chiuso maggio e giugno – **Pasto** *(chiuso martedì)* carta 40/60000 – **11 cam** ☕ 100/150 – ½ P 100/120000.

X **La Clotze** ⛰, a Planpincieux N : 7 km alt. 1 600 ✉ 11013 ✆ 869720, ☂, – P. 🅂. E VISA. ✻ BX
chiuso mercoledì, dal 5 giugno al 14 luglio e dal 5 novembre al 5 dicembre – **Pasto** ca 45/65000.

in Val Veny :

🏨 **Val Veny** ⛰, a Plan-Ponquet NO : 4 km alt. 1 480 ✉ 11013 ✆ 869717, ≤, P AX
luglio-agosto – **Pasto** carta 45/65000 – ☕ 12000 – **19 cam** 55/105000 – ½ P 85/105000

CRANDOLA VALSASSINA *22050 Lecco 219 ⑩ – 264 ab. alt. 769 – ☎ 0341.*

Roma 647 – Como 59 – Lecco 30 – Milano 87 – Sondrio 65.

XX **Da Gigi** con cam, ✆ 840124, ≤ – 🅂. VISA. ✻ rist
chiuso dal 10 al 20 giugno e dal 5 al 20 settembre – **Pasto** *(chiuso mercoledì esclu luglio-agosto)* carta 40/60000 – **9 cam** solo ½ P 70000.

CRAVANZANA *12050 Cuneo 428 I 6 – 420 ab. alt. 583 – ☎ 0173.*

Roma 610 – Genova 122 – Alessandria 74 – Cuneo 48 – Mondovì 42 – Savona 72 – Torino

X **Mercato da Maurizio** ⛰ con cam, via San Rocco 16 ✆ 855019, Fax 855019, prenot – P. 🅂. E VISA. ✻
chiuso dal 1° all'8 giugno – **Pasto** *(chiuso mercoledì)* carta 35/50000 – ☕ 10000 – **7 ca** 55/75000 – ½ P 65000.

CREMA *26013 Cremona 988 ③, 428 F 11 – 33 287 ab. alt. 79 – ☎ 0373.*

⛳ (chiuso martedì e gennaio) frazione Ombrianello ✉ 26013 ✆ 230270, Fax 230467.

Roma 546 – Piacenza 40 – Bergamo 40 – Brescia 51 – Cremona 38 – Milano 44 – Pavia 52

🏨 **Ponte di Rialto,** via Cadorna 5 ✆ 82342, Fax 83520, ☂ – |‡| ▤ TV ☎ ♿ ⛟ P 🏛 150. AE. 🅂. ⓓ E VISA. ✻ rist
chiuso agosto – **Pasto** *(chiuso domenica sera)* carta 45/70000 – **33 cam** ☕ 120/17000 ½ P 150/160000.

🏨 **Park Hotel Residence** senza rist, via IV Novembre 51 ✆ 86353, Fax 85082 – |‡| ▤ TV ⛟ P. AE. 🅂. ⓓ E VISA. ✻
chiuso dall'8 al 23 agosto – **20 cam** ☕ 110/160000.

OCI DI CALENZANO *Firenze* 430 K 15 – *Vedere Calenzano.*

ODO *28036 Verbania* 428 D 6, 217 ⑲ – *1 597 ab. alt. 508* – ☎ *0324.*

Roma 712 – Stresa 46 – Domodossola 14 – Milano 136 – Novara 105 – Torino 179.

iceno *NO : 4,5 km – alt. 896 – ✉ 28036 Crodo :*

Edelweiss, ✆ 618791, Fax 618791, ≤, – 📺 ☎ P. AE. S. E VISA
chiuso dal 20 al 31 gennaio e dal 10 al 25 novembre – **Pasto** *(chiuso mercoledì escluso dal 15 giugno al 15 settembre)* carta 35/50000 – ☐ 5000 – **21 cam** 40/80000 – ½ P 55/70000.

Pizzo del Frate, località Foppiano NO : 3,5 km alt. 1 250, ✆ 61233, ≤ monti, – P. AE. S. E VISA. rist
chiuso febbraio e dal 5 al 30 novembre – **Pasto** *(chiuso martedì escluso dal 15 giugno al 15 settembre)* carta 35/50000 – ☐ 6500 – **15 cam** 40/70000 – ½ P 70000.

OSA *Vercelli* 428 E 6, 219 ⑥ – *Vedere Varallo.*

Pour voyager rapidement, utilisez les ***cartes Michelin "Grandes Routes" :***
970 ***Europe,*** **976** ***République Tchèque-République Slovaque,*** **980** ***Grèce,***
984 ***Allemagne,*** **985** ***Scandinavie-Finlande,*** **986** ***Grande-Bretagne-Irlande,***
987 ***Allemagne-Autriche-Benelux,***
988 ***Italie,*** **989** ***France,*** **990** ***Espagne-Portugal,*** **991** ***Yougoslavie.***

ROTONE *88074* P 988 ㊴ ㊵, 431 J 33 *G. Italia* – *59 480 ab.* – ☎ *0962.*

via Torino 148 ✆ 23185.

A.C.I. *via Corrado Alvaro (Palazzo Ruggero) A/2 ✆ 908013.*

Roma 593 – Cosenza 112 – Catanzaro 73 – Napoli 387 – Reggio di Calabria 228 – Taranto 242.

Helios, via per Capocolonna S : 2 km ✆ 901291, Fax 27997, – 📺 ☎ P – 70. AE. S. E VISA. rist
Pasto carta 35/45000 – **33 cam** ☐ 75/110000 – ½ P 95/105000.

XX La Sosta, via Corrado Alvaro ✆ 23831 –

XX **Casa di Rosa,** viale Colombo 117 ✆ 21946, Fax 21946 – . AE. S. E VISA
chiuso domenica – **Pasto** specialità di mare carta 45/65000
Spec. Sauté di frutti di mare. Tagliatelle agli scampi. Grigliata mista di pesce.

XX **Sale e Pepe,** viale Gramsci 122 ✆ 901425, – . AE. S. E VISA.
chiuso dal 24 dicembre all'8 gennaio e venerdì (escluso agosto) – **Pasto** specialità di mare carta 40/65000.

UASSO AL MONTE *21050 Varese* 428 E 8, 219 ⑧ – *2 964 ab. alt. 532* – ☎ *0332.*

Roma 648 – Como 43 – Lugano 31 – Milano 72 – Varese 16.

X **Al Vecchio Faggio,** località Borgnana E : 1 km, via Garibaldi 8 ✆ 938040, « Servizio estivo all'aperto con ≤ » – P. AE. S. E VISA
chiuso mercoledì, dal 7 al 22 gennaio e dal 15 al 30 giugno – **Pasto** carta 30/70000.

Cavagnano *SO : 2 km – ✉ 21050 Cuasso al Monte :*

Alpino, ✆ 939083, Fax 939094, – 📺 ☎ P. S. E VISA.
Pasto *(chiuso lunedì)* carta 45/70000 – **14 cam** ☐ 85/115000, appartamento – ½ P 70/85000.

CUGLIERI *Oristano* – *Vedere Sardegna alla fine dell'elenco alfabetico.*

CUNARDO *21035 Varese* 428 E 8, 219 ⑧ – *2 484 ab. alt. 450* – ☎ *0332.*

Roma 641 – Stresa 69 – Bellinzona 28 – Como 43 – Lugano 20 – Milano 73 – Novara 74 – Varese 16.

Delle Arti, via Luinese 18 ✆ 990003, Fax 990033, – 📺 ☎ P – 40. AE. S. E VISA
Pasto *(chiuso giovedì)* carta 60/90000 – **14 cam** ☐ 150/200000 – ½ P 120/150000.

CUNEO *12100* **P** 988 ⑫, 428 I 4 – *54 878 ab. alt. 543 –* ✆ *0171.*

I Pioppi (marzo-novembre; chiuso mercoledì) a Madonna dell'Olmo ✉ 12020 ✆ 4121 per ① : 3 km.

corso Nizza 17 ✆ 693258, Fax 695440.

A.C.I. *corso Brunet 19/b ✆ 695962.*

Roma 643 ② – Alessandria 126 ① – Briançon 198 ① – Genova 144 ② – Milano 216 ① Nice 126 ③ – San Remo 111 ③ – Savona 98 ② – Torino 94 ①.

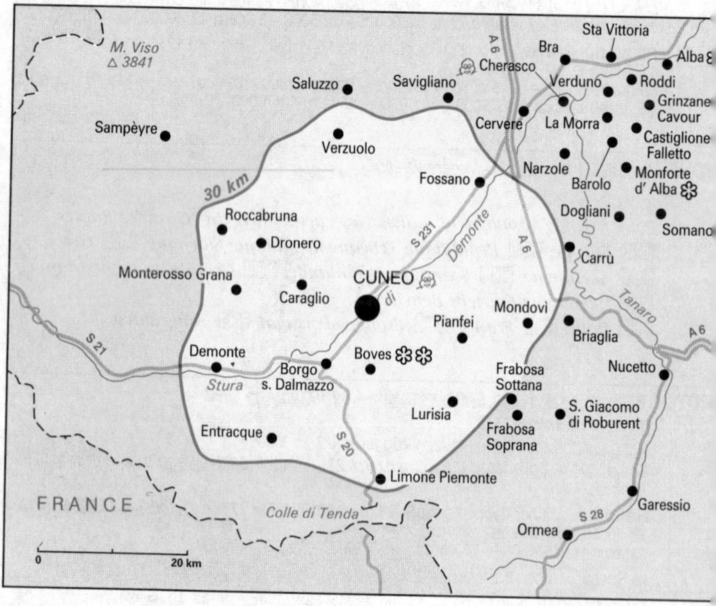

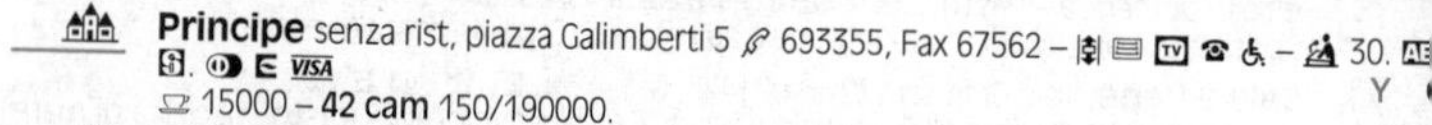

Principe senza rist, piazza Galimberti 5 ✆ 693355, Fax 67562 – 30. AE. ⑤. ⊙ E VISA
☕ 15000 – **42 cam** 150/190000. Y

Royal Superga senza rist, via Pascal 3 ✆ 693223, Fax 699101 – P. AE. ⑤ ⊙ E VISA
☕ 13000 – **24 cam** 90/120000. Y a

Fiamma senza rist, via Meucci 36 ✆ 66651, Fax 66652 – AE. ⑤. ⊙ E VISA.
☕ 15000 – **13 cam** 95/115000. Z a

Smeraldo senza rist, corso Nizza 27 ✆ 696367, Fax 696367 – AE. ⑤. ⊙ E VISA.
☕ 12000 – **21 cam** 80/100000. Z f

Siesta senza rist, via Vittorio Amedeo 2 ✆ 681960, Fax 697128 – AE. ⑤. ⊙ E VISA – ☕ 12000 – **20 cam** 85/110000. Y x

Le Plat d'Etain, corso Giolitti 18 ✆ 681918, Coperti limitati; prenotare – AE. ⑤. ⊙ E VISA.
chiuso domenica – **Pasto** cucina francese 40/50000 e carta 50/70000. Z r

Osteria della Chiocciola, via Fossano 1 ✆ 66277, prenotare – AE. ⑤. ⊙ E VISA. JCB
chiuso domenica e dal 10 al 20 agosto – **Pasto** carta 35/50000. Y s

Ligure con cam, via Savigliano 11 ✆ 681942, Fax 634545 – P. AE. ⑤. ⊙ E VISA
chiuso dal 10 gennaio al 1° febbraio – **Pasto** *(chiuso domenica sera)* carta 30/45000 – ☕ 10000 – **26 cam** 70/90000 – ½ P 70/80000. Y v

Trattoria Toscana, via 20 Settembre 33 ✆ 681958, prenotare – AE. ⑤. VISA
chiuso lunedì e dal 10 al 18 agosto – **Pasto** specialità toscane carta 40/55000. Z t

Lo Zuavo, via Roma 23 ✆ 602020 – AE. ⑤. E VISA. JCB
chiuso mercoledì e dal 1° al 7 luglio – **Pasto** carta 35/50000. Y b

adonna dell'Olmo *per ① : 3 km – ✉ 12020 :*

XX **Locanda da Peiu,** via Valle Po 10 ☎ 412174 – Ⓟ. 🅂. ⓓ E VISA
chiuso lunedì ed agosto – **Pasto** carta 25/55000.

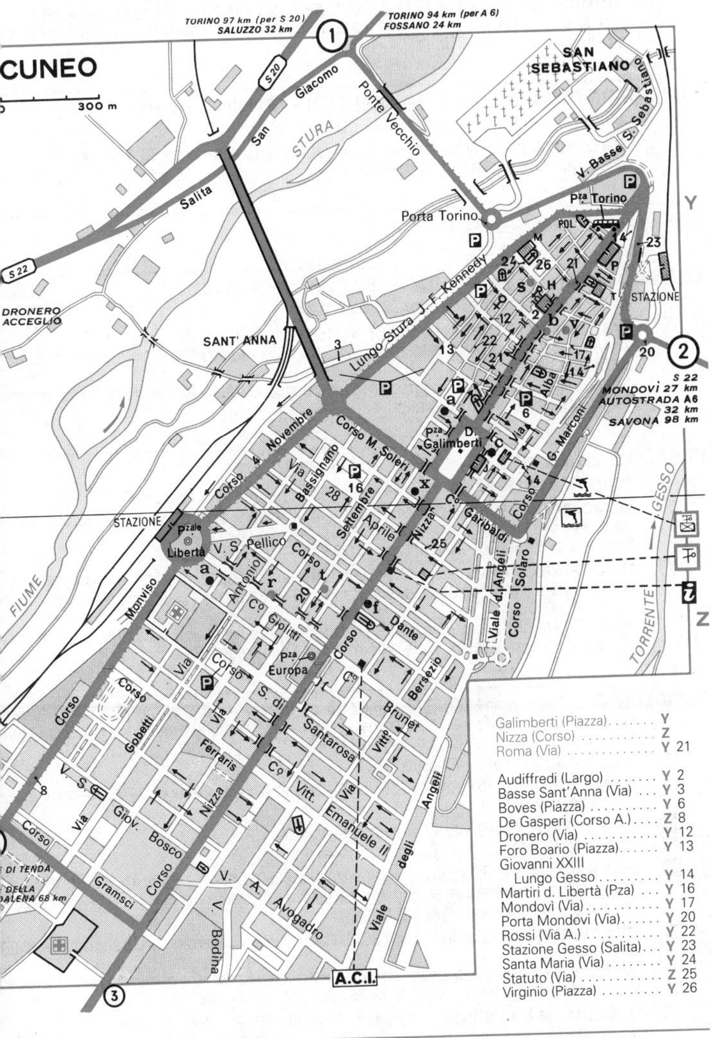

Galimberti (Piazza)	Y	
Nizza (Corso)	Z	
Roma (Via)	Y	21
Audiffredi (Largo)	Y	2
Basse Sant'Anna (Via)	Y	3
Boves (Piazza)	Y	6
De Gasperi (Corso A.)	Z	8
Dronero (Via)	Y	12
Foro Boario (Piazza)	Y	13
Giovanni XXIII Lungo Gesso	Y	14
Martiri d. Libertà (Pza)	Y	16
Mondovì (Via)	Y	17
Porta Mondovi (Via)	Y	20
Rossi (Via A.)	Y	22
Stazione Gesso (Salita)	Y	23
Santa Maria (Via)	Y	24
Statuto (Via)	Z	25
Virginio (Piazza)	Y	26

CUORGNÈ *10082 Torino* 988 ⑫, 428 *F 4 – 10 257 ab. alt. 414 –* ☎ *0124.*
Roma 700 – Torino 38 – Aosta 86 – Ivrea 24 – Milano 137 – Novara 90.

XX **Da Mauro,** piazza Martiri della Libertà ☎ 666001, Fax 666001, 🏖 – AE. 🅂. ⓓ E VISA
chiuso dal 23 al 30 giugno, le sere del 25-26 dicembre, domenica sera e lunedì a mezzogiorno (escluso luglio-agosto) – **Pasto** carta 30/50000.

CUOTTO *Napoli – Vedere Ischia (Isola d') : Forio.*

CUPRA MARITTIMA *63012 Ascoli Piceno* 430 M 23 *G. Italia – 4 796 ab. – a.s. luglio-agost*
0735.

Dintorni *Montefiore dell'Aso : polittico★★ del Crivelli nella chiesa NO : 12 km.*

Roma 240 – Ascoli Piceno 47 – Ancona 80 – Macerata 60 – Pescara 78 – Porto S Giorgio 19.

Europa, via Gramsci 8 ℘ 778034, Fax 778033, – . . E VISA. JCB.
chiuso dal 1° al 20 novembre – **Pasto** *(chiuso lunedì)* carta 35/55000 – ☐ 6000 – **30 ca** 55/85000 – ½ P 70/80000.

CUPRAMONTANA *60034 Ancona* 988 ⑯, 430 *L 21 – 4 730 ab. alt. 506 – 0731.*
Roma 246 – Ancona 48 – Gubbio 69 – Macerata 59.

Da Orietta, piazza IV Novembre 1/2 ℘ 780119, Rist. e pizzeria – . VISA.
chiuso lunedì – **Pasto** carta 35/50000.

CURAVECCHIA *Vercelli – Vedere Roasio.*

CURNO *24035 Bergamo* 428 E 10, 219 ⑳ *– 6 793 ab. alt. 242 – 035.*
Roma 607 – Bergamo 6 – Lecco 28 – Milano 49.

Trattoria del Tone, via Roma 4 ℘ 613166 – . AE. . E VISA.
chiuso martedì sera, mercoledì e dal 1° al 21 agosto – **Pasto** 30000 (solo a mezzogiorno) carta 45/75000
Spec. Pappardelle con ragoût d'anatra. Scaloppa di dentice con pomodorini taranti Coniglio al rosmarino con polenta.

CUSAGO *20090 Milano* 428 *F 9 – 2 573 ab. alt. 126 – 02.*
Roma 582 – Milano 12 – Novara 45 – Pavia 40.

Le Moran, viale Europa 90 ℘ 90119894, Fax 9016207 – – 300. AE.
E VISA.
Pasto carta 60/80000 – **80 cam** ☐ 215/275000 – ½ P 250000.

Da Orlando, piazza Soncino 19 ℘ 90390318, Fax 90390318, – AE. . E VISA.
chiuso sabato a mezzogiorno, domenica, dal 25 dicembre al 2 gennaio ed agosto – **Past** carta 60/100000
Spec. Risotto alla zucca e ragú di germano (ottobre-febbraio). Sella di coniglio al mie d'acacia e zenzero. Filetto al foie gras in salsa al Muffato della Sala.

CUTIGLIANO *51024 Pistoia* 428, 429, 430 *J 14 G. Toscana – 1 802 ab. alt. 670 – a.s. Pasqu luglio-agosto e Natale – Sport invernali : a Doganaccia : 1 600/1 800 m 2 3; a Pian Novello : 1 136/1 771 m 5, – 0573.*

via Roma 25 ℘ 68029, Fax 68200.

Roma 348 – Firenze 70 – Pisa 72 – Lucca 52 – Milano 285 – Modena 111 – Montecatini Term 44 – Pistoia 38.

Italia, ℘ 68008, Fax 68008, « Giardino ombreggiato » –
stagionale – **31 cam.**

Villa Patrizia, viale Europa 9 ℘ 68024, Fax 68608, ←, – . AE. . VISA.
Pasto *(20 dicembre-aprile e 25 giugno-20 settembre; solo per alloggiati)* – ☐ 12000 –
18 cam 85/140000 – ½ P 85/130000.

Miramonte, piazza Catilina 12 ℘ 68012, Fax 68013, ←, « Giardino ombreggiato » –
. .
20 dicembre-aprile e giugno-settembre – **Pasto** *(chiuso dal 20 dicembre ad aprile esclus Natale-Pasqua)* 30/35000 – ☐ 10000 – **35 cam** 70/100000 – ½ P 90/110000.

Trattoria da Fagiolino, via Carega 1 ℘ 68014 – AE. . E VISA. JCB
chiuso martedì sera, mercoledì e novembre – **Pasto** carta 30/55000.

CUVIO *21030 Varese* 428 E 8, 219 ⑦ *– 1 466 ab. alt. 309 – 0332.*
Roma 652 – Stresa 57 – Luino 16 – Milano 75 – Novara 67 – Varese 20.

Corona con cam, ℘ 624150, Fax 624189, – . AE. . E VISA.
Pasto *(chiuso lunedì)* carta 30/35000 – ☐ 5000 – **30 cam** 60/80000 – ½ P 50/60000.

DAMECUTA *Napoli – Vedere Capri (Isola di) : Anacapri.*

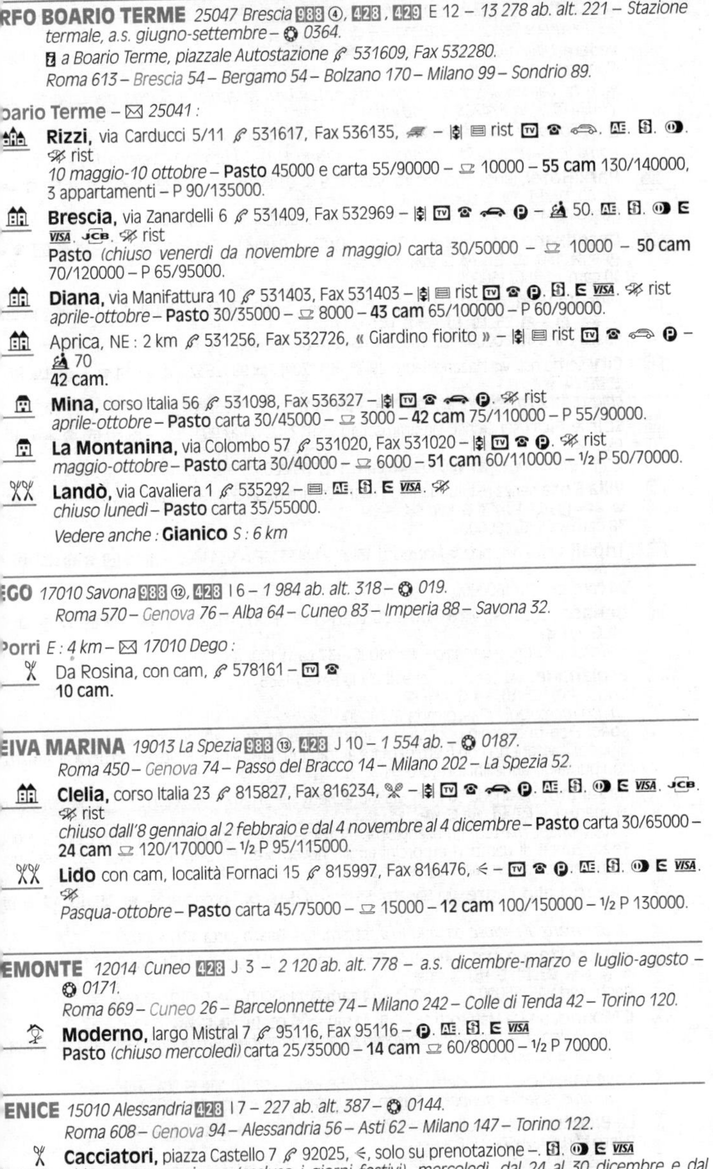

RFO BOARIO TERME *25047 Brescia 988 ④, 428, 429 E 12 – 13 278 ab. alt. 221 – Stazione termale, a.s. giugno-settembre – 0364.*

a Boario Terme, piazzale Autostazione 531609, Fax 532280.

Roma 613 – Brescia 54 – Bergamo 54 – Bolzano 170 – Milano 99 – Sondrio 89.

oario Terme – *25041 :*

Rizzi, via Carducci 5/11 531617, Fax 536135, – rist . AE. . . rist
10 maggio-10 ottobre – **Pasto** 45000 e carta 55/90000 – 10000 – **55 cam** 130/140000, 3 appartamenti – P 90/135000.

Brescia, via Zanardelli 6 531409, Fax 532969 – – 50. AE. . E VISA. JCB. rist
Pasto *(chiuso venerdì da novembre a maggio)* carta 30/50000 – 10000 – **50 cam** 70/120000 – P 65/95000.

Diana, via Manifattura 10 531403, Fax 531403 – rist . . E VISA. rist
aprile-ottobre – **Pasto** 30/35000 – 8000 – **43 cam** 65/100000 – P 60/90000.

Aprica, NE : 2 km 531256, Fax 532726, « Giardino fiorito » – rist – 70
42 cam.

Mina, corso Italia 56 531098, Fax 536327 – . rist
aprile-ottobre – **Pasto** carta 30/45000 – 3000 – **42 cam** 75/110000 – P 55/90000.

La Montanina, via Colombo 57 531020, Fax 531020 – . rist
maggio-ottobre – **Pasto** carta 30/40000 – 6000 – **51 cam** 60/110000 – ½ P 50/70000.

Landò, via Cavaliera 1 535292 – . AE. . E VISA.
chiuso lunedì – **Pasto** carta 35/55000.

Vedere anche : **Gianico** *S : 6 km*

GO *17010 Savona 988 ⑫, 428 I 6 – 1 984 ab. alt. 318 – 019.*

Roma 570 – Genova 76 – Alba 64 – Cuneo 83 – Imperia 88 – Savona 32.

orri *E : 4 km – 17010 Dego :*

Da Rosina, con cam, 578161 –
10 cam.

IVA MARINA *19013 La Spezia 988 ⑬, 428 J 10 – 1 554 ab. – 0187.*

Roma 450 – Genova 74 – Passo del Bracco 14 – Milano 202 – La Spezia 52.

Clelia, corso Italia 23 815827, Fax 816234, – . AE. . E VISA. JCB. rist
chiuso dall'8 gennaio al 2 febbraio e dal 4 novembre al 4 dicembre – **Pasto** carta 30/65000 – **24 cam** 120/170000 – ½ P 95/115000.

Lido con cam, località Fornaci 15 815997, Fax 816476, – . AE. . E VISA.
Pasqua-ottobre – **Pasto** carta 45/75000 – 15000 – **12 cam** 100/150000 – ½ P 130000.

EMONTE *12014 Cuneo 428 J 3 – 2 120 ab. alt. 778 – a.s. dicembre-marzo e luglio-agosto – 0171.*

Roma 669 – Cuneo 26 – Barcelonnette 74 – Milano 242 – Colle di Tenda 42 – Torino 120.

Moderno, largo Mistral 7 95116, Fax 95116 – . AE. . E VISA
Pasto *(chiuso mercoledì)* carta 25/35000 – **14 cam** 60/80000 – ½ P 70000.

ENICE *15010 Alessandria 428 I 7 – 227 ab. alt. 387 – 0144.*

Roma 608 – Genova 94 – Alessandria 56 – Asti 62 – Milano 147 – Torino 122.

Cacciatori, piazza Castello 7 92025, , solo su prenotazione –. . E VISA
chiuso a mezzogiorno (escluso i giorni festivi), mercoledì, dal 24 al 30 dicembre e dal 15 luglio al 10 agosto – **Pasto** 50/120000.

ERUTA *06053 Perugia 988 ⑮ ⑯, 430 N 19 – 7 860 ab. alt. 218 – 075.*

Roma 153 – Perugia 20 – Assisi 33 – Orvieto 54 – Terni 63.

Melody, strada statale 3 bis-E 45 (SO : 1,5 km) 9711186, Fax 9711018 – – 60. AE. . E VISA.
Pasto carta 30/60000 – 10000 – **47 cam** 100/110000 – ½ P 65/85000.

DESENZANO DEL GARDA *25015 Brescia* 988 ④, 428, 429 F 13 *G. Italia – 22 566 ab. alt.*
a.s. Pasqua e luglio-15 settembre – ☎ *030.*

Vedere *Ultima Cena★ del Tiepolo nella chiesa parrocchiale – Mosaici romani★ nella Romana.*

18 e 9 *Gardagolf (chiuso lunedì da novembre ad aprile) a Soiano del Lago ✉ 25 ℘ 674707, Fax 674788, SE : 10 km.*

via Porto Vecchio (Palazzo del Turismo) ℘ 9141510, Fax 9144209.

Roma 528 – Brescia 31 – Mantova 67 – Milano 118 – Trento 130 – Verona 43.

Park Hotel, lungolago Cesare Battisti 19 ℘ 9143494, Fax 9142280, ← – 80. AE. rist
Pasto 40/45000 – 15000 – **65 cam** 140/170000 – 1/2 P 120/140000.

Desenzano senza rist, viale Cavour 40/42 ℘ 9141414, Fax 9140294, – 150. AE. VISA. JCB.
40 cam 150/160000.

Piccola Vela, viale Dal Molin 36 ℘ 9914666, Fax 9914666, « Giardino con » – 25. AE. VISA. rist
Pasto carta 40/60000 – 10000 – **43 cam** 80/150000 – 1/2 P 110/115000.

City senza rist, via Nazario Sauro 29 ℘ 9911704, Fax 9912837 – AE. VISA. JCB
chiuso dal 20 dicembre al 7 gennaio – **39 cam** 100/165000.

Sole e Fiori senza rist, via Gramsci 40 ℘ 9121021, Fax 9912530 – VISA.
aprile-settembre – 10000 – **46 cam** 110/170000.

Villa Rosa senza rist, lungolago Cesare Battisti 89 ℘ 9141974, Fax 9143782, – AE. VISA.
38 cam 115/160000.

Tripoli senza rist, piazza Matteotti 18 ℘ 9144333, Fax 9141305 – AE. VISA
24 cam 105/160000.

Benaco senza rist, viale Cavour 30 ℘ 9141710, Fax 9141273, – AE. VISA.
chiuso dicembre e gennaio – 11000 – **37 cam** 100/120000.

Esplanade, via Lario 10 ℘ 9143361, Fax 9143361, ←, « Servizio estivo in giardino lago » – AE. VISA.
chiuso mercoledì – **Pasto** carta 60/90000
Spec. Fiori di zucchina ripieni di caprino ed erbe aromatiche con salsa ai piselli (apri giugno). Lasagnetta con frutti di mare al Traminer aromatico. Filetto di struzzo all'Amaro con purea di cannellini (ottobre-giugno).

Cavallino, via Gherla 30 (ang. via Murachette) ℘ 9120217, Fax 9912751, « Servizio estiv all'aperto » – AE. VISA.
chiuso lunedì, martedì a mezzogiorno, Natale e dal 1° al 20 gennaio – **Pasto** carta 50/900
Spec. Zuppa di gamberi e porcini (luglio-novembre). Fazzoletti di pasta con scorfano cappesante. Faraona all'uva passa e arance.

Bagatta alla Lepre, via Bagatta 33 ℘ 9142313, , prenotare – AE. VIS JCB
chiuso martedì escluso da giugno a settembre – **Pasto** carta 40/75000.

Enrichetta con cam, a Rivoltella E : 1,5 km ✉ 25010 ℘ 9119231, Fax 9901132 – AE. VISA. rist
Pasto carta 45/65000 – 15000 – **14 cam** 90/110000 – 1/2 P 110/130000.

Il Molino, piazza Matteotti 16 ℘ 9141340 – AE. VISA
chiuso lunedì, martedì a mezzogiorno e dal 20 dicembre al 20 gennaio – **Pasto** specialità mare carta 50/90000.

Toscana, via San Benedetto 10 ℘ 9121586, – AE. VISA. JCB.
chiuso mercoledì e gennaio – **Pasto** specialità toscane carta 40/60000.

La Bicocca, vicolo Molini 6 ℘ 9143658 – AE. VISA. JCB.
Pasto carta 45/65000 (10 %).

DESIO *20033 Milano* 988 ③, 428 F 9 – *34 536 ab. alt. 196 –* ☎ *0362.*

Roma 590 – Milano 20 – Bergamo 49 – Como 32 – Lecco 35 – Novara 62.

Selide, via Matteotti 1 ℘ 624441, Fax 627406 – – 100. AE. VIS
Pasto *(chiuso domenica, dal 24 dicembre al 6 gennaio ed agosto)* carta 40/60000 – 12000 – **72 cam** 95/140000 – 1/2 P 120/140000.

San Carlo, via Milano 199 ℘ 622316 – AE. VISA. JCB.
chiuso sabato ed agosto – **Pasto** carta 40/70000.

UTSCHNOFEN = *Nova Ponente.*

AMANTE *87023 Cosenza* 988 ㊳, 431 H 29 – *5 385 ab.* – ✆ *0985.*

Roma 444 – Cosenza 78 – Castrovillari 88 – Catanzaro 137 – Sapri 60.

Ferretti, via Lungomare ✆ 81428, Fax 81114, ←, « Servizio rist. estivo sulla spiaggia », ⛱, ▲, ✗ – |♦| ▤ TV ☎ P. AE. Ⓢ. ◑ E VISA. ✻ rist
aprile-settembre – **Pasto** carta 55/75000 – **45 cam** ☐ 150/190000 – P 115/170000.

Riviera Bleu, via Poseidone 1 ✆ 81363, Fax 81363, ←, ▲ – ▤ ☎ P. AE. Ⓢ. ◑ E VISA. ✻ rist
20 maggio-settembre – **Pasto** carta 30/45000 – ☐ 7000 – **51 cam** 110/135000 – ½ P 120000.

Solemare con cam, strada statale 18 (E : 1 km) ✆ 87550, Fax 87025, ←, ⛱, ✿ – TV ☎ P. AE. Ⓢ. ◑ VISA. ✻ rist
Pasto *(chiuso dal 15 ottobre al 15 novembre)* carta 35/55000 – ☐ 8000 – **16 cam** 80/90000 – ½ P 75/100000.

ANO MARINA *18013 Imperia* 988 ⑫, 428 K 6 *G. Italia* – *6 317 ab.* – ✆ *0183.*

ℹ *piazza Martiri della Libertà 1 ✆ 496956, Fax 494365.*

Roma 608 – Imperia 6 – Genova 109 – Milano 232 – San Remo 31 – Savona 63.

Gd H. Diana Majestic ✈, via degli Oleandri 15 ✆ 495443, Fax 494039, ←, « Giardino-uliveto con ⛱ », ▲ – ▤ TV ☎ ♿ P – 🏛 40. AE. Ⓢ. ◑ E VISA. ✻ rist
chiuso dal 20 ottobre al 20 dicembre – **Pasto** (solo per alloggiati) 35/50000 – **80 cam** ☐ 160/190000, 2 appartamenti – ½ P 110/175000.

Bellevue et Mediterranée, via Generale Ardoino 2 ✆ 402693, Fax 402693, ←, ⛱ con acqua di mare riscaldata, ▲ – |♦| ▤ cam TV ☎ ♿ P. AE. Ⓢ. ◑ E VISA. ✻ rist
chiuso da ottobre al 20 dicembre – **Pasto** 40/50000 – ☐ 15000 – **70 cam** 130/180000 – ½ P 85/150000.

Caravelle ✈, via Sausette 24 ✆ 405311, Fax 405657, ←, ≘s, ⛱, ▲, ✿, ✗ – |♦| TV ☎ 🚗 P. Ⓢ. E VISA. ✻ rist
maggio-settembre – **Pasto** (solo per alloggiati) – ☐ 21000 – **58 cam** 145/150000 – ½ P 90/150000.

Gabriella ✈, via dei Gerani 9 ✆ 403131, Fax 405055, ⛱ riscaldata, ▲, ✿ – |♦| TV ☎ P. AE. Ⓢ. ◑ E VISA. ✻ rist
chiuso da novembre al 27 dicembre – **Pasto** 30/40000 – ☐ 10000 – **46 cam** 90/150000 – ½ P 75/135000.

Torino, via Milano 42 ✆ 495106, Fax 404602, ⛱ – |♦| ▤ cam TV ☎ – 🏛 40. Ⓢ. VISA. ✻
chiuso novembre e dicembre – **Pasto** 35/45000 – ☐ 14000 – **82 cam** 95/130000, ▤ 7000 – ½ P 80/100000.

Jasmin, viale Torino 3 ✆ 495300, Fax 495964, ←, ▲, ✿ – TV ☎ P. AE. Ⓢ. E VISA. ✻ rist
chiuso dal 15 ottobre al 20 dicembre – **Pasto** (solo per alloggiati) 30000 – ☐ 15000 – **30 cam** 100/130000 – ½ P 65/110000.

Sasso, via Biancheri 7 ✆ 494319, Fax 494310 – |♦| ⇆ rist ▤ rist TV ☎ P. AE. Ⓢ. VISA. ✻ rist
chiuso dal 18 ottobre al 19 dicembre – **Pasto** 25/35000 – ☐ 12000 – **46 cam** 75/115000 – ½ P 65/110000.

Palace, viale Torino 2 ✆ 495479, Fax 496123, ←, ≘s – |♦| TV ☎. AE. Ⓢ. E VISA. ✻ rist
chiuso da novembre al 22 dicembre – **Pasto** 40/45000 – ☐ 17000 – **46 cam** 110/135000 – ½ P 100/120000.

Golfo e Palme, viale Torino 12 ✆ 495096, Fax 494304, ←, ▲ – |♦| ▤ rist ☎ P. AE. Ⓢ. ◑ E VISA. ✻ rist
aprile-ottobre – **Pasto** (solo per alloggiati) 45000 – ☐ 18000 – **41 cam** 90/115000 – ½ P 70/145000.

Arc en Ciel, viale Torino 21 ✆ 495283, Fax 496930, ←, « Terrazze sul mare », ▲ – |♦| TV ☎. AE. Ⓢ. ◑ E VISA. ✻ rist
Pasqua-settembre – **Pasto** 25/40000 – ☐ 15000 – **43 cam** 90/130000 – ½ P 105/115000.

Caprice, corso Roma est 19 ✆ 498021, Fax 495061 – |♦| ▤ rist TV ☎ P. AE. Ⓢ. E VISA JCB. ✻
chiuso novembre – **Pasto** carta 45/75000 – ☐ 10000 – **23 cam** 80/100000 – ½ P 75/90000.

Riviera, viale Torino 8 ✆ 495888, Fax 495888, ← – |♦| ☎. AE. Ⓢ. E VISA. ✻
chiuso dal 12 ottobre al 22 dicembre – **Pasto** 30/40000 – ☐ 12000 – **32 cam** 80/120000 – ½ P 100/110000.

Piccolo Hotel, via Sant'Elmo 10 ✆ 407022, Fax 407122 – |♦| ⇆ rist ▤ rist TV ☎. Ⓢ. ◑ E VISA. ✻
chiuso dal 5 novembre al 26 dicembre – **Pasto** (solo per alloggiati) 40000 – ☐ 20000 – **29 cam** 85/115000 – ½ P 60/105000.

Palm Beach, via 20 Settembre 4 ☎ 495284, Fax 495284, ←, – ▮ TV ☎. AE. 🅂. E ✻
chiuso dal 12 ottobre al 22 dicembre – **Pasto** 30/40000 – ☕ 12000 – **30 cam** 80/1200
½ P 100/110000.

Il Caminetto, via Olanda 1 ☎ 494700, – P. AE. 🅂. ⊙ E VISA
chiuso lunedì (escluso giugno-settembre), dal 25 febbraio al 10 marzo e dal 5 20 novembre – **Pasto** carta 50/65000.

Il Fondo, via Nizza 25 ☎ 498219, , prenotare – AE. 🅂. VISA
chiuso i mezzogiorno di lunedì, martedì e mercoledì dal 15 giugno a settembre, merco negli altri mesi – **Pasto** specialità di mare carta 45/75000 (10 %).

DIGONERA *Belluno – Vedere Rocca Pietore.*

DOBBIACO (TOBLACH) *39034 Bolzano* 988 ⑤, 429 B 18 *G. Italia – 3 196 ab. alt. 1 243 – Sp invernali : 1 243/1 615 m* ⛷4, ⛷ – ☎ *0474.*
via Dolomiti 3 ☎ 972132, Fax 972730.
Roma 705 – Cortina d'Ampezzo 33 – Belluno 104 – Bolzano 105 – Brennero 96 – Lienz 4 Milano 404 – Trento 165.

Santer, via Alemagna 4 ☎ 972142, Fax 972797, ←, , , – ▮ TV ☎ ♿ P – 🏊 1 🅂. VISA. ✻ rist
chiuso da novembre al 15 dicembre – **Pasto** *(chiuso lunedì)* 55000 – **52 cam** ☕ 165/305 – ½ P 70/210000.

Cristallo, via San Giovanni 37 ☎ 972138, Fax 972755, ← Dolomiti, , , , –
TV ☎ P. AE. 🅂. E VISA. ✻ rist
21 dicembre-26 marzo e 10 giugno-8 ottobre – **Pasto** (solo per alloggiati) 25/3500 ☕ 16000 – **30 cam** 115/220000 – P 110/190000.

Park Hotel Bellevue, via Dolomiti 23 ☎ 972101, Fax 972807, « Parco ombreggiato » ▮ rist TV ☎ P. AE. 🅂. ⊙ E VISA. ✻
20 dicembre-Pasqua e giugno-settembre – **Pasto** carta 45/55000 – **43 cam** ☕ 150/2200 – ½ P 70/145000.

Moritz, via San Giovanni 33 ☎ 972510, Fax 973141, – TV ☎ P. ✻
chiuso dal 21 aprile al 21 maggio e novembre – **Pasto** *(chiuso a mezzogiorno e giove* carta 45/60000 – ☕ 20000 – **16 cam** 80/160000 – ½ P 120000.

Laurin, via al Lago 5 ☎ 972206, Fax 973096, ←, – ▮ ☎ P. 🅂. E VISA. ✻
20 dicembre-marzo e giugno-ottobre – **Pasto** 20/30000 – ☕ 15000 – **27 cam** 100/1700 – ½ P 100000.

Urthaler, via Herbstenburg 5 ☎ 972241, Fax 973050 – ▮ TV ☎ P. ✻ cam
chiuso novembre – **Pasto** *(chiuso martedì da marzo a giugno)* 30/35000 – **28 cam** ☕ 9 160000 – ½ P 90/120000.

Monica , via F.lli Baur 8 ☎ 972216, Fax 972557, ← – ☎ P. ✻
chiuso da novembre al 20 dicembre – **Pasto** carta 40/60000 – **25 cam** ☕ 110/160000 ½ P 75/110000.

Winkelkeller, via Conte Künigl ☎ 972022 – P. 🅂. VISA
chiuso mercoledì, giugno e dal 15 al 30 ottobre – **Pasto** carta 40/85000.

sulla strada statale 49 :

Hubertus Hof, SO : 1 km ✉ 39034 ☎ 972276, Fax 972313, ← Dolomiti, , – TV P. ✻
20 dicembre-10 aprile e giugno-15 ottobre – **Pasto** carta 40/60000 – **26 cam** ☕ 80/1500 – ½ P 75/125000.

Gratschwirt con cam, SO : 1,5 km ✉ 39034 ☎ 972293, Fax 972915, , – TV ☎ AE. 🅂. ⊙ E VISA. ✻ rist
20 dicembre-Pasqua, maggio-15 giugno e luglio-15 ottobre – **Pasto** *(chiuso martedì)* car 40/80000 – **11 cam** ☕ 80/150000 – ½ P 80/130000.

Gustav Mahler Stube, SO : 2 Km ☎ 972347 – P

a Santa Maria (Aufkirchen) *O : 2 km – ✉ 39034 Dobbiaco :*

Oberhammer , ☎ 972195, Fax 972366, ← Dolomiti – ☎ P. 🅂. E VISA. ✻ rist
chiuso da novembre al 15 dicembre – **Pasto** *(chiuso lunedì)* carta 25/45000 – **20 car** ☕ 75/140000 – ½ P 60/100000.

al monte Rota (Radsberg) *NO : 5 km o 10 mn di seggiovia alt. 1 650 :*

Alpenhotel Ratsberg-Monte Rota , ✉ 39034 ☎ 972213, Fax 972916, ← Dolo miti, , , , , – rist TV ☎ P. ✻ rist
21 dicembre-21 aprile e 30 maggio-24 ottobre – **Pasto** carta 35/50000 – ☕ 10000 – **25 cam** 90/180000 – P 80/130000.

DOGANA NUOVA *Modena* 428, 429, 430 J 13 – *Vedere Fiumalbo.*

DOGLIANI *12063 Cuneo* 988 ⑫, 428 I 5 – *4 653 ab. alt. 295* – ☎ *0173.*
Roma 613 – Cuneo *42* – *Asti 54* – *Milano 178* – *Savona 69* – *Torino 70.*

Il Giardino senza rist, viale Gabetti 106 ☎ 742005, Fax 742033, – AE. VISA
12 cam 70/110000.

DOLCEACQUA *18035 Imperia* 428 K 4, 115 ⑲ – *1 820 ab. alt. 57* – ☎ *0184.*
Roma 662 – Imperia *57* – *Genova 163* – *Milano 286* – *San Remo 23* – *Ventimiglia 9,5.*

Gastone, piazza Garibaldi 2 ☎ 206577, – AE. E VISA. JCB
chiuso dal 10 al 20 ottobre, lunedì sera e martedì escluso luglio-agosto – **Pasto** tipica cucina ligure carta 25/45000.

La Vecchia, via Roma 86 ☎ 206024, Fax 206024, – AE. E VISA
chiuso mercoledì – **Pasto** tipica cucina ligure 45000 bc.

Trattoria Re, via Patrioti Martiri 26 ☎ 206137, Fax 206137 – AE. E VISA
chiuso lunedì – **Pasto** carta 35/80000 (10 %).

Die Preise — Einzelheiten über die in diesem Reiseführer angegebenen Preise finden Sie in der Einleitung.

DOLEGNA DEL COLLIO *34070 Gorizia* 429 D 22 – *509 ab. alt. 88* – ☎ *0481.*
Roma 656 – Udine *25* – *Gorizia 25* – *Milano 396* – *Trieste 61.*

Ruttars *S : 6 km* – ✉ *34070 Dolegna del Collio :*

Al Castello dell'Aquila d'Oro, ☎ 60545, prenotare, « Servizio estivo all'aperto » – E VISA.
chiuso mercoledì e giovedì – **Pasto** carta 70/100000
Spec. Involtino di peperone dolce ai "gusti decisi". Orzo mantecato "terra e mare" (aprile-settembre). Sformato di zucca gialla con ricotta affumicata della Carnia (novembre-marzo).

DOLO *30031 Venezia* 988 ⑤, 429 F 18 *G. Venezia* – *14 208 ab.* – ☎ *041.*
Dintorni *Villa Nazionale* di Strà : Apoteosi della famiglia Pisani** del Tiepolo SO : 6 km.*
Escursioni *Riviera del Brenta** Est per la strada S 11.*
Roma 510 – Padova *18* – *Chioggia 38* – *Milano 249* – *Rovigo 60* – *Treviso 35* – *Venezia 27.*

Alla Villa Fini con cam, riviera Martiri della Libertà 27 (E : 2 km) ☎ 5608000, – AE. E VISA.
Pasto *(chiuso lunedì)* carta 30/35000 – 8000 – **8 cam** 60/85000 – 1/2 P 55/80000.

DOLOMITI *Belluno, Bolzano e Trento* 988 ④ ⑤.

DOMAGNANO – *Vedere San Marino.*

DOMODOSSOLA *28037 Verbania* 988 ②, 428 D 6 – *18 911 ab. alt. 277* – ☎ *0324.*
corso Ferraris 49 ☎ 481308, Fax 47974.
A.C.I. *corso P. Ferraris 38 ☎ 242008.*
Roma 698 – Stresa *32* – *Locarno 78* – *Lugano 79* – *Milano 121* – *Novara 92.*

Corona, via Marconi 8 ☎ 242114, Fax 242842 – cam . AE. E VISA. JCB
Pasto carta 30/50000 – 10000 – **32 cam** 90/160000 – 1/2 P 110000.

Eurossola, piazza Matteotti 36 ☎ 481326, Fax 248748, – AE. E VISA. JCB.
Pasto carta 40/70000 – 8000 – **23 cam** 80/110000 – 1/2 P 85/95000.

Sciolla con cam, piazza Convenzione 5 ☎ 242633 – AE. E VISA
chiuso dall'8 al 20 gennaio e dal 23 agosto all'11 settembre – **Pasto** *(chiuso mercoledì)* cucina tipica locale carta 35/50000 – **6 cam** 50/90000 – 1/2 P 65000.

sulla strada statale 33 *S : 1 km :*

Internazionale, ✉ 28037 ☎ 481180, Fax 44586 – 100. AE. E VISA. rist
Pasto carta 30/55000 – 15000 – **43 cam** 80/120000 – 1/2 P 90000.

DONNAS *11020 Aosta* 428 F 5, 219 ⑭ *– 2 566 ab. alt. 322 –* ☎ *0125.*

Vedere *Fortezza di Bard★ NO : 2,5 km.*

Roma 701 – Aosta 49 – Ivrea 26 – Milano 139 – Torino 68.

✗ **Les Caves,** via Roma 99 ✆ 807737, Fax 807512, 🏠 – P. AE. 🄱. E VISA. ✗
chiuso giovedì e dal 7 al 20 novembre – **Pasto** carta 25/40000.

DONORATICO *Livorno* 430 M 13 *– Vedere Castagneto Carducci.*

DORGALI *Nuoro* 988 ㉞, 433 G 10 *– Vedere Sardegna alla fine dell'elenco alfabetico.*

DOSOLO *46030 Mantova* 428, 429 H 13 *– 3 134 ab. alt. 25 –* ☎ *0375.*

Roma 449 – Parma 37 – Verona 74 – Mantova 35 – Modena 50.

✗✗ **Corte Brandelli,** via Argini dietro 11/a (O : 2 km) ✆ 89497, 🏠, prenotare – P. 🄱. E V
chiuso giovedì sera, domenica, dal 24 al 31 dicembre e dal 24 luglio al 24 agosto – **Pas**
carta 50/85000.

DOSSON *Treviso – Vedere Casier.*

DOUES *11010 Aosta* 428 E 3 *– 389 ab. alt. 1175 –* ☎ *0165.*

Roma 760 – Aosta 14 – Colle del Gran San Bernardo 28 – Milano 198 – Torino 127.

✗ **Lo Bon Mégnadzo,** frazione Chanet S : 4 km ✆ 738045, prenotare – P. AE. 🄱. ◑
VISA. ✗ – *chiuso dal 1° al 20 settembre, lunedì sera e martedì (escluso luglio-agosto)*
Pasto menù tipici 35000.

DOZZA *40050 Bologna* 429, 430 I 16 *– 5 267 ab. alt. 190 –* ☎ *0542.*

Roma 392 – Bologna 32 – Ferrara 76 – Forlì 38 – Milano 244 – Ravenna 52.

🏨 **Monte del Re** 🐌, via Monte del Re 43 (O : 3 km) ✆ 678400, Fax 678444, « In u
convento ristrutturato del XIII secolo », 🏠 – 🛗 ▤ TV ☎ ♿ P – 🎤 200. AE. 🄱. ◑ E VIS
✗ rist
Pasto *(chiuso lunedì)* carta 55/85000 – **34 cam** ☕ 190/235000, 4 appartamenti
½ P 240000.

✗✗ **Canè** con cam, via XX Settembre 27 ✆ 678120, Fax 678522, ≤, « Servizio estivo in terraz
za » – TV ☎ P. AE. 🄱. ◑ E VISA. ✗
chiuso dal 7 al 31 gennaio – **Pasto** *(chiuso lunedì)* carta 40/60000 – ☕ 10000 – **10 car**
65/90000 – ½ P 90000.

a Toscanella *N : 5 km –* ✉ *40060 :*

🏨 **Gloria,** via Emilia 42 ✆ 673438, Fax 673438 – 🛗 ▤ TV ☎ P. AE. 🄱. ◑ E VISA
chiuso dal 1° al 21 agosto – **Pasto** *(chiuso a mezzogiorno, domenica e luglio)* 25/40000
24 cam ☕ 220/320000 – ½ P 150/250000.

DRAGA SANT'ELIA *Trieste – Vedere Pese.*

DRAGONI *81010 Caserta* 430 S 24, 431 D 24 *– 2 333 ab. –* ☎ *0823.*

Roma 177 – Campobasso 67 – Avellino 92 – Benevento 51 – Caserta 31 – Napoli 60.

🏠 **Villa de Pertis,** via Ponti 30 ✆ 866619, Fax 866619, ≤, « Dimora patrizia del 600 », 🏠 -
☎. AE. 🄱. E VISA. ✗ rist.
chiuso dall'11 gennaio a marzo – **Pasto** 35000 – **5 cam** ☕ 90/115000 – ½ P 80000.

DRONERO *12025 Cuneo* 988 ⑫, 428 I 4 *– 6 963 ab. alt. 619 –* ☎ *0171.*

Roma 655 – Cuneo 20 – Colle della Maddalena 80 – Torino 84.

✗ **Nuovo Gallo** con cam, piazza Martiri della Libertà 10 ✆ 917326 – TV ☎ P
Pasto *(chiuso lunedì)* carta 25/40000 – **10 cam** ☕ 45/60000 – ½ P 50/60000.

DRUENTO *10040 Torino* 428 G 4 *– 7 959 ab. alt. 285 –* ☎ *011.*

Roma 678 – Torino 18 – Asti 73 – Pinerolo 38 – Susa 48.

✗✗ **Rosa d'Oro,** strada provinciale Torino-San Gillio ✆ 9846675, Fax 9844383, 🏠, prenotare
– ▤ P. AE. 🄱. ◑ E VISA
chiuso domenica sera, lunedì, dal 26 dicembre al 7 gennaio e dal 6 al 20 agosto – **Pasto**
35/50000 (a mezzogiorno) e 45/65000 (alla sera).

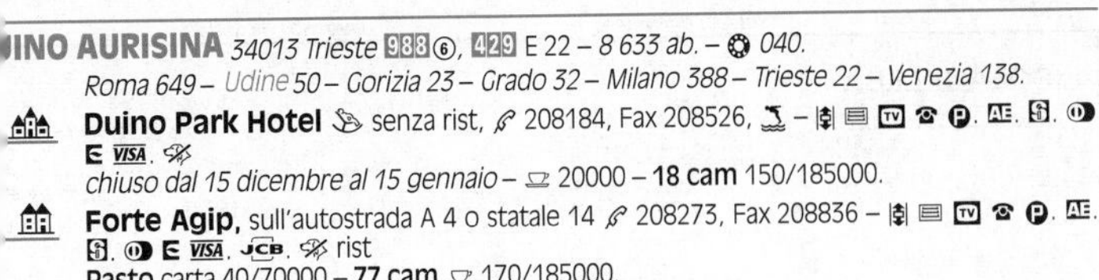

…INO AURISINA *34013 Trieste 988 ⑥, 429 E 22 – 8 633 ab. – ☎ 040.*

Roma 649 – Udine 50 – Gorizia 23 – Grado 32 – Milano 388 – Trieste 22 – Venezia 138.

Duino Park Hotel senza rist, ☎ 208184, Fax 208526, – AE. 🅂. ⓓ E VISA. chiuso dal 15 dicembre al 15 gennaio – ☐ 20000 – **18 cam** 150/185000.

Forte Agip, sull'autostrada A 4 o statale 14 ☎ 208273, Fax 208836 – AE. 🅂. ⓓ E VISA. JCB. rist
Pasto carta 40/70000 – **77 cam** ☐ 170/185000.

Al Cavalluccio, sul porticciolo di Duino ☎ 208133, – AE. 🅂. ⓓ E VISA. JCB
chiuso martedì e dal 15 gennaio al 15 febbraio – **Pasto** carta 40/70000.

Gruden, località San Pelagio N : 3 km ✉ 34011 San Pelagio ☎ 200151, Fax 200854, – AE. 🅂. E VISA.
chiuso lunedì, martedì e settembre – **Pasto** cucina carsolina carta 35/50000.

…istiana *S : 3 km – ✉ 34019 :*

(maggio-settembre) bivio per Sistiana Mare ☎ 299166 :

Posta senza rist, ☎ 299103, Fax 291001, – AE. 🅂. ⓓ E VISA.
chiuso dal 20 dicembre al 15 gennaio e sabato-domenica (escluso da giugno a settembre) – ☐ 10000 – **30 cam** 90/120000.

I nomi delle principali vie commerciali sono scritti in rosso all'inizio dell'indice toponomastico delle piante di città.

…UNA VERDE *Venezia – Vedere Caorle.*

…AU ROUSSE *Aosta 219 ⑫ – Vedere Valsavarenche.*

…BOLI *84025 Salerno 988 ㉘, 431 F 27 – 35 442 ab. alt. – ☎ 0828.*

Roma 286 – Potenza 76 – Avellino 64 – Napoli 86 – Salerno 30.

Konig Hotel Sentacruz, SO : 2,5 km ☎ 361062, Fax 361062, – 800. AE. 🅂. ⓓ E VISA. JCB.
Pasto carta 30/45000 (7 %) – **33 cam** ☐ 90/130000 – 1/2 P 120000.

…erso Paestum *S : 8 km :*

Villa Antica , località Torretta ✉ 84025 Eboli ☎ 625048, Fax 625262, « Villa settecentesca con giardino ombreggiato », – 🅂. E VISA. rist
Pasto carta 40/55000 – **18 cam** ☐ 70/100000 – 1/2 P 70/90000.

…DOLO *25048 Brescia 988 ④, 428, 429 D 12 – 4 370 ab. alt. 699 – a.s. luglio-agosto – ☎ 0364.*

piazza Martiri della Libertà 2 ☎ 71065.

Roma 653 – Sondrio 45 – Bergamo 96 – Bolzano 126 – Brescia 100 – Milano 141.

Eurohotel senza rist, via Marconi 40 ☎ 72621 – 🅂. ⓓ E VISA.
chiuso domenica sera e lunedì a mezzogiorno – **17 cam** ☐ 100/130000.

…GADI (Isole) *Trapani 988 ㉟, 432 N 18 19 – Vedere Sicilia alla fine dell'elenco alfabetico.*

…LBA (Isola d') *Livorno 988 ㉔, 430 N 12 13 G. Toscana – 29 019 ab. alt. da 0 a 1 019 (monte Capanne) – Stazione termale a San Giovanni (20 aprile-31 ottobre), a.s. 15 giugno-15 settembre – ☎ 0565.*

dell'Acquabona (chiuso lunedì in bassa stagione) ✉ 57037 Portoferraio ☎ 940066, Fax 933410, SE : 7 km da Portoferraio.

vedere Portoferraio, Rio Marina e Porto Azzurro – vedere Portoferrario e Cavo.

vedere Portoferraio.

Pianta pagina seguente

…apoliveri *430 N 13 – 2 799 ab. – ✉ 57031 –* **Vedere** *★★ dei Tre Mari.*

Porto Azzurro 5 – Portoferraio 16.

Il Chiasso, vicolo Nazario Sauro 13 ☎ 968709, , Coperti limitati; prenotare, « Ambiente caratteristico » – AE. 🅂. ⓓ E VISA
aprile-ottobre; chiuso a mezzogiorno e martedì (escluso dal 15 giugno al 15 settembre) – **Pasto** carta 50/80000 (10 %).

a Pareti *S : 4 km – ✉ 57031 Capoliveri :*

Dino ⛝, ☎ 939103, Fax 968172, ≤ mare e costa, ⛱, ⛵, 🏖 – ☎ **P**. 🅢. E VISA. ✗ rist
Pasqua-ottobre – **Pasto** 40000 – ☕ 15000 – **30 cam** 110/115000 – ½ P 70/115000.

a Lido *NO : 7,5 km – ✉ 57031 Capoliveri :*

Antares ⛝, ☎ 940131, Fax 940084, ≤, ⛱, 🏊, ⛵, 🏖, 🎾 – ☎ **P**. ✗ rist
22 aprile-11 ottobre – **Pasto** 25000 bc (a mezzogiorno) e 55000 (alla sera) – **43 ca**
☕ 110/190000 – ½ P 115/180000.

Marciana 430 N 12 – *2 296 ab. alt. 375 – ✉ 57030.*
Vedere ≤★ – **Dintorni** *Monte Capanne★★ : ✲★★.*
Porto Azzurro 37 – Portoferraio 28.

a Poggio *E : 3 km – alt. 300 – ✉ 57030 :*

Publius, piazza XX Settembre 6/7 ☎ 99208, Fax 904174, « Servizio estivo all'aperto co
≤ Marciana e golfo » – AE. 🅢. ◑ E VISA
20 marzo-6 novembre; chiuso lunedì in bassa stagione – **Pasto** carta 55/75000.

Da Luigi, località Lavacchio S : 3,5 km ☎ 99413, ⛱ – **P**. 🅢. ◑ E VISA. JCB
Pasqua-12 ottobre; chiuso lunedì a mezzogiorno in luglio-agosto, tutto il giorno negli al
mesi – **Pasto** solo piatti di carne carta 40/60000.

a Sant'Andrea *NO : 6 km – ✉ 57030 Marciana :*

Cernia ⛝, ☎ 908194, Fax 908253, ≤, « Giardino fiorito sul mare e orto botanico co
🏊 », 🎾 – TV ☎ **P**. ✗ rist
aprile-25 ottobre – **Pasto** carta 35/60000 – ☕ 25000 – **27 cam** 110/130000 – ½ P 65
145000.

Piccolo Hotel Barsalini ⛝, ☎ 908013, Fax 908264, « Giardino e terrazze fiorite co
🏊 » – TV ☎ **P**. 🅢. E VISA. ✗ rist
20 marzo-20 ottobre – **Pasto** carta 40/55000 – ☕ 18000 – **28 cam** 125/150000 – ½ P 80
135000.

Gallo Nero ⛝, ☎ 908017, Fax 908078, ≤, ⛱, « Terrazza-giardino con 🏊 », 🎾 – TV ☎
P. 🅢. E VISA. ✗ rist
aprile-25 ottobre – **Pasto** carta 40/50000 – ☕ 20000 – **26 cam** 110/120000 – ½ P 60
130000.

Da Giacomino ⛝, ☎ 908010, Fax 908294, ≤ mare, « Giardino pineta sul mare », 🏊 – ☎
P. 🅢. E VISA. ✗ rist
Pasqua-ottobre – **Pasto** carta 40/70000 – **25 cam** ☕ 100/110000 – ½ P 75/125000.

Chiessi *SO : 12 km – ✉ 57030 Pomonte :*

Aurora, via Provinciale ☎ 906129, Fax 906129, – *stagionale* – **17 cam.**

Il Perseo con cam, ☎ 906010, Fax 906010, ← – *chiuso dal 7 gennaio a febbraio e dal 5 novembre al 20 dicembre* – **Pasto** carta 40/55000 – **21 cam** 160000 – 1/2 P 100000.

Spartaia *E : 12 km – ✉ 57030 Procchio :*

Désirée, ☎ 907311, Fax 907884, ←, « Giardino in riva al mare », – 80. rist *16 aprile-4 ottobre* – **Pasto** (solo per alloggiati) – **74 cam** 180/360000, 4 appartamenti – 1/2 P 95/255000.

Valle Verde, ☎ 907545, Fax 907965, ←, – *stagionale* – **42 cam.**

Campo all'Aia *E : 15 km – ✉ 57030 Procchio :*

Brigantino, via Di Gualdarone 9 ☎ 907453, Fax 907994, – rist *aprile-settembre* – **Pasto** (solo per alloggiati) 35/45000 – 20000 – **45 cam** 80/130000 – 1/2 P 110/140000.

Pomonte *SO : 15 km – ✉ 57030 :*

Da Sardi, via del Mare ☎ 906045, Fax 906253 – **Pasto** *(chiuso mercoledì in bassa stagione)* carta 35/50000 – 10000 – **20 cam** 60/110000 – 1/2 P 90/100000.

Corallo, via del Passatoio 25 ☎ 906042, Fax 906270 – rist *marzo-10 novembre* – **Pasto** 25/35000 – 13000 – **10 cam** 90/115000 – 1/2 P 75/105000.

Marciana Marina 988 ㉔, 430 N 12 – *1 956 ab. – ✉ 57033.*

Porto Azzurro 29 – Portoferraio 20.

Gabbiano Azzurro 2 senza rist, viale Amedeo 94 ☎ 997035, Fax 997034, – *aprile-14 ottobre* – **20 cam** 200/400000.

Marinella, viale Margherita 38 ☎ 99018, Fax 99018, ←, – *aprile-ottobre* – **Pasto** (solo per alloggiati) 25/40000 – 10000 – **57 cam** 130/160000 – 1/2 P 85/135000.

Imperia senza rist, viale Amedeo 12 ☎ 99082, Fax 904259, – 12000 – **19 cam** 75/115000.

Rendez-Vous da Marcello, piazza della Vittoria 1 ☎ 99251, ←, – *chiuso dall'8 gennaio a febbraio, novembre e mercoledì in bassa stagione* – **Pasto** carta 45/65000.

Capo Nord, al porto ☎ 996983, Fax 996983, – *chiuso da gennaio a marzo e lunedì (escluso giugno-settembre)* – **Pasto** carta 50/95000.

Da Loris, via 20 Settembre 29 ☎ 99496, – *Pasqua-ottobre; chiuso mercoledì* – **Pasto** carta 30/50000 (10 %).

La Fiaccola, piazza della Vittoria 6 ☎ 99094, ←, – *aprile-5 novembre; chiuso giovedì escluso dal 15 giugno al 15 settembre* – **Pasto** carta 30/55000.

Marina di Campo 988 ㉔, 430 N 12 – ✉ *57034.*

Marciana Marina 13 – Porto Azzurro 26 – Portoferraio 17.

Riva del Sole, viale degli Eroi 11 ☎ 976316, Fax 976778, – *Pasqua-ottobre* – **Pasto** 35000 – **57 cam** 245/330000 – 1/2 P 140/185000.

Dei Coralli, ☎ 976336, Fax 977748, – rist *15 aprile-15 ottobre* – **Pasto** (solo per alloggiati) – **62 cam** 140/240000 – 1/2 P 100/165000.

Puntoverde senza rist, viale degli Etruschi 23 ☎ 977482, Fax 977486 – *Pasqua-15 ottobre* – **34 cam** 145/215000.

Meridiana senza rist, ☎ 976308, Fax 977191, – *aprile-20 ottobre* – **27 cam** 200/240000.

Santa Caterina, ✆ 976452, Fax 976745, – |‡| TV ☎ P. Ⓢ. E VISA. ✻
25 marzo-settembre – **Pasto** (solo per alloggiati) 25/40000 – ☐ 20000 – **41 cam** 10
150000 – ½ P 85/140000.

La Lucciola, ✆ 976395, – AE. Ⓢ. E VISA
Pasqua-settembre; chiuso mercoledì in bassa stagione – **Pasto** 45/60000.

a La Pila *N : 2,5 km – ✉ 57034 Marina di Campo :*

Da Gianni, all'aeroporto ✆ 976965, Fax 976965, – P. Ⓢ. E VISA
marzo-ottobre – **Pasto** specialità pugliesi 35/40000.

a Fetovaia *O : 8 km – ✉ 57030 Seccheto :*

Galli ⛺, ✆ 988035, Fax 988029, ≤, – ☎ P. Ⓢ. E VISA. ✻
aprile-20 ottobre – **Pasto** (solo per alloggiati) 35/45000 – ☐ 20000 – **28 cam** 85/150000
½ P 90/140000.

Montemerlo ⛺, ✆ 988051, Fax 988051, ≤, – ▤ rist TV ☎ P. Ⓢ. E VISA. ✻
aprile-6 ottobre – **Pasto** (solo per alloggiati) 30000 – ☐ 20000 – **36 cam** 100/150000
½ P 90/125000.

Lo Scirocco ⛺, ✆ 988033, Fax 988067, ≤, – |‡| ▤ rist TV ☎ P. Ⓢ. E VISA. ✻ rist
aprile-20 ottobre – **Pasto** 35000 – **30 cam** solo ½ P 140000.

Porto Azzurro 988 ㉔, 430 N 13 – *3 221 ab.* – ✉ *57036.*

per Rio Marina-Piombino giornalieri (da 25 a 45 mn) – Toremar-agenzia Rodrigue banchina IV Novembre 19 ✆ 95004, Fax 95004.

Marciana Marina 29 – Portoferraio 15.

Belmare, banchina Quattro Novembre 21 ✆ 95012, Fax 958245, ≤ – TV ☎. AE. Ⓢ. ⓞ E VISA. ✻
chiuso novembre – **Pasto** *(chiuso a mezzogiorno)* carta 40/60000 – ☐ 10000 – **27 cam**
80/120000 – ½ P 100/120000.

Portoferraio 988 ㉔, 430 N 12 – *11 899 ab.* – ✉ *57037.*

Dintorni *Villa Napoleone di San Martino* SO : 6 km.*

Escursioni *Strada per Cavo e Rio Marina : ≤**.*

per Piombino giornalieri (da 20 mn a 1 h) – Toremar-agenzia Palombo, calata Italia 2 ✆ 918080, Telex 590018, Fax 917444; Navarma, viale Elba 4 ✆ 918101, Telex 59059 Fax 916758 – per Piombino aprile-settembre giornalieri (25 mn); Elba Ferries, al port ✆ 930676, Fax 930673.

per Piombino giornalieri (30 mn) – Toremar-agenzia Palombo, calata Italia 22 ✆ 918080 Telex 590018, Fax 917444.

ℹ calata Italia 26 ✆ 914671, Fax 916350. Marciana Marina 20 – Porto Azzurro 15.

Acquamarina senza rist, O : 1,2 km ✆ 914057, Fax 915672, ≤ – |‡| TV ☎ P. AE. Ⓢ. ⓞ E VISA
Pasqua-ottobre – ☐ 38000 – **35 cam** 120/170000.

La Ferrigna, piazza Repubblica 22 ✆ 914129, –. Ⓢ. ⓞ E VISA
16 febbraio-14 novembre; chiuso martedì in bassa stagione – **Pasto** carta 45/60000 (5 %).

a San Giovanni *S : 3 km – ✉ 57037 Portoferraio :*

Airone ⛺, ✆ 929111, Telex 501829, Fax 917484, ≤, – |‡| ▤ TV ☎ ♿ P – 🔺 180. AE. Ⓢ. ⓞ E VISA. ✻ rist
Pasto carta 45/70000 – **85 cam** ☐ 105/290000 – ½ P 130/210000.

ad Acquaviva *O : 4 km – ✉ 57037 Portoferraio :*

Acquaviva Park Hotel ⛺, ✆ 915392, Fax 916903, ≤, « Percorsi nel bosco », – TV ☎ P. AE. Ⓢ. ⓞ E VISA JCB. ✻
24 aprile-settembre – **Pasto** (solo per alloggiati e *chiuso a mezzogiorno escluso da 15 giugno giugno al 31 agosto*) – **39 cam** ☐ 130/255000 – ½ P 100/150000.

a Viticcio *O : 5 km – ✉ 57037 Portoferraio :*

Paradiso ⛺, ✆ 939034, Fax 939041, ≤, – ☎ P. ✻ rist
aprile-15 ottobre – **Pasto** (solo per alloggiati e *chiuso a mezzogiorno*) 35/50000 (10 %) – ☐ 22000 – **37 cam** 130/190000 – ½ P 110/150000.

a San Martino *SO : 6 km – ✉ 57037 Portoferraio :*

Park Hotel Napoleone ⛺, località San Martino ✆ 918502, Fax 917836, « Parco ombreggiato con », – |‡| ▤ TV ☎ P – 🔺 200. AE. Ⓢ. ⓞ E VISA. ✻
Pasto *(aprile-ottobre)* 55/85000 – **63 cam** ☐ 190/380000, appartamento – ½ P 170/235000.

Il Caminetto, ✆ 915700, Fax 915271, « Giardino con » – ☎ P. ✻ rist
aprile-settembre – **Pasto** carta 30/55000 – ☐ 16000 – **17 cam** 90/130000 – ½ P 100/120000.

Picchiaie *S : 7 km – ✉ 57037 Portoferraio :*

Le Picchiaie Residence , ✆ 933110, Fax 933186, ≤ colline e golfo, – 50. E VISA. rist
15 dicembre-10 gennaio e marzo-ottobre – **Pasto** 45/60000 – ☕ 20000 – **51 cam** 170/280000 – 1/2 P 105/175000.

Magazzini *SE : 8 km – ✉ 57037 Portoferraio :*

Fabricia , ✆ 933181, Fax 933185, ≤ golfo e Portoferraio, « Grande giardino sul mare con » , – 80. AE. E VISA JCB. rist
aprile-ottobre – **Pasto** (solo per alloggiati) 35/70000 – **76 cam** ☕ 400000 – 1/2 P 120/220000.

Biodola *O : 9 km – ✉ 57037 Portoferraio :*

Hermitage , ✆ 936911, Fax 969984, ≤ baia, Golf 6 buche, « Parco-giardino con » , – 300. AE. E VISA. rist
maggio-ottobre – **Pasto** 55/85000 – **110 cam** solo 1/2 P 250/380000.

Biodola , ✆ 936811, Fax 969852, ≤ mare e costa, Golf 6 buche, « Giardino fiorito con » , – . AE. E VISA. rist
aprile-20 ottobre – **Pasto** 55/85000 – **80 cam** solo 1/2 P 205/310000.

Scaglieri *O : 9 km – ✉ 57037 Portoferraio :*

Danila , ✆ 969915, Fax 969865, – . E VISA. rist
aprile-15 ottobre – **Pasto** 35/50000 – ☕ 12000 – **27 cam** 130000 – 1/2 P 75/120000.

Da Luciano, ✆ 969952, ≤, – . AE. E VISA
Pasqua-19 ottobre; chiuso mercoledì fino al 15 giugno e dal 15 settembre al 19 ottobre – **Pasto** carta 35/55000 (10 %).

d Ottone *SE : 11 km – ✉ 57037 Portoferraio :*

Villa Ottone , ✆ 933042, Fax 933257, ≤, , « Parco ombreggiato » , – . AE. E VISA. rist
10 maggio-2 ottobre – **Pasto** 35/60000 – **64 cam** ☕ 280/370000 – 1/2 P 205/240000.

Rio Marina 430 N 13 – *2 305 ab.* – ✉ *57038.*

per Piombino giornalieri (45 mn) – Toremar-agenzia Leonardi, banchina dei Voltoni 4 ✆ 962073, Fax 962973.

a Cavo, per Piombino giornalieri (15 mn) – Toremar-agenzia Serafini, via Appalto 114 ✆ 949871.

Porto Azzurro 12 – Portoferraio 20.

Rio, via Palestro 34 ✆ 924225, Fax 924162, – . AE. VISA. rist
aprile-settembre – **Pasto** *(chiuso a mezzogiorno)* carta 30/50000 – **37 cam** ☕ 110/160000 – 1/2 P 65/140000.

Mini Hotel Easy Time , via Panoramica del Porticciolo ✆ 962531, Fax 962531, ≤ – cam . E VISA
Pasto (solo per alloggiati) 30/45000 – ☕ 22000 – **8 cam** 100/170000 – 1/2 P 80/140000.

La Canocchia, via Palestro 3 ✆ 962432, prenotare – . E VISA.
marzo-ottobre; chiuso lunedì in bassa stagione – **Pasto** carta 50/65000.

a Cavo *N : 7,5 km – ✉ 57030 :*

Marelba , ✆ 949900, Fax 949776, , « Giardino ombreggiato » – .
15 maggio-20 settembre – **Pasto** (solo per alloggiati) – **52 cam** ☕ 160000 – 1/2 P 80/140000.

Pierolli, via De Gasperi 1 ✆ 931188, Fax 931044, ≤, – . AE. E VISA. JCB.
Pasto *(aprile-settembre)* 45000 – ☕ 20000 – **22 cam** 100/150000 – 1/2 P 70/140000.

ELLERA *Savona* 428 J 7 – *Vedere Albissola Marina.*

ELVAS *Bolzano* – *Vedere Bressanone.*

EMPOLI *50053 Firenze* [988] ⑭, [429], [430] K 14 *G. Toscana – 43 195 ab. alt. 27 – ☎ 0571.*
Roma 294 – Firenze 30 – Livorno 62 – Siena 68.

🍴🍴 **Il Galeone,** via Curtatone e Montanara 67 ☎ 72826 – ❄. [AE]. [S]. ⦿ E VISA. JCB. ✗
chiuso domenica ed agosto – **Pasto** carta 40/60000.

🍴 **La Panzanella,** via dei Cappuccini 10 ☎ 922182 – [AE]
chiuso sabato a mezzogiorno, domenica, dal 24 dicembre al 2 gennaio e dal 7 al 21 agosto – **Pasto** specialità toscane carta 30/50000.

a Pozzale *SE : 3 km – ✉ 50053 Empoli :*

🍴 **Sciabolino,** via Ormicello 18 ☎ 924333, « Servizio estivo all'aperto » – ❄. ✗
chiuso giovedì e dl 10 al 25 agosto – **Pasto** carta 30/45000.

ENNA [P] [988] ㊱, [432] O 24 – *Vedere Sicilia alla fine dell'elenco alfabetico.*

ENTRACQUE *12010 Cuneo* [428] J 4, [115] ⑦ – *866 ab. alt. 904 – a.s. luglio-agosto e Natale – ☎ 0171.*
Roma 667 – Cuneo 24 – Milano 240 – Colle di Tenda 40 – Torino 118.

🏠 **Miramonti,** viale Kennedy 2 ☎ 978222, Fax 978222, ≤ – [TV] [P]. ✗ rist
chiuso dal 20 al 30 ottobre – **Pasto** (solo per alloggiati e *chiuso dal 17 aprile al 31 maggio*) – ☕ 10000 – **14 cam** 75/95000 – ½ P 80000.

ENTRÈVES *Aosta* [988] ①, [428] E 2 – *Vedere Courmayeur.*

EOLIE (Isole) *Messina* [988] ㊱ ㊲ ㊳, [431] K 26 27, [432] L 26 27 – *Vedere Sicilia alla fine dell'elenco alfabetico.*

EPPAN AN DER WEINSTRASSE = *Appiano sulla Strada del Vino.*

EQUI TERME *54022 Massa Carrara* [428], [429], [430] J 12 *G. Toscana – alt. 250 – ☎ 0585.*
Roma 437 – Pisa 80 – La Spezia 45 – Massa 48 – Parma 122.

🍴 **La Posta** con cam, via Provinciale 15 ☎ 97937, ⛱ – [P]. [S]. ✗
chiuso dal 7 gennaio al 25 marzo – **Pasto** *(chiuso martedì)* carta 25/35000 – **7 cam** ☕ 60/70000 – ½ P 60000.

ERACLEA *30020 Venezia* [988] ⑤, [429] F 20 – *12 311 ab. – ☎ 0421.*
[i] *via Marinella 56 ☎ 66134, Fax 66500.*
Roma 569 – Udine 79 – Venezia 46 – Belluno 102 – Milano 308 – Padova 78 – Treviso 45 – Trieste 120.

ad Eraclea Mare *SE : 10 km – ✉ 30020 :*

🏨 **Park Hotel Pineta** ♨, ☎ 66063, Fax 66196, « Giardino ombreggiato », 🏖, 🎾 – ❄ rist ☎ [P]. [S]. ✗
15 maggio-25 settembre – **Pasto** carta 40/45000 – **45 cam** ☕ 120/160000 – ½ P 90/115000.

ERBA *22036 Como* [988] ③, [428] E 9 – *16 281 ab. alt. 323 – ☎ 031.*
Roma 622 – Como 14 – Lecco 15 – Milano 44.

🏨 **Leonardo da Vinci,** via Leonardo da Vinci ☎ 611556, Fax 611423 – [‡] ❄ [TV] ☎ ♿ [P] – 🎤 220. [AE]. [S]. ⦿ E VISA. JCB. ✗ rist
Pasto carta 60/90000 – **53 cam** ☕ 150/160000 – P 140/160000.

🍴 **La Vispa Teresa,** via XXV Aprile 115 ☎ 640141, Fax 640141, Rist. e pizzeria – ❄. [AE]. [S]. ⦿ E VISA
chiuso lunedì e dall'8 al 25 agosto – **Pasto** carta 50/85000.

ERBUSCO *25030 Brescia* [428], [429] F 11 – *6 587 ab. alt. 251 – ☎ 030.*
Roma 578 – Bergamo 35 – Brescia 22 – Milano 69.

🏨 **L'Albereta** ♨, località Bellavista N : 1,5 km ☎ 7760550, Fax 7760573, « In collina tra i vigneti », Ls, ≘s, 🏊, 🌲, 🎾 – [‡] ✗ ❄ [TV] ☎ 🚗 [P] – 🎤 250. [AE]. [S]. ⦿ E VISA
chiuso dal 2 al 30 gennaio – **Pasto** vedere rist ***Gualtiero Marchesi*** – ☕ 45000 – **39 cam** 355/410000, appartamento.

XXXX Gualtiero Marchesi, località Bellavista N : 1,5 km ℘ 7760562, Fax 7760379, ≤ lago e monti, Confort accurato; prenotare – ▤ P. AE. ⓢ. ⓞ E VISA JCB. ✻
✿✿ *chiuso domenica sera, lunedì e dal 12 gennaio all'11 febbraio* – **Pasto** 80000 (a mezzogiorno) 100/170000 (alla sera) e carta 100/180000.
Spec. Riso, oro e zafferano. Costoletta di vitello alla milanese. Dolce "Montisola".

XX **Da Bertoli,** via per Iseo 31 (NE : 5 km) ℘ 7709761, Fax 7709761, 余, ⇌ – ✈ P. AE. ⓢ. ⓞ E VISA. ✻
chiuso lunedì, dal 2 al 20 gennaio e dal 10 al 20 agosto – **Pasto** carta 55/120000.

ERCOLANO *80056 Napoli* 988 ㉗, 431 E 25 *G. Italia – 59 695 ab. –* ☎ *081.*
Vedere *Terme*★★★ *– Casa a Graticcio*★★ *– Casa dell'Atrio a mosaico*★★ *– Casa Sannitica*★★ *– Casa del Mosaico di Nettuno e Anfitrite*★★ *– Pistrinum*★★ *– Casa dei Cervi*★★ *– Casa del Tramezzo carbonizzato*★ *– Casa del Bicentenario*★ *– Casa del Bel Cortile*★ *– Casa del Mobilio carbonizzato*★ *– Teatro*★ *– Terme Suburbane*★.
Dintorni *Vesuvio*★★★ *NE : 14 km e 45 mn a piedi AR.*
Roma 224 – Napoli 11 – Pozzuoli 26 – Salerno 46 – Sorrento 39.

Puntaquattroventi, via Marittima 59 ℘ 7773041, Fax 7773757, ≤, 余, ℱ – |‡| ▤ TV ☎ P – 🏛 180. AE. ⓢ. ⓞ E VISA. ✻ rist
Pasto 30/40000 – **37 cam** ⊐ 140/185000 – 1/2 P 150/165000.

ERICE *Trapani* 988 ㉟, 432 M 19 – *Vedere Sicilia alla fine dell'elenco alfabetico.*

ESTE *35042 Padova* 988 ⑤, 429 G 16 *G. Italia – 17 373 ab. alt. 15 –* ☎ *0429.*
Vedere *Museo Nazionale Atestino*★ *– Mura*★.
Roma 480 – Padova 33 – Ferrara 64 – Mantova 76 – Milano 220 – Rovigo 29 – Venezia 69 – Vicenza 45.

Beatrice d'Este, viale della Rimembranza 1 ℘ 600533, Fax 601957 – ▤ rist TV ☎ P – 🏛 100. AE. ⓢ. E VISA. ✻ rist
Pasto *(chiuso domenica sera)* carta 30/40000 – ⊐ 7000 – **30 cam** 55/90000 – 1/2 P 60/65000.

ETNA *Catania* 988 ㊲, 432 N 26 – *Vedere Sicilia alla fine dell'elenco alfabetico.*

ETROUBLES *11014 Aosta* 428 E 3, 219 ② *– 419 ab. alt. 1280 – a.s. Pasqua, 15 giugno-8 settembre e Natale –* ☎ *0165.*
Roma 760 – Aosta 14 – Colle del Gran San Bernardo 18 – Milano 198 – Torino 127.

X **Croix Blanche,** via Nazionale Gran San Bernardo 10 ℘ 78238, 余, « In una locanda del 17° secolo » – P. ⓢ. E VISA
chiuso maggio, da novembre al 15 dicembre e mercoledì (escluso agosto) – **Pasto** carta 40/80000.

FABRIANO *60044 Ancona* 988 ⑯, 430 L 20 *G. Italia – 29 276 ab. alt. 325 –* ☎ *0732.*
Vedere *Piazza del Comune*★ *– Piazza del Duomo*★.
Dintorni *Grotte di Frasassi*★★ *N : 11 km.*
ℹ *piazza del Comune* ℘ *5387.*
Roma 216 – Perugia 72 – Ancona 76 – Foligno 58 – Gubbio 36 – Macerata 69 – Pesaro 116.

Janus Hotel Fabriano, piazza Matteotti 45 ℘ 4191, Fax 5714 – |‡| ▤ TV ☎ ⇔ – 🏛 300. AE. ⓢ. ⓞ E VISA. ✻ rist
Pasto al Rist. ***La Pergola*** *(chiuso venerdì e dal 30 luglio al 25 agosto)* carta 50/70000 – ⊐ 15000 – **68 cam** 120/190000, 4 appartamenti – 1/2 P 150000.

sulla strada statale 76 :

XX **Villa del Grillo,** NE : 6 km ✉ 60044 ℘ 625690, Fax 627958, « Servizio serale estivo in terrazza » – P. ⓢ. ⓞ E VISA. ✻
chiuso domenica sera, lunedì e dal 7 al 22 gennaio – **Pasto** carta 40/50000.

XX **Old Ranch** ⛰ con cam, località Piaggia d'Olmo NE : 4 km ✉ 60044 ℘ 627610, « Servizio estivo in giardino » – P. ⓢ. E VISA. ✻ rist
chiuso dal 5 al 30 luglio – **Pasto** *(chiuso martedì)* carta 45/75000 (10 %) – senza ⊐ – **9 cam** 70/100000.

I prezzi — Per ogni chiarimento sui prezzi riportati in guida, consultate le pagine dell'introduzione.

FABRO *05015 Terni* 430 N 18 – *2 735 ab. alt. 364* – ☎ *0763.*

Roma 144 – Perugia 57 – Viterbo 73 – Arezzo 83 – Siena 95 – Terni 94.

✗ **La Bettola del Buttero** con cam, al casello autostrada A 1 ✆ 82446 e hotel ✆ 82063, Fax 82016, ⛲, « Caratteristico ambiente », 🍴 – TV ☎ P. AE. 🗄. ⦿ E VISA. ✂
Pasto *(chiuso domenica)* carta 40/65000 – ☕ 10500 – **15 cam** 70/110000.

FAENZA *48018 Ravenna* 988 ⑮, 429, 430 J 17 *G. Italia* – *53 565 ab. alt. 35* – ☎ *0546.*

Vedere *Museo Internazionale della Ceramica★★.*

⛳18 *La Torre (chiuso martedì) a Riolo Terme ✉ 48028 ✆ 74035, Fax 74076, per ④ : 17 km.*

ℹ *piazza del Popolo 1 ✆ 25231, Fax 25231.*

Roma 368 ② – Bologna 58 ④ – Ravenna 35 ① – Firenze 104 ③ – Milano 264 ① – Rimini 67 ①

🏨 **Cavallino,** via Forlivese 185 ✆ 634411, Fax 634440 – 🛗 ▤ TV ☎ ♿ P – 🏛 150. AE. 🗄. ⦿ E VISA. JCB. ✂ rist 1 km per ②
Pasto carta 30/50000 – **80 cam** ☕ 250000 – 1/2 P 105/120000.

🏨 **Vittoria,** corso Garibaldi 23 ✆ 21508, Fax 29136 – 🛗 ▤ TV ☎ – 🏛 100. AE. 🗄. ⦿ E VISA. JCB n
Pasto *(chiuso a mezzogiorno, lunedì ed agosto)* carta 30/45000 – **49 cam** ☕ 120/205000 – 1/2 P 160/200000.

✗✗ **Le Volte,** corso Mazzini 54 (Galleria Gessi) ✆ 661600, prenotare – AE. 🗄. ⦿ E VISA. ✂ a
chiuso domenica e dal 20 luglio al 20 agosto – **Pasto** 25/50000.

al casello autostrada A 14 *NE : 2 km :*

🏨 **Class Hotel,** via San Silvestro 171 ✉ 48018 Faenza ✆ 46662, Fax 46676 – 🛗 ⇆ cam ▤ TV ☎ ♿ P – 🏛 120. AE. 🗄. ⦿ E VISA. ✂ rist
Pasto carta 35/55000 – **69 cam** ☕ 135/160000 – 1/2 P 165000.

Santa Lucia delle Spianate *SE : 6,5 km per via Mons. Vincenzo Cimatti – ✉ 48018 Faenza :*

✗ **Monte Brullo,** via Monte Brullo 16 ☎ 642014, ☂, « Giardino ombreggiato » – Ⓟ. VISA. ✗
chiuso martedì, febbraio e novembre – **Pasto** carta 30/45000.

San Biagio *SE : 9 km per via Mons. Vincenzo Cimatti – ✉ 48018 Faenza :*

✗✗ **San Biagio Vecchio,** salita di Oriolo ☎ 642057, « Servizio estivo in terrazza con ≤ colline e pianura » – Ⓟ. AE. Ⓢ. ⓓ E VISA
chiuso dal 1º al 25 novembre, dal 7 gennaio al 2 febbraio e i mezzogiorno di mercoledì-giovedì – **Pasto** carta 30/40000.

AGAGNA *33034 Udine* 429 *D 21 – 5 986 ab. alt. 177 – ☎ 0432.*
Roma 634 – Udine 14 – Gemona del Friuli 30 – Pordenone 54.

Roma, via Zoratti 22 ☎ 810371, Fax 810309 – |♦| ▤ rist TV ☎ ♿ ⇔ Ⓟ – 🏛 100. AE. Ⓢ. ⓓ E VISA. ✗ rist
Pasto *(chiuso domenica sera e lunedì)* carta 35/50000 – ☕ 12000 – **16 cam** 80/120000 – ½ P 95/110000.

AI DELLA PAGANELLA *38010 Trento* 429 *D 15 – 881 ab. alt. 958 – a.s. febbraio-10 marzo, Pasqua e Natale – Sport invernali : 1 033/2 125 m ≰4, ⛷ (vedere anche Andalo e Molveno) – ☎ 0461.*
ℹ *via Cesare Battisti ☎ 583130, Fax 583410.*
Roma 616 – Trento 33 – Bolzano 55 – Milano 222 – Riva del Garda 57.

Arcobaleno, ☎ 583306, Fax 583306, ≤ – |♦| ▤ rist TV ☎ ⇔ Ⓟ – 🏛 120. ✗
chiuso da novembre all'8 dicembre – **Pasto** carta 30/45000 – ☕ 10000 – **36 cam** 70/120000 – ½ P 70/100000.

Negritella ⛰, ☎ 583145, Fax 583145, ≤ – TV ☎ Ⓟ. ✗ rist
dicembre-Pasqua e giugno-settembre – **Pasto** 30000 – ☕ 10000 – **19 cam** 55/100000 – ½ P 80/90000.

AITO (Monte) *Napoli* 431 *E 25 G. Italia – alt. 1 103.*
Vedere ⁂★★★ dal Belvedere dei Capi – ⁂★★★ dalla cappella di San Michele.
Roma 253 – Castellammare di Stabia 15 (per strada a pedaggio) oppure 10 mn di funivia – Napoli 44 – Salerno 46 – Vico Equense 15.

FALCADE *32020 Belluno* 988 ⑤, 429 *C 17 – 2 287 ab. alt. 1 145 – Sport invernali : 1 145/2 550 m ≰1 ≰7, ⛷ – ☎ 0437.*
ℹ *piazza Municipio 1 ☎ 599241, Fax 599242.*
Roma 667 – Belluno 52 – Cortina d'Ampezzo 59 – Bolzano 64 – Milano 348 – Trento 108 – Venezia 156.

Molino ⛰, località Molino ☎ 599070, Fax 599588, ≤, ≘s, 🏊 – TV ☎ Ⓟ – 🏛 180
stagionale – **41 cam.**

Belvedere, via Garibaldi 28 ☎ 599021, Fax 599081, ≤, « Caratteristico arredamento in legno » – |♦| TV ☎ ♿ Ⓟ. AE. Ⓢ. ⓓ E VISA JCB. ✗ rist
dicembre-Pasqua e 15 giugno-15 settembre – **Pasto** *(chiuso martedì)* carta 45/65000 – ☕ 20000 – **34 cam** 120/180000 – ½ P 85/140000.

Scoiattolo, località Caviola ☎ 590346, Fax 590346, ≤, 🌲 – |♦| ⇔ rist TV ☎ Ⓟ
stagionale – **28 cam.**

Mulaz ⛰ senza rist, via Agostino Murer 2 ☎ 599556, Fax 599648 – |♦| TV ☎ ⇔ Ⓟ
dicembre-aprile e luglio-settembre – ☕ 10000 – **13 cam** 100/170000.

FALCONARA MARITTIMA *60015 Ancona 988 ⑯, 429, 430 L 22 – 29 333 ab. – a.s. luglio agosto – ☎ 071.*

✈ 0 : 0,5 km ☎ 28271, Fax 2070096.

ℹ via Cavour 3 ☎ 910458.

Roma 279 – Ancona 13 – Macerata 61 – Pesaro 63.

Touring 🔇, via degli Spagnoli 18 ☎ 9160005, Fax 913000, riscaldata – ⇅ TV ☎ – 200. AE. ⓢ. E VISA
Pasto vedere rist ***Il Camino*** – ☕ 8000 – **80 cam** 80/120000 – ½ P 90/100000.

Villa Amalia con cam, via degli Spagnoli 4 ☎ 9160550, Fax 912045, – ▤ TV ☎ 25. ⓢ. ◑ E VISA.
✿ Pasto *(chiuso martedì)* carta 55/80000 – **7 cam** ☕ 110/160000
Spec. Zuppa di scarola e frutti di mare (novembre-aprile). Maccheroncini di Campofilone con ostriche, rana pescatrice e verdure. Zuppa di cozze e zucchine al pomodoro e basilico (maggio-settembre).

Il Camino, via Tito Speri 2 ☎ 9171647, Fax 9171647 – AE. ⓢ. ◑ E VISA. JCB
chiuso domenica sera e lunedì escluso luglio-agosto – **Pasto** carta 40/60000.

Paradiso, via Toscana 9 ☎ 911672

FALZES (PFALZEN) *39030 Bolzano 429 B 17 – 2 143 ab. alt. 1 022 – Sport invernali : Plan de Corones : 1 022/2 273 m 11 21, – ☎ 0474.*

ℹ ☎ 528159, Fax 528413.

Roma 711 – Cortina d'Ampezzo 64 – Bolzano 65 – Brunico 5.

ad Issengo (Issing) *NO : 1,5 km – ✉ 39030 Falzes :*

Al Tanzer 🔇 con cam, ☎ 565366, Fax 565646, prenotare, – ☎ Ⓟ. AE. ⓢ. E VISA
chiuso dal 10 al 27 novembre – **Pasto** *(chiuso martedì e mercoledì a mezzogiorno)* carta 45/95000 – **23 cam** ☕ 80/170000 – ½ P 75/115000.

a Molini (Mühlen) *NO : 2 km – ✉ 39030 Chienes :*

Schöneck, ☎ 565550, Fax 564167, ←, , prenotare – Ⓟ. AE. ⓢ. ◑ E VISA. JCB.
✿ *chiuso lunedì, martedì a mezzogiorno e dal 25 febbraio al 25 marzo* – **Pasto** carta 65/110000
Spec. Cappello di porcino arrosto in foglia di vite (estate). Capretto arrosto alle erbe di montagna (primavera). Albicocche fritte in pastella di birra con gelato al timo e limone (autunno-inverno).

FANO *61032 Pesaro e Urbino 988 ⑯, 429, 430 K 21 G. Italia – 54 884 ab. – a.s. 25 giugno-agosto – ☎ 0721.*

Vedere *Corte Malatestiana★ – Dipinti del Perugino★ nella chiesa di Santa Maria Nuova.*

ℹ viale Cesare Battisti 10 ☎ 803534, Fax 824292.

Roma 289 ③ – Ancona 65 ② – Perugia 123 ③ – Pesaro 11 ④ – Rimini 51 ②.

Pianta pagina a lato

Elisabeth Due, piazzale Amendola 2 ☎ 823146, Fax 823147, ← – ⇅ ▤ TV ☎ Ⓟ. AE. ⓢ ◑ E VISA. Y a
Pasto al Rist. ***Il Galeone*** carta 50/85000 – ☕ 15000 – **32 cam** 160/210000, 4 appartamenti – ½ P 140/180000.

Corallo, via Leonardo da Vinci 3 ☎ 804200, Fax 803637 – ⇅ ▤ rist TV ☎ – 80. AE. ⓢ ◑ E VISA. Y s
chiuso dal 24 dicembre al 6 gennaio – **Pasto** carta 40/55000 – ☕ 12000 – **22 cam** 75/85000 – ½ P 65/95000.

Angela, viale Adriatico 13 ☎ 801239, Fax 803102, ←, – ⇅ TV ☎. AE. ⓢ. ◑ E VISA.
Pasto carta 45/70000 – ☕ 10000 – **28 cam** 75/100000 – ½ P 70/100000. YZ x

Excelsior, via Simonetti 21 ☎ 803558, Fax 803558, ← – ⇅ ▤ cam TV ☎ Ⓟ – 50. ⓢ. E VISA. rist Y b
giugno-25 settembre – **Pasto** carta 30/65000 – **26 cam** ☕ 80/130000 – ½ P 90/100000.

Il Ristorantino-da Giulio, viale Adriatico 100 ☎ 805680, – ⓢ. ◑ E VISA JCB.
chiuso martedì e novembre – **Pasto** specialità di mare carta 45/70000. Y n

La Bussola-da Domenico, viale Adriatico 27/a ☎ 801771, – ⓢ. E VISA.
chiuso lunedì in bassa stagione – **Pasto** specialità di mare carta 35/75000. Z a

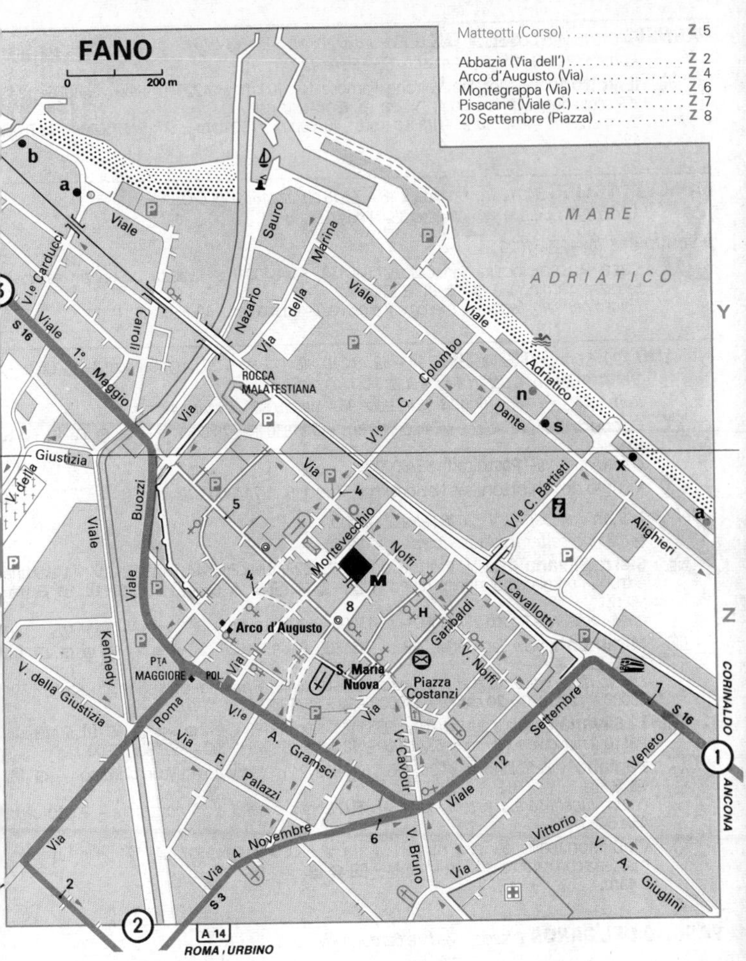

*Un consiglio **Michelin:***
per la buona riuscita di un viaggio, preparatelo in anticipo.
*Le **carte** e le **guide Michelin** vi danno tutte le indicazioni*
utili su: itinerari, curiosità, sistemazioni, prezzi, ecc.

FARDELLA *85030 Potenza* 431 G 30 – *783 ab. alt. 756* – ☎ *0973.*
Roma 434 – Potenza 143 – Matera 129 – Sapri 76 – Taranto 141.

Borea, ☎ 572004, – |‡|.
Pasto *(chiuso lunedì)* 25000 – **40 cam** ☕ 30/50000 – ½ P 45000.

FARINI *29023 Piacenza* 988 ⑬, 428 H 10 – *2 098 ab. alt. 426* – ☎ *0523.*
Roma 560 – Piacenza 43 – Genova 123.

Georges Cogny-Locanda Cantoniera, strada statale 654 (S : 4,5 km) ☎ 919113, solo su prenotazione
chiuso mercoledì escluso luglio-agosto – **Pasto** carta 65/95000
Spec. Insalata di astice alle pesche (maggio-settembre). Piccione in beccaccia (novembre-marzo). Soufflé al cioccolato.

FARNESE *01010 Viterbo* 988 ㉕, 430 O 17 – *1 820 ab. alt. 343* – ☎ *0761.*
Roma 139 – Viterbo 43 – Grosseto 85 – Siena 128.

Il Voltone ⑤, località Voltone Farnese N : 10 km ☎ 422540, Fax 422540, ≤, « Piccolo borgo con parco », – ☎ P. E VISA. rist
26 marzo-15 novembre – **Pasto** carta 40/60000 – **30 cam** 115/170000 – 1/2 P 95/120000.

FARRA DI SOLIGO *31010 Treviso* 429 E 18 – *7 538 ab. alt. 163* – ☎ *0438.*
Roma 590 – Belluno 40 – Treviso 35 – Venezia 72.

a Soligo *E : 3 km* – ✉ *31020 :*

XX **Casa Rossa,** località San Gallo ☎ 840131, Fax 840016, ≤ vallata, « Servizio estivo in terrazza-giardino » – P. AE. S. E VISA.
chiuso gennaio, febbraio, mercoledì e giovedì – **Pasto** carta 40/65000.

FASANO *72015 Brindisi* 988 ㉙, 431 E 34 – *39 794 ab. alt. 111 – a.s. 20 giugno-agosto* – ☎ *080.*
Dintorni *Regione dei Trulli*** Sud.*
Roma 507 – Bari 60 – Brindisi 56 – Lecce 96 – Matera 86 – Taranto 49.

XX **Coccodrillo,** presso zoo safari O : 1,5 km ☎ 791830, Fax 791766, – P. AE. S. E VISA.
chiuso martedì – **Pasto** carta 35/60000.

X Rifugio dei Ghiottoni, via Nazionale dei Trulli 116 ☎ 714800 –

a Selva *O : 5 km – alt. 396 –* ✉ *72010 Selva di Fasano.*
(giugno-settembre) viale Toledo ☎ 713086 :

Sierra Silvana ⑤, viale Castelluccio ☎ 9331322, Telex 813344, Fax 9331207, « Palazzine e trulli in un giardino mediterraneo », – ☎ P – 350. AE. S. E VISA. rist
aprile-ottobre – **Pasto** 25/40000 – 13000 – **120 cam** 170000 – 1/2 P 110/170000.

Miramonti, viale San Donato 28 ☎ 9331300, Fax 9331569, – rist ☎ P. AE. S. E VISA.
chiuso dal 20 dicembre al 7 gennaio – **Pasto** *(chiuso martedì escluso luglio-agosto)* 30/35000 – 12000 – **20 cam** 90/130000 – 1/2 P 85/105000.

La Silvana ⑤, viale dei Pini 87 ☎ 9331161, Fax 9331980, ≤ – ☎ P. AE. S. E VISA.
Pasto *(chiuso venerdì)* carta 35/45000 – **18 cam** 80/110000 – 1/2 P 80/90000.

XXX **Fagiano,** viale Toledo 13 ☎ 9331157, Fax 9331211, « Servizio estivo in giardino » – P. S. E VISA
chiuso lunedì sera, martedì, dal 1° al 15 febbraio e dal 5 al 15 novembre – **Pasto** carta 45/65000.

XX Club Monacelle ⑤ con cam, N : 2 km ☎ 9309942, Fax 9307291, , « In un'antica masseria con caratteristici trulli », – ☎ P.
7 cam.

FASANO DEL GARDA *Brescia – Vedere Gardone Riviera.*

FAVARI *Torino – Vedere Poirino.*

FAVIGNANA (Isola di) *Trapani* 432 N 18 – *Vedere Sicilia (Egadi, isole) alla fine dell'elenco alfabetico.*

FEISOGLIO *12050 Cuneo* 428 I 6 – *425 ab. alt. 706* – ☎ *0173.*
Roma 616 – Genova 117 – Alessandria 69 – Cuneo 60 – Milano 163 – Savona 75 – Torino 87.

XX **Piemonte-da Renato,** via Torino 2 ☎ 831116, solo su prenotazione – P
Pasqua-15 dicembre – **Pasto** (menu suggeriti dal proprietario) 60000.

FELINO *43035 Parma* 428, 429, 430 H 12 – *6 599 ab. alt. 187* – ☎ *0521.*
Roma 469 – Parma 17 – Cremona 74 – La Spezia 113 – Modena 76.

XX **La Cantinetta,** via Calestano 14 ☎ 831125, Fax 831125, prenotare la sera – P. AE. S. E VISA. JCB
chiuso sabato a mezzogiorno, lunedì ed agosto – **Pasto** carta 45/70000.

X **Antica Hostaria Felinese,** via Marconi 4/a ☎ 831165, – AE. S. E VISA
chiuso martedì – **Pasto** carta 35/45000.

ELTRE *32032 Belluno* 988 ⑤, 429 D 17 *G. Italia – 19 554 ab. alt. 324 –* ☎ *0439.*
Vedere *Piazza Maggiore★ – Via Mezzaterra★.*
piazzetta Trento e Trieste 9 ☎ 2540, Fax 2839.
Roma 593 – Belluno 32 – Milano 288 – Padova 93 – Trento 81 – Treviso 58 – Venezia 88 – Vicenza 84.

Doriguzzi, viale Piave 2 ☎ 2003, Fax 83660 – rist – 60. AE. VISA. JCB. rist
Pasto *(chiuso agosto)* 35/50000 – **23 cam** 130/160000 – ½ P 100/130000.

Nuovo senza rist, vicolo Fornere Pazze 5 ☎ 2110, Fax 89241 – AE. E VISA
10000 – **23 cam** 60/120000.

ENEGRÒ *22070 Como* 219 ⑱ *– 2 383 ab. alt. 290 –* ☎ *031.*
Roma 604 – Como 26 – Milano 34 – Saronno 10 – Varese 24.

In, via Monte Grappa 20 ☎ 935702, Fax 935702, prenotare – AE. VISA
chiuso domenica sera, lunedì ed agosto – **Pasto** carta 35/70000.

ENER *32030 Belluno* 988 ⑤, 429 E 17 *– alt. 198 –* ☎ *0439.*
Roma 564 – Belluno 42 – Milano 269 – Padova 63 – Treviso 39 – Venezia 69.

Tegorzo con cam, via Nazionale 25 ☎ 779547, Fax 779706, – AE. E VISA.
Pasto *(chiuso domenica sera da ottobre a marzo e mercoledì negli altri mesi)* carta 35/55000 – 12000 – **30 cam** 75/110000 – P 75/95000.

FENIS *11020 Aosta* 428 E4, 219 ③ *G. Italia – 1 604 ab. alt. 537 –* ☎ *0165.*
Roma 722 – Aosta 20 – Breuil-Cervinia 36 – Torino 82.

Comtes de Challant con cam, fraz. Chez Sapin 95 ☎ 764353, Fax 764353 – – 40. E VISA.
chiuso dal 7 al 30 gennaio – **Pasto** *(chiuso lunedì)* carta 40/65000 – 13000 – **28 cam** 100/120000 – ½ P 110000.

FERENTILLO *05034 Terni* 430 O 20 *G. Italia – 1 977 ab. alt. 252 –* ☎ *0744.*
Roma 122 – Terni 18 – Rieti 54.

Piermarini, via della Vittoria 53 ☎ 780714, prenotare la sera – . AE. E VISA.
chiuso lunedì e dal 1° al 15 settembre – **Pasto** carta 35/65000.

FERENTINO *03013 Frosinone* 988 ㉖, 430 Q 21 *– 19 986 ab. alt. 393 –* ☎ *0775.*
Dintorni *Anagni : cripta★★★ nella cattedrale★★, quartiere medioevale★, volta★ del palazzo Comunale NO : 15 km.*
Roma 75 – Frosinone 14 – Fiuggi 23 – Latina 66 – Sora 42.

Bassetto, via Casilina Sud al km 74,600 ☎ 244931, Fax 244399 – – 40. AE. E VISA.
Pasto carta 50/70000 – **99 cam** 105/140000 – ½ P 125/140000.

FERIOLO *28040 Verbania* 428 E 7, 219 ⑥ *– alt. 195 – a.s. 28 giugno-15 settembre –* ☎ *0323.*
Roma 664 – Stresa 7 – Domodossola 35 – Locarno 48 – Milano 87 – Novara 63.

Carillon senza rist, strada nazionale del Sempione 2 ☎ 28115, Fax 28550, lago, « Giardino in riva al lago », – . E VISA
Pasqua-ottobre – 15000 – **32 cam** 90/110000.

Serenella con cam, via San Carlo 1 ☎ 28112, – AE. E VISA
Pasto *(chiuso mercoledì escluso da aprile ad ottobre)* carta 40/60000 – 10000 – **10 cam** 60/90000 – ½ P 75/85000.

FERMIGNANO *61033 Pesaro e Urbino* 430 K 19 *– 7 055 ab. alt. 199 –* ☎ *0722.*
Roma 258 – Rimini 70 – Ancona 99 – Gubbio 49 – Pesaro 43.

Bucci senza rist, NE : 2 km ☎ 356050, Fax 356050 – AE. E VISA.
chiuso dal 23 al 26 dicembre – 5000 – **16 cam** 80/100000, 5000.

FERMO *63023 Ascoli Piceno* 988 ⑯, 430 M 23 *G. Italia – 35 245 ab. alt. 321 – a.s. luglio-13 settembre –* ☎ *0734.*
Vedere *Posizione pittoresca★ – ★★ dalla piazza del Duomo★ – Facciata★ del Duomo.*
piazza del Popolo 5 ☎ 228738, Fax 228325.
Roma 263 – Ascoli Piceno 75 – Ancona 69 – Macerata 41 – Pescara 102.

al lido *E : 8 km :*

Royal, piazza Piccolomini 3 ✉ 63023 ☎ 642244, Fax 642254, ≤ – |$| ⇔ cam ▤ TV ☎ ♿ – 🏃 300. AE. Ⓢ. ⓓ E VISA. JCB. ✂
Pasto *(chiuso lunedì da ottobre a marzo)* 50/80000 – ☕ 12000 – **56 cam** 160000 – ½ P 105/140000.

FERRARA *44100* **P** 988 ⑮, 429 H 16 *G. Italia – 135 135 ab. alt. 10 – ☎ 0532.*

Vedere *Duomo*** **BYZ** – *Castello Estense** **BY B** – *Palazzo Schifanoia** **BZ E** : *affreschi*** – *Palazzo dei Diamanti** **BY** : *pinacoteca nazionale**, *affreschi*** *nella sala d'onore* – *Corso Ercole I d'Este** **BY** – *Palazzo di Ludovico il Moro** **BZ M¹** – *Casa Romei** **BZ** – *Palazzina di Marfisa d'Este** **BZ N.**

ℹ *corso Giovecca 21 ☎ 209370, Fax 212266 – (aprile-ottobre) via Kennedy 8 ☎ 765728, Fax 760225.*

A.C.I. *via Padova 17/a ☎ 52721.*

Roma 423 ③ – Bologna 51 ③ – Milano 252 ③ – Padova 73 ④ – Venezia 110 ④ – Verona 102 ④.

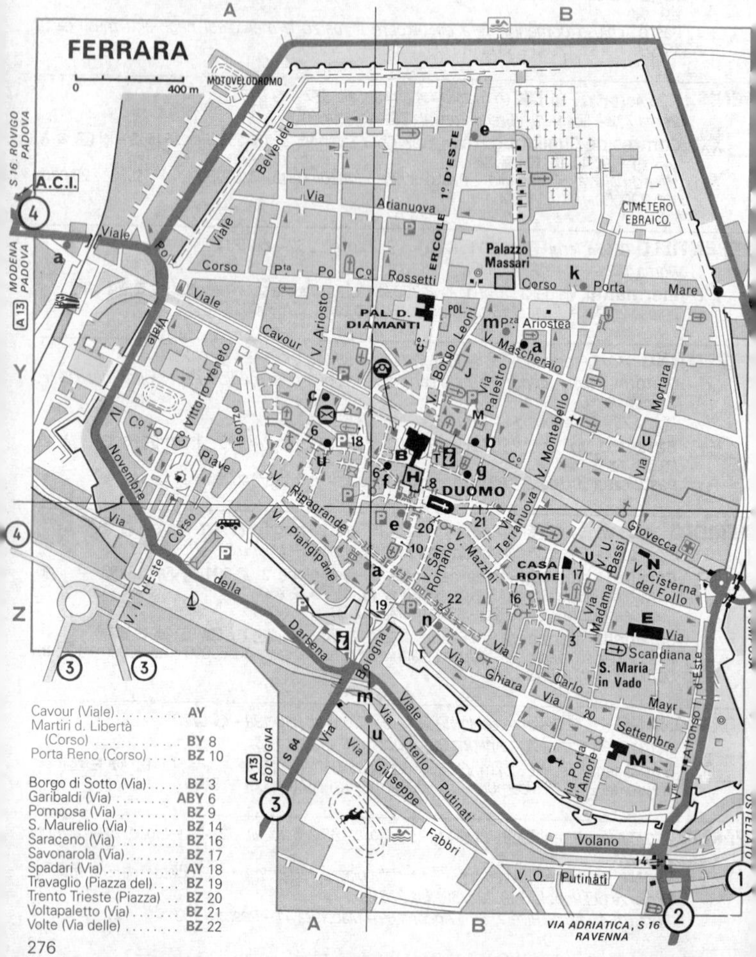

FERRARA

Cavour (Viale) .... AY
Martiri d. Libertà (Corso) .... BY 8
Porta Reno (Corso) .... BZ 10

Borgo di Sotto (Via) .... BZ 3
Garibaldi (Via) .... ABY 6
Pomposa (Via) .... BZ 9
S. Maurelio (Via) .... BZ 14
Saraceno (Via) .... BZ 16
Savonarola (Via) .... BZ 17
Spadari (Via) .... AY 18
Travaglio (Piazza del) .... BZ 19
Trento Trieste (Piazza) .... BZ 20
Voltapaletto (Via) .... BZ 21
Volte (Via delle) .... BZ 22

Duchessa Isabella, via Palestro 70 ℘ 202121 e rist ℘ 202122, Fax 202638, « In un palazzo del 15° secolo », – |‡| ▤ TV ☎ P. AE. §. ⊙ E VISA BY a
chiuso agosto – **Pasto** *(chiuso domenica sera e lunedì)* carta 70/120000 – **21 cam** ☕ 330/480000, 6 appartamenti – ½ P 280/300000.

Astra, viale Cavour 55 ℘ 206088, Fax 247002 – |‡| ▤ TV ☎ – 160. AE. §. ⊙ E VISA. rist AY c
Pasto carta 50/80000 – **66 cam** ☕ 230/330000, 2 appartamenti.

Ripagrande, via Ripagrande 21 ℘ 765250, Telex 521169, Fax 764377, « Palazzo del 16° secolo; servizio rist. estivo in cortile » – |‡| ▤ TV ☎ – 80. AE. §. ⊙ E VISA. JCB. rist
Pasto *(chiuso lunedì e dal 25 luglio al 25 agosto)* carta 45/60000 (10%) – **40 cam** ☕ 220/300000. ABZ a

Annunziata senza rist, piazza Repubblica 5 ℘ 201111, Fax 203233 – |‡| ▤ TV ☎ – 50. AE. §. ⊙ E VISA BY f
24 cam ☕ 190/300000, appartamento.

Carlton senza rist, via Garibaldi 93 ℘ 211130, Fax 205766 – |‡| ▤ TV ☎ – 50. AE. §. ⊙ E VISA AY u
58 cam ☕ 140/200000.

Locanda della Duchessina, vicolo del Voltino 11 ℘ 202121 – ▤ TV ☎ P. AE. §. ⊙ E VISA BY m
chiuso agosto – **Pasto** vedere rist hotel ***Duchessa Isabella*** – **5 cam** ☕ 140/220000.

Europa senza rist, corso della Giovecca 49 ℘ 205456, Fax 212120 – ▤ TV ☎ P. AE. §. ⊙ E VISA. BY b
39 cam ☕ 120/165000.

Locanda Borgonuovo senza rist, via Cairoli 29 ℘ 211100 – ▤ TV ☎. AE. §. E VISA
4 cam ☕ 90/150000. BY g

La Provvidenza, corso Ercole I d'Este 92 ℘ 205187, Fax 205018, – ▤. AE. §. ⊙ E VISA. JCB. BY e
chiuso lunedì e dall'11 al 17 agosto – **Pasto** carta 40/60000 (10%).

Centrale, via Boccaleone 8 ℘ 206735, – AE. §. ⊙ E VISA. JCB BZ e
chiuso domenica, mercoledì sera e dal 12 al 31 luglio – **Pasto** carta 45/65000.

La Romantica, via Ripagrande 34-40 ℘ 765975, Fax 761648 – ▤. AE. §. ⊙ E VISA. ABZ a
chiuso mercoledì, dal 1° al 15 gennaio e dal 1° al 22 agosto – **Pasto** carta 40/60000.

Quel Fantastico Giovedì, via Castelnuovo 9 ℘ 760570, Coperti limitati; prenotare – ▤. AE. §. ⊙ E VISA. JCB. BZ n
chiuso mercoledì, dal 20 al 30 gennaio e dal 20 luglio al 20 agosto – **Pasto** 25/40000 (a mezzogiorno) e carta 45/65000.

Il Bagattino, via Correggiari 6 ℘ 206387, Fax 206387 – ▤. AE. §. ⊙ E VISA
chiuso lunedì – **Pasto** carta 40/55000. BZ e

La Trattoria, via del Lavoro 13 ℘ 55103, – rist. AE. §. ⊙ E VISA. JCB.
chiuso sabato a mezzogiorno e domenica – **Pasto** carta 35/65000. AY a

Trattoria il Testamento del Porco, via Putinati 24 ℘ 760460 – AE. §. E VISA. ABZ u
chiuso, sabato a mezzogiorno, martedì e dal 10 al 31 gennaio – **Pasto** carta 40/60000.

Antica Trattoria Volano, viale Volano 20 ℘ 761421, – AE. §. ⊙ E VISA
chiuso venerdì – **Pasto** carta 35/50000. ABZ m

a Gaibanella *per ② : 6 km – ✉ 44040 :*

La Fenice, via Palmirano 139 ℘ 718704, – P
chiuso mercoledì e dal 5 al 20 agosto – **Pasto** 20000 (solo a mezzogiorno) e 30/35000 (alla sera).

a Marrara *per ② : 17 km – ✉ 44040 :*

Trattoria da Ido, ℘ 421064, Fax 421064, Coperti limitati; prenotare – ▤ P. AE. §. ⊙ E VISA.
chiuso domenica, lunedì, dal 1° al 15 gennaio, dal 1° al 15 luglio e dal 1° al 15 settembre – **Pasto** carta 40/65000.

FERRAZZANO *Campobasso* 430 R 26, 431 C 26 – *Vedere Campobasso.*

FERRO DI CAVALLO *Perugia* 430 M 19 – *Vedere Perugia.*

FETOVAIA *Livorno* 430 N 12 – *Vedere Elba (Isola d') : Marina di Campo.*

FIANO ROMANO *00065 Roma* 988 ㉖, 430 P 19 – *7 133 ab. alt. 107 – ☎ 0765.*
Roma 39 – L'Aquila 110 – Terni 81 – Viterbo 81.

in prossimità casello autostrada A 1 di Fiano Romano *S : 5 km :*

Eurohotel [M] senza rist, località Bei Poggi ✉ 00065 ☎ 455511, Fax 455333 – |‡| ▤ [TV] ☎ ♿ [P] – 80. [AE]. [S]. ● E [VISA]. ⛔
100 cam ☕ 160/220000.

FIASCHERINO *La Spezia* [428], [429], [430] J 11 – *Vedere Lerici.*

FIDENZA *43036 Parma* [988] ⑭, [428], [429] H 12 *G. Italia – 23 162 ab. alt. 75 – ☎ 0524.*
Vedere Duomo* : portico centrale**.
Roma 478 – Parma 21 – Piacenza 43 – Bologna 116 – Cremona 47 – Milano 103.

Astoria senza rist, via Gandolfi 5 ☎ 524314, Fax 527263 – |‡| ▤ [TV] ☎. [S]. E [VISA]
☕ 15000 – **30 cam** 80/110000.

Astoria, via Gandolfi 7 ☎ 524588 – ▤. [AE]. [S]. ● E [VISA]. [JCB]
chiuso lunedì – **Pasto** carta 40/60000.

Ugolini con cam, via Malpeli 90 ☎ 522422, Fax 522422 – [TV]. [AE]. [S]. E [VISA]. ⛔
chiuso dal 24 dicembre al 15 gennaio – **Pasto** *(chiuso giovedì)* carta 45/60000 – ☕ 8000 – **13 cam** 55/80000 – ½ P 75000.

FIÉ ALLO SCILIAR (VÖLS AM SCHLERN) *39050 Bolzano* [429] C 16 – *2 771 ab. alt. 880 – ☎ 0471.*
[i] ☎ 725047, Fax 725488.
Roma 657 – Bolzano 16 – Bressanone 40 – Milano 315 – Trento 76.

Emmy ⛰, via Putzes 5 ☎ 725006, Fax 725484, ← monti e pinete, ⛱, Fō, ≘s, [▢] – |‡| [TV] ☎ 🚗. [S]. E [VISA]. ⛔ rist
chiuso dal 4 novembre al 20 dicembre – **Pasto** carta 65/100000 – **23 cam** ☕ 150/300000, 22 appartamenti 320/400000 – ½ P 120/180000.

Turm ⛰, piazza della Chiesa 9 ☎ 725014, Fax 725474, ← monti e vallata, « Raccolta di quadri d'autore », ≘s, ⛾, [▢], 🌳 – |‡| [TV] ☎. [S]. E [VISA]. ⛔ rist
chiuso dal 6 novembre al 20 dicembre – **Pasto** *(chiuso giovedì)* carta 65/90000 – **23 cam** ☕ 140/290000 – P 140/200000.

Völserhof ⛰, via del Castello 1 ☎ 725421, Fax 725602, ←, ⛱, ⛾ riscaldata, 🌳 – |‡| [TV] ☎ [P]. [S]. E [VISA]
chiuso dal 7 al 30 gennaio – **Pasto** *(chiuso lunedì escluso agosto-settembre)* carta 55/75000 – **29 cam** ☕ 100/190000 – ½ P 80/120000.

Heubad ⛰, via Sciliar 12 ☎ 725020, Fax 725425, ←, ⛱, Cura bagni di fieno, ≘s, ⛾ riscaldata, 🌳 – |‡| [TV] ☎ 🚗 [P]. [S]. E [VISA]
chiuso novembre e dal 10 al 29 gennaio – **Pasto** *(chiuso mercoledì)* carta 35/55000 – **30 cam** ☕ 100/190000 – ½ P 115/130000.

Rose-Wenzer ⛰, piazza della Chiesa 18 ☎ 725016, Fax 725253, ←, ⛱, ≘s, [▢], 🌳 – |‡| ☎. [S]. E [VISA]. ⛔ rist
chiuso dal 15 gennaio al 7 febbraio – **Pasto** *(chiuso mercoledì da ottobre a marzo)* carta 30/55000 – **34 cam** ☕ 80/130000 – ½ P 80/110000.

a San Costantino (St. Konstantin) *N : 3 km – ✉ 39040 Siusi :*

Parc Hotel Miramonti ⛰, San Costantino 14 ☎ 707035, Fax 705422, ←, Fō, ≘s, ⛾ riscaldata, [▢], 🌳 – |‡| [TV] ☎ ♿ [P]
chiuso dal 1° al 16 dicembre e dall'11 al 24 aprile – **Pasto** carta 45/80000 – **44 cam** ☕ 180/360000 – ½ P 140/200000.

FIERA DI PRIMIERO *38054 Trento* [988] ⑤, [429] D 17 – *549 ab. alt. 717 – a.s. Pasqua e Natale – ☎ 0439.*
[i] piazza Municipio 7 ☎ 62407, Fax 62992.
Roma 616 – Belluno 65 – Bolzano 99 – Milano 314 – Trento 101 – Vicenza 103.

Iris, via Roma ☎ 762000, Fax 762204, ←, « Giardino ombreggiato », ≘s – |‡| [TV] ☎ [P]. [AE]. [S]. ● E [VISA]. [JCB]. ⛔
5 dicembre-24 aprile e giugno-settembre – **Pasto** carta 35/55000 – **64 cam** ☕ 105/160000, 7 appartamenti – ½ P 100/145000.

Tressane, via Roma 30 ☎ 762205, Fax 762204, « Giardino ombreggiato » – |‡| [TV] ☎ [P]. [AE]. [S]. ● E [VISA]. [JCB]. ⛔
Pasto carta 35/55000 – **37 cam** ☕ 95/150000 – ½ P 80/110000.

Mirabello, viale Montegrappa 2 ☎ 64241, Fax 762366, ←, ≘s, [▢] – |‡| [TV] ☎ [P]. ⛔ rist
20 dicembre-Pasqua e giugno-10 ottobre – **Pasto** 20/45000 – **43 cam** ☕ 100/150000 – ½ P 100/130000.

La Perla ⛰, via Venezia 26 ☎ 762115, Fax 762115 – |‡| [TV] ☎ [P]. [AE]. [S]. ● E [VISA]. ⛔ rist
Pasto carta 30/40000 – **41 cam** ☕ 90/140000 – ½ P 80/95000.

in Val Canali *NE : 7 km :*

X **Rifugio Chalet Piereni** ⑤, con cam, alt. 1 300 ✉ 38054 ☎ 62348, Fax 64792, ≤ Pale di San Martino, 斎 – Ⓟ. 🅂. E VISA. ✻ rist
Natale e Pasqua-novembre – **Pasto** *(chiuso mercoledì in bassa stagione)* carta 30/50000 – **15 cam** ☐ 55/100000 – 1/2 P 70/100000.

FIESOLE *50014 Firenze* 988 ⑭ ⑮, 429, 430 K 15 *G. Toscana – 15 022 ab. alt. 295 –* ☎ *055.*

Vedere *Paesaggio**** – *≤** su Firenze – Convento di San Francesco* – Duomo* : interno* e opere* di Mino da Fiesole – Zona archeologica : sito*, Teatro romano*, museo** Y **M**[1] – *Madonna con Bambino e Santi* del Beato Angelico nella chiesa di San Domenico SO : 2,5 km* FT *(pianta di Firenze).*

🅘 *piazza Mino da Fiesole 36* ☎ *598720, Fax 598822.*

Roma 285 – Firenze 8 – Arezzo 89 – Livorno 124 – Milano 307 – Pistoia 45 – Siena 76.

Pianta di Firenze : percorsi di attraversamento.

Villa San Michele ⑤, via Doccia 4 ☎ 59451, Telex 570543, Fax 598734, ≤ Firenze e colli, 斎, « Costruzione quattrocentesca con parco e giardino », ⛱ riscaldata – ▤ TV ☎ Ⓟ. AE. 🅂. ⓞ E VISA. JCB. ✻ rist BR b
chiuso da dicembre al 26 febbraio – **Pasto** carta 125/190000 – **26 cam** ☐ 700/1320000, 9 appartamenti 1880/2380000 – 1/2 P 530/1190000.

Villa Fiesole senza rist, via Beato Angelico 35 ☎ 597252, Fax 599133, ≤ Firenze e colli, 🌳 – 🛗 ▤ TV ☎ ♿ Ⓟ. AE. 🅂. ⓞ E VISA BR b
28 cam ☐ 240/360000.

Villa Aurora, piazza Mino da Fiesole 39 ☎ 59100, Fax 59587, ≤, 斎, 🌳 – ▤ TV ☎ Ⓟ – 🏛 150 a
26 cam.

Villa Bonelli, via Francesco Poeti 1 ☎ 598941, Fax 598942 – 🛗 ⇔ rist TV ☎. AE. 🅂. ⓞ E VISA. ✻ rist e
Pasto (*aprile-ottobre; chiuso a mezzogiorno* e solo per alloggiati) 35/45000 – **20 cam** ☐ 125/200000 – 1/2 P 130000.

Bencistà ⑤, via Benedetto di Maiano 4 ☎ 59163, Fax 59163, ≤ Firenze e colli, « Vecchia villa fra gli oliveti », 🌳 – ⇔ rist ☎ Ⓟ. ✻ rist BR c
Pasto (solo per alloggiati) 45000 – **42 cam** solo 1/2 P 110/130000.

X **I' Polpa,** piazza Mino da Fiesole 21/22 ☎ 59485, prenotare – AE. 🅂. ⓞ E VISA. JCB c
chiuso mercoledì ed agosto – **Pasto** carta 45/75000.

a Montebeni *E : 5 km* FT – ✉ *50014 Fiesole :*

X Tullio a Montebeni, via Ontignano 48 ☎ 697354, 斎

ad Olmo *NE : 9 km* FT – ✉ *50014 Fiesole :*

Dino, via Faentina 329 ☎ 548932, Fax 548934, ≤, 🌳 – TV ☎ 🚗 Ⓟ. AE. 🅂. ⓞ E VISA. ✻ rist
Pasto *(chiuso mercoledì escluso giugno-settembre)* carta 25/40000 (12 %) – **18 cam** ☐ 100/140000 – 1/2 P 95000.

XX ✿ **La Panacea del Bartolini,** ☎ 548972, Fax 484116, « Servizio estivo in terrazza con ≤ colline fiesolane », 🌳 – Ⓟ. AE. 🅂. ⓞ E VISA. ✻
chiuso a mezzogiorno (escluso domenica), lunedì da ottobre a maggio e dal 6 gennaio al 1º febbraio – **Pasto** carta 60/90000
Spec. Insalata leggera di gamberoni e porcini (giugno-settembre). Bavette al tartufo. Bistecca alla fiorentina.

FIESSO D'ARTICO *30032 Venezia* 429 F 18 *G. Venezia – 5 774 ab. – ☎ 041.*
Roma 508 – Padova 15 – Milano 247 – Treviso 42 – Venezia 30.

Villa Giulietta, via Riviera del Brenta 169 ☎ 5161500, Fax 5161212, – ▤ TV ☎ ♿ P – 🏛 200. AE. 🗈. ◑ E VISA. ✻
Pasto vedere rist ***Da Giorgio*** – ☐ 12000 – **36 cam** 90/140000.

Da Giorgio, via Riviera del Brenta 228 ☎ 5160204 – ▤ P. AE. 🗈. ◑ E VISA. ✻
chiuso mercoledì ed agosto – **Pasto** specialità di mare carta 45/75000.

FIGINO SERENZA *22060 Como* 428 E 9, 219 ⑲ *– 4 593 ab. alt. 330 – ☎ 031.*
Roma 622 – Como 14 – Milano 34.

Park Hotel e Villa Argenta, via XXV Aprile 5/14 ☎ 780792, Fax 780117, – |‡| ▤ TV ☎ 🚗 P – 🏛 200. AE. 🗈. ◑ E VISA. JCB
chiuso agosto – **Pasto** *(chiuso domenica)* carta 40/70000 – ☐ 15000 – **40 cam** 120/155000.

FIGLINE VALDARNO *50063 Firenze* 988 ⑮, 429, 430 L 16 *– 15 954 ab. alt. 126 – ☎ 055.*
Roma 241 – Firenze 34 – Siena 59 – Arezzo 45 – Perugia 121.

Torricelli, via San Biagio 2 ☎ 958139, Fax 958481 – |‡| ▤ TV ☎ P – 🏛 80. AE. 🗈. ◑ E VISA. ✻ rist
Pasto *(chiuso sabato a mezzogiorno)* carta 35/50000 – ☐ 12000 – **39 cam** 80/120000.

*Sono utili complementi di questa guida, per i viaggi in **ITALIA** :*
- *La **carta stradale Michelin** n°* 988 *in scala 1/1 000 000.*
- *Le **carte*** 428, 429, 430, 431, 432, 433 *in scala 1/400 000.*
- *L'Atlante stradale Italia in scala 1/300 000.*
  - *Le guide Verdi turistiche **Michelin "Italia", "Roma", "Venezia" e "Toscana"** :*
    itinerari regionali,
    musei, chiese,
    monumenti e bellezze artistiche.

FILIANO *85020 Potenza* 431 E 29 *– 3 289 ab. alt. 600 – ☎ 0971.*
Roma 381 – Potenza 31 – Foggia 83 – Napoli 191.

sulla strada statale 93 *N : 2 km :*

Dei Castelli, ✉ 85020 ☎ 88256, Fax 88275, ⛱, ✂ – |‡| ▤ TV ☎ P – 🏛 200. 🗈. E VISA. ✻ rist
Pasto carta 30/45000 – ☐ 6000 – **34 cam** 85/130000 – ½ P 120000.

FILOTTRANO *60024 Ancona* 988 ⑯, 430 L 22 *– 9 112 ab. alt. 270 – ☎ 071.*
Roma 277 – Ancona 41 – Macerata 22 – Perugia 136.

7 Colli ⛰, ☎ 7220833, Fax 7220833 – |‡| ▤ rist TV ☎ P
22 cam.

FINALE LIGURE *17024 Savona* 988 ⑫, 428 J 7 *G. Italia – 12 577 ab. – ☎ 019.*
Vedere *Finale Borgo★ NO : 2 km.*
Escursioni *Castel San Giovanni : ≤★ 1 h a piedi AR (da via del Municipio).*
🛈 via San Pietro 14 ☎ 692581, Fax 680052.
Roma 571 – Genova 72 – Cuneo 116 – Imperia 52 – Milano 195 – Savona 26.

Punta Est, via Aurelia 1 ☎ 600611, Fax 600611, ≤, , « Antica dimora in un parco ombreggiato », ⛱ – |‡| ▤ rist TV ☎ P – 🏛 100. AE. 🗈. E VISA. ✻
maggio-settembre – **Pasto** 50/90000 – ☐ 20000 – **40 cam** 250/350000, 5 appartamenti – ½ P 170/250000.

Boncardo, corso Europa 4 ☎ 601751, Fax 680419, ≤, ⛱ – |‡| ▤ rist TV ☎ P. AE. 🗈. ◑ VISA. ✻ rist
chiuso dall'8 gennaio al 20 marzo – **Pasto** *(giugno-settembre)* carta 50/85000 – ☐ 14000 – **50 cam** 110/160000 – ½ P 125/150000.

Miramare, via San Pietro 9 ☎ 692467, Fax 695467, ≤ – |‡| ▤ rist TV ☎ ♿. AE. 🗈. ◑ E VISA. ✻ rist
chiuso dal 3 ottobre al 23 dicembre – **Pasto** carta 40/55000 – ☐ 16000 – **35 cam** 100/140000 – ½ P 60/130000.

Internazionale, via Concezione 3 ℘ 692054 – TV ☎. AE. ⑤. E VISA. ⛔ rist
chiuso dal 1° al 28 dicembre – **Pasto** (solo per alloggiati) 35/40000 – ☕ 20000 – **32 cam** 110/140000 – ½ P 70/130000.

Palace, via Lungo Sciusa 1 ℘ 601840, Fax 601212 – |‡| TV ☎. ⑤. E VISA
Pasto (solo per alloggiati) 35000 – ☕ 15000 – **32 cam** 75/110000 – ½ P 50/100000.

Harmony, corso Europa 67 ℘ 601728, ☂ – AE. ⑤. ⓞ E VISA. ⛔
chiuso novembre e martedì (escluso da luglio ad ottobre) – **Pasto** carta 45/80000.

La Lampara, vico Tubino 4 ℘ 692430, prenotare –. ⑤. E VISA
chiuso mercoledì e novembre – **Pasto** carta 70/80000.

Finalborgo *NO : 2 km – ✉ 17024 Finale Ligure :*

Ai Torchi, via dell'Annunziata 12 ℘ 690531, prenotare – AE. ⑤. ⓞ E VISA. ⛔
chiusodal 7 gennaio al 10 febbraio, martedì (escluso agosto) e da ottobre a maggio anche lunedì – **Pasto** specialità di mare carta 55/90000.

INO DEL MONTE *24020 Bergamo – 1 059 ab. alt. 670 – ☏ 0346.*
Roma 615 – Brescia 70 – Bergamo 39 – Edolo 76 – Milano 89.

Garden ⛰, via Papa Giovanni XXIII 1 ℘ 72369, Fax 72369 – |‡| TV ☎ ⇐ P – 🏛 25. AE. ⑤. VISA. ⛔
chiuso dal 5 al 15 ottobre – **Pasto** *(chiuso lunedì)* carta 35/65000 – ☕ 8000 – **21 cam** 70/110000 – P 90/110000.

IORANO MODENESE *41042 Modena 428, 429, 430 I 14 – 15 864 ab. alt. 155 – ☏ 059.*
Roma 421 – Bologna 57 – Modena 15 – Reggio nell'Emilia 35.

Executive, circondariale San Francesco 2 ℘ (0536) 832010 e rist ℘832673, Fax 830229 – |‡| ▤ TV ☎ ⇐ P – 🏛 150. AE. ⑤. ⓞ E VISA. ⛔
Pasto al Rist. ***Exè*** *(chiuso sabato a mezzogiorno e domenica)* carta 50/80000 – ☕ 18000 – **51 cam** 175/265000, 9 appartamenti.

Alexander senza rist, località Spezzano O : 3 km, via della Resistenza 46 ✉ 41040 Spezzano ℘ (0536) 845911, Fax (0536) 845183 – |‡| ▤ TV ☎ ♿ P – 🏛 25. AE. ⑤. ⓞ E VISA. ⛔
☕ 10000 – **40 cam** 95/135000.

IORENZUOLA D'ARDA *29017 Piacenza 988 ⑬ ⑭, 428, 429 H 11 – 13 414 ab. alt. 82 – ☏ 0523.*
Roma 495 – Piacenza 24 – Cremona 31 – Milano 87 – Parma 37.

Concordia senza rist, via XX Settembre ℘ 982827, Fax 981098 – ▤ TV ☎ – 🏛 25. AE. ⑤. ⓞ E VISA
chiuso dal 5 al 20 agosto – ☕ 10000 – **20 cam** 70/120000, 2 appartamenti, ▤ 10000.

La Campana, via Emilia 11 ℘ 943833 – ▤ P. AE. ⑤. ⓞ E VISA. ⛔
chiuso martedì – **Pasto** carta 40/55000.

Non confondete :

Confort degli alberghi : 🏨🏨 ... 🏠, ♆
Confort dei ristoranti : ✕✕✕✕✕ ... ✕
Qualità della tavola : ✿✿✿, ✿✿, ✿

FIRENZE

50100 **P** 988 ⑮, 429, 430 K 15 *G. Toscana – 383 594 ab. alt. 49 –* ✆ *055.*

Roma 277 ③ – Bologna 105 ⑦ – Milano 298 ⑦.

UFFICIO INFORMAZIONI TURISTICHE

via Cavour 1 r ✉ 50129 ✆ 290832, Fax 2760383.
A.C.I. *viale Amendola 36 ✉ 50121 ✆ 24861.*

INFORMAZIONI PRATICHE

✈ *di Peretola NO : 4 km* AR *✆ 373498.*
Alitalia, lungarno Acciaiuoli 10/12 r, ✉ 50123 ✆ 27889.
18 *Dell'Ugolino (chiuso lunedì) a Grassina ✉ 50015 ✆ 2301009, Fax 2301141 S : 12 km* **BS.**

CURIOSITÀ

Duomo★★★ Y *: esterno dell'abside★★★, cupola★★★ (✻★★) – Campanile★★★* Y **B** *: ✻★★ – Battistero★★★* Y **C** *: porte★★★, mosaici★★★ – Museo dell'Opera del Duomo* Y **M**[1] *– Piazza della Signoria★★* Z *– Loggia della Signoria★★* Z **D** *: Perseo★★★ di B. Cellini*

Palazzo Vecchio★★★ **Z H** *– Galleria degli Uffizi★★★* Z *– Palazzo e museo del Bargello★★★* Z

San Lorenzo★★★ Y *: chiesa★★, Biblioteca Laurenziana★★, tombe dei Medici★★★ nelle Cappelle Medicee★★ – Palazzo Medici-Riccardi★★* Y *: Cappella★★★, sala di Luca Giordano★★*

Chiesa di Santa Maria Novella★★ Y *: affreschi del Ghirlandaio★★★ – Ponte Vecchio★★* Z *– Palazzo Pitti★★* DV *: galleria Palatina★★★, museo degli Argenti★★, opere dei Macchiaioli★★ nella galleria d'Arte Moderna★ – Giardino di Boboli★* DV *: ✻★★ dal Forte del Belvedere*

Museo delle Porcellane★ DV *– Convento e museo di San Marco★★* ET *: opere★★★ del Beato Angelico – Galleria dell'Accademia★★* ET *: galleria delle opere di Michelangelo★★★*

Piazza della Santissima Annunziata★ ET **168** *: affreschi★ nella chiesa, portico★★ ornato di medaglioni★★ nell'Ospedale degli Innocenti★ – Chiesa di Santa Croce★★* EU *: Cappella dei Pazzi★★ – Passeggiata ai Colli★★ : ✻★★★ da piazzale Michelangiolo* EFV*, chiesa di San Miniato al Monte★★* EFV.

Palazzo Strozzi★★ Z *– Palazzo Rucellai★★* Z *– Santa Maria del Carmine★★* DUV *– Cenacolo di Fuligno (Ultima Cena★)* DT*, Cenacolo di San Salvi★* BS **G** *– Orsanmichele★* ZN*: tabernacolo★★ dell'Orcagna – La Badia* Z *: campanile★, bassorilievo in marmo★★, tombe★, Apparizione della Vergine a San Bernardo★ di Filippino Lippi – Cappella Sassetti★★ e cappella dell'Annunciazione★ nella chiesa di Santa Trinità* Z *– Chiesa di Santo Spirito★* DUV

Cenacolo★ di Sant'Apollonia ET *– Ognissanti* DU *: Cenacolo★ del Ghirlandaio – Palazzo Davanzati★* Z **M**[2] *– Loggia del Mercato Nuovo★* Z **K** *– Musei : Archeologico★★ (Chimera di Arezzo★★ Vaso François★★)* ET*, di Storia della Scienza★* Z **M**[6] *– Museo Marino Marini★* Z **M**[7] *– Museo Bardini★* EV *– Museo La Specola★* DV *– Casa Buonarroti★* EU **M**[3] *– Opificio delle Pietre Dure★* ET **M**[4].

DINTORNI

Ville Medicee★ BR **B***, villa di Castello★* AR **C** *– Villa di Poggio a Caiano★★ per S 66 : 17 km* AR *– Certosa del Galluzzo★★* ABS.

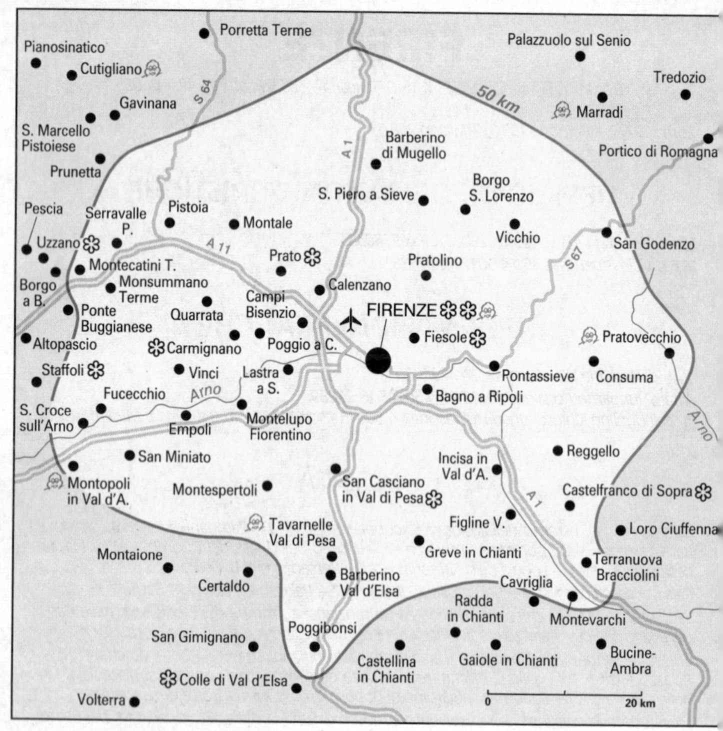

Excelsior, piazza Ognissanti 3 ✉ 50123 ✆ 264201, Telex 570022, Fax 210278 – 🛗 ▤ 📺 ☎ – 🏛 300. AE. 🅂. ⓓ E VISA. JCB. ✻ rist DU
Pasto carta 100/145000 – ☕ 54000 – **172 cam** 440/705000, 7 appartamenti.

Grand Hotel, piazza Ognissanti 1 ✉ 50123 ✆ 288781, Telex 570055, Fax 217400 – 🛗 ▤ 📺 ☎ ♿ 🚗 – 🏛 220. AE. 🅂. ⓓ E VISA. JCB. ✻ rist DU
Pasto carta 110/155000 – ☕ 54000 – **90 cam** 495/825000, 17 appartamenti.

Villa Medici, via Il Prato 42 ✉ 50123 ✆ 2381331, Telex 570179, Fax 2381336, 🍸, 🏊, 🌳 – 🛗 ▤ 📺 ☎ – 🏛 90. AE. 🅂. ⓓ E VISA. JCB. ✻ rist CT
Pasto carta 70/100000 – ☕ 36000 – **89 cam** 430/690000, 14 appartamenti.

Regency, piazza Massimo D'Azeglio 3 ✉ 50121 ✆ 245247, Fax 2346735, 🌳 – 🛗 ▤ 📺 ☎ 🚗. AE. 🅂. ⓓ E VISA. JCB. ✻ rist FU
Pasto al Rist. ***Relais le Jardin*** *(chiuso domenica;* prenotare) carta 70/110000 – **30 cam** ☕ 380/580000, 5 appartamenti.

Helvetia e Bristol, via dei Pescioni 2 ✉ 50123 ✆ 287814, Telex 570696, Fax 288353 – 🛗 ▤ 📺 ☎. AE. 🅂. ⓓ E VISA. ✻ Z
Pasto carta 60/100000 – ☕ 32000 – **37 cam** 380/575000, 15 appartamenti.

Albani, via Fiume 12 ✉ 50123 ✆ 26030, Telex 573316, Fax 211045 – 🛗 ▤ 📺 ☎ – 🏛 40 AE. 🅂. ⓓ E VISA. JCB. ✻ DT
Pasto carta 60/90000 – **75 cam** ☕ 380/420000, 4 appartamenti.

Brunelleschi, piazza Santa Elisabetta 3 ✉ 50122 ✆ 562068, Telex 571105, Fax 219653 ⩽, « Piccolo museo privato in una torre di origine bizantina » – 🛗 ⇸ cam ▤ 📺 ☎ – 🏛 100. AE. 🅂. ⓓ E VISA. JCB. ✻ Z
Pasto (solo per alloggiati) carta 80/120000 – **88 cam** ☕ 340/460000, 8 appartamenti – ½ P 300/410000.

Gd H. Minerva Ⓜ, piazza Santa Maria Novella 16 ✉ 50123 ✆ 284555, Telex 570414 Fax 268281, 🏊 – 🛗 ▤ 📺 ☎ – 🏛 90. AE. 🅂. ⓓ E VISA. JCB. ✻ Y
Pasto carta 45/75000 – **93 cam** ☕ 320/440000, 6 appartamenti – ½ P 275/375000.

Astoria Palazzo Gaddi, via del Giglio 9 ✉ 50123 ✆ 2398095, Fax 214632 – 🛗 ▤ 📺 ☎ ♿ – 🏛 130. AE. 🅂. ⓓ E VISA. ✻ rist Y
Pasto *(chiuso domenica)* carta 50/75000 – **96 cam** ☕ 315/430000, 6 appartamenti.

FIRENZE

PERCORSI DI ATTRAVERSAMENTO E DI CIRCONVALLAZIONE

Agnelli (Via Giovanni)	BS	4
Alberti (Piazza L.B.)	BS	6
Aretina (V.)	BS	13
Chiantigiana (Via)	BS	36
Colombo (Lung C.)	BS	37
D'Annunzio (Via G.)	BS	41
De Amicis (Viale E.)	BS	45
Europa (Viale)	BS	49
Giannotti (Viale D.)	BS	58
Guidoni (Viale A.)	AR	67
Machiavelli (Vle Niccolò)	BS	73
Mariti (Via G. F.)	BR	81
Michelangiolo (Viale)	BS	87
Novoli (Via di)	AR	91
Panche (Via delle)	BR	100
Paoli (Via)	AS	103
Paoli (Viale Pasquale)	BS	105
Pietro Leopoldo (Piazza)	BR	114
Poggio Imperiale (Viale)	BS	118
Pollaiuolo (Via A. del)	AS	121
Salviati (Via)	BR	144
S. Domenico (Via)	BR	147
Villamagna (Via di)	BS	196

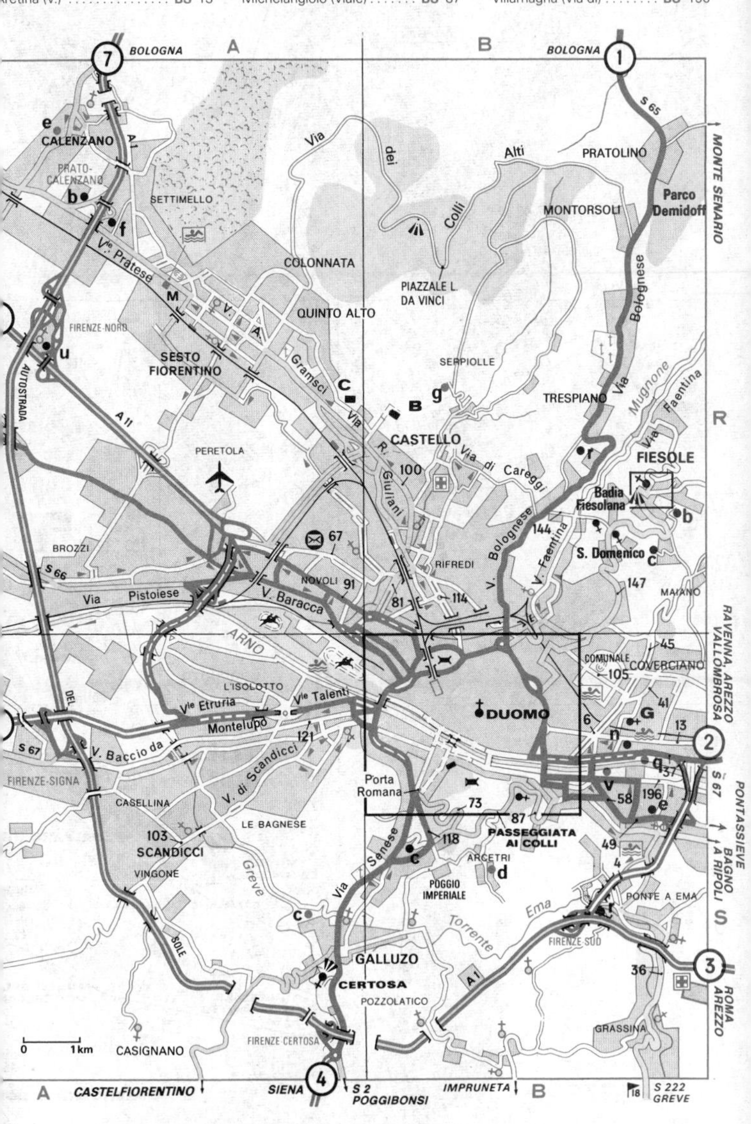

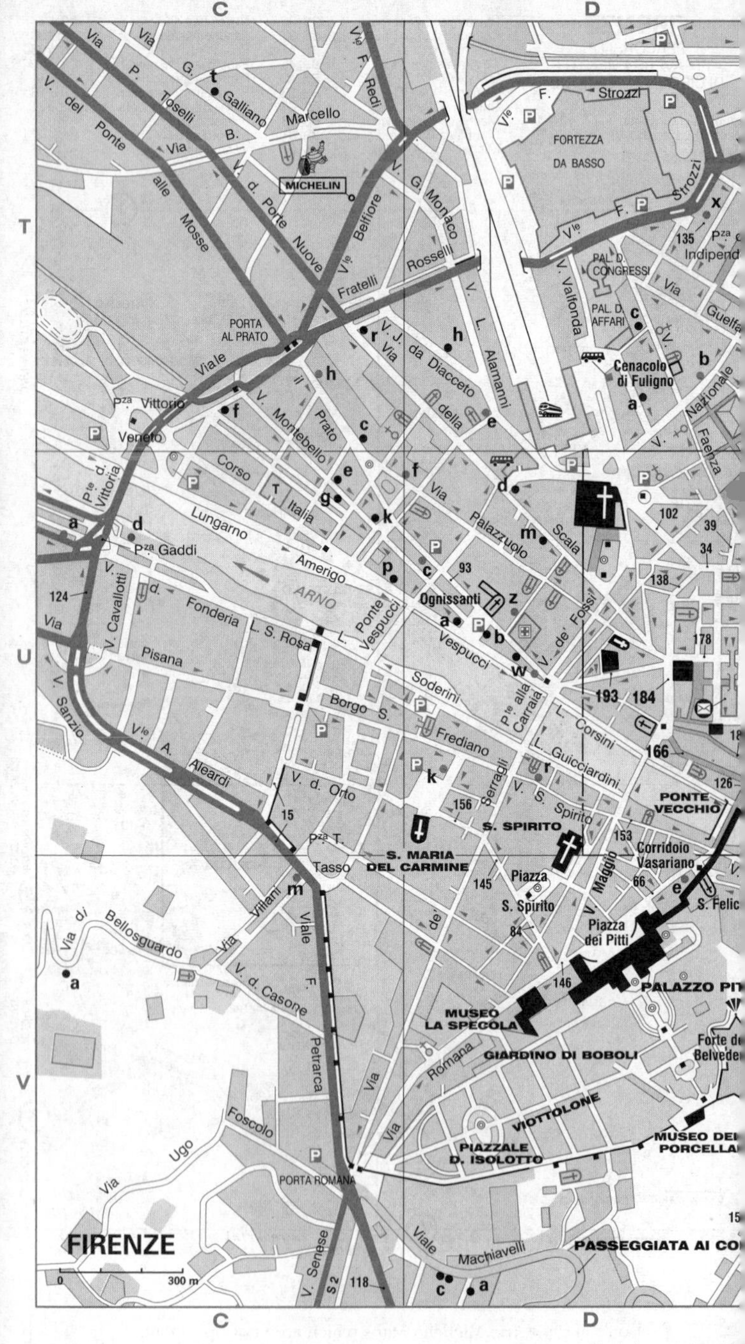

Circolazione regolamenta

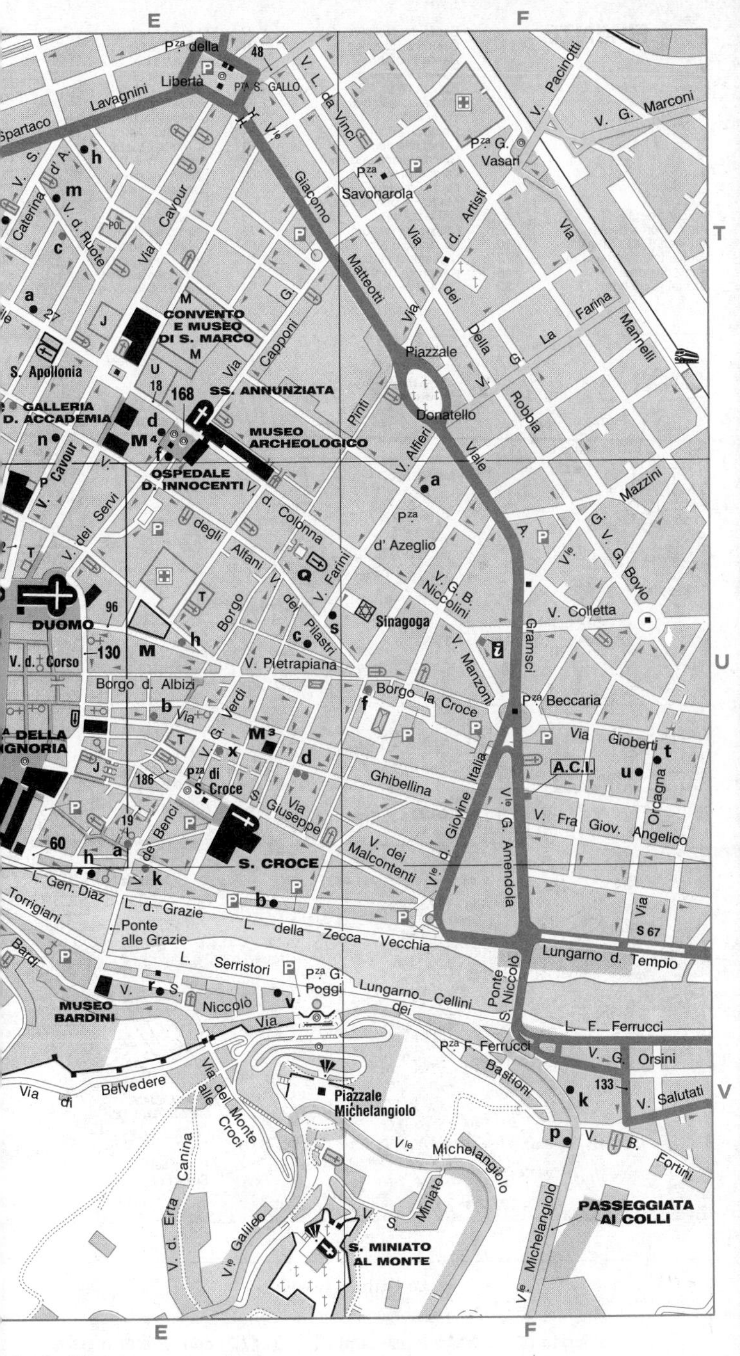
E
F
T
U
V
DUOMO
CONVENTO E MUSEO DI S. MARCO
SS. ANNUNZIATA
MUSEO ARCHEOLOGICO
OSPEDALE D. INNOCENTI
GALLERIA D. ACCADEMIA
S. Apollonia
Sinagoga
S. CROCE
MUSEO BARDINI
Piazzale Michelangiolo
S. MINIATO AL MONTE
PASSEGGIATA AI COLLI
A.C.I.
Piazzale Donatello
Pza della Libertà
Pza Beccaria
Pza d' Azeglio
Pza Savonarola
Pza G. Vasari
Pza di S. Croce
Pza G. Poggi
Pza F. Ferrucci
Lungarno d. Tempio
Lungarno Cellini
L. della Zecca Vecchia
L. Serristori
L. F. Ferrucci
L. Gen. Diaz
L. d. Grazie
Ponte alle Grazie
Ponte S. Niccolò
Via di Belvedere
V. Salutati
V. B. Fortini
V. G. Orsini
Vle Michelangiolo
Vle Galileo
V. d. Erta Canina
Via del Monte alle Croci
V. S. Miniato
Vle G. Amendola
Vle d. Giovine Italia
V. Gramsci
V. Colletta
V. Manzoni
Borgo la Croce
V. Ghibellina
V. Fra Giov. Angelico
Via Orcagna
Via Gioberti
V. dei Malcontenti
Via S. Giuseppe
V. Pietrapiana
V. dei Pilastri
V. Farini
V. G. B. Niccolini
V. d. Colonna
V. degli Alfani
Borgo d. Albizi
V. d. Corso
V. dei Servi
V. Cavour
Via Cavour
Via Cappon
Via Giacomo Matteotti
Via Pinti
V. Alfieri
Viale A. Gramsci
Vle G. V. G. Bovio
Mazzini
V. Della Robbia
V. La Farina
Mannelli
Via d. Artisti
Via dei Della Robbia
V. L. da Vinci
V. Pacinotti
V. G. Marconi
Lavagnini
Spartaco
V. S. Caterina d' A.
V. d. Ruote
Museo
Torrigiani
Bardi
V. S. Niccolò
Borgo
Via Verdi
V. G.
V. de' Benci
S 67
PTA S. GALLO
168
130
96
186
19
60
48
18
27
133
nel centro città

FIRENZE

Calimala . . . . Z 24
Calzaiuoli (Via dei) . . . . YZ
Por S. Maria (Via) . . . . Z 126
Porta Rossa (Via) . . . . Z
Roma (Via) . . . . YZ
S. Jacopo (Borgo) . . . . Z
Strozzi (Via degli) . . . . Z
Tornabuoni (Via) . . . . Z
Vecchio (Ponte) . . . . Z

Agli (Via degli) . . . . Y 3
Albizi (Borgo degli) . . . . Z 7
Antinori (Piazza degli) . . . . . . Y 10
Archibusieri (Lungarno) . . . . . Z 12
Avelli (Via degli) . . . . Y 16
Brunelleschi (Via de') . . . . . . YZ 22
Canto de' Nelli (Via del) . . . . . . Y 27
Castellani (Via de') . . . . Z 31
Dante Alighieri (Via) . . . . Z 42
Davanzati (Piazza) . . . . Z 43
Faenza (Via) . . . . Y 51
Fiordaliso (Via del) . . . . Z 52
Fossi (Via de') . . . . Y 54
Ghibellina (Via) . . . . Z 57
Gondi (Via dei) . . . . Z 61
Guicciardini (Lungarno) . . . . . . Z 64
Lambertesca (Via) . . . . Z 69
Leoni (Via dei) . . . . Z 70
Madonna degli Aldobrandini (Piazza di) . . . . Y 75
Magazzini (Via dei) . . . . Z 76
Melarancio (Via del) . . . . Y 85
Monalda (Via) . . . . Z 88
Nazionale (Via) . . . . Y 90
Oriuolo (Via d.) . . . . Y 96
Orsanmichele (Via) . . . . Z 99
Parte Guelfa (Piazza di) . . . . Z 10
Pellicceria (Via) . . . . Z 10
Pescioni (Via de') . . . . YZ 11
Rondinelli (Via de') . . . . Y 13
S. Giovanni (Piazza) . . . . Y 15
S. Spirito (Via) . . . . Z 16
S. Trinità (Piazza) . . . . Z 16
Sassetti (Via de') . . . . Z 17
Spada (Via della) . . . . Z 17
Speziali (Via degli) . . . . Z 17
Strozzi (Piazza) . . . . Z 17
Tavolini (Via dei) . . . . Z 18
Terme (Via delle) . . . . Z 18
Trebbio (Via del) . . . . Y 18
Uffizi (Piazzale degli) . . . . Z 18
Vacchereccia (Via) . . . . Z 18
Vigna Nuova (Via della) . . . . . . Z 19

Circolazione regolamentata nel centro città

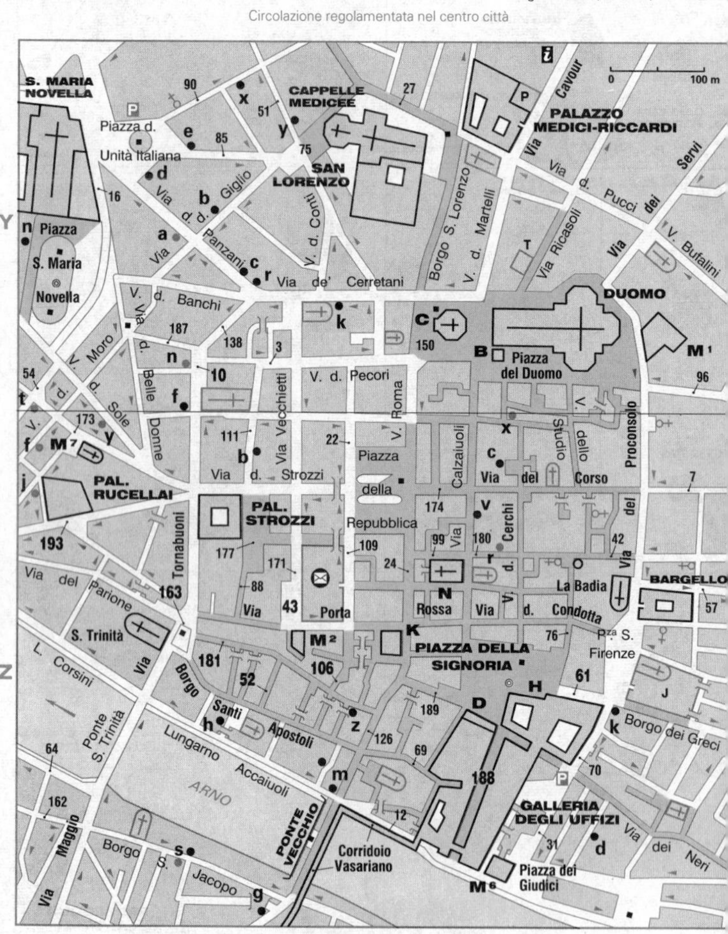

Le Ottime Tavole

Per voi abbiamo contraddistinto alcuni alberghi (🏠 ... 🏨) e ristoranti (X ... XXXXX) con ✿, ✿✿ o ✿✿✿.

INDICE TOPONOMASTICO DELLE PIANTE DI FIRENZE

Plaza Hotel Lucchesi, lungarno della Zecca Vecchia 38 ✉ 50122 ℘ 26236, Telex 570302, Fax 2480921, ≤ – |♦| ⇐ cam ▤ TV ☎ ♿ – 🏠 160. AE. 🗐. ◑ E VISA. JCB. ✂ rist EV
Pasto (solo per alloggiati e *chiuso domenica*) carta 65/100000 – **87 cam** ☕ 340/485000, 10 appartamenti – ½ P 190/325000.

Grand Hotel Baglioni, piazza Unità Italiana 6 ✉ 50123 ℘ 23580, Telex 570225, Fax 2358895, « Rist roof-garden con ≤ città » – |♦| ▤ TV ☎ ♿ – 🏠 200. AE. 🗐. ◑ E VISA. JCB. ✂ rist Y
Pasto carta 65/105000 – **190 cam** ☕ 310/420000, 5 appartamenti.

Sofitel, via de' Cerretani 10 ✉ 50123 ℘ 2381301, Telex 574615, Fax 2381312 – |♦| ⇐ cam ▤ TV ☎ ♿. AE. 🗐. ◑ E VISA. JCB. ✂ rist Y
Pasto carta 50/80000 – **84 cam** ☕ 420/490000.

Majestic, via del Melarancio 1 ✉ 50123 ℘ 264021, Telex 570628, Fax 268428 – |♦| ▤ TV ☎ ♿ – 🏠 80. AE. 🗐. ◑ E VISA. JCB. ✂ rist Y
Pasto 50/55000 – **102 cam** ☕ 330/470000, appartamento – ½ P 190/300000.

Continental senza rist, lungarno Acciaiuoli 2 ✉ 50123 ℘ 282392, Telex 573511, Fax 283139, « Terrazza fiorita con ≤ » – |♦| ▤ TV ☎ ♿. AE. 🗐. ◑ E VISA. JCB Z
☕ 25000 – **47 cam** 290/390000, appartamento.

Bernini Palace senza rist, piazza San Firenze 29 ✉ 50122 ℘ 288621, Telex 573616, Fax 268272 – |♦| ▤ TV ☎ – 🏠 40. AE. 🗐. ◑ E VISA Z
83 cam ☕ 320/450000, 3 appartamenti.

Berchielli senza rist, piazza del Limbo 6 r ✉ 50123 ℘ 264061, Fax 218636, ≤ – |♦| ▤ ☎ – 🏠 100. AE. 🗐. ◑ E VISA. JCB. ✂ Z
73 cam ☕ 390/420000, 3 appartamenti.

Montebello Splendid, via Montebello 60 ✉ 50123 ℘ 2398051, Telex 574009, Fax 211867, 🌳 – |♦| ▤ TV ☎ – 🏠 100. AE. 🗐. ◑ E VISA. JCB. ✂ rist CU
Pasto (*chiuso domenica*) carta 60/105000 – **53 cam** ☕ 315/470000, appartamento – ½ P 165/210000.

Rivoli senza rist, via della Scala 33 ✉ 50123 ℘ 282853, Telex 571004, Fax 294041, 🌳 – ▤ TV ☎ ♿ – 🏠 100. AE. 🗐. ◑ E VISA. JCB. ✂ DU
65 cam ☕ 300/400000.

De la Ville, piazza Antinori 1 ✉ 50123 ℘ 2381805, Fax 2381809 – |♦| ▤ TV ☎ – 🏠 60. 🗐. ◑ E VISA. JCB. ✂ rist Y
Pasto (solo per alloggiati) carta 55/70000 – **71 cam** ☕ 345/470000, 4 appartamenti.

Augustus senza rist, piazzetta dell'Oro 5 ✉ 50123 ℘ 283054, Telex 570110, Fax 268557 – |♦| ▤ TV ☎. AE. 🗐. ◑ E VISA. JCB Z
53 cam ☕ 370/430000, 8 appartamenti.

J and J senza rist, via di Mezzo 20 ✉ 50121 ℘ 2345005, Fax 240282 – ▤ TV ☎. AE. 🗐. E VISA. ✂ EU
14 cam ☕ 330/375000, 5 appartamenti.

Lungarno senza rist, borgo Sant'Jacopo 14 ✉ 50125 ℘ 264211, Telex 570129, Fax 268437, ≤, « Collezione di quadri moderni » – |♦| ▤ TV ☎ – 🏠 30. AE. 🗐. ◑ E VISA. JCB. ✂ Z
☕ 25000 – **60 cam** 330/380000, 6 appartamenti.

Holiday Inn, viale Europa 205 ✉ 50126 ℘ 6531841, Fax 6531806, 🏖, 🏊 – |♦| ⇐ cam ▤ TV ☎ ♿ 🅿 – 🏠 120. AE. 🗐. ◑ E VISA. JCB. ✂ rist BS
Pasto 40000 e al Rist. ***La Tegolaia*** carta 55/70000 – ☕ 25000 – **92 cam** 310/360000, ½ P 160/200000.

Londra, via Jacopo da Diacceto 18 ✉ 50123 ℘ 2382791, Telex 571152, Fax 210682, 🏖 – |♦| ▤ TV ☎ ♿ – 🏠 200. AE. 🗐. ◑ E VISA. JCB. ✂ rist DT
Pasto carta 55/80000 – **158 cam** ☕ 290/390000 – ½ P 190/250000.

Starhotel Michelangelo, viale Fratelli Rosselli 2 ✉ 50123 ℘ 2784, Telex 571113, Fax 2382232 – |♦| ▤ TV ☎ – 🏠 250. AE. 🗐. ◑ E VISA. JCB. ✂ rist CT
Pasto (solo per alloggiati) – **138 cam** ☕ 300/440000 – ½ P 280/360000.

Executive senza rist, via Curtatone 5 ✉ 50123 ℘ 217451, Telex 574522, Fax 268346 – ▤ TV ☎ – 🏠 50. AE. 🗐. ◑ E VISA. JCB CU
38 cam ☕ 320/420000.

Kraft senza rist, via Solferino 2 ✉ 50123 ℘ 284273, Telex 571523, Fax 2398267, « Terrazza con ≤ », 🏊 – |♦| ▤ TV ☎ – 🏠 50. AE. 🗐. ◑ E VISA. JCB CU
77 cam ☕ 290/410000.

Principe senza rist, lungarno Vespucci 34 ✉ 50123 ℘ 284848, Fax 283458, ≤, 🌳 – |♦| TV ☎. AE. 🗐. ◑ E VISA. JCB. ✂ CU
18 cam ☕ 300/400000, 2 appartamenti.

Malaspina senza rist, piazza dell'Indipendenza 24 ✉ 50129 ☎ 489869, Fax 474809 – ⇕ ▤ TV ☎ ♿. AE. ⓢ. ⓞ E VISA. ✻ ET g
31 cam ☐ 175/260000.

Il Guelfo Bianco senza rist, via Cavour 29 ✉ 50129 ☎ 288330, Fax 295203 – ⇕ ▤ TV ☎ ♿. AE. ⓢ. E VISA. ✻ ET n
29 cam ☐ 185/260000.

Palazzo Benci senza rist, piazza Madonna degli Aldobrandini 3 ✉ 50123 ☎ 2382821, Fax 288308 – ⇕ ▤ TV ☎ – 🏠 30. AE. ⓢ. ⓞ E VISA. JCB. ✻ Y y
35 cam ☐ 170/240000.

Royal senza rist, via delle Ruote 52 ✉ 50129 ☎ 483287, Fax 490976, « Giardino » – ⇕ ▤ TV ☎ Ⓟ. AE. ⓢ. E VISA ET m
39 cam ☐ 155/260000.

Villa Azalee senza rist, viale Fratelli Rosselli 44 ✉ 50123 ☎ 214242, Fax 268264, 🌳 – ▤ TV ☎. AE. ⓢ. ⓞ E VISA CT r
24 cam ☐ 155/235000.

Calzaiuoli senza rist, via Calzaiuoli 6 ✉ 50122 ☎ 212456, Fax 268310 – ⇕ ▤ TV ☎ ♿. AE. ⓢ. ⓞ E VISA Z v
45 cam ☐ 180/220000.

Select senza rist, via Giuseppe Galliano 24 ✉ 50144 ☎ 330342, Fax 351506 – ⇕ ▤ TV ☎. AE. ⓢ. ⓞ E VISA. JCB CT t
☐ 10000 – **36 cam** 140/170000.

David senza rist, viale Michelangiolo 1 ✉ 50125 ☎ 6811695, Fax 680602, 🌳 – ⇕ ▤ TV ☎ Ⓟ. AE. ⓢ. ⓞ E VISA. ✻ FV k
☐ 15000 – **26 cam** 115/190000.

Villa Liberty senza rist, viale Michelangiolo 40 ✉ 50125 ☎ 6810581, Fax 6812595, 🌳 – ⇕ ▤ TV ☎ Ⓟ. AE. ⓢ. ⓞ E VISA. JCB FV p
14 cam ☐ 210/240000, 2 appartamenti.

Laurus senza rist, via de' Cerretani 8 ✉ 50123 ☎ 2381752, Fax 268308 – ⇕ ▤ TV ☎. AE. ⓢ. ⓞ E VISA. ✻ Y k
59 cam ☐ 230/330000.

Pitti Palace senza rist, via Barbadori 2 ✉ 50125 ☎ 2398711, Fax 2398867 – ⇕ ▤ TV ☎ Z g
72 cam.

Loggiato dei Serviti senza rist, piazza SS. Annunziata 3 ✉ 50122 ☎ 289592, Fax 289595, « In un edificio cinquecentesco » – ⇕ ▤ TV ☎. AE. ⓢ. ⓞ E VISA. JCB
25 cam ☐ 195/300000, 4 appartamenti. ET d

City senza rist, via Sant'Antonino 18 ✉ 50123 ☎ 211543, Fax 295451 – ⇕ ▤ TV ☎. AE. ⓢ. ⓞ E VISA. JCB Y x
18 cam ☐ 185/240000.

Goldoni senza rist, via Borgo Ognissanti 8 ✉ 50123 ☎ 284080, Fax 282576 – ⇕ ▤ TV ☎. AE. ⓢ. E VISA DU w
☐ 10000 – **20 cam** 150/240000.

Balestri senza rist, piazza Mentana 7 ✉ 50122 ☎ 214743, Fax 2398042, ← – ⇕ ▤ TV ☎ – 🏠 50. AE. ⓢ. ⓞ E VISA. ✻ EUV h
49 cam ☐ 230/260000, appartamento.

Della Signoria senza rist, via delle Terme 1 ✉ 50123 ☎ 214530, Fax 216101 – ⇕ ▤ TV ☎. AE. ⓢ. ⓞ E VISA. JCB Z z
27 cam ☐ 225/280000.

Silla senza rist, via dei Renai 5 ✉ 50125 ☎ 2342888, Fax 2341437 – ⇕ ▤ TV ☎. AE. ⓢ. ⓞ E VISA EV r
32 cam ☐ 160/210000.

Cellai senza rist, via 27 Aprile 14 ✉ 50129 ☎ 489291, Fax 470387 – ▤ TV ☎. AE. ⓢ. ⓞ E VISA ET a
47 cam ☐ 180/230000.

Alba senza rist, via della Scala 22 50123 ☎ 282610, Fax 288358 – ⇕ ▤ TV ☎. AE. ⓢ. ⓞ E VISA. ✻ DU d
24 cam ☐ 185/260000.

Rapallo, via di Santa Caterina d'Alessandria 7 ✉ 50129 ☎ 472412, Fax 470385 – ⇕ ▤ TV ☎. AE. ⓢ. ⓞ E VISA. ✻ rist ET g
Pasto 35000 – ☐ 20000 – **27 cam** 120/190000 – 1/2 P 130/160000.

Sanremo senza rist, lungarno Serristori 13 ✉ 50125 ✆ 2342823, Fax 2342269 – |‡| ▤ ☎. AE. Ⓢ. ◑ E VISA EV
chiuso dal 15 gennaio al 15 febbraio – **20 cam** ☕ 160/210000.

Vasari senza rist, via Cennini 9/11 ✉ 50123 ✆ 212753, Fax 294246 – |‡| ▤ TV ☎ ♿ P. Ⓢ. ◑ E VISA. JCB DT
28 cam ☕ 150/210000.

Jane senza rist, via Orcagna 56 ✉ 50121 ✆ 677382, Fax 677383 – |‡| ▤ TV ☎. Ⓢ. E V FU
24 cam ☕ 110/160000.

Le Due Fontane senza rist, piazza della SS. Annunziata 14 ✉ 50122 ✆ 2800 Telex 575550, Fax 294461 – |‡| ▤ TV ☎. AE. Ⓢ. ◑ E VISA. ETU
57 cam ☕ 145/250000.

Orcagna senza rist, via Orcagna 57 ✉ 50121 ✆ 669959, Fax 669959 – |‡| TV ☎. AE. Ⓢ. E VISA FU
18 cam ☕ 120/150000.

Arizona senza rist, via Farini 2 ✉ 50121 ✆ 245321, Fax 2346130 – |‡| TV ☎. AE. Ⓢ. ◑ VISA. JCB. EFU
21 cam ☕ 140/200000.

Fiorino senza rist, via Osteria del Guanto 6 ✉ 50122 ✆ 210579, Fax 210579 – ☎. Ⓢ. VISA Z
☕ 15000 – **23 cam** 90/130000.

Residenza Hannah e Johanna senza rist, via Bonifacio Lupi 14 ✉ 50129 ✆ 4818 Fax 482721 – ET
11 cam ☕ 65/110000.

La Gioconda senza rist, via dei Panzani 2 ✉ 50123 ✆ 211023, Fax 213136 – ▤ TV ☎. Ⓢ. ◑ E VISA Y
25 cam ☕ 120/180000.

XXXX ✿✿ **Enoteca Pinchiorri,** via Ghibellina 87 ✉ 50122 ✆ 242777, Fax 244983, Coperti limit prenotare, « Servizio estivo in un fresco cortile » – ▤. AE. Ⓢ. VISA. JCB EU
chiuso dal 18 al 27 dicembre, agosto, domenica e i mezzogiorno di lunedì e mercoled
Pasto 90/150000 (a mezzogiorno) e carta 90/210000
Spec. Tortelli di ricotta e mela con crema di parmigiano e buccia di mela fritta. Filetto triglia con verdure fritte e olive tritate. Costata di vitello al forno con radicchio, patate aglio candito all'origano.

XXXX **Sabatini,** via de' Panzani 9/a ✉ 50123 ✆ 211559, Fax 210293, Gran tradizione – ▤. Ⓢ. ◑ E VISA. JCB. Y
chiuso lunedì – **Pasto** carta 80/125000 (13 %).

XXX **Don Chisciotte,** via Ridolfi 4 r ✉ 50129 ✆ 475430, Fax 485305, Coperti limitati; prenotare – ▤. AE. Ⓢ. ◑ E VISA. JCB DT
chiuso domenica, lunedì a mezzogiorno ed agosto – **Pasto** carta 65/105000 (10 %).

XXX **Taverna del Bronzino,** via delle Ruote 25/27 r ✉ 50129 ✆ 495220 – ▤. AE. Ⓢ. ◑ VISA ET
chiuso domenica ed agosto – **Pasto** carta 60/85000.

XXX **Harry's Bar,** lungarno Vespucci 22 r ✉ 50123 ✆ 2396700, Fax 2396700, prenotare – AE. Ⓢ. E VISA DU
chiuso domenica e dal 15 dicembre al 5 gennaio – **Pasto** carta 60/95000 (16 %).

XX **Osteria n. 1,** via del Moro 20 r ✉ 50123 ✆ 284897, Fax 294318 – ▤. AE. Ⓢ. ◑ E V JCB Z
chiuso domenica, lunedì a mezzogiorno e dal 3 al 26 agosto – **Pasto** carta 60/90000.

XX **Dino,** via Ghibellina 51 r ✉ 50122 ✆ 241452, Fax 241378 – ▤. AE. Ⓢ. ◑ E VISA
chiuso domenica sera e lunedì – **Pasto** carta 50/70000. EU

XX **Le Fonticine,** via Nazionale 79 r ✉ 50123 ✆ 282106, « Collezione di quadri » – AE. ◑ E VISA. JCB. DT
chiuso lunedì, Natale, Capodanno e dal 22 luglio al 22 agosto – **Pasto** carta 50/85000.

XX **I 4 Amici,** via degli Orti Oricellari 29 ✉ 50123 ✆ 215413, Fax 289767 – ▤. AE. Ⓢ. ◑ E V DT
chiuso domenica – **Pasto** specialità di mare carta 45/75000 (12 %).

XX **Cantinetta Antinori,** piazza Antinori 3 ✉ 50123 ✆ 292234, Rist.-wine bar, prenotare sera – ▤. AE. Ⓢ. ◑ VISA. JCB. Y
chiuso sabato, domenica, Natale ed agosto – **Pasto** specialità toscane carta 50/800 (10 %).

XX **Acquerello,** via Ghibellina 156 r ✉ 50122 ✆ 2340554, Fax 2340554 – ▤. AE. Ⓢ. ◑ E V
chiuso giovedì – **Pasto** carta 40/60000 (12 %). EU

XX **Mamma Gina,** borgo Sant'Jacopo 37 r ✉ 50125 ✆ 2396009, Fax 213908 – ▤. AE. Ⓢ. E VISA. JCB Z
chiuso domenica e dal 7 al 21 agosto – **Pasto** carta 50/75000 (12 %).

Ottorino, via delle Oche 12/16 r ✉ 50122 ✆ 215151, Fax 287140 – ▤. AE. ⓢ. ⓞ E VISA. JCB YZ x
chiuso domenica – **Pasto** carta 55/80000.

Buca Mario, piazza Ottaviani 16 r ✉ 50123 ✆ 214179, Fax 214179 – ▤. AE. ⓢ. ⓞ E VISA YZ t
chiuso mercoledì, giovedì a mezzogiorno ed agosto – **Pasto** carta 50/70000 (12 %).

Paoli, via dei Tavolini 12 r ✉ 50122 ✆ 216215, « Decorazioni imitanti lo stile trecentesco » – ▤. AE. ⓢ. ⓞ E VISA. ✂ Z r
chiuso martedì ed agosto – **Pasto** carta 50/80000.

Pierot, piazza Taddeo Gaddi 25 r ✉ 50142 ✆ 702100 – ▤. AE. ⓢ. ⓞ E VISA CU a
chiuso domenica e dal 15 al 31 luglio – **Pasto** carta 35/60000 (12 %).

La Capannina di Sante, piazza Ravenna ang. Ponte da Verrazzano ✉ 50126 ✆ 688345, Fax 689210, ≤, ☂ – ▤. AE. ⓢ. ⓞ E VISA. JCB. ✂ BS v
chiuso a mezzogiorno, domenica e dal 10 al 20 agosto – **Pasto** specialità di mare carta 75/100000.

Vineria Cibreo-Cibreino, piazza Ghiberti 35 ✉ 50122 ✆ 2341100, Fax 244966, prenotare – ▤. AE. ⓢ. ⓞ E VISA. JCB FU f
chiuso domenica, lunedì, dal 31 dicembre al 6 gennaio e dal 26 luglio al 6 settembre – Pasto carta 35/40000.

La Baraonda, via Ghibellina 67 r ✉ 50122 ✆ 2341171, Fax 2341171 – AE ⓞ EU d
chiuso domenica, lunedì a mezzogiorno ed agosto – **Pasto** carta 40/65000 (10 %).

Il Cigno, via Varlungo 3 r ✉ 50136 ✆ 691762, Fax 691762, ☂ – Ⓟ. ⓢ. E VISA. ✂ BS q
chiuso lunedì, dall'11 al 17 agosto e novembre – **Pasto** carta 40/65000.

Il Profeta, borgo Ognissanti 93 r ✉ 50123 ✆ 212265 – ▤. AE. ⓢ. ⓞ VISA. ✂ DU c
chiuso domenica e dal 15 al 31 agosto – **Pasto** carta 45/65000 (12 %).

Baldini, via il Prato 96 r ✉ 50123 ✆ 287663, Fax 287663 – ▤. AE. ⓢ. ⓞ E VISA. ✂
chiuso dal 24 dicembre al 3 gennaio, dal 1º al 20 agosto, sabato e domenica sera, in giugno-luglio anche domenica a mezzogiorno – **Pasto** carta 40/50000. CT h

La Martinicca, via del Sole 27 r ✉ 50123 ✆ 218928, Fax 218928 – ▤. AE. ⓢ. ⓞ E VISA
chiuso domenica ed agosto – **Pasto** carta 40/65000. Z y

Cafaggi, via Guelfa 35 r ✉ 50129 ✆ 294989 – ▤. ⓢ. E VISA ET e
chiuso domenica e luglio o agosto – **Pasto** carta 40/80000.

Trattoria Vittoria, via della Fonderia 52 r ✉ 50142 ✆ 225657 – ▤. AE. ⓢ. ⓞ E VISA. JCB CU d
chiuso mercoledì – **Pasto** solo piatti di pesce carta 70/85000.

Angiolino, via Santo Spirito 36/r ✉ 50125 ✆ 2398976, Trattoria tipica – AE. ⓢ. ⓞ E VISA. ✂ DU r
chiuso lunedì – **Pasto** carta 40/55000 (10 %).

Cantina Barbagianni, via Sant'Egidio 13 r ✉ 50122 ✆ 2480508 – ▤. AE. ⓢ. ⓞ E VISA
chiuso domenica – **Pasto** carta 35/55000 (10 %). EU h

La Carabaccia, via Palazzuolo 190 r ✉ 50123 ✆ 214782 – AE. ⓢ. E VISA CDU f
chiuso domenica, lunedì a mezzogiorno e dal 13 agosto al 4 settembre – **Pasto** carta 45/75000.

Il Latini, via dei Palchetti 6 r ✉ 50123 ✆ 210916, Trattoria tipica – AE. ⓢ. ⓞ E VISA. ✂ Z j
chiuso lunedì e dal 24 dicembre al 1º gennaio – Pasto carta 30/55000.

Alla Vecchia Bettola, viale Ludovico Ariosto 32 r ✉ 50124 ✆ 224158, « Ambiente caratteristico » – ✂ CV m
chiuso domenica, lunedì, dal 23 dicembre al 2 gennaio ed agosto – **Pasto** carta 40/55000.

Del Fagioli, corso Tintori 47 r ✉ 50122 ✆ 244285, Trattoria tipica toscana EV k
chiuso sabato, domenica ed agosto – **Pasto** carta 40/55000.

Del Carmine, piazza del Carmine 18 r ✉ 50124 ✆ 218601 – AE. ⓢ. ⓞ E VISA
chiuso domenica e dal 7 al 21 agosto – **Pasto** carta 30/45000. DU k

Osteria de' Benci, via de' Benci 10/13 r ✉ 50122 ✆ 2344923, prenotare – ▤. AE. ⓢ. ⓞ E VISA. JCB EU a
chiuso domenica e dal 10 al 31 gennaio – **Pasto** carta 30/90000.

ai Colli *S : 3 km FU :*

Gd H. Villa Cora ⛰, viale Machiavelli 18 ✉ 50125 ✆ 2298451, Telex 570604, Fax 229086, ☂, « Dimora ottocentesca in un parco fiorito con ⛱ » – |‡| ▤ TV ☎ Ⓟ – 🏛 150. AE. ⓢ. ⓞ E VISA. JCB DV c
Pasto al Rist. ***Taverna Machiavelli*** carta 60/90000 – **38 cam** ☕ 420/680000, 10 appartamenti 1000/1800000 – ½ P 400/480000.

Torre di Bellosguardo senza rist, via Roti Michelozzi 2 ✉ 50124 ℘ 229814 Fax 229008, città e colli, « Parco e terrazza con » – |$| ☎ Ⓟ. AE. Ⓢ. ⓓ E VISA
☐ 25000 – **10 cam** 290/390000, 6 appartamenti 490/590000. CV

Villa Belvedere senza rist, via Benedetto Castelli 3 ✉ 50124 ℘ 222501, Fax 22316 ≤ città e colli, « Parco-giardino con », – |$| ▤ TV ☎ ♿ Ⓟ. AE. Ⓢ. ⓓ E VISA.
marzo-novembre – **23 cam** ☐ 230/320000, 3 appartamenti. BS

Villa Carlotta, via Michele di Lando 3 ✉ 50125 ℘ 2336134, Fax 2336147, – |$| TV ☎ Ⓟ. AE. Ⓢ. ⓓ E VISA. JCB. rist DV
Pasto (solo per alloggiati) carta 50/80000 – **32 cam** ☐ 260/370000 – ½ P 170/280000.

Classic senza rist, viale Machiavelli 25 ✉ 50125 ℘ 229351, Fax 229353, – |$| TV ☎ AE. Ⓢ. E VISA DV
☐ 10000 – **16 cam** 130/190000, 3 appartamenti.

ad Arcetri *S : 5 km* BS – ✉ *50125 Firenze :*

Omero, via Pian de' Giullari 11 r ℘ 220053, Trattoria di campagna con ≤, « Servizio esti serale in terrazza » – AE. Ⓢ. ⓓ E VISA. BS
chiuso martedì ed agosto – **Pasto** carta 45/60000 (13 %).

a Galluzzo *S : 6,5 km* AS – ✉ *50124 Firenze :*

Trattoria Bibe, via delle Bagnese 15 ℘ 2049085, Fax 2047167, « Servizio estivo all'ape to » – Ⓟ. AE. Ⓢ. VISA AS
chiuso mercoledì, giovedì a mezzogiorno, dal 15 al 28 febbraio e dal 10 al 25 novembre
Pasto carta 40/55000.

a Candeli *E : 7 km* – ✉ *50010 :*

Villa La Massa, via La Massa 24 ℘ 6510101, Fax 6510109, ≤, , « Dimora seicent sca con arredamento in stile », , , – |$| ▤ TV ☎ ♿ Ⓟ – 120. AE. Ⓢ. ⓓ E VIS rist
25 marzo-ottobre – **Pasto** al Rist. ***Il Verrocchio*** *(chiuso lunedì)* carta 80/105000 – ☐ 250 – **33 cam** 240/480000, 5 appartamenti.

verso Trespiano *N : 7 km* BR :

Villa le Rondini, via Bolognese Vecchia 224 ✉ 50139 Firenze ℘ 400081, Fax 26821 ≤ città, , « Ville fra gli olivi », , , – ▤ cam TV ☎ Ⓟ – 200. AE. Ⓢ. ⓓ E VIS rist BR
Pasto 45/90000 – **31 cam** ☐ 185/270000, 2 appartamenti – ½ P 180/285000.

a Serpiolle *N : 8 km* BR – ✉ *50141 Firenze :*

Lo Strettoio, via Serpiolle 7 ℘ 4250044, ≤, , prenotare, « Villa seicentesca fra olivi » – ▤ Ⓟ. AE. Ⓢ. E VISA. BR
chiuso domenica, lunedì ed agosto – **Pasto** carta 60/85000.

sull'autostrada al raccordo A 1 - A 11 *NO : 10 km* AR :

Forte Agip, ✉ 50013 Campi Bisenzio ℘ 4205081, Fax 4219015 – |$| cam ▤ TV ☎ Ⓟ – 200. AE. Ⓢ. ⓓ E VISA. JCB. AR
Pasto carta 45/70000 – **163 cam** ☐ 205/235000 – ½ P 190/210000.

in prossimità casello autostrada A1 Firenze Sud *SE : 6 km :*

Sheraton Firenze Hotel, ✉ 50126 ℘ 64901, Telex 572060, Fax 680747, , – cam ▤ TV ☎ ♿ Ⓟ – 1500. AE. Ⓢ. ⓓ E VISA. JCB. BS
Pasto carta 50/80000 – **311 cam** ☐ 300/360000, 3 appartamenti.

MICHELIN, viale Belfiore 41 CT – ✉ 50144, ℘ 332641, Fax 360098.

FISCHLEINBODEN = *Campo Fiscalino.*

FIUGGI *03014 Frosinone* 988 ㉖, 430 *Q 21 – 8 587 ab. alt. 747 – Stazione termale (aprile-novembr – 0775.*

(chiuso martedì) a Fiuggi Fonte ✉ 03015 ℘ 515250, Fax 506742, S : 4 km.

(aprile-novembre) piazza Frascara 4 ℘ 515019.

Roma 82 – Frosinone 33 – Avezzano 94 – Latina 88 – Napoli 183.

Anticoli, via Verghetti 70 ℘ 515667, Fax 515667, ≤, – |$| ☎. AE. Ⓢ. ⓓ E VISA
chiuso dal 10 gennaio a febbraio – **Pasto** 45/65000 – ☐ 10000 – **18 cam** 50/80000 ½ P 65000.

La Torre, piazza Trento e Trieste 18 ℘ 515382, Fax 515382, – ▤. AE. Ⓢ. ⓓ E VISA.
chiuso martedì – **Pasto** carta 45/55000
Spec. Tortelli di fagiano con porcini. Baccalà croccante con fiori di zucca, radicchio pancetta. Soufflé di fragole in salsa ai frutti di bosco.

Il Rugantino, via Diaz 300 ℘ 515400, Fax 505196 – Ⓟ. AE. Ⓢ. ⓓ E VISA. JCB.
chiuso mercoledì escluso da maggio a settembre – **Pasto** carta 30/50000.

Fiuggi Fonte *S : 4 km – alt. 621 – ✉ 03015 :*

Palazzo della Fonte ⑤, via Dei Villini 7 ℘ 5081, Telex 620014, Fax 506752, ≤, « Parco con ⛱ », 🏋, ≘s, 🏊, 🎾 – 🛗 ▤ 📺 ☎ 🅿 – 🏟 600. AE. 🅂. ⓞ E VISA. JCB. ✖ rist
15 marzo-15 dicembre – **Pasto** carta 60/95000 – **153 cam** ☕ 255/340000, 7 appartamenti – P 250/270000.

Silva Hotel Splendid, corso Nuova Italia 40 ℘ 515791, Fax 506546, « Giardino ombreggiato con ⛱ », 🏋, ≘s – 🛗 ▤ cam 📺 ☎ ♿ 🅿 – 🏟 250. AE. 🅂. ⓞ E VISA. JCB. ✖ rist
maggio-ottobre – **Pasto** 55000 – ☕ 18000 – **120 cam** 165/290000 – P 140/230000.

Mondial Park Hotel, via Sant'Emiliano 82 ℘ 515848, Fax 506671, ⛱ – 🛗 ▤ rist 📺 ☎ 🚗 🅿 – 🏟 80. 🅂. ⓞ. ✖ rist
maggio-ottobre – **Pasto** 35/45000 – **43 cam** ☕ 75/115000 – ½ P 75/115000.

Italia, via Nuova Fonte 15 ℘ 515380, Fax 515015, 🌳 – 🛗 ▤ rist 📺 ☎ 🅿
stagionale – **72 cam.**

San Marco, via Prenestina 1 ℘ 504516, Fax 506787, 🌳 – 🛗 ▤ rist 📺 ☎ ♿. AE. 🅂. ⓞ E VISA. JCB. ✖ rist
marzo-ottobre – **Pasto** 25/45000 – ☕15000 – **93 cam** 110/135000, 3 appartamenti – ½ P 90/140000.

Fiuggi Terme, via Prenestina 9 ℘ 515212, Fax 506566, ⛱, 🌳, 🎾 – 🛗 ▤ rist 📺 ☎ 🅿 – 🏟 250. AE. 🅂. ⓞ E VISA. JCB. ✖
Pasto 45000 – **51 cam** ☕ 170/200000 – P 130/165000.

San Giorgio, via Prenestina 31 ℘ 515313, Fax 515012, « Giardino Ombreggiato » – 🛗 ▤ rist 📺 ☎ 🅿. AE. 🅂. ⓞ E VISA. ✖
maggio-ottobre – **Pasto** carta 40/55000 – **85 cam** ☕ 120/170000 – ½ P 85/125000.

Casina dello Stadio e del Golf, via 4 Giugno 19 ℘ 515027, Fax 515176, 🌳 – 🛗 ☎ 🚗 🅿. AE. ✖
aprile-ottobre – **Pasto** 40000 – ☕ 14000 – **49 cam** 75/100000 – ½ P 80/90000.

Ariston, via Parco Macchiadoro 11 ℘ 515514, Fax 515521, 🌳 – 🛗 📺 ☎ 🅿
stagionale – **54 cam.**

Fiore, via XV Gennaio 5 ℘ 515126, Fax 515633 – 🛗 📺 ☎ 🅿. AE. 🅂. ✖
maggio-novembre – **Pasto** 50000 – **38 cam** ☕ 90/120000 – ½ P 70/90000.

Argentina, via Vallombrosa 22 ℘ 515117, Fax 515748, « Piccolo parco ombreggiato », ≘s – 🛗 ▤ 📺 ☎ 🅿. AE. 🅂 ⓞ VISA. ✖
chiuso novembre – **Pasto** 35000 – ☕ 5000 – **59 cam** 50/100000 – ½ P 75000.

Mirage, via Diaz 295 ℘ 515496 – 🛗 ☎ 🅿. 🅂. ⓞ E VISA. ✖
15 maggio-15 ottobre – **Pasto** 30000 – ☕ 3000 – **32 cam** 60/75000 – ½ P 90000.

XXX **Hernicus** con cam, corso Nuova Italia 30 ℘ 515254, Fax 505502, prenotare – 🛗 ▤ 📺 ☎. AE. 🅂. E VISA. ✖ cam
Pasto *(chiuso dal 1º al 20 agosto e lunedì escluso da giugno a settembre)* carta 50/75000 – 4 appartamenti ☕ 250/300000.

FIUMALBO *41022 Modena* 428, 429, 430 J 13 – *1 484 ab. alt. 935 – a.s. luglio-agosto e Natale – ☎ 0536.*
Roma 369 – Pisa 95 – Bologna 104 – Lucca 73 – Massa 101 – Milano 263 – Modena 88 – Pistoia 59.

Dogana Nuova *S : 2 km – ✉ 41020 :*

Bristol, via Giardini 274 ℘ 73912, Fax 74136, ≤, 🌳 – 📺 ☎ 🅿. AE. 🅂. ⓞ E VISA. ✖
chiuso ottobre e novembre – **Pasto** 25/35000 – ☕ 10000 – **23 cam** 65/105000 – ½ P 70/90000.

Val del Rio, via Giardini 221 ℘ 73901, Fax 73901, ≤ – 🛗 📺 ☎ 🅿. 🅂. E VISA. ✖
Pasto carta 35/50000 – ☕ 12000 – **31 cam** 70/120000 – ½ P 85/95000.

FIUMARA *Messina* – *Vedere Sicilia (Capo d'Orlando) alla fine dell'elenco alfabetico.*

FIUME VENETO *33080 Pordenone* 429 E 20 – *9 741 ab. alt. 20 – ☎ 0434.*
Roma 590 – Udine 51 – Pordenone 6 – Portogruaro 20 – Treviso 57 – Trieste 105.

L'Ultimo Mulino ⑤, località Bannia, via Molino 45 ℘ 957911, Fax 958483, « In un vecchio mulino di fine 1600 in zona verdeggiante con parco e laghetto » – ▤ 📺 ☎ 🅿 – 🏟 50. AE. 🅂. ⓞ E VISA. JCB. ✖ rist
chiuso dal 4 al 9 gennaio e dal 6 al 27 agosto – **Pasto** (solo per alloggiati e *chiuso domenica*) carta 60/85000 – **8 cam** ☕ 150/190000.

FIUMICELLO DI SANTA VENERE *Potenza* 431 H 29 – *Vedere Maratea.*

FIUMICINO *00054 Roma* [988] ㉕ ㉖, [430] Q 18 – ☎ *06.*

✈ *Leonardo da Vinci, NE : 3,5 km* ☎ *65951.*

Roma 31 – Anzio 52 – Civitavecchia 66 – Latina 78.

🏨 **Mach 2,** via Portuense 2465 ☎ 6506019, Fax 6505855 – [TV] ☎ [P]. [AE]. [S]. [E] [VISA]. 🐕
Pasto *(chiuso domenica)* carta 40/65000 – ☕ 7000 – **34 cam** 120/160000.

🏨 **Cancelli Rossi** senza rist, via Remo La Valle ☎ 6507221, Fax 6507221, [TV] ☎ [P] 25. [AE]. [S]. [E] [VISA]. 🐕
☕ 7000 – **50 cam** 120/160000.

🍴🍴🍴 **Bastianelli al Molo,** via Torre Clementina 312 ☎ 6505358, Fax 6506210, ←, – [AE]. [E] [VISA]. [JCB]. 🐕
chiuso lunedì e dall'8 al 31 gennaio – **Pasto** specialità di mare carta 60/90000.

🍴🍴 **La Perla** con cam, via Torre Clementina 214 ☎ 6505038, Fax 6507701, – [P]. [AE]. [S]. [VISA]. 🐕
Pasto *(chiuso martedì e dal 20 agosto al 15 settembre)* specialità di mare carta 60/8000
senza ☕ – **7 cam** 70/90000.

🍴🍴 Gina al Porto, viale Traiano 141 ☎ 6522422, Fax 6522422,

🍴🍴 **Bastianelli dal 1929,** via Torre Clementina 86/88 ☎ 6505095, Fax 6507113 – . [AE]. [E] [VISA]
chiuso mercoledì escluso da giugno a settembre – **Pasto** specialità di mare carta 50/650

FIVIZZANO *54013 Massa-Carrara* [988] ⑭, [428], [429], [430] J 12 – *9 757 ab. alt. 373* – ☎ *0585.*

Roma 437 – La Spezia 40 – Firenze 163 – Massa 41 – Milano 221 – Parma 116 – Reg nell'Emilia 94.

🏨 **Il Giardinetto,** via Roma 151 ☎ 92060, « Terrazza-giardino ombreggiata » –. [S]. [VISA].
chiuso dal 4 al 30 ottobre – **Pasto** *(chiuso lunedì da novembre a giugno)* carta 35/4000
☕ 6500 – **19 cam** 40/60000 – ½ P 60000.

FOGGIA *71100* [P] [988] ㉘, [431] C 28 *G. Italia* – *156 032 ab. alt. 70 – a.s. Pasqua e agosto-settembr*
☎ *0881.*

[i] *via Senatore Emilio Perrone 17* ☎ *723141, Fax 723650.*

[A.C.I.] *via Mastelloni (Palazzo Insalata)* ☎ *637103.*

Roma 363 ④ – Bari 132 ① – Napoli 175 ④ – Pescara 180 ①.

Pianta pagina a lato

🏨 **Cicolella,** viale 24 Maggio 60 ☎ 688890, Fax 778984 – [TV] ☎ – 150. [AE]. [S]. [VISA] Y
Pasto *(chiuso dal 24 dicembre al 1° gennaio e dal 1° al 20 agosto)* carta 45/60000 (15 %
☕ 15000 – **98 cam** 185/290000 – ½ P 240000.

🏨 **White House** senza rist, via Monte Sabotino 24 ☎ 721644, Fax 721646 – [TV] ☎. [S]. [E] [VISA] Y
☕ 15000 – **40 cam** 170/290000.

🏨 **President,** via degli Aviatori 130 ☎ 618010, Fax 617930 – [TV] ☎ [P] – 500. [S]. [E] [VISA]. 🐕 X
Pasto *(chiuso venerdì)* carta 40/55000 (10 %) – ☕ 10000 – **129 cam** 95/120000, 500
½ P 110000.

🍴🍴 **Il Ventaglio,** via Postiglione 6 ☎ 661500, – . [AE]. [S]. [E] [VISA]. 🐕 X
✿ *chiuso dal 23 al 31 dicembre, dal 13 al 31 agosto, sabato-domenica in luglio-agosto domenica sera-lunedì negli altri mesi* – **Pasto** carta 60/80000
Spec. Troccoletti con scampi su passata di pomodorini e erbe di campagna. Orecchie bianche con vongole veraci e verdure di stagione su crema di legumi. Zuppa di gallinella a aromi del Gargano.

🍴🍴 In Fiera-Cicolella, viale Fortore angolo via Bari ☎ 632166, Fax 632167, , – [P] X

🍴🍴 **La Pietra di Francia,** viale 1° Maggio 2 ☎ 634880 – . [AE]. [S]. [E] [VISA]
chiuso dal 23 dicembre al 7 gennaio, dal 6 al 26 agosto, domenica sera, lunedì e luglio-agosto anche domenica a mezzogiorno – **Pasto** carta 35/60000 (10 %). X

🍴🍴 **Giordano-Da Pompeo,** vico al Piano 14 ☎ 724640 – . 🐕 Y
chiuso domenica e dal 15 al 31 agosto – **Pasto** carta 35/60000.

🍴 **La Locanda di Hansel,** via Ricci 59 ☎ 773871 – . 🐕 Z
chiuso lunedì – **Pasto** carta 30/40000.

SAN
RO 28 km
MANFREDONIA
39 km
per A 14 : BARLETTA 79 km
BARI 132 km, PESCARA 180 km
0
1 km
S 16
S 89
Viale
Fortore
OSPEDALE
PSICHIATRICO
S 17
19
BARLETTA 67 km
S 544
27
VILLA
COMUNALE
Viale Fortore
X
Candelaro
29
A.C.I.
Viale
S 90
CAMPO
FIERA
9
r
20
q
m BENEVENTO
POL.
VIA ADRIATICA
Ofanto
S 16
30
J
d
A 16 37 km
NAPOLI 175 km
AEROPORTO
a
CERIGNOLA 37 km
BARLETTA 72 km, BARI 130 km

FOGGIA

Arpi (Via)	Y
Vittorio Emanuele (Corso)	Y
Aporti (Viale Ferrante)	Z 2
Conte Appiano (Via)	Y 4
Dante (Via)	Y 7
Della Rocca (Via Vincenzo)	Z 8
Di Vittorio (Viale G.)	X 9
Fuiani (Via Pasquale)	Y 10
Galliani (Via)	Z 12
Giardino (Via)	Z 13
Lamarmora (Via)	Z 15
Lanza (Via V.)	Y 16
Lucera (Via)	X,Y 19
Michelangelo (Viale)	X 20
Oberdan (Via Guglielmo)	Y 21
Puglia (Piazza)	Z 22
S. Lorenzo (Via)	Z 25
Scillitani (Via L.)	X,Y 27
Tiro a Segno (Via)	Z 28
Vittime Civili (Via)	X,Z 29
1° Maggio (Viale)	X 30
4 Novembre (Via)	Z 31
20 Settembre (Piazza)	Y 32

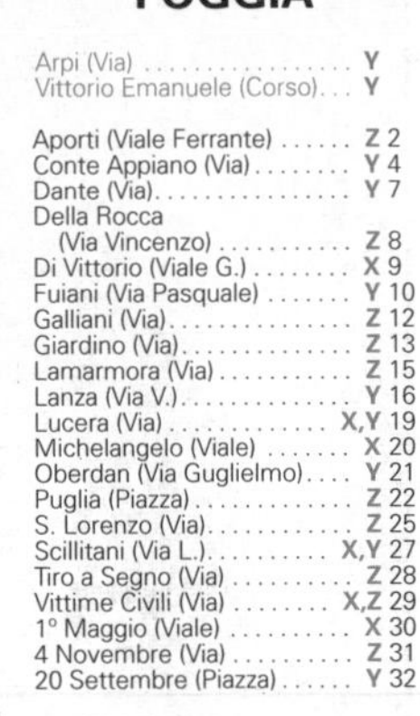

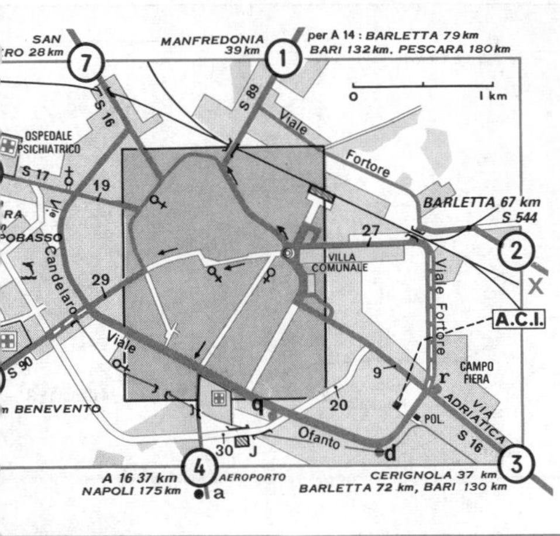

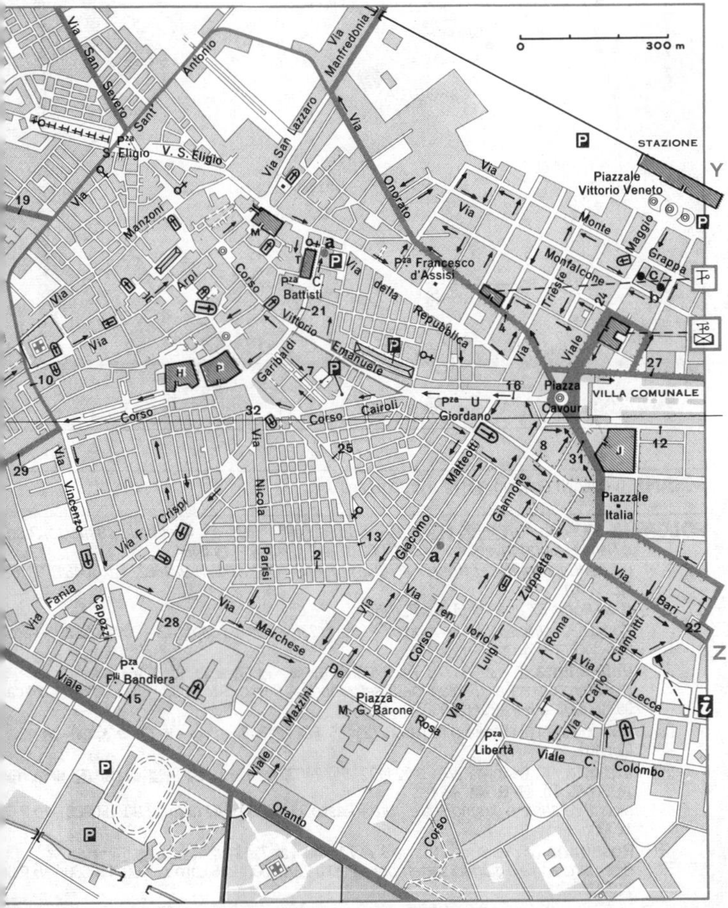

Via San Severo
Sant' Antonio
Via Manfredonia
Via
0
300 m
Via San Lazzaro
Via Onorato
STAZIONE
Y
Pza S. Eligio
V. S. Eligio
Piazzale
Vittorio Veneto
Via Manzoni
Via Monte Grappa
Maggio
Pza Francesco d'Assisi
Via Monfalcone
Trieste
Viale 24
Arpi
Corso Vittorio Emanuele
Pza Battisti
21
Via della Repubblica
Via 4
19
Via
10
Garibaldi
7
27
16
Piazza Cavour
VILLA COMUNALE
Corso
32
Corso Cairoli
Pza Giordano
12
25
Matteotti
8
31
Via Nicola Parisi
Giannone
Piazzale Italia
29
Via Vincenzo
Via F. Crispi
13
2
Giacomo
a
Zuppetta
Via Bari
Via Fania
Capozzi
28
Via Marchese De
Corso Ten. Iorio Luigi
Roma
Via Carlo Ciampitti
22
Z
Pza Flli Bandiera
15
Viale
Mazzini
Viale
Piazza M. G. Barone
Rosa
Via
Lecce
Pza Libertà
Viale C. Colombo
Ofanto
Corso

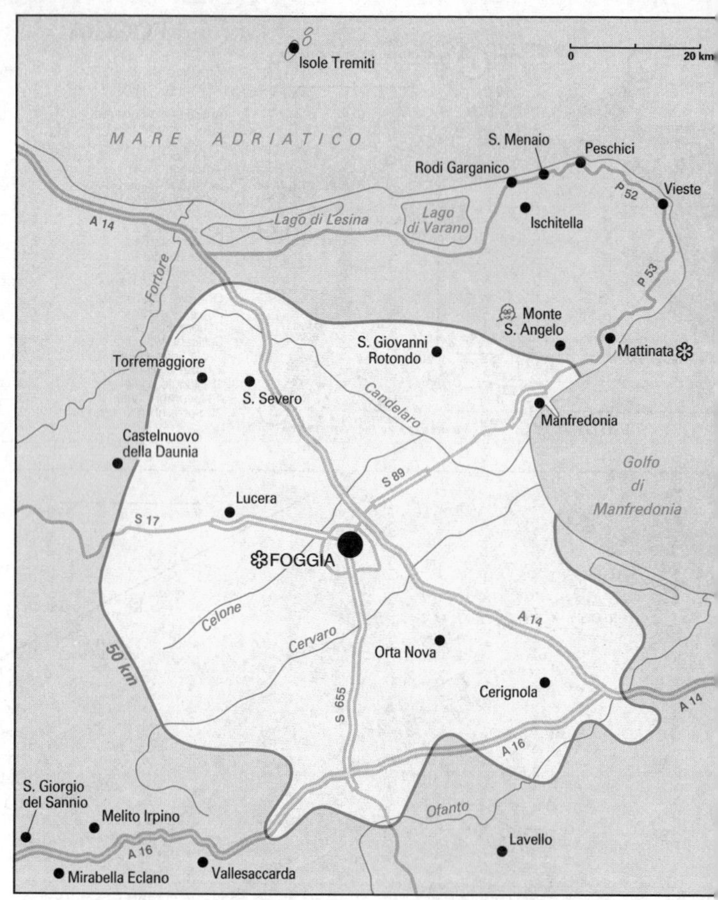

FOIANA (VOLLAN) *Bolzano* 218 ⑳ – *Vedere Lana.*

FOLGARIA *38064 Trento* 988 ④, 429 E 15 – *3 107 ab. alt. 1 168 – a.s. 4 febbraio-18 marzo, Pasq e Natale – Sport invernali : 1 168/2 000 m* 2 24, – *0464.*

Trentino (maggio-ottobre) *(0461) 720480 o* *(0461) 981682, Fax (0461) 98168 NE : 2 km.*

via Roma 67 *721133, Fax 720250.*

Roma 582 – Trento 29 – Bolzano 87 – Milano 236 – Riva del Garda 42 – Rovereto 20 – Vero 95 – Vicenza 73.

Villa Wilma, 721278, Fax 720054, ← – . E VISA.
dicembre-marzo e 15 giugno-20 settembre – **Pasto** 30/35000 – 12000 – **24 ca** 95/160000 – ½ P 100/120000.

Antico Albergo Stella d'Italia, 721135, Fax 721848, ← – 110 **42 cam.**

Vittoria, via Cadorna 2/6 721122, Fax 720227, ←, – rist 50. AE. E VISA. rist
dicembre-aprile e giugno-settembre – **Pasto** 25/35000 – **42 cam** 80/150000 – ½ P 6 120000.

Rosalpina, via Strada Nuova 8 721240, Fax 721240, ← – .
dicembre-aprile e giugno-settembre – **Pasto** 25/30000 – **26 cam** 100/160000 – ½ P 6 110000.

a Costa *NE : 2 km – alt. 1 257 – ✉ 38064 Folgaria :*

Gd H. Biancaneve, via Maffei 134 ☎ 721272, Fax 720580, ≤, ⌂, ◻, ⌂, ✂ – |‡| 📺 ☎ ♿ ⛟ 🅿 – 🏛 180. AE. 🅂. E VISA. ✂ rist
dicembre-marzo e giugno-settembre – **Pasto** (solo per alloggiati) 25/50000 – **78 cam** ☕ 80/150000 – 1/2 P 70/130000.

a Fondo Grande *SE : 3 km – alt. 1 335 – ✉ 38064 Folgaria :*

Cristallo ⌂, ☎ 721320, Fax 720509, ≤, ⌂ – |‡| ☎ ⛟ 🅿. ⊕ VISA. ✂ rist
dicembre-10 aprile e 20 giugno-10 settembre – **Pasto** carta 35/50000 – ☕ 10000 – **30 cam** 80/130000 – P 100/120000.

FOLGARIDA *Trento* 428, 429 D 14, 218 ⑲ *– alt. 1 302 – ✉ 38025 Dimaro – a.s. febbraio-12 marzo, Pasqua e Natale – Sport invernali : 1 270/2 143 m ⛷4 ⛷19 (vedere anche Mezzana-Marilleva), ⛸ a Mezzana – ☎ 0463.*

ℹ ☎ 986113, Fax 986594.

Roma 653 – Trento 70 – Bolzano 75 – Madonna di Campiglio 11 – Milano 225 – Passo del Tonale 33.

Luna, ☎ 986305, Fax 986305, ⌂, ⌂ – |‡| ▤ 📺 ☎. AE. 🅂. ⊕ E VISA. JCB. ✂
dicembre-Pasqua e 15 giugno-15 settembre – **Pasto** 50000 – ☕ 15000 – **34 cam** 95/160000 – 1/2 P 100/130000.

Sun Valley, ☎ 986208, Fax 986204, ≤, ⌂ – 📺 ☎ ⛟ 🅿. AE. 🅂. E VISA. ✂
dicembre-aprile e 15 giugno-15 settembre – **Pasto** carta 45/65000 – ☕ 16500 – **20 cam** 110/190000 – 1/2 P 85/130000.

Piccolo Hotel Taller ⌂, strada del Roccolo 37 ☎ 986234, Fax 986234, ≤ – ☎. 🅂. E VISA. ✂
dicembre-Pasqua e luglio-15 settembre – **Pasto** 30000 – ☕ 15000 – **21 cam** 90/150000 – 1/2 P 85/130000.

When visiting ***northern Italy*** *use* ***Michelin maps*** **428** *and* **429**.

FOLIGNO *06034 Perugia* 988 ⑯, 430 N 20 *G. Italia – 52 930 ab. alt. 234 – ☎ 0742.*

Dintorni *Spello★ : affreschi★★ nella chiesa di Santa Maria Maggiore NO : 6 km – Montefalco★ : ⁂★★★ dalla torre Comunale, affreschi★★ nella chiesa di San Francesco (museo), affresco★ di Benozzo Gozzoli nella chiesa di San Fortunato SO : 12 km.*

ℹ porta Romana 126 ☎ 354459.

Roma 158 – Perugia 36 – Ancona 134 – Assisi 18 – Macerata 92 – Terni 59.

Poledrini, viale Mezzetti 2 ☎ 341041, Fax 341042 – |‡| ▤ 📺 ☎ ♿ ⛟ – 🏛 200
43 cam.

Le Mura, via Bolletta 27 ☎ 357344, Fax 353327 – ▤ cam 📺 ☎ ♿ ⛟ – 🏛 80
29 cam.

Villa Roncalli ⌂ con cam, via Roma 25 (S : 1 km) ☎ 391091, Fax 391001, ⌂, ⌂, ⌂ – ▤ cam 📺 ☎ 🅿 – 🏛 30. AE. 🅂. ⊕ E VISA. JCB. ✂
Pasto *(chiuso lunedì e dall'11 al 26 agosto)* carta 55/95000 – ☕ 7000 – **10 cam** 70/100000 – 1/2 P 110/120000
Spec. Timballo di riso con finferli, gamberi di fiume e cipolline dolci (settembre-ottobre). Polenta di mais con germano al coccio, tartufo nero e pane di noci (gennaio-febbraio). Crostata al cacao con parfait al caffè e salsa al caramello.

Ponte Santa Lucia *NE : 10 km – ✉ 06024 Foligno :*

Guesia, strada Maceratese 46 ☎ 311515, Fax 660216, ⌂, ⌂ – |‡| ▤ 📺 ☎ 🅿 – 🏛 130. AE. 🅂. ⊕ E VISA. ✂
chiuso novembre – **Pasto** *(chiuso giovedì)* carta 40/60000 – **13 cam** ☕ 90/140000, 4 appartamenti – 1/2 P 80/110000.

FOLLINA *31051 Treviso* 988 ⑤, 429 E 18 *– 3 485 ab. alt. 200 – ☎ 0438.*

Roma 590 – Belluno 30 – Trento 119 – Treviso 36 – Venezia 72.

Abbazia senza rist, via Martiri della Libertà ☎ 971277, Fax 970001 – ▤ 📺 ☎ 🅿. AE. 🅂. ⊕ E VISA. JCB. ✂
☕ 20000 – **16 cam** 130/210000, 5 appartamenti 240/360000.

Al Caminetto, via Martiri della Libertà 2 ☎ 970402, Fax 970402 – AE. 🅂. E VISA
chiuso lunedì, Natale, dal 10 al 20 gennaio e luglio – **Pasto** carta 40/60000.

FOLLONICA *58022 Grosseto* [988] ⑭ ㉔, [430] N 14 *G. Toscana – 21 033 ab. – a.s. Pasqua e 15 giugno-15 settembre –* ☎ *0566.*

viale Italia (palazzo Tre Palme) ☎ 40177, Fax 44308.

Roma 234 – Grosseto 47 – Firenze 152 – Livorno 91 – Pisa 110 – Siena 84.

Giardino, piazza Vittorio Veneto 10 ☎ 41546, Fax 44457, A 4 km spiaggia e pineta con servizio ristorante a mezzogiorno – |‡| ▤ rist [TV] ☎
40 cam, 3 appartamenti.

Martini, via Pratelli 14/16 ☎ 43248 e rist ☎ 44102, Fax 43248, – |‡| [TV] ☎ ♿. [AE]. [S]. [E] [VISA]. ⛔
Pasto 25/35000 (10%) ed al Rist. ***Cala Martini*** carta 30/50000 (10%) – 12000 – **20 cam** 130/150000 – 1/2 P 75/120000.

Parco dei Pini, via delle Collacchie 7 ☎ 53280, Fax 53218 – |‡| [TV] ☎ [P]. [AE]. [S]. [E] [VISA] [JCB]. ⛔ rist
Pasto *(chiuso martedì)* carta 35/50000 – 13000 – **24 cam** 90/115000 – 1/2 P 95/125000.

Aziza senza rist, lungomare Italia 142 ☎ 44441, Fax 40413, ≤, « Giardino ombreggiato » – [TV] ☎. [S]. [E] [VISA]
Pasqua-ottobre – **20 cam** 130/160000.

Piccolo Mondo con cam, lungomare Carducci 2 ☎ 40361, Fax 44547, ≤ – [TV] ☎. [AE]. [S] [E] [VISA]
Pasto *(chiuso dal 25 ottobre al 5 dicembre)* carta 40/65000 – **12 cam** 100/140000 – 1/2 P 85/95000.

Il Veliero, località Puntone Vecchio SE : 3 km ☎ 866219, Fax 866219 – ▤ [P]. [AE]. [S]. [E] [VISA]. [JCB]
chiuso mercoledì escluso luglio-agosto – **Pasto** specialità di mare carta 45/65000.

San Leopoldo, via IV Novembre 6/8 ☎ 40645, – [AE]. [S]. [E] [VISA]
chiuso dal 10 gennaio al 10 febbraio e lunedì (escluso dal 16 giugno al 14 settembre) – **Pasto** specialità di mare carta 35/55000.

FONDI *04022 Latina* [988] ㉖, [430] R 22 – *32 381 ab. alt. 8 –* ☎ *0771.*

Roma 131 – Frosinone 60 – Latina 59 – Napoli 110.

Vicolo di Mblo, corso Italia 126 ☎ 502385, Fax 502385, « Rist. caratteristico » – [AE]. [S] [E] [VISA]
chiuso martedì e dal 23 dicembre al 2 gennaio – **Pasto** carta 45/55000.

sulla strada statale 213 *SO : 12 km :*

Martino Club Hotel, ✉ 04020 Salto di Fondi ☎ 57464, Fax 57293, ≤, , « Villini in pineta », , , con acqua di mare, , , – ☎ [P]
45 cam.

FONDO *38013 Trento* [988] ④, [429] C 15 – *1 362 ab. alt. 988 – a.s. 5 febbraio-5 marzo, Pasqua e Natale –* ☎ *0463.*

Roma 637 – Bolzano 36 – Merano 39 – Milano 294 – Trento 55.

Lady Maria, via Garibaldi 20 ☎ 830380, Fax 831013, – |‡| ▤ rist [TV] ☎ ♿ [P] – 100. ⛔ rist
chiuso novembre – **Pasto** carta 35/60000 – **43 cam** 60/120000, 2 appartamenti – 1/2 P 70/80000.

FONDO GRANDE *Trento – Vedere Folgaria.*

FONDOTOCE *Verbania* [428], [429] E 7, [219] ⑥ *– Vedere Verbania.*

FONTANA BIANCA (Lago di) (WEISSBRUNNER SEE) *Bolzano* [428], [429] C 14, [218] ⑲ *– Vedere Ultimo-Santa Gertrude.*

FONTANAFREDDA *33074 Pordenone* [429] E 19 – *9 177 ab. alt. 42 –* ☎ *0434.*

Roma 590 – Belluno 59 – Milano 329 – Pordenone 7 – Treviso 50 – Trieste 120 – Udine 58 – Venezia 79.

Fassina, ☎ 99196, , prenotare, « Giardino ombreggiato in riva ad un laghetto » – [AE]. [S]. [VISA]. ⛔
chiuso mercoledì, sabato a mezzogiorno, dal 1° al 6 gennaio e dal 15 al 30 agosto – **Pasto** carta 35/45000 (12%).

FONTANE *Treviso – Vedere Villorba.*

NTANE BIANCHE *Siracusa* 432 Q 27 – *Vedere Sicilia (Siracusa) alla fine dell'elenco alfabetico.*

NTANEFREDDE (KALTENBRUNN) *Bolzano* 429 D 16 – *alt. 950* – ✉ *39040 Montagna* – ☎ *0471.*
Roma 638 – *Bolzano 32* – *Belluno 102* – *Milano 296* – *Trento 56.*

Pausa, sulla statale NO : 1 km ☎ 887035, Fax 887038, ≤, – |‡| ⇆ rist ☎ P. S. E VISA. ✱ rist
chiuso dal 10 al 25 gennaio e dal 10 al 25 giugno – Pasto *(chiuso martedì sera e mercoledì)* carta 35/45000 – ☐ 12000 – **30 cam** 60/100000 – ½ P 50/85000.

NTANELLE *Cuneo* 428 J 4 – *Vedere Boves.*

NTANETTO PO *13040 Vercelli* 428 G 6 – *1 215 ab. alt. 143* – ☎ *0161.*
Roma 625 – *Alessandria 54* – *Torino 40* – *Milano 90* – *Vercelli 26.*

La Bucunà, via Viotti 26 ☎ 840382, Fax 840328 – ▤. S. VISA
chiuso martedì e dal 1° al 28 gennaio – **Pasto** cucina piemontese e valdostana 20/25000 bc (solo a mezzogiorno) e 40000.

ONTEBLANDA *58010 Grosseto* 430 O 15 – *alt. 10* – *a.s. Pasqua e 15 giugno-15 settembre* – ☎ *0564.*
Roma 163 – *Grosseto 24* – *Civitavecchia 87* – *Firenze 164* – *Orbetello 19* – *Orvieto 112.*

Rombino senza rist, via Aurelia km 158 ☎ 885516, Fax 885524, – |‡| ▤ TV ☎ ♿ P. AE. S. E VISA
40 cam ☐ 100/150000.

ulla strada statale 1-via Aurelia *S : 2 km :*

Corte dei Butteri ⑤ via Aurelia km 156 ✉ 58010 ☎ 885546, Fax 886282, ≤, « Parco con riscaldata e ✱ », – |‡| ▤ TV ☎ P – 80. AE. S. ⓓ E VISA. ✱ rist
6 maggio-27 ottobre – **Pasto** 60000 – **66 cam** ☐ 320/750000, 24 appartamenti 465/795000 (apertura annuale) – P 360/470000.

Talamone *SO : 4 km* – ✉ *58010 :*

Baia di Talamone senza rist, via della Marina 8 ☎ 887310, Fax 887389, ≤ – |‡| ▤ TV ☎ P. S. ⓓ E VISA
marzo-ottobre – ☐ 7000 – 12 appartamenti 160000.

Il Telamonio senza rist, ☎ 887008, Fax 887380, « Terrazza-solarium con ≤ » – ▤ TV ☎. ✱
Pasqua-settembre – **30 cam** ☐ 120/200000.

Capo d'Uomo ⑤ senza rist, via Cala di Forno ☎ 887077, Fax 887298, ≤ mare, « Giardino fiorito » – ☎ P. S. E VISA. ✱
aprile-settembre – **24 cam** ☐ 120/170000.

La Buca, piazza Garibaldi 1/3 ☎ 887067, – ▤. AE. S. ⓓ E VISA. JCB
chiuso novembre e lunedì (escluso luglio-agosto) – **Pasto** specialità di mare carta 35/75000.

Da Flavia, Piazza 4 Novembre 1/12 ☎ 887091, –. S. E VISA. ✱
chiuso martedì e dal 15 gennaio al 15 febbraio – **Pasto** specialità di mare carta 45/70000.

FONTE CERRETO *L'Aquila* 430 O 22 – *Vedere Assergi.*

FOPPOLO *24010 Bergamo* 988 ③, 428, 429 D 11 – *212 ab. alt. 1 515* – *a.s. luglio-agosto e Natale* – *Sport invernali : 1 515/2 160 m* ⚡ *11,* ⛷ – ☎ *0345.*
Roma 659 – *Sondrio 93* – *Bergamo 58* – *Brescia 110* – *Lecco 80* – *Milano 100.*

Des Alpes, via Cortivo 9 ☎ 74037, Fax 74078, ≤ – |‡| TV ☎ P – 40. AE. S. ⓓ E VISA. ✱ rist
8 dicembre-20 aprile e luglio-agosto – **Pasto** 35000 – ☐ 12000 – **30 cam** 75/120000 – ½ P 105000.

Rododendro, via Piave 2 ☎ 74015, ≤ – |‡| TV ☎. S. ⓓ E VISA. JCB. ✱
Pasto carta 40/55000 – ☐ 12000 – **10 cam** 60/100000 – P 75/90000.

FORCOLA *23010 Sondrio* 428 D 11 – *888 ab. alt. 276* – ☎ *0342.*
Roma 684 – *Sondrio 18* – *Lecco 61.*

La Brace con cam, strada statale 38 NE : 2 km ☎ 660408, Fax 661466, – ▤ cam TV ☎ P. AE. S. ⓓ E VISA. ✱ cam
Pasto *(chiuso lunedì)* carta 40/55000 – **8 cam** ☐ 70/120000 – ½ P 90/120000.

FORIO *Napoli* 988 ㉗, 431 E 23 – *Vedere Ischia (Isola d').*

FORLÌ *47100* P 988 ⑮, 429, 430 J 18 *G. Italia – 108 693 ab. alt. 34 – ☎ 0543.*
Luigi Ridolfi per ② : 6 km ☎ 780049, Fax 780678.
corso della Repubblica 23 ☎ 25532, Fax 25026.
A.C.I. *via Monteverdi 1 ☎ 782449.*
Roma 354 ③ – Ravenna 29 ① – Rimini 54 ② – Bologna 63 ④ – Firenze 109 ③ – Milano 282 ①.

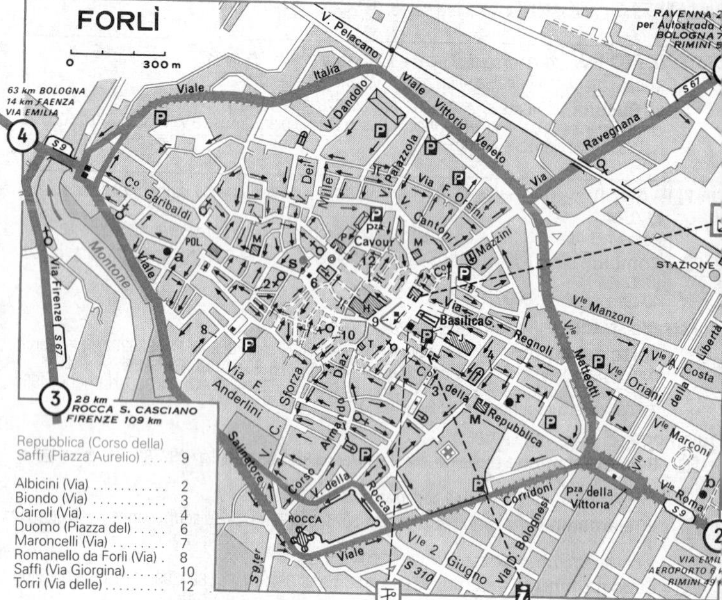

Repubblica (Corso della)
Saffi (Piazza Aurelio) 9

Albicini (Via)	2
Biondo (Via)	3
Cairoli (Via)	4
Duomo (Piazza del)	6
Maroncelli (Via)	7
Romanello da Forlì (Via)	8
Saffi (Via Giorgina)	10
Torri (Via delle)	12

Michelangelo senza rist, via Buonarroti 4/6 ☎ 400233, Fax 400615 – AE. SI. E VISA. JCB.
chiuso dal 1° al 14 agosto – 15000 – **20 cam** 110/150000.

Della Città et De La Ville, corso Repubblica 117 ☎ 28297, Fax 30630 – P – 300. AE. SI. E VISA. rist
Pasto carta 40/55000 – 10000 – **60 cam** 150/180000, 20000 – ½ P 150/165000.

Lory senza rist, via Lazzarini 20 ☎ 25007 – P
8000 – **32 cam** 55/85000.

A m'arcörd..., via Solferino 1/3 ☎ 27349, – AE.
chiuso mercoledì ed agosto – **Pasto** carta 40/50000.

in prossimità casello autostrada A 14 *per ① : 4 km :*

S. Giorgio, via Ravegnana 538/d ✉ 47100 ☎ 796699, Fax 796799 – P – 110. AE. SI. E VISA JCB.
Pasto carta 25/50000 – 15000 – **36 cam** 115/150000 – ½ P 100/150000.

FORLIMPOPOLI *47034 Forlì-Cesena* 988 ⑮, 429, 430 J 18 – *11 275 ab. alt. 30 – ☎ 0543.*
Roma 362 – Ravenna 42 – Rimini 50 – Bologna 71 – Cesena 11 – Forlì 8 – Milano 290 – Pesaro 80.

Edo con cam, via Mazzini 10 ☎ 745175, Fax 745249 – P – 100. AE. SI. E VISA.
Pasto *(chiuso sabato, domenica sera e dal 10 al 20 agosto)* carta 30/45000 – 9000 – **20 cam** 60/85000.

FORMAZZA *28030 Verbania* [988] ②, [428] C 7, [217] ⑲ *– 449 ab. alt. 1 280 – ☏ 0324.*
Roma 738 – Domodossola 40 – Milano 162 – Novara 131 – Torino 205 – Verbania 81.

🏨 **Pernice Bianca-Schneehendli** 🐦, piano cascata del Toce N : 5 km alt. 1 700 📞 63200, Fax 63200, < monti e piano della cascata, ☂, 🌳 – [TV] ☎ Ⓟ. [S]. E VISA
Pasto 40/45000 – ☕ 8000 – **6 cam** 55/90000, 4 appartamenti – ½ P 85000.

FORMIA *04023 Latina* [988] ㉖ ㉗, [430] S 22 *– 35 993 ab. – a.s. Pasqua e luglio-agosto – ☏ 0771.*
🚢 *per Ponza giornalieri (2 h 30 mn) – Caremar-agenzia Jannaccone, banchina Azzurra 📞 22710, Fax 21000.*
🚤 *per Ponza giornalieri (1 h 10 mn) – Caremar-agenzia Jannaccone, banchina Azzurra 📞 22710, Fax 21000 e Agenzia Helios, banchina Azzurra 📞 700710, Fax 700711.*
ℹ *viale Unità d'Italia 30/34 📞 771490, Fax 771386.*
Roma 153 – Frosinone 90 – Caserta 71 – Latina 76 – Napoli 86.

🏨🏨🏨 **Grande Albergo Miramare,** via Appia 44 (E : 2 km) 📞 267181, Fax 267188, <, « Villa d'epoca in un grande parco », 🏊, ⛱ – ⇅ [TV] ☎ Ⓟ – 👥 120. [AE]. [S]. ◐ E VISA. 🚫🐕
Pasto carta 40/60000 (15 %) – ☕ 16000 – **60 cam** 110/150000 – ½ P 130/160000.

🏨🏨🏨 **Fagiano Palace,** via Appia 80 (E : 3 km) 📞 723511, Fax 723517, <, ☂, ⛱, 🌳, 🎾 – ⇅ ❄ rist [TV] ☎ Ⓟ – 👥 200. [AE]. [S]. ◐ VISA. 🚫🐕
Pasto carta 35/75000 (15 %) – ☕ 12000 – **45 cam** 90/120000 – ½ P 130000.

🏨🏨🏨 **Appia Grand Hotel,** via Appia angolo Mergataro E : 4 km 📞 726041, Fax 722156, 🏋, ♨, 🏊, 🏊, 🌳, 🎾 – ⇅ ❄ [TV] ☎ Ⓟ – 👥 200. [AE]. [S]. ◐ VISA
Pasto 35000 – **70 cam** ☕ 140/180000, 9 appartamenti – ½ P 105/125000.

🏨🏨 **Bajamar,** a Marina di Santo Janni E : 4 km, lungomare Santo Janni 5 📞 720441, Fax 725169, <, ⛱, 🌳 – ⇅ ❄ [TV] ☎ ♿ Ⓟ. [AE]. [S]. E VISA. 🚫🐕 rist
Pasto *(chiuso venerdì)* 35000 – ☕ 12000 – **73 cam** 90/120000, 3 appartamenti – ½ P 95/120000.

🍴🍴🍴 **Castello Miramare** 🐦 con cam, località Pagnano, via Balze di Pagnano 📞 700138, Fax 700139, < golfo di Gaeta, ☂, « Parco-giardino » – ❄ [TV] ☎ Ⓟ – 👥 80. [AE]. [S]. ◐ E VISA. 🚫🐕 rist
Pasto carta 50/80000 – ☕ 16000 – **10 cam** 120/160000 – P 180000.

🍴🍴🍴 **Italo,** viale Unità d'Italia O : 2,5 km 📞 771264, Fax 771265 – ❄ Ⓟ. [AE]. [S]. ◐ E VISA. 🚫🐕
chiuso lunedì e dal 21 dicembre al 4 gennaio – **Pasto** carta 40/65000.

🍴🍴 **Italo Veneziano,** via Abate Tosti 120 📞 771818 – ❄. [AE]. [S]. ◐ E VISA. 🚫🐕
chiuso lunedì – **Pasto** carta 40/70000.

🍴 **Sirio,** viale Unità d'Italia O : 3,5 km 📞 790047, ☂ – ❄ Ⓟ. [AE]. [S]. ◐ E VISA. JCB. 🚫🐕
chiuso dal 14 al 30 novembre, lunedì sera e martedì (escluso da aprile a settembre), martedì e mercoledì a mezzogiorno da giugno a settembre – **Pasto** carta 35/65000.

🍴 **Il Gatto e la Volpe,** via Tosti 83 📞 21354, ☂, « Rist. caratteristico » – [AE]. [S]. ◐ E VISA
chiuso dal 21 dicembre al 5 gennaio e mercoledì (escluso luglio-agosto) – **Pasto** carta 35/50000 (10 %).

FORMIGINE *41043 Modena* [988] ⑭, [428], [429], *430 I 14 – 27 996 ab. alt. 82 – ☏ 059.*
Roma 415 – Bologna 48 – Milano 181 – Modena 11.

🏨🏨 **La Fenice** senza rist, via Gatti 3/73 📞 573344, Fax 573455 – ⇅ ❄ [TV] ☎ ♿ 🚗 Ⓟ – 👥 120. [AE]. [S]. ◐ E VISA. 🚫🐕
48 cam ☕ 90/130000.

Corlo *O : 3 km – ✉ 41040 :*

🏨🏨 **Due Pini,** strada statale 486 (E : 0,5 km) 📞 572697, Fax 556904 – ⇅ ❄ cam [TV] ☎ ♿ Ⓟ. [AE]. [S]. ◐ E VISA. 🚫🐕
Pasto *(chiuso sabato e domenica)* carta 40/50000 – ☕ 12000 – **41 cam** 75/110000.

FORNI DI SOPRA *33024 Udine* [988] ⑤, [429] C 19 *– 1 167 ab. alt. 907 – a.s. 15 luglio-agosto e Natale – Sport invernali : 907/2 065 m ⛷7, ⛷ – ☏ 0433.*
ℹ *via Cadore 1 📞 886767, Fax 886686.*
Roma 676 – Cortina d'Ampezzo 64 – Belluno 75 – Milano 418 – Tolmezzo 43 – Trieste 165 – Udine 95.

🏨 **Edelweiss,** via Nazionale 11 📞 88016, Fax 88017, <, 🌳 – ⇅ [TV] ☎ Ⓟ. [AE]. [S]. ◐ E VISA. 🚫🐕
chiuso ottobre e novembre – **Pasto** *(chiuso martedì in bassa stagione)* carta 30/45000 – ☕ 10000 – **23 cam** 60/110000 – ½ P 80/95000.

🏨 Villa Alpina, 📞 88120, Fax 88655, < – [TV] ☎ ♿ Ⓟ
36 cam.

FORNO DI ZOLDO *32012 Belluno* [988] [5], [429] C 18 – *3 035 ab. alt. 848* – ☎ *0437.*

ℹ *via Roma 10/a* ℘ *787349, Fax 787340.*

Roma 638 – Belluno 34 – Cortina d'Ampezzo 42 – Milano 380 – Pieve di Cadore 31 – Ven 127.

🏨 **Corinna,** ℘ 78564, Fax 787593, ≤, 🌳 – [TV] ☎ 🚗 [P]. [AE]. [S]. [E] [VISA]. 🐕
10 novembre-15 aprile e 10 giugno-20 settembre – **Pasto** *(chiuso lunedì)* carta 40/650
27 cam ☕ 100/160000 – ½ P 80/115000.

a Mezzocanale *SE : 10 km – alt. 620 –* ✉ *32012 Forno di Zoldo :*

🍴 **Mezzocanale-da Ninetta,** ℘ 78240 – [P]. 🐕
chiuso mercoledì, dal 20 al 30 giugno e settembre – **Pasto** carta 35/50000.

FORNOVO DI TARO *43045 Parma* [988] [14], [428], [429] H 12 – *5 956 ab. alt. 140* – ☎ *0525.*

Roma 481 – Parma 22 – La Spezia 89 – Milano 131 – Piacenza 71.

🍴 **Osteria Baraccone,** piazza del Mercato 2 ℘ 3427 –. [S]. [E] [VISA]. 🐕
chiuso domenica, lunedì, dal 10 al 28 febbraio e dal 10 al 26 agosto – **Pasto** carta 25/550

FORTE DEI MARMI *55042 Lucca* [988] [14], [428], [429], [430] K 12 *G. Toscana – 8 999 ab. –*
Carnevale, Pasqua, 15 giugno-15 settembre e Natale – ☎ *0584.*

⛳18 *Versilia (chiuso martedì escluso dal 15 marzo al 15 ottobre) a Pietrasanta* ✉ *550* ℘ *881574, Fax 752272, E : 1 km.*

ℹ *viale Achille Franceschi 8/b* ℘ *80091, Fax 83214.*

Roma 378 – Pisa 35 – La Spezia 42 – Firenze 104 – Livorno 54 – Lucca 34 – Massa 10 – Mila 241 – Viareggio 14.

🏨 **Byron,** viale Morin 46 ℘ 787052, Fax 787152, ⛱, 🏊, 🌳 – |♦| ▤ [TV] ☎ [P] – 🎤 60. [AE]. [D] [E] [VISA]. 🐕
Pasto al Rist. ***La Magnolia*** carta 60/100000 – ☕ 40000 – **24 cam** 390/540000, 6 appar menti – ½ P 260/440000.

🏨 **California Park Hotel** 🔇, via Colombo 32 ℘ 787121, Fax 787268, « Ampio giardi ombreggiato con 🏊 » – |♦| ▤ cam [TV] ☎ [P] – 🎤 200. [AE]. [S]. [D] [E] [VISA]. 🐕
aprile-ottobre – **Pasto** (solo per alloggiati) 50/80000 – **42 cam** ☕ 300/430000 – ½ P 17 280000.

🏨 **St. Mauritius,** via 20 Settembre 28 ℘ 787131, Fax 787157, ⛱, « Giardino con 🏊 » – ▤ [TV] ☎ [P]. [AE]. [S]. [D] [E] [VISA]. 🐕 rist
aprile-15 ottobre – **Pasto** carta 45/55000 – ☕ 25000 – **39 cam** 210/250000 – ½ P 11 240000.

🏨 **Hermitage** 🔇, via Cesare Battisti 50 ℘ 787144, Fax 787044, « Giardino con 🏊 », 🎾 |♦| ▤ [TV] ☎ [P]. [AE]. [S]. [D] [E]. 🐕 rist
16 maggio-21 settembre – **Pasto** 55/80000 – ☕ 27000 – **63 cam** 240/420000 – ½ P 25 290000.

🏨 **President,** via Caio Duilio ang. viale Morin ℘ 787421, Fax 787519, 🎾, 🌳 – |♦| ▤ [TV] [P]. [AE]. [S]. [E] [VISA]. 🐕 rist
Pasqua-settembre – **Pasto** (solo per alloggiati) 40/70000 – ☕ 20000 – **48 cam** 220/2600 – P 180/275000.

🏨 **Augustus Lido** senza rist, viale Morin 72 ℘ 787442, Fax 787102, « Giardino ombreggi to », 🎾 – |♦| [TV] ☎ [P]. [AE]. [S]. [D] [E] [VISA]
18 aprile-19 ottobre – ☕ 27000 – **19 cam** 280/480000.

🏨 **Il Negresco,** viale Italico 82 ℘ 787133, Fax 787535, ≤, 🏊 – |♦| ▤ [TV] ☎ [P] – 🎤 60. [AE]. [S] [D] [E] [VISA]. 🐕
Pasto *(chiuso a mezzogiorno escluso da marzo ad ottobre)* carta 55/90000 – **34 car** ☕ 275/345000 – ½ P 200/250000.

🏨 **Ritz,** via Flavio Gioia 2 ℘ 787531, Fax 787522, ⛱, 🏊, 🌳 – |♦| ▤ [TV] ☎ [P]. [AE]. [S]. [D] [E] [VISA] 🐕
Pasto 65/80000 – **32 cam** ☕ 220/330000 – ½ P 170/290000.

🏨 **Goya,** via Carducci 69 ℘ 787221, Fax 787269, ⛱ – |♦| ▤ [TV] ☎ 🚗 – 🎤 60. [AE]. [S]. [D] [VISA]. [JCB]. 🐕
Pasto 50/90000 ed al Rist. ***Gambrinus*** *(chiuso dal 7 al 31 gennaio)* carta 60/90000 – **48 can** ☕ 240/360000, appartamento – ½ P 260/360000.

🏨 **Adams Villa Maria,** viale Italico 110 ℘ 752424, Fax 752112, ≤, « Terrazza-solarium co piccola 🏊 », 🎾, 🌳 – |♦| [TV] ☎ [P]. [AE]. [S]. [D] [E] [VISA]. 🐕 rist
giugno-settembre – **Pasto** (solo per alloggiati) – ☕ 15000 – **38 cam** 150/280000 ½ P 160/200000.

🏨 **Alcione,** viale Morin 137 ℘ 787452, Fax 787097, 🏊 – |♦| ▤ [TV] ☎ [P]. [AE]. [S]. [D] [VISA]. 🐕
25 maggio-settembre – **Pasto** (solo per alloggiati) 50/60000 – ☕ 20000 – **41 cam** 170 220000 – ½ P 140/190000.

Raffaelli Park Hotel, via Mazzini 37 ☎ 787294, Fax 787418, alla spiaggia, – ascensore TV ☎ P – 90. AE. SI. E VISA. rist
chiuso dal 15 novembre al 23 dicembre – **Pasto** 40/60000 – **28 cam** 230/370000 – ½ P 220/240000.

Kyrton, via Raffaelli 16 ☎ 787461, Fax 89632, – cam TV ☎ P. SI. E VISA. rist
aprile-settembre – **Pasto** (solo per alloggiati) – 20000 – **24 cam** 130/220000, 10000 – ½ P 90/170000.

Tarabella, viale Versilia 13/b ☎ 787070, Fax 787260, – TV ☎ P. AE. SI. E VISA.
Pasqua-ottobre – **Pasto** (solo per alloggiati) 40/50000 – **26 cam** 90/160000 – ½ P 90/150000.

Astoria Garden, via Leonardo da Vinci 10 ☎ 787054, Fax 787109, « In pineta » – ☎ P. AE. SI. E VISA. rist
15 maggio-settembre – **Pasto** 45/50000 – **30 cam** 150/250000 – ½ P 160/175000.

Tirreno, viale Morin 7 ☎ 787444, Fax 787137, « Giardino ombreggiato » – ☎. AE. SI. E VISA.
Pasqua-settembre – **Pasto** (solo per alloggiati) carta 50/75000 – 16000 – **59 cam** 100/170000 – P 160/200000.

Raffaelli Villa Angela, via Mazzini 64 ☎ 787472, Fax 787115, « Giardino ombreggiato », alla spiaggia – TV ☎ P. AE. SI. E VISA. rist
15 maggio-25 settembre – **Pasto** 40/60000 – **41 cam** 160/270000 – ½ P 150/185000.

Sonia, via Matteotti 42 ☎ 787146, Fax 787409, – TV ☎ P. SI. E VISA.
Pasto (solo per alloggiati) 35/55000 – 15000 – **18 cam** 180000 – ½ P 100/150000.

Le Pleiadi, via Civitali 51 ☎ 881188, Fax 881653, « Giardino-pineta » – TV ☎ P. AE. SI. E VISA. rist
Pasqua-settembre – **Pasto** 35/50000 – 20000 – **30 cam** 110/160000 – ½ P 130/160000.

Piccolo Hotel, viale Morin 24 ☎ 787433, Fax 787503, – cam TV ☎ P. AE. SI. E VISA. rist
aprile-settembre – **Pasto** (solo per alloggiati) – 20000 – **32 cam** 200/250000 – ½ P 140/220000.

Viscardo, via Cesare Battisti 4 ☎ 787188, Fax 787026, – ☎ P. AE. SI. E VISA.
10 maggio-settembre – **Pasto** 30/40000 – 15000 – **18 cam** 115/145000 – P 120/150000.

La Barca, viale Italico 3 ☎ 89323, – P. AE. SI. E VISA
chiuso dal 20 novembre al 5 dicembre, lunedì e martedì a mezzogiorno dal 15 giugno al 15 settembre; lunedì o martedì negli altri mesi – **Pasto** carta 60/90000
Spec. Insalata calda di polpo. Linguine con molluschi e crostacei. Orata al cartoccio con frutti di mare.

Lorenzo, via Carducci 61 ☎ 84030, Fax 84030, Coperti limitati; prenotare – . AE. SI. E VISA.
chiuso a mezzogiorno in luglio-agosto, lunedì e dal 15 dicembre al 31 gennaio – **Pasto** carta 65/95000 (10%)
Spec. Spaghetti alla versiliese. San Pietro con julienne di verdure. Zuppetta di farro con pezzetti di pescatrice.

n prossimità casello autostrada A 12 - Versilia :

Versilia Holidays, via G. B. Vico 142 ✉ 55042 ☎ 787100, Fax 787468, – TV ☎ P – 400. AE. SI. E VISA. rist
Pasto 60/80000 e al Rist. ***La Vela*** carta 55/80000 – 20000 – **78 cam** 190/280000 – ½ P 180/220000.

FORTEZZA (**FRANZENSFESTE**) *39045 Bolzano* 429 B 16 – *918 ab. alt. 801* – ☎ *0472.*
Roma 688 – Bolzano 50 – Brennero 33 – Bressanone 10 – Brunico 33 – Milano 349 – Trento 110.

Posta-Reifer, via Stazione 1 ☎ 458639, Fax 458828, – ☎ P. AE. SI. E VISA
chiuso dal 16 novembre al 19 dicembre – **Pasto** *(chiuso lunedì)* carta 25/50000 – 15000 – **33 cam** 70/90000 – ½ P 60/90000.

FOSSALTA *Ferrara – Vedere Copparo.*

Carte stradali MICHELIN 1/400 000 :
428 ITALIA Nord-Ovest/ 429 ITALIA Nord-Est/ 430 ITALIA Centro
431 ITALIA Sud/ 432 SICILIA/ 433 SARDEGNA

Le località sottolineate in rosso su queste carte sono citate in guida.

FOSSALTA MAGGIORE *Treviso* 429 E 19 – ✉ *31040 Chiarano* – ☎ *0422.*

Roma 568 – Venezia 53 – Milano 307 – Pordenone 34 – Treviso 36 – Trieste 115 – Udine

XX **Tajer d'Oro,** ✆ 746392, Fax 746122, « Arredamento stile marina inglese » – ▤ Ⓟ. AE. Ⓞ E VISA. JCB. ✻
chiuso martedì, dal 7 al 16 gennaio e dal 4 al 27 agosto – **Pasto** specialità di mare ca 40/60000.

FOSSANO *12045 Cuneo* 988 ⑫, 428 I 5 – *23 356 ab. alt. 377* – ☎ *0172.*

Roma 631 – Cuneo 26 – Asti 65 – Milano 191 – Savona 87 – Sestriere 112 – Torino 70.

XX **La Porta del Salice,** viale della Repubblica 8 ✆ 693570, Fax 693570, ☂, ⛱ – ▤ Ⓟ. Ⓢ. Ⓞ E VISA
chiuso lunedì – **Pasto** 25/55000 bc.

XX **Castello d'Acaja-Villa San Martino,** località San Martino 30 (O : 2,5 km) ✆ 6913
« Dimora patrizia del 700 con parco » – Ⓟ. AE. Ⓢ. VISA
chiuso lunedì e dall'11 al 18 agosto – **Pasto** carta 40/55000.

XX **Apollo,** viale Regina Elena 19 ✆ 694309, Coperti limitati; prenotare – ▤. Ⓢ. E VISA. ✻
chiuso lunedì sera, martedì e dal 10 luglio al 10 agosto – **Pasto** carta 35/50000.

FOSSOMBRONE *61034 Pesaro e Urbino* 988 ⑯, 429, 430 K 20 – *9 515 ab. alt. 118 – a*
25 giugno-agosto – ☎ *0721.*

Roma 261 – Rimini 79 – Ancona 87 – Fano 28 – Gubbio 53 – Pesaro 39 – San Marino 68
Urbino 19.

sulla via Flaminia Vecchia *O : 3 km :*

Al Lago, ✉ 61034 ✆ 726129, Fax 726129, ☂, ⛱, ⛱, ⚔ – TV ☎ Ⓟ. AE. Ⓢ. Ⓞ E VISA.
chiuso dal 23 dicembre al 2 gennaio – **Pasto** *(chiuso sabato escluso da giugno ad agost*
carta 30/45000 – ☕ 7000 – **26 cam** 60/80000 – 1/2 P 75000.

FRABOSA SOPRANA *12082 Cuneo* 988 ⑫, 428 J 5 – *988 ab. alt. 891 – a.s. giugno-agosto*
Natale – Sport invernali : 891/1 896 m ⛷ *1* – ☎ *0174.*

ℹ *piazza Municipio* ✆ *244010, Fax 244632.*

Roma 632 – Cuneo 35 – Milano 228 – Savona 87 – Torino 96.

Miramonti ⛰, via Roma 84 ✆ 244533, Fax 244534, ←, « Piccolo parco e terrazza »,
⚔ – |‡| ☎ 🚗 Ⓟ. VISA. ✻ rist
Pasto (prenotare) 30000 – ☕ 9000 – **49 cam** 75/95000 – P 65/95000.

Gildo, ✆ 244009 e rist ✆ 244767, Fax 244230 – |‡| TV ☎
stagionale – **18 cam.**

FRABOSA SOTTANA *12083 Cuneo* 428 J 5 – *1 310 ab. alt. 641 – Sport invernali : a Prato Nev*
so : 1 497/1 928 m ⛷ *9,* ⛷*; ad Artesina : 1 315/2 100 m* ⛷ *12* – ☎ *0174.*

ℹ *via IV Novembre 12 (dicembre-aprile e giugno-settembre)* ✆ *244481, Fax 244481.*

Roma 629 – Cuneo 33 – Milano 225 – Savona 84 – Torino 93.

Italia, via Principe Umberto 15 ✆ 244000 – |‡| TV ☎ Ⓟ. VISA. ✻ rist
15 dicembre-aprile e giugno-15 settembre – **Pasto** carta 30/40000 – **19 cam** ☕ 55/8000
– 1/2 P 55/65000.

Delle Alpi, località Miroglio SO : 1,5 km ✆ 244043, Fax 244066, ⚔ – |‡| ☎ Ⓟ – 🏛 70. Ⓢ
E VISA. ✻ rist
Pasto *(chiuso martedì)* 20/25000 – ☕ 10000 – **21 cam** 40/80000 – P 60/70000.

FRANCAVILLA AL MARE *66023 Chieti* 988 ㉗, 430 O 24 – *23 428 ab. – a.s. 20 giugno-agosto*
☎ *085.*

ℹ *viale Nettuno 107/b* ✆ *817169, Fax 816649.*

Roma 216 – Pescara 7 – L'Aquila 115 – Chieti 19 – Foggia 171.

Sporting Hotel Villa Maria ⛰, contrada Pretaro NE : 3 km ✆ 4511001, Fax 693042
←, « Parco ombreggiato », Ⅎ₆, 🎾 – |‡| ▤ TV ☎ ♿ Ⓟ – 🏛 220. AE. Ⓢ. Ⓞ E VISA. ✻ rist
Pasto carta 50/65000 – **66 cam** ☕ 150/195000, 4 appartamenti – 1/2 P 150000.

Punta de l'Est, viale Alcione 188 ✆ 4982076, Fax 4981689, ←, 🎾 – TV ☎ Ⓟ. Ⓢ. E VISA
✻
10 maggio-settembre – **Pasto** 30/40000 – **48 cam** ☕ 115/140000 – 1/2 P 90/120000.

La Fenice, viale Nettuno 125 ✆ 4914683, Fax 815815 – ▤ TV ☎ – 🏛 50. AE. ⑤. ⓓ E VISA. ✻
chiuso dal 20 dicembre al 10 gennaio – **Pasto** carta 40/65000 – **22 cam** ☐ 100/130000 – 1/2 P 85/115000.

La Nave, viale Kennedy 2 ✆ 817115, ← – ▤ – 🏛 40. AE. ⑤. ⓓ E VISA
chiuso mercoledì (escluso luglio-agosto) – **Pasto** specialità di mare carta 40/65000 (10 %).

Apollo 12, viale Nettuno 43 ✆ 817177 – AE. ⑤. E VISA
chiuso dal 24 dicembre al 22 gennaio e martedì (escluso luglio-agosto) – **Pasto** specialità di mare carta 40/60000 (10 %).

RANCAVILLA DI SICILIA *Messina* 988 ㊲, 432 N 27 – *Vedere Sicilia alla fine dell'elenco alfabetico.*

RANCAVILLA IN SINNI *85034 Potenza* 431 G 30 – *3 994 ab. alt. 421* – ✆ *0973.*
Roma 426 – Matera 119 – Cosenza 157 – Potenza 138 – Sapri 75.

Mango con cam, via Alcide De Gasperi 46 ✆ 577700, Fax 577700, ⛱ – 🛗 TV ☎ Ⓟ
20 cam.

RANZENSFESTE = *Fortezza.*

RASCATI *00044 Roma* 988 ㉖, 430 Q 20 *G. Roma* – *20 695 ab. alt. 322* – ✆ *06.*
Vedere *Villa Aldobrandini★.*
Escursioni *Castelli romani★★ Sud, SO per la strada S 216 e ritorno per la via dei Laghi (circuito di 60 km).*
ℹ *piazza Marconi 1 ✆ 9420331, Fax 9425498.*
Roma 19 – Castel Gandolfo 10 – Fiuggi 66 – Frosinone 68 – Latina 51 – Velletri 22.

Flora senza rist, viale Vittorio Veneto 8 ✆ 9416110, Fax 9420198, ⛱ – 🛗 TV ☎ Ⓟ. AE. ⑤. ⓓ E VISA. JCB. ✻
☐ 12000 – **28 cam** 120/160000.

Giadrina, via Diaz 15 ✆ 9419415 – 🛗 ☎
Pasto vedere rist ***Cacciani*** – **22 cam.**

Eden Tuscolano, via Tuscolana 15 (O : 2,5 km) ✆ 9408589, Fax 9408591, ⛱ – TV ☎ Ⓟ. AE. ⑤. ⓓ E VISA
Pasto carta 35/45000 – ☐ 10000 – **32 cam** 85/120000 – P 95/120000.

Cacciani, via Diaz 13 ✆ 9420378, Fax 9420440, « Servizio estivo in terrazza con ← dintorni »

Zarazà, viale Regina Margherita 21 ✆ 9422053, Coperti limitati; prenotare –. ⑤. VISA
chiuso lunedì e domenica sera escluso da aprile ad ottobre – **Pasto** specilità tipiche romane carta 35/55000.

RATTA TODINA *06054 Perugia* 430 N 19 – *1 703 ab. alt. 214* – ✆ *075.*
Roma 139 – Perugia 43 – Assisi 55 – Orvieto 43 – Spoleto 53 – Terni 50 – Viterbo 96.

Altieri Ⓜ, via Tuderte 54/a ✆ 8745350, Fax 8745353, ← – 🛗 ▤ TV ☎ ♿ Ⓟ – 🏛 120. AE. ⑤. ⓓ E VISA. ✻
Pasto carta 30/50000 – **30 cam** ☐ 100/130000 – 1/2 P 90/95000.

FREGENE *00050 Roma* 988 ㉕, 430 Q 18 – *a.s. 15 giugno-luglio* – ✆ *06.*
Roma 37 – Civitavecchia 52 – Rieti 106 – Viterbo 97.

La Conchiglia, lungomare di Ponente 4 ✆ 6685385, Fax 6685385, ←, « Servizio rist. estivo in giardino » – ▤ TV ☎ Ⓟ – 🏛 40. AE. ⑤. ⓓ E VISA. ✻
Pasto carta 55/75000 – **36 cam** ☐ 130/165000 – 1/2 P 130/145000.

FREIBERG *Bolzano* – *Vedere Merano.*

FREIENFELD = *Campo di Trens.*

FRESCAROLO *Parma* – *Vedere Busseto.*

FROSINONE *03100* P 988 ㉖, 430 R 22 – *46 180 ab. alt. 291* – ☎ *0775.*

Dintorni *Abbazia di Casamari*★★ *E : 15 km.*

🅸 *piazzale De Matthaeis 41* ✆ *872525, Fax 870844.*

A.C.I. *via Firenze 51/57* ✆ *250006.*

Roma 83 – Avezzano 78 – Latina 55 – Napoli 144.

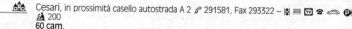

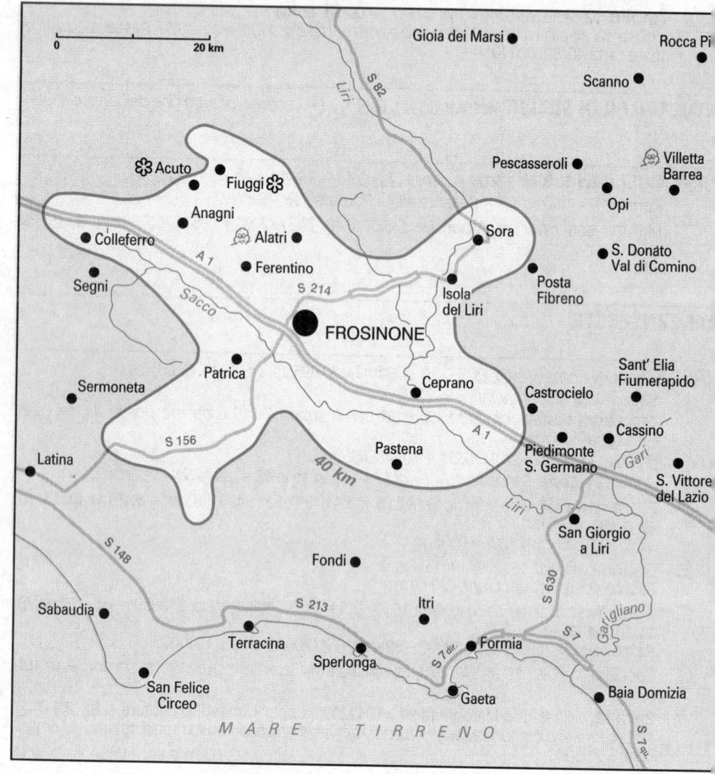

Cesari, in prossimità casello autostrada A 2 ✆ 291581, Fax 293322 – 🛗 ▤ TV ☎ 🚗 P – 🎤 200

60 cam.

Henry, via Piave 10 ✆ 211222, Fax 853713 – 🛗 ▤ TV ☎ P – 🎤 350. AE. 🅂. ⓓ E VISA.

Pasto *(chiuso domenica)* carta 50/80000 – **63 cam** ☕ 120/170000 – ½ P 105/150000.

Palombella, via Maria 234 ✆ 873549, Fax 270402, – 🛗 TV ☎ 🚗 P – 🎤 150. AE. 🅂. ⓓ E VISA.

Pasto vedere rist ***Palombella*** – **34 cam** ☕ 100/135000 – ½ P 115000.

Palombella - Hotel Palombella, via Maria 234 ✆ 873549 – P. AE. 🅂. ⓓ E VISA.

chiuso lunedì – **Pasto** 35000 e carta 45/70000.

Il Quadrato, piazzale De Matthaeis 53 ✆ 874474 – ▤ P. AE. 🅂. ⓓ E VISA.

chiuso domenica e dal 9 al 15 agosto – **Pasto** carta 35/50000 (15 %).

Hostaria Tittino, vicolo Cipresso 2/4 ✆ 251227 – ▤

Per l'inserimento in ***guida,***
Michelin *non accetta*
né favori, né denaro!

CECCHIO *50054 Firenze* [988] [14], [428], [429], [430] K 14 – *20 667 ab. alt. 25* – ☏ *0571.*
Roma 302 – Firenze 38 – Pisa 49 – Livorno 52 – Pistoia 31 – Siena 72.

onte a Cappiano *NO : 4 km* – ✉ *50050 :*

XX **Le Vedute,** via Romana Lucchese 121 ✆ 297498, Fax 297201, 🏞, 🌳 – [P]. [AE]. [S]. [O] [VISA]. 🚫🐕
chiuso lunedì ed agosto – **Pasto** carta 45/70000 (12 %).

ILE MARE *Nuoro – Vedere Sardegna (Orosei) alla fine dell'elenco alfabetico.*

NES (VILLNOSS) *39040 Bolzano* [988] [4] [5], [429] C 17 – *2 309 ab. alt. 1 159* – ☏ *0472.*
Roma 680 – Bolzano 38 – Bressanone 19 – Milano 337 – Ortisei 33 – Trento 98.

🏨 **Sport Hotel Tyrol** 🌙, località Santa Maddalena ✆ 840104, Fax 840536, < gruppo delle Odle e pinete, ≘s, 🏊 riscaldata, 🌳 – |🛗| [TV] ☎ ♿ [P]. [AE]. [S]. [E] [VISA]. 🚫🐕
24 dicembre-marzo e giugno-ottobre – **Pasto** carta 45/70000 – **28 cam** ☕ 95/170000 – 1/2 P 90/120000.

🏨 **Kabis** 🌙, località San Pietro ✆ 840126, Fax 840395, <, 🏋, ≘s, 🌳 – [TV] ☎ 🚗 [P]. [S]. [VISA]. 🚫🐕 rist
marzo-ottobre – **Pasto** *(chiuso mercoledì fino a giugno ed ottobre)* 30/40000 – **39 cam** ☕ 90/150000 – 1/2 P 80/100000.

JNO *Bologna – Vedere Argelato.*

JRLO (Gola del) *Pesaro e Urbino* [430] L 20 – *alt. 177 – a.s. 25 giugno-agosto.*
Roma 259 – Rimini 87 – Ancona 97 – Fano 38 – Gubbio 43 – Pesaro 49 – Urbino 19.

XX **La Ginestra** 🌙 con cam, ✉ 61040 Furlo ✆ (0721) 797033, Fax 700040, 🏊, 🌳, 🎾 – ▤ rist [TV] ☎ [P] – 🏛 130. [AE]. [S]. [O] [E] [VISA]. 🚫🐕
Pasto *(chiuso gennaio e lunedì escluso luglio-agosto)* carta 40/55000 – ☕ 10000 – **10 cam** 55/85000 – 1/2 P 80000.

X **Furlo,** al Passo ✉ 61040 Furlo ✆ (0721) 700096, Fax (0721) 700117, 🏞 – [P]. [AE]. [S]. [E] [VISA]. [JCB]
chiuso martedì e febbraio – **Pasto** carta 45/105000.

URORE *84010 Salerno* [431] F 25 *G. Italia – 825 ab. alt. 300 – a.s. luglio-agosto* – ☏ *089.*
Vedere *Vallone*★★.
Roma 264 – Napoli 55 – Salerno 35 – Sorrento 40.

🏨 **Hostaria di Bacco,** via Lama 9 ✆ 830360 e rist. ✆ 874006, Fax 830352, <, « Servizio rist. estivo in terrazza panoramica » – ☎ [P]. [AE]. [S]. [O] [E] [VISA]. [JCB]. 🚫🐕
chiuso Natale – **Pasto** *(chiuso venerdì in bassa stagione)* carta 30/55000 – ☕ 8000 – **15 cam** 70/100000 – 1/2 P 80000.

ABBIA *Verona – Vedere Isola della Scala.*

ABICCE MARE *61011 Pesaro e Urbino* [988] [16], [429], [430] K 20 – *5 370 ab. – a.s. 25 giugno-agosto* – ☏ *0541.*
[i] *viale della Vittoria 42* ✆ *954424, Fax 953500.*
Roma 316 – Rimini 23 – Ancona 93 – Forlì 70 – Milano 342 – Pesaro 16.

🏨 **Venus,** via Panoramica 29 ✆ 960667, Fax 952220, <, 🏊, 🌳 – |🛗| ▤ rist [TV] ☎ [P]. [AE]. [S]. [O] [E] [VISA]. 🚫🐕 rist
maggio-settembre – **Pasto** (solo per alloggiati) – ☕ 20000 – **42 cam** 120/130000 – 1/2 P 150/170000.

🏨 **Alexander,** via Panoramica 35 ✆ 954166, Fax 960144, <, 🏊 riscaldata, 🌳 – |🛗| ▤ ☎ [P]. [AE]. [S]. [O] [E] [VISA]. 🚫🐕 rist
maggio-settembre – **Pasto** 45/50000 – ☕ 15000 – **48 cam** 120/150000 – 1/2 P 100/125000.

🏨 **Gd H. Michelacci,** piazza Giardini Unità d'Italia 1 ✆ 954361, Fax 954544, 🏊 riscaldata, 🏖 – |🛗| ▤ [TV] ☎ [P] – 🏛 100. [AE]. [S]. [O] [E] [VISA]. [JCB]. 🚫🐕 rist
marzo-ottobre – **Pasto** 40/60000 – **60 cam** ☕ 170/320000, appartamento – 1/2 P 90/190000.

Majestic, via Balneare 10 ✆ 953744, Fax 961358, ≤, riscaldata – rist ☎ P. AE. E VISA. rist
10 maggio-settembre – **Pasto** 35/45000 – ☕ 10000 – **42 cam** 100/160000 – ½ P 1[illegible] 150000.

Losanna, piazza Giardini Unità d'Italia 3 ✆ 950367, Fax 960120, riscaldata, – P. AE. E VISA.
10 maggio-settembre – **Pasto** 30/50000 – ☕ 15000 – **62 cam** 100/160000 – ½ P 1[illegible] 150000.

Giovanna Regina, via Vittorio Veneto 173 ✆ 958181, Fax 954728, ≤ – AE. E VISA. rist
27 maggio-20 settembre – **Pasto** (solo per alloggiati) – **43 cam** ☕ 90/150000 – ½ P [illegible] 110000.

Club Hotel, via Panoramica 33 ✆ 968419, ≤, – ☎ P. rist
maggio-settembre – **Pasto** (solo per alloggiati) – ☕ 10000 – **46 cam** 60/100000 – P 7[illegible] 110000.

Nobel, via Vittorio Veneto 99 ✆ 954039, Fax 954039 – TV ☎ P. rist
15 maggio-settembre – **Pasto** 40000 – ☕ 10000 – **35 cam** 85/140000 – ½ P 70/115000.

Bellavista, piazza Giardini Unità d'Italia 9 ✆ 954640, Fax 950224, ≤ – rist ☎ P. [illegible] . E VISA. rist
aprile-26 settembre – **Pasto** 40/70000 – **65 cam** ☕ 80/130000 – ½ P 80/100000.

Marinella, via Vittorio Veneto 127 ✆ 950453, Fax 950426, ≤ – TV ☎ . E VI[illegible] rist
Pasqua-settembre – **Pasto** 25/40000 – ☕ 10000 – **44 cam** 100/135000 – ½ P 75/12000[illegible]

Sans Souci, via Mare 9 ✆ 950164, Fax 952612, ≤ – ☎ P. E VISA.
aprile-settembre – **Pasto** 30/50000 – ☕ 15000 – **39 cam** 110/160000 – P 90/125000.

Tre Stelle, via Gabriele D'Annunzio 12 ✆ 954697, Fax 951303 – rist TV ☎.
20 maggio-settembre – **Pasto** carta 35/50000 – ☕ 10000 – **50 cam** 60/100000 – ½ P 7[illegible] 90000.

Il Traghetto, via del Porto 27 ✆ 958151, Fax 950163, – AE. E VISA
chiuso dal 2 novembre al 3 dicembre e martedì (escluso da giugno a settembre) – **Past[o]** carta 50/70000.

GABRIA *Gorizia* 429 E 22 – *Vedere Savogna d'Isonzo.*

GAETA *04024 Latina* 988 ㉖ ㉗, 430 S 23 *G. Italia – 22 112 ab. – a.s. Pasqua e luglio-agosto – 077[illegible]*
Vedere *Golfo★ – Duomo : Candelabro pasquale★.*
piazza Traniello 19 ✆ 462767, Fax 465738 – (15 giugno-15 settembre) piazza 19 Magg[io] ✆ 461165.
Roma 141 – Frosinone 99 – Caserta 79 – Latina 74 – Napoli 94.

Gd H. Villa Irlanda , lungomare Caboto 6 (N : 4 km) ✆ 712581, Fax 712172, , TV ☎ P – 150. AE. E VISA. JCB.
Pasto 45/55000 – **34 cam** ☕ 110/190000, 5 appartamenti – ½ P 125/165000.

Sèrapo, a Sèrapo, via Firenze 11 ✆ 741403, Fax 741507, ≤, , , , , , – ☎ P – 100. AE. E VISA.
Pasto carta 45/60000 – **146 cam** ☕ 100/170000 – ½ P 95/135000.

Antico Vico, vico II del Cavallo 2/4 ✆ 465116, – . AE. E VISA.
chiuso mercoledì e novembre – **Pasto** carta 55/65000.

Zürich, piazza 19 Maggio 15 ✆ 460053, – . AE. E VISA.
chiuso mercoledì escluso dal 15 giugno al 15 settembre – **Pasto** carta 30/75000 (10 %).

Taverna del Marinaio, via Faustina 43 ✆ 461342, – AE. E VISA
chiuso mercoledì escluso dal 15 giugno al 15 settembre – **Pasto** carta 30/50000.

sulla strada statale 213 *O : 7 km :*

Grand Hotel Le Rocce , via Flacca km 23,300 (O : 6,8 km) ✉ 04024 ✆ 740985 Fax 741633, ≤ mare e costa, « Terrazze fiorite sul mare », , – TV ☎ P. AE. E VISA.
maggio-settembre – **Pasto** 55/60000 – **54 cam** ☕ 200/280000 – ½ P 150/190000.

Il Ninfeo, via Flacca km 22,700 (O : 8,2 km) ✉ 04024 ✆ 742291, Fax 740736, ≤ mare e costa, , – TV ☎ P. AE. E VISA. rist
aprile-settembre – **Pasto** carta 50/70000 – ☕ 15000 – **41 cam** 85/150000 – ½ P 140000.

Summit, O : 7,1 km ✉ 04024 ✆ 741741, Fax 741741, ≤ mare e costa, « Terrazza giardino », , , – TV ☎ P – 150. AE. E VISA.
marzo-ottobre – **Pasto** carta 50/75000 – **66 cam** ☕ 185/280000 – ½ P 170/195000.

AGGIANO *20083 Milano* 428 F 9 – *8 086 ab. alt. 116* – ☎ *02.*

Roma 580 – Alessandria 92 – Milano 14 – Novara 37 – Pavia 33.

XX **Osteria degli Angeli,** via Gozzadini 15 ☎ 9081696, prenotare – AE. S. E VISA
chiuso mercoledì, sabato a mezzogiorno, dal 1° al 10 gennaio ed agosto – **Pasto** carta 60/85000.

X **Rattattù,** località San Vito NO : 2 km ☎ 9081598, – AE. S. E VISA
chiuso mercoledì, a mezzogiorno (escluso domenica), dal 23 dicembre al 5 gennaio, agosto e dal 25 ottobre al 5 novembre – **Pasto** specialità di mare carta 60/115000.

X Al Carretto, località Bonirola O : 2 km, via Milano 28 ☎ 9085254, prenotare, « Ambiente tipico »

AIBANELLA *Ferrara* 429 H 17 – *Vedere Ferrara*

AIOLE IN CHIANTI *53013 Siena* 430 L 16 *G. Toscana* – *2 301 ab. alt. 356* – ☎ *0577.*

Roma 252 – Firenze 60 – Siena 28 – Arezzo 56.

San Sano *SO : 9,5 km* – ✉ *53010 Lecchi :*

San Sano, località San Sano 6 ☎ 746130, Fax 746156, ≤, , « In un antico borgo », , – cam ☎ & P. AE. S. E VISA. rist
15 marzo-15 novembre – **Pasto** (solo per alloggiati e *chiuso a mezzogiorno*) 30000 – **14 cam** 170/200000 – 1/2 P 130000.

X Grotta della Rana, via Padre Cristoforo Chiantini 32 ☎ 746020,

Poggio San Polo *SO : 12 km* – ✉ *53010 Lecchi :*

X **Il Poggio-da Giannetto,** ☎ 746135, Fax 746120, ≤, – P. AE. S. E VISA
chiuso lunedì, da novembre al 20 dicembre e dal 7 al 31 gennaio – **Pasto** carta 40/55000.

Leggete attentamente l'introduzione : è la « chiave » della guida.

AIONE *Parma* 429 H 12 – *Vedere Parma.*

GALATINA *73013 Lecce* 988 ㉚, 431 G 36 *G. Italia* – *28 832 ab. alt. 78* – ☎ *0836.*

Roma 588 – Brindisi 58 – Gallipoli 22 – Lecce 20 – Taranto 95.

XX **Borgo Antico,** via Siciliani 80 ☎ 566800, Fax 566800 – . AE. S. E VISA. JCB
chiuso la sera in luglio, lunedì ed agosto – **Pasto** carta 30/40000.

GALEATA *47010 Forlì-Cesena* 988 ⑮, 429, 430 K 17 – *2 249 ab. alt. 235* – ☎ *0543.*

Roma 308 – Rimini 85 – Firenze 99 – Forlì 34 – Perugia 134.

X **Locanda Romagna,** ☎ 981695 –
chiuso sabato, dal 2 al 10 gennaio e dal 1° al 21 luglio – **Pasto** carta 40/65000.

GALLARATE *21013 Varese* 988 ③, 428 F 8 – *45 244 ab. alt. 238* – ☎ *0331.*

Roma 617 – Stresa 43 – Como 50 – Milano 40 – Novara 34 – Varese 18.

Jet Hotel senza rist, via Tiro a Segno 22 ☎ 772100, Fax 772686, riscaldata – TV ☎ . AE. S. E VISA.
40 cam 180/270000.

Astoria, piazza Risorgimento 9/a ☎ 791043, Fax 772671 – TV ☎. AE. S. E VISA
Pasto vedere rist ***Astoria*** – **50 cam** 140/180000.

XX **Raffieri,** via Trombini 1/a ☎ 793384, – AE. S. E VISA.
chiuso mercoledì, sabato a mezzogiorno e dall'8 al 20 agosto – **Pasto** carta 40/65000.

X **Astoria,** piazza Risorgimento 9 ☎ 786777, Fax 786777 – – 200. AE. S. E VISA
chiuso venerdì e dal 5 al 12 gennaio – **Pasto** carta 50/70000.

Vedere anche : **Vizzola Ticino** *SO : 9,5 km*

GALLIATE *28066 Novara* 988 ③, 428 F 8 – *13 333 ab. alt. 154* – ☎ *0321.*

Roma 617 – Stresa 58 – Como 68 – Milano 43 – Novara 7 – Torino 100 – Varese 45.

Le Due Colonne senza rist, piazza Martiri della Libertà 17/18 ☎ 864861, Fax 864861 – TV ☎ – 70. S. E VISA.
chiuso dal 28 luglio al 18 agosto – **17 cam** 80/120000.

GALLICO MARINA *89055 Reggio di Calabria* 431 M 28 – ✆ *0965.*

Roma 700 – Reggio di Calabria 9 – Catanzaro 156 – Gambarie d'Aspromonte 32 – Villa San Giovanni 7.

President, via Petrarca 16 ✆ 372201, Fax 372201 – 50. AE. 𝐒. VISA
Pasto carta 30/45000 (10 %) – ☐ 3000 – **43 cam** 110/135000, ☐ 10000 – 1/2 P 120/140000

Fata Morgana, via Lungomare ✆ 370009, Fax 370000, ≤, – AE. 𝐒. VISA
Pasto carta 35/40000 (15 %) – **32 cam** ☐ 100/140000 – 1/2 P 80/100000.

GALLIERA VENETA *35015 Padova* 429 F 17 – *6 495 ab. alt. 30* – ✆ *049.*

Roma 535 – Padova 37 – Trento 109 – Treviso 32 – Venezia 71 – Vicenza 34.

Al Palazzino, via Roma 29 ✆ 5969224, Coperti limitati; prenotare, – AE. 𝐒. VISA
chiuso mercoledì, dal 6 al 20 gennaio e dal 1º al 15 agosto – **Pasto** 25/35000 (solo mezzogiorno) e carta 35/75000.

Al Palazzon, località Mottinello Nuovo ✆ 5965020, Fax 5965931, , solo su prenotazione domenica sera – . AE VISA
chiuso lunedì ed agosto – **Pasto** carta 40/55000.

GALLIO *36032 Vicenza* 429 E 16 – *2 340 ab. alt. 1090* – ✆ *0424.*

Roma 577 – Trento 68 – Belluno 88 – Padova 94 – Treviso 82 – Vicenza 61.

La Lepre Bianca, via Camona 16 ✆ 445666, Fax 445666 – 30. AE E VISA
Pasto carta 50/60000 – **15 cam** ☐ 140/250000.

*Pour être inscrit au **guide Michelin***
- pas de piston,
- pas de pot-de-vin!

GALLIPOLI *73014 Lecce* 988 ㉚, 431 G 35 *G. Italia – 20 631 ab.* – ✆ *0833.*

Vedere *Interno★ della chiesa della Purissima.*

Roma 628 – Brindisi 78 – Bari 190 – Lecce 37 – Otranto 47 – Taranto 93.

L'Aragosta, piazza Imbriani 26 ✆ 262032 –

Al Pescatore con cam, riviera Cristoforo Colombo 39 ✆ 263656, Fax 263656 – AE 𝐒. E VISA
Pasto carta 30/50000 – **18 cam** ☐ 75/120000 – 1/2 P 100/110000.

sulla strada Litoranea *SE : 6 km :*

Gd H. Costa Brada , ✉ 73014 ✆ 202551, Fax 202555, ≤, « Giardino ombreggiato », – 200. AE. 𝐒. E VISA. JCB.
Pasto (solo per alloggiati) – **78 cam** ☐ 140/230000, 4 appartamenti – 1/2 P 240000.

Le Sirenuse , ✉ 73014 ✆ 202536, Fax 202539, « Pineta in riva al mare », – 200. VISA. rist
Pasto carta 50/65000 – **120 cam** ☐ 110/150000 – 1/2 P 160000.

GALLUZZO *Firenze* 430 K 15 – *Vedere Firenze.*

GALZIGNANO TERME *35030 Padova – 4 226 ab. alt. 22 – Stazione termale (marzo-novembre)* – ✆ *049.*

18 *(chiuso lunedì e gennaio) a Valsanzibio di Galzignano ✉ 35030 ✆ 9130078, Fax 9131193, S : 3 km.*

Roma 477 – Padova 20 – Mantova 94 – Milano 255 – Rovigo 34 – Venezia 60.

verso Battaglia Terme *SE : 3,5 km :*

Sporting Hotel Terme , ✉ 35030 ✆ 525500, Fax 525223, ≤, , riscaldata, –
stagionale – **108 cam**, 10 appartamenti.

Majestic Hotel Terme , ✉ 35030 ✆ 525444, Telex 430223, Fax 526466, ≤, « Giardino ombreggiato con termale », – 100.
chiuso dal 7 gennaio a febbraio – **Pasto** 60000 – ☐ 22000 – **109 cam** 140/200000, 8 appartamenti, ☐ 14000 – 1/2 P 125/175000.

Splendid Hotel Terme ⑤, ✉ 35030 ☎ 525333, Fax 9100337, ≤, « Giardino ombreggiato con ⛱ termale », Fs, ≘s, ⛱, ✂, ♀ – |‡| ▤ rist TV ☎ ♿ ⇔ P. ✻
10 marzo-12 novembre – **Pasto** 60000 – ☐ 22000 – **108 cam** 130/185000, appartamento – ½ P 125/175000.

Green Park Hotel Terme ⑤, ✉ 35030 ☎ 525511, Fax 526520, ≤, « Giardino ombreggiato con ⛱ riscaldata », Fs, ⛱, ✂, ♀ – |‡| ▤ rist ☎ P. ✻
marzo-10 novembre – **Pasto** 55000 – ☐ 21000 – **85 cam** 135/210000, 7 appartamenti – ½ P 125/160000.

AMBARIE D'ASPROMONTE *89050 Reggio di Calabria 988 ㊴, 431 M 29 – alt. 1 300 – ☎ 0965.*

Roma 672 – Reggio di Calabria 43.

Miramonti, via degli Sci 10 ☎ 743048, Fax 743190, ⛱ – |‡| ☎ P – 🏛 200. 🅂. VISA
Pasto 25/30000 – ☐ 10000 – **40 cam** 70/90000 – ½ P 70/75000.

Centrale, piazza Mangeruca 23 ☎ 743133, Fax 743141 – |‡| ☎ P. 🅂. E VISA
Pasto 25/30000 – ☐ 10000 – **48 cam** 80/100000 – ½ P 70/80000.

ARBAGNATE MILANESE *20024 Milano 428 F 9, 219 ⑱ – 27 574 ab. alt. 179 – ☎ 02.*

Roma 588 – Milano 16 – Como 33 – Novara 48 – Varese 36.

XXX **La Refezione,** via Milano 166 ☎ 9958942, Coperti limitati; prenotare – ▤ P. AE. 🅂. E VISA
chiuso domenica, lunedì a mezzogiorno, dal 25 dicembre al 6 gennaio ed agosto – **Pasto** carta 70/100000.

ARDA *37016 Verona 988 ④, 428, 429 F 14 G. Italia – 3 548 ab. alt. 68 – ☎ 045.*

Vedere *Punta di San Vigilio★★ O : 3 km.*

18 e 9 Cà degli Ulivi a Marciaga-Castion di Costermano ✉ 37010 ☎ 6279030, Fax 6279039, N : 3 km.

lungolago Regina Adelaide ☎ 7255194, Fax 7256720.

Roma 527 – Verona 30 – Brescia 64 – Mantova 65 – Milano 151 – Trento 82 – Venezia 151.

Regina Adelaide, via San Francesco 23 ☎ 7255977, Fax 7256263, « Giardino » – |‡| TV ☎ P – 🏛 60. AE. 🅂. E VISA. ✻ rist
Pasto *(marzo-ottobre)* carta 55/80000 – **58 cam** ☐ 150/220000, 3 appartamenti – ½ P 120/220000.

Poiano ⑤, via Poiano 59 (E : 2 km) ☎ 7200100, Fax 7200900, ≤ lago, ⛱, « In collina tra il verde », Fs, ≘s, ⛱, ✂ – |‡| ▤ TV ☎ P. AE. 🅂. ⓞ E VISA. ✻
marzo-ottobre – **Pasto** 40/65000 – ☐ 15000 – **91 cam** 155/270000 – ½ P 115/150000.

Flora ⑤ senza rist, via Giorgione 27 ☎ 7255348, Fax 7255348, « Giardino con ⛱ e ✂ » – |‡| ☎ ⇔ P – 🏛 30
maggio-ottobre – ☐ 20000 – **63 cam** 160/260000.

Bisesti, corso Italia 36 ☎ 7255766, Fax 7255927, ⛱, ⛱ – ☎ P – 🏛 150. 🅂. E VISA. ✻ rist
marzo-15 novembre – **Pasto** *(chiuso sino a Pasqua e dal 15 ottobre al 15 novembre)* 25/60000 – ☐ 17500 – **90 cam** 105/145000 – ½ P 90/120000.

Gabbiano, via dei Cipressi ☎ 7256655, Fax 7255363, ⛱, ⛱ – |‡| ☎ P. 🅂. E VISA. ✻
maggio-settembre – **Pasto** (solo per alloggiati) 25000 – ☐ 15000 – **36 cam** 70/150000 – ½ P 80/90000.

San Marco, largo Pisanello 3 ☎ 7255008, Fax 7256749 – ☎ P. ✻ cam
15 marzo-ottobre – **Pasto** carta 40/50000 – **15 cam** ☐ 85/140000 – ½ P 85000.

Tre Corone, lungolago Regina Adelaide 54 ☎ 7255033, Fax 7255033, ≤, ⛱ – |‡| ☎. AE. 🅂. E VISA. ✻
marzo-ottobre – **Pasto** *(chiuso mercoledì)* carta 45/80000 – **26 cam** ☐ 100/160000 – ½ P 75/100000.

Ancora, via Manzoni 7 ☎ 7255202, ≤ – ✻ cam
25 marzo-ottobre – **Pasto** carta 30/40000 – ☐ 12500 – **18 cam** 55/90000 – ½ P 70000.

XX **Tobago** con cam, via Bellini 1 ☎ 7256340, Fax 7256753, ⛱ – TV ☎ P. AE. 🅂. ⓞ E VISA. JCB
Pasto *(chiuso lunedì da ottobre a marzo)* carta 60/100000 – **9 cam** ☐ 100/160000 – ½ P 90/95000.

XX **Stafolet,** E : 1,5 km ✉ 37016 ☎ 7255427, ⛱, ⛱ – P. 🅂. E VISA. ✻
chiuso lunedì e gennaio – **Pasto** carta 30/50000.

GARDA (Lago di) o BENACO *Brescia, Trento e Verona 988 ④, 428, 429 F 13 G. Italia.*

GARDONE RIVIERA *25083 Brescia* 988 ④, 428, 429 F 13 *G. Italia – 2 439 ab. alt. 85 – a.s. Pasq e luglio-15 settembre – ☎ 0365.*

Vedere *Posizione pittoresca** – Tenuta del Vittoriale* (residenza e tomba di Gabrie d'Annunzio) NE : 1 km.*

(chiuso martedì escluso agosto) a Bogliaco ✉ 25080 ✆ 643006, Fax 643006, E : 10 km.

via Repubblica 35 ✆ 20347, Fax 20347.

Roma 551 – Brescia 34 – Bergamo 88 – Mantova 90 – Milano 129 – Trento 91 – Verona 66.

Grand Hotel, corso Zanardelli 72 ✆ 20261, Fax 22695, ←, « Terrazza fiorita sul lago cc riscaldata », – 350. AE. E. *aprile-ottobre* – **Pasto** 60/75000 – **180 cam** 190/320000 – ½ P 140/195000.

Villa Capri senza rist, corso Zanardelli 148 ✆ 21537, Fax 22720, ←, « Parco in riva al lag con », – E VISA. *aprile-ottobre* – **52 cam** 160/250000.

Monte Baldo, corso Zanardelli 110 ✆ 20951, Fax 20952, ←, « Terrazza-giardino sul lag con », – E VISA. JCB. rist *27 marzo-20 ottobre* – **Pasto** 40/50000 – 16000 – **45 cam** 85/125000 – ½ P 10(115000.

Bellevue, corso Zanardelli 43 ✆ 290088, Fax 290088, ←, « Giardino fiorito », – VISA. rist *aprile-10 ottobre* – **Pasto** 40000 – 10000 – **30 cam** 95/130000 – ½ P 85/95000.

Villa Fiordaliso con cam, corso Zanardelli 132 ✆ 20158, Fax 290011, ←, « Villa storica un piccolo parco; servizio estivo in terrazza sul lago » – AE. E VISA. *chiuso dal 7 gennaio a febbraio e da novembre al 20 dicembre* – **Pasto** *(chiuso lunedì martedì a mezzogiorno)* 75/120000 – **6 cam** 300/540000, appartamento
Spec. Ravioli di ricotta con limone e menta. Astice con confettura di pomodoro al cerfo glio. Sella di coniglio con pinoli e timo.

Casinò, corso Zanardelli 142 ✆ 20387, Fax 20387, « Servizio estivo in terrazza sul lago » AE. E VISA *chiuso lunedì, gennaio e febbraio* – **Pasto** carta 50/70000.

La Stalla, strada per il Vittoriale ✆ 21038, Fax 21038, – AE. E VISA. JCB *chiuso gennaio e martedì (escluso da luglio a settembre)* – **Pasto** carta 50/100000.

Agli Angeli con cam, verso il Vittoriale ✆ 20832, Fax 20746, – cam. AE. VISA *chiuso dal 10 gennaio al 10 febbraio e dal 15 novembre al 15 dicembre* – **Pasto** *(chius lunedì e martedì da ottobre al 15 marzo; solo lunedì dal 15 marzo a maggio)* carta 40/6500 – **9 cam** 80/120000, 10000 – P 75/80000.

a Fasano del Garda *NE : 2 km – ✉ 25080 :*

Gd H. Fasano e Villa Principe, ✆ 290220, Fax 290221, ← lago, « Terrazza giardino sul lago con riscaldata », – 150. rist *Pasqua-novembre* – **Pasto** carta 50/70000 – 27500 – **75 cam** (**Villa Principe** 12 car annuali) 235/420000 – ½ P 155/295000.

Villa del Sogno , ✆ 290181, Fax 290230, ← lago, « Parco e terrazze con », – 50. AE. E VISA. *aprile-15 ottobre* – **Pasto** 90000 – **32 cam** 260/480000, 4 appartamenti – ½ P 200 290000.

Lidò 84, ✆ 20019, Fax 20019, ←, « Servizio estivo in terrazza-giardino sul lago » –. VISA *chiuso dal 1º dicembre al 15 febbraio e martedì in bassa stagione* – **Pasto** carta 55/9000 (10%).

GARESSIO *12075 Cuneo* 988 ⑫, 428 J 6 *G. Italia – 3 776 ab. alt. 621 – Stazione termale (giugno settembre) – Sport invernali : 621/2 000 m 3, – ☎ 0174.*

via del Santuario 2 ✆ 81122, Fax 82098.

Roma 615 – Cuneo 68 – Imperia 62 – Milano 239 – Savona 70 – Torino 115.

Italia, corso Paolini 28 ✆ 81027, Fax 81027, – E VISA. rist *giugno-settembre* – **Pasto** carta 35/55000 – 10000 – **54 cam** 85/90000 – P 85/90000.

GARGANO (Promontorio del) *Foggia* 988 ㉘, 431 B 28 30.
Vedere Guida Verde Italia.

GARGAZON = *Gargazzone.*

Lisez attentivement l'introduction : c'est la clé du guide.

GARGAZZONE (GARGAZON) *39010 Bolzano* 429 C 15, 218 ⑳ – *1 199 ab. alt. 267* – ☎ *0473.*
Roma 563 – *Bolzano 17* – *Merano 11* – *Milano 315* – *Trento 75.*

Alla Torre-Zum Turm, ☎ 292325, Fax 292399, « Giardino-frutteto con riscaldata » – ☎ P. VISA. rist
chiuso dal 15 gennaio al 1° marzo – **Pasto** *(chiuso giovedì)* carta 35/65000 – 10000 – **22 cam** 60/100000 – 1/2 P 90/100000.

GARGNANO *25084 Brescia* 988 ④, 428, 429 E 13 *G. Italia* – *3 091 ab. alt. 98* – *a.s. Pasqua e luglio-15 settembre* – ☎ *0365.*
(chiuso martedì escluso agosto) a Bogliaco ✉ *25080* ☎ *643006, Fax 643006, S : 1,5 km.*
Roma 563 – *Verona 51* – *Bergamo 100* – *Brescia 46* – *Milano 141* – *Trento 79.*

Villa Giulia, viale Rimembranza 20 ☎ 71022, Fax 72774, ←, « Giardino in riva al lago », – TV ☎ P. AE. E VISA. rist
aprile-ottobre – **Pasto** carta 40/75000 – **20 cam** 125/280000 – 1/2 P 150/170000.

Palazzina, via Libertà 10 ☎ 71118, Fax 71118, ←, « su terrazza panoramica », – ☎ P. AE. E VISA.
aprile-settembre – **Pasto** carta 35/50000 – 15000 – **25 cam** 75/105000 – 1/2 P 80/90000.

Meandro, via Repubblica 40 ☎ 71128, Fax 72012, ←, , – TV ☎ P. AE. E VISA. rist
chiuso dal 15 gennaio a febbraio – **Pasto** carta 35/60000 – **38 cam** 130/170000 – 1/2 P 100/150000.

La Tortuga, via XXIV Maggio 5 ☎ 71251, Fax 71938, Coperti limitati; solo su prenotazione a mezzogiorno – AE. E VISA.
chiuso lunedì sera (escluso da giugno a settembre), martedì, dal 23 al 29 dicembre e dal 23 gennaio al 1° marzo – **Pasto** 85/100000
Spec. Carpaccio d'anatra all'aceto aromatico e caponata di verdure. Tagliolini alle delizie del lago. Filetti di pesce persico in battuto di rosmarino.

Bartabel con cam, via Roma 39 ☎ 71330, ←, – ☎. AE. VISA. cam
chiuso dal 15 al 30 novembre – **Pasto** *(chiuso lunedì in bassa stagione)* carta 35/55000 – 12000 – **10 cam** 50/80000 – 1/2 P 60/70000.

a Villa *S : 1 km* – ✉ *25084 Gargnano :*

Livia, via Libertà 42 ☎ 71233, Fax 72841, – ☎ P. VISA.
Pasqua-15 ottobre – **Pasto** 30000 – 11000 – **25 cam** 70/100000 – 1/2 P 90000.

Baia d'Oro con cam, via Gamberera 13 ☎ 71171, Fax 72568, ←, « Servizio estivo in terrazza sul lago » – TV ☎
aprile-ottobre – **Pasto** carta 55/110000 (15 %) – **12 cam** 90/220000.

a Bogliaco *S : 1,5 km* – ✉ *25080 :*

Allo Scoglio, via Barbacane 3 ☎ 71030, « Servizio estivo in terrazza-giardino sul lago » –
chiuso venerdì, gennaio e febbraio – **Pasto** carta 50/65000.

verso Navazzo *O : 7 km* – *alt. 497 :*

Roccolino, località Roccolino ✉ 25080 Navazzo ☎ 71443, Fax 72059, ← lago e monti, , – TV ☎ P – 30. AE. E VISA.
chiuso dal 1° gennaio al 15 febbraio – **Pasto** *(chiuso mercoledì)* carta 45/70000 – **10 cam** 90/150000 – 1/2 P 90/100000.

GARLASCO *27026 Pavia* 988 ⑬, 428 G 8 – *9 338 ab. alt. 94* – ☎ *0382.*
Roma 585 – *Alessandria 61* – *Milano 44* – *Novara 40* – *Pavia 22* – *Vercelli 48.*

I Diamanti senza rist, via Leonardo da Vinci 59 ☎ 821504, Fax 800981 – TV ☎ – P – 50. AE.
10000 – **39 cam** 100/135000.

GARLATE *22050 Lecco* 428 E 10, 219 ⑩ – *2 527 ab. alt. 212* – ☎ *0341.*
Roma 615 – *Bergamo 29* – *Como 34* – *Lecco 6* – *Milano 47.*

Nuovo, via Statale 82 ☎ 680243, Fax 650073 – TV ☎ P – 60. AE. E VISA.
Pasto vedere rist ***Nuovo*** – 15000 – **48 cam** 100/140000, 4 appartamenti.

Nuovo, via Statale 78 ☎ 680255, – P. AE. E VISA.
chiuso dal 9 al 22 agosto e venerdì (escluso da aprile a settembre) – **Pasto** carta 55/80000.

Se il nome di un albergo è stampato in carattere magro, chiedete al vostro arrivo le condizioni che vi saranno praticate.

GARLENDA 17033 Savona 428 J 6 – 856 ab. alt. 70 – ☎ 0182.

(chiuso mercoledì escluso luglio-agosto) ☎ 580012, Fax 580561.

Roma 592 – Imperia 37 – Albenga 10 – Genova 93 – Milano 216 – Savona 47.

La Meridiana ☎ 580271, Fax 580150, « Residenza di campagna », – 45. rist
marzo-novembre – **Pasto** al Rist. ***Il Rosmarino*** *(chiuso a mezzogiorno escluso da giugno a settembre; prenotare)* carta 70/125000 – 28000 – **18 cam** 260/370000, 15 appartamenti 380/500000 – 1/2 P 250/380000.

GASSINO TORINESE 10090 Torino 988 ⑫, 428 G 5 – 8 551 ab. alt. 219 – ☎ 011.

Roma 665 – Torino 16 – Asti 52 – Milano 130 – Vercelli 60.

a Bardassano *SE : 5 km – ✉ 10090 Gassino Torinese :*

Ristoro Villata, frazione Bardassano, via Val Villata 25 ☎ 9605818, solo su prenotazione –
chiuso a mezzogiorno (escluso i giorni festivi), venerdì e dal 12 al 28 agosto – **Pasto** carta 60/90000.

GATTEO A MARE 47043 Forlì-Cesena 429, 430 J 19 – 5 992 ab. – a.s. 21 giugno-agosto – ☎ 0547.

piazza Libertà 5 ☎ 85393, Fax 85393.

Roma 353 – Ravenna 35 – Rimini 18 – Bologna 102 – Forlì 41 – Milano 313.

Capitol, viale Giulio Cesare 27 ☎ 680680, Fax 87626, riscaldata, – rist
10 maggio-27 settembre – **Pasto** (solo per alloggiati) – **50 cam** 110/140000 – 1/2 P 65/95000.

Flamingo, viale Giulio Cesare 31 ☎ 87171, Fax 680532, riscaldata, – rist
maggio-settembre – **Pasto** (solo per alloggiati) – 15000 – **48 cam** 125/140000 – 1/2 P 80/145000.

Miramare, viale Giulio Cesare 63 ☎ 87313, Fax 87614, –
stagionale – **52 cam.**

Imperiale, viale Giulio Cesare 82 ☎ 86875, Fax 86484 – rist
maggio-settembre – **Pasto** 30/50000 – **37 cam** 60/120000 – 1/2 P 55/90000.

Estense, via Gramsci 30 ☎ 87068, Fax 87489 – 70. rist
chiuso novembre – **Pasto** 20/30000 – 8000 – **36 cam** 60/100000 – 1/2 P 60/80000.

Simon, viale Matteotti 41 ☎ 85224, Fax 85885, –
chiuso dal 7 gennaio al 10 febbraio – **Pasto** carta 20/30000 – **43 cam** 60/110000, 8000 – 1/2 P 75/95000.

Magnolia, via Trieste 31 ☎ 86814, Fax 87285, – rist
15 maggio-20 settembre – **Pasto** (solo per alloggiati) 25/40000 – **38 cam** 65/110000 – 1/2 P 80000.

Sant'Andrea, viale Matteotti 66 ☎ 85360 –
22 maggio-20 settembre – **Pasto** (solo per alloggiati) 25/30000 – 5000 – **18 cam** 30/60000 – 1/2 P 55/65000.

Fantini, viale Matteotti 10 ☎ 87009, Fax 87009 – rist
giugno-20 settembre – **Pasto** (solo per alloggiati) 25/30000 – 12000 – **35 cam** 55/85000 – 1/2 P 55/70000.

GAVI 15066 Alessandria 988 ⑬, 428 H 8 – 4 536 ab. alt. 215 – ☎ 0143.

Riasco (chiuso mercoledì, dicembre e gennaio) località Fara Nuova ✉ 15060 Tassarolo ☎ 342331, Fax 342264, N : 5 km.

Roma 554 – Alessandria 34 – Genova 48 – Acqui Terme 42 – Milano 97 – Savona 84 – Torino 136.

Cantine del Gavi, via Mameli 69 ☎ 642458, Coperti limitati; prenotare –.
chiuso lunedì, dal 7 al 20 gennaio e dal 10 al 25 luglio – **Pasto** carta 50/70000.

Le Volte, via Roma 19 r ☎ 643686 –
chiuso mercoledì e a mezzogiorno (escluso domenica e i giorni festivi) – **Pasto** specialità di mare carta 55/85000.

Read carefully the introduction it is the key to the Guide.

AVINANA *51025 Pistoia* 428, 429, 430 J 14 *G. Toscana – alt. 820 – a.s. luglio-agosto – ☎ 0573.*
Roma 337 – Firenze 60 – Pisa 75 – Bologna 87 – Lucca 53 – Milano 288 – Pistoia 27.

Franceschi, piazza Aiale 7 ☎ 66451, Fax 66452 – TV ☎. AE. Ⓢ. ⓓ E VISA.
Pasto *(chiuso lunedì)* carta 40/65000 – **26 cam** ☕ 85/125000 – ½ P 60/90000.

AVIRATE *21026 Varese* 988 ③, 428 E 8 – *9 265 ab. alt. 261 – ☎ 0332.*
Roma 641 – Stresa 53 – Milano 66 – Varese 10.

Tipamasaro, via Cavour 31 ☎ 743524, prenotare i giorni festivi – Ⓟ
chiuso lunedì e dal 16 al 31 agosto – **Pasto** carta 35/50000.

AZOLDO DEGLI IPPOLITI *46040 Mantova* 428, 429 G 13 – *2 422 ab. alt. 35 – ☎ 0376.*
Roma 490 – Parma 59 – Brescia 58 – Mantova 21 – Verona 45.

Casa Nodari, via Roma 14-16 ☎ 657122, Fax 657029, prenotare – Ⓟ – 40. AE. Ⓢ. ⓓ E VISA
chiuso i giorni festivi, domenica e dal 1° al 22 agosto – **Pasto** carta 40/70000.

AZZO *Imperia – Vedere Borghetto d'Arroscia.*

ELA *Caltanissetta* 988 ㊱, 432 P 24 – *Vedere Sicilia alla fine dell'elenco alfabetico.*

EMONA DEL FRIULI *33013 Udine* 988 ⑥, 429 D 21 – *11 368 ab. alt. 272 – ☎ 0432.*
Roma 665 – Udine 26 – Milano 404 – Tarvisio 64 – Trieste 98.

Glemone Park Hotel, via Divisione Julia 23 ☎ 980915, Fax 970654 – TV ☎ ♿ Ⓟ – 80
Pasto vedere rist ***Ai Celti*** – **40 cam.**

Pittini senza rist, piazzale della Stazione 1 ☎ 971195, Fax 971380 – TV ☎ Ⓟ – 80. AE ⓓ E VISA
☕ 10000 – **15 cam** 80/120000, appartamento.

Ai Celti, via Divisione Julia 23 ☎ 983229 – Ⓟ

ENOVA *16100* Ⓟ 988 ⑬, 428 I 8 *G. Italia – 659 754 ab. – ☎ 010.*
Vedere Porto★★ AXY – Quartiere dei marinai★ BY – Piazza San Matteo★ BY **85** *– Cattedrale di San Lorenzo★ : facciata★★ BY* **K** *– Via Garibaldi★ : galleria dorata★ nel palazzo Cataldi BY* **B**, *pinacoteca★ nel palazzo Bianco BY* **D**, *galleria d'arte★ nel palazzo Rosso BY* **E** *– Palazzo dell'Università★ AX* **U** *– Galleria Nazionale di palazzo Spinola★ : Adorazione dei Magi★★ di Joos Van Cleve BY – Acquario★ AY – Campanile★ della chiesa di San Donato BY* **L** *– San Sebastiano★ di Puget nella chiesa di Santa Maria di Carignano BZ* **N** *– Villetta Di Negro CXY : ≤★ sulla città e sul mare, museo Chiossone★* **M¹** *– ≤★ sulla città dal Castelletto BX per ascensore – Cimitero di Staglieno★ F.*
Escursioni Riviera di Levante★★★ Est e SE.
✈ *Cristoforo Colombo di Sestri Ponente per ④ : 6 km ☎ 60151, Fax 6015487 – Alitalia, via 12 Ottobre 188 r ✉ 16121 ☎ 54938.*
☎ 586891.
per Cagliari 18 giugno-17 settembre martedì e giovedì (20 h 45 mn) ed Olbia giugno-settembre giornalieri e negli altri mesi lunedì, mercoledì e venerdì (13 h); per Arbatax venerdì, da ottobre a maggio e dal 21 luglio al 17 settembre anche lunedì (18 h 30 mn) e Porto Torres giornalieri (12 h); per Palermo martedì, giovedì, sabato e dal 18 giugno al 31 dicembre anche domenica (24 h) – Tirrenia Navigazione, Stazione Marittima, Pontile Colombo ✉ 16126 ☎ 2758041, Telex 271130, Fax 2698241; per Porto Torres giugno-settembre giornalieri (10 h) e per Palermo giornalieri (20 h) – Grandi Navi Veloci, via Fieschi 17 ✉ 16128 ☎ 589331 Telex 271132, Fax 5509225.
ℹ *via Roma 11/3 ✉ 16121 ☎ 576791, Fax 581408 – Stazione Principe ✉ 16126 ☎ 2462633 – all'Aeroporto ✉ 16154 ☎ 2415247.*
A.C.I. *viale Brigate Partigiane 1 ✉ 16129 ☎ 567001.*
Roma 501 ② – Milano 142 ⑦ – Nice 194 ⑤ – Torino 170 ⑤.

Piante pagine seguenti

Starhotel President Ⓜ, corte Lambruschini 4 ✉ 16129 ☎ 5727, Telex 272508, Fax 5531820 – cam TV ☎ ♿ – 600. AE. Ⓢ. ⓓ E VISA. JCB. rist DZ c
Pasto carta 75/120000 – **192 cam** ☕ 420/450000, 5 appartamenti – ½ P 295/410000.

Jolly Hotel Plaza, via Martin Piaggio 11 ✉ 16122 ☎ 8393641, Telex 283142, Fax 8391850 – cam TV ☎ – 140. AE. Ⓢ. ⓓ E VISA. JCB. rist CY q
Pasto carta 55/85000 – **146 cam** ☕ 310/390000, appartamento – ½ P 310/365000.

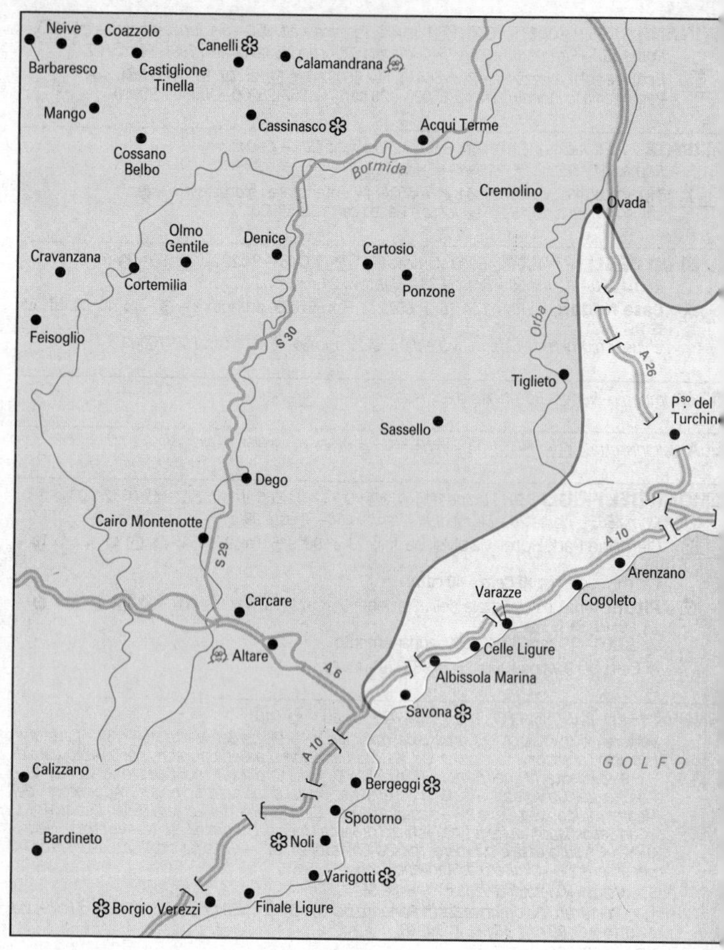

Savoia Majestic (dipendenza **Londra e Continentale**), via Arsenale di Terra 5 ✉ 1612 ✆ 261641, Telex 270426, Fax 261883 – 🛗 ▤ 📺 ☎ – 🏛 100. AE. 🅂. ⊙ E VISA AX
rist
Pasto carta 50/95000 – **121 cam** ☕ 220/340000, 2 appartamenti – ½ P 195/220000.

City Hotel, via San Sebastiano 6 ✉ 16123 ✆ 5545, Fax 586301 – 🛗 ▤ 📺 ☎ – 🏛 25. AE. 🅂. ⊙ E VISA. JCB CY
Pasto carta 40/70000 – **63 cam** ☕ 260/360000, 3 appartamenti.

Columbus Sea, via Milano 63 ✉ 16126 ✆ 535056, Fax 255226, ← – 🛗 ▤ 📺 ☎ ♿ 🅿 – 🏛 90. AE. 🅂. ⊙ E VISA. rist E
Pasto *(solo per alloggiati; chiuso i mezzogiorno di sabato e domenica)* carta 55/95000 – **77 cam** ☕ 215/290000, 3 appartamenti – P 205/330000.

Bristol, via 20 Settembre 35 ✉ 16121 ✆ 592541, Telex 286550, Fax 561756, « Caratteristici ambienti fine 800 » – 🛗 ▤ 📺 ☎ – 🏛 230. AE. 🅂. ⊙ E VISA CY
Pasto carta 60/85000 – **128 cam** ☕ 280/380000, 5 appartamenti.

Moderno Verdi senza rist, piazza Verdi 5 ✉ 16121 ✆ 5532104, Fax 581562 – 🛗 ▤ 📺 ☎ 🚗 – 🏛 80. AE. 🅂. ⊙ E VISA. JCB DY
100 cam ☕ 240/310000.

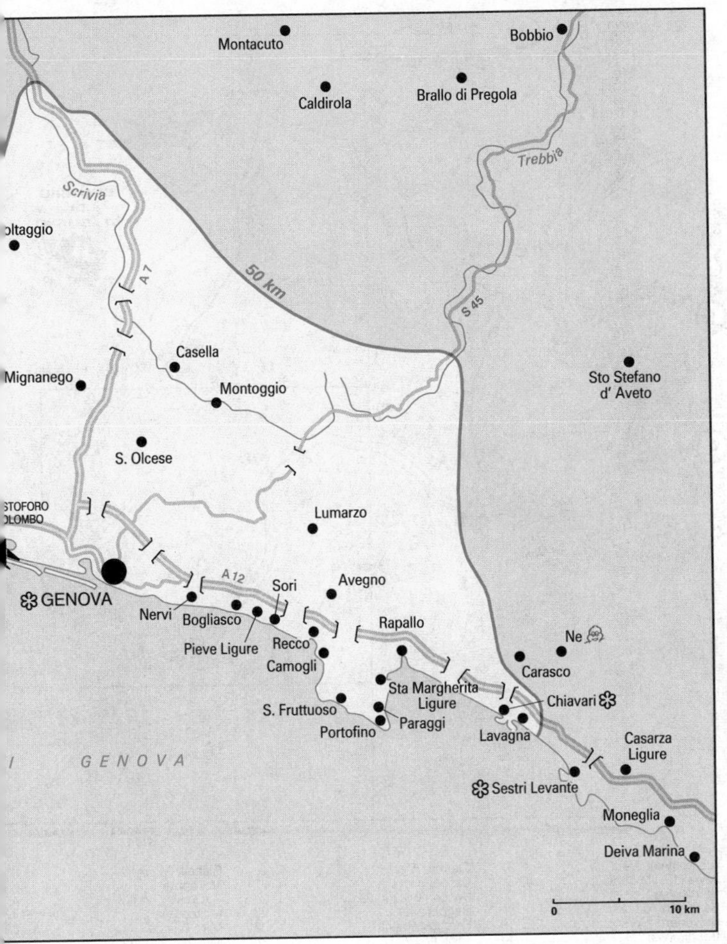

Britannia senza rist, via Balbi 38 ✉ 16126 ☏ 26991, Fax 2462942, ⛹, ≘s – |‡| ▤ 📺 ☎ – 🏢 60. AE. 🅂. ⓓ E VISA. JCB — AX a
82 cam ☕ 220/350000, 8 appartamenti.

Novotel Genova Ovest, via Cantore 8/C ✉ 16126 ☏ 64841, Fax 6484844, ⛱ – |‡| ⊁ cam ▤ 📺 ☎ ♿ 🚗 – 🏢 250. AE. 🅂. ⓓ E VISA. ⊁ rist — E b
Pasto carta 45/75000 – **222 cam** ☕ 190/250000 – P 310000.

Europa senza rist, via Monachette 8 ✉ 16126 ☏ 2463537, Fax 261047 – |‡| ▤ 📺 ☎ 🅿. AE. 🅂. ⓓ E VISA. JCB — AX t
38 cam ☕ 165/210000.

Alexander senza rist, via Bersaglieri d'Italia 19 ✉ 16126 ☏ 261371, Fax 265257 – |‡| ▤ 📺 ☎. AE. 🅂. ⓓ E VISA JCB — AX u
☕ 15000 – **35 cam** 120/150000.

Metropoli senza rist, piazza Fontane Marose ✉ 16123 ☏ 2468888, Fax 2468686 – |‡| 📺 ☎ – 🏢 25. AE. 🅂. ⓓ E VISA — BY c
47 cam ☕ 155/210000.

Galles senza rist, via Bersaglieri d'Italia 13 ✉ 16126 ☏ 2462820, Fax 2462822 – |‡| 📺 ☎. AE. 🅂. ⓓ E VISA — AX s
☕ 15000 – **20 cam** 120/140000.

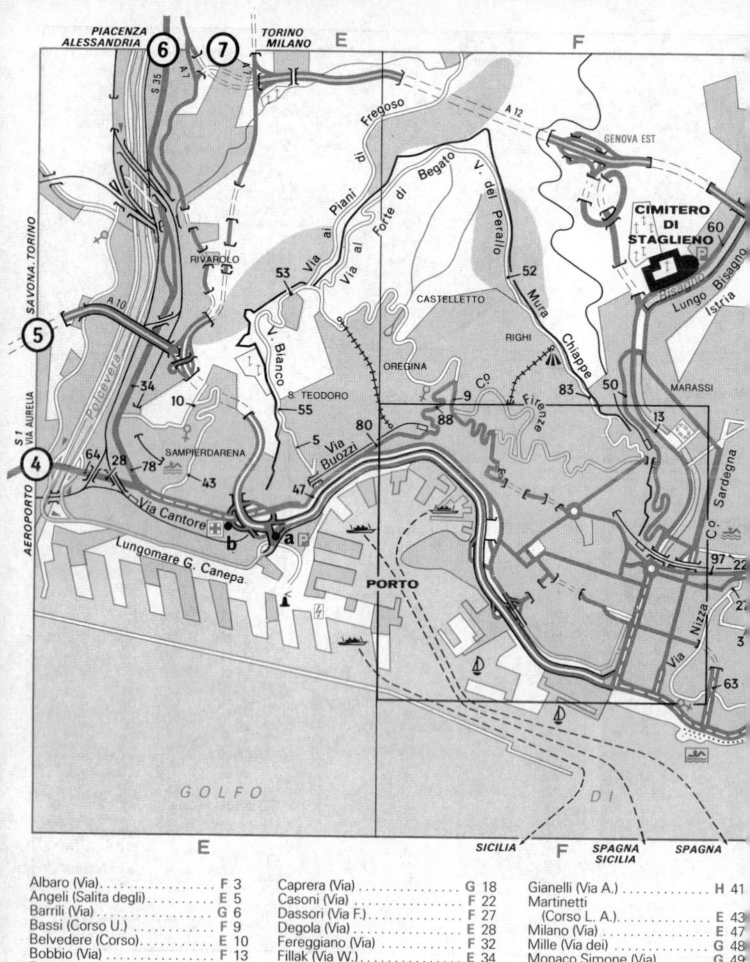

Viale Sauli senza rist, viale Sauli 5 ✉ 16121 ☎ 561397, Fax 590092 – 🛗 ▤ TV ☎. AE. ⑤. ⓓ E VISA — CY f
56 cam ☐ 130/170000.

Agnello d'Oro senza rist, via Monachette 6 ✉ 16126 ☎ 2462084, Fax 2462327 – 🛗 TV ☎ 🚗. AE. ⑤. ⓓ E VISA. JCB — AX t
☐ 12000 – **29 cam** 110/140000.

La Capannina 🌿, via Tito Speri 7 ✉ 16146 ☎ 317131, Fax 3622692 – TV ☎ 🚗. AE. ⑤. E VISA — G b
Pasto *(chiuso a mezzogiorno)* carta 25/30000 – **31 cam** ☐ 100/145000 – 1/2 P 125/130000.

XXX ✿ **Gran Gotto,** viale Brigate Bisagno 69 r ✉ 16129 ☎ 564344, Fax 564344, prenotare – ▤. AE. ⑤. E VISA — DZ m
chiuso sabato a mezzogiorno, domenica, i giorni festivi e dal 12 al 31 agosto – **Pasto** carta 80/115000
Spec. Tagliatelle al basilico con vongole, carciofi e asparagi. Filetti di triglia al rosmarino. Composizione di pesci con fonduta ai porri.

XXX Zeffirino, via 20 Settembre 20 ✉ 16121 ☎ 591990, Fax 586464, Rist. rustico moderno – ▤ — CY b

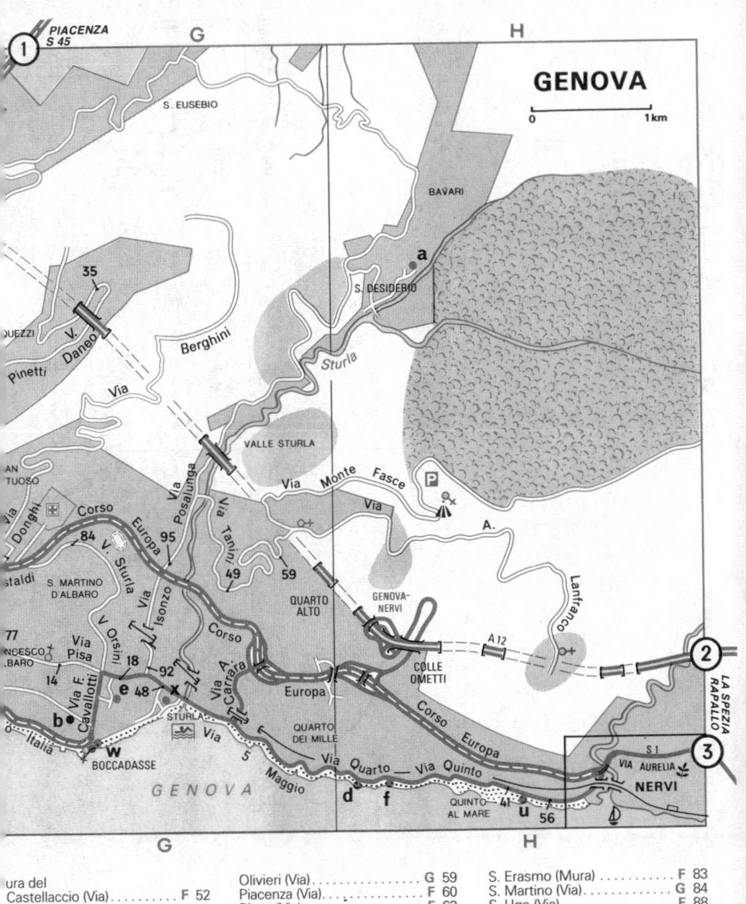

XXX **Vittorio al Mare e Pizzeria la Cambusetta,** a Boccadasse, Belvedere Edoardo Firpo 1 ✉ 16146 ☎ 3760141, Fax 3760141, ← – ▤. AE. Ⓢ. ⓓ E VISA — G w
Pasto carta 70/100000.

XXX **Edilio,** corso De Stefanis 104/R ✉16139 ☎ 811260, Fax 811260 – Ⓟ. AE. Ⓢ. ⓓ E VISA
chiuso lunedì e dal 1º al 22 agosto – **Pasto** carta 60/80000. — DX a

XXX ✿ **La Bitta nella Pergola,** via Casaregis 52 r ✉ 16129 ☎ 588543 – ▤. AE. Ⓢ. ⓓ E VISA. ✂ – *chiuso domenica sera, lunedì, dal 1º al 7 gennaio e dall'8 al 31 agosto* – **Pasto** carta 60/100000 — DZ a
Spec. Terrina di cernia con capperi e olive di Gaeta (marzo-maggio). Corzetti (pasta) stampati con pesto all'antica. Pesce "in tocchetto".

XX **Saint Cyr,** piazza Marsala 8 ✉ 16122 ☎ 886897, Rist. elegante moderno – ▤. AE. Ⓢ. ⓓ E VISA — CY r
chiuso sabato a mezzogiorno, domenica, dal 23 al 27 dicembre e dal 12 al 22 agosto – **Pasto** carta 65/100000 (10 %).

XX **Il Papageno,** via Assarotti 60 r ✉ 16122 ☎ 8392999, Fax 8392999, Coperti limitati; prenotare – ▤. AE. Ⓢ. ⓓ E VISA. JCB — CY h
chiuso sabato a mezzogiorno, domenica, dal 1º al 7 gennaio e dal 15 al 30 agosto – **Pasto** carta 50/80000.

GENOVA

Balbi (Via) . . . . **AX**
Buenos Aires (Corso) . . . **DZ**
Cairoli (Via) . . . . **BX**
Mazzini (Galleria) . . . . . . **CY** 46
Roma (Via) . . . . **CY**
S. Lorenzo (Via) . . . . **BY**
20 Settembre (Via) . . . . . **CY**
25 Aprile (Via) . . . . **BY** 102

Acquaverde (Piazza) . . . . **AX** 2
Brignole de Ferrari (V.) . . **BX** 15
Caricamento (Piazza) . . . **BY** 20
Chiabrera (Via) . . . . **BY** 25
Chiossone (Via) . . . . **BY** 26
Duca d'Aosta (Vle E.F.) **DYZ** 29
Embriaci (Piazza) . . . . **BY** 31
Fontane Marose (Piazza) . . . . **BCY** 36
Fontane (Via delle) . . . . . **AX** 38
Fossatello (Via e Pza di) . **BY** 39
Lomellini (Via) . . . . **BX** 42
Matteotti (Piazza) . . . . . . **BY** 45
Nunziata (Piazza della) . . **BX** 57
Piaggio (Via Martin) . . . . . **CY** 62
Pollaiuoli (Salita) . . . . . . **BY** 66
Polleri (Via) . . . . **BX** 67
Ponte Calvi (Via al) . . . . . **BX** 69
Porta Soprana (Via) . . . . . **BY** 70
Portello (Piazza) . . . . **BY** 71
Principe (Piazza) . . . . **AX** 73
Prione (Salita del) . . . . . . **BY** 74
Provvidenza (Salita d.) . . **AX** 76
S. Donato (Via) . . . . **BY** 81
S. Matteo (Pza e Salita) . **BY** 85
S. Siro (Via) . . . . **BX** 87
Soprana (Porta) . . . . **BY** 90
Spinola (Vico) . . . . **BY** 91
Targa (Via C.) . . . . **BX** 94
Zecca (Largo della) . . . . . **BX** 99
5 Dicembre (Via) . . . . **CY** 101

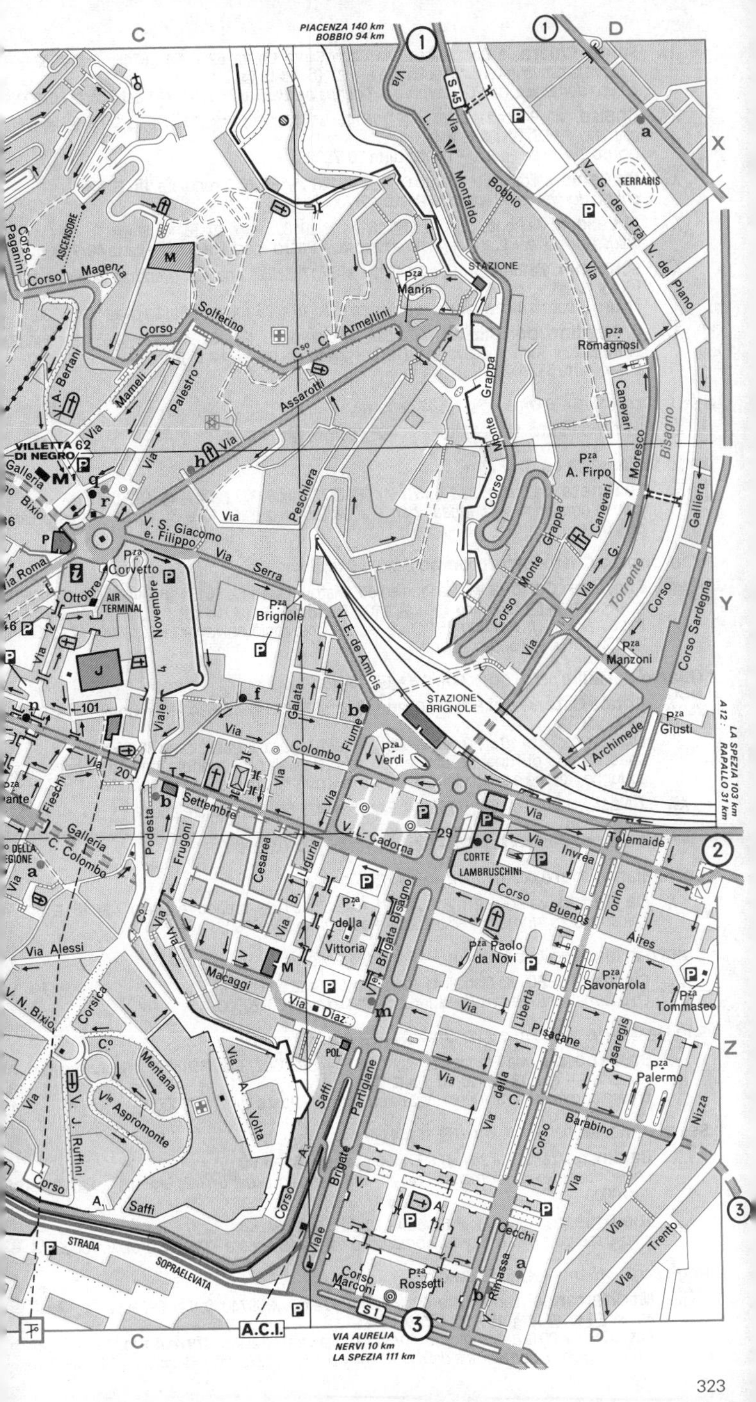
PIACENZA 140 km
BOBBIO 94 km
C
D
X
Y
Z
S 45
Via L. Montaldo
Via Bobbio
FERRARIS
V. G. de Prà
V. del Piano
STAZIONE
Pza Manin
Corso Paganini
ASCENSORE
Corso Magenta
Corso Solferino
Cso C. Armellini
Corso Mameli
Via Palestro
Via Assarotti
Via A. Bertani
VILLETTA DI NEGRO
Galleria Bixio
Pza Romagnosi
Via Canevari
Moresco
Torrente Bisagno
Pza A. Firpo
Corso Monte Grappa
Via Canevari
Via G.
Corso Galliera
Via Peschiera
V. S. Giacomo e. Filippo
Via Serra
Pza Corvetto
Via Roma
Ottobre
AIR TERMINAL
Viale IV Novembre
Pza Brignole
V. E. de Amicis
Corso Sardegna
Pza Manzoni
Via 12
STAZIONE BRIGNOLE
Via Galata
Via Fiume
Pza Verdi
Via Colombo
V. Archimede
Pza Giusti
A 12: LA SPEZIA 103 km RAPALLO 31 km
Via Fieschi
Via 20 Settembre
Podestà
Via Frugoni
Via Cesarea
V. L. Cadorna
Via Tolemaide
Via Invrea
CORTE LAMBRUSCHINI
Corso Buenos Aires
Via Torino
Galleria C. Colombo
Via Alessi
B. Liguria
Pza della Vittoria
Brigata Bisagno
Pza Paolo da Novi
Pza Savonarola
Pza Tommaseo
Via Macaggi
Via Diaz
V. N. Bixio
Corsica
Co Mentana
Vle Aspromonte
Via A. Volta
POL.
Via Libertà
Via Pisacane
Casaregis
Pza Palermo
Via della C.
Corso Barabino
Nizza
Saffi
Viale Brigate Partigiane
V. J. Ruffini
Corso A. Saffi
STRADA SOPRAELEVATA
Corso Marconi
Pza Rossetti
V. Rimassa
Cecchi
Via Trento
S 1
A.C.I.
VIA AURELIA
NERVI 10 km
LA SPEZIA 111 km

XX **Santa Chiara,** a Boccadasse, via Capo Santa Chiara 69 r ✉ 16146 ☎ 3770081, « Servizio estivo in terrazza sul mare » – AE. ⑤. ⓓ E VISA G
chiuso domenica, dal 20 dicembre al 7 gennaio e dal 5 al 25 agosto – **Pasto** carta 60/9000

XX **Gheise,** via Boccadasse 37 r ✉ 16146 ☎ 3770086, Fax 3770086, « Servizio estivo giardino » – AE. ⑤. ⓓ E VISA G
chiuso lunedì ed agosto – **Pasto** carta 50/75000.

XX **Da Genio,** salita San Leonardo 61 r ✉ 16128 ☎ 588463, prenotare. ⑤. E VISA
chiuso domenica ed agosto – **Pasto** 40/70000. CZ

XX **Al Veliero,** via Ponte Calvi 10 r ✉ 16124 ☎ 291829 – ▤. AE. ⑤. ⓓ E VISA ABX
chiuso lunedì, dal 1º al 7 gennaio ed agosto – **Pasto** specialità di mare carta 40/75000.

XX **Scupenin,** via Rimassa 152 r ✉ 16121 ☎ 561753, Rist. enoteca, prenotare la sera – ▤. A ⑤. ⓓ E VISA DZ
chiuso sabato a mezzogiorno, domenica e dal 10 al 25 agosto – **Pasto** carta 50/85000.

XX **Il Giardino dei Glicini,** salita San Gerolamo 2 r ✉ 16124 ☎ 2471265, Fax 29688 prenotare, « Servizio estivo sotto un pergolato » – AE. ⑤. ⓓ E VISA. JCB BX
Pasto carta 55/80000.

a Sturla *per ② o ③ : 6 km* G – ✉ *16147 Genova :*

XX Il Primo Piatto, via del Tritone 12 r ☎ 393456, 🏕 G

verso Molassana *per ① : 6 km :*

XX **La Pineta,** via Gualco 82 ✉ 16165 ☎ 802772, Fax 802772, 🏕 – Ⓟ. AE. ⑤. E VISA. ✗
chiuso domenica sera, lunedì, dal 20 al 28 febbraio e dal 10 al 30 agosto – **Pasto** cart 50/70000.

all'aeroporto Cristoforo Colombo *per ④ : 6 km* E *:*

🏨 **Sheraton Genova** Ⓜ, via Pionieri ed Aviatori d'Italia ✉ 16154 ☎ 65481, Fax 6549055 – |‡| ⇆ cam ▤ 📺 ☎ ♿ 🚗 Ⓟ – 🏛 1100. AE. ⑤. ⓓ E VISA. ✗ rist
Pasto al Rist. ***Il Portico*** 35/45000 (solo a mezzogiorno) e carta 60/80000 – **274 cam** ☕ 250/300000, 2 appartamenti.

a Quarto dei Mille *per ② o ③ : 7 km* GH – ✉ *16148 Genova :*

XXX **Antica Osteria del Bai,** via Quarto 12 ☎ 387478, Fax 392684, ≤, prenotare – ▤. AE. ⑤ ⓓ E VISA. ✗ H
✿ *chiuso lunedì, dal 10 al 20 gennaio e dal 1º al 20 agosto* – **Pasto** carta 60/95000
Spec. Tortino di funghi e patate con salsa al basilico (autunno). Tondetti genovesi con acciughe fresche e broccoletti. Branzino in crosta farcito ai sapori dell'orto.

XX **7 Nasi,** via Quarto 16 ☎ 3731344, Fax 3731342, 🏕, Rist. a mare con ≤, 🏊, 🏖 – Ⓟ. AE ⑤. ⓓ E VISA H
chiuso martedì e novembre – **Pasto** carta 45/80000 (12 %).

a Cornigliano Ligure *per ④ : 7 km* – ✉ *16152 Genova :*

X **Da Marino,** via Rolla 36 r ☎ 6518891, Rist. d'habituès, prenotare la sera – AE. ⑤. E VISA
chiuso sabato, domenica ed agosto – **Pasto** carta 50/80000.

a Quinto al Mare *per ② o ③ : 8 km* H – ✉ *16166 Genova :*

XX **Cicchetti 1860,** via Gianelli 41 r ☎ 3200391, Trattoria tipica H
chiuso martedì, mercoledì ed agosto – **Pasto** carta 50/70000.

a San Desiderio *NE : 8 km per via Timavo* H – ✉ *16133 Genova :*

X **Bruxaboschi,** via Francesco Mignone 8 ☎ 3450302, Fax 3451429, « Servizio estivo in giardino » – Ⓟ – 🏛 30. AE. ⑤. ⓓ E VISA H
chiuso domenica sera, lunedì, Natale ed agosto – **Pasto** carta 45/60000.

a Sestri Ponente *per ④ : 10 km* – ✉ *16154 Genova :*

XX **Baldin,** piazza Tazzoli 20 r ☎ 6531400 – ▤. AE. ⑤. ⓓ VISA
chiuso lunedì sera, domenica, dal 1º al 6 gennaio e dal 6 al 21 agosto – **Pasto** carta 40/70000.

XX **Toe Drûe,** via Corsi 44 r ☎ 671100 – AE. ⑤. ⓓ E VISA. ✗
chiuso sabato a mezzogiorno, domenica e dal 5 al 25 agosto – **Pasto** carta 40/70000.

a Pegli *per ④ : 13 km* – ✉ *16155 Genova :*

🏨 **Mediterranée,** Lungomare 69 ☎ 6973850 e rist ☎ 6974050, Fax 6969850, ≤, 🏕 – |‡| ▤ rist 📺 ☎ Ⓟ – 🏛 150. AE. ⑤. ⓓ E VISA
Pasto 35/45000 (a mezzogiorno) 40/55000 (alla sera) ed al Rist. ***Torre Antica*** *(chiuso sabato a mezzogiorno, domenica e dal 6 al 28 agosto)* carta 40/70000 – **88 cam** ☕ 135/180000.

Voltri *per ④ : 18 km – ✉ 16158 Genova :*

Sirenella, via Don Giovanni Verità 4 r ✆ 6132760, Fax 6132776, ← – |‡| ▤ TV ☎ P – 🏋 45. AE. 🅂. ⓞ E VISA. ✻ rist
Pasto *(chiuso mercoledì)* carta 60/90000 (12%) – ☕ 15000 – **21 cam** 130/180000, 2 appartamenti.

MICHELIN, a San Quirico (in Val Polcevera per ⑥: *12 km) lungo torrente Secca 36/L nero* – ✉ 16163, ✆ 710871, Fax 713133.

GENZANO DI LUCANIA *85013 Potenza 988 ㉘, 431 E 30 – 6 240 ab. alt. 588 – ☎ 0971.*

Roma 383 – Potenza 56 – Bari 98 – Foggia 101.

Kristall, piazza Municipio 8 ✆ 775955, Fax 774543 – TV ☎ P. ✻ cam
Pasto carta 20/45000 – ☕ 3000 – **16 cam** 35/60000 – ½ P 50000.

GENZANO DI ROMA *00045 Roma 988 ㉖, 430 Q 20 – 21 759 ab. alt. 435 – ☎ 06.*

Roma 28 – Anzio 33 – Castel Gandolfo 7 – Frosinone 71 – Latina 39.

Villa Robinia, viale Fratelli Rosselli 19 ✆ 9364400, Fax 9396409, 🌂, 🌳 – |‡| TV ☎ P – 🏋 50. AE. 🅂. ⓞ E VISA. ✻
Pasto 35000 – ☕ 10000 – **30 cam** 75/90000 – ½ P 100000.

Osteria dell'Infiorata, via Belardi 55 ✆ 9399933, Fax 9363715, 🌂 – ▤ P – 🏋 100. AE. 🅂. ⓞ E VISA. JCB
chiuso lunedì – **Pasto** carta 30/55000.

La Grotta, via Belardi 31 ✆ 9364224, Fax 9364224, 🌂, Rist. enoteca – AE. 🅂. ⓞ E VISA
chiuso mercoledì – **Pasto** carta 30/75000.

GERACI SICULO *Palermo 432 N 24 – Vedere Sicilia alla fine dell'elenco alfabetico.*

GERENZANO *21040 Varese 428 F 9, 219 ⑱ – 8 491 ab. alt. 225 – ☎ 02.*

Roma 603 – Milano 26 – Como 24 – Lugano 53 – Varese 27.

Concorde senza rist, strada statale ✆ 9682317, Fax 9681002 – |‡| ▤ TV ☎ 🚗 P – 🏋 100. AE. 🅂. ⓞ E VISA
44 cam ☕ 130/170000.

GERMAGNANO *10070 Torino 428 G 4 – 1 298 ab. alt. 485 – ☎ 0123.*

Roma 689 – Torino 29 – Aosta 132 – Ivrea 68 – Vercelli 95.

La Locanda dell'Alambicco, località Pian Bausano O : 3 km, stradale Viu 18 ✆ 27765, solo su prenotazione – P. 🅂. VISA
chiuso a mezzogiorno (escluso sabato e domenica) e martedì – **Pasto** 45/50000.

GEROLA ALTA *23010 Sondrio 988 ③, 428 D 10 – 272 ab. alt. 1 050 – ☎ 0342.*

Roma 689 – Sondrio 39 – Lecco 71 – Lugano 85 – Milano 127 – Passo dello Spluga 80.

Pineta 🐦, località Fenile SE : 3 km alt. 1 238 ✆ 690050, Fax 690180, ←, 🌳 – P. ✻
chiuso novembre – **Pasto** *(chiuso martedì escluso da giugno ad agosto)* carta 35/60000 – ☕ 15000 – **20 cam** 45/60000 – ½ P 60/65000.

GHEDI *25016 Brescia 988 ④, 428, 429 F 12 – 14 542 ab. alt. 85 – ☎ 030.*

Roma 525 – Brescia 21 – Mantova 56 – Milano 118 – Verona 65.

Trattoria Santi, via Calvisano 15 (SE : 4 km) ✆ 901345, 🌳 – P. AE. 🅂. VISA. ✻
chiuso mercoledì e gennaio – **Pasto** carta 25/40000.

GHIFFA *28055 Verbania 428 E 7, 219 ⑦ – 2 512 ab. alt. 202 – ☎ 0323.*

Roma 679 – Stresa 22 – Locarno 33 – Milano 102 – Novara 78 – Torino 153.

Ghiffa, corso Belvedere 88 ✆ 59285, Fax 59585, ← lago e monti, 🌂, « Terrazza-giardino con 🏊 riscaldata », 🏖 – |‡| ▤ cam TV ☎ ♿ P. AE. 🅂. ⓞ E VISA. ✻
27 marzo-23 ottobre – **Pasto** carta 50/75000 – **37 cam** ☕ 210/240000 – ½ P 120/145000.

Park Hotel Paradiso 🐦, via Guglielmo Marconi 20 ✆ 59548, 🌂, « Villa liberty con piccolo parco, ← lago e 🏊 riscaldata » – ☎ P
15 marzo-ottobre – **Pasto** carta 30/50000 – ☕ 13500 – **15 cam** 115/160000 – ½ P 125000.

GHIRLANDA *Grosseto – Vedere Massa Marittima.*

GIANICO *25040 Brescia* 429 E 12 – *1 847 ab. alt. 281 – ☎ 0364.*
Roma 612 – Bergamo 55 – Bolzano 176 – Brescia 55 – Milano 102.

XX **Rustichello,** via Tadini 12 ☎ 532976, Coperti limitati; prenotare – ▤. AE. 🅂. VISA. ✻
chiuso martedì sera, mercoledì, dal 1º al 10 febbraio e dal 1º al 20 agosto – **Pasto** car
35/60000.

GIARDINI NAXOS *Messina* 988 ㊲, 432 N 27 – *Vedere Sicilia alla fine dell'elenco alfabetico.*

GIAROLO *Alessandria – Vedere Montacuto.*

GIAVENO *10094 Torino* 988 ⑫, 428 G 4 – *14 133 ab. alt. 506 – a.s. luglio-agosto – ☎ 011.*
Roma 698 – Torino 38 – Milano 169 – Susa 38.

XX **San Roch,** via Parco Abbaziale 1 ☎ 9376913, solo su prenotazione – AE. 🅂. E VISA. JCB
chiuso lunedì, dall'8 al 20 gennaio e dal 20 al 30 agosto – **Pasto** 45/75000 bc.

X **Valsangone,** piazza Molines 45 ☎ 9376286, 🏕 –. 🅂. E VISA. ✻
chiuso mercoledì e novembre – **Pasto** carta 40/65000.

GIGLIO (Isola del) *Grosseto* 988 ㉔, 430 O 14 *G. Toscana – 1 574 ab. alt. da 0 a 498 (Poggio del*
Pagana) – a.s. Pasqua e 15 giugno-15 settembre – ☎ 0564.
La limitazione d'accesso degli autoveicoli è regolata da norme legislative.

Giglio Porto 988 ㉔, 430 O 14 – ✉ *58013.*
⛴ *per Porto Santo Stefano giornalieri (1 h) – Toremar-agenzia Cavero, al port*
☎ 809349, Telex 502122, Fax 809349.

🏨 **Arenella** 🐦, NO : 2,5 km ☎ 809340, Fax 809443, ≤ mare e costa, 🌳 – ☎ 🅟. ✻
Pasto *(chiuso dal 25 settembre al 15 maggio)* carta 50/65000 – ☕ 12000 – **27 cam**
95/170000 – ½ P 120/145000.

🏨 **Castello Monticello,** bivio per Arenella N: 1 km ☎ 809252, Fax 809473, ≤, 🌳, 🎾 -
▤ cam 📺 ☎ 🅟. 🅂. E VISA. ✻ rist
aprile-settembre – **Pasto** 35/60000 – **29 cam** ☕ 100/200000 – ½ P 120/140000.

🏨 **Bahamas** senza rist, via Cardinale Oreglia 22 ☎ 809254, Fax 809254, ≤ – ☎ 🅟. AE. 🅂. ⓓ
E VISA. ✻
28 cam ☕ 65/115000.

X **La Vecchia Pergola,** via Thaon de Revel 31 ☎ 809080, Fax 809080, ≤, « Servizio estiv
in terrazza » –. 🅂. E VISA
chiuso febbraio, dal 15 ottobre a dicembre e martedì (escluso da giugno a settembre) -
Pasto carta 40/60000.

a Giglio Castello *NO : 6 km – ✉ 58012 Giglio Isola :*

X **Da Maria,** ☎ 806062, Fax 806105 – AE. 🅂. ⓓ E VISA. JCB
chiuso gennaio, febbraio e mercoledì (escluso da giugno a settembre) – **Pasto** cart
50/65000.

X **Da Santi,** via Marconi 20 ☎ 806188, Coperti limitati; prenotare – AE. 🅂. ⓓ E VISA. ✻
chiuso febbraio e lunedì escluso dal 15 giugno al 15 settembre – **Pasto** carta 40/65000.

a Campese *NO : 8,5 km – ✉ 58012 Giglio Isola :*

🏨 **Campese** 🐦, ☎ 804003, ≤, « Sulla spiaggia », 🏖 – ▤ cam ☎ 🅟. 🅂. ✻ rist
Pasqua-settembre – **Pasto** carta 45/65000 – **39 cam** ☕ 85/140000 – ½ P 110/130000.

GIGNOD *11010 Aosta* 428 E 3 – *1 134 ab. alt. 994 – ☎ 0165.*
⛳9 *(aprile-ottobre; chiuso mercoledì agosto) località Arsanières ✉ 11010 Gignod ☎ 56020*
Fax 56020.
Roma 753 – Aosta 7 – Colle del Gran San Bernardo 25.

XX **La Clusaz** con cam, località La Clusaz NO : 4,5 km ☎ 56075, solo su prenotazione, « In un
antico ostello di fondazione medievale » – 📺 ☎ 🅟. AE. 🅂. ⓓ E VISA. ✻ rist
chiuso dal 19 maggio al 14 giugno e dal 27 ottobre al 22 novembre – **Pasto** *(chiuso a
mezzogiorno e martedì escluso i giorni festivi ed agosto)* cucina tipica valdostana 35/50000
– ☕ 10000 – **12 cam** 70/120000 – ½ P 85/100000.

GIOIA DEI MARSI *67055 L'Aquila* 430 Q 23 – *2 339 ab. alt. 735 – ☎ 0863.*
Roma 137 – Frosinone 93 – Isernia 90 – L'Aquila 83 – Pescara 102.

🏨 **Filippone,** via Duca degli Abruzzi ☎ 88111, Fax 889842, 🏊, 🌳 – |♦| ▤ 📺 ☎ 🅟 – 🅰 150
AE. 🅂. ⓓ E VISA. ✻ cam
Pasto carta 25/40000 – **55 cam** ☕ 90/120000, appartamento – ½ P 90/110000.

IOIA DEL COLLE *70023 Bari* 988 ㉙, 431 E 32 – *26 176 ab. alt. 358* – ☎ *080.*

Roma 443 – Bari 39 – Brindisi 107 – Taranto 35.

Villa Duse, strada statale 100, km 39 ☎ 9981212, Fax 9982112 – 60. AE. . E VISA
Pasto carta 45/70000 – **32 cam** 125/175000 – 1/2 P 140/150000.

Svevo, via per Santeramo 319 ☎ 9982739, Fax 9982797 – 150. AE. . E VISA.
Pasto carta 40/60000 – **67 cam** 140/175000, 2 appartamenti – 1/2 P 150000.

IOVI *Arezzo* 430 L 17 – *Vedere Arezzo.*

IOVINAZZO *70054 Bari* 988 ㉙, 431 D 32 *G. Italia – 21 138 ab.* – ☎ *080.*

Dintorni *Cattedrale* di Bitonto S : 9 km.*

Roma 432 – Bari 21 – Barletta 37 – Foggia 115 – Matera 62 – Taranto 106.

Toruccio, ☎ 8942432, ←,

ulla strada statale 16 *SE : 3 km :*

Gd H. Riva del Sole, strada statale 16 km 787 ✉ 70054 ☎ 8943166, Fax 8943260, – 150. AE. . E VISA.
Pasto carta 40/55000 – **90 cam** 150/200000 – 1/2 P 120/150000.

Keine Aufnahme in den ***Michelin-Führer*** *durch*
- Beziehungen oder
- Bezahlung!

IULIANOVA LIDO *64022 Teramo* 988 ⑰, 430 N 23 – *21 865 ab. – a.s. luglio-agosto* – ☎ *085.*

via Galilei 18 ☎ 8003013.

Roma 209 – Ascoli Piceno 50 – Pescara 47 – Ancona 113 – L'Aquila 100 – Teramo 27.

Gd H. Don Juan, lungomare Zara 97 ☎ 8008341, Telex 600061, Fax 8004805, ←, – 400. AE. . E VISA. rist
16 maggio-settembre – **Pasto** 40/45000 – **148 cam** 200/240000 – 1/2 P 185/210000.

Cristallo, lungomare Zara 73 ☎ 8003780, Fax 8005953, ←, – 60. AE. . E VISA.
Pasto *(chiuso dal 21 dicembre al 2 gennaio)* carta 40/80000 – **53 cam** 115/210000, 2 appartamenti – 1/2 P 85/140000.

Europa, lungomare Zara 57 ☎ 8003600, Fax 8000091 – . AE. . E VISA. rist
Pasto carta 30/60000 – 10000 – **78 cam** 80/130000 – 1/2 P 90/135000.

Ritz, via Quinto 3 ☎ 8008470, Fax 8004748, – . AE. . E VISA.
maggio-settembre – **Pasto** 30/35000 – **50 cam** 90/120000 – 1/2 P 100/120000.

Riviera, lungomare Zara 47 ☎ 8006413, Fax 8003022, ←, – 250. AE. . E VISA.
Pasto 40/45000 – **115 cam** 100/150000, 5 appartamenti – 1/2 P 80/115000.

Baltic, lungomare Zara ☎ 8008241, Fax 8008241, « Giardino ombreggiato », – rist . AE. . E VISA. rist
maggio-settembre – **Pasto** 25000 – **45 cam** 80/120000 – 1/2 P 95/130000.

Da Beccaceci, via Zola 18 ☎ 8003550, Fax 8007073 – . AE. . E VISA
chiuso domenica sera, lunedì e dal 15 al 31 dicembre – **Pasto** carta 50/90000.

Martin Pescatore, via La Spezia 5 ☎ 8003782, – AE. . E VISA.
chiuso lunedì e dal 25 settembre al 15 ottobre – **Pasto** carta 35/60000.

L'Ancora, via Turati 142 angolo via Cermignani ☎ 8005321 – . AE. . E VISA.
chiuso dal 16 agosto al 7 settembre e domenica (escluso da giugno a settembre) – **Pasto** carta 35/75000.

Lucia, via Lampedusa 12 ☎ 8005807 – AE. . E VISA.
chiuso novembre e lunedì (escluso da giugno a settembre) – **Pasto** carta 30/55000.

IURDIGNANO *73020 Lecce* 431 G 37 – *1 785 ab. alt. 78* – ☎ *0836.*

Roma 610 – Brindisi 84 – Gallipoli 39 – Lecce 38 – Taranto 117.

Osteria degli Amici, piazza Municipio 13 ☎ 83001, – AE. . VISA
chiuso martedì da ottobre a maggio – **Pasto** carta 30/45000.

GIZZERIA LIDO *88040 Catanzaro* [431] K 30 – *3 648 ab.* – ☎ *0968.*

Roma 576 – Cosenza 60 – Catanzaro 39 – Lamezia Terme (Nicastro) 13 – Paola 57 – Reggio Calabria 132.

🍴🍴 **Marechiaro** con cam, ☎ 51251, ⛱ – ▤ [TV] ☎ – 🎉 60. [AE]. [S]. [VISA]. ✂ cam
chiuso lunedì e dicembre – **Pasto** carta 65/90000 – ☕ 10000 – **8 cam** 180/250000 – ½ P 200/250000.

🍴 **Pesce Fresco,** via Nazionale - strada statale 18 (NO : 2 km) ☎ 466200, Fax 466383 – [AE]. [S]. ● [E] [VISA]. [JCB]
Pasto carta 40/50000.

GLORENZA (GLURNS) *39020 Bolzano* [428], [429] C 13, [218] ⑧ – *845 ab. alt. 920* – ☎ *0473.*

Roma 720 – Sondrio 119 – Bolzano 83 – Milano 260 – Passo di Resia 24.

🏠 **Posta,** ☎ 831208, Fax 830432, ⛰ – |‡| ♿ 🚗 [P]. [S]. [E] [VISA]
chiuso dal 7 gennaio a marzo – **Pasto** 30/35000 – **30 cam** ☕ 60/110000 – ½ P 75/85000

GLURNS = *Glorenza.*

GODIA *Udine – Vedere Udine.*

GOITO *46044 Mantova* [988] ④ ⑭, [428], [429] G 14 – *9 198 ab. alt. 30* – ☎ *0376.*

Roma 487 – Verona 38 – Brescia 50 – Mantova 16 – Milano 141.

🍴🍴🍴 ✿✿ **Al Bersagliere,** via Statale 258 ☎ 688399, Fax 688363, 🌳 – ▤ [P]. [AE]. [S]. ● [E] [VISA] ✂
chiuso lunedì, martedì a mezzogiorno, Natale e dall'11 agosto al 2 settembre – **Pasto** 110000 e carta 80/130000
Spec. Anguilla marinata con insalata e scalogno. Risotto con lumache. Luccio in salsa alla mantovana con verdure marinate e polenta abbrustolita.

GOLFO ARANCI *Sassari* [988] ㉔, [433] E 10 – *Vedere Sardegna alla fine dell'elenco alfabetico.*

GONZAGA *46023 Mantova* [428], [429] H 14 – *7 565 ab. alt. 22* – ☎ *0376.*

Roma 439 – Verona 71 – Cremona 82 – Mantova 27 – Modena 41 – Parma 52.

🏠 **Villa le Rose** senza rist, piazza Matteotti 35 ☎ 528270, Fax 528271, 🌳 – [TV] ☎ [P]. [AE]. [S] [E] [VISA]
☕ 15000 – **12 cam** 80/110000.

GORGO AL MONTICANO *31040 Treviso* [429] E 19 – *3 895 ab. alt. 11* – ☎ *0422.*

Roma 574 – Venezia 60 – Treviso 32 – Trieste 116 – Udine 85.

🏠 **Villa Revedin** 🐦, via Palazzi 4 ☎ 800033, Fax 800033, ⛱, « Villa veneta del 17° secolo in un parco » – ▤ [TV] ☎ [P] – 🎉 200. [AE]. [S]. ● [E] [VISA]. ✂
Pasto (solo piatti di pesce; *chiuso gennaio, dal 10 al 20 agosto, domenica sera e lunedì*) carta 50/70000 – ☕ 14000 – **32 cam** 95/170000 – ½ P 145/155000.

GORIZIA *34170* [P] [988] ⑥, [429] E 22 – *37 828 ab. alt. 86* – ☎ *0481.*

⛳ *(chiuso lunedì, gennaio e febbraio) a San Floriano del Collio* ✉ *34070* ☎ *88425, Fax 884252.*

✈ *di Ronchi dei Legionari SO : 25 km* ☎ *773224, Telex 460220, Fax 474150 – Alitalia Agenzia Appiani, corso Italia 60* ☎ *530266.*

[i] *via Diaz 16* ☎ *533870, Fax 533870.*

[A.C.I.] *via Trieste 171* ☎ *21266.*

Roma 649 – Udine 35 – Ljubljana 113 – Milano 388 – Trieste 45 – Venezia 138.

sulla strada statale 351 *SO : 5 km :*

🍴 Al Fogolar, ✉ 34070 Lucinico ☎ 390107, ⛱, Rist. e pizzeria, 🌳 – [P]

GORLE *24020 Bergamo* [428] E 11 – *4 617 ab. alt. 268* – ☎ *035.*

Roma 603 – Bergamo 6 – Milano 49.

🍴🍴 **Del Baio,** viale Zavaritt 224 ☎ 342262, Fax 342262, ⛱ – [AE]. [S]. ● [E] [VISA]
chiuso domenica sera, lunedì e dal 6 al 27 agosto – **Pasto** carta 55/80000.

GORO *44020 Ferrara* 988 ⑮, 429 H 18 – *4 325 ab.* – ☎ *0533.*
Roma 487 – Ravenna 67 – Ferrara 64 – Padova 87 – Venezia 98.

X **Da Primon,** via Cesare Battisti 150 ✆ 996071 – P. ⅌
chiuso martedì e dal 1° al 15 luglio – **Pasto** specialità di mare carta 50/80000.

X **Ferrari,** via Brugnoli 244 ✆ 996448, Fax 996546 – ▤. AE. ⑤. E VISA. ⅌
chiuso mercoledì sera – **Pasto** specialità di mare carta 45/75000.

GOSSENSASS = *Colle Isarco.*

GOSSOLENGO *29020 Piacenza* 428 G 10 – *3 237 ab. alt. 90* – ☎ *0523.*
Roma 525 – Piacenza 8 – Alessandria 102 – Genova 134 – Milano 85.

XX **La Rossia,** via Rossia 17 (SO : 1,5 km) ✆ 56843 – P. ⑤. E VISA
chiuso martedì sera e mercoledì – **Pasto** carta 35/65000.

GOZZANO *28024 Novara* 988 ②, 428 E 7 – *5 940 ab. alt. 359* – ☎ *0322.*
Dintorni *Santuario della Madonna del Sasso*** *NO : 12,5 km.*
Roma 653 – Stresa 32 – Domodossola 53 – Milano 76 – Novara 38 – Torino 112 – Varese 44.

sulla strada statale 229 *N : 2,5 km :*

X **Poncetta,** via Fratelli Rosselli 19 ✉ 28024 ✆ 94392, ← lago – P. AE. ⑤. E VISA. ⅌
chiuso mercoledì ed ottobre – **Pasto** carta 35/70000.

Per l'inserimento in ***guida,***
Michelin *non accetta*
né favori, né denaro!

GRADARA *61012 Pesaro e Urbino* 988 ⑯, 429, 430 K 20 *G. Italia* – *2 969 ab. alt. 142* – ☎ *0541.*
Vedere *Rocca**.
Roma 315 – Rimini 28 – Ancona 89 – Forlì 76 – Pesaro 15 – Urbino 44.

XX **La Botte,** piazza 5 Novembre 11 ✆ 964404, « Caratteristico ambiente medioevale; servizio estivo in giardino » – AE. ⑤. ⓓ E VISA
chiuso mercoledì e dal 7 al 25 novembre – **Pasto** carta 35/55000.

XX **Mastin Vecchio di Adriano,** via Alighieri 5 ✆ 964024, Fax 964024, « Tipico ambiente medioevale; servizio estivo in terrazza » – AE. ⑤. ⓓ E VISA
chiuso lunedì e dal 1° al 20 novembre – **Pasto** carta 45/65000.

GRADISCA D'ISONZO *34072 Gorizia* 988 ⑥, 429 E 22 – *6 709 ab. alt. 32* – *a.s. agosto-settembre* – ☎ *0481.*
ℹ *via Ciotti (Palazzo Torriani) ✆ 99217, Fax 99880.*
Roma 639 – Udine 33 – Gorizia 12 – Milano 378 – Trieste 42 – Venezia 128.

🏨 **Franz** senza rist, viale Trieste 45 ✆ 99211, Fax 960510 – |♦| ▤ TV ☎ ♿ P – 🏛 30. AE. ⑤. ⓓ E VISA
☕ 18000 – **50 cam** 125/150000.

XX **Al Ponte,** viale Trieste 122 (SO : 2 km) ✆ 99213, Fax 99213, « Servizio estivo sotto un pergolato » – ⅍ ▤ P. AE. ⑤. ⓓ E VISA
chiuso lunedì sera, martedì e luglio – **Pasto** carta 30/70000.

X **Al Commercio,** via della Campagnola 6 ✆ 99358 – AE. ⑤. ⓓ E VISA. ⅌
chiuso domenica sera, lunedì, dal 1° all'11 febbraio e dal 1° al 20 agosto – **Pasto** carta 35/55000.

GRADISCUTTA *Udine* 429 E 20 – *alt. 22* – ✉ *33030 Varmo* – ☎ *0432.*
Roma 606 – Udine 37 – Milano 345 – Pordenone 35 – Trieste 88 – Venezia 95.

XX **Da Toni,** ✆ 778003, Fax 778655, ⛱, « Giardino » – P – 🏛 80. AE. ⑤. ⓓ E VISA. ⅌
chiuso lunedì, martedì a mezzogiorno e dal 25 luglio al 15 agosto – **Pasto** carta 40/60000.

GRADO *34073 Gorizia* 988 ⑥, 429 E 22 *G. Italia* – *9 109 ab.* – *Stazione termale (giugno-settembre), a.s. luglio-agosto* – ☎ *0431.*
Vedere *Quartiere antico** : *postergale** *nel Duomo.*
ℹ *(giugno-settembre) viale Dante Alighieri 72 ✆ 899220, Fax 899278.*
Roma 646 – Udine 50 – Gorizia 43 – Milano 385 – Treviso 122 – Trieste 54 – Venezia 135.

Gd H. Astoria, largo San Grisogono 2 ℘ 83550, Fax 83355, « Piscina riscaldata panor mica », – 250. AE. ⑤. ⓓ E VISA. ※ rist
marzo-ottobre – **Pasto** 60000 – **118 cam** 210/300000, appartamento – ½ P 18 320000.

Savoy, via Carducci 33 ℘ 81171, Fax 83305, riscaldata, – AE. ⑤. ⓓ E VISA. ※ rist
aprile-27 ottobre – **Pasto** (solo per alloggiati) 45/55000 – **86 cam** 145/345000 ½ P 125/210000.

Abbazia, via Colombo 12 ℘ 80038, Fax 81722, – AE. ⑤. E VISA. ※ rist
aprile-ottobre – **Pasto** 35/40000 – 20000 – **50 cam** 160/200000 – ½ P 150/170000.

Antares senza rist, via delle Scuole 4 ℘ 84961, Fax 82385, –
19 cam 130/190000.

Alla Città di Trieste, piazza XXVI Maggio 22 ℘ 83571, Fax 83571 – AE.
E VISA. ※ rist
febbraio-ottobre – **Pasto** 40000 – **25 cam** 90/160000, 6000 – ½ P 105/115000.

Diana, via Verdi 3 ℘ 82247, Fax 83330 – AE. ⑤. ⓓ E VISA. ※ rist
marzo-5 novembre – **Pasto** 35/50000 – 15000 – **63 cam** 130/200000 – ½ P 100/14000

Il Guscio senza rist, via Venezia 2 ℘ 82200, Fax 82200, « Giardino » – VISA
maggio-settembre – **12 cam** 75/105000.

Park Spiaggia senza rist, via Mazzini 1 ℘ 82366, Fax 85811 – AE. ⑤. ⓓ
VISA
maggio-ottobre – **30 cam** 100/150000.

Serena senza rist, riva Sant'Andrea 31 ℘ 80697, Fax 85199 – AE. ⑤. ⓓ E VISA
16 marzo-3 novembre – **16 cam** 55/110000.

Cristina, viale Martiri della Libertà 11 ℘ 80989, – ⑤. VISA
aprile-settembre – **Pasto** 30000 – 10000 – **26 cam** 65/120000 – ½ P 70/90000.

All'Androna, calle Porta Piccola 4 ℘ 80950, Fax 83185, – AE. ⑤. E VISA. ※
chiuso dal 20 dicembre al 1º marzo e martedì in bassa stagione – **Pasto** carta 50/70000.

Al Canevon, calle Corbatto 11 ℘ 81662 – AE. ⑤. ⓓ E VISA
chiuso mercoledì – **Pasto** carta 45/70000.

De Toni, piazza Duca d'Aosta 37 ℘ 80104, – AE. ⑤. ⓓ E VISA. JCB. ※
chiuso mercoledì e gennaio – **Pasto** carta 40/65000.

alla pineta *E : 4 km :*

Plaza, via Pegaso 1 ℘ 80226, Fax 82082, – AE. ⑤. ⓓ E VISA. ※ rist
20 maggio-20 settembre – **Pasto** 30000 – 15000 – **45 cam** 90/130000 – ½ P 115000.

Tanit, viale dei Pesci 13 ℘ 81845, Fax 84866, – ※
marzo-novembre – **Pasto** (solo per alloggiati) 30/35000 – **16 cam** 65/130000 – ½ P 85 90000.

GRADOLI *01010 Viterbo* 430 *O 17 – 1 522 ab. alt. 470 – ☎ 0761.*
Roma 130 – Viterbo 42 – Siena 112.

La Ripetta con cam, via Roma 38 ℘ 456100, Fax 456643, – AE. ⑤. ⓓ E
VISA. ※
chiuso novembre – **Pasto** *(chiuso lunedì)* carta 40/75000 – **16 cam** 60/100000 – P 90 100000.

GRANCONA *36040 Vicenza* 429 *F 16 – 1 660 ab. alt. 36 – ☎ 0444.*
Roma 553 – Padova 54 – Verona 42 – Vicenza 24.

a Pederiva *E : 1,5 km – ✉ 36040 Grancona :*

Isetta con cam, ℘ 889521, Fax 889992 – AE. ⑤. ⓓ E VISA. ※
chiuso luglio – **Pasto** *(chiuso martedì sera e mercoledì)* carta 40/65000 – 12000 – **7 cam** 50/65000.

GRANDATE *22070 Como* 428 *E 9,* 219 *⑧ – 2 926 ab. alt. 342 – ☎ 031.*
Roma 614 – Como 6 – Bergamo 65 – Lecco 35 – Milano 43.

Arcade, strada statale dei Giovi 38 ℘ 450100, Fax 450100 – AE. ⑤. ⓓ. VISA
chiuso domenica ed agosto – **Pasto** carta 40/55000.

Per escursioni nel **Nord della Lombardia** e nella **Valle d'Aosta** utilizzate la **carta stradale** n. 219 scala 1/200 000.

RAN SAN BERNARDO (Colle del) *Aosta* 988 ① ②, 428 E 3, 219 ② *– alt. 2 469 – a.s. Pasqua, luglio-agosto e Natale.*
Roma 778 – Aosta 41 – Genève 148 – Milano 216 – Torino 145 – Vercelli 151.

Italia ⊠ 11010 Saint Rhémy ℘ (0165) 780908, Fax 780063, « Albergo alpino con caratteristici interni in legno » – ☎ P. AE. S. E VISA
15 giugno-20 settembre – **Pasto** carta 35/55000 – ☐ 12000 – **16 cam** 55/90000 – ½ P 75/85000.

RAPPA (Monte) *Belluno, Treviso e Vicenza* 988 ⑤ *G. Italia – alt. 1 775.*
Vedere Monte★★★.
Roma 575 – Bassano del Grappa 32 – Belluno 63 – Milano 271 – Padova 74 – Trento 120 – Venezia 107 – Vicenza 67.

RAVINA IN PUGLIA *70024 Bari* 988 ㉙, 431 E 31 *– 40 429 ab. alt. 350 –* ✆ *080.*
Roma 417 – Bari 58 – Altamura 12 – Matera 30 – Potenza 81.

Madonna della Stella, via Madonna della Stella ℘ 856383, ≤ città antica, « In una grotta naturale » – ▤ P. AE. S. VISA
chiuso martedì – **Pasto** carta 25/45000.

RAZZANO BADOGLIO *14035 Asti* 428 G 6 *– 682 ab. alt. 299 –* ✆ *0141.*
Roma 616 – Alessandria 43 – Asti 25 – Milano 101 – Torino 68 – Vercelli 47.

Il Giardinetto, via Dante 16 ℘ 925114, solo su prenotazione – ▤ P. AE. S. VISA.
chiuso mercoledì ed agosto – **Pasto** 65000 bc.

Natalina - L'Albergotto con cam, località Madonna dei Monti, viale Pininfarina 43 ℘ 925185, Fax 925252, Coperti limitati; prenotare – P. AE. S. VISA.
chiuso gennaio – **Pasto** *(chiuso giovedì e venerdì a mezzogiorno)* 40/70000 – **9 cam** ☐ 80/120000, appartamento.

Pour être inscrit au ***guide Michelin***
– pas de piston,
– pas de pot-de-vin!

RECCIO *02040 Rieti* 988 ㉖, 430 O 20 *G. Italia – 1 510 ab. alt. 705 –* ✆ *0746.*
Vedere Convento★.
Roma 94 – Terni 25 – Rieti 16.

Il Nido del Corvo, via del Forno 15 ℘ 753181, Fax 753181, ≤ monti e vallata – P. AE. S. E VISA.
chiuso martedì – **Pasto** carta 35/50000.

RESSAN *Aosta* 428 E 3, 219 ② *– Vedere Aosta.*

RESSONEY LA TRINITÉ *11020 Aosta* 988 ②, 428 E 5 *– 274 ab. alt. 1 639 – a.s. 13 febbraio-13 marzo, luglio-agosto e Natale – Sport invernali : 1 637/2 861 m 3 8 –* ✆ *0125.*
Municipio ℘ 366143, Fax 366323.
Roma 733 – Aosta 86 – Ivrea 58 – Milano 171 – Torino 100.

Jolanda Sport, località Edelboden ℘ 366140, Fax 366202, ≤, – TV ☎ P. AE. S. VISA.
chiuso maggio, ottobre e novembre – **Pasto** carta 35/50000 – **28 cam** ☐ 120/160000 – ½ P 75/125000.

Lysjoch, località Fohre ℘ 366150, Fax 366365, ≤, – TV ☎ P – 25. S. E VISA.
dicembre-aprile e 25 giugno-10 ottobre – **Pasto** (solo per alloggiati) – **13 cam** ☐ 90/160000 – ½ P 110/130000.

RESSONEY SAINT JEAN *11025 Aosta* 988 ②, 428 E 5 *– 803 ab. alt. 1 385 – a.s. febbraio-Pasqua, luglio-agosto e Natale – Sport invernali : 1 385/2 020 m 3 –* ✆ *0125.*
Monte Rosa (giugno-ottobre) ℘ 356314, Fax 355796 o ℘ 355988.
Villa Margherita ℘ 355185, Fax 355895.
Roma 727 – Aosta 80 – Ivrea 52 – Milano 165 – Torino 94.

Gran Baita ⑤, loc. Gresmatten, strada Castello Savoia 26 ☎ 356441, Fax 356441, Monte Rosa, « In una baita del XVIII secolo », – ☎ & P. 🅂. E VISA.
dicembre-aprile e luglio-settembre – **Pasto** carta 45/75000 – ☐ 14000 – **12 cam** 7 135000 – ½ P 100/120000.

Il Braciere, località Ondrò Verdebio 2 ☎ 355526, – AE. 🅂. ⓓ E VISA. JCB.
chiuso mercoledì (escluso luglio-agosto), dal 24 al 31 maggio e da novembre al 4 dicemb – **Pasto** carta 45/75000.

Lo Stambecco, via Deffeyes 14 ☎ 355201 – P

GREVE IN CHIANTI *50022 Firenze* 988 ⑮, 430 L 15 *G. Toscana – 12 052 ab. alt. 241 –* ☎ *055.*
via Luca Cini 1 ☎ 8545243.
Roma 260 – Firenze 31 – Siena 43 – Arezzo 64.

La Camporena ⑤, via Figlinese 27 (E : 2,5 km) ☎ 853184, Fax 8544784, ←, « Fattoria vigneti ed uliveti », – P. AE. 🅂. ⓓ E VISA.
Pasto *(marzo-ottobre; solo per alloggiati)* – **16 cam** ☐ 70/100000 – ½ P 75/100000.

Bottega del Moro, piazza Trieste 14 r ☎ 853753 – AE. 🅂. ⓓ E VISA
chiuso mercoledì, dal 25 al 31 maggio e dal 10 novembre al 15 dicembre – **Pasto** ca 40/60000.

a Panzano *S : 6 km – alt. 478 – ✉ 50020 :*

Villa Sangiovese, ☎ 852461, Fax 852463, ←, « Servizio rist. estivo in terrazza-giardi panoramica », – ☎. 🅂. E VISA.
chiuso da Natale a febbraio – **Pasto** *(chiuso mercoledì)* carta 35/55000 – **17 cam** ☐ 13 250000, 2 appartamenti.

Villa le Barone ⑤, E : 1,5 km ☎ 852621, Fax 852277, ←, « In un'antica dimora campagna », – ☎ P. AE. 🅂. E VISA.
aprile-ottobre – **Pasto** (solo per alloggiati e *chiuso a mezzogiorno*) 60/75000 – **29 ca** solo ½ P 195/220000.

Il Vescovino, via Ciampolo da Panzano 9 ☎ 852464, Fax 852464, « Servizio esti all'aperto con ← colline » – AE. 🅂. ⓓ E VISA
chiuso martedì, mercoledì a mezzogiorno e gennaio – **Pasto** carta 50/90000.

a Strada in Chianti *N : 9 km – ✉ 50027 :*

Il Caminetto del Chianti, via della Montagnola 52 (N : 1 km) ☎ 8588909, – P. A 🅂. ⓓ E VISA.
chiuso martedì e mercoledì a mezzogiorno – **Pasto** carta 40/55000.

GREZZANA *37023 Verona* 988 ④, 428, 429 F 15 – *9 714 ab. alt. 166 –* ☎ *045.*
Roma 514 – Verona 12 – Milano 168 – Venezia 125.

La Pergola, via La Guardia 1 ☎ 907071, Fax 907111, – ☎ P. AE. 🅂. E VISA
Pasto carta 35/55000 – ☐ 15000 – **34 cam** 75/110000, 10000 – ½ P 110000.

a Stallavena *N : 4 km – ✉ 37020 :*

Antica Pesa, via Chiesuola 2 ☎ 907183 – AE. 🅂. ⓓ E VISA.
chiuso martedì sera e mercoledì – **Pasto** 35000 (a mezzogiorno) e carta 35/70000.

GRIGNANO *34014 Trieste* 429 E 23 – *alt. 74 –* ☎ *040.*
Roma 677 – Udine 59 – Trieste 8 – Venezia 150.

Riviera e Maximilian's, strada costiera 22 ☎ 224551, Fax 224300, ←, – ☎ – 150. AE. 🅂. ⓓ E VISA. rist
Pasto carta 50/75000 – **65 cam** ☐ 150/210000, 4 appartamenti – ½ P 140/185000.

GRINZANE CAVOUR *12060 Cuneo* 428 I 5 – *1 750 ab. alt. 260 –* ☎ *0173.*
Roma 633 – Cuneo 71 – Torino 74 – Alessandria 75 – Asti 39 – Milano 163 – Savona 88.

Trattoria Enoteca del Castello, ☎ 262172, Fax 262172, « Castello-museo d 13° secolo » – P.
chiuso martedì e gennaio – **Pasto** 50/70000.

GRISIGNANO DI ZOCCO *36040 Vicenza* 988 ⑤, 429 F 17 – *4 099 ab. alt. 23 –* ☎ *0444.*
Roma 499 – Padova 17 – Bassano del Grappa 48 – Venezia 57 – Verona 63 – Vicenza 18.

Magnolia, via Mazzini 1 ☎ 414222, Fax 414227 – ☎ P – 150. AE. 🅂. ⓓ E VISA. JCB.
Pasto *(chiuso venerdì, sabato e domenica)* carta 35/55000 – ☐ 20000 – **29 cam** 13 190000 – ½ P 130/150000.

RÖDNER JOCH = *Gardena (Passo di).*

ROLE *Mantova – Vedere Castiglione delle Stiviere.*

ROMO *24020 Bergamo* 428, 429 E 11 – *1 247 ab. alt. 675 – Sport invernali : 1 153/1 715 m* 4, – 0346.
Roma 623 – Bergamo 43 – Brescia 86 – Edolo 84 – Milano 85.

XX **Posta al Castello,** piazza Dante 3 ✆ 41002, Fax 41002 – Ⓟ. AE. ⓢ. E VISA. ✻
chiuso venerdì – **Pasto** carta 45/75000.

ROSIO *23033 Sondrio* 988 ④, 428, 429 D 12 – *4 917 ab. alt. 653 –* 0342.
Roma 739 – Sondrio 40 – Milano 178 – Passo dello Stelvio 44 – Tirano 14.

XX **Sassella** con cam, ✆ 847272, Fax 847550 – TV ☎ ♿ – 50. AE. ⓢ. ⓞ E VISA
Pasto *(chiuso lunedì dal 15 settembre al 15 giugno)* carta 40/65000 – ☕ 12000 – **18 cam** 60/95000 – 1/2 P 90/95000.

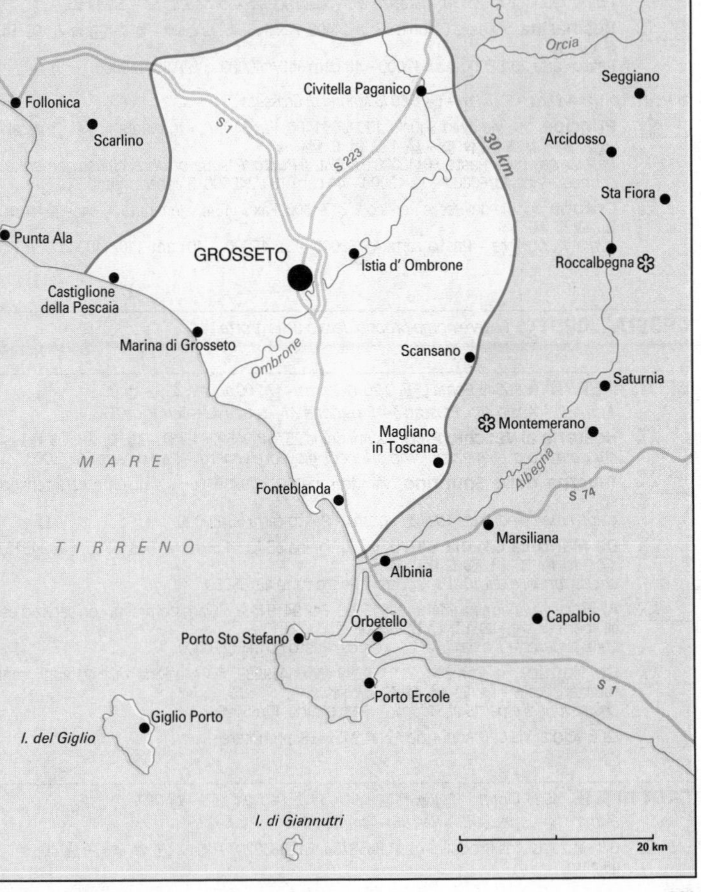

GROSSETO *58100* P 988 ㉔ ㉕, 430 N 15 *G. Toscana – 71 932 ab. alt. 10 – ☎ 0564.*
Vedere *Museo Archeologico e d'Arte della Maremma★.*
viale Monterosa 206 ✆ 454510, Fax 454606.
A.C.I. *via Mazzini 105 ✆ 415777.*
Roma 187 – Livorno 134 – Milano 428 – Perugia 176 – Siena 73.

Bastiani Grand Hotel senza rist, piazza Gioberti 64 ✆ 20047, Telex 502051, Fax 2932
AE. VISA.
18000 – **44 cam** 160/250000, 3 appartamenti.

Nuova Grosseto senza rist, piazza Marconi 26 ✆ 414105, Fax 414105 –
AE. VISA
40 cam 80/130000.

Sanlorenzo senza rist, via Piave 22 ✆ 27918, Fax 25338 – AE. VISA.
7000 – **31 cam** 70/110000.

Leon d'Oro, via San Martino 46 ✆ 22128, Fax 22578 – AE. VISA. cam
Pasto *(chiuso domenica)* carta 25/35000 – 10000 – **39 cam** 90/120000 – ½ P 55/9000

Ximenes, viale Ximenes 43 ✆ 29310 – AE. VISA.
chiuso domenica ed agosto – **Pasto** carta 50/70000 (10 %).

GROSSETO (Marina di) *58046 Grosseto* 988 ㉔, 430 N 14 – *a.s. Pasqua e 15 giugno-15 se tembre – ☎ 0564.*
Roma 196 – Grosseto 14 – Firenze 153 – Livorno 125 – Orbetello 53 – Siena 85.

Rosmarina, via delle Colonie 35 ✆ 34408, Fax 34684, – AE.
VISA.
Pasto carta 40/55000 – 12000 – **18 cam** 110/140000 – ½ P 80/130000.

a Principina a Mare *S : 6 km – ✉ 58046 Marina di Grosseto :*

Principe, via dello Squalo 100 ✆ 31400, Fax 31027, « In pineta », riscaldat
– 120. VISA.
Pasqua-ottobre – **Pasto** 30/40000 e al Rist. ***Il Putto*** *(Pasqua-ottobre; chiuso domenica se e lunedì)* carta 40/60000 – 18000 – **44 cam** 160/240000, 3 appartamenti.

Grifone, via del Pesce Persico 2 ✆ 31300, Fax 31164, « In pineta », –
VISA.
aprile-15 ottobre – **Pasto** carta 45/60000 – 15000 – **40 cam** 110/140000 – ½ P 10
140000.

GROTTA... GROTTE *Vedere nome proprio della o delle grotte.*

GROTTAFERRATA *00046 Roma* 430 Q 20 *G. Roma – 17 200 ab. alt. 329 – ☎ 06.*
Roma 21 – Anzio 44 – Frascati 3 – Frosinone 71 – Latina 49 – Terracina 83.

Hostaria al Vecchio Fico, via Anagnina 257 ✆ 9459261, – AE. VISA.
chiuso martedì e i mezzogiorno di lunedì, giovedì e venerdì – **Pasto** carta 55/75000.

Taverna dello Spuntino, via Cicerone 20 ✆ 9459366, « Ambiente caratteristico
chiuso mercoledì e dal 10 al 31 agosto – **Pasto** carta 55/80000.

Da Mario-La Cavola d'Oro, via Anagnina 35 (O : 1,5 km) ✆ 94315755, Fax 9431575
– AE. VISA.
chiuso lunedì e dal 10 al 30 agosto – **Pasto** carta 45/65000.

Al Fico, via Anagnina 134 ✆ 94315390, Fax 9410133, « Giardino-pineta con servizio estiv all'aperto » – AE. VISA.
chiuso mercoledì e dal 16 al 24 agosto – **Pasto** carta 50/70000.

Da Nando, via Roma 4 ✆ 9459989, Fax 9459989, « Collezione di cavatappi, cantir caratteristica » – AE. VISA.
chiuso lunedì e dal 15 al 31 luglio – **Pasto** carta 40/65000.

La Briciola, Via G. D'Annunzio 12 ✆ 9459338, prenotare

GROTTAGLIE *74023 Taranto* 988 ㉙, 431 F 34 – *31 991 ab. alt. 133 – ☎ 099.*
Roma 514 – Brindisi 49 – Bari 96 – Taranto 22.

Gill senza rist, via Brodolini 75 ✆ 8638756, Fax 8638207 – 40
48 cam.

'OTTAMMARE *63013 Ascoli Piceno* 988 ⑯ ⑰, 430 N 23 – *13 623 ab. – a.s. luglio-agosto –* ☎ *0735.*

ℹ *piazzale Paricle Fazzini 5 ☎ 631087.*

Roma 236 – Ascoli Piceno 43 – Ancona 84 – Macerata 64 – Pescara 72 – Teramo 53.

Roma, lungomare De Gasperi 16 ☎ 631145, Fax 633249, ←, – 📺 ☎ P. 🅂. E VISA. rist
aprile-settembre – **Pasto** 25/45000 – **60 cam** ☐ 100/110000 – ½ P 85/105000.

Osteria dell'Arancio, località Grottammare Alta ☎ 631059, , « Locale caratteristico con menu tipico »
chiuso a mezzogiorno e mercoledì (escluso da giugno a settembre) – **Pasto** 55000.

rso San Benedetto del Tronto :

Parco dei Principi, S : 1 km ✉ 63013 ☎ 735066, Fax 735080, riscaldata, , , – 📺 ☎ P – 300. AE. 🅂. ⓓ E VISA. rist
Pasto *(chiuso sabato e domenica in bassa stagione)* 35/80000 – **54 cam** ☐ 130/150000 – ½ P 110/135000.

Paradiso, S : 2 km ✉ 63013 ☎ 581412, Fax 581257, ←, , , – rist 📺 ☎ P. AE. 🅂. ⓓ E VISA. JCB.
Pasqua-settembre – **Pasto** 30000 – ☐ 10000 – **50 cam** 120/140000 – ½ P 70/110000.

Lacchè S : 2,5 km ✉ 63013 ☎ 583573, – . AE. 🅂. ⓓ E VISA.
chiuso lunedì e dal 24 dicembre al 2 gennaio – **Pasto** specialità di mare carta 50/70000.

Tropical, S : 2 km ✉ 63013 ☎ 581000, , – AE. 🅂. ⓓ E VISA
chiuso dal 20 ottobre al 10 novembre, lunedì e domenica sera (escluso da giugno ad agosto) – **Pasto** specialità di mare carta 40/65000.

RUGLIASCO *10095 Torino* 428 G 4 – *40 824 ab. alt. 293* – ☎ *011.*

Roma 672 – Torino 10 – Asti 68 – Cuneo 97 – Sestriere 92 – Vercelli 89.

Pianta d'insieme di Torino (Torino p.2)

L'Antico Telegrafo, via G. Lupo 29 ☎ 786048 – AE. 🅂. E VISA FT t
chiuso lunedì e agosto – **Pasto** carta 40/60000.

RUMELLO DEL MONTE *24064 Bergamo* 428, 429 F 11 – *6 145 ab. alt. 208* – ☎ *035.*

Roma 583 – Bergamo 19 – Brescia 32 – Cremona 80 – Milano 62.

Cascina Fiorita, N : 1 km ☎ 830005, , – P. AE. 🅂. ⓓ E VISA. JCB
chiuso domenica sera, lunedì ed agosto – **Pasto** carta 45/70000.

RUMENTO NOVA *85050 Potenza* 431 G 29 – *1 919 ab. alt. 762* – ☎ *0975.*

Roma 384 – Potenza 74 – Lagonegro 45 – Napoli 184 – Salerno 128.

lla strada statale 598 svincolo Viggiano *N : 3 km:*

Lykos, ✉ 85050 ☎ 350769, Fax 350769 – 📺 ☎ P. 🅂. ⓓ VISA. rist
Pasto carta 35/55000 – **56 cam** ☐ 75/80000 – P 85/95000.

SIES = *Valle di Casies.*

UALDO CATTANEO *06035 Perugia* 430 N 19 – *5 949 ab. alt. 535* – ☎ *075.*

Roma 160 – Perugia 48 – Assisi 28 – Foligno 32 – Orvieto 77 – Terni 54.

Collesecco *SO : 9 km – ✉ 06030 Marcellano :*

La Vecchia Cucina, via delle Scuole 2 ☎ (0742) 97237 – P. 🅂. ⓓ VISA.
chiuso lunedì e dal 15 al 30 agosto – **Pasto** carta 30/50000.

UALTIERI *42044 Reggio nell'Emilia* 428, 429 H 13 – *6 060 ab. alt. 22* – ☎ *0522.*

Roma 450 – Parma 32 – Mantova 36 – Milano 152 – Modena 48 – Reggio nell'Emilia 25.

A. Ligabue, piazza 4 Novembre ☎ 828120, Fax 829294 – 📺 ☎ P – 40. AE. 🅂. ⓓ E VISA. JCB.
Pasto *(chiuso lunedì e dal 1° al 16 agosto)* carta 40/65000 – **35 cam** ☐ 70/100000 – ½ P 75/95000.

UARDAMIGLIO *20070 Lodi* 428 G 11 – *2 470 ab. alt. 49* – ☎ *0377.*

Roma 516 – Piacenza 8 – Cremona 34 – Milano 58 – Pavia 49.

Hostaria il Cavallo, via Dante 48 località Valloria (E : 4 km) ☎ 51016 –
Pasto specialità di mare.

GUARDIA VOMANO *64020 Teramo* 430 O 23 – *alt. 192* – ☎ *085.*
Roma 200 – Ascoli Piceno 73 – Pescara 46 – Ancona 137 – L'Aquila 85 – Teramo 26.

sulla strada statale 150 *S : 1,5 km :*

X **3 Archi,** ✉ 64020 ✆ 898140, Fax 898140 – P. AE. S. ● VISA.
chiuso mercoledì e novembre – **Pasto** carta 35/55000.

GUASTALLA *42016 Reggio nell'Emilia* 988 ⑭, 428, 429 H 13 – *13 474 ab. alt. 25* – ☎ *0522.*
Roma 453 – Parma 35 – Bologna 91 – Mantova 33 – Milano 156 – Modena 51 – Reg nell'Emilia 28.

sulla strada per Novellara *S : 5 km :*

XX **La Briciola,** via Sacco e Vanzetti 17 ✆ 831378, Coperti limitati; prenotare, – ▤ P. S. ● E VISA.
chiuso mercoledì – **Pasto** specialità di mare ed emiliane carta 40/60000.

GUBBIO *06024 Perugia* 988 ⑮ ⑯, 430 L 19 *G. Italia* – *31 114 ab. alt. 529* – ☎ *075.*
Vedere *Città vecchia*★★ – *Palazzo dei Consoli*★★ B – *Palazzo Ducale*★ – *Affreschi*★ *Ottaviano Nelli nella chiesa di San Francesco* – *Affresco*★ *di Ottaviano Nelli nella chiesa Santa Maria Nuova.*
piazza Oderisi 6 ✆ 9220693, Fax 9273409.
Roma 217 ② – Perugia 40 ③ – Ancona 109 ② – Arezzo 92 ④ – Assisi 54 ③ – Pesaro 92 ④

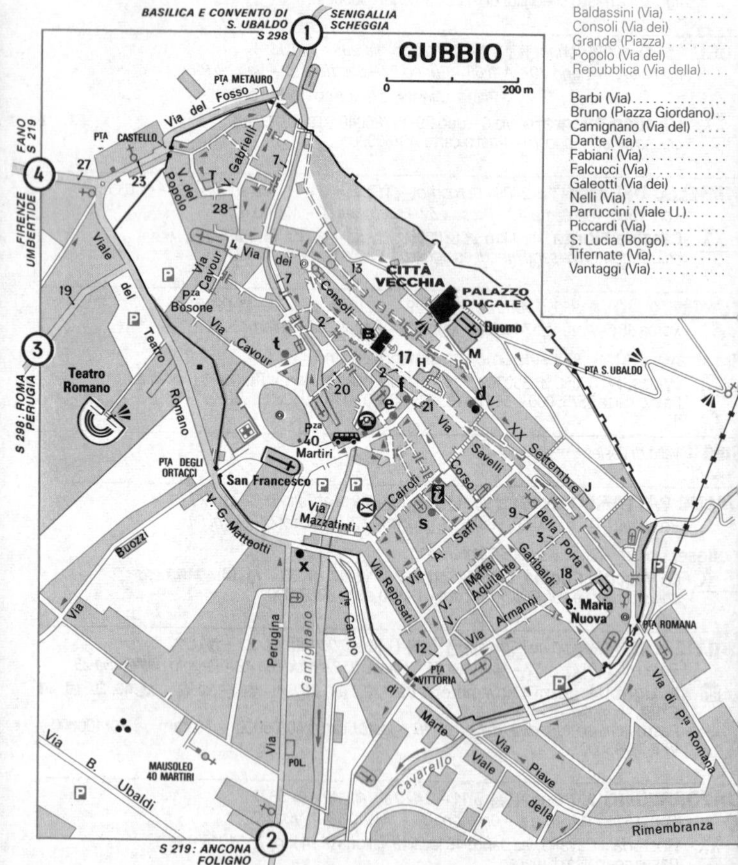

Park Hotel ai Cappuccini M, via Tifernate ✆ 9234, Fax 9220323, ≤ città e campagna, , , , – | ✆ ♿ – 500. AE. Ⓢ. ⓓ E VISA. ✂ rist
Pasto carta 55/90000 – **93 cam** ☐ 265/300000, 5 appartamenti – ½ P 210/290000. per ④

Villa Montegranelli, località Monteluiano ✆ 9220185, Fax 9273372, ≤ città e campagna, , « Villa settecentesca di campagna », – | TV ✆ – 80. AE. Ⓢ. ⓓ E VISA. ✂ 4 km per via Buozzi
Pasto carta 50/75000 – ☐ 13000 – **20 cam** 155/175000, appartamento – ½ P 150000.

Bosone Palace, via 20 Settembre 22 ✆ 9220698, Fax 9220552 – | TV ✆ ♿. AE. Ⓢ. ⓓ E VISA d
Pasto vedere rist ***Taverna del Lupo*** – ☐ 10000 – **28 cam** 120/140000 – ½ P 105/135000.

San Marco, via Perugina 5 ✆ 9220234, Fax 9273716, – | TV ✆ ♿ – 150. AE. Ⓢ. ⓓ E VISA. JCB. ✂ rist x
Pasto carta 35/60000 (10 %) – ☐ 10000 – **63 cam** 95/120000 – ½ P 90/110000.

XXX **Taverna del Lupo,** via della Repubblica 47 ✆ 9274368, Fax 9271269 – . AE. Ⓢ. ⓓ E VISA f
chiuso lunedì e dal 7 gennaio al 6 febbraio – **Pasto** 35/45000 e carta 50/75000 (15 %).

XX **Bosone Garden,** via Mastro Giorgio 1 ✆ 9221246, – AE. Ⓢ. ⓓ E VISA. JCB d
chiuso mercoledì – **Pasto** carta 45/55000.

XX **Fabiani,** piazza 40 Martiri 26/B ✆ 9274639, Fax 9220638, – AE. Ⓢ. ⓓ E VISA. JCB t
chiuso martedì e gennaio – **Pasto** carta 40/65000.

XX **Federico da Montefeltro,** via della Repubblica 35 ✆ 9273949, Fax 9272341, – AE. Ⓢ. ⓓ E VISA. ✂ e
chiuso febbraio e giovedì (escluso agosto-settembre) – **Pasto** carta 50/70000.

X **Grotta dell'Angelo** con cam, via Gioia 47 ✆ 9273438, Fax 9273438, – TV ✆. AE. Ⓢ. ⓓ E VISA. ✂ s
chiuso dal 10 al 31 gennaio – **Pasto** carta 35/50000 – ☐ 5000 – **18 cam** 55/75000 – ½ P 75000.

Monte Ingino *per ① : 4 km – alt. 827 – ✉ 06024 :*

La Rocca senza rist, via Monte Ingino 15 ✆ 9221222, Fax 9221222 – TV ✆. Ⓢ. E VISA. ✂
12 cam ☐ 90/130000.

UGLIONESI *86034 Campobasso 988 ㉗, 430 Q26 – 5 405 ab. alt. 370 – ✆ 0875.*
Roma 271 – Campobasso 59 – Foggia 103 – Isernia 103 – Pescara 108 – Termoli 15.

erso Termoli *NE : 5,5 km :*

XX **Ribo,** contrada Malecoste 7 ✉ 86034 ✆ 680655, – Ⓟ. AE. Ⓢ. ⓓ E VISA. ✂
✿ *chiuso lunedì* – **Pasto** carta 35/75000
Spec. Antipasto di mare "Ribo". Rigatoni al ragú d'agnello. Rombo al forno.

UIDONIA MONTECELIO *00012 Roma 988 ㉖, 430 Q 20 – 63 037 ab. alt. 105 – ✆ 0774.*
18 e 18 Marco Simone (chiuso martedì) ✆ 366469, Fax 366476.
Roma 31 – L'Aquila 108 – Rieti 71 – Terni 100.

Montecelio *NE : 5 km – alt. 389 – ✉ 00014 :*

X **Spadaro,** via Monte Albano 15 ✆ 510042 – . AE. Ⓢ. ⓓ E VISA. ✂
chiuso martedì ed agosto – **Pasto** carta 45/50000.

USSAGO *25064 Brescia 428, 429 F 12 – 13 804 ab. alt. 180 – ✆ 030.*
Roma 539 – Brescia 14 – Bergamo 45 – Milano 86.

X **Da Renato,** via Casaglio 46 ✆ 2770386, Fax 2523028, – Ⓟ. AE. Ⓢ. ⓓ E VISA. ✂
chiuso lunedì, dal 1° al 21 gennaio e dal 30 luglio al 16 agosto – **Pasto** carta 30/45000.

AFLING = *Avelengo.*

ORO *25074 Brescia 988 ④, 428, 429 E 13 – 1 536 ab. alt. 391 – Pasqua e luglio-15 settembre – ✆ 0365.*
Roma 577 – Brescia 45 – Milano 135 – Salò 33.

XX **Alpino** con cam, via Lungolago 20, località Crone ✆ 83146, Fax 823143, ≤ – | TV ✆ . AE. Ⓢ. ⓓ E VISA. ✂
chiuso dal 7 gennaio al 15 febbraio – **Pasto** *(chiuso martedì)* carta 40/55000 – ☐ 9500 – **24 cam** 70/90000 – ½ P 65/85000.

IGEA MARINA *Rimini 430 J 19 – Vedere Bellaria Igea Marina.*

IGLESIAS *Cagliari 988 ㉝, 433 I 7 – Vedere Sardegna alla fine dell'elenco alfabetico.*

ILLASI *37031 Verona 429 F 15 – 4 677 ab. alt. 174 – ☎ 045.*

Roma 517 – Verona 20 – Padova 74 – Vicenza 44.

a Cellore *N : 1,5 km – ✉ 37030 :*

X **Dalla Lisetta,** via Mezzavilla 12 ✆ 7834059, Fax 7834059, 佘 – ▤. AE. 🅂. E VISA. ✻
chiuso domenica sera, martedì e dal 4 al 19 agosto – **Pasto** carta 30/45000.

*Le nuove **guide Verdi turistiche Michelin** offrono :*
- un testo descrittivo più ricco,
- un'informazione pratica più chiara,
- piante, schemi e foto a colori.
... e naturalmente sono delle opere aggiornate costantemente.
Utilizzate sempre l'ultima edizione.

IMOLA *40026 Bologna 988 ⑮, 429, 430 I 17 – 63 699 ab. alt. 47 – ☎ 0542.*

La Torre (chiuso martedì) a Riolo Terme ✉ 48025 ✆ 74035, Fax 74076, SE : 16 km.
Roma 384 – Bologna 35 – Ferrara 81 – Firenze 98 – Forlì 30 – Milano 249 – Ravenna 44.

Donatello e dei Congressi, via Rossini 25 ✆ 680800 e rist ✆ 680300, Telex 5221
Fax 680514, 🏊 – |‡| ▤ TV ☎ ♿ 🚗 🅟 – 🏛 300. AE. 🅂. ⓓ E VISA. ✻ rist
Pasto al Rist. ***Nettuno*** *(chiuso mercoledì e dal 6 al 20 agosto)* carta 35/55000 – **150 ca**
☕ 175/220000 – ½ P 130/145000.

XXX **San Domenico,** via Sacchi 1 ✆ 29000, Fax 39000, Coperti limitati; prenotare – ▤. AE.
ⓓ E VISA
✿ *chiuso dal 1° al 9 gennaio, dal 27 luglio al 25 agosto, domenica sera e lunedì, da giugno agosto anche domenica a mezzogiorno* – **Pasto** 55000 bc (a mezzogiorno) 80000 bc (a sera) e carta 100/160000
Spec. Gamberi e fegato d'oca con indivia all'olio di noci. Gnocchetti di patate con fa
Zuppa di pesce allo zafferano.

XX **Naldi,** via Santerno 13 ✆ 29581 – ▤ 🅟. AE. 🅂. ⓓ E VISA. ✻
chiuso domenica, dal 1° al 7 gennaio e dall'11 al 18 agosto – **Pasto** carta 45/65000.

X **E Parlamintè,** via Mameli 33 ✆ 30144, 佘 – AE. 🅂. E VISA
chiuso dal 25 dicembre al 6 gennaio, dal 15 luglio al 20 agosto, giovedì e da maggio a lug anche domenica – Pasto carta 35/45000.

X **Osteria del Vicolo Nuovo,** vicolo Codronchi 6 ✆ 32552, Rist.-enoteca –. 🅂. ⓓ E V
✻
chiuso domenica, lunedì, luglio ed agosto – **Pasto** carta 40/55000.

in prossimità casello autostrada A 14 *N : 4 km :*

Molino Rosso, ✉ 40026 ✆ 640300, Fax 640249, 🏊 riscaldata, 🎾 – |‡| ▤ TV ☎ ♿
🅟 – 🏛 100. AE. 🅂. ⓓ E VISA. ✻
Pasto carta 45/70000 (15 %) – **120 cam** ☕ 215/295000 – P 165/285000.

IMPERIA *18100 P 988 ⑫, 428 K 6 – 40 469 ab. – ☎ 0183.*

viale Matteotti 54/a ✆ 24947, Fax 24950 – viale Matteotti 22 ✆ 60730.
A.C.I. *piazza Unità Nazionale 23 ✆ 720052.*
Roma 615 ② – Genova 116 ② – Milano 239 ② – San Remo 23 ④ – Savona 70 ② Torino 178 ②.

Piante pagine seguenti

ad Oneglia – *✉ 18100 Imperia :*

Centro senza rist, piazza Unità Nazionale 4 ✆ 273771, Fax 273772 – |‡| TV ☎ 🚗. AE.
ⓓ E VISA AX
21 cam ☕ 90/130000.

XX **Chez Braccio Forte,** via Des Genejs 46 ✆ 294752 – AE. 🅂. ⓓ E VISA AX
chiuso lunedì e gennaio – **Pasto** carta 45/85000 (10 %).

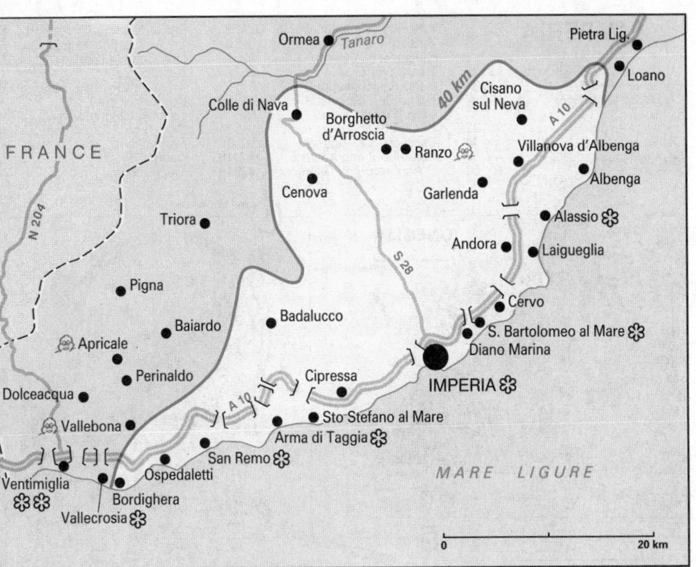

XX **Salvo-Cacciatori,** via Vieusseux 12 ℘ 293763, Rist. di tradizione – AE. SI. VISA
chiuso domenica sera, lunedì e dal 15 al 30 luglio – **Pasto** carta 45/65000. AX e

X **Clorinda,** via Garessio 96 ℘ 291982, Trattoria d'habituès –. SI. VISA BX u
chiuso lunedì e dal 7 al 23 agosto – **Pasto** carta 25/55000.

X **La Patria,** piazza De Amicis 13 ℘ 295739, – AE. SI. E VISA. JCB.
chiuso martedì e dal 7 al 25 gennaio – **Pasto** carta 35/70000. AX f

Porto Maurizio – ✉ *18100 Imperia :*

Corallo, corso Garibaldi 29 ℘ 666264, Fax 666265, ← – 70. AE. SI. E VISA. JCB. BZ n
Pasto *(chiuso venerdì)* 30/40000 – ☕ 15000 – **42 cam** 140/180000 – 1/2 P 100/115000.

Croce di Malta, via Scarincio 148 ℘ 667020, ←, – 100. AE. SI. E VISA BZ a
Pasto 20/50000 – **39 cam** ☕ 120/180000 – 1/2 P 85/145000.

XXX **Lanterna Blu-da Tonino,** borgo Marina ℘ 667033, Fax 63859, prenotare – AE. SI. E VISA BZ f
✿ *chiuso dal 20 al 28 dicembre, dal 9 al 22 giugno, a mezzogiorno da luglio al 20 agosto, martedì sera e mercoledì negli altri mesi* – **Pasto** 80/100000 (a mezzogiorno) 100000 (alla sera) e carta 80/140000
Spec. Pappardelle alla pescatora. Guazzetto di pesce di scoglio. Branzino ai profumi dell'orto con verdure di stagione.

XX **Lucio,** strada Lamboglia 16 lungomare Colombo ℘ 652523 – AE. SI. VISA AZ a
chiuso dal 15 al 30 gennaio, dal 2 al 18 novembre, a mezzogiorno da lunedì a giovedì in luglio-agosto, negli altri mesi domenica sera e mercoledì – **Pasto** cucina di tradizione marinara carta 40/60000.

X **Le Tamerici,** lungomare Colombo 142 ℘ 667105 – AE. SI. E VISA AZ b
chiuso giovedì, dal 1º al 15 febbraio e dal 15 al 30 settembre – **Pasto** carta 50/105000.

Piani *N : 5 km per via Caramagna* AY – ✉ *18100 Imperia :*

X **Osteria del Vecchio Forno,** piazza della Chiesa ℘ 780269, Fax 780269, , Coperti limitati; prenotare – AE. SI. E VISA JCB
chiuso a mezzogiorno (escluso i giorni festivi), mercoledì, dal 10 al 22 giugno e dall'11 al 25 novembre – **Pasto** carta 35/80000.

IMPERIA

Amendola (Via Giovanni) ... **AX** 2
Bonfante (Via Silvio) .... **AX** 9
Cascione (Via Felice) .... **BZ**
Dante
(Piazza Alighieri) .... **AX** 22
Ospedale (Via dell') .... **AX** 44
Repubblica (Via della) ...... **AX** 46
S. Giovanni (Via) .... **AX** 53

Amoretti (Via Ivanoe) ..... **BXY** 3
Battisti (Via Cesare) .... **BX** 5
Belgrano (Via Gen.) .... **AX** 6
Benza (Via Elia) .... **BZ** 7
Berio (Via Giuseppe) .... **AX** 8
Borgo Peri (Spianata) ...... **AX** 10
Calvi (Piazza Ulisse) .... **AX** 13
Carceri (Via) .... **BZ** 14
Carducci (Via Giosue) ...... **BZ** 15
Colombo (Lungomare C.) ... **AZ** 18
D'Annunzio (Via Gabriele) .. **AZ** 19

Dante (Corso Alighieri) ..... **B**
De Amicis (Piazza E.) ...... **A**
Des Geneys (Via) .... **A**
Delbecchi
(Via Antonio) .... **B**
De Sonnaz (Via) .... **A**
Diano Calderina (Via) ..... **AB**
Don Abbo il Santo (Via) .... **A**
Doria (Via Andrea) .... **A**
Duomo (Piazza) .... **B**
Magenta (Via) .... **A**

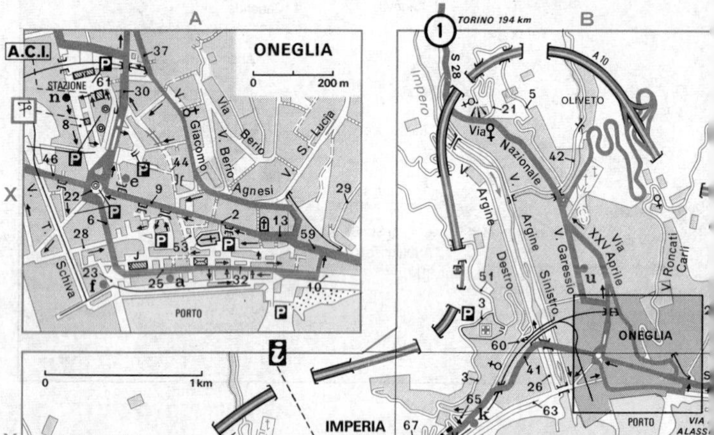

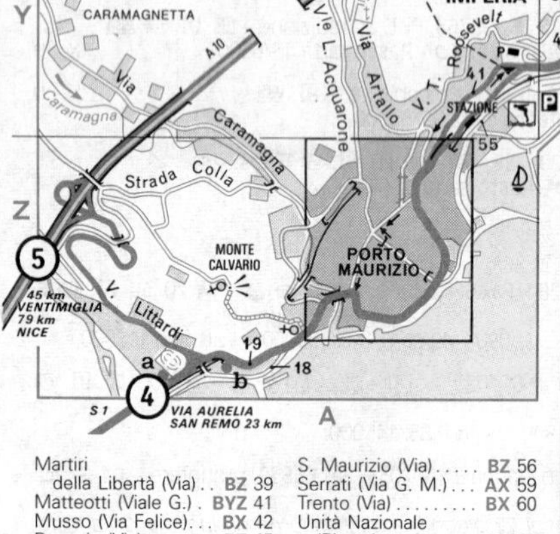

Martiri
della Libertà (Via) .. **BZ** 39
Matteotti (Viale G.) . **BYZ** 41
Musso (Via Felice) ... **BX** 42
Parrasio (Via) .... **BZ** 45
Roma (Piazza) .... **BZ** 48
Saffi (Via Aurelio) .... **BZ** 49
S. Agata (Strada) .... **BX** 51
S. Antonio
(Piazza e Via) ...... **BZ** 52
S. Lazzaro (Via) ...... **AY** 55

S. Maurizio (Via) ..... **BZ** 56
Serrati (Via G. M.) ... **AX** 59
Trento (Via) .... **BX** 60
Unità Nazionale
(Piazza) .... **AX** 61
Vespucci
(Lungomare A.) ... **BY** 63
Vianelli (Via A.) ...... **BZ** 64
Vittoria (Pza della) ... **BY** 65
Vittorio Veneto (Vle) . **BY** 67
20 Settembre (Via) .. **BZ** 68

INCISA IN VAL D'ARNO *50064 Firenze* 988 ⑮, 429 430 L 16 – *5 473 ab. alt. 122* – ☎ *055.*
Roma 248 – Firenze 30 – Siena 62 – Arezzo 52.

Galileo, località Prulli-in prossimità area di servizio Reggello ℰ 863341, Telex 574 Fax 863238, ⛱, 🎾 – 🛗 ▤ 📺 ☎ ♿ 🚗 🅿 – 🏛 100. AE. 🅂. ⓓ E VISA. ✻ rist
Pasto *(chiuso domenica)* carta 30/45000 – ☕ 12000 – **63 cam** 95/140000 – P 110/1250

L'**EUROPA** su un solo foglio **Carte Michelin** :
- stradale (piegata) : n° 970
- politica (plastificata) : n° 973.

LE GUIDE MICHELIN DU PNEUMATIQUE

Qu'est-ce qu'un pneu ?

Produit de haute technologie, le pneu constitue le seul point de liaison de la voiture avec le sol. Ce contact correspond, pour une roue, à une surface équivalente à celle d'une carte postale. Le pneu doit donc se contenter de ces quelques centimètres carrés de gomme au sol pour remplir un grand nombre de tâches souvent contradictoires :

Porter le véhicule à l'arrêt, mais aussi résister aux transferts de charge considérables à l'accélération et au freinage.

Transmettre la puissance utile du moteur, les efforts au freinage et en courbe.

Rouler régulièrement, plus sûrement, plus longtemps pour un plus grand plaisir de conduire.

Guider le véhicule avec précision, quels que soient l'état du sol et les conditions climatiques.

Amortir les irrégularités de la route, en assurant le confort du conducteur et des passagers ainsi que la longévité du véhicule.

Durer, c'est-à-dire, garder au meilleur niveau ses performances pendant des millions de tours de roue.

Afin de vous permettre d'exploiter au mieux toutes les qualités de vos pneumatiques, nous vous proposons de lire attentivement les informations et les conseils qui suivent.

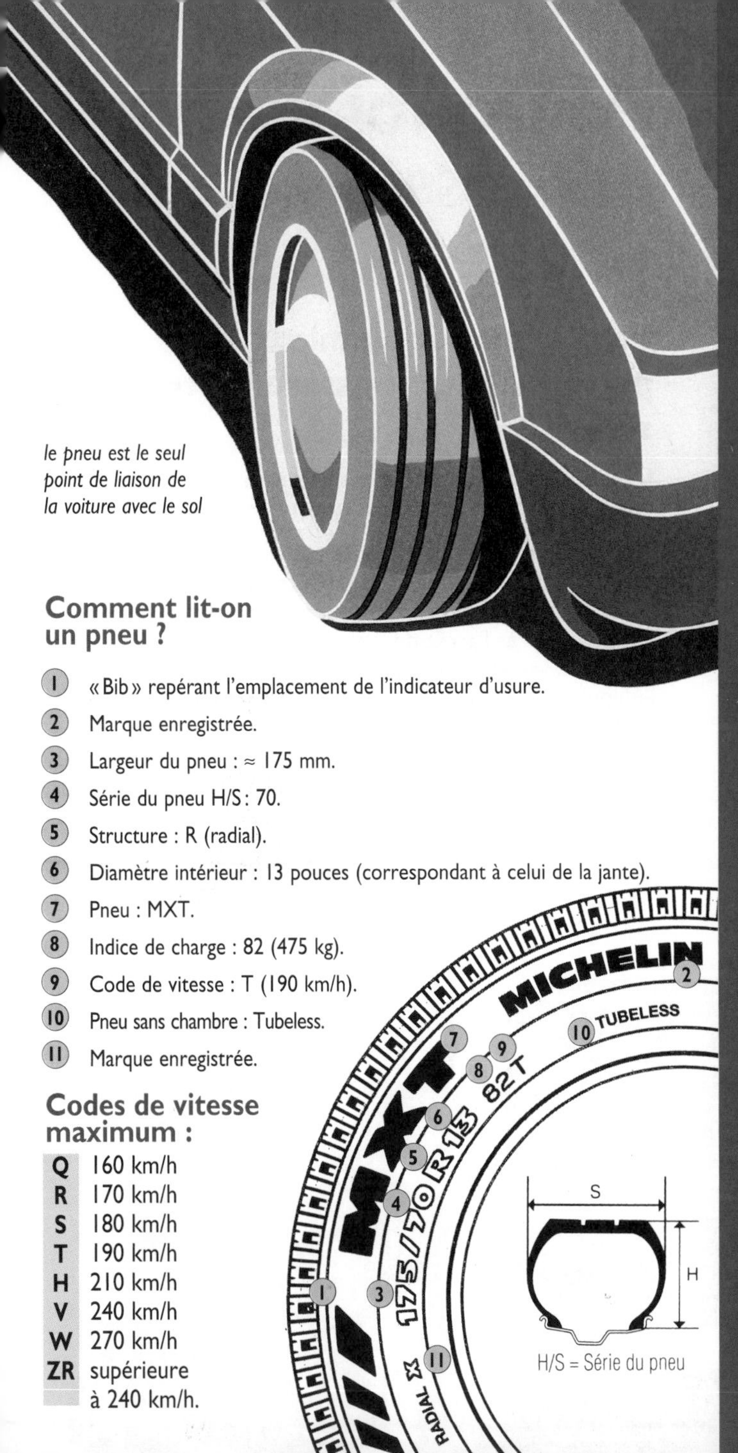

Comment lit-on un pneu ?

1. « Bib » repérant l'emplacement de l'indicateur d'usure.
2. Marque enregistrée.
3. Largeur du pneu : ≈ 175 mm.
4. Série du pneu H/S : 70.
5. Structure : R (radial).
6. Diamètre intérieur : 13 pouces (correspondant à celui de la jante).
7. Pneu : MXT.
8. Indice de charge : 82 (475 kg).
9. Code de vitesse : T (190 km/h).
10. Pneu sans chambre : Tubeless.
11. Marque enregistrée.

Codes de vitesse maximum :

Q 160 km/h
R 170 km/h
S 180 km/h
T 190 km/h
H 210 km/h
V 240 km/h
W 270 km/h
ZR supérieure à 240 km/h.

Pourquoi vérifier la pression de vos pneus ?

Pour exploiter au mieux leurs performances et assurer votre sécurité.

Contrôlez la pression de vos pneus, sans oublier la roue de secours, dans de bonnes conditions :

Un pneu perd régulièrement de la pression. Les pneus doivent être contrôlés, une fois toutes les 2 semaines, à froid, c'est-à-dire une heure au moins après l'arrêt de la voiture ou après avoir parcouru 2 à 3 kilomètres à faible allure.
En roulage, la pression augmente ; ne dégonflez donc jamais un pneu qui vient de rouler : considérez que, pour être correcte, sa pression doit être au moins supérieure de 0,3 bar à celle préconisée à froid.

Le surgonflage : si vous devez effectuer un long trajet à vitesse soutenue, ou si la charge de votre voiture est particulièrement importante, il est généralement conseillé de majorer la pression de vos pneus. Attention : l'écart de pression avant-arrière nécessaire à l'équilibre du véhicule doit être impérativement respecté. Consultez les tableaux de gonflage Michelin chez tous les professionnels de l'automobile et chez les spécialistes du pneu, et n'hésitez pas à leur demander conseil.

Le sous-gonflage : lorsque la pression de gonflage est insuffisante, les flancs du pneu travaillent anormalement, ce qui entraîne une fatigue excessive de la carcasse, une élévation de température et une usure anormale. Le pneu subit alors des dommages irréversibles qui peuvent entraîner sa destruction immédiate ou future. En cas de perte de pression, il est impératif de consulter un spécialiste qui en recherchera la cause et jugera de la réparation éventuelle à effectuer.

Le bouchon de valve : en apparence, il s'agit d'un détail ; c'est pourtant un élément essentiel de l'étanchéité. Aussi, n'oubliez pas de le remettre en place après vérification de la pression, en vous assurant de sa parfaite propreté.

Voiture tractant caravane, bateau... Dans ce cas particulier, il ne faut jamais oublier que le poids de la remorque accroît la charge du véhicule. Il est donc nécessaire d'augmenter la pression des pneus arrière de votre voiture, en vous conformant aux indications des tableaux de gonflage Michelin. Pour de plus amples renseignements, demandez conseil à votre revendeur de pneumatiques, c'est un véritable spécialiste.

Vérifiez la pression de vos pneus régulièrement et avant chaque voyage.

Comment faire durer vos pneus ?

Afin de préserver longtemps les qualités de vos pneus, il est impératif de les faire contrôler régulièrement, et avant chaque grand voyage. Il faut savoir que la durée de vie d'un pneu peut varier dans un rapport de 1 à 4, et parfois plus, selon son entretien, l'état du véhicule, le style de conduite et l'état des routes ! L'ensemble roue-pneumatique doit être parfaitement équilibré pour éviter les vibrations qui peuvent apparaître à partir d'une certaine vitesse. Pour supprimer ces vibrations et leurs désagréments, vous confierez l'équilibrage à un professionnel du pneumatique car cette opération nécessite un savoir-faire et un outillage très spécialisé.

Les facteurs qui influent sur l'usure et la durée de vie de vos pneumatiques :
les caractéristiques du véhicule (poids, puissance…), le profil des routes (rectilignes, sinueuses), le revêtement (granulométrie : sol lisse ou rugueux), l'état mécanique du véhicule (réglage des trains avant, arrière, état des suspensions et des freins…), le style de conduite (accélérations, freinages, vitesse de passage en courbe…), la vitesse (en ligne droite à 120 km/h un pneu s'use deux fois plus vite qu'à 70 km/h), la pression des pneumatiques (si elle est incorrecte, les pneus s'useront beaucoup plus vite et de manière irrégulière).

D'autres événements de nature accidentelle (chocs contre trottoirs, nids de poule…), en plus du risque de déréglage et de détérioration de certains éléments du véhicule, peuvent provoquer des dommages internes au pneumatique dont les conséquences ne se manifesteront parfois que bien plus tard. Un contrôle régulier de vos pneus vous permettra donc de détecter puis de corriger rapidement les anomalies (usure anormale, perte de pression…). A la moindre alerte, adressez-vous immédiatement à un revendeur spécialiste qui interviendra pour préserver les qualités de vos pneus, votre confort et votre sécurité.

Surveillez l'usure de vos pneumatiques : comment ? Tout simplement en observant la profondeur de la sculpture. C'est un facteur de sécurité, en particulier sur sol mouillé. Tous les pneus possèdent des indicateurs d'usure de 1,6 mm d'épaisseur. Ces indicateurs sont repérés par un Bibendum situé aux « épaules » des pneus Michelin. Un examen visuel suffit pour connaître le niveau d'usure de vos pneumatiques. Attention : même si vos pneus n'ont pas encore atteint la limite d'usure légale (en France, la profondeur restante de la sculpture doit être supérieure à 1,6 mm sur l'ensemble de la bande de roulement), leur capacité à évacuer l'eau aura naturellement diminué avec l'usure.

Les chocs contre les trottoirs, les nids de poule... peuvent endommager gravement vos pneus.

Comment choisir vos pneus ?

Le type de pneumatique qui équipe d'origine votre véhicule a été déterminé pour optimiser ses performances. Il vous est cependant possible d'effectuer un autre choix en fonction de votre style de conduite, des conditions climatiques, de la nature des routes et des trajets effectués.
Dans tous les cas, il est indispensable de consulter un spécialiste du pneumatique, car lui seul pourra vous aider à trouver la solution la mieux adaptée à votre utilisation dans le respect de la législation.

Montage, démontage, équilibrage du pneu ; c'est l'affaire d'un professionnel :
un mauvais montage ou démontage du pneu peut le détériorer et mettre en cause votre sécurité.

Sauf cas particulier et exception faite de l'utilisation provisoire de la roue de secours, les pneus montés sur un essieu donné doivent être identiques. Il est conseillé de monter les pneus neufs ou les moins usés à l'arrière pour assurer la meilleure tenue de route en situation difficile (freinage d'urgence ou courbe serrée) principalement sur chaussée glissante.
En cas de crevaison, seul un professionnel du pneu saura effectuer les examens nécessaires et décider de son éventuelle réparation.
Il est recommandé de changer la valve ou la chambre à chaque intervention.

Il est déconseillé de monter une chambre à air dans un ensemble tubeless.

L'utilisation de pneus cloutés est strictement réglementée ; il est important de s'informer avant de les faire monter.

Attention : la capacité de vitesse des pneumatiques Hiver « M+S » peut être inférieure à celle des pneus d'origine. Dans ce cas, la vitesse de roulage devra être adaptée à cette limite inférieure. Une étiquette de rappel de cette vitesse sera apposée à l'intérieur du véhicule à un endroit aisément visible du conducteur.

Innover pour aller plus loin

En 1889, Edouard Michelin prend la direction de l'entreprise qui porte son nom. Peu de temps après, il dépose le brevet du pneumatique démontable pour bicyclette. Tous les efforts de l'entreprise se concentrent alors sur le développement de la technique du pneumatique. C'est ainsi qu'en 1895, pour la première fois au monde, un véhicule baptisé « l'Eclair » roule sur pneumatiques. Testé sur ce véhicule lors de la course Paris-Bordeaux-Paris, le pneumatique démontre immédiatement sa supériorité sur le bandage plein.

Créé en 1898, le Bibendum symbolise l'entreprise qui, de recherche en innovation, du pneu vélocipède au pneu avion, impose le pneumatique à toutes les roues.

En 1946, c'est le dépôt du brevet du pneu radial ceinturé acier, l'une des découvertes majeures du monde du transport.

Cette recherche permanente de progrès a permis la mise au point de nouveaux produits. Ainsi, depuis 1991, le pneu dit « vert » ou « basse résistance au roulement », est devenu une réalité. Ce concept contribue à la protection de l'environnement, en permettant une diminution de la consommation de carburant du véhicule, et le rejet de gaz dans l'atmosphère.

Concevoir les pneus qui font tourner chaque jour 2 milliards de roues sur la terre, faire évoluer sans relâche plus de 3500 types de pneus différents, c'est le combat permanent des 4500 chercheurs Michelin.

Leurs outils : les meilleurs supercalculateurs, des laboratoires à la pointe de l'innovation scientifique, des centres de recherche et d'essais installés sur

6000 hectares en France, en Espagne, aux Etats-Unis et au Japon. Et c'est ainsi que quotidiennement sont parcourus plus d'un million de kilomètres, soit 25 fois le tour du monde.

Leur volonté : écouter, observer puis optimiser chaque fonction du pneumatique, tester sans relâche, et recommencer.

C'est cette volonté permanente de battre demain le pneu d'aujourd'hui pour offrir le meilleur service à l'utilisateur, qui a permis à Michelin de devenir le leader mondial du pneumatique.

MICHELIN®

NDUNO OLONA *21056 Varese* 428 *E 8,* 219 ⑧ *– 9 774 ab. alt. 397 – ☎ 0332.*
Roma 638 – Como 30 – Lugano 29 – Milano 60 – Varese 4,5.

Villa Castiglioni, via Castiglioni 1 ☎ 200201, Fax 201269, « Villa ottocentesca con parco secolare » – TV ☎ P – 140. AE. SI. E VISA. JCB
Pasto (solo per alloggiati e *chiuso lunedì*) 55/60000 – **35 cam** ☐ 260/310000 – ½ P 210/290000.

XXX **2 Lanterne,** via Ferrarin 25 ☎ 200368, Fax 202349, , prenotare, – P – 60. AE. SI. E VISA.
chiuso domenica sera, lunedì, il 26 dicembre, le sere di Natale e Capodanno, dal 9 al 20 gennaio e dal 1º al 20 agosto – **Pasto** carta 45/75000.

XX **Olona-da Venanzio,** via Olona 38 ☎ 200333, Fax 200333, prenotare, – P. AE. SI. E VISA.
chiuso lunedì, le sere di Natale-Capodanno e dal 27 gennaio all'11 febbraio – **Pasto** carta 50/85000.

NNICHEN *= San Candido.*

NTRA *Verbania* 428 *E 7,* 219 ⑦ *– Vedere Verbania.*

Lesen Sie die Einleitung, sie ist der Schlüssel zu diesem Führer.

NVERNO-MONTELEONE *27010 Pavia* 428 *G 10 – 1 064 ab. alt. 74 – ☎ 0382.*
Roma 543 – Piacenza 35 – Milano 44 – Pavia 30.

Monteleone – ✉ *27010 :*

X **Trattoria Righini,** via Miradolo 108 ☎ 73032, prenotare venerdì e sabato
chiuso dal 7 al 30 gennaio, agosto, martedì, e la sera (escluso da giovedì a sabato) – Pasto 25/55000 (a mezzogiorno) e 35/60000 (alla sera).

NZAGO *20065 Milano* 428 *F 10,* 219 ⑳ *– 8 822 ab. alt. 138 – ☎ 02.*
Roma 592 – Bergamo 27 – Milano 27.

X **Del Ponte,** via Marchesi 35 ☎ 9549319, – P. AE. SI. E VISA
chiuso domenica ed agosto – **Pasto** carta 35/55000.

CHIA DI CASTRO *01010 Viterbo* 430 *O 17 – 2 599 ab. alt. 410 – ☎ 0761.*
Roma 135 – Viterbo 39 – Grosseto 80 – Siena 132.

X **Ranuccio II,** piazza Immacolata 27 ☎ 425119 – AE. SI. VISA.
chiuso giovedì (escluso luglio-agosto) – **Pasto** 45/70000.

CHIA (Isola d') *Napoli* 988 ㉗*,* 431 *E 23 G. Italia – 47 485 ab. alt. da 0 a 788 (monte Epomeo) – Stazione termale, a.s. luglio-settembre – ☎ 081.*
La limitazione d'accesso degli autoveicoli è regolata da norme legislative.
per Napoli (25 mn), Pozzuoli (1) e Procida (25 mn), giornalieri – Caremar-agenzia Travel and Holidays, banchina del Redentore ☎ 984818, Fax 5522011; per Pozzuoli giornalieri (1 h), Capri aprile-ottobre giornaliero (1 h) e Napoli giornalieri (1 h 15 mn) – Alilauro e Linee Lauro, al porto ☎ 991888, Fax 991889.
per Napoli giornalieri (da 30 mn a 45 mn) – Alilauro, al porto ☎ 991888, Fax 991990 e Caremar-agenzia Travel and Holidays, banchina del Redentore ☎ 984818, Fax 5522011; per Capri aprile-ottobre giornalieri (50 mn).
– Linee Lauro, al porto ☎ 991888, Fax 991889; per Procida-Napoli giornalieri (40 mn) – Aliscafi SNAV-ufficio Turistico Romano, via Porto 5/9 ☎ 991215, Telex 710364, Fax 991167; per Procida giornalieri (15 mn) – Caremar-agenzia Travel and Holidays, banchina del Redentore ☎ 991781, Fax 5522011.

Piante pagine seguenti

rano 431 *E 23 – 8 214 ab. alt. 224 – ✉ 80070 Barano d'Ischia – a.s. luglio-settembre.*
Vedere *Monte Epomeo*** 4 km NO fino a Fontana e poi 1 h e 30 mn a piedi AR.*

estaccio *S : 2 km – ✉ 80070 Barano d'Ischia :*

St. Raphael Terme, ☎ 990508, Fax 990922, <, « Terrazza panoramica con termale », – ☎. AE. SI. E VISA. rist U s
14 marzo-novembre – **Pasto** (solo per alloggiati) 40000 – ☐ 15000 – **39 cam** 100/160000 – ½ P 130000.

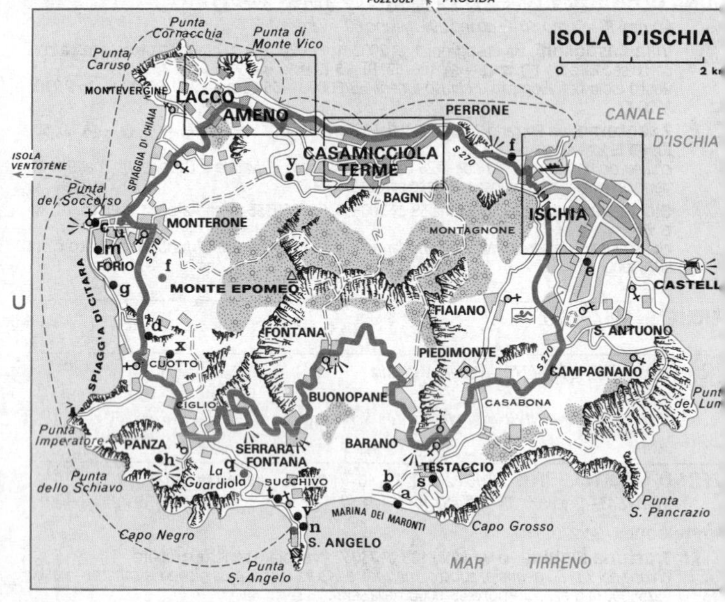

U

a Maronti *S : 4 km – ✉ 80070 Barano d'Ischia :*

Parco Smeraldo Terme ⑤, ☎ 990127, Fax 905022, ≤, « Terrazza fiorita con termale », ⛺, 🎾, – 🛗 ▤ ☎ 🅟. ✕ rist U
22 marzo-28 ottobre – **64 cam** (solo pens) – P 175/210000.

San Giorgio Terme ⑤, ☎ 990098, ≤, « Terrazza fiorita con termale », – ☎ ✕ rist U
22 marzo-28 ottobre – **40 cam** (solo pens) – P 120/140000.

Casamicciola Terme 988 ㉗, 431 E 23 – *6 867 ab.* – ✉ *80074.*

Stefania Terme ⑤, piazzetta Nizzola 16 ☎ 994130, Fax 994295, 🏋, 🏊, – ☎ 🅟. ✕ rist Y
aprile-ottobre – **30 cam** solo ½ P 110/T20000.

Forio 988 ㉗, 431 E 23 – *12 932 ab.* – ✉ *80075.*
Vedere *Spiaggia di Citara*★.

Mezzatorre ⑤, località Sammontano N : 3 km ☎ 986111, Fax 986015, ≤ mare, « con acqua di mare riscaldata in parco-pineta », 🏋, ⛺, 🎾, – 🛗 ▤ TV ☎ 40. AE. 🅢. ⓓ E VISA. ✕ Z
maggio-ottobre – **Pasto** carta 75/105000 – **50 cam** ☐ 350/420000, 5 appartamen ½ P 210/270000.

La Bagattella ⑤, località San Francesco ☎ 986072, Fax 989637, « Giardino fiorito », 🏊, – 🛗 ▤ TV ☎ 🅟. 🅢. E VISA. ✕ U
aprile-ottobre – **Pasto** 40/80000 – **53 cam** ☐ 180/260000 – P 180/190000.

Parco Maria ⑤, via Provinciale Panza 212 ☎ 907322, Telex 722006, Fax 909100, « Terrazze con termale », 🏊, – TV ☎ 🅟. ✕ rist U
chiuso dal 7 gennaio al 14 febbraio e dal 1° al 19 dicembre – **90 cam** solo ½ P 110/1400

Zaro ⑤, località San Francesco, via Tommaso Cigliano 85 ☎ 987110, Fax 989395, « Giardino con termale » – 🛗 ☎ 🅟. E. ✕ U
24 marzo-ottobre – **Pasto** 20/25000 – **63 cam** ☐ 110/180000 – ½ P 90/110000.

Da "Peppina" di Renato, via Bocca 23 ☎ 998312, Ambiente caratteristico, « Servi estivo in terrazza con ≤ mare » – 🅟 U
marzo-novembre; chiuso a mezzogiorno e mercoledì escluso da giugno a settembr Pasto carta 35/50000 (10 %).

La Romantica, via Marina 46 ☎ 997345, U

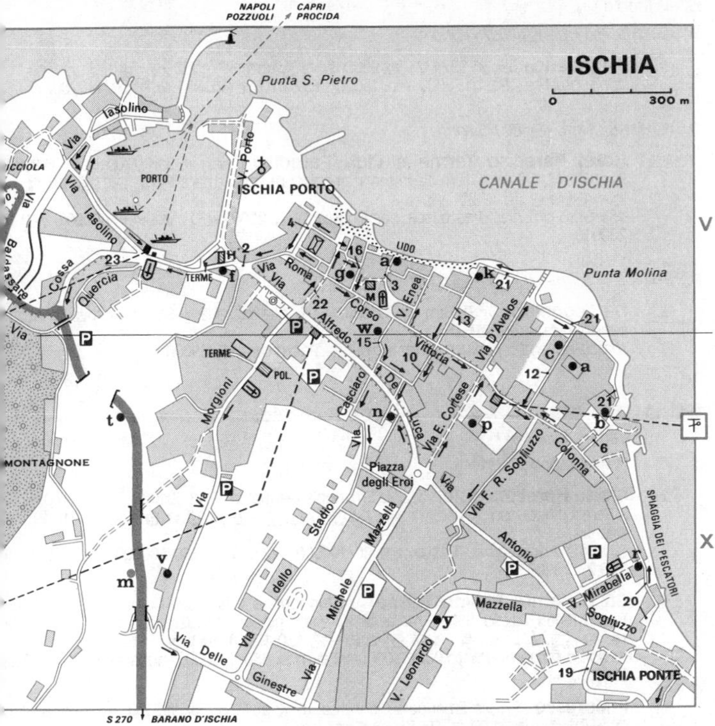

NAPOLI POZZUOLI
CAPRI PROCIDA

ISCHIA

0 300 m

Punta S. Pietro
Iasolino
PORTO
ISCHIA PORTO
CANALE D'ISCHIA
LIDO
Punta Molina
V. Porto
Via Iasolino
Via Roma
Corso Vittoria
V. Enea
Via D'Avalos
Via Alfredo De Luca
Via Casciaro
Via E. Cortese
Via F. R. Sogliuzzo
Colonna
Piazza degli Eroi
Via Morgioni
Via Stadio
Via dello
Via Michele Mazzella
Antonio
Mazzella
V. Mirabella
Sogliuzzo
V. Leonardo
Via Delle Ginestre
Quercia
Cossa
Via Baldassare
TERME
POL.
MONTAGNONE
SPIAGGIA DEI PESCATORI
ISCHIA PONTE
S 270 BARANO D'ISCHIA

ISCHIA

ɔnna (Corso Vittoria) . . VX
Luca (Via Alfredo) VX
ma (Via) V

tica Reggia (Piazza). . . . . V 2
ttistessa (Via). . . . . V 3
onocore (Via F.) . . . . V 4
ampault (Via) . . . . X 6
lombo
(Lungomare Cristoforo) VX 21
mito (Via V.) . . . . X 10
anturco (Via Emanuele). . X 12
anturco (Via Remigia) . . . V 13
gante (Via G.) . . . . VX 15
arone (Via Venanzio) . . . . V 16
ova Cartaromana (Via) . . X 19
ntano (Via) . . . . X 20
rme (Via delle) . . . . V 22
este (Piazzale) . . . . V 23

CASAMICCIOLA TERME

ribaldi (Corso) . . . . Y 24
ardi (Via Salvatore) . . . . . Y 25
argherita (V. Principessa) Y 26
arina (Piazza). . . . . Y 27
orgera (Via) . . . . Y 28
rrocchiale (Piazza) . . . . . . Y 29
nt'Antonio (Calata) . . . . . Y 30

LACCO AMENO

ndera (Via). . . . . Z 31
ma (Via). . . . . Z 32
n Montano (Via) . . . . Z 33
nta Restituta (Piazza) . . . Z 35
Novembre (Via) . . . . Z 36

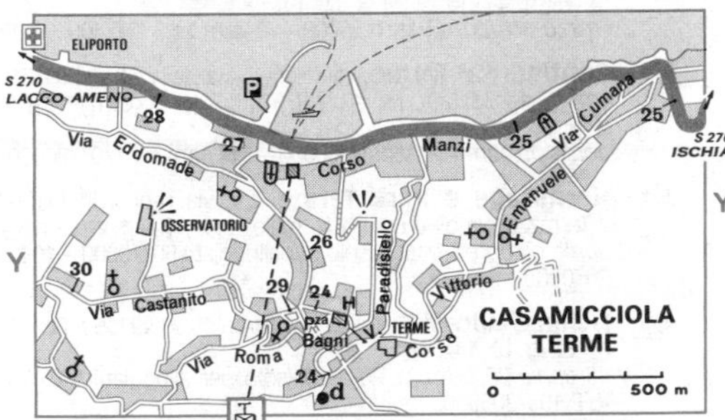

a Citara *S : 2,5 km – ✉ 80075 Forio :*

Providence ⛭, ✆ 997477, Fax 998007, ≤, termale – ⛭ ☎ Ⓟ. ⛭ rist U
aprile-ottobre – **Pasto** 25000 – ⛭ 15000 – **65 cam** 80/140000 – ½ P 100/110000.

a Cuotto *S : 3 km – ✉ 80075 Forio :*

Hotel Paradiso Terme e Club Paradiso ⛭, via San Giuseppe ✆ 9070 Fax 907913, ⛭, « termale in terrazza-solarium con ≤ mare », ⛭, ⛭, ⛭, ⛭, ⛭, ⛭ ⛭ TV ☎ Ⓟ. ⛭. E VISA. ⛭ U
15 marzo-ottobre – **Pasto** (solo per alloggiati) – ⛭ 20000 – **70 cam** 140/240000 – ½ P 18 200000.

a Panza *S : 4,5 km – alt. 155 – ✉ 80070 :*

Da Leopoldo, O : 0,5 km ✆ 907086, ≤, Rist. e pizzeria, « Servizio estivo in terraz panoramica » – Ⓟ VISA U
marzo-novembre; chiuso a mezzogiorno – **Pasto** carta 35/55000.

Ischia 988 ㉗, 431 E 23 – *17 246 ab. – ✉ 80077 Porto d'Ischia.*

Vedere *Castello***.

⛭ *via Jasolino ✆ 991146.*

Grand Hotel Excelsior ⛭, via Emanuele Gianturco 19 ✆ 991020, Fax 984100, ≤, « Parco-pineta con riscaldata », ⛭, ⛭, ⛭, ⛭ – ⛭ ⛭ TV ☎ Ⓟ – ⛭ 60. AE. ⛭. ⛭ VISA. ⛭ X
24 aprile-2 novembre – **Pasto** carta 80/100000 – **72 cam** ⛭ 260/500000, 2 appartamen ½ P 230/320000.

Gd H. Punta Molino Terme ⛭, lungomare Cristoforo Colombo 25 ✆ 9915 Telex 710465, Fax 991562, ≤ mare, ⛭, « Parco-pineta e terrazza fiorita con termale ⛭, ⛭, ⛭, ⛭, ⛭, ⛭ – ⛭ ⛭ TV ☎ Ⓟ – ⛭ 150. AE. ⛭. ⛭ E VISA. ⛭ X
15 aprile-ottobre – **Pasto** 90/135000 – **82 cam** ⛭ 350/650000, 2 appartamenti – ½ P 28 375000.

Il Moresco ⛭, via Emanuele Gianturco 16 ✆ 981355, Fax 992338, ≤, « Giardino c », ⛭, ⛭ – ⛭ ⛭ TV ☎. AE. ⛭. ⛭ E VISA. ⛭ X
marzo-ottobre – **Pasto** 85000 – **72 cam** ⛭ 330/540000 – ½ P 240/340000.

Continental Terme, via Michele Mazzella 74 ✆ 991588, Fax 982929, « Giardino fior con riscaldata », ⛭, ⛭, ⛭, ⛭, ⛭ – ⛭ ⛭ cam ⛭ TV ☎ Ⓟ – ⛭ 450. AE. ⛭. ⛭ E V JCB. ⛭ rist U
aprile-ottobre – **Pasto** 45/60000 – **244 cam** ⛭ 170/280000 – ½ P 175/255000.

Hermitage e Park Terme ⛭, via Leonardo Mazzella 67 ✆ 984242, Fax 9835 « Terrazze-giardino con termale », ⛭, ⛭ – ⛭ ⛭ cam TV ☎ Ⓟ. AE. ⛭. ⛭ E VISA. ⛭
aprile-ottobre – **Pasto** (solo per alloggiati) 60/70000 – **104 cam** ⛭ 190/330000 – ½ P 15 205000. X

Ischia e Lido, via Remigia Gianturco 33 ✆ 991550, Fax 984108, ≤, termale, ⛭ – ⛭ TV ☎ Ⓟ. ⛭. VISA. ⛭ V
15 aprile-20 ottobre – **Pasto** (solo per alloggiati) 50/70000 – **76 cam** ⛭ 180/340000 ½ P 105/205000.

Regina Palace, via Cortese 18 ✆ 991344, Fax 983597, « Giardino con riscaldata », ⛭ – ⛭ ⛭ TV ☎ Ⓟ. AE. ⛭. ⛭ E VISA. ⛭ X
chiuso gennaio e febbraio – **Pasto** (solo per alloggiati) – **63 cam** ⛭ 185/310000 – ½ P 18 240000.

La Villarosa ⛭, via Giacinto Gigante 5 ✆ 991316, Fax 992425, « Parco ombreggiato c termale », ⛭ – ⛭ TV ☎. AE. ⛭. E VISA. ⛭ rist VX
aprile-ottobre – **Pasto** (solo per alloggiati) 40/60000 – **37 cam** ⛭ 150/220000, 5 appar menti – ½ P 150/165000.

Bellevue, via Morgioni 83 ✆ 991851, Fax 982922, ⛭, termale, ⛭, ⛭ – ⛭ ☎. AE. ⛭ E VISA. ⛭ rist X
15 marzo-ottobre – **Pasto** (solo per alloggiati) – ⛭ 15000 – **37 cam** 75/130000 – ½ P 10 125000.

Le Querce ⛭, via Baldassarre Cossa 29 ✆ 982378, Fax 993261, ≤ mare, ⛭, « Terrazz giardino con riscaldata », ⛭ – TV ☎ Ⓟ. AE. ⛭ E VISA. ⛭ U
aprile-ottobre – **Pasto** 50/80000 – **42 cam** ⛭ 200/320000 – ½ P 155/175000.

Central Park Terme, via De Luca 6 ☎ 993517, Fax 984215, termale, ... rist X n
aprile-ottobre – **Pasto** 35/50000 – ☐ 20000 – **44 cam** 120/220000, 18000 – ½ P 165/185000.

Mare Blu, via Pontano 44 ☎ 982555, Fax 982938, ←, termale, ... 40 cam. X r

Bristol Hotel Terme, via Venanzio Marone 10 ☎ 992181, Fax 993201, termale, ... rist V g
aprile-ottobre – **Pasto** carta 35/45000 – ☐ 8000 – **61 cam** 100/140000 – ½ P 110000.

President, via Osservatorio 65 ☎ 993890, Fax 993725, ←, termale, ...
stagionale – **75 cam.** X t

Solemar Terme ⑤, via Battistessa 45 ☎ 991822, Fax 991047, ←, termale, ... rist ... rist V a
aprile-ottobre – **Pasto** (solo per alloggiati) 30/50000 – **78 cam** ☐ 155/300000 – ½ P 120/175000.

Villa Hermosa, via Osservatorio 4 ☎ 992078, Fax 992078 – ... V f
aprile-dicembre – **Pasto** (solo per alloggiati) 30000 – ☐ 10000 – **19 cam** 70/120000 – ½ P 85/90000.

Damiano, via Nuova Circumvallazione ☎ 983032, ← mare –. ... X m
aprile-settembre; chiuso a mezzogiorno escluso domenica – **Pasto** carta 55/95000 (10%).

...cco Ameno 431 E 23 – *4 148 ab.* – ✉ *80076.*

Regina Isabella e Royal Sporting ⑤, ☎ 994322, Fax 900190, ← mare, ..., termale, ... – 150. ... rist
chiuso dal 12 gennaio al 24 aprile – **Pasto** (solo per alloggiati) 100000 – **117 cam** ☐ 400/800000, 17 appartamenti – ½ P 300/400000. Z a

San Montano ⑤, NO : 1,5 km ☎ 994033, Fax 980242, ← mare e costa, ..., « Terrazze ombreggiate con termale », ... cam ... rist Z b
aprile-27 ottobre – **Pasto** carta 60/80000 – **65 cam** ☐ 245/400000 – ½ P 210/320000.

Terme di Augusto, via Campo 128 ☎ 994944, Fax 980244, ..., termale, ... – 240. ... rist Z u
chiuso dal 1º al 27 dicembre – **Pasto** 65000 – **118 cam** ☐ 230/260000 – ½ P 130/180000.

La Reginella, piazza Santa Restituita 1 ☎ 994300, Fax 980481, « Giardino ombreggiato con », ... – 600. ... rist Z d
27 marzo-2 novembre – **Pasto** 80/100000 – **78 cam** ☐ 220/420000 – ½ P 250000.

Grazia ⑤, S : 1,5 km ☎ 994333, Fax 994153, ←, « Terrazza solarium con termale », ... – 80. ... rist U y
aprile-ottobre – **Pasto** (solo per alloggiati) carta 50/65000 – ☐ 13000 – **58 cam** 130/200000 – ½ P 140/150000.

Villa Angelica, via 4 Novembre 28 ☎ 994524, Fax 980184, termale, ... Z t
24 dicembre-gennaio e 15 marzo-ottobre – **Pasto** 35/45000 – **20 cam** ☐ 80/130000 – ½ P 95/110000.

...ant'Angelo – ✉ *80070.*

Vedere *Serrara Fontana : ←** su Sant'Angelo N : 5 km.*

Miramare ⑤, via Comandante Maddalena 29 ☎ 999219, Fax 999325, ← mare, ... – 300. ... U n
marzo-ottobre – **Pasto** 70/75000 – ☐ 20000 – **50 cam** 190/280000 – ½ P 190/250000.

La Palma ⑤, ☎ 999215, Fax 999526, ← mare, « Terrazze fiorite », ... rist U v
chiuso dall'11 gennaio al 14 marzo – **Pasto** 40/50000 – **43 cam** ☐ 100/200000 – ½ P 165/175000.

Casa Celestino ⑤, ☎ 999213, ←, ... rist U t
Pasqua-ottobre – **Pasto** carta 35/45000 – **20 cam** ☐ 95/160000 – ½ P 120/130000.

Dal Pescatore, piazza Ottorino Troia 5 ☎ 904267, ... U n

Lo Scoglio, ☎ 999529, « Servizio estivo in terrazza panoramica » – ... VISA U q
aprile-novembre – **Pasto** carta 35/60000.

ISCHITELLA *71010 Foggia* 431 B 29 – *4 329 ab. alt. 310 – a.s. luglio-13 settembre* – ☎ *0884.*
Roma 385 – Foggia 100 – Bari 184 – Barletta 122 – Pescara 184.

a Isola Varano *O : 15 km* – ✉ *71010 Ischitella :*

La Bufalara, ✆ 97037, Fax 97374, « Parco-pineta », ⛱, ▲, 🎾 – |‡| ▤ ☎ Ⓟ
stagionale – **60 cam.**

Bally, ✆ 97023, Fax 97023, 🛋, 🎾 – |‡| ▤ rist ☎ Ⓟ
stagionale – **39 cam.**

ISEO *25049 Brescia* 988 ③ ④, 428, 429 F 12 – *8 355 ab. alt. 198 – a.s. Pasqua e luglio-15 settem*
– ☎ *030.*
Vedere *Lago*★.
Escursioni *Monte Isola*★★ : ✳★★ *dal santuario della Madonna della Ceriola (in battello).*
ℹ *lungolago Marconi 2/c* ✆ *980209, Fax 981361.*
Roma 581 – Brescia 22 – Bergamo 39 – Milano 80 – Sondrio 122 – Verona 96.

Ambra senza rist, porto Gabriele Rosa 2 ✆ 980130, Fax 9821361, ≤ – |‡| 📺 ☎ Ⓟ. 🅂 VISA
chiuso novembre – ☕ 15000 – **31 cam** 90/120000.

Al Castello, via Mirolte 53 ✆ 981285, « Servizio estivo all'aperto » – AE. 🅂. ⓓ E VISA
chiuso dal 17 al 27 febbraio, dal 18 agosto al 19 settembre, lunedì sera, martedì mezzogiorno (escluso i giorni festivi) in luglio-agosto – **Pasto** carta 45/75000.

Il Volto, via Manica 2 ✆ 981462, Fax 981874 – ▤. 🅂. VISA. ✂
chiuso mercoledì, giovedì a mezzogiorno e dal 1º al 15 luglio – **Pasto** carta 45/75000.

sulla strada provinciale per Polaveno :

I due Roccoli ⛰, via Silvio Bonomelli E : 6 km ✉ 25049 ✆ 9822977, Fax 9822980, ≤ la e colline, 🌳, « Elegante residenza di campagna », ⛱, 🛋, 🎾 – 📺 ☎ Ⓟ – 🪑 120. AE. ⓓ E VISA. ✂ rist
15 marzo-ottobre – **Pasto** *(chiuso mercoledì)* carta 55/80000 – ☕ 16000 – **13 cam** 14 205000 – ½ P 145/180000.

Ginepro, via Silvio Bonomelli 73 (E : 5 km) ✉ 25049 ✆ 980119, « Servizio estivo terrazza panoramica » – Ⓟ. 🅂. E VISA. ✂
chiuso lunedì sera e martedì – **Pasto** carta 40/75000.

ISERNIA *86170* Ⓟ 988 ㉗, 430 R 24, 431 C 24 – *21 089 ab. alt. 457* – ☎ *0865.*
ℹ *via Farinacci 9* ✆ *3992, Fax 50771.*
A.C.I. *strada statale 17 38/40* ✆ *50732.*
Roma 177 – Campobasso 50 – Avezzano 130 – Benevento 82 – Latina 149 – Napoli 11 Pescara 147.

Grand Hotel Europa, strada statale per Campobasso (svincolo Isernia Nord) ✆ 4114 Fax 413243 – |‡| ▤ 📺 ☎ ♿ 🚗 Ⓟ – 🪑 210. AE. 🅂. ⓓ E VISA. JCB. ✂
Pasto al Rist. ***Pantagruel*** carta 30/60000 – **61 cam** ☕ 160000, 6 appartamenti – P 1500

La Tequila, via San Lazzaro 85 (per strada statale 17 N : 1 km) ✆ 412345, Fax 412345, 🛋 – |‡| 📺 ☎ 🚗 Ⓟ – 🪑 700. AE. 🅂. ⓓ E VISA. ✂ rist
Pasto *(chiuso domenica sera)* carta 30/40000 – **60 cam** ☕ 90/130000, appartamento ½ P 90/115000.

a Pesche *E : 3 km* – ✉ *86090 :*

Santa Maria del Bagno, ✆ 451143, Fax 451143 – |‡| 📺 ☎ Ⓟ. AE. 🅂. ⓓ E VISA. ✂
Pasto *(chiuso lunedì)* carta 25/40000 – ☕ 10000 – **42 cam** 65/90000 – ½ P 65/75000.

ISIATA *Venezia – Vedere San Donà di Piave.*

IS MOLAS *Cagliari – Vedere Sardegna (Pula) alla fine dell'elenco alfabetico.*

ISOLA... ISOLE *Vedere nome proprio della o delle isole.*

ISOLACCIA *Sondrio* 218 ⑰ – *Vedere Valdidentro.*

When visiting ***northern Italy*** *use* ***Michelin maps*** 428 *and* 429.

XX **Hostaria Santa Lucia,** via Marche 2/b ☎ 64409, Coperti limitati; prenotare – ▤ Ⓟ. AE. 🅂. ◑ E VISA. JCB. ✱
chiuso lunedì e da giugno a settembre anche domenica – **Pasto** carta 40/70000.

XX **Italia** con cam, viale Trieste 28 ☎ 4844, Fax 59004 – ▤ TV ☎. 🅂. E VISA. ✱
Pasto *(chiuso sabato e dal 10 al 24 agosto)* carta 45/75000 (10%) – ☐ 10000 – **13 cam** 90/130000 – P 120/140000.

SOLO *30016 Venezia* 988 ⑤, 429 F 19 – *22 329 ab. – luglio-settembre* – ☎ *0421.*
Roma 560 – Venezia 41 – Belluno 106 – Milano 299 – Padova 69 – Treviso 50 – Trieste 125 – Udine 94.

XX **Da Guido,** via Roma Sinistra 25 ☎ 350380, , – Ⓟ. AE. 🅂. ◑ E VISA. ✱
chiuso lunedì e gennaio – **Pasto** carta 45/80000.

X **Udinese-da Aldo** con cam, via Cesare Battisti 25 ☎ 951407, Fax 951711, – ▤ rist TV ☎ Ⓟ. AE. 🅂. ◑ E VISA. ✱ rist
Pasto *(chiuso mercoledì escluso dal 15 giugno al 15 settembre)* carta 40/65000 – ☐ 10000 – **12 cam** 70/100000.
Vedere anche : **Lido di Jesolo** *S : 4 km*

Europe

Si le nom d'un hôtel figure en petits caractères, demandez à l'arrivée les conditions à l'hôtelier.

ALTENBRUNN = *Fontanefredde.*

ALTERN AN DER WEINSTRASSE = *Caldaro sulla Strada del Vino.*

ARERPASS = *Costalunga (Passo di).*

ARERSEE = *Carezza al Lago.*

ASTELBELL TSCHARS = *Castelbello Ciardes.*

ASTELRUTH = *Castelrotto.*

ENS = *Chienes.*

LAUSEN = *Chiusa.*

REUZBERGPASS = *Monte Croce di Comelico (Passo).*

URTATSCH AN DER WEINSTRASSE = *Cortaccia sulla Strada del Vino.*

ABICO *00030 Roma* 430 Q 20 – *3 021 ab. alt. 319* – ☎ *06.*
Roma 39 – Avezzano 116 – Frosinone 44 – Latina 50 – Tivoli 41.

XXX **Antonello Colonna,** via Roma 89 ☎ 9510032, Fax 9511000, Coperti limitati; prenotare – ▤. AE. 🅂. ◑ E VISA. JCB. ✱
chiuso domenica sera, lunedì ed agosto – **Pasto** carta 45/110000.

ABRO *02010 Rieti* 430 O 20 – *302 ab. alt. 628* – ☎ *0746.*
Roma 101 – Terni 21 – L'Aquila 80 – Rieti 23.

X **L'Arcolaio,** via Cadorna 3 ☎ 636172, ≤ lago di Piediluco, « In un antico borgo feudale » – AE. 🅂. ◑ E VISA. ✱
chiuso lunedì escluso luglio-agosto – **Pasto** carta 30/45000.

A CALETTA *Nuoro* 433 F 11 – *Vedere Sardegna (Siniscola) alla fine dell'elenco alfabetico.*

ACCO AMENO *Napoli* 431 E 23 – *Vedere Ischia (Isola d').*

LACES (LATSCH) *39021 Bolzano* 428, 429 C 14, 218 ⑲ – *4 549 ab. alt. 639* – ☎ *0473.*
ℹ ☎ *623109, Fax 622042.*
Roma 692 – Bolzano 54 – Merano 26 – Milano 352.

Paradies ⛰, via Sorgenti 12 ☎ 622225, Fax 662228, ≤, ⛱, ⛶, 🏊, ⛱, ⛶ – 🛗 ▤ rist ☎ ♿ 🅿. ⛔ rist
25 marzo-5 novembre – **Pasto** (solo per alloggiati) 40/55000 – **41 cam** ☐ 150/2600 3 appartamenti – ½ P 150/170000.

LADISPOLI *00055 Roma* 988 ㉕, 430 Q 18 – *22 945 ab. – a.s. 15 giugno-agosto* – ☎ *06.*
Dintorni *Cerveteri : necropoli della Banditaccia*** *N : 7 km.*
ℹ *via Duca del Mare 8/c* ☎ *9913049.*
Roma 39 – Civitavecchia 34 – Ostia Antica 43 – Tarquinia 53 – Viterbo 79.

La Posta Vecchia ⛰, località Palo Laziale S : 2 km ☎ 9949501, Fax 9949507, « Dimora del 17° secolo in riva al mare con parco », 🏊, 🏖 – 🛗 ▤ 📺 ☎ 🅿 – 🏛 50. AE. ⓓ E VISA. ⛔
chiuso dal 10 gennaio al 15 marzo – **Pasto** (solo su prenotazione) 140/170000 – **8 ca** ☐ 465/925000, 5 appartamenti 1475/2355000.

Sora Olga, via Odescalchi 99 ☎ 99222006 – ▤. AE. 🅂. ⓓ VISA
chiuso mercoledì escluso da giugno a settembre – **Pasto** carta 50/80000.

LAGLIO *22010 Como* 428 E 9, 219 ⑨ – *918 ab. alt. 202* – ☎ *031.*
Roma 638 – Como 13 – Lugano 41 – Menaggio 22 – Milano 61.

Plinio au Lac, ☎ 401271, Fax 401278, ≤, ⛱, ⛶ – 🛗 📺 ☎
17 cam, appartamento.

LAGO *Vedere nome proprio del lago.*

LAGO MAGGIORE o VERBANO *Novara, Varese e Cantone Ticino* 988 ② ③, 428 E 7 *G. Italia.*

LAGONEGRO *85042 Potenza* 988 ㉘ ㊳, 431 G 29 – *6 226 ab. alt. 666* – ☎ *0973.*
Roma 384 – Potenza 111 – Cosenza 138 – Salerno 127.

in prossimità casello autostrada A 3 - Lagonegro Sud *N : 3 km :*

Midi, viale Colombo 76 ✉ 85042 ☎ 41188, Fax 41186, ⛶ – 🛗 ▤ 📺 ☎ 🚗 🅿 – 🏛 25 AE. 🅂. ⓓ E VISA. ⛔
Pasto carta 25/45000 – ☐ 7000 – **36 cam** 60/95000 – ½ P 60/80000.

LAGUNDO (ALGUND) *39022 Bolzano* 429 B 15, 218 ⑩ – *4 060 ab. alt. 400* – ☎ *0473.*
ℹ *via Vecchia 33/b* ☎ *48600, Fax 48917.*
Roma 667 – Bolzano 30 – Merano 2 – Milano 328.

Pianta: Vedere Merano.

Algunderhof ⛰, ☎ 448558, Fax 447311, ≤, « Giardino con 🏊 riscaldata » – 🛗 📺 ☎ AE. 🅂. ⓓ E VISA. ⛔ rist A
marzo-novembre – **Pasto** (prenotare) 45/55000 – **27 cam** ☐ 125/200000, 2 appartamer – ½ P 100/120000.

Der Pünthof ⛰, ☎ 448553, Fax 449919, ≤, « Giardino-frutteto e laghetto », ⛶, 🏊 ⛶ – 📺 ☎ ♿ 🅿. AE. 🅂. ⓓ E VISA. JCB. ⛔ rist
15 marzo-10 novembre – **Pasto** *(chiuso a mezzogiorno)* 35/40000 – **12 cam** ☐ 28000 6 appartamenti – ½ P 130/150000.

Ludwigshof ⛰, ☎ 220355, Fax 220420, ≤, « Giardino », ⛶, 🏊 – 🛗 ☎ 🅿. ⛔
marzo-novembre – **Pasto** (solo per alloggiati e *chiuso a mezzogiorno*) – **16 cam** ☐ 75 140000 – ½ P 95/115000. A

Ruster, via San Cassiano 1 ☎ 220202, Fax 440267, « Servizio estivo all'aperto » – 🅿. AE 🅂. ⓓ E VISA A
chiuso gennaio e febbraio – **Pasto** carta 45/70000.

LAIGUEGLIA *17020 Savona* 988 ⑫, 428 K 6 – *2 346 ab.* – ☎ *0182.*
ℹ *via Roma 150* ☎ *690059.*
Roma 600 – Imperia 19 – Genova 101 – Milano 224 – San Remo 44 – Savona 55.

Splendid, piazza Badarò 3 ☎ 690325, Fax 690894, 🏊, 🏖 – 🛗 ▤ rist 📺 ☎ 🅿. AE. 🅂. ⓓ E VISA. ⛔
Pasqua-settembre – **Pasto** 30/50000 – **45 cam** ☐ 100/200000 – ½ P 100/140000.

Mediterraneo ⚲, via Andrea Doria 18 ☎ 690240, Fax 499739 – 🛗 📺 ☎ 🅿. 🅂. E VISA. ⚲ rist
chiuso dal 15 ottobre al 22 dicembre – **Pasto** 30/40000 – ☕ 15000 – **32 cam** 80/120000 – ½ P 65/110000.

Mambo, via Asti 5 ☎ 690122, Fax 690907 – 🛗 📺 ☎ ♿ 🅿. ⚲
chiuso da ottobre al 20 dicembre – **Pasto** carta 35/55000 – **23 cam** ☕ 80/110000 – ½ P 70/85000.

Vascello Fantasma, via Dante 105 ☎ 499897, Fax 690847, 🍽 – AE. 🅂. ⓓ E VISA
chiuso a mezzogiorno (escluso sabato-domenica) dal 15 giugno al 15 settembre, lunedì negli altri mesi – **Pasto** carta 65/100000.

AINO BORGO *87014 Cosenza – 2 387 ab. alt. 250 – ☎ 0981.*
Roma 445 – Cosenza 115 – Potenza 131 – Lagonegro 54 – Mormanno 17 – Sala Consilina 94 – Salerno 185.

Chiar di Luna, località Cappelle ☎ 82550, 🍽, 🌳 – 🅿. AE. 🅂. ⓓ E VISA. ⚲
chiuso martedì e dal 1° al 15 ottobre – **Pasto** carta 25/45000.

AION (LAJEN) *39040 Bolzano* 429 C 16 – *2 059 ab. alt. 1 093 – ☎ 0471.*
Roma 681 – Bolzano 23 – Bressanone 19 – Cortina d'Ampezzo 76.

a Albions *N : 4 km – alt. 887 – ✉ 39040 Laion :*

Waldruhe ⚲ con cam, ☎ 655882, ≤, 🍽, prenotare – 🅿. 🅂. E VISA
chiuso dall'11 gennaio al 9 febbraio e dal 26 giugno al 7 luglio – **Pasto** *(chiuso mercoledì)* carta 40/90000 – **5 cam** ☕ 65/100000 – ½ P 60/70000.

AIVES (LEIFERS) *39055 Bolzano* 429 C 16, 218 ⑳ – *14 400 ab. alt. 257 – ☎ 0471.*
Roma 634 – Bolzano 8 – Milano 291 – Trento 52.

Rotwand, via Gamper 2 (NE : 2 km) ✉ 39050 Pineta di Laives ☎ 954512, Fax 954295, ≤, 🍽 – 🛗 📺 ☎ 🅿. 🅂. ⓓ E VISA. ⚲ rist
chiuso dal 2 gennaio al 1° febbraio e dal 17 al 29 giugno – **Pasto** *(chiuso lunedì)* carta 35/55000 – **27 cam** ☕ 70/120000 – ½ P 75/85000.

AJEN = *Laion.*

AMA *Taranto* 431 F 33 – *Vedere Talsano.*

A MAGDELEINE *Aosta* 428 E 4, 219 ③ – *106 ab. alt. 1 640 – ✉ 11020 Antey Saint André – a.s. Pasqua, luglio-agosto e Natale – ☎ 0166.*
Roma 738 – Aosta 44 – Breuil-Cervinia 28 – Milano 174 – Torino 103.

Miravidi ⚲ con cam, località Artaz ☎ 548259, Fax 548998, ≤ vallata, 🌳 – 🅿
24 cam.

AMA MOCOGNO *41023 Modena* 428, 429, 430 J 14 – *2 993 ab. alt. 812 – ☎ 0536.*
Roma 382 – Bologna 88 – Modena 58 – Pistoia 76.

Vecchia Lama, via XXIV Maggio ☎ 44662 – AE. 🅂. ⓓ E VISA. ⚲
chiuso lunedì e dal 20 al 30 settembre – **Pasto** carta 35/50000.

AMEZIA TERME *88046 Catanzaro* 431 K 30 – *71 274 ab. alt. 210 (frazione Nicastro) – ☎ 0968.*
✈ *a Sant'Eufemia Lamezia ☎ 414111.*
Roma 580 – Cosenza 66 – Catanzaro 44.

a Nicastro – *✉ 88046 :*

Savant, via Manfredi 8 ☎ 26161, Fax 26161 – 🛗 ▤ 📺 ☎ 🚗 – 🏛 100. AE. 🅂. E VISA
Pasto carta 35/65000 – **65 cam** ☕ 140/180000, 2 appartamenti – ½ P 115/150000.

Da Enzo, via Generale Dalla Chiesa ☎ 23349 – ▤ 🅿. AE. 🅂. E VISA. ⚲
chiuso sabato sera e domenica – **Pasto** carta 30/45000.

alle Terme di Caronte *O : 7 km – ✉ 88048 Sambiase di Lamezia Terme :*

L'Ostrica, contrada Caronte 29 ☎ 437994, Fax 437994, 🍽, Rist. e pizzeria – 🅿
chiuso lunedì – **Pasto** carta 20/40000.

LA MORRA *12064 Cuneo* 428 I 5 – *2 512 ab. alt. 513 – ☎ 0173.*
Roma 631 – Cuneo 62 – Asti 45 – Milano 171 – Torino 63.

XX **Belvedere,** piazza Castello 5 ✆ 50190, Fax 50190, ← – 🏛 100. 🅂. E VISA
chiuso domenica sera, lunedì, gennaio e febbraio – **Pasto** carta 50/80000.

XX **Bel Sit,** via Alba 17 bis ✆ 50350, Fax 50350, ← colli e vigneti, 🏖 – P. 🅂. E VISA. ✂
chiuso lunedì sera, martedì, dal 2 al 15 gennaio e dal 1° al 15 luglio – **Pasto** carta 35/550(

LAMPEDUSA (Isola di) *Agrigento* 432 U 19 – *Vedere Sicilia alla fine dell'elenco alfabetico.*

LANA *Bolzano* 988 ④, 429 C 15 – *8 966 ab. alt. 289 – ✉ 39011 Lana d'Adige – Sport invernali : a S*
Vigilio : 1 485/1 839 m ⛷1 ⛷4, ⛷ – ☎ 0473.
ℹ *via Andreas Hofer 7/b ✆ 561770, Fax 561979.*
Roma 661 – Bolzano 24 – Merano 9 – Milano 322 – Trento 82.

🏨 **Eichhof** 🐌, ✆ 561155, Fax 563710, 🏖, « Giardino ombreggiato con 🏊 », ⛲, 🏊, ✂
TV ☎ P. 🅂. E VISA. ✂ rist
aprile-15 novembre – **Pasto** (solo per alloggiati) – **21 cam** ☕ 85/160000 – ½ P 90/1200(

🏨 **Rebgut** 🐌 senza rist, S : 2,5 km ✆ 561430, ⛲, 🏊 riscaldata, 🌳 – TV ☎ P. VISA. ✂
marzo-ottobre – **12 cam** ☕ 90/160000.

a San Vigilio (Vigiljoch) *NO : 5 mn di funivia – alt. 1 485 – ✉ 39011 Lana d'Adige :*

🏨 **Monte San Vigilio-Berghotel Vigiljoch** 🐌, ✆ 561236, Fax 561410, ← vallata
Dolomiti, 🏖, 🏊 riscaldata, 🌳 – ☎. ✂ rist
maggio-ottobre – **Pasto** carta 45/65000 – **40 cam** ☕ 70/140000 – ½ P 75/105000.

a Foiana (Völlan) *SO : 5 km – alt. 696 – ✉ 39011 Lana d'Adige :*

🏨 **Völlanerhof** 🐌, ✆ 568033, Fax 568143, ←, 🏖, « Giardino con 🏊 riscaldata », ⛲, [
✂ – 🛗 TV ☎ ♿ P. ✂
21 marzo-9 novembre – **Pasto** (solo per alloggiati) – **41 cam** solo ½ P 150/210000.

🏨 **Waldhof** 🐌, via Mayenburg 32 ✆ 568081, Fax 568142, ← monti, « Parco », 🏋, ⛲,
🏊, ✂ – ▤ rist TV ☎ P. ✂ rist
aprile-11 novembre – **Pasto** (solo per alloggiati) – **20 cam** ☕ 105/350000, 5 appartament
½ P 120/200000.

LANCIANO *66034 Chieti* 988 ㉗, 430 P 25 – *34 897 ab. alt. 283 – a.s. 20 giugno-agosto – ☎ 0872*
Roma 199 – Pescara 51 – Chieti 48 – Isernia 113 – Napoli 213 – Termoli 73.

🏨 **Excelsior,** viale della Rimembranza 19 ✆ 713013, Fax 712907 – 🛗 ▤ TV ☎ 🚗 – 🏛 10
AE. 🅂. ⓓ E VISA. ✂ rist
Pasto *(chiuso venerdì)* 35/55000 – **70 cam** ☕ 115/160000, 3 appartamenti, ▤ 5000
½ P 105/135000.

🏨 **Anxanum** senza rist, via San Francesco d'Assisi 8/10 ✆ 715142, Fax 715142, 🏊 – 🛗 ▤
☎ 🚗 P – 🏛 100. AE. 🅂. ⓓ E VISA
☕ 15000 – **42 cam** 105/125000.

XXX **Corona di Ferro,** corso Roma 28 ✆ 713029, 🏖, Coperti limitati; prenotare – AE. 🅂. ⓓ
E VISA. ✂
chiuso domenica sera, lunedì e dal 1° al 15 agosto – **Pasto** carta 30/60000.

XX **Ribot,** via Milano 58/60 ✆ 712205, Fax 45004, 🏖 – ▤. AE. 🅂. ⓓ E VISA
chiuso venerdì, dal 20 al 30 dicembre e dal 15 al 30 agosto – **Pasto** carta 30/50000.

in prossimità casello autostrada A 14 *NE : 6 km :*

🏨 **Thema,** località Santacalcagna 30 ✉ 66020 Rocca San Giovanni ✆ 715446, Fax 715484 –
▤ TV ☎ P – 🏛 140. AE. 🅂. ⓓ E VISA. ✂ rist
Pasto *(chiuso lunedì a mezzogiorno)* carta 30/50000 – **33 cam** ☕ 110/150000 – ½ P 85
100000.

LANZADA *23020 Sondrio* 428, 429 D 11, 218 ⑮ – *1 459 ab. alt. 981 – ☎ 0342.*
Roma 707 – Sondrio 16 – Bergamo 131 – Saint-Moritz 95.

🏨 **Biancospino** 🐌, via Spini 314 ✆ 453066, Fax 453033, ← – 🛗 ☎. AE. 🅂. E VISA. ✂
Pasto 25/35000 – **33 cam** ☕ 80/105000 – ½ P 60/100000.

LANZO D'INTELVI *22024 Como* 428 E 9, 219 ⑧ *G. Italia – 1 332 ab. alt. 907 – ☎ 031.*
Dintorni *Belvedere di Sighignola*★★★ : ← *sul lago di Lugano e le Alpi SO : 6 km.*
⛳ *(15 aprile-5 novembre; chiuso lunedì escluso agosto) ✆ 839060, Fax 839060, E : 1 km.*
ℹ *piazza Novi (palazzo Comunale) ✆ 840143.*
Roma 653 – Como 30 – Argegno 15 – Menaggio 30 – Milano 83.

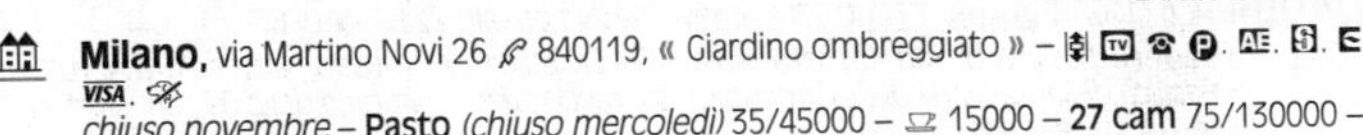

Milano, via Martino Novi 26 ℘ 840119, « Giardino ombreggiato » – . AE. . E VISA.
chiuso novembre – **Pasto** *(chiuso mercoledì)* 35/45000 – ☐ 15000 – **27 cam** 75/130000 – ½ P 100000.

Belvedere, N : 1,2 km ℘ 840122, Fax 841461, ←, –
33 cam.

Rondanino, via Rondanino 1 (N : 3 km) ℘ 839858, Fax 839858, ←, « Servizio estivo in terrazza », – . AE. . E VISA
Pasto *(chiuso mercoledì escluso dal 15 giugno al 15 settembre)* carta 30/55000 – ☐ 9000 – **14 cam** 60/80000 – ½ P 70/75000.

NZO TORINESE *10074 Torino* 988 ⑫, 428 *G 4 – 5 178 ab. alt. 515 – ☎ 0123.*
Roma 689 – Torino 28 – Aosta 131 – Ivrea 68 – Vercelli 94.

Trattoria del Mercato, via Diaz 29 ℘ 29320 –. . E VISA.
chiuso giovedì, dall'8 al 15 gennaio e dal 15 al 30 giugno – **Pasto** carta 35/45000.

PILA *Livorno* 430 N 12 – *Vedere Elba (Isola d') : Marina di Campo.*

Un consiglio ***Michelin:***
per la buona riuscita di un viaggio, preparatelo in anticipo.
Le ***carte*** *e le* ***guide Michelin*** *vi danno tutte le indicazioni*
utili su: itinerari, curiosità, sistemazioni, prezzi, ecc.

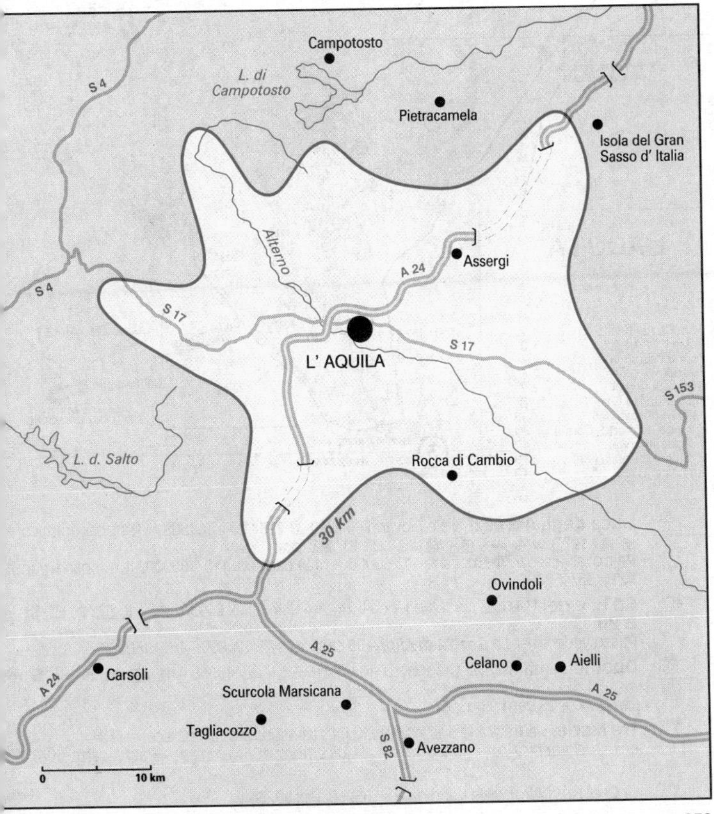

L'AQUILA *67100* P 988 ㉖, 430 O 22 *G. Italia – 69 241 ab. alt. 721 – ☎ 0862.*

Vedere *Basilica di San Bernardino*★★ Y – *Castello*★ Y : *museo Nazionale d'Abruzzo*★★ *Basilica di Santa Maria di Collemaggio*★ Z : *facciata*★★ – *Fontana delle 99 cannelle*★ Z.

Dintorni *itinerario nel Massiccio degli Abruzzi*★★★ *con escursione al Gran Sasso*★★.

piazza Santa Maria di Paganica 5 ☎ 410808, Fax 65442 – corso Vittorio Enanuele ☎ 410859 – via 20 Settembre 10 ☎ 22306.

A.C.I. *via Donadei 3 ☎ 26028.*

Roma 119 ① – Napoli 242 ① – Pescara 105 ② – Terni 94 ①.

Duca degli Abruzzi, viale Giovanni XXIII 10 ☎ 28341, Fax 61588, « Rist. panoramico » – rist – 260. AE. . VISA. — Y
Pasto al Rist. ***Il Tetto*** carta 40/60000 – **109 cam** 110/160000, 10 appartamenti – 1/2 P 135/150000.

Gd H. e del Parco, corso Federico II 74 ☎ 413248, Fax 65938, – . AE. . E VISA — Z
Pasto vedere rist ***La Grotta di Aligi*** – **36 cam** 125/190000 – 1/2 P 130000.

Duomo senza rist, via Dragonetti 10 ☎ 410893, Fax 413058 – . AE. . E VISA — Z
12000 – **25 cam** 95/120000.

Tre Marie, via Tre Marie 3 ☎ 413191, « Caratteristico stile abruzzese » – — Z
chiuso domenica sera, lunedì e dal 24 dicembre al 6 gennaio – **Pasto** carta 50/65000 (15 %).

La Grotta di Aligi, viale Rendina 2 ☎ 65260, Fax 65260 — Z

XX Ernesto, piazza del Palazzo 22 ✆ 21094, Servizio estivo all'aperto solo la sera Y a

XX **Antiche Mura,** via XXV Aprile 2 ✆ 62422, « Ambiente caratteristico » – P. AE. E VISA. Y b
chiuso dal 23 al 28 dicembre, dal 10 al 20 agosto e domenica (escluso dal 15 giugno al 15 settembre) – **Pasto** cucina tipica aquilana 35/45000.

X **Renato,** via Indipendenza 9 ✆ 25596 – AE. B. E VISA. JCB Z s
chiuso domenica e dal 20 luglio al 5 agosto – **Pasto** carta 35/50000.

sulla strada statale 17 *per ① : 2,5 km* Y :

L'Aquila Canadian Hotel, strada statale 17, località Casermette ✉ 67100 ✆ 317402, Fax 317398, Fā, ⊠, ✂ – |♯| ▤ rist TV ☎ ♿ 🚗 P – 🔔 150. AE. B. ◑ E VISA.
Pasto *(chiuso lunedì)* carta 30/45000 – **49 cam** ☕ 95/120000 – 1/2 P 75/85000.

XX **Il Baco da Seta,** località Centi Colella ✉ 67100 ✆ 318217, ⛱, « In un antico casale », – P. AE. B. ◑ E VISA. JCB.
chiuso lunedì e dal 24 dicembre al 6 gennaio – **Pasto** specialità di mare carta 55/85000.

a Preturo *NO : 8 km* – ✉ *67010* :

XX **Il Rugantino,** strada statale 80 ✆ 461401, Coperti limitati; prenotare, – P. AE. B. ◑ E VISA
chiuso domenica sera e mercoledì – **Pasto** carta 45/70000.

a Paganica *NE : 9 km* – ✉ *67016* :

Parco delle Rose, strada statale 17 bis ✆ 680128, Fax 680142 – |♯| ▤ TV ☎ 🚗 P. AE. B. ◑ E VISA.
Pasto carta 40/70000 – **18 cam** ☕ 110/150000, appartamento – 1/2 P 110/130000.

a Camarda *NE : 14 km* – ✉ *67010* :

X **Elodia,** strada statale 17 bis ✆ 606219, Fax 606024 – P. AE. B. E VISA.
chiuso domenica sera e lunedì – **Pasto** carta 30/45000.

Pour les grands voyages d'affaires ou de tourisme,
guide Rouge ***MICHELIN : EUROPE.***

LARI *56035 Pisa* 428, 430 L 13 – *7 980 ab. alt. 129* – ☎ *0587.*
Roma 335 – Pisa 37 – Firenze 75 – Livorno 33 – Pistoia 59 – Siena 98.

a Quattro strade di Lavaiano *NO : 6 km* :

XX **Lido** con cam, ✉ 56030 Perignano ✆ 616020, Fax 616563 – TV ☎ P – 🔔 40. AE. B. ◑ E VISA. cam
chiuso dal 1° al 20 agosto – **Pasto** *(chiuso lunedì sera e martedì)* carta 35/55000 – ☕ 12000 – **7 cam** 75/110000.

a Lavaiano *NO : 9 km* – ✉ *56030* :

XX **Castero,** ✆ 616121, Fax 616121, ⛱, « Giardino » – P. AE. B. ◑ E VISA
chiuso domenica sera, lunedì e dal 15 al 30 agosto – **Pasto** carta 40/55000.

LARIO *Vedere Como (Lago di).*

LA SALLE *11015 Aosta* 428 E 3 – *1 820 ab. alt. 1 001* – ☎ *0165.*
Roma 763 – Aosta 22 – Courmayeur 13 – Torino 138.

Mont Blanc Hotel Village, La Croisette 36 ✆ 864111, Fax 864119, ≤ Monte Bianco, ⛱, Fā, ≘s, ⛱, ⊠, – |♯| TV ☎ ♿ 🚗 P – 🔔 180. AE. B. E VISA. JCB.
dicembre-aprile e giugno-settembre – **Pasto** *(chiuso lunedì)* carta 45/80000 – **46 cam** ☕ 250/330000 – 1/2 P 170/220000.

LA SPEZIA *19100* P 988 ⑬, 428, 430 J 11 *G. Italia* – *98 316 ab.* – ☎ *0187.*
Escursioni *Riviera di Levante ★★★ NO.*
Marigola (chiuso mercoledì) a Lerici ✉ 19032 ✆ 970193, Fax 970193, per ③ : 6 km.
⛴ *per Olbia giugno-settembre giornaliero (5 h 30 mn) – Tirrenia Navigazione-agenzia Lardon, via Crispi 39 ✆ 770250, Fax 27223.*
via Mazzini 45 ✆ 770900, Fax 770908.
A.C.I. *via Costantini 18 ✆ 511098.*
Roma 418 ② – Firenze 144 ② – Genova 103 ② – Livorno 94 ② – Milano 220 ② – Parma 115 ②.

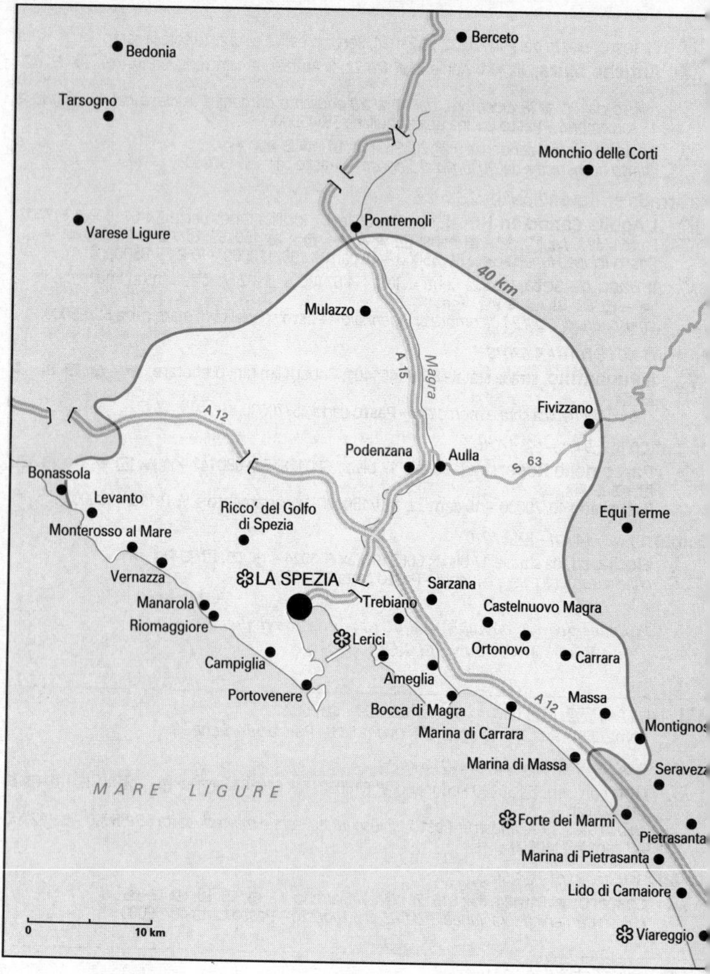

Jolly del Golfo, via 20 Settembre 2 ✉ 19124 ☎ 739555, Telex 281047, Fax 22129, ≤ – ⇆ cam ▤ TV ☎ – 🏛 300. AE. Ⓢ. ◑ E VISA. JCB. ✻ rist B
Pasto carta 55/90000 – **111 cam** ☐ 270/320000, 2 appartamenti – ½ P 185/210000.

Ghironi senza rist, via Tino 62 ✉ 19126 ☎ 504141, Fax 524724 – |‡| ▤ TV ☎ ♿ 🚗 P. AE Ⓢ. ◑ E VISA. ✻ per ②
51 cam ☐ 130/170000.

Firenze e Continentale senza rist, via Paleocapa 7 ✉ 19122 ☎ 713210, Fax 714930 |‡| ⇆ cam ▤ TV ☎ – 🏛 30. AE. Ⓢ. ◑ E VISA. JCB A
chiuso dal 24 al 27 dicembre – **66 cam** ☐ 125/190000.

Genova senza rist, via Fratelli Rosselli 84 ✉ 19121 ☎ 731766, Fax 732923 – |‡| TV ☎. AE Ⓢ. ◑ E VISA. JCB A
32 cam ☐ 105/145000.

XXX ✿ **Parodi,** viale Amendola 212 ✉ 19122 ☎ 715777, ☂, prenotare – AE. Ⓢ. ◑ E VISA
chiuso domenica – **Pasto** specialità di mare carta 60/90000 A
Spec. Scaloppa di fegato grasso d'oca all'uva di Moscato (autunno-inverno). Tagliolini al nero di seppia con calamaretti novelli su fonduta di pomodoro. Gamberoni imperiali all'aceto balsamico.

LA SPEZIA

Cavour (Corso e Piazza) . . . . . AB
Chiodo (Pza e Via Domenico) . . B 8
Prione (Via del) . . . . AB

Battisti (Piazza Cesare) . . . . B 2
Beverini (Piazza G.) . . . . A 3
Brin (Piazza Benedetto) . . . . . . A 4
Caduti del Lavoro (Piazzale) . . A 6
Colli (Via dei) . . . . AB 9
Da Passano (Via) . . . . B 10
Europa (Piazza) . . . . B 12
Fieschi (Viale Nicolò) . . . . A 14
Manzoni (Via) . . . . B 15
Milano (Via) . . . . A 16
Mille (Via dei) . . . . A 17
Napoli (Via) . . . . A 18
Rosselli (Via Flli) . . . . A 20
Spallanzani (Via e Salita) . . . . . A 22
Verdi (Pza Giuseppe) . . . . B 23
20 Settembre (Via) . . . . AB 24
27 Marzo (Via) . . . . AB 26

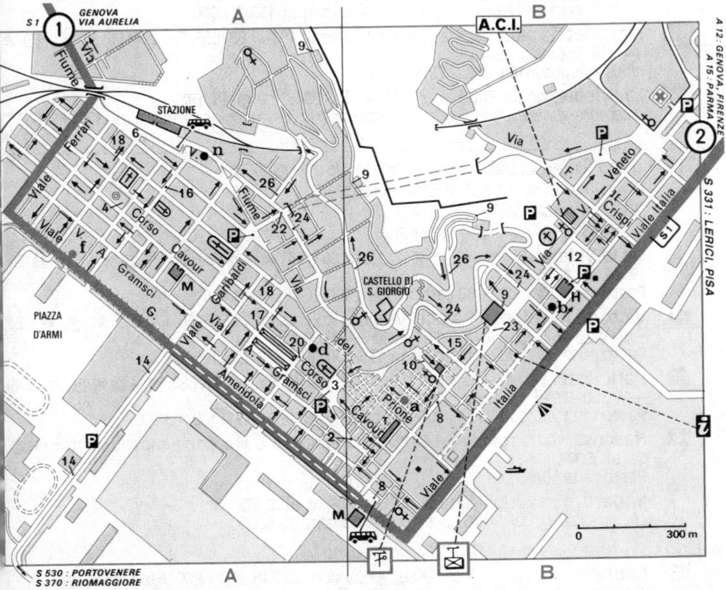

🍴🍴 **La Pettegola,** via del Popolo 39 ✉ 19126 ☎ 514041, ☂ – ▤. [AE]. [S]. ◑ [E] [VISA] — per ②
chiuso domenica, dal 2 al 10 gennaio e dal 10 al 27 agosto – **Pasto** carta 40/80000.

🍴🍴 **Antica Osteria Negrao,** via Genova 428 ✉ 19123 ☎ 701564, ☂ – [AE]. [S]. ◑ [E] [VISA] — per ①
chiuso lunedì dal 25 dicembre al 1° gennaio e settembre – **Pasto** carta 35/45000.

🍴 **Il Ristorantino di Bayon,** via Felice Cavallotti 23 ✉ 19121 ☎ 7322091, Coperti limitati; prenotare – [AE]. [S]. [E] [VISA]. [JCB] — B a
chiuso domenica – **Pasto** carta 45/65000.

🍴 **Da Francesco,** via delle Pianazze 35 ✉ 19136 ☎ 980946, « Servizio estivo in giardino » – [AE]. [S] — 4 km : per ②
chiuso lunedì, Natale e dal 14 al 30 agosto – **Pasto** specialità di mare carta 35/55000.

LASTRA A SIGNA *50055 Firenze* [988] ⑭, [429], [430] K 15 – *17 846 ab. alt. 36* – ☎ *055.*
Roma 283 – Firenze 12 – Bologna 108 – Livorno 79 – Lucca 63 – Pisa 69 – Pistoia 29 – Siena 74.

🍴🍴 **Edy Piu',** via di Calcinaia 94 ☎ 8721346, Fax 8724562, « Servizio estivo all'aperto » – [P]. [AE]. [S]. ◑ [E]
chiuso mercoledì e dal 5 al 25 agosto – **Pasto** carta 35/55000.

🍴 **Antica Trattoria Sanesi,** via Arione 33 ☎ 8720234, Fax 8720234 – ▤. [AE]. [S]. ◑ [E] [VISA]. 🚫
chiuso domenica sera, lunedì e dal 20 luglio al 20 agosto – **Pasto** carta 35/60000 (10%).

a Calcinaia *S : 2 km* – ✉ *50055 :*

🍴🍴 **I Cupoli,** via Leonardo da Vinci 32 ☎ 8721028, Fax 8721028, « Servizio estivo all'aperto », ☂ – [P]. [AE]. [S] [E] [VISA]
chiuso lunedì – **Pasto** carta 60/80000.

LA STRADA CASALE *Ravenna* [429], [430] J 17 – *Vedere Brisighella.*

LA THUILE *11016 Aosta* 988 ①, 428 E 2 – *770 ab. alt. 1441 – a.s. febbraio-marzo, Pasqua, 11 luglio-11 settembre e Natale – Sport invernali : 1 441/2 650 m* 1, 12, – 0165.
via Collomb 4 884179, Fax 885196.
Roma 789 – Aosta 40 – Courmayeur 15 – Milano 227 – Colle del Piccolo San Bernardo 13.

Chateau Blanc senza rist, località Entrèves 39 885341, Fax 885343, – rist . . E VISA.
dicembre-aprile e luglio-10 settembre – **13 cam** 130/200000.

Martinet senza rist, frazione Petite Golette 159 884656, Fax 884656, – . . VISA.
chiuso giugno – **10 cam** 75/110000.

La Bricole, località Entrèves 884149, Fax 884571 – . . VISA
dicembre-aprile e luglio-agosto; chiuso lunedì in bassa stagione – **Pasto** carta 30/65000.

LATINA *04100* P 988 ㉖, 430 R 20 – *110 233 ab. alt. 21* – *0773.*
via Duca del Mare 19 498711, Fax 661266.
A.C.I. *via Aurelio Saffi 23 697701.*
Roma 68 – Frosinone 52 – Napoli 164.

De la Ville, via Canova 12 661281, Fax 661153, – cam – 50. AE. . E VISA.
Pasto carta 60/80000 – **68 cam** 180/250000 – ½ P 210000.

Victoria Residence Palace, via Vincenzo Rossetti 663966, Fax 489592, – – 200. AE. . E VISA. rist
Pasto carta 50/70000 – **152 cam** 135/200000 – ½ P 175/190000.

Park Hotel, strada statale Monti Lepini 25 240295, Fax 610682, – – 300. AE. . E VISA. JCB. rist
Pasto carta 25/35000 – 8000 – **51 cam** 90/130000 – ½ P 100/120000.

Nascosa, via Nascosa 144 601278, « Servizio estivo all'aperto e impianti sportivi » – . AE. . E VISA.
Pasto carta 50/80000.

Impero, piazza della Libertà 19 693140 – . . E VISA.
chiuso sabato e dal 14 al 31 agosto – **Pasto** carta 35/50000.

al Lido di Latina *S : 9 km* – *04010 Borgo Sabotino :*

Gabriele senza rist, a Foce Verde, via Lungomare 348 645800, Fax 648696, – – 60. AE. . E VISA. JCB
39 cam 90/120000.

Miramare senza rist, a Capo Portiere, via Lungomare 273470, Fax 273862, – . AE. . E VISA.
chiuso dal 15 dicembre a febbraio – **25 cam** 75/120000.

La Risacca, a Foce Verde, via Lungomare 93 273223, – . AE. . E VISA.
chiuso giovedì e novembre – **Pasto** carta 30/55000.

Il Tarantino, a Foce Verde, via Lungomare 150 273253, Fax 273253, – . AE. . E VISA.
chiuso mercoledì e gennaio – **Pasto** carta 45/75000.

LATISANA *33053 Udine* 988 ⑤ ⑥, 429 E 20 – *11 328 ab. alt. 9 – a.s. luglio-agosto* – *0431.*
Roma 598 – Udine 41 – Gorizia 60 – Milano 337 – Portogruaro 14 – Trieste 80 – Venezia 87.

Bella Venezia, Parco Gaspari 59647, Fax 59649, , « Giardino ombreggiato » – cam – 50. AE. . E VISA. rist
Pasto carta 45/80000 – 15000 – **23 cam** 100/140000, 15000 – ½ P 120/140000.

LATSCH = *Laces.*

LAURIA *Potenza* 988 ㊳, 431 G 29 – *13 975 ab. alt. 430* – *0973.*
Roma 406 – Cosenza 126 – Potenza 129 – Napoli 199.

a Lauria Superiore – *85045 :*

Santa Rosa, 822113, Fax 822114 –
35 cam.

a Lauria Inferiore – *85044 :*

Isola di Lauria , piazza Insorti d'Ungheria 823905, Fax 823962, – – 400. AE. . E VISA.
Pasto carta 30/45000 – 6000 – **34 cam** 65/95000 – ½ P 70/80000.

Pecorone *N : 5 km – ✉ 85040 :*

X **Da Giovanni,** ☎ 821003 – P. ⚭
chiuso lunedì escluso da giugno a settembre – **Pasto** carta 25/40000.

LAUZACCO *Udine – Vedere Pavia di Udine.*

LAVAGNA *16033 Genova 988 ⑬, 428 J 10 – 13 352 ab. – ☎ 0185.*
piazza della Libertà 40 ☎ 392766, Fax 392766.
Roma 464 – Genova 41 – Milano 176 – Rapallo 17 – La Spezia 66.

Fieschi ⛰, via Rezza 12 ☎ 313809, Fax 304400, ⛱ – TV ☎ P – 50. AE. ⓢ. ⓓ E VISA. ⚭
chiuso novembre – **Pasto** (solo per alloggiati e *chiuso a mezzogiorno da ottobre a marzo)* 30/40000 – **13 cam** ☕ 105/150000 – ½ P 120/130000.

Tigullio, via Matteotti 3 ☎ 392965, Fax 390277 – 🛗 TV ☎. AE. ⓢ. E VISA. ⚭
aprile-ottobre – **Pasto** *(chiuso lunedì)* carta 35/55000 – ☕ 7000 – **39 cam** 90/110000 – ½ P 80/90000.

XX Il Gabbiano, via San Benedetto 26 (E : 1,5 km) ☎ 390228, Coperti limitati; prenotare, « Servizio estivo in terrazza panoramica » – P

XX **Il Bucaniere,** via 24 Aprile 69 ☎ 392830 – AE. ⓢ. ⓓ E VISA. JCB. ⚭
chiuso dal 10 gennaio al 10 febbraio, lunedì e da novembre a marzo anche martedì – **Pasto** carta 50/95000.

Cavi *SE : 3 km – ✉ 16030 :*

XX **A Cantinn-a,** via Torrente Barassi 8 ☎ 390394 – P. ⓢ. E VISA
chiuso martedì, dal 15 al 28 febbraio e novembre – **Pasto** carta 45/60000.

X **Raieû,** via Milite Ignoto 25 ☎ 390145 – AE. ⓢ. ⓓ E VISA
chiuso lunedì, dal 20 febbraio al 10 marzo e novembre – **Pasto** carta 35/70000.

X **Cigno,** via del Cigno 1 ☎ 390026, ≤ –. ⓢ. E VISA
chiuso febbraio, ottobre, martedì e a mezzogiorno (escluso sabato ed i giorni festivi) – **Pasto** carta 45/80000.

X A Supressa, via Aurelia 1028 ☎ 390318, Coperti limitati; prenotare
chiuso a mezzogiorno (escluso i giorni festivi).

LAVAGNO *37030 Verona 429 F 15 – 5 560 ab. alt. 70 – ☎ 045.*
Roma 513 – Verona 12 – Brescia 80 – Trento 113 – Vicenza 43.

XX **Antica Ostaria de Barco,** località Barco ✉ 37030 San Briccio ☎ 8980420, ≤ dintorni, « Servizio estivo in terrazza » – P. AE. ⓢ. ⓓ E VISA. ⚭
chiuso sabato a mezzogiorno, domenica e dal 1° al 25 gennaio – **Pasto** carta 30/65000.

LAVAIANO *Pisa 428, 430 L 13 – Vedere Lari.*

LAVARIANO *33050 Udine 429 E 21 – alt. 49 – ☎ 0432.*
Roma 615 – Udine 14 – Trieste 82 – Venezia 119.

XX **Blasut,** ☎ 767017, Fax 767017, ⛱, Coperti limitati; prenotare
chiuso domenica sera, lunedì, dall'8 al 22 gennaio e dal 10 al 25 agosto – **Pasto** 30000 (a mezzogiorno) 40000 (alla sera) e carta 50/80000
Spec. Salumi nostrani. Pasta e fagioli. Rognone di vitello trifolato.

LAVARONE *38046 Trento 429 E 15 – 1 104 ab. alt. 1 172 – a.s. Pasqua e Natale – Sport invernali : 1 172/1 500 m ⛷13, ⛷ – ☎ 0464.*
a Gionghi, palazzo Comunale ☎ 783226, Fax 783118.
Roma 592 – Trento 33 – Milano 245 – Rovereto 29 – Treviso 115 – Verona 104 – Vicenza 64.

Capriolo ⛰, a Bertoldi ☎ 783187, Fax 783176, ≤, ⛱ – 🛗 TV ☎ P. AE. ⓢ. E VISA. ⚭
21 dicembre-9 aprile e 2 giugno-19 settembre – **Pasto** 30/35000 – ☕ 12000 – **29 cam** 70/120000 – ½ P 90/95000.

Caminetto, a Bertoldi ☎ 783214, Fax 783214, ≤, ⛱ – 🛗 TV ☎ P. ⚭ rist
dicembre-Pasqua e giugno-settembre – **Pasto** carta 30/40000 – ☕ 10000 – **18 cam** 70/110000 – ½ P 85/95000.

Esperia, a Chiesa ☎ 783124, Fax 783124 – TV ☎. AE. ⓢ. E VISA. ⚭
Pasto *(chiuso martedì)* carta 30/45000 – ☕ 10000 – **18 cam** 50/85000 – ½ P 75000.

LAVELLO *85024 Potenza* 988 ㉘, 431 D 29 – *13 541 ab. alt. 313* – ✆ *0972.*

Roma 359 – Foggia 68 – Bari 104 – Napoli 166 – Potenza 77.

San Barbato, SO : 1,5 km ✆ 81392, Fax 83813, « Giardino con ⛱ », % – ▮ ▤ TV ☎ P 100. S. ◐ VISA. ✻

Pasto *(chiuso venerdì)* carta 30/45000 – ☕ 8000 – **38 cam** 90/130000, ▤ 5000 – ½ P 7 80000.

LAVENO MOMBELLO *21014 Varese* 988 ② ③, 428 E 7 *G. Italia* – *8 906 ab. alt. 200* – ✆ *0332.*

Vedere *Sasso del Ferro★★ per cabinovia.*

per Verbania-Intra giornalieri (20 mn) – Navigazione Lago Maggiore, ✆ 667128.

Palazzo Municipale ✆ 666666.

Roma 654 – Stresa 22 – Bellinzona 56 – Como 49 – Lugano 39 – Milano 77 – Novara 69 Varese 22.

Moderno senza rist, viale Garibaldi 15 ✆ 668373, Fax 666175 – ▮ ☎. S. ◐ E VISA
chiuso dal 6 gennaio al 1° marzo – ☕ 10000 – **14 cam** 75/110000.

XXX **Il Porticciolo** con cam, via Fortino 40 (O : 1,5 km) ✆ 667257, Fax 666753, ≤ lag prenotare, « Servizio estivo in terrazza sul lago » – TV ☎ P. AE. S. ◐ E VISA. ✻ cam
chiuso dal 21 gennaio al 6 febbraio – **Pasto** *(chiuso martedì e mercoledì a mezzogiorno e luglio-agosto solo i mezzogiorno di martedì e mercoledì)* carta 55/90000 – **10 cam** ☕ 12 150000 – ½ P 120/150000.

X Concordia, ✆ 667380

LA VILLA (STERN) *Bolzano* 988 ⑤ – *Vedere Badia.*

LAVINIO LIDO DI ENEA *Roma* 988 ㉖, 430 R 19 – *Vedere Anzio.*

LAZISE *37017 Verona* 988 ④, 428, 429 F 14 – *5 591 ab. alt. 76* – ✆ *045.*

18 e 9 Cà degli Ulivi a Marciaga-Castion di Costermano ✉ 37010 ✆ 62790630 Fax 627903 N : 13 km.

via Francesco Fontana 14 ✆ 7580573, Fax 7581040.

Roma 521 – Verona 22 – Brescia 54 – Mantova 60 – Milano 141 – Trento 92 – Venezia 146.

Lazise senza rist, via Esperia 38/a ✆ 6470466, Fax 6470190, ⛱, % – ▮ ▤ TV ☎ 🚗 P ✻
marzo-ottobre – ☕ 16000 – **75 cam** 95/130000.

Le Mura senza rist, via Bastia 7 ✆ 6470100, Fax 7580189, ⛱ – ▤ cam TV ☎ P. S. E VISA ✻
marzo-novembre – **24 cam** ☕ 150/170000.

XX **Bastia,** via Bastia ✆ 6470099, Fax 6470099, ⛱ – AE. S. ◐ E VISA
chiuso mercoledì – **Pasto** carta 40/55000.

XX **Botticelli,** via Porta del Lion 13 ✆ 7581194, ⛱ –. S. E VISA. ✻
chiuso gennaio e lunedì (escluso da maggio a settembre) – **Pasto** carta 50/75000.

XX **Il Porticciolo,** lungolago Marconi 22 ✆ 7580254, Fax 7580254, ⛱ – P. AE. S. E VISA. ✻
chiuso martedì e novembre – **Pasto** carta 40/65000.

sulla strada statale 249 *S : 1,5 km :*

Casa Mia, località Risare 1 ✉ 37017 ✆ 6470244, Fax 7580554, ⛱, « Giardino », ≘s, ⛱ % – ▮ ▤ TV ☎ P – 60. AE. S. E VISA. ✻
chiuso dal 21 dicembre al 1° febbraio – **Pasto** *(chiuso lunedì da ottobre a maggio)* carta 40/55000 – ☕ 17000 – **39 cam** 100/145000 – ½ P 120/150000.

LE CASTELLA *Crotone* 431 K 33 – *Vedere Isola di Capo Rizzuto.*

LECCE *73100* P 988 ㉚, 431 F 36 *G. Italia* – *100 046 ab. alt. 51* – ✆ *0832.*

Vedere *Basilica di Santa Croce★★* Y – *Piazza del Duomo★★ : pozzo★ del Seminario* Y – *Museo provinciale★ : collezione di ceramiche★★* Z **M** – *Chiesa di San Matteo★* Z – *Chiesa de Rosario★* YZ – *Altari★ nella chiesa di Sant'Irene* Y.

Castello "Carlo V" - via 25 Luglio ✆ 248092.

A.C.I. *via Candido 2 ✆ 305829.*

Roma 601 ① – Brindisi 38 ① – Napoli 413 ① – Taranto 86 ⑦.

LECCE

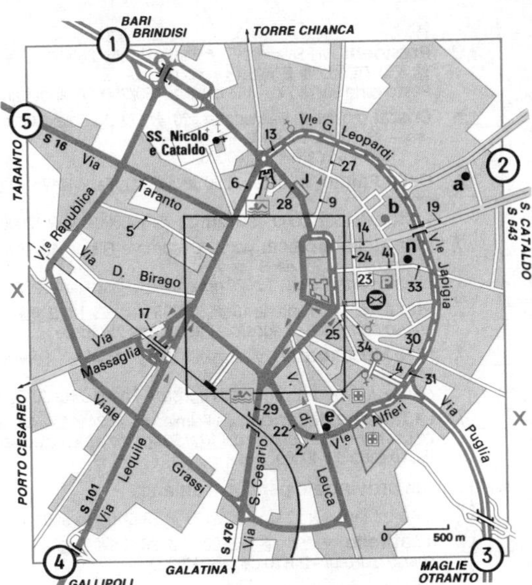

zi (Via Vito) . . . . Y 12
eratore Augusto (V.) . . . . Y 15
zzini (Piazza G.) . . . . X 23
ario Sauro (Via) . . . . X 24
)ronzo (Piazza) . . . . Y
chese (Via Salvatore) . . . . X 41
. Emanuele (Cso) . . . . Y 42

eri (Viale V.) . . . . X 2
gona (Via F. d') . . . . YZ 3
to (Via A.) . . . . X 4
nifacio (Via G.B.) . . . . X 5
asso (Via Francesco) . . . . X 6
acciolo (Via Roberto) . . . . Z 7
vaillotti (Viale F.) . . . . Y 8
stadura (Via M.C.) . . . . . X,Y 9
scolo (Viale Ugo) . . . . X 13
peratore Adriano (V.) . . . X,Y 14
cobis (V. Agostino de) . . X,Z 17
erta (Via della) . . . . X 19
dovico (Via) . . . . Y 21
rche (Viale) . . . . X 22
sini del Balzo (Via) . . . . . X,Z 25
azzo dei Conti
di Lecce (Via del) . . . . Z 26
ttorano (Via) . . . . X 27
tro (Via M. de) . . . . X,Y 28
alino (Via Bernardino) . . . . X 29
gina Elena (Via) . . . . X 30
ssini (Viale G.) . . . . X 31
bichi (Via Francesco) . . . . . Y 32
landra (Via) . . . . X 33
Lazzaro (Via) . . . . X 34
anto (Via) . . . . Y 38
t. Emanuele (Pza) . . . . Y 43
Luglio (Via) . . . . Y 44

BARI
BRINDISI
TORRE CHIANCA
TARANTO
S 16
Via Taranto
V.le Repubblica
Via D. Birago
SS. Nicolò e Cataldo
V.le G. Leopardi
V.le Japigia
S. CATALDO
S 543
Via Massaglia
Viale Grassi
Via Lequile
S 101
Via S. Cesario
V. di Leuca
V.le Alfieri
Via Puglia
PORTO CESAREO
S 476
GALATINA
GALLIPOLI
MAGLIE
OTRANTO
0
500 m
X

0
200 m
Porta Napoli
Pza Baglivi
S. Angelo
Via Principi di Savoia
Via Idomeneo
V. Umberto 1°
V.S. Francesco d'Assisi
V.G. Garibaldi
Pal. del Governo
Via Leonardo Prato
SANTA CROCE
Viale Reale
Pozzuolo
Egidio
dell'Università
Via Adua
V. L. Scarambone
Via G. Palmieri
Gesù
V. A. Costa
Via S. Trinchese
Piazza S. Oronzo
V. Euippa
Sant' Irene
Anfiteatro Romano
CASTELLO
Via A. Galateo
PIAZZA DEL DUOMO
Duomo
Seminario
Pal. Vescovile
Teatro Romano
PORTA RUDIAE
ROSARIO
V. M. Basseo
S. MATTEO
V. G. Marconi
Via Manifattura Tabacchi
Via Q. Ennio
Pza Tancredi
Carmine
V. Cino
V. Cairoli
V. C. Russi
G. Paladini
V.d. Perroni
V. Ascanio Grandi
Re
PORTA S. BIAGIO
Viale Otranto
Viale Don Minzoni
A.C.I.
V. A. Diaz
Viale Montello
Via Lombardia
Via Don Bosco
V.le Oronzo Quarta
Via Gallipoli
V.le Duca degli Abruzzi
Viale Francesco lo Re
Via di Leuca
Via XX Settembre
POL.
Pza N. Argento
Y
Z

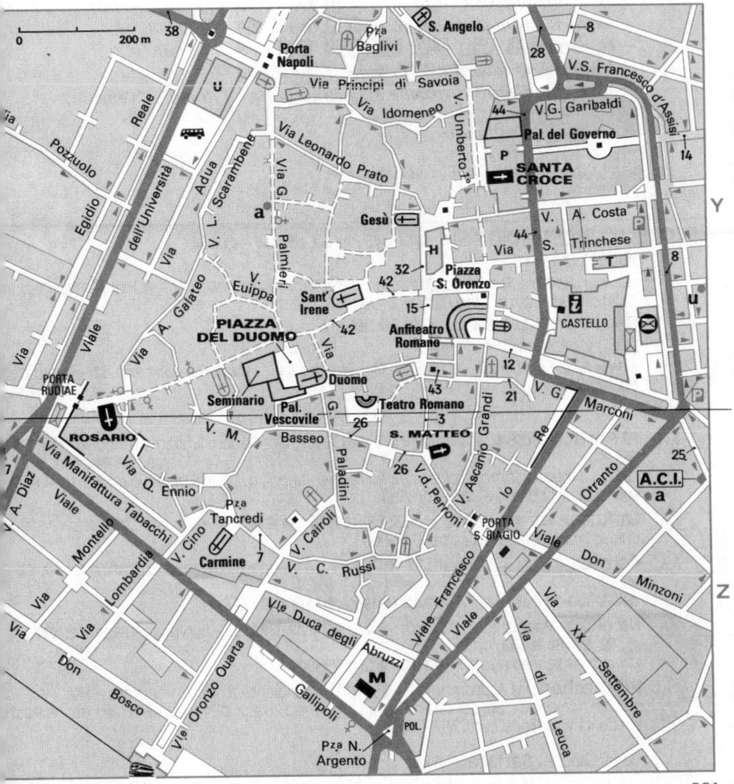

President, via Salandra 6 ☎ 311881, Telex 860076, Fax 372283 – ▮ ▤ TV ☎ ♿ 🚗 – 350. AE. ⓑ. ⓓ E VISA. JCB. ⚔ rist X
Pasto carta 60/75000 – **153 cam** ☐ 160/250000, appartamento – ½ P 180000.

Cristal senza rist, via Marinosci 16 ☎ 372314, Telex 860014, Fax 315109, ⚔ – ▮ ▤ TV 🚗 – 70. AE. ⓑ. ⓓ E VISA. ⚔ X
☐ 13000 – **63 cam** 110/160000.

Delle Palme, via di Leuca 90 ☎ 347171, Fax 347171 – ▮ ▤ TV ☎ P. AE. ⓑ. ⓓ E V ⚔ rist X
Pasto carta 35/60000 – **96 cam** ☐ 95/160000 – ½ P 120000.

Villa della Monica, via SS. Giacomo e Filippo 40 ☎ 458432, ☂, « In un edificio d 16° secolo » –. ⓑ. ⓓ E VISA X
chiuso martedì e dal 1° al 20 novembre – **Pasto** carta 25/45000.

Plaza, via 140° Fanteria 16 ☎ 305093 – ▤. AE. ⓑ. E VISA Y
chiuso domenica ed agosto – **Pasto** carta 25/40000.

I Tre Moschettieri, via Paisiello 9/a ☎ 308484, « Servizio estivo all'aperto » –. ⓑ. ⓓ VISA. ⚔ Z
chiuso domenica e dal 15 al 31 agosto – **Pasto** carta 30/50000.

La Taverna di Carlo V, via Palmieri 46 ☎ 241113 – AE. ⓑ. ⓓ E VISA JCB. ⚔ Y
chiuso dal 1° all'8 gennaio dal 10 al 30 agosto e mercoledì (escluso da giugno a settembre **Pasto** carta 30/40000.

sulla strada provinciale per Torre Chianca :

Gino e Gianni, N : 2 km ✉ 73100 ☎ 399210, Fax 399110 – ▤ P

Il Satirello, N : 9 km ✉ 73100 ☎ 378672, ☂ – P – 80. AE. ⓑ. E VISA. JCB
chiuso martedì – **Pasto** carta 30/45000.

Sono utili complementi di questa guida, per i viaggi in ***ITALIA*** *:*
- *La* ***carta stradale Michelin*** *n°* 988 *in scala 1/1 000 000.*
- *Le* ***carte*** 428, 429, 430, 431, 432, 433 *in scala 1/400 000.*
- *L'Atlante stradale Italia in scala 1/300 000.*
  - *Le guide Verdi turistiche* ***Michelin "Italia", "Roma", "Venezia"*** *e* ***"Toscana"*** *:*
    itinerari regionali,
    musei, chiese,
    monumenti e bellezze artistiche.

LECCO *22053* P 988 ③, 428 E 10 *G. Italia – 45 292 ab. alt. 214 –* ☎ *0341.*
Vedere *Lago★★★.*
⛴ *per Bellagio-Tremezzo-Como luglio-settembre giornalieri (2 h 40 mn) – Navigazion Lago di Como, largo Lario Battisti ☎ 364036.*
i *via Nazario Sauro 6 ☎ 362360, Fax 286231.*
A.C.I. *via Amendola 4 ☎ 364436.*
Roma 621 – Como 29 – Bergamo 33 – Lugano 61 – Milano 56 – Sondrio 82 – Passo del Spluga 97.

Pianta pagina a lato

Al Porticciolo 84, via Valsecchi 5/7 ☎ 498103, ☂, Coperti limitati; prenotare –. ⓑ. ⓓ VISA. ⚔ per via Palestro BY
chiuso a mezzogiorno (escluso i giorni festivi), lunedì, dal 1° al 6 gennaio ed agosto – **Past** solo specialità di mare carta 70/85000.

Larius, via Nazario Sauro 2 ☎ 363558 – AE. ⓑ. ⓓ E VISA AY
chiuso martedì – **Pasto** carta 45/75000.

Cermenati, corso Matteotti 71 ☎ 283017, ☂, Coperti limitati; prenotare – AE. ⓑ. ⓓ VISA BY
chiuso lunedì e dal 6 al 27 agosto – **Pasto** carta 50/70000.

Nicolin, a Maggianico S : 3,5 km ☎ 422122, Fax 422122, « Servizio estivo in terrazza » P. AE. ⓑ. ⓓ E VISA. ⚔ per ②
chiuso martedì ed agosto – **Pasto** carta 45/65000.

Pizzoccheri, via Aspromonte 21 ☎ 367126, Ambiente rustico, prenotare – VISA AZ
chiuso mercoledì, dal 23 dicembre al 2 gennaio, dal 7 al 14 aprile ed agosto – **Past** specialità valtellinesi carta 35/60000.

Vedere anche : **Garlate** *S : 6 km.*

LECCO

Le **carte stradali Michelin** sono costantemente aggiornate.

LE CLOTES *Torino – Vedere Sauze d'Oulx.*

LEGNAGO *37045 Verona* [988] ④ ⑭, [429] G 15 – *25 524 ab. alt. 16* – ☎ *0442.*

Roma 476 – Verona 43 – Mantova 44 – Milano 195 – Padova 64 – Rovigo 45 – Venezia 10… Vicenza 49.

🏨 **Salieri** senza rist, viale dei Caduti 64 ☎ 22100, Fax 23422 – |‡| ▤ [TV] ☎. [AE]. [S]. ⦿ [VISA]. …
☕ 11000 – **28 cam** 105/140000.

🍴🍴🍴 **Colombara Volner** via San Vito 14 (NE : 2,5 km) ☎ 629555, Fax 629588, ☂, Cope… limitati; prenotare, « Giardino-frutteto » – ✂ ▤ [P] – 🏛 100. [AE]. [S]. ⦿ [E] [VISA]. [JCB]. ✗
chiuso lunedì sera, martedì, dal 1° al 15 gennaio e dal 1° al 20 agosto – **Pasto** ca… 55/85000.

a San Pietro *O : 3 km – ✉ 37048 San Pietro di Legnago :*

🏨 **Pergola,** via Verona 140 ☎ 629103, Fax 629110, ☂ – |‡| ▤ [TV] ☎ ♿ 🚗 [P] – 🏛 150. … [S]. ⦿ [E] [VISA]. ✗
Pasto *(chiuso mercoledì, venerdì sera, dal 1° al 10 gennaio e dal 5 al 20 agosto)* ca… 50/75000 – ☕ 15000 – **46 cam** 135/160000 – ½ P 120000.

LEGNANO *20025 Milano* [988] ③, [428] F 8 – *52 698 ab. alt. 199* – ☎ *0331.*

Roma 605 – Milano 28 – Como 33 – Novara 37 – Varese 32.

🏨 **Italia** senza rist, viale Toselli 42/a ☎ 597191, Fax 597268 – |‡| [TV] ☎ 🚗 [P]. [AE]. [S]. [E] [VI…
✗
chiuso dal 5 al 20 agosto – ☕ 10000 – **30 cam** 105/160000.

🏨 **2 C** senza rist, via Colli di Sant'Erasmo 51 ☎ 440159, Fax 440090 – ▤ [TV] ☎ [P]. [AE]. [S]. ⦿
[VISA]. ✗
chiuso dal 3 al 26 agosto – ☕ 10000 – **24 cam** 85/140000.

LE GRAZIE *La Spezia* [430] J 11 – *Vedere Portovenere.*

LEIFERS = *Laives.*

LEIVI *Genova* [428] I 9 – *Vedere Chiavari.*

LEMIE *10070 Torino,* [428] G 3 – *260 ab. alt. 957* – ☎ *0123.*

Roma 734 – Torino 52 – Milano 180.

🏨 **Villa Margherita,** località Villa SE : 2 km, via San Giuseppe 2 ☎ 60225, ← – ☎ [P]. [S]. …
[VISA]. ✗
chiuso gennaio – **Pasto** *(chiuso lunedì)* carta 30/55000 – ☕ 6000 – **19 cam** 80/120000
½ P 60/70000.

LENNO *22016 Como* [428] E 9, [219] ⑨ – *1 660 ab. alt. 200* – ☎ *0344.*

Roma 652 – Como 27 – Menaggio 8 – Milano 75.

🏨 **San Giorgio,** ☎ 40415, Fax 41591, ← lago e monti, « Piccolo parco ombreggiato digra… dante sul lago », 🎾 – |‡| ☎ [P]. [AE]. [S]. [E] [VISA]. ✗
aprile-settembre – **Pasto** (solo per alloggiati) 50000 – ☕ 19000 – **26 cam** 130/170000
½ P 115/130000.

LE REGINE *Pistoia* [430] J 14 – *Vedere Abetone.*

LERICI *19032 La Spezia* [988] ⑬ ⑭, [428], [429], *430* J 11 *G. Italia* – *11 777 ab.* – ☎ *0187.*

⛳ *Marigola (chiuso mercoledì)* ☎ *970193, Fax 970193.*

[i] *via Gerini 40* ☎ *967346.*

Roma 408 – La Spezia 11 – Genova 107 – Livorno 84 – Lucca 64 – Massa 25 – Milano 224… Pisa 65.

🏨 **Doria Park Hotel** 🐦, via privata Doria 2 ☎ 967124, Fax 966459, ← golfo, 🪑 – |‡| [TV] ☎
[P]. [AE]. [S]. ⦿ [E] [VISA]. [JCB]. ✗ rist
Pasto (solo per alloggiati; *chiuso a mezzogiorno, domenica e novembre*) carta 35/60000 –
42 cam ☕ 125/185000.

🏨 **Shelley e Delle Palme** senza rist, lungomare Biaggini 5 ☎ 968205, Fax 96427…
← golfo, 🏖 – |‡| [TV] ☎. [AE]. [S]. ⦿ [E] [VISA]
☕ 15000 – **48 cam** 140000.

Europa , via Carpanini 1 967800, Fax 965957, ← golfo, – . AE. . E VISA. JCB.
Pasto carta 40/55000 – 15000 – **33 cam** 150/165000 – ½ P 90/160000.

Florida senza rist, lungomare Biaggini 35 967332, Fax 967344, ← golfo – .
AE. . E VISA. JCB.
chiuso dal 6 gennaio al 15 marzo – **36 cam** 140/190000.

Il Frantoio, via Cavour 21 964174 – . AE. . E VISA.
chiuso lunedì e dal 1º al 15 luglio – **Pasto** carta 55/75000.

La Barcaccia, piazza Garibaldi 8 967721, – AE. . E VISA
chiuso febbraio o novembre e giovedì (escluso agosto) – **Pasto** carta 50/70000.

Vecchia Lerici, piazza Mottino 10 967597, , Coperti limitati; prenotare – AE. . E VISA
chiuso giovedì, venerdì a mezzogiorno, dal 1º al 15 luglio e dal 25 novembre al 25 dicembre – **Pasto** carta 45/70000 (15 %).

Conchiglia, piazza del Molo 3 967334, ←, – AE E VISA
chiuso dal 15 gennaio al 15 febbraio e mercoledì (escluso dal 15 luglio ad agosto) – **Pasto** carta 45/70000.

La Calata, via Mazzini 7 967143, Fax 967143, ←, – AE. . E VISA. JCB
chiuso mercoledì e novembre – **Pasto** carta 50/75000.

Fiascherino *SE : 3 km – ✉ 19030 :*

Fiascherino, via Byron 13 967283, Fax 964721, ←, « In una pittoresca insenatura », con acqua di mare, , – . . E VISA.
chiuso novembre – **Pasto** (solo per alloggiati *chiuso lunedì escluso luglio-agosto*) – **14 cam** 165/300000 – ½ P 150/165000.

Cristallo , via Fiascherino 158 967291, Fax 964269, ← – . AE. . E VISA. rist
Pasto *(chiuso a mezzogiorno)* carta 40/65000 – 15000 – **35 cam** 110/150000 – ½ P 120/130000.

Il Nido, via Fiascherino 75 967286, Fax 964225, ←, « Terrazze-giardino », – cam . AE. . E VISA.
aprile-5 novembre – **Pasto** carta 45/70000 – 18000 – **36 cam** 110/150000 – ½ P 90/140000.

Villa Maria Grazia , via Fiascherino 7 967507, « Giardino-uliveto con servizio ristorante estivo » – . . E VISA.
marzo-ottobre – **Pasto** (solo per alloggiati e *chiuso a mezzogiorno*) – 14000 – **9 cam** 100/130000 – ½ P 100/115000.

a Tellaro *SE : 4 km – ✉ 19030 :*

Miramare , via Fiascherino 22 967589, ←, « Terrazza-giardino » – . cam
22 dicembre-8 gennaio e Pasqua-ottobre – **Pasto** carta 35/50000 – 9000 – **18 cam** 55/90000 – ½ P 85000.

Miranda con cam, via Fiascherino 92 964012, Fax 964032, Coperti limitati; prenotare – . AE. . E VISA. cam
chiuso dal 12 gennaio al 18 febbraio – **Pasto** *(chiuso lunedì)* 60/80000 e carta 60/115000 – **4 cam** 100/140000, 2 appartamenti 140/190000 – ½ P 140000
Spec. Galantina di San Pietro e salsa verde. Lasagne integrali con asparagi e scampi. Guazzetto di dentice con patate e olive.

LESA *28040 Novara 428 E 7, 219 ⑦ – 2 297 ab. alt. 196 – ✆ 0322.*
Roma 650 – Stresa 7 – Locarno 62 – Milano 73 – Novara 49 – Torino 127.

L'Antico Maniero, via alla Campagna 1 7411, Fax 76154, solo su prenotazione, « Villa del XIX secolo in un parco » – . . E VISA
chiuso a mezzogiorno, lunedì, dal 1º al 15 gennaio e dal 1º al 15 novembre – **Pasto** carta 85/120000.

Lago Maggiore con cam, via Vittorio Veneto 27 7259, Fax 77976, ←, – . . E VISA
marzo-novembre – **Pasto** carta 35/65000 (10 %) – 13000 – **15 cam** 75/100000 – ½ P 85/90000.

verso Comnago *O : 2 km :*

Al Camino, via per Comnago 30 ✉ 28040 7471, Coperti limitati; prenotare, « Locale tipico con servizio estivo in terrazza panoramica » – AE. . E VISA
chiuso mercoledì ed ottobre – **Pasto** carta 45/65000.

a Solcio *SO : 2 km – ✉ 28040 Lesa :*

XXX **Hostaria La Speranza,** via alla Cartiera 11 ✆ 77803, Fax 77803, prenotare – P. E VISA
chiuso mercoledì e gennaio – **Pasto** carta 65/120000.

LETOJANNI *Messina* 432 N 27 – *Vedere Sicilia alla fine dell'elenco alfabetico.*

LEVADA *Treviso – Vedere Ponte di Piave.*

LEVANTO *19015 La Spezia* 988 ⑬, 428 J 10 – *5 794 ab.* – ✆ *0187.*
piazza Cavour 12 ✆ 808125, Fax 808125.
Roma 456 – La Spezia 32 – Genova 83 – Milano 218 – Rapallo 59.

Dora, via Martiri della Libertà 27 ✆ 808168, Fax 808007 – rist ☎ P. AE. 🅂. E VISA rist
chiuso da dicembre al 7 gennaio – **Pasto** 30/40000 – 15000 – **35 cam** 90/110000 ½ P 75/105000.

Nazionale, via Jacopo 20 ✆ 808102, Fax 800901, – ☎ P. AE. 🅂. E VISA. ris
2 dicembre-6 gennaio e aprile-3 novembre – **Pasto** 35/50000 – **32 cam** 130/170000 ½ P 105/120000.

XX **Araldo,** via Jacopo da Levanto 24 ✆ 807253, prenotare – AE. 🅂. E VISA.
chiuso novembre e martedì escluso luglio-agosto – **Pasto** carta 45/60000.

XX **Hostaria da Franco,** via privata Olivi 8 ✆ 808647, –
chiuso novembre e lunedì (escluso luglio-agosto) – **Pasto** 35/50000 e carta 50/70000.

LEVICO TERME *38056 Trento* 988 ④, 429 D 15 – *5 971 ab. alt. 506 – Stazione termale (aprile ottobre), a.s. Pasqua e Natale – Sport invernali : a Panarotta (Vetriolo Terme) : 1 490/2 000 m 1 3, – ✆ 0461.*
via Vittorio Emanuele 3 ✆ 706101, Fax 706004.
Roma 610 – Trento 21 – Belluno 90 – Bolzano 82 – Milano 266 – Venezia 141.

Gd H. Bellavista, via Vittorio Emanuele 7 ✆ 706136, Fax 706474, ←, « Giardino ombreggiato », riscaldata – rist ☎ P – 120. 🅂. E VISA.
Natale-20 gennaio e Pasqua-ottobre – **Pasto** 40/50000 – 15000 – **87 cam** 110/180000 ½ P 135/185000.

Al Sorriso , lungolago Segantini 14 ✆ 707029, Fax 706202, ←, « Grande giardino ombreggiato con riscaldata e », – ☎ P. 🅂. VISA.
Natale-20 gennaio e Pasqua-ottobre – **Pasto** 35/50000 – 15000 – **64 cam** 100/160000, 2 appartamenti – ½ P 95/130000.

Liberty, via Vittorio Emanuele 18 ✆ 701521, Fax 701818 – rist ☎. 🅂. E VISA rist
20 dicembre-10 gennaio e maggio-ottobre – **Pasto** 35/45000 – **32 cam** 85/140000 – ½ P 90/105000.

Villa Regina, via Vittorio Emanuele 8 ✆ 707713, Fax 707713 – rist ☎
17 cam.

Levico, via Vittorio Emanuele 54 ✆ 706335, Fax 701760, ←, – ☎ P.
giugno-settembre – **Pasto** 30/35000 – 10000 – **44 cam** 65/120000 – ½ P 80/95000.

Lucia, viale Roma ✆ 706229, Fax 706229, , – ☎ P. 🅂. VISA.
Pasqua-ottobre – **Pasto** 25/30000 – **35 cam** 70/130000 – ½ P 75/90000.

XX **Scaranò** con cam, verso Vetriolo Terme N : 2 km ✆ 706810, Fax 706810, ← vallata – ☎ P. 🅂.
chiuso gennaio – **Pasto** (*chiuso domenica sera e lunedì escluso da luglio al 20 settembre*) carta 35/40000 – 6000 – **25 cam** 50/80000 – ½ P 60/75000.

a Vetriolo Terme *N : 13,5 km – alt. 1 490 – ✉ 38056 Levico Terme :*

Compet , S : 1,5 km ✆ 706466, Fax 707815, ← – ☎ P – 80. AE. 🅂. E VISA.
chiuso dal 27 ottobre a novembre – **Pasto** carta 35/55000 – **34 cam** 65/110000 – ½ P 85/90000.

LIDO *Livorno* 430 N 13 – *Vedere Elba (Isola d') : Capoliveri.*

LIDO DEGLI ESTENSI *Ferrara* 988 ⑮, 430 I 18 – *Vedere Comacchio.*

…DO DI CAMAIORE *55043 Lucca* [988] ⑭, [428], [429], *430* K 12 *G. Toscana – a.s. Carnevale, Pasqua, 15 giugno-15 settembre e Natale* – ✆ *0584.*

ℹ *viale Colombo 342* ℘ *617397, Fax 618696.*

Roma 371 – Pisa 23 – La Spezia 57 – Firenze 97 – Livorno 47 – Lucca 27 – Massa 23 – Milano 251.

🏨 **Villa Ariston,** viale Colombo 355 ℘ 610633, Fax 610631, ⛱, « Parco con 🏊 e servizio rist. all'aperto », 🎾 – ▤ 📺 ☎ 🅿 – 🏛 300. [AE]. [S]. ⓓ E VISA. JCB. ✂
chiuso da novembre al 20 dicembre – **Pasto** *(aprile-ottobre)* carta 60/80000 – **37 cam** ☕ 350/450000, 7 appartamenti – ½ P 250/270000.

🏨 **Caesar,** viale Colombo 325 ℘ 617841, Fax 610888, ←, 🏊, 🌳, 🎾 – 🛗 ▤ 📺 ☎ 🅿 – 🏛 60. [AE]. [S]. ⓓ E VISA. JCB. ✂
Pasto *(giugno-ottobre; solo per alloggiati)* – ☕ 18000 – **41 cam** 150/220000 – ½ P 140/210000.

🏨 **Dune Hotel,** viale Colombo 259 ℘ 618011, Fax 618985, 🏋, ♨, 🏊, 🏊, 🌳, 🎾 – 🛗 ▤ 📺 ☎ ♿ 🅿 – 🏛 400. [AE]. [S]. ⓓ E VISA. ✂ rist
Pasto (solo per alloggiati) 30/40000 – **50 cam** ☕ 230/280000 – ½ P 130/170000.

🏨 **Piccadilly,** lungomare Pistelli 101 ℘ 617441, Fax 617102, ← – 🛗 ▤ 📺 ☎. [AE]. [S]. ⓓ E VISA. ✂
Pasto (solo per alloggiati) 35/45000 – ☕ 18000 – **40 cam** 120/140000 – ½ P 140/160000.

🏨 **Bracciotti,** viale Colombo 366 ℘ 618401, Fax 617173, 🏊, 🌳 – 🛗 📺 ☎ 🅿 – 🏛 110. [AE]. [S]. VISA. ✂ rist
Pasto *(Pasqua-ottobre)* 25/40000 – ☕ 10000 – **50 cam** 100/130000 – ½ P 80/115000.

🏨 **Alba sul Mare,** lungomare Pistelli 15 ℘ 67423, Fax 66811, ← – 🛗 ▤ 📺 ☎. [AE]. [S]. ⓓ E VISA. JCB. ✂
Pasto 40/60000 – **21 cam** ☕ 90/150000 – P 120/160000.

🏨 **Capri,** lungomare Pistelli 6 ℘ 60001, Fax 60004, ← – 🛗 ▤ 📺 ☎. [AE]. [S]. E VISA. ✂
Pasqua-novembre – **Pasto** carta 35/45000 – ☕ 15000 – **47 cam** 90/150000 – ½ P 85/125000.

🏨 **Bacco** 🔇, via Rosi 24 ℘ 619540, Fax 610897, 🌳 – 🛗 ▤ 📺 ☎. ✂ rist
Pasqua-15 ottobre – **Pasto** (solo per alloggiati) – ☕ 12000 – **21 cam** 160/170000 – ½ P 120/160000.

🏨 **Villa Iolanda,** lungomare Pistelli 127 ℘ 617296, Fax 618549, ←, 🏊 – 🛗 ▤ rist 📺 ☎ 🅿. [AE]. [S]. ⓓ E VISA. ✂ rist
15 aprile-15 ottobre – **Pasto** 40/45000 – **49 cam** ☕ 120/150000 – ½ P 90/140000.

🏨 **Sylvia** 🔇, via Manfredi 15 ℘ 617994, Fax 617995, 🌳 – 🛗 ☎ 🅿. ✂
aprile-15 ottobre – **Pasto** 30000 – ☕ 10000 – **21 cam** 50/85000 – ½ P 65/85000.

🏨 **Souvenir,** via Roma 247 ℘ 617694, Fax 618883, 🌳 – 📺 ☎ 🅿. ✂
chiuso novembre e dicembre – **Pasto** (solo per alloggiati) 20/30000 – **18 cam** ☕ 45/80000 – ½ P 55/80000.

🏨 **Tony,** via Carducci 7 ℘ 617735, Fax 618133 – 🛗 📺 ☎. [AE]. [S]. ⓓ E VISA. JCB
Pasto 25/35000 – ☕ 10000 – **24 cam** 90/130000 – ½ P 75/115000.

🍴🍴 **Da Clara,** via Aurelia 289 ℘ 904520 – ▤ 🅿. [AE]. [S]. ⓓ E VISA
chiuso mercoledì e dall'8 al 31 gennaio – **Pasto** carta 60/80000.

🍴 **L'Arcano,** via Papini 9 ℘ 66960, ⛱, Rist. e pizzeria – [AE]. [S]. ⓓ E VISA. JCB. ✂
chiuso dal 1° al 25 novembre e mercoledì escluso da giugno a settembre – **Pasto** carta 40/60000.

LIDO DI CLASSE *Ravenna* [988] ⑮, [429], [430] J 19 – ✉ *48020 Savio – a.s. Pasqua e 18 giugno-agosto e Natale* – ✆ *0544.*

ℹ *(giugno-10 settembre) viale Da Verrazzano 107* ℘ *939278.*

Roma 384 – Ravenna 19 – Bologna 96 – Forlì 30 – Milano 307 – Rimini 40.

🏨 **Astor,** viale F.lli Vivaldi 94 ℘ 939437, Fax 939437, ←, 🌳 – 🛗 ▤ rist ☎ 🅿. ✂ rist
20 maggio-15 settembre – **Pasto** 25000 – ☕ 12000 – **27 cam** 80/150000 – ½ P 60/90000.

LIDO DI JESOLO *30017 Venezia* [988] ⑤, [429] F 19 *G. Italia* – ✆ *0421.*

ℹ *piazza Brescia 13* ℘ *370601, Telex 410334, Fax 370606.*

Roma 564 – Venezia 44 – Belluno 110 – Milano 303 – Padova 73 – Treviso 54 – Trieste 129 – Udine 98.

🏨 **Park Hotel Brasilia,** via Levantina (2° accesso al mare) ℘ 380851, Fax 92244, ←, 🏊, 🏖, 🌳 – 🛗 ▤ 📺 ☎ 🅿. [AE]. [S]. ⓓ E VISA. ✂ rist
Pasqua-settembre – **Pasto** 75000 – **42 cam** ☕ 165/370000, 5 appartamenti – ½ P 150/220000.

🏨 **Delle Nazioni,** via Padova 55 ℘ 971920, Fax 971940, ♨, 🏊, 🏖 – 🛗 ▤ 📺 ☎ 🅿 – 🏛 120. [AE]. [S]. ⓓ E VISA. ✂ rist
aprile-ottobre – **Pasto** carta 60/70000 – **54 cam** ☕ 170/310000 – ½ P 130/190000.

Byron Bellavista, via Padova 83 ✆ 371023, Fax 371073, ←, ⛱, – |‡| ☎ P. AE. ⓢ. E VISA. ✻ rist
maggio-settembre – **Pasto** (solo per alloggiati) 35/45000 – ▭ 20000 – **56 cam** 160/2600 2 appartamenti – ½ P 145/185000.

Palace Cavalieri, via Mascagni 1 ✆ 971969, Fax 972133, ←, ⛱, riscaldata, – ▤ TV ☎ P. AE. ⓢ. ◑ E VISA. ✻
aprile-15 ottobre – **Pasto** carta 45/60000 – **58 cam** ▭ 150/285000 – ½ P 130/170000.

Majestic Toscanelli, via Canova 2 ✆ 371331, Fax 371054, ←, ⛱, – |‡| ▤ rist ☎ P. ⓢ. E VISA. ✻
15 maggio-21 settembre – **Pasto** (solo per alloggiati) – **55 cam** ▭ 130/300000 – ½ P 15 170000.

Rivamare, via Bafile (17° accesso al mare) ✆ 370432, Fax 370761, ←, ⛱, – ▤ TV ☎ P. AE. ⓢ. ◑ E VISA. ✻
10 maggio-settembre – **Pasto** (solo per alloggiati) 35/45000 – ▭ 20000 – **51 cam** 11 190000, ▤ 6000 – ½ P 110/130000.

Montecarlo, via Bafile 5 (16° accesso al mare) ✆ 370200, Fax 370201, ←, – |‡| TV P. AE. ⓢ. E VISA. ✻
maggio-24 settembre – **Pasto** (solo per alloggiati) 25/35000 – ▭ 15000 – **40 cam** 9 170000 – ½ P 110/150000.

Universo, via Treviso 11 ✆ 972298, Fax 371300, ←, ⛱, – |‡| ▤ rist ☎ P. ⓢ. VISA. ✻ rist
25 marzo-10 ottobre – **Pasto** 35/60000 – ▭ 18000 – **50 cam** 120/200000 – ½ P 10 150000.

Atlantico, via Bafile 11 (3° accesso al mare) ✆ 381273, Fax 380655, ←, ⛱, – |‡| ▤ P. AE. ⓢ. ◑ E VISA. ✻ rist
10 maggio-20 settembre – **Pasto** 40/45000 – **69 cam** ▭ 100/175000 – ½ P 110/120000.

Galassia, via Treviso 7 ✆ 370670, Fax 971770, ←, ⛱, – |‡| ▤ TV ☎ P. ⓢ. E VI ✻ rist
maggio-settembre – **Pasto** (solo per alloggiati) 40000 – **64 cam** ▭ 105/180000, ▤ 10000 ½ P 95/125000.

Ritz, via Zanella 2 ✆ 972861, Fax 972861, ←, ⛱ riscaldata, – |‡| ▤ ☎ P. ⓢ. VISA. ✻ ri
maggio-settembre – **Pasto** 50/55000 – ▭ 15000 – **45 cam** 140/210000, ▤ 15000 ½ P 140/160000.

Costa Azzurra, via Bafile 452 ✆ 370525, Fax 370566, ⛱, – |‡| ▤ rist ☎ P. ✻
3 maggio-21 settembre – **Pasto** 25/55000 – **51 cam** ▭ 85/160000 – ½ P 70/85000.

Vidi, viale Venezia 7 ✆ 93003, Fax 93094, ←, – |‡| ☎ P. AE. ⓢ. ◑ E VISA. ✻
aprile-ottobre – **Pasto** 25/35000 – **60 cam** ▭ 110/180000 – ½ P 80/130000.

a Jesolo Pineta *E : 6 km – ✉ 30017 Lido di Jesolo :*

Negresco, via Bucintoro 8 ✆ 961137, Fax 961025, ←, ⛱, – |‡| ▤ P. ⓢ. E VISA. ✻
15 maggio-15 settembre – **Pasto** carta 60/85000 – ▭ 20000 – **52 cam** 155/21000 ▤ 10000 – ½ P 145/155000.

Bellevue, via Oriente 100 ✆ 961233, Fax 961238, ←, « Giardino ombreggiato » ⛱ riscaldata, – |‡| ▤ rist ☎ P. ✻ rist
15 maggio-14 settembre – **Pasto** 35/50000 – ▭ 18000 – **58 cam** 115/230000 – ½ P 135 185000.

Mediterraneo, via Oriente 106 ✆ 961175, Fax 961176, ⛱ riscaldata, – |‡| ▤ TV ☎ P. AE. ⓢ. E VISA. ✻ rist
15 maggio-settembre – **Pasto** 40/100000 – ▭ 25000 – **58 cam** 150/250000, ▤ 15000 ½ P 130/180000.

Vina del Mar, via Oriente 58 ✆ 961182, Fax 362872, ⛱, – |‡| ▤ TV ☎ P. ⓢ VISA. ✻ rist
15 maggio-settembre – **Pasto** carta 65/80000 – **45 cam** ▭ 180000 – ½ P 145000.

Gallia ⛱, via del Cigno Bianco 3/5 ✆ 961018, Fax 363033, « Giardino ombreggiato » ⛱ riscaldata, – |‡| ▤ ☎ ♿ P. ⓢ. E VISA. ✻ rist
15 maggio-20 settembre – **Pasto** 60000 – ▭ 20000 – **52 cam** 100/180000 – ½ P 130 150000.

Bauer, viale Bucintoro 6 ✆ 961333, Fax 362977, ←, ⛱, – |‡| ▤ TV ☎ P. ✻
maggio-settembre – **Pasto** (solo per alloggiati) 50000 – **35 cam** ▭ 130/240000 – ½ P 145000.

Danmark ⛱, via Airone 1 ✆ 961013, Fax 362389, ←, ⛱, – |‡| ▤ rist ☎ P. ⓢ. E VISA. ✻ rist
maggio-settembre – **Pasto** 20/30000 – ▭ 12000 – **55 cam** 70/120000 – ½ P 85/95000.

XX **Alla Darsena,** via Oriente 166 ☏ 980081, Fax 980081, « Servizio estivo all'aperto » – P. AE. S. O E VISA. ✻
chiuso dal 15 novembre al 10 dicembre, mercoledì e giovedì (escluso dal 15 maggio al 15 settembre) – **Pasto** carta 45/65000.

DO DI LATINA *Latina* 430 R 20 – *Vedere Latina.*

DO DI OSTIA o LIDO DI ROMA *00100 Roma* 988 ㉕ ㉖, 430 Q 18 *G. Italia – a.s. 15 giugno-agosto – ☎ 06.*
Vedere *Scavi** di Ostia Antica N : 4 km.*
Roma 36 – Anzio 45 – Civitavecchia 69 – Frosinone 108 – Latina 70.

La Riva senza rist, piazzale Magellano 22 ✉ 00122 ☏ 5622231, Fax 5621667, – ▤ TV ☎ P. AE. S. O E VISA. ✻
13 cam ☐ 120/160000.

XX **Ferrantelli,** via Claudio 7/9 ✉ 00122 ☏ 56304269 – ▤. AE. S. O E VISA
chiuso domenica sera dal 30 ottobre a marzo e lunedì negli altri mesi – **Pasto** carta 55/80000.

XX La Vecchia Pineta, piazzale dell'Aquilone 4 ✉ 00122 ☏ 5670255, ≤, – ▤

IDO DI PORTONUOVO *Foggia* 431 B 30 – *Vedere Vieste.*

IDO DI SAVIO *48020 Ravenna* 988 ⑮, 429, 430 J 19 – *a.s. 18 giugno-agosto – ☎ 0544.*
i *(giugno-10 settembre) viale Romagna 168 ☏ 949063.*
Roma 385 – Ravenna 20 – Bologna 98 – Forlì 32 – Milano 309 – Rimini 38.

Strand Hotel Colorado, viale Romagna 201 ☏ 949002, Fax 939827, ≤, – ▤ rist TV ☎ P. ✻ rist
10 maggio-20 settembre – **Pasto** 45/50000 – ☐ 18000 – **44 cam** 100/160000 – 1/2 P 85/125000.

Concord, via Russi 1 ☏ 949115, Fax 949115, ≤, – ▤ rist TV ☎ P. AE. S. E VISA. ✻ rist
7 maggio-20 settembre – **Pasto** 30000 – ☐ 13000 – **55 cam** 80/125000 – 1/2 P 75/115000.

Caesar, via Massalombarda 21 ☏ 949131, Fax 949196, ≤ – ▤ TV ☎ P. AE. S. O E VISA. ✻
15 marzo-settembre – **Pasto** (solo per alloggiati) 25/35000 – ☐ 10000 – **33 cam** 80/110000 – 1/2 P 95000.

Tokio, viale Romagna 155 ☏ 949100, Fax 948241, ≤, – ▤ rist TV ☎ P. AE. S. O VISA. ✻
Pasqua-settembre – **Pasto** 30/50000 – ☐ 15000 – **42 cam** 100/120000 – 1/2 P 80/100000.

Primavera, via Cesena 30 ☏ 948099, Fax 948099, ≤, – TV ☎ P. ✻ rist
15 maggio-20 settembre – **Pasto** 25000 – ☐ 10000 – **41 cam** 95/110000 – 1/2 P 85/100000.

Mediterraneo, via Sarsina 11 ☏ 949018, Fax 949527, ≤, – ☎ P. AE. S. VISA. ✻ rist
15 maggio-15 settembre – **Pasto** (solo per alloggiati) 30000 – **72 cam** ☐ 70/100000 – 1/2 P 85/95000.

LIDO DI SOTTOMARINA *Venezia* 988 ⑤ – *Vedere Chioggia.*

LIDO DI SPINA *Ferrara* 988 ⑮, 429, 430 I 18 – *Vedere Comacchio.*

LIDO DI SPISONE *Messina – Vedere Sicilia (Taormina) alla fine dell'elenco alfabetico.*

LIDO DI TARQUINIA *Viterbo* 430 P 17 – *Vedere Tarquinia.*

LIDO DI VENEZIA *Venezia* 988 ⑤ – *Vedere Venezia.*

LIDO RICCIO *Chieti* 430 O 25 – *Vedere Ortona.*

LIERNA *22050 Lecco* 428 *E 9,* 219 ⑨ *– 1 800 ab. alt. 205 –* ☎ *0341.*

Roma 636 – Como 45 – Bergamo 49 – Lecco 16 – Milano 72 – Sondrio 66.

XX **La Breva,** via Imbarcadero 3 ☎ 741490, ←, « Servizio estivo in terrazza in riva al lago » – P. AE. S. ⓓ E VISA. JCB. ※
chiuso lunedì sera, martedì, dal 1° al 7 novembre e gennaio – **Pasto** carta 40/65000.

X **Crotto di Lierna,** via Ducale 42 ☎ 740134, ☂ – P. AE. S. ⓓ VISA
chiuso lunedì sera, martedì ed ottobre – **Pasto** specialità alla brace carta 50/75000 (10 %).

LIGNANO SABBIADORO *33054 Udine* 988 ⑥, 429 *E 21 G. Italia – 6 062 ab. – a.s. luglio-agosto –* ☎ *0431.*

Vedere *Spiaggia****.

18 ☎ *428025, Fax 423230.*

via Latisana 42 ☎ *71821, Telex 450193, Fax 70449.*

Roma 619 – Udine 61 – Milano 358 – Treviso 95 – Trieste 100 – Venezia 108.

Atlantic, lungomare Trieste 160 ☎ 71101, Fax 71103, ←, ⛱ riscaldata, ▲, ⛱ – ▤ cam ⊡ ☎ ♿ P. AE. S. ⓓ E VISA. ※ rist
18 maggio-20 settembre – **Pasto** carta 50/80000 – ☐ 25000 – **56 cam** 140/230000 ▤ 15000 – ½ P 130/150000.

Bristol, lungomare Trieste 132 ☎ 73131, Fax 720420, ←, « Giardino », ⛱, ▲ – |‡| ▤ ⊡ ☎ P. S. E VISA. ※
maggio-settembre – **Pasto** (solo per alloggiati) 35/45000 – ☐ 15000 – **59 cam** 125/230000 – ½ P 75/130000.

Palace, via Carinzia 13 ☎ 720900, Fax 720920, ⛱, ▲ – |‡| ▤ ⊡ ☎ ♿ P. S. E VISA. ※
15 maggio-20 settembre – **Pasto** (solo per alloggiati) 40/45000 – ☐ 15000 – **76 cam** 120/220000 – ½ P 75/120000.

Bellavista, lungomare Trieste 70 ☎ 71313, Fax 720602, ←, ▲ – |‡| ▤ ⊡ ☎ ⇔ P
stagionale – **48 cam.**

Florida, via dell'Arenile 22 ☎ 71134, Fax 71222, ≘s, ▲ – |‡| ▤ ⊡ ☎ ♿ P. AE. S. ⓓ E VISA. ※ rist
23 aprile-28 settembre – **Pasto** (solo per alloggiati) 20/30000 – ☐ 15000 – **75 cam** 160/200000 – ½ P 90/120000.

XX **Bidin,** viale Europa 1 ☎ 71988, Fax 720738, Coperti limitati; prenotare – ▤ P. AE. S. ⓓ E VISA. JCB. ※
chiuso mercoledì a mezzogiorno escluso dal 10 maggio a settembre – **Pasto** carta 50/70000.

a Lignano Pineta *SO : 5 km –* ✉ *33054 Lignano Sabbiadoro.*

(aprile-settembre) via dei Pini 53 ☎ *422169, Fax 422616 :*

Greif, arco del Grecale 25 ☎ 422261, Fax 422261, « Parco-pineta con ⛱ riscaldata », ≘s, ▲ – |‡| ▤ ⊡ ☎ P – 🔬 300. AE. S. ⓓ E VISA. JCB. ※ rist
chiuso dal 20 dicembre a febbraio – **Pasto** *(chiuso dal 16 novembre a febbraio)* 50/90000 – **66 cam** ☐ 240/440000, 18 appartamenti 450/600000 – ½ P 200/320000.

Medusa Splendid, raggio dello Scirocco 33 ☎ 422211, Fax 422251, ⛱, ▲, ⛱ – |‡| ▤ ☎ ♿ P. AE. S. ⓓ E VISA. JCB. ※ rist
15 maggio-15 settembre – **Pasto** 45/55000 – ☐ 20000 – **56 cam** 145/165000 – ½ P 130/165000.

Park Hotel, viale delle Palme 41/43 ☎ 422380, Fax 428079, ⛱, ▲ – |‡| ⇎ ▤ ⊡ ☎ P. S. ⓓ E VISA. ※
marzo-novembre – **Pasto** 35/50000 – **44 cam** ☐ 170/280000 – ½ P 140/160000.

Erica, Arco del Grecale 21/23 ☎ 422123, Fax 427363, ▲ – |‡| ⊡ ☎ ♿ P. AE. S. ⓓ E VISA. ※ rist
maggio-20 settembre – **Pasto** 30/35000 – **36 cam** ☐ 75/140000 – ½ P 95/115000.

Bella Venezia, arco del Grecale 18/a ☎ 422184, Fax 422352, ▲ – |‡| ⇎ rist ▤ rist ⊡ ☎ P. S. ⓓ E VISA. ※ rist
15 maggio-15 settembre – **Pasto** 30/35000 – **45 cam** ☐ 130/150000 – ½ P 75/110000.

a Lignano Riviera *SO : 7 km –* ✉ *33054 Lignano Sabbiadoro :*

President, calle Rembrandt 2 ☎ 428777, Fax 428778, ⛱ riscaldata, ▲, ⛱ – |‡| ▤ ⊡ ☎. AE. S. ⓓ E VISA. ※ rist
22 marzo-19 ottobre – **Pasto** *(chiuso giovedì sera)* carta 60/80000 – **28 cam** ☐ 205/410000, 12 appartamenti – ½ P 200/230000.

Marina Uno, viale Adriatico 7 ☎ 427171, Fax 427171, ≘s, ⛱ – |‡| ▤ ⊡ ☎ P – 🔬 80. AE. S. E VISA. ※ rist
chiuso da novembre al 20 dicembre – **Pasto** *(Pasqua-novembre)* carta 55/80000 – **82 cam** ☐ 230/340000 – ½ P 170/195000.

Eurotel ⛲, calle Mendelssohn 13 ✆ 428992, Fax 428731, « Giardino-pineta con ⛱ », – 🛗 ▤ 📺 ☎ ♿ 🅿. AE. 🅢. ⊕ E VISA. ✻ rist
15 maggio-15 settembre – **Pasto** 40000 – ☕ 18000 – **56 cam** 100/190000 – ½ P 135/150000.

Meridianus, viale della Musica 7 ✆ 428561, Fax 428570, ≘s, ⛱, – 🛗 ▤ ☎ 🅿. AE. 🅢. ⊕ E VISA. ✻ rist
7 maggio-26 settembre – **Pasto** (solo per alloggiati) 40000 – **87 cam** ☕ 160/200000 – ½ P 120/140000.

Smeraldo, viale della Musica 4 ✆ 428781, Fax 423031, ⛱, – 🛗 ▤ ☎ 🅿. AE. 🅢. E VISA. ✻
Pasqua-settembre – **Pasto** (solo per alloggiati) 35/40000 – ☕ 15000 – **49 cam** 95/150000 – ½ P 80/125000.

Newport, viale Adriatico 7 ✆ 427171, Fax 427171, <, 🏖 – ▤. AE. 🅢. E VISA. ✻
Pasqua-novembre – **Pasto** 40/50000 e carta 55/80000.

Punta Verde, via Casa Bianca 13 ✆ 428906, <, 🏖, prenotare – 🅿. 🅢. VISA
chiuso dicembre, gennaio e giovedì (escluso da maggio a settembre) – **Pasto** carta 45/70000.

LLAZ *Aosta* 428 F 4, 219 ⑫ – *Vedere Cogne.*

MANA *32020 Belluno* 429 D 18 – *4 367 ab. alt. 319* – ☎ *0437.*
Roma 614 – Belluno 12 – Padova 117 – Trento 101 – Treviso 72.

Piol con cam, via Roma 116/118 ✆ 967471, Fax 967103 – ▤ rist 📺 ☎ 🅿 – 🏛 200. AE. 🅢. ⊕ E VISA
Pasto *(chiuso martedì e dal 27 dicembre al 5 gennaio)* carta 30/50000 – ☕ 10000 – **23 cam** 70/110000 – ½ P 80/90000.

MIDI *Modena – Vedere Soliera.*

MONE PIEMONTE *12015 Cuneo* 988 ⑫, 428 J 4 – *1 571 ab. alt. 1 010 – a.s. febbraio-Pasqua, luglio-15 settembre e Natale – Sport invernali : 1 010/2 050 m* 🚡 *22,* ⛷ – ☎ *0171.*
🅘 *via Roma 30* ✆ *92101, Fax 927064.*
Roma 670 – Cuneo 28 – Milano 243 – Nice 97 – Colle di Tenda 6 – Torino 121.

Principe, ✆ 92389, Fax 927070, <, 🏖, ⛱, – 🛗 📺 ☎ 🚗 🅿. 🅢. E VISA. ✻
15 dicembre-15 aprile e luglio-agosto – **Pasto** *(luglio-6 settembre)* 30/40000 – **42 cam** ☕ 160/200000 – P 100/180000.

Tripoli, via Valbuse 11 ✆ 92397, Fax 927776 – 📺 ☎. 🅢. ✻ rist
15 dicembre-15 aprile – **Pasto** (solo per alloggiati) 35/40000 – **33 cam** ☕ 90/140000 – ½ P 75/105000.

Le Ginestre, via Nizza 68 (strada statale S : 1 km) ✆ 927596, Fax 927597, <, « Terrazza-giardino », 🏋 – 📺 ☎ 🚗 🅿. 🅢. VISA. ✻ rist
Pasto (solo per alloggiati; *chiuso ottobre e novembre*) – ☕ 10000 – **18 cam** 100/140000 – ½ P 75/80000.

Lu Taz, via San Maurizio 5 (O : 1 km) ✆ 929061, prenotare, « Ambiente caratteristico » – 🅿
chiuso a mezzogiorno in bassa stagione, martedì, dal 10 al 30 giugno e dal 7 al 14 novembre – **Pasto** 60000.

Mac Miche, via Roma 64 ✆ 92449, Coperti limitati; prenotare, « Caratteristica taverna » – AE. 🅢. E VISA. ✻
chiuso lunedì sera, martedì, giugno e dal 5 al 30 novembre – **Pasto** carta 55/80000.

IMONE SUL GARDA *25010 Brescia* 428, 429 E 14 *G. Italia – 971 ab. alt. 66 – a.s. Pasqua e luglio-15 settembre* – ☎ *0365.*
Vedere <★★★ *dalla strada panoramica*★★ *dell'altipiano di Tremosine per Tignale.*
🅘 *via Comboni 15* ✆ *954070, Fax 954689.*
Roma 586 – Trento 54 – Brescia 65 – Milano 160 – Verona 97.

Park H. Imperial ⛲, via Tamas 10/b ✆ 954591, Fax 954382, 🏖, 🏋, ≘s, ⛱, ⛱, 🎾 – 🛗 ▤ 📺 ☎ 🅿 – 🏛 50. AE. 🅢. ⊕ E VISA. JCB. ✻
chiuso dall'11 al 22 dicembre – **Pasto** carta 55/100000 – **46 cam** ☕ 320/420000, 2 appartamenti – ½ P 205/230000.

Capo Reamol ⛲, strada statale N : 3 km ✆ 954040, Fax 954262, <, « Piccolo parco con ⛱ », 🏋, ≘s, – 🛗 ▤ rist 📺 ☎ 🅿 – 🏛 50. ✻
maggio-15 ottobre – **Pasto** 60000 – **48 cam** ☕ 225/355000, appartamento – ½ P 190000.

Coste, via Tamas 11 ✆ 954042, Fax 954393, « Giardino uliveto con ⛱ » – ☎ 🅟. 🅢. E
✡ rist
chiuso novembre – **Pasto** 20/30000 – ☕ 14000 – **26 cam** 75/115000 – ½ P 60/80000.

Lido ✈, via 4 Novembre 34 ✆ 954574, Fax 954659, ←, ⛱ riscaldata, ⛺, ⛱ – ☎ 🅟.
🅢. ⓓ E VISA. ✡ rist
27 marzo-18 ottobre – **Pasto** *(chiuso martedì)* carta 35/55000 – ☕ 20000 – **26 c**
75/110000 – ½ P 105000.

LIPARI (Isola) *Messina* 988 ㊲ ㊳, 431, 432 L 26 – *Vedere Sicilia (Eolie, isole) alla fine dell'ele alfabetico.*

LISANZA *Varese* 219 ⑰ – *Vedere Sesto Calende.*

LIVIGNO *23030 Sondrio* 988 ③, 428, 429 C 12 – *4 595 ab. alt. 1 816 – Sport invernali : 1 8 2 798 m* 3 17, – ✆ *0342.*
via Dala Gesa 65 ✆ *996379, Fax 996881.*
Roma 801 – Sondrio 74 – Bormio 38 – Milano 240 – Passo dello Stelvio 54.

Golf Hotel Parè, via Gerus 3 ✆ 996263, Telex 316307, Fax 997435, ←, ⛹, ≘s, ⛱ – 🛗
🚗 🅟 – 🅐 50. 🅢. E VISA. ✡
dicembre-16 aprile e 27 giugno-15 settembre – **Pasto** *(chiuso a mezzogiorno)* 35/5000
☕ 18000 – **40 cam** 180/270000, 3 appartamenti – ½ P 120/175000.

Bucaneve, strada statale 6 ✆ 996201, Fax 997588, ←, ≘s, ⛱, ⛱, ✂ – 📺 ☎ 🚗 🅟.
dicembre-aprile e giugno-settembre – **Pasto** 25/30000 – **43 cam** ☕ 115/180000, 2 app
tamenti – ½ P 85/115000.

Concordia, via Plan 22 ✆ 970200, Fax 996914, ≘s – 🛗 📺 ☎ 🅟. AE. 🅢. E VISA. ✡
Pasto 30/40000 – **32 cam** ☕ 130/230000, 2 appartamenti – ½ P 115/145000.

Posta, plaza dal Comun 4 ✆ 996076, Fax 970097, ←, ≘s, ✂ – 🛗 📺 ☎ ♿ 🅟. AE. 🅢. E V
✡
2 dicembre-aprile e 2 luglio-14 ottobre – **Pasto** *(dicembre-aprile)* carta 30/45000 – **31 ca**
☕ 90/160000 – ½ P 100/115000.

SportHotel ✈, via Palipert 10 ✆ 979300, Fax 979343, ←, ≘s – 🛗 ☎ 🚗 🅟. 🅢. E V
✡ rist
dicembre-5 maggio e 16 giugno-settembre – **Pasto** (solo per alloggiati) – ☕ 14000
32 cam 100/110000 – ½ P 75/110000.

Francesin senza rist, via Ostaria 72 ✆ 970320, Fax 970139, ⛱ – 📺 ☎ 🚗 🅟. AE. 🅢.
VISA
14 cam ☕ 120/135000.

Paradiso ✈, via Freita 27 ✆ 996633, Fax 996037, ←, ≘s – 🛗 ☎ 🚗 🅟. ✡ rist
dicembre-aprile e luglio-settembre – **Pasto** 25/30000 – ☕ 15000 – **18 cam** 60/90000
½ P 110000.

Spöl, via della Gesa 27 ✆ 996105, Fax 970205, ≘s – 🛗 ⚡ rist 📺 ☎ 🚗 🅟. 🅢. E VISA.
6 dicembre-aprile e luglio-ottobre – **Pasto** carta 45/70000 – ☕ 16000 – **33 cam** 80/1400
– ½ P 100/120000.

Sonne, via Plan 87 ✆ 996433, Fax 970499, ≘s – 🛗 📺 ☎ 🚗 🅟. ✡
dicembre-aprile e 15 luglio-settembre – **Pasto** 30000 – ☕ 16000 – **28 cam** 80/160000
½ P 105/120000.

Livigno, via Ostaria 103 ✆ 996104, Fax 997697 – 🛗 📺 ☎ 🚗 🅟. AE. 🅢. ⓓ E VISA. ✡
chiuso dal 16 maggio al 14 giugno e novembre – **Pasto** carta 40/65000 (10 %) – **18 ca**
☕ 70/130000 – ½ P 75/110000.

Krone senza rist, via Bondi 12 ✆ 996015, Fax 970215 – 🛗 📺 ☎ 🚗 🅟. AE. 🅢. ⓓ E VIS
14 cam ☕ 85/150000.

Adele, via Rasia 51 ✆ 997269, Fax 997547, ← – 🛗 📺 ☎ 🚗 🅟. AE. 🅢. ⓓ E VISA. ✡ rist
chiuso novembre – **Pasto** 20/25000 – **16 cam** ☕ 75/140000 – ½ P 65/105000.

Augusta ✈, via Rasia 66 ✆ 996163, Fax 970008, ←, ⛱ – 🅟. 🅢. VISA. ✡
dicembre-15 aprile e luglio-15 settembre – **Pasto** (solo per alloggiati e *chiuso a mezzogio no)* 50000 – ☕ 18000 – **21 cam** 55/85000 – ½ P 110000.

XX **Garden** con cam, via Plan 82 ✆ 970310, Fax 970291, ← – 🛗 ▤ rist 📺 ☎ 🚗 🅟. AE. 🅢.
E VISA. ✡
Pasto *(chiuso venerdì)* carta 35/60000 (15 %) – **15 cam** ☕ 85/150000 – ½ P 75/130000.

XX **La Baita** con cam, via Bondi 14 ✆ 997070, Fax 997467 – 📺 ☎ 🅟. AE. 🅢. ⓓ E VISA. ✡
chiuso dal 2 al 13 maggio – **Pasto** carta 35/55000 (10 %) – **16 cam** ☕ 55/110000 – ½ P 7
100000.

XX **Il Passatore,** via Rasia 59 B ☎ 997221, Fax 997221 – [P]. [AE]. [S]. ● [E] [VISA]
chiuso giugno, novembre e mercoledì (escluso dicembre e da febbraio a maggio) – **Pasto** carta 40/55000.

XX **La Piöda** con cam, via Saroch 176 ☎ 997428, Fax 997428, prenotare, 🌲 – [TV] ☎ [P]. [AE]. [S]. ● [E] [VISA]. 🐕
chiuso da maggio al 10 giugno – **Pasto** carta 45/70000 – **14 cam** ☕ 100/150000 – P 85/120000.

X **La Calcheira,** via Fedaria 3 (NO : 1,5 km) ☎ 970066, Fax 997043, ≤, ☂, « Ambiente tipico », 🌲 – [P]. [AE]. [S]. ● [E] [VISA]
dicembre-aprile e giugno-novembre; chiuso lunedì – **Pasto** carta 35/50000 (10 %).

VORNO *57100* [P] [988] ⑭, [428], [430] L 12 *G. Toscana – 164 569 ab. – ☎ 0586.*

Vedere *Monumento★ a Ferdinando I de' Medici* AY **A.**

Dintorni *Santuario di Montenero★ S : 9 km.*

⛴ *per Golfo Aranci aprile-settembre giornalieri (9 h 15 mn) – Sardinia Ferries, calata Carrara ✉ 57123 ☎ 898979, Fax 896103; per Palermo lunedì, mercoledì e venerdì (20 h) – Grandi Navi Veloci-agenzia Ghianda, al porto ✉ 57123 ☎ 409804, Fax 429717.*

[i] *piazza Cavour 6 ✉ 57126 ☎ 898111, Fax 896173.*

[A.C.I.] *via Verdi 32 ✉ 57126 ☎ 829090.*

Roma 321 ③ – Pisa 24 ① – Firenze 85 ① – Milano 294 ②.

Pianta pagina seguente

🏨 **Gran Duca,** piazza Micheli 16 ✉ 57123 ☎ 891024, Fax 891153, ≤, 🏋 – |♦| ▤ [TV] ☎ – 🏛 40. [AE]. [S]. ● [E] [VISA] AY b
Pasto vedere rist ***Gran Duca*** – **71 cam** ☕ 130/170000, appartamento – ½ P 160/200000.

🏨 **Città** senza rist, via di Franco 32 ✉ 57123 ☎ 883495, Fax 890196 – ▤ [TV] ☎. [AE]. [S]. ● [E] [VISA] AY a
21 cam ☕ 120/160000.

🏨 **Giardino** senza rist, piazza Mazzini 85 ✉ 57126 ☎ 806330, Fax 806330 – [TV] ☎ [P]. 🐕 AZ h
chiuso dal 24 dicembre al 2 gennaio – ☕ 10000 – **21 cam** 75/95000.

XX **Gran Duca** - Hotel Gran Duca, piazza Micheli 18 ✉ 57123 ☎ 891325, ☂ – ▤. [AE]. [S]. ● [E] [VISA] AY b
chiuso lunedì a mezzogiorno e dal 27 dicembre al 5 gennaio – **Pasto** carta 40/60000.

XX **La Chiave,** scali delle Cantine 52/54 ✉ 57122 ☎ 888609, Fax 888609 – ▤. [AE]. [S]. [E] [VISA] AY c
chiuso mercoledì ed agosto – **Pasto** carta 40/75000.

XX Le Volte, via Calafati 4 ✉ 57123 ☎ 896868 AY h

X **Da Rosina,** via Roma 251 ✉ 57127 ☎ 800200, ☂ – ▤. [AE]. [S]. ● [E] [VISA]. 🐕 BZ p
chiuso giovedì, dal 25 dicembre al 2 gennaio e dal 10 al 30 agosto – **Pasto** specialità di mare carta 40/70000.

X **Le Cinque Querce,** via dell'Uliveta ✉ 57124 ☎ 858527, Fax 858527, ☂, Rist. e pizzeria – [P]. [S]. [E] [VISA] per via A. Gramsci BY
chiuso martedì e mercoledì a mezzogiorno (escluso da giugno a settembre) – **Pasto** carta 40/60000.

X **Osteria del Mare,** borgo dei Cappuccini 5 ✉ 57126 ☎ 881027 – ▤. [AE]. [S]. ● [E] [VISA]. 🐕 AY f
chiuso giovedì e dal 25 agosto al 10 settembre – **Pasto** carta 35/65000.

X **Da Galileo,** via della Campana 20 ✉ 57122 ☎ 889009 – [AE]. [S]. ● [E] [VISA] BY a
chiuso domenica sera, mercoledì e luglio o settembre – **Pasto** trattoria con specialità di pesce carta 35/60000.

ulla strada statale 1 - via Aurelia *per ② : 5 km :*

🏨 **Forte Agip,** ✉ 57017 Stagno ☎ 943067, Telex 502049, Fax 943483 – |♦| ▤ [TV] ☎ [P] – 🏛 40
Pasto carta 45/60000 – **50 cam** ☕ 140/180000 – ½ P 160/180000.

d Ardenza *per ③ : 5 km – ✉ 57128 Livorno :*

XX **Ciglieri,** via Franchini 38 ☎ 508194 – ▤. [AE]. [S]. ● [E] [VISA]. [JCB]. 🐕
chiuso mercoledì – **Pasto** carta 60/110000.

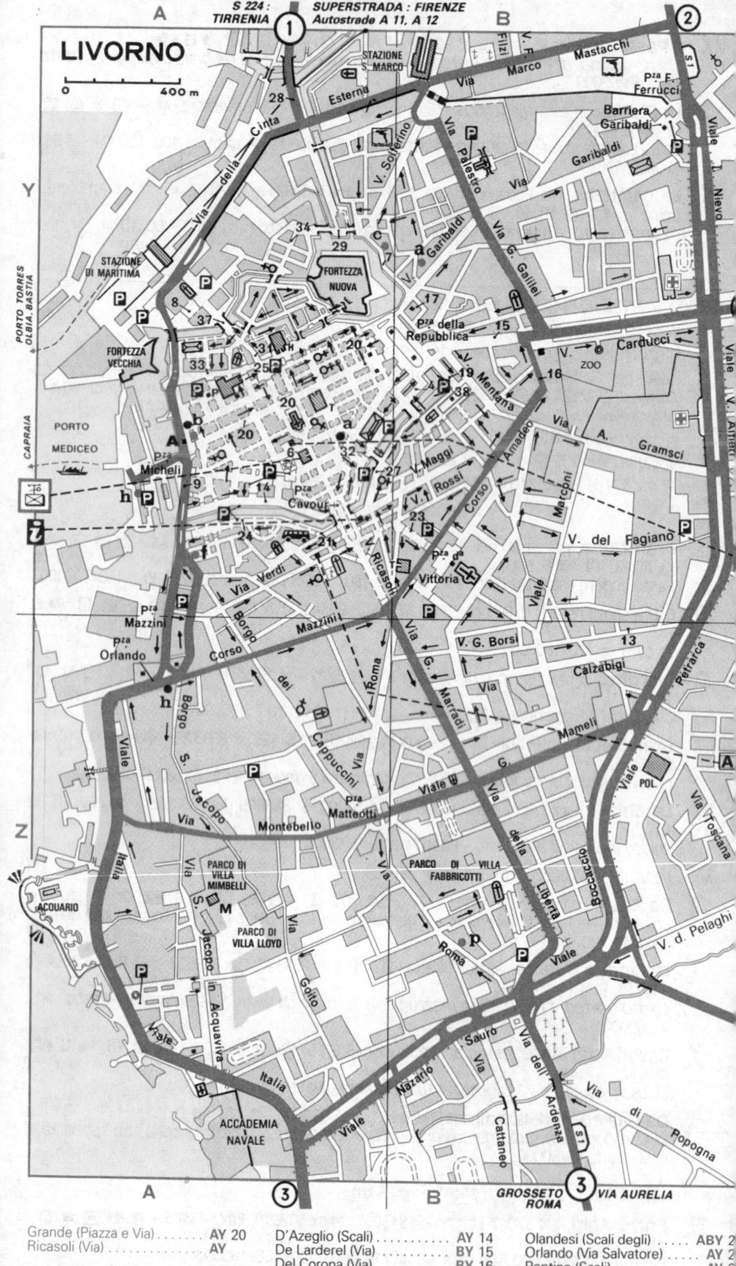

Grande (Piazza e Via) . . . . AY 20
Ricasoli (Via) . . . . AY

Bettarini (Scali) . . . . BY 4
Cairoli (Via) . . . . AY 6
Cantine (Scali delle) . . . . AY 7
Cialdini (Scali Enrico) . . . . AY 8
Cisternone (Piazza del) . . . . . BY 10
Coccoluto Ferrigni (Via P.) . . . BZ 13

D'Azeglio (Scali) . . . . AY 14
De Larderel (Via) . . . . BY 15
Del Corona (Via) . . . . BY 16
Garibaldi (Piazza) . . . . BY 17
Gazzarrini (Via) . . . . BY 19
Indipendenza (Via) . . . . AY 21
Magenta (Via) . . . . BY 23
Manzoni (Scali) . . . . AY 24
Municipio (Piazza) . . . . AY 25

Olandesi (Scali degli) . . . . . ABY 2
Orlando (Via Salvatore) . . . . . AY 2
Pontino (Scali) . . . . AY 2
Porticciolo (Via del) . . . . AY 3
Saffi (Scali Aurelio) . . . . AY 3
S. Giovanni (Via) . . . . AY 3
S. Marco (Via) . . . . AY 3
Venezia (Via) . . . . AY 3
20 Settembre (Piazza) . . . . . . BY 3

VORNO FERRARIS *13046 Vercelli* [988] ⑫, [428] G 6 – *4 529 ab. alt. 189* – ☎ *0161.*
Roma 673 – *Torino 41* – *Milano 104* – *Vercelli 42.*

Castell'Apertole *SE : 10 km : – ✉ 13046 Livorno Ferraris :*

🍴🍴 **Da Balin,** ✆ 477536, Fax 477536, Coperti limitati; prenotare, « In un'antica cascina » – [P]. [AE]. [S]. ⦿ [E] [VISA]
chiuso lunedì, da 1° al 15 gennaio e dal 10 al 20 agosto – Pasto carta 40/60000.

ZZANO IN BELVEDERE *40042 Bologna* [988] ⑭, [428], [429], *430* J 14 – *2 333 ab. alt. 640* – *a.s. luglio-agosto e Natale* – *Sport invernali : a Corno alle Scale : 1 195/1 945 m* ⛷ *8,* ⛷ – ☎ *0534.*
[i] *piazza Marconi 6* ✆ *51052.*
Roma 361 – *Bologna 68* – *Firenze 87* – *Lucca 93* – *Milano 271* – *Modena 102* – *Pistoia 51.*

Vidiciatico *NO : 4 km* – *alt. 810* – ✉ *40049 :*

🏠 **Montegrande,** via Marconi 27 ✆ 53210 – [TV] ☎. [AE]. [S]. ⦿ [VISA]. 🚫
chiuso maggio ed ottobre – **Pasto** carta 30/60000 – ☕ 10000 – **14 cam** 100000 – ½ P 75/85000.

OANO *17025 Savona* [988] ⑫, [428] J 6 *G. Italia* – *11 144 ab.* – ☎ *019.*
[i] *corso Europa 19* ✆ *668044, Fax 669918.*
Roma 578 – *Imperia 43* – *Genova 79* – *Milano 202* – *Savona 33.*

🏨 **Grand Hotel Garden Lido,** lungomare Nazario Sauro 9 ✆ 669666, Fax 668552, ≤, « Giardino con 🏊 », 🏋, 🏊, 🏖 – |♦| ▤ [TV] ☎ 🚗 [P] – 🏛 60. [AE]. [S]. ⦿ [E] [VISA]. [JCB]. 🚫
chiuso dall'8 novembre al 20 dicembre – **Pasto** 40/70000 – **75 cam** ☕ 145/200000, appartamento – P 150/180000.

🏨 **Perelli,** lungomare Garbarino 13 ✆ 675708, Fax 675722, ≤, 🏖 – |♦| [TV] ☎. [S]. [VISA]. 🚫 rist
Pasqua-settembre – **Pasto** 45000 – **41 cam** ☕ 95/150000 – ½ P 120/135000.

🏨 **Villa Beatrice,** via Sant'Erasmo 6 (via Aurelia) ✆ 668244, Fax 668244, 🏋, 🏊, 🏊, 🌳 – ▤ rist [TV] ☎ [P]. [S]. [E] [VISA]. 🚫
chiuso da ottobre al 15 dicembre – **Pasto** *(chiuso martedì)* 20/25000 – ☕ 10000 – **30 cam** 60/110000 – ½ P 60/105000.

🏠 **Concordia,** corso Europa 44 ✆ 668156, Fax 668156 – |♦| [TV] ☎. [S]. ⦿ [E] [VISA]. 🚫
chiuso maggio e da ottobre al 20 dicembre – **Pasto** 25/30000 – ☕ 7000 – **23 cam** 65/95000 – ½ P 60/95000.

🏠 **Villa Mary,** viale Tito Minniti 6 ✆ 668368 – [TV] ☎ [P]. [S]. [VISA]. 🚫
chiuso dal 27 settembre al 19 dicembre – **Pasto** *(chiuso martedì)* 20/25000 – ☕ 10000 – **26 cam** 60/110000 – ½ P 55/100000.

🍴🍴 **La Vecchia Trattoria,** via Raimondi 3 ✆ 667162
chiuso lunedì, dal 15 al 30 maggio e dal 1° al 15 novembre – **Pasto** carta 35/50000.

🍴🍴 **Da Franco,** via Ghilini 50 ✆ 667095, Coperti limitati; prenotare – ▤. [S]. ⦿ [E] [VISA]. 🚫
chiuso lunedì sera e martedì (escluso dal 15 giugno al 15 settembre) – **Pasto** carta 45/75000.

🍴🍴 **Bagatto,** via Ricciardi 24 ✆ 675844 –. [S]. [E] [VISA]
chiuso mercoledì e dal 7 al 22 aprile – **Pasto** specialità di mare carta 40/65000.

LOCOROTONDO *70010 Bari* [988] ㉙, [431] E 33 *G. Italia* – *13 921 ab. alt. 410* – ☎ *080.*
Dintorni *Valle d'Itria*★★ *(strada per Martina Franca)* – ≤★ *sulla città dalla strada di Martina Franca.*
Roma 518 – *Bari 70* – *Brindisi 68* – *Taranto 36.*

🍴🍴 Casa Mia, via Cisternino E : 3 km ✆ 9311218, 🌳 – [P]

🍴 **Centro Storico,** via Eroi di Dogali 6 ✆ 9315473 – [AE]. ⦿ [E]. [VISA]
chiuso mercoledì e dal 5 al 15 marzo – **Pasto** carta 25/45000.

LODI *20075* [P] [988] ③ ⑬, [428] G 10 – *42 200 ab. alt. 80* – ☎ *0371.*
[i] *piazza Broletto 4* ✆ *421391, Fax 421313.*
Roma 548 – *Milano 37* – *Piacenza 38* – *Bergamo 49* – *Brescia 67* – *Cremona 54* – *Pavia 36.*

🏨 **Radisson SAS Hotel,** località San Grato, via Emilia NO : 4 km ✆ 410461, Fax 410464 – |♦| ▤ [TV] ☎ [P] – 🏛 240. [AE]. [S]. ⦿ [E] [VISA]. 🚫 rist
Pasto carta 45/70000 – ☕ 10000 – **32 cam** 160/195000 – ½ P 145/160000.

Europa senza rist, viale Pavia 5 ☎ 35215, Fax 36281 – . AE. . E VISA.
chiuso dal 22 dicembre al 7 gennaio e dal 12 al 27 agosto – **44 cam** 110/1400
2 appartamenti.

Anelli senza rist, viale Vignati 7 ☎ 421354, Fax 422156 – . AE. . E VISA.
chiuso dal 1° al 26 agosto – 17000 – **29 cam** 110/150000.

La Quinta, piazza della Vittoria 20 (trasferimento previsto nel secondo semestre 1997 viale Pavia 76) ☎ 424232 – – 80. AE. . E VISA
chiuso domenica sera, lunedì ed agosto – **Pasto** 35/60000 (a mezzogiorno) 50/70000 (a sera) e carta 45/65000.

Isola di Caprera, via Isola di Caprera 14 ☎ 421316, Fax 421316, , – . AE. .
E VISA
chiuso martedì sera, mercoledì, dal 1° al 10 gennaio e dal 16 al 31 agosto – **Pasto** ca
50/75000.

3 Gigli-All'Incoronata, piazza della Vittoria 47 ☎ 421404 – . AE. . E VISA
chiuso lunedì, dal 26 al 30 dicembre e dal 7 al 30 agosto – **Pasto** 30/60000 (solo mezzogiorno) e carta 50/75000.

Il Gattino, corso Mazzini 71 ☎ 31528 – . AE. . E VISA. JCB.
chiuso domenica sera, lunedì, dal 27 dicembre al 6 gennaio ed agosto – **Pasto** ca
35/50000.

Due Agnelli, via Castelfidardo 12 ☎ 426777 –. . E VISA.
chiuso domenica sera, lunedì ed agosto – **Pasto** carta 35/55000.

a Riolo *NE : 4 km :*

L'Angolo, ☎ 423720, Coperti limitati; prenotare – . . E VISA.
chiuso mercoledì, gennaio e dal 18 al 31 agosto – **Pasto** carta 55/80000.

Leggete attentamente l'introduzione : è la « chiave » della guida.

LODRONE *38080 Trento* 429 E 13 – *alt. 379 – a.s. Natale* – ☎ *0465.*

Roma 589 – Brescia 56 – Milano 146 – Trento 73.

Castel Lodron, via 24 Maggio 41 ☎ 685002, Fax 685425, , , , , –
– 200. AE. . E VISA.
Pasto *(chiuso lunedì)* carta 30/45000 – 10000 – **41 cam** 60/120000 – ½ P 60/80000.

LOIANO *40050 Bologna* 988 ⑭ ⑮, 429, 430 J 15 – *3 374 ab. alt. 714 – a.s. luglio-13 settembre* ☎ *051.*

Molino del Pero (chiuso lunedì) a Monzuno ✉ 40036 ☎ 6770506, Fax 6770506, O : 9 km

Roma 359 – Bologna 36 – Firenze 85 – Milano 242 – Pistoia 100.

Palazzo Loup , località Scanello E : 3 km ☎ 6544040, Fax 6544040, « Parco ombreggiato » – – 60
37 cam.

LOMASO *38070 Trento* 428, 429 D 14 – *1 313 ab. alt. 700 – Stazione termale, a.s. Pasqua e Natale* ☎ *0465.*

via Prati ☎ 71465, Fax 72281.

Roma 600 – Trento 30 – Brescia 98.

a Campo – *alt. 492 – ✉ 38070 Vigo Lomaso :*

Villa Luti , piazza Risorgimento 40 ☎ 702061, Fax 702410, « Dimora patrizia dell'80 con parco ombreggiato », , , – – 40. AE. . E VISA. JCB.
20 dicembre-10 gennaio e aprile-ottobre – **Pasto** carta 35/55000 – 15000 – **42 cam** 90/140000 – ½ P 75/120000.

a Ponte Arche *N : 2 Km – alt: 398 – ✉ 38077 :*

Cattoni-Plaza, via Battisti 19 ☎ 701442, Fax 701444, , , , , – rist
– 80. AE. . E VISA.
20 dicembre-10 gennaio e aprile-ottobre – **Pasto** 40000 – 16000 – **68 cam** 90/150000 –
½ P 115/125000.

Nuovo Hotel Angelo, piazza Mercato 6 ☎ 701438, Fax 701145, – . . E
VISA.
21 dicembre-10 gennaio e aprile-ottobre – **Pasto** carta 35/50000 – 10000 – **75 cam** 75/130000 – ½ P 75/90000.

NATE POZZOLO *21015 Varese* [428] F 8, [219] ⑰ – *11 101 ab. alt. 205* – ☎ *0331.*
Roma 621 – Stresa 49 – Milano 43 – Novara 30 – Varese 28.

lla strada statale 527 *SO : 2 km :*

🍴🍴 **F. Bertoni,** ✉ 21015 Tornavento ☎ 668020, Fax 301483, 🌳 – [P] – 🏟 150. [AE]. [S]. ⓞ [E] [VISA] [JCB]. ✗
chiuso a mezzogiorno (escluso domenica), lunedì, dal 1º al 10 gennaio ed agosto – **Pasto** carta 50/65000.

NATO *25017 Brescia* [988] ④, [428], [429] F 13 – *11 322 ab. alt. 188 – a.s. Pasqua e luglio-15 settembre* – ☎ *030.*
Roma 530 – Brescia 23 – Mantova 50 – Milano 120 – Verona 45.

🍴🍴 **Il Rustichello** con cam, viale Roma 92 ☎ 9130107, Fax 9131145, ⛱, 🌳 – ▤ rist [TV] ☎ [P]. [AE]. [S]. ⓞ [E] [VISA]
Pasto *(chiuso mercoledì, dal 2 all'8 gennaio e dal 25 luglio all'8 agosto)* carta 40/60000 – ☕ 8000 – **10 cam** 65/95000 – ½ P 75/80000.

Barcuzzi *N : 3 km – ✉ 25017 Lonato :*

🍴🍴 **Da Oscar,** ☎ 9130409, « Servizio estivo in terrazza » – [P]. [AE]. [S]. [E] [VISA]. ✗
chiuso lunedì, martedì a mezzogiorno e dal 7 al 20 gennaio – **Pasto** carta 45/65000.

ONGA *Vicenza – Vedere Schiavon.*

ONGARE *36023 Vicenza* [429] F 16 – *5 171 ab. alt. 29* – ☎ *0444.*
Roma 528 – Padova 28 – Milano 213 – Verona 60 – Vicenza 10.

Costozza *SO : 1 km – ✉ 36023 Longare :*

🍴🍴 **Taverna Aeolia,** ☎ 555036, « Edificio del 16º secolo con affreschi » – [AE]. [S]. ⓞ [E] [VISA]. ✗
chiuso martedì e dal 1º al 15 novembre – **Pasto** 20/35000 (a mezzogiorno) e carta 25/55000.

🍴🍴 **Al Volto,** via Volto 39 ☎ 555118 – [P]. [AE]. [S]. ⓞ [E] [VISA]. ✗
😊 *chiuso mercoledì e luglio* – Pasto carta 30/45000.

ONGARONE *32013 Belluno* [988] ⑤, [429] D 18 – *4 220 ab. alt. 474* – ☎ *0437.*
Roma 619 – Belluno 18 – Cortina d'Ampezzo 50 – Milano 358 – Udine 119 – Venezia 108.

🏨 **Posta** senza rist, ☎ 770702, Fax 771189 – 🛗 [TV] ☎ 🚗. [AE]. [S]. [E] [VISA]. ✗
☕ 12000 – **24 cam** 100/150000.

ONGEGA (ZWISCHENWASSER) *39030 Bolzano* [429] B 17 – *alt. 1 012* – ☎ *0474.*
Roma 720 – Cortina d'Ampezzo 50 – Bolzano 83 – Brunico 14 – Milano 382 – Trento 143.

🏨 **Gader,** ☎ 501008, Fax 501858 – ⇹ rist [TV] ☎ [P]. ✗ cam
Pasto carta 30/40000 – **12 cam** ☕ 65/130000 – ½ P 60/85000.

ONGIANO *47020 Forlì-Cesena* [429], [430] J 18 – *4 942 ab. alt. 179* – ☎ *0547.*
Roma 350 – Rimini 28 – Forlì 32 – Ravenna 46.

🍴 **Dei Cantoni,** via S. Maria 19 ☎ 665899, « Servizio estivo all'aperto » – [AE]. [S]. ⓞ [VISA]. [JCB]. ✗
😊 *chiuso mercoledì e dal 19 settembre all'8 ottobre* – Pasto carta 35/40000.

ONIGO *36045 Vicenza* [988] ④, [429] F 16 – *13 090 ab. alt. 31* – ☎ *0444.*
Roma 533 – Verona 33 – Ferrara 95 – Milano 186 – Padova 56 – Vicenza 24.

🍴🍴🍴 **La Peca,** via Principe Giovanelli 2 ☎ 830214, Fax 830214, Coperti limitati; prenotare – [P]. [AE]. [S]. ⓞ [E] [VISA]. ✗
chiuso domenica sera, lunedì, dal 1º al 10 gennaio e dal 1º al 20 agosto – **Pasto** 45000 (a mezzogiorno) 85000 (alla sera) e carta 60/95000.

ORANZÈ *10010 Torino* [428] F 5, [219] ⑭ – *1 063 ab. alt. 404* – ☎ *0125.*
Roma 685 – Torino 46 – Aosta 73 – Ivrea 9,5 – Milano 123.

🍴🍴🍴 **Panoramica** 🐌 con cam, via San Rocco 7 ☎ 669966, Fax 669969, ≤ colline e vallata, ⛱, prenotare, ✗ – [TV] ☎ [P]. [AE]. [S]. ⓞ [E] [VISA]
✿ *chiuso dal 23 dicembre al 10 febbraio* – **Pasto** *(chiuso domenica e i mezzogiorno di sabato e lunedì)* carta 45/100000 – **16 cam** ☕ 110/150000 – ½ P 110/145000
Spec. Lumache di Cherasco al verde (primavera). Risotto al Castelmagno e Carema (autunno-inverno). Filetto di manzo con finanziera.

LOREO *45017 Rovigo* 988 ⑮, 429 G 18 – *3 749 ab.* – ✆ *0426.*
Roma 488 – *Padova 64* – *Venezia 72* – *Ravenna 83* – *Rovigo 32* – *Venezia 72.*

✕ **Cavalli** con cam, riviera Marconi 67/69 ✆ 369868, Fax 369868 – TV ☎. AE. Ⓢ. VISA. ✻
chiuso dal 1° al 15 gennaio e dal 25 settembre al 10 ottobre – **Pasto** *(chiuso lunedì)* ca
40/60000 – ☕ 10000 – **10 cam** 75/90000 – P 70/90000.

LORETO *60025 Ancona* 988 ⑯, 430 L 22 *G. Italia* – *11 158 ab. alt. 125* – *a.s. Pasqua, 15 agos*
10 settembre e 7-12 dicembre – ✆ *071.*
Vedere *Santuario della Santa Casa*★★ – *Piazza della Madonna*★ – *Opere del Lotto*★ ne
pinacoteca **M.**
ℹ *via Solari 3* ✆ *977139, Fax 970276.*
Roma 294 ② – *Ancona 31* ① – *Macerata 31* ② – *Pesaro 90* ② – *Porto Recanati 5* ①.

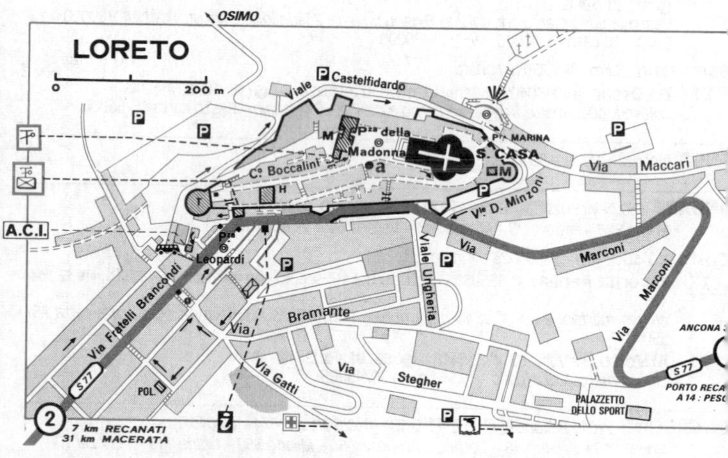

🏠 **Villa Tetlameya,** via Villa Costantina 187 ✆ 978863, Fax 976639 – ▤ TV ☎ ♿ Ⓟ. Ⓢ.
VISA
2 km per ①
Pasto al Rist. ***Zì Nene*** *(chiuso lunedì)* carta 50/70000 – ☕ 12000 – **6 cam** 130/200000.

🏠 **Pellegrino e Pace,** piazza della Madonna 51 ✆ 977106, Fax 978252 – |‡| TV ☎ ♿
AE. Ⓢ. E VISA. ✻ rist
chiuso dall'11 gennaio all'11 febbraio – **Pasto** *(chiuso lunedì)* carta 35/45000 – **28 ca**
☕ 90/120000 – 1/2 P 80/90000.

🏠 **Orlando da Nino,** via Villa Costantina 89 ✆ 978501, Fax 978501, ⩤ – TV ☎ Ⓟ. AE. Ⓢ.
E VISA. ✻
E : 1,5 km per via Maccari
chiuso dal 14 dicembre al 19 gennaio – **Pasto** *(chiuso lunedì)* carta 30/45000 – ☕ 8000
20 cam 65/85000 – 1/2 P 60/70000.

✕✕ **Dal Baffo Vecchia Fattoria** con cam, via Manzoni 19 ✆ 978976, Fax 978962,
– ▤ TV ☎ Ⓟ. AE. Ⓢ. ◑ E VISA
N : 3 km per via Maccari
Pasto *(chiuso lunedì)* carta 45/65000 – ☕ 4000 – **13 cam** 70/95000 – 1/2 P 90000.

✕✕ **Andreina,** via Buffolareccia 14 ✆ 970124 – ▤ Ⓟ. AE. Ⓢ. ◑ E VISA. JCB
chiuso martedì – **Pasto** carta 40/55000.
2 km per ①

✕ **Orlando Barabani,** via Villa Costantina 93 ✆ 977696, Fax 7500188, – Ⓟ. Ⓢ. ◑
VISA
E : 1,5 km per via Maccari
chiuso mercoledì e luglio – **Pasto** carta 40/55000.

LORETO APRUTINO *65014 Pescara* 988 ㉗, 430 O 23 – *7 508 ab. alt. 294* – ✆ *085.*
Roma 226 – *Pescara 24* – *Teramo 77.*

🏠 **La Bilancia,** contrada Palazzo 10 (SO : 5 km) ✆ 8289321, Fax 8289610, « Giardino » –
☎ Ⓟ. AE. Ⓢ. ◑ E VISA. ✻
chiuso dal 24 dicembre al 24 gennaio – **Pasto** *(chiuso lunedì)* carta 25/40000 – ☕ 3000 -
19 cam 50/80000 – 1/2 P 70/80000.

LORNANO *Siena* – *Vedere Monteriggioni.*

ORO CIUFFENNA *52024 Arezzo* [988] ⑮, [430] L 16 – *4 760 ab. alt. 330* – ☎ *055.*
Roma 238 – Firenze 54 – Siena 63 – Arezzo 31.

🍴 **Il Cipresso - da Cioni** con cam, Via A. De Gasperi 28 ☎ 9171127, Fax 9172067 – [P]. [AE]. [S]. [E] [VISA]
Pasto *(chiuso sabato escluso dal 16 giugno al 14 settembre)* carta 35/60000 – ☕ 8000 – **24 cam** 50/80000 – ½ P 70/80000.

ORO PICENO *62020 Macerata* [430] M 22 – *2 463 ab. alt. 436* – ☎ *0733.*
Roma 248 – Ascoli Piceno 74 – Ancona 73 – Macerata 22.

🍴🍴 Girarrosto, via Ridolfi 4 ☎ 509119

OTZORAI *Nuoro* [433] H 10 – *Vedere Sardegna alla fine dell'elenco alfabetico.*

OVENO *Como* [219] ⑨ – *Vedere Menaggio.*

Ferienreisen wollen gut vorbereitet sein.
*Die **Straßenkarten** und **Führer** von **Michelin***
geben Ihnen Anregungen und praktische Hinweise zur Gestaltung Ihrer Reise :
Streckenvorschläge, Auswahl und Besichtigungsbedingungen
der Sehenswürdigkeiten, Unterkunft, Preise... u. a. m.

OVERE *24065 Bergamo* [988] ③ ④, [428], [429] E 12 *G. Italia* – *5 536 ab. alt. 200* – *a.s. luglio-agosto* – ☎ *035.*
Vedere *Lago d'Iseo★.*
Dintorni *Pisogne★ : affreschi★ nella chiesa di Santa Maria della Neve NE : 7 km.*
Roma 611 – Brescia 49 – Bergamo 41 – Edolo 57 – Milano 86.

🏨 **Moderno,** piazza 13 Martiri 21 ☎ 960607, Fax 961451, ≤, 🌳 – |♦| ▤ [TV] ☎ ♿ – 🎓 100. [AE]. [S]. ⓞ [E] [VISA]
Pasto *(chiuso lunedì da ottobre a marzo)* 30/40000 (10 %) – ☕ 10000 – **24 cam** 80/120000 – ½ P 85/90000.

LUCCA *55100* [P] [988] ⑭, [428], [429], *430* K 13 *G. Toscana* – *85 599 ab. alt. 19* – ☎ *0583.*
Vedere *Duomo★★* C – *Chiesa di San Michele in Foro★★ : facciata★★* B – *Chiesa di San Frediano★* B – *Città vecchia★* BC – *Passeggiata delle mura★.*
Dintorni *Giardini★★ della villa reale di Marlia per ① : 8 km – Parco★ di villa Mansi per ② : 11 km.*
[i] *Vecchia Porta San Donato-piazzale Verdi ☎ 419689, Fax 490766.*
[A.C.I.] *via Catalani 59 ☎ 582626.*
Roma 348 ⑤ – Pisa 22 ④ – Bologna 157 ⑤ – Firenze 74 ⑤ – Livorno 46 ⑤ – Massa 45 ⑤ – Milano 274 ⑤ – Pistoia 43 ⑤ – La Spezia 74 ⑤.

Pianta pagine seguenti

🏨 **Gd H. Guinigi** [M], Via Romana 1247 ☎ 4991, Fax 499800 – |♦| ▤ [TV] ☎ ♿ [P] – 🎓 500. [AE]. [S]. ⓞ [E] [VISA]. ⊁ rist per ③
Pasto 35/45000 – **148 cam** ☕ 245/370000, 10 appartamenti – ½ P 140/230000.

🏨 **Celide** senza rist, viale Giuseppe Giusti 25 ☎ 954106, Fax 954304 – |♦| ▤ [TV] ☎ [P]. [AE]. [S]. ⓞ [E] [VISA]. ⊁ D a
☕ 18000 – **62 cam** 100/160000.

🏨 **San Marco** senza rist, via San Marco 368 ☎ 495010, Fax 490513 – |♦| ▤ [TV] ☎ ♿ 🚗 [P]. [AE]. [S]. ⓞ [E] [VISA]. ⊁ per ①
☕ 17000 – **42 cam** 100/165000.

🏨 **La Luna** senza rist, via Fillungo-Corte Compagni 12 ☎ 493634, Fax 490021 – |♦| [TV] ☎ [P]. [AE]. [S]. ⓞ [E] [VISA]. ⊁ B u
chiuso dall'8 al 31 gennaio – ☕ 15000 – **29 cam** 90/125000, appartamento.

🏨 **Rex** senza rist, piazza Ricasoli 19 ☎ 955443, Fax 954348 – |♦| ▤ [TV] ☎. [AE]. [S]. ⓞ [E] [VISA] C c
☕ 15000 – **25 cam** 110/150000.

🏨 **Piccolo Hotel Puccini** senza rist, via di Poggio 9 ☎ 55421, Fax 53487 – [TV] ☎. [AE]. [S]. ⓞ [E] [VISA] B c
☕ 12000 – **14 cam** 90/125000.

Stipino senza rist, via Romana 95 ℘ 495077, Fax 490309 – TV ☎ P. AE. Ⓢ. E VISA. ✗ per ③
☐ 15000 – **20 cam** 65/110000.

Buca di Sant'Antonio, via della Cervia 1/5 ℘ 55881, Fax 312199 – ▤. AE. Ⓢ. ⓞ E VISA. JCB B a
chiuso domenica sera, lunedì e dal 6 al 27 luglio – **Pasto** 30000 e carta 40/60000
Spec. Tortino di porri in crosta. Ravioli di ricotta alle zucchine. Capretto garfagnino allo spiedo con patate alla salvia e cime di rapa saltate.

Puccini, corte San Lorenzo 1 ℘ 316116, Fax 316031, , prenotare – AE. Ⓢ. ⓞ E VISA B d
chiuso martedì, mercoledì a mezzogiorno e dal 23 dicembre al 24 gennaio – **Pasto** specialità di mare 30/50000 (a mezzogiorno) 45/60000 (alla sera) e carta 45/85000.

Antica Locanda dell'Angelo, via Pescheria 21 ℘ 47711, Fax 495445, – ▤. AE. Ⓢ. ⓞ E VISA. ✗ B x
chiuso domenica sera e lunedì – **Pasto** carta 50/65000.

Giglio, piazza del Giglio ℘ 494058, – ▤. AE. Ⓢ. ⓞ E VISA. JCB B e
chiuso martedì sera, mercoledì e dal 25 gennaio al 9 febbraio – **Pasto** 30000 e carta 45/60000.

Canuleia, via Canuleia 14 ℘ 47470, , Coperti limitati; prenotare – AE. Ⓢ. ⓞ E VISA C n
chiuso sabato e domenica – **Pasto** carta 35/45000.

Da Giulio-in Pelleria, via delle Conce 45 (piazza S. Donato) ℘ 55948, Fax 55948, prenotare – AE. Ⓢ. ⓞ E VISA. JCB A c
chiuso domenica, lunedì ed agosto – **Pasto** carta 35/45000.

Trattoria da Leo, via Tegrimi 1 ℘ 492236, Fax 405321, Trattoria casalinga B f

Buatino, via Borgo Giannotti 508 ℘ 343207 – ▤ rist. ✗ C b
chiuso domenica e dal 15 luglio al 15 agosto – **Pasto** cucina tipica casalinga 25/35000.

Agli Orti di Via Elisa, via Elisa 17 ℘ 491241, Fax 491241, Trattoria e pizzeria – AE. Ⓢ. ⓞ E VISA. JCB CD m
chiuso mercoledì, giovedì a mezzogiorno e dal 2 al 15 luglio – **Pasto** carta 35/40000.

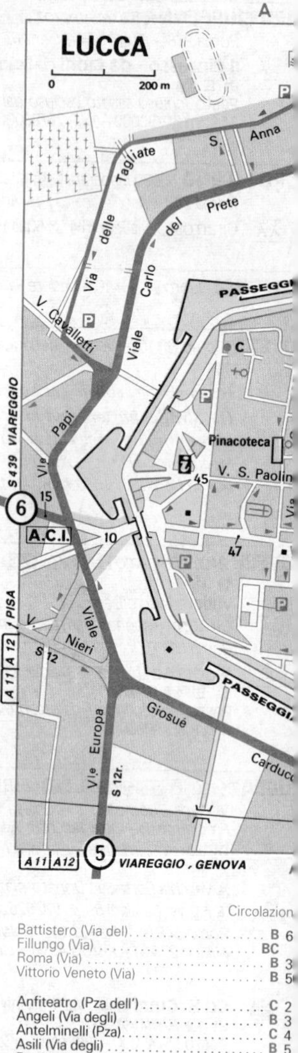

LUCCA

0 200 m

S. Anna, Via delle Tagliate, Viale Carlo del Prete, V. Cavalletti, Viale Papi, PASSEGGI, C, Pinacoteca, V. S. Paolino, 45, 47, 15, 6, A.C.I., 10, S 439 VIAREGGIO, A 11 A 12 PISA, V. Nieri, Viale, S 12, Giosuè Carducci, PASSEGGIATA, V.le Europa, S 12r., 5, A 11 A 12, VIAREGGIO, GENOVA, A

Circolazion...

Battistero (Via del)	B 6
Fillungo (Via)	BC
Roma (Via)	B 3
Vittorio Veneto (Via)	B 5
Anfiteatro (Pza dell')	C 2
Angeli (Via degli)	B 3
Antelminelli (Pza)	C 4
Asili (Via degli)	B 5
Battisti (Via C.)	B 7

sulla strada statale 12 r B :

Locanda l'Elisa , via Nuova per Pisa per ④ : *4,5 km* ✉ 55050 Massa Pisana ℘ 379737 Fax 379019, « Giardino ombreggiato con » – ▤ TV ☎ P. AE. Ⓢ. ⓞ E VISA. ✗
Pasto vedere rist ***Gazebo*** – ☐ 30000 – 8 appartamenti 530000 – ½ P 320/370000.

Villa la Principessa , via Nuova per Pisa per ④ : *4,5 km* ✉ 55050 Massa Pisana ℘ 370037, Fax 379136, « Dimora ottocentesca in un bel parco », – ▤ TV ☎ P - 130. AE. Ⓢ. ⓞ E VISA. ✗
Pasto carta 65/80000 (15 %) – ☐ 24000 – **32 cam** 250/385000, 7 appartamenti – ½ P 280/310000.

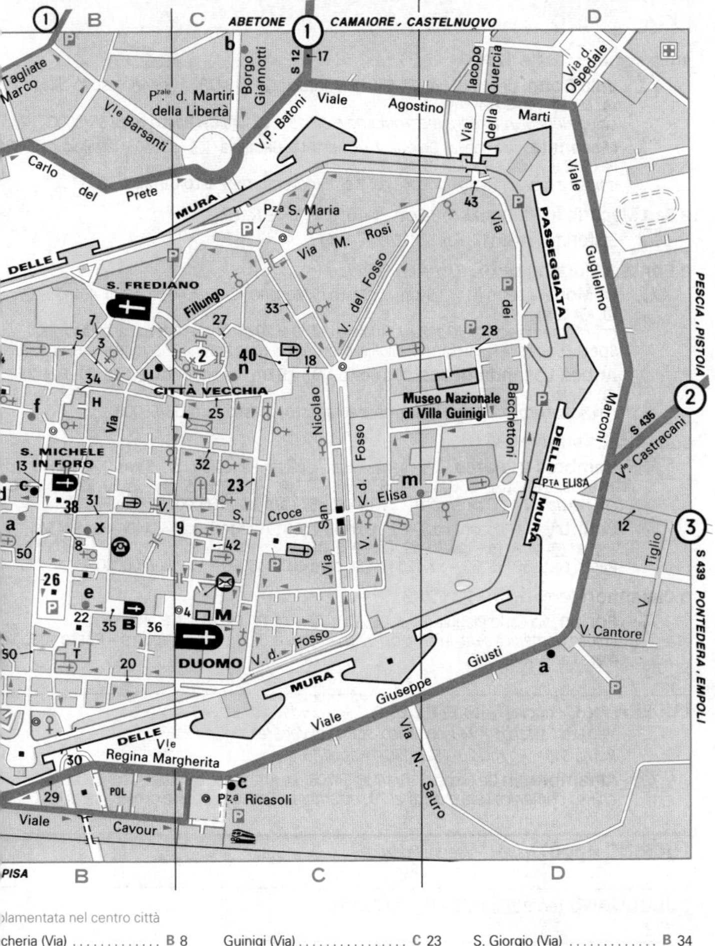

ɔlamentata nel centro città

cheria (Via) . . . . B 8
nardini (Pza dei) . . . . C 9
cherini (Pza L.) . . . . A 10
orna (Viale) . . . . D 12
ieria (Via) . . . . B 13
ılani (Via) . . . . A 15
tali (Via M.) . . . . C 17
ta (Via della) . . . . C 18
ibaldi (Corso) . . . . AB 20
io (Pza del) . . . . B 22

Guinigi (Via) . . . . C 23
Indipendenza (Piazza dell') . . . B 24
Mordini (Via A.) . . . . C 25
Napoleone (Pza) . . . . B 26
Portico (Via del) . . . . C 27
Quarquonia (Via della) . . . . D 28
Repubblica (Viale) . . . . B 29
Risorgimento (Pza) . . . . B 30
S. Andrea (Via) . . . . C 32
S. Gemma Galgani (Via) . . . . . . C 33

S. Giorgio (Via) . . . . B 34
S. Giovanni (Pza) . . . . B 35
S. Martino (Pza) . . . . B 36
S. Michele (Pza) . . . . B 38
S. Pietro (Pza) . . . . C 40
Servi (Pza dei) . . . . C 42
Varanini (Pza L.) . . . . D 43
Verdi (Pzale G.) . . . . A 45
Vittorio Emanuele II (Via) . . . . AB 47

Villa San Michele senza rist, località San Michele in Escheto per ④ : 4 km ✉ 55050 Massa Pisana ℘ 370276, Fax 370277, ≤, « Villa seicentesca con parco ombreggiato » – 🛗 ▤ 📺 ☎ Ⓟ. AE. 🅂. ⓓ E VISA. ✻
chiuso da dicembre al 20 febbraio – ☕ 30000 – **22 cam** 230/295000.

Gazebo - Hotel Locanda l'Elisa, via Nuova per Pisa per ④ *: 4,5 km* ✉ 55050 Massa Pisana ℘ 379737, Coperti limitati; prenotare – Ⓟ. AE. 🅂. ⓓ E VISA. ✻
Pasto carta 65/80000 (15 %).

La Cecca, località Coselli per ④ : 5 km ✉ 55060 Capannori ℘ 94130, Fax 94284, 🏡 – Ⓟ. AE. 🅂. ⓓ E VISA. ✻
chiuso lunedì, mercoledì sera ed agosto – Pasto cucina casalinga carta 40/55000.

sulla strada statale 12 A :

XX **Villa Bongi** per ⑤ : 9 km ✉ 55015 Montuolo ☎ 510479, « Servizio estivo all'aperto P. AE. 𝔖. ⓓ E VISA
chiuso lunedì, martedì a mezzogiorno e dal 15 al 25 luglio – **Pasto** carta 35/55000.

X **Mecenate,** via della Chiesa 707, località Gattaiola ✉ 55050 Gattaiola ☎ 5121 Fax 512167, – P. AE. 𝔖. ⓓ E VISA. JCB
chiuso a mezzogiorno, lunedì e dal 2 al 15 novembre – **Pasto** carta 35/50000.

a San Macario in Piano *per ⑥ : 6 km – ✉ 55056 Ponte San Pietro :*

XX Solferino, ☎ 59118, Fax 329161, – P

a Ponte a Moriano *per ① : 9 km – ✉ 55029 :*

XXX **La Mora,** a Sesto NO : 2,5 km, via Sesto di Moriano 1748 ☎ 406402, Fax 406135, – 𝔖. ⓓ E VISA. ✻
✿ *chiuso mercoledì, dal 10 al 20 gennaio e dal 10 al 20 ottobre* – **Pasto** carta 50/70000
Spec. Zuppa alla frantoiana. Ravioli al profumo di maggiorana. Piccione in casseruola.

X **Antica Locanda di Sesto,** a Sesto NO : 2,5 km, via Lodovica ☎ 578181, Fax 4063C P. AE. 𝔖. ⓓ E VISA. ✻
chiuso sabato, dal 24 al 31 dicembre ed agosto – **Pasto** carta 35/65000.

sulla strada statale 435 :

Hambros-il Parco senza rist, località Banchieri E : 5 km ✉ 55010 Lur ☎ 935355 e rist. ☎ 936432, Fax 935396, – TV ☎ & P – 50. AE. 𝔖. ⓓ E
chiuso dal 24 al 30 dicembre – ☕ 15000 – **57 cam** 100/160000.

Country, via Pesciantina 874 (E : 8 km) ✉ 55010 Gragnano ☎ 434404, Fax 974344, – TV ☎ & P – 70. AE. 𝔖. ⓓ E VISA. ✻
Pasto carta 30/55000 – ☕ 12000 – **88 cam** 100/145000 – ½ P 80/100000.

a Capannori *per ③ : 6 km – ✉ 55012 :*

XX **Forino,** via Carlo Piaggia 15 ☎ 935302, – P. AE. 𝔖. ⓓ E VISA. ✻
chiuso domenica sera, lunedì, dal 27 dicembre al 3 gennaio ed agosto – **Pasto** specialit mare carta 40/60000.

LUCERA *71036 Foggia* 988 ㉘, 431 C 28 *G. Italia – 36 110 ab. alt. 240 –* ☎ *0881.*
Vedere Castello★ – Museo Civico: statua di Venere★.
Roma 345 – Foggia 20 – Bari 150 – Napoli 157.

XX **Alhambra,** via De Nicastri 10/14 ☎ 547066, « Ambiente caratteristico » – ▤. ✻
chiuso domenica sera e dal 1° al 20 settembre – **Pasto** specialità di mare carta 40/6500C

LUCRINO (lago) *Napoli – Vedere Pozzuoli.*

LUCUGNANO *Lecce* 431 H 36 – *Vedere Tricase.*

LUGANA *Brescia – Vedere Sirmione.*

LUGO *Ravenna* 988 ⑮, 429, 430 I 17 – *31 921 ab. alt. 15 – ✉ 48022 Lugo di Ravenna –* ☎ *0545.*
Roma 385 – Bologna 61 – Ravenna 32 – Faenza 19 – Ferrara 62 – Forlì 31 – Milano 266.

San Francisco senza rist, via Amendola 14 ☎ 22324, Fax 32421 – ▤ TV ☎. AE. 𝔖. E VISA. JCB. ✻
chiuso dal 24 dicembre al 4 gennaio e dal 10 al 24 agosto – **28 cam** ☕ 105/17500C appartamenti.

Ala d'Oro, corso Matteotti 56 ☎ 22388, Fax 30509 – ▤ rist TV ☎ P – 25. AE. 𝔖. E VISA. ✻ rist
Pasto *(chiuso lunedì ed agosto)* carta 40/60000 – ☕ 12000 – **41 cam** 110/15500 ½ P 90/130000.

Non confondete :

Confort degli alberghi	:	...
Confort dei ristoranti	:	XXXXX ... X
Qualità della tavola	:	✿✿✿, ✿✿, ✿

LUINO *21016 Varese* 988 ③, 428 E 8 – *14 595 ab. alt. 202* – ☎ *0332.*

via Piero Chiara 1 ☎ 530019.

Roma 661 – Stresa 73 – Bellinzona 40 – Lugano 23 – Milano 84 – Novara 85 – Varese 28.

Camin Hotel Luino, viale Dante 35 ☎ 530118, Fax 537226, – TV ☎ P – 30. AE. 🅢. E VISA
Pasto *(chiuso martedì e novembre)* carta 55/85000 – **10 cam** 200/280000, 3 appartamenti – ½ P 190000.

Internazionale senza rist, viale Amendola ☎ 530193, Fax 537882 – TV ☎ P
40 cam.

Internazionale, piazza Marconi 18 ☎ 530037 –. 🅢. E VISA
chiuso martedì e dal 10 al 31 luglio – **Pasto** carta 40/50000.

a Colmegna *N : 2,5 km* – ✉ *21016 Luino :*

Camin Hotel Colmegna, via Palazzi 1 ☎ 510855, Fax 537226, ≤, , « Parco in riva al lago » – TV ☎ P. AE. 🅢. E VISA
marzo-ottobre – **Pasto** *(chiuso mercoledì)* carta 45/75000 – **21 cam** 140/190000 – ½ P 135000.

*Sono utili complementi di questa guida, per i viaggi in **ITALIA** :*
- *La **carta stradale Michelin** n° 988 in scala 1/1 000 000.*
- *Le **carte** 428, 429, 430, 431, 432, 433 in scala 1/400 000.*
- *L'Atlante stradale Italia in scala 1/300 000.*
  - *Le guide Verdi turistiche **Michelin "Italia", "Roma", "Venezia"** e **"Toscana"** :*
    itinerari regionali,
    musei, chiese,
    monumenti e bellezze artistiche.

LUMARZO *16024 Genova* 428 I 9 – *1 527 ab. alt. 353* – ☎ *0185.*

Roma 491 – Genova 24 – Milano 157 – Rapallo 27 – La Spezia 93.

a Pannesi *SO : 4 km – alt. 535* – ✉ *16024 Lumarzo :*

Fuoco di Bosco, via Provinciale 235 ☎ 94048, « In un bosco » – P. 🅢.
chiuso giovedì e da gennaio al 15 marzo – **Pasto** carta 45/70000.

LUMELLOGNO *Novara* 428 F 7 – *Vedere Novara.*

LURAGO D'ERBA *22040 Como* 428 E 9 – *4 656 ab. alt. 351* – ☎ *031.*

Roma 613 – Como 14 – Bergamo 42 – Milano 38.

La Corte con cam, via Mazzini 20 ☎ 699690, Fax 699755, – TV ☎ P. AE. 🅢. E VISA.
chiuso dal 10 al 22 agosto – **Pasto** *(chiuso domenica sera e mercoledì)* 45000 (a mezzogiorno) 75/90000 (alla sera) e carta 75/85000 – **8 cam** 120/180000.

LURISIA *Cuneo* 988 ⑫, 428 J 5 – *alt. 660* – ✉ *12088 Roccaforte Mondovì – Stazione termale (giugno-settembre), a.s. febbraio, Pasqua, luglio-15 settembre e Natale – Sport invernali : 800/1 800 m 1 6* – ☎ *0174.*

via Madame Curie 34 ☎ 683119, Fax 683400.

Roma 630 – Cuneo 22 – Milano 226 – Savona 85 – Torino 94.

Reale, via delle Terme 13 ☎ 683105, Fax 683430, , , – TV ☎ P – 150. AE. 🅢. E VISA.
chiuso dal 15 ottobre al 15 dicembre – **Pasto** *(chiuso mercoledì in bassa stagione)* 25/30000 – 10000 – **80 cam** 70/90000 – ½ P 85/95000.

Topazio, ☎ 683107, Fax 683302, – TV ☎ P. 🅢. E VISA. rist
20 dicembre-20 aprile e 20 maggio-settembre – **Pasto** *(chiuso lunedì escluso da giugno a settembre)* carta 30/45000 – **45 cam** 65/90000 – P 75/85000.

Scoiattolo , ☎ 683103, Fax 683371, « Giardino ombreggiato » – TV ☎ P. 🅢. E VISA. rist
chiuso ottobre e novembre – **Pasto** *(chiuso martedì; prenotare)* carta 25/40000 – 7500 – **22 cam** 60/100000 – ½ P 70/85000.

LUSERNA *38040 Trento* 429 E 15 – *361 ab. alt. 1 333* – ☎ *0464.*
Roma 590 – Trento 52 – Bolzano 103 – Verona 110 – Vicenza 83.

Montana, ☎ 789704, prenotare –
chiuso giovedì – **Pasto** cucina di tradizione casalinga carta 30/40000.

LUSIA *45020 Rovigo* 429 G 16 – *3 613 ab. alt. 12* – ☎ *0425.*
Roma 461 – Padova 47 – Ferrara 45 – Rovigo 12 – Venezia 85.

La Nespola, piazza Giovanni XXIII 1 ☎ 67778

in prossimità strada statale 499 :

Trattoria al Ponte, località Bornio S : 3 km ✉ 45020 ☎ 69890, Fax 69177 – AE. VISA. JCB
chiuso lunedì ed agosto – **Pasto** carta 30/40000.

MACERATA *62100* P 988 ⑯, 430 M 22 – *42 489 ab. alt. 311 – a.s. 10 luglio-13 settembre* – ☎ *0733.*
via Garibaldi 87 ☎ 234807, Fax 230449.
A.C.I. *via Roma 139 ☎ 31141.*
Roma 256 – Ancona 51 – Ascoli Piceno 92 – Perugia 127 – Pescara 138.

Claudiani senza rist, vicolo Ulissi 8 ☎ 261400, Fax 261380 – AE. VISA.
20000 – **38 cam** 130/180000.

Da Secondo, via Pescheria Vecchia 26 ☎ 260912, – AE. VISA.
chiuso lunedì e dal 14 al 30 agosto – **Pasto** carta 50/65000.

*Un consiglio **Michelin:***
per la buona riuscita di un viaggio, preparatelo in anticipo.
*Le **carte** e le **guide Michelin** vi danno tutte le indicazioni*
utili su: itinerari, curiosità, sistemazioni, prezzi, ecc.

MACERATA FELTRIA *61023 Pesaro e Urbino* 429, 430 K 19 – *2 005 ab. alt. 321 – a.s. 25 giugno-agosto* – ☎ *0722.*
Roma 305 – Rimini 48 – Ancona 145 – Arezzo 106 – Perugia 139 – Pesaro 46.

Pitinum, ☎ 74496, Fax 74896 – rist . E VISA.
Pasto *(chiuso lunedì)* carta 35/50000 – 6000 – **20 cam** 70/80000 – P 80000.

MACUGNAGA *28030 Verbania* 988 ②, 428 E 5 – *621 ab. alt. (frazione Staffa) 1 327 – a.s. 20 luglio-agosto e Natale – Sport invernali : 1 327/2 868 m 2 5,* – ☎ *0324.*
frazione Staffa, piazza Municipio ☎ 65119, Fax 65119.
Roma 716 – Aosta 231 – Domodossola 39 – Milano 139 – Novara 108 – Orta San Giulio 65 – Torino 182.

Alpi, frazione Borca ☎ 65135, Fax 65135, –
dicembre-aprile e giugno-settembre – **Pasto** (solo per alloggiati) 30000 – 11000 – **13 cam** 65/105000 – ½ P 75/85000.

Chez Felice con cam, frazione Staffa ☎ 65229, Fax 65037, solo su prenotazione, « Locanda caratteristica », –
Pasto (menu suggeriti dal proprietario e *chiuso giovedì*) carta 35/55000 – 12000 – **11 cam** 50/80000 – ½ P 75/85000.

MADDALENA (Arcipelago della) *Sassari* 988 ㉓ ㉔, 433 D 10 – *Vedere Sardegna alla fine dell'elenco alfabetico.*

MADERNO *Brescia – Vedere Toscolano-Maderno.*

MADESIMO *23024 Sondrio* 988 ③, 428 C 10 – *629 ab. alt. 1 536 – Sport invernali : 1 536/2 884 m 2, 16,* – ☎ *0343.*
Escursioni *Strada del passo dello Spluga★★ : tratto Campodolcino-Pianazzo★★★ Sud e Nord.*
via Carducci 27 ☎ 53015, Fax 53782.
Roma 703 – Sondrio 80 – Bergamo 119 – Milano 142 – Passo dello Spluga 15.

Emet, via Carducci 28 ☎ 53395, Fax 53303 – ▮. TV ☎ P. 🅂. E VISA. ✻
dicembre-1º maggio e luglio-agosto – **Pasto** 40/55000 – ☕ 20000 – **39 cam** 115/180000 – ½ P 120/180000.

La Meridiana, via Carducci 8 ☎ 53160, Fax 54632, ≘ – TV ☎ 🚗 P. AE. 🅂. ◑ E VISA. JCB. ✻ rist
dicembre-aprile e 25 giugno-10 settembre – **Pasto** al Rist. ***La Tavernetta*** carta 40/65000 – ☕ 15000 – **26 cam** 85/155000 – ½ P 85/165000.

Tec de l'Urs, ☎ 53283 –. 🅂. ◑ E VISA. JCB. ✻
chiuso martedì, dal 1º al 20 maggio ed ottobre – **Pasto** carta 35/65000.

a **Pianazzo** *O : 2 km – ✉ 23020 :*

Bel Sit con cam, viale Nazionale 19 ☎ 53365, Fax 53365 – TV ☎ 🚗 P. AE. 🅂. ◑ E VISA. JCB. ✻
chiuso ottobre – **Pasto** *(chiuso giovedì)* carta 35/60000 – ☕ 10000 – **10 cam** 60/85000 – ½ P 65/85000.

MADONNA DEI FORNELLI *Bologna 430 J 15 – Vedere San Benedetto Val di Sambro.*

MADONNA DELL'OLMO *Cuneo – Vedere Cuneo.*

MADONNA DEL MONTE *Massa Carrara – Vedere Mulazzo.*

MADONNA DI BAIANO *Perugia 430 N 20 – Vedere Spoleto.*

MADONNA DI CAMPIGLIO *38084 Trento 988 ④, 428, 429 D 14 G. Italia – alt. 1522 – a.s.*

dicembre-Epifania e febbraio-Pasqua – Sport invernali : 1 522/2 504 m 6 18, – ☎ 0465.

Vedere *Località*★★.

Escursioni *Massiccio di Brenta*★★★ *Nord per la strada S 239.*

(luglio-settembre) a Campo Carlo Magno ☎ 441003, Fax 440298, N : 2,5 km.

via Pradalago 4 ☎ 442000, Fax 440404.

Roma 645 – Trento 82 – Bolzano 88 – Brescia 118 – Merano 91 – Milano 214.

Spinale Club Hotel, ☎ 441116, Fax 442189, ≤, Ⅎ₆, ≘, ⊡ – ▮ TV ☎ 🚗 – 🔔 80. AE. 🅂. ◑ E VISA. ✻
3 dicembre-16 aprile e luglio-10 settembre – **Pasto** 50000 – **55 cam** ☕ 370000, 4 appartamenti – ½ P 125/380000.

Savoia Palace, viale Dolomiti di Brenta 18 ☎ 441004, Fax 440549 – ▮ TV ☎ P – 🔔 60. AE. 🅂. ◑ E VISA. ✻
4 dicembre-10 aprile e luglio-agosto – **Pasto** 55/60000 – **55 cam** ☕ 260/340000, 2 appartamenti – ½ P 150/290000.

Lorenzetti, viale Dolomiti di Brenta 119 ☎ 441404, Fax 441404, ≤, Ⅎ₆, ≘ – ▮ TV ☎ 🚗 P – 🔔 40. AE. 🅂. ◑ E VISA. ✻
dicembre-aprile e luglio-settembre – **Pasto** carta 40/55000 – **46 cam** ☕ 200/270000, 6 appartamenti – ½ P 140/170000.

Miramonti, via Cima Tosa 63 ☎ 441021, Fax 440410, ≤, ≘ – ▮ TV ☎ 🚗 P. AE. 🅂. ◑ E VISA. ✻
3 dicembre-25 aprile e 25 giugno-20 settembre – **Pasto** 35/65000 – **20 cam** ☕ 145/210000, 4 appartamenti – ½ P 120/280000.

Cristallo, viale Dolomiti di Brenta ☎ 441132, Fax 440687, ≤, ≘ – ▮ TV ☎ 🚗 P – 🔔 120. AE. 🅂. ◑ E VISA. ✻ rist
dicembre-20 aprile e 22 giugno-10 settembre – **Pasto** 30/50000 – **33 cam** ☕ 185/320000 – ½ P 200/280000.

Grifone, via Vallesinella 7 ☎ 442002, Fax 440540, ≘ – ▮ TV ☎ 🚗. AE. 🅂. ◑ E VISA. ✻ rist
dicembre-19 aprile e 9 luglio-10 settembre – **Pasto** carta 45/60000 – **38 cam** ☕ 220/370000.

Cerana ⟡, via Feuri 16 ☎ 440552, Fax 440587 – ▮ TV ☎ 🚗 P. AE. 🅂. E VISA. ✻
dicembre-20 aprile e luglio-20 settembre – **Pasto** (solo per alloggiati) – **30 cam** solo ½ P 180/190000.

Bertelli, via Cima Tosa 80 ☎ 441013, Fax 440564, ≤, ≘ – ▮ ▤ TV ☎ 🚗 P. AE. 🅂. ◑ E VISA. ✻ rist
5 dicembre-8 aprile e luglio-10 settembre – **Pasto** carta 35/50000 – **40 cam** ☕ 160/280000 – ½ P 140/240000.

Alpina, via Sfulmini 5 ☎ 441075, Fax 443464, ≘, 🌲 – ▮ TV ☎ P. AE. 🅂. ◑ E VISA. ✻
dicembre-25 aprile e 15 giugno-20 settembre – **Pasto** 25/40000 – ☕ 20000 – **27 cam** 140/210000 – ½ P 130/170000.

Oberosler, via Monte Spinale 2 ℘ 441136, Fax 443220, ← – |‡| TV ☎ ⇔ P. AE. Ⓢ. E VISA ※
dicembre-20 aprile e luglio-15 settembre – **Pasto** carta 45/75000 – **34 cam** ⊡ 175/290000 2 appartamenti – ½ P 160/220000.

Diana, viale Dante 4 ℘ 441011, Fax 441049 – |‡| TV ☎ P. Ⓢ. ⓓ E VISA. JCB. ※
dicembre-1° maggio e luglio-15 settembre – **Pasto** 20/30000 – **27 cam** ⊡ 130000 – ½ P 80/100000.

Crozzon, viale Dolomiti di Brenta 96 ℘ 442217, Fax 442636 – |‡| TV ☎ P – 50. AE. Ⓢ ⓓ E VISA. ※ rist
dicembre-aprile e giugno-settembre – **Pasto** carta 35/55000 – **24 cam** ⊡ 120/160000 – ½ P 85/160000.

La Baita, piazza Brenta Alta 17 ℘ 441066, Fax 440750 – |‡| TV ☎ ⇔. AE. Ⓢ. ⓓ E VISA ※ rist
dicembre-aprile e luglio-settembre – **Pasto** (solo per alloggiati) 60/75000 – **22 cam** ⊡ 105/170000 – ½ P 160/200000.

Hermitage ⟡, via Castelletto Inferiore 69 ℘ 441558, Fax 441618, ← monti, « In un parco » – TV P. AE. Ⓢ. E VISA. ※
20 dicembre-Pasqua e luglio-settembre – **Pasto** carta 40/70000 – **14 cam** ⊡ 125/170000 ½ P 110/160000.

Dello Sportivo senza rist, via Pradalago 29 ℘ 441101, Fax 440800 – TV ☎ P. ※
chiuso giugno e dal 5 al 30 novembre – **15 cam** ⊡ 130/240000.

Bucaneve ⟡ senza rist, via Vallesinella 25 ℘ 441271, Fax 441672 – TV ☎ ⇔. Ⓢ. E VISA ※
dicembre-aprile e luglio-settembre – **9 cam** ⊡ 100/210000.

Vidi, ℘ 443344, Fax 40686, ≘s – |‡| TV ☎ P. Ⓢ. E VISA. ※
dicembre-aprile e luglio-20 settembre – **Pasto** 20/30000 – **25 cam** ⊡ 130/230000 ½ P 90/140000.

Arnica senza rist, via Cima Tosa 32 ℘ 440377, Fax 442227 – |‡| TV ☎. AE. Ⓢ. E VISA. ※
21 cam ⊡ 110/200000.

Artini, via Cima Tosa 47 ℘ 440122, Fax 440601 – AE. Ⓢ. ⓓ E VISA. JCB. ※
dicembre-aprile e luglio-settembre – **Pasto** carta 40/60000.

a Campo Carlo Magno *N : 2,5 km – alt. 1682 – ✉ 38084 Madonna di Campiglio.*
Vedere *Posizione pittoresca*★★ – ✻★★ *sul massiccio di Brenta dal colle del Grostè SE per funivia.*

Golf Hotel ⟡, ℘ 441003, Fax 440294, ← monti e pinete, ⛱, 9 9 – |‡| TV ☎ P – 20 AE. Ⓢ. ⓓ E VISA. ※ rist
dicembre-10 aprile e giugno-10 settembre – **Pasto** 65/85000 – ⊡ 25000 – **117 cam** 200/360000, 4 appartamenti – ½ P 110/215000.

Carlo Magno-Zeledria Hotel, ℘ 441010, Fax 440550, ← monti e pinete, ≘s, ▣, ⛱ |‡| TV ☎ P. Ⓢ. ⓓ E VISA. ※
4 dicembre-aprile e 24 giugno-23 settembre – **Pasto** 40/60000 – **104 cam** ⊡ 250/320000 – ½ P 100/230000.

MADONNA DI DOSSOBUONO *Verona – Vedere Verona.*

MADONNA DI SENALES **(UNSERFRAU)** *Bolzano* 218 ⑨ – *Vedere Senales.*

MAGAZZINI *Livorno – Vedere Elba (Isola d') : Portoferraio.*

MAGENTA *20013 Milano* 988 ③, 428 F 8 – *23 385 ab. alt. 141* – ✪ *02.*
Roma 599 – Milano 26 – Novara 21 – Pavia 43 – Torino 114 – Varese 46.

Excelsior, via Cattaneo 67 ℘ 97298651, Fax 97291617 – |‡| ▤ TV ☎ ♿. AE. Ⓢ. ⓓ E VISA ※ rist
Pasto *(chiuso sabato a mezzogiorno, domenica ed agosto)* carta 45/65000 – ⊡ 15000 **65 cam** 170/230000, appartamento – ½ P 190/220000.

L'Osteria, a Ponte Vecchio SO : 2 km ℘ 97298461, Coperti limitati; prenotare – AE. Ⓢ. E VISA. ※
chiuso domenica sera, lunedì, dal 26 dicembre al 2 gennaio ed agosto – **Pasto** carta 55/115000.

Trattoria alla Fontana, via del Roccolo 5 (circonvallazione di Magenta) ℘ 976082 P. AE. Ⓢ. ⓓ E VISA. JCB. ※
chiuso sabato a mezzogiorno e domenica – **Pasto** carta 65/100000.

MAGGIO *Lecco* 428 E 10, 219 ⑩ – *Vedere Cremeno.*

MAGGIORE (Lago) – *Vedere Lago Maggiore.*

MAGIONE *06063 Perugia* 988 ⑮, 430 M 18 – *12 015 ab. alt. 299 – ☎ 075.*
Roma 193 – Perugia 20 – Arezzo 58 – Orvieto 87 – Siena 90.

a San Feliciano *SO : 8 km – ✉ 06060 :*

Ali sul Lago senza rist, Lungolago Nord ✆ 8479246, Fax 8479252, ≤, – |‡| TV ☎ P. AE. ⑤. ⊙ E VISA.
marzo-ottobre – ☐ 10000 – **30 cam** 100/125000, 15 appartamenti 115/160000.

X **Da Settimio** con cam, via Lungolago 1 ✆ 849104, Fax 849104, TV. cam
chiuso novembre – **Pasto** *(chiuso giovedì escluso da giugno a settembre)* carta 40/50000 – **12 cam** ☐ 90000 – 1/2 P 75/85000.

MAGLIANO IN TOSCANA *58051 Grosseto* 988 ㉕, 430 O 15 *G. Toscana* – *3 945 ab. alt. 130 – ☎ 0564.*
Roma 163 – Grosseto 28 – Civitavecchia 118 – Viterbo 106.

XX **Antica Trattoria Aurora,** via Lavagnini 12/14 ✆ 592030, « Servizio estivo in giardino » – AE. ⑤. E VISA.
chiuso mercoledì, febbraio e novembre – **Pasto** 25000 e carta 40/65000.

XX Da Guido, via dei Faggi 9 ✆ 592447,

MAGLIANO SABINA *02046 Rieti* 988 ㉖, 430 O 19 – *3 793 ab. alt. 222 – ☎ 0744.*
Roma 69 – Terni 42 – Perugia 113 – Rieti 54 – Viterbo 48.

sulla strada statale 3 - via Flaminia *NO : 3 km :*

XX **La Pergola** con cam, via Flaminia km 64 ✉ 02046 ✆ 919841, Fax 919841, – |‡| ▤ TV ☎ P. AE. ⑤. ⊙ E VISA.
Pasto *(chiuso martedì)* carta 35/65000 – **11 cam** ☐ 90/120000.

MAGNANO IN RIVIERA *33010 Udine* 429 D 21 – *2 284 ab. alt. 200 – ☎ 0432.*
Roma 658 – Udine 20 – Milano 397 – Trieste 91 – Venezia 147.

Green Hotel, località Colli SO : 2 km ✆ 792308, Fax 792312, – |‡| ▤ ☎ & P – 350
71 cam.

MAIORI *84010 Salerno* 988 ㉗, 431 E 25 – *5 874 ab. – a.s. Pasqua, 15 giugno-15 settembre e Natale – ☎ 089.*
Dintorni *Capo d'Orso★ SE : 5 km.*
corso Regina 85 ✆ 877452, Fax 853672.
Roma 267 – Napoli 65 – Amalfi 5 – Salerno 20 – Sorrento 39.

Miramare senza rist, ✆ 877225, Fax 877490 – |‡| TV ☎ P. AE. ⑤. ⊙ E VISA.
28 dicembre-2 gennaio e 27 marzo-2 novembre – **46 cam** ☐ 120/200000.

San Francesco, via S. Tecla 54 ✆ 877070, Fax 877070, – |‡| ☎ P. rist
aprile-ottobre – **Pasto** carta 35/50000 – ☐ 10000 – **44 cam** 70/100000 – 1/2 P 90/100000.

X **Mammato,** lungomare Amendola ✆ 877036, Rist. e pizzeria – AE. ⑤. ⊙ E VISA
chiuso martedì escluso da giugno a settembre – **Pasto** carta 40/75000.

MAJANO *33030 Udine* 429 D 21 – *5 929 ab. alt. 166 – ☎ 0432.*
Roma 659 – Udine 23 – Pordenone 54 – Tarvisio 77 – Venezia 147.

XX **Dal Asìn** con cam, ✆ 948107, Fax 948116, « Giardino ombreggiato » – TV ☎ P. ⑤. VISA
Pasto *(chiuso giovedì, dal 15 gennaio al 15 febbraio e luglio)* carta 35/50000 – ☐ 10000 – **17 cam** 70/120000 – 1/2 P 75/80000.

MALALBERGO *40058 Bologna* 988 ⑮, 429 H 16 – *6 747 ab. alt. 12 – ☎ 051.*
Roma 403 – Bologna 33 – Ferrara 12 – Ravenna 84.

XX **Rimondi,** ✆ 872012 – ▤. AE. ⑤. ⊙ E VISA.
chiuso lunedì sera, martedì e luglio – **Pasto** specialità di mare carta 40/80000.

MALBORGHETTO 33010 Udine 429 C 22 – 1 036 ab. alt. 787 – ☎ 0428.
Roma 710 – Udine 82 – Tarvisio 12 – Tolmezzo 50.

a Valbruna E : 6 km – ✉ 33010 :

XX **Renzo** con cam, via Saisera ✆ 60123, Fax 60232 – ☎ ♿ P. AE. S. ⊙ E VISA. cam
Pasto (chiuso lunedì escluso da Natale a gennaio, luglio ed agosto) carta 35/60000
– ☐ 6000 – **7 cam** 50/120000 – ½ P 75000.

MALCESINE 37018 Verona 988 ④, 428, 429 E 14 G. Italia – 3 510 ab. alt. 90 – ☎ 045.
Vedere ✻★★★ dal monte Baldo E : 15 mn di funivia – Castello Scaligero★.
ℹ via Capitanato del Porto 6/8 ✆ 7400044, Fax 7401633.
Roma 556 – Trento 53 – Brescia 92 – Mantova 93 – Milano 179 – Venezia 179 – Verona 67.

Park Hotel Querceto, località Campiano 17/19 (O : 5 km) ✆ 7400344, Fax 740084[illegible]
« Servizio rist. estivo in terrazza », – |‡| ▤ rist TV ☎ P – 60. S.
chiuso da febbraio al 15 marzo e novembre – **Pasto** carta 65/80000 – **20 cam** ☐ 260000
½ P 150/185000.

Bellevue Sanlorenzo, a Dos de Fer ✆ 7401598, Fax 7401055, ≤ lago e cost[illegible]
« Giardino ombreggiato con » – |‡| TV ☎ P – 60. AE ⊙ E VISA.
10 marzo-10 novembre – **Pasto** (solo per alloggiati) carta 45/75000 – **50 cam** ☐ 16[illegible]
260000 – ½ P 125/145000.

Vega, viale Poma ✆ 7400151, Fax 7401604, ≤, « Giardino », – |‡| ▤ TV ☎ P. VISA.
aprile-ottobre – **Pasto** carta 35/55000 (10 %) – **18 cam** ☐ 130/230000 – ½ P 90/140000.

Alpi, località Campogrande ✆ 7400717, Fax 7400529, « Giardino con », – ☎
S. E VISA.
chiuso dal 20 gennaio a marzo e dal 15 novembre al 26 dicembre – **Pasto** (chiuso lune[illegible]
25/30000 – ☐ 20000 – **40 cam** 80/100000 – ½ P 80/90000.

Erika, ✆ 7400451, Fax 7400451, – . AE.
chiuso novembre e dicembre – **Pasto** (chiuso giovedì) 30/40000 – ☐ 15000 – **14 ca**[illegible]
95/110000 – ½ P 60/90000.

a Val di Sogno S : 2 km – ✉ 37018 Malcesine :

Maximilian, via Val di Sogno 6 ✆ 7400317, Fax 6570117, ≤, « Giardino-oliveto in ri[illegible]
al lago », , , , – ▤ rist ☎ P.
25 marzo-15 ottobre – **Pasto** (solo per alloggiati e chiuso a mezzogiorno) – **33 ca**[illegible]
☐ 150/260000 – ½ P 100/150000.

Val di Sogno, via Val di Sogno ✆ 7400108, Fax 7401694, , riscaldata, ,
|‡| ▤ rist ☎ P – 30.
Pasqua-ottobre – **Pasto** carta 40/70000 – ☐ 25000 – **39 cam** 180/300000 – ½ P 190000

sulla strada statale 249 :

Piccolo Hotel, N : 3 km ✉ 37018 ✆ 7400264, Fax 7400264, ≤, riscaldata, –
P. S. E VISA. rist
25 marzo-10 ottobre – **Pasto** (solo per alloggiati) 30000 – ☐ 14000 – **21 cam** 60/9500[illegible]
½ P 60/80000.

MALCONTENTA 30030 Venezia 429 F 18 G. Venezia – ☎ 041.
Vedere Villa Foscari★.
Roma 523 – Venezia 14 – Milano 262 – Padova 32 – Treviso 28.

Gallimberti, via Malcanton 3-33/a ✆ 698099, Fax 5470163 – ▤ TV ☎ P. AE. S. ⊙
VISA. JCB
Pasto vedere rist **Da Bepi el Ciosoto** – ☐ 7000 – **22 cam** 70/120000 – ½ P 90/95000.

X **Da Bepi el Ciosoto**, via Malcanton 3-33/a ✆ 698997 – P. AE. S. ⊙ E VISA. JCB
chiuso domenica sera e lunedì a mezzogiorno – **Pasto** specialità di mare carta 50/7500[illegible]

MALÈ 38027 Trento 988 ④, 428, 429 C 14 – 2 040 ab. alt. 738 – a.s. febbraio-Pasqua e Nata[illegible]
☎ 0463.
ℹ viale Marconi 7 ✆ 901280, Fax 901563.
Roma 641 – Bolzano 65 – Passo di Gavia 58 – Milano 236 – Sondrio 106 – Trento 59.

Henriette, via Trento ✆ 902110, Fax 902114, ≤, , , – |‡| rist ▤ rist TV ☎
P. AE. S. E VISA.
20 dicembre-4 aprile e 20 maggio-settembre – **Pasto** carta 40/55000 – **39 cam** ☐ 1[illegible]
160000 – ½ P 80/100000.

Rauzi, ✆ 901228, Fax 901228, ≤, – |‡| TV ☎ P.
23 dicembre-24 marzo e 25 giugno-10 settembre – **Pasto** 35000 – ☐ 10500 – **42 c**[illegible]
60/105000 – ½ P 75/110000.

XX **Conte Ramponi,** località Magras NE : 1 km ☎ 901989, « Edificio cinquecentesco » – AE. ⑤. ⓞ E VISA. ✻
chiuso lunedì, dal 1° al 15 giugno e dal 1° al 15 ottobre – **Pasto** carta 35/75000.

X **La Segosta,** via Trento 59 ☎ 902380, Fax 901390, 🏠 – Ⓟ. AE. ⑤. ⓞ E VISA. ✻
chiuso lunedì sera, martedì, dal 1° al 18 giugno e dal 21 settembre al 21 ottobre – **Pasto** carta 35/50000.

Vedere anche : **Monclassico** *SO : 2,5 Km*
Rabbi *NO : 8 Km*

MALEO
20076 Lodi 428, 429 G 11 – *3 321 ab. alt. 58* – ☎ *0377.*
Roma 527 – Piacenza 19 – Cremona 23 – Milano 60 – Parma 77 – Pavia 51.

XX **Leon d'Oro,** via Dante 69 ☎ 58149, 🏠, Coperti limitati; prenotare – ▤. AE. ⑤. ⓞ E VISA.
✻ – *chiuso mercoledì ed agosto* – **Pasto** carta 50/85000.

MALESCO
28030 Verbania 428 D 7, 219 ⑥ ⑦ – *1 467 ab. alt. 761 – Sport invernali : 761/940 m* ⛷ *1,* ⛷ – ☎ *0324.*
Roma 718 – Stresa 53 – Domodossola 20 – Locarno 29 – Milano 142 – Novara 111 – Torino 185.

X **Ramo Verde,** ☎ 95012 – ✻
chiuso dal 10 al 18 giugno, dal 1° al 15 ottobre e giovedì (escluso da luglio a settembre) – **Pasto** carta 30/40000.

MALGRATE
22040 Lecco 428 E 10, 219 ⑨ ⑩ – *4 271 ab. alt. 224* – ☎ *0341.*
Roma 623 – Como 27 – Bellagio 20 – Lecco 2 – Milano 54.

🏨 ✿ **Il Griso,** via Provinciale 51 ☎ 202040, Fax 202248, ← lago e monti, 🏠, « Piccolo parco », 🏋, 🏊, 🏊 – 🛗 ▤ 📺 ☎ 🚗 Ⓟ – 🏛 150. AE. ⑤. ⓞ E VISA
chiuso dal 20 dicembre al 6 gennaio – **Pasto** carta 80/125000 – ☕ 18000 – **47 cam** 170/200000 – ½ P 190/220000
Spec. Gamberi al vapore con insalata all'aceto di Champagne. Stufato di scampi con porri fritti. Petto d'anatra arrosto glassato al miele.

MALLES VENOSTA (MALS)
39024 Bolzano 988 ④, 428, 429 B 13 – *4 732 ab. alt. 1 050* – ☎ *0473.*
Roma 721 – Sondrio 121 – Bolzano 84 – Bormio 57 – Milano 252 – Passo di Resia 22 – Trento 142.

🏨 **Garberhof,** via Statale 25 ☎ 831399, Fax 831950, ← monti e vallata, 🏋, 🏊, 🏊, 🌳 – 🛗 📺 ☎ Ⓟ. AE. ⑤. E VISA. ✻ rist
chiuso dal 10 novembre al 20 dicembre – **Pasto** *(chiuso lunedì)* 30/45000 – ☕ 19000 – **26 cam** 130/210000 – ½ P 95/120000.

🏨 **Greif,** via Verdross 40/A ☎ 831189, Fax 831906 – 🛗 📺 ☎ ♿. AE. ⑤. E VISA. ✻ rist
chiuso dal 15 novembre a Natale – **Pasto** *(chiuso a mezzogiorno escluso da giugno a settembre)* carta 35/50000 – **17 cam** ☕ 100/180000 – ½ P 85/115000.

Burgusio (Burgeis) *N : 3 km alt. 1 215 – ✉ 39024 Malles Venosta.*
ℹ ☎ *81422, Fax 81690 :*

🏨 **Plavina** 🔇, ☎ 831223, Fax 830406, ←, 🏊, 🏊, 🌳 – 🛗 ☎ Ⓟ. ✻
chiuso dal 26 aprile al 22 maggio e dall'8 novembre al 26 dicembre – **Pasto** vedere rist ***Al Moro*** – **32 cam** ☕ 90/140000 – ½ P 90/100000.

XX **Al Moro-Zum Mohren** con cam, ☎ 831223, Fax 830406 – Ⓟ
chiuso dal 26 aprile al 22 maggio e dall'8 novembre al 26 dicembre – **Pasto** *(chiuso martedì)* 25/30000 – **9 cam** ☕ 70/120000 – ½ P 80/85000.

MALNATE
21046 Varese 428 E 8, 219 ⑧ – *14 866 ab. alt. 355* – ☎ *0332.*
Roma 618 – Como 21 – Lugano 32 – Milano 50 – Varese 6.

XX Crotto Valtellina, località Valle ☎ 427258, Fax 861247, 🏠, prenotare
Pasto specialità valtellinesi.

MALOSCO
38013 Trento 429 C 15, 218 ⑳ – *358 ab. alt. 1041 – a.s. 5 febbraio-5 marzo, Pasqua e Natale* – ☎ *0463.*
Roma 638 – Bolzano 33 – Merano 40 – Milano 295 – Trento 56.

🏨 **Panorama** 🔇, viale Panorama 6 ☎ 831201, Fax 831296 – 🛗 📺 ☎ Ⓟ. ✻ rist
Pasto carta 35/45000 – **43 cam** ☕ 65/130000 – ½ P 90/95000.

🏨 **Bel Soggiorno** 🔇, via Miravalle 7 ☎ 831205, Fax 831205, ←, 🌳 – 🛗 Ⓟ. ✻ rist
15 dicembre-15 gennaio e 15 giugno-15 ottobre – **Pasto** 25/30000 – ☕ 8000 – **32 cam** 55/100000 – P 65/100000.

🏨 **Rosalpina,** viale Belvedere 30 ☎ 831186, ←, « Giardino ombreggiato » – 🛗 Ⓟ. ✻
22 dicembre-15 marzo e 25 giugno-15 settembre – **Pasto** 25000 – **19 cam** ☕ 85/130000 – ½ P 70/100000.

MALS = *Malles Venosta.*

MANAROLA *19010 La Spezia* 428 J 11 *G. Italia* – ✆ *0187.*

Vedere *Passeggiata*★★ *(15 mn a piedi dalla stazione).*

Dintorni *Regione delle Cinque Terre*★★ *NO e SE per ferrovia.*

Roma 434 – La Spezia 14 – Genova 119 – Milano 236.

Cà d'Andrean senza rist, Via Discovolo 25 ✆ 920040, Fax 920452, – ☎. *chiuso dal 10 al 25 novembre* – ☐ 9000 – **10 cam** 75/100000.

Marina Piccola con cam, via Discovolo 38 ✆ 920103, Fax 920966, ←, – ☎. AE. 🅢 ◐ E VISA. cam *chiuso gennaio* – **Pasto** *(chiuso giovedì)* carta 45/75000 (10%) – ☐ 15000 – **9 cam** 90, 110000 – 1/2 P 120/130000.

a Volastra *NO : 7 km* – ✉ *19010 Manarola :*

Gli Ulivi, via Nostra Signora della Salute ✆ 920158, – AE. 🅢. E VISA *chiuso martedì* – **Pasto** carta 30/75000.

MANDELLO DEL LARIO *22054 Lecco* 428 E 9, 219 ⑨ – *10 166 ab. alt. 203* – ✆ *0341.*

Roma 631 – Como 40 – Bergamo 44 – Milano 67 – Sondrio 71.

a Olcio *N : 2 km* – ✉ *22054 Mandello del Lario :*

Ricciolo, via Provinciale 165 ✆ 732546, Coperti limitati; prenotare, « Servizio estivo all'a perto in riva al lago » – Ⓟ. AE. 🅢. ◐ E VISA. *chiuso dall'8 dicembre al 20 gennaio, domenica sera e lunedì (escluso dal 15 luglio 15 agosto)* – **Pasto** specialità di lago carta 45/60000

Spec. Lavarello al pomodoro e basilico (estate-autunno). Brodetto di pesce lariano. Biscot di pesce persico al timo.

MANERBA DEL GARDA *25080 Brescia* 428, 429 F 13 – *3 082 ab. alt. 132* – *a.s. Pasqua luglio-15 settembre* – ✆ *0365.*

Roma 541 – Brescia 32 – Mantova 80 – Milano 131 – Trento 103 – Verona 56.

Capriccio, a Montinelle, piazza San Bernardo 6 ✆ 551124, Fax 551124, solo su prenot zione a mezzogiorno, « Servizio estivo all'aperto con ← lago » – ▤ Ⓟ. AE. 🅢. ◐ E VISA *chiuso gennaio, febbraio e martedì escluso da giugno a settembre* – **Pasto** carta 55/8000

MANFREDONIA *71043 Foggia* 988 ㉘, 431 C 29 *G. Italia* – *58 408 ab.* – *a.s. luglio-13 settembre* ✆ *0884.*

Vedere *Chiesa di Santa Maria di Siponto*★ *S : 3 km.*

Dintorni *Portale*★ *della chiesa di San Leonardo S : 10 km.*

Escursioni *Isole Tremiti*★ *(in battello) : ←*★★★ *sul litorale.*

corso Manfredi 26 ✆ 581998, Fax 581998.

Roma 411 – Foggia 44 – Bari 119 – Pescara 211.

Gargano, viale Beccarini 2 ✆ 587621, Fax 586021, ←, – ▤ TV ☎ Ⓟ – 10 🅢. E VISA. rist *marzo-10 novembre* – **Pasto** *(chiuso martedì)* carta 40/60000 (15%) – ☐ 10000 – **46 ca** 110/150000 – 1/2 P 110/120000.

Trattoria il Baracchio, corso Roma 38 ✆ 583874 – ▤. AE. 🅢. ◐ E VISA. *chiuso giovedì e dal 7 al 17 luglio* – **Pasto** 30/45000 (a mezzogiorno) 25/45000 (alla sera carta 35/60000.

a Siponto *SO : 3 km* – ✉ *71040 :*

Gabbiano, ✆ 542380, Fax 542554, – TV ☎ Ⓟ **16 cam.**

MANGO *12056 Cuneo* 428 H 6 – *1 337 ab. alt. 521* – ✆ *0141.*

Roma 622 – Genova 123 – Torino 84 – Alessandria 60 – Asti 31 – Cuneo 86.

Del Castello, piazza XX Settembre ✆ 89141, Fax 89141, prenotare – AE. 🅢. ◐ E VISA *chiuso martedì e dal 10 al 30 gennaio* – **Pasto** carta 40/65000.

Le Ottime Tavole

Per voi abbiamo contraddistinto alcuni alberghi (...) e ristoranti (...) con ✿, ✿✿ o ✿✿✿.

MANTOVA 46100 P 988 ⑭, 428, 429 G 14 G. Italia – 50 125 ab. alt. 19 – ☎ 0376.

Vedere Palazzo Ducale★★★ BY – Piazza Sordello★ BY – Piazza delle Erbe★ : Rotonda di San Lorenzo★ BZ B – Basilica di Sant'Andrea★ BYZ – Palazzo Te★ AZ.

Dintorni Sabbioneta★ SO : 33 km.

ℹ piazza Andrea Mantegna 6 ☎ 328253, Fax 363292.

A.C.I. piazza 80° Fanteria 13 ☎ 325691.

Roma 469 ③ – Verona 42 – Brescia 66 ① – Ferrara 89 ② – Milano 158 ① – Modena 67 ③ – Parma 62 ④ – Piacenza 199 ④ – Reggio nell'Emilia 72 ③.

MANTOVA

roletto (Via e Piazza) . . . . . . BZ 4
ibertà (Corso) . . . . AZ 12
Mantegna (Piazza Andrea) . . BZ 13
oma (Via) . . . . AZ
mberto (Corso) . . . . AZ

Accademia (Via) . . . . BY 2
Acerbi (Via) . . . . AZ 3
Canossa (Piazza) . . . . AY 5
Don Leoni (Piazza) . . . . AZ 6
Don Tazzoli (Via Enrico) . . . . . BZ 7
Erbe (Piazza delle) . . . . BZ 8
Fratelli Cairoli (Via) . . . . BY 10
Marconi (Piazza) . . . . ABZ 15

Martiri di Belfiore (Piazza) . . . . AZ 16
Matteotti (Via) . . . . AZ 17
S. Giorgio (Via) . . . . BY 20
Sordello (Piazza) . . . . BY 21
Verdi (Via Giuseppe) . . . . AZ 24
Virgilio (Via) . . . . AY 25
20 Settembre (Via) . . . . BZ 27

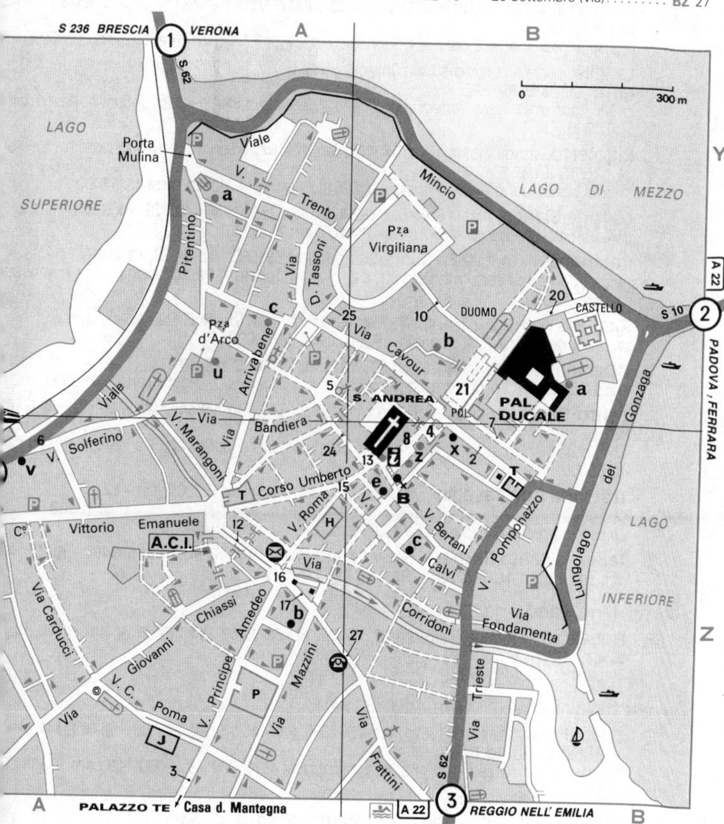

San Lorenzo senza rist, piazza Concordia 14 ☎ 220500, Fax 327194 – 50. AE. ⓢ. ⓓ E VISA. BZ e
32 cam ☕ 250/300000.

Rechigi senza rist, via Calvi 30 ☎ 320781, Fax 220291 – 70. AE. ⓢ. ⓓ E VISA BZ c
☕ 20000 – **60 cam** 170/230000.

Mantegna senza rist, via Fabio Filzi 10/b ☎ 328019, Fax 368564 – P. AE. ⓢ. ⓓ E VISA. AZ b
chiuso dal 24 dicembre al 7 gennaio – ☕ 15000 – **39 cam** 100/150000.

Apollo senza rist, piazza Don Leoni 17 ☎ 328114, Fax 221120 – AE. ⓢ. ⓞ E VISA – 25 AZ
13000 – **35 cam** 105/140000.

Broletto senza rist, via Accademia 1 ☎ 326784, Fax 221297 – AE. ⓢ. ⓞ E VISA BZ
chiuso dal 23 dicembre al 3 gennaio – 12000 – **16 cam** 95/140000.

San Gervasio, via San Gervasio 13 ☎ 323873, Fax 327077, prenotare – AE. ⓢ. ⓞ E VISA. JCB. AY
chiuso mercoledì e dal 12 al 31 agosto – **Pasto** carta 50/70000.

Aquila Nigra, vicolo Bonacolsi 4 ☎ 327180, Fax 327180, prenotare – AE. ⓢ. ⓞ E VISA BY
chiuso dal 1º al 15 gennaio, dall'8 al 28 agosto, lunedì, domenica sera in aprile-maggio e settembre-ottobre, tutto il giorno negli altri mesi – **Pasto** carta 60/85000
Spec. Tortino di melanzane alla parmigiana. Bavette al sugo di pesce. Sella di coniglio con peperoni e olive.

Il Cigno Trattoria dei Martini, piazza Carlo d'Arco 1 ☎ 327101, Fax 328528 – AE. ⓢ. ⓞ E VISA AY
chiuso lunedì, martedì, dal 7 al 12 gennaio e dal 1º al 22 agosto – **Pasto** carta 60/80000.

La Villa, Corte Alberotto-strada Ghisiolo 6 ☎ 245087, Fax 245124, « In una villa del 700 » – P. AE. ⓢ. ⓞ E VISA. 2,5 km per ②
chiuso domenica sera, lunedì, dal 1º al 12 gennaio e dal 1º al 21 agosto – **Pasto** carta 60/80000.

Rigoletto, strada Cipata 10 ☎ 371167, Fax 371167, « Servizio estivo in giardino » – P 120. AE. ⓢ. E VISA. per ②
chiuso lunedì, dal 1º al 20 gennaio e dal 16 al 31 agosto – **Pasto** carta 45/65000.

Grifone Bianco, piazza Erbe 6 ☎ 365423, Fax 326590, – AE. ⓢ. ⓞ E VISA BZ
chiuso martedì e dal 15 al 31 luglio – **Pasto** carta 25/60000.

Campana, via Santa Maria Nuova (Cittadella) ☎ 391885 – P. ⓢ. ⓞ E VISA.
chiuso domenica sera, mercoledì e dal 1º al 14 agosto – **Pasto** cucina tipica mantovana carta 35/50000. per ①

Ritz, viale Piave 2 ☎ 326474, Rist. e pizzeria – AE. ⓢ. ⓞ E VISA. per ④
chiuso lunedì e dal 15 al 31 luglio – **Pasto** carta 30/50000.

L'Ochina Bianca, via Finzi 2 ☎ 323700 – AE. ⓢ. ⓞ E VISA. AY
chiuso lunedì, martedì a mezzogiorno e dal 1º al 7 gennaio – **Pasto** carta 35/50000.

Cento Rampini, piazza delle Erbe 11 ☎ 366349, Fax 366349, – AE. ⓢ. ⓞ E VISA BZ
chiuso domenica sera, lunedì, dal 26 al 31 gennaio e dal 1º al 15 agosto – **Pasto** carta 45/55000.

Trattoria Due Cavallini, via Salnitro 5 ☎ 322084, Fax 322084, – AE. per ③
chiuso martedì e dal 15 luglio al 15 agosto – **Pasto** carta 35/50000.

Taberna Santa Barbara, piazza Santa Barbara 19 ☎ 329496, Fax 329496 – P. ⓢ. BY
chiuso lunedì e martedì sera – **Pasto** carta 35/55000.

a Porto Mantovano *per ① : 3 km* – ✉ *46047 :*

Ducale senza rist, via Gramsci 1 ☎ 397756, Fax 396256 – P. AE. ⓢ. E VISA.
40 cam 100/150000.

a Cerese di Virgilio *per ③ : 4 km* – ✉ *46030 Virgilio :*

Cristallo, via Cisa 1 ☎ 448391, Telex 302060, Fax 440748, – 120. AE. ⓢ. ⓞ E VISA.
Pasto *(chiuso martedì e dal 1º al 15 agosto)* carta 45/65000 – 8000 – **69 cam** 100/140000 – ½ P 75/95000.

in prossimità casello autostrada A 22 Mantova Nord *NE : 5 km :*

Class Hotel M, via Bachelet 18 ✉ 46030 S. Giorgio di Mantova ☎ 270222 e rist. ☎ 372969, Fax 372681 – cam P – 60. AE. ⓢ. ⓞ E VISA rist
Pasto al Rist. ***Sapori di Mantova*** *(chiuso domenica a mezzogiorno)* carta 40/65000 – **66 cam** 145/170000 – ½ P 90/155000.

a Pietole di Virgilio *per ③ : 7 km* – ✉ *46030 :*

Paradiso senza rist, via Piloni 13 ☎ 440700, Fax 449253, – P – 50. E VISA.
16 cam 75/110000.

MANZANO *33044 Udine* [429] E 22 – *7 115 ab. alt. 72* – ☎ *0432.*

Roma 646 – Udine 16 – Gorizia 21 – Trieste 52.

🍴🍴 **Il Borgo** 🐦 con cam, a Soleschiano S : 2 km ☎ 754119, Fax 755417, prenotare, « Servizio estivo all'aperto », 🚗 – ☎ 🅿. [AE]. [S]. ● E VISA. ✗
Pasto *(chiuso martedì)* carta 50/75000 – ☕ 15000 – **10 cam** 80000 – ½ P 70000.

MANZIANA *00066 Roma* [988] ㉕, [430] P 18 – *5 809 ab. alt. 369* – ☎ *06.*

Roma 56 – Viterbo 45 – Civitavecchia 49.

🍴 **Il Ponte,** via Canale 3 ☎ 9962063, ☂, Rist. e pizzeria – [AE]. [S]. ● E VISA. JCB
chiuso mercoledì e dal 7 al 30 gennaio (escluso sabato sera e domenica a mezzogiorno) – **Pasto** carta 30/45000.

MARANELLO *41053 Modena* [988] ⑭, [428], [429], [430] I 14 – *15 165 ab. alt. 137* – ☎ *0536.*

Roma 411 – Bologna 53 – Firenze 137 – Milano 179 – Modena 16 – Reggio nell'Emilia 30.

🏨 **Domus** senza rist, via Libertà 38 ☎ 941071, Fax 942343 – |‡| ≡ [TV] ☎. [AE]. [S]. ● E VISA. JCB
50 cam ☕ 90/120000, appartamento.

🍴🍴 **William,** via Flavio Gioia 1 ☎ 941027, Fax 941027 – ≡. [AE]. [S]. ● E VISA. JCB. ✗
chiuso lunedì e dall'8 al 28 agosto – **Pasto** carta 40/80000.

🍴🍴 Cavallino, di fronte alle Officine Ferrari ☎ 941160, Fax 942324 – ≡

sulla strada statale 12 - Nuova Estense *SE : 4 km :*

🍴🍴 **La Locanda del Mulino,** ✉ 41053 ☎ 948895, « Servizio estivo all'aperto » – 🅿. [AE]. [S]. ● VISA. ✗
chiuso mercoledì, sabato a mezzogiorno ed in agosto aperto solo la sera – **Pasto** carta 35/55000.

MARANO LAGUNARE *33050 Udine* [988] ⑥, [429] E 21 – *2 094 ab. – a.s. luglio-agosto* – ☎ *0431.*

Roma 626 – Udine 43 – Gorizia 51 – Latisana 21 – Milano 365 – Trieste 71.

🍴 **Alla Laguna-Vedova Raddi,** ☎ 67019 – ✗
chiuso mercoledì e dal 25 settembre al 25 ottobre – **Pasto** specialità di mare carta 40/70000.

MARATEA *85046 Potenza* [988] ㊳, [431] H 29 *G. Italia* – *5 304 ab. alt. 311* – ☎ *0973.*

Vedere *Località★★ – ✻★★ dalla basilica di San Biagio.*

[i] *piazza del Gesù 40* ✉ *85040 Fiumicello di Santa Venere* ☎ *876908, Fax 877454.*

Roma 423 – Potenza 147 – Castrovillari 88 – Napoli 217 – Reggio di Calabria 340 – Salerno 166 – Taranto 231.

🏨 **La Locanda delle Donne Monache** 🐦, via Carlo Mazzei 4 ☎ 877487, Fax 877687, ☂, « In un convento del 18° secolo », 🏊, 🚗 – ≡ [TV] ☎ 🅿 – 👥 35. [AE]. [S]. ● E VISA. ✗
aprile-ottobre – **Pasto** (solo su prenotazione) carta 65/100000 – **24 cam** ☕ 240/400000, 3 appartamenti.

Fiumicello di Santa Venere *O : 5 km* – ✉ *85040 :*

🏨 **Murmann,** via Fiumicello 1 ☎ 876931, Fax 877383, 🏊, 🚗 – [TV] ☎ 🅿. [S]. E VISA. ✗
marzo-ottobre – **Pasto** *(chiuso lunedì)* 30/35000 (15 %) – ☕ 15000 – **20 cam** 100/150000 – ½ P 100/120000.

🍴🍴 **Zà Mariuccia,** via Grotte 2 ☎ 876163, ←, ☂ – [AE]. [S]. ● E VISA. ✗
marzo-novembre; chiuso giovedì escluso da giugno a settembre e in agosto anche a mezzogiorno – **Pasto** carta 45/75000 (15 %).

a Acquafredda *NO : 10 km* – ✉ *85041 :*

🏨 **Villa del Mare,** strada statale S : 1,5 km ☎ 878007, Fax 878102, ← mare e costa, « Terrazze fiorite con ascensore per la spiaggia », 🏊, 🏖 – |‡| ≡ [TV] ☎ 🅿 – 👥 300. [AE]. [S]. ● E VISA. ✗
aprile-15 ottobre – **Pasto** carta 40/70000 – **70 cam** ☕ 200/280000 – ½ P 210000.

🏨 **Villa Cheta Elite,** via Timpone 46 ☎ 878134, Fax 878135, ←, « Terrazze fiorite e servizio rist. estivo in giardino » – ☎ 🅿. [AE]. [S]. ● E VISA. ✗ rist
Pasto carta 45/60000 – ☕ 15000 – **20 cam** 135/155000 – ½ P 100/165000.

🏨 **Gabbiano** 🐦, via Luppa 24 ☎ 878011, Fax 878076, ←, « Terrazza sul mare », 🏖 – |‡| ≡ [TV] ☎ 🅿. [S]. E VISA. ✗
aprile-ottobre – **Pasto** 50/55000 – ☕ 25000 – **31 cam** 110/140000 – ½ P 85/165000.

a Castrocucco *SE : 10 km – ✉ 85040 Maratea Porto :*

XX **La Tana** con cam, ✆ 877288, Fax 871720 – ▤ rist TV ☎ P. AE. 🅂. ◑ E VISA. ✈
Pasto *(chiuso giovedì escluso dal 15 giugno al 15 settembre)* carta 35/55000 – ☕ 8000 – **30 cam** 100/120000 – ½ P 65/100000.

MARAZZINO *Sassari* 433 D 9 – *Vedere Sardegna (Santa Teresa Gallura) alla fine dell'elenco alfabetico.*

MARCELLI *Ancona* 430 L 22 – *Vedere Numana.*

MARCELLISE *Verona* 429 F 15 – *Vedere San Martino Buon Albergo.*

MARCIAGA *Verona – Vedere Costermano.*

MARCIANA e MARCIANA MARINA *Livorno* 988 ㉔, 430 N 12 – *Vedere Elba (Isola d').*

MAREBELLO *Rimini* 430 J 19 – *Vedere Rimini.*

MARGHERA *Venezia – Vedere Mestre.*

MARGNO *22050 Lecco* 428 D 10, 219 ⑩ – *360 ab. alt. 730 – Sport invernali : a Pian delle Betulle 1 503/1 800 m* ⛷ 1 ⛷ 4, ⛷ – ☎ *0341.*
Roma 650 – Como 59 – Sondrio 63 – Lecco 30 – Milano 86.

a Pian delle Betulle *E : 5 mn di funivia – alt. 1 503 :*

🏠 **Baitock** ⛰, via Sciatori 8 ✉ 22050 ✆ 803042, ≤ monti e pinete, 🌲 – ☎. 🅂. E VISA
Pasto *(solo per alloggiati e chiuso lunedì)* carta 40/65000 – ☕ 8000 – **15 cam** 70/90000 – P 70/100000.

MARIANO COMENSE *22066 Como* 428 E 9, 219 ⑲ – *19 216 ab. alt. 250 –* ☎ *031.*
Roma 619 – Como 17 – Bergamo 54 – Lecco 32 – Milano 32.

XXX ✿ **La Rimessa,** via Cardinal Ferrari 13/bis ✆ 749668, Fax 750210, 🏠, « In una villa fine 800 » – P. AE. 🅂. ◑ E VISA. ✈
chiuso domenica sera, lunedì, dal 2 al 10 gennaio ed agosto – **Pasto** 30/35000 b (a mezzogiorno) 60/70000 (alla sera) e carta 45/75000
Spec. Fegato d'oca con pane all'uva, insalata e code di gamberi all'aceto balsamico e scalogno. Risotto giallo con salsiccia e porcini (giugno-novembre). Fettine di storione scottate alla mediterranea.

MARILLEVA 900 *Trento – Vedere Mezzana.*

MARINA DEL CANTONE *Napoli* 431 F 25 – *Vedere Massa Lubrense.*

MARINA DI BELVEDERE MARITTIMO *87020 Cosenza* 431 I 29 – ☎ *0985.*
Roma 452 – Cosenza 71 – Castrovillari 88 – Catanzaro 131 – Paola 37 – Sapri 68.

🏨 **La Castellana,** località La Praia ✆ 82025, ⛱, 🏖, 🌲, ✂ – 🛗 ▤ TV ☎ P. AE. 🅂. ◑ VISA. ✈
Pasto carta 25/45000 – ☕ 6000 – **40 cam** 95/125000 – ½ P 90/125000.

MARINA DI BIBBONA *Livorno* 430 M 13 - *Vedere Bibbona (Marina di).*

MARINA DI CAMEROTA *84059 Salerno* 988 ㊳, 431 G 28 – *a.s. luglio-agosto –* ☎ *0974.*
Roma 385 – Potenza 148 – Napoli 179 – Salerno 128 – Sapri 36.

🏠 **Delfino,** via Bolivar 45 ✆ 932239, Fax 932239 – ☎ P. AE. 🅂. E VISA. ✈ rist
Pasto (solo per alloggiati) – ☕ 8000 – **22 cam** 50/70000 – P 55/90000.

🏠 **Bolivar,** ✆ 932059, Fax 932036, 🏠 – 🛗 ☎. 🅂. VISA. ✈
marzo-settembre – **Pasto** *(aprile-settembre)* 20/25000 – ☕ 6000 – **14 cam** 40/60000 – ½ P 70/75000.

X **Valentone,** ☎ 932004, ⛱ – [P]
chiuso domenica escluso da Pasqua a ottobre – **Pasto** carta 35/60000.

X **Da Pepè** con cam, via Nazionale 41 ☎ 932461, Fax 932716, ⛱ – [P]. [AE]
Pasqua-settembre – **Pasto** carta 45/90000 – ☕ 10000 – **22 cam** 70/100000 – P 95/110000.

ARINA DI CAMPO *Livorno* [988] ㉔, [430] N 12 – *Vedere Elba (Isola d').*

ARINA DI CARRARA *Massa-Carrara* [988] ⑭, [428], [429], [430] J 12 *G. Toscana* – *Vedere Carrara (Marina di).*

ARINA DI CASTAGNETO *Livorno* [988] ⑭, [430] M 13 – *Vedere Castagneto Carducci.*

ARINA DI CECINA *Livorno* [430] M 13 – *Vedere Cecina (Marina di).*

ARINA DI GIOIOSA IONICA *89046 Reggio di Calabria* [988] ㊴, [431] M 30 – *6 417 ab.* – ☎ *0964.*
Roma 639 – *Reggio di calabria 108* – *Catanzaro 93* – *Crotone 148* – *Siderno 4.*

XX **Gambero Rosso,** via Montezemolo 65 ☎ 415806 – ❄. [AE]. [S]. ⓞ [E] [VISA]
chiuso lunedì – **Pasto** specialità di mare carta 40/70000.

Europe

If the name of the hotel is not in bold type,
on arrival ask the hotelier his prices.

ARINA DI GROSSETO *Grosseto* [988] ㉔, [430] N 14 – *Vedere Grosseto (Marina di).*

ARINA DI LEUCA *73030 Lecce* [988] ㉚ ㊵, [431] H 37 – *a.s. luglio-agosto* – ☎ *0833.*
Roma 676 – *Brindisi 109* – *Bari 219* – *Gallipoli 48* – *Lecce 68* – *Taranto 141.*

🏨 **Terminal,** lungomare Colombo 59 ☎ 758242, Fax 758242, ≤, 🏊, 🏖 – 🛗 ❄ [TV] ☎ – 🏛 300. [VISA]. ✗ rist
Pasto 30/35000 – **67 cam** ☕ 90/140000 – 1/2 P 140000.

ARINA DI MASSA *Massa-Carrara* [988] ⑭, [428], [429], [430] J 12 *G. Toscana* – *Vedere Massa (Marina di).*

ARINA DI MODICA *Ragusa* – *Vedere Sicilia alla fine dell'elenco alfabetico.*

ARINA DI MONTEMARCIANO *60016 Ancona* [429], [430] L 22 – *a.s. luglio-agosto* – ☎ *071.*
Roma 282 – *Ancona 14* – *Ravenna 134.*

XXX **Delle Rose,** via delle Querce 1 ☎ 9198127, Fax 9198668, ≤, ⛱, 🏊, 🏖, 🎾 – ❄ [P] – 🏛 40. [S]. [E] [VISA]
chiuso lunedì escluso da giugno a settembre – **Pasto** 35/70000 e carta 60/85000.

XX La Bastiglia, ☎ 9198407 – ❄ [P] – 🏛 30

X **Il Girasole,** via Media 11 ☎ 9198408, ⛱, Rist. e pizzeria – [P]. [AE]. [S]. ⓞ [E] [VISA]. [JCB]. ✗
chiuso lunedì e dal 10 al 20 gennaio – **Pasto** carta 35/55000.

ARINA DI PIETRASANTA *Lucca* [988] ⑭, [428], [429], [430] K 12 *G. Toscana* – *Vedere Pietrasanta (Marina di).*

ARINA DI PISA *Pisa* [988] ⑭, [428], [429], [430] K 12 *G. Toscana* – *Vedere Pisa (Marina di).*

ARINA DI RAGUSA *Ragusa* [988] ㊱ ㊲ – *Vedere Sicilia (Ragusa, Marina di) alla fine dell'elenco alfabetico.*

ARINA DI RAVENNA *Ravenna* [988] ⑮, [430] I 18 – *Vedere Ravenna (Marina di).*

ARINA DI SAN SALVO *Chieti* [430] P 26 – *Vedere San Salvo.*

MARINA DI SAN VITO *66035 Chieti* 430 P 25 – *a.s. 20 giugno-agosto* – ☎ *0872.*
Roma 234 – Pescara 30 – Chieti 43 – Foggia 154 – Isernia 127.

Garden, via Nazionale Adriatica Sud ☎ 61164, Fax 618908, – ▤ 🅿. AE. 🅂. ⊕ E VISA. ✻ rist
chiuso Natale – **Pasto** 25/40000 – **40 cam** ☐ 90/140000 – 1/2 P 70/100000.

L'Angolino da Filippo, ☎ 61632 – ▤. AE. 🅂. ⊕ E VISA. ✻
chiuso lunedì e Natale – **Pasto** specialità di mare carta 45/65000.

MARINA DI VASTO *Chieti* 430 P 26 – *Vedere Vasto (Marina di).*

MARINA EQUA *Napoli* – *Vedere Vico Equense.*

MARINA GRANDE *Napoli* 431 F 24 – *Vedere Capri (Isola di).*

MARINA PICCOLA *Napoli* 431 F 24 – *Vedere Capri (Isola di).*

MARINA ROMEA *Ravenna* 430 I 18 – *Vedere Ravenna (Marina di).*

MARINELLA *Trapani* 988 ㉟, 432 O 20 – *Vedere Sicilia (Selinunte) alla fine dell'elenco alfabetico.*

MARINO *00047 Roma* 988 ㉖, 430 Q 19 – *35 288 ab. alt. 355* – ☎ *06.*
Roma 26 – Frosinone 73 – Latina 44.

Grand Hotel Helio Cabala ⛰, via Spinabella 13/15 (O : 3 km) ☎ 9366139, Fax 93661125, ←, « Terrazza ombreggiata con ⛱ » – ▤ TV ☎ ♿ 🅿 – 🏛 250. AE. 🅂. ⊕ E VISA. ✻
Pasto 75000 e al Rist. ***Il Platina*** carta 65/90000 – **50 cam** ☐ 250/300000 – 1/2 P 180/220000.

MARLENGO (MARLING) *39020 Bolzano* 429 C 15, 218 ⑩ ⑳ – *2 166 ab. alt. 363* – ☎ *0473.*
ℹ ☎ *47147, Fax 221775.*
Roma 668 – Bolzano 31 – Merano 3 – Milano 329.

Pianta : vedere Merano.

Oberwirt, vicolo San Felice 2 ☎ 447111, Fax 447130, « Servizio rist. estivo in giardino », Iб, ≘s, ⛱ riscaldata, ⛱ – ⇹ rist TV ☎ ⛟ 🅿. 🅂. E VISA. ✻ A
15 marzo-10 novembre – **Pasto** carta 50/65000 – **20 cam** ☐ 140/280000, 13 appartamenti 280/320000 – 1/2 P 160/180000.

Sport Hotel Nörder e Residence Elisabeth, via Tramontana 15 ☎ 44700, Fax 447370, ← monti e Merano, ⛱, Iб, ≘s, ⛱ riscaldata, ⛱, 🌳, ✂ – ▤ TV ☎ ⛟ 🅿 🏛 30. 🅂. ⊕ E VISA A
15 marzo-9 novembre – **Pasto** carta 55/75000 – **20 cam** ☐ 130000 – 1/2 P 130/155000.

Marlena, ☎ 222266, Fax 447441, ← monti e Merano, Iб, ≘s, ⛱ riscaldata, ⛱, 🌳, ✂ – TV ☎ ⛟ 🅿 – 🏛 45 A
stagionale – **44 cam.**

Jagdhof ⛰, via San Felice 18 ☎ 447177, Fax 445404, ← monti e Merano, ≘s, ⛱, ⛱, 🌳, ✂ – ▤ TV ☎ 🅿. ✻ rist A
marzo-novembre – **Pasto** (solo per alloggiati) – **24 cam** solo 1/2 P 140/155000.

MARLING = *Marlengo.*

MARMOLADA (Massiccio della) *Belluno e Trento* 988 ⑤ *G. Italia.*

MARONTI *Napoli* 431 E 23 – *Vedere Ischia (Isola d') : Barano.*

MAROSTICA *36063 Vicenza* 988 ⑤, 429 E 16 *G. Italia* – *12 610 ab. alt. 105* – ☎ *0424.*
Vedere *Piazza Castello*★.
Roma 550 – Padova 60 – Belluno 87 – Milano 243 – Treviso 54 – Venezia 82 – Vicenza 28.

alle San Floriano *N : 3 km – alt. 127 – ✉ 36060 :*

XX **La Rosina** con cam, N : 2 km ☎ 470360, Fax 470290, ← – TV ☎ P – 120. AE. E VISA. *chiuso dal 1° al 22 agosto* – **Pasto** (chiuso lunedì sera e martedì) carta 35/50000 – 12000 – **12 cam** 100/130000.

AROTTA *61035 Pesaro e Urbino 988 ⑯, 429, 430 K 21 – a.s. 25 giugno-agosto – ☎ 0721.*

(15 maggio-settembre) viale Cristoforo Colombo 31 ☎ 96591.

Roma 305 – Ancona 38 – Perugia 125 – Pesaro 25 – Urbino 61.

Imperial, lungomare Faà di Bruno 119 ☎ 969445, Fax 96617, ←, – rist ☎ P. AE. E VISA. *20 maggio-settembre* – **Pasto** 30/40000 – 11000 – **36 cam** 80/100000 – P 70/115000.

San Marco, via Faà di Bruno 43 ☎ 969690, Fax 969690 – TV ☎. *20 maggio-20 settembre* – **Pasto** (solo per alloggiati) 25000 – **29 cam** 95/125000 – 1/2 P 55/115000.

Caravel, lungomare Faà di Bruno 135 ☎ 96670, Fax 967610, ←, – ☎ P. rist *15 maggio-settembre* – **Pasto** 25/30000 – **32 cam** 60/100000 – 1/2 P 70/95000.

Levante, lungomare Colombo 107 ☎ 96647, Fax 960502, ←, – ☎. VISA. rist *maggio-25 settembre* – **Pasto** 30/55000 – 10000 – **36 cam** 85/100000 – 1/2 P 70/90000.

X **La Paglia,** via Tre Pini 40 (O : 2 km) ☎ 967632, , « Grazioso giardino », – P. AE. E VISA *Pasqua-settembre; chiuso lunedì escluso luglio-agosto* – **Pasto** specialità di mare carta 40/55000.

ARRADI *50034 Firenze 988 ⑮, 430 J 16 – 3 761 ab. alt. 328 – ☎ 055.*

Roma 332 – Firenze 58 – Bologna 85 – Faenza 36 – Milano 301 – Ravenna 67.

X **Il Camino,** viale Baccarini 38 ☎ 8045069 – AE. VISA *chiuso mercoledì e dal 25 agosto al 10 settembre* – **Pasto** carta 25/50000.

ARRARA *Ferrara – Vedere Ferrara.*

ARSALA *Trapani 988 ㉟, 432 N 19 – Vedere Sicilia alla fine dell'elenco alfabetico.*

ARSICO NUOVO *85052 Potenza 431 F 29 – 5 468 ab. alt. 780 – ☎ 0975.*

Roma 371 – Potenza 58 – Napoli 165 – Taranto 176.

Gala Hotel, località Galaino S : 5 km ☎ 340107, Fax 340108 – TV ☎ P **16 cam.**

ARSILIANA *58010 Grosseto 430 O 16 – alt. 32 – ☎ 0564.*

Roma 155 – Grosseto 44 – Civitavecchia 76 – Orbetello 20 – Orvieto 92.

X **Petronio,** ☎ 606345, – P. AE. E VISA *chiuso giovedì e gennaio* – **Pasto** carta 35/45000 (10%).

ARTA *01010 Viterbo 988 ㉕, 430 O 17 – 3 496 ab. alt. 315 – ☎ 0761.*

Roma 118 – Viterbo 21 – Grosseto 113 – Siena 127.

XX **Da Gino al Miralago,** viale Marconi 58 ☎ 870910, Fax 870910, ←, – AE. E VISA. *chiuso martedì escluso dal 20 luglio ad agosto* – **Pasto** carta 35/50000.

ARTANO *73025 Lecce 988 ㉚, 431 G 36 – 9 658 ab. alt. 91 – ☎ 0836.*

Roma 588 – Brindisi 63 – Lecce 26 – Maglie 16 – Taranto 133.

XX **La Lanterna,** via Ofanto 53 ☎ 571441, – AE VISA. *chiuso mercoledì e dal 10 al 20 settembre* – **Pasto** carta 25/40000.

MARTINA FRANCA *74015 Taranto 988 ㉙, 431 E 34 G. Italia – 46 347 ab. alt. 431 – ☎ 080.*

Vedere *Via Cavour★.*

Dintorni *Regione dei Trulli★★★ N-NE.*

piazza Roma 37 ☎ 705702, Fax 705702.

Roma 524 – Brindisi 57 – Alberobello 15 – Bari 74 – Matera 83 – Potenza 182 – Taranto 32.

Park Hotel San Michele, viale Carella 9 ☏ 4807053, Fax 4808895, « Grande parco co... » – |‡| ▤ TV ☎ P – 350. AE. Ⓢ. ⓓ E VISA. ⚹
Pasto carta 40/65000 – **81 cam** ☕ 125/165000 – ½ P 105/120000.

Dell'Erba, viale dei Cedri 1 ☏ 901055, Fax 901658, ... – |‡| ▤ rist TV ☎ ... P – 500. AE. Ⓢ. ⓓ E VISA. ⚹
Pasto carta 40/65000 (15 %) – **49 cam** ☕ 135/155000 – ½ P 140000.

Villa Ducale, piazzetta Sant'Antonio ☏ 4807055, Fax 4805885 – ▤ TV ☎ – 80. AE. Ⓢ. ⓓ E VISA. JCB. ⚹
Pasto 40/60000 – **24 cam** ☕ 105/150000 – ½ P 105/125000.

Trattoria delle Ruote, via Ceglie E : 4,5 km ☏ 8837473, Coperti limitati; prenotare « Servizio estivo all'aperto » – P. ⚹
chiuso lunedì – **Pasto** carta 35/45000.

MARTINSICURO *64014 Teramo 430 N 23 – 12 951 ab. – a.s. luglio-agosto – ☏ 0861.*

Roma 227 – Ascoli Piceno 35 – Ancona 98 – L'Aquila 118 – Pescara 64 – Teramo 45.

Pasqualò, via Colle di Marzio 40 ☏ 760321 – P. AE ⓓ E VISA. ⚹
chiuso domenica sera, lunedì ed agosto – **Pasto** specialità di mare carta 50/80000.

Leon d'Or, via Aldo Moro 55/57 ☏ 797070, Fax 797695 – ▤. AE. Ⓢ. ⓓ E VISA. ⚹
chiuso domenica sera, lunedì, dal 20 al 26 dicembre ed agosto – **Pasto** specialità di mar carta 45/65000.

a Villa Rosa *S : 5 km – ✉ 64010 :*

Olimpic, lungomare Italia ☏ 712390, Fax 710597, ←, ... – |‡| ▤ rist TV ☎ ♿ P. AE Ⓢ. ⓓ E VISA. ⚹ rist
maggio-settembre – **Pasto** 30/35000 – ☕ 16000 – **53 cam** 120000 – P 65/110000.

Paradiso, via Ugo La Malfa 14 ☏ 713888, Fax 751775, ... – |‡| TV ☎ P. Ⓢ. E VISA. ⚹
10 maggio-20 settembre – **Pasto** (solo per alloggiati) 25/40000 – **67 cam** ☕ 90/120000, 2 appartamenti 150/240000 – ½ P 55/110000.

Park Hotel, via Don Sturzo 9 ☏ 714913, Fax 714913, ... – |‡| ▤ rist TV ☎ P AE. Ⓢ. E VISA. ⚹
maggio-settembre – **Pasto** (solo per alloggiati) – **61 cam** ☕ 100/150000 – ½ P 45/11000(

Il Pescheto, via dei Frutteti 4 ☏ 752616, ... – P. Ⓢ. E VISA. ⚹
chiuso dal 1º al 19 novembre e lunedì (escluso luglio-agosto) – **Pasto** carta 40/65000.

MARZABOTTO *40043 Bologna 429, 430 I 15 – 5 968 ab. alt. 130 – ☏ 051.*

Roma 363 – Bologna 24 – Firenze 94 – Pistoia 69.

Misa, piazza dei Martiri 1 ☏ 932800, Fax 932284 – |‡| ▤ TV ☎. AE. Ⓢ. ⓓ E VISA. ⚹ rist
Pasto carta 35/50000 – ☕ 10000 – **20 cam** 110/150000 – ½ P 85/105000.

MARZAGLIA *Modena – Vedere Modena.*

MASER *31010 Treviso 429 E 17 G. Italia – 4 816 ab. alt. 147 – ☏ 0423.*

Vedere *Villa★★★ del Palladio.*

Roma 562 – Padova 59 – Belluno 59 – Milano 258 – Trento 108 – Treviso 29 – Venezia 62 Vicenza 54.

Da Bastian, località Muliparte ☏ 565400, ... – P. ⚹
chiuso mercoledì sera, giovedì ed agosto – **Pasto** carta 30/45000.

MASERADA SUL PIAVE *31052 Treviso 429 E 18 – 6 601 ab. alt. 33 – ☏ 0422.*

Roma 553 – Venezia 44 – Belluno 74 – Treviso 13.

Antica Osteria Zanatta, località Varago S : 1,5 km ☏ 778048, Fax 777687, ..., ... – P AE. Ⓢ. ⓓ VISA. ⚹
chiuso domenica sera, lunedì, dal 2 al 6 gennaio e dal 4 al 18 agosto – **Pasto** carta 40/6000(

MASIO *15024 Alessandria 428 H 7 – 1 484 ab. alt. 142 – ☏ 0131.*

Roma 607 – Alessandria 22 – Asti 14 – Milano 118 – Torino 80.

Trattoria Losanna, via San Rocco 36 (E : 1 km) ☏ 799525, Fax 799074 – P. AE. Ⓢ. VISA. ⚹
chiuso lunedì e dal 1º al 20 agosto – **Pasto** carta 35/55000.

SON VICENTINO *36064 Vicenza* [429] E 16 – *2 973 ab. alt. 104* – ☎ *0424.*
Roma 538 – *Padova 56* – *Belluno 93* – *Trento 85* – *Venezia 87* – *Vicenza 22.*

🍴🍴 **Al Pozzo,** via Marconi 35 ☎ 411816, Fax 411908, ⛱, prenotare – [AE]. [S]. E VISA. ✗
chiuso lunedì, martedì a mezzogiorno, dal 1º al 15 agosto e dal 1º al 10 gennaio – **Pasto** carta 40/55000.

SSA *54100* [P] [988] ⑭, [428], [429], [430] J 12 *G. Toscana* – *68 065 ab. alt. 65* – *a.s. Pasqua e luglio-agosto* – ☎ *0585.*
[A.C.I.] *via Aurelia Ovest 193* ☎ *831941.*
Roma 389 – *Pisa 46* – *La Spezia 34* – *Carrara 7* – *Firenze 115* – *Livorno 65* – *Lucca 45* – *Milano 235.*

ergiola Maggiore *N : 5,5 km* – *alt. 329* – ✉ *54100 Massa :*

🍴 **La Ruota,** via Bergiola Maggiore 13 ☎ 42030, « Servizio estivo in terrazza con ≤ città e litorale » – [P]. [AE]. [S]. ⦿ E VISA. ✗
chiuso lunedì escluso da aprile a settembre – **Pasto** carta 35/55000.

SSACIUCCOLI (Lago di) *Lucca* [428], [429], [430] K 13 – *Vedere Torre del Lago Puccini.*

SSAFRA *74016 Taranto* [988] ㉙, [431] F 33 – *30 987 ab. alt. 110* – ☎ *099.*
Roma 508 – *Matera 64* – *Bari 76* – *Brindisi 84* – *Taranto 18.*

🍴 **La Ruota,** via Barulli 28 ☎ 8807710, prenotare – ▤. [AE]. [S]. ⦿ E VISA. JCB. ✗
chiuso domenica sera, lunedì e dal 16 al 31 agosto – **Pasto** specialità di mare carta 30/60000.

la strada statale 7 *NO : 2 km :*

🏨 **Appia Palace Hotel,** ✉ 74016 ☎ 8851501, Fax 8851506, 🏋, 🎾 – |¢| ▤ [TV] ☎ ♿ [P] – 🏛 350. [AE]. [S]. ⦿ VISA. ✗
Pasto carta 35/55000 – **76 cam** ☕ 115/145000 – ½ P 130/140000.

ASSA LUBRENSE *80061 Napoli* [431] F 25 *G. Italia* – *12 660 ab. alt. 120* – *a.s. aprile-settembre* – ☎ *081.*
Roma 263 – *Napoli 55* – *Positano 21* – *Salerno 56* – *Sorrento 6.*

🏨 **Delfino** 🐦, via Nastro d'Oro 2 (SO : 3 km) ☎ 8789261, Fax 8089074, ≤ mare ed isola di Capri, « In una pittoresca insenatura », 🏊 con acqua di mare, 🏖, 🛶 – |¢| ▤ rist [TV] ☎ [P]. [AE]. [S]. ⦿ E VISA. ✗
aprile-ottobre – **Pasto** 40/50000 – **67 cam** ☕ 190/280000 – ½ P 150/170000.

🏨 **Maria,** S : 1 km ☎ 8789163, Fax 8789411, ≤ mare, « 🏊 su terrazza panoramica » – [TV] ☎ [P]. [AE]. [S]. E VISA. ✗
aprile-ottobre – **Pasto** *(chiuso venerdì)* carta 40/60000 (15%) – ☕ 15000 – **34 cam** 90/130000 – ½ P 90/105000.

🏨 **Bellavista-da Riccardo,** via Partenope N : 1 km ☎ 8789181, Fax 8089341, ≤ mare ed isola di Capri, prenotare sabato-domenica, « Terrazza-solarium con 🏊 » – |¢| ▤ [TV] ☎ 🚗 [P]. [AE]. [S]. ⦿ E VISA. ✗ rist
Pasto *(chiuso martedì in bassa stagione)* carta 35/50000 – ☕ 15000 – **33 cam** 85/115000, ▤ 15000 – ½ P 100/110000.

🍴🍴 **Antico Francischiello-da Peppino** con cam, N : 1,5 km ☎ 5339780, Fax 8071813, ≤ mare, « Locale caratteristico » – ▤ [TV] ☎ [P]. [AE]. [S]. ⦿ E VISA. JCB. ✗
Pasto *(chiuso mercoledì escluso da giugno a settembre)* carta 50/75000 (15%) – **8 cam** ☕ 75/130000 – ½ P 100000.

🍴 **La Primavera** con cam, ☎ 8789125, Fax 8089556, ≤, ⛱ – [TV] ☎. [AE]. [S]. E VISA. ✗
Pasto *(chiuso mercoledì)* carta 35/55000 (10%) – **8 cam** ☕ 100/120000 – ½ P 90/100000.

🍴 **Del Pescatore,** località Marina della Lobra, via Fontanella 16 ☎ 8789392, Fax 8789392, Rist. e pizzeria, « Servizio estivo in terrazza con ≤ mare » – [AE]. [S]. E VISA
chiuso la sera (da novembre a gennaio, escluso i week-end), e mercoledì (escluso da giugno a settembre) – **Pasto** carta 35/60000.

Nerano-Marina del Cantone *SE : 11 km* – ✉ *80068 Termini :*

🍴🍴 **Taverna del Capitano** con cam, piazza delle Sirene 10 ☎ 8081028, Fax 8081892, ≤, ⛱ – ▤ cam [TV] ☎. [AE]. [S]. ⦿ E VISA. ✗
✿ *chiuso dal 7 gennaio al 27 febbraio* – **Pasto** *(chiuso lunedì da ottobre a marzo)* carta 50/85000 – ☕ 15000 – **15 cam** 85/120000
Spec. Involtini di alici al vapore con scamorza, zucchine e menta (primavera-estate). Cannelloni di gamberi con salsa di carciofi e uova di palamita (inverno-primavera). Pezzogna con scarola e pomodorini.

🍴🍴 **Quattro Passi,** N : 1 km ☎ 8081271, ⛱ – [P]. [AE]. [S]. E VISA. JCB. ✗
chiuso novembre, dicembre e la sera in gennaio-febbraio – **Pasto** carta 45/90000.

MASSA (Marina di) *54037 Massa-Carrara* [988] ⑭, [430] J 12 – *a.s. Pasqua e luglio-agos*
☎ 0585.

ℹ viale Vespucci 23 ☎ 240046, Fax 869015.

Roma 388 – Pisa 41 – La Spezia 32 – Firenze 114 – Livorno 64 – Lucca 44 – Massa Milano 234.

🏨 **Excelsior**, via Cesare Battisti 1 ☎ 8601, Fax 869795, 🏊 – |‡| ≡ [TV] ☎ ♿ [P] – 🧑‍🏫 50 a
[AE]. [S]. ◑ [E] [VISA] [JCB]. 🚫 rist
Pasto 35/60000 e al Rist. ***Il Sestante*** carta 50/80000 – **66 cam** ☕ 200/285000, 5 appa menti – 1/2 P 160/240000.

🏨 **Villa Irene** 🐚, a Poveromo, via delle Macchie 125 ✉ 54039 Ronchi ☎ 309 Fax 308038, 🌳, « Parco-giardino con 🏊 riscaldata », 🏖, 🎾 – ≡ cam [TV] ☎ [P]. 🚫 ri
aprile-ottobre – **Pasto** (solo per alloggiati) – ☕ 15000 – **38 cam** 200/260000 – 1/2 P 2 235000.

🏨 **Tropicana** senza rist, a Poveromo, via Verdi 47 ✉ 54039 Ronchi ☎ 309041, Fax 309
🏊, 🌳 – ≡ [TV] ☎ [P]. [AE]. [S]. ◑ [E] [VISA]. 🚫
15 maggio-settembre – 20 appartamenti ☕ 220/310000.

🏨 **Cavalieri del Mare** 🐚, località Ronchi via Verdi 23 ✉ 54039 ☎ 868010, Fax 868
« Giardino con 🏊 », 🏖 – ≡ [TV] ☎ [P]. [AE]. [S]. ◑ [E] [VISA]. 🚫
Pasto *(aprile-settembre)* 30/70000 – **25 cam** ☕ 150/250000 – 1/2 P 120/165000.

🏨 **La Pergola**, a Poveromo, via Verdi 41 ✉ 54039 Ronchi ☎ 240118, Fax 245720, « Giard ombreggiato » – ☎ [P]. [AE]. [S]. ◑ [E] [VISA]. 🚫
Pasqua-20 settembre – **Pasto** carta 35/50000 – ☕ 10000 – **25 cam** 70/100000 – 1/2 P 110000.

🏨 **Matilde**, via Tagliamento 4 ☎ 241441, Fax 240488, 🌳 – [TV] ☎. [AE]. [S]. ◑ [E] [VISA]. [JCB].
Pasto (solo per alloggiati) 60/80000 – ☕ 25000 – **15 cam** 160/220000 – 1/2 P 100/15000

🏨 **Gabrini**, via Don Luigi Sturzo 19 ☎ 240505, Fax 246661, 🌳 – |‡| ☎ [P]. [S]. [VISA]. 🚫
15 maggio-settembre – **Pasto** (solo per alloggiati) 30/45000 – ☕ 15000 – **43 cam** 80/90 – 1/2 P 95/105000.

🏨 **Miramonti**, via Montegrappa 7 ☎ 241067, Fax 246180, 🌳 – [TV] ☎ [P]. [AE]. [S]. ◑ [E]
🚫 rist
Pasto *(giugno-settembre; solo per alloggiati)* 25/30000 – **14 cam** ☕ 80/120000 – 1/2 P 95000.

🍴🍴 **Da Riccà**, lungomare di Ponente ☎ 241070, Fax 241070, 🌳 – [P]. [AE]. [S]. ◑ [E] [VISA].
🚫
chiuso lunedì e dal 20 dicembre al 10 gennaio – **Pasto** specialità di mare carta 65/85 (10 %).

MASSA MARITTIMA *58024 Grosseto* [988] ⑭ ㉔, [430] M 14 *G. Toscana – 9 215 ab. alt. 40*
☎ 0566.

Vedere *Piazza Garibaldi★★ – Duomo★★ – Torre del Candeliere★, Fortezza ed Arco senes*

Roma 249 – Siena 62 – Firenze 132 – Follonica 19 – Grosseto 62.

🏨 **Il Sole** senza rist, via della Libertà 43 ☎ 901971, Fax 901959 – |‡| [TV] ☎ 🚗 – 🧑‍🏫 150.
[S]. [E] [VISA]. 🚫
50 cam ☕ 80/120000, appartamento.

🏨 **Duca del Mare**, piazza Dante Alighieri 1/2 ☎ 902284, Fax 901905, ≤, 🌳 – ☎ [P]. [AE].
[E] [VISA]. 🚫
chiuso gennaio o febbraio – **Pasto** *(chiuso lunedì, gennaio, febbraio e da novembre 15 dicembre)* carta 35/45000 – ☕ 10000 – **19 cam** 55/85000 – 1/2 P 70/75000.

🍴🍴 **Taverna del Vecchio Borgo**, via Parenti 12 ☎ 903950, « Tipica taverna in un'ant cantina » – [AE]. [S]. [E] [VISA]. 🚫
chiuso dal 15 gennaio al 15 febbraio, lunedì e da ottobre a luglio anche domenica ser
Pasto carta 40/60000.

🍴 **Osteria da Tronca**, vicolo Porte 5 ☎ 901991 –. [S]. [E] [VISA]
16 febbraio-14 novembre; chiuso a mezzogiorno e mercoledì – **Pasto** cucina rustica ca 35/45000.

a Ghirlanda *NE : 2 km – ✉ 58020 :*

🍴🍴 **Da Bracali**, via Ghirlanda ☎ 902318, Rist. con enoteca, prenotare – ≡ [P]. [AE]. [S]. ◑
[VISA]. 🚫
chiuso lunedì sera (escluso da Pasqua ad ottobre) e martedì – **Pasto** carta 60/85000.

a Prata *NE : 12 km – ✉ 58020 :*

🍴🍴 **La Schiusa**, via Basilicata 29/31 ☎ 914012, Fax 914012 – [P]. [AE]. [S]. [E] [VISA]
chiuso dal 7 gennaio al 12 febbraio e mercoledì (escluso da giugno a settembre) – **Past** carta 30/50000 (10 %).

ASSAROSA *55054 Lucca 988 ⑭, 428, 429, 430 K 12 – 19 853 ab. alt. 15 – a.s. Carnevale, Pasqua, 15 giugno-15 settembre e Natale – 0584.*
Roma 363 – Pisa 29 – Livorno 52 – Lucca 19 – La Spezia 60.

XX **La Chandelle,** via Casa Rossa 1 ✆ 938290, Rist. elegante, prenotare – ▤ Ⓟ. Ⓢ. E VISA. ✂
chiuso lunedì – **Pasto** carta 50/70000.

X **Da Ferro,** località Piano di Conca NO : 5,5 km ✆ 996622, ♣ – Ⓟ. AE. Ⓢ. ⓞ E VISA. ✂
chiuso martedì e dal 5 ottobre al 3 novembre – **Pasto** carta 30/45000.

Massaciuccoli *S : 4 km – ✉ 55050 Quiesa :*

🏨 **Le Rotonde** ✦, via del Porto 15 ✆ 975439, Fax 975754, ♣ – Ⓟ. AE. Ⓢ. E VISA. ✂
Pasto *(chiuso mercoledì e novembre)* carta 30/50000 – ☕ 10000 – **14 cam** 70/100000 – 1/2 P 75/85000.

Bargecchia *NO : 9 km – ✉ 55040 Corsanico :*

XX **Rino,** ✆ 954000, ♣ – AE. Ⓢ. ⓞ E VISA. ✂
chiuso martedì da ottobre a giugno – **Pasto** carta 25/45000.

ASSINO VISCONTI *28040 Novara 428 E 7, 219 ⑦ – 995 ab. alt. 465 – 0322.*
Roma 654 – Stresa 11 – Milano 77 – Novara 52.

🏨 **Lo Scoiattolo,** via per Nebbiuno 8 ✆ 219184, Fax 219808, « Parco con ≤ lago e dintorni », ♣ – |♦| TV ☎ ♿ Ⓟ – 🏂 80. AE. Ⓢ. E VISA. ✂
Pasto *(chiuso lunedì)* carta 35/50000 – ☕ 10000 – **30 cam** 90/110000 – 1/2 P 75/90000.

X **Trattoria San Michele,** via Roma 50 ✆ 219101, Coperti limitati; prenotare, « Servizio estivo in terrazza con ≤ lago e dintorni » – AE. Ⓢ. E VISA. ✂
chiuso lunedì sera, martedì, dal 10 al 25 gennaio e dal 17 agosto al 6 settembre – **Pasto** carta 35/55000.

Leggete attentamente l'introduzione : è la « chiave » della guida.

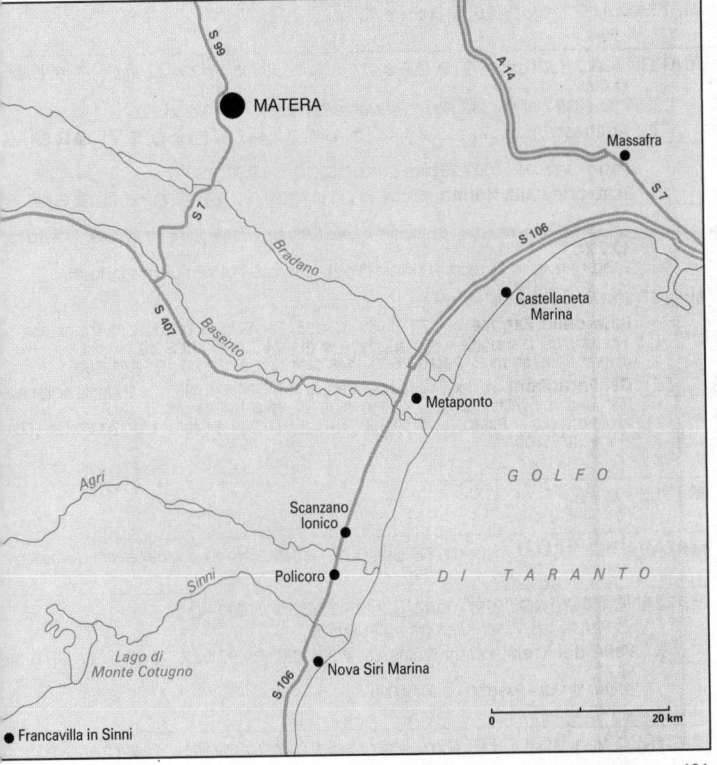

MATERA *75100* P 988 ㉙, 431 E 31 *G. Italia – 56 034 ab. alt. 401 – ☎ 0835.*

Vedere *I Sassi*★★ – *Strada dei Sassi*★★ – *Duomo*★ – ≤★★ *sulla città dalla strada delle chi rupestri NE : 4 km.*

via De Viti de Marco 9 ☎ 331983, Fax 333452.

A.C.I. *viale delle Nazioni Unite 47 ☎ 382322.*

Roma 461 – Bari 67 – Cosenza 222 – Foggia 178 – Napoli 255 – Potenza 104.

Del Campo M, via Lucrezio ☎ 388844, Fax 388757, – ⬧ ▤ TV ☎ ♿ – P – 2 AE. ⓢ. ⓞ E VISA. ✂
Pasto al Rist. ***Le Spighe*** carta 50/80000 – **16 cam** ☕ 190/240000 – ½ P 160000.

Italia, via Ridola 5 ☎ 333561, Fax 330087, ≤ I Sassi – ⬧ ▤ rist TV ☎ ♿ – 90. AE. ⓢ. VISA. ✂ rist
Pasto 25/30000 e al Rist. ***Basilico*** carta 30/45000 – **31 cam** ☕ 120/155000 – ½ P 10000

De Nicola, via Nazionale 158 ☎ 385111, Telex 812586, Fax 385113 – ⬧ TV ☎ 200. AE. ⓢ. ⓞ E VISA. ✂
Pasto carta 35/50000 – ☕ 8000 – **119 cam** 90/140000 – ½ P 85/105000.

Il Piccolo Albergo senza rist, via De Sariis 11 ☎ 330201, Fax 330201 – ▤ TV ☎
11 cam.

Casino del Diavolo-da Francolino, via La Martella O : 1,5 km ☎ 261986, P

Trattoria Lucana, via Lucana 48 ☎ 336117 – . AE. ⓢ. ⓞ E VISA. ✂
chiuso domenica e dal 25 agosto al 10 settembre – **Pasto** carta 35/50000.

a Venusio *N : 7 km – ✉ 75100 Matera :*

Venusio, ☎ 259081, Fax 259081, – ▤ P

MATIGGE *Perugia – Vedere Trevi.*

MATTARELLO *Trento* 429 D 15 – *Vedere Trento.*

MATTINATA *71030 Foggia* 988 ㉘, 431 B 30 *G. Italia – 6 385 ab. alt. 77 – a.s. luglio-13 settembre ☎ 0884.*

Roma 430 – Foggia 58 – Bari 138 – Monte Sant'Angelo 19 – Pescara 222.

Apeneste, piazza Turati 3 ☎ 4743, Fax 4341, , – ▤ TV ☎ P. AE. ⓢ. ⓞ E VISA. JCB ✂
Pasto carta 40/65000 – **26 cam** ☕ 105/160000 – ½ P 90/125000.

Trattoria dalla Nonna, al lido E : 1 km ☎ 49205, ≤, – ▤ P. AE. ⓢ. ⓞ E VISA. JCB ✂
chiuso dal 10 gennaio al 10 febbraio e lunedì (escluso da giugno a settembre) – **Pasto** car 40/70000
Spec. Linguine al cartoccio. Grigliata di pesce misto. Selezione di formaggi locali.

sulla strada litoranea *NE : 17 km :*

Baia delle Zagare , ✉ 71030 ☎ 4155, Fax 4884, ≤, « Palazzine fra gli olivi co ascensori per la spiaggia », , , – ☎ P – 300. ⓢ. ⓞ E VISA. ✂ rist
giugno-20 settembre – **Pasto** 40000 – **148 cam** ☕ 120/190000 – P 120/190000.

Dei Faraglioni , località Baia dei Mergoli ☎ 49584, Fax 49651, « Spiaggia nella baia Mergoli con ≤ sui faraglioni », – ▤ ☎ P. ⓢ. ⓞ E VISA. ✂ rist
aprile-ottobre – **Pasto** carta 50/70000 – ☕ 15000 – **51 cam** 120/170000, ▤ 5000 ½ P 110/175000.

MAULS = *Mules.*

MAZARA DEL VALLO *Trapani* 988 ㉟, 432 O 19 – *Vedere Sicilia alla fine dell'elenco alfabetico.*

MAZZANO ROMANO *00060 Roma* 430 P 19 – *2 363 ab. alt. 200 – ☎ 06.*

Roma 43 – Viterbo 41 – Perugia 147 – Terni 80.

Valle del Treja, località Fantauzzo ☎ 9049091, Fax 9049656, ≤, – P. ⓢ. E VISA ✂
chiuso lunedì – **Pasto** carta 35/50000.

MAZZARÒ *Messina* 988 ㊲, 432 N 27 – *Vedere Sicilia (Taormina) alla fine dell'elenco alfabetico.*

AZZO DI VALTELLINA *23030 Sondrio* 428, 429 D 12, 218 ⑰ – *1 058 ab. alt. 552 – ☎ 0342.*
Roma 734 – Sondrio 34 – Bolzano 172 – Bormio 29 – Milano 173.

La Rusticana, via Albertinelli 3 ✆ 861051 – AE E VISA
chiuso lunedì e dal 1° al 20 luglio – **Pasto** carta 35/60000.

EDESANO *43014 Parma* 428, 429 H 12 – *8 457 ab. alt. 136 – ☎ 0525.*
Roma 473 – Parma 20 – La Spezia 103 – Mantova 83 – Piacenza 61.

Sant'Andrea Bagni *SO : 8 km – ✉ 43048 :*

Salus, piazza C. Ponci 7 ✆ 431221, Fax 431398 – |‡| ▤ TV ☎. AE. $. E VISA. ✻ rist
Pasto *(chiuso dal 1° al 15 gennaio)* carta 40/65000 – ☕ 10000 – **50 cam** 85/130000, appartamento, ▤ 5000 – ½ P 80/100000.

EINA *28046 Novara* 988 ②, 428 E 7 – *2 068 ab. alt. 214 – ☎ 0322.*
Roma 645 – Stresa 12 – Milano 68 – Novara 44 – Torino 120.

Villa Paradiso, ✆ 660488, Fax 660544, ⩤, « Parco ombreggiato con ⛱ », ⛰ – |‡| TV ☎ P. AE. $. ⓓ E VISA. ✻ rist
marzo-ottobre – **Pasto** carta 50/70000 – ☕ 20000 – **58 cam** 120/160000 – ½ P 95/110000.

Nebbiuno *NO : 4 km – alt. 430 – ✉ 28010 :*

Tre Laghi, ✆ 58025, Fax 58703, ⩤ lago e monti, « Servizio estivo in terrazza panoramica », 🚗 – |‡| TV ☎ – 🏛 200. $. ⓓ E VISA. JCB. ✻ rist
chiuso dall'11 gennaio a febbraio – **Pasto** 30/40000 e al Rist. ***Azalea*** *(chiuso lunedì)* carta 45/75000 – ☕ 15000 – **43 cam** 105/160000 – ½ P 90/115000.

Vedere anche : **Colazza** *O : 4 km*

Lisez attentivement l'introduction : c'est la clé du guide.

EL *32026 Belluno* 988 ⑤ – *6 297 ab. alt. 353 – ☎ 0437.*
Roma 609 – Belluno 18 – Milano 302 – Trento 95 – Treviso 67.

Antica Locanda al Cappello, piazza Papa Luciani 20 ✆ 753651, « Edificio seicentesco con affreschi originali » –. AE. $ E VISA. ✻
chiuso dal 1° al 15 luglio, martedì sera e mercoledì (escluso agosto) – **Pasto** carta 40/60000.

ELDOLA *47014 Forlì-Cesena* 988 ⑮, 429, 430 J 18 – *9 051 ab. alt. 57 – ☎ 0543.*
Roma 418 – Ravenna 41 – Rimini 64 – Forlì 13.

Il Rustichello, via Vittorio Veneto 7 ✆ 495211 – ▤. AE. $. ⓓ E VISA. JCB. ✻
chiuso lunedì sera, martedì e dal 1° al 25 agosto – **Pasto** carta 35/50000.

ELENDUGNO *73026 Lecce* 988 ㉚, 431 G 37 – *9 366 ab. alt. 36 – a.s. luglio-agosto – ☎ 0832.*
Roma 581 – Brindisi 55 – Gallipoli 51 – Lecce 19 – Taranto 105.

San Foca *E : 7 km – ✉ 73020 :*

Côte d'Est, lungomare Matteotti ✆ 881146, Fax 881148 – |‡| TV ☎ 🚗. AE. $. ⓓ E VISA
Pasto carta 30/45000 – ☕ 5000 – **33 cam** 70/120000 – ½ P 75/100000.

ELEZET *Torino* 428 G 2 – *Vedere Bardonecchia.*

ELFI *85025 Potenza* 988 ㉘, 431 E 28 – *16 445 ab. alt. 531 – ☎ 0972.*
Roma 351 – Potenza 51 – Bari 129 – Foggia 67 – Napoli 163.

Federico II, località San Nicola N : 16 km ✆ 78171, Fax 78174 – |‡| ▤ TV ☎ ♿ P – 🏛 50. $. ⓓ E VISA. ✻
Pasto carta 30/50000 – **48 cam** ☕ 90/130000 – ½ P 105/125000.

ELITO DI PORTO SALVO *89063 Reggio di Calabria* 988 ㊲, 431 N 29 – *11 092 ab. alt. 35 – ☎ 0965.*
Roma 736 – Reggio di Calabria 27 – Catanzaro 192 – Napoli 530.

Casina dei Mille con cam, strada statale 106 (O : 3 km) ✆ 787434, Fax 787435, ⩤ – TV ☎ P. AE. $. E VISA. ✻
Pasto *(chiuso domenica escluso luglio-agosto)* carta 35/50000 – ☕ 5000 – **7 cam** 120/130000 – ½ P 100000.

MELITO IRPINO *83030 Avellino* 431 D 27 – *2 110 ab. alt. 242 – ☎ 0825.*
Roma 255 – Foggia 70 – Avellino 55 – Benevento 45 – Napoli 108 – Salerno 87.

Di Pietro, corso Italia 8 ☎ 472010, Trattoria rustica – 🚫
chiuso mercoledì – **Pasto** cucina casalinga carta 25/45000.

MELS *Udine – Vedere Colloredo di Monte Albano.*

MELZO *20066 Milano* 428 F 10, 219 ⑳ – *18 734 ab. alt. 119 – ☎ 02.*
Roma 578 – Bergamo 34 – Milano 21 – Brescia 69.

Due Spade con cam, via Bianchi 19 ☎ 9550267, Fax 95737194 – TV ☎ P. AE. 🅂. ⓓ VISA. JCB
Pasto *(chiuso domenica, dal 24 dicembre al 2 gennaio e dal 4 al 24 agosto)* carta 50/7500
☕ 12000 – **18 cam** 75/110000 – ½ P 115000.

MENAGGIO *22017 Como* 988 ③, 428 D 9 *G. Italia – 3 078 ab. alt. 203 – ☎ 0344.*
Vedere *Località★★.*
18 *(marzo-novembre; chiuso martedì escluso agosto) a Grandola e Uniti ✉ 22010 ☎ 321*
Fax 32103, O : 4 km.
⛴ *per Varenna giornalieri (15 mn) – Navigazione Lago di Como, al pontile ☎ 32255.*
🅘 *piazza Garibaldi 7 ☎ 32924.*
Roma 661 – Como 35 – Lugano 28 – Milano 83 – Sondrio 68 – St-Moritz 98 – Passo de
Spluga 79.

Gd H. Victoria, lungolago Castelli 7/11 ☎ 32003 e rist ☎ 31166, Fax 32992, ≤, ⛱,
– |♦| TV ☎ ♿ P – 🏛 100. AE. 🅂. ⓓ E VISA. 🚫
Pasto al Rist. ***Le Tout Paris*** carta 65/100000 – ☕ 25000 – **49 cam** 175/260000, 4 appar
menti – ½ P 185/230000.

Gd H. Menaggio, via 4 Novembre 69 ☎ 30640, Fax 30619, ≤, ⛱, 🏊 riscaldata, –
▤ cam TV ☎ P – 🏛 270. AE. 🅂. E VISA. 🚫 rist
23 marzo-ottobre – **Pasto** carta 60/95000 – **56 cam** ☕ 220/390000 – ½ P 180/210000.

Bellavista, via 4 Novembre 21 ☎ 32136, Fax 31793, ≤ lago e monti, « Terrazza sul lago
🏊 – |♦| ☎. AE. 🅂. ⓓ E VISA. JCB
15 marzo-ottobre – **Pasto** carta 50/70000 – **45 cam** ☕ 110/170000 – ½ P 100/125000.

a Loveno *NO : 2 km – alt. 320 – ✉ 22017 Menaggio :*

Royal 🐦, largo Vittorio Veneto 1 ☎ 31444, Fax 30161, ≤, « Giardino con 🏊 » – ☎ P.
🅂. E VISA. 🚫 rist
15 marzo-2 novembre – **Pasto** 50/55000 e al Rist. ***Chez Mario*** carta 50/75000 – ☕ 1850
10 cam 110/130000 – ½ P 170/175000.

Loveno senza rist., ☎ 32110, Fax 30510, ≤ lago e monti, « Piccolo giardino ombre
giato » – ☎ P. 🅂. E VISA
aprile-ottobre – ☕ 15000 – **12 cam** 95/125000.

MENFI *Agrigento* 988 ㉟, 432 O 20 – *Vedere Sicilia alla fine dell'elenco alfabetico.*

MERAN = *Merano.*

MERANO (MERAN) *39012 Bolzano* 988 ④, 429 C 15 *G. Italia – 33 870 ab. alt. 323 – Stazione term*
– Sport invernali : a Merano 2000 B *: 1 946/2 302 m* 🚡 2 ⛷ 6, ⛸ – ☎ *0473.*
Vedere *Passeggiate d'Inverno e d'Estate★★* D *– Passeggiata Tappeiner★★* CD *– Vo*
gotiche★ e polittici★ nel Duomo D *– Via Portici★* CD *– Castello Principesco★* C C *– Mera*
2000★ accesso per funivia, E : 3 km B *– Tirolo★ N : 4 km* A*.*
Dintorni *Avelengo★ SE : 10 km per via Val di Nova* B *– Val Passiria★* B*.*
🅘 *corso della Libertà 45 ☎ 235223, Fax 235524.*
Roma 665 ② – Bolzano 28 ② – Brennero 73 ① – Innsbruck 113 ① – Milano 326 ② – Passo
Resia 79 ③ – Passo dello Stelvio 75 ③ – Trento 86 ②.

Piante pagine seguenti

Palace Hotel, via Cavour 2 ☎ 211300, Fax 234181, ≤, « Parco ombreggiato con 🏊
🏋, ♨, 🏊, 🌴 – |♦| ▤ rist TV ☎ P – 🏛 100. AE. 🅂. ⓓ E VISA. 🚫 rist D
chiuso dal 17 novembre al 19 dicembre – **Pasto** 70/80000 e al Rist. ***Tiffany Schloss Ma***
(chiuso a mezzogiorno, domenica e dal 20 giugno al 15 luglio) carta 50/80000 – **110 ca**
☕ 235/400000, 7 appartamenti – ½ P 215/275000.

Meranerhof, via Manzoni 1 ☎ 230230, Fax 233312, « Giardino con 🏊 riscaldata », ♨
|♦| ▤ rist TV ☎ P – 🏛 70. AE. 🅂. ⓓ E VISA. 🚫 rist C
Pasto 45/65000 – **66 cam** ☕ 175/350000, 2 appartamenti – ½ P 160/190000.

MERANO
E DINTORNI

tel Gatto (Via) . . . . B 3
istomannos . . . . B 5
Dante Alighieri (Via) . . . . B 7
Grabmayr (Via) . . . . B 9
Marlengo (Ponte di) . . . . A 14
Monte Benedetto (Via) . . . . . . B 16
Monte S. Zeno (Via) . . . . B 17
Parrocchia (Via della) . . . . B 20
Piave (Via) . . . . B 27
S. Caterina (Via) . . . . B 31
S. Maria del Conforto (Via) . . . B 32
S. Valentino (Via) . . . . B 34
Segheria (Via della) . . . . B 37
Val di Nova (Via) . . . . B 38
Virgilio (Via) . . . . B 39
IV Novembre (Via) . . . . A 41

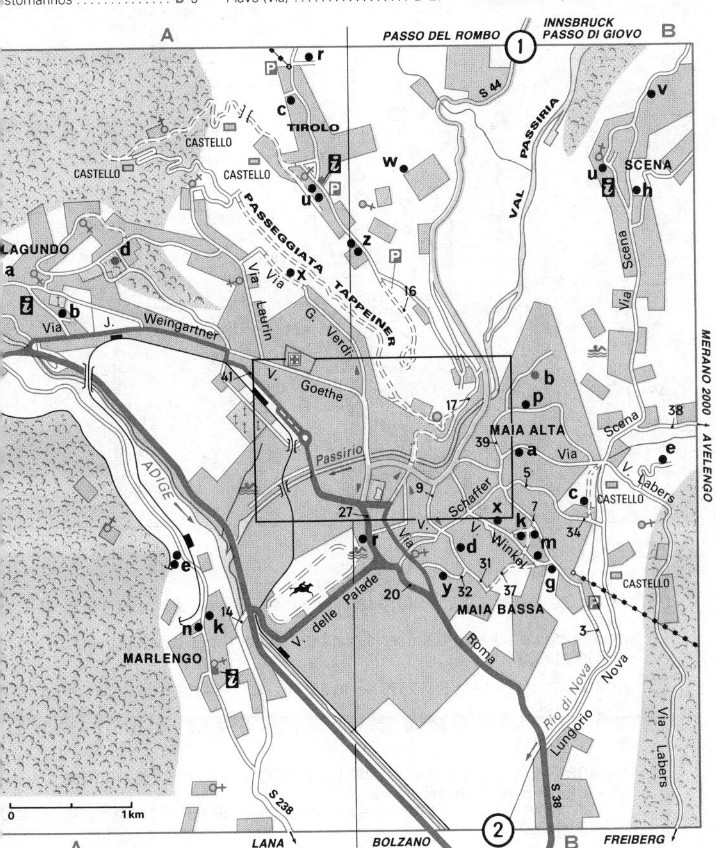

Park Hotel Mignon, via Grabmayr 5 230353, Fax 230644, <, « Parco-giardino con riscaldata », – rist . VISA. rist D v
15 marzo-5 novembre – **Pasto** (solo per alloggiati) 45/75000 – **39 cam** 190/380000, 7 appartamenti – 1/2 P 190/210000.

Kurhotel Castel Rundegg, via Scena 2 234100, Fax 237200, , « Giardino », , – . AE. . VISA. rist B a
chiuso dal 6 al 31 gennaio – **Pasto** 85/100000 – **28 cam** 180/360000, appartamento – 1/2 P 220/245000.

Meister's H. Irma, via Belvedere 17 212000, Fax 231355, <, , « Parco-giardino con riscaldata e », , , – rist . rist B p
21 marzo-2 novembre – **Pasto** (solo per alloggiati) 35/75000 – **50 cam** 165/320000, 2 appartamenti – 1/2 P 140/205000.

Villa Tivoli, via Verdi 72 446282, Fax 446849, < monti, , « Piccolo parco-giardino », , – . . VISA. A x
16 marzo-15 novembre – **Pasto** *(chiuso domenica e lunedì sera)* 50/65000 – **16 cam** 125/230000, 4 appartamenti – 1/2 P 110/150000.

MERANO
CENTRO

Corse (Via delle) .... C 6
Libertà (Corso della)........ CD
Portici (Via) .... CD

Cassa di Risparmio.......... C 2
Christomannos.............. D 5
Duomo (Piazza del) .... D 8
Grabmayr (Via) .... D 9
Grano (Piazza del)........... C 10
Haller (Via) .... D 13
Marlengo (Via).............. C 15
Ortenstein (Via)............. D 18

Passeggiata d'Estate........ D
Passeggiata Gilf .... D
Passeggiata d'Inverno....... D
Passeggiata
  Lungo Passirio C
Rena (Piazza della) .... D
Rezia (Via) C
Scena (Via)................. D

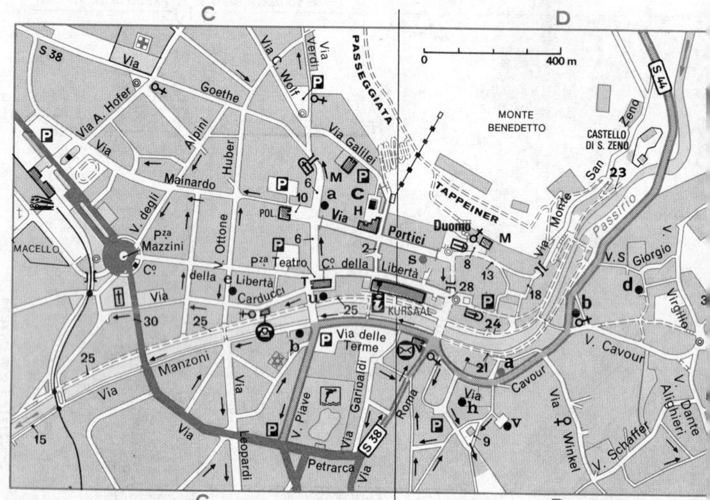

Adria ⚘, via Gilm 2 ✆ 236610, Fax 236687, ⛹, ≘s, 🏊, 🌳 – |♦| ▤ rist TV ☎ 🅿. 🅂. E VISA. ✻ rist D
marzo-ottobre – **Pasto** (solo per alloggiati) – **48 cam** ☐ 170/340000, appartamento
½ P 140/190000.

Anatol ⚘, via Castagni 3 ✆ 237511, Fax 237110, ≤, 🌴, ≘s, 🏊 riscaldata, 🌳 – |♦| ⚹ r
☎ 🅿. ✻ rist B
22 marzo-9 novembre – **Pasto** (solo per alloggiati) 45/60000 – **42 cam** ☐ 150/300000
½ P 135/175000.

Juliane ⚘, via dei Campi 6 ✆ 211700, Fax 230176, « Giardino con 🏊 riscaldata », ⛹,
🏊 – |♦| TV ☎ ♿ 🅿. 🅂. E VISA. ✻ rist B
15 marzo-5 novembre – **Pasto** (solo per alloggiati) 45/80000 – **34 cam** ☐ 140/270000
½ P 130/170000.

Aurora, passeggiata Lungo Passirio 38 ✆ 211800, Fax 211113 – |♦| TV ☎ 🅿. AE. 🅂. ⓞ
VISA. ✻ rist C
16 marzo-14 dicembre – **Pasto** carta 45/90000 – **33 cam** ☐ 180/340000 – ½ P 15
200000.

Pollinger ⚘, via Santa Maria del Conforto 30 ✆ 232226, Fax 210665, ≤, ⛹, ≘s, 🏊,
🌳 – |♦| TV ☎ 🚗 🅿. AE. 🅂. E VISA. ✻ rist B
23 dicembre-2 gennaio e 10 marzo-17 novembre – **Pasto** (solo per alloggiati) – **33 ca**
☐ 125/220000 – ½ P 100/135000.

Bavaria, via salita alla Chiesa 15 ✆ 236375, Fax 236371, « Giardino », 🏊, 🏊 – |♦| ⚹ r
TV ☎ 🅿. ✻ rist D
22 marzo-30 ottobre – **Pasto** (solo per alloggiati) 30/40000 – **51 cam** ☐ 145/280000
½ P 160/165000.

Plantitscherhof ⚘, via Dante 56 ✆ 230577, Fax 211922, « Giardino-vigneto con 🏊 »
|♦| ⚹ rist TV ☎ 🚗 🅿. ✻ B
15 marzo-20 novembre – **20 cam** solo ½ P 110/160000.

Alexander ⚘ via Dante 110 ✆ 232345, Fax 211455, ≘s, 🏊, 🌳 – |♦| ⚹ rist TV ☎
🅿. ✻ rist B
15 marzo-29 novembre – **Pasto** (solo per alloggiati) – **19 cam** solo ½ P 110/15500
2 appartamenti.

Augusta, via Ottone Huber 2 ✆ 222324, Fax 220029, – rist rist . . . E VISA. rist C e
15 marzo-15 novembre – **Pasto** 35/60000 – 12000 – **26 cam** 135/250000 – 1/2 P 110/155000.

Castel Labers, via Labers 25 ✆ 234484, Fax 234146, ←, « Servizio rist. estivo in giardino », riscaldata, , – . . E VISA B e
8 aprile-1º novembre – **Pasto** 35/55000 – **34 cam** 145/290000 – 1/2 P 140/165000.

Nido, via Gilm 6 ✆ 235100, Fax 235184, , , riscaldata, – . . E VISA. rist D d
marzo-novembre – **Pasto** 40000 – **37 cam** 120/200000 – 1/2 P 125/140000.

Mendelhof-Mendola, via Winkel 45 ✆ 236130, Fax 236481, « Giardino ombreggiato con » – . . rist B x
27 marzo-ottobre – **Pasto** (solo per alloggiati) 30000 – **36 cam** 70/130000 – 1/2 P 95/105000.

Graf Von Meran-Conte di Merano, via delle Corse 78 ✆ 232181, Fax 211874, – . . . E VISA C a
Pasto carta 35/55000 – **22 cam** 105/180000, appartamento – 1/2 P 80/120000.

Isabella senza rist, via Piave 58 ✆ 234700, Fax 211360, – . . E VISA
15 marzo-1º novembre – **25 cam** 95/160000, 2 appartamenti. AB r

Zima senza rist, via Winkel 83 ✆ 230408, Fax 236469, , riscaldata, – . . E VISA. B m
marzo-10 novembre – **23 cam** 75/130000.

Flora, via Portici 75 ✆ 231484, Fax 231484, Coperti limitati; prenotare – . . E VISA. D s
chiuso domenica, lunedì a mezzogiorno e dal 15 dicembre a febbraio – **Pasto** 40/50000 (a mezzogiorno) 70/80000 (alla sera) e carta 55/85000.

Sissi, via Plankestein 5 ✆ 231062, Coperti limitati; prenotare – . . . E VISA D a
chiuso lunedì e dal 1º al 21 luglio – **Pasto** 60000 e carta 50/65000.

Weisses Kreuz, via delle Piante 2 ✆ 232554, – . . . E VISA B b
chiuso lunedì, dal 10 al 24 febbraio e dal 9 al 23 giugno – **Pasto** carta 35/90000.

Freiberg *SE : 7 km per via Labers* B – *alt. 800* – ✉ *39012 Merano :*

Fragsburg-Castel Verruca, via Fragsburg 3 ✆ 244071, Fax 244493, ← monti e vallata, « Servizio rist. estivo in terrazza panoramica », , riscaldata, – . rist
15 aprile-5 novembre – **Pasto** *(chiuso lunedì)* carta 40/90000 – **18 cam** 150/300000 – 1/2 P 140/195000.

MERATE *22055 Lecco* 428 E 10, 219 ⑳ – *14 110 ab. alt. 288* – ☎ *039.*

Roma 594 – Bergamo 31 – Como 34 – Lecco 18 – Milano 38.

Melas Hotel senza rist, via Bergamo 37 ✆ 9903048, Fax 9903017 – – 90
chiuso agosto – **40 cam** 125/170000.

MERCATALE *Firenze* 429, 430 L 15 – *Vedere San Casciano in Val di Pesa.*

MERCOGLIANO *83013 Avellino* 431 E 26 – *10 692 ab. alt. 550* – ☎ *0825.*

Roma 242 – Napoli 55 – Avellino 6 – Benevento 31 – Salerno 45.

Green Park Hotel Titino, via Loreto 9 ✆ 788961, Fax 788965, – – 100. . . E VISA.
Pasto carta 35/60000 – **54 cam** 90/150000, 3 appartamenti – 1/2 P 95/120000.

in prossimità casello autostrada A16 Avellino Ovest *S : 3 km :*

Gd H. Irpinia, via Nazionale ✉ 83013 ✆ 683672, Fax 683676 – – 160. . . E VISA. JCB
Pasto carta 35/45000 – 25000 – **65 cam** 90/140000, appartamento, 10000 – 1/2 P 110000.

Carta Michelin nº 429 ITALIA Nord-Est scala 1:400 000.

MERGOZZO *28040 Verbania* 988 ②, 428 E 7, 219 ⑥ – *2 049 ab. alt. 204* – *0323.*
Roma 673 – Stresa 13 – Domodossola 20 – Locarno 52 – Milano 105 – Novara 76.

Due Palme, via Pallanza 1 ✆ 80112, Fax 80298, ≤ lago e monti, « Servizio rist. esti in terrazza sul lago », – |‡| TV ☎. AE. 🅂. ⓓ E VISA. JCB. ⅔ cam
chiuso gennaio e febbraio – **Pasto** *(chiuso mercoledì)* carta 70/105000 – **31 cam** ☐ 11 150000 – ½ P 110000.

La Quartina con cam, via Pallanza 20 ✆ 80118, Fax 80743, « Servizio estivo in terraz con ≤ lago » – TV ☎ 🅿. AE. 🅂. ⓓ E VISA. JCB. ⅔ rist
marzo-novembre – **Pasto** *(chiuso mercoledì escluso da giugno ad agosto)* carta 50/7500 – ☐ 12000 – **11 cam** 85/120000 – ½ P 90/100000.

MERONE *22046 Como* 428 E 9, 219 ⑨ ⑲ – *3 300 ab. alt. 284* – *031.*
Roma 611 – Como 18 – Bellagio 32 – Bergamo 47 – Lecco 19 – Milano 43.

Il Corazziere ⛰, via Mazzini 4 ✆ 617181, Fax 617217, « In riva al fiume Lambro », |‡| ▤ TV ☎ ♿ 🅿 – 🏛 40. AE. 🅂. ⓓ E VISA. JCB. ⅔
chiuso dal 5 al 28 agosto – **Pasto** vedere rist ***Il Corazziere*** – **32 cam** ☐ 90/15500 2 appartamenti – ½ P 110/120000.

Il Corazziere, via Cesare Battisti 7 ✆ 650141, « Parco-pineta » – 🅿. AE. 🅂. ⓓ E VIS JCB. ⅔
chiuso martedì e dal 5 al 28 agosto – **Pasto** carta 40/60000.

MESAGNE *72023 Brindisi* 988 ㉚, 431 F 35 – *29 989 ab. alt. 72* – *0831.*
Roma 574 – Brindisi 15 – Bari 125 – Lecce 42 – Taranto 56.

Castello senza rist, piazza Vittorio Emanuele II 2 ✆ 777500, Fax 777701 – |‡| ▤ TV ☎ 🚗. AE. 🅂. ⓓ E VISA
12 cam ☐ 65/100000.

MESE *Sondrio* – *Vedere Chiavenna.*

MESSINA P 988 ㊲ ㊳, 431, 432 M 28 – *Vedere Sicilia alla fine dell'elenco alfabetico.*

MESTRE *Venezia* 988 ⑤, 429 F 18 – ✉ *Venezia Mestre* – *041.*
18 e 9 Cá della Nave (chiuso martedì) a Martellago ✉ 30030 ✆ 5401555, Fax 540192 per ⑧ :8 km.
✈ Marco Polo di Tessera, per ③ : 8 km ✆ 2609260 – 🚗 ✆ 715555.
🅘 rotonda Romea ✉ 30175 ✆ 937764.
A.C.I. via Cà Marcello 67/a ✉ 30172 ✆ 5310348.
Roma 522 ⑦ – Venezia 9 ④ – Milano 259 ⑦ – Padova 32 ⑦ – Treviso 21 ① – Trieste 150 ②.

Pianta pagina a lato

Ambasciatori, corso del Popolo 221 ✉ 30172 ✆ 5310699, Telex 410445, Fax 5310074 |‡| ▤ TV ☎ 🅿 – 🏛 130. AE. 🅂. ⓓ E VISA. ⅔ BY
Pasto carta 50/70000 – ☐ 20000 – **93 cam** 180/250000, 2 appartamenti – ½ P 170 220000.

Michelangelo senza rist, via Forte Marghera 69 ✉ 30173 ✆ 986600, Telex 42028 Fax 986052 – |‡| ▤ TV ☎ 🚗 🅿 – 🏛 150. AE. 🅂. ⓓ E VISA. JCB BX
51 cam ☐ 280/370000, 3 appartamenti.

Bologna, via Piave 214 ✉ 30171 ✆ 931000, Fax 931095 – |‡| ▤ TV ☎ 🅿 – 🏛 120. AE. 🅂 ⓓ E VISA. ⅔ AY
Pasto al Rist. ***Da Tura*** *(chiuso domenica e da Natale al 2 gennaio)* carta 55/80000 – **129 can** ☐ 170/260000.

Plaza, viale Stazione 36 ✉ 30171 ✆ 929388, Telex 410490, Fax 929385 – |‡| ▤ TV ☎ ♿ 🏛 80. AE. 🅂. ⓓ E VISA. JCB. ⅔ rist AY
Pasto carta 40/65000 – **221 cam** ☐ 180/250000, appartamento.

President senza rist, via Forte Marghera 99/a ✉ 30173 ✆ 985655, Fax 985655 – |‡| ▤ TV ☎ 🚗 🅿. AE. 🅂. ⓓ E VISA. ⅔ BXY
☐ 15000 – **51 cam** 120/155000, appartamento.

Alexander, via Forte Marghera 193/c ✉ 30173 ✆ 5318288, Telex 420406, Fax 5318283 - |‡| ▤ TV ☎ 🚗 🅿 – 🏛 100. AE. 🅂. ⓓ E VISA. JCB. ⅔ BY
Pasto (solo per alloggiati e *chiuso a mezzogiorno*) 30/50000 – ☐ 20000 – **61 cam** 150 200000 – ½ P 105/150000.

Venezia, via Teatro Vecchio 5 ✉ 30171 ✆ 985533, Fax 985490 – |‡| ▤ TV ☎ 🅿. AE. 🅂. ⓓ E VISA. ⅔ BX
Pasto (solo per alloggiati e *chiuso a mezzogiorno*) carta 40/60000 – ☐ 20000 – **100 can** 140/170000.

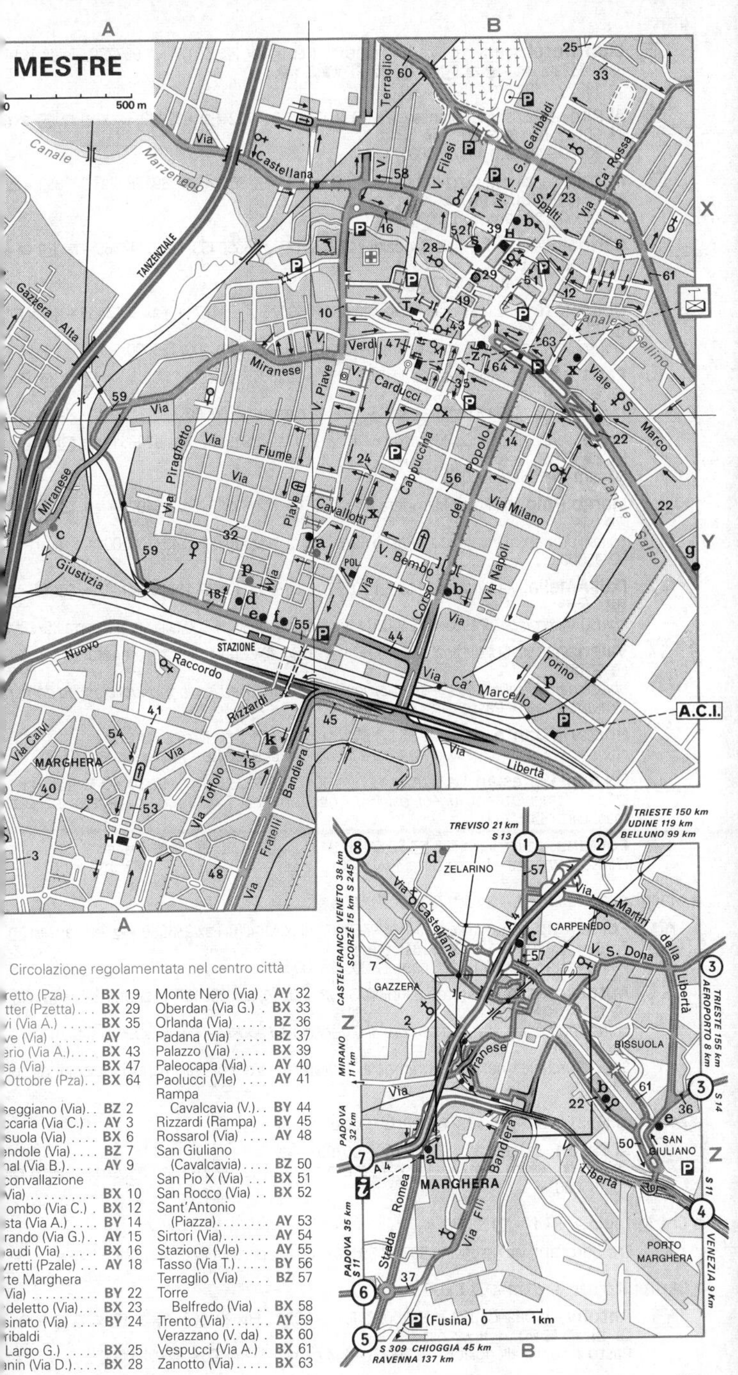

Circolazione regolamentata nel centro città

retto (Pza) .... BX 19
tter (Pzetta) ... BX 29
vi (Via A.) ..... BX 35
ve (Via) .... AY
erio (Via A.) .... BX 43
sa (Via) .... BX 47
Ottobre (Pza) .. BX 64

seggiano (Via) .. BZ 2
ccaria (Via C.) .. AY 3
suola (Via) .... BX 6
endole (Via) .... BZ 7
nal (Via B.) ..... AY 9
convallazione
Via) .... BX 10
ombo (Via C.) . BX 12
sta (Via A.) .... BY 14
rando (Via G.) .. AY 15
audi (Via) ...... BX 16
vretti (Pzale) ... AY 18
rte Marghera
Via) .... BY 22
deletto (Via) ... BX 23
sinato (Via) .... BY 24
ribaldi
Largo G.) ..... BX 25
anin (Via D.) .... BX 28

Monte Nero (Via) . AY 32
Oberdan (Via G.) . BX 33
Orlanda (Via) ..... BZ 36
Padana (Via) ..... BZ 37
Palazzo (Via) ..... BX 39
Paleocapa (Via) ... AY 40
Paolucci (Vle) .... AY 41
Rampa
Cavalcavia (V.) .. BY 44
Rizzardi (Rampa) . BY 45
Rossarol (Via) .... AY 48
San Giuliano
(Cavalcavia) .... BZ 50
San Pio X (Via) ... BX 51
San Rocco (Via) .. BX 52
Sant'Antonio
(Piazza) .... AY 53
Sirtori (Via) .... AY 54
Stazione (Vle) .... AY 55
Tasso (Via T.) ..... BY 56
Terraglio (Via) .... BZ 57
Torre
Belfredo (Via) .. BX 58
Trento (Via) ...... AY 59
Verazzano (V. da) . BX 60
Vespucci (Via A.) . BX 61
Zanotto (Via) ..... BX 63

Club Hotel senza rist, via Villafranca 1 (Terraglio) ✉ 30174 ☎ 957722, Telex 411489, Fax 983990, – |‡| ▤ TV ☎ P. AE. 🅂. ⓞ E VISA — BZ c
⊒ 19000 – **30 cam** 115/155000.

Ai Pini senza rist, via Miranese 176 ✉ 30171 ☎ 917722, Fax 912390, – |‡| ▤ TV ☎ P – 50. AE. 🅂. ⓞ E VISA. JCB. ✻ — AY b
⊒ 20000 – **16 cam** 145/200000.

Aurora senza rist, piazzetta Giordano Bruno 15 ✉ 30174 ☎ 989188, Fax 989832 – |‡| ▤ TV ☎ P. AE. 🅂. E VISA. ✻ — BX s
⊒ 15000 – **28 cam** 95/150000.

Garibaldi senza rist, viale Garibaldi 24 ✉ 30173 ☎ 5350455, Fax 5347565 – ▤ TV ☎ P. AE. 🅂. ⓞ E VISA. JCB. ✻ — BX b
⊒ 11000 – **28 cam** 120/170000.

Delle Rose senza rist, via Millosevich 46 ✉ 30173 ☎ 5317711, Fax 5317433 – |‡| ▤ TV ☎ P. 🅂. ⓞ E VISA. JCB. ✻ — BZ b
chiuso dal 1º dicembre al 15 gennaio – ⊒ 13000 – **26 cam** 100/125000.

Paris senza rist, viale Venezia 11 ✉ 30171 ☎ 926037, Fax 926111 – |‡| ▤ TV ☎ P. AE. 🅂. ⓞ E VISA. JCB — AY d
chiuso dal 23 al 30 dicembre – ⊒ 15000 – **18 cam** 115/160000.

Piave senza rist, via Col Moschini 6/10 ✉ 30171 ☎ 929287, Fax 929651 – |‡| TV ☎ P. AE 🅂. ⓞ E VISA. JCB — ABY a
50 cam ⊒ 125/165000.

Marco Polo, via Forte Marghera 67 ✉ 30173 ☎ 989855, Fax 954075 – ▤. AE. 🅂. ⓞ E VISA. ✻ — BX x
chiuso domenica ed agosto – **Pasto** 35/80000 (a mezzogiorno) 45/100000 (alla sera) e carta 60/95000.

Dall'Amelia, via Miranese 113 ✉ 30171 ☎ 913955, Fax 5441111, – ▤. AE. 🅂. ⓞ E VISA. JCB — AY c
chiuso mercoledì – **Pasto** 40/85000 (a mezzogiorno) 50/85000 (alla sera) e carta 55/90000.

Valeriano, via Col di Lana 18 ✉ 30171 ☎ 926474, Coperti limitati; prenotare – ▤. AE. 🅂 ⓞ E VISA — AY
chiuso dal 27 luglio al 19 agosto, domenica sera, lunedì ed in giugno-luglio anche domenica a mezzogiorno – **Pasto** carta 60/90000.

Hostaria Dante, via Dante 53 ✉ 30171 ☎ 959421 – ▤. AE. 🅂. ⓞ E VISA — BY
chiuso dall'8 al 21 agosto, domenica e in luglio anche sabato – **Pasto** carta 40/65000.

Da Bepi Venesian, via Sernaglia 27 ✉ 30171 ☎ 929357 – ▤. AE. 🅂. ⓞ E VISA. JCB
chiuso domenica sera, lunedì, dal 1º a 7 gennaio e dal 5 al 20 agosto – **Pasto** specialità di mare carta 35/50000. — ABY

Fortuna, via Terraglio 306 ✉ 30174 ☎ 943244, – AE. 🅂. ⓞ E VISA. ✻
chiuso domenica – **Pasto** carta 30/45000. — 2 km : per ①

a Marghera *S : 1 km* BZ – ✉ *30175 Venezia Mestre :*

Forte Agip, rotonda Romea 1 ☎ 936900, Telex 411418, Fax 936960 – |‡| ⇔ cam ▤ TV ☎ & P – 180. AE. 🅂. ⓞ E VISA. JCB. ✻ — BZ
Pasto carta 65/80000 – **188 cam** ⊒ 205/245000.

Autoespresso, via Fratelli Bandiera 34 ☎ 930214, Fax 930197, prenotare – ▤ P. AE. 🅂 ⓞ E VISA. ✻ — AY
chiuso domenica, dal 22 dicembre al 6 gennaio ed agosto – **Pasto** specialità di mare carta 60/100000
Spec. "Orchidea nera" alla granseola. Tagliatelle verdi con calamaretti. Spiedini di pesce misto.

a Zelarino *N : 2 km* BZ – ✉ *30174 Venezia Mestre :*

Al Cason, via Gatta 112 ✉ 30174 ☎ 907907 – P — BZ
chiuso domenica sera, lunedì, dal 26 dicembre al 12 gennaio ed agosto – **Pasto** carta 60/105000.

a Chirignago *O : 2 km* – ✉ *30030 :*

Tre Garofani, via Assegiano 308 ☎ 991307, , Coperti limitati; prenotare – P

a Campalto *per ③ : 5 km* – ✉ *30030 :*

Antony, via Orlanda 182 ☎ 5420022, Telex 420277, Fax 901677 – |‡| ▤ TV ☎ & P – 7… AE. 🅂. ⓞ E VISA. JCB. ✻ rist
Pasto (solo per alloggiati) – ⊒ 20000 – **114 cam** 165/240000 – ½ P 180000.

a **San Giuliano** *SE : 3 km* BZ – ✉ *30173 Venezia Mestre :*

Ramada, via Orlanda 4 ☎ 5310500, Telex 411484, Fax 5312278, ⅎ, ≘s, ⊡ – ⅄ ⇔ cam BZ e
▤ TV ☎ ♿ ℗ – 🏛 900. AE. ⑤. ⊙ E VISA. ✻
Pasto carta 60/90000 – **181 cam** ⊐ 300/350000 – ½ P 100/170000.

META *80062 Napoli* 431 F 25 – *7 531 ab. – a.s. aprile-settembre –* ⊚ *081.*
Roma 253 – Napoli 44 – Castellammare di Stabia 14 – Salerno 45 – Sorrento 5.

✗ La Conchiglia, ☎ 8786402, ≤, « Servizio estivo in terrazza sul mare »

METANOPOLI *Milano* 988 ③ *– Vedere San Donato Milanese.*

METAPONTO *75010 Matera* 988 ㉙, 431 F 32 – *a.s. luglio-agosto –* ⊚ *0835.*
ℹ *(giugno-settembre) viale delle Sirene* ☎ *741933.*
Roma 469 – Matera 47 – Bari 114 – Cosenza 157 – Potenza 110 – Taranto 48.

al lido *SE : 2,5 km :*

Turismo, viale delle Ninfe 5 ✉ 75010 ☎ 741918, Fax 741917, ⛱, 🏖 – ⅄ ▤ ☎. AE. ⑤. ⊙ E VISA
aprile-settembre – **Pasto** carta 35/50000 – ⊐ 8000 – **61 cam** 70/110000 – ½ P 75/85000.

MEZZANA *Trento* 428, 429 D 14, 218 ⑱ ⑲ – *869 ab. alt. 941 –* ✉ *38020 Mezzana in Val di Sole – a.s. febbraio-Pasqua e Natale – Sport invernali : a Marilleva : 940/2143 m* ⛷ *4* ⛷ *19,* ⛷ *a Mezzana (vedere anche Folgarida) –* ⊚ *0463.*
ℹ *via Nazionale 77* ☎ *757134, Fax 757095.*
Roma 652 – Trento 69 – Bolzano 76 – Milano 239 – Passo del Tonale 20.

Ravelli, via 4 Novembre 20 ☎ 757122, Fax 757467, ≤, 🌳 – ⅄ TV ☎ 🚗 ℗. AE. ⑤. ⊙ E VISA. ✻
6 dicembre-10 aprile e 14 giugno-25 settembre – **Pasto** carta 30/45000 – **38 cam** ⊐ 80/140000 – ½ P 80/110000.

Val di Sole, ☎ 757240, Fax 757071, ≤, ⅎ, ≘s, ⊡ – ⅄ TV ☎ 🚗 ℗. ⑤. ⊙ E VISA. ✻
dicembre-20 aprile e giugno-settembre – **Pasto** 30000 – ⊐ 16000 – **63 cam** 70/105000 – P 85/165000.

Eccher, ☎ 757146, Fax 757257, ≤ – ⅄ TV ☎ ♿ ℗. VISA. ✻
dicembre-aprile e giugno-settembre – **Pasto** carta 30/50000 – **21 cam** ⊐ 90/120000 – ½ P 70/105000.

a Marilleva 900 *S : 1 km –* ✉ *38020 Mezzana in Val di Sole :*

Sporting Hotel Ravelli, ☎ 757159, Fax 757473, 🌳 – ⅄ TV ☎ 🚗 ℗. AE. ⑤. ⊙ E VISA. ✻ rist
6 dicembre-15 aprile e 20 giugno-20 settembre – **Pasto** 25/30000 – **48 cam** ⊐ 80/140000 – ½ P 85/110000.

Vedere anche : **Commezzadura** *E : 3 Km*

MEZZANE DI SOTTO *37030 Verona* 429 F 15 – *1 855 ab. alt. 129 –* ⊚ *045.*
Roma 519 – Verona 19 – Milano 173 – Padova 83 – Vicenza 53.

✗✗ **Bacco d'Oro,** ☎ 8880269, Fax 8880269, « Servizio estivo in giardino » – ℗. AE. ⑤. ⊙ E VISA. ✻
chiuso lunedì sera, martedì e dal 10 gennaio al 10 febbraio – **Pasto** carta 45/70000.

MEZZANINO *27040 Pavia* 428 G 9 – *1 433 ab. alt. 62 –* ⊚ *0385.*
Roma 560 – Piacenza 44 – Alessandria 74 – Milano 50 – Pavia 12.

a Tornello *E : 3 km –* ✉ *27040 Mezzanino :*

✗✗ **Dell'Angelo,** strada statale 617 ☎ 71471 – ▤ ℗. ⑤. ⊙ E VISA. ✻
chiuso martedì e dal 1° al 22 agosto – **Pasto** carta 50/75000.

MEZZANO SCOTTI *29020 Piacenza* 428 H 10 – *alt. 257 –* ⊚ *0523.*
Roma 558 – Piacenza 40 – Alessandria 92 – Genova 102 – Milano 111.

✗ **Costa Filietto** ⛰ con cam, NE : 7 km alt. 600, ☎ 937104, ⛱ – ℗. ⑤. E VISA. ✻
Pasto *(chiuso martedì)* carta 40/45000 – ⊐ 6000 – **12 cam** 50/70000 – ½ P 55/60000.

MEZZEGRA *22010 Como* 219 ⑨ – *930 ab. alt. 275* – ☎ *0344.*
Roma 646 – Como 29 – Menaggio 9 – Milano 78.

✗ **Bisbino,** località Azzano, via Statale 31 ☎ 40189, Fax 40189, « Servizio all'aperto sotto un pergolato » – AE. 🅂. E VISA
chiuso lunedì – **Pasto** carta 50/65000.

MEZZOCANALE *Belluno – Vedere Forno di Zoldo.*

MEZZOCORONA *38016 Trento* 429 D 15 – *4 478 ab. alt. 219 – a.s. dicembre-aprile* – ☎ *0461.*
Roma 604 – Bolzano 44 – Trento 21.

✗✗ **La Cacciatora,** in riva all'Adige SE : 2 km ☎ 650124, Fax 651080, – ▤ P – 🏛 30. AE. 🅂. ⓓ E VISA. ✗
chiuso mercoledì e dal 15 al 31 luglio – Pasto carta 45/60000.

MEZZOLAGO *38060 Trento* 428, 429 E 14 – *alt. 667 – a.s. Natale* – ☎ *0464.*
Roma 588 – Trento 56 – Brescia 88 – Milano 183 – Verona 100.

Mezzolago, ☎ 508181, Fax 508689, ←, « Terrazza sul lago », – |‡| ☎ P
stagionale – **32 cam.**

MEZZOLOMBARDO *38017 Trento* 988 ④, 429 D 15 – *5 462 ab. alt. 227 – a.s. dicembre-aprile* – ☎ *0461.*
Roma 605 – Bolzano 45 – Trento 22 – Milano 261.

✗✗ **Al Sole** con cam, via Rotaliana 5 ☎ 601103, Fax 603075 – |‡| TV ☎ P. AE. 🅂. ⓓ E VISA. ✗ rist
Pasto *(chiuso dal 7 al 14 gennaio e dal 7 al 20 luglio)* carta 55/90000 – ☕ 9000 **17 cam** 55/95000 – ½ P 85/95000.

MIANE *31050 Treviso* 429 E 18 – *3 269 ab. alt. 259* – ☎ *0438.*
Roma 587 – Belluno 33 – Milano 279 – Trento 116 – Treviso 39 – Udine 101 – Venezia 69.

✗✗ **Da Gigetto,** ☎ 960020, Fax 960111 – P. AE. 🅂. ⓓ VISA
✿ *chiuso lunedì sera, martedì, dal 7 al 22 gennaio e dal 1° al 22 agosto* – **Pasto** carta 50/70000
Spec. Savarin di asparagi con crema di parmigiano (primavera). Sopa coada (zuppa trevigiana). Piccione disossato all'anice stellato.

MIGLIARA *Napoli – Vedere Capri (Isola di) : Anacapri.*

MIGNANEGO *16018 Genova* – *3 502 ab. alt. 180* – ☎ *010.*
Roma 516 – Genova 20 – Alessandria 73 – Milano 126.

al Santuario della Vittoria *NE : 5 km :*

✗✗ **Belvedere** 🐦 con cam, via alla Vittoria 39 ✉ 16010 Giovi ☎ 7792285, Fax 7792128, ← – TV ☎. ✗ rist
chiuso dal 1° al 15 marzo e dal 10 al 25 settembre – **Pasto** *(chiuso mercoledì)* carta 55/85000 – ☕ 12000 – **9 cam** 80/110000 – ½ P 90/100000.

Sono utili complementi di questa guida, per i viaggi in ***ITALIA*** *:*
- *La* ***carta stradale Michelin*** *n°* 988 *in scala 1/1 000 000.*
- *Le* ***carte*** 428, 429, 430, 431, 432, 433 *in scala 1/400 000.*
- *L'Atlante stradale Italia in scala 1/300 000.*
- *Le guide Verdi turistiche Michelin* ***"Italia", "Roma", "Venezia"*** *e* ***"Toscana"*** *:*
  itinerari regionali,
  musei, chiese,
  monumenti e bellezze artistiche.

MILANO

20100 **P** 988 ③, 428 F 9 *G. Italia – 1 306 494 ab. alt. 122 – ☎ 02.*

Roma 572 ① – Genève 323 ⑫ – Genova 142 ⑨ – Torino 140 ⑫.

UFFICIO INFORMAZIONI TURISTICHE

via Marconi 1 ✉ 20123 ☎ 809662, Fax 72022999.
Stazione Centrale ✉ 20124 ☎ 6690532.
A.C.I. *corso Venezia 43 ✉ 20121 ☎ 77451.*

INFORMAZIONI PRATICHE

Forlanini di Linate E : 8 km CP *☎ 74852200 e della Malpensa per ⑬ : 45 km ☎ 74852200.*
Alitalia, corso Como 15 ✉ 20154 ☎ 62818 e via Albricci 5 ✉ 20122 ☎ 62817.

☎ 675001.

18 *e* 9 *(chiuso lunedì) al Parco di Monza ✉ 20052 Monza ☎ (039) 303081, Fax 304427, per ② : 20 km ;*

18 *Molinetto (chiuso lunedì) a Cernusco sul Naviglio ✉ 20063 ☎ 92105128, Fax 92106635, per ④ : 14 km ;*

18 *Barlassina (chiuso lunedì) a Birago di Camnago ✉ 20030 ☎ (0362) 560621, Fax 560934, per ① : 26 km ;*

18 *(chiuso lunedì) a Zoate di Tribiano ✉ 20067 ☎ 90632183, Fax 90631861, per ⑥ : 20 km ;*

18 *Le Rovedine (chiuso lunedì) a Noverasco di Opera ✉ 20090 ☎ 57606420, Fax 57606405, per via Ripamonti* BP.

Autodromo *al Parco di Monza per ② : 20 km, ☎ (039) 22366, vedere la pianta di Monza.*

CURIOSITÀ

Duomo★★★ MZ – *Museo del Duomo*★★ MZ M[1] – *Via e Piazza Mercanti*★ MZ 155 – *Teatro alla Scala*★★ MZ – *Casa del Manzoni*★ MZ M[7]– *Pinacoteca di Brera*★★★ KV

Castello Sforzesco★★★ JV – *Biblioteca Ambrosiana*★★ MZ : *ritratti*★★★ *di Gaffurio e Isabella d'Este, cartone preparatorio*★★★ *di Raffaello nella Pinacoteca* – *Museo Poldi-Pezzoli*★★ KV M[2] : *ritratto di donna*★★★ *del Pollaiolo* – *Museo di Storia Naturale*★ LV M[6] – *Museo Nazionale della Scienza e della Tecnica Leonardo da Vinci*★ HX M[4] – *Chiesa di Santa Maria delle Grazie*★ HX : *Ultima Cena*★★★ *di Leonardo da Vinci* – *Basilica di Sant'Ambrogio*★★ HJX : *paliotto*★★ *Chiesa di Sant'Eustorgio*★ JY : *cappella Portinari*★★ – *Ospedale Maggiore*★ KXY

Basilica di San Satiro★ : *cupola*★ MZ – *Chiesa di San Maurizio*★★ JX – *Basilica di San Lorenzo Maggiore*★ JY.

DINTORNI

Abbazia di Chiaravalle★ *SE : 7 km* BP.

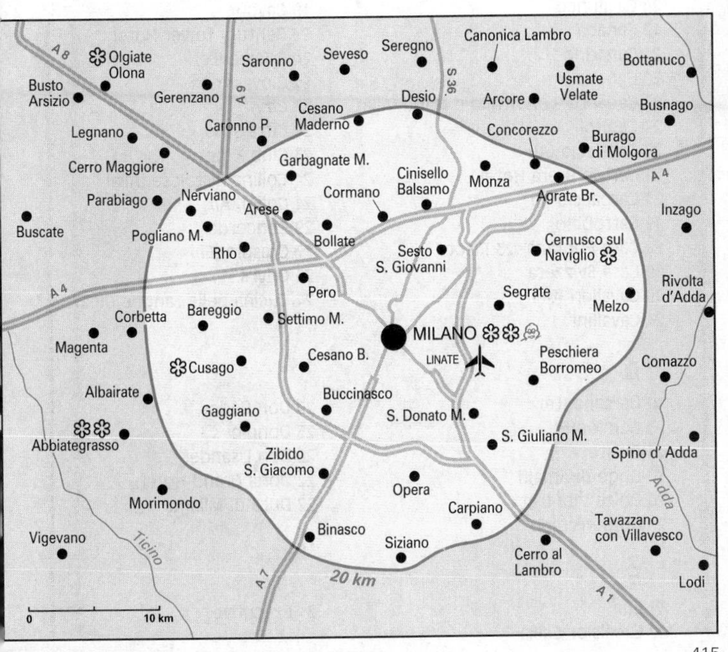

Elenco alfabetico degli alberghi e ristoranti

A

B

C

D

E

F

G

H

I

J - K

L

M

N

O

P - Q

R

S

T - U

V - Y

Z

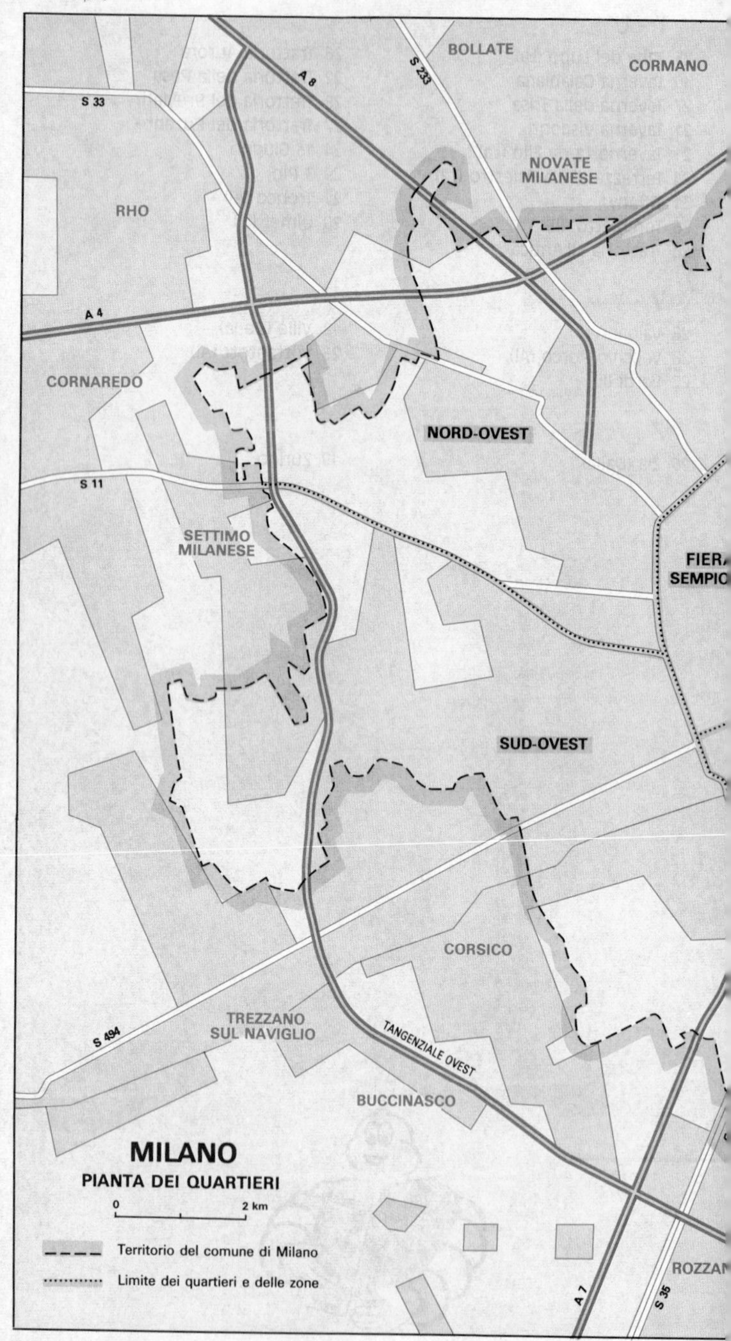
BOLLATE
CORMANO
S 33
A 8
S 233
NOVATE
MILANESE
RHO
A 4
CORNAREDO
NORD-OVEST
S 11
SETTIMO
MILANESE
FIER
SEMPIO
SUD-OVEST
CORSICO
TREZZANO
SUL NAVIGLIO
S 494
TANGENZIALE OVEST
BUCCINASCO
MILANO
PIANTA DEI QUARTIERI
0
2 km
Territorio del comune di Milano
Limite dei quartieri e delle zone
ROZZA
A 7
S 35

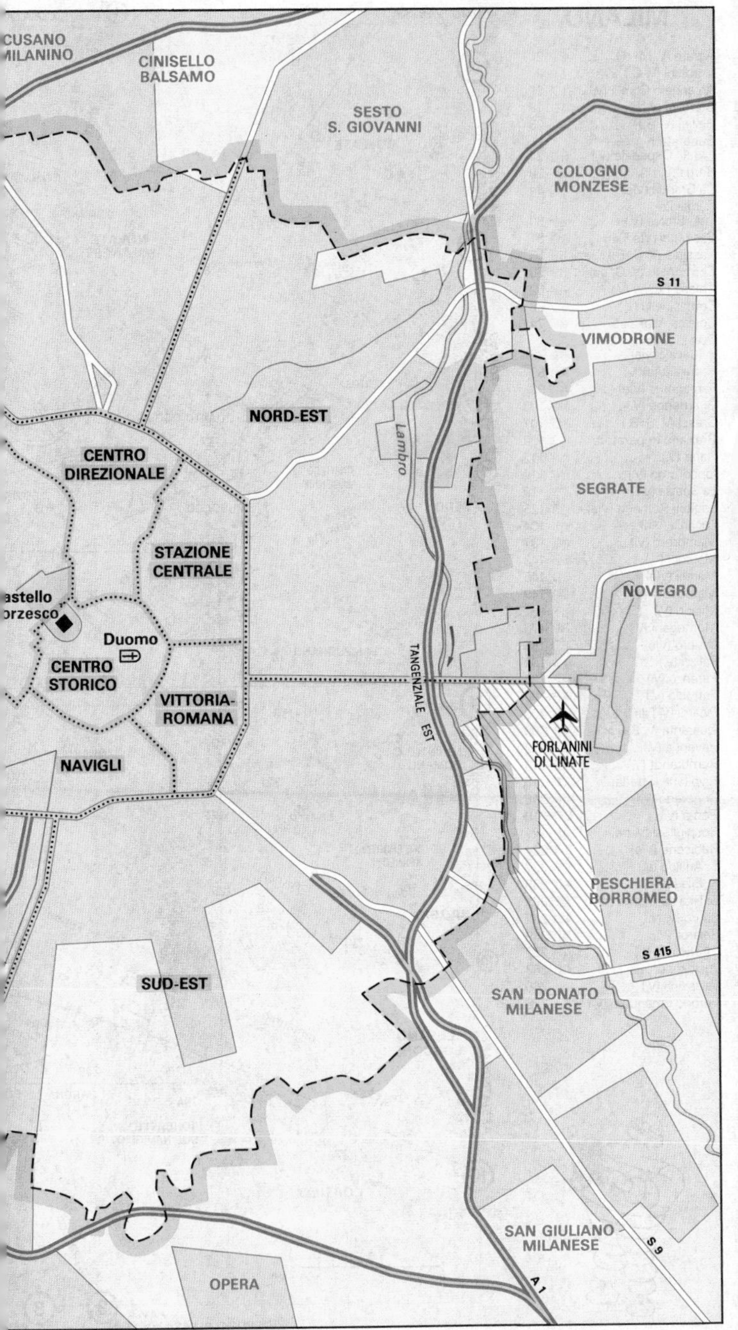
CUSANO
MILANINO
CINISELLO
BALSAMO
SESTO
S. GIOVANNI
COLOGNO
MONZESE
S 11
VIMODRONE
NORD-EST
Lambro
CENTRO
DIREZIONALE
SEGRATE
STAZIONE
CENTRALE
NOVEGRO
astello
orzesco
Duomo
CENTRO
STORICO
TANGENZIALE EST
VITTORIA-
ROMANA
FORLANINI
DI LINATE
NAVIGLI
PESCHIERA
BORROMEO
S 415
SUD-EST
SAN DONATO
MILANESE
SAN GIULIANO
MILANESE
S 9
A 1
OPERA

MILANO

Agrate (V. M. d') ...... BP 2
Antonini (V. G.) .... BP 8
Arcangelo Corelli (V.) .. CP 9
Bartolini (V.).......... AO 18
Bellini (V. G.) .... AP 23
Benefattori dell' Ospedale (V.) .. BO 24
Berna (V.)............ AP 29
Cà Granda (Vle)....... BO 44
Cardinale A. Sforza (V.) .... BP 50
Casiraghi (Vle Flli)..... BO 51
Cassinis (V. G. B.)..... BP 53
Cermenate (V. G. da) .. BP 60
Chiesa Rossa (V.) ..... AP 62
Comasinella (V.) ...... BO 68
Corsica (Vle) .... BP 74
Don L. Milani (Cavalcavia) .... AP 78
Faenza (Vle).......... AP 89
Famagosta (Vle) ...... AP 90
Girardengo (V.)....... AO 103
Grassi (V. G. B.) ...... AO 107
Graziano Imperatore .. BO 108
Harar (V.) .... AP 112
Ippodromo (V.)...... AOP 117
La Spezia (V.)......... AP 119
Legioni Romane (Vle).. AP 125
Lucania (Vle) .... BP 134
Mambretti (V.) .... AO 137
Marconi (V.).......... BO 143
Marelli (Vle).......... BO 146
Marochetti (V.)........ BP 149
Milano (V.) .... AP 161
Montegani (V.)........ BP 173
Omero (Vle).......... BP 186
Palizzi (V.) .... AO 192
Parenzo (V.) .... AP 194
Patroclo (V.) .... AP 196
Picardi (V. Flli) .... BO 200
Quaranta (V. B.)....... BP 209
Ravenna (V.).......... BP 212
Rembrandt (V.) .... AP 213
Rivoltana (Strada) ..... CP 216
Rogoredo (V.)......... CP 218
Roma (V.)............ BO 219
Rospigliosi (V. dei) .... AP 221
Rubicone (Vle) .... BO 224
S. Arialdo (V.)......... CP 227
S. Elia (V. A.)......... AO 233
S. Rita da Cascia (V.) .. AP 239
Sauro (V. N.) .... AO 242
Solaroli (V.)........... BP 249
Stratico (V. S.) .... AP 252
Tucidide (V.) .... CP 263
Valassina (V.)......... BO 265
Vittorio Emanuele (V.) . AP 276

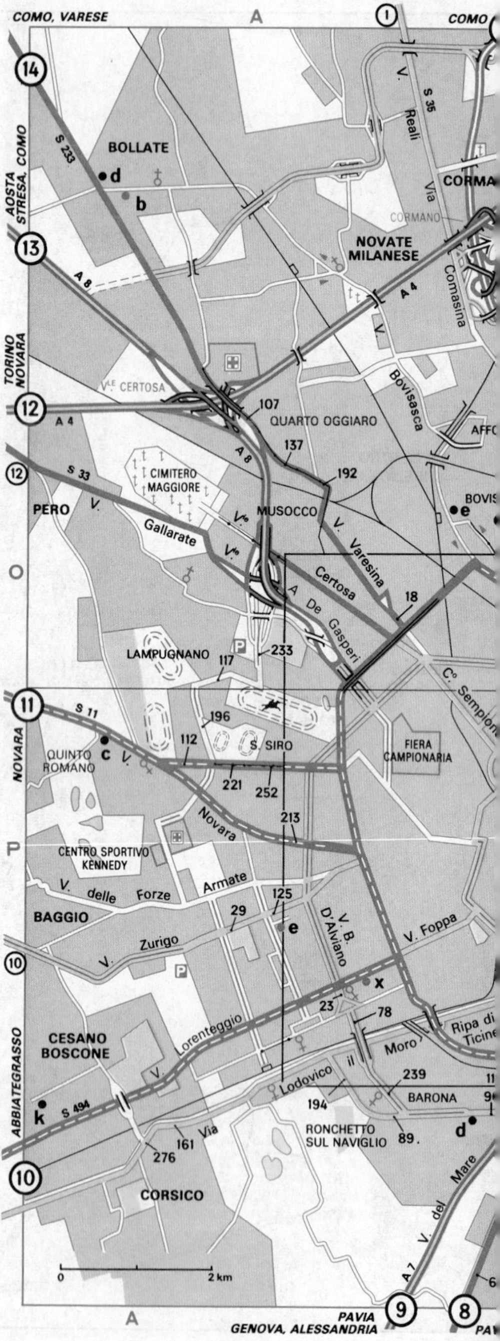

COMO, VARESE
A
COMO
AOSTA STRESA, COMO
BOLLATE
NOVATE MILANESE
CORMANO
TORINO NOVARA
QUARTO OGGIARO
CIMITERO MAGGIORE
PERO
MUSOCCO
V. Gallarate
V. Certosa
V. Varesina
V. Reali
Comasina
Bovisasca
A. De Gasperi
LAMPUGNANO
C.so Sempione
FIERA CAMPIONARIA
S. SIRO
QUINTO ROMANO
V. Novara
CENTRO SPORTIVO KENNEDY
V. delle Forze Armate
BAGGIO
V. Zurigo
V. B. D'Alviano
V. Foppa
NOVARA
CESANO BOSCONE
V. Lorenteggio
Lodovico il Moro
Ripa di Ticinese
BARONA
RONCHETTO SUL NAVIGLIO
ABBIATEGRASSO
Via Milano
CORSICO
V. del Mare
0 2 km
PAVIA
GENOVA, ALESSANDRIA

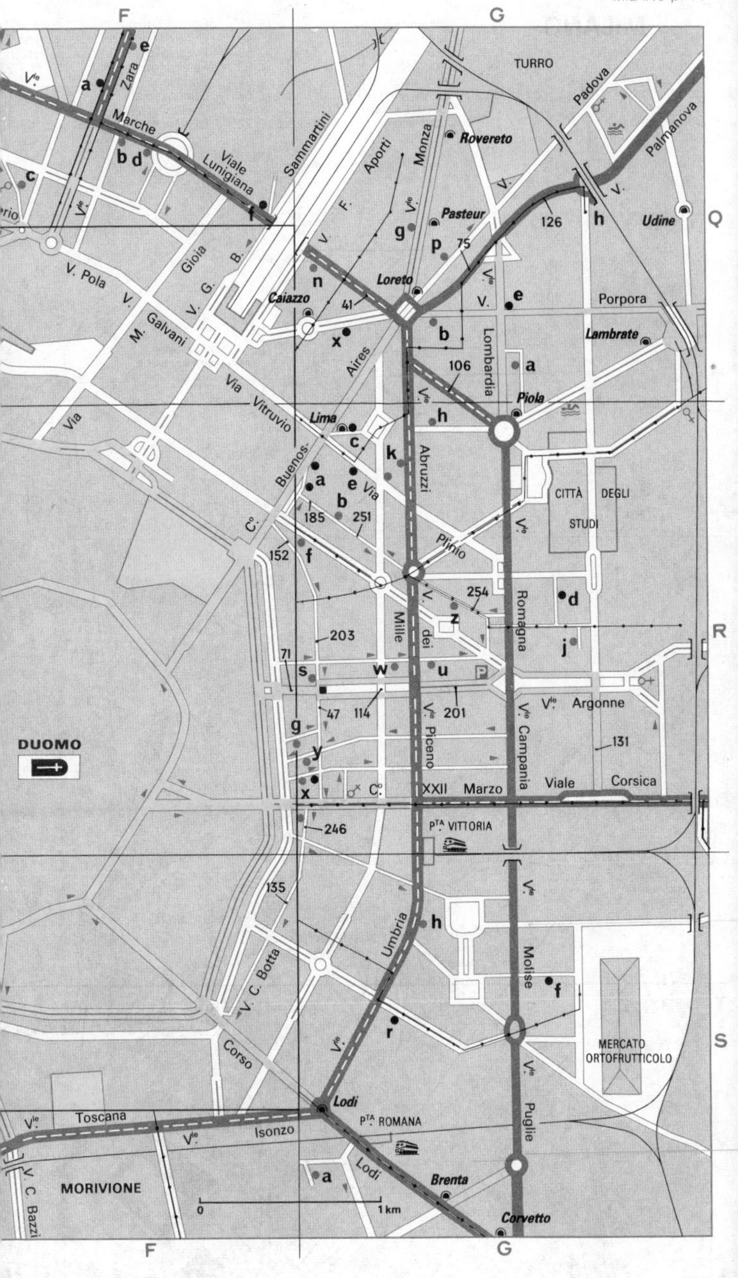

TURRO
Padova
Palmanova
Viale Lunigiana
Marche
Zara
Sammartini
Aporti
Monza
Rovereto
Pasteur
Udine
Loreto
Caiazzo
V. Pola
Gioia
M. Galvani
Via Vitruvio
Aires
Porpora
Lambrate
Lombardia
Piola
Lima
Buenos-
Abruzzi
Via Plinio
CITTÀ DEGLI STUDI
Romagna
Mille
dei
V.le Argonne
V.le Piceno
V.le Campania
DUOMO
C.o XXII Marzo
Viale Corsica
P.TA VITTORIA
Umbria
Molise
V. C. Botta
Corso
MERCATO ORTOFRUTTICOLO
Puglie
Lodi
V.le Toscana
V.le Isonzo
P.TA ROMANA
Brenta
Corvetto
MORIVIONE
V. C. Bazzi
0
1 km
F
G
Q
R
S

MILANO

Aurispa (V.)	JY	14
Battisti (V. C.)	KLX	20
Bocchetto (V.)	JX	30
Borgogna (V.)	KX	36
Borgonuovo (V.)	KV	38
Calatafimi (V.)	JY	45
Caradosso (V.)	HX	49
Ceresio (V.)	JU	59
Circo (V.)	JX	63
Col di Lana (Vle)	JY	65
Col Moschin (V.)	JY	66
Conca del Naviglio (V.)	JY	69
Copernico (V.)	LT	72
Cordusio (Pza)	KX	73
Curie (Vle P. M.)	HV	77
Dugnani (V.)	HY	80
Fatebenefratelli (V.)	KV	92
Garigliano (V.)	KT	98
Generale Fara (V.)	KT	10
Ghisleri (V. A.)	HY	10
Giardini (V. dei)	KV	10

All'interno della zona delimitata da un retino verde, la città è divisa in settori il cui accesso è segnalato lungo tutta la cerchia. Non è possibile passare in auto da un settore all'altro.

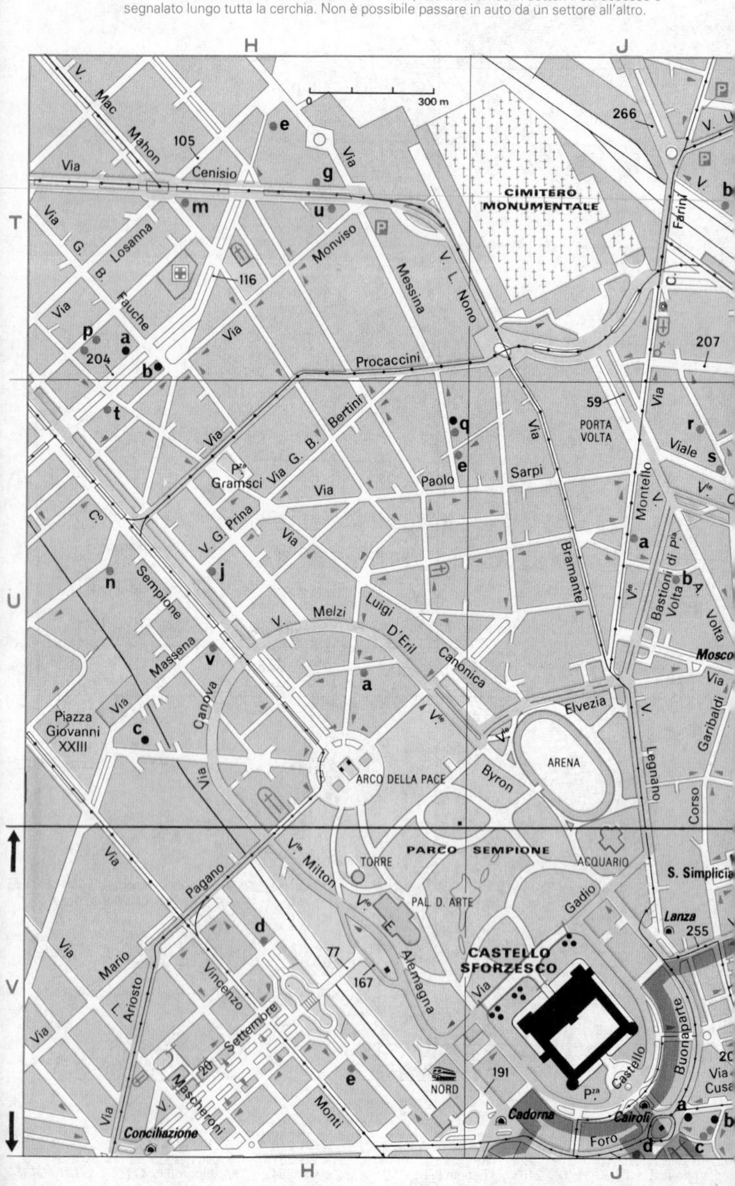

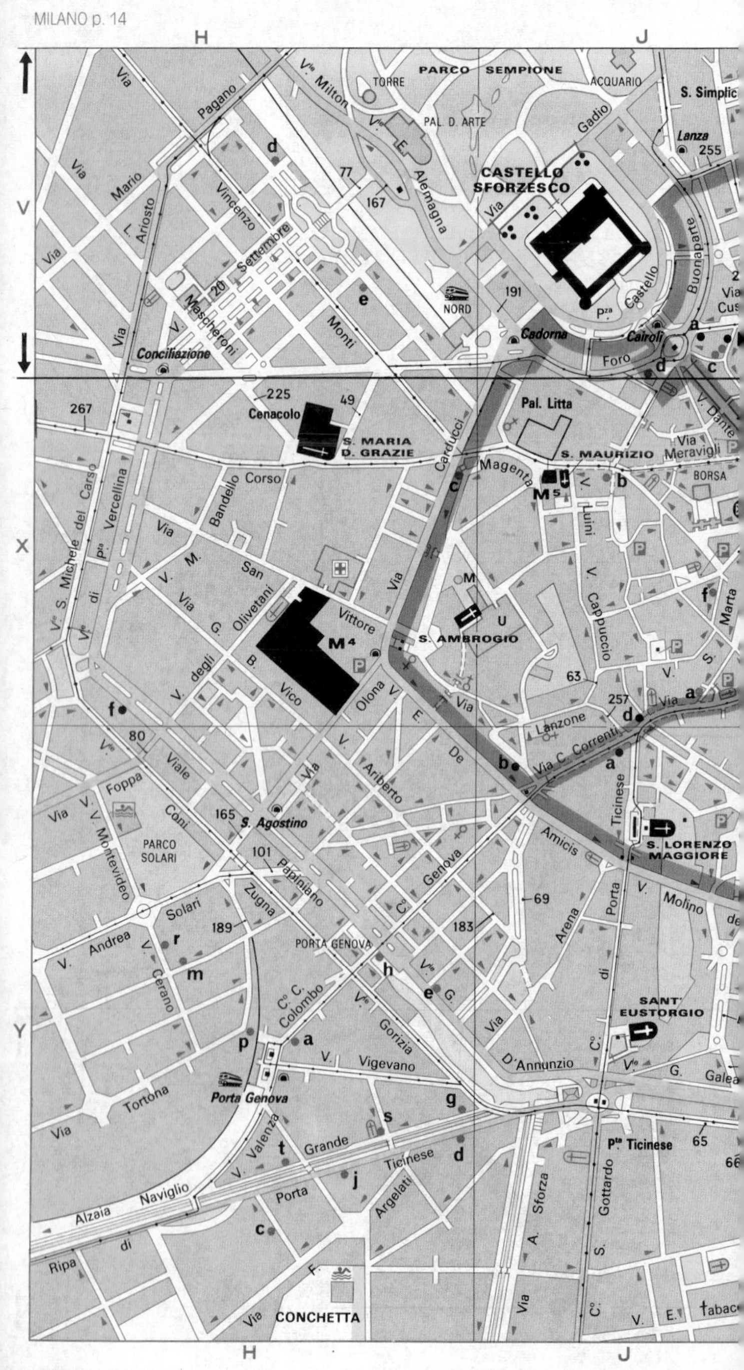
PARCO SEMPIONE
TORRE
ACQUARIO
PAL. D. ARTE
CASTELLO SFORZESCO
NORD
Cadorna
Cairoli
Lanza
Conciliazione
Cenacolo
S. MARIA D. GRAZIE
Pal. Litta
S. MAURIZIO
BORSA
S. AMBROGIO
S. Agostino
PARCO SOLARI
PORTA GENOVA
S. LORENZO MAGGIORE
SANT' EUSTORGIO
Porta Genova
Pta Ticinese
CONCHETTA
S. Simplic

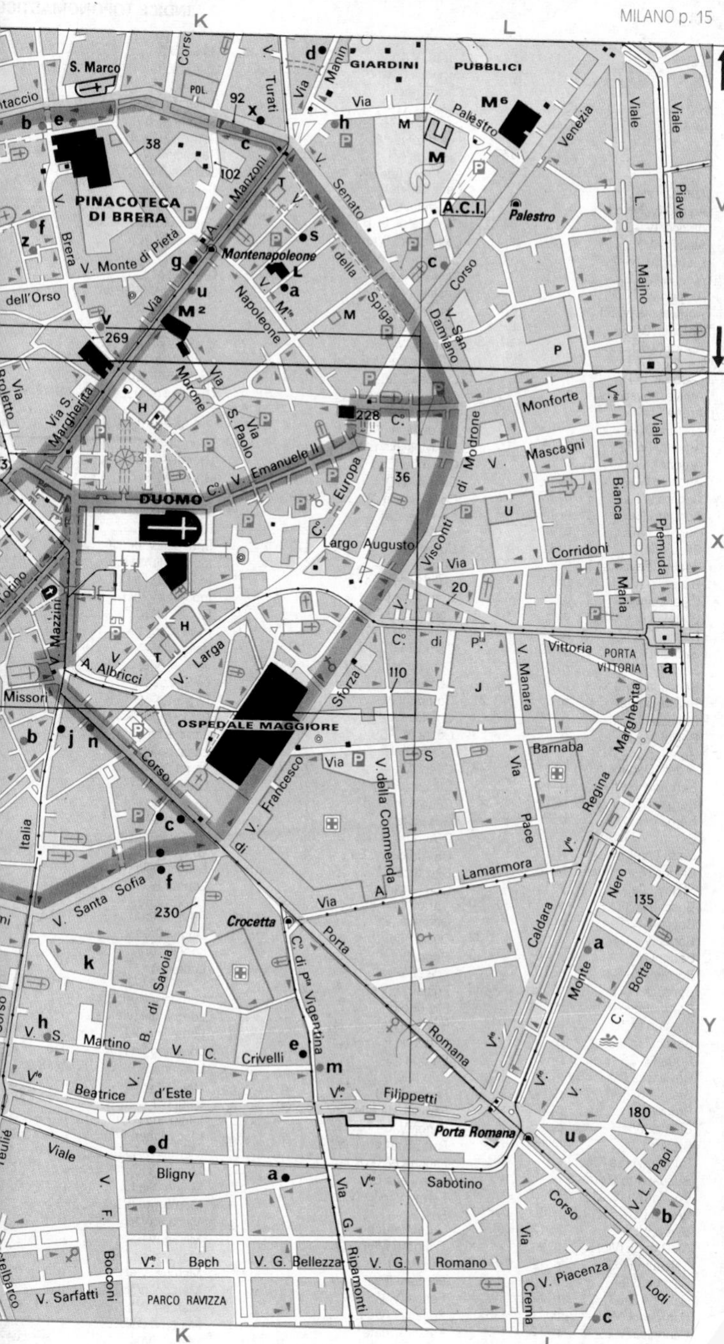
K
L
V
X
Y
S. Marco
GIARDINI
PUBBLICI
PINACOTECA
DI BRERA
Montenapoleone
Palestro
A.C.I.
DUOMO
Largo Augusto
OSPEDALE MAGGIORE
PORTA
VITTORIA
Crocetta
Porta Romana
PARCO RAVIZZA
Via Manin
Via Palestro
Viale Venezia
Viale Piave
V. Turati
Via A. Manzoni
V. Senato
V. della Spiga
Corso Venezia
V. San Damiano
Viale L. Majno
V. Monte di Pietà
V. Brera
dell'Orso
Via Napoleone
Via Morone
Via S. Paolo
Via S. Margherita
Via Broletto
C.° V. Emanuele II
C.° Europa
Via Visconti di Modrone
V. Monforte
V. Mascagni
Bianca
Premuda
Via Corridoni
Maria
C.° di P.ta Vittoria
V. Manara
Margherita
Regina
Via Larga
A. Albricci
V. Mazzini
Missori
Sforza
V. Francesco
V. della Commenda
Barnaba
Via Pace
Corso di Porta Romana
Italia
V. Santa Sofia
Lamarmora
Caldara
Nero
Monte
Botta
C.° di P.ta Vigentina
B. di Savoia
V. S. Martino
V. C. Crivelli
V.le Beatrice d'Este
V.le Filippetti
Viale Bligny
V.le Sabotino
Via G. Ripamonti
V.le Bach
V. G. Bellezza
V. G. Romano
V. Sarfatti
Bocconi
Via Crema
V. Piacenza
V. L. Papi
Lodi
M6
M2
92
38
102
269
228
36
20
110
230
135
180

MILANO

Albricci (V. A.) . . . . MZ 3
Arcivescovado (V.) . . . . MNZ 10
Augusto (Largo) . . . . NZ 12
Baracchini (V.) . . . . MZ 17
Bergamini (V.) . . . . NZ 27
Borgogna (V.) . . . . NZ 36
Cantù (V. C.) . . . . MZ 48
Cordusio (Pza) . . . . MZ 73
Edison (Pza) . . . . MZ 83
Festa del Perdono (V.) . . . . NZ 93
Gonzaga (V.) . . . . MZ 104
Laghetto (V.) . . . . NZ 120
Manzoni (V. A.) . . . . MZ 140
Marconi (V.) . . . . MZ 144
Marino (Pza) . . . . MZ 147
Mengoni (V.) . . . . MZ 153
Mercanti (Pza) . . . . MZ 155
Mercanti (V.) . . . . MZ 156
Missori (Pza) . . . . MZ 162
Monforte (Cso) . . . . NZ 168
Monte Napoleone (V.) . . . . . NZ 171
Morone (V.) . . . . MNZ
Orefici (V.) . . . . MZ
Pattari (V.) . . . . NZ
S. Clemente (NZ) . . . . NZ
S. Radegonda (V.) . . . . MZ
S. Stefano (Pza) . . . . NZ
Sforza (V. F.) . . . . NZ
Unione (V.) . . . . MZ
Verdi (V.) . . . . MZ
Verziere (V.) . . . . NZ
Visconti di Modrone (V.) . . . . NZ

All'interno della zona delimitata da un retino verde, la città è divisa in settori il cui accesso è segnalato lungo tutta la cerchia. Non è possibile passare in auto da un settore all'altro.

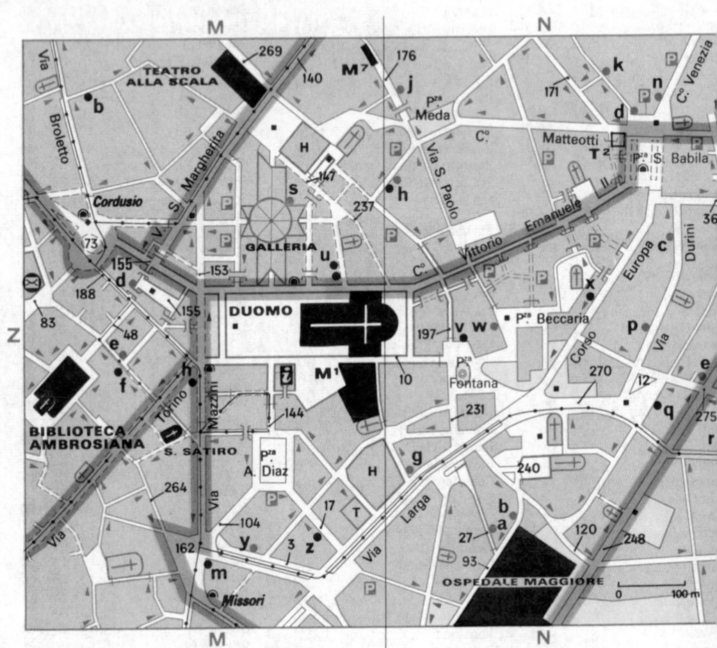

Centro Storico

Duomo, Scala, Castello Sforzesco, corso Magenta, via Torino, corso Vittorio Emanuele, Manzoni (Piante : Milano p. 13, 14, 15 e 18)

Four Seasons, via Gesù 8 ✉ 20121 ☏ 77088, Fax 77085000, ≈ – ▮ ☎ – 🏛 280. AE. ⓢ. ⓞ E VISA. JCB. ✻ rist KV
Pasto al Rist. ***Il Teatro*** *(chiuso a mezzogiorno, domenica ed agosto)* carta 75/140000 Rist. ***La Veranda*** carta 65/120000 – ☕ 36000 – **82 cam** 815/1015000, 16 appartamenti.

Grand Hotel et de Milan, via Manzoni 29 ✉ 20121 ☏ 723141, Fax 86460861 – ▮ ☎ ♿ – 🏛 100. AE. ⓢ. ⓞ E VISA. JCB. ✻ rist KV
Pasto al Rist. ***Caruso*** *(chiuso la sera escluso domenica)* 60/80000 (a mezzogiorno) 1 120000 (alla sera) e carta 85/125000 vedere anche rist ***Don Carlos*** – ☕ 30000 – **87 c** 600/715000, 8 appartamenti.

Jolly Hotel President, largo Augusto 10 ✉ 20122 ☏ 77461, Telex 312054, Fax 783 – ▮ cam ☎ – 🏛 100. AE. ⓢ. ⓞ E VISA. JCB. ✻ rist NZ
Pasto carta 70/115000 – **206 cam** ☕ 445/525000, 13 appartamenti – 1/2 P 420/510000.

Brunelleschi Ⓜ, via Baracchini 12 ✉ 20123 ☏ 8843, Telex 312256, Fax 804924 – ▮ ☎ ♿ – 🏛 50. AE. ⓢ. ⓞ E VISA. JCB. ✻ MZ
Pasto (solo per alloggiati) carta 60/90000 – **123 cam** ☕ 360/500000, 5 appartamenti.

Pierre Milano, via Edmondo de Amicis 32 ✉ 20123 ☏ 72000581, Fax 8052157 – JY b
Pasto 55/85000 – **45 cam** 330/500000, 4 appartamenti.

Radisson SAS Bonaparte Hotel, via Cusani 13 ✉ 20121 ☏ 8560, Fax 8693601 – 25. rist JV a
Pasto carta 55/80000 – **55 cam** 360/440000, 10 appartamenti – 1/2 P 410000.

Sir Edward senza rist, via Mazzini 4 ✉ 20123 ☏ 877877, Fax 877844, – MZ h
38 cam 290/390000, appartamento.

Spadari al Duomo senza rist, via Spadari 11 ✉ 20123 ☏ 72002371, Fax 861184, « Raccolta di opere d'arte contemporanea » – MZ f
38 cam 290/380000.

Grand Hotel Duomo, via San Raffaele 1 ✉ 20121 ☏ 8833, Fax 86462027, ≤ Duomo, – 100. MZ u
Pasto carta 70/110000 – **132 cam** 440/605000, 16 appartamenti.

Galileo, corso Europa 9 ✉ 20122 ☏ 7743, Telex 322095, Fax 76020584 – NZ x
Pasto carta 60/90000 – **81 cam** 310/410000, 8 appartamenti.

Regina senza rist, via Cesare Correnti 13 ✉ 20123 ☏ 58106913, Fax 58107033, « Edificio settecentesco » – 40. JY a
chiuso dal 24 dicembre al 2 gennaio ed agosto – **43 cam** 260/340000.

Dei Cavalieri, piazza Missori 1 ✉ 20123 ☏ 88571, Telex 312040, Fax 72021683 – 60. rist MZ m
Pasto 50000 – **171 cam** 150/210000, 7 appartamenti.

Starhotel Rosa senza rist, via Pattari 5 ✉ 20122 ☏ 8831, Telex 316067, Fax 8057964 – 120. NZ v
185 cam 390/510000.

De la Ville, via Hoepli 6 ✉ 20121 ☏ 867651, Telex 312642, Fax 866609 – 60. rist NZ h
Pasto vedere rist ***Canova*** – **99 cam** 375/495000, 3 appartamenti.

Ascot senza rist, via Lentasio 3/5 ✉ 20122 ☏ 58303300, Fax 58303203 – KY c
chiuso Natale ed agosto – **63 cam** 230/320000.

Cavour, via Fatebenefratelli 21 ✉ 20121 ☏ 6572051, Fax 6592263 – 100. rist KV x
chiuso Natale, Capodanno, e dall'11 al 24 agosto – **Pasto** 55000 e al Rist. ***Conte Camillo*** *(chiuso domenica)* 35000 (solo a mezzogiorno) e carta 50/90000 – 25000 – **111 cam** 255/300000, 2 appartamenti.

Carrobbio senza rist, via Medici 3 ✉ 20123 ☏ 89010740, Fax 8053334 – JX d
chiuso dal 22 dicembre al 6 gennaio ed agosto – **35 cam** 220/310000.

Manzoni senza rist, via Santo Spirito 20 ✉ 20121 ☏ 76005700, Fax 784212 – KV s
20000 – **49 cam** 170/220000, 3 appartamenti.

Lloyd senza rist, corso di Porta Romana 48 ✉ 20122 ☏ 58303332, Fax 58303365 – 100. KY c
56 cam 270/370000.

Ambrosiano senza rist, via Santa Sofia 9 ✉ 20122 ☏ 58306044, Telex 333872, Fax 58305067, – 35. KY f
chiuso dal 23 dicembre al 1º gennaio – **78 cam** 170/250000.

Zurigo senza rist, corso Italia 11/a ✉ 20122 ☏ 72022260, Telex 353091, Fax 72000013 – KY j
chiuso dal 24 dicembre al 7 gennaio – 8000 – **41 cam** 180/255000.

Casa Svizzera senza rist, via San Raffaele 3 ✉ 20121 ☏ 8692246, Fax 72004690 – MZ u
chiuso dal 28 luglio al 24 agosto – **45 cam** 210/260000.

Canada senza rist, via Santa Sofia 16 ✉ 20122 ☏ 58304844, Fax 58300282 – KY f
35 cam 190/280000.

Star senza rist, via dei Bossi 5 ✉ 20121 ☏ 801501, Fax 861787 – MZ b
chiuso agosto – **30 cam** 150/230000.

London, via Rovello 3 ✉ 20121 ☏ 72020166, Fax 8057037 – JV b
chiuso dal 23 dicembre al 3 gennaio ed agosto – **Pasto** vedere rist ***Opera Prima*** – 12000 – **29 cam** 120/170000.

XXXXX **Savini,** galleria Vittorio Emanuele II ✉ 20121 ✆ 72003433, Fax 86461060, Locale storic gran tradizione, prenotare – ▤. AE. 🅂. ⓓ E VISA. JCB
chiuso sabato a mezzogiorno, domenica, dal 23 dicembre al 6 gennaio ed agosto – **Past** 65000 bc (a mezzogiorno) 80000 (alla sera) e carta 75/130000 (12 %). MZ

XXX **Don Carlos** - Grand Hotel et de Milan, vicolo Manzoni ✉ 20121 ✆ 72314640, Souper prenotare – ▤. AE. 🅂. ⓓ E VISA. JCB. ✗ KV
chiuso a mezzogiorno e domenica – **Pasto** carta 85/115000.

XXX ✿ **Peck,** via Victor Hugo 4 ✉ 20123 ✆ 876774, Fax 860408 – ▤. AE. 🅂. ⓓ E VISA. JCB. ✗
chiuso domenica, i giorni festivi, dal 1° al 10 gennaio e dal 2 al 23 luglio – **Pasto** 60/80000 carta 75/120000 MZ
Spec. Insalata d'astice dell'Atlantico all'aceto balsamico. Filetti di rombo con patate, mele Calvados (autunno-inverno). Costolette d'agnello alle primizie con aglio dolce e timo fres (primavera).

XXX **Santini,** corso Venezia 3 ✉ 20121 ✆ 782010, Fax 76014691, 🏠 – ▤. AE. 🅂. ⓓ E VI JCB. ✗ NZ
chiuso domenica e dal 4 al 25 agosto – **Pasto** 60000 (a mezzogiorno) e carta 75/100000.

XXX **Canova,** via Hoepli 6 ✉ 20121 ✆ 8051231, Fax 860094, prenotare – ▤. AE. 🅂. ⓓ E V JCB. ✗
chiuso domenica ed agosto – **Pasto** carta 60/100000. NZ

XXX **Don Lisander,** via Manzoni 12/a ✉ 20121 ✆ 76020130, Fax 784573, prenotare, « Servizio estivo all'aperto » – ▤. AE. 🅂. ⓓ E VISA. JCB KV
chiuso domenica, dal 24 dicembre al 10 gennaio e dal 12 al 22 agosto – **Pasto** car 75/105000.

XXX **Boeucc,** piazza Belgioioso 2 ✉ 20121 ✆ 76020224, Fax 796173, 🏠, prenotare – ▤. ✗ NZ
chiuso sabato, domenica a mezzogiorno, dal 24 dicembre al 2 gennaio ed agosto – **Past** carta 65/90000.

XXX **Suntory,** via Verdi 6 ✉ 20121 ✆ 8693022, Fax 72023282, Rist. giapponese – ▤. AE. ⓓ VISA. JCB. ✗ KV
chiuso domenica, Natale e dall'11 al 22 agosto – **Pasto** carta 90/110000.

XXX **L'Ulmet,** via Disciplini ang. via Olmetto ✉ 20123 ✆ 86452718, prenotare – ▤. AE. 🅂 VISA JCB JY
chiuso domenica e lunedì a mezzogiorno – **Pasto** carta 85/115000.

XXX **Peppino,** via Durini 7 ✉ 20122 ✆ 781729, Fax 76002511 – ▤. AE. 🅂. ⓓ E VI JCB NZ
chiuso venerdì, sabato a mezzogiorno e dal 10 luglio al 4 agosto – **Pasto** carta 50/80000.

XX **La Dolce Vita,** via Bergamini 11 ✉ 20122 ✆ 58307418, prenotare la sera – ▤. AE. 🅂. E VISA NZ
chiuso sabato a mezzogiorno, domenica ed agosto – **Pasto** 25/35000 (solo a mezzogior e carta 45/90000 (solo alla sera).

XX **La Bitta,** via del Carmine 3 ✉ 20121 ✆ 72003185, Fax 72003185 – ▤. AE. 🅂. ⓓ E VISA
chiuso sabato a mezzogiorno, domenica e dal 6 al 31 gennaio – **Pasto** specialità di ma carta 50/70000. KV

XX Nabucco, via Fiori Chiari 10 ✉ 20121 ✆ 860663, 🏠 – ▤ KV

XX **4 Mori,** largo Maria Callas 1 (angolo Largo Cairoli) ✉ 20121 ✆ 878483, « Servizio estivo giardino » – AE. 🅂. ⓓ E VISA JV
chiuso sabato a mezzogiorno e domenica – **Pasto** carta 60/80000.

XX **Sogo-Brera,** via Fiori Oscuri 3 ✉ 20121 ✆ 86465367, Rist. giapponese – ▤. AE. 🅂. VISA. ✗ KV
chiuso domenica e dal 2 al 27 agosto – **Pasto** 25/40000 (15 %) a mezzogiorno 80/1200 (15 %) alla sera e carta 60/100000 (15 %).

XX **Akasaka,** via Durini 23 ✉ 20122 ✆ 76023679, Rist. giapponese – ▤. AE. 🅂. ⓓ E V JCB. ✗ NZ
chiuso domenica e dal 10 al 17 agosto – **Pasto** 20/70000 (10 %) a mezzogiorno 40/100 (10 %) alla sera e carta 60/100000 (10 %).

XX **Al Mercante,** piazza Mercanti 17 ✉ 20123 ✆ 8052198, Fax 86465250, « Servizio esti all'aperto » – ▤. AE. 🅂. ⓓ E VISA MZ
chiuso domenica e dal 3 al 28 agosto – **Pasto** carta 50/75000.

XX **Moon Fish,** via Bagutta 2 ✉ 20121 ✆ 76005780, 🏠 – ▤. 🅂 NZ
chiuso domenica e dal 7 al 28 agosto – **Pasto** specialità di mare carta 65/120000.

XX **Albric,** via Albricci 3 ✉ 20122 ✆ 86461329, Fax 86461329 – ▤. AE. 🅂. ⓓ E VISA. J ✗ MZ
chiuso sabato a mezzogiorno, domenica e dal 14 al 28 agosto – **Pasto** carta 65/90000.

XX **Rovello,** via Rovello 18 ✉ 20121 ✆ 864396 – ▤. AE ⓓ E VISA. ✗ JV
chiuso sabato a mezzogiorno, domenica e in luglio-agosto anche sabato sera – **Pasto** ca 60/85000.

XX **Opera Prima** - Hotel London, via Rovello 3 ✉ 20121 ✆ 865235 – ▤. AE. ⓢ. ⓞ E VISA
chiuso sabato a mezzogiorno, domenica e dal 6 al 30 agosto – **Pasto** 30000 (solo a mezzogiorno) e carta 60/95000. JV b

XX **Alla Collina Pistoiese,** via Amedei 1 ✉ 20123 ✆ 877248, Ambiente vecchia Milano – ▤. AE. ⓢ. ⓞ E VISA KY b
chiuso venerdì, sabato a mezzogiorno, dal 24 dicembre al 2 gennaio, Pasqua e dal 10 al 20 agosto – **Pasto** carta 50/80000 (12 %).

XX **Maddalena,** via Maddalena 3/5 ✉ 20122 ✆ 8056192, Fax 89010737 – ▤. AE. ⓢ. ⓞ E VISA. ✻ KY n
chiuso sabato a mezzogiorno e domenica – **Pasto** 45000 bc (solo a mezzogiorno) e carta 50/85000 (solo alla sera).

XX **Boccondivino,** via Carducci 17 ✉ 20123 ✆ 866040, prenotare – ▤. ⓢ. E VISA HX c
chiuso a mezzogiorno, domenica ed agosto – **Pasto** specialità salumi, formaggi e vini tipici 55000.

XX Santa Marta, via Santa Marta 6 ✉ 20123 ✆ 8052090, Fax 8052090 JX f

XX **Da Marino-al Conte Ugolino,** piazza Beccaria 6 ✉ 20122 ✆ 876134 – ▤. AE. ⓢ. ⓞ E VISA. JCB NZ w
chiuso domenica ed agosto – **Pasto** carta 55/70000 (11 %).

XX **Il Giardino di Giada,** via Palazzo Reale (angolo via Larga) ✉ 20122 ✆ 8053891, Fax 72023937, Rist. cinese – ▤. AE. ⓢ. ⓞ E VISA JCB NZ g
chiuso lunedì e dal 10 al 26 agosto – **Pasto** carta 35/50000.

X **Bagutta,** via Bagutta 14 ✉ 20121 ✆ 76002767, Fax 799613, ☂, Ritrovo d'artisti, « Caratteristici dipinti e caricature » – AE. ⓢ. ⓞ E VISA. ✻ NZ k
chiuso domenica e dal 23 dicembre al 5 gennaio – **Pasto** carta 70/115000.

X **Ciovassino,** via Ciovassino 5 ✉ 20121 ✆ 8053868, Fax 8053868 – ▤. AE. ⓢ. ⓞ E VISA
chiuso sabato a mezzogiorno, domenica ed agosto – **Pasto** carta 55/80000. KV z

X Francesco, via Festa del Perdono 4 ✉ 20122 ✆ 58307404, ☂ – ▤ NZ b

X **La Tavernetta-da Elio,** via Fatebenefratelli 30 ✉ 20121 ✆ 653441 –. AE. ⓢ. E VISA
chiuso sabato a mezzogiorno, domenica ed agosto – **Pasto** specialità toscane carta 50/70000. KV c

X Taverna Visconti, via Marziale 11 ✉ 20122 ✆ 795821, Rist.-enoteca e wine bar NZ e

X **La Brisa,** via Brisa 15 ✉ 20123 ✆ 86450521, Fax 86450521, « Servizio estivo in giardino » – AE. ⓢ. ⓞ E VISA. JCB JX b
chiuso sabato, domenica a mezzogiorno, agosto e Natale – **Pasto** carta 55/75000.

X Al Collio, via Nerino 10 ✉ 20123 ✆ 86450528 JX a
Pasto specialità goriziane.

Centro Direzionale

via della Moscova, via Solferino, via Melchiorre Gioia, viale Zara, via Carlo Farini (**Piante : Milano p. 10, 11, 12 e 13**).

Executive, viale Luigi Sturzo 45 ✉20154 ✆ 6294, Telex 310191, Fax 29010238 – |‡| ▤ 📺 ☎ – 🔬 800. AE. ⓢ. ⓞ E VISA. JCB. ✻ KTU e
Pasto 30/80000 – **414 cam** ☕ 200/250000, 6 appartamenti.

Carlyle Brera Hotel senza rist, corso Garibaldi 84 ✉ 20121 ✆ 29003888, Fax 29003993 – |‡| ⇸ ▤ 📺 ☎ ♿ 🚗 JU u
98 cam.

Royal Hotel Mercure, via Cardano 1 ✉ 20124 ✆ 6709151, Fax 6703024 – |‡| ⇸ cam ▤ 📺 ☎ 🚗 – 🔬 180. AE. ⓢ. ⓞ E VISA. JCB. ✻ rist KT b
Pasto *(chiuso dal 1° al 21 agosto)* 45/55000 – **205 cam** ☕ 335/450000 ½ P 330/380000.

XXX **A Riccione,** via Taramelli 70 ✉ 20124 ✆ 6686807, prenotare – ▤. AE. ⓢ. ⓞ E VISA. JCB
chiuso lunedì ed agosto – **Pasto** specialità di mare carta 80/105000. FQ b

XX Gianni e Dorina, via Pepe 38 ✉ 20159 ✆ 606340, Fax 606340, solo su prenotazione – ▤ JT b
Pasto specialità pontremolesi.

XX **Serendib,** via Pontida 2 ✉ 20121 ✆ 6592139, Fax 6592139, prenotare – ▤. ⓢ E VISA JU b
chiuso a mezzogiorno, lunedì e dall'8 al 27 agosto – **Pasto** cucina srilankese e indiana carta 40/50000.

XX **Al Tronco,** via Thaon di Revel 10 ✉ 20159 ✆ 606072 – ▤. AE. ⓢ. ⓞ E VISA. ✻ FQ c
chiuso sabato a mezzogiorno, domenica ed agosto – **Pasto** carta 40/70000.

XX **Piccolo Teatro-Fuori Porta,** viale Pasubio 8 ✉ 20154 ✆ 6572105, prenotare – ▤. AE. ⓢ. ⓞ E VISA. ✻ JU m
chiuso venerdì e dal 25 dicembre al 6 gennaio – **Pasto** carta 60/85000.

XX **Alla Cucina delle Langhe,** corso Como 6 ✉ 20154 ✆ 6554279 ▤. AE. ⓢ. ⓞ E VISA. ✻ KU d
chiuso domenica ed agosto – **Pasto** specialità piemontesi carta 55/85000.

XX **Casa Fontana-23 Risotti,** piazza Carbonari 5 ⊠ 20125 ℘ 6704710, Coperti limit prenotare – ▤. AE. ⑤. E VISA. ✂ FQ
chiuso dal 5 al 27 agosto, lunedì, sabato a mezzogiorno, in luglio anche sabato ser domenica – **Pasto** carta 60/95000.

XX **Trattoria della Pesa,** viale Pasubio 10 ⊠ 20154 ℘ 6555741, Fax 29006859, Tip trattoria vecchia Milano – ▤. AE. ⑤. ● E VISA. ✂ JU
chiuso domenica ed agosto – **Pasto** cucina lombarda carta 65/95000.

XX **San Fermo,** via San Fermo 1 ⊠ 20121 ℘ 29000901 – AE. ⑤. ● E VISA KU
chiuso sabato a mezzogiorno e domenica – **Pasto** specialità spagnole carta 40/60000.

XX **Il Verdi,** piazza Mirabello 5 ⊠ 20121 ℘ 6590797 – ▤ KU
chiuso dall'11 al 24 agosto e domenica (escluso dicembre) – **Pasto** 20/30000 (a mez giorno) e carta 40/60000.

XX **Rigolo,** via Solferino 11 angolo largo Treves ⊠ 20121 ℘ 86463220, Fax 86463220, R d'habitués – ▤. AE. ⑤. ● E VISA. ✂ KU
chiuso lunedì ed agosto – **Pasto** carta 40/60000.

XX **Da Fumino,** via Bernina 43 ⊠ 20158 ℘ 606872, 🏠, Trattoria toscana – ▤. AE. ⑤. ● VISA EQ
chiuso sabato a mezzogiorno, domenica ed agosto – **Pasto** carta 45/70000.

X **Fuji,** viale Montello 9 ⊠ 20154 ℘ 6552517, Rist. giapponese, Coperti limit prenotare JU
chiuso a mezzogiorno, domenica, Natale, Pasqua ed agosto – **Pasto** carta 65/95000 (12

X **Da Rossano,** via Maroncelli 15 ⊠ 20154 ℘ 6571856, Trattoria toscana – ▤. AE. ⑤. ● VISA. JCB. ✂ – *chiuso sabato* – **Pasto** carta 35/80000. JU

Stazione Centrale

corso Buenos Aires, via Vittor Pisani, piazza della Repubblica (Piante : Milano p. 11 e 13)

🏨 **Principe di Savoia,** piazza della Repubblica 17 ⊠ 20124 ℘ 62301 e rist 623020 Telex 310052, Fax 6595838, ⅃₆, ≘s, ⛱, 🏊 – |$| ⇆ ▤ 📺 ☎ ♿ 🚗 – 🏛 700. AE. ⑤. ● VISA. JCB. ✂ KU
Pasto 90/125000 e al Rist. ***Galleria*** *(chiuso sabato)* carta 95/150000 – ☕ 58500 – **252 c** 550/690000, 47 appartamenti.

🏨 **Palace,** piazza della Repubblica 20 ⊠ 20124 ℘ 6336 e rist ℘ 29000803, Telex 3110 Fax 654485 – |$| ⇆ cam ▤ 📺 ☎ ♿ 🚗 Ⓟ – 🏛 250. AE. ⑤. ● E VISA. JCB. ✂ rist
Pasto al Rist. ***Casanova Grill*** *(prenotare)* 100000 – ☕ 32000 – **208 cam** 440/6400 8 appartamenti. LU

🏨 **Excelsior Gallia,** piazza Duca d'Aosta 9 ⊠ 20124 ℘ 67851, Telex 333653, Fax 667132 ⅃₆, ≘s – |$| ⇆ cam ▤ 📺 ☎ – 🏛 500. AE. ⑤. ● E VISA. JCB. ✂ LT
Pasto carta 65/120000 – ☕ 38000 – **237 cam** 400/460000, 10 appartamenti.

🏨 **Milano Hilton,** via Galvani 12 ⊠ 20124 ℘ 69831, Telex 330433, Fax 66710810 – ⇆ cam ▤ 📺 ☎ ♿ 🚗 – 🏛 250. AE. ⑤. ● E VISA. JCB. ✂ rist LT
Pasto carta 55/100000 – ☕ 35000 – **321 cam** 450/520000, 2 appartamenti.

🏨 **Duca di Milano,** piazza della Repubblica 13 ⊠ 20124 ℘ 6284, Telex 3250 Fax 6555966 – |$| ▤ 📺 ☎ ♿ – 🏛 90. AE. ⑤. ● E VISA. JCB. ✂ rist KU
chiuso agosto – **Pasto** carta 110/155000 – ☕ 29000 – 99 appartamenti 540/740000.

🏨 **Michelangelo,** via Scarlatti 33 ang. piazza Luigi di Savoia ⊠ 20124 ℘ 6755, Telex 3403 Fax 6694232 – |$| ⇆ cam ▤ 📺 ☎ ♿ 🚗 – 🏛 500. AE. ⑤. ● E VISA. JCB LTU
chiuso agosto – **Pasto** carta 85/115000 – **300 cam** ☕ 380/500000, 7 appartament ½ P 285/325000.

🏨 **Jolly Hotel Touring,** via Tarchetti 2 ⊠ 20121 ℘ 6335, Telex 320118, Fax 6592209 – ⇆ cam ▤ 📺 ☎ ♿ – 🏛 120. AE. ⑤. ● E VISA. ✂ rist KU
Pasto al Rist. ***Amadeus*** carta 60/80000 – **294 cam** ☕ 380/430000, 11 appartamen ½ P 245/355000.

🏨 **Starhotel Ritz,** via Spallanzani 40 ⊠ 20129 ℘ 2055, Telex 333116, Fax 29518679 – ⇆ cam ▤ 📺 ☎ 🚗 – 🏛 160. AE. ⑤. ● E VISA. JCB. ✂ rist GR
Pasto (solo per alloggiati) – **185 cam** ☕ 370/510000 – ½ P 285/410000.

🏨 **Century Tower Hotel,** via Fabio Filzi 25/b ⊠ 20124 ℘ 67504, Telex 3305 Fax 66980602 – |$| ▤ 📺 ☎ ♿ – 🏛 60. AE. ⑤. ● E VISA. JCB. ✂ LT
Pasto 50/65000 bc – 144 appartamenti ☕ 300/360000 – ½ P 230/350000.

🏨 **Doria Grand Hotel,** viale Andrea Doria 22 ⊠ 20124 ℘ 6696696, Telex 3601 Fax 6696669 – |$| ⇆ ▤ 📺 ☎ ♿ 🚗 – 🏛 70. AE. ⑤. ● E VISA. JCB. ✂ rist GQ
Pasto *(chiuso a mezzogiorno in agosto)* carta 55/95000 – **108 cam** ☕ 360/42000 appartamenti – ½ P 270/420000.

🏨 **Manin,** via Manin 7 ⊠ 20121 ℘ 6596511, Fax 6552160, 🌳 – |$| ▤ 📺 ☎ – 🏛 100. AE. ● E VISA. JCB. ✂ rist KV
chiuso dal 24 dicembre al 7 gennaio e dal 1° al 24 agosto – **Pasto** *(chiuso sabato)* ca 50/85000 – ☕ 24000 – **112 cam** 250/325000, 6 appartamenti – ½ P 235/325000.

Bristol senza rist, via Scarlatti 32 ✉ 20124 ✆ 6694141, Fax 6702942 – |♦| ▤ TV ☎ – 🏛 50. AE. 🅂. ● E VISA LT m
chiuso agosto – **68 cam** ☕ 205/300000.

Atlantic senza rist, via Napo Torriani 24 ✉ 20124 ✆ 6691941, Telex 321451, Fax 6706533 – |♦| ⇆ ▤ TV ☎ 🚗 – 🏛 25. AE. 🅂. ● E VISA. JCB LU h
62 cam ☕ 210/300000.

Augustus senza rist, via Napo Torriani 29 ✉ 20124 ✆ 66988271, Fax 6703096 – |♦| ▤ TV ☎. AE. 🅂. ● E VISA. JCB LU q
chiuso dal 23 al 29 dicembre e dal 25 luglio al 22 agosto – **56 cam** ☕ 150/230000.

Mediolanum senza rist, via Mauro Macchi 1 ✉ 20124 ✆ 6705312, Telex 310448, Fax 66981921 – |♦| ▤ TV ☎. AE. 🅂. ● E VISA. JCB LU n
52 cam ☕ 200/305000.

Sanpi senza rist, via Lazzaro Palazzi 18 ✉ 20124 ✆ 29513341, Fax 29402451 – |♦| ▤ TV ☎ – 🏛 30. AE. 🅂. ● E VISA. JCB. ✻ LU e
chiuso dal 23 dicembre al 5 gennaio e dal 1° al 24 agosto – **63 cam** ☕ 260/360000, 2 appartamenti.

Berna senza rist, via Napo Torriani 18 ✉ 20124 ✆ 6691441, Telex 334695, Fax 6693892 – |♦| ⇆ ▤ TV ☎ – 🏛 30. AE. 🅂. ● E VISA. JCB. ✻ LU h
115 cam ☕ 220/305000.

Auriga senza rist, via Pirelli 7 ✉ 20124 ✆ 66985851, Fax 66980698 – |♦| ▤ TV ☎ 🚗 – 🏛 25. AE. 🅂. ● E VISA. JCB. ✻ LTU k
chiuso agosto – **54 cam** ☕ 220/340000.

Madison senza rist, via Gasparotto 8 ✉ 20124 ✆ 67074150, Fax 67075059 – |♦| ▤ TV ☎ – 🏛 100. AE. 🅂. ● E VISA LT j
92 cam ☕ 185/275000, 8 appartamenti.

Galles, via Ozanam 1 ang. corso Buenos Aires ✉ 20129 ✆ 204841, Telex 322091, Fax 2048422, ⛱ – |♦| ▤ TV ☎ – 🏛 150. AE. 🅂. ● E VISA. JCB. ✻ GR c
Pasto *(chiuso domenica)* carta 40/65000 – ☕ 14000 – **105 cam** 240/340000.

Fenice senza rist, corso Buenos Aires 2 ✉ 20124 ✆ 29525541, Fax 29523942 – |♦| ▤ TV ☎. AE. 🅂. ● E VISA LU x
chiuso dal 22 dicembre al 6 gennaio ed agosto – **42 cam** ☕ 170/230000.

Albert senza rist, via Tonale 2 ang. via Sammartini ✉ 20125 ✆ 66985446, Fax 66985624 – |♦| ▤ TV ☎ ♿ – 🏛 40 FQ f
62 cam.

Demidoff senza rist, via Plinio 2 ✉ 20129 ✆ 29513889, Fax 29405816 – |♦| ▤ TV ☎. AE. 🅂. ● E VISA. JCB GR e
chiuso dal 24 dicembre al 2 gennaio e dal 2 al 30 agosto – **36 cam** ☕ 140/200000.

New York senza rist, via Pirelli 5 ✉ 20124 ✆ 66985551, Fax 6697267 – |♦| ▤ TV ☎ – 🏛 50. AE. 🅂. ● E VISA LTU k
chiuso dal 24 dicembre al 5 gennaio e dal 1° al 28 agosto – **69 cam** ☕ 160/235000.

City senza rist, corso Buenos Aires 42/5 ✉ 20124 ✆ 29523382, Fax 2046957 – ⇆ ▤ TV ☎. AE. 🅂. E VISA. ✻ GR a
chiuso dal 23 dicembre al 2 gennaio e dal 9 al 24 agosto – **55 cam** ☕ 180/255000.

Mini Hotel Aosta senza rist, piazza Duca d'Aosta 16 ✉ 20124 ✆ 6691951, Fax 6696215 – |♦| ▤ TV ☎. AE. 🅂. ● E VISA JCB LT p
63 cam ☕ 160/240000.

San Carlo senza rist, via Napo Torriani 28 ✉ 20124 ✆ 6693236, Telex 314324, Fax 6703116 – |♦| ▤ TV ☎ – 🏛 30. AE. 🅂. ● E VISA. JCB LU u
75 cam ☕ 150/210000.

Bolzano senza rist, via Boscovich 21 ✉ 20124 ✆ 6691451, Fax 6691455, 🌳 – |♦| ▤ TV ☎. AE. 🅂. ● E VISA JCB. ✻ LU t
☕ 15000 – **35 cam** 135/180000.

Sempione senza rist, via Finocchiaro Aprile 11 ✉ 20124 ✆ 6570323, Telex 340498, Fax 6575379 – |♦| ▤ TV ☎. AE. 🅂 E VISA. JCB LU r
39 cam ☕ 170/230000.

Florida senza rist, via Lepetit 33 ✉ 20124 ✆ 6705921, Telex 314102, Fax 6692867 – |♦| ▤ TV ☎. AE. 🅂. ● E VISA LTU s
☕ 20000 – **53 cam** 160/215000.

Club Hotel senza rist, via Copernico 18 ✉ 20125 ✆ 67072221, Fax 67072050 – |♦| ▤ TV ☎. AE. 🅂. E VISA LT v
53 cam ☕ 120/180000.

XXX **La Terrazza di Via Palestro,** via Palestro 2 ✉ 20121 ☎ 76002186, Fax 760033 prenotare, « Servizio estivo in terrazza » – ▤. AE. ⓢ. ⓓ E VISA. JCB KV
chiuso domenica e lunedì a mezzogiorno – **Pasto** carta 65/90000.

XX **Mediterranea,** piazza Cincinnato 4 ✉ 20124 ☎ 29522076, Fax 29522076 – ▤. AE. ⓢ. E VISA. ✱ LU
chiuso domenica, dal 1º al 10 gennaio e dal 5 al 25 agosto – **Pasto** solo piatti di pesce ca 50/80000.

XX Nino Arnaldo, via Poerio 3 ✉ 20129 ☎ 76005981, Coperti limitati; prenotare – ▤ GR

XX **Calajunco,** via Stoppani 5 ✉ 20129 ☎ 2046003, prenotare – ▤. ⓢ. ⓓ E VISA. ✱
chiuso sabato a mezzogiorno, domenica, dal 23 dicembre al 4 gennaio e dal 10 al 31 ago – **Pasto** 45/65000 (a mezzogiorno) 100/120000 (alla sera) e carta 80/115000. GR

XX **Cavallini,** via Mauro Macchi 2 ✉ 20124 ☎ 6693771, Fax 6693174, « Servizio est all'aperto » – AE. ⓢ. ⓓ E VISA LU
chiuso sabato, domenica, dal 22 al 26 dicembre e dal 3 al 23 agosto – **Pasto** carta 55/750

XX **Joia,** via Panfilo Castaldi 18 ✉ 20124 ☎ 29522124, prenotare – ⇹ ▤. AE. ⓢ. ⓓ E JCB LU
✿ *chiuso sabato a mezzogiorno, domenica, dal 28 dicembre all'11 gennaio ed agosto* – **Pa** cucina vegetariana 20/90000 (a mezzogiorno) 50/90000 (alla sera) e carta 60/90000
Spec. Antipasto "Colori gusti e consistenze" con foglia d'oro e tartufo. Riso basmati tuorlo d'uovo e aneto (dicembre-giugno). Tortino di patate e asparagi con tartufo ne salsa di yogurt e sedano rapa (primavera).

XX **Buriassi-da Lino,** via Lecco 15 ✉ 20124 ☎ 29523227, prenotare la sera – ▤ – ♣ 35. ⓢ. E VISA LU
chiuso sabato a mezzogiorno, domenica e dal 7 al 24 agosto – **Pasto** 35/45000 (a mez giorno) 45/55000 (alla sera) e carta 45/75000.

XX **I Malavoglia,** via Lecco 4 ✉ 20124 ☎ 29531387, Coperti limitati; prenotare – ▤. AE. ⓓ E VISA LU
chiuso lunedì e a mezzogiorno (escluso domenica ed i giorni festivi) – **Pasto** specia marinare e siciliane carta 60/100000.

XX **13 Giugno,** via Goldoni 44 ang. via Uberti ✉ 20129 ☎ 719654, Fax 713875, ⛱, prenot – ▤. AE. ⓢ. ⓓ E VISA GR
chiuso domenica – **Pasto** specialità siciliane 40/65000 (solo a mezzogiorno) e 65/70 (solo alla sera).

XX **La Buca,** via Antonio da Recanate ang. via Napo Torriani 28 ✉ 20124 ☎ 6693774 – ▤. ⓢ. ⓓ E VISA. JCB LU
chiuso sabato, domenica a mezzogiorno, dal 25 dicembre al 6 gennaio ed agosto – **Pa** carta 40/75000.

XX **Le 5 Terre,** via Appiani 9 ✉ 20121 ☎ 6575177, Fax 653034 – ▤. AE. ⓢ. ⓓ E VISA. JCB
chiuso sabato a mezzogiorno, domenica e dal 10 al 20 agosto – **Pasto** specialità di m carta 50/85000. KU

XX **Da Bimbi,** viale Abruzzi 33 ✉ 20131 ☎ 29526103, Rist. d'habitués – ▤. AE. ⓢ. ⓓ E ✱ GR
chiuso domenica, lunedì a mezzogiorno, dal 25 dicembre al 1º gennaio ed agosto – **Pa** carta 60/95000.

XX **Al Girarrosto da Cesarina,** corso Venezia 31 ✉ 20121 ☎ 76000481 – ▤ LV
chiuso sabato, domenica a mezzogiorno, dal 25 dicembre all'8 gennaio ed agosto – **Pa** carta 60/85000.

XX **Giglio Rosso,** piazza Luigi di Savoia 2 ✉ 20124 ☎ 6692129, Fax 6694174, ⛱ – ▤. AE. ⓓ E VISA LT
chiuso sabato, domenica a mezzogiorno, dal 24 dicembre al 6 gennaio ed agosto – **Pa** carta 40/75000 (12 %).

XX **Altopascio,** via Gustavo Fara 17 ✉ 20124 ☎ 6702458, Rist. toscano – ▤. AE. ⓢ. ⓓ VISA KU
chiuso sabato, domenica a mezzogiorno ed agosto – **Pasto** carta 45/75000.

XX **Osteria la Risacca 2,** viale Regina Giovanna 14 ✉ 20129 ☎ 29531801 – ▤. AE. ⓢ VISA. ✱ GR
chiuso sabato a mezzogiorno, domenica e da agosto al 2 settembre – **Pasto** specialit mare carta 75/90000.

XX **Sukrity,** via Panfilo Castaldi 22 ✉ 20124 ☎ 201315, Rist. indiano, prenotare la sera – ⓢ. ⓓ E VISA. ✱ LU
chiuso lunedì – **Pasto** 20/30000 a mezzogiorno 35/45000 (10 %) alla sera e carta 35/50 (10 %).

X Canarino, via Mauro Macchi 69 ✉ 20124 ☎ 6692376 – ▤ GQ

X Il Carpaccio, via Lazzaro Palazzi 19 ✉ 20124 ☎ 29405982 LU

X **I 4 Toscani,** via Plinio 33 ✉ 20129 ☎ 29518130, – AE. ⓢ. ⓞ E VISA GR k
chiuso domenica sera, lunedì, dal 29 dicembre al 4 gennaio ed agosto – **Pasto** carta 40/75000.

X **La Tana del Lupo,** viale Vittorio Veneto 30 ✉ 20124 ☎ 6599006, Taverna tipica, prenotare – ▤. ⓢ. VISA. KU q
chiuso a mezzogiorno, domenica, dal 1º al 7 gennaio ed agosto – **Pasto** specialità montanare venete 65000 bc.

X Dalla Zia, via Gustavo Fara 5 ✉ 20124 ☎ 66987081, Coperti limitati; prenotare – ▤ KU p

X **Lon Fon,** Via Lazzaro Palazzi 24 ✉ 20124 ☎ 29405153, Rist. cinese – ▤. AE. ⓢ VISA LU w
chiuso mercoledì ed agosto – **Pasto** carta 35/50000.

Romana-Vittoria

corso Porta Romana, corso Lodi, corso XXII Marzo, corso Porta Vittoria (Piante : Milano p. 11, 15 e 18).

XX Mauro, via Colonnetta 5 ✉ 20122 ☎ 5461380 – ▤ NZ r

XX **Mistral,** viale Monte Nero 34 ✉ 20135 ☎ 55019104, Coperti limitati; prenotare – ▤. AE. ⓢ. E VISA LY a
chiuso a mezzogiorno e domenica – **Pasto** carta 50/80000.

XX **Hosteria del Cenacolo,** via Archimede 12 ✉ 20129 ☎ 5455536, « Servizio estivo in giardino » – AE. ⓢ. E VISA. FGR y
chiuso sabato a mezzogiorno, domenica ed agosto – **Pasto** carta 60/80000.

XX **La Risacca 6,** via Marcona 6 ✉ 20129 ☎ 55181658, Fax 55017796, – ▤. AE. ⓢ. ⓞ E VISA FGR x
chiuso domenica, lunedì a mezzogiorno, Natale ed agosto – **Pasto** specialità di mare carta 75/100000.

XX **I Matteoni,** piazzale 5 Giornate 6 - angolo Regina Margherita ✉ 20129 ☎ 55188293, Rist. d'habitués – ▤. AE. ⓢ. ⓞ E VISA LX a
chiuso domenica, dal 1º al 7 gennaio e dal 1º al 21 agosto – **Pasto** carta 40/75000.

XX Da Giacomo, via B. Cellini ang. via Sottocorno 6 ✉ 20129 ☎ 76023313, prenotare – ▤ FGR g

X **Masuelli San Marco,** viale Umbria 80 ✉ 20135 ☎ 55184138, Fax 55184138, Trattoria tipica, prenotare la sera – ▤. AE. ⓢ. E VISA GS h
chiuso domenica, lunedì a mezzogiorno, dal 25 dicembre al 6 gennaio e dal 16 agosto al 10 settembre – **Pasto** specialità lombardo-piemontesi carta 50/75000.

X **Dongiò,** via Corio 3 ✉ 20135 ☎ 5511372 – ▤. AE. ⓢ. ⓞ E VISA JCB. LY u
chiuso sabato a mezzogiorno, domenica ed agosto – **Pasto** carta 45/65000.

X **Da Pietro la Rena,** via Adige 17 ✉ 20135 ☎ 59901232 – ▤. AE. ⓢ. ⓞ E VISA LY c
chiuso domenica sera, lunedì ed agosto – **Pasto** carta 40/60000.

X **Merluzzo Felice,** via Lazzaro Papi 6 ✉ 20135 ☎ 5454711, prenotare – AE. ⓢ. ⓞ VISA LY b
chiuso domenica – Pasto specialità siciliane carta 35/70000.

Navigli

via Solari, Ripa di Porta Ticinese, viale Bligny, piazza XXIV Maggio (Piante : Milano p. 10, 14 e 15).

D'Este senza rist, viale Bligny 23 ✉ 20136 ☎ 58321001, Telex 324216, Fax 58321136 – ▤ TV ☎ – 80. AE. ⓢ. ⓞ E VISA. KY d
25000 – **79 cam** 230/320000.

Crivi's senza rist, corso Porta Vigentina 46 ✉ 20122 ☎ 582891, Fax 58318182 – ▤ TV ☎ – 120. AE. ⓢ. ⓞ E VISA. JCB KY e
chiuso agosto – **83 cam** 235/335000, 3 appartamenti.

Liberty senza rist, viale Bligny 56 ✉ 20136 ☎ 58318562, Fax 58319061 – ▤ TV ☎. AE. ⓢ. E VISA. KY a
chiuso dal 10 al 25 agosto – 20000 – **52 cam** 160/240000.

XXX **Sadler,** via Ettore Troilo 14 angolo via Conchetta ✉ 20136 ☎ 58104451, Fax 58112343, , prenotare – ▤. ⓢ. ⓞ E VISA. JCB ES a
chiuso a mezzogiorno, domenica, dal 1º al 21 gennaio e dal 14 al 28 agosto – **Pasto** 90/120000 e carta 75/145000
Spec. Frittelle di fiori di zucchina farciti di mozzarella (primavera-estate), Maccheroni al torchio al ragù d'astice, Involtini di pescatrice farciti ai gamberi e avvolti nella melanzana (primavera-autunno).

XX **Al Porto,** piazzale Generale Cantore ✉ 20123 ✆ 89407425, Fax 8321481, prenotare – AE ⓓ E VISA HY
chiuso domenica, lunedì a mezzogiorno, dal 24 dicembre al 3 gennaio ed agosto – **Pa**
specialità di mare carta 60/100000.

XX **Osteria di Porta Cicca,** ripa di Porta Ticinese 51 ✉ 20143 ✆ 8372763, Fax 83727
Coperti limitati; prenotare – ▤. AE. 🅂. ⓓ VISA. ✂ HY
chiuso sabato a mezzogiorno e domenica – **Pasto** carta 50/85000.

XX **Trattoria Aurora,** via Savona 23 ✉ 20144 ✆ 89404978, Fax 89404978, 🏕 – AE. 🅂.
E VISA. JCB HY
chiuso lunedì – **Pasto** cucina tipica piemontese 30000 bc (a mezzogiorno) e 60000 bc (
sera).

XX **Osteria del Binari,** via Tortona 1 ✉ 20144 ✆ 89409428, Fax 89407470, 🏕, Atmosf
vecchia Milano, prenotare – ▤. AE. 🅂. ⓓ E VISA HY
chiuso a mezzogiorno e domenica – **Pasto** 60000.

XX **Il Torchietto,** via Ascanio Sforza 47 ✉ 20136 ✆ 8372910, Fax 8372000 – ▤. AE. 🅂. ⓓ
VISA. ✂ ES
chiuso lunedì, dal 26 dicembre al 3 gennaio ed agosto – **Pasto** specialità mantovane ca
55/75000.

XX **Le Buone Cose,** via San Martino 8 ✉ 20122 ✆ 58310589, Coperti limitati; prenotar
▤. AE. 🅂. VISA KY
chiuso sabato a mezzogiorno, domenica ed agosto – **Pasto** specialità di mare carta
105000.

XX **Grand Hotel Pub,** via Ascanio Sforza 75 ✉ 20141 ✆ 89511586, 🏕. AE. 🅂. VISA ES
chiuso a mezzogiorno e lunedì – **Pasto** carta 40/60000.

XX **Al Capriccio,** via Washington 106 ✉ 20146 ✆ 48950655 – ▤. AE. 🅂. E VISA. ✂ DS
chiuso lunedì ed agosto – **Pasto** specialità di mare carta 60/85000.

XX **Shri Ganesh,** via Lombardini 8 ✉ 20143 ✆ 58110933, Rist. indiano – ▤. AE. 🅂. ⓓ E V
✂ HY
chiuso a mezzogiorno, domenica e dal 6 al 21 agosto – **Pasto** 35/50000.

X **Olivia,** viale D'Annunzio 7/9 ✉ 20123 ✆ 89406052 – ▤. AE. 🅂. ⓓ E VISA HY
chiuso sabato a mezzogiorno e domenica – **Pasto** carta 50/70000.

X **Alzaia 26,** alzaia Naviglio Grande 26 ✉ 20144 ✆ 8323526, Rist. e bistrot, prenotare –
AE. 🅂. ⓓ VISA – *chiuso domenica ed agosto* – **Pasto** carta 60/90000. HY

X **Posto di Conversazione,** Alzaia Naviglio Grande 6 ✉ 20144 ✆ 581066
Fax 58106646 – ▤. AE. 🅂. E VISA. ✂ HY
chiuso a mezzogiorno, lunedì e dal 30 dicembre al 14 gennaio – **Pasto** carta 50/75000.

X **Trattoria all'Antica,** via Montevideo 4 ✉ 20144 ✆ 58104860 – ▤. AE. 🅂. E V
✂ HY
chiuso sabato a mezzogiorno, domenica, dal 26 dicembre al 7 gennaio ed agosto – Pa
cucina lombarda 25000 bc e carta 35/55000 (solo a mezzogiorno) 45000 bc (solo alla ser

X Gargantua, corso Porta Vigentina 31 ✉ 20122 ✆ 58314888, prenotare – ▤ KY

X **Asso di Fiori-Osteria dei Formaggi,** alzaia Naviglio Grande 54 ✉ 20
✆ 89409415 – AE. 🅂. ⓓ VISA. JCB HY
chiuso a mezzogiorno, domenica e dal 10 al 25 agosto – **Pasto** carta 50/65000.

X **Ponte Rosso,** Ripa di Porta Ticinese 23 ✉ 20143 ✆ 8373132, Trattoria-bistrot HY
chiuso domenica e alla sera (escluso giovedì e sabato) – **Pasto** specialità triestine e lomb
de 30/40000 (a mezzogiorno) e 40/50000 (alla sera).

Fiera-Sempione

corso Sempione, piazzale Carlo Magno, via Monte Rosa, via Washington (Piante : Mila
p. 10, 12 e 14).

Hermitage Ⓜ, via Messina 10 ✉ 20154 ✆ 33107700, Fax 33107399, 🏋 – 🛗 ▤ 📺 ☎
🚗 – 🎤 200. AE. 🅂. ⓓ E VISA. ✂ HU
chiuso agosto – **Pasto** vedere rist ***Il Sambuco*** – **123 cam** ☕ 320/420000, 7 appartamen

Grand Hotel Ramada Ⓜ, via Washington 66 ✉ 20146 ✆ 48521, Fax 4818925 –
🚭 cam ▤ 📺 ☎ ♿ 🚗 – 🎤 1200. AE. 🅂. ⓓ E VISA. JCB. ✂ DR
Pasto 50000 e al Rist. ***La Brasserie*** carta 50/75000 – **322 cam** ☕ 460/590000, appar
mento.

Regency senza rist, via Arimondi 12 ✉ 20155 ✆ 39216021, Fax 39217734, « In u
dimora nobiliare degli inizi del secolo » – 🛗 🚭 ▤ 📺 ☎ – 🎤 50. AE. 🅂. ⓓ E VISA. ✂
chiuso agosto – **57 cam** ☕ 240/340000, 2 appartamenti. DQ

Poliziano senza rist, via Poliziano 11 ✉ 20154 ✆ 33602494, Fax 33106410 – 🛗 ▤ 📺
🚗 – 🎤 60. AE. 🅂. ⓓ E VISA. JCB HT
chiuso dal 9 al 25 agosto – **98 cam** ☕ 250/320000, 2 appartamenti.

Capitol senza rist, via Cimarosa 6 ✉ 20144 ☎ 48003050, Telex 316150, Fax 4694724 – 🛗 ▤ TV ☎ – 🏛 60. AE. 🅂. ⓘ E VISA. JCB DR e
95 cam ☕ 260/330000.

Domenichino senza rist, via Domenichino 41 ✉ 20149 ☎ 48009692, Fax 48003953 – 🛗 ▤ TV ☎ 🚗 🅿 – 🏛 50. AE. 🅂. ⓘ E VISA. ✻ DR f
chiuso dal 20 dicembre al 6 gennaio e dal 1º al 24 agosto – **75 cam** ☕ 170/235000, 2 appartamenti.

Mozart senza rist, piazza Gerusalemme 6 ✉ 20154 ☎ 33104215, Fax 33103231 – 🛗 ▤ TV ☎. AE. 🅂. ⓘ E VISA. ✻ HT b
88 cam ☕ 195/285000, 3 appartamenti.

Admiral senza rist, via Domodossola 16 ✉ 20145 ☎ 3492151, Fax 33106660 – 🛗 ▤ TV ☎ 🚗 🅿 – 🏛 65. AE. 🅂. ⓘ E VISA DR y
chiuso dal 23 luglio al 28 agosto – **60 cam** ☕ 130/170000.

Berlino senza rist, via Plana 33 ✉ 20155 ☎ 324141, Fax 39210611 – 🛗 ▤ TV ☎. AE. 🅂. ⓘ E VISA. JCB DQ d
chiuso dal 24 dicembre al 3 gennaio e dal 26 luglio al 25 agosto – **47 cam** ☕ 160/230000.

Lancaster senza rist, via Abbondio Sangiorgio 16 ✉ 20145 ☎ 344705, Fax 344649 – 🛗 ▤ TV ☎. AE. 🅂. E VISA HU c
chiuso agosto – **30 cam** ☕ 160/250000.

Metrò senza rist, corso Vercelli 61 ✉ 20144 ☎ 468704, Fax 48010295 – 🛗 ▤ TV ☎ – 🏛 35. AE. 🅂. ⓘ E VISA. JCB DR x
37 cam ☕ 200/300000.

Mini Hotel Portello senza rist, via Guglielmo Silva 12 ✉ 20149 ☎ 4814944, Fax 4819243 – 🛗 ▤ TV ☎ 🅿 – 🏛 100. AE. 🅂. ⓘ E VISA. JCB DR h
96 cam ☕ 160/240000.

Mini Hotel Tiziano senza rist, via Tiziano 6 ✉ 20145 ☎ 4699035, Fax 4812153, « Piccolo parco » – 🛗 ▤ TV ☎ 🅿. AE. 🅂. ⓘ E VISA JCB DR k
54 cam ☕ 160/240000.

Sant'Ambroeus senza rist, viale Papiniano 14 ✉ 20123 ☎ 48008989, Fax 48008687 – 🛗 ▤ TV ☎. AE. 🅂. ⓘ E VISA. ✻ – ☕ 18000 – **52 cam** 170/240000. HX f

XXX ✿ **Il Sambuco** - Hotel Hermitage, via Messina 10 ✉ 20154 ☎ 33610333, Fax 3319425 – ▤. AE. 🅂. ⓘ E VISA. JCB. ✻ HU q
chiuso sabato a mezzogiorno, domenica, dal 27 dicembre al 3 gennaio e dal 1º al 20 agosto – **Pasto** carta 100/120000
Spec. Gallinella di mare con pomodorini, patate e taccole. Sarde ed alici alla napoletana. Zuppa di pesce alla chioggiota.

XXX ✿ **Alfredo-Gran San Bernardo,** via Borgese 14 ✉ 20154 ☎ 3319000, Fax 29006859, prenotare – ▤. AE. 🅂. ⓘ E VISA HT e
chiuso dal 23 dicembre al 9 gennaio, agosto, domenica ed in giugno-luglio anche sabato – **Pasto** specialità milanesi carta 75/100000
Spec. Risotto al salto o all'onda. Stracotto al Barbaresco. Foiolo alla milanese.

XXX **Trattoria del Ruzante,** via Massena 1 ✉ 20145 ☎ 316102, prenotare –. AE. 🅂. ⓘ E VISA. ✻ HU v
chiuso sabato a mezzogiorno, domenica ed agosto – **Pasto** carta 60/95000.

XXX Dall'Antonio, via Cenisio 8 ✉ 20154 ☎ 33101511, prenotare – ▤ HT g

XX Raffaello, via Monte Amiata 4 ✉ 20149 ☎ 4814227 – ▤ DR r

XX **Montecristo,** corso Sempione angolo via Prina ✉ 20154 ☎ 312760, Fax 312760 – ▤. 🅂. ⓘ E VISA. ✻ HU j
chiuso martedì, sabato a mezzogiorno, dal 25 dicembre al 2 gennaio ed agosto – **Pasto** specialità di mare carta 65/90000.

XX **Gocce di Mare,** via Petrarca 4 ✉ 20123 ☎ 4692487, Fax 433854 – ▤ HV d
chiuso sabato a mezzogiorno, domenica e dal 9 al 31 agosto – **Pasto** carta 50/85000.

XX **El Crespin,** via Castelvetro 18 ✉ 20154 ☎ 33103004, Fax 33103004, prenotare – ▤. AE. 🅂. ⓘ E VISA HT p
chiuso sabato a mezzogiorno e lunedì – **Pasto** carta 50/75000.

XX **Il Palio,** piazza Diocleziano ang. via San Galdino ✉ 20154 ☎ 33600687, 🏠, Rist. toscano – ▤. AE. 🅂. ⓘ E VISA HT m
chiuso sabato e dal 6 al 28 agosto – **Pasto** 35/45000 (a mezzogiorno) 40/60000 (alla sera) e carta 40/65000.

XX **Taverna della Trisa,** via Francesco Ferruccio 1 ✉ 20145 ☎ 341304, 🏠 –. 🅂. E VISA
chiuso lunedì ed agosto – **Pasto** specialità trentine carta 45/70000. HU n

XX **Da Stefano il Marchigiano,** via Arimondi 1 angolo via Plana ✉ 20155 ☎ 33001863 – ▤. AE. 🅂. ⓘ E VISA JCB DQ d
chiuso venerdì sera, sabato ed agosto – **Pasto** carta 45/75000.

L'Infinito, via Leopardi 25 ✉ 20123 ✆ 4692276 – ▤. AE. 🅂. ⓞ E VISA HV
chiuso sabato a mezzogiorno, domenica, dal 24 dicembre al 6 gennaio e dal 5 al 28 agost Pasto carta 50/70000.

Furio, via Montebianco 2/A ✉ 20149 ✆ 4814677, Fax 4814677 – ▤. AE. 🅂. ⓞ E V JCB DR
chiuso sabato a mezzogiorno, domenica ed agosto – **Pasto** carta 35/80000.

La Nuova Piazzetta, via Cirillo 16 ✉ 20154 ✆ 3319880 –. 🅂. E VISA HU
chiuso domenica ed agosto – **Pasto** carta 45/80000.

Le Pietre Cavate, via Castelvetro 14 ✉ 20154 ✆ 344704 – ▤. AE. 🅂. ⓞ E VISA. JCB.
chiuso mercoledì, giovedì a mezzogiorno e dal 30 luglio al 29 agosto – **Pasto** ca 50/80000. HT

La Sirena, via Poliziano 10 ✉ 20154 ✆ 33603011 – ▤. AE. 🅂. E VISA HU
chiuso domenica, dal 23 dicembre al 2 gennaio e dal 1º al 21 agosto – **Pasto** specialità mare carta 50/80000.

Al Vecchio Porco, via Messina 8 ✉ 20154 ✆ 313862, 🏖, Rist. e pizzeria – ▤. AE. 🅂. E VISA HU
chiuso domenica a mezzogiorno, lunedì ed agosto – **Pasto** carta 40/60000.

Trattoria del Previati, via Gaetano Previati 21 ✉ 20149 ✆ 48000064 – ▤. AE. 🅂. VISA. ✻ DR
chiuso sabato e dal 10 al 26 agosto – **Pasto** carta 45/65000.

Da Gino e Franco, largo Domodossola 2 ✉ 20145 ✆ 312003, 🏖 – ▤ DR

Pace, via Washington 74 ✉ 20146 ✆ 468567, 🏖, Rist. d'habitués – ▤. AE. 🅂. ⓞ E V ✻ DR
chiuso sabato a mezzogiorno, mercoledì, Natale e dal 1º al 23 agosto – **Pasto** ca 40/60000.

Al Vöttantott, corso Sempione 88 ✉ 20154 ✆ 33603114 – ▤. AE. 🅂. E VISA DQ
chiuso domenica ed agosto – **Pasto** carta 35/70000.

Pechino, via Cenisio 7 ✉ 20154 ✆ 33101668, prenotare – ▤ HT
chiuso lunedì, dal 20 dicembre al 2 gennaio, Pasqua e dal 15 luglio al 22 agosto – **Pas** cucina pechinese carta 35/60000 (12 %).

Zone periferiche

Zona urbana nord-ovest

viale Fulvio Testi, Niguarda, viale Fermi, viale Certosa, San Siro, via Novara (Piante : Mila p. 8, 9 e 10).

Gd H. Brun 🔈, via Caldera 21 ✉ 20153 ✆ 452711, Telex 315370, Fax 48204746 – 🛗 📺 ☎ ♿ 🚗 🅟 – 🏛 500. AE. 🅂. ⓞ E VISA. ✻ AP
chiuso dal 23 dicembre al 7 gennaio – **Pasto** carta 35/105000 – **306 cam** ☕ 370/4800 24 appartamenti.

Rubens senza rist, via Rubens 21 ✉ 20148 ✆ 40302, Telex 353617, Fax 481931 « Camere affrescate » – 🛗 ⇆ ▤ 📺 ☎ 🅟 – 🏛 35. AE. 🅂. ⓞ E VISA DR
87 cam ☕ 195/260000.

Accademia senza rist, viale Certosa 68 ✉ 20155 ✆ 39211122, Telex 3155 Fax 33103878, « Camere affrescate » – 🛗 ▤ 📺 ☎ 🚗. AE. 🅂. ⓞ E VISA DQ
67 cam ☕ 250/340000, 2 appartamenti.

Raffaello senza rist, viale Certosa 108 ✉ 20156 ✆ 3270146, Fax 3270440 – 🛗 ▤ 📺 🚗 – 🏛 120. AE. 🅂. ⓞ E VISA. ✻ DQ
chiuso dal 23 dicembre al 2 gennaio e dal 10 al 24 agosto – **143 cam** ☕ 210/3200 4 appartamenti.

Blaise e Francis, via Butti 9 ✉ 20158 ✆ 66802366, Fax 66802909 – 🛗 ⇆ ▤ 📺 ☎ 🚗 – 🏛 200. AE. 🅂. ⓞ E VISA. JCB. ✻ rist EQ
Pasto (solo per alloggiati e *chiuso a mezzogiorno*) 40/70000 – **110 cam** ☕ 280/320000.

Novotel Milano Nord, viale Suzzani 13 ✉ 20162 ✆ 66101861, Telex 3312 Fax 66101961, 🏊 – 🛗 ⇆ cam ▤ 📺 ☎ ♿ 🚗 🅟 – 🏛 500. AE. 🅂. ⓞ E VISA. ✻ rist
Pasto carta 55/85000 – **172 cam** ☕ 260/300000 – 1/2 P 185/200000. BO

Ibis senza rist, viale Suzzani 13/15 ✉ 20162 ✆ 66103000, Fax 66102797 – 🛗 ⇆ cam ▤ ☎ ♿ 🚗 🅟 – 🏛 50. AE. 🅂. ⓞ E VISA BO
132 cam ☕ 140/170000.

Valganna senza rist, via Varè 32 ✉ 20158 ✆ 39310089, Fax 39312566 – ▤ 📺 ☎ 🚗. 🅂. E VISA AO
36 cam ☕ 120/170000.

Mirage senza rist, via Casella 61 angolo viale Certosa ✉ 20156 ✆ 39210471, Fax 392105 – 🛗 ▤ 📺 ☎ – 🏛 60. AE. 🅂. ⓞ E VISA DQ
☕ 20000 – **50 cam** 210/280000, 5 appartamenti.

XX **Al Solito Posto,** via Bruni 13 ✉ 20158 ☎ 6888310, Coperti limitati; prenotare. AE. Ⓢ. ⓞ E VISA. ⚹ AO c
chiuso a mezzogiorno, domenica, dal 25 dicembre al 2 gennaio e dal 20 luglio al 20 agosto – **Pasto** carta 60/80000.

XX **Innocenti Evasioni,** via privata della Bindellina ✉ 20155 ☎ 33001882, Fax 33001882, ☂ – AE. Ⓢ. ⓞ E VISA DQ a
chiuso a mezzogiorno, domenica, lunedì, agosto e Natale – **Pasto** carta 45/65000.

XX **La Pobbia,** via Gallarate 92 ✉ 20151 ☎ 38006641, Fax 38006641, Rist. rustico moderno, « Servizio estivo all'aperto » – 🏛 40. AE. Ⓢ. ⓞ E VISA DQ w
chiuso domenica ed agosto – **Pasto** carta 55/80000 (12 %).

XX **Ribot,** via Cremosano 41 ✉ 20148 ☎ 33001646, Fax 39267187, « Servizio estivo in giardino » – Ⓟ. AE. Ⓢ. ⓞ VISA DQ v
chiuso lunedì, Natale e dal 10 al 25 agosto – **Pasto** carta 50/75000 (10 %).

XX **Al Bimbo,** via Marcantonio dal Re 38 angolo via Certosa ✉ 20156 ☎ 3272290, Fax 39216365 – ▤. AE. Ⓢ. ⓞ E VISA. ⚹ DQ z
chiuso domenica ed agosto – **Pasto** carta 50/80000.

Zona urbana nord-est

viale Monza, via Padova, via Porpora, viale Romagna, viale Argonne, viale Forlanini (Piante : Milano p. 9 e 11).

Concorde senza rist, viale Monza 132 ✉ 20125 ☎ 26112020, Telex 315805, Fax 26147879 – |‡| ▤ TV ☎ 🚗 – 🏛 160. AE. Ⓢ. ⓞ E VISA. ⚹ BO d
120 cam ☕ 195/300000.

Starhotel Tourist, viale Fulvio Testi 300 ✉ 20126 ☎ 6437777, Telex 326852, Fax 6472516, ⚒ – |‡| ⚹ cam ▤ TV ☎ 🚗 Ⓟ – 🏛 170. AE. Ⓢ. ⓞ E VISA. JCB. ⚹ rist
Pasto carta 45/60000 – **140 cam** ☕ 290/410000 – ½ P 235/330000. BO c

Lombardia, viale Lombardia 74 ✉ 20131 ☎ 2824938, Fax 2893430 – |‡| ⚹ cam ▤ TV ☎ 🚗 – 🏛 100. AE. Ⓢ. ⓞ E VISA. ⚹ GQ e
chiuso dal 9 al 24 agosto – **Pasto** al Rist. ***La Festa*** *(chiuso a mezzogiorno, sabato e domenica)* carta 35/70000 – **78 cam** ☕ 175/245000, 6 appartamenti – ½ P 125/155000.

Gala ⛔ senza rist, viale Zara 89 ✉ 20159 ☎ 66800891, Fax 66800463 – |‡| ▤ TV ☎ Ⓟ – 🏛 30. AE. Ⓢ. ⓞ E VISA. JCB FQ a
chiuso agosto – ☕ 15000 – **23 cam** 110/160000.

Città Studi ⛔ senza rist, via Saldini 24 ✉ 20133 ☎ 744666, Fax 713122 – |‡| TV ☎. AE. Ⓢ. E VISA. JCB GR d
☕ 13000 – **45 cam** 95/130000.

XXX ✿ **L'Ami Berton,** via Nullo 14 angolo via Goldoni ✉ 20129 ☎ 713669, Ristorante elegante, prenotare la sera – ▤. AE. Ⓢ. E VISA. ⚹ GR u
chiuso sabato a mezzogiorno, domenica, agosto e dal 1º al 10 gennaio – **Pasto** carta 75/125000
Spec. Gamberi marinati al cipollotto e caviale. Bavette ai filetti di sogliola e taccole. Orata "all'acqua pazza" con porcini.

XX **Osteria Corte Regina,** via Rottole 60 ✉ 20132 ☎ 2593377, Fax 2593377, ☂, Rist. rustico elegante, prenotare. AE. Ⓢ. ⓞ E VISA CO x
chiuso domenica, a mezzogiorno dal 5 al 25 agosto, solo sabato a mezzogiorno negli altri mesi – **Pasto** carta 55/85000.

XX **L'Altra Scaletta,** viale Zara 116 ✉ 20125 ☎ 6888093, Fax 6888093 – ▤. AE. Ⓢ. ⓞ E VISA. ⚹ FQ e
chiuso sabato a mezzogiorno, domenica ed agosto – **Pasto** carta 45/65000.

XX **3 Pini,** via Tullo Morgagni 19 ✉ 20125 ☎ 66805413, Fax 66801346, prenotare, « Servizio estivo sotto un pergolato » – AE. Ⓢ. ⓞ E VISA. ⚹ BO a
chiuso sabato, dal 25 dicembre al 4 gennaio e dal 5 al 31 agosto – **Pasto** carta 55/80000.

XX **Montecatini Alto,** viale Monza 7 ✉ 20125 ☎ 2846773 – ▤ GQ g
chiuso sabato a mezzogiorno, domenica ed agosto – **Pasto** carta 50/60000.

XX **Da Renzo,** piazza Sire Raul 4 ✉ 20131 ☎ 2846261, Fax 2896634, ☂ – ▤. AE. Ⓢ. ⓞ E VISA GQ h
chiuso lunedì sera, martedì, dal 26 dicembre al 2 gennaio ed agosto – **Pasto** carta 40/65000.

XX **Baia Chia,** via Bazzini 37 ✉ 20131 ☎ 2361131, ☂, prenotare – ▤. Ⓢ. VISA. ⚹ GQ a
chiuso domenica, dal 24 dicembre al 2 gennaio, Pasqua ed agosto – **Pasto** specialità di mare carta 45/85000.

XX **Piero e Pia,** piazza Aspari 2 angolo via Vanvitelli ✉ 20129 ☎ 718541, ☂, Trattoria, prenotare la sera – ▤. AE. Ⓢ. ⓞ E VISA. JCB GR z
chiuso domenica ed agosto – **Pasto** specialità piacentine carta 45/65000.

XX **Alla Capanna-da Attilio e Maria,** via Donatello 9 ✉ 20131 ☎ 29400884, Fax 29521491 – ▤. AE. Ⓢ. ⓞ E VISA GR h
chiuso sabato – **Pasto** carta 40/60000.

La Paranza, via Padova 3 ✉ 20127 ☎ 2613224, Coperti limitati; prenotare – ▤. AE. 🅂 VISA GQ
chiuso lunedì ed agosto – **Pasto** specialità di mare carta 45/60000 (10 %).

I Ricordi, via Ricordi 8 ✉ 20131 ☎ 29516987, « Servizio estivo sotto un pergolato » **Pasto** specialità di mare. GQ

Doge di Amalfi, via Sangallo 41 ✉ 20133 ☎ 730286, Rist. e pizzeria – ▤ GR

Mykonos, via Tofane 5 ✉ 20125 ☎ 2610209, Taverna tipica, prenotare BO
chiuso a mezzogiorno, martedì ed agosto – **Pasto** cucina greca carta 30/40000.

Zona urbana sud-est

viale Molise, corso Lodi, via Ripamonti, corso San Gottardo (Piante : Milano p. 9 e 11).

Quark, via Lampedusa 11/a ✉ 20141 ☎ 84431, Telex 353448, Fax 8464190, – cam ▤ TV ☎ P – 1100. AE. 🅂. E VISA. JCB. rist BP
chiuso dal 22 luglio al 25 agosto – **Pasto** carta 60/110000 – **285 cam** 365000.

Novotel Milano Est Aeroporto, via Mecenate 121 ✉ 20138 ☎ 58011C Telex 331237, Fax 58011086, – cam ▤ TV ☎ P – 350. AE. 🅂. E rist
Pasto carta 55/85000 – **206 cam** 275/350000 – ½ P 190/225000. CP

Molise senza rist, via Cadibona 2/a ✉ 20137 ☎ 55181852, Fax 55184348 – ▤ TV P. AE. 🅂. E VISA. GS
chiuso dal 24 dicembre al 2 gennaio e dal 1º al 25 agosto – **32 cam** 140/200000.

Mec senza rist, via Tito Livio 4 ✉ 20137 ☎ 5456715, Fax 5456718 – ▤ TV ☎. AE. E VISA GS
chiuso agosto – **40 cam** 140/220000.

Garden senza rist, via Rutilia 6 ✉ 20141 ☎ 55212838, Fax 57300678 – TV ☎ P. AE. 🅂. E VISA BP
chiuso agosto – senza – **23 cam** 90/120000.

Antica Trattoria Monluè, via Monluè 75 ✉ 20138 ☎ 7610246, Trattoria di campa con servizio estivo – ▤ P. AE. 🅂. E VISA. CP
chiuso sabato a mezzogiorno, domenica e dal 4 al 20 agosto – **Pasto** carta 50/75000.

La Plancia, via Cassinis 13 ✉ 20139 ☎ 55211269, Fax 5390558, Rist. e pizzeria – ▤. 🅂. E VISA.
chiuso domenica ed agosto – **Pasto** specialità di mare carta 40/65000. BP

Taverna Calabiana, via Calabiana 3 ✉ 20139 ☎ 55213075, Rist. e pizzeria – ▤. AE. VISA. FS
chiuso domenica, lunedì, dal 24 dicembre al 5 gennaio, dal 16 al 21 aprile ed agosto – Pas carta 45/65000.

Zona urbana sud-ovest

viale Famagosta, viale Liguria, via Lorenteggio, viale Forze Armate, via Novara (Pian Milano p. 8 e 10).

Holiday Inn, via Lorenteggio 278 ✉ 20152 ☎ 410014, Fax 48304729, – cam TV ☎ P – 70. AE. 🅂. E VISA. JCB AP
Pasto al Rist. ***L'Univers Gourmand*** carta 45/70000 – 34000 – **119 cam** 315/390000.

Green House senza rist, viale Famagosta 50 ✉ 20142 ☎ 8132451, Fax 816624 – ▤ ☎. AE. 🅂. E VISA. AP
15000 – **45 cam** 130/190000.

Aimo e Nadia, via Montecuccoli 6 ✉ 20147 ☎ 416886, Fax 48302005, Coperti limit prenotare – ▤. AE. 🅂. E VISA. AP
chiuso sabato a mezzogiorno, domenica, dal 1º al 6 gennaio ed agosto – **Pasto** 60/105((a mezzogiorno) 105000 (alla sera) e carta 95/140000
Spec. Crema di lenticchie con rossetti e filo d'olio. Fettuccine di farina burattata con a bottarga di muggine e erbe fini. Copertina di vitello con lardo alle spezie e zaffera (autunno-primavera).

Da Leo, via Trivulzio 26 ✉ 20146 ☎ 40071445 – ▤. DR
chiuso domenica, lunedì sera, dal 25 dicembre al 6 gennaio e dal 7 al 30 agosto – Pas specialità di mare carta 60/80000 (10 %).

La Darsena, via Lorenteggio 47 ✉ 20146 ☎ 4231298 – ▤. AE. 🅂. E VISA AP
chiuso domenica e dal 1º al 29 agosto – **Pasto** carta 40/60000.

Dintorni di Milano

a Chiaravalle Milanese *SE : 7 km* (Pianta : Milano p. 9 BCP) :

Antica Trattoria San Bernardo, via San Bernardo 36 ✉ 20139 Milano ☎ 57409831, R rustico elegante, « Servizio estivo all'aperto » – P CP

la strada statale 35-quartiere Milanofiori *per ⑧ : 10 km :*

Royal Garden Hotel M, via Di Vittorio ✉ 20090 Assago ☎ 457811, Fax 45702901 – 140. AE. 🅂. ⓞ E VISA. cam
Pasto carta 60/80000 – **114 cam** ☐ 270/380000, 40 appartamenti.

Jolly Hotel Milanofiori, Strada 2 ✉ 20090 Assago ☎ 82221, Telex 325314, Fax 89200946, – cam – 120. AE. 🅂. ⓞ E VISA. rist
chiuso dal 22 dicembre al 7 gennaio – **Pasto** 65/90000 – **255 cam** ☐ 285/345000 – ½ P 225/375000.

Parco Forlanini (lato Ovest) *E : 10 km* (Pianta : Milano p. 9 CP) :

Osteria I Valtellina, via Taverna 34 ✉ 20134 Milano ☎ 7561139, « Servizio estivo sotto un pergolato » – . AE. 🅂. ⓞ E VISA CP h
chiuso lunedì e dal 4 al 24 agosto – **Pasto** specialità valtellinesi carta 60/80000.

lla strada Nuova Vigevanese *per ⑩ : 11 km per via Lorenteggio :*

Eur senza rist, via Leonardo da Vinci 36 A ✉ 20090 Trezzano sul Naviglio ☎ 4451951, Fax 4451075 – 70. AE. 🅂. ⓞ E VISA. JCB
39 cam ☐ 140/180000.

Blu Visconti, via Goldoni 49 ✉ 20090 Trezzano sul Naviglio ☎ 48402094, Fax 48403095, – 100. AE. 🅂. ⓞ E VISA
Pasto al Rist. ***Alla Cava*** *(chiuso lunedì e dall'11 al 25 agosto)* carta 35/60000 (12 %) – **63 cam** ☐ 110/150000, appartamento – ½ P 90/125000.

Tiffany, via Leonardo da Vinci 207/209 ✉ 20090 Trezzano sul Naviglio ☎ 4452859, Fax 4450944, – 70. AE. 🅂. ⓞ E VISA.
chiuso dall'11 al 21 agosto – **Pasto** *(chiuso sabato sera, domenica e dal 28 luglio al 29 agosto)* carta 45/95000 – **36 cam** ☐ 100/140000.

lla tangenziale ovest-Assago *per ⑩ : 14 km :*

Forte Agip, ✉ 20090 Assago ☎ 4880441, Telex 325191, Fax 48843958, – cam – 300. AE. 🅂. ⓞ E VISA. JCB.
Pasto carta 45/75000 – **197 cam** ☐ 220/250000 – ½ P 125/205000.

MICHELIN, a Pregnana Milanese, viale dell'Industria 23/25 (per strada statale 33 AO Milano p. 8) – ✉ 20010 Pregnana Milanese, ☎ 93590160, Fax 93590270.

ILANO 2 *Milano – Vedere Segrate.*

ILANO MARITTIMA *Ravenna* 988 ⑮, 430 J 19 – *Vedere Cervia.*

ILAZZO *Messina* 988 ㊲ ㊳, 432 M 27 – *Vedere Sicilia alla fine dell'elenco alfabetico.*

INERBIO *40061 Bologna* 988 ⑮, 429, 430 I 16 – *7 249 ab. alt. 16* – ☎ *051.*
Roma 399 – Bologna 23 – Ferrara 30 – Modena 59 – Ravenna 93.

Nanni, via Garibaldi 28 ☎ 878276, Fax 876094, – . AE. 🅂. ⓞ E VISA.
Pasto *(chiuso dal 24 dicembre al 7 gennaio e dall'8 al 21 agosto)* carta 40/50000 – **35 cam** ☐ 120/170000 – ½ P 100/110000.

Osteria Dandy, località Tintoria NE : 2 km ☎ 876040, , prenotare – . AE. 🅂. ⓞ E VISA.
chiuso agosto, domenica sera, lunedì e in giugno-luglio anche a mezzogiorno – **Pasto** carta 50/75000
Spec. Gramigna al torchio con ragù di salsiccia. Coniglio al forno. Budino all'amaretto e mandorle.

INORI *84010 Salerno* 431 E 25 – *3 065 ab.* – *a.s. Pasqua, 15 giugno-15 settembre e Natale* – ☎ *089.*
Roma 269 – Napoli 67 – Amalfi 3 – Salerno 22.

Santa Lucia, ☎ 853636, Fax 877142 – . AE. 🅂. ⓞ E VISA. rist
marzo-ottobre – **Pasto** carta 35/50000 (10 %) – ☐ 10000 – **27 cam** 80/95000 – ½ P 85/100000.

Giardiniello, corso Vittorio Emanuele 17 ☎ 877050, Fax 877050, Rist. e pizzeria, « Servizio estivo sotto un pergolato » – AE. 🅂. ⓞ E VISA.
chiuso dal 6 novembre al 6 dicembre e mercoledì (escluso da giugno a settembre) – **Pasto** carta 35/60000 (5 %).

L'Arsenale, via San Giovanni a Mare 20 /25 ☎ 851418, Rist. e pizzeria – AE. 🅂. ⓞ E VISA.
chiuso giovedì in bassa stagione – **Pasto** carta 45/80000 (10 %).

MIRA *30034 Venezia* [988] ⑤, [429] F 18 *G. Venezia – 36 173 ab. –* ☎ *041.*

Vedere Sala da ballo★ della Villa Widmann Foscari.

Escursioni Riviera del Brenta★★ per la strada S11.

ℹ *via Don Minzoni 26 (Palazzo Principe Pio)* ☎ *424973, Fax 423844.*

Roma 514 – Padova 22 – Venezia 20 – Chioggia 39 – Milano 253 – Treviso 35.

🏨🏨🏨 **Villa Margherita,** via Nazionale 416 ✉ 30030 Mira Porte ☎ 4265800, Fax 42658
« Piccolo parco » – ❄ [TV] ☎ 🅿. [AE]. [S]. ⊙ [E] VISA
Pasto vedere rist ***Margherita*** – **19 cam** ☕ 175/285000 – ½ P 165/195000.

🏨🏨 **Riviera dei Dogi** senza rist, via Don Minzoni 33 ✉ 30030 Mira Porte ☎ 4244
Fax 424428 – ❄ [TV] ☎ ♿ 🅿. [AE]. [S]. ⊙ [E] VISA
☕ 15000 – **28 cam** 95/160000.

🍴🍴 **Margherita,** via Nazionale 312 ✉ 30030 Mira Porte ☎ 420879, 🌳 – ❄ 🅿 – 👥 80.
[S]. ⊙ [E] VISA
chiuso martedì sera, mercoledì e dal 1° al 20 gennaio – **Pasto** specialità di mare ca
50/65000.

🍴🍴 **Nalin,** via Novissimo 29 ☎ 420083, 🌳 – ❄ 🅿. [AE]. [S]. ⊙ [E] VISA. 🚫🐕
chiuso domenica sera, lunedì, dal 26 dicembre al 5 gennaio ed agosto – **Pasto** specialità
mare carta 40/65000.

🍴🍴 **Vecia Brenta** con cam, via Nazionale 403 ✉ 30030 Mira Porte ☎ 420114, Fax 560012
❄ [TV] 🅿. [AE]. [S]. [E] VISA. 🚫🐕
chiuso gennaio – **Pasto** *(chiuso sabato a mezzogiorno e mercoledì)* specialità di mare ca
55/65000 – ☕ 10000 – **8 cam** 80/120000 – ½ P 85000.

🍴 **Dall'Antonia,** via Argine Destro 75 (SE : 3 km) ☎ 5675618 – ❄ 🅿. [AE]. [S]. ⊙ [E] VISA
chiuso domenica sera, martedì, gennaio ed agosto – **Pasto** specialità di mare carta 4
100000.

🍴 **Anna e Otello,** località Piazza Vecchia SE : 3 km ☎ 5675335, Fax 5675335 – ❄. [S]. [E] V
🚫🐕
chiuso lunedì, martedì a mezzogiorno e dal 10 al 30 gennaio – **Pasto** specialità di ma
carta 40/80000.

MIRABELLA ECLANO *86036 Avellino* [431] D 26 *– 8 549 ab. alt. 377 –* ☎ *0825.*

Roma 244 – Foggia 79 – Avellino 34 – Benevento 24 – Napoli 87 – Salerno 66.

sull'autostrada A 16 Mirabella Sud *N : 3 km :*

🏨🏨 **Mirabella Hotel,** ✉ 86036 ☎ 449724, Fax 449728 – ⇅ ❄ [TV] ☎ 🅿 – 👥 100. [AE] ⊙
VISA. 🚫🐕 rist
Pasto carta 30/60000 – ☕ 7000 – **37 cam** 80/120000 – ½ P 80/100000.

MIRAMARE *Rimini* [988] ⑮ ⑯, [430] J 19 *– Vedere Rimini.*

MIRANDOLA *41037 Modena* [988] ⑭, [429] H 15 *– 21 493 ab. alt. 18 –* ☎ *0535.*

Roma 436 – Bologna 56 – Ferrara 58 – Mantova 55 – Milano 202 – Modena 32 – Parma 88
Verona 70.

🏨 **Pico** senza rist, via Statale Sud 20 ☎ 20050, Fax 26873 – ⇅ ❄ [TV] ☎ 🅿. [AE]. [S]. ⊙ [E] VIS
🚫🐕
chiuso dal 2 al 24 agosto – ☕ 16000 – **26 cam** 100/125000.

🍴🍴 ☺ **Castello-da Toni,** piazza Marconi 22 ☎ 22918, Fax 22918, ⛱, Rist. e pizzeria – ❄. [A
[S]. ⊙ [E] VISA. JCB
chiuso mercoledì e dal 6 al 28 agosto – Pasto carta 45/60000.

MIRANO *30035 Venezia* [988] ⑤, [429] F 18 *G. Venezia – 26 212 ab. alt. 9 –* ☎ *041.*

Roma 516 – Padova 26 – Venezia 21 – Milano 253 – Treviso 30 – Trieste 158.

🏨🏨 **Park Hotel Villa Giustinian** senza rist, via Miranese 85 ☎ 5700200, Fax 570035
« Parco con 🏊 » – ⇅ ❄ [TV] ☎ 🅿. [AE]. [S]. ⊙ [E] VISA
28 cam ☕ 90/160000, 2 appartamenti, ❄ 10000.

🏨🏨 **Patriarca,** via Miranese 25 ☎ 430006, Fax 5702077, 🏊, 🌳, 🎾 – ❄ [TV] ☎ 🅿. [AE]. [S]. ⊙
VISA. JCB. 🚫🐕 rist
Pasto 30/50000 – **29 cam** ☕ 120/160000 – ½ P 75/90000.

🏨 **Leon d'Oro** 🔇, via Canonici 3 (S : 3 km) ☎ 432777, Fax 431501, 🏊, 🌳 – 🚭 cam ❄ [T
☎ ♿ 🅿. [AE]. [S]. ⊙ [E] VISA. 🚫🐕 rist
Pasto (solo per alloggiati) 35/60000 – **22 cam** ☕ 140/170000 – ½ P 100/115000.

🍴 **19 al Paradiso,** via Luneo 37 (N : 2 km) ☎ 431939, Fax 5701235, ⛱ – ❄ 🅿. [AE]. [S]. ⊙
VISA. 🚫🐕
chiuso lunedì ed agosto – **Pasto** carta 45/70000.

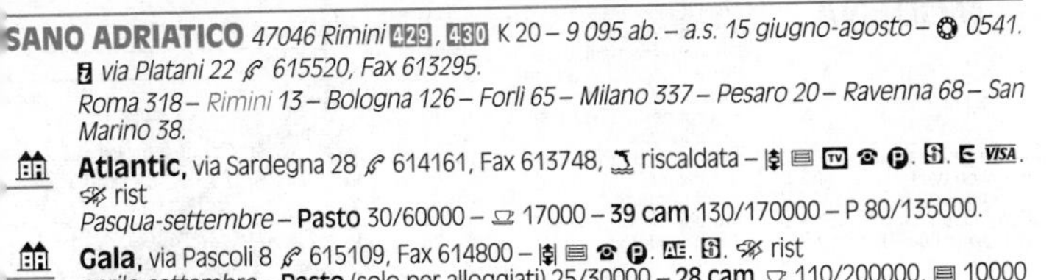

SANO ADRIATICO *47046 Rimini* [429], [430] K 20 – *9 095 ab. – a.s. 15 giugno-agosto* – ☎ *0541.*

[i] via Platani 22 ☎ 615520, Fax 613295.

Roma 318 – Rimini 13 – Bologna 126 – Forlì 65 – Milano 337 – Pesaro 20 – Ravenna 68 – San Marino 38.

🏨 **Atlantic,** via Sardegna 28 ☎ 614161, Fax 613748, 🏊 riscaldata – |⇕| ▤ [TV] ☎ [P]. [S]. E [VISA]. ✻ rist
Pasqua-settembre – **Pasto** 30/60000 – ☕ 17000 – **39 cam** 130/170000 – P 80/135000.

🏨 **Gala,** via Pascoli 8 ☎ 615109, Fax 614800 – |⇕| ▤ ☎ [P]. [AE]. [S]. ✻ rist
aprile-settembre – **Pasto** (solo per alloggiati) 25/30000 – **28 cam** ☕ 110/200000, ▤ 10000 – P 60/110000.

🏨 **Haway,** via Sardegna 21 ☎ 610309 – |⇕| ▤ rist ☎ [P]. ✻ rist
15 maggio-20 settembre – **Pasto** 25/30000 – **39 cam** ☕ 65/100000 – ½ P 50/75000.

🏨 **Villa Rosa,** Litoranea Sud 4 ☎ 613601, Fax 615890, ≤ – |⇕| ☎ [P]. ✻
15 maggio-20 settembre – **Pasto** (solo per alloggiati) 30/35000 – ☕ 15000 – **30 cam** 75/120000 – ½ P 80/95000.

🍴 **Taverna del Marinaio,** via del Ciglio 16 ☎ 615658, ≤ – [P]. [AE]. [S]. ⦿ E [VISA]. ✻
chiuso dal 20 ottobre al 20 dicembre e martedì escluso da giugno a settembre – **Pasto** carta 50/75000.

Misano Monte *O : 5 km – ✉ 47046 :*

🏨 **I Girasoli** 🐦 senza rist, via Ca' Rastelli 13 ☎ 610724, Fax 610724, « Giardino ombreggiato con 🏊 riscaldata e 🎾 » – [TV] ☎ [P]. [AE]. [S]. ⦿ E [VISA]. [JCB]. ✻
chiuso gennaio e febbraio – **7 cam** ☕ 190/220000.

ISSIANO (MISSIAN) *Bolzano* [218] ⑳ – *Vedere Appiano.*

ISURINA *32040 Belluno* [988] ⑤, [429] C 18 *G. Italia – alt. 1 756 – Sport invernali : 1756/2 220 m* ⛷ *4,* ⛷ *(vedere anche Auronzo di Cadore)* – ☎ *0436.*

Vedere *Lago*★★ – *Paesaggio pittoresco*★★★.

Roma 686 – Cortina d'Ampezzo 14 – Auronzo di Cadore 24 – Belluno 86 – Milano 429 – Venezia 176.

🏨 **Lavaredo** 🐦, via M. Piana 11 ☎ 39227, Fax 39127, ≤ Dolomiti e lago, 🏋, 🎾 – [TV] ☎ [P]. [S]. E [VISA]. ✻
chiuso novembre – **Pasto** carta 35/70000 – ☕ 18000 – **32 cam** 130/150000 – ½ P 70/115000.

MODENA *41100* [P] [988] ⑭, [428], [429], [430] I 14 *G. Italia – 174 518 ab. alt. 35* – ☎ *059.*

Vedere *Duomo*★★★ AY – *Metope*★★ *nel museo del Duomo* ABY **M1** – *Galleria Estense*★★, *biblioteca Estense*★, *sala delle medaglie*★ *nel palazzo dei Musei* AY **M2** – *Palazzo Ducale*★ BY **A**.

⛳18 e ⛳9 *(chiuso martedì) a Colombaro di Formigine ✉ 41050 ☎ 553482, Fax 553696, per ④ : 10 km.*

[i] piazza Grande 17 ☎ 206660, Fax 206659.

[A.C.I.] *via Verdi 7 ☎ 239022.*

Roma 404 ④ – Bologna 40 ③ – Ferrara 84 ④ – Firenze 130 ④ – Milano 170 ⑤ – Parma 56 ⑤ – Verona 101 ⑤.

Pianta pagina seguente

🏨 **Real Fini,** via Emilia Est 441 ☎ 238091, Telex 510286, Fax 364804 – |⇕| ▤ [TV] ☎ ♿ 🚗 – 👥 600. [AE]. [S]. ⦿ E [VISA] per ③
chiuso dal 20 dicembre al 4 gennaio e dal 26 luglio al 24 agosto – **Pasto** vedere rist ***Fini*** – ☕ 25000 – **91 cam** 230/340000, appartamento.

🏨 **Raffaello,** via per Cognento 5 ☎ 357035, Fax 354522 – |⇕| ▤ [TV] ☎ 🚗 [P] – 👥 350. [AE]. [S]. ⦿ E [VISA]. ✻ 3 km per ⑤
Pasto 35/45000 – **113 cam** ☕ 220/300000, 14 appartamenti.

🏨 Canalgrande, corso Canal Grande 6 ☎ 217160 e rist. ☎ 223313, Telex 510480, Fax 221674, « Sale settecentesche e giardino ombreggiato » – |⇕| ▤ [TV] ☎ – 👥 200 BZ V
Pasto al Rist. ***La Secchia Rapita*** – 79 cam.

🏨 **Central Park Hotel** senza rist, viale Vittorio Veneto 10 ☎ 225858, Telex 522225, Fax 225141 – |⇕| ▤ [TV] ☎ [P]. [AE]. [S]. ⦿ E [VISA] AY a
chiuso dal 23 dicembre al 6 gennaio e dal 27 luglio al 26 agosto – **46 cam** ☕ 170/230000, 2 appartamenti.

🏨 Donatello, via Giardini 402 ☎ 344550, Fax 342803 – |⇕| ▤ [TV] ☎ 🚗 – 👥 50 per ⑤
Pasto al Rist. ***La Gola*** – 74 cam.

MODENA

Canal Chiaro (Cso) . . AYZ
Emilia (Via) . . . . ABYZ
Farini (Via) . . . . BY

Acc. Militare (Via) . . . . BY 2
Canalino (Via) . . . . BZ 5
Duomo (Corso) . . . . . . AY 7
Fonteraso (Via) . . . . . . BY 8
Giannone (Via P.) . . . . AZ 9
Luca (Calle di) . . . . AZ 10
Mazzini (Piazza) . . . . BY 13
Nonantolana (Via) . . . . BY 15
Porta S. Agostino (Largo) . . . . AY 17
Rismondo (Via F.) . . . . ABY 18
Risorgimento (Piazzale) . . . . . AZ 19
S. Carlo (Via) . . . . BZ 21
S. Francesco (Piazzale) . . . . . AZ 22
S. Giovanni
del Cantone (Via) . . . . BY 23
Storchi (Via G.) . . . . AY 24
3 Febbraio (Via) . . . . BY 25

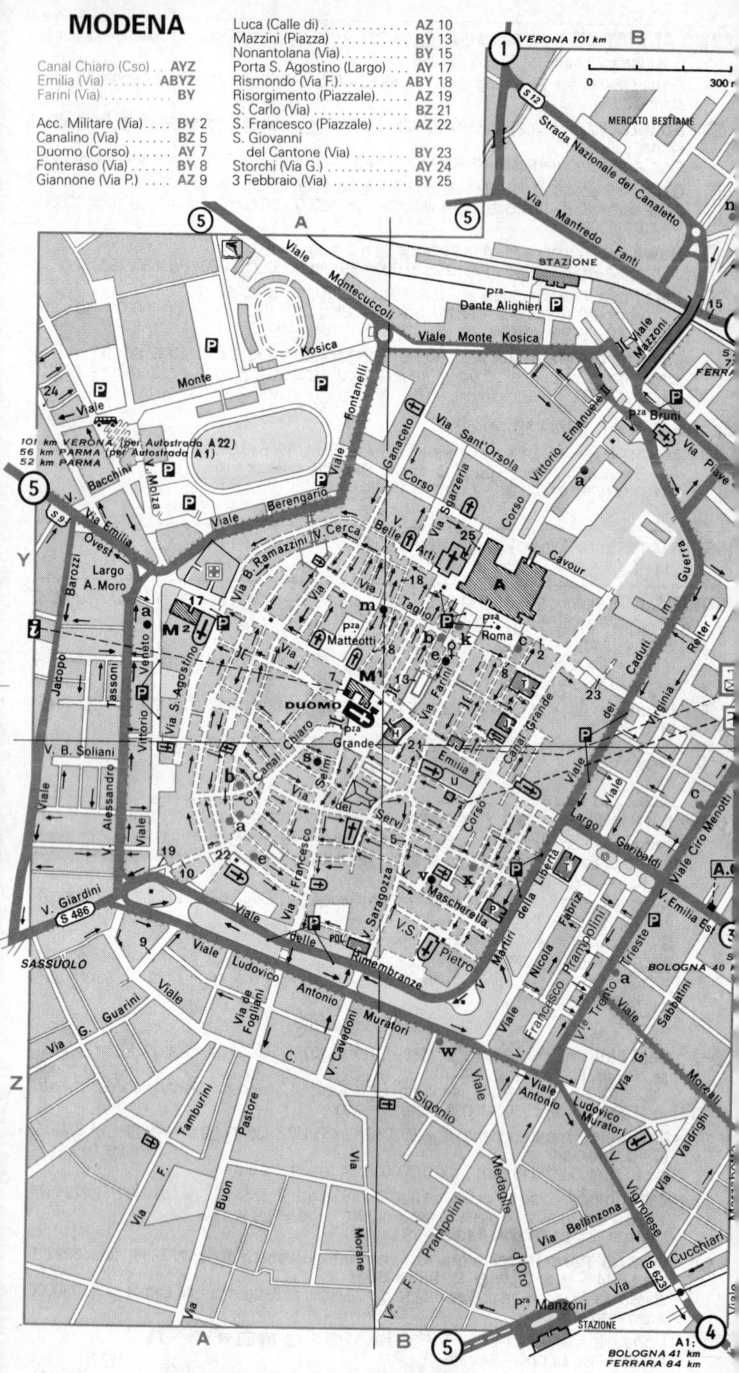

Milano, corso Vittorio Emanuele II 68 ✆ 223011, Fax 225136, – |♦| ▤ TV ☎. AE. S. ● E VISA. JCB BY a
Pasto al Rist. ***Del Corso*** carta 35/60000 – ☕ 20000 – **63 cam** 80/110000, ▤ 20000 – 1/2 P 85/140000.

Daunia senza rist, via del Pozzo 158 ✆ 371182, Fax 374807 – |♦| ▤ TV ☎ P. AE. S. ● E VISA. JCB. ✻ per ③
36 cam ☕ 105/165000.

Centrale senza rist, via Rismondo 55 ✆ 218808, Fax 238201 – |♦| ▤ TV ☎. AE. S. ● E VISA. JCB. ✻ ABY m
☕ 15000 – **37 cam** 95/140000.

Libertà senza rist, via Blasia 10 ✆ 222365, Fax 222502 – |♦| ▤ TV ☎ ⇔. AE. S. ● E VISA. ✻ BY e
chiuso dal 24 dicembre al 2 gennaio ed agosto – ☕ 15000 – **51 cam** 95/145000, appartamento.

La Torre senza rist, via Cervetta 5 ✆ 222615, Fax 216316 – TV ☎ ⇔. AE. S. ● E VISA. JCB. ✻ AZ s
☕ 12000 – **26 cam** 65/95000.

Fini, rua Frati Minori 54 ✆ 223314, Fax 220247, prenotare – ▤ P. AE. S. ● E VISA. ✻
chiuso lunedì, martedì, dal 24 al 31 dicembre e dal 23 luglio al 26 agosto – **Pasto** carta 85/125000 AZ e
Spec. Pasticcio di maccheroni. Bollito misto dal carrello. Rosette di vitello alla Petroniana.

Borso d'Este, piazza Roma 5 ✆ 214114, prenotare – ▤. AE. S. ● E VISA. ✻ BY k
chiuso sabato a mezzogiorno, domenica ed agosto – **Pasto** carta 60/90000.

Bianca, via Spaccini 24 ✆ 311524, Fax 315520, – ▤. AE. S. ● E VISA. JCB. ✻
chiuso sabato a mezzogiorno, domenica, dal 23 dicembre al 1º gennaio, Pasqua e dal 5 al 20 agosto – **Pasto** carta 50/70000. BY n

Osteria la Francescana, via Stella 22 ✆ 210118 – ▤. AE. S. ● E VISA AZ b
chiuso sabato a mezzogiorno, domenica, dal 1º al 7 gennaio ed agosto – **Pasto** carta 55/75000.

Osteria Toscana, via Gallucci 21 ✆ 211312 – AE. S. ● E VISA BZ x
chiuso domenica, lunedì ed agosto – **Pasto** carta 45/75000.

Le Temps Perdu, via Sadoleto 3 ✆ 220353, Fax 210420, prenotare, « Servizio estivo in giardino » – AE. S. E VISA BZ w
chiuso a mezzogiorno, lunedì e dal 10 al 17 agosto – **Pasto** specialità di mare; cucina mediterranea carta 75/115000.

Zelmira, largo San Giacomo 17 ✆ 222351, prenotare, « Servizio estivo in piazzetta » – ▤. AE. S. ● VISA. ✻ AZ a
chiuso giovedì e dal 15 al 25 febbraio – **Pasto** carta 40/65000.

L'Incontro, largo San Giacomo 32 ✆ 218536, prenotare – ▤. AE. S. ● E VISA. ✻
chiuso domenica, lunedì a mezzogiorno, dal 1º al 10 gennaio ed agosto – **Pasto** 30/45000 (a mezzogiorno) 45/50000 (alla sera) e carta 45/85000. AZ a

Lauro, via Menotti 61 ✆ 214264, Fax 223444 – ▤. AE. S. ● E VISA. JCB BZ c
chiuso la sera (escluso giovedì-venerdì), domenica ed agosto – **Pasto** carta 45/60000.

Livi, via Trento e Trieste 71 ✆ 217114, Fax 226830 – ▤. AE. S. ● E VISA. ✻ BZ a
chiuso lunedì – **Pasto** carta 45/80000.

Oreste, piazza Roma 31 ✆ 243324, Fax 243324, Rist. di tradizione – 40. AE. S. ● E VISA BY c
chiuso domenica sera, mercoledì e dal 10 al 31 luglio – **Pasto** 40000 e carta 50/80000.

Aurora, via Coltellini 24 ✆ 225191, Fax 225191, , prenotare – ▤. AE. S. ● E VISA. ✻ BY b
chiuso lunedì, martedì a mezzogiorno e dal 17 agosto al 6 settembre – **Pasto** specialità di mare carta 40/65000 (10 %).

Al Boschetto-da Loris, via Due Canali Nord 202 ✆ 251759, « Servizio estivo in giardino » – P. AE. S. ● E VISA. ✻ per ②
chiuso mercoledì, domenica sera e dal 15 al 30 agosto – **Pasto** carta 35/55000.

sulla strada statale 9 – via Emilia :

Rechigi Park Hotel, via Emilia Est 1581 località Fossalta per ③ : *4 km* ✉ 41100 Modena ✆ 283600, Fax 283910, – |♦| ▤ TV ☎ ♿ P – 100. AE. S. ● E VISA
Pasto vedere rist ***Antica Moka*** – ☕ 18000 – **76 cam** 170/240000.

Antica Moka - Rechigi Park Hotel, località Fossalta per ③ : *4 km* ✉ 41100 Modena ✆ 284008, Fax 284048, , prenotare – ▤ P. AE. S. ● E VISA. ✻
chiuso sabato a mezzogiorno, domenica, dal 1º all'8 gennaio ed agosto – **Pasto** carta 55/90000.

XX **Vinicio,** località Fossalta per ③ : *4 km* ✉ 41100 Modena ☎ 280313, Fax 281902, « Serv estivo all'aperto » – ▤ Ⓟ. AE. Ⓢ. ⓓ E VISA. JCB. ✻
chiuso domenica, lunedì ed agosto – **Pasto** 40000 (a mezzogiorno) 50000 (alla sera) e ca 40/55000.

XX **La Quercia di Rosa,** località Fossalta per ③ : *4 km* ✉ 41100 Modena ☎ 2807 « Servizio estivo all'aperto in giardino ombreggiato con laghetto » – ▤ Ⓟ. AE. Ⓢ. ⓓ VISA. ✻
chiuso martedì, domenica sera, dal 24 al 26 dicembre e dall'8 al 22 agosto – **Pasto** ca 45/60000.

X **La Piola,** strada Cave di Ramo 248 per ⑤ : *6 km* ✉ 41100 Modena ☎ 848052, « Tratto tipica con servizio estivo all'aperto »
chiuso a mezzogiorno (escluso domenica), lunedì, martedì e dal 10 al 22 agosto – **Pas** vecchia cucina modenese 25/40000.

sull'autostrada A 1 – Secchia *per ⑤ : 7 km :*

Forte Agip senza rist, via Tre Olmi 19 ✉ 41100 Modena ☎ 848221, Telex 5221 Fax 848522 – |♦| ▤ TV ☎ ♿ Ⓟ – 🚻 150. AE. Ⓢ. ⓓ E VISA. JCB
184 cam ☕ 165/180000.

sulla strada statale 486 :

Mini Hotel Le Ville senza rist, via Giardini 1270 per ⑤ : *7 km* ✉ 41100 Mode ☎ 510051, Fax 511187, ≦, ⛱ – |♦| ▤ TV ☎ ♿ Ⓟ – 🚻 50. AE. Ⓢ. ⓓ E VISA
chiuso dal 10 al 20 agosto – **46 cam** ☕ 110/160000.

XX **Al Caminetto-da Dino,** strada Martiniana 240 per ⑤ : *9,5 km* ✉ 41100 Mode ☎ 510152, ⛱ – Ⓟ. AE. Ⓢ. ⓓ E VISA
chiuso lunedì, dal 23 al 30 dicembre e dal 16 al 26 agosto – **Pasto** carta 50/70000.

sulla strada statale 12 :

XX **Europa 92,** stradello Nava 8 ✉ 41010 Vaciglio ☎ 460067, Fax 460067, ⛱ – Ⓟ – 🚻 7 AE. Ⓢ. ⓓ E VISA. ✻
chiuso lunedì, martedì a mezzogiorno, dal 10 al 25 gennaio e dal 1° al 18 agosto – **Past** carta 65/75000.

a Marzaglia *per ⑤ : 10 km – ✉ 41010 :*

XX **La Masseria,** ☎ 389262, prenotare la sera, « Servizio estivo in giardino » – AE. Ⓢ. ⓓ VISA. ✻
chiuso martedì e dal 24 dicembre al 5 gennaio – **Pasto** cucina tipica pugliese car 55/75000.

sulla via Vignolese :

XX **Baia del Re** con cam, prossimità casello autostrada Modena Sud ✉ 41010 San Donnin ☎ 469135, Fax 468306 – TV ☎ 🚗 Ⓟ. AE. Ⓢ. ⓓ E VISA
chiuso dal 24 dicembre al 16 gennaio e dal 1° al 20 agosto – **Pasto** *(chiuso domenica)* car 70/105000 – ☕ 11000 – **14 cam** 60/90000 – ½ P 115000.

XX **Antica Trattoria la Busa,** prossimità casello autostrada Modena Sud ✉ 41057 Spilan berto ☎ 469422, ⛱ – Ⓟ. AE. Ⓢ. ⓓ E VISA. ✻
chiuso lunedì ed agosto – **Pasto** carta 45/55000.

MODICA *Ragusa 988 ㊲, 432 Q 26 – Vedere Sicilia alla fine dell'elenco alfabetico.*

MODUGNO *70026 Bari 988 ㉙, 431 D 32 – 36 984 ab. alt. 79 – ✆ 080.*

Roma 443 – Bari 11 – Barletta 56 – Matera 53 – Taranto 93.

sulla strada statale 96 *NE : 3 km :*

H R, ✉ 70123 Bari Ovest ☎ 5057029, Fax 5057029, ⛱, 🎾, ✻ – |♦| ▤ TV ☎ Ⓟ – 🚻 150 AE. Ⓢ. ⓓ E VISA. JCB. ✻ rist
Pasto *(chiuso sabato e domenica)* carta 40/55000 – **86 cam** ☕ 115/180000 – P 140 160000.

MOENA *38035 Trento 988 ④ ⑤, 429 C 16 G. Italia – 2 596 ab. alt. 1 184 – a.s. febbraio-Pasqua Natale – Sport invernali : ad Alpe Lusia : 1 200/2 420 m ⛷2 ⛷7 (vedere anche passo Sa Pellegrino) – ✆ 0462.*

ℹ *piazza Cesare Battisti ☎ 573122, Fax 574342.*

Roma 671 – Belluno 71 – Bolzano 44 – Cortina d'Ampezzo 74 – Milano 329 – Trento 89.

Alpi, via Moene 47 ℘ 573194, Fax 574412, ←, – . . . .
15 dicembre-20 aprile e 15 giugno-settembre – **Pasto** carta 40/55000 – **37 cam** 95/175000 – ½ P 100/130000.

Patrizia, via Rif 2 ℘ 573185, Fax 574087, ←, – . . .
20 dicembre-Pasqua e 20 giugno-20 settembre – **Pasto** 35/45000 – 12000 – **34 cam** 105/190000 – ½ P 80/135000.

Monza, via Val S. Maria 16 ℘ 573205, Fax 573609, ←, , – . . .
6 dicembre-20 aprile e 22 giugno-26 settembre – **Pasto** 30/40000 – 15000 – **16 cam** 120/160000, 2 appartamenti – ½ P 95/135000.

Post Hotel, piazza Italia 10 ℘ 573760, Fax 573281 – . . . .
dicembre-Pasqua e 15 giugno-settembre – **Pasto** vedere rist ***Tyrol*** – 18000 – 15 appartamenti 180000 – ½ P 75/140000.

La Rondinella, via Löwy 86 ℘ 573258, Fax 574524 – . rist
21 dicembre-5 aprile e 21 giugno-27 settembre – **Pasto** carta 35/60000 – 15000 – **20 cam** 100/160000 – P 60/140000.

Catinaccio, via Someda 6 ℘ 573235, Fax 574474, ← Dolomiti, , , , – . . . . rist
20 dicembre-Pasqua e luglio-15 settembre – **Pasto** 30/45000 – **52 cam** 150/220000 – ½ P 130/180000.

Cavalletto, via Carezza 1 ℘ 573164, Fax 574625, – .
dicembre-aprile e giugno-settembre – **Pasto** 20/30000 – 10000 – **33 cam** 70/130000 – ½ P 95/120000.

Piedibosco, località Sorte ℘ 573389, Fax 574540, ← Dolomiti, – . rist
dicembre-Pasqua e giugno-settembre – **Pasto** (solo per alloggiati) – **23 cam** 65/110000 – ½ P 80/100000.

Leonardo, via Ciroch 5 ℘ 573355, Fax 574611, ← Dolomiti, – . . rist
20 dicembre-aprile e 15 giugno-settembre – **Pasto** carta 40/55000 – 12000 – **21 cam** 90/145000 – ½ P 90/130000.

Malga Panna, via Costalunga 29 ℘ 573489, Fax 573489, ← Dolomiti, – . .
Natale-Pasqua e giugno-settembre; chiuso lunedì (escluso luglio-agosto) – **Pasto** carta 60/85000
Spec. Tartara di cervo con finferli marinati. Tortelli di ricotta e porcini con salsa delicata ai cannellini. Sella di cervo con canederli ai funghi e salsa al Pinot nero.

Tyrol, piazza Italia 10 ℘ 573760 – . . . .
dicembre-Pasqua e 15 giugno-settembre – **Pasto** carta 45/70000.

Ja Navalge, via dei Colli 4 ℘ 573930, Fax 573930, prenotare – .
chiuso dal 1° al 15 giugno, dal 6 al 25 novembre e domenica sera-lunedì in bassa stagione – **Pasto** 40000 e carta 55/80000
Spec. Ravioli di ricotta di capra al profumo di maggiorana fresca (autunno-inverno). Piccione glassato al miele di pino con mele renette e scalogno (inverno-primavera). Tortino al cioccolato caldo con fantasia di frutta e gelato di menta.

Vedere anche : **Soraga** *N : 2 km*
Costalunga (Passo di) *E : 12,2 km*

MOGGIONA *Arezzo* 430 K 17 – *Vedere Camaldoli.*

MOGGIO UDINESE *33015 Udine* 429 C 21 – *2 075 ab. alt. 337* – *0433.*

Roma 677 – Udine 50 – Cortina d'Ampezzo 117 – Lienz 97 – Tarvisio 48.

Locanda San Gallo, ℘ 51078,

MOGLIANO VENETO *31021 Treviso* 988 ⑤, 429 F 18 – *26 065 ab.* – *041.*

18 e 9 *Villa Condulmer (chiuso lunedì) a Zerman 31020 ℘ 457062, Fax 457202, NE : 4 km.*

Roma 529 – Venezia 17 – Milano 268 – Padova 38 – Treviso 12 – Trieste 152 – Udine 121.

Villa Stucky, via Don Bosco 47 ℘ 5904528, Fax 5904566, , « Elegante villa d'epoca in un piccolo parco » – – 40. . . .
Pasto *(chiuso domenica sera e lunedì a mezzogiorno)* carta 45/70000 – **19 cam** 200/330000, appartamento – ½ P 225/260000.

Duca d'Aosta senza rist, piazza Duca d'Aosta 31 ℘ 5904990, Fax 5904381 – – 60. . . .
16 cam 155/245000, 8 appartamenti.

Al Bacareto, via Marconi 83 ℘ 5902122 – . . . .
chiuso lunedì e luglio o agosto – **Pasto** carta 35/50000.

a Zerman *NE : 4 km – ✉ 31020 :*

Villa Condulmer ⑤, via Zermanese 1 ✆ 457100, Fax 457134, « Villa veneta 18° secolo in un parco », ⛱, 🎾, 9 18 – ▤ cam 📺 ☎ P – 🏛 80. AE. 🅂. ● E VISA. ✂ r
Pasto carta 65/110000 – **52 cam** ☕ 170/380000 – ½ P 190/240000.

MOIA DI ALBOSAGGIA *Sondrio – Vedere Sondrio.*

MOLA DI BARI *70042 Bari* 988 ㉙, 431 D 33 – *26 387 ab.* – ✆ *080.*
Roma 436 – Bari 21 – Brindisi 93 – Taranto 105.

Niccolò Van Westerhout, via De Amicis 3/5 ✆ 4744253 – ▤. AE. 🅂. ● E VISA. JCB
chiuso martedì – **Pasto** carta 35/65000.

MOLFETTA *70056 Bari* 988 ㉙, 431 D 31 *G. Italia – 65 801 ab.* – ✆ *080.*
Roma 425 – Bari 30 – Barletta 30 – Foggia 108 – Matera 69 – Taranto 115.

Garden, via provinciale Terlizzi ✆ 941722, Fax 9349291, 🌳 – |‡| ▤ 📺 ☎ 🚗 P – 🏛 AE. 🅂. ● E VISA. JCB. ✂
Pasto (solo per alloggiati) – **60 cam** ☕ 90/125000 – P 120000.

Borgo Antico, piazza Municipio 20 ✆ 9974379 – ▤

Bistrot, via Dante 33 ✆ 3975812 – ▤. AE E VISA
chiuso mercoledì – **Pasto** carta 25/45000.

MOLINELLA *40062 Bologna* 429, 430 I 17 – *12 501 ab.* – ✆ *051.*
Roma 413 – Bologna 38 – Ferrara 34 – Ravenna 54.

Mini Palace senza rist, via Circonvallazione Sud 2 ✆ 881180, Fax 881180, 🌳 – 📺 ☎ AE. 🅂. ● E VISA. ✂
chiuso dal 23 dicembre al 3 gennaio e dal 10 al 20 agosto – ☕ 15000 – **21 cam** 115/1650

MOLINI (MÜHLEN) *Bolzano – Vedere Falzes.*

MOLINI DI TURES (MÜHLEN) *Bolzano – Vedere Campo Tures.*

MOLITERNO *85047 Potenza* 988 ㉘, 431 G 29 – *4 966 ab. alt. 879* – ✆ *0975.*
Roma 390 – Potenza 85 – Lagonegro 32 – Napoli 190 – Salerno 134.

Vecchio Ponte, località Piano di Maglie S : 7 km ✆ 64941, 🌳 – ▤ P. AE. 🅂. ● VISA.
Pasto carta 25/45000.

MOLLIÈRES *Torino – Vedere Cesana Torinese.*

MOLTRASIO *22010 Como* 428 E 9, 219 ⑧ ⑨ – *1 863 ab. alt. 247* – ✆ *031.*
Roma 634 – Como 9 – Menaggio 26 – Milano 57.

Grand Hotel Imperiale M ⑤, via Durini ✆ 346111, Fax 346120, ≤, « ⛱ riscaldata riva al lago », Fo, 🌳, 🎾 – |‡| ✂ cam ▤ 📺 ☎ ♿ 🚗 P – 🏛 200. AE. 🅂. ● E VISA. ✂ ri
marzo-novembre – **Pasto** 40/55000 – **90 cam** ☕ 250/310000, 2 appartamenti – ½ P 17 190000.

Imperialino, via Antica Regina 26 ✆ 346600, Fax 346606, ≤, 🏠, 🌳 – AE. 🅂. ● E VIS ✂
chiuso gennaio o febbraio e lunedì (escluso da giugno a settembre) – **Pasto** carta 6 90000.

Posta con cam, piazza San Rocco 5 ✆ 290444, Fax 290657, ≤, « Servizio estivo all'aper to » – |‡| ▤ 📺 ☎. AE. 🅂. ● E VISA
chiuso gennaio e febbraio – **Pasto** *(chiuso mercoledì)* carta 40/90000 – ☕ 15000 – **19 ca** 100/150000 – ½ P 95/110000.

Lisez attentivement l'introduction : c'est la clé du guide.

MOLVENO *38018 Trento 988 ④, 428, 429 D 14 G. Italia – 1 025 ab. alt. 864 – a.s. Pasqua e Natale – Sport invernali : 900/1 528 m ⛡1 ⛷2 (vedere anche Andalo e Fai della Paganella) – ☎ 0461.*
Vedere Lago★★.

ℹ piazza Marconi 4 ✆ 586924, Fax 586221.

Roma 627 – Trento 44 – Bolzano 65 – Milano 211 – Riva del Garda 46.

Ischia, via Lungolago 8 ✆ 586057, Fax 586985, ←, « Giardino fiorito », ⛹ – 🛗 📺 ☎ 🅿. AE. 🅂. ⓓ E VISA. ✻ rist
20 dicembre-marzo, Pasqua e giugno-settembre – **Pasto** 35/45000 – **35 cam** ☕ 100/160000 – ½ P 70/115000.

Du Lac, ✆ 586965, Fax 586247, ←, 🌳 – 🛗 📺 ☎ 🅿. AE. 🅂. E VISA. ✻ rist
20 dicembre-10 gennaio e maggio-ottobre – **Pasto** 25/30000 – ☕ 15000 – **44 cam** 85/130000 – P 75/135000.

Alexander H. Cima Tosa, ✆ 586928, Fax 586950, ← Gruppo del Brenta e lago – 🛗 📺 ☎ 🅿 – 🏛 70. AE. 🅂. ⓓ E VISA. ✻
chiuso dal 13 al 31 gennaio, dal 17 al 26 marzo e dal 3 novembre al 19 dicembre – **Pasto** carta 40/55000 – **36 cam** ☕ 85/140000 – ½ P 65/125000.

Belvedere, via Nazionale 9 ✆ 586933, Fax 586044, ←, ⛆, 🏊 – 🛗 📺 ☎ 🅿. 🅂. E VISA. ✻
chiuso da novembre al 20 dicembre – **Pasto** 35/45000 – ☕ 12000 – **52 cam** 195/220000 – ½ P 85/145000.

Lido, ✆ 586932, Fax 586143, « Grande giardino ombreggiato » – 🛗 📺 ☎ 🅿 – 🏛 100. AE ⓓ. ✻ rist
15 maggio-15 ottobre – **Pasto** 25/30000 – **59 cam** ☕ 110/185000 – ½ P 80/130000.

Gloria 🐦, via Lungolago 15 ✆ 586962, Fax 586079, ← Gruppo del Brenta e lago, 🌳 – 🛗 📺 ☎ 🅿. AE. 🅂. E VISA. ✻
Natale e giugno-settembre – **Pasto** 35/40000 – **35 cam** ☕ 100/185000, 4 appartamenti – ½ P 90/130000.

Londra, via Nazionale 26 ✆ 586943, Fax 586313, ←, 🌳 – 🛗 ☎ ♿ 🅿. 🅂. VISA. ✻ rist
chiuso dal 17 aprile al 15 maggio e novembre – **Pasto** 20/30000 – **39 cam** ☕ 70/135000 – ½ P 60/110000.

El Filò, ✆ 586151, « Caratteristica stube » – *stagionale.*

Un consiglio ***Michelin:***
per la buona riuscita di un viaggio, preparatelo in anticipo.
Le ***carte*** *e le* ***guide Michelin*** *vi danno tutte le indicazioni*
utili su: itinerari, curiosità, sistemazioni, prezzi, ecc.

MOMBELLO MONFERRATO *15020 Alessandria – 1 134 ab. alt. 294 – ☎ 0142.*

Roma 626 – Alessandria 48 – Torino 61 – Asti 38 – Milano 95 – Vercelli 39.

Hostaria dal Paluc, via Sangrato 32 località Zenevreto N : 2 km ✆ 944126, Fax 944126, solo su prenotazione, « Servizio estivo all'aperto con ← » – AE. 🅂. E VISA. ✻
chiuso lunedì, martedì e da gennaio al 14 febbraio – **Pasto** carta 40/60000.

Dubini, via Roma 34 ✆ 944116, Fax 944116 –. 🅂. E VISA
chiuso mercoledì e dal 25 luglio al 18 agosto – **Pasto** carta 30/40000.

MOMBISAGGIO *Alessandria – Vedere Tortona.*

MOMO *28015 Novara 988 ②, 428 F 7 – 2 840 ab. alt. 213 – ☎ 0321.*

Roma 640 – Stresa 46 – Milano 66 – Novara 15 – Torino 110.

Macallè con cam, ✆ 926064, Fax 926828 – ▤ 📺 ☎ 🅿. AE. 🅂. ⓓ E VISA. ✻
chiuso dal 5 al 15 gennaio e dal 16 al 30 agosto – **Pasto** *(chiuso mercoledì)* carta 50/80000 – ☕ 10000 – **8 cam** 90/150000 – ½ P 130000.

MONASTEROLO DEL CASTELLO *24060 Bergamo 428, 429 E 11 – 931 ab. alt. 347 – ☎ 035.*

Roma 585 – Bergamo 28 – Brescia 61 – Milano 72.

Locanda del Boscaiolo 🐦 con cam, via Monte Grappa 41 ✆ 810073, ←, prenotare, « Servizio estivo sotto un pergolato in riva al lago » – ☎ 🅿. AE. 🅂. ⓓ E VISA
chiuso novembre – **Pasto** *(chiuso martedì escluso da giugno ad agosto)* carta 40/65000 – ☕ 8000 – **13 cam** 45/60000 – ½ P 60000.

MONASTIER DI TREVISO *31050 Treviso 429 F 19 – 3 419 ab. – ☎ 0422.*

Roma 548 – Venezia 30 – Milano 287 – Padova 57 – Treviso 17 – Trieste 125 – Udine 96.

Menegaldo, località Pralongo E : 4 km ✆ 798025 – ▤ 🅿. AE. 🅂. ⓓ E VISA
chiuso mercoledì e dal 25 luglio al 20 agosto – **Pasto** specialità di mare carta 35/55000.

MONCALIERI *10024 Torino 988 ⑫, 428 G 5 – 58 789 ab. alt. 260 – ☎ 011.*
Roma 662 – Torino 10 – Asti 47 – Cuneo 86 – Milano 148.

Pianta d'insieme di Torino (Torino p. 3).

RestHotel Primevère, strada Palera 96 ✆ 6813331, Fax 6813344 – cam – 100. AE. VISA. HU
Pasto 35000 – **80 cam** 150/190000.

Ca' Mia, strada Revigliasco 138 ✆ 6472808, Fax 6472808, – 70. AE. VISA GHU
chiuso mercoledì – **Pasto** carta 45/60000.

Rosa Rossa, via Carlo Alberto 5 ✆ 645873, Trattoria tipica – AE. VISA GU
chiuso domenica sera, lunedì ed agosto – **Pasto** cucina piemontese carta 50/65000.

a Revigliasco *NE : 8 km – ✉ 10020 :*

'L Vej Osto, via Beria 32 ✆ 8608224, Coperti limitati, prenotare –. VISA
chiuso a mezzogiorno, domenica, dal 1° al 10 gennaio e dal 10 al 20 agosto – **Pasto** ca 40/65000. HU

MONCALVO *14036 Asti 988 ⑫, 428 G 6 – 3 432 ab. alt. 305 – ☎ 0141.*
Roma 633 – Alessandria 48 – Torino 74 – Asti 21 – Milano 98 – Vercelli 42.

Ametista, piazza Antico Castello 15 ✆ 917423 – AE. VISA.
chiuso mercoledì – **Pasto** carta 35/55000.

a Cioccaro *SE : 5 km – ✉ 14030 Cioccaro di Penango :*

Locanda del Sant'Uffizio-da Beppe ✆ 916292, Fax 916068, « Anti fattoria con parco e », – 80. VISA.
chiuso dal 6 al 22 gennaio e dal 10 al 20 agosto – **Pasto** *(chiuso martedì)* 100000 – 200 – **31 cam** 260000, 4 appartamenti – ½ P 260/340000
Spec. Gnocchetti ripieni di fonduta al tartufo bianco (autunno). Girello di fassone al sale c insalatina di borlotti. Cosciotto di capretto in crosta con frattaglie (primavera-estate).

MONCHIO DELLE CORTI *43010 Parma 428, 429 I 12 – 1 334 ab. alt. 841 – ☎ 0521.*
Roma 456 – La Spezia 61 – Parma 66.

a Trefiumi *S : 5 km – alt. 938 – ✉ 43010 Monchio delle Corti :*

Lo Scoiattolo, con cam, ✆ 899134 –
14 cam.

MONCLASSICO *38020 Trento 428, 429 C 14, 218 ⑲ – 739 ab. alt. 782 – ☎ 0463.*
Roma 635 – Bolzano 65 – Sondrio 102 – Trento 63.

Ariston, via Battisti ✆ 974967, Fax 974968 – VISA. rist
20 dicembre-Pasqua e 15 giugno-20 settembre – **Pasto** carta 35/50000 – 9000
31 cam 80/135000 – ½ P 75/135000.

MONDAVIO *61040 Pesaro e Urbino 430 K 20 – 3 842 ab. alt. 280 – ☎ 0721.*
Roma 264 – Ancona 56 – Macerata 106 – Pesaro 44 – Urbino 45.

La Palomba, via Gramsci 13 ✆ 97105, Fax 977048 – AE. VISA. JCB.
Pasto *(chiuso lunedì sera da novembre a marzo)* carta 35/50000 – 6000 – **16 ca** 50/75000 – ½ P 40/65000.

MONDELLO *Palermo 988 ㉟, 432 M 21 – Vedere Sicilia alla fine dell'elenco alfabetico.*

MONDOVÌ *Cuneo 988 ⑫, 428 I 5 – 22 175 ab. alt. 559 – ✉ 12084 Mondovì Breo – ☎ 0174.*
viale Vittorio Veneto 17 ✆ 40389, Fax 481266.
Roma 616 – Cuneo 27 – Genova 117 – Milano 212 – Savona 71 – Torino 80.

Park Hotel, via Delvecchio 2 ✆ 46666, Fax 47771 – rist – 200. AE VISA
Pasto al Rist. ***Villa Nasi*** *(chiuso domenica sera, lunedì, dal 1° al 10 gennaio e dall'8 22 agosto)* carta 30/45000 – 10000 – **54 cam** 85/110000, 3 appartamenti – ½ P 70000.

Europa senza rist, via Torino 29-Borgo Aragno ✆ 44388, Fax 44389 – VISA
10000 – **17 cam** 85/120000.

MONEGLIA *16030 Genova 428 J 10 – 2 682 ab. – ☎ 0185.*
Roma 456 – Genova 58 – Milano 193 – Sestri Levante 12 – La Spezia 58.

Mondial, O : 1 km ☎ 49339, Fax 49943, ≤, – ▮ ▤ rist ☎ Ⓟ
marzo-ottobre – **Pasto** 50000 – ☐ 15000 – **50 cam** 120/150000 – ½ P 90/125000.

Villa Edera, via Venino 12/13 ☎ 49291, Fax 49470, ≤ – ▮ TV ☎ & Ⓟ. AE. ⓢ. E VISA.
marzo-5 novembre – **Pasto** (solo per alloggiati) 30/45000 – **26 cam** ☐ 110/160000 – ½ P 90/120000.

Maggiore, piazza Garibaldi 1 ☎ 49355, ≤ – ▮ ☎. AE. ⓢ. ⓓ E VISA.
25 marzo-settembre – **Pasto** 30/35000 – **33 cam** ☐ 70/95000 – ½ P 80/85000.

Piccolo Hotel, ☎ 49374, Fax 401292 – ▮ TV ☎ Ⓟ. ⓓ E VISA.
marzo-25 ottobre – **Pasto** *(chiuso giovedì)* 30/40000 – **26 cam** ☐ 90/150000 – ½ P 85/110000.

verso Lemeglio *SE : 2 km :*

La Ruota, alt. 200 ✉ 16030 ☎ 49565, ≤ mare e Moneglia, Coperti limitati; prenotare – Ⓟ
chiuso novembre e mercoledì (escluso dal 15 giugno al 15 settembre) – **Pasto** specialità crostacei e di mare 70/115000.

MONFALCONE *34074 Gorizia 988 ⑥, 429 E 22 – 26 775 ab. – ☎ 0481.*
Roma 641 – Udine 42 – Gorizia 24 – Grado 24 – Milano 380 – Trieste 30 – Venezia 130.

Lombardia Ⓜ, piazza della Repubblica 21 ☎ 411275, Fax 411709 – ▮ ▤ TV ☎ &. AE. ⓢ. ⓓ E VISA.
chiuso dal 20 dicembre al 7 gennaio – **Pasto** al Rist. ***Nautilus*** *(chiuso domenica)* carta 40/55000 – ☐ 12000 – **18 cam** 130/180000 – ½ P 130/185000.

Hannibal, via Bagni (Centro Motovelico) ☎ 798006 – ▤ Ⓟ. AE. ⓢ. ⓓ E VISA. JCB
chiuso lunedì e dal 10 al 30 gennaio – **Pasto** carta 45/70000.

Locanda ai Campi, via Napoli 7 ☎ 481937 – Ⓟ. AE. ⓢ. ⓓ E VISA.
chiuso sabato, domenica e lunedì da settembre a maggio, solo lunedì negli altri mesi – **Pasto** carta 45/65000.

Per l'inserimento in ***guida,***
Michelin *non accetta*
né favori, né denaro!

MONFORTE D'ALBA *12065 Cuneo 428 I 5 – 1 974 ab. alt. 480 – ☎ 0173.*
Roma 621 – Cuneo 62 – Asti 46 – Milano 170 – Savona 77 – Torino 75.

Giardino-da Felicin con cam, via Vallada 18 ☎ 78225, Fax 787377, ≤ colline e vigneti, prenotare, « Servizio estivo sotto un pergolato » – rist ☎ Ⓟ. ⓢ. E VISA.
chiuso da gennaio al 15 febbraio e dal 1° al 14 luglio – **Pasto** *(chiuso domenica sera e lunedì)* carta 45/70000 – ☐ 11000 – **10 cam** 90/130000 – ½ P 135/140000
Spec. Terrina di anguilla con verdure e aceto di Barolo (primavera-autunno). Tajarín con pomodoro e basilico. Agnello alla monfortina (primavera-autunno).

Trattoria della Posta, piazza XX Settembre 9 ☎ 78120 –. ⓢ. E VISA.
chiuso giovedì e dal 24 luglio al 6 agosto – **Pasto** carta 25/50000.

MONFUMO *31010 Treviso 429 E 17 – 1 414 ab. alt. 230 – ☎ 0423.*
Roma 561 – Belluno 57 – Treviso 38 – Venezia 78 – Vicenza 54.

Osteria alla Chiesa-da Gerry, ☎ 545077, Fax 545077, , prenotare la sera – AE. ⓢ. ⓓ E VISA. JCB.
chiuso lunedì – **Pasto** carta 40/60000.

MONGHIDORO *40063 Bologna 429, 430 J 15 – 3 105 ab. alt. 841 – ☎ 051.*
Roma 333 – Bologna 43 – Firenze 65 – Imola 54 – Modena 86.

Da Carlet, via Vittorio Emanuele 20 ☎ 6555506, –. ⓢ. E VISA
chiuso lunedì sera, martedì e dal 7 al 31 gennaio – **Pasto** carta 40/60000.

MONGUELFO (WELSBERG) *39035 Bolzano 988 ⑤, 429 B 18 – 2 418 ab. alt. 1 087 – Sport invernali : Plan de Corones: 1 087/2 273 m 11 21, – ☎ 0474.*
Palazzo del Comune ☎ 944118, Fax 944599.
Roma 732 – Cortina d'Ampezzo 42 – Bolzano 94 – Brunico 17 – Dobbiaco 11 – Milano 390 – Trento 154.

a Tesido (Taisten) *N : 2 km – alt. 1 219 – ✉ 39035 Monguelfo :*

Chalet Olympia ⓢ, ☎ 950012, Fax 944650, ≤, 🏠, ⌂, 🌲 – TV ☎ 🚗 Ⓟ. 🅂. E VISA. ✂ cam
chiuso maggio, giugno e novembre – **Pasto** *(chiuso lunedì)* carta 35/50000 – ☕ 15000 – **12 cam** 60/100000 – ½ P 85/100000.

Alpenhof ⓢ, O : 1 km ☎ 950020, Fax 950071, ≤ monti, ⌂, 🏊 riscaldata, 🌲 – TV ☎ 🚗 Ⓟ. ✂ rist
20 dicembre-10 aprile e 25 maggio-10 ottobre – **Pasto** (solo per alloggiati) – **13 cam** ☕ 70/130000 – ½ P 70/85000.

MONIGA DEL GARDA *25080 Brescia* 428, 429 F 13 – *1 539 ab. alt. 128 – a.s. Pasqua e luglio-15 settembre* – ☎ *0365.*
Roma 537 – Brescia 28 – Mantova 76 – Milano 127 – Trento 106 – Verona 52.

Al Gallo D'Oro, piazza San Martino 3 ☎ 502405, Fax 502408, 🏠, Coperti limitati; prenotare – AE. 🅂. E VISA
chiuso giovedì, venerdì a mezzogiorno e dal 15 gennaio al 15 febbraio – **Pasto** carta 50/70000.

La Pescatrice con cam, via Porto 18/a ☎ 502043, ≤, 🌲 – Ⓟ
Pasto *(chiuso lunedì)* carta 40/65000 (20 %) – **8 cam** ☕ 50/100000 – ½ P 60/70000.

MONOPOLI *70043 Bari* 988 ㉙, 431 E 33 – *48 030 ab. – a.s. 21 giugno-settembre* – ☎ *080.*
Roma 494 – Bari 45 – Brindisi 70 – Matera 80 – Taranto 60.

Il Melograno ⓢ, contrada Torricella 345 (SO : 4 km) ☎ 6909030, Fax 747908, 🏠, « In un'antica masseria fortificata », Fб, ⌂, 🏊, 🏊, ✂ – ▤ TV ☎ Ⓟ – 🏛 250. AE. 🅂. ⓞ E VISA ✂
23 marzo-2 novembre – **Pasto** carta 60/95000 – **33 cam** ☕ 310/500000 – ½ P 260/305000.

Vecchio Mulino, viale Aldo Moro 192 ☎ 777133, Fax 777654, 🏠 – |‡| ▤ TV ☎ ♿ 🚗 Ⓟ – 🏛 250. AE. 🅂. ⓞ E VISA. ✂
Pasto carta 35/55000 – **31 cam** ☕ 160/200000 – ½ P 135/170000.

Lido Bianco, via Procaccia 3 ☎ 8872167, Fax 8872167, ≤ – Ⓟ. AE. 🅂. ⓞ E VISA
chiuso dal 15 dicembre al 15 gennaio e lunedì (escluso da giugno a settembre) – **Pasto** carta 35/50000.

verso Torre Egnazia :

Porto Giardino ⓢ, contrada Lamandia 16/a (SE : 6,5 km) ✉ 70043 ☎ 801500, Fax 801584, In un complesso turistico, 🏊, 🌲, ✂ – |‡| ▤ TV ☎ Ⓟ – 🏛 500.
35 cam.

MONREALE *Palermo* 988 ㉟, 432 M 21 – *Vedere Sicilia alla fine dell'elenco alfabetico.*

MONRUPINO *34016 Trieste* 429 E 23 – *855 ab. alt. 418* – ☎ *040.*
Roma 669 – Udine 69 – Gorizia 45 – Milano 408 – Trieste 16 – Venezia 158.

Furlan, località Zolla 19 ☎ 327125, 🏠 – Ⓟ. ✂
chiuso lunedì, martedì, febbraio e luglio – **Pasto** cucina carsolina carta 40/60000.

Krizman ⓢ con cam, Rupingrande 76 ☎ 327115, Fax 327370, 🏠 – |‡| ☎ ♿ Ⓟ. AE. 🅂 ⓞ E VISA. ✂
Pasto *(chiuso martedì)* 30/45000 – ☕ 8000 – **17 cam** 60/90000 – ½ P 75/90000.

MONSAGRATI *55060 Lucca* 428 K 13 – ☎ *0583.*
Roma 352 – Lucca 4 – Pisa 26 – Viareggio 20.

Gina, via per Camaiore ☎ 385651, Fax 38248 – |‡| ▤ TV ☎ Ⓟ – 🏛 30. AE. 🅂. ⓞ E VISA JCB
Pasto *(chiuso martedì)* carta 35/55000 (10 %) – ☕ 5000 – **37 cam** 100/150000 – ½ P 80/120000.

ONSELICE *35043 Padova* 988 ⑤, 429 G 17 *G. Italia – 17 282 ab. alt. 8 –* ☎ *0429.*

Vedere ≤★ *dalla terrazza di Villa Balbi.*

Roma 471 – Padova 23 – Ferrara 54 – Mantova 85 – Venezia 64.

Ceffri, via Orti 7/b ☎ 783111, Fax 783100, ⛱, 🌳 – |‡| ▤ TV ☎ 🚗 P – 🏛 200. AE. ⓢ. ⓓ E VISA. ✗

Pasto 35/40000 bc e al Rist. ***Villa Corner*** carta 35/55000 – ☕ 13000 – **44 cam** 90/160000 – ½ P 110000.

La Torre, piazza Mazzini 14 ☎ 73752, Coperti limitati; prenotare – ▤. AE. ⓢ. ⓓ E. ✗
chiuso domenica sera, lunedì ed agosto – **Pasto** carta 45/70000.

ONSUMMANO TERME *51015 Pistoia* 988 ⑭, 428, 429, *430* K 14 *G. Toscana – 19 012 ab. alt. 23 – a.s. 18 luglio-settembre –* ☎ *0572.*

⛳18 *Montecatini (chiuso martedì) località Pievaccia* ✉ *51015 Monsummano Terme* ☎ *62218, Fax 617435.*

Roma 323 – Firenze 46 – Pisa 61 – Lucca 31 – Milano 301 – Pistoia 13.

Grotta Giusti 🐦, via Grotta Giusti 171 (E : 2 km) ☎ 51165, Fax 51269, « Grande parco fiorito con ⛱ », 🏋, ≘s, 🎾, 🌳 – |‡| ▤ TV ☎ ♿ P – 🏛 100. AE. ⓢ. ⓓ E VISA. JCB. ✗
marzo-novembre – **Pasto** 60000 – **70 cam** ☕ 150/250000 – ½ P 150/180000.

ONTACUTO *15050 Alessandria,* 428 H 9 *– 392 ab. alt. 556 –* ☎ *0131.*

Roma 585 – Alessandria 52 – Genova 69 – Piacenza 106.

Giarolo *SE : 3,5 km –* ✉ *15050 Montacuto :*

Forlino 🐦 con cam, frazione Giarolo 46 ☎ 785151, Fax 785173, prenotare – P. AE. ⓢ. ⓓ E VISA. ✗
chiuso gennaio – **Pasto** *(chiuso lunedì)* carta 55/65000 – **4 cam** ☕ 80/100000 – ½ P 140/150000.

When visiting ***northern Italy*** *use* ***Michelin maps*** 428 *and* 429.

ONTAGNA (MONTAN) *39040 Bolzano* 429 D 15, 218 ⑳ *– 1 427 ab. alt. 500 –* ☎ *0471.*

Roma 630 – Bolzano 24 – Milano 287 – Ora 6 – Trento 48.

Tenz, via Doladizza 3 (N : 2 km) ☎ 819782, Fax 819728, ≤ monti e vallata, 🏖, ≘s, ⛱, 🏊, 🌳, 🎾 – |‡| TV ☎ ♿ P. ⓢ. E VISA. ✗ rist
chiuso dal 25 novembre al 5 febbraio – **Pasto** *(chiuso martedì)* carta 40/70000 – **40 cam** ☕ 100/160000 – ½ P 90/120000.

ONTAGNANA *Firenze* 429, 430 K 15 *– Vedere Montespertoli.*

ONTAGNANA *Modena – Vedere Serramazzoni.*

ONTAGNANA *35044 Padova* 988 ④ ⑤, 429 G 16 *G. Italia – 9 438 ab. alt. 16 –* ☎ *0429.*

Vedere *Cinta muraria*★★.

Roma 475 – Padova 49 – Ferrara 57 – Mantova 60 – Milano 213 – Venezia 85 – Verona 58 – Vicenza 45.

Aldo Moro con cam, via Marconi 27 ☎ 81351, Fax 82842 – ▤ rist TV ☎ 🚗 – 🏛 30. AE E VISA. ✗
chiuso dal 3 al 10 gennaio e dal 25 luglio al 10 agosto – **Pasto** *(chiuso lunedì)* carta 45/75000 – ☕ 13000 – **13 cam** 95/145000, 10 appartamenti 185000 – ½ P 120000.

Hostaria San Benedetto, via Andronalecca 13 ☎ 800999, 🏖 – ▤. AE. ⓢ. ⓓ E VISA. ✗
chiuso mercoledì, dal 1° al 7 gennaio e dal 15 al 30 agosto – **Pasto** carta 40/75000.

ONTAIONE *50050 Firenze* 988 ⑭, 428, 430 L 14 *G. Toscana – 3 367 ab. alt. 342 –* ☎ *0571.*

Vedere *Convento di San Vivaldo*★ *SO : 5 km.*

⛳18 *Castelfalfi (chiuso martedì da ottobre a marzo) località Castelfalfi* ✉ *50050 Montaione* ☎ *698093, Fax 698098.*

Roma 289 – Firenze 59 – Siena 61 – Livorno 75.

Vecchio Mulino senza rist, viale Italia 10 ☎ 697966, Fax 697966, ≤ vallata, 🌳 – TV ☎. AE. ⓢ. ⓓ E VISA
16 cam ☕ 60/100000.

MONTALCINO *53024 Siena* 988 ⑮, 430 M 16 *G. Toscana – 5 075 ab. alt. 564 –* ☎ *0577.*
Vedere *Abbazia di Sant'Antimo★ S : 10 km Fortezza★★, Palazzo Comunale★.*
Roma 213 – Siena 41 – Arezzo 86 – Firenze 109 – Grosseto 57 – Perugia 111.

Dei Capitani senza rist, via Lapini 6 ☎ 847227, Fax 847227, ≤, « Terrazza con 🏊 » – |♦| ☎. AE. 🅂. E VISA. ✂
chiuso dal 10 gennaio al 28 febbraio – **29 cam** ☕ 100/150000.

Il Giglio, via Soccorso Saloni 5 ☎ 848167, Fax 848167, ≤ – TV ☎. 🅂. E VISA
chiuso dal 10 al 31 gennaio – **Pasto** carta 30/40000 – ☕ 10000 – **12 cam** 70/100000.

Poggio Antico, località Poggio Antico SO : 4 km ☎ 849200, Fax 849200, prenota « Casale con ≤ sulle colline » – 🅿. VISA. ✂
chiuso lunedì – **Pasto** carta 65/90000
Spec. Parfait di fegatini con salsa al Moscadello. Gnocchetti al ragù bianco di cinghia Piccione ripieno con salsa all'agretto.

Taverna dei Barbi, fattoria dei Barbi, località Podernovi SE : 5 km ☎ 8493 Fax 849356, prenotare – 🅿. AE. 🅂. ⦿ E VISA
chiuso gennaio, dal 1° al 15 luglio, martedì sera e mercoledì escluso agosto – **Pasto** ca 45/65000.

La Cucina di Edgardo, via Soccorso Saloni 21 ☎ 848232, Fax 848232, Coperti limit prenotare
chiuso mercoledì e dall'8 gennaio a febbraio – **Pasto** carta 40/60000.

MONTALE *51037 Pistoia* 429, 430 K 15 – *10 022 ab. alt. 85 –* ☎ *0573.*
Roma 303 – Firenze 29 – Pistoia 9 – Prato 10.

Il Cochino con cam, via Fratelli Masini 15 ☎ 959280, Fax 959280, 🏡 – TV ☎. AE. 🅂. ⦿ VISA. JCB. ✂
chiuso dal 1° al 25 agosto – **Pasto** *(chiuso sabato)* carta 30/45000 – ☕ 8000 – **16 ca** 65/100000 – ½ P 75/80000.

MONTALERO *Alessandria – Vedere Cerrina Monferrato.*

MONTALTO *42030 Reggio nell'Emilia* 429, 430 I 13 – *alt. 396 –* ☎ *0522.*
Roma 449 – Parma 50 – Milano 171 – Modena 47 – Reggio nell'Emilia 22 – La Spezia 113.

Hostaria Venturi, località Casaratta ☎ 600157, ≤, prenotare – 🅿. 🅂. ⦿ E VISA. ✂
chiuso le sere dei giorni festivi, lunedì ed agosto – **Pasto** carta 25/40000.

MONTAN = *Montagna.*

MONTE (BERG) *Bolzano* 218 ⑳ – *Vedere Appiano sulla Strada del Vino.*

MONTE ... MONTI *Vedere nome proprio del o dei monti.*

MONTEBELLO *Forlì-Cesena* 429, 430 K 19 – *alt. 452 –* ✉ *47030 Torriana –* ☎ *0541.*
Roma 354 – Rimini 24 – Bologna 129 – Forlì 68 – Milano 340.

Pacini, via Castello di Montebello 5/6 ☎ 675410, Fax 675236, ≤, 🏡 – AE. 🅂. ⦿ E VISA. ✂
chiuso mercoledì escluso agosto – **Pasto** carta 30/45000.

MONTEBELLO VICENTINO *36054 Vicenza* 988 ④, 429 F 16 – *5 565 ab. alt. 48 –* ☎ *0444.*
Roma 534 – Verona 35 – Milano 188 – Venezia 81 – Vicenza 17.

a Selva *NO : 3 km –* ✉ *36054 Montebello Vicentino :*

La Marescialla, ☎ 649216, Fax 649216 – 🅿. 🅂 E VISA. ✂
chiuso domenica sera, lunedì, dal 1° al 10 gennaio e dal 10 al 31 agosto – **Pasto** cart 40/60000.

MONTEBELLUNA *31044 Treviso* 988 ⑤, 429 E 18 – *25 825 ab. alt. 109 –* ☎ *0423.*
Dintorni *Villa del Palladio★★★ a Maser N : 12 km.*
Roma 548 – Padova 52 – Belluno 82 – Trento 113 – Treviso 22 – Venezia 53 – Vicenza 49.

Bellavista 🐎, via Zuccareda 20, località Mercato Vecchio ☎ 301031, Fax 303612, ≤, 🏋 ≘s, 🐕 – |♦| ▤ cam TV ☎ 🚗 🅿 – 🏛 50. AE. 🅂. ⦿ E VISA. JCB. ✂
chiuso dal 23 al 30 dicembre e dal 12 al 18 agosto – **Pasto** vedere rist ***Al Tiglio d'Oro*** – ☕ 15000 – **40 cam** 105/150000, 2 appartamenti – ½ P 120/130000.

🍴🍴 **Trattoria Marchi,** via Castellana 177 (SO : 4 km) ☎ 23875, Fax 303530, ⛱ – [P]. [AE]. [$]. ⓘ [E] [VISA]
chiuso martedì sera, mercoledì ed agosto – **Pasto** 35000 (a mezzogiorno) 70000 (alla sera) e carta 55/85000.

🍴🍴 **Al Tiglio d'Oro,** località Mercato Vecchio ☎ 22419, « Servizio estivo in giardino » – [P]. [AE]. [$]. ⓘ [E] [VISA]. 🚫🐕
chiuso venerdì, dal 2 al 7 gennaio e dal 1° al 15 agosto – **Pasto** carta 35/60000.

ONTEBENI *Firenze – Vedere Fiesole.*

ONTECALVO VERSIGGIA *27047 Pavia* [428] H 9 – *553 ab. alt. 410* – ✆ *0385.*
Roma 557 – Piacenza 44 – Genova 133 – Milano 76 – Pavia 38.

🍴 **Prato Gaio** 🐦 con cam, località Versa E : 3 km (bivio per Volpara) ☎ 99726 – [P]
Pasto *(chiuso lunedì sera, martedì e gennaio)* carta 35/60000 – ☕ 5000 – **7 cam** 50/70000 – ½ P 60/65000.

ONTECARLO *55015 Lucca* [428], [429], [430] K 14 – *4 228 ab. alt. 163* – ✆ *0583.*
Roma 332 – Pisa 45 – Firenze 58 – Livorno 65 – Lucca 17 – Milano 293 – Pistoia 27.

🏠 **Antica Casa dei Rassicurati** senza rist, via della Collegiata 2 ☎ 228901 – [TV] ☎. [AE]. [$]. [E] [VISA]
chiuso dal 15 al 30 gennaio – ☕ 5000 – **8 cam** 65/90000.

🍴🍴 **La Nina,** via S. Martino NO : 2,5 km ☎ 22178, Fax 22178, ⛱, prenotare, 🌳 – [P] – 👥 50. [AE]. [$]. ⓘ [E] [VISA]. 🚫🐕
chiuso lunedì sera, martedì, dal 2 al 17 gennaio e dal 7 al 23 agosto – **Pasto** carta 45/90000.

🍴 Alla Taverna di Mario, Piazza Carrara 12/13 ☎ 22588, ⛱.

San Martino in Colle *NO : 4 km – ✉ 55015 Montecarlo :*

🍴🍴 **La Legge,** via provinciale per Montecarlo ☎ 975601 – ❄ [P]. [AE] [VISA]
chiuso a mezzogiorno (escluso i giorni festivi), lunedì, dal 7 al 15 gennaio e dal 1° al 20 luglio – **Pasto** carta 40/65000 (10 %).

IONTECAROTTO *60036 Ancona* [988] ⑯, [430] L 21 – *2 146 ab. alt. 388* – ✆ *0731.*
Roma 248 – Ancona 50 – Foligno 95 – Gubbio 74 – Pesaro 67.

🍴🍴 **Le Busche,** via Contrada Busche 2 (SO : 4 km) ☎ 89172 – [P] – 👥 80. [AE]. [$]. ⓘ [E] [VISA]
chiuso lunedì – **Pasto** carta 45/65000.

IONTECASSIANO *62010 Macerata* [430] L 22 – *6 254 ab. alt. 215* – ✆ *0733.*
Roma 258 – Ancona 41 – Ascoli Piceno 103 – Macerata 11 – Porto Recanati 31.

🏠 Villa Quiete 🐦, località Vallecascia S : 3 km ☎ 599559, Fax 599559, « Parco ombreggiato » – 🛗 [TV] ☎ [P] – 👥 200.
36 cam.

IONTECASTELLI PISANO *56040 Pisa* [430] M 14 – *alt. 494* – ✆ *0588.*
Roma 296 – Siena 57 – Pisa 122.

🍴 **Santa Rosa-da Caterina,** S : 1 km ☎ 29929, ⛱ – [P]. [$]. [E] [VISA]
chiuso lunedì e dal 16 agosto al 4 settembre – **Pasto** carta 30/45000.

IONTE CASTELLO DI VIBIO *06057 Perugia* [430] N 19 – *1 704 ab. alt. 422* – ✆ *075.*
Roma 144 – Perugia 43 – Viterbo 96 – Assisi 53 – Spoleto 48 – Orvieto 38 – Terni 50.

🏠 **Il Castello,** piazza Marconi 5 ☎ 8780660, Fax 8780676, ← – 🛗 ❄ [TV] ☎ – 👥 200. [AE]. [$]. ⓘ [E] [VISA]
Pasto 40/50000 – ☕ 10000 – **17 cam** 130/150000 – ½ P 100/110000.

IONTECATINI TERME *51016 Pistoia* [988] ⑭, [428], [429], [430] K 14 *G. Toscana – 20 650 ab. alt. 27 – Stazione termale (maggio-ottobre), a.s. 18 luglio-settembre* – ✆ *0572.*
⛳18 *(chiuso martedì) località Pievaccia ✉ 51015 Monsummano Terme ☎ 62218, Fax 617435, SE : 9 km.*
[i] *viale Verdi 66/a ☎ 772244, Fax 70109.*
Roma 323 ② – Firenze 48 ② – Pisa 55 ② – Bologna 110 ① – Livorno 73 ② – Milano 301 ② – Pistoia 15 ①.

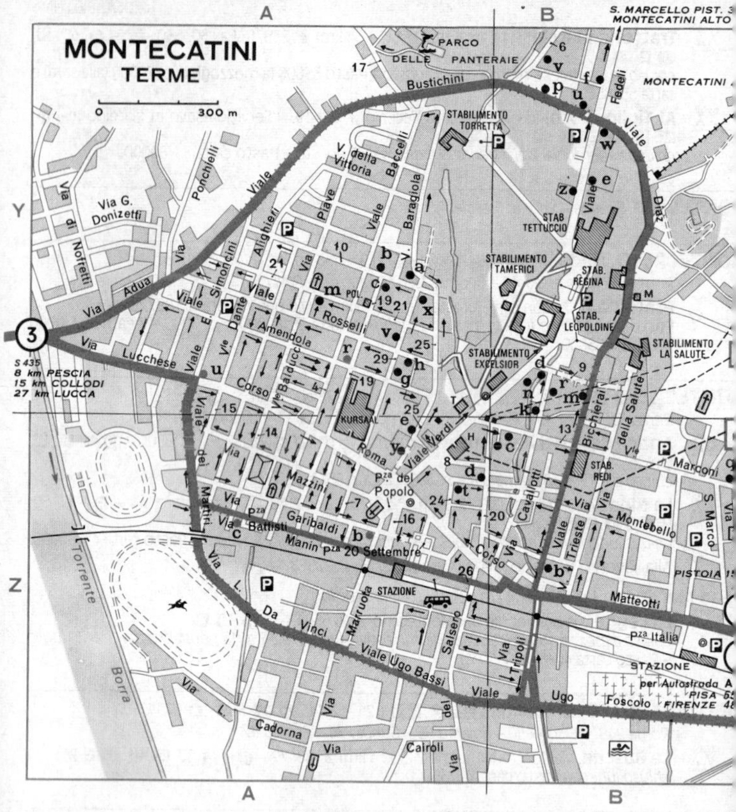

Matteotti (Corso) . . . . ABZ
S. Martino (Via) . . . . AZ 24
4 Novembre (Viale) . . . . AY 29

Bovio (Via G.) . . . . AY 4
Bruceto (Via) . . . . BY 6
Cavour (Via) . . . . AZ 7
D'Azeglio (Piazza M.) . . . . AZ 8
Grocco (Via) . . . . BY 9
Libertà (Viale della) . . . . AY 10
Manzoni (Viale) . . . . BZ 13
Martini (Viale) . . . . AZ 14
Melani (Viale) . . . . AYZ 15
Minzoni (Viale Don) . . . . AZ 16
Panteraie (Via) . . . . AY 1
Puccini (Viale) . . . . AY 1
Saline (Via delle) . . . . ABZ 2
S. Francesco d'Assisi (Viale) . . . . AY 2
Torretta (Via della) . . . . AYZ 2
Toti (Via) . . . . AZ 2

Gd H. e la Pace, via della Torretta 1 ☎ 75801, Fax 78451, « Parco fiorito con riscaldata », – 200. AE. ⓢ. E VISA. rist AZ
aprile-ottobre – **Pasto** 70/90000 – ☐ 30000 – **150 cam** 320/490000, 14 appartamenti ½ P 320/385000.

Gd H. Bellavista Palace e Golf, viale Fedeli 2 ☎ 78122, Telex 580395, Fax 73352 « Terrazze-giardino », – 200. AE. ⓢ. E VISA rist BY
chiuso febbraio – **Pasto** 70000 – **104 cam** ☐ 195/350000, 10 appartamenti – ½ P 190 250000.

Gd H. Croce di Malta, viale 4 Novembre 18 ☎ 75871, Fax 767516, riscaldata, – 150. AE. ⓢ. E VISA. AY
Pasto 50000 – **88 cam** ☐ 145/250000, 17 appartamenti – ½ P 150/190000.

Gd H. Tamerici e Principe, viale 4 Novembre 2 ☎ 71041, Fax 72992, « Terrazza giardino con riscaldata », – 120. AE. ⓢ. E VISA. rist
aprile-novembre – **Pasto** 65000 – ☐ 20000 – **130 cam** 150/260000, 25 appartamen 360000 – ½ P 130/185000. AY

Belvedere, viale Fedeli 10 ☎ 70251, Fax 70252, « Giardino », – 120. AE. ⓢ. E VISA. rist BY
Pasto 35/50000 – ☐ 15000 – **95 cam** 95/130000 – ½ P 85/105000.

Gd. H. Vittoria, viale della Libertà 2 ℘ 79271, Fax 910520, « Giardino con » – rist AY b
Pasto 50000 – **84 cam** 150/250000 – 1/2 P 90/150000.

Astoria, viale Fedeli 1 ℘ 71191, Fax 910900, « Giardino con riscaldata » – rist BY z
15 marzo-6 novembre – **Pasto** 45/60000 – 20000 – **65 cam** 130/220000 – 1/2 P 110/145000.

Gd H. Panoramic, viale Bustichini 65 ℘ 78381, Fax 78598, – 250. rist BY u
15 marzo-15 novembre – **Pasto** 60000 – **103 cam** 160/260000, appartamento – 1/2 P 95/145000.

Tettuccio, viale Verdi 74 ℘ 78051, Fax 75711 – 70. rist BY n
Pasto carta 45/60000 – 20000 – **70 cam** 150/200000 – 1/2 P 110/160000.

Francia e Quirinale, viale 4 Novembre 77 ℘ 70271, Fax 70275, – 80. AY v
aprile-ottobre – **Pasto** 40/60000 – 15000 – **115 cam** 140/180000 – 1/2 P 145/155000.

Imperial Garden, viale Puccini 20 ℘ 910862, Fax 910863, « Giardino ombreggiato e su terrazza panoramica », – rist AY c
chiuso dal 7 gennaio a febbraio – **Pasto** 35/40000 – **85 cam** 85/140000 – 1/2 P 100/115000.

Cappelli-Croce di Savoia, viale Bicchierai 139 ℘ 71151, Fax 71154, riscaldata, – 70. rist BY m
27 marzo-15 novembre – **Pasto** 35/45000 – **70 cam** 100/180000 – 1/2 P 110/125000.

Parma e Oriente, via Cavallotti 135 ℘ 72135, Fax 72137, riscaldata, – rist BY k
25 marzo-10 novembre – **Pasto** 30/40000 – 10000 – **51 cam** 85/140000 – 1/2 P 85/100000.

Torretta, viale Bustichini 63 ℘ 70305, Fax 70307, « Giardino ombreggiato con riscaldata » – rist BY p
aprile-ottobre – **Pasto** (solo per alloggiati) 40000 – 15000 – **63 cam** 90/150000 – 1/2 P 95/105000.

Boston, viale Bicchierai 20 ℘ 70379, Fax 770208, – rist
aprile-ottobre – **Pasto** 30000 – 10000 – **60 cam** 70/120000 – 1/2 P 90/100000. BZ b

Manzoni, viale Manzoni 28 ℘ 70175, Fax 911012, – 60. rist BZ c
15 marzo-15 novembre – **Pasto** (solo per alloggiati) 35000 – **49 cam** 100/150000 – 1/2 P 105000.

Michelangelo, viale Fedeli 9 ℘ 74571, Fax 72885, riscaldata, – rist BY f
aprile-10 novembre – **Pasto** 40/50000 – 15000 – **73 cam** 90/120000 – 1/2 P 95/100000.

Reale, via Palestro 7 ℘ 78073, Fax 78076, – 50. rist AZ d
15 marzo-15 novembre – **Pasto** (solo per alloggiati) 40000 – 10000 – **52 cam** 80/150000 – P 70/115000.

San Marco, viale Rosselli 3 ℘ 71221, Fax 770577 – rist AY h
aprile-novembre – **Pasto** 45000 – 13000 – **61 cam** 80/140000 – 1/2 P 80/120000.

Mediterraneo, via Baragiola 1 ℘ 71321, Fax 71323, « Giardino ombreggiato » – rist AY a
Pasqua-ottobre – **Pasto** 40/50000 – 15000 – **33 cam** 80/130000 – 1/2 P 90/100000.

Metropole, via della Torretta 13 ℘ 70092, Fax 910860, – AZ e
aprile-ottobre – **Pasto** (solo per alloggiati) 30/40000 – 10000 – **40 cam** 75/120000 – 1/2 P 90/100000.

Corallo, via Cavallotti 116 ℘ 79642, Fax 78288, – 100. rist BY r
Pasto 30/40000 – 10000 – **54 cam** 90/150000 – 1/2 P 90/95000.

Ercolini e Savi, via San Martino 18 ℘ 70331, Fax 71624 – rist – 25. AZ t
chiuso dall'8 gennaio al 1° febbraio – **Pasto** (solo per alloggiati) 40/50000 – 12000 – **79 cam** 90/140000 – 1/2 P 85/125000.

Villa Ida, viale Marconi 55 ℘ 78201, Fax 772008 – rist
chiuso dicembre e gennaio – **Pasto** (solo per alloggiati) 20/30000 – 10000 – **20 cam** 65/100000 – 1/2 P 80/90000. BZ q

Settentrionale Esplanade, via Grocco 2 ℘ 70021, Fax 767486, 🏊, 🌳 – 🛗 ▤ 📺 🚗 – 🏛 110. AE. 🅂. ⓞ E VISA. ✗ rist BY
aprile-30 ottobre – **Pasto** 40000 – ☕ 15000 – **99 cam** 130/210000 – P 135/150000.

Augustus, viale Manzoni 21 ℘ 70119, Fax 71291 – 🛗 ▤ 📺 ☎ 🅟 – 🏛 50. AE. 🅂. ⓞ VISA. ✗ rist BZ
febbraio-dicembre – **Pasto** (solo per alloggiati) 40000 – ☕ 10000 – **52 cam** 110/175000 ½ P 90/105000.

Casa Rossa, viale Fedeli 68 ℘ 79541 – 🛗 ☎ 🅟 BY
stagionale – **33 cam.**

Villa Splendor, viale San Francesco d'Assisi 15 ℘ 78630, Fax 78216 – 🛗 ▤ rist 📺 ☎. VISA. ✗ rist AY
aprile-ottobre – **Pasto** 35/50000 – ☕ 7000 – **27 cam** 60/100000 – ½ P 70/85000.

Palo Alto, via Bruceto 10 ℘ 78554, Fax 771090 – 🛗 ▤ rist 📺 ☎. AE. 🅂. ⓞ E VISA ✗ rist BY
15 marzo-novembre – **Pasto** 30/35000 – ☕ 6000 – **12 cam** 65/85000 – ½ P 65/75000.

Gourmet, viale Amendola 6 ℘ 771012, Fax 71956, Coperti limitati; prenotare – ▤. AE. 🅂. ⓞ E VISA. ✗ AY
chiuso martedì, dal 7 al 20 gennaio e dal 1° al 20 agosto – **Pasto** carta 75/110000 (12 %).

Enoteca Giovanni, via Garibaldi 25 ℘ 71695 – ▤. AE. 🅂. ⓞ E VISA. ✗ AZ
chiuso lunedì escluso settembre – **Pasto** carta 60/90000.

San Francisco, corso Roma 112 ℘ 79632, Fax 771227 – ▤. 🅂. ⓞ VISA. ✗ AY
chiuso giovedì e da luglio a settembre anche a mezzogiorno – **Pasto** carta 45/60000 (12 %).

Egisto con cam, piazza Cesare Battisti 13 ℘ 78413, Fax 78413, Rist. e pizzeria – 📺. AE. 🅂. ⓞ E VISA. ✗ rist AZ
chiuso dal 25 gennaio al 10 febbraio e dal 15 al 30 luglio – **Pasto** *(chiuso martedì)* carta 35/45000 (10 %) – ☕ 8000 – **12 cam** 50/85000 – ½ P 75000.

a Pieve a Nievole *per ① : 2 km – ✉ 51018 :*

Uno Più, via Matteotti 142 ℘ 951143 – 🅟. 🅂. ⓞ E VISA. ✗
chiuso lunedì ed agosto – **Pasto** carta 35/60000.

a Montecatini Alto *NE : 5 km* BY *– ✉ 51016 :*

La Torre, piazza Giusti 8/9 ℘ 70650, 🌂 –. 🅂. E VISA
chiuso martedì – **Pasto** carta 40/55000 (10 %).

sulla via Marlianese *per viale Fedeli :*

Montaccolle, via Marlianese 27 (N : 6,5 km) ✉ 51016 ℘ 72480, ≤, 🌂 – 🅟. AE. 🅂. ⓞ VISA. ✗
chiuso a mezzogiorno (escluso i giorni festivi), lunedì e dal 6 novembre al 6 dicembre – **Pasto** carta 40/65000.

a Nievole *per ① : 7 km – ✉ 51010 :*

Da Pellegrino, località Renaggio 6 ℘ 67158, 🌂 – 🅟. AE. 🅂. ⓞ E VISA
chiuso mercoledì – **Pasto** cucina casalinga toscana carta 35/65000.

MONTECCHIA DI CROSARA *37030 Verona* 429 F 15 – *4 035 ab. alt. 87* – ☎ *045.*

Roma 534 – Verona 34 – Milano 188 – Venezia 96 – Vicenza 33.

Baba-Jaga, via Cabalao ℘ 7450222, ≤, 🌂, 🌳 – ▤ 🅟. AE. 🅂. ⓞ E VISA. ✗
chiuso domenica sera, lunedì, gennaio e dal 1° al 15 agosto – **Pasto** carta 50/80000.

al bivio per Roncà *SE : 3 km :*

Tregnago con cam, via Campitelli 3 ✉ 37030 ℘ 7460036, « Giardino ombreggiato » – 📺 ☎ 🅟 – 🏛 300. AE. 🅂. ⓞ E VISA. ✗
Pasto *(chiuso mercoledì e dal 4 al 14 agosto)* carta 30/50000 – ☕ 12000 – **8 cam** 75/110000 – ½ P 65/75000.

MONTECCHIO MAGGIORE *36075 Vicenza* 988 ④, 429 F 16 *G. Italia – 20 080 ab. alt. 72* ☎ *0444.*

Vedere *≤★ dai castelli – Salone★ della villa Cordellina-Lombardi.*

Roma 544 – Verona 43 – Milano 196 – Venezia 77 – Vicenza 13.

sulla strada statale 11 *E : 3 km :*

Castelli senza rist, viale Trieste 89 ✉ 36041 Alte di Montecchio Maggiore ℘ 697366, Fax 490489, 🏋, 🧖, 🏊, 🎾 – 🛗 ▤ 📺 ☎ ♿ 🅟 – 🏛 100. AE. 🅂. ⓞ E VISA. ✗
150 cam ☕ 230/240000.

ad Alte *SE : 3 km – ✉ 36041 :*

X **San Marco** con cam, ℘ 698417, Fax 698417, – ▤ ▣ ☎ P. ✻
chiuso dal 3 al 24 agosto – **Pasto** *(chiuso domenica)* carta 20/35000 – ☐ 5000 – **8 cam** 65/90000 – 1/2 P 65/85000.

MONTECCHIO PRECALCINO *36030 Vicenza* 429 F 16 – *4 395 ab. alt. 86* – ☎ *0445.*
Roma 544 – Padova 57 – Trento 84 – Treviso 67 – Vicenza 17.

XXX **La Locanda di Piero,** strada per Dueville S : 1 km ℘ 864827, Fax 864828, prenotare – P. AE. S. ⓞ E VISA
chiuso domenica, i mezzogiorno di lunedì e sabato, dal 1° al 10 gennaio e dal 7 al 24 agosto – **Pasto** carta 50/75000.

MONTECELIO *Roma* 430 P 20 – *Vedere Guidonia Montecelio.*

MONTECOPIOLO *61014 Pesaro* 429, 430 K 19 – *1 242 ab. alt. 1 033 – a.s. 25 giugno-agosto* – ☎ *0722.*
Roma 330 – Rimini 41 – Pesaro 90.

Parco del Lago ⛰, località Villaggio del Lago ℘ 78561, Fax 78561, ←, « Piccolo parco con laghetto », Fø, ≘s, ⛱, ✻ – ▤ ▣ ☎ P – 🏛 150. ✻
20 dicembre-10 gennaio, Pasqua e maggio-15 ottobre – **Pasto** 40/55000 – **36 cam** ☐ 100/120000 – P 75/120000.

Pour être inscrit au ***guide Michelin***
– pas de piston,
– pas de pot-de-vin!

MONTECOSARO *62010 Macerata* 430 M 22 – *4 872 ab. alt. 252* – ☎ *0733.*
Roma 266 – Ancona 60 – Macerata 25 – Perugia 147 – Pescara 121.

XXX **La Luma,** via Bruscantini 1 ℘ 229701, Fax 229701, « In un convento del settecento » – ▤. AE. S. ⓞ E VISA. JCB. ✻
chiuso martedì e dal 15 al 31 gennaio – **Pasto** carta 50/80000.

MONTECRETO *41025 Modena* 428, 429, 430 J 14 – *987 ab. alt. 868 – a.s. luglio-agosto e Natale* – ☎ *0536.*
Roma 387 – Bologna 89 – Milano 248 – Modena 79 – Pistoia 77 – Reggio nell'Emilia 93.

ad Acquaria *NE : 7 km – ✉ 41020 :*

X **Monteverde,** via Provinciale ℘ 65052, prenotare – AE. S. ⓞ VISA. ✻
chiuso dal 10 al 30 giugno e mercoledì (escluso luglio-agosto ed ottobbre) – **Pasto** specialità ai funghi e al tartufo carta 30/40000.

X **Maria** con cam, ℘ 65007, ← – VISA. ✻ rist
chiuso dal 1° al 15 giugno e dal 20 settembre al 10 ottobre – **Pasto** *(chiuso lunedì)* carta 30/40000 – ☐ 9000 – **21 cam** 55/80000 – 1/2 P 65/70000.

MONTE CROCE DI COMELICO (Passo) (KREUZBERGPASS) *Belluno e Bolzano* 988 ⑤, 429 C 19 – *alt. 1 636 – a.s. febbraio-aprile, 15 luglio-15 settembre e Natale.*
Roma 690 – Cortina d'Ampezzo 52 – Belluno 89 – Milano 432 – Sesto 7 – Venezia 179.

Passo Monte Croce-Kreuzbergpass ⛰, ✉ 39030 Sesto in Pusteria ℘ (0474) 710328, Fax 710383, ←, Fø, ≘s, ⛱, ✻ – ▣ ☎ P. AE. S. E VISA. ✻ rist
dicembre-aprile e giugno-settembre – **Pasto** 45/50000 – **53 cam** ☐ 140/220000, 9 appartamenti – 1/2 P 150/190000.

MONTEFALCO *06036 Perugia* 988 ⑯, 430 N 19 *G. Italia* – *5 592 ab. alt. 473* – ☎ *0742.*
Roma 145 – Perugia 46 – Assisi 30 – Foligno 12 – Orvieto 79 – Terni 57.

Villa Pambuffetti, via della Vittoria 20 ℘ 378503, Fax 379245, ←, , « Parco ombreggiato con ⛱ » – ▤ ▣ ☎ ♿ P – 🏛 50. AE. S. ⓞ E VISA. ✻
Pasto (solo su prenotazione; *chiuso lunedì*) carta 40/55000 – **15 cam** ☐ 150/320000 – 1/2 P 320/400000.

XX **Coccorone,** largo Tempestivi ℘ 379535, Fax 379535, – S. VISA
chiuso mercoledì – **Pasto** 20/35000 e carta 40/60000.

MONTEFOLLONICO 53040 Siena 430 M 17 – alt. 567 – ☎ 0577.

Roma 187 – Siena 61 – Firenze 112 – Perugia 75.

XXX **La Chiusa** ⑤ con cam, via della Madonnina 88 ☎ 669668, Fax 669593, ≤, Coperti limit prenotare, « In un'antica fattoria » – TV ☎ P. AE. ⑤. ⓪ E VISA
chiuso dal 10 al 26 dicembre, dall'8 gennaio al 25 marzo e dal 6 al 23 novembre – **Pa** *(chiuso martedì)* carta 95/135000 – **12 cam** ☐ 240/590000.

X **13 Gobbi,** via Lando di Duccio 5 ☎ 669755, ☂ – AE. ⑤. ⓪ E VISA. ✻
chiuso dal 6 al 31 gennaio e mercoledì (escluso da Pasqua a settembre) – **Pasto** ca 35/65000.

MONTEFORTE D'ALPONE 37032 Verona 429 F 15 – 6 825 ab. alt. 35 – ☎ 045.

Roma 518 – Verona 25 – Brescia 92 – Trento 125 – Vicenza 29.

XX **Riondo,** via Monte Riondo 18 ☎ 7610638, ☂, Coperti limitati; prenotare – P. ✻
chiuso lunedì, dal 15 al 30 gennaio ed agosto – **Pasto** carta 50/85000.

MONTEGALDELLA 36040 Vicenza 429 F 17 – 1 644 ab. alt. 24 – ☎ 0444.

Roma 521 – Padova 20 – Milano 221 – Venezia 56 – Verona 68 – Vicenza 21.

X **Da Cirillo,** viale Lampertico 26 (SO : 2 km) ☎ 636025, Fax 636004, « Servizio estivo so un pergolato » – P. AE. ⑤. ⓪ E VISA. ✻
chiuso mercoledì sera, giovedì, dal 26 dicembre al 6 gennaio e dal 27 luglio al 20 agost **Pasto** carta 40/55000.

MONTEGIORGIO 63025 Ascoli Piceno 988 ⑯, 430 M 22 – 6 723 ab. alt. 411 – ☎ 0734.

Roma 249 – Ascoli Piceno 69 – Ancona 81 – Macerata 30 – Pescara 124.

XX **Oscar e Amorina** con cam, strada statale 210 (S : 5 km) ☎ 967351, Fax 968345, ☂, – ▤ TV ☎ P. AE. ⑤. ⓪ E VISA. ✻
Pasto *(chiuso lunedì)* carta 35/50000 – **14 cam** ☐ 70/90000, ▤ 8000 – ½ P 80/95000.

MONTEGRIDOLFO 47040 Rimini 429, 430 K 20 – 898 ab. alt. 290 – ☎ 0541.

Roma 297 – Rimini 35 – Ancona 89 – Pesaro 24 – Ravenna 110.

Palazzo Viviani ⑤, via Roma 38 ☎ 855350, Fax 855340, ≤, ☂, « Antico borg Malatestiano con terrazza panoramica », ⛱, ✻ – ▤ cam TV ☎ P. AE. ⑤. ⓪ E VISA
Pasto carta 65/85000 – **15 cam** ☐ 130/370000, 5 appartamenti.

MONTEGROTTO TERME 35036 Padova 988 ⑤, 429 F 17 G. Italia – 10 320 ab. alt. 11 – Stazio termale – ☎ 049.

ℹ *viale Stazione 60 ☎ 793384, Fax 795276.*

Roma 482 – Padova 14 – Mantova 97 – Milano 246 – Monselice 12 – Rovigo 32 – Venezia 4

International Bertha ⑤, largo Traiano 1 ☎ 8911700, Telex 430277, Fax 8911771, ☂ « Giardino con ⛱ termale », Fá, ≘s, ⛱, ✻, ♀ – |‡| ▤ TV ☎ ♿ ⇔ P – 🏛 120. AE. ⑤. ⓪ E VISA. ✻ rist
chiuso dal 10 gennaio al 1º marzo – **Pasto** carta 55/75000 – ☐ 17500 – **123 cam** 12 230000, 9 appartamenti – ½ P 170/185000.

Gd H. Caesar Terme, via Aureliana ☎ 793655, Fax 8910616, « Giardino con ⛱ term le », ≘s, ⛱, ✻, ♀ – |‡| ⋟ rist ▤ TV ☎ ♿ P – 🏛 150. AE. ⑤. ⓪ E VISA. ✻ rist
chiuso dal 7 gennaio a febbraio e dal 28 novembre al 19 dicembre – **Pasto** (solo p alloggiati) 55/80000 – **135 cam** ☐ 140/200000 – ½ P 145/155000.

Esplanade Tergesteo, via Roma 54 ☎ 8911777, Fax 8910488, Fá, ≘s, ⛱ termale, ⛱, ✻, ♀ – |‡| ▤ TV ☎ ♿ P. AE. ⑤. ⓪ E VISA. ✻ rist
Pasto 60000 – ☐ 20000 – **139 cam** 160/250000, 5 appartamenti – ½ P 150/170000.

Terme Neroniane, via Neroniana 21/23 ☎ 8911666, Fax 8911715, ☂, « Parc ombreggiato con ⛱ termale », Fá, ≘s, ⛱, ✻, ♀ – |‡| ▤ rist ☎ P. ✻
chiuso dal 7 gennaio al 1º marzo e dal 23 novembre al 20 dicembre – **Pasto** 50000 ☐ 25000 – **89 cam** 140/200000 – ½ P 125/140000.

Garden Terme, viale delle Terme 7 ☎ 8911699, Fax 8910182, « Parco-giardino con ⛱ termale », Fá, ≘s, ⛱, ✻, ♀ – |‡| ▤ TV ☎ ♿ P. AE. ⑤. E VISA. ✻ rist
marzo-novembre – **Pasto** 45000 – ☐ 12000 – **112 cam** 120/180000, 7 appartamenti ½ P 120/175000.

Terme Miramonti, piazza Roma 19 ☎ 8911755, Fax 8911678, « Giardino con ⛱ terma le », Fá, ≘s, ⛱, ♀ – |‡| ▤ TV ☎ P – 🏛 120. AE. ⑤. ⓪ E VISA. ✻ rist
chiuso dal 7 gennaio a febbraio – **Pasto** 45000 – ☐ 17000 – **88 cam** 135/260000, ▤ 1600 – ½ P 150/210000.

Grand Hotel Terme, viale Stazione 21 ℘ 8911444, Fax 8911444, ≘s, ⛱, ◫, ⚘ – ▤ TV ☎ Ⓟ – 🔬 50. AE. Ⓢ. ⓞ E VISA. ✂ rist
Pasto (solo per alloggiati) 50000 – ▭ 20000 – **125 cam** 110/180000, 4 appartamenti – ½ P 160/190000.

Des Bains, via Mezzavia 22 ℘ 793500, Fax 793340, ₺, ⛱ termale, ◫, ⛲, ✂, ⚘ – |⇕| ▤ TV ☎ ♿ Ⓟ. AE. Ⓢ. ⓞ E VISA. ✂ rist
marzo-novembre – **Pasto** carta 35/45000 – ▭ 12000 – **99 cam** 100/160000 – ½ P 115/125000.

Augustus Terme, viale Stazione 150 ℘ 793200, Fax 793518, « Terrazza con ⛱ termale », ₺, ≘s, ◫, ⛲, ✂, ⚘ – |⇕| ▤ TV ☎ ⛍ Ⓟ – 🔬 100. AE. Ⓢ. ⓞ E VISA. ✂ rist
22 dicembre-6 gennaio e 2 maggio-15 novembre – **Pasto** (solo per alloggiati) 50/60000 – **125 cam** ▭ 100/180000, 3 appartamenti, ▤ 30000 – ½ P 130/140000.

Montecarlo, viale Stazione 109 ℘ 793233, Fax 793350, ⛱ termale, ◫, ⛲, ✂, ⚘ – |⇕| ▤ TV ☎ Ⓟ – 🔬 100. AE. Ⓢ. ⓞ E VISA. ✂ rist
Natale e 6 marzo-26 novembre – **Pasto** (solo per alloggiati) 20/50000 – **101 cam** ▭ 95/165000, 5 appartamenti – ½ P 100/115000.

Apollo ⛰, via Pio X 4 ℘ 8911677, Fax 8910287, « Parco con ⛱ termale », ₺, ≘s, ◫, ✂, ⚘ – |⇕| ⇸ rist ▤ TV ☎ ♿ ⛍ Ⓟ. ✂ rist
chiuso dal 6 gennaio al 1° marzo – **Pasto** (solo per alloggiati) 35/40000 – **194 cam** ▭ 95/165000, ▤ 8000 – ½ P 100/120000.

Continental, via Neroniana 8 ℘ 793522, Fax 8910683, « Parco con ⛱ termale », ₺, ≘s, ◫, ✂, ⚘ – |⇕| ▤ ☎ Ⓟ – 🔬 80. ✂ rist
chiuso dal 7 gennaio al 14 febbraio – **Pasto** 40000 – **110 cam** ▭ 95/165000, 65 appartamenti – ½ P 105/115000.

Terme Sollievo, viale Stazione 113 ℘ 793600, Fax 8910910, « Parco con ⛱ termale e ✂ », ₺, ≘s, ◫, ⚘ – |⇕| ▤ TV ☎ ♿ Ⓟ. AE. Ⓢ. ⓞ E VISA. ✂ rist
chiuso dal 1° al 19 dicembre e dall'8 gennaio al 10 febbraio – **Pasto** 45000 – **128 cam** ▭ 85/170000 – ½ P 115/140000.

Terme Preistoriche ⛰, via Castello 5 ℘ 793477, Fax 793647, « Parco-giardino con ⛱ termale », ₺, ◫, ✂ – |⇕| TV ☎ Ⓟ. ✂ rist
chiuso dal 9 dicembre al 1° marzo – **Pasto** (solo per alloggiati) 40000 – **46 cam** ▭ 100/160000 – ½ P 95/125000.

Terme Cristallo, via Roma 69 ℘ 8911788, Fax 8910291, ₺, ≘s, ⛱ termale, ◫, ⛲, ⚘ – |⇕| ▤ rist ☎ ♿ Ⓟ. Ⓢ. E VISA. ✂ rist
marzo-novembre – **Pasto** carta 45/60000 – ▭ 10000 – **119 cam** 80/140000 – ½ P 95/115000.

Antoniano, via Fasolo 12 ℘ 794177, Fax 794257, ≘s, ⛱ termale, ◫, ⛲, ✂, ⚘ – |⇕| ▤ ☎ ♿ ⛍ Ⓟ. ✂ rist
chiuso dal 2 novembre al 19 dicembre – **Pasto** 35/40000 – **144 cam** ▭ 95/160000, 12 appartamenti, ▤ 5000 – ½ P 95/110000.

Terme Petrarca, piazza Roma 23 ℘ 8911744, Fax 8911698, ≘s, ⛱ termale, ◫, ⛲, ✂, ⚘ – |⇕| ⇸ rist ▤ ☎ Ⓟ – 🔬 200. VISA. ✂ rist
chiuso dall' 11 gennaio al 1° febbraio e dal 1° al 21 dicembre – **Pasto** 35/40000 – ▭ 15000 – **141 cam** 90/150000, ▤ 12000 – ½ P 95/120000.

Eliseo, viale Stazione 12/a ℘ 793425, Fax 795332, ₺, ≘s, ⛱ termale, ◫, ⛲, ⚘ – |⇕| ▤ rist ☎ Ⓟ. Ⓢ. E VISA. ✂ rist
14 marzo-13 novembre – **Pasto** 30/60000 – **80 cam** ▭ 90/150000 – ½ P 75/120000.

Da Mario, viale delle Terme 4 ℘ 794090, ⛱, prenotare – ▤. AE. Ⓢ. ⓞ VISA
chiuso martedì, dal 10 al 28 febbraio e dal 10 al 30 luglio – **Pasto** carta 45/60000.

Da Cencio, via Fermi 11 ℘ 793470, ⛱ – ⇸. AE. Ⓢ. ⓞ E VISA. ✂
chiuso lunedì e febbraio – **Pasto** carta 40/60000.

La Perla, via Sabbioni 24 ℘ 794577, ⛱ – Ⓟ. AE. Ⓢ. E VISA
chiuso lunedì – **Pasto** specialità di mare carta 45/85000.

MONTE INGINO *Perugia – Vedere Gubbio.*

MONTE ISOLA *Brescia* 428, 429 E 12 *G. Italia – 1 809 ab. alt. 190 – ✉ 25050 Peschiera Maraglio – a.s. Pasqua e luglio-15 settembre – ☏ 030.*

Vedere ✳★★ *dal santuario della Madonna della Ceriola*
Da Sulzano 10 mn di barca; da Sulzano : Roma 586 – Brescia 28 – Bergamo 44 – Milano 88.

Del Pesce-Archetti, a Peschiera Maraglio ℘ 9886137, ≤
chiuso martedì e dal 3 al 20 novembre – **Pasto** carta 40/50000.

Del Sole, a Sensole ℘ 9886101, Fax 9886101, ≤, « Servizio estivo in terrazza », ⛲ – AE. Ⓢ. ⓞ E VISA. ✂
chiuso mercoledì e dal 1° al 20 dicembre – **Pasto** carta 40/60000.

MONTELEONE *Pavia* 428 G 10 – *Vedere Inverno-Monteleone.*

MONTELPARO *63020 Ascoli Piceno* 430 M 22 – *958 ab. alt. 585* – ☎ *0734.*

Roma 285 – Ascoli Piceno 46 – Ancona 108.

La Ginestra ⊗, contrada Coste E : 3 km ✆ 780449, Fax 780706, ≤ valli e colline, ⛱, ✗ – ⓟ. 🅂 E. VISA. ✂ rist
marzo-ottobre – **Pasto** carta 30/45000 – ☐ 10000 – **13 cam** 80/95000, 21 appartame 120/150000 – ½ P 95/110000.

MONTELUCO *Perugia* 988 ㉖, 430 N 20 – *Vedere Spoleto.*

MONTELUPO FIORENTINO *50056 Firenze* 988 ⑭, 428, 429, 430 K 15 *G. Toscana* – *10 281 ab. alt. 40* – ☎ *0571.*

Roma 295 – Firenze 22 – Livorno 66 – Siena 75.

Baccio da Montelupo senza rist, via Don Minzoni 3 ✆ 51215, Fax 51171 – |♦| ▤ TV ⓟ. AE. 🅂. ⓞ E VISA. ✂
chiuso agosto – ☐ 10000 – **22 cam** 95/130000.

Antica Osteria del Sole, via 20 Settembre 35 ✆ 51130, Rist. e pizzeria serale – AE. ⓞ E VISA. ✂
chiuso domenica ed agosto – **Pasto** carta 30/50000.

a Sammontana *O : 3 km* – ✉ *50056 Montelupo Fiorentino :*

I' Boccale, via Del Gelsomino 14 ✆ 993598, ⛱, Coperti limitati; prenotare – AE. 🅂. E VI ✂
chiuso domenica, lunedì a mezzogiorno ed agosto – **Pasto** specialità di mare carta 5 80000.

MONTEMAGNO *14030 Asti* 988 ⑫, 428 G 6 – *1 179 ab. alt. 259* – ☎ *0141.*

Roma 617 – Alessandria 47 – Asti 18 – Milano 102 – Torino 72 – Vercelli 50.

La Braja, via San Giovanni Bosco 11 ✆ 63107, Fax 63605, ⛱, Coperti limitati; prenotare ▤ ⓟ. AE. 🅂. ⓞ E VISA. ✂
chiuso lunedì, martedì, dal 7 al 27 gennaio e dal 26 luglio all'11 agosto – **Pasto** 80000 e car 50/85000.

MONTEMARCELLO *La Spezia* 430 J 11 – *Vedere Ameglia.*

MONTEMARZINO *15050 Alessandria* 428 H 8 – *352 ab. alt. 448* – ☎ *0131.*

Roma 585 – Alessandria 41 – Genova 89 – Milano 89 – Piacenza 85.

Da Giuseppe, via 4 Novembre 7 ✆ 878135, Fax 878135 – AE. 🅂. E VISA. ✂
chiuso martedì sera, mercoledì e dal 2 al 31 gennaio – **Pasto** 40/65000.

MONTEMERANO *58050 Grosseto* 430 O 16 – *alt. 303* – ☎ *0564.*

Roma 189 – Grosseto 50 – Orvieto 79 – Viterbo 85.

Villa Acquaviva ⊗ senza rist, strada Scansanese N : 1 km ✆ 602890, Fax 60289 ≤ campagna e colli, « Giardino ombreggiato » – TV ☎ ⓟ. AE. 🅂. ⓞ E VISA. ✂
7 cam ☐ 130/150000.

Da Caino, via della Chiesa 4 ✆ 602817, Fax 602807, Rist. con enoteca, Coperti limitat prenotare – AE ⓞ VISA. ✂
chiuso mercoledì e giovedì a mezzogiorno – **Pasto** 70/90000 e carta 75/140000
Spec. Lasagnette con crema di broccoli e patate, fegato grasso e lenticchie di Castellucci (inverno). Piccione gratinato alle cipolline novelle con salsa al Porto (primavera). Mousse c caramello amaro con sorbetto e salsa all'arancia.

Laudomia con cam, località Poderi di Montemerano SE : 2,5 km ✆ 620062, Fax 62001 « Servizio estivo in terrazza » – ☎ ⓟ. AE. 🅂. ⓞ E VISA. JCB
Pasto carta 45/60000 – ☐ 15000 – **12 cam** 55/80000 – ½ P 90000.

MONTE OLIVETO MAGGIORE *53020 Siena* 430 M 16 *G. Toscana* – *alt. 273* – ☎ *0577.*

Vedere *Affreschi*★★ *nel chiostro grande dell'abbazia* – *Stalli*★★ *nella chiesa abbaziale.*

Roma 223 – Siena 37 – Firenze 104 – Perugia 121 – Viterbo 125.

La Torre, ✆ 707022, Fax 707066, ⛱, « Nel complesso dell'abbazia » – AE. 🅂. ⓞ E VISA ✂
chiuso martedì – **Pasto** carta 35/55000.

ONTEORTONE *Padova – Vedere Abano Terme.*

ONTEPAONE LIDO *88060 Catanzaro* [431] K 31 – *4 215 ab.* – ☎ *0967.*
Roma 632 – Reggio di Calabria 158 – Catanzaro 33 – Crotone 85.

🏨 **Il Pescatore,** via del Pescatore 23 ℘ 576303, Fax 576304, 🏖 – 🛗 ▤ [TV] ☎ – 🎤 70. [AE]. [$]. [VISA]
Pasto *(chiuso lunedì da ottobre a maggio)* carta 35/45000 – ☕ 8000 – **51 cam** 90/130000, ▤ 10000 – ½ P 75/110000.

lla strada statale 106 *S : 3 km :*

🍴🍴 **A' Lumera** con cam, via Don Luigi Sturzo 7 ✉ 88060 ℘ 576290, Fax 576090 – ▤ [TV] ☎ [P]. [AE]. [$]. ⦿ E [VISA]. [JCB]. 🚫
Pasto *(chiuso martedì escluso luglio-agosto)* carta 35/60000 – **20 cam** ☕ 60/100000 – ½ P 80/90000.

ONTE PORZIO CATONE *00040 Roma* [430] Q 20 – *8 047 ab. alt. 451* – ☎ *06.*
Roma 24 – Frascati 4 – Frosinone 64 – Latina 55.

🍴 Il Monticello, Via Romoli 27 ℘ 9449353 – [P]

🍴 **Da Franco,** via Duca degli Abruzzi 19 ℘ 9449205, Fax 9449234, ← – [AE]. [$]. ⦿ E [VISA]. 🚫
chiuso la sera dei giorni festivi, giovedì e dal 15 al 31 luglio – **Pasto** carta 35/55000.

ONTEPULCIANO *53045 Siena* [988] ⑮, [430] M 17 *G. Toscana – 14 109 ab. alt. 605* – ☎ *0578.*
Vedere *Città Antica★ – Piazza Grande★★ : ✻★★★ dalla torre del palazzo Comunale★, palazzo Nobili-Tarugi★, pozzo★ – Chiesa della Madonna di San Biagio★★ SE : 1 km.*
Roma 176 – Siena 65 – Arezzo 60 – Firenze 119 – Perugia 74.

🏨 **Granducato** senza rist, via delle Lettere 62 ℘ 758597, Fax 758610 – 🛗 [TV] ☎ [P] – 🎤 60. [AE]. [$]. ⦿ E [VISA]
51 cam ☕ 80/130000.

🏨 **Il Marzocco,** piazza Savonarola 18 ℘ 757262, Fax 757530 – ☎. [AE]. [$]. ⦿ E [VISA]. 🚫 rist
chiuso dal 20 novembre al 5 dicembre – **Pasto** (solo per alloggiati) 35/50000 (10%) – ☕ 10000 – **16 cam** 70/110000 – ½ P 90/95000.

🍴🍴 **La Grotta,** località San Biagio 16 (O: 1 km) ℘ 757607, Fax 757607, « Edificio cinquecentesco-servizio estivo in giardino » – [AE]. [$]. ⦿ E [VISA]. [JCB]
chiuso mercoledì, gennaio e febbraio – **Pasto** carta 55/75000.

IONTEREALE VALCELLINA *33086 Pordenone* [988] ⑤, [429] D 19 – *4 486 ab. alt. 317 – a.s. 13 luglio-agosto* – ☎ *0427.*
Roma 627 – Udine 54 – Milano 366 – Pordenone 23 – Treviso 77 – Trieste 122 – Venezia 116.

🍴 **Da Orsini,** località Grizzo SO : 1 km ℘ 79042 – [P]. [AE]. [$]. ⦿ E [VISA]. [JCB]
chiuso lunedì, martedì a mezzogiorno e dal 2 al 16 gennaio – **Pasto** carta 40/55000.

IONTERIGGIONI *53035 Siena* [988] ⑭ ⑮, [430] L 15 *G. Toscana – 7 532 ab. alt. 274* – ☎ *0577.*
Roma 245 – Siena 15 – Firenze 55 – Livorno 103 – Pisa 93.

🏨 **Monteriggioni** 🐦 senza rist, via 1° Maggio 4 ℘ 305009, Fax 305011, 🌳 – 🛗 ▤ [TV] ☎ [P]. [AE]. [$]. ⦿ E [VISA]. 🚫
chiuso dal 10 gennaio al 15 febbraio – **12 cam** ☕ 200/300000.

🍴🍴 **Il Pozzo,** ℘ 304127, Fax 304701, ⛱ – [AE]. [$]. ⦿ E [VISA]. 🚫
chiuso domenica sera, lunedì, dall'8 gennaio al 5 febbraio e dal 30 luglio al 10 agosto – **Pasto** carta 50/70000 (15%).

Strove *SO : 4 km* – ✉ *53035 Monteriggioni :*

🏨 **Casalta** 🐦, ℘ 301002, Fax 301002 – ☎. [$]. E [VISA]. 🚫
marzo-ottobre – **Pasto** vedere rist ***Casalta*** – ☕ 13000 – **10 cam** 80/115000.

🍴🍴 **Casalta,** via Matteotti ℘ 301171, ⛱, prenotare –. [$]. E [VISA]
chiuso mercoledì e dal 10 gennaio al 10 febbraio – **Pasto** carta 40/55000.

Lornano *E : 8 km* – ✉ *53035 Monteriggioni :*

🍴 **La Bottega di Lornano,** località Lornano 10 ℘ 309146, ⛱ – [AE]. [$]. ⦿ E [VISA]. [JCB]. 🚫
chiuso dall'8 al 31 gennaio e domenica sera da novembre a marzo – **Pasto** carta 40/65000 (10%).

IONTEROSSO *Padova – Vedere Abano Terme.*

MONTEROSSO AL MARE *19016 La Spezia 988 ⑬, 428 J 10 G. Italia – 1 675 ab. – ☎ 0187.*
ℹ *(Pasqua-ottobre) via Fegina ✆ 817506.*
Roma 450 – La Spezia 30 – Genova 93 – Milano 230.

Porto Roca ⊛, via Corone 1 ✆ 817502, Fax 817692, ≤ mare e costa, ... – ... ☎. AE. ⑤. E VISA. ✻ rist
marzo-ottobre – **Pasto** 55/80000 – **42 cam** ☕ 250/320000 – ½ P 175/210000.

La Colonnina ⊛ senza rist, via Zuecca 6 ✆ 817439, Fax 817439, « Piccolo giard ombreggiato » – ... ☎. ✻
Pasqua-ottobre – ☕ 16000 – **20 cam** 95/110000.

Jolie ⊛, via Gioberti 1 ✆ 817539, Fax 817273, ... – ... ☎. ⑤. E VISA. ✻
chiuso gennaio o novembre – **Pasto** (solo per alloggiati) 50000 – ☕ 26000 – **31 ca** 175/270000 – ½ P 120/170000.

Miki, via Fegina 104 ✆ 817608, Fax 817608, ..., Rist. e pizzeria – AE. ⑤. E VISA
febbraio-ottobre; chiuso martedì escluso da giugno a settembre – **Pasto** carta 45/7500

La Cambusa, via Roma 6 ✆ 817546, Fax 817258, ... – ... AE. ⑤. ⓞ E VISA. ✻
dicembre-10 gennaio e 15 marzo-15 ottobre; chiuso lunedì escluso dal 15 giugno 15 settembre – **Pasto** carta 50/70000.

MONTEROSSO GRANA *12020 Cuneo 428 I 3 – 575 ab. alt. 720 – a.s. agosto – ☎ 0171.*
Roma 664 – Cuneo 25 – Milano 235 – Colle di Tenda 45 – Torino 92.

A la Posta, via Mistral 41 ✆ 98720, Fax 98720, « Giardino ombreggiato » – ... Ⓟ. ✻ ris
aprile-ottobre e novembre-dicembre – **Pasto** carta 25/40000 – **50 cam** ☕ 50/80000 ½ P 50/60000.

MONTEROTONDO *00015 Roma 988 ㉖, 430 P 19 – 31 929 ab. alt. 165 – ☎ 06.*
Roma 27 – Rieti 55 – Terni 84 – Tivoli 32.

Trattoria dei Leoni con cam, piazza del Popolo ✆ 90627394, Fax 90627394 – ... rist AE. ⑤. ⓞ E VISA
chiuso dal 5 al 25 agosto – **Pasto** *(chiuso mercoledì)* carta 35/55000 – ☕ 8000 – **12 ca** 50/70000 – ½ P 50/60000.

MONTE SAN GIUSTO *62015 Macerata 430 M 22 – 7 146 ab. alt. 236 – ☎ 0733.*
Roma 264 – Ancona 65 – Ascoli Piceno 102 – Macerata 22.

Laurino senza rist, via Macerata 77 ✆ 530500, Fax 530477 – ... ☎ ... – 30. AE. ⓞ E VISA. ✻
☕ 10000 – **32 cam** 80/110000.

MONTE SAN PIETRO (PETERSBERG) *Bolzano – Vedere Nova Ponente.*

MONTE SAN SAVINO *52048 Arezzo 988 ⑮, 430 M 17 G. Toscana – 7 881 ab. alt. 330 – ☎ 057.*
Roma 191 – Siena 41 – Arezzo 21 – Firenze 83 – Perugia 74.

La Terrasse, via di Vittorio 2/4 ✆ 844111, Fax 844111, ... – ... AE. ⑤. E VISA
chiuso mercoledì, giovedì a mezzogiorno e dal 10 al 20 agosto – **Pasto** carta 30/45000.

MONTE SANT'ANGELO *71037 Foggia 988 ㉘, 431 B 29 G. Italia – 14 381 ab. alt. 843 – a. luglio-13 settembre – ☎ 0884.*
Vedere *Posizione pittoresca★★ – Santuario di San Michele★ – Tomba di Rotari★.*
Escursioni *Promontorio del Gargano★★★ E-NE.*
Roma 427 – Foggia 59 – Bari 135 – Manfredonia 16 – Pescara 203 – San Severo 57.

Rotary ⊛, O : 1 km ✆ 562146, Fax 562146, ≤ golfo di Manfredonia – ☎ Ⓟ. AE. ⑤. ⓞ. VISA. ✻ rist
Pasto carta 35/50000 – **24 cam** ☕ 75/100000 – ½ P 90000.

Medioevo, via Castello 21 ✆ 565356, Fax 565356 – AE. ⑤. E VISA. ✻
chiuso lunedì escluso da maggio a settembre – Pasto carta 30/55000.

MONTESARCHIO *82016 Benevento 988 ㉗, 431 D 25 – 12 941 ab. alt. 300 – ☎ 0824.*
Roma 223 – Napoli 53 – Avellino 54 – Benevento 18 – Caserta 30.

Cristina Park Hotel, via Benevento E : 0,8 km ✆ 835888, Fax 835888, ... – ... Ⓟ – 300. AE. ⑤. ⓞ E VISA. ✻
Pasto *(chiuso martedì)* carta 40/55000 (11 %) – **16 cam** ☕ 115/150000 – ½ P 130000.

ONTESCANO *27040 Pavia 428 G 9 – 388 ab. alt. 208 – ☎ 0385.*
Roma 597 – Piacenza 42 – Alessandria 69 – Genova 142 – Pavia 27.

XXX **Al Pino,** via Pianazza ✆ 60479, Fax 60479, ≤ colline, Coperti limitati; prenotare – P. AE. S. ⓞ E VISA
chiuso lunedì, martedì, mercoledì a mezzogiorno, dal 1° al 10 gennaio e dal 15 al 30 luglio – **Pasto** carta 50/80000
Spec. Filetti di pesce gatto in agro di verdure. Risotto al ragú di rane ed erbette (marzo-ottobre). Filetto di scottona al Barbacarlo.

ONTESCUDAIO *56040 Pisa 430 M 13 – 1 378 ab.*
Roma 281 – Pisa 59 – Cecina 10 – Grosseto 108 – Livorno 45 – Piombino 59 – Siena 80.

X **Il Frantoio,** via della Madonna 11 ✆ 650381, Fax 650381 – AE. S. E VISA. JCB
chiuso a mezzogiorno (escluso i giorni festivi da ottobre a maggio) e lunedì – **Pasto** carta 45/80000.

ONTESILVANO MARINA *65016 Pescara 988 ㉗, 430 O 24 – 36 765 ab. – a.s. luglio-agosto – ☎ 085.*
via Romagna 6 ✆ 4492796, Fax 4454781.
Roma 215 – Pescara 13 – L'Aquila 112 – Chieti 26 – Teramo 50.

Promenade, viale Aldo Moro 63 ✆ 4452221, Fax 834800, ≤, ⛱, – |‡| ▤ cam TV ☎ P – 120. AE. S. ⓞ E VISA.
Pasto carta 35/60000 – ☕ 15000 – **84 cam** 85/150000, 6 appartamenti – ½ P 115/130000.

City, viale Europa 77 ✆ 4452468, Fax 4491348, ⛱, – |‡| ▤ TV ☎ P – 70. AE. S. ⓞ E VISA.
15 maggio-15 settembre – **Pasto** 30/50000 – ☕ 12000 – **40 cam** 100/160000, ▤ 10000 – ½ P 100/140000.

Ariminum, viale Kennedy 3 ✆ 4453736, Fax 837705 – |‡| ▤ cam TV ☎ P. AE. S. ⓞ E VISA. JCB.
Pasto *(chiuso sabato e domenica escluso da giugno a settembre)* 25/40000 – ☕ 10000 – **27 cam** 75/100000, ▤ 10000 – ½ P 85/110000.

XX **Carlo Ferraioli,** via Aldo Moro 52 ✆ 4452296, Fax 4452296, – ▤. AE. S. ⓞ E VISA.
chiuso lunedì – **Pasto** specialità di mare carta 50/60000.

ONTESPERTOLI *50025 Firenze 429, 430 L 15 – 10 222 ab. alt. 257 – ☎ 0571.*
Roma 287 – Firenze 34 – Siena 60 – Livorno 79.

Il Molino senza rist, via Volterrana Nord 42 (N : 3 km) ✆ 671501, Fax 671435, – TV ☎ P
21 cam ☕ 95/150000.

Montagnana *NE : 7 km – ✉ 50025 Montespertoli :*

X **Il Focolare,** via Volterrana Nord 175 ✆ 671132, Fax 671345, – AE. S. E VISA
chiuso lunedì sera, martedì ed agosto – **Pasto** carta 40/70000.

ONTESPLUGA *23020 Sondrio 428 C 9, 218 ⑬ ⑭ – alt. 1 908 – ☎ 0343.*
Roma 711 – Sondrio 89 – Milano 150 – Passo dello Spluga 3.

XX **Posta** con cam, ✆ 54234, Fax 54234 – TV P. AE. S. ⓞ E VISA. JCB.
chiuso dal 15 gennaio al 20 febbraio – **Pasto** *(chiuso martedì)* carta 45/60000 – ☕ 10000 – **8 cam** 50/90000 – ½ P 95/100000.

ONTEVARCHI *52025 Arezzo 988 ⑮, 430 L 16 G. Toscana – 21 916 ab. alt. 144 – ☎ 055.*
Roma 233 – Firenze 49 – Siena 50 – Arezzo 39.

Delta senza rist, viale Diaz 137 ✆ 901213, Fax 901727 – |‡| ▤ TV ☎ – 100. AE. S. ⓞ E VISA. JCB.
40 cam ☕ 120/160000.

MONTIANO *47020 Forlì-Cesena 429, 430 J 18 – 1 576 ab. alt. 159 – ☎ 0547.*
Roma 327 – Ravenna 44 – Rimini 26 – Forlì 25.

XX **La Cittadella,** piazza Garibaldi 12/14 ✆ 51347, Fax 51347 – P. AE. S. ⓞ E VISA.
chiuso lunedì, martedì a mezzogiorno e dal 15 al 31 gennaio – **Pasto** carta 35/55000.

MONTICCHIELLO *Siena 430 M 17 – Vedere Pienza.*

MONTICELLI D'ONGINA *29010 Piacenza* 428, 429 G 11 – *5 327 ab. alt. 40 –* ✆ *0523.*
Roma 530 – Parma 57 – Piacenza 23 – Brescia 63 – Cremona 11 – Genova 171 – Milano 7.

a San Pietro in Corte *S : 3 km – ✉ 29010 Monticelli d'Ongina :*

X **Le Giare,** via San Pietro in Corte Secca ✆ 820200, Coperti limitati; prenotare – ▤. AE. E VISA. ✻
chiuso domenica sera e lunedì – **Pasto** carta 50/80000.

MONTICELLI TERME *43023 Parma* 428, 429 H 13 – *alt. 99 – Stazione termale (marzo-15 dicembre), a.s. 10 agosto-25 ottobre –* ✆ *0521.*
Roma 452 – Parma 13 – Bologna 92 – Milano 134 – Reggio nell'Emilia 25.

Delle Rose, ✆ 657425, Fax 657425, « Parco-pineta », ⛶, ≘s, ▣, ⚘ – |♦| ▤ rist ▣ ☎ – 🏃 100. AE. 🅂. ⓞ VISA. ✻
chiuso gennaio e febbraio – **Pasto** 40/50000 – **78 cam** ☕ 120/180000 – 1/2 P 85/145000

MONTICHIARI *25018 Brescia* 428, 429 F 13 – *17 169 ab. alt. 104 –* ✆ *030.*
Roma 490 – Brescia 20 – Cremona 56 – Mantova 40 – Verona 52.

Elefante, via Trieste 41 ✆ 9962550, Fax 9981015 – |♦| ▤ ▣ ☎ Ⓟ – 🏃 60. AE. 🅂. ⓞ VISA. ✻
Pasto *(chiuso a mezzogiorno e mercoledì)* carta 45/65000 – ☕ 10000 – **19 cam** 10 140000 – 1/2 P 95/110000.

X **Antica Osteria del Gambero,** via Cavallotti 28 ✆ 9962494 – ✻
chiuso domenica sera, lunedì, dal 2 al 9 gennaio e dal 13 al 17 agosto – **Pasto** ca 35/60000.

a Novagli *SE : 4 km – ✉ 25018 Montichiari :*

X La Tavernetta, ✆ 964695 – Ⓟ
Pasto cucina mantovana.

MONTICIANO *53015 Siena* 988 ⑮, 430 M 15 – *1 465 ab. alt. 381 –* ✆ *0577.*
Dintorni *Abbazia di San Galgano** NO : 7 km.*
Roma 245 – Siena 37 – Grosseto 58.

X **Da Vestro** con cam, via Senese 4 ✆ 756618, Fax 756466, ⛱, « Giardino ombreggiato » Ⓟ. AE. 🅂. ⓞ E VISA
Pasto *(chiuso lunedì)* carta 25/50000 – ☕ 10000 – **12 cam** 50/70000 – 1/2 P 70/75000.

MONTIERI *58026 Grosseto* 430 M 15 – *1 415 ab. alt. 750 –* ✆ *0566.*
Roma 269 – Siena 50 – Grosseto 51.

Rifugio Prategiano ⛰, via dei Platani 3/b ✆ 997703, Fax 997891, ←, Turismo equestre, ⛱, ⛶, ✻ – ▣ ☎ Ⓟ. 🅂. VISA. ✻ rist
chiuso dal 7 gennaio a Pasqua – **Pasto** *(chiuso mercoledì)* 35000 – ☕ 15000 – **24 ca** 135/195000 – P 95/160000.

MONTIGNOSO *54038 Massa-Carrara* 428, 429, 430 J 12 – *9 593 ab. alt. 132 –* ✆ *0585.*
Roma 386 – Pisa 39 – La Spezia 38 – Firenze 112 – Lucca 42 – Massa 5 – Milano 240.

XXXX **Il Bottaccio** ⛰ con cam, via Bottaccio 1 ✆ 340031, Fax 340103, ⛱, prenotare, « In u frantoio ad acqua del 700 », ⛶ – ▣ ☎ Ⓟ. AE. 🅂. E VISA
Pasto (menu suggeriti) 90/130000 – ☕ 30000 – 8 appartamenti 680/750000.

a Cinquale *SO : 5 km – ✉ 54030 – a.s. Pasqua e luglio-agosto :*

Villa Undulna Ⓜ, viale Marina angolo via Gramsci ✆ 807788, Fax 807791, ⛱, ▣, ⛶, ✻ – |♦| ▤ ▣ ☎ 🚗 Ⓟ – 🏃 90. AE. 🅂. ⓞ E VISA. ✻ rist
Pasto (*marzo-ottobre;* solo per alloggiati) 50000 – **6 cam** ☕ 240/320000, 34 appartamen 420000 – 1/2 P 145/230000.

Eden, via Gramsci 26 ✆ 807676, Fax 807594, ⛱, ⛶ – |♦| ▤ ▣ ☎ ♿ Ⓟ – 🏃 100. AE. 🅂 ⓞ E VISA. ✻ rist
Pasto 40/80000 – **27 cam** ☕ 155/225000 – 1/2 P 125/170000.

Giulio Cesare ⛰ senza rist, via Giulio Cesare 29 ✆ 309318, Fax 807664, ⛶ – ▤ ☎ Ⓟ AE. ✻
Pasqua e 25 maggio-settembre – **12 cam** ☕ 125/140000.

MONTODINE *26010 Cremona* 428 G 11 – *2 237 ab. alt. 66 –* ✆ *0373.*
Roma 536 – Piacenza 30 – Bergamo 49 – Brescia 57 – Crema 9 – Cremona 31 – Milano 53.

X **Trattoria Umberto I-da Brambini,** via Umberto Fadini 8 ✆ 66118 –. 🅂. E VISA. ✻
chiuso mercoledì ed agosto – **Pasto** carta 40/60000.

ONTOGGIO *16026 Genova* 988 ⑬, 428 I 9 – *1 986 ab. alt. 440* – ☎ *010.*
Roma 538 – Genova 38 – Alessandria 84 – Milano 131.

XX **Roma,** via Roma 15 ☎ 938925 – Ⓟ. ✻
chiuso giovedì e dal 1° al 10 luglio – **Pasto** carta 40/55000.

ONTOPOLI DI SABINA *02034 Rieti* 430 P 20 – *3 663 ab. alt. 331* – ☎ *0765.*
Roma 52 – Rieti 43 – Terni 79 – Viterbo 76.

X **Il Casale del Farfa,** via Ternana 53 (SO : 7 km) ☎ 322047, Fax 322047, ≤, « Servizio estivo in giardino » – Ⓟ. AE
chiuso martedì, dal 22 dicembre al 4 gennaio e dal 20 luglio 10 agosto – **Pasto** carta 35/50000.

ONTOPOLI IN VAL D'ARNO *56020 Pisa* 428, 429, 430 K 14 – *9 079 ab. alt. 98* – ☎ *0571.*
Roma 307 – Firenze 45 – Pisa 39 – Livorno 44 – Lucca 40 – Pistoia 41 – Pontedera 12 – Siena 76.

XX **Quattro Gigli** con cam, piazza Michele 2 ☎ 466878, Fax 466879, Ambiente familiare; cucina tipica locale, « Originali terrecotte-Servizio estivo in terrazza con ≤ colline e dintorni » – TV ☎. AE. Ⓢ. ⓓ E VISA. JCB. ✻ cam
chiuso dal 20 al 31 gennaio e dall'11 al 17 agosto – **Pasto** *(chiuso domenica sera e lunedì)* cucina tipica locale carta 40/60000 – ☕ 8000 – **20 cam** 60/80000 – 1/2 P 80000.

Die unentbehrlichen Ergänzungen zum Roten Hotelführer
- *Die **Michelin-Straßenkarten** Nr.* 988 *im Maßstab 1:1 000 000.*
- *Die **Michelin-Karten*** 428, 429, 430, 431, 432, 433 *(1/400 000).*
- *Der Grüne **Michelin-Reiseführer „Italien"** :*
  Streckenvorschläge
  Museen
  Baudenkmäler und Kunstwerke

MONTORFANO *22030 Como* 428 E 9, 219 ⑨ – *2 526 ab. alt. 410* – ☎ *031.*
⛳18 *Villa d'Este (chiuso gennaio, febbraio e martedì escluso agosto)* ☎ *200200, Fax 200786.*
Roma 631 – Como 9 – Bergamo 50 – Lecco 24 – Milano 49.

XXX **Santandrea Golf Hotel** ⛱ con cam, via Como 19 ☎ 200220, Fax 200220, ≤, prenotare, 🚗 – TV ☎ Ⓟ. AE. Ⓢ. E VISA. JCB. ✻ rist
chiuso dal 21 dicembre al 13 febbraio – **Pasto** carta 65/90000 – **10 cam** ☕ 160/200000, appartamento.

MONTORO INFERIORE *83025 Avellino* 431 E 26 – *8 677 ab. alt. 195* – ☎ *0825.*
Roma 265 – Napoli 55 – Avellino 18 – Salerno 20.

🏨 **La Foresta,** svincolo superstrada ✉ 83020 Piazza di Pàndola ☎ 521005, Fax 523666 – |‡| ▤ TV ☎ 🚗 Ⓟ – 🏛 150. AE. Ⓢ. ⓓ E VISA
Pasto 45/55000 – **40 cam** ☕ 95/140000 – 1/2 P 120000.

MONTORSO VICENTINO *36050 Vicenza* 429 F 16 – *2 748 ab. alt. 118* – ☎ *0444.*
Roma 553 – Verona 40 – Milano 193 – Venezia 81 – Vicenza 17.

X **Belvedere-da Bepi,** ☎ 685415, 🏠 – ▤. ✻
chiuso martedì sera, mercoledì e dal 1° al 25 agosto – **Pasto** carta 30/45000.

MONTÙ BECCARIA *27040 Pavia* 428 G 9 – *1 748 ab. alt. 277* – ☎ *0385.*
Roma 544 – Piacenza 34 – Genova 123 – Milano 66 – Pavia 28.

XX **Colombi,** località Loglio di Sotto SO : 5 km ☎ 60049, Fax 60204 – Ⓟ. AE. Ⓢ. ⓓ E VISA
Pasto carta 35/60000.

MONZA *20052 Milano* 988 ③, 428 F 9 *G. Italia – 119 658 ab. alt. 162* – ☎ *039.*
Vedere *Parco*** *della Villa Reale – Duomo** *: facciata***, *corona ferrea*** *dei re Longobardi.*
⛳18 *e* ⛳9 *(chiuso lunedì) al Parco* ☎ *303081, Fax 304427, N : 5 km.*
Autodromo *al parco N : 5 km* ☎ *22366.*
Roma 592 – Milano 21 – Bergamo 38.

De la Ville, viale Regina Margherita 15 ✆ 382581, Fax 367647, « In prossimità della Villa Reale » – |♦| ▤ TV ☎ P – 220. AE. S. ● E VISA. ✻
chiuso dal 23 dicembre al 3 gennaio e dal 1º al 24 agosto – **Pasto** al Rist. ***Derby Grill*** *(chiuso i mezzogiorno di sabato e domenica)* carta 60/95000 – ☕ 26000 – **55 cam** 290/330000 – 1/2 P 225/350000.

Della Regione, via Elvezia (Rondò) 4 ✆ 387205, Fax 380254 – |♦| ▤ TV ☎ ⇔ P – 80. AE. S. ● E VISA
Pasto carta 50/80000 – **90 cam** ☕ 180/240000 – 1/2 P 160/210000.

Alle Grazie, via Lecco 84 ✆ 387903, Fax 387650, ☂ – ▤ P. AE. S. ● E VISA
chiuso mercoledì e dal 5 al 25 agosto – **Pasto** carta 40/65000.

La Riserva, via Borgazzi 12 ✆ 386612, ☂, Coperti limitati; prenotare – P. S. E VISA
chiuso venerdì, sabato a mezzogiorno, dal 24 dicembre al 6 gennaio e luglio – **Pasto** cucina piemontese carta 45/75000.

AUTODROMO DI MONZA

MORBEGNO *23017 Sondrio* 988 ③, 428 D 10 – *10 940 ab. alt. 255* – ✆ *0342.*
Roma 673 – Sondrio 25 – Bolzano 194 – Lecco 57 – Lugano 71 – Milano 113 – Passo dello Spluga 66.

La Ruota, strada statale ✆ 610117, Fax 614046 – |♦| ▤ TV ☎ ♿ ⇔ P. AE. S. ● VISA. ✻ cam
Pasto 25/40000 – ☕ 8000 – **23 cam** 55/75000 – 1/2 P 60/65000.

Margna, via Margna 36 ✆ 610377, Fax 615114 – |♦| TV ☎ ⇔ P. AE. S. E VISA. JCB. ✻ rist
Pasto *(chiuso lunedì)* carta 40/55000 – **36 cam** ☕ 60/95000 – 1/2 P 70/80000.

Vecchio Ristorante Fiume, contrada di Cima alle Case 3 ✆ 610248 – AE
chiuso martedì sera e mercoledì – **Pasto** carta 40/55000.

a Regoledo di Cosio Valtellino *O : 1 km* – ✉ *23013 :*

Bellevue, statale dello Stelvio ✆ 635107, Fax 635686, ✻ – |♦| ▤ rist TV ☎ ♿ ⇔ P – 55. AE. S. ● E VISA. JCB. ✻ rist
Pasto *(chiuso lunedì)* carta 35/45000 – ☕ 12000 – **37 cam** 55/85000 – 1/2 P 75000.

MORCIANO DI ROMAGNA *47047 Rimini* 988 ⑯, 429, 430 K 19 – *5 511 ab. alt. 83* – ✆ *0541.*
Roma 323 – Rimini 27 – Ancona 95 – Ravenna 92.

Tuf-Tuf, via Panoramica 34 ✆ 988770, Coperti limitati; prenotare – P. AE. S. ● E VISA
chiuso a mezzogiorno, lunedì e dal 20 maggio all'8 giugno – **Pasto** carta 60/95000.

MORDANO *40027 Bologna* 429, 430 I 17 – *3 962 ab. alt. 21* – ✆ *0542.*
Roma 396 – Bologna 45 – Ravenna 45 – Forlì 35.

Panazza, via Lughese 35 ✆ 51434, Fax 52165, « Piccolo parco con laghetto », ⛱, ✻ – |♦| ▤ ☎ P – 50. AE. S. ● E VISA. ✻
Pasto 30/35000 – ☕ 12000 – **64 cam** 90/120000 – 1/2 P 100/125000.

MORIMONDO *20081 Milano* 428 F 8 – *1 154 ab. alt. 109* – ✆ *02.*
Roma 587 – Alessandria 81 – Milano 30 – Novara 37 – Pavia 27 – Vercelli 55.

Trattoria Basiano, località Basiano S : 3 km ✆ 945295, Fax 945295, ☂ – ▤ P. S. E VISA. ✻
chiuso lunedì sera, martedì, dal 24 al 26 dicembre, dal 1º al 7 gennaio e dal 16 agosto al 10 settembre – **Pasto** carta 35/60000.

MORLUPO *00067 Roma* 430 P 19 – *6 468 ab. alt. 207* – ✆ *06.*
Roma 34 – Terni 79 – Viterbo 64.

Agostino al Campanaccio, piazza Armando Diaz 13 ✆ 9072111, ☂ – AE. S. E VISA. ✻
chiuso martedì e dal 17 agosto al 6 settembre – **Pasto** carta 40/60000.

ORNAGO *21020 Varese* 428 *E 8,* 219 ⑰ *– 3 836 ab. alt. 281 – ☎ 0331.*

Roma 639 – Stresa 37 – Como 37 – Lugano 45 – Milano 58 – Novara 47 – Varese 11.

XX **Alla Corte Lombarda,** via De Amicis 13 ✆ 904376, Coperti limitati; prenotare – P. AE. S. ⓞ E VISA. ✂
chiuso lunedì e dal 7 al 28 agosto – **Pasto** carta 35/70000.

ORTARA *27036 Pavia* 988 ⑬, 428 *G 8 G. Italia – 14 308 ab. alt. 108 – ☎ 0384.*

Roma 601 – Alessandria 57 – Milano 47 – Novara 24 – Pavia 38 – Torino 94 – Vercelli 32.

XX **San Michele** con cam, corso Garibaldi 20 ✆ 98614, Fax 99106 – TV ☎ P. AE. S. E VISA
chiuso dal 23 dicembre al 6 gennaio ed agosto – **Pasto** *(chiuso sabato e a mezzogiorno escluso domenica)* carta 40/60000 – ☕ 10000 – **17 cam** 85/120000, appartamento – ½ P 75/95000.

XX Guallina, località Guallina E : 4 km ✆ 91962, Coperti limitati; prenotare – P

X **Torino,** corso Torino 140 ✆ 99600 – P. S. ⓞ E VISA
chiuso domenica ed agosto – **Pasto** carta 30/60000.

ORTELLE *Messina* 431, 432 *M 28 – Vedere Sicilia (Messina) alla fine dell'elenco alfabetico.*

OSO (MOOS) *Bolzano – Vedere Sesto.*

OSSA *34070 Gorizia* 429 *E 22 – 1 596 ab. alt. 73 – ☎ 0481.*

Roma 656 – Udine 31 – Gorizia 6 – Trieste 49.

X **Blanch,** via Blanchis 35 ✆ 80020, 🌳 – P. AE. S. ⓞ E VISA. ✂
chiuso mercoledì e dal 27 agosto al 26 settembre – **Pasto** carta 35/50000.

OTTA DI LIVENZA *31045 Treviso* 988 ⑤, 429 *E 19 – 8 858 ab. – ☎ 0422.*

Roma 562 – Venezia 55 – Pordenone 32 – Treviso 36 – Trieste 109 – Udine 69.

Bertacco, via Ballarin 18 ✆ 861400, Fax 861790 – |‡| ▤ TV ☎ P – 🏛 30. AE. S. ⓞ E VISA. JCB. ✂
Pasto *(chiuso domenica sera, lunedì e dal 5 al 25 agosto)* carta 30/65000 – ☕ 8000 – **20 cam** 80/120000, appartamento – ½ P 110000.

OZZO *24035 Bergamo* 219 ⑳ *– 6 563 ab. alt. 252 – ☎ 035.*

Roma 607 – Bergamo 8 – Lecco 28 – Milano 49.

XX **Caprese,** via Crocette 38 ✆ 611148, prenotare – ▤ P. AE. S. ⓞ E VISA
✿ *chiuso domenica sera, lunedì, Natale e dal 10 al 31 agosto* – **Pasto** specialità di mare carta 60/80000
Spec. Scampetti e cappesante alla caprese. Linguine allo scorfano. Spigola all'acqua di mare.

UGGIA *34015 Trieste* 988 ⑥, 429 *F 23 G. Italia – 13 373 ab. – ☎ 040.*

ℹ *(maggio-settembre) via Roma 20 ✆ 273259.*

Roma 684 – Udine 82 – Milano 423 – Trieste 11 – Venezia 173.

XX **La Risorta,** Riva De Amicis 1/a ✆ 271219, « Servizio estivo in terrazza con ≤ » – AE. S. ⓞ E VISA. JCB
chiuso dal 1° al 21 gennaio, lunedì, domenica sera dal 15 settembre a giugno tutto il giorno negli altri mesi – **Pasto** carta 45/70000.

XX **All'Arciduca** ⛰ con cam, strada per Chiampore 46 ✆ 271019, Fax 275388, ≤, 🌳 – TV ☎ P. AE. S E VISA. ✂
chiuso dal 1° al 14 gennaio – **Pasto** *(chiuso venerdì e domenica sera)* carta 35/55000 – **12 cam** ☕ 75/105000 – ½ P 110/120000.

Santa Barbara *SE : 3 km – ✉ 34015 Muggia :*

X **Taverna da Stelio "Cigui"** ⛰ con cam, via Colarich 92/D ✆ 273363, Fax 273363, prenotare, « Ambiente familiare in zona verdeggiante con servizio estivo in terrazza-giardino » – TV P. S. E VISA. ✂
chiuso dal 1° al 15 gennaio – **Pasto** *(chiuso mercoledì)* carta 30/45000 – **6 cam** ☕ 70/120000 – ½ P 80/100000.

ÜHLBACH = *Rio di Pusteria.*

MÜHLWALD = *Selva dei Molini.*

MULAZZO *54026 Massa Carrara* 428, 429, 430 J 11 *G. Toscana – 2 594 ab. alt. 350 – ☎ 0187.*
Roma 434 – La Spezia 43 – Genova 121 – Parma 83.

a Madonna del Monte *O : 8 km – alt. 870 – ✉ 54026 Mulazzo :*

✗ **Rustichello** ⛰ con cam, Crocetta di Mulazzo ✆ 439759, ≤, prenotare – Ⓟ. ✂ rist
chiuso dall'8 gennaio a Carnevale – **Pasto** *(da settembre a giugno aperto da venerd domenica ed i giorni festivi)* carta 30/45000 – ☕ 9000 – **8 cam** 60/70000 – ½ P 60/6500C

MULES **(MAULS)** *Bolzano* 429 B 16 *– alt. 905 – ✉ 39040 Campo di Trens – ☎ 0472.*
Roma 699 – Bolzano 56 – Brennero 23 – Brunico 44 – Milano 360 – Trento 121 – Vipiteno

🏨 **Stafler,** ✆ 771136, Fax 771094, « Parco ombreggiato », ≦, ☒, ✂ – |‡| TV ☎ Ⓟ
🏃 40. ⓢ. E VISA. ✂ rist
chiuso dal 23 giugno all'11 luglio e dal 10 novembre al 19 dicembre – **Pasto** *(chiu mercoledì escluso da agosto ad ottobre)* carta 60/85000 – **36 cam** ☕ 130/20000 2 appartamenti – ½ P 130/160000.

MURAGLIONE (Passo del) *Firenze* 429, 430 K 16 *– Vedere San Godenzo.*

MURANO *Venezia* 988 ⑤ *– Vedere Venezia.*

MURAVERA *Cagliari* 988 ㉞, 433 I 10 *– Vedere Sardegna alla fine dell'elenco alfabetico.*

MURO LUCANO *85054 Potenza* 988 ㉘, 431 E 28 *– 6 387 ab. alt. 654 – ☎ 0976.*
Roma 357 – Potenza 48 – Bari 198 – Foggia 113.

✗ **Delle Colline** con cam, ✆ 2284, Fax 2192, ≤ – ▤ rist TV ☎ Ⓟ. AE. ⓢ. ⓓ E VISA
Pasto carta 25/35000 – ☕ 4000 – **18 cam** 45/65000 – ½ P 50/55000.

MUSSOLENTE *36065 Vicenza* 429 E 17 *– 6 236 ab. alt. 127 – ☎ 0424.*
Roma 548 – Padova 51 – Belluno 85 – Milano 239 – Trento 93 – Treviso 42 – Venezia 72 Vicenza 40.

🏨 **Villa Palma** ⛰, via Chemin Palma 30 (S : 1,5 km) ✆ 577407, Fax 87687, 🏛, 🌳 – |‡| ▤
TV ☎ Ⓟ – 🏃 60. AE. ⓢ. ⓓ E VISA. ✂
Pasto 40/50000 (a mezzogiorno) 45/55000 (alla sera) e al Rist. ***La Loggia*** *(chiuso dal 4 21 agosto)* carta 40/60000 – **20 cam** ☕ 205/300000, appartamento.

🏠 **Volpara** ⛰, NE : 2 km ✆ (0423) 567766, Fax 968841, ≤ – ▤ TV ☎ Ⓟ. AE. ⓢ. ⓓ E VISA
JCB. ✂
Pasto vedere rist ***Volpara-Malga Verde*** – ☕ 8000 – **10 cam** 45/70000.

✗ **Volpara-Malga Verde,** NE : 2 km ✆ 577019, ≤, 🏛 – Ⓟ – 🏃 30. AE. ⓢ. ⓓ E VISA
chiuso mercoledì e dal 1º al 20 agosto – **Pasto** carta 30/40000.

NAPOLI

80100 P 988 ㉗, 431 E 24 *G. Italia* – 1 050 234 ab. – a.s. aprile-ottobre – ✆ 081.

Roma 219 ③ – Bari 261 ④.

UFFICIO INFORMAZIONI TURISTICHE

piazza dei Martiri 58 ✉ 80121 ✆ 405311.
piazza del Plebiscito (Palazzo Reale) ✉ 80132 ✆ 418744, Fax 418619.
Stazione Centrale ✉ 80142 ✆ 268779.
Aeroporto di Capodichino ✉ 80133 ✆ 7805761.
piazza del Gesù Nuovo 7 ✉ 80135 ✆ 5523328.
Passaggio Castel dell'Ovo ✉ 80132 ✆ 7645688.
A.C.I. *piazzale Tecchio 49/d ✉ 80125 ✆ 2394511.*

INFORMAZIONI PRATICHE

Ugo Niutta di Capodichino NE : 6 km CT *(escluso sabato e domenica) ✆ 5425333 – Alitalia, via Medina 41 ✉ 80133 ✆ 5425222.*

per Capri (1 h 15 mn), Ischia (1 h 25 mn) e Procida (1 h), giornalieri – Caremar-Travel and Holidays, molo Beverello ✉ 80133 ✆ 5513882, Fax 5522011; per Cagliari giovedì e dal 19 giugno al 17 settembre anche sabato (15 h 45 mn) e Palermo giornaliero (11 h) – Tirrenia Navigazione, Stazione Marittima, molo Angioino ✉ 80133 ✆ 5891050, Telex 710030, Fax 7201567; per Ischia giornalieri (1 h 15 mn) – Alilauro e Linee Lauro, molo Beverello ✉ 80133 ✆ 5522838, Fax 5513236; per le Isole Eolie mercoledì e venerdì, dal 15 giugno al 15 settembre lunedì, martedì, giovedì, venerdì sabato e domenica (14 h) – Siremar-agenzia Genovese, via Depetris 78 ✉ 80133 ✆ 5512112, Telex 710196, Fax 5512114.

per Capri (45 mn), Ischia (45 mn) e Procida (35 mn), giornalieri – Caremar-Travel and Holidays, molo Beverello ✉ 80133 ✆ 5513882, Fax 5522011; per Ischia giornalieri (30 mn) e Capri giornalieri (40 mn) – Alilauro, via Caracciolo 11 ✉ 80122 ✆ 7611004, Fax 7614250; per Capri giornalieri (40 mn) – Navigazione Libera del Golfo, molo Beverello ✉ 80133 ✆ 5520763, Telex 722661, Fax 5525589; per Capri giornalieri (45 mn), per le Isole Eolie giugno-settembre giornaliero (4 h) e Procida-Ischia giornalieri (35 mn) – Aliscafi SNAV, via Caracciolo 10 ✉ 80122 ✆ 7612348, Telex 720446, Fax 7612141.

9 *(chiuso martedì) ad Arco Felice ✉ 80072 ✆ 5264296, per ⑧ : 19 km.*

CURIOSITÀ

Museo Archeologico Nazionale★★★ KY– *Castel Nuovo*★★ KZ– *Porto di Santa Lucia*★★ BU : ≤★★ *sul Vesuvio e sul golfo* – ≤★★★ *notturna dalla via Partenope sulle colline del Vomero e di Posillipo* FX– *Teatro San Carlo*★ KZT1 – *Piazza del Plebiscito*★ JKZ– *Palazzo Reale*★ KZ– *Certosa di San Martino*★★ JZ : ≤★★★ *sul golfo di Napoli dalla sala n° 25 del museo.*

Quartiere di Spacca-Napoli★★ KY– *Tomba*★★ *del re Roberto il Saggio nella chiesa di Santa Chiara*★ KY– *Cariatidi*★ *di Tino da Camaino nella chiesa di San Domenico Maggiore* KY– *Sculture*★ *nella cappella di San Severo* KY– *Arco*★, *tomba*★ *di Caterina d'Austria, abside*★ *nella chiesa di San Lorenzo Maggiore* LY– *Palazzo e galleria di Capodimonte*★★ BT

Mergellina★ BU : ≤★★ *sul golfo* – *Villa Floridiana*★ EVX : ≤★ – *Catacombe di San Gennaro*★★ BT– *Chiesa di Santa Maria Donnaregina*★ LY– *Chiesa di San Giovanni a Carbonara*★ LY– *Porta Capuana*★ LMY – *Palazzo Como*★ LY – *Sculture*★ *nella chiesa di Sant'Anna dei Lombardi* KYZ – *Posillipo*★ AU – *Marechiaro*★ AU – ≤★★ *sul golfo dal parco Virgiliano (o parco della Rimembranza)* AU.

ESCURSIONI

Golfo di Napoli★★★ *verso Campi Flegrei*★★ *per* ⑦, *verso penisola Sorrentina per* ⑥ – *Isola di Capri*★★★ – *Isola d'Ischia*★★★.

Piante : Napoli p. 4 a 9

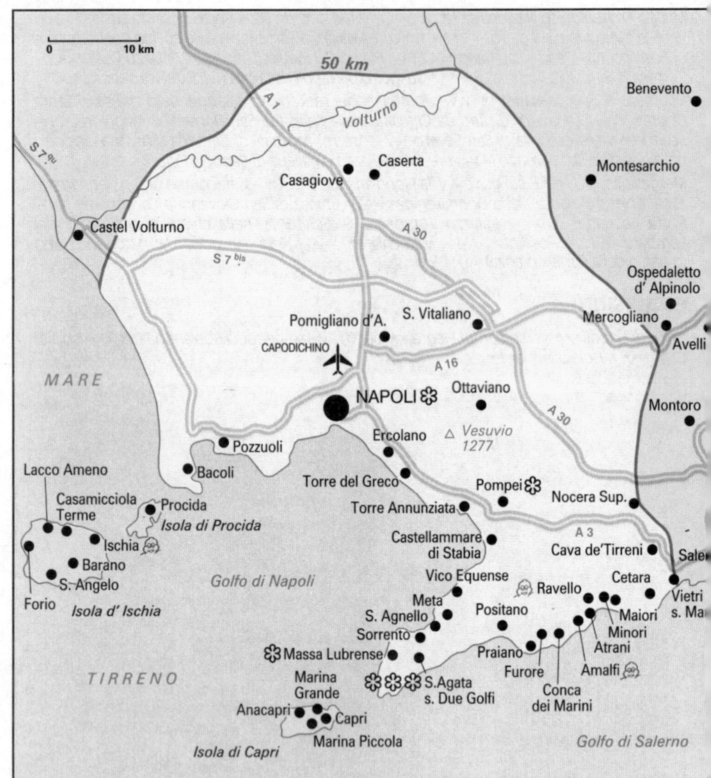

Grande Albergo Vesuvio, via Partenope 45 ✉ 80121 ☏ 7640044, Telex 7101 Fax 5890380, « Rist. roof-garden con ≤ golfo e Castel dell'Ovo » – |ǂ| ✈ cam ▤ TV ☎ « – 🏛 400. AE. 🅂. ⓓ E VISA JCB. ✗ rist FX
Pasto al Rist. ***Caruso*** *(chiuso lunedì)* carta 80/115000 – **167 cam** ☕ 370/470000, 16 appartamenti.

Gd H. Parker's, corso Vittorio Emanuele 135 ✉ 80121 ☏ 7612474, Telex 7105 Fax 663527, « Rist. roof-garden con ≤ città e golfo » – |ǂ| ▤ TV ☎ 🚗 – 🏛 250. AE. 🅂. E VISA. ✗ EX
Pasto *(chiuso domenica sera)* carta 65/115000 – **70 cam** ☕ 250/350000, 10 appartame

Santa Lucia, via Partenope 46 ✉ 80121 ☏ 7640666, Telex 710595, Fax 7648580, ≤ go e Castel dell'Ovo – |ǂ| ▤ TV ☎ – 🏛 110. AE. 🅂. ⓓ E VISA. ✗ GX
Pasto 60/80000 e al Rist. ***Megaris*** *(chiuso domenica)* carta 65/110000 – **97 cam** ☕ 2 410000, 5 appartamenti – ½ P 260000.

Grand Hotel Terminus Ⓜ, piazza Garibaldi 91 ✉ 80142 ☏ 7793111, Telex 7222 Fax 206689, 🏋, ♨ – |ǂ| ▤ TV ☎ 🚗 – 🏛 300. AE. 🅂. ⓓ E VISA. ✗ rist MY
Pasto 40000 – **170 cam** ☕ 220/320000, 12 appartamenti – ½ P 205/265000.

Holiday Inn Ⓜ, centro direzionale Isola e/6 ✉ 80143 ☏ 2250111, Telex 7201 Fax 5628074 – |ǂ| ✈ cam ▤ TV ☎ ♿ 🚗 – 🏛 150. AE. 🅂. ⓓ E VISA. JCB. ✗
Pasto 25/55000 e al Rist. ***Bistrot Victor*** carta 50/75000 – **298 cam** ☕ 310/3600 32 appartamenti 420000 – ½ P 190/220000. CT

Oriente, via Diaz 44 ✉ 80134 ☏ 5512133, Telex 722398, Fax 5514915 – ▤ TV ☎ – 🏛 3 AE. 🅂. ⓓ E VISA. ✗ KZ
Pasto (solo per alloggiati e *chiuso a mezzogiorno, venerdì, sabato, domenica ed agos* 45/60000 – **130 cam** ☕ 250/380000, 2 appartamenti.

Mercure senza rist, via Depretis 123 ✉ 80133 ☎ 5529500, Fax 5529509 – . AE. ⑤. ⓓ E VISA — KZ b
85 cam ☐ 220/280000.

Royal, via Partenope 38 ✉ 80121 ☎ 7644800, Fax 7645707, ≤ golfo, Posillipo e Castel dell'Ovo, – – 180. AE. ⑤. ⓓ E VISA. JCB. ❊ rist — FX n
Pasto 55/70000 – **259 cam** ☐ 210/340000, 16 appartamenti – 1/2 P 220/240000.

Continental senza rist, via Partenope 44 ✉ 80121 ☎ 7644636, Fax 7644661, ≤ golfo e Castel dell'Ovo – – 600. AE. ⑤. ⓓ E VISA. JCB — FX n
166 cam ☐ 210/340000.

Paradiso, via Catullo 11 ✉ 80122 ☎ 7614161, Fax 7613449, ≤ golfo, città e Vesuvio, – – 80. AE. ⑤. ⓓ E VISA. ❊ rist — BU a
Pasto carta 55/80000 – **71 cam** ☐ 170/270000 – 1/2 P 155/170000.

Villa Capodimonte , via Moiariello 66 ✉ 80131 ☎ 459000, Fax 299344, ≤, , – – 50. AE. ⑤. ⓓ E VISA. JCB. ❊ rist — BT a
Pasto *(chiuso a mezzogiorno)* carta 45/60000 – **58 cam** ☐ 150/240000.

Miramare senza rist, via Nazario Sauro 24 ✉ 80132 ☎ 7647589, Fax 7640775, ≤ golfo e Vesuvio, « Roof-garden » – . AE. ⑤. ⓓ E VISA. JCB — GX e
30 cam ☐ 240/350000.

Britannique, corso Vittorio Emanuele 133 ✉ 80121 ☎ 7614145, Telex 722281, Fax 660457, ≤ città e golfo, « Giardino » – – 100. AE. ⑤. ⓓ E VISA. JCB. ❊ rist — EX r
Pasto 40000 – ☐ 15000 – **80 cam** 180/240000, 8 appartamenti – 1/2 P 220000.

Majestic, largo Vasto a Chiaia 68 ✉ 80121 ☎ 416500, Telex 720408, Fax 416500 – – 100. AE. ⑤. ⓓ E VISA. ❊ — FX b
Pasto *(chiuso domenica)* carta 35/55000 – **130 cam** ☐ 190/280000.

Serius, viale Augusto 74 ✉ 80125 ☎ 2394844, Fax 2399251 – — AU d
69 cam.

Nuovo Rebecchino senza rist, corso Garibaldi 356 ✉ 80142 ☎ 5535327, Fax 268026 – . AE. ⑤. ⓓ E VISA. JCB — MY b
58 cam ☐ 160/200000.

Executive senza rist, via del Cerriglio 10 ✉ 80134 ☎ 5520611, Fax 5520611, – . AE. ⑤. ⓓ E VISA. JCB — KZ c
18 cam ☐ 150/200000, appartamento.

Belvedere, via Tito Angelini 51 ✉ 80129 ☎ 5788169, Fax 5785417, ≤ città e golfo, – cam . AE. ⑤. ⓓ E VISA. ❊ — FV a
Pasto carta 40/60000 – **25 cam** ☐ 150/200000, 2 appartamenti – 1/2 P 170000.

Splendid, via Manzoni 96 ✉ 80123 ☎ 7141955, Fax 7146431, ≤ – . AE. ⑤. ⓓ E VISA. ❊ rist — BU c
Pasto 35000 – **45 cam** ☐ 150/195000 – 1/2 P 115/150000.

La Cantinella, via Cuma 42 ✉ 80132 ☎ 7648684, Fax 7648769 – . AE. ⑤. ⓓ E VISA. JCB. ❊ — GX v
chiuso domenica, dal 24 al 26 dicembre e dall'11 al 18 agosto – **Pasto** carta 50/95000 (12 %)
Spec. Antipasti alla "Cantinella". Tufoli con fiori di zucchina e cozze. Spigola alla mediterranea.

Ciro a Santa Brigida, via Santa Brigida 73 ✉ 80132 ☎ 5524072, Fax 5528992, Rist. e pizzeria – . AE. ⑤. ⓓ E VISA — JZ w
chiuso domenica e dal 14 al 29 agosto – **Pasto** carta 45/65000.

Giuseppone a Mare, via Ferdinando Russo 13-Capo Posillipo ✉ 80123 ☎ 5756002, Rist. marinaro con ≤ – . AE. ⑤. ⓓ E VISA — AU p
chiuso domenica, dal 23 al 31 dicembre e dal 9 al 15 agosto – **Pasto** carta 50/70000.

Il Posto Accanto-Rosolino, via Nazario Sauro 2/7 ✉ 80132 ☎ 7649873, Fax 7640547, Rist. e pizzeria – – 70. — GX a

San Carlo, via Cesario Console 18/19 ✉ 80132 ☎ 7649757, prenotare – . AE. ⑤. ⓓ E VISA. JCB. ❊ — KZ a
chiuso domenica e dal 3 agosto al 3 settembre – **Pasto** carta 50/85000 (10 %).

Don Salvatore, strada Mergellina 4 A ✉ 80122 ☎ 681817, Fax 661241, Rist. e pizzeria – . AE. ⑤. ⓓ E VISA — BU t
chiuso mercoledì – **Pasto** carta 50/75000.

A' Fenestella, calata Ponticello a Marechiaro ✉ 80123 ☎ 7690020, Fax 5750686, « Servizio estivo in terrazza sul mare » – . AE. ⑤. ⓓ E VISA — AU g
chiuso dall'11 al 18 agosto, domenica e in agosto anche a mezzogiorno – **Pasto** carta 40/65000 (15 %).

Da Mimì alla Ferrovia, via Alfonso d'Aragona 21 ✉ 80139 ☎ 5538525 – . AE. ⑤. ⓓ E VISA — MY f
chiuso domenica e dal 10 al 20 agosto – **Pasto** carta 35/60000 (12 %).

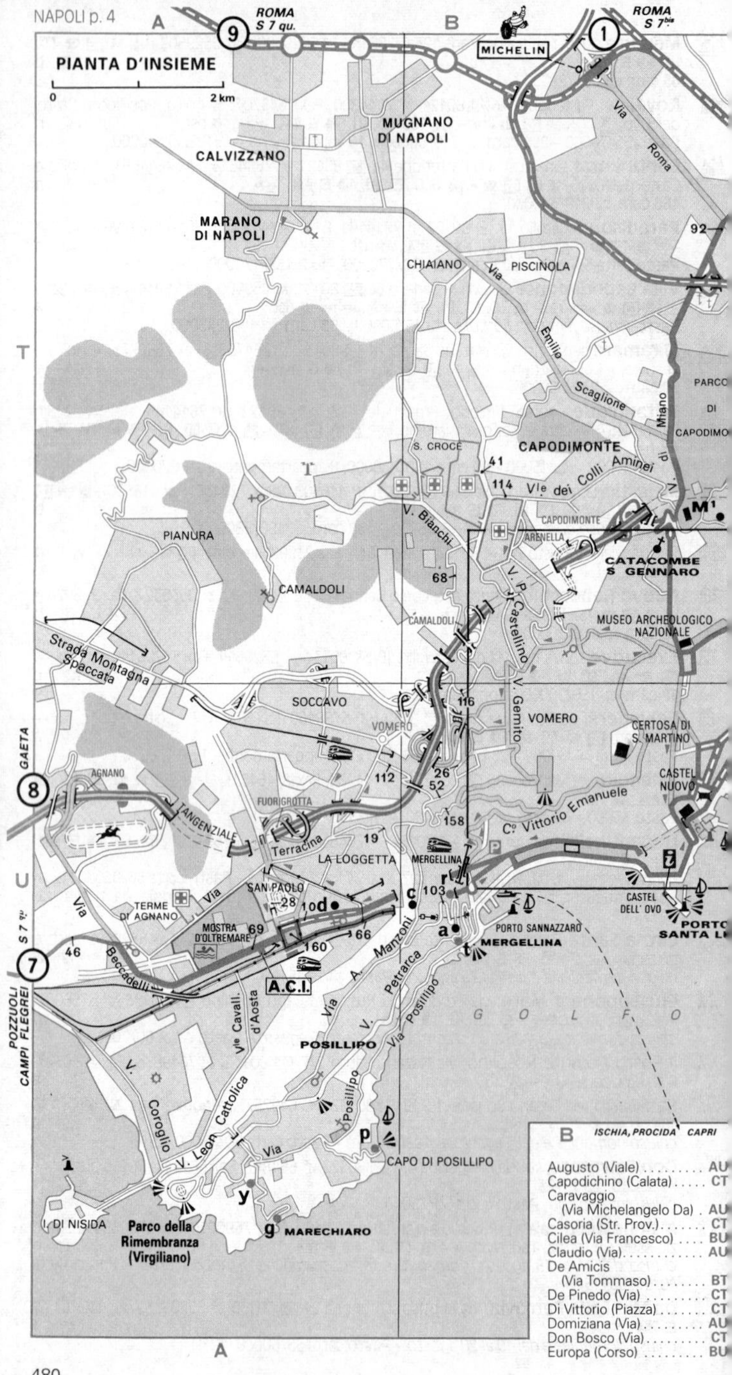
PIANTA D'INSIEME
0
2 km
ROMA
S 7 qu.
ROMA
S 7 bis
MICHELIN
CALVIZZANO
MUGNANO DI NAPOLI
MARANO DI NAPOLI
CHIAIANO
PISCINOLA
Via Roma
Via Emilio Scaglione
Miano
PARCO DI CAPODIMONTE
CAPODIMONTE
S. CROCE
Vle dei Colli Aminei
CAPODIMONTE
ARENELLA
CATACOMBE S GENNARO
PIANURA
CAMALDOLI
V. Bianchi
V. P. Castellino
MUSEO ARCHEOLOGICO NAZIONALE
Strada Montagna Spaccata
SOCCAVO
VOMERO
V. Gemito
CERTOSA DI S. MARTINO
CASTEL NUOVO
GAETA
AGNANO
TANGENZIALE
FUORIGROTTA
Terracina
Cº Vittorio Emanuele
LA LOGGETTA
MERGELLINA
SAN PAOLO
TERME DI AGNANO
MOSTRA D'OLTREMARE
CASTEL DELL' OVO
PORTO SANTA L
PORTO SANNAZZARO
MERGELLINA
Via Beccadelli
A.C.I.
Via A. Manzoni
V. Petrarca
Via Posillipo
G O L F O
POZZUOLI CAMPI FLEGREI
S 7 qu.
Vle Cavall. d'Aosta
POSILLIPO
V. Coroglio
V. Leon Cattolica
Via Posillipo
CAPO DI POSILLIPO
I. DI NISIDA
Parco della Rimembranza (Virgiliano)
MARECHIARO
ISCHIA, PROCIDA
CAPRI
A
B
T
U

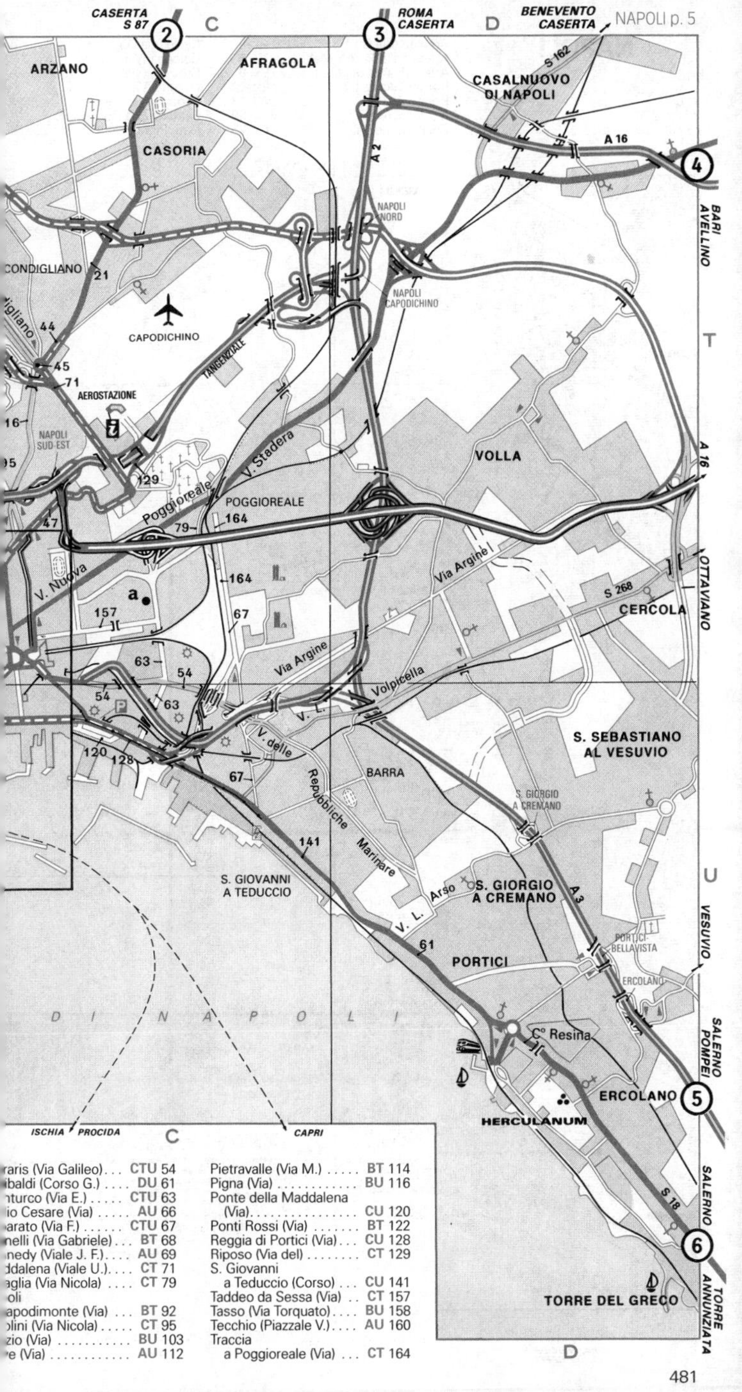
CASERTA
S 87
2
C
ROMA
CASERTA
3
D
BENEVENTO
CASERTA
ARZANO
AFRAGOLA
CASALNUOVO
DI NAPOLI
S 162
CASORIA
A 16
4
BARI
AVELLINO
A 2
NAPOLI
NORD
CONDIGLIANO
21
NAPOLI
CAPODICHINO
CAPODICHINO
TANGENZIALE
44
45
71
AEROSTAZIONE
T
16
NAPOLI
SUD-EST
95
V. Stadera
VOLLA
A 16
129
Poggioreale
POGGIOREALE
47
79
164
V. Nuova
Via Argine
OTTAVIANO
S 268
CERCOLA
a
157
67
63
Via Argine
54
Volpicella
54
63
V. L.
120
128
V. delle
Repubbliche
Marinare
BARRA
S. SEBASTIANO
AL VESUVIO
67
S. GIORGIO
A CREMANO
141
S. GIOVANNI
A TEDUCCIO
Arso
S. GIORGIO
A CREMANO
A 3
U
VESUVIO
V. L.
61
PORTICI
PORTICI-
BELLAVISTA
ERCOLANO
D I N A P O L I
C° Resina
SALERNO
POMPEI
ERCOLANO
5
HERCULANUM
ISCHIA
PROCIDA
C
CAPRI
S 18
SALERNO
6
TORRE
ANNUNZIATA
TORRE DEL GRECO
D

NAPOLI

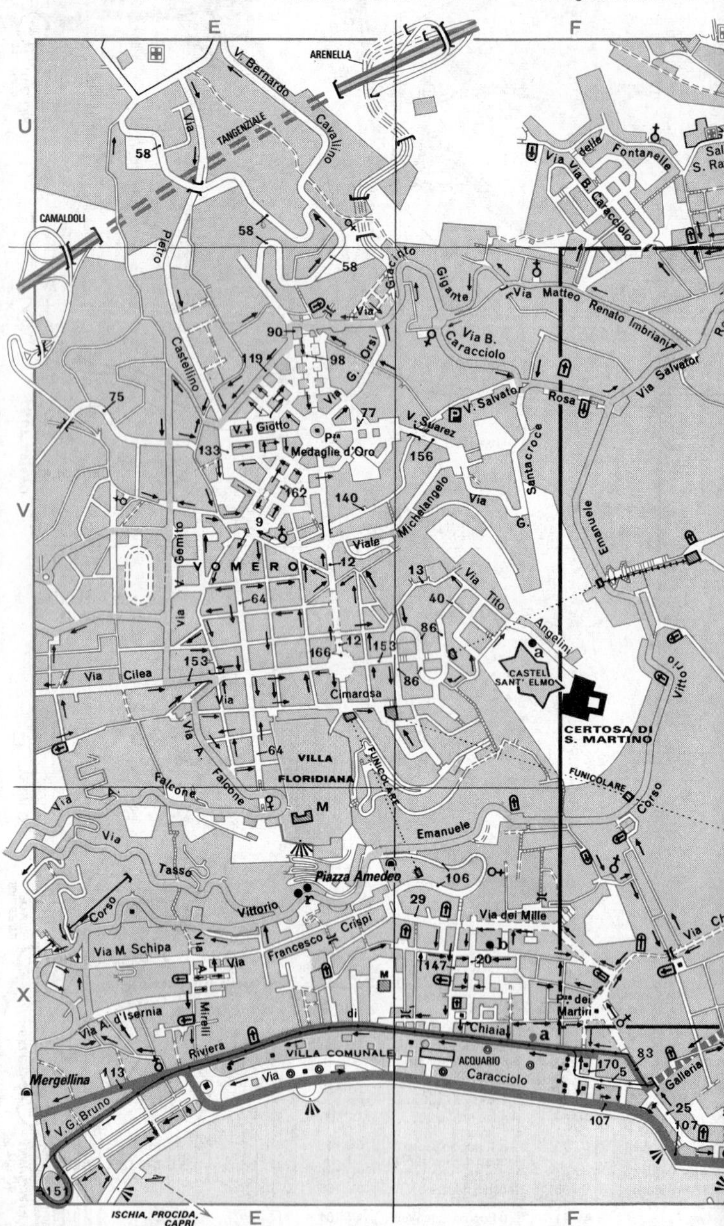

E
F
U
V
X
ARENELLA
V. Bernardo Cavallino
TANGENZIALE
CAMALDOLI
Via Pietro Castellino
Via Giacinto Gigante
Via Matteo Renato Imbriani
Via B. Caracciolo
Via delle Fontanelle
Via B. Caracciolo
Via Salvator Rosa
V. Salvator
Via G. Orsi
V. Giotto
Pza Medaglie d'Oro
V. Suarez
Via Santacroce
Via G.
Viale Michelangelo
Via A. Gemito
VOMERO
Via Tito Angelini
CASTEL SANT' ELMO
CERTOSA DI S. MARTINO
Via Cilea
Via Cimarosa
Via A. Falcone
VILLA FLORIDIANA
FUNICOLARE
M
Via Tasso
Corso Vittorio Emanuele
Piazza Amedeo
Via dei Mille
Via Francesco Crispi
Via M. Schipa
Via A. d'Isernia
Via Mirelli
Riviera di Chiaia
Pza dei Martiri
Via Ch
VILLA COMUNALE
ACQUARIO
Via Caracciolo
Galleria
Mergellina
V. G. Bruno
ISCHIA, PROCIDA, CAPRI
Corso
Vitto rio
Emanuele
58
90
119
98
75
77
133
156
162
140
9
12
13
40
64
86
166
153
106
29
147
20
113
170
5
83
25
107
151
a
b
r

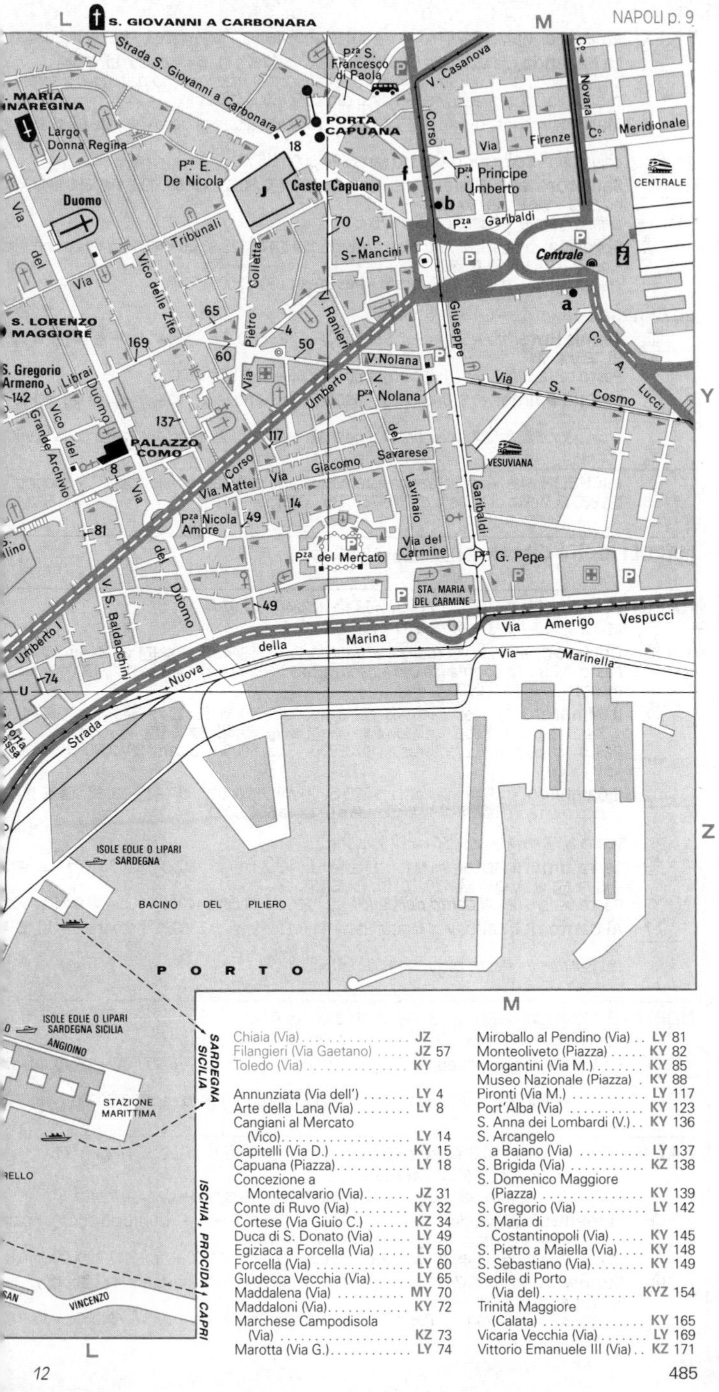

Chiaia (Via) . . . . JZ
Filangieri (Via Gaetano) . . . . . JZ 57
Toledo (Via) . . . . KY

Annunziata (Via dell') . . . . LY 4
Arte della Lana (Via) . . . . LY 8
Cangiani al Mercato (Vico) . . . . LY 14
Capitelli (Via D.) . . . . KY 15
Capuana (Piazza) . . . . LY 18
Concezione a Montecalvario (Via) . . . . JZ 31
Conte di Ruvo (Via) . . . . KY 32
Cortese (Via Giuio C.) . . . . KZ 34
Duca di S. Donato (Via) . . . . . LY 49
Egiziaca a Forcella (Via) . . . . . LY 50
Forcella (Via) . . . . LY 60
Giudecca Vecchia (Via) . . . . . . LY 65
Maddalena (Via) . . . . MY 70
Maddaloni (Via) . . . . KY 72
Marchese Campodisola (Via) . . . . KZ 73
Marotta (Via G.) . . . . LY 74
Miroballo al Pendino (Via) . . LY 81
Monteoliveto (Piazza) . . . . . KY 82
Morgantini (Via M.) . . . . KY 85
Museo Nazionale (Piazza) . KY 88
Pironti (Via M.) . . . . LY 117
Port'Alba (Via) . . . . KY 123
S. Anna dei Lombardi (V.) . . KY 136
S. Arcangelo a Baiano (Via) . . . . LY 137
S. Brigida (Via) . . . . KZ 138
S. Domenico Maggiore (Piazza) . . . . KY 139
S. Gregorio (Via) . . . . LY 142
S. Maria di Costantinopoli (Via) . . . . . KY 145
S. Pietro a Maiella (Via) . . . . KY 148
S. Sebastiano (Via) . . . . KY 149
Sedile di Porto (Via del) . . . . KYZ 154
Trinità Maggiore (Calata) . . . . KY 165
Vicaria Vecchia (Via) . . . . LY 169
Vittorio Emanuele III (Via) . . KZ 171

X **Amici Miei**, via Monte di Dio 78 ✉ 80132 ✆ 7646063, Fax 7646063, Rist. d'habitués JZ

X **La Fazenda**, via Marechiaro 58/a ✉ 80123 ✆ 5757420, 斎 – Ⓟ. AE. Ⓢ. E VISA
chiuso dal 12 al 19 agosto, domenica sera, lunedì a mezzogiorno da luglio a settemb tutto il giorno negli altri mesi – **Pasto** carta 35/75000 (15 %). AU

X **Marino**, via Santa Lucia 118 ✉ 80132 ✆ 7640280, Rist. e pizzeria – ▤. AE. Ⓢ. E VISA. ✶ GX
chiuso lunedì ed agosto – **Pasto** carta 30/45000 (15 %).

X **Salvatore alla Riviera**, riviera Chiaia 91 ✉ 80122 ✆ 680490, Fax 680494, Rist pizzeria – ▤. AE. Ⓢ. ⓓ VISA FX
chiuso martedì – **Pasto** carta 40/70000.

X **Sbrescia**, rampe Sant'Antonio a Posillipo 109 ✉ 80122 ✆ 669140, Rist. tipico con ≤ c e golfo – AE. Ⓢ. ⓓ E VISA BU
chiuso lunedì e dal 15 al 28 agosto – **Pasto** carta 30/55000 (13 %).

ad Agnano *O : 8 km* AU – ✉ *80125 Napoli* :

Tennis Hotel, via A. Righi 5 ✆ 5709033, Fax 7624069, 斎, ⛱, ✶, ✗ – |‡| ▤ TV ☎ Ⓟ. Ⓢ. E VISA. ✶
Pasto carta 30/55000 – **119 cam** ☐ 80/140000 – ½ P 95/105000.

XX **Le Due Palme**, ✆ 5706040, Fax 7626128, Rist. e pizzeria, ✶ – ▤ Ⓟ. AE. Ⓢ. ⓓ E V ✶
chiuso lunedì, dal 24 dicembre al 6 gennaio e dall'8 al 22 agosto – **Pasto** carta 40/60 (12 %).

MICHELIN, via Circumvallazione esterna, incrocio con statale 7 bis-Appia (BT Napoli p. ✉ 80017 Melito di Napoli, ✆ 7011755, Fax 7023715.

NAPOLI (Golfo di) *Napoli* 988 ㉗, 431 E 24 *G. Italia.*

NARNI *05035 Terni* 988 ㉖, 430 O 19 – *20 408 ab. alt. 240* – ☏ *0744.*

Roma 89 – Terni 13 – Perugia 84 – Viterbo 45.

Dei Priori, vicolo del Comune 4 ✆ 726843, Fax 726844, 斎 – |‡| TV ☎. AE. Ⓢ. ⓓ E VISA
Pasto al Rist. ***La Loggia*** *(chiuso lunedì)* carta 35/55000 – **17 cam** ☐ 100/130000, appartamento – ½ P 80/110000.

XX **Il Minareto** ⛰ con cam, via dei Cappuccini Nuovi 32 ✆ 726343, Fax 726284, « Terrazza-giardino con ≤ dintorni » – ▤ TV ☎ Ⓟ. AE. Ⓢ. ⓓ E VISA. JCB. ✶
Pasto *(chiuso mercoledì)* carta 40/65000 – ☐ 6000 – **8 cam** 80/100000, ▤ 5000 ½ P 75000.

X **Il Cavallino**, via Flaminia Romana 220 (S : 2 km) ✆ 761020, 斎 – Ⓟ. AE. Ⓢ. ⓓ E VISA.
chiuso martedì e dal 16 al 31 luglio – **Pasto** carta 35/50000.

a Narni Scalo *N : 2 km* – ✉ *05036 Narni Stazione* :

Terra Umbra Hotel, via Maratta Bassa 61 (NE : 3 km) ✆ 750304, Fax 750401, Ⅎ₆, ≘s, – |‡| ▤ TV ☎ ♿ Ⓟ – 🏛 120. AE. Ⓢ. ⓓ E VISA. ✶
Pasto vedere rist ***Al Canto del Gallo*** – ☐ 13000 – **24 cam** 140/170000 – ½ P 110/1300

XX **Al Canto del Gallo**, via Maratta Bassa 61 (NE : 3 km) ✆ 750871, prenotare –. Ⓢ. E V ✶
chiuso lunedì – **Pasto** carta 30/45000 (10 %).

NARZOLE *12068 Cuneo* 428 I 5 – *3 134 ab. alt. 323* – ☏ *0173.*

Roma 635 – Cuneo 45 – Genova 135 – Milano 149 – Torino 64.

X **La Villa 2**, località Oltretanaro 16 (E : 3 km) ✆ 776277, Fax 776277, 斎 – ▤ Ⓟ. Ⓢ. ⓓ VISA. ✶
chiuso lunedì, dal 5 al 20 gennaio e dal 10 al 25 agosto – **Pasto** carta 20/40000.

NATURNO (NATURNS) *39025 Bolzano* 429 C 15, 218 ⑨ ⑲ – *4 903 ab. alt. 554* – ☏ *0473.*

ℹ *via Municipio* ✆ *666077, Fax 666369.*

Roma 680 – Bolzano 41 – Merano 15 – Milano 341 – Passo di Resia 64 – Trento 101.

Lindenhof ⛰, via della Chiesa 2 ✆ 666242, Fax 668298, ≤, « Giardino con ⛱ riscaldata », Ⅎ₆, ≘s, ⛱ – |‡| ▤ rist TV ☎ ♿ 🚗 Ⓟ – 🏛 25. ✶ rist
marzo-novembre – **Pasto** 30/70000 – **35 cam** ☐ 170/300000 – ½ P 200/400000.

Sunnwies ⛰, ✆ 667157, Fax 667941, ≤, « Giardino con laghetto », Ⅎ₆, ≘s, ⛱, ✗ – ⇔ rist ☎ Ⓟ. ✶ rist
14 marzo-15 novembre – **Pasto** (solo per alloggiati) – **40 cam** ☐ 170/340000 – ½ P 1 190000.

Feldhof, ✆ 666366, Fax 667263, ≘s, ⛱, ▣, 🌳, 🎾 – 📺 ☎ 🅿
stagionale – **28 cam**, 2 appartamenti.

Preidlhof 🐚, ✆ 667210, Fax 666105, ≤, Fб, ≘s, ⛱, ▣, 🌳 – |♦| 📺 ☎ 🚗 🅿. ✂ rist
15 marzo-10 novembre – **Pasto** (solo per alloggiati) – **30 cam** ☕ 155/320000 – ½ P 130/230000.

Funggashof 🐚, ✆ 667161, Fax 667930, ≤, 🏡, Fб, ≘s, ⛱, ▣, 🌳 – |♦| 📺 ☎ 🅿
✂ rist
Natale e marzo-novembre – **Pasto** (prenotare) 35/55000 – **33 cam** solo ½ P 100/170000, appartamento.

XX **Wiedenplatzer-Keller,** via Eich 59 (E : 1,5 km) ✆ 667431, Fax 667431, 🏡, « Caratteristico ambiente » – 🅿. ⓢ. VISA. ✂
chiuso a mezzogiorno dal 10 febbraio al 21 aprile, martedì e dal 1º al 16 luglio – **Pasto** carta 40/65000.

X **Steghof,** via Principale 123/a ✆ 668224, Fax 668224, Coperti limitati; prenotare, « Stuben medioevali » – 🅿. E VISA. ✂
chiuso a mezzogiorno, domenica, lunedì, dal 15 gennaio al 15 febbraio e luglio – **Pasto** carta 50/75000.

NATURNS = *Naturno.*

NAVA (Colle di) *Imperia* 988 ⑫, 428 J 5, 115 ⑩ – *alt. 934.*
Roma 620 – Imperia 35 – Cuneo 95 – Genova 121 – Milano 244 – San Remo 60.

Colle di Nava-Lorenzina, ✉ 18020 Case di Nava ✆ (0183) 325044, Fax 325044, 🌳 – |♦| 📺 ☎ 🅿. ✂ rist
chiuso da novembre al 10 dicembre – **Pasto** *(chiuso martedì)* carta 40/60000 – ☕ 13000 – **31 cam** 60/95000 – ½ P 65/80000.

NAVE *25075 Brescia* 988 ④, 428 F 12 – *10 152 ab. alt. 226* – ☎ *030.*
Roma 544 – Brescia 10 – Bergamo 59 – Milano 100.

X **Waifro,** via Monteclana 40 ✆ 2530184 – 🅿. AE
chiuso giovedì ed agosto – **Pasto** carta 35/55000 bc.

NE *16040 Genova* 428 I 10 – *2 459 ab. alt. 186* – ☎ *0185.*
Roma 473 – Genova 50 – Rapallo 26 – La Spezia 75.

X **La Brinca,** località Campo di Ne ✆ 337480, Fax 337639, prenotare – 🅿. AE. ⓢ. ⓓ E VISA.
✂
chiuso lunedì, a mezzogiorno da martedì a giovedì, marzo ed ottobre – **Pasto** 40000.

NEBBIUNO *Novara* 219 ⑥ ⑦ – *Vedere Meina.*

NEIVE *12057 Cuneo* 428 H 6 – *2 868 ab. alt. 308* – ☎ *0173.*
Roma 643 – Genova 125 – Torino 70 – Asti 31 – Cuneo 96 – Milano 155.

XX **La Luna nel Pozzo,** piazza Italia 23 ✆ 67098, Fax 67098, prenotare – AE. ⓢ. ⓓ E VISA
chiuso mercoledì, dal 27 dicembre al 5 gennaio e dal 15 giugno al 15 luglio – **Pasto** carta 45/65000.

XX **La Contea** con cam, piazza Cocito 8 ✆ 67126, Fax 67367, 🏡, prenotare, « In un antico palazzo » – 📺 🅿. AE. ⓢ. ⓓ E VISA
chiuso dal 21 gennaio al 15 marzo – **Pasto** *(chiuso domenica sera e lunedì escluso da settembre a novembre)* 35/85000 (a mezzogiorno) e 55/85000 (alla sera) – ☕ 15000 – **8 cam** 75/105000 – ½ P 120000.

NEMI *00040 Roma* 430 Q 20 *G. Roma – 1 721 ab. alt. 521* – ☎ *06.*
Roma 33 – Anzio 39 – Frosinone 72 – Latina 41.

Diana Park Hotel, via Nemorense 44 (S : 3 km) ✆ 9364041, Fax 9364063, « Servizio rist. estivo in terrazza con ≤ lago e dintorni », 🌳 – |♦| ▤ 📺 ☎ 🅿 – 🏛 250. AE. ⓢ. ⓓ E VISA.
✂
Pasto al Rist. ***Castagnone*** carta 50/80000 – **33 cam** ☕ 160/250000 – P 80/100000.

NERANO *Napoli* – *Vedere Massa Lubrense.*

NERVESA DELLA BATTAGLIA *31040 Treviso* 988 ⑤, 429 *E 18 – 6 454 ab. alt. 78 –* ☎ *0422.*
Roma 568 – Belluno 68 – Milano 307 – Treviso 20 – Udine 95 – Venezia 51 – Vicenza 65.

XX **La Panoramica,** strada Panoramica NO : 2 km ℘ 885170, Fax 885170, ≤, « Servizio estivo all'aperto », – P – 150. AE. S. E VISA.
chiuso lunedì, martedì, dall'8 al 25 gennaio e dal 9 al 25 luglio – **Pasto** carta 35/50000.

XX **Da Roberto Miron,** piazza Sant'Andrea 26 ℘ 885185, Fax 885165, – ▤. AE. S. E VISA
chiuso domenica sera, lunedì, dal 1° al 15 gennaio e dal 1° al 18 agosto – **Pasto** carta 35/55000.

NERVI *Genova* 988 ⑬, 428 *I 9 G. Italia –* ✉ *16167 Genova-Nervi –* ☎ *010.*
Roma 495 ① – Genova 11 ② – Milano 147 ② – Savona 58 ② – La Spezia 97 ①.

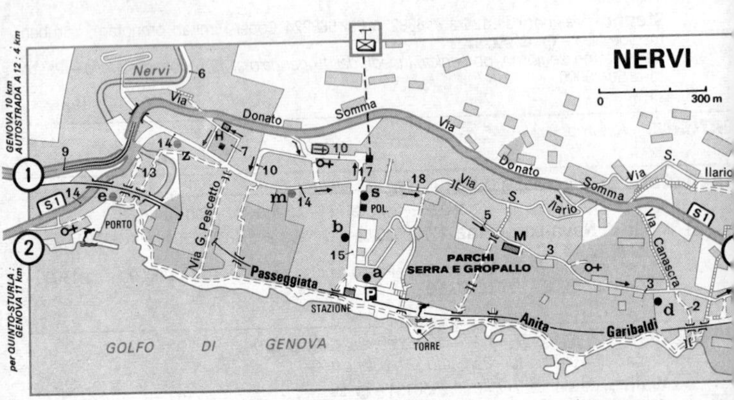

Ancona (Via)	2	Duca degli Abruzzi (Piazza)	7	Oberdan (Via Guglielmo)	
Capolungo (Via)	3	Europa (Corso)	9	Palme (Viale delle)	
Casotti (Via Aldo)	5	Franchini (Via Goffredo)	10	Pittaluga (Piazza Antonio)	
Commercio (Via del)	6	Gazzolo (Via Felice)	13	Sala (Via Marco)	

Villa Pagoda, via Capolungo 15 ℘ 3726161, Fax 321218, ≤, « Piccolo parco ombreggiato » – ▤ TV ☎ P – 120. AE. S. E VISA. rist
Pasto *(chiuso lunedì)* carta 50/80000 – ☐ 22000 – **18 cam** 190/260000 – ½ P 160/240000.

Astor, viale delle Palme 16 ℘ 3728325, Fax 3728486, – ▤ TV ☎ P – 115. AE S. E VISA.
Pasto carta 60/90000 – **41 cam** ☐ 190/255000 – ½ P 165/225000.

Savoia e Savoia senza rist, via E. Da Ros 8 ℘ 37291, Fax 3729200, « Piccolo parco con » – ▤ TV ☎ – 40. AE. S. E VISA
59 cam ☐ 200/400000, 2 appartamenti.

Nervi, piazza Pittaluga 1 ℘ 322751, Fax 3728022 – TV ☎ P. S. E.
Pasto 30/60000 – ☐ 10000 – **38 cam** 110/170000 – ½ P 100/120000.

XX **La Ruota,** via Oberdan 215 r ℘ 3726027 – ▤. AE. S. E VISA
chiuso lunedì ed agosto – **Pasto** carta 35/70000.

XX **Da Patan,** via Oberdan 157 r ℘ 3728162, Fax 3728162 –. AE. S. E VISA.
chiuso agosto e mercoledì, in luglio anche a mezzogiorno – **Pasto** carta 45/65000.

X **Da Pino,** al porticciolo-via Caboto 8 r ℘ 3726395, –. S. E VISA
chiuso giovedì e gennaio – **Pasto** carta 40/70000.

NERVIANO *20014 Milano* 428, 429 *F 8,* 219 ⑱ *– 16 531 ab. alt. 175 –* ☎ *02.*
Roma 600 – Milano 25 – Como 45 – Novara 34 – Pavia 57.

Antico Villoresi, strada statale Sempione 4 ℘ 559450, Fax 491906 – ▤ cam TV ☎ AE. S. E VISA. rist
Pasto carta 35/50000 – **19 cam** ☐ 120/160000 – ½ P 120/150000.

Per l'inserimento in ***guida,***
Michelin *non accetta*
né favori, né denaro!

TRO *13050 Biella* 428 F 5 – *993 ab. alt. 606 –* ☎ *015.*
Roma 680 – Aosta 78 – Biella 14 – Novara 71 – Torino 83 – Vercelli 54.

X **Le Selve** con cam, località Castellazzo, via Provinciale 14 ☎ 65123, Fax 65123, « In un boschetto » – TV P. ⑤. E VISA. ✻ rist
Pasto *(chiuso lunedì sera e martedì)* carta 35/55000 – ☐ 10000 – **9 cam** 55/90000 – ½ P 65/80000.

TTUNO *00048 Roma* 988 ㉖, 430 R 19 *G. Italia – 36 902 ab. –* ☎ *06.*
(chiuso mercoledì) ☎ 9819419, Fax 98988142.
Roma 55 – Anzio 3 – Frosinone 78 – Latina 22.

Marocca, via della Liberazione ☎ 9854241, Fax 9854241, ≤, ▲s |‡| ▤ TV ☎ ⇔. AE. ⑤. ⦿ E VISA. ✻ rist
Pasto 30/35000 – ☐ 10000 – **28 cam** 120/150000 – ½ P 100000.

TTUNO (Grotta di) *Sassari* 988 ㉜ ㉝, 433 F 6 – *Vedere Sardegna alla fine dell'elenco alfabetico.*

USTIFT = *Novacella.*

VEGAL *Belluno* 429 D 18 – *alt. 1 000 –* ✉ *32100 Belluno – a.s. febbraio-7 aprile, 14 luglio-agosto e Natale – Sport invernali : 1 000/1 680 m* ≴ *11,* ⛷ *–* ☎ *0437.*
(20 dicembre-10 aprile e 15 luglio-agosto) piazzale Seggiovia ☎ 908149.
Roma 616 – Belluno 13 – Cortina d'Ampezzo 78 – Milano 355 – Trento 124 – Treviso 76 – Udine 116 – Venezia 105.

Olivier , ☎ 908165, Fax 908162, ≤, Ⅎ6 – |‡| ☎ P. ⑤. VISA. ✻
dicembre-15 aprile e giugno-settembre – **Pasto** 35/60000 – ☐ 20000 – **36 cam** 140/160000 – ½ P 130000.

X **Al Ghiro,** località Faverghera E : 4 km ☎ 908187, ≤ – P. ✻
26 novembre-18 aprile e 7 giugno-19 settembre; chiuso martedì – **Pasto** carta 35/40000.

CASTRO *Catanzaro* 431 K 30 – *Vedere Lamezia Terme.*

COLA *La Spezia – Vedere Ortonovo.*

COSIA *Enna* 432 N 25 – *Vedere Sicilia alla fine dell'elenco alfabetico.*

EDERDORF = *Villabassa.*

EVOLE *Pistoia* 428 K 14 – *Vedere Montecatini Terme.*

DALE *30033 Venezia* 429 F 18 – *14 112 ab. alt. 18 –* ☎ *041.*
Roma 522 – Padova 25 – Treviso 22 – Venezia 20.

Garden senza rist, via Giacomo Tempesta 124 ☎ 4433299, Fax 442104 – |‡| ▤ TV ☎ P. AE. ⑤. ⦿ E VISA
66 cam ☐ 90/140000.

OCERA SUPERIORE *84015 Salerno* 431 E 26 – *23 305 ab. alt. 55 –* ☎ *081.*
Roma 252 – Napoli 50 – Avellino 32 – Salerno 14.

X **Europa,** via Nazionale 503 ☎ 933290, Fax 5143440, Rist. e pizzeria alla sera – ▤. AE. ⑤. ⦿ E VISA. ✻
chiuso lunedì e dal 20 al 29 agosto – **Pasto** carta 25/40000 (15 %).

OCERA TERINESE *88047 Catanzaro* 988 ㊴, 431 J 30 – *4 974 ab. alt. 485 –* ☎ *0968.*
Roma 570 – Cosenza 56 – Catanzaro 58 – Reggio di Calabria 151.

mare *O : 11 km :*

XX **L'Aragosta,** villaggio del Golfo ✉ 88047 ☎ 93385, – ▤ P. AE. ⑤. ⦿ E VISA
chiuso lunedì, dal 10 al 28 gennaio e dal 10 al 30 novembre – **Pasto** specialità di mare carta 45/65000.

NOCERA UMBRA *06025 Perugia* 988 ⑯, 430 M 20 – *5 977 ab. alt. 548 – Stazione termale (m gio-settembre) – ☎ 0742.*
Roma 179 – Perugia 51 – Ancona 112 – Assisi 37 – Foligno 22 – Macerata 80 – Terni 81.

a Bagnara *E : 7 km – ✉ 06025 Nocera Umbra :*

X **Pennino** con cam, ☎ 813858, – 📺 ☎. AE. 🅢. ⓞ E VISA. ✗ cam
Pasto *(chiuso mercoledì escluso da luglio a settembre)* carta 35/55000 – ☕ 5000 – **7 c** 55/75000 – P 70000.

NOCETO *43015 Parma* 988 ⑭, 428, 429 H 12 – *10 154 ab. alt. 76 – ☎ 0521.*
Roma 472 – Parma 13 – Bologna 110 – Milano 120 – Piacenza 59 – La Spezia 104.

XX **Aquila Romana,** via Gramsci 6 ☎ 625398, Fax 625398, prenotare – AE. 🅢. ⓞ E VISA.
chiuso lunedì e martedì – **Pasto** 40/60000 bc (a mezzogiorno) 50/70000 bc (alla sera carta 30/55000.

NOCI *70015 Bari* 988 ㉙, 431 E 33 – *19 400 ab. alt. 424 – ☎ 080.*
ℹ via Siciliani 43 ☎ 8978889.
Roma 497 – Bari 49 – Brindisi 79 – Matera 57 – Taranto 47.

Cavaliere, via Siciliani 47 ☎ 8977589, Fax 8978007 – |‡| ▤ rist 📺 ☎ 🅟 – 🏛 50. AE. 🅢. E VISA. ✗ cam
chiuso dal 23 al 28 dicembre – **Pasto** 20/40000 – ☕ 5000 – **26 cam** 50/80000 – 1/2 P 5 65000.

NOGARÉ *31035 Treviso* 429 E 18 – *alt. 148 – ☎ 0423.*
Roma 553 – Belluno 54 – Milano 258 – Padova 52 – Trento 110 – Treviso 27 – Venezia 5 Vicenza 57.

XX **Villa Castagna,** via Sant'Andrea 72 ☎ 868177, Fax 868177, , « Villa veneta del 700 un piccolo parco » – 🅟. AE ⓞ E VISA
chiuso lunedì, dal 1° al 26 gennaio e dall'11 al 22 agosto – **Pasto** carta 30/45000.

NOLI *17026 Savona* 988 ⑫ ⑬, 428 J 7 *G. Italia* – *2 931 ab. – ☎ 019.*
ℹ corso Italia 8 ☎ 748931, Fax 748931.
Roma 563 – Genova 64 – Imperia 61 – Milano 187 – Savona 18.

Miramare, corso Italia 2 ☎ 748926, Fax 748927, ←, « In un edificio storico », – |‡| ☎. AE. 🅢. ⓞ E VISA. ✗ rist
chiuso febbraio e dal 10 ottobre al 20 dicembre – **Pasto** *(chiuso martedì escluso da giug a settembre)* 45/75000 – ☕ 14000 – **28 cam** 105/130000 – 1/2 P 70/115000.

XX **Italia** con cam, corso Italia 23 ☎ 748971, Fax 748971, – 📺 ☎. AE. 🅢. ⓞ E VISA. ✗ cam
chiuso dal 15 dicembre al 15 gennaio – **Pasto** *(chiuso giovedì)* carta 55/85000 – ☕ 1200 **15 cam** 115000 – 1/2 P 105000.

XX **Da Pino,** via Cavalieri di Malta 37 ☎ 7490065, Coperti limitati; prenotare – AE. 🅢. ⓞ E
chiuso lunedì – **Pasto** specialità di mare carta 55/100000.

X **Ines** con cam, via Vignolo 1 ☎ 748086, Fax 748086 – ▤ 📺 ☎. 🅢. E VISA. ✗
chiuso novembre – **Pasto** *(chiuso lunedì)* specialità di mare carta 50/70000 – ☕ 8000 **16 cam** 90000, ▤ 4000 – 1/2 P 80000.

a Voze *NO : 4 km – ✉ 17026 Noli :*

XX ✿ **Lilliput,** Regione Zuglieno 49 ☎ 748009, « Giardino ombreggiato con minigolf, serviz estivo in terrazza » – 🅟
chiuso a mezzogiorno (escluso sabato-domenica), lunedì, dal 7 gennaio al 13 febbraio e 3 al 14 novembre – **Pasto** carta 65/95000
Spec. Crostacei, verdure e pesci in crema di limone. Bacialli al rosmarino. Gallinella di ma al pomodoro e timo.

NONANTOLA *41015 Modena* 429, 430 H 15 *G. Italia* – *11 538 ab. alt. 24 – ☎ 059.*
Vedere *Sculture romaniche★ nell'abbazia.*
Roma 415 – Bologna 34 – Ferrara 62 – Mantova 77 – Milano 180 – Modena 10 – Verona 1

X **Osteria di Rubbiara,** località Rubbiara S : 5 km ☎ 549019, , Coperti limitati; prenot re, « Ambiente tipico » – 🅟. ✗
chiuso la sera (escluso venerdì-sabato), martedì, dal 20 dicembre al 10 gennaio ed agost Pasto carta 30/40000.

ORCIA *06046 Perugia* 988 ⑯ ㉖, 430 N 21 – *4 911 ab. alt. 604* – ✆ *0743.*
Roma 157 – Ascoli Piceno 56 – L'Aquila 119 – Perugia 99 – Spoleto 48 – Terni 68.

Salicone, viale Umbria ✆ 828076, Fax 828081, – AE. 🅢. ⓓ E VISA. JCB.
Pasto vedere rist ***Granaro del Monte*** – ☕ 10000 – **71 cam** 170/220000 – ½ P 80/125000.

Grotta Azzurra, via Alfieri 12 ✆ 816513, Fax 817342 – – 🅐 100. AE. 🅢. ⓓ E VISA. JCB
Pasto vedere rist ***Granaro del Monte*** – ☕ 7000 – **46 cam** 90/120000 – ½ P 70/95000

Garden, ✆ 816687, Fax 816687 – – 🅐 50. AE. 🅢. E VISA. rist
Pasto carta 30/45000 – ☕ 8000 – **43 cam** 80/110000 – ½ P 70/85000

Posta, via Cesare Battisti 12 ✆ 817434, Fax 817434, – – 🅐 80. AE. 🅢. ⓓ E VISA
Pasto carta 35/55000 (15 %) – **30 cam** ☕ 90/120000 – ½ P 90/110000.

Granaro del Monte, via Alfieri 7 ✆ 816513 – AE. 🅢. ⓓ E VISA. JCB
Pasto carta 35/95000 (12 %).

Dal Francese, via Riguardati 16 ✆ 816290, Fax 816290 – AE. 🅢. E VISA.
chiuso dal 10 al 22 giugno, dal 10 al 22 novembre e venerdì (escluso da luglio a settembre) – Pasto carta 35/80000.

Taverna de' Massari, ✆ 816218, Fax 816218 –. 🅢. E VISA.
chiuso martedì escluso da luglio a settembre – **Pasto** carta 35/80000.

Serravalle *O : 7 km* – ✉ *06040 Serravalle di Norcia :*

Italia con cam, ✆ 822355, – 🅟. 🅢. E VISA.
Pasto *(chiuso martedì da ottobre a giugno)* carta 35/75000 – ☕ 5000 – **16 cam** 65/90000 – ½ P 65000.

OSADELLO *Cremona – Vedere Pandino.*

OTO *Siracusa* 988 ㊲, 432 Q 27 – *Vedere Sicilia alla fine dell'elenco alfabetico.*

OVACELLA (NEUSTIFT) *Bolzano* 429 B 16 *G. Italia – alt. 590 –* ✉ *39042 Bressanone* – ✆ *0472.*
Vedere Abbazia★★.
Roma 685 – Bolzano 44 – Brennero 46 – Cortina d'Ampezzo 112 – Milano 339 – Trento 103.

Pacher, ✆ 836570, Fax 834717, « Servizio rist. estivo in giardino », – 🅟. 🅢. E VISA
chiuso dal 21 novembre al 20 dicembre – **Pasto** *(chiuso lunedì)* carta 35/55000 – **26 cam** ☕ 75/150000 – ½ P 70/95000.

Ponte-Brückenwirt, ✆ 836692, Fax 837587, riscaldata, – 🅟.
chiuso febbraio – **Pasto** *(chiuso mercoledì)* 25/35000 – **19 cam** ☕ 75/150000 – ½ P 90/110000.

OVAFELTRIA *61015 Pesaro e Urbino* 988 ⑮, 429, 430 K 18 – *6 618 ab. alt. 293 – a.s. 25 giugno-agosto* – ✆ *0541.*
Roma 315 – Rimini 32 – Perugia 129 – Pesaro 83 – Ravenna 73.

Due Lanterne con cam, frazione Torricella 215 (S : 2 km) ✆ 920200 – 🅟. 🅢. E VISA.
chiuso dal 1° al 15 gennaio – **Pasto** *(chiuso lunedì)* carta 30/45000 – ☕ 5000 – **12 cam** 65/75000 – ½ P 65000.

Del Turista-da Marchesi con cam, località Cà Gianessi O : 4 km ✆ 920148, prenotare la sera e i festivi – 🅟. AE. 🅢. E VISA
chiuso dal 15 al 30 giugno – Pasto *(chiuso martedì)* carta 35/45000 – **12 cam** ☕ 50/75000 – P 50/70000.

OVAGLI *Brescia – Vedere Montichiari.*

OVA LEVANTE (WELSCHNOFEN) *39056 Bolzano* 988 ④, 429 C 16 *G. Italia – 1 779 ab. alt. 1 182 – Sport invernali : 1 200/2 320 m 1 13, (vedere anche passo di Costalunga)* – ✆ *0471.*
Dintorni Lago di Carezza★★★ SE : 5,5 km.
(13 maggio-15 ottobre) località Carezza ✉ *39056 Nova Levante* ✆ *612200, Fax 612200, SE : 8 km.*
via Carezza 21 ✆ *613126, Fax 613360.*
Roma 665 – Bolzano 19 – Cortina d'Ampezzo 89 – Milano 324 – Trento 85.

Angelo-Engel ⛰, ☎ 613131, Fax 613404, ←, ≘, 🏊, 🌳, 🎾 – 🛗 ⛌ rist ▤ rist 📺 ☎ 🅿. 🅂. ⦿ E VISA. ✂ rist
21 dicembre-1° aprile e 7 giugno-4 ottobre – **Pasto** 30/65000 – **37 cam** ☕ 140/26000
½ P 115/160000.

Central, ☎ 613164, Fax 613530, 🏊 riscaldata, 🌳 – ⛌ rist ☎ 🅿. ✂
21 dicembre-20 aprile e 7 giugno-10 ottobre – **Pasto** (solo per alloggiati e *chiuso domenica*) 25/40000 – ☕ 10000 – **24 cam** 60/90000 – ½ P 80/90000.

Panorama ⛰, ☎ 613232, Fax 613480, ←, ≘, 🌳 – ☎ 🅿. ✂
20 dicembre-10 aprile e giugno-5 novembre – **Pasto** (solo per alloggiati) – **20 cam** ☕ 130000 – ½ P 80/100000.

Stella-Stern, ☎ 613125, Fax 613525, ←, 🏊, 🌳 – 🛗 ☎ 🅿. AE. 🅂. E VISA. ✂ rist
20 dicembre-15 aprile e giugno-10 ottobre – **Pasto** 30/40000 – **30 cam** ☕ 95/18000
½ P 75/115000.

Tyrol ⛰, ☎ 613261, ← – ☎ 🅿
Natale-Pasqua e giugno-ottobre – **Pasto** carta 40/60000 – **12 cam** ☕ 60/110000 – ½ P 75000.

Rosengarten ⛰ con cam, NE : 1 km ☎ 613262, Fax 613510, ←, 🌳 – 📺 ☎ 🅿. 🅂. VISA ✂
chiuso giugno e da novembre al 20 dicembre – **Pasto** *(chiuso lunedì e martedì a mezzogiorno)* carta 40/55000 – **10 cam** ☕ 55/100000 – ½ P 60/80000.

NOVA PONENTE (DEUTSCHNOFEN) *39050 Bolzano 429 C 16 – 3 366 ab. alt. 1 357 – ☎ 0471.*

🏌18 Petersberg (maggio-1° novembre) a Monte San Pietro ✉ 39040 ☎ 615122, Fax 6152... O : 8 km.

ℹ ☎ 616567, Fax 616727.

Roma 670 – Bolzano 25 – Milano 323 – Trento 84.

Pfösl ⛰, E : 1,5 km ☎ 616537, Fax 616760, ← Dolomiti, ≘, 🏊, 🌳 – 🛗 📺 ☎ 🅿
chiuso dal 15 aprile al 5 maggio e da novembre al 15 dicembre – **Pasto** 25/35000 – **27 cam** ☕ 80/105000 – ½ P 95/115000.

Stella-Stern, ☎ 616518, Fax 616766, ←, ≘, 🏊 – 🛗 ☎ 🚗 🅿. ✂ rist
chiuso novembre – **Pasto** *(chiuso martedì)* carta 35/50000 – **20 cam** ☕ 80/140000
½ P 80/120000.

Erica, ☎ 616517, Fax 616516, ←, ≘, 🏊, 🌳 – 🛗 📺 ☎ 🅿 – 🏛 60. 🅂. E VISA. ✂ rist
20 dicembre-Pasqua e 15 maggio-5 novembre – **Pasto** 25/30000 – **28 cam** ☕ 75/13000
½ P 90/130000.

a Monte San Pietro (Petersberg) *O : 8 km – alt. 1 389 – ✉ 39040 :*

Peter ⛰, ☎ 615143, Fax 615246, ←, ≘, 🏊, 🌳, 🎾 – 🛗 📺 ☎ 🚗 🅿
chiuso dal 1° al 13 aprile e da novembre al 21 dicembre – **Pasto** carta 50/75000 – **32 cam** ☕ 110/220000, 3 appartamenti – ½ P 110/140000.

NOVARA *28100 P 988 ③, 428 F 7 G. Italia – 102 219 ab. alt. 159 – ☎ 0321.*

Vedere Basilica di San Gaudenzio★ AB : cupola★★ – Pavimento★ del Duomo AB.

ℹ via Dominioni 4 ☎ 623398, Fax 393291.

A.C.I. via Rosmini 36 ☎ 30321.

Roma 625 ① – Stresa 56 ① – Alessandria 78 ⑤ – Milano 51 ① – Torino 95 ⑥.

Pianta pagina a lato

Italia, via Solaroli 10 ☎ 399316, Fax 399310 – 🛗 ▤ 📺 ☎ 🚗 – 🏛 200. AE. 🅂. ⦿ E VISA ✂ rist B
Pasto al Rist. ***La Famiglia*** *(chiuso venerdì e dal 1° al 24 agosto)* carta 40/60000 – **56 cam** ☕ 170/230000, 5 appartamenti – ½ P 190000.

La Rotonda, rotonda Massimo d'Azeglio 6 ☎ 399246, Fax 623695 – 🛗 ▤ 📺 ☎ 🚗 🅿 B
🏛 150. AE. 🅂. ⦿ E VISA
Pasto *(chiuso domenica e dal 10 al 18 agosto)* carta 40/60000 – ☕ 15000 – **27 cam** 130/170000 – ½ P 160000.

Croce di Malta senza rist, via Biglieri 2/a ☎ 32032, Fax 623475 – 🛗 ▤ 📺 ☎ 🚗. AE. A
VISA. ✂
chiuso dal 10 al 25 agosto – **11 cam** ☕ 85/130000, 2 appartamenti.

Europa, corso Cavallotti 38/a ☎ 35801, Fax 629933 – 🛗 ▤ rist 📺 ☎ – 🏛 120. AE. 🅂. B
VISA
Pasto *(chiuso a mezzogiorno e domenica)* carta 30/60000 – ☕ 10000 – **64 cam** 95/1300... – ½ P 90/120000.

Monteariolo, vicolo Monte Ariolo 2/A ☎ 623394, Fax 623394 – ▤. AE. 🅂. ⦿ E VISA B
JCB
chiuso sabato a mezzogiorno, domenica e dal 1° al 20 agosto – **Pasto** carta 40/65000.

XX **Moroni,** via Solaroli 6 ✆ 629278 – ▤. ✻ — B x
chiuso lunedì sera, martedì e dal 20 luglio al 20 agosto – **Pasto** carta 30/50000.

XX La Ciotola, via Nino Oxilia 2 ✆ 477029 – ✻ — A e
chiuso a mezzogiorno – **Pasto** Cucina vegetariana e di pesce.

X **La Noce,** corso Vercelli 1 ✆ 452378, Fax 452378, ☂ – AE. S. ● VISA — A c
chiuso domenica – **Pasto** carta 30/45000.

X **Al Rondò,** via XX Settembre 18 ✆ 623625 –. S. E VISA — A f
chiuso martedì e dal 1º al 20 agosto – **Pasto** carta 40/70000.

a Lumellogno *S : 4,5 km – ✉ 28060 :*

XX **Tantris,** via Pier Lombardo 35 ✆ 469153, Coperti limitati; prenotare – ▤. AE. S. E VISA. ✻
chiuso domenica sera, lunedì, dal 1º al 10 gennaio e dal 15 al 30 agosto – **Pasto** carta 50/85000.

NOVA SIRI MARINA *75020 Matera* 988 ㉙, 431 G 31 – *6 163 ab.* – ☎ *0835.*
Roma 498 – Bari 144 – Cosenza 126 – Matera 76 – Potenza 139 – Taranto 78.

X **La Trappola,** viale Marittimo ✆ 877021, ☂ – P. S. ✻
chiuso lunedì e dal 2 al 20 novembre – **Pasto** carta 20/50000.

NOVENTA DI PIAVE *30020 Venezia* 429 F 19 – *5 820 ab. alt. 3* – *0421.*
Roma 554 – Venezia 41 – Milano 293 – Treviso 30 – Trieste 117 – Udine 86.

Park Hotel Villa Leon d'Oro senza rist, via Romanziol 5/7 ℘ 307300, Fax 307333, – . AE. . E VISA. JCB.
30000 – **22 cam** 220/350000, 2 appartamenti.

Leon d'Oro, via Roma 2 ang. piazza Vittorio Emanuele ℘ 658491, Fax 658695 – . AE. . E VISA. JCB.
Pasto *(chiuso domenica)* carta 40/65000 – 25000 – **13 cam** 140/220000.

Guaiane, via Guaiane 14 (E : 2 km) ℘ 65002, Fax 658818, – – 50. AE. . VISA.
chiuso lunedì, martedì sera, dal 1° al 15 gennaio e dal 1° al 20 agosto – **Pasto** cart 45/80000.

NOVENTA PADOVANA *35027 Padova* 429 F 17 *G. Venezia* – *7 726 ab. alt. 14* – *049.*
Roma 501 – Padova 8 – Venezia 37.

Boccadoro, via della Resistenza 49 ℘ 625029, Fax 625782 – . AE. . E VISA
chiuso martedì sera, mercoledì, dal 1° al 15 gennaio e dal 5 al 25 agosto – **Pasto** cart 45/65000.

verso Strà *E : 4 km :*

Paradiso, via Oltrebrenta 40 ✉ 35027 ℘ 9801366, Fax 9801371 – . AE. E VISA. JCB. rist
Pasto (solo per alloggiati; *chiuso sabato e domenica*) 30/35000 – 10000 – **23 car** 80/115000 – ½ P 80/95000.

NOVERASCO *Milano – Vedere Opera.*

NOVI LIGURE *15067 Alessandria* 988 ⑬, 428 H 8 – *29 181 ab. alt. 197* – *0143.*
Riasco (chiuso mercoledì, dicembre e gennaio) località Fara Nuova ✉ 15060 Tassarol ℘ 342331, Fax 342264, NO : 4 km.
Roma 552 – Alessandria 24 – Genova 58 – Milano 87 – Pavia 66 – Piacenza 94 – Torino 125.

Relais Villa Pomela , via Serravalle 69 S : 2 km ℘ 329910, Fax 329912, « Elegant villa ottocentesca con parco » – – 150. AE. . E VISA. JCB. rist
Pasto al Rist. ***Cortese*** *(chiuso lunedì)* carta 50/95000 – **44 cam** 200/260000, 3 appartamenti – ½ P 220/260000.

a Pasturana *O : 4 km – ✉ 15060 :*

Locanda San Martino, via Roma 26 ℘ 58444, Fax 58445, « Servizio estivo all'aperto – . . E VISA
chiuso lunedì sera, martedì e dal 1° al 20 gennaio – **Pasto** carta 40/70000.

NUCETTO *12070 Cuneo* 428 I 6 – *475 ab. alt. 450* – *0174.*
Roma 598 – Cuneo 52 – Imperia 77 – Savona 53 – Torino 98.

Osteria Vecchia Cooperativa, via Nazionale 54 ℘ 74279, Coperti limitati; prenotare . . E VISA.
chiuso lunedì sera, martedì e settembre – **Pasto** carta 35/65000.

NUMANA *60026 Ancona* 988 ⑯, 430 L 22 – *3 119 ab. – a.s. luglio-agosto* – *071.*
(giugno-settembre) piazza Santuario ℘ 9330612.
Roma 303 – Ancona 20 – Loreto 15 – Macerata 42 – Porto Recanati 10.

Eden Gigli , viale Morelli 11 ℘ 9330652, Fax 9330930, ≤ mare, « Parco con e » – – 200. AE. . E VISA.
marzo-ottobre – **Pasto** 50000 – **30 cam** 120/180000 – ½ P 155000.

Scogliera, via del Golfo 21 ℘ 9330622, Fax 9331403, ≤, , – . . E VISA.
aprile-15 ottobre – **Pasto** carta 50/80000 – **36 cam** 120/190000 – P 120/175000.

Fior di Mare , ℘ 9330157, Fax 9331044, ≤, , – .
20 maggio-25 settembre – **Pasto** 35/40000 – 12000 – **43 cam** 100/155000 – P 120/155000.

La Costarella, via 4 Novembre 35 ℘ 7360297, Coperti limitati; prenotare –
Pasqua-ottobre – **Pasto** carta 55/75000.

Da Alvaro, ℘ 9330749, – . AE. . E VISA. JCB
chiuso lunedì – **Pasto** specialità di mare carta 50/70000.

Marcelli *S : 2,5 km – ✉ 60026 Numana :*

Marcelli, ✆ 7390125, Fax 7391322, ≤, 🏊, 🏖 – |♦| ☎ **P**. VISA. ⚹ rist
20 maggio-settembre – **Pasto** (solo per alloggiati e *chiuso dal 20 al 31 maggio*) 40/50000 – **38 cam** ☐ 130/180000 – ½ P 100/160000.

Mariolino, ✆ 7390135, ≤ –. **S**. ⓞ **E** VISA JCB
chiuso novembre e lunedì (escluso dal 15 giugno ad agosto) – **Pasto** carta 50/90000.

NUORO P 988 ㉝, 433 G 9 – *Vedere Sardegna alla fine dell'elenco alfabetico.*

OBEREGGEN = *San Floriano.*

OCCHIEPPO SUPERIORE *13056 Biella* 428 F 6, 219 ⑮ – *2 816 ab. alt. 456* – ☎ *015.*
Roma 679 – Aosta 98 – Biella 3 – Novara 59 – Stresa 75 – Vercelli 45.

Cip e Ciop, via Martiri della Libertà 71 ✆ 592740, Coperti limitati; prenotare –. **S**. **E** VISA
chiuso domenica, dal 15 al 28 febbraio e dal 15 al 30 settembre – **Pasto** carta 35/55000.

I prezzi — Per ogni chiarimento sui prezzi riportati in guida, consultate le pagine dell'introduzione.

OCCHIOBELLO *45030 Rovigo* 988 ⑮, 429 H 16 – *9 560 ab.* – ☎ *0425.*
Roma 432 – Bologna 57 – Padova 61 – Verona 90.

in prossimità casello autostrada A13 *E : 1 km :*

Savonarola, via Eridania 36 ✉ 45030 ✆ 750767, Fax 750797, 🏠 – |♦| ▤ TV ☎ **P** – 🏃 250
36 cam.

OFFANENGO *26010 Cremona* 428, 429 F 11 – *5 396 ab. alt. 83* – ☎ *0373.*
Roma 551 – Piacenza 43 – Bergamo 45 – Brescia 46 – Cremona 40 – Milano 49 – Pavia 57.

Mantovani, via Circonvallazione Sud 1 ✆ 780213, Fax 244550, 🏊, 🏖 – |♦| ▤ TV ☎ **P**. AE. **S**. ⓞ **E** VISA. ⚹
Pasto *(chiuso venerdì ed agosto)* carta 30/45000 – **39 cam** ☐ 90/140000 – ½ P 95/110000.

OGGIONO *22048 Lecco* 988 ③, 428 E 10 – *7 786 ab. alt. 267* – ☎ *0341.*
Roma 616 – Como 29 – Bergamo 36 – Erba 11 – Lecco 10 – Milano 48.

al lago di Annone *N : 1 km :*

Ca' Bianca 🐦 con cam, via Dante 18 ✉ 22048 ✆ 260601, Fax 578815, ≤, 🏠, 🏖 – TV ☎ **P**. AE. **S**. ⓞ **E** VISA. ⚹
chiuso dal 5 al 20 agosto – **Pasto** carta 45/70000 (10 %) – **5 cam** ☐ 120/130000 – ½ P 120/130000.

Le Fattorie di Stendhal 🐦 con cam, ✉ 22048 ✆ 576561, Fax 260106, « Terrazza e giardino sul lago », 🎾 – TV ☎ **P**. AE. **S**. ⓞ **E** VISA
Pasto *(chiuso venerdì)* carta 45/75000 – ☐ 10000 – **21 cam** 80/100000 – ½ P 95000.

OLANG = *Valdaora.*

OLBIA *Sassari* 988 ㉓ ㉔, 433 E 10 – *Vedere Sardegna alla fine dell'elenco alfabetico.*

OLCIO *Lecco* – *Vedere Mandello del Lario.*

OLDA IN VAL TALEGGIO *24010 Bergamo* 428 E 10, 219 ⑩ – *alt. 772 – a.s. luglio-agosto e Natale* – ☎ *0345.*
Roma 641 – Bergamo 39 – Lecco 61 – Milano 85 – San Pellegrino Terme 16.

Della Salute 🐦, via Costa d'Olda 73 ✆ 47006, Fax 47006, ≤, « Parco ombreggiato », 🏋 – |♦| ☎ 🚗 **P**. AE. **S**. ⓞ **E** VISA. ⚹ rist
chiuso gennaio – **Pasto** *(chiuso lunedì)* carta 40/55000 – **41 cam** ☐ 65/95000 – ½ P 75/80000.

OLEGGIO *28047 Novara* 988 ② ③, 428 F 7 – *11 542 ab. alt. 236* – ☎ *0321.*

Roma 638 – Stresa 37 – Milano 63 – Novara 18 – Torino 107 – Varese 39.

Aerhotel, senza rist, via Gallarate 35 E : 1 km ☎ 93769, Fax 93769 – 36 cam.

Roma, via Don Minzoni 51 ☎ 91175 –. E VISA
chiuso sabato e dal 1º al 20 agosto – **Pasto** carta 30/45000.

OLEGGIO CASTELLO *Novara* 428 E 7 – *Vedere Arona.*

OLGIATE OLONA *21057 Varese* 428 F 8, 219 ⑱ – *10 164 ab. alt. 239* – ☎ *0331.*

Roma 604 – Milano 32 – Como 35 – Novara 38 – Varese 29.

Ma.Ri.Na., piazza San Gregorio 11 ☎ 640463, Coperti limitati; prenotare – AE. E VISA.
chiuso a mezzogiorno (escluso i giorni festivi), mercoledì ed agosto – **Pasto** specialità di mare carta 80/130000
Spec. Filetti di triglia impanati con dadolata di pomodoro fresco. Fusilli con crostacei e verdure alla mediterranea. Filetto di branzino al forno con patate e olive.

Idea Verde, via San Francesco 17/19 (prossimità casello autostrada) ☎ 629487, Fax 629487, – AE. E VISA
chiuso domenica sera, lunedì, dal 27 dicembre al 5 gennaio ed agosto – **Pasto** carta 50/80000.

OLIENA *Nuoro* 988 ㉝ ㉞, 433 G 10 – *Vedere Sardegna alla fine dell'elenco alfabetico.*

OLMO *Vicenza – Vedere Vicenza.*

OLMO *Firenze* 430 K 16 – *Vedere Fiesole.*

OLMO *Perugia – Vedere Perugia.*

OLMO GENTILE *14050 Asti* 428 I 6 – *123 ab. alt. 615* – ☎ *0144.*

Roma 606 – Genova 103 – Acqui Terme 33 – Asti 52 – Milano 163 – Torino 103.

Della Posta, via Roma 4 ☎ 93034, prenotare –
chiuso domenica sera, Natale e dal 1º al 15 gennaio – **Pasto** cucina casalinga carta 25/50000.

OLTRE IL COLLE *24013 Bergamo* 428, 429 E 11 – *1 222 ab. alt. 1 030 – a.s. luglio-agosto e Natale* – ☎ *0345.*

Roma 642 – Bergamo 36 – Milano 83 – San Pellegrino Terme 24.

Manenti, ☎ 95005, Fax 95005, – E VISA.
chiuso ottobre e novembre – **Pasto** *(chiuso martedì)* carta 40/55000 – 10000 – **25 cam** 70/100000 – ½ P 75/90000.

OME *25050 Brescia* 428, 429 F 12 – *2 695 ab. alt. 240* – ☎ *030.*

Roma 544 – Brescia 17 – Bergamo 45 – Milano 93.

Villa Carpino, via Maglio 15 (alle terme O : 2,5 km) ☎ 652114, – AE. E VISA
chiuso lunedì – **Pasto** carta 40/70000.

OMEGNA *28026 Verbania* 988 ②, 428 E 7 – *15 399 ab. alt. 303* – ☎ *0323.*

Vedere *Lago d'Orta*★★.

Roma 670 – Stresa 17 – Domodossola 36 – Milano 93 – Novara 55 – Torino 129.

Trattoria Toscana-da Franco, via Mazzini 153 ☎ 62460, – AE. E VISA
chiuso mercoledì – **Pasto** specialità di mare carta 35/55000.

ONEGLIA *Imperia* 988 ⑫ – *Vedere Imperia.*

ONIGO DI PIAVE *Treviso – Vedere Pederobba.*

OPERA 20090 Milano 428 F 9, 219 ⑲ – *13 570 ab. alt. 99* – ☎ *02.*

Le Rovedine (chiuso lunedì) a Noverasco di Opera ✉ 20090 ☎ 57606420, Fax 57606405, N : 2 km.

Roma 567 – Milano 14 – Novara 62 – Pavia 24 – Piacenza 59.

Noverasco *N : 2 km – ✉ 20090 Opera :*

Sporting, ☎ 57601577, Fax 57601416 – ☰ 📺 ☎ P – 120. AE. ⑤. ⓓ E VISA. ※ rist
Pasto (solo per alloggiati) carta 45/70000 – ☐ 20000 – **80 cam** 210/320000 – 1/2 P 200000.

OPI 67030 L'Aquila 430 Q 23 – *541 ab. alt. 1 250* – ☎ *0863.*

Roma 145 – Frosinone 62 – Avezzano 67 – Isernia 61 – L'Aquila 114.

La Pieja, via Salita la Croce 1 ☎ 910756, Fax 910756, ≤ vallata e monti, – 📺 ☎. AE. ⑤. ⓓ E VISA. ※ rist
Pasto *(chiuso mercoledì dal 3 novembre a Pasqua)* carta 35/55000 – **12 cam** ☐ 80/130000 – 1/2 P 80/100000.

ORA (AUER) 39040 Bolzano 988 ④, 429 C 15 – *2 836 ab. alt. 263* – ☎ *0471.*

Roma 624 – Bolzano 19 – Belluno 116 – Milano 282 – Trento 42.

Kaufmann, via Val di Fiemme 16 ☎ 810004, Fax 811128, , – 📺 ☎ P – 25. ⑤. E VISA. ※ rist
Pasto 30/50000 – **35 cam** ☐ 95/140000 – 1/2 P 85/115000.

Se cercate un albergo tranquillo, oltre a consultare le carte dell'introduzione, rintracciate nell'elenco degli esercizi quelli con il simbolo o .

ORBASSANO 10043 Torino 988 ⑫, 428 G 4 – *21 398 ab. alt. 273* – ☎ *011.*

Roma 673 – Torino 17 – Cuneo 99 – Milano 162.

Pianta d'insieme di Torino (Torino p. 2).

Eden senza rist, strada Rivalta 15 ☎ 9034313, Fax 9003055 – ☰ 📺 ☎ P. AE. ⑤. E VISA
☐ 15000 – **34 cam** 100/120000. EU a

XXX **Il Vernetto**, via Nazario Sauro 37 ☎ 9015562, Fax 9015562, solo su prenotazione – ☰. AE. ⑤. ⓓ E VISA EU e
chiuso domenica sera e lunedì – **Pasto** 50/60000 (10 %).

X **Il Galeone**, strada antica di None 16 ☎ 9016373, Fax 9035700, –. ⑤. ⓓ E VISA. ※
chiuso domenica ed agosto – **Pasto** specialità di mare carta 30/60000. EU d

ORBETELLO 58015 Grosseto 988 ㉕, 430 O 15 *G. Toscana* – *15 328 ab. – a.s. Pasqua e 15 giugno-15 settembre* – ☎ *0564.*

piazza della Repubblica ☎ 861226, Fax 867252.

Roma 152 – Grosseto 44 – Civitavecchia 76 – Firenze 183 – Livorno 177 – Viterbo 88.

Sole senza rist, via Colombo angolo corso Italia ☎ 860410, Fax 860475 – ☰ 📺 ☎. AE. ⑤. VISA
18 cam ☐ 120/160000.

X **Osteria del Lupacante**, corso Italia 103 ☎ 867618 – ☰. AE. ⑤. ⓓ E VISA. JCB
chiuso dal 20 dicembre all'8 gennaio e martedì (escluso da luglio a settembre) – **Pasto** carta 45/80000 (10 %).

Terrarossa *SO : 2 km – ✉ 58019 Porto Santo Stefano :*

XX **La Posada**, ☎ 820180 – P. AE. ⑤. ⓓ. ※
chiuso martedì e dal 10 al 28 dicembre – **Pasto** carta 45/70000 (10 %).

sulla strada statale 1 - via Aurelia *NE : 7 km :*

XX **Locanda di Ansedonia** con cam, ✉ 58016 Orbetello Scalo ☎ 881317, Fax 881727, , « Giardino » – ☰ 📺 ☎ P. AE. ⑤. ⓓ E VISA. JCB
chiuso febbraio – **Pasto** carta 45/80000 (10 %) – **12 cam** ☐ 110/130000 – 1/2 P 120/130000.

X **La Ruota** con cam, via Aurelia Nord km 145 ✉ 58016 Orbetello Scalo ☎ 862137, Fax 864123, , – P. AE. ⑤. ⓓ E VISA. JCB. ※
chiuso febbraio – **Pasto** *(chiuso giovedì)* carta 45/75000 – ☐ 9000 – **12 cam** 60/80000 – 1/2 P 80/90000.

ORIAGO *30030 Venezia* 429 F 18 *G. Venezia* – ☎ *041.*
Roma 519 – Padova 26 – Venezia 16 – Mestre 8 – Milano 258 – Treviso 29.

Il Burchiello, via Venezia 19 ☎ 429555, Telex 410144, Fax 429728 – 80. AE. Ⓢ. E VISA
Pasto vedere rist ***Il Burchiello*** – ☐ 18000 – **61 cam** 120/190000 – ½ P 160000.

Il Burchiello con cam, via Venezia 42 ☎ 472244 – rist – 100. AE. Ⓢ. E VISA. rist
Pasto *(chiuso lunedì)* carta 40/110000 – ☐ 10000 – **11 cam** 70/110000 – ½ P 95/110000.

Nadain, via Ghebba 26 ☎ 429665 – AE. Ⓢ. E VISA.
chiuso mercoledì e luglio – **Pasto** carta 40/60000.

ORISTANO P 988 ㉝, 433 H 7 – *Vedere Sardegna alla fine dell'elenco alfabetico.*

ORMEA *12078 Cuneo* 428 J 5 – *2 159 ab. alt. 719 – a.s. luglio-agosto e Natale* – ☎ *0174.*
Roma 626 – Cuneo 80 – Imperia 45 – Milano 250 – Torino 126.

Villa Pinus con cam, viale Piaggio 33 ☎ 392248, solo su prenotazione, « Villa d'epoca in un piccolo parco » – 25. Ⓢ. E VISA
Pasto *(chiuso giovedì)* 55000 – **4 cam** ☐ 80/110000 – ½ P 90000.

sulla strada statale 28 verso Ponte di Nava *SO : 4,5 km :*

San Carlo, ✉ 12078 Ormea ☎ 399917, Fax 399917, ≤, – Ⓢ. E VISA. rist
chiuso gennaio, febbraio e dal 9 al 22 novembre – **Pasto** *(chiuso martedì)* carta 30/45000 – ☐ 12000 – **37 cam** 55/85000 – ½ P 75/80000.

a Ponte di Nava *SO : 6 km* – ✉ *12070 :*

Ponte di Nava-da Beppe con cam, ☎ 399924, Fax 399991, ≤ – AE. Ⓢ. E VISA. cam
chiuso dal 7 al 31 gennaio e dal 10 al 20 giugno – **Pasto** *(chiuso mercoledì)* carta 30/60000 – ☐ 8000 – **16 cam** 50/80000 – ½ P 55/70000.

OROPA *13060 Biella* 988 ②, 428 F 5 – *alt. 1 180 – Sport invernali : 1 180/2 400 m* 2, – ☎ *015.*
Roma 689 – Aosta 101 – Biella 13 – Milano 115 – Novara 69 – Torino 87 – Vercelli 55.

Croce Bianca con cam, via Santuario di Oropa 480 ☎ 2455923, Fax 2455963 « Camere nella foresteria del Santuario » – 150. AE. Ⓢ. VISA.
Pasto *(chiuso mercoledì escluso da giugno al 15 settembre)* carta 35/60000 – ☐ 10000 – **37 cam** 50/100000.

Stazione, via Oropa 480 ☎ 2455937 – AE. Ⓢ.
chiuso lunedì escluso da giugno al 15 settembre – **Pasto** 30000.

OROSEI *Nuoro* 988 ㉞, 433 F 11 – *Vedere Sardegna alla fine dell'elenco alfabetico.*

ORTA NOVA *71045 Foggia* 988 ㉘, 431 D 29 – *17 375 ab. alt. 73* – ☎ *0885.*
Roma 324 – Foggia 22 – Bari 113 – Benevento 103.

sulla strada statale 16 *SE : 5,5 km :*

Herdonia, ✉ 71045 ☎ 792956, Fax 792983, – 250.
78 cam.

ORTA SAN GIULIO *28016 Novara* 988 ②, 428 E 7 *G. Italia* – *1 042 ab. alt. 293 – a.s. Pasqua luglio-15 settembre* – ☎ *0322.*
Vedere *Lago d'Orta** – Palazzotto* – Sacro Monte d'Orta* 1,5 km.*
Escursioni *Isola di San Giulio** : ambone* nella chiesa.*
via Olina 9/11 ☎ 911937, Fax 905678.
Roma 661 – Stresa 28 – Biella 58 – Domodossola 48 – Milano 84 – Novara 46 – Torino 119.

San Rocco, via Gippini 11 ☎ 911977, Fax 911964, ≤ isola San Giulio, « Terrazza fiorita in riva al lago con », – 160. AE. Ⓢ. E VISA.
Pasto carta 75/90000 – **74 cam** ☐ 240/390000 – ½ P 210/290000.

Orta, piazza Motta 1 ☎ 90253, Fax 905646, ≤ isola San Giulio – AE. Ⓢ. E VISA
aprile-ottobre – **Pasto** carta 40/70000 – ☐ 16000 – **35 cam** 100/150000 – ½ P 110/120000.

Santa Caterina senza rist, via Marconi 10 ☎ 915865, Fax 905645 – AE. Ⓢ. E VISA
Pasqua-ottobre – ☐ 15000 – **28 cam** 95/120000.

Villa Crespi con cam, via Fava 18 (E : 1,5 km) 911902, Fax 911919, « Dimora ottocentesca in stile moresco con parco », – cam . . .
chiuso dal 15 al 31 gennaio e dal 15 al 30 novembre – **Pasto** carta 65/100000 – **6 cam** 230/380000, 8 appartamenti 420/480000 – 1/2 P 240/290000
Spec. Terrina di barbabietola, formaggio di capra ed erba cipollina. Rollè di pasta fresca al pesto, porcini e Castelmagno. Quaglia disossata e farcita.

Taverna Antico Agnello, via Olina 18 90259 – . .
chiuso dal 7 gennaio al 15 febbraio e martedì (escluso agosto) – **Pasto** carta 45/70000.

al Sacro Monte *E : 1 km :*

Sacro Monte, via Sacro Monte 28016 90220, Coperti limitati; prenotare, « Ambiente rustico in un sito d'arte e naturalistico » – . .
chiuso dal 7 al 30 gennaio, martedì (escluso agosto) e da novembre a Pasqua anche lunedì sera – **Pasto** carta 45/70000 (10 %).

ORTISEI (ST. ULRICH) *39046 Bolzano* 988 ④, 429 C 17 *G. Italia* – *4 352 ab. alt. 1 236* – *Sport invernali : della Val Gardena : 1 236/2 499 m 7 68, (vedere anche Santa Cristina Val Gardena e Selva Val Gardena)* – *0471.*
Dintorni *Val Gardena**** *per la strada S 242 – Alpe di Siusi*** *per funivia.*
piazza Stetteneck 796328, Fax 796749.
Roma 677 – Bolzano 36 – Bressanone 32 – Cortina d'Ampezzo 79 – Milano 334 – Trento 95 – Venezia 226.

Adler, 796203, Fax 796210, , « Giardino ombreggiato », , , – rist . .
20 dicembre-20 aprile e 15 maggio-30 ottobre – **Pasto** al Rist. ***Stube*** carta 50/75000 – **95 cam** 195/355000, 3 appartamenti – 1/2 P 150/220000.

Grien , via Mureda O : 1 km 796340, Fax 796303, Dolomiti e Ortisei, , , – cam – 40.
chiuso dal 20 ottobre al 5 dicembre – **Pasto** (solo su prenotazione) carta 40/65000 – **21 cam** 160/280000, 2 appartamenti – 1/2 P 125/250000.

Gardena-Grödnerhof, 796315, Fax 796513, , , , – . .
20 dicembre-Pasqua e giugno-ottobre – **Pasto** 35/65000 – **45 cam** 175/330000 – 1/2 P 90/195000.

Hell , via Promenada 3 796785, Fax 798196, , « Giardino », , – . .
15 dicembre-21 aprile e 30 giugno-15 ottobre – **Pasto** (solo per alloggiati e *chiuso a mezzogiorno*) 35/45000 – **25 cam** 170/300000 – 1/2 P 170/215000.

La Perla, via Digon 8 (SO : 1 km) 796421, Fax 798198, , , , , – . . . rist
dicembre-aprile e giugno-ottobre – **Pasto** (solo per alloggiati) – 15000 – **36 cam** 130/250000 – 1/2 P 90/170000.

Alpenhotel Rainell , 796145, Fax 796279, monti e Ortisei, , – . . . rist
20 dicembre-Pasqua e 15 giugno-settembre – **Pasto** 30/45000 – **28 cam** 135/240000 – 1/2 P 90/150000.

Genziana-Enzian, 796246, Fax 797598 – .
Natale-20 aprile e 15 maggio-15 ottobre – **Pasto** carta 30/65000 – **49 cam** 140/260000 – 1/2 P 160/190000.

Angelo-Engel, 796336, Fax 796323, , , – . . . . rist
chiuso novembre – **Pasto** (solo per alloggiati) – **34 cam** 110/190000 – 1/2 P 95/155000.

Fortuna senza rist, via Stazione 11 797978, Fax 798326, – . . .
15 cam 150/250000.

Ronce , via Ronce 1 796383, Fax 797890, monti e Ortisei, , – . rist
20 dicembre-20 aprile e giugno-settembre – **Pasto** (solo per alloggiati) – **22 cam** 85/170000 – 1/2 P 95/125000.

Villa Luise , 796498, Fax 796217, monti e Sassolungo – .
chiuso dal 10 al 30 giugno e dal 15 ottobre al 15 dicembre – **Pasto** (solo per alloggiati) – **13 cam** 150/250000 – 1/2 P 85/155000.

Pra' Palmer senza rist, 796710, Fax 797900, , , , –
dicembre-Pasqua e 20 giugno-ottobre – **22 cam** 85/150000.

Cosmea, via Setil 1 ✆ 796464, Fax 797805 – ☎ P. ✂ cam
chiuso dal 20 ottobre al 5 dicembre – **Pasto** *(chiuso mercoledì in maggio, giugno ed ottobre)* 25/55000 – **21 cam** ☐ 120/220000 – ½ P 85/155000.

Piciuël ⛰, verso Castelrotto SO : 3 km ✆ 797351, Fax 797989, ≤ monti e Ortisei, – rist TV ☎ P. AE. S. ⓓ E VISA. ✂
dicembre-Pasqua e giugno-ottobre – **12 cam** solo ½ P 75/125000.

Concordia, via Roma 41 ✆ 796276, Fax 796276 – rist. S. E VISA
dicembre-Pasqua e giugno-ottobre; chiuso mercoledì da ottobre a marzo – **Pasto** carta 35/60000.

a Bulla (Pufels) *SO : 6 km – alt. 1 481 – ✉ 39040 Castelrotto :*

Uhrerhof-Deur ⛰, ✆ 797335, Fax 797457, ≤ Ortisei e monti, ≘s, – TV ☎ P. S. E VISA. ✂
chiuso dal 10 al 30 aprile e dal 4 novembre al 4 dicembre – **Pasto** (solo su prenotazione) carta 50/80000 – **7 cam** solo ½ P 120/150000, 3 appartamenti.

Sporthotel Platz ⛰, ✆ 796982, Fax 798228, ≤ Ortisei e monti, ≘s, – ☎ P. AE S. ⓓ E VISA. ✂ rist
15 dicembre-12 aprile e maggio-20 ottobre – **Pasto** carta 40/70000 – **22 cam** ☐ 115/210000 – ½ P 70/125000.

ORTONA *66026 Chieti 988 ㉗, 430 O 25 – 23 345 ab. – a.s. 20 giugno-agosto – ☎ 085.*
per le Isole Tremiti 20 giugno-15 settembre giornaliero (1 h 45 mn) – Adriatica di Navigazione-agenzia Fratino, via Porto 34 ✆ 9063855, Telex 600173, Fax 9064186.
piazza Municipio ✆ 9063841, Fax 9063882.
Roma 227 – Pescara 20 – L'Aquila 126 – Campobasso 139 – Chieti 36 – Foggia 158.

Ideale senza rist, corso Garibaldi 65 ✆ 9063735, Fax 9066153, ≤ – TV ☎. AE. S. ⓓ E VISA. ✂
☐ 10000 – **24 cam** 85/120000.

Cantina Aragonese, corso Matteotti 88 ✆ 9063217, Solo su prenotazione a mezzogiorno – AE. S. ⓓ E VISA
chiuso domenica sera e lunedì – **Pasto** carta 25/55000.

Miramare, largo Farnese 15 ✆ 9066556 – AE. S. ⓓ E VISA. ✂
chiuso dal 24 dicembre al 6 gennaio, novembre e domenica (escluso luglio-agosto) – **Pasto** carta 30/65000.

a Lido Riccio *NO : 5,5 km – ✉ 66026 Ortona :*

Mara ⛰, ✆ 9190416, Fax 9190522, ≤, « Giardino con », – TV ☎ P – 100. S. E VISA. ✂ rist
15 maggio-20 settembre – **Pasto** 40/60000 e al Rist. ***Mara's Beach Club*** *(chiuso a mezzogiorno e lunedì)* carta 40/65000 – ☐ 15000 – **97 cam** 130/150000, 4 appartamenti – ½ P 100/150000.

ORTONOVO *19034 La Spezia 430 J 12 – 8 319 ab. alt. 283 – ☎ 0187.*
Roma 405 – La Spezia 28 – Genova 110 – Parma 145 – Pisa 60.

a Nicola *SO : 7 km – ✉ 19034 Ortonovo :*

Locanda Cervia, piazza Chiesa 19 ✆ 660491, , Coperti limitati; prenotare

---

ORVIETO *05018 Terni 988 ㉕, 430 N 18 G. Italia – 20 863 ab. alt. 315 – ☎ 0763.*
Vedere *Posizione pittoresca*** – Duomo*** – Pozzo di San Patrizio** – Palazzo del Popolo* – Quartiere vecchio* – Palazzo dei Papi** **M2** *– Collezione etrusca* nel museo Archeologico Faina* **M1**.
piazza del Duomo 24 ✆ 41772, Fax 44433.
Roma 121 ① – Perugia 75 ① – Viterbo 50 ② – Arezzo 110 ① – Milano 462 ① – Siena 123 ① – Terni 75 ①.

Pianta pagina a lato

La Badia ⛰, località La Badia S : 3 km ✆ 90359, Fax 92796, ≤, « In un'abbazia del 12°-13° secolo », – cam TV ☎ P – 200. AE E VISA. ✂ per ②
chiuso gennaio e febbraio – **Pasto** *(chiuso mercoledì da ottobre a marzo)* carta 70/100000 – ☐ 18000 – **26 cam** 190/260000, 7 appartamenti – ½ P 215/275000.

Maitani senza rist, via Maitani 5 ✆ 342011, Fax 342012 – TV ☎. AE. S. ⓓ E VISA. ✂
chiuso dal 7 al 22 gennaio – ☐ 16000 – **32 cam** 120/195000, 8 appartamenti.

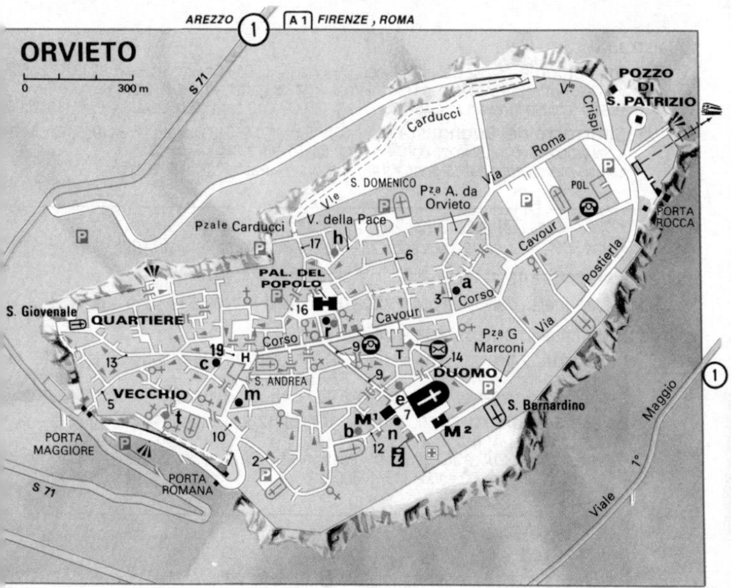

vour (Corso)		Cava (Via della)	5	Malabranca (Via)	13
ıomo (Via del)	9	Cavallotti (Via Felice)	6	Nebbia (Via)	14
		Duomo (Pza del)	7	Popolo (Piazza del)	16
ɔerici (Via degli)	2	Garibaldi (Via)	10	Pza del Popolo (Via di)	17
ıgelo da Orvieto (Via)	3	Maitani (Via)	12	Repubblica (Pza della)	19

Aquila Bianca senza rist, via Garibaldi 13 ☏ 341246, Fax 342273 – [TV] ☎ Ⓟ – 🪑 60. AE. S. O E VISA. JCB. ✂ m
☕ 15000 – **36 cam** 105/140000.

Valentino senza rist, via Angelo da Orvieto 30/32 ☏ 342464, Fax 342464 – [TV] ☎ ♿. S. E VISA a
☕ 10000 – **17 cam** 100/140000.

Grand Hotel Reale senza rist, piazza del Popolo 27 ☏ 341247, Fax 341247, « In un'antica residenza patrizia-eleganti saloni affrescati » – [TV] ☎ – 🪑 25. S. VISA f
☕ 15000 – **29 cam** 100/140000, 2 appartamenti.

Filippeschi senza rist, via Filippeschi 19 ☏ 343275, Fax 343275 – [TV] ☎. AE. S. O E VISA. JCB c
☕ 10000 – **15 cam** 80/120000.

XXX **Giglio d'Oro,** piazza Duomo 8 ☏ 341903, prenotare – ▤. AE. S. E VISA e
chiuso mercoledì – **Pasto** 35/60000 bc e carta 50/90000.

XX **Trattoria Etrusca,** via Maitani 10 ☏ 344016, Fax 341105 – ▤. AE. S. O E VISA. ✂ b
chiuso lunedì e dal 7 al 30 gennaio – **Pasto** carta 40/60000 (10 %).

XX **Le Grotte del Funaro,** via Ripa Serancia 41 ☏ 343276, Fax 342898, Rist. pizzeria e piano bar-soupers, « In caratteristiche grotte di tufo » – ▤. AE. S. O E VISA. ✂ t
chiuso lunedì escluso luglio-agosto – **Pasto** carta 40/60000 (10 %).

X **Del Moro,** via San Leonardo 7 ☏ 342763 – AE. S. E VISA r
chiuso venerdì e dal 1° al 15 luglio – **Pasto** carta 30/50000 (10 %).

ad Orvieto Scalo *per ① : 5 km – ✉ 05019.*

uscita casello autostradale ☏ 301507, Fax 301487.

Gialletti, via Costanzi 71 ☏ 90381, Fax 92264 – ▤ [TV] ☎ ♿ 🚗 Ⓟ – 🪑 40. AE. S. O E VISA. JCB. ✂ cam
Pasto *(chiuso domenica da ottobre a marzo)* carta 35/55000 – ☕ 12500 – **51 cam** 70/105000 – ½ P 80/95000.

sulla strada statale 71 :

Villa Ciconia ⛰, via dei Tigli 69 per ① : *6 km* ✉ 05019 Orvieto Scalo ✆ 92982, Fax 906
« Villa cinquecentesca in parco secolare » – TV ☎ P. AE. S. ⓞ E VISA. ✻
Pasto *(chiuso lunedì)* carta 45/70000 – ☕ 15000 – **10 cam** 125/220000 – ½ P 150/2100

Girarrosto del Buongustaio, per ② : *5 km* ✉ 05018 Orvieto ✆ 341935, Fax 3419
« Servizio estivo in terrazza con ≤ » – P. AE. S. ⓞ E VISA. JCB. ✻
chiuso mercoledì e dal 10 gennaio al 1° febbraio – **Pasto** carta 40/55000.

OSIMO *60027 Ancona* 988 ⑯, 430 L 22 – *28 742 ab. alt. 265* – ☎ *071.*

Roma 308 – Ancona 19 – Macerata 28 – Pesaro 82 – Porto Recanati 19.

sulla strada statale 16 *E : 7,5 km* :

La Cantinetta del Conero, ✉ 60028 Osimo Scalo ✆ 7108651 – ▤ P – 🏛 40.

in prossimità casello autostrada A 14 *N : 9 km* :

Concorde, ✉ 60021 Camerano ✆ 95270, Fax 959476 – |‡| ▤ TV ☎ ♿ P. AE. S. ⓞ
VISA. ✻
Pasto *(chiuso domenica)* carta 35/70000 – **22 cam** ☕ 140/180000 – ½ P 110/155000.

Palace del Conero, ✉ 60027 Osimo ✆ 7108312, Fax 7108312 – |‡| ▤ TV ☎ P – 🏛 5
AE. S. ⓞ E VISA. ✻ rist
chiuso dal 24 dicembre al 2 gennaio – **Pasto** al Rist. ***Rita*** *(chiuso domenica)* carta 30/450
– **51 cam** ☕ 85/170000 – ½ P 115/145000.

OSOPPO *33010 Udine* 429 D 21 – *2 848 ab. alt. 185* – ☎ *0432.*

Roma 665 – Udine 31 – Milano 404.

Pittis, ✆ 975346, Fax 975916 – |‡| TV ☎ P. AE ⓞ E VISA
Pasto *(chiuso domenica)* carta 35/50000 – ☕ 15000 – **40 cam** 70/100000 – ½ P 85/9500

OSPEDALETTI *18014 Imperia* 988 ⑫, 428 K 5 – *3 622 ab.* – ☎ *0184.*

ℹ *corso Regina Margherita 13* ✆ *689085, Fax 684455.*

Roma 650 – Imperia 40 – Genova 151 – Milano 274 – Ventimiglia 11.

Firenze, corso Regina Margherita 97 ✆ 689221, Fax 688140, ≤, « Terrazza-solarium »,
– |‡| TV ☎. AE. S. ⓞ E VISA
Pasto al Rist. ***Da Luisa*** *(chiuso lunedì)* carta 45/65000 – ☕ 12000 – **44 cam** 120/160000
½ P 90/155000.

Delle Rose, via de Medici 17 ✆ 689016, « Piccolo giardino con piante esotiche » – TV ☎
E. ✻ rist
Pasto *(chiuso lunedì)* 30/35000 – ☕ 10000 – **14 cam** 85/110000 – ½ P 80/95000.

Floreal, corso Regina Margherita 83 ✆ 689638, Fax 689028 – |‡| TV ☎. S. E VISA. ✻ rist
chiuso dal 5 novembre al 15 dicembre – **Pasto** carta 40/55000 – ☕ 9000 – **26 ca**
75/120000 – ½ P 80/100000.

OSPEDALETTO *38050 Trento* 429 D 16 – *816 ab. alt. 340* – ☎ *0461.*

Roma 539 – Belluno 67 – Padova 89 – Trento 45 – Treviso 84.

Va' Pensiero, località Pradanella 7/b ✆ 768383, 🌳 – P. AE. S. E VISA. ✻
chiuso mercoledì e dal 20 ottobre al 10 novembre – **Pasto** carta 50/60000.

OSPEDALETTO *Verona – Vedere Pescantina.*

OSPEDALETTO D'ALPINOLO *83014 Avellino* 431 E 26 – *1 625 ab. alt. 725* – ☎ *0825.*

Roma 248 – Napoli 58 – Avellino 11 – Benevento 27 – Salerno 50.

La Castagna ⛰, ✆ 691047, ≤, « Servizio rist. estivo in terrazza ombreggiata », 🌳 – P
VISA. ✻
marzo-novembre – **Pasto** *(chiuso martedì)* carta 35/55000 – ☕ 8000 – **20 cam** 50/75000
½ P 70000.

OSPEDALICCHIO *Perugia* 430 M 19 – *Vedere Bastia.*

OSPIATE *Milano – Vedere Bollate.*

OSPITALETTO *25035 Brescia* [428], [429] F 12 – *9 770 ab. alt. 155* – ☎ *030.*

Roma 550 – Brescia 12 – Bergamo 45 – Milano 96.

🍴🍴 **Hosteria Brescia,** via Brescia 22 ✆ 640988 – [AE]. [S]. ⓞ E VISA
chiuso lunedì ed agosto – **Pasto** carta 35/60000.

OSSANA *38026 Trento* [429] D 14 – *741 ab. alt. 1 003 – a.s. 29 gennaio-Pasqua e Natale* – ☎ *0463.*

Roma 659 – Trento 74 – Bolzano 82 – Passo del Tonale 17.

🏨 **Pangrazzi,** frazione Fucine alt. 982 ✆ 751108, Fax 751359, 🌳 – 🛗 📞 🚗 [P]. [S]. E VISA. 🚫🐕
dicembre-aprile e 15 giugno-settembre – **Pasto** carta 30/55000 – **30 cam** ☕ 90/150000 – ½ P 90/120000.

OSTELLATO *44020 Ferrara* [429] H 17 – *7 377 ab.* – ☎ *0533.*

Roma 395 – Ravenna 65 – Bologna 63 – Ferrara 33.

🍴🍴 **Locanda della Tamerice,** via Argine Mezzano 2 (E : 1 km) ✆ 680795, Fax 680795, prenotare, « Nelle valli di Ostellato », 🏊, 🌳 – ❄ [P]. [AE]. [S]. ⓞ E VISA. 🚫🐕
chiuso mercoledì, dal 10 al 31 gennaio e dal 10 al 25 novembre – **Pasto** carta 45/65000.

OSTIA *Roma – Vedere risorse di Roma, Lido di Ostia (o di Roma) ed Ostia Antica.*

When visiting ***northern Italy*** *use* ***Michelin maps*** [428] *and* [429].

OSTIA ANTICA *00119 Roma* [988] (25) (26), [430] Q 18 *G. Roma* – ☎ *06.*

Vedere *Piazzale delle Corporazioni*** – Capitolium*** – Foro** – Domus di Amore e Psiche*** – Schola del Traiano*** – Terme dei Sette Sapienti* – Terme del Foro* – Casa di Diana* – Museo* – Thermopolium** – Horrea di Hortensius* – Mosaici** nelle Terme di Nettuno.*

Roma 25 – Anzio 49 – Civitavecchia 69 – Latina 73 – Lido di Ostia o di Roma 4.

🍴 **Monumento,** piazza Umberto I 8 ✆ 5650021 – [AE]. [S]. ⓞ E VISA
chiuso lunedì e dal 20 agosto al 7 settembre – **Pasto** carta 40/65000.

OSTIGLIA *46035 Mantova* [988] (4) (14), [429] G 15 – *7 206 ab. alt. 15* – ☎ *0386.*

Roma 460 – Verona 46 – Ferrara 56 – Mantova 33 – Milano 208 – Modena 56 – Rovigo 63.

sulla strada statale 12 *N : 6 km :*

🍴🍴 **Pontemolino-da Trida,** ✉ 46035 ✆ 802380, 🌳 – [P]. [S]. E VISA
chiuso lunedì sera, martedì, dal 7 al 31 gennaio e dal 10 luglio al 6 agosto – **Pasto** carta 40/60000.

OSTUNI *72017 Brindisi* [988] (30), [431] E 34 *G. Italia – 33 639 ab. alt. 207 – a.s. luglio-15 settembre* – ☎ *0831.*

Vedere *Facciata* della Cattedrale.*

Dintorni *Regione dei Trulli*** Ovest.*

[i] *via Continelli 45* ✆ *303775 – (giugno-settembre) piazza della Libertà* ✆ *301268.*

Roma 530 – Brindisi 42 – Bari 80 – Lecce 73 – Matera 101 – Taranto 52.

🏨 **Novecento** 🪑, contrada Ramunno S : 1,5 km ✆ 305666, Fax 305668, « In una villa d'epoca », 🏊, 🌳 – ❄ [TV] 📞 [P]. [AE]. [S]. ⓞ E VISA. 🚫🐕 rist
Pasto 30/50000 – **16 cam** ☕ 130/170000 – ½ P 110/130000.

🍴🍴 **Porta Nova,** via Monte Grappa ✆ 338983, « Servizio estivo in terrazza panoramica » – [AE]. [S]. ⓞ E VISA. JCB. 🚫🐕
chiuso mercoledì e dal 15 gennaio al 15 febbraio – **Pasto** carta 30/55000.

🍴🍴 **Chez Elio,** via dei Colli 67 (NO : 1,5 km) ✆ 308726, ← città, costa e mare, « Servizio estivo in terrazza » – [P]. [AE]. [S]. VISA
chiuso lunedì e settembre – **Pasto** carta 30/45000 (10 %).

🍴 **Spessite,** via Clemente Brancasi 43 ✆ 302866, Fax 302866, prenotare, « Ambiente caratteristico » – [AE] E VISA. 🚫🐕
chiuso ottobre, a mezzogiorno (escluso luglio-agosto) e mercoledì in bassa stagione – **Pasto** 30000 bc.

🍴 **Osteria del Tempo Perso,** via G. Tanzarella 47 ✆ 303320, prenotare – [AE]. [S]. ⓞ E VISA. 🚫🐕
chiuso da gennaio al 15 febbraio, lunedì e a mezzogiorno (escluso domenica ed i giorni festivi) – **Pasto** carta 25/40000.

a Costa Merlata *NE : 15 km – ✉ 72017 :*

Gd H. Masseria Santa Lucia, ✆ 330418, Fax 339590, « In un'antica masseria fortificata », – 450
60 cam.

OTRANTO *73028 Lecce 988 ⑳, 431 G 37 G. Italia – 5 275 ab. – ✆ 0836.*

Vedere *Cattedrale★ : pavimento★★★.*

Escursioni *Costa meridionale★ Sud per la strada S 173.*

✆ 801436.

Roma 642 – Brindisi 84 – Bari 192 – Gallipoli 47 – Lecce 41 – Taranto 122.

Degli Haethey, via Francesco Sforza 33 ✆ 801548, Fax 801576, – AE. . E VISA.
Pasto (solo per alloggiati) 25000 – **21 cam** 100/160000 – 1/2 P 105/125000.

Rosa Antico senza rist, ✆ 801563, Fax 801563, « Giardino-agrumeto » – . E VISA.
15000 – **10 cam** 100000.

Minerva senza rist, via Pioppi 46 ✆ 804512 –
10000 – **10 cam** 60/120000.

Tenuta il Gambero con cam, litoranea per Porto Badisco S : 3 km ✆ 801107 Fax 801303, <, , prenotare, « In una masseria con origini del 1200 », – AE. . E VISA
Pasto *(chiuso dal 15 gennaio al 15 febbraio e mercoledì escluso da giugno ad ottobre* specialità di mare carta 60/85000 – 14 appartamenti 220/280000 – 1/2 P 160/190000.

Acmet Pascià, ✆ 801282, <, –. AE. . E VISA.
chiuso lunedì e dal 20 ottobre al 4 novembre – **Pasto** carta 30/70000.

Vecchia Otranto, ✆ 801575, – . AE. . E VISA.
chiuso novembre e giovedì (escluso dal 15 giugno al 15 settembre) – **Pasto** carta 40/75000

*Usate le **carte Michelin** 428, 429, 430, 431, 432, 433 per programmare agevolmente i vostri viaggi in **Italia.***

OTTAVIANO *80044 Napoli 988 ㉗, 431 E 25 – 22 739 ab. alt. 190 – ✆ 081.*

Roma 240 – Napoli 22 – Benevento 70 – Caserta 47 – Salerno 42.

Augustus senza rist, viale Giovanni XXIII 61 ✆ 5288455, Fax 5288454 – AE. . E VISA. JCB.
10000 – **41 cam** 140/240000.

OTTONE *Livorno – Vedere Elba (Isola d') : Portoferraio.*

OVADA *15076 Alessandria 988 ⑬, 428 I 7 – 12 180 ab. alt. 186 – ✆ 0143.*

Dintorni *Strada dei castelli dell'Alto Monferrato★ (o strada del vino) verso Serravalle Scrivia*

Roma 549 – Genova 50 – Acqui Terme 24 – Alessandria 40 – Milano 114 – Savona 61 – Torino 125.

La Volpina, strada Volpina 1 ✆ 86008, Coperti limitati; prenotare, « Servizio estivo all'aperto » – . . E VISA
chiuso la sera dei giorni festivi, lunedì, dal 22 dicembre al 15 gennaio e dal 27 luglio a 15 agosto – **Pasto** carta 55/80000 (10 %).

OVINDOLI *67046 L'Aquila 988 ㉖, 430 P 22 – 1 243 ab. alt. 1 375 – a.s. 15 dicembre-12 aprile e luglio-22 settembre – Sport invernali : 1 375/2 000 m 6 – ✆ 0863.*

Roma 129 – L'Aquila 36 – Frosinone 109 – Pescara 119 – Sulmona 55.

Il Pozzo, via Monumento dell'Alpino ✆ 710191, prenotare

PACENTRO *67030 L'Aquila 430 P 23 – 1 352 ab. alt. 650 – ✆ 0864.*

Roma 171 – Pescara 78 – Avezzano 66 – Isernia 82 – L'Aquila 76.

Taverna De Li Caldora, piazza Umberto I 13 ✆ 41139, Fax 41139, , prenotare « Servizio estivo in terrazza panoramica » – . AE. . E VISA.
chiuso domenica sera, martedì, dal 10 al 20 gennaio e dal 10 al 20 ottobre – Pasto carta 30/55000.

PACIANO *06060 Perugia* 430 M 18 – *937 ab. alt. 391 – ☎ 075.*
Roma 163 – Chianciano Terme 23 – Perugia 45.

La Locanda della Rocca con cam, viale Roma 10 ☎ 830236, Fax 830155, ←, Coperti limitati; prenotare, – P. AE. 🅂. ⓓ E VISA. ✻ rist
chiuso dal 15 gennaio a febbraio – **Pasto** *(chiuso martedì)* carta 45/65000 – **7 cam** ☕ 130/150000 – ½ P 160/175000.

PADERNO D'ADDA *22050 Lecco* 428 E 10, 219 ⑳ – *2 761 ab. alt. 266 – ☎ 039.*
Roma 604 – Bergamo 23 – Como 39 – Lecco 24 – Milano 34.

Adda, via Edison 27 ☎ 510141, Fax 510796, ⛱, ✻ – |‡| ▤ rist TV ☎ ♿ P – 🏛 100. AE. 🅂. ⓓ E VISA. ✻
Pasto *(chiuso martedì)* carta 45/80000 – ☕ 8000 – **35 cam** 95/135000 – P 150000.

PADERNO DI PONZANO *Treviso – Vedere Ponzano Veneto.*

PADERNO FRANCIACORTA *25050 Brescia* 428 F 12 – *2 980 ab. alt. 183 – ☎ 030.*
Roma 550 – Brescia 15 – Milano 84 – Verona 81.

Franciacorta senza rist, via Donatori di Sangue 10 ☎ 6857085, Fax 6857082 – |‡| ▤ TV ☎ P. AE ⓓ E VISA. JCB
☕ 15000 – **24 cam** 105/130000.

Giardino-da Gregorio, via San Gottardo 34 ☎ 657195, Fax 657424, 🌳, – P. AE. 🅂. ⓓ E VISA. ✻
chiuso martedì sera, mercoledì ed agosto – **Pasto** carta 35/50000.

PADOLA *Belluno – Vedere Comelico Superiore.*

PADOVA *35100* P 988 ⑤, 429 F 17 *G. Italia – 212 731 ab. alt. 12 – ☎ 049.*

Vedere *Affreschi di Giotto***, Vergine* di Giovanni Pisano nella cappella degli Scrovegni* DY – *Basilica del Santo*** DZ – *Statua equestre del Gattamelata*** DZ **A** – *Palazzo della Ragione** DZ **J** *: salone*** – *Pinacoteca Civica** DZ **M** – *Chiesa degli Eremitani** DY *: affreschi di Guariento*** – *Oratorio di San Giorgio** DZ **B** – *Scuola di Sant'Antonio** DZ **B** – *Piazza della Frutta** DZ **25** – *Piazza delle Erbe** DZ **20** – *Torre dell'Orologio* (in piazza dei Signori* CYZ*)* – *Pala d'altare* nella chiesa di Santa Giustina* DZ.

Dintorni *Colli Euganei* SO per* ⑥.

⛳18 e ⛳9 *Montecchia (chiuso lunedì) a Selvazzano Dentro ✉ 35030 ☎ 8055550, Fax 8055737, O : 8 km;*

⛳18 *Frassanelle (chiuso martedì escluso aprile, maggio, settembre ed ottobre) ✉ 35030 Frassanelle di Rovolon ☎ 9910722, Fax 9910691, SO : 20 km;*

⛳18 *(chiuso lunedì e gennaio) a Valsanzibio di Galzignano ✉ 35030 ☎ 9130078, Fax 9131193 E : 21 km.*

Stazione Ferrovie Stato ✉ 35131 ☎ 8752077 – Museo Eremitani ☎ 8750655.

A.C.I. *via Enrico degli Scrovegni 19 ✉ 35131 ☎ 654935.*

Roma 491 – Milano 234 – Venezia 42 – Verona 81.

Piante pagine seguenti

Plaza, corso Milano 40 ✉ 35139 ☎ 656822, Telex 430360, Fax 661117 – |‡| ▤ TV ☎ ♿ 🚗 – 🏛 150. AE. 🅂. ⓓ E VISA. ✻ rist CY m
Pasto *(chiuso domenica ed agosto)* carta 60/85000 – **137 cam** ☕ 185/270000.

Milano senza rist, via Bronzetti 62 ✉ 35138 ☎ 8712555, Fax 8713923 – |‡| ▤ TV ☎ ♿ P – 🏛 30. AE. 🅂. ⓓ E VISA. ✻ CY g
80 cam ☕ 150/200000.

Donatello, via del Santo 102/104 ✉ 35123 ☎ 8750634, Fax 8750829, ←, « Servizio rist. estivo in terrazza » – |‡| ▤ cam TV ☎ 🚗 – 🏛 20. AE. 🅂. ⓓ E VISA. JCB DZ z
chiuso dal 15 dicembre al 15 gennaio – **Pasto** 35/55000 e al Rist. ***Sant'Antonio*** *(chiuso mercoledì e da dicembre al 23 gennaio)* carta 50/65000 (12 %) – ☕ 18000 – **49 cam** 145/230000 – ½ P 165/280000.

Majestic Toscanelli senza rist, via dell'Arco 2 ✉ 35122 ☎ 663244, Fax 8760025 – |‡| ▤ TV ☎. AE. 🅂. ⓓ E VISA. JCB. ✻ DZ b
32 cam ☕ 175/250000, 3 appartamenti.

Giovanni senza rist, via Mamiani angolo via Manara 17 ✉ 35129 ☎ 8073382, Fax 8075657 – |‡| ▤ TV ☎ P – 🏛 30. AE. 🅂. ⓓ E VISA. ✻ BV c
chiuso agosto – **34 cam** ☕ 135/190000.

Biri , via Grassi 2 ✉ 35129 ☎ 776566 e rist ☎ 776270, Telex 432285, Fax 776566 – |‡| ▤ TV ☎ P – 🏛 50 BV a
86 cam.

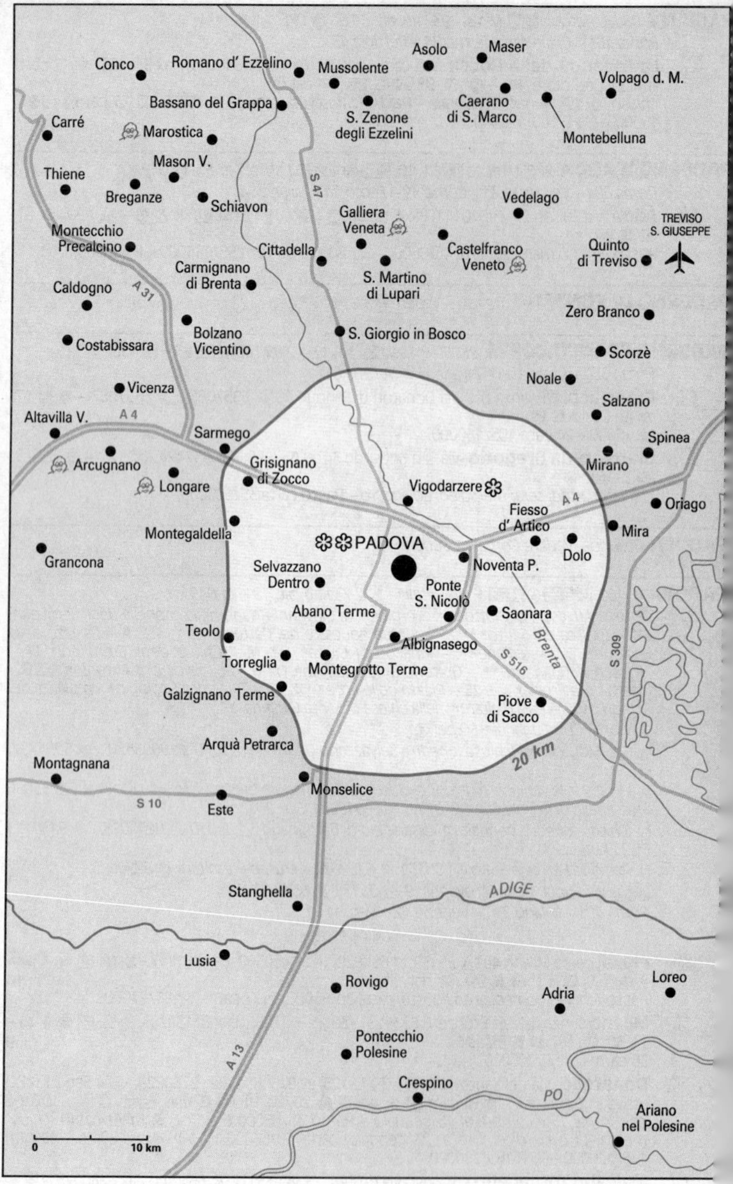

Conco
Romano d' Ezzelino
Mussolente
Asolo
Maser
Volpago d. M.
Bassano del Grappa
S. Zenone degli Ezzelini
Caerano di S. Marco
Montebelluna
Carré
Marostica
Mason V.
Thiene
Breganze
Schiavon
S 47
Vedelago
Galliera Veneta
TREVISO S. GIUSEPPE
Montecchio Precalcino
Cittadella
Castelfranco Veneto
Quinto di Treviso
Carmignano di Brenta
S. Martino di Lupari
Caldogno
A 31
Zero Branco
Bolzano Vicentino
S. Giorgio in Bosco
Costabissara
Scorzè
Noale
Vicenza
Salzano
Altavilla V.
A 4
Sarmego
Spinea
Arcugnano
Grisignano di Zocco
Mirano
Longare
Vigodarzere ✿
A 4
Oriago
Fiesso d' Artico
Mira
Montegaldella
✿✿ PADOVA
Dolo
Grancona
Selvazzano Dentro
Noventa P.
Ponte S. Nicolò
Abano Terme
Saonara
Teolo
Albignasego
Brenta
S 309
Torreglia
Montegrotto Terme
S 516
Galzignano Terme
Piove di Sacco
Arquà Petrarca
20 km
Montagnana
Monselice
S 10
Este
Stanghella
ADIGE
Lusia
Rovigo
Loreo
Adria
A 13
Pontecchio Polesine
Crespino
PO
Ariano nel Polesine
0
10 km

Ne confondez pas :

Confort des hôtels	: 🏨🏨🏨 ... 🏨, 🏠
Confort des restaurants	: XXXXX ... X
Qualité de la table	: ✿✿✿, ✿✿, ✿

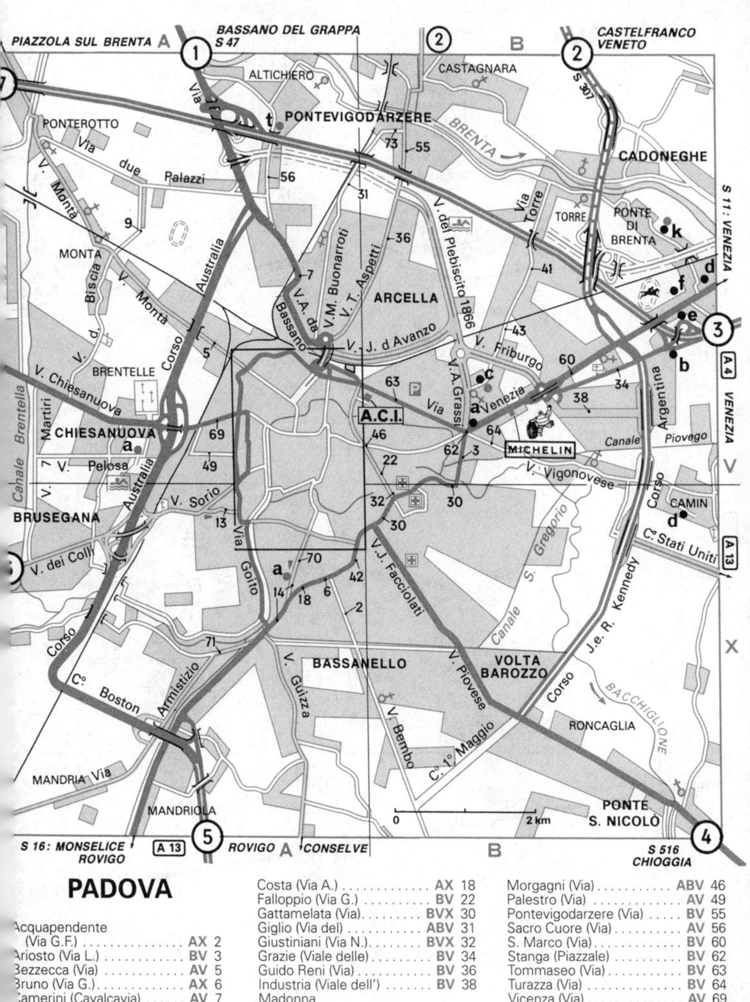

PADOVA

Acquapendente (Via G.F.) . . . . AX 2
Ariosto (Via L.) . . . . BV 3
Bezzecca (Via) . . . . AV 5
Bruno (Via G.). . . . . AX 6
Camerini (Cavalcavia) . . . . . . AV 7
Capitello (Via) . . . . AV 9
Castel Fidardo (Via) . . . . AX 13
Cavallotti (Viale F.) . . . . AX 14
Costa (Via A.) . . . . AX 18
Falloppio (Via G.) . . . . BV 22
Gattamelata (Via). . . . . BVX 30
Giglio (Via del) . . . . ABV 31
Giustiniani (Via N.). . . . . BVX 32
Grazie (Viale delle) . . . . BV 34
Guido Reni (Via) . . . . BV 36
Industria (Viale dell') . . . . BV 38
Madonna della Salute (Via) . . . . BV 41
Manzoni (Via A.). . . . . AX 42
Maroncelli (Via) . . . . BV 43
Morgagni (Via). . . . . ABV 46
Palestro (Via) . . . . AV 49
Pontevigodarzere (Via) . . . . . BV 55
Sacro Cuore (Via). . . . . AV 56
S. Marco (Via). . . . . BV 60
Stanga (Piazzale) . . . . BV 62
Tommaseo (Via) . . . . BV 63
Turazza (Via) . . . . BV 64
Vicenza (Via) . . . . AV 69
Vittorio Emanuele II (Cso) . . AX 70
Vittorio Veneto (Via). . . . . AX 71
Vivarini (Via) . . . . BV 73

Leon Bianco senza rist, piazzetta Pedrocchi 12 ✉ 35122 ☎ 8750814, Fax 8756184 – ⧉ ▤ TV ☎. AE. ⑤. ⦿ E VISA — DY x
☕ 15000 – **22 cam** 125/165000.

Al Cason, via Frà Paolo Sarpi 40 ✉ 35138 ☎ 662636, Fax 8754217 – ⧉ ▤ TV ☎ 🚗 – 🧑‍🏫 30. AE. ⑤. ⦿ E VISA. ✂ cam — CDY d
Pasto *(chiuso sabato, domenica, dal 24 dicembre al 1º gennaio e dal 28 luglio al 3 settembre)* carta 45/55000 – ☕ 10000 – **48 cam** 90/120000 – P 130/150000.

Igea senza rist, via Ospedale Civile 87 ✉ 35121 ☎ 8750577, Fax 660865 – ⧉ ▤ TV ☎ 🚗. AE. ⑤. ⦿ E VISA. JCB — DZ d
☕ 12000 – **49 cam** 80/100000.

Al Fagiano senza rist, via Locatelli 45 ✉ 35123 ☎ 8753396, Fax 8753396, ⛱ – ⧉ TV ☎. AE. ⑤. ⦿ E VISA — DZ n
☕ 12000 – **29 cam** 85/110000.

PADOVA

Street	Grid	No.
Altinate (Via)	DYZ	
Cavour (Piazza e Via)	DY	15
Dante (Via)	CY	
Filiberto (Via E.)	DY	24
Garibaldi (Corso)	DY	27
Ponti Romani (Riviera dei)	DYZ	53
Roma (Via)	DZ	
S. Fermo (Via)	DY	
Carmine (Via del)	DY	10
Cesarotti (Via M)	DZ	17
Erbe (Piazza delle)	DZ	20
Eremitani (Piazza)	DY	21
Frutta (Piazza della)	DZ	25
Garibaldi (Piazza)	DY	28
Gasometro (Via dell'ex)	DY	29
Guariento (Via)	DY	35
Insurrezione (Piazza)	DY	39
Monte di Pietà (Via del)	CZ	
Petrarca (Via)	CY	
Ponte Molino (Vicolo)	CY	
S. Canziano (Via)	DZ	
S. Lucia (Via)	DY	
Vandelli (Via D.)	CZ	
Verdi (Via G.)	CY	
Vittorio Emanuele II (Corso)	CZ	
8 Febbraio (Via)	DZ	
58 Fanteria (Via)	DZ	

XXX **San Clemente,** corso Vittorio Emanuele II 142 ✉ 35123 ☎ 8803180, Fax 8803015, 斎, solo su prenotazione a mezzogiorno, « Dimora del 500 » – ▤. AE. 🅂. E VISA AX a
chiuso domenica, lunedì a mezzogiorno, dal 20 dicembre al 2 gennaio ed agosto – **Pasto** 50000 bc (a mezzogiorno) 85/130000 bc (alla sera) e carta 70/110000.

XXX **Belle Parti-Toulá,** via Belle Parti 11 ✉ 35139 ☎ 8751822, Fax 8751822, Coperti limitati; prenotare – ▤. AE. 🅂. ⓓ E VISA. JCB CDY e
chiuso domenica ed agosto – **Pasto** carta 50/80000.

XXX **Antico Brolo,** corso Milano 22 ✉ 35139 ☎ 656088, Fax 656088, 斎, prenotare – ▤. AE. 🅂. ⓓ VISA CY a
chiuso domenica a mezzogiorno, lunedì e dall'8 al 28 agosto – **Pasto** 25000 (15 %) solo a mezzogiorno e carta 50/85000 (15 %).

XX **Ai Porteghi,** via Cesare Battisti 105 ✉ 35121 ☎ 8761720, prenotare – ▤. AE ⓓ. ✻ DZ e
chiuso domenica, lunedì a mezzogiorno ed agosto – **Pasto** carta 45/80000.

XX **Isola di Caprera,** via Marsilio da Padova 11/15 ✉ 35139 ☎ 8760244, Fax 6642824 – ▤. AE. 🅂. ⓓ E VISA DY b
chiuso domenica – **Pasto** carta 35/65000.

XX **Bastioni del Moro,** via Bronzetti 18 ✉ 35138 ☎ 8710006, Fax 8710006 – ▤. AE. 🅂. ⓓ E VISA. ✻ CY b
chiuso domenica – **Pasto** carta 35/60000.

X Giovanni, via Maroncelli 22 ✉ 35129 ☎ 772620 – Ⓟ BV c

X **Cavalca,** via Manin 8/10 ✉ 35139 ☎ 8760061, Fax 8760061 – ▤. AE. 🅂. ⓓ E VISA
chiuso martedì sera, mercoledì, dal 16 al 25 gennaio e dal 16 luglio al 6 agosto – **Pasto** carta 35/60000 (10 %). CDZ s

X **Trattoria Falcaro-da Lele,** via Pelosa 4 ✉ 35136 ☎ 8713898, 斎 – Ⓟ. ✻ AV a
chiuso sabato a mezzogiorno, domenica, Natale, Capodanno e dal 5 al 20 agosto – **Pasto** carta 35/50000.

Camin *E : 4 km per A 4* BX – ✉ *35020* :

🏨 **Admiral** senza rist, ☎ 8700240, Fax 8700330 – 🛗 ▤ 📺 ☎ ♿ Ⓟ – 🏛 65. AE. 🅂. ⓓ E VISA BX d
☕ 9000 – **34 cam** 115/155000.

XX **Bion,** via Vigonovese 427 ☎ 8790064, Fax 8790064 – ▤ Ⓟ. AE. 🅂. ⓓ E VISA. JCB. ✻
chiuso domenica, dal 1° al 6 gennaio e dal 4 al 25 agosto – **Pasto** carta 40/55000.
per via Vigonovese E : 1,5 km

n prossimità casello autostrada A 4 *NE : 5 km per S 11* BV :

🏨 **Sheraton Padova Hotel,** ✉ 35020 Ponte di Brenta ☎ 8998299, Telex 432222, Fax 8070660 – 🛗 ⇔ cam ▤ 📺 ☎ ♿ Ⓟ – 🏛 600. AE. 🅂. ⓓ E VISA. JCB. ✻ BV b
Pasto *(chiuso domenica)* carta 55/110000 – **226 cam** ☕ 270/340000, 6 appartamenti.

d Altichiero *N : 6 km per S 47* AV – ✉ *35135 Padova* :

X **Antica Trattoria Bertolini,** via Altichiero 162 ☎ 600357, Fax 8654140, 斎 – ▤ Ⓟ. AE. 🅂. ⓓ E VISA. ✻ AV t
chiuso venerdì sera, sabato e dal 1° al 20 agosto – **Pasto** carta 40/50000.

Ponte di Brenta *NE : 6 km per S 11* BV – ✉ *35020* :

🏨 **Le Padovanelle,** via Chilesotti ☎ 625622, Telex 430454, Fax 625320, ≘s, 🏊, 🏊, 🎾 – ▤ 📺 ☎ ♿ Ⓟ – 🏛 200. AE. 🅂. ⓓ E VISA. ✻ rist BV f
Pasto *(chiuso domenica sera e lunedì)* carta 50/80000 – **40 cam** ☕ 185/245000 – ½ P 140/165000.

🏨 **Antenore** senza rist, via Bravi 14/b ☎ 629600, Fax 629600 – 🛗 ▤ 📺 ☎ Ⓟ. AE. 🅂. ⓓ E VISA. ✻ BV d
☕ 15000 – **23 cam** 115/170000.

🏨 **Sagittario** 🐎, località Torre via Randaccio 6 ☎ 725877, Fax 8932112 – 🛗 ▤ 📺 ☎ Ⓟ – 🏛 30. AE. 🅂. ⓓ E VISA. ✻ BV k
chiuso dal 24 dicembre al 1° gennaio ed agosto – **Pasto** vedere rist ***Dotto di Campagna*** – ☕ 14000 – **41 cam** 100/150000.

🏨 **Brenta** senza rist, strada San Marco 128 ☎ 629800, Fax 628988 – 🛗 ▤ 📺 ☎ 🚗 Ⓟ. AE. 🅂. ⓓ VISA. ✻ BV e
☕ 18000 – **69 cam** 135/210000.

XX **Dotto di Campagna,** località Torre via Randaccio 4 ☎ 625469, Fax 8932112, 斎 – ▤ Ⓟ. AE. 🅂. ⓓ E VISA. ✻ BV k
chiuso domenica sera, lunedì, dal 26 dicembre al 6 gennaio ed agosto – **Pasto** carta 40/65000.

a Rubano *O : 8 km per S 11 AV – ✉ 35030 :*

La Bulesca ⑤, via Fogazzaro 2 ☎ 8976388, Fax 8975543, ⚘ – |‡| ▤ 📺 ☎ 🅟. AE. 🅢. E VISA. JCB. ✻ rist
Pasto al Rist. ***Zuan*** carta 35/60000 – ☕ 15000 – **53 cam** 100/170000 – 1/2 P 130/160000

El Rustego, via Rossi 16 ☎ 631466, Fax 631558, ⚘ – |‡| ▤ 📺 ☎ ♿ 🅟 – 🏛 60. AE. 🅢. E VISA. ✻ rist
Pasto *(chiuso domenica e dal 30 luglio al 27 agosto)* carta 40/60000 – **41 cam** ☕ 140000 – 1/2 P 110/140000.

Le Calandre senza rist, via Liguria 1 A, località Sarmeola ☎ 635200, Fax 633026 – |‡| ▤ ☎ 🅟. AE. 🅢. ⓓ E VISA
chiuso dal 23 dicembre al 6 gennaio – ☕ 13000 – **35 cam** 105/145000.

XXX ✿✿ **Le Calandre,** via Liguria 1, località Sarmeola ☎ 630303, Fax 633000, prenotare – ▤ 🅟. 🅢. ⓓ E VISA. ✻
chiuso domenica sera, lunedì e da giugno a settembre anche domenica a mezzogiorn
Pasto carta 70/115000
Spec. Fegato di coniglio impanato in salsa (primavera). Tortelli con caprino fresco, pom doro, fagiolini e filetti di triglia (primavera-estate). Involtini di scampi fritti in salsa di lattu

MICHELIN, via Venezia 104 BV – ✉ 35129, ☎ 8070072, Fax 778075.

PAESTUM *84063 Salerno* 988 ㉘, 431 F 27 *G. Italia – a.s. Pasqua e 15 giugno-15 settembr*
☎ 0828.
Vedere *Rovine*★★★ – *Museo*★★.
🅘 *via Magna Grecia 151/156 (zona Archeologica) ☎ 811016, Fax 722322.*
Roma 305 – Potenza 98 – Napoli 99 – Salerno 48.

Ariston Hotel, a Laura ☎ 851333, Fax 851596, 🏋, ≘s, ⛱, 🏊, 🎾 – |‡| ▤ 📺 ☎ 🅟 🏛 1200. AE. 🅢. ⓓ E VISA. ✻
Pasto 40/60000 – ☕ 15000 – **110 cam** 130/160000, appartamento – 1/2 P 150/180000.

Mec Paestum Hotel, a Licinella, via Tiziano ☎ 722444, Fax 722305, ⛱, 🏖 – |‡| ▤ 📺 🚗 🅟 – 🏛 1500
50 cam, 2 appartamenti.

Schuhmann ⑤, a Laura ☎ 851151, Fax 851183, ←, « Terrazza giardino in riva al mare 🏖 – ⇜ cam ▤ 📺 ☎ 🚗 🅟 – 🏛 100. AE. 🅢. ⓓ E VISA. JCB. ✻
Pasto (solo per alloggiati) 45/55000 – **36 cam** ☕ 180/220000 – 1/2 P 150/180000.

Esplanade ⑤, via Sterpinia ☎ 851043, Fax 851600, « Giardino con ⛱ », 🎾 – |‡| ▤ 📺 🅟 – 🏛 120. AE. 🅢. ⓓ E VISA. ✻ rist
Pasto carta 35/50000 – **28 cam** ☕ 100/150000 – 1/2 P 80/135000.

Le Palme ⑤, via Sterpinia 33 ☎ 851025, Telex 721397, Fax 851507, ⛱, 🏖, ⚘, 🎾 – ▤ 📺 ☎ 🚗 🅟 – 🏛 250. AE. 🅢. ⓓ E VISA. ✻ rist
aprile-ottobre – **Pasto** carta 35/55000 – **50 cam** ☕ 125/180000 – P 95/160000.

Taverna dei Re, a Santa Venere ☎ 811555, Fax 811818, ⛱, ⚘ – 📺 ☎ 🅟
15 cam.

Villa Rita ⑤, zona Archeologica ☎ 811081, ⚘ – ☎ 🅟. AE. 🅢. E VISA. ✻
15 marzo-ottobre – **Pasto** (solo per alloggiati) – **12 cam** ☕ 75/100000 – 1/2 P 70/85000.

XX **Nettuno,** zona Archeologica ☎ 811028, Fax 811028, ☂, ⚘ – 🅟. AE. 🅢. ⓓ E VIS ✻
chiuso la sera e lunedì da settembre a giugno – **Pasto** carta 35/70000.

X **Oasi,** zona Archeologica ☎ 811935, Rist. e pizzeria – 🅟. AE. 🅢. VISA. ✻
chiuso lunedì escluso da aprile a settembre – **Pasto** carta 25/65000.

a Capaccio Scalo *N : 3 km – ✉ 84040 :*

X **La Pergola,** via Nazionale ☎ (0974) 723377, Fax (0974) 725064, ☂ – 🅟. AE. 🅢. ⓓ VISA
chiuso lunedì – **Pasto** carta 30/55000.

PAGANICA *L'Aquila* 430 O 22 – *Vedere L'Aquila.*

PALADINA *Bergamo – Vedere Almè*

PALAU *Sassari* 988 ㉓, 433 D 10 – *Vedere Sardegna alla fine dell'elenco alfabetico.*

PALAZZOLO ACREIDE *Siracusa* 988 ㊲, 432 P 26 – *Vedere Sicilia alla fine dell'elenco alfabetico*

ALAZZOLO SULL'OGLIO *25036 Brescia* 988 ③, 428, 429 F 11 – *16 617 ab. alt. 166* – ☎ *030.*

Roma 581 – Bergamo 26 – Brescia 32 – Cremona 77 – Lovere 38 – Milano 69.

Villa e Roma, via Bergamo 35 ☎ 731203, Fax 731574, « Parco-giardino » – ▤ TV ☎ ♿ P. AE. ⑤. ① E VISA. ✻ rist
Pasto *(chiuso domenica sera, lunedì, dal 25 dicembre al 2 gennaio e dal 5 al 25 agosto)* carta 40/60000 – ☕ 8000 – **25 cam** 75/135000 – ½ P 110/130000.

San Pancrazio *NE : 3 km – ✉ 25036 Palazzolo sull'Oglio :*

Hostaria al Portico, ☎ 7386164, ☂, – AE. ⑤. ① E VISA. ✻
chiuso domenica sera, lunedì ed agosto – **Pasto** carta 50/85000.

ALAZZUOLO SUL SENIO *50035 Firenze* 988 ⑮, 430 I 16 – *1 338 ab. alt. 437* – ☎ *055.*

Roma 318 – Firenze 56 – Bologna 86 – Faenza 46.

Locanda Senio con cam, borgo dell'Ore 1 ☎ 8046019, Fax 8046485, prenotare, « Locale caratteristico con servizio estivo sotto un pergolato » – TV ☎. AE. ⑤. ① E VISA JCB
chiuso gennaio e febbraio – **Pasto** *(chiuso a mezzogiorno escluso i week-end, martedì e mercoledì escluso da giugno a settembre)* carta 50/75000 – **6 cam** ☕ 110/180000 – ½ P 105/120000.

ALERMO P 988 ㉟, 432 M 22 – *Vedere Sicilia alla fine dell'elenco alfabetico.*

ALESE *70057 Bari* 431 D 32 – *a.s. 21 giugno-settembre* – ☎ *080.*

✈ *SE : 2 km ☎ 5316220.*

Roma 441 – Bari 10 – Foggia 124 – Matera 66 – Taranto 98.

Vittoria Parc Hotel M, via Nazionale 10/f ☎ 5306300, Fax 5301300, ☐ – ▤ TV ☎ ♿ 🚗 – 🏛 30. AE. ⑤. ① E VISA. ✻
Pasto carta 40/60000 – **104 cam** ☕ 140/190000 – ½ P 130/150000.

Palumbo senza rist, via Vittorio Veneto 31/33 ☎ 5300222, Fax 5300222, ⛱ – ▤ TV ☎ P. AE. ⑤. ① E VISA. ✻
13 cam ☕ 100/190000, ▤ 10000.

La Baia, via Vittorio Veneto 29/a ☎ 5300288, Fax 5301002, ⛱ – ▤ cam TV ☎ P – 🏛 80. AE. ⑤. ① E VISA. ✻ rist
Pasto carta 35/55000 – **51 cam** ☕ 90/150000 – ½ P 85/105000.

Da Tommaso, lungomare Massaro ☎ 5300038, ≤, ☂, Specialità di mare, prenotare
chiuso domenica sera e lunedì – **Pasto** carta 35/50000.

ALESTRINA *00036 Roma* 988 ㉖, 430 Q 20 *G. Roma* – *16 820 ab. alt. 465* – ☎ *06.*

Roma 39 – Anzio 69 – Frosinone 52 – Latina 58 – Rieti 91 – Tivoli 27.

Stella, piazzale della Liberazione 3 ☎ 9538172, Fax 9573360 – ▤ rist TV ☎
28 cam.

Il Piscarello, via del Piscarello 2 ☎ 9574326, Fax 9537751, ☂ – ▤ P. AE. ⑤. ① E VISA. ✻
chiuso lunedì e luglio – **Pasto** carta 40/70000.

ALINURO *84064 Salerno* 988 ㊳, 431 G 27 – *a.s. luglio-agosto* – ☎ *0974.*

Roma 376 – Potenza 173 – Napoli 170 – Salerno 119 – Sapri 49.

King's Residence ≫, Piano Faracchio, località Buondormire ☎ 931324, Fax 931418, « Terrazze fiorite con ≤ mare e costa », ☐, ⛱, – ▤ TV ☎ P – 🏛 400. AE. ⑤. ① E VISA. ✻
Natale e Pasqua-ottobre – **Pasto** (solo per alloggiati) 40/60000 – **36 cam** ☕ 200/360000, 31 appartamenti – ½ P 145/200000.

Gd H. San Pietro ≫, ☎ 931914, Fax 931919, ≤ mare e costa, ☐, ⛱ – ▤ ☎ ♿ P – 🏛 200. AE. ⑤. ① E VISA. ✻
aprile-settembre – **Pasto** carta 55/85000 – **49 cam** ☕ 220/310000 – ½ P 130/195000.

Lido Ficocella, ☎ 931051, Fax 931997, ≤ mare e costa – TV ☎. AE. ⑤. ① E VISA JCB ✻
aprile-settembre – **Pasto** carta 30/45000 – ☕ 9000 – **31 cam** 50/80000 – ½ P 70/95000.

Da Carmelo, località Isca E : 2 km, via Stradale ☎ 931138, Fax 931138 – P. AE. ⑤ VISA
chiuso lunedì e dal 10 ottobre al 20 dicembre – **Pasto** carta 40/50000 (10 %).

sulla strada statale 447 r *NO : 1,5 km :*

Saline , via Saline ✉ 84064 ✆ 931112, Fax 931243, ←, , , ✻ – |\$| ▤ TV ☎ P. AE. 🅢. ⓓ E VISA. ✻
aprile-ottobre – **Pasto** 50000 – **54 cam** ☕ 180/280000 – ½ P 100/205000.

PALLANZA *Verbania* 988 ②, 428 E 7 – *Vedere Verbania.*

PALLUSIEUX *Aosta* 219 ① – *Vedere Pré-Saint-Didier.*

PALMA DI MONTECHIARO *Agrigento* 988 ㊱, 432 P 23 – *Vedere Sicilia alla fine dell'elenco alfabetico.*

PALMANOVA *33057 Udine* 988 ⑥, 429 E 21 – *5 431 ab. alt. 26* – ✆ *0432.*
Roma 612 – Udine 31 – Gorizia 33 – Grado 28 – Pordenone 57 – Trieste 50.

Commercio, borgo Cividale 15 ✆ 928200 e rist ✆ 928740, Fax 923568, , Rist. e pizzeria – |\$| ▤ rist TV ☎. AE. 🅢. ⓓ E VISA. JCB. ✻ rist
Pasto al Rist. ***Da Gennaro*** *(chiuso mercoledì e dal 13 al 24 luglio)* carta 30/40000 – **34 cam** ☕ 55/90000 – ½ P 65000.

PALMI *89015 Reggio di Calabria* 988 ㊴, 431 L 29 *G. Italia* – *19 654 ab. alt. 250* – ✆ *0966.*
Roma 619 – Reggio di Calabria 48 – Catanzaro 116 – Cosenza 145.

Arcobaleno, via provinciale per Taureana N : 3 km ✆ 479380, Fax 479460, , , ✻ – |\$| ▤ TV ☎ P – 700. AE. 🅢. ⓓ E VISA. ✻
Pasto carta 35/45000 – ☕ 10000 – **51 cam** 150/180000 – ½ P 120/150000.

PANA (Monte) *Bolzano* – *Vedere Santa Cristina Valgardena.*

PANAREA (Isola) *Messina* 988 ㊲ e ㊳, 431, 432 L 27 – *Vedere Sicilia (Eolie, isole) alla fine dell'elenco alfabetico.*

PANCHIÀ *38030 Trento* 429 D 16 – *614 ab. alt. 981 – a.s. 23 gennaio-Pasqua e Natale* – ✆ *0462.*
🅘 *(luglio-agosto)* ✆ *241170.*
Roma 656 – Bolzano 50 – Trento 59 – Belluno 84 – Canazei 31 – Milano 314.

Rio Bianco, via Nazionale 42 ✆ 813077, Fax 815045, ←, « Giardino ombreggiato con riscaldata », , ✻ – |\$| ☎ P. AE. 🅢. E VISA. ✻
dicembre-20 aprile e 20 giugno-15 settembre – **Pasto** (solo per alloggiati) 30/40000 – ☕ 15000 – **37 cam** 80/130000 – ½ P 85/110000.

PANDINO *26025 Cremona* 988 ③, 428 F 10 – *7 431 ab. alt. 85* – ✆ *0373.*
Roma 556 – Bergamo 36 – Cremona 52 – Lodi 12 – Milano 35.

a Nosadello *O : 2 km* – ✉ *26025 Pandino :*

Volpi, via Indipendenza 36 ✆ 90100, – ▤ P. AE. 🅢. E VISA
chiuso domenica sera, lunedì, dal 1° al 10 gennaio e dal 15 al 30 agosto – **Pasto** carta 35/55000.

PANICALE *06064 Perugia* 430 M 18 – *5 278 ab. alt. 441* – ✆ *075.*
Roma 158 – Perugia 39 – Chianciano Terme 33.

Le Grotte di Boldrino con cam, via Virgilio Ceppari 30 ✆ 837161, Fax 837166, – TV ☎ – 50. AE. 🅢. ⓓ E VISA
Pasto *(chiuso mercoledì da ottobre a marzo)* carta 40/65000 – ☕ 8000 – **11 cam** 85/100000 – ½ P 90000.

PANICAROLA *Perugia* 430 M 18 – *Vedere Castiglione del Lago.*

PANNESI *Genova* – *Vedere Lumarzo.*

PANTELLERIA (Isola di) *Trapani* 988 ㉟, 432 Q 18 – *Vedere Sicilia alla fine dell'elenco alfabetico.*

PANZA *Napoli – Vedere Ischia (Isola d') : Forio.*

PANZANO *Firenze – Vedere Greve in Chianti.*

PARABIAGO *20015 Milano* 428 F 8, 219 ⑱ – *23 786 ab. alt. 180* – ☎ *0331.*
Roma 598 – Milano 21 – Bergamo 73 – Como 40.

Del Riale senza rist, via S. Giuseppe 1 ☎ 554600, Fax 490667 – 🛗 ▤ TV ☎ ♿ 🚗 – 🏛 90. AE. 🅂. ◑ E VISA. JCB
chiuso dal 5 al 27 agosto – ☕ 20000 – **37 cam** 170/250000.

Da Palmiro, via del Riale 16 ☎ 552024, Fax 553355 – ▤. AE. 🅂. ◑ E VISA. ✗
chiuso martedì ed agosto – **Pasto** specialità di mare carta 55/85000.

PARADISO *Udine – Vedere Pocenia.*

Leggete attentamente l'introduzione : è la « chiave » della guida.

PARAGGI *16038 Genova* 428 J 9 – ☎ *0185.*
Roma 484 – Genova 35 – Milano 170 – Rapallo 7 – La Spezia 86.

Paraggi, lungomare Paraggi ☎ 289961, Fax 286745, ⛱ – 🛗 ▤ TV ☎. AE. 🅂. ◑ E VISA. ✗ rist
Pasto carta 60/85000 (10 %) – ☕ 18000 – **18 cam** 170/290000 – ½ P 220/280000.

Baia, ☎ 285894, Fax 284848, ≤ mare – ▤ TV ☎
Pasto vedere rist ***Argentina*** – **10 cam.**

Argentina con cam, via Paraggi a Monte 56 ☎ 286708 – TV ☎. AE. 🅂. ◑ E VISA. ✗ cam
15 dicembre-10 gennaio e 15 marzo-ottobre – **Pasto** carta 45/75000 – ☕ 18000 – **12 cam** 140/170000 – ½ P 150000.

PARATICO *25030 Brescia* 428, 429 F 11 – *3 325 ab. alt. 232 – a.s. Pasqua e luglio-15 settembre* – ☎ *035.*
Roma 582 – Bergamo 28 – Brescia 33 – Cremona 78 – Lovere 29 – Milano 70.

Franciacorta Golf Hotel, via XXIV Maggio 48 ☎ 913333, Fax 913600, ⛱, 🏊 – 🛗 ▤ TV ☎ 🚗 🅿 – 🏛 100. AE. 🅂. ◑ E VISA. ✗ rist
Pasto carta 45/65000 – **43 cam** ☕ 150/200000.

PARCINES (PARTSCHINS) *39020 Bolzano* 429 B 15, 218 ⑨ – *3 088 ab. alt. 641* – ☎ *0473.*
ℹ *via Spauregg 10* ☎ *967168, Fax 967798.*
Roma 674 – Bolzano 35 – Merano 8,5 – Milano 335 – Trento 95.

Tel (Töll) *SE : 2 km* – ✉ *39020 :*

Museumstube-Onkel Taa, via Stazione 17 ☎ 967342, Fax 967771, prenotare, « Rist. rustico tirolese con raccolta oggetti di antiquariato » – 🅿. AE. 🅂. ◑ E VISA. ✗
chiuso lunedì, dal 20 novembre al 25 dicembre e dal 15 gennaio al 15 marzo – **Pasto** specialità lumache carta 50/80000.

PARCO NAZIONALE D'ABRUZZO *L'Aquila-Isernia-Frosinone* 988 ㉗, 430 Q 23 *G. Italia.*

PARETI *Livorno – Vedere Elba (Isola d'): Capoliveri.*

PARGHELIA *88035 Vibo Valentia* 431 K 29 – *1 406 ab.* – ☎ *0963.*
Roma 633 – Reggio di Calabria 115 – Catanzaro 89 – Cosenza 118 – Tropea 3.

Baia Paraelios 🐌, località Fornaci O : 3 km ☎ 600004, Fax 600074, ⛱, « Villini indipendenti in un parco mediterraneo digradante sul mare », 🏊, 🏖, 🎾 – ☎ 🅿 – 🏛 120. AE. 🅂. ◑ E VISA. ✗
giugno-25 settembre – **Pasto** (solo per alloggiati) – **72 cam** ☕ 330/660000 – ½ P 175/315000.

PARMA *43100* [P] [988] ⑭, [428], [429] H 12 *G. Italia – 167 516 ab. alt. 52 – ☎ 0521.*

Vedere *Complesso Episcopale*** CY : Duomo**, Battistero** A – Galleria nazionale**, teatro Farnese**, museo nazionale di antichità* nel palazzo della Pilotta* BY – *Affreschi** del Correggio nella chiesa di San Giovanni Evangelista* CYZ **D** – *Camera del Correggio** CY – *Museo Glauco Lombardi** BY **M**[1] – *Affreschi* del Parmigianino nella chiesa della Madonna della Steccata* BZ **E** – *Parco Ducale** ABY – *Casa Toscanini** BY.

⛳18 *La Rocca (chiuso lunedì e gennaio) a Sala Baganza ✉ 43038 ☎ 834037, Fax 834575, SO : 14 km.*

✈ *di Fontana per ② : 3 km ☎ 982626 – Alitalia, via Mazza 2 ☎ 230065.*

[i] *via Melloni ☎ 234735.*

[A.C.I.] *via Cantelli 15 ☎ 236672.*

Roma 458 ① – Bologna 96 ① – Brescia 114 ① – Genova 198 ⑤ – Milano 122 ① – Verona 101 ①.

PARMA

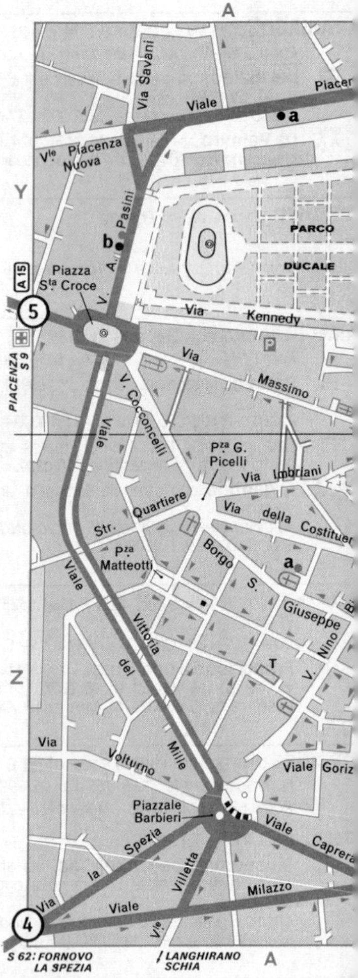

🏨 **Gd H. Baglioni,** viale Piacenza 12/c ☎ 292929, Telex 532240, Fax 292828 – 🛗 ⊭ cam ▤ [TV] ☎ ♿ 🚗 [P] – 🏛 700. [AE]. [S]. ⬤ [E] [VISA]. ✕ rist AY **a**
chiuso dal 4 al 22 agosto – **Pasto** al Rist. ***Canova*** carta 70/100000 – **163 cam** ☕ 280/350000, 6 appartamenti – ½ P 195/225000.

🏨 **Palace Hotel Maria Luigia,** viale Mentana 140 ☎ 281032, Telex 531008, Fax 231126 – 🛗 ▤ [TV] ☎ 🚗 – 🏛 100. [AE]. [S]. ⬤ [E] [VISA]. [JCB]. ✕ rist CY **z**
Pasto 45000 e al Rist. ***Maxim's*** *(chiuso domenica e dal 7 al 31 agosto)* carta 50/90000 – **91 cam** ☕ 240/360000, 10 appartamenti – ½ P 220/280000.

🏨 **Verdi** senza rist, via Pasini 18 ☎ 293539, Fax 293559 – 🛗 ▤ [TV] ☎ ♿ 🚗 [P]. [AE]. [S]. ⬤ [E] [VISA]. ✕ AY **b**
☕ 15000 – **17 cam** 175/255000, 3 appartamenti.

🏨 **Park Hotel Stendhal,** piazzetta Bodoni 3 ☎ 208057, Fax 285655 – 🛗 ▤ [TV] ☎ 🚗 – 🏛 150. [AE]. [S]. ⬤ [E] [VISA]. ✕ rist BY **r**
Pasto 40/50000 e al Rist. ***La Pilotta*** *(chiuso domenica sera, lunedì e dal 1º al 22 agosto)* carta 45/70000 – **60 cam** ☕ 19(300000 – ½ P 185/225000.

🏨 **Villa Ducale** senza rist, via del Popolo 35 ☎ 272727, Fax 780756, « Parco ombreggiato – 🛗 ▤ [TV] ☎ ♿ [P] – 🏛 150. [AE]. [S]. ⬤ [E] [VISA]. ✕ 2 km per ① CY
chiuso dal 23 dicembre al 1º gennaio – **28 cam** ☕ 150/190000.

🏨 **Park Hotel Toscanini,** viale Toscanini 4 ☎ 289141, Fax 283143 – 🛗 ▤ [TV] ☎ 🚗 [P] 🏛 60. [AE]. [S]. ⬤ [E] [VISA]. ✕ rist BZ
Pasto carta 35/50000 – **48 cam** ☕ 210/330000 – ½ P 170/200000.

🏨 **Farnese International Hotel,** via Reggio 51/a ☎ 994247, Fax 992317 – 🛗 ▤ [TV] ☎ 🚗 [P] – 🏛 120. [AE]. [S]. ⬤ [E] [VISA]. ✕ rist BY
Pasto *(chiuso domenica)* carta 40/55000 – **76 cam** ☕ 110/165000 – ½ P 115/145000.

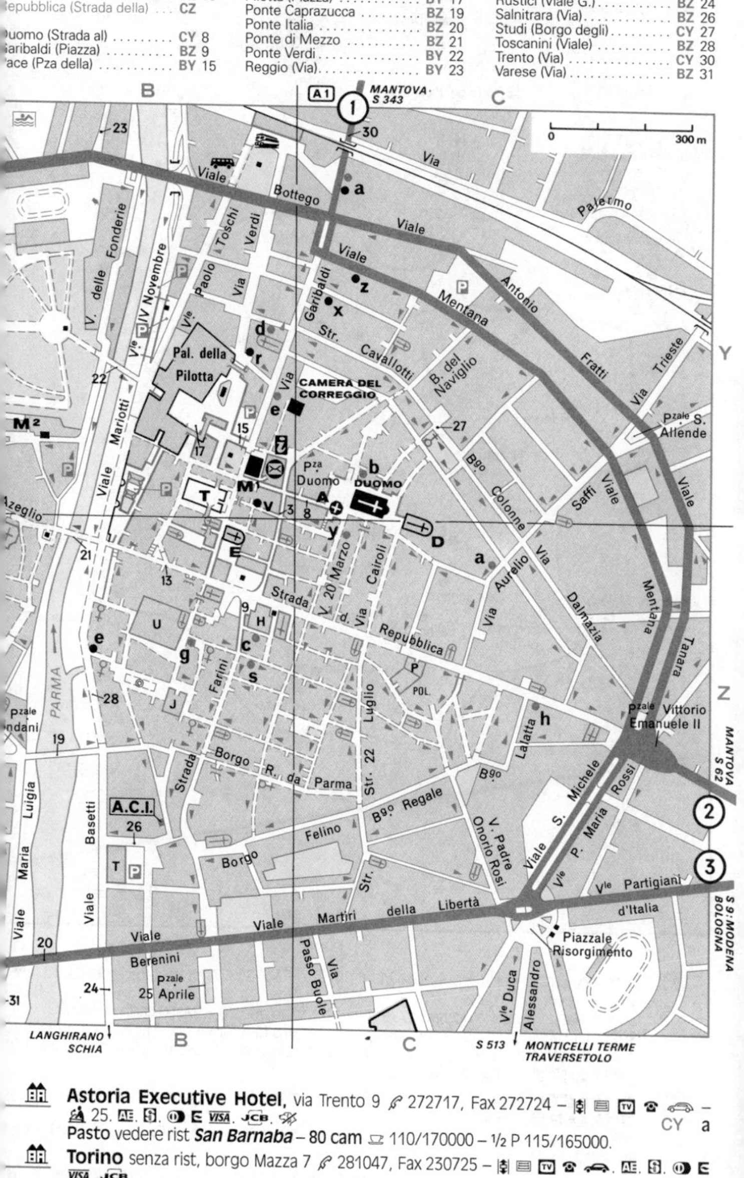

🏨 **Astoria Executive Hotel,** via Trento 9 ℘ 272717, Fax 272724 – |\$| ▤ TV ☎ 🚗 – 🏛 25. AE. ⓢ. ● E VISA. JCB. ✂ CY a
Pasto vedere rist ***San Barnaba*** – **80 cam** ☐ 110/170000 – ½ P 115/165000.

🏨 **Torino** senza rist, borgo Mazza 7 ℘ 281047, Fax 230725 – |\$| ▤ TV ☎ 🚗. AE. ⓢ. ● E VISA. JCB BY v
chiuso dal 2 al 15 gennaio e dal 1° al 17 agosto – ☐ 13000 – **33 cam** 100/155000.

🏨 **Daniel,** via Gramsci 16 ang. via Abbeveratoia ℘ 995147, Fax 292606 – |\$| ▤ TV ☎ Ⓟ. AE. ⓢ. ● E VISA. ✂ per ⑤
chiuso agosto – **Pasto** vedere rist ***Cocchi*** – **32 cam** ☐ 125/180000 – ½ P 120/160000.

🏨 **Savoy** senza rist, via 20 Settembre 3/a ℘ 281101, Fax 281103 – |\$| ▤ TV ☎. AE. ⓢ. E VISA. ✂ CY x
chiuso dal 23 dicembre al 1° gennaio ed agosto – **27 cam** ☐ 110/160000.

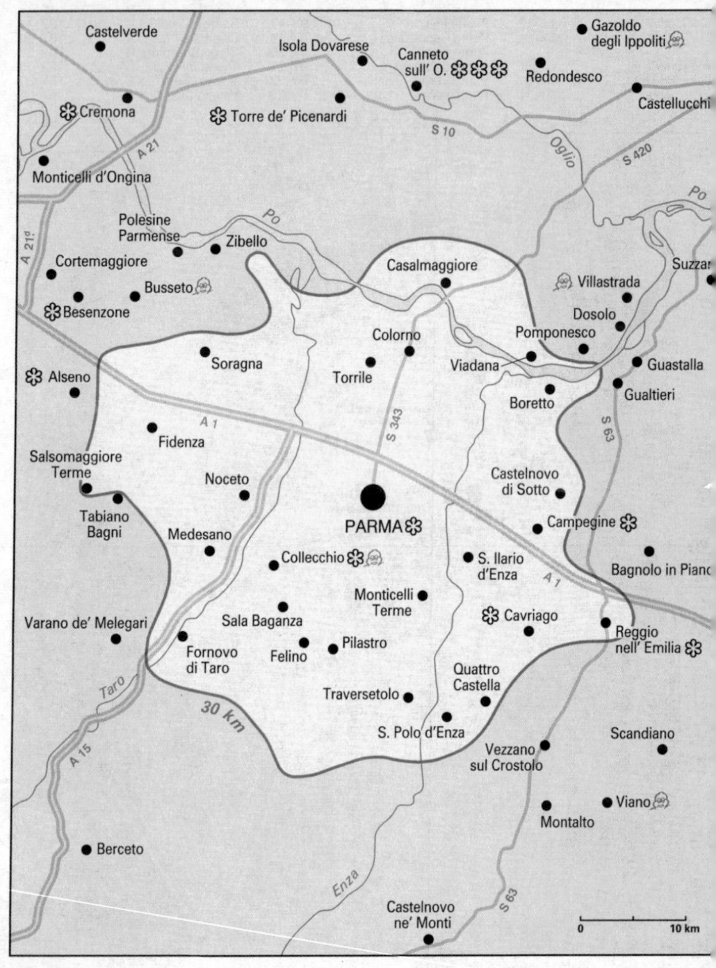

XXX ✿ **Parizzi,** strada della Repubblica 71 ✆ 285952, Fax 285027, prenotare – ▤. AE. ⓢ. ⦿ VISA. JCB. ✂ CZ
chiuso Natale, lunedì e domenica sera da giugno ad agosto – **Pasto** carta 50/80000
Spec. Tagliatelle al piccione con cavolfiore e tartufo nero (inverno). Merluzzo gratinato co purea di patate mantecata all'olio d'oliva e pomodori canditi (estate). Lumache brasate co sedani su sfoglia di pasta all'olio (autunno).

XXX **Angiol d'Or,** vicolo Scutellari 1 ✆ 282632, Fax 282747, « Servizio estivo all'aperto » – ▤ AE. ⓢ. ⦿ E VISA. JCB CY
chiuso domenica, dal 24 al 26 dicembre e dal 14 al 16 agosto – **Pasto** 50/60000 e car 65/95000.

XXX **Santa Croce,** via Pasini 20 ✆ 293529, Fax 293520, 🏠 – ▤. AE. ⓢ. ⦿ E VI JCB AY
chiuso domenica e dal 5 al 20 agosto – **Pasto** carta 50/65000.

XX ✿ **La Greppia,** strada Garibaldi 39/a ✆ 233686, prenotare – ▤. AE. ⓢ. ⦿ E VISA. JC ✂ BY
chiuso lunedì, martedì e luglio – **Pasto** carta 60/95000
Spec. Carpaccio di vitello in salsa di fichi (estate-autunno). Tortelli d'erbette alla parmigian Petto di pollo ai frutti di bosco (estate-autunno).

Il Cortile, borgo Paglia 3 ☎ 285779, Coperti limitati; prenotare – AE. Ⓢ. E VISA. AZ a
chiuso domenica, lunedì a mezzogiorno e dal 1° al 22 agosto – **Pasto** carta 40/60000.

Croce di Malta, borgo Palmia 8 ☎ 235643, prenotare, « Servizio estivo all'aperto » BZ g

Cocchi - Hotel Daniel, via Gramsci 16/a ☎ 981990 – AE. Ⓢ. E VISA. per ⑤
chiuso sabato, 25-26 dicembre ed agosto – **Pasto** carta 55/75000.

La Filoma, via 20 Marzo 15 ☎ 234269, Coperti limitati; prenotare – AE. Ⓢ. E VISA CZ y
chiuso domenica e lunedì – **Pasto** carta 50/70000.

Parma Rotta, via Langhirano 158 ☎ 966738, « Servizio estivo sotto un pergolato » – AE. Ⓢ. E VISA. per viale Rustici BZ
chiuso domenica da giugno ad agosto e lunedì negli altri mesi – **Pasto** carta 45/65000.

Al Canòn d'Or, via Nazario Sauro 3 ☎ 285234, Fax 281471 – AE. Ⓢ. E VISA JCB BZ s
chiuso mercoledì – **Pasto** carta 40/65000.

Gallo d'Oro, borgo della Salina 3 ☎ 208846 – AE. Ⓢ. E VISA BZ c
chiuso domenica – **Pasto** carta 35/55000.

I Tri Siochètt, strada Farnese 74 ☎ 968870, – AE. Ⓢ. E VISA.
chiuso lunedì, dal 1° al 7 gennaio e dal 7 al 21 agosto – **Pasto** carta 30/45000. per viale Villetta AZ

Da Marino, via Affò 2/A ☎ 236905 – AE. Ⓢ. E VISA. JCB. BY d
chiuso domenica, dal 24 dicembre al 3 gennaio e dal 13 agosto al 4 settembre – **Pasto** carta 45/60000.

San Barnaba, via Trento 11 ☎ 270365, Fax 272724 – AE. Ⓢ. E VISA. JCB. CY a
Pasto carta 35/55000.

Osteria al 36, via Saffi 26/a ☎ 287061 CZ a
chiuso domenica – **Pasto** carta 30/50000.

San Lazzaro Parmense *per ③ : 3 km – ✉ 43026 :*

Al Tramezzino, via Del Bono 5/b ☎ 484196, Fax 487906, – AE. Ⓢ. E VISA
chiuso lunedì e dal 1° al 15 luglio – **Pasto** carta 50/90000
Spec. Pesto di manzo in cestino di parmigiano con battuto di tartufo nero. Orecchiette saltate con scampi, pomodoro e zucchine. Coscia di faraona croccante farcita con crema di parmigiano.

Castelnovo di Baganzola *per ① : 6 km – ✉ 43100 Parma :*

Le Viole, ☎ 601000, – AE. Ⓢ. E VISA.
chiuso mercoledì, giovedì a mezzogiorno, dal 15 gennaio al 10 febbraio e dal 12 al 18 agosto – **Pasto** carta 35/45000.

Gaione *SO : 6 km per viale Rustici BZ – ✉ 43010 :*

Trattoria Antichi Sapori, via Montanara 318 ☎ 648165, – AE. Ⓢ. E VISA.
chiuso martedì, dal 1° al 15 gennaio e dal 1° al 16 agosto – **Pasto** carta 35/50000.

MICHELIN, via Nobel 5/A - località Paradigna, insediamento S.P.I.P. per ① – ✉ 43100, ☎ 607717, Fax 607053.

PARPANESE *Pavia – Vedere Arena Po.*

PARTSCHINS *= Parcines.*

PASIANO DI PORDENONE *33087 Pordenone* 429 *E 19 – 6 890 ab. alt. 13 – ☎ 0434.*
Roma 570 – Udine 66 – Belluno 75 – Pordenone 11 – Portogruaro 24 – Treviso 45 – Venezia 72.

Cecchini di Pasiano *NO : 3 km – ✉ 33087 :*

New Hotel, via San Antonio 9 ☎ 610668, Fax 620976 – – 30. Ⓢ. E VISA. JCB.
Pasto al Rist. ***Hostaria Vecchia Cecchini*** carta 35/60000 – **30 cam** 80/130000 – ½ P 80/100000.

a Rivarotta *O : 3,5 km – ✉ 33087 :*

Villa Luppis , via San Martino 34 ☎ 626969, Fax 626228, , « In un antico convento benedettino immerso nel verde di un grande parco », , – ▤ ☎ Ⓟ – 180. . AE E VISA.
Pasto *(chiuso dal 2 al 15 gennaio)* carta 60/95000 – ☕ 15000 – **18 cam** 190/270000, 3 appartamenti – ½ P 210/260000.

PASSAGGIO *Perugia* 430 M 19 – *Vedere Bettona.*

PASSIGNANO SUL TRASIMENO *06065 Perugia* 988 ⑮, 430 M 18 – *4 981 ab. alt. 28.*
075.
Roma 211 – Perugia 27 – Arezzo 48 – Siena 80.

Kursaal, via Europa 41 (E : 1,5 km) ☎ 828085, Fax 827182, , – ☎ Ⓟ. . E
aprile-ottobre – **Pasto** carta 35/50000 – ☕ 12500 – **15 cam** 100/120000 – ½ P 80/100000.

Trasimeno senza rist, via Roma 16/a ☎ 829355, Fax 829267 – ☎ Ⓟ. AE. .
VISA.
☕ 8000 – **30 cam** 70/90000.

La Vela, via Rinascita 2 ☎ 827221, Fax 828211 – ☎ Ⓟ. AE. . E VISA
Pasto vedere rist ***Il Fischio del Merlo*** – ☕ 6000 – **31 cam** 65/85000.

Il Fischio del Merlo, via Gramsci 14 ☎ 829283, Fax 829283, – Ⓟ. AE. . E VISA
chiuso martedì e dal 4 al 20 novembre – **Pasto** carta 25/50000.

PASSO *Vedere nome proprio del passo.*

PASSO LANCIANO *Chieti* 430 P 24 – *alt. 1 306 – a.s. 4 febbraio-15 aprile, 25 luglio-20 agosto e Natale – Sport invernali : 1 306/2 000 m 7.*
Roma 200 – Pescara 57 – Chieti 39 – Ortona 52.

La Maielletta , alt. 1 280, ✉ 66010 Pretoro ☎ (0871) 896164, Fax (0871) 896141 –
☎ Ⓟ. . E VISA.
dicembre-Pasqua e luglio-10 settembre – **Pasto** *(chiuso martedì)* carta 35/45000 (10%) – ☕ 15000 – **41 cam** 60/100000 – ½ P 75/85000.

Mamma Rosa , via Maielletta S : 5 km, alt. 1 650, ✉ 66010 Pretoro ☎ (0871) 896... Fax 896130, ≤ vallata, – ☎ Ⓟ. . E VISA.
chiuso maggio – **Pasto** carta 30/45000 – ☕ 10000 – **40 cam** 80/100000 – ½ P 70/80000.

PASTENA *03020 Frosinone* 430 R 22 – *1 714 ab. alt. 317 –* *0776.*
Roma 114 – Frosinone 32 – Latina 86 – Napoli 138.

Mattarocci, piazza Municipio ☎ 546537, ≤ – AE.
Pasto specialità sott'olio carta 25/35000.

PASTRENGO *37010 Verona* 428 F 14 – *2 312 ab. alt. 192 –* *045.*
Roma 509 – Verona 18 – Garda 16 – Mantova 49 – Milano 144 – Trento 82 – Venezia 135.

Stella d'Italia, piazza Carlo Alberto ☎ 7170034, – ▤. AE. . E VISA.
chiuso mercoledì, gennaio ed agosto – **Pasto** carta 45/60000.

a Piovezzano *N : 1,5 km – ✉ 37010 Pastrengo :*

Eva, ☎ 7170110, – ▤ Ⓟ. AE. . E VISA.
chiuso martedì e dall'11 al 19 agosto – **Pasto** carta 35/50000.

PASTURANA *Alessandria – Vedere Novi Ligure.*

PATRICA *03010 Frosinone* 430 R 21 – *2 854 ab. alt. 436* – ☎ *0775.*
Roma 113 – Frosinone 20 – Latina 49.

sulla strada statale 156 *SE : 11,5 km :*

✕✕ **Dal Patricano,** ✉ 03010 ☎ 222459, Fax 222136 – ▤ **P**. AE. **S**. ◑ **E** VISA. JCB. ✻
chiuso lunedì – **Pasto** 30/35000 e carta 35/55000.

PATTI (Marina di) *Messina* 988 ㊲, 432 M 26 – *Vedere Sicilia alla fine dell'elenco alfabetico.*

PAVIA *27100* **P** 988 ⑬, 428 G 9 *G. Italia* – *75 058 ab. alt. 77* – ☎ *0382.*
Vedere *Castello Visconteo*★ **BY** – *Duomo*★ **AZ D** – *Chiesa di San Michele*★ **BZ B** – *Arca di Sant'Agostino*★ *e portale*★ *della chiesa di San Pietro in Ciel d'Oro* **AY E** – *Tomba*★ *nella chiesa di San Lanfranco O : 2 km.*
Dintorni *Certosa di Pavia*★★★ *per* ① *: 9 km.*
ℹ *via Fabio Filzi 2* ☎ *22156, Fax 32221.*
A.C.I. *piazza Guicciardi 5* ☎ *301381.*
Roma 563 ③ – *Alessandria 66* ③ – *Genova 121* ④ – *Milano 38* ⑤ – *Novara 62* ④ – *Piacenza 54* ③.

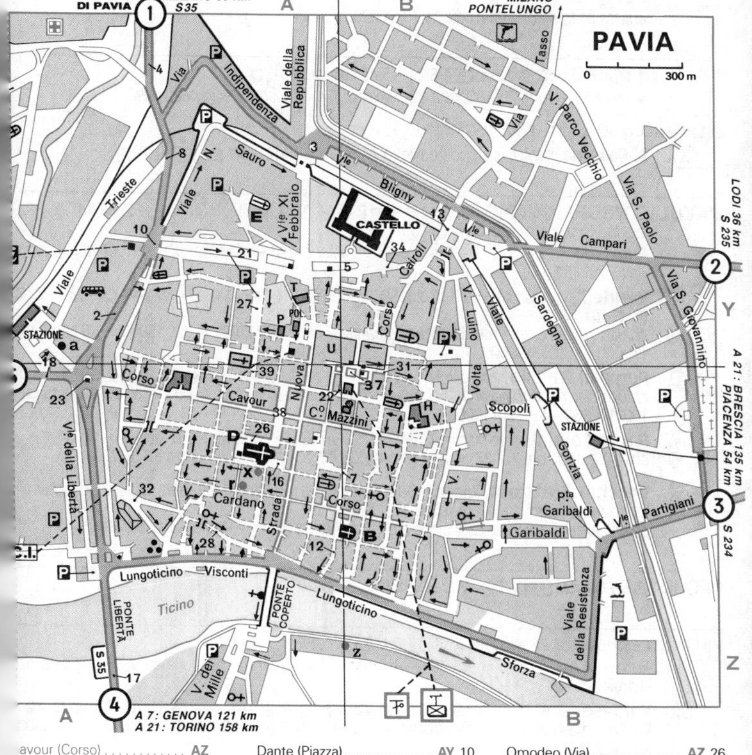

avour (Corso) . . . . **AZ**	Dante (Piazza) . . . . **AY** 10	Omodeo (Via) . . . . **AZ** 26
trada Nuova . . . . **AZ**	Diacono (Via P.) . . . . **AZ** 12	Petrarca (Piazza) . . . . **AY** 27
	Filiberto (Piazza E.) . . . . **BY** 13	Porta Pertusi (Via) . . . . **AZ** 28
attisti (Viale) . . . . **AY** 2	Gatti (Via B.) . . . . **AZ** 16	Sacchi (Via) . . . . **BYZ** 31
orgo Calvenzano (Piazza) . . **AY** 3	Giulietti (Via M. G.) . . . . **AZ** 17	S. Margherita (Via) . . . . **AZ** 32
rambilla (Viale A.) . . . . **AY** 4	Manzoni (Corso) . . . . **AYZ** 18	S. Maria alle Pertiche (Via) . . **BY** 34
astello (Piazza) . . . . **BY** 5	Matteotti (Viale) . . . . **AY** 21	Vinci (Piazza Leonardo da) . . **BZ** 37
avallotti (Via) . . . . **BZ** 7	Mentana (Via) . . . . **ABZ** 22	Vittoria (Piazza) . . . . **AZ** 38
hiesa (Viale Damiano) . . . . . **AY** 8	Minerva (Piazzale) . . . . **AZ** 23	20 Settembre (Via) . . . . **AZ** 39

🏨 **Moderno,** viale Vittorio Emanuele 41 ☎ 303401, Fax 25225 – |♿| ▤ [TV] ☎ ♿ – 🏛 45. [AE]. [S]. ⦿ E [VISA]. [JCB]. ✂ AY a
chiuso dal 23 al 30 dicembre – **Pasto** 45/60000 – **53 cam** ☕ 160/220000, appartamento – ½ P 200000.

🍴🍴🍴 **Locanda Vecchia Pavia,** via Cardinal Riboldi 2 ☎ 304132, Fax 304132, Coperti limitati; prenotare – ▤. [AE]. [S]. ⦿ E [VISA]. ✂ AZ x
✿ *chiuso lunedì, mercoledì a mezzogiorno, dal 1° al 9 gennaio ed agosto* – **Pasto** carta 75/115000
Spec. Scampi saltati con insalatine all'agro di mele. Casoncelli di patate ed erbette al tartufo (autunno). Piccione disossato al Bonarda con scalogno glassato.

🍴 **Osteria della Madonna da Peo,** via dei Liguri 28 ☎ 302833, Coperti limitati; prenotare – [AE]. [S]. ⦿ E [VISA]. ✂ AZ
chiuso domenica, Natale ed agosto – **Pasto** 30000 (a mezzogiorno) e 50000 (alla sera).

🍴 **Francescon,** via dei Mille 146 ☎ 22331 – [P]. [AE]. [S]. ⦿ E [VISA]. ✂ AZ
chiuso lunedì e dal 20 luglio al 14 agosto – **Pasto** carta 35/55000.

🍴 **Antica Osteria del Previ,** località Borgo Ticino via Milazzo 65 ☎ 26203, prenotare – ▤ [S]. ⦿ E [VISA]. ✂ ABZ z
chiuso domenica, dal 1° all'8 gennaio, dal 20 luglio al 5 agosto e dal 7 al 31 agosto anche a mezzogiorno – **Pasto** carta 45/75000.

sulla strada statale 35 : *per ① : 4 km :*

🍴🍴🍴 **Al Cassinino,** via Cassinino 1 ✉ 27100 ☎ 422097, Fax 422097, Coperti limitati; prenotare – ▤ [P]. ✂
chiuso mercoledì – **Pasto** carta 70/90000.

PAVIA DI UDINE *33050 Udine* [429] E 21 – *5 461 ab. alt. 68* – ☎ *0432.*
Roma 635 – Udine 11 – Gorizia 29 – Milano 374 – Trieste 64 – Venezia 124.

a Lauzacco *SO : 3 km* – ✉ *33050 Risano :*

🍴🍴 Al Gallo-da Paolo, via Ippolito Nievo 7 ☎ 675161, ⛱ – ▤ [P]

PAVULLO NEL FRIGNANO *41026 Modena* [988] ⑭, [428], [429], *430* I 14 – *13 769 ab. alt. 682 – a.s. luglio-agosto e Natale* – ☎ *0536.*
Roma 411 – Bologna 77 – Firenze 137 – Milano 222 – Modena 47 – Pistoia 101 – Reggio nell'Emilia 61.

🏨 **Vandelli,** via Giardini Sud 7 ☎ 20288, Fax 23608 – |♿| 🚭 ▤ rist [TV] ☎ 🚗 [P] – 🏛 120. [AE] [S]. E [VISA]. ✂
chiuso novembre – **Pasto** *(chiuso martedì)* carta 45/65000 – ☕ 15000 – **40 cam** 100/150000 – P 105/130000.

🏨 **Ferro di Cavallo,** via Bellini 4 ☎ 20098 – |♿| ▤ rist [TV] ☎ 🚗 [P]. [AE]. [S]. ⦿ E [VISA]. ✂ rist
chiuso dal 1° gennaio al 15 febbraio – **Pasto** *(chiuso lunedì)* 45000 – ☕ 20000 – **18 cam** 100/140000 – ½ P 90/100000.

🍴🍴 **Parco Corsini,** viale Martiri 11 ☎ 20129, Fax 23007 – [AE]. [S]. ⦿ E [VISA]. [JCB] ✂
chiuso lunedì, dal 7 al 27 gennaio e dal 17 al 30 giugno – **Pasto** carta 35/50000.

🍴🍴 **Vecchia Trattoria,** località Querciagrossa S : 2,5 km ☎ 21585, « Servizio estivo in terrazza panoramica » – [P]. [S]. E [VISA]. ✂
chiuso lunedì, dal 15 al 21 giugno e dal 6 al 20 settembre – **Pasto** carta 30/50000.

PECORONE *Potenza* [431] G 29 – *Vedere Lauria.*

PEDASO *63016 Ascoli Piceno* [988] ⑯ ⑰, [430] M 23 – *1 965 ab.* – ☎ *0734.*
Roma 249 – Ascoli Piceno 57 – Ancona 72 – Macerata 52 – Pescara 86 – Porto San Giorgio 11.

🏨 **Valdaso,** ☎ 931349, Fax 931701, 🏋, ≘ – |♿| [TV] ☎ ♿ 🚗 [P] – 🏛 50. [AE]. [S]. ⦿ E [VISA]
Pasto *(chiuso domenica da ottobre a giugno)* carta 25/30000 – ☕ 3000 – **27 cam** 45/65000 – ½ P 50000.

PEDEMONTE *Verona* [428], [429] F 14 – *Vedere San Pietro in Cariano.*

PEDERIVA *Vicenza* – *Vedere Grancona.*

PEDEROBBA *31040 Treviso* 429 E 17 – *6 638 ab. alt. 225* – ☎ *0423.*

Dintorni *Possagno : Deposizione★ nel tempio di Canova O : 8,5 km.*

Roma 560 – Belluno 46 – Milano 265 – Padova 59 – Treviso 35 – Venezia 66.

ad Onigo di Piave *SE : 3 km* – ✉ *31050 :*

XX **Le Rive,** via Rive 46 ✆ 64267, « Servizio estivo all'aperto » – AE. 🅢. E VISA
chiuso martedì e mercoledì – **Pasto** carta 30/40000.

PEDRACES (PEDRATSCHES) *Bolzano – Vedere Badia.*

PEGLI *Genova – Vedere Genova.*

PEIO *38020 Trento* 988 ④, 428, 429 C 14 *G. Italia – 1 842 ab. alt. 1 389 – Stazione termale, a.s. 29 gennaio-12 marzo, Pasqua e Natale – Sport invernali : 1 389/2 400 m* 1 5, – ☎ *0463.*

i *alle Terme* ✆ *753100.*

Roma 669 – Sondrio 103 – Bolzano 93 – Passo di Gavia 54 – Milano 256 – Trento 87.

a Cògolo *E : 3 km* – ✉ *38024 :*

Kristiania , ✆ 754157, Fax 754400, <, , – | 🅟. AE. 🅢. ⓓ E VISA.
dicembre-aprile e 10 giugno-25 settembre – **Pasto** carta 30/45000 – ☐ 15000 – **40 cam** 85/130000 – ½ P 75/115000.

Cevedale, ✆ 754067, Fax 754067 – | 🅟. 🅢. VISA. rist
chiuso maggio e novembre – **Pasto** carta 25/40000 – **33 cam** ☐ 65/110000 – ½ P 95/115000.

Gran Zebrù senza rist, via Casarotti 92 ✆ 754433, Fax 754563 – | 🅟. 🅢. E VISA.
Natale-Pasqua e giugno-settembre – **22 cam** ☐ 80/140000.

Biancaneve , ✆ 754100, Fax 754100, < – | 🅟.
20 dicembre-Pasqua e luglio-10 settembre – **Pasto** 30000 – ☐ 15000 – **23 cam** 80/110000 – ½ P 70/90000.

X **Il Mulino,** al bivio per Comasine S : 3 km ✆ 754244 – 🅟. AE. 🅢
20 dicembre-20 aprile e 20 giugno-15 settembre; chiuso a mezzogiorno escluso Natale, Pasqua e dal 20 giugno al 15 settembre – **Pasto** carta 40/60000.

PENNA ALTA *Arezzo – Vedere Terranuova Bracciolini.*

PENNABILLI *61016 Pesaro* 988 ⑮, 429, 430 K 18 – *3 109 ab. alt. 550 – a.s. 25 giugno-agosto* – ☎ *0541.*

Roma 307 – Rimini 46 – Perugia 121 – Pesaro 76.

Parco, via Marconi 14 ✆ 928446, Fax 928498, – | 🅢.
chiuso da novembre a gennaio – **Pasto** *(chiuso martedì)* carta 30/40000 – ☐ 6500 – **22 cam** 60/80000 – ½ P 70/75000.

XX **Il Piastrino,** via Parco Begni 9 ✆ 928569, – 🅟. AE. 🅢. E VISA. JCB
chiuso dal 1° al 10 gennaio e martedì (escluso da giugno a settembre) – **Pasto** carta 35/55000.

PENNE *65017 Pescara* 988 ㉗, 430 O 23 – *12 335 ab. alt. 438* – ☎ *085.*

Roma 228 – Pescara 31 – L'Aquila 125 – Chieti 38 – Teramo 69.

X **Tatobbe,** corso Alessandrini 37 ✆ 8279512, prenotare –
chiuso lunedì e dal 18 dicembre al 3 gennaio – **Pasto** carta 25/45000.

Roccafinadamo *NO : 17 km* – ✉ *65010 :*

X **La Rocca,** ✆ 823301 – .
chiuso mercoledì e dal 17 ottobre all'11 novembre – **Pasto** carta 20/35000.

PERA *Trento – Vedere Pozza di Fassa.*

PERGINE VALSUGANA *38057 Trento* 988 ④, 429 D 15 – *15 602 ab. alt. 482 – a.s. Pasqu*
Natale – *0461.*

(15 giugno-settembre) piazza Garibaldi 5/B 531258.

Roma 599 – Trento 12 – Belluno 101 – Bolzano 71 – Milano 255 – Venezia 152.

Al Ponte, via Maso Grillo 4 (NO : 1 km) 531317, Fax 531288, « Giardino con » – – 80. AE. . E VISA.
Pasto *(chiuso domenica)* carta 45/60000 – **50 cam** 90/120000, appartamento ½ P 100/110000.

Castel Pergine con cam, E : 2,5 km 531158, Fax 531158, ←, « Castello del secolo », – . . E VISA. rist
Pasqua-2 novembre – **Pasto** carta 40/65000 – 10000 – **21 cam** 75/180000 – ½ P 950

a Canzolino *NE : 4 km* – *38057 Pergine Valsugana :*

Aurora , via Lungolago 16 552145, Fax 552483, « Servizio estivo in terrazza con laghetto e monti » – . . E VISA.
chiuso dal 15 al 28 febbraio ed ottobre – **Pasto** *(chiuso martedì escluso da giugno agosto)* carta 30/40000 – **19 cam** 60/110000 – ½ P 80/90000.

PERGOLA *61045 Pesaro e Urbino* 988 ⑯, 430 L 20 – *7 064 ab. alt. 264 – a.s. 25 giugno-agosto*
0721.

Roma 247 – Rimini 96 – Ancona 69 – Perugia 95 – Pesaro 61.

Silvi Palace Hotel, piazza Brodolini 6 734724, Fax 734724 – . AE. . E V
Pasto *(chiuso domenica)* 25/35000 – **20 cam** 55/80000 – ½ P 65/70000.

PERINALDO *18030 Imperia* 428 K 5, 115 ⑲ – *842 ab. alt. 573* – *0184.*

Roma 668 – Imperia 53 – Genova 169 – Milano 291 – San Remo 28 – Ventimiglia 17.

La Riana, 672015, ← vallata e mare, « Giardino oliveto » – . cam
chiuso dal 15 ottobre a novembre – **Pasto** *(chiuso giovedì)* 45000 – 16000 – **8 ca** 50/65000 – ½ P 65000.

I Pianeti di Giove, via Matteotti 40 672093, Fax 672494, ← vallata e mare, , AE. . E VISA
chiuso mercoledì e febbraio – **Pasto** carta 40/65000 (10 %).

PERLEDO *22050 Lecco* 219 ⑨ – *898 ab. alt. 407* – *0341.*

Roma 644 – Como 53 – Bergamo 57 – Chiavenna 47 – Lecco 24 – Milano 80 – Sondrio 62.

Il Caminetto, località Gittana, viale Progresso 4 815127, prenotare – . AE. . VISA.
chiuso mercoledì – **Pasto** carta 40/60000.

PERO *20016 Milano* 428 F 9 – *10 684 ab. alt. 144* – *02.*

Roma 578 – Milano 10 – Como 29 – Novara 40 – Pavia 45 – Torino 127.

Embassy Park Hotel senza rist, via Giovanni XXIII 38100386, Fax 33910424, « Giar no con » – . AE. . E VISA.
50 cam 110/160000.

PERUGIA *06100* P 988 ⑮, 430 M 19 *G. Italia* – *151 118 ab. alt. 493* – *075.*

Vedere *Piazza 4 Novembre*★★ **BY** : *fontana Maggiore*★★, *palazzo dei Priori*★★ **D** *(galle nazionale dell'Umbria*★★*)* – *Chiesa di San Pietro*★★ **BZ** – *Oratorio di San Bernardino*★★ **AY** *Museo Archeologico Nazionale dell'Umbria*★★ **BZ** **M**[1] – *Collegio del Cambio*★ **BY** **E** *affreschi*★★ *del Perugino* – ←★★ *dai giardini Carducci* **AZ** – *Porta Marzia*★ *e via Baglio Sotterranea*★ **BZ Q** – *Chiesa di San Domenico*★ **BZ** – *Porta San Pietro*★ **BZ** – *Via dei Prior* **AY** – *Chiesa di Sant'Angelo*★ **AY R** – *Arco Etrusco*★ **BY K** – *Via Maestà delle Volte*★ **ABY 29** *Cattedrale*★ **BY F** – *Via delle Volte della Pace*★ **BY 55.**

Dintorni *Ipogeo dei Volumni*★ *per* ② : *6 km.*

18 *(chiuso lunedì) ad Ellera* *06074* *5172204, Fax 5172370, per* ③ : *9 km.*

di Sant'Egidio SE per ② : *17 km* *6929447, Telex 662017, Fax 6929562 – Alitalia, v Fani 14* *06122* *5731226, Fax 5731000.*

piazza 4 Novembre 3 *06123* *5723327.*

A.C.I. *centro direzionale Quattro Torri località Santa Sabina* *5172689.*

Roma 172 ② – *Firenze 154* ③ – *Livorno 222* ③ – *Milano 449* ③ – *Pescara 281* ② *Ravenna 196* ②.

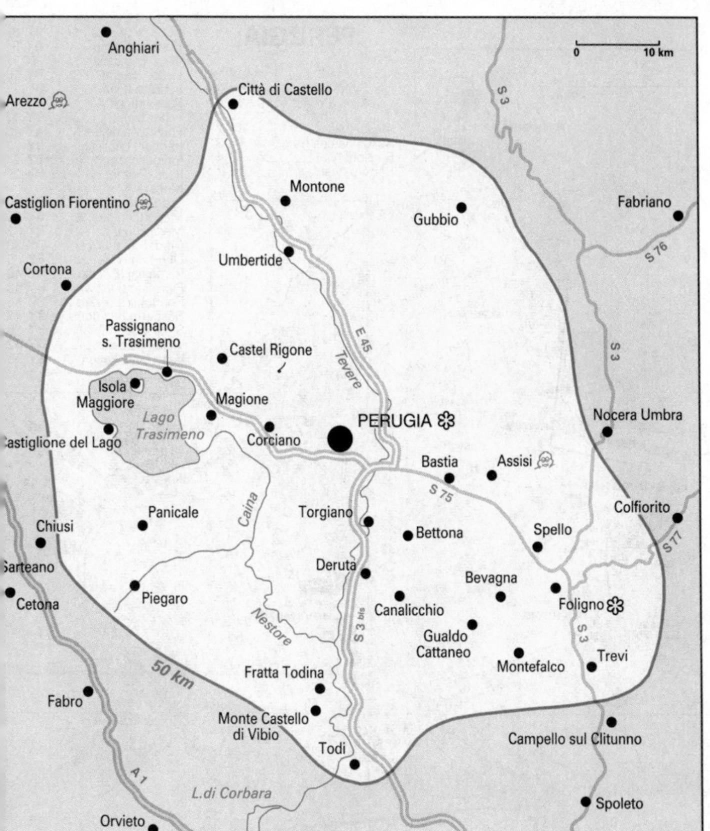

Brufani, piazza Italia 12 ✉ 06121 ☎ 5732541, Telex 662104, Fax 5720210, ≤ – |♦| ▤ TV ☎ ♿ 🚗 – 🏛 70. AE. 🅂. ⓓ E VISA. JCB. ✻ rist AZ x
Pasto carta 55/100000 – ☕ 30000 – **24 cam** 340/490000, 2 appartamenti.

Sangallo Palace Hotel M, via Masi 9 ✉ 06121 ☎ 5730202, Fax 5730068, ≤ – ⇔ cam ▤ TV ☎ ♿ 🚗 – 🏛 100. AE. 🅂. ⓓ E VISA. ✻ AZ m
Pasto carta 40/60000 – **93 cam** ☕ 200/260000, appartamento – ½ P 165000.

Locanda della Posta senza rist, corso Vannucci 97 ✉ 06121 ☎ 5728925, Fax 5722413 – |♦| ▤ TV ☎. AE. 🅂. ⓓ E VISA AZ s
38 cam ☕ 190/295000, appartamento.

Perugia Plaza Hotel, via Palermo 88 ✉ 06129 ☎ 34643, Fax 30863, 🏊 – |♦| ▤ TV ☎ ♿ 🚗 Ⓟ – 🏛 200. AE. 🅂. ⓓ E VISA. ✻ rist per via dei Filosofi BZ
Pasto 35/40000 e al Rist. ***Fortebraccio*** carta 45/70000 – ☕ 17000 – **108 cam** 165/230000, 2 appartamenti – ½ P 140/175000.

La Rosetta, piazza Italia 19 ✉ 06121 ☎ 5720841, Telex 660405, Fax 5720841 – |♦| ▤ rist TV ☎ – 🏛 80. AE. 🅂. ⓓ E VISA. JCB. ✻ rist AZ r
Pasto *(chiuso lunedì)* carta 35/50000 (15%) – **95 cam** ☕ 120/240000 – ½ P 135/160000.

Giò Arte e Vini, via Ruggero Andreotto 19 ✉ 06124 ☎ 5731100, Fax 5731100, « Esposizione di vini ed opere di artisti vari » – |♦| ▤ TV ☎ ♿ Ⓟ – 🏛 150. AE. 🅂. ⓓ E VISA. ✻ rist
Pasto *(chiuso domenica sera e lunedì a mezzogiorno)* carta 40/50000 – **97 cam** ☕ 130/210000 – ½ P 105/160000. per ③

Grifone, via Silvio Pellico 1 ✉ 06126 ☎ 5837616, Fax 5837619 – |♦| ▤ rist TV ☎ Ⓟ. AE. 🅂. ⓓ E VISA. ✻ per via dei Filosofi BZ
Pasto *(chiuso domenica, dal 1° al 10 gennaio e dal 1° al 10 agosto)* carta 30/45000 – ☕ 12000 – **50 cam** 100/140000 – ½ P 80/130000.

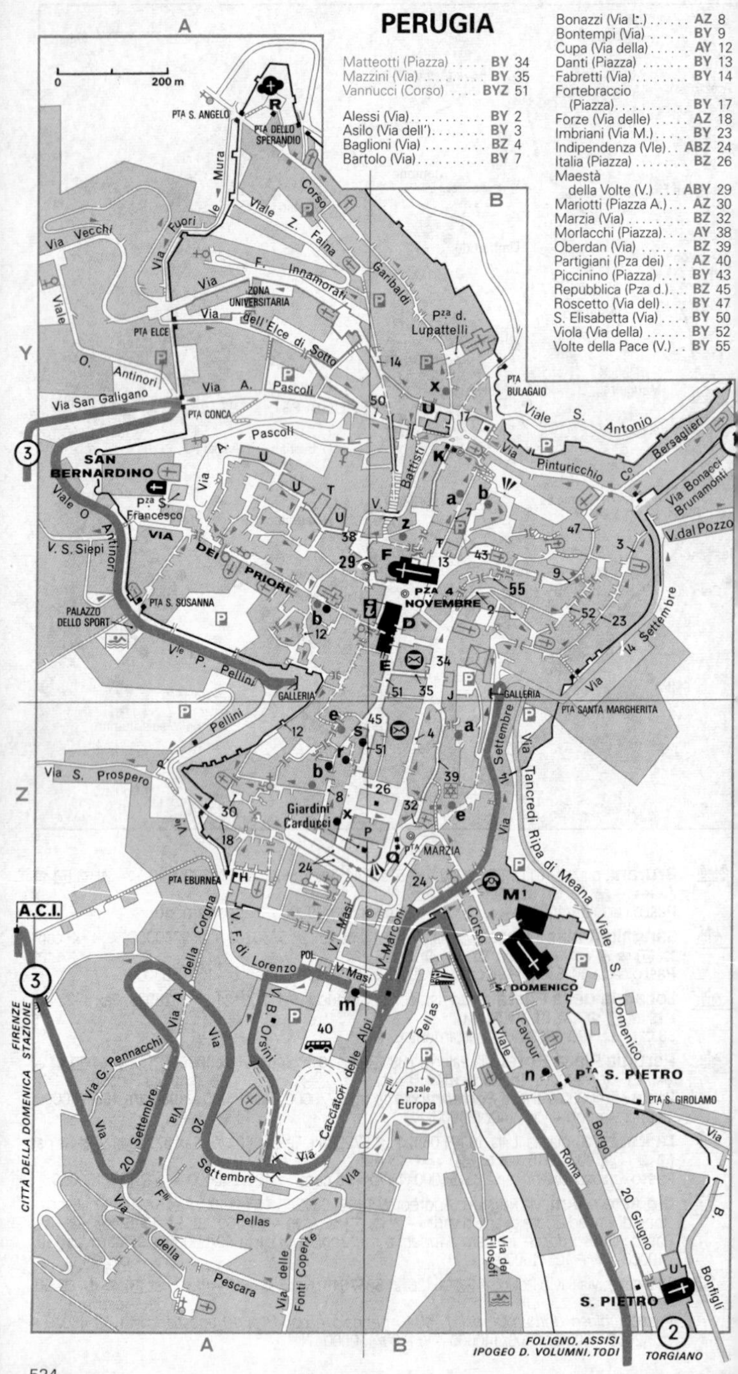
PERUGIA
0 200 m
Matteotti (Piazza) . . . . . BY 34
Mazzini (Via) . . . . BY 35
Vannucci (Corso) . . . . BYZ 51
Alessi (Via) . . . . BY 2
Asilo (Via dell') . . . . BY 3
Baglioni (Via) . . . . BZ 4
Bartolo (Via) . . . . BY 7
Bonazzi (Via L.) . . . . . . AZ 8
Bontempi (Via) . . . . . . BY 9
Cupa (Via della) . . . . . . AY 12
Danti (Piazza) . . . . BY 13
Fabretti (Via) . . . . BY 14
Fortebraccio (Piazza) . . . . BY 17
Forze (Via delle) . . . . . AZ 18
Imbriani (Via M.) . . . . . BY 23
Indipendenza (Vle) . . ABZ 24
Italia (Piazza) . . . . BZ 26
Maestà della Volte (V.) . . ABY 29
Mariotti (Piazza A.) . . . AZ 30
Marzia (Via) . . . . BZ 32
Morlacchi (Piazza) . . . . AY 38
Oberdan (Via) . . . . BZ 39
Partigiani (Pza dei) . . . AZ 40
Piccinino (Piazza) . . . . . BY 43
Repubblica (Pza d.) . . . BZ 45
Roscetto (Via del) . . . . BY 47
S. Elisabetta (Via) . . . . BY 50
Viola (Via della) . . . . . . BY 52
Volte della Pace (V.) . . BY 55
PTA S. ANGELO
PTA DELLO SPERANDIO
PTA ELCE
PTA CONCA
PTA BULAGAIO
PTA S. SUSANNA
PTA SANTA MARGHERITA
PTA EBURNEA
PTA MARZIA
PTA S. PIETRO
PTA S. GIROLAMO
ZONA UNIVERSITARIA
SAN BERNARDINO
Pza S. Francesco
VIA DEI PRIORI
PZA 4 NOVEMBRE
PALAZZO DELLO SPORT
GALLERIA
Giardini Carducci
S. DOMENICO
S. PIETRO
Pzale Europa
A.C.I.
FIRENZE STAZIONE
CITTÀ DELLA DOMENICA
FOLIGNO, ASSISI
IPOGEO D. VOLUMNI, TODI
TORGIANO

Fortuna senza rist, via Bonazzi 19 ✉ 06123 ☎ 5722845, Fax 5735040, ≤ – |♦| TV ☎. AE. 🅱. ◑ E VISA. JCB AZ b
☕ 12000 – **34 cam** 125/160000.

Priori senza rist, via dei Priori ✉ 06123 ☎ 5723378, Fax 5723213 – ☎ AY b
49 cam ☕ 70/100000.

Signa senza rist, via del Grillo 9 ✉ 06121 ☎ 5724180, Fax 5724180 – |♦| TV ☎. E VISA. ✻ BZ n
☕ 10000 – **23 cam** 75/100000.

Osteria del Bartolo, via Bartolo 30 ✉ 06122 ☎ 5731561, Coperti limitati; prenotare la sera – AE. 🅱. ◑ E VISA. ✻ BY a
chiuso domenica, dal 7 al 31 gennaio e dal 25 al 30 luglio – **Pasto** carta 60/85000
Spec. Sformato d'astice con verdurine e salsa ai fili di zafferano. Saccottini di pasta fresca ripieni di ricotta di pecora e pecorino dolce (autunno-primavera). Petto d'anatra allo scalogno e prosciutto affumicato al legno di pino.

La Taverna, via delle Streghe 8 ✉ 06123 ☎ 5724128, Fax 5735888 – ▤. AE. 🅱. ◑ E VISA. JCB AZ e
chiuso lunedì – **Pasto** carta 45/60000 (12 %).

Del Sole, via Oberdan 28 ✉ 06123 ☎ 5735031, Fax 5732588, ≤ valli e monti. AE. 🅱. ◑ E VISA BZ a
chiuso lunedì e dal 23 dicembre al 10 gennaio – **Pasto** carta 40/55000 (10 %).

Aladino, via delle Prome 11 ✉ 06122 ☎ 5720938, 🏠 – ▤. AE. 🅱. ◑ E VISA. JCB. ✻
chiuso a mezzogiorno e lunedì – **Pasto** carta 40/65000. BY b

Altromondo, via Caporali 11 ✉ 06123 ☎ 5726157 – AE. 🅱. ◑ E VISA AZ b
chiuso domenica, dal 20 al 30 dicembre e dal 10 al 20 agosto – **Pasto** 25/30000 e carta 40/55000.

Da Giancarlo, via dei Priori 36 ✉ 06123 ☎ 5724314 – AE. 🅱. ◑ VISA AY b
chiuso venerdì e dal 20 agosto al 5 settembre – **Pasto** carta 40/70000.

Ubu Re, via Baldeschi 17 ✉ 06123 ☎ 5735461 – AE. 🅱. VISA BY z
chiuso a mezzogiorno e lunedì – **Pasto** carta 40/60000.

Locanda degli Artisti, via Campo Battaglia 10 ✉ 06122 ☎ 5735851, Rist. e pizzeria – ▤. AE. 🅱. ◑ E VISA. JCB. ✻ BZ e
chiuso martedì, dal 10 al 20 gennaio e dal 10 al 20 giugno – **Pasto** carta 25/65000.

Dal Mi' Cocco, corso Garibaldi 12 ✉ 06123 ☎ 5732511, Coperti limitati; prenotare – ✻
chiuso lunedì e dal 25 luglio al 15 agosto – **Pasto** 25000 bc. BY x

San Marco *NO : 5 km per via Vecchi AY – ✉ 06070 :*

Sirius 🐚, strada dei Cappuccini 24 ✉ 06070 San Marco ☎ 690921, Fax 690923, ≤, 🌳, ✻ – TV ☎ 🅟 – 🏛 50. AE. 🅱. ◑ E VISA. JCB. ✻
Pasto (solo per alloggiati e *chiuso a mezzogiorno*) 30/35000 – ☕ 7000 – **15 cam** 70/120000 – ½ P 80/90000.

Santa Sabina *per ③ : 11 km – ✉ 06100 Perugia :*

Le Coq au Vin, via Corcianese 94 ☎ 5287574, 🏠, prenotare – 🅟
Pasto specialità francesi.

Ferro di Cavallo *per ③ : 6 km – alt. 287 – ✉ 06074 Ellera Umbra :*

Hit Hotel, strada Trasimeno Ovest 159 z/10 ☎ 5179247, Fax 5178947 – |♦| ▤ TV ☎ ♿ 🅟 – 🏛 300. AE. 🅱. ◑ E VISA. ✻
Pasto *(chiuso domenica)* carta 40/55000 – **80 cam** ☕ 130/200000 – ½ P 100/130000.

Ponte San Giovanni *per ② : 7 km – alt. 189 – ✉ 06087 :*

Park Hotel, via Volta 1 ☎ 5990444, Telex 660112, Fax 5990455 – |♦| ⇆ cam ▤ TV ☎ ♿ 🚗 🅟 – 🏛 260. AE. 🅱. ◑ E VISA. ✻ rist
Pasto carta 40/65000 – ☕ 14000 – **140 cam** 160/215000 – ½ P 110/150000.

Tevere, via Manzoni 421 ☎ 394341, Fax 394342 – |♦| ▤ TV ☎ 🅟 – 🏛 150. AE. 🅱. ◑ E VISA. ✻ cam
Pasto *(chiuso sabato)* carta 40/50000 – ☕ 12000 – **43 cam** 90/140000 – ½ P 80/105000.

Deco con cam, via del Pastificio 8 ☎ 5990950, Fax 5990950, 🏠, 🌳 – |♦| ⇆ ▤ TV ☎ 🅟 – 🏛 80. AE. 🅱. ◑ VISA
Pasto *(chiuso domenica sera)* carta 50/65000 – ☕ 12000 – **15 cam** 130/190000 – ½ P 150000.

Osteria Vecchio Ponte, via Manzoni 296 ☎ 393612 – ▤. AE. 🅱. ◑ E VISA. ✻
chiuso venerdì sera, domenica e dal 25 luglio al 13 agosto – **Pasto** carta 35/50000.

Cenerente *O : 8 km per via Vecchi AY – ✉ 06070 :*

Castello dell'Oscano 🐚, strada Forcella 37 ☎ 690125, Fax 690666, ≤, « Residenza d'epoca in un grande parco secolare » – |♦| ▤ cam TV ☎ 🅟 – 🏛 250. AE. 🅱. ◑ VISA. ✻ rist
Pasto (solo per alloggiati; *chiuso a mezzogiorno e dal 15 gennaio al 15 febbraio*) 50/60000 – **10 cam** ☕ 280/330000, 4 appartamenti – ½ P 150/220000.

ad Olmo *per ③ : 8 km – alt. 284 – ✉ 06073 Corciano :*

XX **Osteria dell'Olmo,** ☎ 5179140, Fax 5179903, « Servizio estivo all'aperto » – 🅿 – 🏛 100. AE. 🅂. ⓓ E VISA. JCB
chiuso lunedì – **Pasto** carta 50/75000.

a Ponte Valleceppi *per ① : 10 km – alt. 192 – ✉ 06078 :*

Vegahotel, sulla strada statale 318 (NE : 2 km) ☎ 6929534, Fax 6929507, ⛱, – ▤ 📺 ☎ 🅿 – 🏛 70. AE. 🅂. ⓓ E VISA. ✻
chiuso gennaio – **Pasto** *(chiuso domenica)* carta 35/45000 – ☕ 15000 – **42 cam** 90/140 – ½ P 75/105000.

a Bosco *per ① : 12 km – ✉ 06080 :*

Relais San Clemente 🐎, ☎ 5915100, Fax 5915001, « Grande parco con ⛱ e 🎾 » – ▤ 📺 ☎ ♿ 🅿 – 🏛 160. AE. 🅂. ⓓ E VISA. ✻ rist
Pasto *(chiuso lunedì)* carta 50/70000 – **64 cam** ☕ 275/320000, appartamento – ½ P 1 320000.

PESARO *61100* 🅿 988 ⑯, 429, 430 K 20 *G. Italia – 87 790 ab. – a.s. 25 giugno-agosto* – ☎ 072
Vedere *Museo Civico★ : ceramiche★★* Z.
ℹ *piazzale della Libertà ☎ 69341, Fax 30462 – via Rossini 41 (15 giugno-agosto) ☎ 636 Fax 69344.*
A.C.I. *via San Francesco 44 ☎ 33368.*
Roma 300 ① – Rimini 39 ② – Ancona 76 ① – Firenze 196 ② – Forlì 87 ② – Milano 359 – Perugia 134 ① – Ravenna 92 ②.

Pianta pagina a lato

Vittoria, piazzale della Libertà 2 ☎ 34343, Fax 65204, Fő, ≘s, ⛱ – |₿| ▤ 📺 ☎ 🚗 – 🏛 150. AE. 🅂. ⓓ E VISA. ✻ Y
Pasto *(chiuso domenica da ottobre a maggio)* carta 35/55000 – ☕ 22000 – **27 c** 200/250000, 3 appartamenti.

Cruiser Congress Hotel Ⓜ, viale Trieste 281 ☎ 3881, Fax 388600, « Roof gar con ≤ mare », ⛱ riscaldata, ⛵ – |₿| ▤ 📺 ☎ ♿ 🚗 – 🏛 180. AE. 🅂. ⓓ E VISA. ✻ rist
Pasto *(maggio-settembre)* 30/40000 e al Rist. ***Bistrot*** *(chiuso lunedì)* carta 45/6500 ☕ 20000 – **117 cam** 185/250000 – ½ P 115/190000. Y

Flaminio, via Parigi 8 ☎ 400303, Fax 403757, ≤, ⛱ – ▤ 📺 ☎ ♿ 🚗 🅿 – 🏛 600. AE. ⓓ E VISA. ✻ rist per ②
Pasto carta 60/85000 – **78 cam** ☕ 180/240000 – ½ P 110/150000.

Bristol senza rist, piazzale della Libertà 7 ☎ 30355, Fax 33893 – ▤ 📺 ☎ 🅿 – 🏛 40. 🅂. ⓓ E VISA Y
chiuso dal 21 dicembre al 9 gennaio – **27 cam** ☕ 240/280000.

Savoy, viale della Repubblica 22 ☎ 67440, Fax 64429, ⛱ – |₿| ▤ 📺 ☎ ♿ 🚗 – 🏛 400. 🅂. ⓓ E VISA. ✻ rist Z
Pasto carta 30/50000 – ☕ 20000 – **54 cam** 160/200000, 3 appartamenti – ½ P 60/120

Imperial Sport Hotel, via Ninchi 6 ☎ 370077, Fax 34877, ⛱ – |₿| 📺 ☎ 🚗 – 🏛 60. 🅂. E VISA. ✻ rist Y
21 marzo-29 novembre – **Pasto** *(chiuso dal 30 ottobre al 10 aprile)* carta 30/4500 ☕ 12000 – **48 cam** 110/130000 – ½ P 60/100000.

Spiaggia, viale Trieste 76 ☎ 32516, Fax 35419, ≤, ⛱ riscaldata – |₿| ▤ rist 📺 ☎ 🅿. 🅂 VISA. ✻ rist Z
maggio-10 ottobre – **Pasto** 20/30000 – ☕ 10000 – **74 cam** 75/100000 – ½ P 90/10000

Mamiani senza rist, via Mamiani 24 ☎ 35541, Fax 33563 – |₿| ▤ 📺 ☎ 🚗. AE. 🅂. ⓓ VISA. ✻ Z
☕ 10000 – **40 cam** 90/130000.

Ambassador, viale Trieste 291 ☎ 34246, Fax 34248, ≤ – |₿| ▤ 📺 ☎. AE. 🅂. ⓓ E JCB. ✻ Y
Pasto *(giugno-settembre; solo per alloggiati)* – **39 cam** ☕ 85/120000 – P 95/115000.

Mediterraneo Ricci, viale Trieste 199 ☎ 31556, Fax 34148 – |₿| ☎ – 🏛 80. AE. 🅂. ⓓ VISA. JCB. ✻ rist Z
Pasto carta 30/65000 – **40 cam** ☕ 90/150000 – ½ P 90/100000.

Des Bains, viale Trieste 221 ☎ 33665, Fax 34025, ⛱ – |₿| ▤ 📺 ☎ – 🏛 70. AE. 🅂. ⓓ VISA. JCB. ✻ rist Y
chiuso dal 23 dicembre al 2 gennaio – **Pasto** *(chiuso domenica escluso da giugn settembre)* 30/35000 – **65 cam** ☕ 120/180000 – ½ P 90/110000.

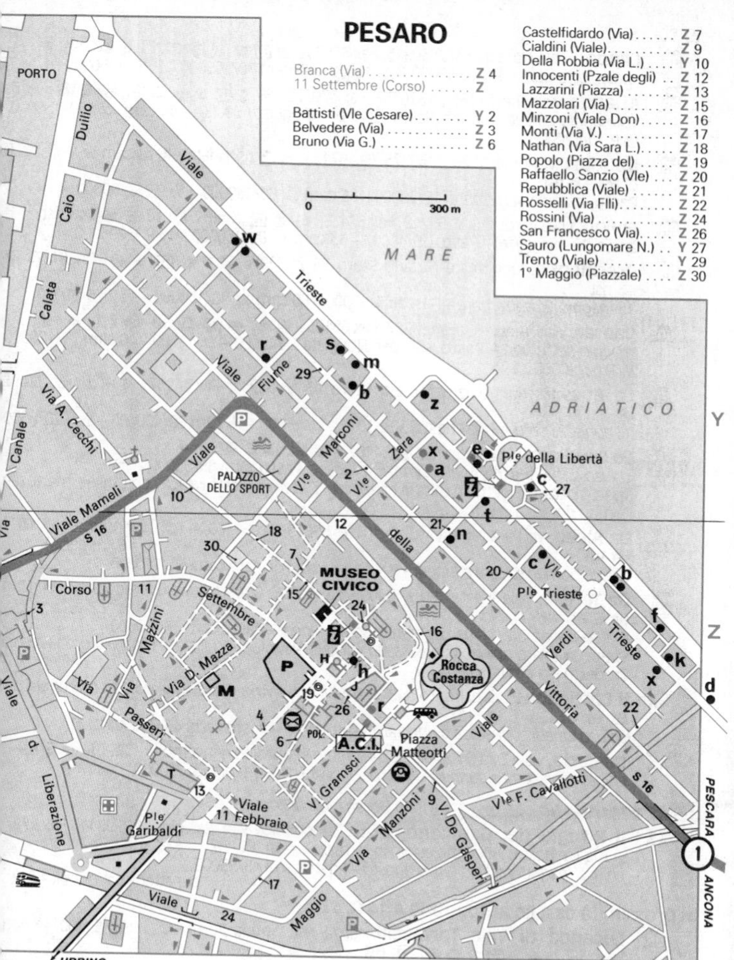

Principe, viale Trieste 180 ✆ 30096, Fax 31636 – |♦| TV ☎. AE. Ⓢ. ◑ E VISA. ✂ rist
chiuso dal 20 dicembre a gennaio – **Pasto** 30/40000 vedere anche Rist. ***Da Teresa*** – **40 cam** ☕ 70/100000 – ½ P 75/85000. Y e

Villa Serena 🐎, strada San Nicola 6/3 ✆ 55211, Fax 55927, ≤, « Parco con ⛱ » – ☎ Ⓟ. AE. Ⓢ. ◑ E VISA. ✂ 4 km per via Flaminia Z
chiuso dal 2 al 25 gennaio – **Pasto** 50/70000 – ☕ 15000 – **8 cam** 140/190000 – ½ P 120/150000.

Due Pavoni, viale Fiume 79 ✆ 370105, Fax 370105 – |♦| ▤ TV ☎ 🚗 – 🏛 130. AE. Ⓢ. ◑ E VISA. ✂ Y r
Pasto *(chiuso a mezzogiorno e da ottobre a maggio anche venerdì, sabato e domenica)* 30/50000 – ☕ 10000 – **48 cam** 80/120000 – ½ P 70/110000.

Nettuno, viale Trieste 367 ✆ 400440, Fax 400440, ≤, ⛱ – |♦| TV ☎ Ⓟ. Ⓢ. E VISA. ✂ rist Y w
maggio-settembre – **Pasto** (solo per alloggiati) – ☕ 11000 – **64 cam** 70/100000 – P 70/95000.

Bellevue, viale Trieste 88 ✆ 31970, Fax 370144, ≤, ⛱ – |♦| ▤ TV ☎ 🚗. AE. Ⓢ. ◑ E VISA. ✂ rist Z k
10 aprile-10 ottobre – **Pasto** carta 35/50000 – ☕ 13000 – **55 cam** 85/115000 – ½ P 90/100000.

Clipper, viale Marconi 53 ✆ 30915, Fax 33525 – 🛗 TV ☎ 📠 P. AE. ⓢ. E VISA. ✗ rist
aprile-settembre – **Pasto** 30000 – ☕ 12000 – **48 cam** 70/105000 – P 70/125000. Y

Atlantic, viale Trieste 365 ✆ 370333, Fax 370373, ≤ – 🛗 TV ☎ P. AE. ⓢ. ⓓ E VISA. ✗
15 maggio-20 settembre – **Pasto** (solo per alloggiati) 30000 – **45 cam** ☕ 100/15000
½ P 70/120000. Y

Nautilus, viale Trieste 26 ✆ 30275, Fax 67125, ≤, piscina riscaldata – 🛗 ▤ cam ☎ 🚗. AE. E VISA. ✗ rist Z
Pasto *(maggio-settembre)* 15/20000 – **55 cam** ☕ 80/130000 – ½ P 75/100000.

Flying, viale Verdi 126 ✆ 69219, Fax 67428, ≤ – 🛗 TV ☎ 🚗. AE. ⓢ. E VISA. ✗ rist
aprile-20 settembre – **Pasto** 35/40000 – **33 cam** ☕ 90/130000 – ½ P 75/95000. Z

President's, lungomare Nazario Sauro 33 ✆ 32976, ≤ – 🛗 TV ☎ P. AE. ⓢ. E
✗ rist Z
15 maggio-20 settembre – **Pasto** 35/40000 – **50 cam** ☕ 90/130000 – ½ P 75/95000.

Caesar, viale Trieste 125 ✆ 69227, Fax 65183 – 🛗 📠 🚗 P. AE. ⓢ. ⓓ VISA. ✗ rist
maggio-settembre – **Pasto** (solo per alloggiati) 25/40000 – ☕ 12000 – **40 cam** 75/10000
½ P 60/80000. Z

La Bussola, lungomare Nazario Sauro 43 ✆ 64937, Fax 64937, ≤ – 🛗 📠. AE.
✗ Z
15 aprile-25 settembre – **Pasto** 30/35000 – ☕ 13000 – **25 cam** 90/100000 – ½ P 70/850

XXX **Lo Scudiero,** via Baldassini 2 ✆ 64107 – AE. ⓢ. ⓓ E VISA. JCB Z
✿ *chiuso domenica, dal 1° al 7 gennaio e luglio* – **Pasto** carta 65/85000
Spec. Insalata di filetto in salsa al balsamico. Farfalle di pasta fresca con triglie e melanza
Rombo dorato alle verdure.

XX **Da Alceo,** via Panoramica Ardizio 101 ✆ 55875, Fax 51360, ≤, 🌳, prenotare – P. AE.
ⓓ VISA. ✗ 6 km per ①
chiuso domenica sera e lunedì – **Pasto** specialità di mare carta 60/110000.

XX **Da Teresa,** viale Trieste 180 ✆ 30096, Fax 31636, Coperti limitati; prenotare – ▤. AE.
ⓓ E VISA. ✗ Y
✿ *marzo-novembre; chiuso domenica sera e lunedì* – **Pasto** carta 50/80000
Spec. Calamaro ripieno con passatina di ceci. Raviolo di sogliola al fegato d'oca (autunı
Brodetto alla pesarese.

XX **Il Castiglione,** viale Trento 148 ✆ 64934, « Servizio estivo in giardino ombreggiato
AE. ⓢ. ⓓ E VISA. ✗ Y
chiuso lunedì escluso da giugno al 15 settembre – **Pasto** carta 45/75000 (12 %).

XX **Da Carlo,** viale Zara 54 ✆ 65355, « Servizio in giardino d'inverno » – AE. ⓢ. ⓓ E VISA
chiuso mercoledì e gennaio – **Pasto** specialità di mare carta 35/50000. Y

a Santa Marina *NO : 4,5 km* – ✉ *61010 Fiorenzuola di Focara :*

XX **Il Rifugio del Gabbiano,** strada panoramica San Bartolo ✆ 279844, Fax 2797
≤ mare e porto, « Servizio estivo in terrazza » – AE. ⓢ. VISA
chiuso martedì escluso luglio-agosto – **Pasto** carta 45/95000.
per strada panoramica Y

in prossimità casello autostrada A 14 *O : 5 km :*

Locanda di Villa Torraccia senza rist, strada Torraccia 3 ✉ 61100 ✆ 218
Fax 21852, 🌳 – TV ☎ P. AE. ⓢ. VISA
☕ 10000 – **5 cam** 100000, 5 appartamenti 100/200000.

PESCANTINA *37026 Verona* 428, 429 *F 14 – 10 758 ab. alt. 80 –* ✆ *045.*
Roma 503 – Verona 14 – Brescia 69 – Trento 85.

ad Ospedaletto *NO : 3 km* – ✉ *37026 Pescantina :*

Villa Quaranta Park Hotel, via Brennero 65 ✆ 6767300, Fax 6767301, 🌳, « Chiese
dell'11° secolo in un parco », 🏋, ≘s, piscina, 🎾 – 🛗 ▤ TV ☎ ♿ P – 🔔 150. AE. ⓢ. ⓓ E
✗ rist
Pasto al Rist. ***Borgo Antico*** *(chiuso lunedì)* 60/70000 – **59 cam** ☕ 195/300000, 11 appa
menti – P 250/295000.

Goethe senza rist, via Ospedaletto 8 ✆ 6767257, Fax 6702244, 🌳 – ▤ TV ☎ P. AE.
ⓓ E VISA. ✗
chiuso gennaio – ☕ 20000 – **26 cam** 140/200000.

XX **Alla Coà,** via Ospedaletto 70 ✆ 6767402, prenotare – ▤. ⓢ. ⓓ E VISA. ✗
chiuso domenica, lunedì, dal 20 dicembre al 15 gennaio ed agosto – **Pasto** carta 45/70

Carta Michelin n° 429 ITALIA Nord-Est scala 1:400 000.

SCARA *65100* P 988 ㉗, 430 O 24 – *118 764 ab. – a.s. luglio-agosto* – ☎ *085.*

(chiuso martedì) a Miglianico ✉ 66010 ☎ (0871) 950566, Fax 950363, S : 11 km.

Pasquale Liberi per ② : 4 km ☎ 4311962 – Alitalia, Agenzia Cagidemetrio, via Ravenna 3 ✉ 65122 ☎ 4213022, Telex 600008, Fax 4212278.

via Nicola Fabrizi 171 ✉ 65122 ☎ 4211707, Fax 298246.

A.C.I. *via del Circuito 57 ✉ 65121 ☎ 4223841.*

Roma 208 ② – Ancona 156 ④ – Foggia 180 ① – Napoli 247 ② – Perugia 281 ④ – Terni 198 ②.

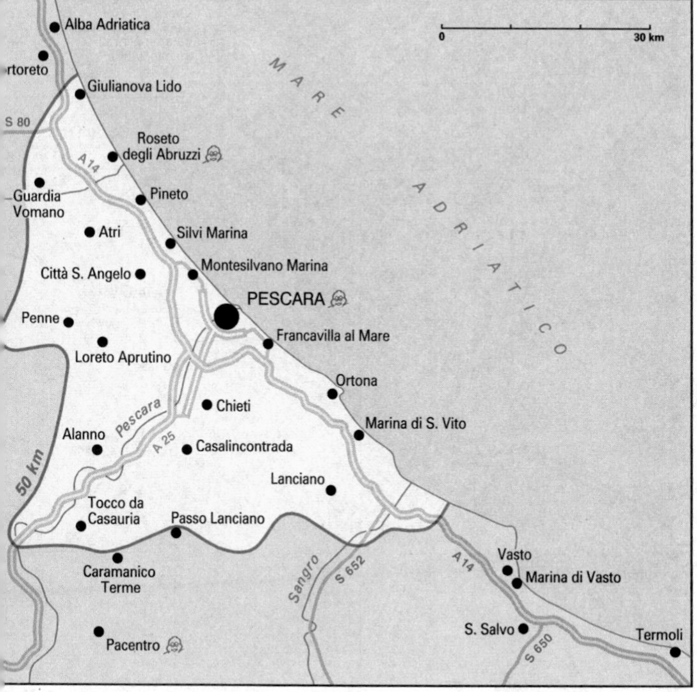

Esplanade, piazza 1° Maggio 46 ✉ 65122 ☎ 292141, Fax 4217540 – 🛗 ▤ rist 📺 ☎ – 🏛 200. AE. 🅢. ⓓ E VISA. ✂ rist AX a
Pasto *(chiuso a mezzogiorno)* carta 45/80000 – **145 cam** ☕ 160/220000 – ½ P 135000.

Carlton, viale della Riviera 35 ✉ 65123 ☎ 373125, Telex 603023, Fax 4213922, <, 🏖 – 🛗 ▤ 📺 ☎ 🅟 – 🏛 35. AE. 🅢. ⓓ E VISA. JCB. ✂ AX g
Pasto carta 40/60000 – **71 cam** ☕ 115/190000 – ½ P 120/135000.

Maja senza rist, viale della Riviera 201 ✉ 65123 ☎ 4711545, Fax 77930, <, 🏖 – 🛗 ▤ 📺 ☎ 🅟 – 🏛 60. AE. 🅢. ⓓ E VISA. JCB. ✂ AX
47 cam ☕ 130/160000.

Plaza, piazza Sacro Cuore 55 ✉ 65122 ☎ 4214625, Fax 4213267 – 🛗 ▤ 📺 ☎ – 🏛 50
66 cam. AX z

Bellariva, viale Riviera 213 ✉ 65123 ☎ 4710606, Fax 4712641 – 📺 ☎. AX
33 cam.

Ambra, via Quarto dei Mille 28/30 ✉ 65122 ☎ 378247 e rist ☎ 387182, Fax 378183 – 🛗 ▤ 📺 ☎. AE. 🅢. ⓓ E VISA. ✂ AX u
Pasto al Rist. ***Mediterraneo*** *(chiuso domenica escluso luglio-agosto)* carta 35/40000 ☕ 5000 – **61 cam** 70/105000, ▤ 5000 – ½ P 75/90000.

Alba senza rist, via Forti 14 ✉ 65122 ☎ 389145, Fax 292163 – 🛗 ☎. AE. 🅢. ⓓ E VISA ☕ 5000 – **49 cam** 65/100000. AX r

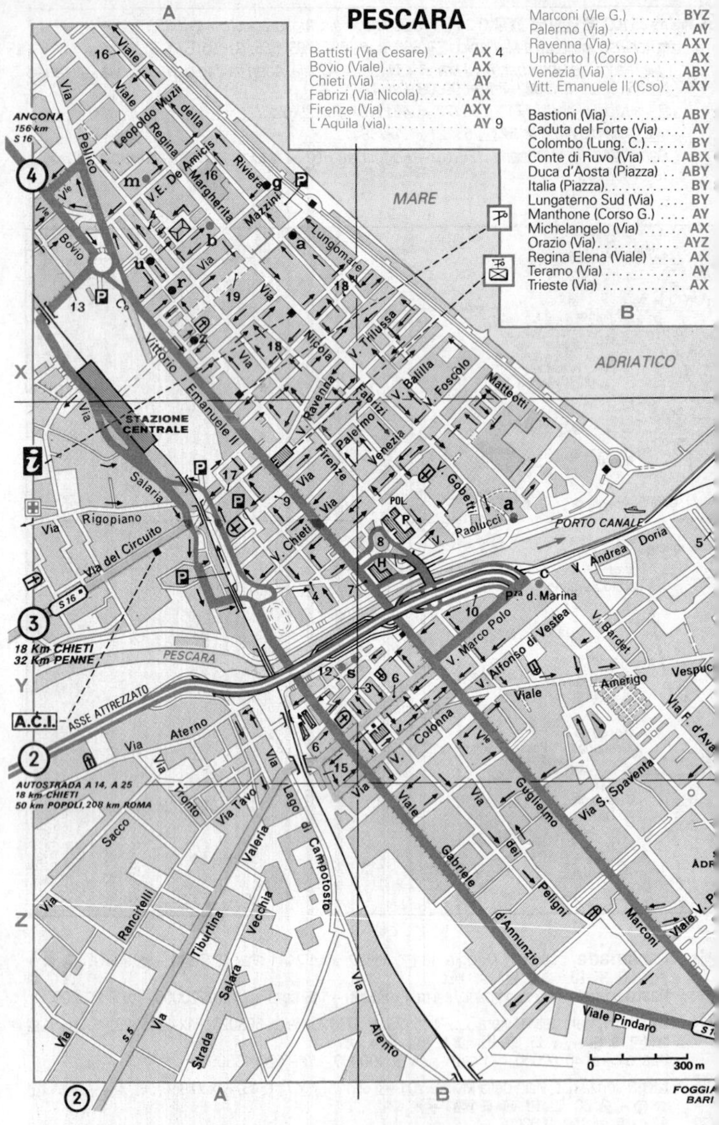

XX **La Regina del Porto,** via Paolucci 65 ⊠ 65121 ✆ 389141, Fax 389141 – ▤. AE. ⓢ. ◐ VISA. ✂ BY
chiuso lunedì, dal 1º al 15 gennaio e dal 1º al 25 agosto – **Pasto** carta 50/70000.

XX Duilio, viale Regina Margherita 9 ⊠ 65122 ✆ 378278 – ▤ AX

X **La Rete,** via De Amicis 41 ⊠ 65123 ✆ 27054, Coperti limitati; prenotare – ▤. AE ◐ E ✂ – **Pasto** specialità di mare carta 45/70000. AX

X **Taverna 58,** corso Manthone 58 ⊠ 65127 ✆ 690724, Coperti limitati; prenotare – ▤. ⓢ. ◐ VISA. ✂ ABY
chiuso sabato a mezzogiorno, domenica, i giorni festivi, dal 24 dicembre al 1º gennai[o] agosto – **Pasto** carta 35/50000.

La Furnacelle, via Colle Marino 25 ✉ 65125 ☎ 4212102, ☂ – AE ◑ E VISA. ✗
chiuso giovedì escluso i giorni festivi – **Pasto** carta 35/60000. 4 km per ①

La Cantina di Jozz, via delle Caserme 61 ✉ 65127 ☎ 690383, Fax 65295 – ▤. AE. ⑤. ◑ E VISA AY s
chiuso domenica sera, lunedì, dal 22 dicembre al 6 gennaio e dal 27 giugno al 10 luglio – Pasto 30/35000.

Grotta del Marinaio, via Bardet 6 ✉ 65126 ☎ 690454, prenotare – ▤. AE. ⑤. ◑ E VISA
chiuso domenica sera, martedì, Natale, Capodanno e dal 18 al 27 agosto – **Pasto** carta 35/50000. BY c

olli *O : 3 km per via Rigopiano AY :*

La Terrazza Verde, largo Madonna dei Sette Dolori 6 ✉ 65125 ☎ 413239, « Servizio estivo in giardino ombreggiato » – ▤. AE. ⑤. ◑ E VISA. ✗
chiuso mercoledì e Natale – **Pasto** carta 30/40000.

SCASSEROLI *67032 L'Aquila 988 ㉗, 430 Q 23 G. Italia – 2 311 ab. alt. 1 167 – a.s. febbraio-22 aprile, 15 luglio-agosto e Natale – Sport invernali : 1 167/1 945 m ⛷5; a Opi ⛷ – ☎ 0863.*
Vedere *Parco Nazionale d'Abruzzo***.*
ℹ via Piave 7 ☎ 910461, Fax 910461.
Roma 163 – Frosinone 67 – L'Aquila 109 – Castel di Sangro 42 – Isernia 64 – Pescara 128.

Mon Repos, via Santa Lucia 2 ☎ 912858, Fax 912818, « Residenza d'epoca in un parco » – TV ☎ P. AE. ⑤. ◑ E VISA. ✗
Pasto 30/50000 – **17 cam** ☕ 150/200000 – P 160/200000.

Pagnani, viale Cabinovia ☎ 912866, Fax 912870, ₺, ⛆ – ⇅ TV ☎ ♿ 🚗 – 🏠 220. AE. ⑤. ◑ E VISA. ✗
Pasto carta 40/55000 – **24 cam** ☕ 105/170000 – 1/2 P 90/120000.

Sport Hotel Daniel, via Colli dell'Oro ☎ 912896, Fax 912896 – ⇅ TV ☎ ♿ 🚗 P
16 cam.

Edelweiss, via Colli dell'Oro ☎ 912577, Fax 912798, 🌳 – ⇅ TV ☎ P. AE. ⑤. ◑ E VISA. ✗ cam
Pasto 30/100000 – **23 cam** ☕ 120/200000 – 1/2 P 80/120000.

Orso Bianco ⛱, via Collacchi 1 (SO : 1,5 km) ☎ 912888, Fax 910501, ≤, 🌳 – ⇅ TV ☎ P. ⑤. E VISA. ✗ rist
Pasto (solo per alloggiati) – **36 cam** ☕ 90/150000 – 1/2 P 60/120000.

Alle Vecchie Arcate, via della Chiesa 57/a ☎ 910618, Fax 912598 – ⇅ TV ☎. AE. ⑤. ◑ E VISA. ✗
Pasto (solo per alloggiati) – ☕ 5000 – **33 cam** 50/90000 – 1/2 P 65/110000.

Peppe di Sora con cam, via Benedetto Croce 1 ☎ 91908, Fax 910023 – AE. ⑤. ◑ E VISA. ✗ cam
Pasto *(chiuso lunedì in bassa stagione)* carta 35/50000 (5 %) – ☕ 8000 – **13 cam** 90/110000 – 1/2 P 65/85000.

SCHE *Isernia 431 C 24 – Vedere Isernia.*

SCHICI *71010 Foggia 988 ㉘, 431 B 30 G. Italia – 4 377 ab. – a.s. luglio-13 settembre – ☎ 0884.*
Escursioni *Promontorio del Gargano*** SE.*
Roma 400 – Foggia 114 – Bari 199 – Manfredonia 80 – Pescara 199.

D'Amato, località Spiaggia O : 1 km ☎ 963415, Fax 963391, ₺, ⛱, 🌳, 🎾 – ▤ rist ☎ ♿ 🚗 P. ⑤. E VISA. ✗
Pasqua-settembre – **Pasto** 30000 – **50 cam** ☕ 100/160000 – 1/2 P 60/130000.

Morcavallo, via Marina 6 (O : 1 km) ☎ 964005, Fax 962081, ≤, ⛱ – ⇅ ▤ TV ☎ 🚗 P. AE. ⑤. ◑ E VISA. ✗ rist
giugno-settembre – **Pasto** carta 45/65000 – **41 cam** ☕ 90/120000 – 1/2 P 80/130000.

Timiama, via Libetta 71 ☎ 964321, Fax 962643, ⛱ – TV ☎ P. ⑤. E VISA. ✗
Pasqua-28 settembre – **Pasto** (solo per alloggiati e *chiuso sino a maggio*) – ☕ 15000 – **35 cam** 70/100000 – 1/2 P 60/105000.

Peschici, via San Martino 31 ☎ 964195, Fax 964195, ≤ mare – ⇅ ☎ P. ⑤. E VISA. ✗
15 marzo-ottobre – **Pasto** (solo per alloggiati) 30/35000 – ☕ 9500 – **42 cam** 60/90000 – 1/2 P 100/105000.

La Grotta delle Rondini, sul molo O : 1 km ☎ 964007, « In una grotta naturale con servizio estivo in terrazza con ≤ mare » – AE. ⑤. ◑ E VISA. ✗
Pasqua-ottobre – **Pasto** carta 35/60000 (10 %).

sulla litoranea per Vieste:

Solemar ⛰, località San Nicola E : 3 km ✉ 71010 ☎ 964186, Fax 964188, ≤, « In p ta », ⛱, 🏊 – ☎ 🅿. 🅂. E VISA. ✗ rist
20 maggio-20 settembre – **Pasto** (solo per alloggiati) – ☐ 8000 – **45 cam** 60/12000 ½ P 75/105000.

Park Hotel Paglianza e Paradiso ⛰, E : 10,5 km ✉ 71010 ☎ 911018, Fax 911032, pineta », ⛱, 🏊, 🎾 – 🛗 ▤ 📺 ☎ 🅿 – 🎤 200
stagionale – **106 cam.**

Gusmay ⛰ E : 8,5 km ✉ 71010 ☎ 911016, Fax 911003, « In pineta », 🏊, 🎾 – 🛗 ▤ 🅿 – 🎤 25. AE. 🅂. E VISA. JCB. ✗
maggio-25 settembre – **Pasto** (solo per alloggiati) 35/50000 – **61 cam** ☐ 120/24000 P 90/175000.

Mira ⛰, E : 12 km ✉ 71010 ☎ 911042, ⛱, 🏊, 🌳, 🎾 – 🛗 ☎ 🅿
stagionale – **47 cam.**

La Rotonda ⛰, E : 8,5 km ✉ 71010 ☎ 911130, « Giardino pineta in riva al mare » – ▤ 🅿
stagionale – **Pasto** vedere hotel **Gusmay** – **16 cam.**

La Collinetta con cam, SE : 2 km ✉ 71010 ☎ 964151, Fax 964151, ≤, « Servizio estiv terrazza panoramica » – 🅿. 🅂. E VISA
15 marzo-settembre – **Pasto** specialità di mare carta 45/65000 – ☐ 15000 – **12 c** 50/95000 – P 110000.

PESCHIERA BORROMEO *20068 Milano* 428 F 9, 219 ⑲ – *19 579 ab. alt. 103* – ☎ *02.*

Roma 573 – *Milano 18* – *Piacenza 66.*

Pianta d'insieme di Milano (Milano p. 7).

Country Hotel Borromeo, all'idroscalo-lato Est ☎ 5475121, Fax 55300708 – 🛗 ⇆ ▤ 📺 ☎ ♿ 🅿 – 🎤 25. AE. 🅂. ⓓ E VISA. ✗ CP
chiuso dal 23 dicembre al 6 gennaio ed agosto – **Pasto** carta 50/65000 – **73 cam** ☐ 2 330000, 3 appartamenti.

Montini senza rist, località Plasticopoli ☎ 5475031, Fax 55300610 – 🛗 ▤ 📺 ☎ ♿ 🅿 🅂. ⓓ E VISA CP
chiuso dal 7 al 24 agosto – **51 cam** ☐ 160/180000.

RestHotel Primevère, all'idroscalo-lato Est ☎ 55302959, Fax 55302980, 🏋 ⇆ cam ▤ 📺 ☎ ♿ 🅿 – 🎤 70. AE. 🅂. ⓓ E VISA CP
Pasto 40000 – **125 cam** ☐ 200/250000, 5 appartamenti.

La Viscontina con cam, località Canzo ☎ 5470391, Fax 55302460, 🏋 – ▤ 📺 ☎ 🅿 🅂. ⓓ E VISA. ✗ rist CP
chiuso dal 10 al 20 agosto – **Pasto** *(chiuso mercoledì)* carta 50/85000 – **14 cam** ☐ 1 180000 – ½ P 150000.

Dei Cacciatori, località Longhignana N : 4 km ☎ 7531154, Fax 7531274, In un casci lombardo, « Servizio estivo in giardino » – 🅿

PESCHIERA DEL GARDA *37019 Verona* 988 ④, 428, 429 F 14 – *8 783 ab. alt. 68* – ☎ *045.*

🅸 *piazza Municipio* ☎ *7550381.*

Roma 513 – *Verona 23* – *Brescia 46* – *Mantova 52* – *Milano 133* – *Trento 97* – *Venezia 13*

Fortuna, via Venezia 26 ☎ 7550111, Fax 7550111, 🏋 – 🛗 ▤ 📺 ☎ ♿ 🚗 🅿 – 🎤 AE. 🅂. ⓓ E VISA. ✗ cam
Pasto *(chiuso lunedì da ottobre a marzo)* carta 40/85000 – ☐ 15000 – **45 cam** 120/170 – ½ P 120/130000.

Residence Hotel Puccini senza rist, via Puccini 2 ☎ 6401428, Fax 6401419, ⛱ – 🛗 📺 ☎ 🅿. AE. 🅂. ⓓ E VISA. ✗
☐ 15000 – **32 cam** 80/135000.

Vecchio Viola, via Milano 5/7 ☎ 7551666, Fax 6400063 – 🛗 📺 ☎ ♿ 🅿. AE. 🅂. E VISA
chiuso gennaio – **Pasto** *(chiuso lunedì sera e martedì)* carta 35/45000 – ☐ 8000 – **20 c** 65/90000 – ½ P 70/80000.

Piccolo Mondo, piazza del Porto 6 ☎ 7550025, Fax 7552260 –. 🅂. E VISA
chiuso martedì sera, mercoledì, dal 7 al 23 gennaio e dal 22 giugno al 3 luglio – **Pa** specialità di mare carta 55/75000.

Osietra, via Sebino 29 ☎ 7553227, Fax 7553227, 🏋 – ▤ 🅿. AE. 🅂. ⓓ E VISA JCB
chiuso lunedì e dal 25 ottobre al 6 dicembre – **Pasto** specialità di mare carta 60/95000.

San Benedetto *O : 2,5 km* – ✉ *37010 San Benedetto di Lugana :*

🏨 **Peschiera** 🌿, via Parini 4 ℘ 7550526, Fax 7550444, ≤, 🏊, 🌳 – 🛗 ☎ ♿ 🅿. [AE]. [S]. ● E [VISA]. [JCB]. ✗
aprile-ottobre – **Pasto** *(chiuso a mezzogiorno e lunedì)* 35000 – ☕ 18000 – **30 cam** 90000 – ½ P 60/85000.

🍴 Papa con cam, via Bella Italia 40 ℘ 7550476, Fax 7550589, ⛱, 🏊 – 🛗 [TV] ☎ 🅿
19 cam.

🍴 **Trattoria al Combattente,** strada Bergamini 60 ℘ 7550410, ⛱ – [AE]. [S]. ● E [VISA]
chiuso lunedì – **Pasto** carta 35/60000.

ESCIA *51017 Pistoia* [988] ⑭, [428], [429], [430] K 14 *G. Toscana* – *18 049 ab. alt. 62* – ☎ *0572.*
Roma 335 – *Firenze 57* – *Pisa 39* – *Lucca 19* – *Milano 299* – *Montecatini Terme 8* – *Pistoia 30.*

🏨 **Villa delle Rose** 🌿, località Castellare ✉ 51012 Castellare di Pescia ℘ 451301, Fax 444003, « Parco con 🏊 » – 🛗 ≡ [TV] ☎ ♿ 🅿 – 🏛 250. [AE]. [S]. ● E [VISA]. [JCB]. ✗
Pasto al Rist. ***Piazza Grande*** *(chiuso lunedì e martedì a mezzogiorno)* carta 40/55000 – ☕ 15000 – **106 cam** 110/150000, 3 appartamenti.

🍴🍴 **Cecco,** via Forti 96 ℘ 477955, ⛱ – ≡. [AE]. [S]. E [VISA]
chiuso lunedì, dal 7 al 17 gennaio e dal 30 giugno al 24 luglio – **Pasto** carta 35/55000 (13 %).

🍴🍴 **La Fortuna,** via Colli per Uzzano 32/34 ℘ 477121, ≤, ⛱, Coperti limitati; prenotare – 🅿. [AE]. [S]. E [VISA]. ✗
chiuso a mezzogiorno (escluso i giorni festivi), lunedì ed agosto – **Pasto** carta 45/65000.

ESE *Trieste* [429] F 23 – *alt. 474* – ✉ *34012 Basovizza* – ☎ *040.*
Roma 678 – *Udine 77* – *Gorizia 54* – *Milano 417* – *Rijeka (Fiume) 63* – *Trieste 13.*

Draga Sant'Elia *SO : 4,5 km* – ✉ *34010 Sant'Antonio in Bosco :*

🍴 **Locanda Mario,** Draga Sant'Elia 22 ℘ 228173, ⛱ – 🅿. [AE]. [S]. ● E [VISA]. ✗
chiuso martedì e dal 7 al 20 gennaio – **Pasto** carta 40/65000.

ETRIGNANO *Perugia* [430] M 19 – *Vedere Assisi.*

ETROGNANO *Firenze* [430] L 15 – *Vedere Barberino Val d'Elsa.*

ETTENASCO *28028 Novara* [428] E 7, [219] ⑥ – *1 285 ab. alt. 301* – ☎ *0323.*
Roma 663 – Stresa *25* – *Milano 86* – *Novara 48* – *Torino 122.*

🏨 **L'Approdo,** corso Roma 80 ℘ 89346, Fax 89338, ⛱, « Grazioso giardino con ≤ lago e monti », 🏊 riscaldata, ⛵, 🌳, 🎾 – [TV] ☎ 🅿 – 🏛 300. [AE]. [S]. ● E [VISA]. ✗ rist
Pasto *(chiuso lunedì a mezzogiorno da ottobre a marzo)* carta 50/75000 – **50 cam** ☕ 170/250000, 8 appartamenti – ½ P 120/180000.

🍴🍴 **Giardinetto** con cam, via Provinciale 1 ℘ 89482, Fax 89219, ≤ lago, « Veranda sul lago », 🏠, 🏊 riscaldata, ⛵, 🌳 – 🛗 [TV] ☎ 🅿. [AE]. [S]. ● E [VISA]. [JCB]
25 marzo-25 ottobre – **Pasto** carta 50/75000 – ☕ 15000 – **50 cam** 125/165000, appartamento – ½ P 125/140000.

ZZAN *Treviso* – *Vedere Carbonera.*

LES GUIDES MICHELIN

Guides Rouges (hôtels et restaurants) :

Benelux, Deutschland, España Portugal, Europe, France
Great Britain and Ireland, Italia, Suisse

Guides Verts (Paysages, monuments et routes touristiques) :

Allemagne, Autriche, Belgique, Bruxelles, Californie, Canada, Ecosse, Europe, Espagne, Florence et Toscane, Floride, France, Grande Bretagne, Grèce, Hollande, Irlande, Italie, Londres, Maroc, New York, Nouvelle Angleterre, Pays Rhénans, Portugal, Québec, Rome, Scandinavie, Suisse, Thaïlande, Venise

...et la collection sur la France.

PEZZO *Brescia* 428, 429 D 13 – *Vedere Ponte di Legno.*

PFALZEN = *Falzes.*

PIACENZA *29100* P 988 ⑬, 428 G 11 *G. Italia* – *99 962 ab. alt. 61* – ☎ *0523.*

Vedere *Il Gotico*★★ *(palazzo del comune) : Statue equestri*★★ **B D** – *Duomo*★ **B E.**

18 *Croara (chiuso martedì) a Croara di Gazzola* ✉ *29010* ☎ *977105, Fax 977100, per* ④ *21 km.*

ℹ *piazzetta dei Mercanti 10* ☎ *329324.*

A.C.I. *via Chiapponi 37* ☎ *335343.*

Roma 512 ② – *Bergamo 108* ① – *Brescia 85* ② – *Genova 148* ④ – *Milano 64* ① – *Parma 62*

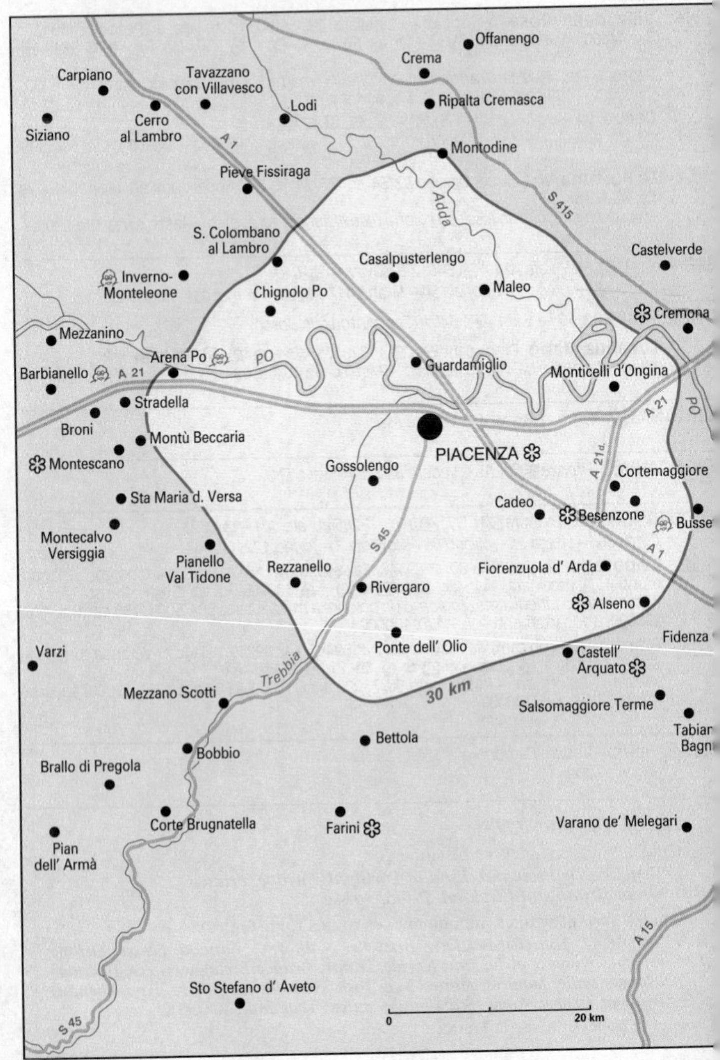

PIACENZA

- Settembre (Via) . . . . B 41
- lcredi (Via G.) . . . . B 2
- rgo (Piazza) . . . . A 3
- mpo della Fiera (Via) . . . . . . B 4
- valli (Piazza dei) . . . . B 5
- ribaldi (Via) . . . . A 9
- Genova (Piazzale) . . . . A 10
- Giordani (Via P.) . . . . B 12
- La Primogenita (Via) . . . . B 13
- Legione Zanardi Landi (Via) . . . B 15
- Legnano (Via) . . . . B 16
- Manfredi (Via Giuseppe) . . . . . A 17
- Marconi (Piazzale) . . . . B 19
- Milano (Piazzale) . . . . B 20
- Pace (Via) . . . . B 22
- Risorgimento (Viale) . . . . B 23
- Roma (Piazzale) . . . . B 24
- S. Antonino (Via) . . . . B 27
- S. Eufemia (Via) . . . . A 28
- S. Sisto (Via) . . . . A 29
- S. Tommaso (Via) . . . . A 32
- Scalabrini (Via) . . . . B 34
- Torino (Piazzale) . . . . A 35
- Venturini (Via) . . . . A 38
- Verdi (Via) . . . . B 39
- Vittorio Emanuele II (V.) . . . . . A 40

Grande Albergo Roma, via Cittadella 14 ✆ 323201, Fax 330548, « Rist. con ≤ », Fō, ≘s – |‡| ⇹ ▤ TV ☎ ⇔ – 🏃 45. AE. ⑤. ● E VISA. ✕ rist — B a
Pasto al Rist. ***Piccolo Roma*** *(chiuso domenica sera e lunedì)* carta 50/70000 – **76 cam** ☐ 220/260000, 4 appartamenti – ½ P 170/250000.

Park Hotel Ⓜ, strada Valnure 7 ✆ 712600, Fax 453024, Fō, ≘s, ⇹ – |‡| ▤ TV ☎ ♿ ⇔ Ⓟ – 🏃 300. AE. ⑤. ● E VISA. ✕ rist — per ③
Pasto *(chiuso agosto)* carta 40/60000 – **90 cam** ☐ 220/240000, 10 appartamenti.

Ovest Ⓜ senza rist, via I Maggio 82 ✆ 712222, Fax 711301 – |‡| ▤ TV ☎ ♿ ⇔ Ⓟ – 🏃 50. AE. ⑤. ● E VISA — per ④
chiuso dal 5 al 20 agosto – **38 cam** ☐ 140/165000, 3 appartamenti.

Nazionale senza rist, via Genova 35 ✆ 712000, Fax 456013 – |‡| ▤ TV ☎ ⇔ – 🏃 60. AE. ⑤. ● E VISA — A c
69 cam ☐ 120/160000, 8 appartamenti.

RestHotel Primevère senza rist, via Emilia Pavese ✆ 499074, Fax 499115 – |‡| ▤ TV ☎ ♿ ⇔ Ⓟ – 🏃 65. AE. ⑤. ● E VISA. ✕ — per ④
72 cam ☐ 145/180000.

City senza rist, via Emilia Parmense 54 ✆ 579752, Fax 579784 – ▤ TV ☎ ⇔ Ⓟ. AE. ⑤. ● E VISA — 3 km per ②
59 cam ☐ 120/150000.

Milano senza rist, viale Risorgimento 47 ✆ 336843, Fax 385101 – TV ☎ ⇔. AE. ⑤. ● E VISA — B e
42 cam ☐ 120/160000.

🍴🍴🍴 **Antica Osteria del Teatro,** via Verdi 16 ☎ 323777, Fax 384639, Coperti limitati; prenotare – ▤. [AE]. [S]. ⊙ [E] [VISA]. ✻ B
✿ *chiuso domenica sera, lunedì, dal 1° al 7 gennaio e dal 4 al 25 agosto* – **Pasto** carta 75/120000
Spec. Treccia di branzino all'olio extravergine con timo, pomodoro e sale grosso. Costolette d'agnello "pré-salé" agli aromi. Medaglione di fegato grasso d'oca marinato al Porto.

🍴🍴 Peppino, via Roma 183 ☎ 329279, prenotare B

PIANAZZO *Sondrio – Vedere Madesimo.*

PIANCAVALLO *Pordenone* [429] D 19 – *alt. 1 267 – ✉ 33081 Aviano – a.s. 5 febbraio-4 marzo, 22 luglio-20 agosto e Natale – Sport invernali : 1 267/1 830 m ⛷8, ⛷ – ☎ 0434.*
⛳ *(chiuso martedì) a Castel d'Aviano ✉ 33081 ☎ 652305, Fax 660496, S : 2 km.*
ℹ *☎ 655191, Fax 655354.*
Roma 618 – Belluno 68 – Milano 361 – Pordenone 30 – Treviso 81 – Udine 81 – Venezia 11

🏨 **Antares,** via Barcis ☎ 655265, Fax 655265, ≤, 🏋, ≘s – 🛗 [TV] ☎ 🚗 🅟 – 🏛 250. [AE]. [S] [E] [VISA]. ✻
dicembre-Pasqua e giugno-10 settembre – **Pasto** 35000 – ☕ 15000 – **62 cam** 110/16000 – ½ P 100/130000.

🏨 **Regina,** via Buse di Villotta 2 ☎ 655166, Fax 655128, ≤ – [TV] ☎ 🅟. [AE]. [S]. ⊙ [E] [VISA]. ✻
Pasto carta 30/45000 – ☕ 10000 – **47 cam** 85/95000 – ½ P 70/90000.

PIAN DELL'ARMÀ *Pavia e Piacenza* [428] H 9 – *alt. 1 476 – ✉ 27050 S. Margherita di Staffora – a.s. 15 giugno-agosto – ☎ 0383.*
Roma 604 – Piacenza 86 – Alessandria 82 – Genova 90 – Milano 118 – Pavia 86.

a Capannette di Pej *SE : 3 km – alt. 1 449 – ✉ 29020 Zerba :*

🏨 **Capannette di Pej** 🐎, frazione Capannette di Pej 26 ☎ (0523) 935129, ≤, Turismo equestre – ☎ 🅟. [E] [VISA]. ✻
chiuso novembre – **Pasto** *(chiuso martedì)* carta 30/45000 – ☕ 6000 – **23 cam** 50/70000 ½ P 60/75000.

PIAN DELLE BETULLE *Lecco* [219] ⑩ – *Vedere Margno.*

PIANELLO VAL TIDONE *29010 Piacenza – 2 269 ab. alt. 190 – ☎ 0523.*
Roma 547 – Piacenza 32 – Genova 145 – Milano 77 – Pavia 49.

🍴 **Trattoria Chiarone,** località Chiarone S : 5 km ☎ 998054 – ✻
chiuso lunedì e luglio – **Pasto** carta 35/50000.

PIANFEI *12080 Cuneo* [428] I 5 – *1 765 ab. alt. 503 – ☎ 0174.*
Roma 629 – Cuneo 15 – Genova 130 – Imperia 114 – Torino 93.

🏨 **La Ruota,** strada statale Monregalese 5 ☎ 585701, Fax 585700, ≘s, 🏊, 🎾, 🍴 – 🛗 ▤ ☎ ♿ 🚗 🅟 – 🏛 250. [AE]. [S]. ⊙ [E] [VISA]. [JCB]
Pasto vedere rist ***La Ruota*** – **61 cam** ☕ 120/160000, 6 appartamenti – ½ P 95000.

🍴 **La Ruota,** strada statale Monregalese 2 ☎ 585164 – ▤ 🅟. [AE]. [S]. ⊙ [E] [VISA]. [JCB]
chiuso lunedì – **Pasto** carta 35/65000.

PIANI *Imperia – Vedere Imperia.*

PIANO D'ARTA *Udine – Vedere Arta Terme.*

PIANO DEL CANSIGLIO *Belluno – Vedere Tambre.*

PIANORO *40065 Bologna* [988] ⑭ ⑮, [429], [430] I 16 – *15 066 ab. alt. 187 – ☎ 051.*
Roma 372 – Bologna 14 – Firenze 95.

a Pianoro Vecchio *S : 2 km – ✉ 40060 :*

🍴🍴 **La Tortuga,** via Nazionale Toscana 200/B ☎ 777047, Coperti limitati; prenotare, « Servizio estivo in giardino ombreggiato » – 🅟. [AE]. [S]. ⊙ [E] [VISA]
chiuso lunedì ed agosto – **Pasto** carta 45/85000 (10%).

NOSINATICO *51020 Pistoia* 428, 429, 430 J 14 – *alt. 948 – a.s. Pasqua, luglio-agosto e Natale – ☎ 0573.*

Roma 352 – Firenze 79 – Pisa 77 – Bologna 102 – Lucca 56 – Milano 279 – Modena 104 – Pistoia 42.

Quadrifoglio senza rist, via Brennero 169 ℘ 629229, ← – TV
☕ 8000 – **14 cam** 55/85000.

Silvio, ℘ 629204 – AE. 🅂. ⓓ E VISA.
chiuso dal 17 al 24 aprile e dal 1º al 10 ottobre – **Pasto** 15/20000 e carta 35/40000.

NO TORRE *Palermo – Vedere Sicilia (Piano Zucchi) alla fine dell'elenco alfabetico.*

NO ZUCCHI *Palermo* 432 N 23 – *Vedere Sicilia alla fine dell'elenco alfabetico.*

ZZA *Siena* 430 L 15 – *Vedere Castellina in Chianti.*

ZZA ARMERINA *Enna* 988 ㊱, 432 O 25 – *Vedere Sicilia alla fine dell'elenco alfabetico.*

ZZATORRE *24010 Bergamo* 428 E 11 – *491 ab. alt. 868 – a.s. 20 luglio-20 agosto e Natale – Sport invernali : 868/2 000 m* 1 6, – ☎ *0345.*

Roma 650 – Bergamo 48 – Foppolo 31 – Milano 91 – San Pellegrino Terme 24.

Milano, ℘ 85027, Fax 85027, ← – ☎ Ⓟ
27 cam.

ZZE *Siena* 430 N 17 – *Vedere Cetona.*

CHIAIE *Livorno – Vedere Elba (Isola d') : Portoferraio.*

CEDO *Brescia – Vedere Polpenazze del Garda.*

EDIMONTE SAN GERMANO *03030 Frosinone* 430 R 23 – *4 935 ab. alt. 126 – ☎ 0776.*

Roma 122 – Frosinone 47 – Formia 42 – Isernia 56 – Napoli 104.

San Germano, via Calatafimi 5 ℘ 404652, Fax 403319, , – rist rist TV ☎ Ⓟ. AE. 🅂. ⓓ E VISA
Pasto *(chiuso dal 23 al 29 dicembre)* carta 35/55000 – **40 cam** ☕ 55/95000 – ½ P 45/75000.

GARO *06066 Perugia* 430 N 18 – *3 655 ab. alt. 356 – ☎ 075.*

Roma 156 – Perugia 40 – Firenze 147 – Orvieto 42.

Da Elio, via Pievaiola 81 (N : 1 km) ℘ 8358017, Fax 8358005, – TV Ⓟ – 100. 🅂. VISA
Pasto *(chiuso lunedì escluso da luglio a settembre)* carta 35/45000 – **28 cam** ☕ 65/85000 – ½ P 55/60000.

ENZA *53026 Siena* 988 ⑮, 430 M 17 *G. Toscana – 2 312 ab. alt. 491 – ☎ 0578.*

Vedere *Cattedrale★ : Assunzione★★ del Vecchietto – Palazzo Piccolomini★.*

Roma 188 – Siena 52 – Arezzo 61 – Chianciano Terme 22 – Firenze 120 – Perugia 86.

Il Chiostro di Pienza, corso Rossellino 26 ℘ 748400, Fax 748440, ← campagna, , « Chiostro quattrocentesco », , – TV ☎ – 70. AE. 🅂. ⓓ E VISA.
Pasto *(21 dicembre-9 gennaio e 16 marzo-9 novembre)* 50/100000 – **27 cam** ☕ 115/175000, 11 appartamenti – ½ P 125000.

Corsignano, via della Madonnina 11 ℘ 748501, Fax 748166, ← – TV ☎ Ⓟ. AE. 🅂. E VISA.
chiuso dal 10 gennaio a febbraio – **Pasto** *(chiuso martedì)* carta 30/60000 – **36 cam** ☕ 90/140000.

X **Dal Falco** con cam, piazza Dante Alighieri 7 ☎ 748551, Fax 748551, 🏖 – 📺. AE. 🅂. ⓞ VISA. JCB. ✽ rist
Pasto carta 35/50000 – ☕ 10000 – **6 cam** 60/90000.

X **La Buca delle Fate,** corso Rossellino 38/a ☎ 748448, Fax 748448 – AE. 🅂. ⓞ E JCB – *chiuso lunedì e dal 15 al 30 giugno* – **Pasto** carta 35/40000.

X Latte di Luna, via San Carlo 2/4 ☎ 748606

sulla strada statale 146 *NE 7,5 km :*

La Saracina 🐌 senza rist, ✉ 53026 ☎ 748022, Fax 748018, ≤, « In un antico poder 🏊, 🌳, 🎾 – 📺 ☎ 🅿. AE. 🅂. E VISA. ✽
5 cam ☕ 280/320000, appartamento.

a Monticchiello *SE : 6 km – ✉ 53020 :*

L'Olmo 🐌, podere Ommio 27 ☎ 755133, Fax 755124, ≤ colline e borghi circosta « Locanda seicentesca in mezzo alla campagna », 🏊 riscaldata, 🌳 – 📺 ☎ 🅿. 🅂. E VISA
aprile-novembre – **Pasto** (solo per alloggiati) 55000 – 5 appartamenti ☕ 290000 – ½ P 2 235000.

X **Taverna di Moranda,** via di Mezzo 17 ☎ 755050 – AE. 🅂. E VISA. ✽
chiuso lunedì e dal 10 gennaio al 10 febbraio – **Pasto** carta 40/60000.

PIETOLE DI VIRGILIO *Mantova* 428, 429 G 14 – *Vedere Mantova.*

PIETRACAMELA *64047 Teramo* 430 O 22 – *359 ab. alt. 1 005 – a.s. febbraio-marzo, 23 lu agosto e Natale – Sport invernali : a Prati di Tivo: 1 450/2 008 m ⛷6 – ☎ 0861.*
Roma 174 – L'Aquila 61 – Pescara 78 – Rieti 104 – Teramo 31.

a Prati di Tivo *S : 6 km – alt. 1 450 – ✉ 64047 Pietracamela :*

Gran Sasso 3, piazzale Amorocchi ☎ 959639, Fax 959669, ≤ – 📺 ☎ 🚗. AE. ✽
Pasto 30/40000 – ☕ 10000 – **10 cam** 50/90000 – ½ P 80000.

PIETRA LIGURE *17027 Savona* 988 ⑫, 428 J 6 – *9 449 ab. – ☎ 019.*
ℹ piazza Martiri della Libertà 31 ☎ 625222, Fax 625223.
Roma 576 – Imperia 44 – Genova 77 – Milano 200 – Savona 31.

Royal, via Don Bado 129 ☎ 616192, Fax 616195, ≤, 🏖 – 🛗 ▤ rist 📺 ☎ – 🏟 50. AE. ⓞ E VISA. JCB. ✽ rist
chiuso dal 16 ottobre al 15 dicembre – **Pasto** (solo per alloggiati) – ☕ 15000 – **102 c** 120/145000, 4 appartamenti – ½ P 100/125000.

Paco senza rist, via Crispi 63 ☎ 615715, Fax 615716, 🏊, 🎾 – 🛗 📺 ☎ 🚗 🅿. AE. 🅂. ⓞ VISA. JCB
5 maggio-settembre – **44 cam** ☕ 80/130000.

Azucena, viale della Repubblica 76 ☎ 615810 – 🛗 ☎ 🅿. 🅂. E VISA. ✽
chiuso ottobre e novembre – **Pasto** *(chiuso martedì escluso da giugno a settembre)* 25 – ☕ 12500 – **28 cam** 70/95000 – P 60/95000.

XX **Bacco,** corso Italia 113 ☎ 615307, prenotare – ▤ 🅿. 🅂. ⓞ E VISA. ✽
chiuso da gennaio al 10 febbraio e lunedì (escluso luglio-settembre) – **Pasto** specialit mare carta 45/95000.

X A Ciappa, via N. C. Regina 5 ☎ 624231

PIETRANSIERI *L'Aquila* 430 Q 24, 431 B 24 – *Vedere Roccaraso.*

PIETRASANTA *55045 Lucca* 988 ⑭, 428, 429, *430* K 12 *G. Toscana – 24 654 ab. alt. 20 – Carnevale, Pasqua, 15 giugno-15 settembre e Natale – ☎ 0584.*
⛳18 Versilia (chiuso martedì escluso dal 15 marzo al 15 ottobre) ☎ 881574, Fax 752272.
Roma 376 – Pisa 30 – La Spezia 45 – Firenze 104 – Livorno 54 – Lucca 34 – Massa 1 Milano 241.

Palagi senza rist, piazza Carducci 23 ☎ 70249, Fax 71198 – 🛗 ▤ 📺 ☎ ♿. AE. 🅂. ⓞ VISA. JCB
☕ 15000 – **18 cam** 95/150000.

XX **Martinatica,** località Baccatoio S : 1 km ☎ 792534, 🏖, « In un antico frantoio » – 🅿. 🅂. ⓞ E VISA. JCB
chiuso mercoledì e novembre – **Pasto** carta 50/75000.

X **Lo Sprocco,** via Barsanti 22 ☎ 70793, 🏖 – AE. 🅂. ⓞ E VISA
chiuso a mezzogiorno da giugno a settembre e mercoledì negli altri mesi – **Pasto** c 30/40000.

TRASANTA (Marina di) *55044 Lucca* [988] [14], [430] K 12 – *a.s. Carnevale, Pasqua, 15 giugno-15 settembre e Natale* – ☎ *0584.*

⛳18 *Versilia (chiuso martedì escluso dal 15 marzo al 15 ottobre)* ✉ *55045 Pietrasanta* ☎ *881574, Fax 752272, N : 3 km.*

[i] *a Tonfano, via Donizetti 14* ☎ *20331, Fax 24555.*

Roma 378 – Pisa 33 – La Spezia 53 – Firenze 104 – Livorno 54 – Lucca 34 – Massa 18 – Milano 246.

🏨🏨🏨 **Ermione,** a Tonfano, viale Roma 183 ☎ 745852, Fax 745906, <, ⛱, « Giardino con 🏊 riscaldata », 🎾 – 🛗 ▤ [TV] ☎ 🅿. [AE]. [S]. 🅓 [E] [VISA]. ✂ rist
24 maggio-settembre – **Pasto** (solo per alloggiati) 60/70000 – **35 cam** ☕ 210/310000 – 1/2 P 150/205000.

🏨🏨🏨 **Lombardi,** a Fiumetto, viale Roma 27 ☎ 745848, Fax 23382, <, 🏊 riscaldata, 🏖 – 🛗 ▤ [TV] ☎ 🅿. [AE]. [S]. 🅓 [E] [VISA]. ✂ rist
aprile-ottobre – **Pasto** (solo per alloggiati) – ☕ 25000 – **38 cam** 250/360000 – 1/2 P 220/250000.

🏨🏨 **Battelli,** a Motrone, viale Versilia 189 ☎ 20010, Fax 23592, « Giardino ombreggiato », 🎾, 🏋 – 🛗 ▤ cam ☎ 🚗 🅿. ✂
15 maggio-settembre – **Pasto** (solo per alloggiati) – ☕ 20000 – **38 cam** 120/160000 – 1/2 P 110/145000.

🏨🏨 **Joseph,** a Motrone, viale Roma 323 ☎ 745862, Fax 22265, <, 🏖 – 🛗 ▤ [TV] ☎ 🅿. [AE]. [S]. [VISA]. ✂ rist
Carnevale-ottobre – **Pasto** 25/40000 – ☕ 10000 – **36 cam** 90/140000 – 1/2 P 80/125000.

🏨🏨 **Venezia** 🌿, a Motrone, via Firenze 48 ☎ 745757, Fax 745373, 🚲, 🏖 – 🛗 ▤ [TV] ☎ 🅿. [S]. [E]. ✂
25 maggio-20 settembre – **Pasto** 30/35000 – ☕ 15000 – **34 cam** 100/150000 – 1/2 P 120/140000.

🏨 **Grande Italia** 🌿, a Tonfano, via Torino 5 ☎ 20046, ⛱, 🏖 – ☎ 🅿. ✂
giugno-19 settembre – **Pasto** 30/35000 – ☕ 10000 – **23 cam** 65/110000 – P 70/120000.

🍴🍴 **Il Baffardello,** località Fiumetto via Ficalucci 46 ☎ 21034, ⛱, Rist. e pizzeria – 🅿. [AE]. [S]. 🅓 [E] [VISA]. ✂
chiuso martedì a mezzogiorno dal 15 giugno al 15 settembre, tutto il giorno negli altri mesi – **Pasto** carta 40/80000.

TRELCINA *82020 Benevento* [430] S 26, [431] D 26 – *3 063 ab. alt. 345* – ☎ *0824.*
Roma 253 – Benevento 13 – Foggia 109.

🏨🏨 **Lombardi,** via Nazionale 1 ☎ 991144, Fax 991253, 🏊 – ▤ [TV] ☎ 🚗 🅿. [AE]. [S]. 🅓 [E] [VISA]. ✂
Pasto *(chiuso martedì)* 25/45000 (10 %) e al Rist. ***Cosimo's*** *(chiuso martedì)* carta 35/45000 (10 %) – **25 cam** ☕ 90/130000, 5 appartamenti – 1/2 P 95/120000.

EVE A NIEVOLE *Pistoia* [430] K 14 – *Vedere Montecatini Terme.*

EVE D'ALPAGO *32010 Belluno* [429] D 19 – *2 021 ab. alt. 690* – ☎ *0437.*
Roma 608 – Belluno 17 – Cortina d'Ampezzo 72 – Milano 346 – Treviso 67 – Venezia 96.

🍴🍴🍴 ✿ **Dolada** 🌿 con cam, a Plois, via Dolada 21 ☎ 479141, Fax 478068, <, prenotare, 🏖 – [TV] ☎ 🅿. [AE]. [S]. 🅓 [E] [VISA]. [JCB]
chiuso dal 13 al 31 gennaio – **Pasto** *(chiuso lunedì e martedì a mezzogiorno escluso luglio-agosto)* carta 50/80000 – ☕ 15000 – **6 cam** 120/150000, appartamento – P 150000
Spec. Terrina di fegatini alle erbe e tartufo nero, vinaigrette all'olio di nocciola. Casunziei di patate e ricotta forte. Piccione ripieno in salsa peverada.

🍴 **Beyrouth** 🌿 con cam, via Pietro Brida 14 ☎ 478056 – 🛗 ☎ 🅿. [VISA]. ✂
chiuso ottobre – **Pasto** *(chiuso lunedì)* carta 35/50000 – ☕ 6000 – **18 cam** 50/80000 – P 70/75000.

Pleasant hotels or restaurants are shown in the Guide by a red sign.
Please send us the names of any where you have enjoyed your stay.
Your **Michelin Guide** will be even better.

🏨🏨🏨🏨🏨 ... 🏨

🍴🍴🍴🍴🍴 ... 🍴

PIEVE DI CENTO *40066 Bologna* [429], [430] H 15 – *6 608 ab. alt. 14* – ☏ *051.*
Roma 408 – Bologna 32 – Ferrara 37 – Milano 209 – Modena 39 – Padova 105.

🏨 Nuovo Gd H. Bologna e dei Congressi, via Ponte Nuovo 42 ✆ 6861070, Fax 974…
🏋, ≘, 🏊 – |♦| ▤ [TV] ☎ [P] – 🏛 2500
130 cam, 12 appartamenti.

🍴🍴 **Il Caimano,** via Campanini 14 ✆ 974403 – [AE]. [$]. ◑ [E] [VISA]
chiuso lunedì e dal 1º al 15 luglio – **Pasto** carta 30/55000.

🍴🍴 **Da Buriani,** via Provinciale 2/a ✆ 975177, Fax 973317, ☂ – [AE]. [$]. ◑ [E] [VISA]
✿ *chiuso venerdì e sabato a mezzogiorno* – **Pasto** carta 35/60000
Spec. Tortellini in brodo. Filetto di luccio in sfoglia di lattuga con scorzone e guazzett… verdure. Baccalà alla bolognese.

PIEVE DI LIVINALLONGO *32020 Belluno* [429] C 17 – *alt. 1 475 – a.s. 15 febbraio-15 ap… 15 luglio-agosto e Natale* – ☏ *0436.*
Roma 716 – Belluno 68 – Cortina d'Ampezzo 28 – Milano 373 – Passo del Pordoi 1… Venezia 174.

🏨 **Cèsa Padon** ⛰, via Sorarù 62 ✆ 7109, Fax 7460, ≤ monti e pinete – ▤ rist ☎ [P]. [VISA]. ✂ cam
chiuso novembre – **Pasto** *(chiuso a mezzogiorno)* carta 30/50000 – **15 cam** ☕ 90/130… – ½ P 60/95000.

PIEVE DI SOLIGO *31053 Treviso* [988] ⑤, [429] E 18 – *9 709 ab. alt. 132* – ☏ *0438.*
Roma 579 – Belluno 38 – Milano 318 – Trento 124 – Treviso 31 – Udine 95 – Venezia 68.

🏨 **Contà** senza rist, Corte delle Caneve 4 ✆ 980435, Fax 980896, ≘ – |♦| ▤ [TV] ☎ ♿ 🚗 🏛 100. [AE]. [$]. ◑ [E] [VISA]. [JCB]
45 cam ☕ 145/200000, 5 appartamenti.

🏨 **Loris** ⛰, via Suoi NE : 2 km ✆ 82880, Fax 842383, 🌳 – |♦| ▤ cam [TV] ☎ ♿ [P] – 🏛 150. ◑ [E] [VISA]. ✂
Pasto *(chiuso martedì)* carta 45/70000 – ☕ 18000 – **36 cam** 95/150000 – ½ P 95/1050…

a Solighetto *N : 2 km* – ✉ *31050 :*

🍴🍴 **Da Lino** con cam, via Brandolini 31 ✆ 842377, Fax 980577, ☂, « Caratteristico ambi… te » – [TV] ☎ [P] – 🏛 150. [AE]. [$]. ◑ [E] [VISA]
chiuso dal 24 al 26 dicembre e luglio – **Pasto** *(chiuso lunedì)* carta 45/75000 – ☕ 1500… **17 cam** 90/110000.

PIEVE LIGURE *16030 Genova* [428] I 9 – *2 666 ab.* – ☏ *010.*
Roma 490 – Genova 14 – Milano 151 – Portofino 22 – La Spezia 93.

🍴 **Picco,** località Pieve Alta (N : 2,5 km), via alla Chiesa 56 ✆ 3460234, « Servizio estiv… terrazza con ≤ mare e costa » – [P]. [AE]. [$]. ◑ [E] [VISA]
chiuso martedì, dal 25 gennaio al 5 febbraio e dal 6 al 20 novembre – **Pasto** carta 40/600…

PIEVEPELAGO *41027 Modena* [988] ⑭, [428], [429], [430] J 13 – *2 129 ab. alt. 781 – a.s. luglio-ago… e Natale* – ☏ *0536.*
Roma 373 – Pisa 97 – Bologna 100 – Lucca 77 – Massa 97 – Milano 259 – Modena 8… Pistoia 63.

🏨 **Bucaneve,** via Giardini Sud 31 ✆ 71383 – [TV] ☎ [P]. ✂
chiuso novembre – **Pasto** *(chiuso martedì)* carta 35/40000 – ☕ 10000 – **25 cam** 60/90… – ½ P 55/80000.

PIEVE SANTO STEFANO *52036 Arezzo* [988] ⑮, [430] K 18 – *3 354 ab. alt. 431* – ☏ *0575.*
Roma 247 – Rimini 112 – Arezzo 56 – Firenze 100 – Perugia 78 – Urbino 88.

🍴 **Il Granducato** con cam, via Tiberina 3/bis, 95 ✆ 799026, Fax 799026 – [TV] ☎ [P]. [AE]. ◑ [E] [VISA]. ✂
chiuso martedì escluso dal 15 giugno al 15 settembre – **Pasto** carta 30/50000 – ☕ 500… **7 cam** 50/80000 – ½ P 65000.

PIEVESCOLA *Siena* [430] M 15 – *Vedere Casole d'Elsa.*

Segnalateci il vostro parere sui ristoranti che raccomandiamo, indicandoci le loro specialità ed i vini di produzione locale da essi serviti.

ENO (PIGEN) *Bolzano* 218 ⑳ – *Vedere Appiano sulla Strada del Vino.*

NA *18037 Imperia* 988 ⑫, 428 K 4, 115 ⑲ – *1 050 ab. alt. 280* – ☎ *0184.*
Roma 673 – Imperia 72 – Genova 174 – Milano 297 – San Remo 34 – Ventimiglia 21.

Terme con cam, via Madonna Assunta SE : 0,5 km ℘ 241046 – ☎ P. AE. $. ◑ E VISA
chiuso dal 10 gennaio all'11 febbraio – **Pasto** *(chiuso mercoledì escluso luglio-agosto e da novembre a maggio anche martedì sera)* carta 30/50000 – ☐ 10000 – **18 cam** 60/80000 – ½ P 90/100000.
Vedere anche : **Melosa (Colle della)** *NE : 20 km*

NOLA *85010 Potenza* 431 F 29 – *5 156 ab. alt. 927* – ☎ *0971.*
Roma 370 – Potenza 9.

Amici Miei, strada comunale Pantano 6 ℘ 420488, ≤, prenotare – P. AE. $. VISA
chiuso lunedì – **Pasto** 45/70000.

Lisez attentivement l'introduction : c'est la clé du guide.

A *13020 Vercelli* 219 ⑤ – *115 ab. alt. 686* – ☎ *0163.*
(giugno-settembre) ℘ *236963, Fax 236963.*
Roma 696 – Aosta 181 – Milano 122 – Novara 76 – Vercelli 82.

Trattoria della Pace, via Borraccio 12 ℘ 71144 –
chiuso martedì – **Pasto** carta 30/45000.

ASTRO *43010 Parma* 428, 429, 430 H 12 – *alt. 176 – a.s. luglio-agosto* – ☎ *0521.*
Roma 473 – Parma 16 – Milano 137 – Reggio nell'Emilia 36 – La Spezia 113.

Ai Tigli, via Parma 44 ℘ 639006, Fax 637742, – ☎ P – 100. AE. $. ◑ E VISA. rist
chiuso agosto – **Pasto** *(chiuso lunedì)* carta 30/50000 – ☐ 12000 – **22 cam** 85/120000 – ½ P 90/105000.

ZONE *25040 Brescia* 428 E 12 – *alt. 195* – ☎ *030.*
Roma 583 – Brescia 25 – Bergamo 41 – Edolo 75 – Iseo 2 – Milano 82.

La Fenice, via Fenice 21 ℘ 981565, Coperti limitati; prenotare – AE. $. VISA
chiuso giovedì, Natale, Capodanno e dal 15 al 31 agosto – **Pasto** carta 65/90000.

NARELLA *Ravenna* 430 J 19 – *Vedere Cervia.*

NEROLO *10064 Torino* 988 ⑫, 428 H 3 – *34 833 ab. alt. 376* – ☎ *0121.*
Roma 694 – Torino 41 – Asti 80 – Cuneo 63 – Milano 185 – Sestriere 55.

Regina, piazza Barbieri 22 ℘ 322157, Fax 374165 – TV ☎ P. AE. $. ◑ E VISA. JCB
chiuso dal 1° al 21 agosto – **Pasto** *(chiuso domenica sera e lunedì a mezzogiorno)* carta 35/55000 – ☐ 14000 – **15 cam** 90/130000 – ½ P 95/115000.

Taverna degli Acaia, corso Torino 106 ℘ 794727, prenotare – ▤. AE. $. ◑ E VISA. JCB.
chiuso lunedì e luglio – **Pasto** carta 45/60000.

NETO *64025 Teramo* 988 ⑰ ㉗, 430 O 24 – *12 699 ab. – a.s. luglio-agosto* – ☎ *085.*
viale D'Annunzio 123 ℘ *9491745, Fax 9491745.*
Roma 216 – Ascoli Piceno 74 – Pescara 31 – Ancona 136 – L'Aquila 101 – Teramo 37.

Residence, viale D'Annunzio 207 ℘ 9490404, Fax 9490144, « Giardino ombreggiato con », – TV ☎ P. AE. $. ◑ E VISA.
giugno-settembre – **Pasto** 35/55000 – **52 cam** ☐ 150/200000 – ½ P 65/120000.

Ambasciatori, via XXV Aprile ℘ 9492900, Fax 9493250, ≤, – ▤ TV ☎ P. AE. $. E VISA.
Pasto *(aprile-settembre; solo per alloggiati)* 30/50000 – **23 cam** ☐ 120/150000 – ½ P 95/125000.

Pier delle Vigne, a Borgo Santa Maria O : 2 km ℘ 9491071, , « In campagna » – P. $. E VISA
chiuso dal 10 gennaio al 10 febbraio, martedì e da novembre a maggio anche domenica sera e lunedì – **Pasto** carta 35/50000.

PINO TORINESE *10025 Torino* 428 *G 5 – 8 526 ab. alt. 495 –* ☎ *011.*

Dintorni ≤★★ *su Torino dalla strada per Superga.*

Roma 655 – Torino 10 – Asti 41 – Chieri 6 – Milano 149 – Vercelli 79.

Pianta d'insieme di Torino (Torino p. 5).

XX **La Griglia,** via Roma 77 ✆ 842540 – ▤. AE. Ⓢ. ◑ E VISA. JCB. ✂
chiuso mercoledì ed agosto – **Pasto** carta 45/80000.

XX **Pigna d'Oro,** via Roma 130 ✆ 841019, Fax 841053, « Servizio estivo in terrazza par mica con pergolato » – Ⓟ. AE. Ⓢ. ◑ E VISA. JCB
chiuso martedì a mezzogiorno e gennaio – **Pasto** carta 50/75000.

PINZOLO *38086 Trento* 988 ④, 428, 429 *D 14 – 2 978 ab. alt. 770 – a.s. 5 febbraio-Pasqua e N – Sport invernali : 770/2 100 m* ⛷ *1* ⛷ *6,* ⛷ *–* ☎ *0465.*

Dintorni *Val di Genova*★★★ *Ovest – Cascata di Nardis*★★ *O : 6,5 km.*

☐ *via al Sole* ✆ *501007, Fax 502778.*

Roma 629 – Trento 56 – Bolzano 103 – Brescia 103 – Madonna di Campiglio 14 – Milano

Quadrifoglio, via Sorano 53 ✆ 503600, Fax 503600, ≘ – |♦| TV ☎ ♿ Ⓟ. AE. Ⓢ. ◑ ✂ rist
4 dicembre-20 aprile e 15 giugno-settembre – **Pasto** (solo per alloggiati) – **30 c** ☕ 300000.

Centro Pineta, via Matteotti 43 ✆ 502758, Fax 502311, ⛱ – |♦| TV ☎ Ⓟ. Ⓢ. E VISA.
dicembre-aprile e giugno-settembre – **Pasto** 35/40000 – ☕ 11000 – **24 cam** 120/1600 ½ P 70/135000.

Valgenova, viale Dolomiti 67 ✆ 501542, Fax 503352, ≤, ≘, ☐ – |♦| ▤ rist TV ☎ 🚗 Ⓢ. ◑ E VISA. ✂
5 dicembre-25 aprile e 15 giugno-20 settembre – **Pasto** 35/45000 – **50 cam** ☕ 95/160 – ½ P 95/145000.

Pinzolo Dolomiti, corso Trento 24 ✆ 501024, Fax 501132 – |♦| TV ☎ Ⓟ. AE. Ⓢ. ◑ VISA. ✂
dicembre-aprile e giugno-settembre – **Pasto** 30/45000 – ☕ 15000 – **45 cam** 80/14000 ½ P 80/140000.

Europeo, corso Trento 63 ✆ 501115, Fax 502616, ≤, ⛱ – |♦| TV ☎ Ⓟ. VISA. ✂
chiuso ottobre e novembre – **Pasto** 45/70000 – **41 cam** ☕ 110/170000 – ½ P 145/1650

Alpina, via 21 Aprile 1 ✆ 501010, Fax 501010 – |♦| TV ☎. ✂
19 dicembre-13 aprile e 14 giugno-20 settembre – **Pasto** 30000 – ☕ 18000 – **30 c** 80/130000 – ½ P 85/115000.

Corona, corso Trento ✆ 501030, Fax 503853 – |♦| ⇹ rist ☎ Ⓟ. AE. Ⓢ. ◑ E VISA. ✂ ris
dicembre-aprile e giugno-settembre – **Pasto** 40000 – ☕ 15000 – **45 cam** 90/15500 ½ P 100/130000.

Binelli ⛰ senza rist, via Genova 49 ✆ 503208, Fax 503208 – |♦| TV ☎ ♿ Ⓟ. AE. Ⓢ. VISA
dicembre-5 maggio e 15 giugno-settembre – **16 cam** ☕ 70/140000.

Bepy Hotel senza rist, S : 1 km ✆ 501641, Fax 501678, ≤ – |♦| TV ☎ Ⓟ. Ⓢ. VISA. ✂
dicembre-aprile e 25 giugno-settembre – **22 cam** ☕ 60/120000.

Ferrari, via Matteotti 36 ✆ 502624, Fax 502624, ≤, ⛱ – |♦| ☎ Ⓟ. AE. Ⓢ. ◑ VISA. ✂ ris
10 dicembre-Pasqua e giugno-settembre – **Pasto** 25/35000 – ☕ 10000 – **20 cam** 8 140000 – ½ P 70/130000.

XX **Mildas,** località Vadaione S : 1 km ✆ 502104, Fax 502104, ⛱, Coperti limitati; prenotar Ⓟ. AE. Ⓢ. E VISA. JCB
chiuso lunedì, martedì a mezzogiorno, giugno e novembre – **Pasto** carta 55/75000.

X **Shangri Là,** via Bolognini 24 ✆ 501443, Fax 501443 – ▤. AE. Ⓢ. ◑ E VISA. ✂
chiuso lunedì, giugno e novembre – **Pasto** 25/35000 (a mezzogiorno) 25/45000 (alla sera carta 35/60000.

X Alla Stube, ✆ 501679, Coperti limitati; prenotare

a Sant'Antonio di Mavignola *NE : 5 km – alt. 1 122 –* ✉ *38086 :*

Maso Doss ⛰, NE : 2,5 km ✆ 502758, « Ambiente rustico », ≘ – Ⓟ. ✂ rist
dicembre-aprile e 15 giugno-settembre – **Pasto** 35/50000 – **6 cam** ☕ 140/200000 ½ P 100/140000.

PIOBESI D'ALBA *12040 Cuneo – 950 ab. alt. 199 –* ☎ *0173.*

Roma 642 – Torino 56 – Alessandria 71 – Asti 36 – Cuneo 71.

XX **Locanda le Clivie,** con cam, via Canoreto 1 ✆ 619261, Fax 619261, prenotare, ⛱ –. Ⓢ E VISA
chiuso dal 2 al 20 gennaio – **Pasto** *(chiuso domenica sera escluso ottobre e lunedì)* car 50/85000 – **7 cam** ☕ 80/100000.

DE *13020 Vercelli* [428] E 6, [219] ⑤ – *187 ab. alt. 752* – ☎ *0163.*

Roma 699 – Aosta 184 – Milano 125 – Novara 79 – Torino 141 – Varallo 20 – Vercelli 85.

🏠 **Dei Pescatori,** via Ponte 6 ℘ 71156, Fax 71993 – 🛗 [TV] ☏. [$]. E [VISA]. 🚫🐕
Pasto *(chiuso martedì e dal 10 al 30 gennaio)* carta 30/55000 – ☕ 8000 – **24 cam** 55/85000 – ½ P 60/85000.

🍴🍴 **Giardini,** via Umberto I 9 ℘ 71135, Fax 71988, Coperti limitati; prenotare – [AE]. [$]. E [VISA]. 🚫🐕
chiuso lunedì e dal 7 al 20 settembre – **Pasto** carta 35/50000.

MBINO *57025 Livorno* [988] ⑭ ㉔, [430] N 13 *G. Toscana – 35 668 ab. – a.s. 15 giugno-15 settembre* – ☎ *0565.*

Escursioni *Isola d'Elba★.*

⛴ *per l'Isola d'Elba-Portoferraio giornalieri (da 20 mn a 1 h) – Navarma, piazzale Premuda* ℘ *221212, Fax 221212; per l'Isola d'Elba-Portoferraio aprile-settembre giornalieri (25 mn) – Elba Ferries, viale Regina Margherita* ℘ *220956, Fax 220996; per l'Isola d'Elba-Portoferraio giornalieri (1 h) – Toremar-agenzia Dini e Miele, piazzale Premuda 13/14* ℘ *31100, Telex 590387, Fax 35294.*

🚤 *per l'Isola d'Elba-Portoferraio giornalieri (30 mn) e l'Isola d'Elba-Cavo giornalieri (15 mn) – Toremar, piazzale Premuda 13/14* ℘ *31100, Telex 590387, Fax 35294.*

Roma 264 – Firenze 161 – Grosseto 77 – Livorno 82 – Milano 375 – Pisa 101 – Siena 114.

🏨 **Centrale,** piazza Verdi 2 ℘ 220188, Fax 220220 – 🛗 ❄ [TV] ☏ 🚗 – 👥 60. [AE]. [$]. ⓓ E [VISA]. 🚫🐕
Pasto vedere rist ***Centrale*** – **40 cam** ☕ 120/190000, appartamento – ½ P 95/160000.

🏠 **Collodi** senza rist, via Collodi 7 ℘ 224272, Fax 224382 – 🛗 ❄ [TV] ☏. [AE]. [$]. E [VISA]. 🚫🐕
☕ 10000 – **27 cam** 80/110000.

🍴🍴 **Centrale** - Hotel Centrale, piazza Edison 2 ℘ 221825 – ❄. [AE]. [$]. ⓓ E [VISA]. 🚫🐕
chiuso sabato, domenica e dal 22 dicembre al 7 gennaio – **Pasto** carta 50/70000.

opulonia *NO : 13,5 km* – ✉ *57020 :*

🍴🍴 **Il Lucumone,** al Castello ℘ 29471 – ❄. [AE]. [$]. ⓓ E [VISA]
chiuso lunedì escluso giugno-settembre – **Pasto** carta 55/110000.

OPPI *84060 Salerno* [431] G 27 – *a.s. luglio-agosto* – ☎ *0974.*

Dintorni *Rovine di Velia★ SE : 10 km.*

Roma 350 – Potenza 150 – Acciaroli 7 – Napoli 144 – Salerno 98 – Sapri 108.

🏨 **La Vela,** via Caracciolo 96 ℘ 905025, Fax 905140, ≤, « Servizio rist. estivo sotto un pergolato », 🏖, 🎾 – 🛗 ☏ 🅿. 🚫🐕
marzo-novembre – **Pasto** 30/40000 (10%) e al Rist. ***Il Grigliaro*** carta 35/50000 (10%) – ☕ 12000 – **42 cam** 55/100000 – ½ P 100/120000.

OVE DI SACCO *35028 Padova* [988] ⑤, [429] G 18 – *17 067 ab.* – ☎ *049.*

Roma 514 – Padova 19 – Ferrara 88 – Venezia 43.

🍴🍴 **Alla Botta,** via Botta 4 ℘ 5840827, Fax 9703761 – ❄ 🅿. [AE]. [$]. ⓓ E [VISA]. 🚫🐕
chiuso lunedì sera, martedì e dal 15 al 31 agosto – **Pasto** specialità di mare carta 35/50000.

OVEZZANO *Verona – Vedere Pastrengo.*

ISA *56100* [P] [988] ⑭, [428], [429], [430] K 13 *G. Toscana – 94 318 ab.* – ☎ *050.*

Vedere *Torre Pendente★★★* AY – *Battistero★★★* AY – *Duomo★★* AY*: facciata★★★, pulpito★★★ di Giovanni Pisano – Camposanto★★* AY*: ciclo affreschi Il Trionfo della Morte★★★, Il Giudizio Universale★★, L'Inferno★ – Museo dell'Opera del Duomo★★* AY **M2** – *Museo di San Matteo★★* BZ – *Chiesa di Santa Maria della Spina★★* AZ – *Museo delle Sinopie★* AY **M**¹ – *Piazza dei Cavalieri★* AY *: facciata★ del palazzo dei Cavalieri* ABY **F** – *Palazzo Agostini★* ABY – *Facciata★ della chiesa di Santa Caterina* BY – *Facciata★ della chiesa di San Michele in Borgo* BY **L** – *Coro★ della chiesa del Santo Sepolcro* BZ – *Facciata★ della chiesa di San Paolo a Ripa d'Arno* AZ.

Dintorni *San Piero a Grado★ per* ⑤ *: 6 km.*

✈ *Galileo Galilei S : 3 km* BZ ℘ *500707 – Alitalia, via Corridoni (piazza Stazione)* ✉ *56125* ℘ *48027.*

ℹ *piazza del Duomo* ✉ *56126* ℘ *560464, Fax 40903.*

[A.C.I.] *via Cisanello 168* ✉ *56125* ℘ *950111.*

Roma 335 ③ – *Firenze 77* ③ – *Livorno 22* ⑤ – *Milano 275* ① – *La Spezia 75* ①.

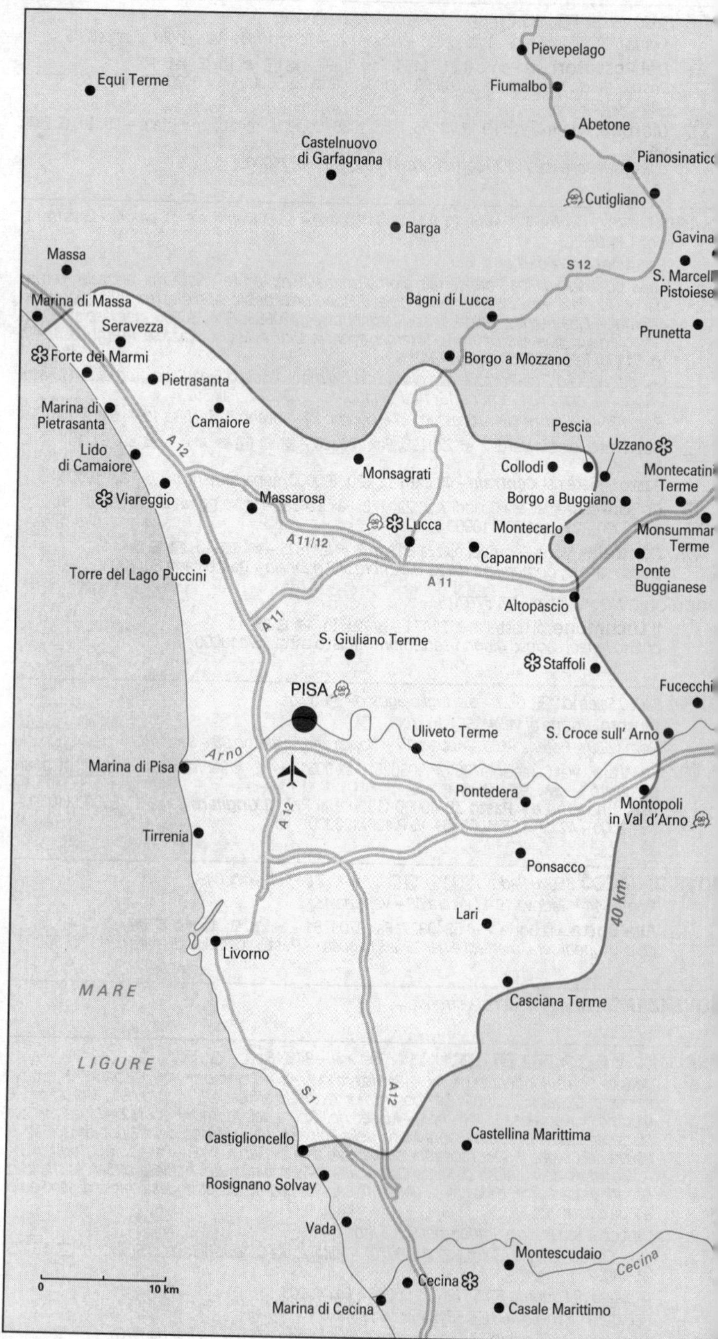

Pievepelago
Fiumalbo
Equi Terme
Abetone
Castelnuovo di Garfagnana
Pianosinatico
Cutigliano
Barga
Gavina
Massa
S 12
S. Marcello Pistoiese
Marina di Massa
Bagni di Lucca
Prunetta
Seravezza
Forte dei Marmi
Borgo a Mozzano
Pietrasanta
Marina di Pietrasanta
Camaiore
Pescia
A 12
Uzzano
Lido di Camaiore
Monsagrati
Collodi
Montecatini Terme
Viareggio
Massarosa
Borgo a Buggiano
Lucca
Montecarlo
A 11/12
Monsummano Terme
Capannori
Torre del Lago Puccini
Ponte Buggianese
A 11
Altopascio
A 11
S. Giuliano Terme
Staffoli
PISA
Fucecchio
Uliveto Terme
S. Croce sull' Arno
Arno
Marina di Pisa
Pontedera
Montopoli in Val d'Arno
A 12
Tirrenia
Ponsacco
40 km
Lari
Livorno
Casciana Terme
MARE
LIGURE
S1
A 12
Castiglioncello
Castellina Marittima
Rosignano Solvay
Vada
Montescudaio
Cecina
0
10 km
Cecina
Marina di Cecina
Casale Marittimo

...rgo Stretto	BY 9	Cascine (Viale delle)	AY 13	Niccolini (Via)	AY 25
...ia (Corso)	AZ	Consoli del Mare (Via)	BY 15	Oberdan (Via)	BY 27
		Garibaldi (Piazza)	BY 16	Pietrasantina (Via)	AY 29
...nicis (Via de)	BY 2	Giovanni di Simone (Via)	BY 17	Ponte alla Fortezza	BZ 30
...civescovado (Pza)	AY 4	Gramsci (Viale)	AZ 18	Ponte della Cittadella	AZ 32
...eglio (Via d')	AZ 5	Lavagna (Via)	AZ 20	Ponte della Vittoria	BZ 33
...nchi (Via di)	BZ 7	Manin (Piazza)	AY 21	Ponte di Mezzo	BZ 34
...ozzi (Lungarno B)	BZ 10	Mazzini (Piazza)	BZ 22	Ponte Solferino	AZ 35
...mmeo (Via)	AY 12	Mille (Via del)	AY 24	Zerboglio (Via)	AZ 37

Le Ottime Tavole

Per voi abbiamo contraddistinto

alcuni alberghi (🏠 ... 🏨) e ristoranti (✕ ... ✕✕✕✕✕) con ✿, ✿✿ o ✿✿✿.

🏨 **D'Azeglio** senza rist, piazza Vittorio Emanuele II 18 ✉ 56125 ☎ 500310, Fax 28017 – [TV] 📞 🚗. [AE]. [S]. [D] [E] [VISA]. 🐕
☕ 13000 – **29 cam** 155/190000. A

🏨 **Europa Park Hotel** senza rist, via A. Pisano 23 ✉ 56122 ☎ 500732, Fax 554930, [TV] 📞. [AE]. [S]. [E] [VISA]. 🐕
☕ 11000 – **13 cam** 120/130000. A

🏨 **Verdi** senza rist, piazza Repubblica 5/6 ✉ 56127 ☎ 598947, Fax 598944 – ⇕ ❄ [TV] 👥 60. [AE]. [S]. [D] [E] [VISA]. [JCB]. 🐕
32 cam ☕ 110/140000. BY

🏨 **Touring** senza rist, via Puccini 24 ✉ 56125 ☎ 46374, Fax 502148 – ⇕ ❄ [TV] 📞. [AE]. [S] [E] [VISA]
34 cam ☕ 100/140000. A

🏨 **Amalfitana** senza rist, via Roma 44 ✉ 56126 ☎ 29000, Fax 25218 – ⇕ ❄ [TV] 📞. [AE]. [S] [VISA]. 🐕
☕ 8000 – **21 cam** 70/90000. AY

🍴🍴 **Al Ristoro dei Vecchi Macelli,** via Volturno 49 ✉ 56126 ☎ 20424, Coperti lim prenotare – ❄. [AE]. [S]. [D]. 🐕
chiuso domenica a mezzogiorno, mercoledì e dal 10 al 24 agosto – **Pasto** carta 55/800 AY

🍴🍴 **Il Nuraghe,** via Mazzini 58 ✉ 56125 ☎ 44368 – ❄. [AE]. [S]. [D] [E] [VISA]. 🐕 AZ
chiuso lunedì ed agosto – **Pasto** specialità sarde carta 35/60000.

🍴 **Osteria dei Cavalieri,** via San Frediano 16 ✉ 56126 ☎ 580858 – [AE]. [S]. [D]
☺ [VISA]
chiuso sabato a mezzogiorno, domenica ed agosto – Pasto carta 35/50000. AY

🍴 **Lo Schiaccianoci,** via Vespucci 104/a ✉ 56125 ☎ 21024, Coperti limitati; prenota [AE]. [S]. [D] [E] [VISA]. 🐕
chiuso domenica escluso da giugno a settembre – **Pasto** carta 40/55000. ABZ

🍴 **Osteria del Porton Rosso,** via Porton Rosso 11 ✉ 56126 ☎ 580566 – ❄
chiuso domenica ed agosto – **Pasto** cucina marinara carta 45/75000 (10 %). BY

🍴 **Alla Giornata,** via Santa Bibbiana 11 ✉ 56127 ☎ 542504 – ❄. [AE]. [S]. [D] [E] [VISA]. 🐕
chiuso domenica – **Pasto** carta 35/50000. BZ

🍴 **Da Bruno,** via Bianchi 12 ✉ 56123 ☎ 560818, Fax 550607 – ❄. [AE]. [S]. [D]
🐕
chiuso lunedì sera, martedì e dal 15 al 18 agosto – **Pasto** carta 40/65000 (12 %). BY

sulla strada statale 1 - via Aurelia :

🏨 **RestHotel Primevère,** per ① : *7,5 km* ✉ 56010 Migliarino Pisano ☎ 8033 Fax 803315 – ⇕ ❄ [TV] 📞 ♿ [P] – 👥 50. [AE]. [S]. [D] [E] [VISA]. 🐕
Pasto 35000 – **62 cam** ☕ 150/190000.

🍴🍴 **La Rota,** per ① : *6,5 km* ✉ 56010 Madonna dell'Acqua ☎ 804443, Fax 803181, ⛱ – [P]. [AE]. [S]. [D] [E] [VISA]
chiuso martedì – **Pasto** carta 35/60000.

🍴🍴 **Da Ugo,** per ① : *7 km* ✉ 56010 Migliarino Pisano ☎ 804455, Fax 804455, ⛱ – [P]. [AE]. [D] [E] [VISA]
chiuso domenica sera e lunedì – **Pasto** carta 30/80000.

sulla strada statale 206 *per ④ : 10 km :*

🍴 **Da Antonio,** via Arnaccio 105 ✉ 56023 Navacchio ☎ 742494 – [P]. [AE]. [S]. [D] [E] [VISA]
chiuso venerdì e dal 1° al 20 agosto – **Pasto** carta 35/50000.

MICHELIN, ad Ospedaletto per ④, *via Barsanti 5/7 (zona artigianale)* – ✉ 56014 Ospec letto di Pisa, ☎ 981261, Fax 985212.

PISA (Marina di) *56013 Pisa* [988] ⑭, [428], [429], [430] K 12 – *a.s. luglio-agosto* – ☎ *050.*
Roma 346 – Pisa 13 – Firenze 103 – Livorno 16 – Viareggio 31.

🍴 **Gino,** via delle Curzolari 2 ☎ 35408 – [AE]. [S]. [D] [E] [VISA]. [JCB]. 🐕
chiuso lunedì sera, martedì, dall'8 al 15 gennaio e settembre – **Pasto** specialità di ma carta 50/75000.

PISOGNE *25055 Brescia* [988] ④, [428], [429] E 12 *G. Italia* – *7 759 ab. alt. 199* – ☎ *0364.*
Roma 567 – Brescia 40 – Bergamo 48 – Edolo 54 – Milano 97.

🍴🍴 Scaletta, ☎ 8286, Coperti limitati; prenotare

PISSIGNANO *Perugia* [430] N 20 – *Vedere Campello sul Clitunno.*

TOIA 51100 [P] [988] ⑭, [428], [429], [430] K 14 *G. Toscana – 86 267 ab. alt. 65 – ☎ 0573.*

Vedere Duomo★ B : dossale di San Jacopo★★★ – Battistero★ B – Chiesa di Sant'Andrea★ A : pulpito★★ di Giovanni Pisano – Basilica della Madonna dell'Umiltà★ A **A** *– Fregio★★ dell'Ospedale del Ceppo BD – Visitazione★★ (terracotta invetriata di Luca della Robbia), pulpito★ e fianco Nord★ della chiesa di San Giovanni Fuorcivitas B* **D** *– Facciata★ del palazzo del comune B* **H**.

[i] *piazza del Duomo (Palazzo dei Vescovi) ☎ 21622, Fax 34327.*

[A.C.I.] *via Ricciardetto 2 ☎ 976019.*

Roma 311 ④ – Firenze 36 ④ – Bologna 94 ① – Milano 295 ① – Pisa 61 ④ – La Spezia 113 ④.

ozzi (Via Bruno)	A 8	Ferrucci (Via F.)	B 24	Pappagalli (Via dei)	A 46
vour (Via)	B 13	Fiorentina (Via)	B 25	Pappe (Via delle)	B 47
o (Via)	A 16	Garibaldi (Piazza)	B 27	Porta al Borgo (Via)	A 48
rtatone e Montanara (Via)	A 18	Italia (Viale)	B 28	Porta Carritica (V. di)	B 49
afi (Via degli)	AB 38	Laudesi (Via)	B 30	Provinciale (Via)	B 52
nnucci (Via)	A 62	Leonardo da Vinci (Piazza)	B 32	Roma (Via)	B 53
		Macallè (Via)	A 33	Sacconi (Via Sergio)	A 55
bi Pazienza (Via)	A 2	Madonna (Via della)	A 34	S. Agostino (Via di)	B 56
meni (Via degli)	B 3	Molinuzzo (Via del)	A 36	S. Andrea (Via di)	A 57
ttisti (Via Cesare)	B 4	Mura Urbane (Via)	AB 37	S. Francesco d'Assisi (Pza)	A 58
nellina (Via)	B 6	Pacini (Via)	B 40	S. Lorenzo (Piazza)	B 59
ppo (Via del)	B 15	Padre G. Antonelli (Via)	B 42	Vittorio Veneto (Viale)	AB 64
lmazia (Via)	A 19	Palestro (Via)	B 43	20 Settembre (Viale)	A 65

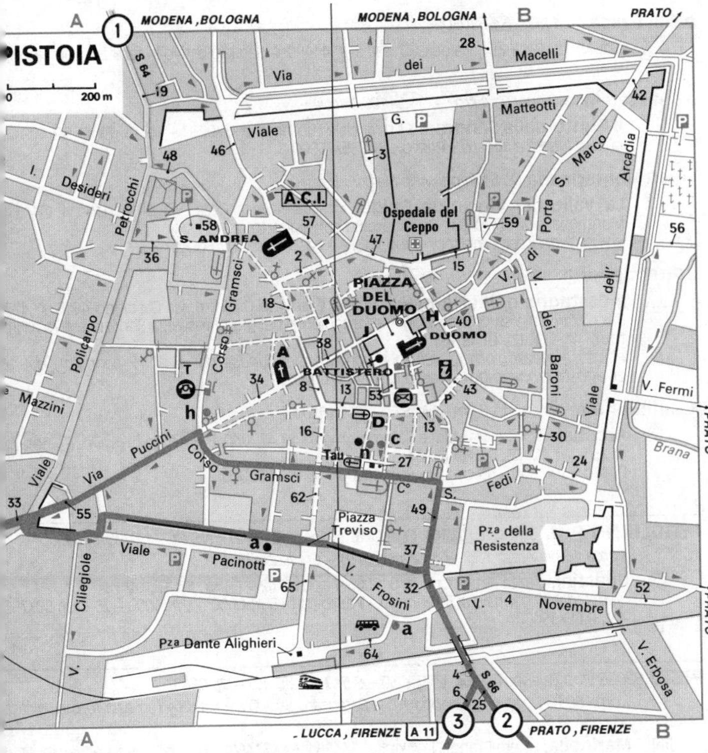

🏨 **Milano** senza rist, viale Pacinotti 10/12 ☎ 975700, Fax 32657 – [ascensore] [TV] ☎ [P] – 35. [AE]. [S]. [D] [E] [VISA]. ✻ — A a
☕ 12000 – **55 cam** 105/155000.

🏨 **Patria** senza rist, via Crispi 8 ☎ 25187, Fax 368168 – [TV] ☎. [AE]. [S]. [E] [VISA]. ✻ rist — B n
chiuso dal 24 dicembre al 6 gennaio – ☕ 15000 – **28 cam** 100/140000.

XX Leon Rosso, via Panciatichi 4 ℘ 29230, Fax 29230 – ▤

XX **La Casa degli Amici,** via Bonellina 111 ℘ 380305, Fax 380305, ☂ – Ⓟ. AE. Ⓢ. ⓞ E
✗
chiuso martedì e dall'8 al 24 agosto – **Pasto** carta 35/50000.

XX Manzoni, corso Gramsci 112 ℘ 28101, prenotare – ▤
Pasto Specialità di mare .

XX **Corradossi,** via Frosini 112 ℘ 25683, Fax 25683 – ▤. AE. Ⓢ. ⓞ E VISA. ✗
chiuso domenica, Natale, S. Stefano e Capodanno – **Pasto** carta 30/65000.

X **S. Jacopo,** via Crispi 15 ℘ 27786, Fax 27786 – ▤. AE. Ⓢ. ⓞ E VISA. JCB
chiuso lunedì sera e martedì – **Pasto** carta 30/55000.

a San Felice *N : 4 KM – ✉ 51030 :*

XX Locanda degli Elfi, via della Chiesa 3 ℘ 41490, « Servizio estivo in terrazza con ≤collir
dintorni » – Ⓟ

a Spazzavento *O : per ④ 4 km : – ✉ 51100 Pistoia :*

XX **Il Punto-dalla Sandra,** via Provinciale Lucchese ℘ 570267 – ▤. Ⓢ. ⓞ E VISA
chiuso lunedì e agosto – **Pasto** carta 35/75000.

verso Montagnana *O : 5 km per viale Mazzini A :*

X **La Valle del Vincio-da Guido,** località Pieve a Celle, via di Vignano 1 ✉ 51
Montagnana ℘ 477012, ☂, « Giardino con laghetto » – Ⓟ. ✗
chiuso lunedì sera, martedì e novembre – **Pasto** carta 30/60000.

a Piteccio *per ① : 10 km – ✉ 51030 :*

XXX **Il Castagno di Pier Angelo,** località Castagno O : 3 km, via Castagno 46/B ℘ 422
Fax 42214, solo su prenotazione i mezzogiorno dei giorni festivi, « Servizio estivo all'ap
to », ☂ – Ⓟ. AE. Ⓢ. E VISA. ✗
chiuso a mezzogiorno (escluso i giorni festivi), lunedì, dal 1° al 15 gennaio , dal 1
26 agosto e novembre – **Pasto** carta 40/70000.

a Sammommè *per ① : 13,5 km – alt. 553 – ✉ 51020 :*

🏠 **Arcobaleno** ☺, via Valdi e Sammommè 37 ℘ 470030, Fax 470147, ≤, ☂, 🏊, ☂, ✗
☎ Ⓟ – 🏔 90. AE. Ⓢ. ⓞ E VISA
Pasto 25/40000 – **33 cam** ☕ 80/140000 – ½ P 70/95000.

PITIGLIANO *58017 Grosseto* 988 ㉕, 430 O 16 *G. Toscana – 4 277 ab. alt. 313 –* ☎ *0564.*
Roma 169 – Viterbo 55 – Civitavecchia 91 – Grosseto 75.

🏠 **Guastini,** piazza Petruccioli ℘ 616065, Fax 616652 – TV ☎. AE. Ⓢ. ⓞ VISA
chiuso dal 20 gennaio al 5 febbraio – **Pasto** carta 35/50000 – ☕ 11000 – **25 cam** 50/750
– ½ P 65/95000.

PIZZO *88026 Vibo Valentia* 988 ㊴, 431 K 30 – *8 519 ab. alt. 107 –* ☎ *0963.*
Roma 603 – Reggio di Calabria 105 – Catanzaro 59 – Cosenza 88 – Lamezia Terme (Nicast
33 – Paola 85.

🏠 **Marinella,** riviera Prangi N : 4 km ℘ 534864, Fax 534884, ☂, ☂ – |♦| ▤ TV ☎ Ⓟ. AE.
ⓞ E VISA. ✗
Pasto *(chiuso dal 23 dicembre al 2 gennaio)* carta 35/50000 – ☕ 6000 – **36 cam** 90/1200
– ½ P 75/85000.

XX **Isolabella,** riviera Prangi N : 4 km ℘ 264128, Fax 264128, ☂ – ▤ Ⓟ. AE. Ⓢ. ⓞ
VISA. ✗
chiuso lunedì escluso luglio-agosto – **Pasto** specialità di mare carta 35/55000 (10 %).

X **A Casa Janca,** riviera Prangi N : 4 km ℘ 534890, ☂, « Ambiente tipico » – Ⓟ. Ⓢ. ⓞ
VISA
chiuso lunedì – **Pasto** carta 40/50000.

PLANAVAL *Aosta* 219 ⑪ – *Vedere Valgrisenche.*

PLOSE *Bolzano G. Italia – alt. 2 446.*
Vedere ✳★★★.
Roma 708 – Bolzano 67 – Bressanone 27 – Milano 363.

CENIA *33050 Udine* [429] E 21 – *2 582 ab. alt. 9* – ☎ *0432.*
Roma 607 – Udine 35 – Gorizia 53 – Milano 346 – Pordenone 51 – Trieste 73.

radiso *NE : 7 km* – ✉ *33050 Pocenia :*

🍴 **Al Paradiso,** via S. Ermacora 1 ☎ 777000, Fax 777270, « Ambiente tipico » – [P]. ✗
chiuso lunedì, martedì, dal 7 al 25 gennaio e dal 1° al 25 luglio – **Pasto** carta 35/55000.

COL *Belluno* – *Vedere Cortina d'Ampezzo.*

DENZANA *54010 Massa* [428], [429], [430] J 11 – *1 666 ab. alt. 32* – ☎ *0187.*
Roma 419 – La Spezia 24 – Genova 108 – Parma 99.

🍴 **Gavarina d'Oro,** via Castello ☎ 410021, ← – [P]. [S]. VISA. ✗
chiuso mercoledì e dal 16 agosto al 10 settembre – **Pasto** carta 25/40000.

GGIBONSI *53036 Siena* [988] ⑭ ⑮, [430] L 15 – *26 664 ab. alt. 115* – ☎ *0577.*
Roma 262 – Firenze 44 – Siena 29 – Livorno 89 – Pisa 79.

Villa San Lucchese ⟩, località San Lucchese 5 (S : 1,5 km) ☎ 937119, Fax 934729, ← colline, 🌳, « Antica dimora patrizia in un parco », 🏊, 🎾 – |♦| ▤ [TV] ☎ [P] – 🏛 70. [AE]. [S]. ⓓ [E] VISA. JCB. ✗
chiuso dal 10 gennaio al 10 febbraio – **Pasto** *(chiuso martedì)* carta 35/60000 – **36 cam** ☕ 180/250000 – 1/2 P 145/190000.

🍴🍴 **La Galleria,** galleria Cavalieri Vittorio Veneto 20 ☎ 982356, 🌳 – ▤. [AE]. [S]. [E] VISA
chiuso martedì e dal 3 agosto al 3 settembre – **Pasto** carta 35/85000.

GGIO *Livorno* [430] N 12 – *Vedere Elba (Isola d') : Marciana.*

GGIO A CAIANO *50046 Prato* [430] K 15 *G. Toscana* – *8 294 ab. alt. 57* – ☎ *055.*
Vedere *Villa*★.
Roma 293 – Firenze 17 – Livorno 99 – Milano 300 – Pisa 75 – Pistoia 18.

Hermitage ⟩, via Ginepraia 112 ☎ 877040, Fax 8797057, ←, 🏊, 🌳 – |♦| ▤ [TV] ☎ [P] – 🏛 150. [AE]. [S]. ⓓ [E] VISA. JCB. ✗ rist
Pasto *(chiuso domenica sera, venerdì ed agosto)* carta 40/60000 – ☕ 14000 – **61 cam** 100/130000 – 1/2 P 90/130000.

OGGIO MIRTETO STAZIONE *02040 Rieti* [988] ㉖, [430] P 20 – *alt. 242* – ☎ *0765.*
Colle dei Tetti (chiuso lunedì) a Poggio Catino ✉ *02040* ☎ *26267, Fax 26268, N : 4,5 km.*
Roma 59 – Rieti 47 – Terni 44 – Viterbo 73.

Borgo Paraelios ⟩, località Valle Collicchia N : 4 km ☎ 26267, Fax 26268, ≘s, 🏊, 🏊 – ▤ cam [TV] ☎ [P]. [AE]. [S]. ⓓ [E] VISA. ✗
marzo-15 novembre – **Pasto** *(chiuso martedì)* 110/140000 – **15 cam** ☕ 350/550000.

OGGIO RUSCO *46025 Mantova* [988] ⑭, [429] H 15 – *6 174 ab. alt. 16* – ☎ *0386.*
Roma 448 – Verona 58 – Ferrara 68 – Mantova 43 – Milano 216 – Modena 44.

Savoia, via Matteotti 250 ☎ 51033, Fax 51242 – [TV] ☎ [P]. [AE]. [S]. ⓓ [E] VISA. JCB
Pasto *(chiuso domenica)* 20000 e carta 30/40000 – ☕ 10000 – **16 cam** 70/100000 – 1/2 P 75000.

OGGIO SAN POLO *Siena* – *Vedere Gaiole in Chianti.*

OGLIANO MILANESE *20010 Milano* [219] ⑱ – *7 781 ab. alt. 162* – ☎ *02.*
Roma 595 – Milano 20 – Como 41.

🍴🍴 **La Corte,** via Chiesa 36 ☎ 93258018 – ▤. [AE]. [S]. [E] VISA. ✗
chiuso domenica e dal 3 al 25 agosto – **Pasto** 35000 (a mezzogiorno) 50/65000 (alla sera) e carta 60/85000.

🍴 **Settimo,** strada statale del Sempione ☎ 9340395, Fax 9340395 – [P]. [S]. [E] VISA
chiuso domenica e dal 5 al 25 agosto – **Pasto** carta 45/75000.

OGNANA LARIO *22020 Como* [428] E 9, [219] ⑨ – *894 ab. alt. 307* – ☎ *031.*
Roma 638 – Como 12 – Milano 61.

🍴 **La Meridiana,** via Aldo Moro 1 ☎ 378333, « Servizio estivo in terrazza-giardino con ← lago e monti » – [P]. [S]. [E] VISA. ✗
chiuso ottobre, dal 25 dicembre al 2 gennaio e mercoledì (escluso da giugno a settembre) – **Pasto** carta 35/55000.

POIRINO *10046 Torino* 988 ⑫, 428 H 5 – *9 007 ab. alt. 249* – ☎ *011.*
Roma 648 – Torino 29 – Asti 34 – Cuneo 94 – Milano 155.

a Favari *O : 3 km – ✉ 10046 Poirino :*

XX **Le Lune,** via Villastellone 78/b ☎ 9453150 – ▤ P. AE. S. ⦿ E VISA
chiuso agosto, domenica sera e lunedì (escluso i giorni festivi) – **Pasto** carta 35/60000.

POLCENIGO *33070 Pordenone* 988 ⑤, 429 D 19 – *3 145 ab. alt. 40* – ☎ *0434.*
Roma 592 – Belluno 61 – Milano 331 – Pordenone 17 – Treviso 52 – Trieste 129 – Udine 6
Venezia 81.

XXX **Cial de Brent,** verso San Giovanni ☎ 748777, Fax 748778, 🌳 – P – 🏛 150. AE. S. E
chiuso a mezzogiorno (escluso domenica), lunedì, dal 1° al 20 gennaio e dal 1° al 20 agost
Pasto carta 60/85000.

X **Al Gorgazzo-da Genio,** via Polcenigo 6 (N : 1 km) ☎ 74400, 🌳, – P. AE. S. ⦿
VISA
chiuso martedì e dal 15 gennaio al 10 febbraio – **Pasto** carta 25/60000.

POLESINE PARMENSE *43010 Parma* 428, 429 G 12 – *1 515 ab. alt. 35* – ☎ *0524.*
Roma 496 – Parma 43 – Bologna 134 – Cremona 23 – Milano 97 – Piacenza 35.

XX **Al Cavallino Bianco,** via Sbrisi 2 ☎ 96136, Fax 96136 – ▤ P. AE. S. ⦿ E VISA
chiuso martedì e dal 7 al 22 gennaio – **Pasto** carta 40/60000.

a Santa Franca *O : 2 km – ✉ 43010 Polesine Parmense :*

XX **Da Colombo,** ☎ 98114, Fax 98003, 🌳, prenotare – P. AE. S. ⦿ E VISA. JCB.
chiuso martedì, dal 10 al 30 gennaio e dal 20 luglio al 10 agosto – **Pasto** carta 45/65000.

POLICORO *75025 Matera* 988 ㉙, 431 G 32 – *15 139 ab. alt. 31* – ☎ *0835.*
Roma 487 – Matera 67 – Bari 134 – Cosenza 136 – Potenza 129 – Taranto 68.

🏨 **Callà 2,** via Lazio ☎ 981098, Fax 981090 – |‡| ▤ TV ☎. AE ⦿ VISA
Pasto *(chiuso venerdì)* carta 30/55000 – ☕ 10000 – **21 cam** 70/110000 – 1/2 P 85000.

POLIGNANO A MARE *70044 Bari* 988 ㉙, 431 E 33 – *16 453 ab. – a.s. 21 giugno-settembre*
☎ *080.*
Roma 486 – Bari 36 – Brindisi 77 – Matera 82 – Taranto 70.

🏨 **Grotta Palazzese** 🐚, via Narciso 59 ☎ 740677, Fax 740767, ←, « Servizio rist. estivo
una grotta sul mare » – ▤ TV ☎. AE. S. ⦿ E VISA.
Pasto carta 60/105000 – **19 cam** ☕ 130/180000 – 1/2 P 130/140000.

🏨 **Covo dei Saraceni,** via Conversano 1/1 A ☎ 741177, Fax 807010, ←, 🌳 – |‡| ▤ TV ☎
– 🏛 200. AE. S. ⦿ E VISA
Pasto carta 40/60000 – ☕ 10000 – **35 cam** 120/160000 – P 100/130000.

XX **Da Tuccino,** contrada Santa Caterina O : 1,5 km ☎ 741560, ←, 🌳 – P. AE. S. ⦿ E VI
JCB.
chiuso dal 16 dicembre a febbraio, lunedì a mezzogiorno in luglio-agosto, tutto il gior
negli altri mesi – **Pasto** carta 50/75000.

POLLEIN *Aosta – Vedere Aosta.*

POLLONE *13057 Biella* 428 F 5 – *2 182 ab. alt. 622* – ☎ *015.*
Roma 671 – Aosta 92 – Biella 9 – Novara 62 – Torino 86 – Vercelli 52.

XX Il Patio, via Oremo 14 ☎ 61568, 🌳, – P

XX **Il Faggio,** via Oremo 54 ☎ 61252 – P. AE. S. ⦿ E VISA
chiuso lunedì e dal 8 al 31 gennaio – **Pasto** carta 45/60000.

POLPENAZZE DEL GARDA *25080 Brescia* 428, 429 F 13 – *1 683 ab. alt. 207* – ☎ *0365.*
Roma 540 – Brescia 36 – Mantova 79 – Milano 129 – Trento 104.

a Picedo *E : 1,5 km – ✉ 25080 Polpenazze del Garda :*

X **Taverna Picedo,** via Sottoraso 7 ☎ 674103, 🌳 – P. AE. S. E VISA
chiuso dal 7 gennaio al 15 febbraio, lunedì, martedì a mezzogiorno da giugno a settembr
tutto il giorno negli altri mesi – **Pasto** carta 50/65000.

MEZIA *00040 Roma 988 ㉖, 430 Q 19 – 41 809 ab. alt. 108 – ☎ 06.*

Torvaianica (chiuso lunedì) a Marina di Ardea ✉ 00040 ☎ 9133250, Fax 9133592, S : 8 km.

Roma 28 – Anzio 31 – Frosinone 105 – Latina 41 – Ostia Antica 32.

Selene, via Pontina km 30 ☎ 911701, Telex 613467, Fax 91170557, ⛱, 🌳, 🎾 – |♦| ▤ TV ☎ ♿ P – 🏠 400. AE. 🅂. ◑ E VISA. JCB. ✂
Pasto al Rist. ***La Brace*** carta 45/70000 – **200 cam** ☕ 210/285000 – 1/2 P 210/220000.

Enea, via del Mare 83 ☎ 9107021, Fax 9107805, 🏠, ⛱ – |♦| ▤ TV ☎ ♿ P – 🏠 300. AE. 🅂. ◑ E VISA. JCB. ✂
Pasto *(chiuso dal 10 al 25 agosto)* carta 45/70000 – **92 cam** ☕ 180/230000, 2 appartamenti

MIGLIANO D'ARCO *80038 Napoli 988 ㉗, 431 E25 – 42 611 ab. alt. 33 – ☎ 0181.*

Roma 216 – Napoli 15 – Benevento 56 – Caserta 28 – Salerno 60.

Grottino, via Roma ☎ – ▤
chiuso a mezzogiorno

MONTE *Livorno 430 N 12 – Vedere Elba (Isola d') : Marciana.*

MPEI *80045 Napoli 988 ㉗, 431 E 25 G. Italia – 26 241 ab. alt. 16 – a.s. maggio-15 ottobre – ☎ 081.*

Vedere *Foro*** : Basilica**, Tempio di Apollo**, Tempio di Giove** – Terme Stabiane*** – Casa dei Vettii*** – Villa dei Misteri*** – Antiquarium** – Odeon** – Casa del Menandro** – Via dell'Abbondanza** – Fullonica Stephani** – Casa del Fauno** – Porta Ercolano** – Via dei Sepolcri** – Foro Triangolare* – Teatro Grande* – Tempio di Iside* – Termopolio* – Casa di Loreius Tiburtinus* – Villa di Giulia Felice* – Anfiteatro* – Necropoli fuori Porta Nocera* – Pistrinum* – Casa degli Amorini Dorati* – Torre di Mercurio* : ≤** – Casa del Poeta Tragico* – Pitture* nella casa dell'Ara Massima – Fontana* nella casa della Fontana Grande.*

Dintorni *Villa romana di Oplanti*** a Torre Annunziata O : 6 km.*

via Sacra 1 ☎ 8507255; agli Scavi, piazza Esedra ☎ 8610913, Fax 86321101.

Roma 237 – Napoli 29 – Avellino 49 – Caserta 50 – Salerno 29 – Sorrento 28.

Villa Laura senza rist, via della Salle 13 ☎ 8631024, Fax 8504893, 🌳 – ▤ TV ☎ 🚗. AE. 🅂. ◑ E VISA. ✂
☕ 9000 – **24 cam** 85/120000.

Forum, via Roma 99 ☎ 8501170, Fax 8506132, 🌳 – |♦| ▤ TV ☎. AE. 🅂. ◑ E VISA. JCB. ✂ rist
Pasto (solo per alloggiati) – **19 cam** ☕ 90/120000.

Il Principe, piazza Bartolo Longo 8 ☎ 8505566, Fax 8633342 – ▤. AE. 🅂. ◑ E VISA. JCB. ✂
chiuso lunedì (escluso maggio, giugno, settembre ed ottobre) – **Pasto** carta 60/85000 (12%)
Spec. Fettuccine con seppioline e porcini (estate-autunno). Bianco di rombo alla crema di peperoni (primavera-estate). Cassatina "Oplontis" con ricotta di capra, miele e frutta candita.

President, piazza Schettino 12 ☎ 8507245, Fax 8638147 – ▤. AE. 🅂. ◑ E VISA. ✂
chiuso lunedì e dal 10 al 25 agosto – **Pasto** specialità di mare carta 65/95000.

Zì Caterina, via Roma 20 ☎ 8507447, Fax 8502607 – ▤. AE. 🅂. ◑ E VISA. JCB
chiuso martedì e dal 28 giugno al 4 luglio – **Pasto** carta 30/60000.

prossimità dello svincolo Scafati-Pompei :

Giovanna 🐌 senza rist, via Acquasalsa 18 ✉ 80045 ☎ 8503535, Fax 8507323, 🌳 – |♦| ▤ TV ☎ P. 🅂. E VISA
24 cam ☕ 150/200000.

MPONESCO *46030 Mantova 428, 429 H 13 – 1 457 ab. alt. 23 – ☎ 0375.*

Roma 459 – Parma 33 – Mantova 38 – Milano 154 – Modena 56.

Il Leone con cam, ☎ 86077, Fax 86770, « Caratteristiche decorazioni », ⛱ – ▤ cam TV ☎ – 🏠 30. AE. 🅂. ◑ E VISA. ✂ rist
chiuso dal 27 dicembre al 27 gennaio – **Pasto** *(chiuso domenica sera e lunedì)* carta 55/80000 – ☕ 10000 – **8 cam** 100/135000 – 1/2 P 140000.

NDERANO *13058 Biella 219 ⑮ – 3 797 ab. alt. 357 – ☎ 015.*

Roma 673 – Aosta 85 – Biella 4 – Milano 100 – Vercelli 40.

Gran Paradiso-da Valdo, via Mazzini 63 ☎ 541979 – ▤. AE. 🅂. VISA. ✂
chiuso mercoledì e dal 28 luglio al 22 agosto – **Pasto** carta 40/80000.

PONSACCO *56038 Pisa* [988] [14], [428], [429], [430] L 13 – *12 245 ab. alt. 24* – ☏ *0587.*

Roma 319 – Pisa 28 – Firenze 59 – Livorno 32 – Siena 88.

🏠 **Enrico,** via Gramsci 3 ✆ 731305, Fax 731305, ☂ – [TV] ☎ [P]. [AE]. [S]. [O] E [VISA]. ⊘
Pasto *(chiuso domenica ed agosto)* carta 30/50000 (10 %) – ☕ 9000 – **12 cam** 80/1100
1/2 P 75/85000.

PONT *Aosta* [219] [12] – *Vedere Valsavarenche.*

PONTASSIEVE *50065 Firenze* [988] [15], [429], [430] K 16 – *20 395 ab. alt. 101* – ☏ *055.*

Roma 263 – Firenze 18 – Arezzo 67 – Forlì 91 – Milano 317 – Siena 86.

🍴 Girarrosto, via Garibaldi 27 ✆ 8368048, ☂ – [P]

PONTE A CAPPIANO *Firenze* [428], [429], [430] K 14 – *Vedere Fucecchio.*

PONTE A MORIANO *Lucca* [428], [429], [430] K 13 – *Vedere Lucca.*

PONTE ARCHE *Trento* [988] [4] – *Vedere Lomaso.*

PONTE BUGGIANESE *51019 Pistoia* [428], [429], [430] K 14 – *7 516 ab. alt. 18* – ☏ *0572.*

Roma 329 – Firenze 57 – Pisa 48 – Lucca 23 – Pistoia 24.

🍴 **Meucci** con cam, via Matteotti 79 ✆ 635017, Fax 635017 – ⇅ [TV] ☎. [AE]. [S]. E [VISA]. ⊘ c
Pasto *(chiuso mercoledì)* carta 35/65000 – ☕ 5000 – **15 cam** 70/100000 – 1/2 P 55/9000

PONTECAGNANO *84098 Salerno* [988] [28], [431] F 26 – *22 252 ab. alt. 28 – a.s. luglio-agost*
☏ *089.*

Roma 273 – Potenza 92 – Avellino 48 – Napoli 68 – Salerno 9.

sulla strada statale 18 *E : 2 km :*

🏠 **1 + 1,** ✉ 84098 ✆ 384177, Fax 849123 – ⇅ [TV] ☎ [P] – 👥 50. [AE]. [S]. ⊘
Pasto carta 30/40000 – ☕ 6000 – **40 cam** 60/90000 – 1/2 P 75000.

PONTECCHIO POLESINE *45030 Rovigo* [429] G 17 – *1 391 ab.* – ☏ *0425.*

Roma 456 – Padova 47 – Ravenna 104 – Ferrara 31 – Milano 287 – Rovigo 7.

🍴 **Le Betulle,** piazza Matteotti 40 ✆ 492500 –. [S]. E [VISA]. ⊘
chiuso martedì, dal 1° al 7 gennaio e dal 15 luglio al 5 agosto – **Pasto** carta 35/50000.

🍴 **La Vecia,** località San Pietro ✆ 492601 – [P]. [S]. E [VISA]. ⊘
chiuso lunedì, dal 2 al 10 gennaio ed agosto – **Pasto** carta 35/50000.

PONTE DELL'OLIO *29028 Piacenza* [428] H 10 – *4 820 ab. alt. 210* – ☏ *0523.*

Roma 548 – Piacenza 22 – Genova 127 – Milano 100.

🍴🍴 **Riva,** a Riva S : 2 km ✆ 87193, Coperti limitati; prenotare – ❄. [AE]. [S]. [O] [VISA]. ⊘
chiuso lunedì – **Pasto** carta 45/80000.

🍴 **Locanda Cacciatori** 🔇 con cam, località Castione E : 3 km ✆ 87105, ☂ – ☎ 🚗 [P]
👥 100. [AE]. ⊘
chiuso gennaio – **Pasto** *(chiuso mercoledì)* carta 35/50000 – ☕ 5000 – **12 cam** 45/5500
1/2 P 65/70000.

PONTEDERA *56025 Pisa* [988] [14], [428], [429], [430] L 13 – *26 441 ab. alt. 14* – ☏ *0587.*

Roma 314 – Pisa 25 – Firenze 61 – Livorno 32 – Lucca 28 – Pistoia 45 – Siena 86.

🏠 **Il Falchetto** senza rist, piazza Caduti di Cefalonia e Corfù 3 ✆ 212113, Fax 212113 –
☎. [AE]. [S]. [O] E [VISA]
☕ 15000 – **17 cam** 75/100000.

🍴🍴 **Aeroscalo,** via Roma 8 ✆ 52024 – [AE]. [S]. [O] E [VISA]. ⊘
chiuso lunedì ed agosto – **Pasto** carta 40/65000.

🍴🍴 **La Polveriera,** via Marconcini 54 ✆ 54765 – [AE]. [S]. [O] E [VISA]. ⊘
chiuso lunedì – **Pasto** specialità di mare carta 55/80000.

🍴 **Baldini 2,** viale IV Novembre 12 ✆ 292722, ☂, Rist. e pizzeria – [AE]. [S]. [O] E [VISA]
chiuso mercoledì – **Pasto** carta 30/50000.

PONTE DI BRENTA *Padova* [429] F 17 – *Vedere Padova.*

NTE DI LEGNO *25056 Brescia 988 ④, 428, 429 D 13 – 1 939 ab. alt. 1 258 – a.s. febbraio, Pasqua, luglio-agosto e Natale – Sport invernali : 1 258/1 920 m 4, ; a Passo del Tonale 1 883/3 016 m 1 22, (anche sci estivo) – 0364.*

(giugno-settembre) 900306, Fax 900555.

corso Milano 41 91122, Fax 91949.

Roma 677 – Sondrio 65 – Bolzano 107 – Bormio 42 – Brescia 119 – Milano 167.

Mirella, 900500, Fax 900530, ←, – 300
61 cam.

Sorriso, via Piazza 6 900488, Fax 91538, ←, – AE. E VISA.
dicembre-Pasqua e giugno-settembre – **Pasto** 30/50000 – **20 cam** 160/200000 – ½ P 95/175000.

Mignon, via Corno d'Aola 11 900480, Fax 900480, ←, – AE. rist
Pasto *(chiuso giovedì, maggio, ottobre e novembre)* 35/40000 – 12000 – **38 cam** 90/145000 – ½ P 110/135000.

San Marco, piazzale Europa 18 91036 – AE. E VISA.
chiuso lunedì escluso da luglio al 15 settembre – **Pasto** carta 35/55000.

Al Maniero con cam, via Roma 54 900490, Fax 900490, ← – AE. E VISA. rist
chiuso dall'8 al 22 gennaio – **Pasto** *(chiuso lunedì)* carta 40/60000 – 8000 – **12 cam** 50/80000 – ½ P 55/105000.

Sporting, 91775, – AE. E VISA.
chiuso martedì e dal 5 al 20 giugno – **Pasto** carta 40/60000.

Pezzo (strada del Gavia) *N : 5,5 km – 25056 Ponte di Legno :*

Da Giusy, via Ercavallo 39 92153, Coperti limitati; prenotare
chiuso martedì (escluso luglio-agosto), da ottobre a novembre aperto solo i week-end – Pasto 35/45000 bc.

ONTE DI NAVA *Cuneo 428 J 5 – Vedere Ormea.*

ONTE DI PIAVE *31047 Treviso 988 ⑤, 429 E 19 – 6 379 ab. alt. 10 – 0422.*

Roma 563 – Venezia 47 – Milano 302 – Treviso 19 – Trieste 126 – Udine 95.

Levada *N : 3 km – 31047 Ponte di Piave :*

Al Gabbiano con cam, via della Vittoria 45 853205, Fax 853540, – AE. E VISA. JCB
Pasto *(chiuso domenica)* carta 35/55000 – 10000 – **28 cam** 70/110000 – ½ P 95000.

ONTE IN VALTELLINA *23026 Sondrio 428, 429 D 11 – 2 225 ab. alt. 500 – 0342.*

Roma 709 – Sondrio 9 – Edolo 39 – Milano 148 – Passo dello Stelvio 78.

Cerere, 482294, ←, « In un'antica dimora » – AE. E VISA
chiuso mercoledì (escluso agosto) e dal 1° al 25 luglio – **Pasto** carta 40/55000.

ONTE NELLE ALPI *32014 Belluno 988 ⑤ – 7 868 ab. alt. 400 – 0437.*

Roma 609 – Belluno 8 – Cortina d'Ampezzo 63 – Milano 348 – Treviso 69 – Udine 109 – Venezia 98.

lla strada statale 51 :

Da Benito con cam, località Pian di Vedoia N : 3 km 32014 99420, Fax 990472, ← – 80. AE. E VISA.
chiuso dal 15 luglio all'8 agosto – **Pasto** *(chiuso domenica sera e lunedì)* carta 35/55000 (10%) – 18000 – **22 cam** 90/120000 – ½ P 60/100000.

Alla Vigna, località Cadola E : 2 km 32014 999593, Fax 990559 – AE. E VISA
chiuso martedì sera, mercoledì e dal 20 agosto al 10 settembre – **Pasto** carta 40/55000.

ONTERANICA *24010 Bergamo 428 E 11 – 6 915 ab. alt. 381 – 035.*

Roma 608 – Bergamo 8 – Milano 55.

Parco dei Colli, via Fustina 13 572227, Fax 690588, – AE. E VISA. JCB
chiuso mercoledì e dal 5 al 25 agosto – **Pasto** carta 40/70000.

Ristofante, via IV Novembre 67 577070 – E VISA
chiuso dal 10 al 20 gennaio, dal 10 al 20 agosto, lunedì e martedì a mezzogiorno – **Pasto** specialità di mare carta 45/65000.

PONTE SAN GIOVANNI *Perugia* [430] M 19 – *Vedere Perugia.*

PONTE SAN NICOLÒ *35020 Padova* [429] F 17 – *11 038 ab. alt. 11 –* ☎ *049.*
Roma 498 – Padova 8 – Venezia 40.

Pianta : vedere Padova.

Marconi, località Roncaglia ☎ 8961422, Fax 8961514 – 🛗 ▤ [TV] ☎ 🚗 [P] – 80. [AE]. [DC] [E] [VISA]. ✂ rist BX
Pasto (solo per alloggiati e *chiuso a mezzogiorno*) carta 45/70000 – ☕ 15000 – **41 ca** 110/155000 – 1/2 P 130/155000.

🍴🍴 **Alla Posta,** località Roncaiette (S : 2 km), via Boccaccio 4 ☎ 717409, Fax 8961012, [P]. [AE]. [S]. [E] [VISA]. ✂
chiuso domenica, lunedì a mezzogiorno ed agosto – **Pasto** specialità di mare carta 5 95000.

PONTE SAN PIETRO *24036 Bergamo* [988] ③, [428] E 10 – *9 759 ab. alt. 224 –* ☎ *035.*
Roma 585 – Bergamo 13 – Lecco 28 – Milano 45.

🍴🍴 **Greta,** via Piave 33 ☎ 462057 – [AE]. [S]. [E] [VISA]
chiuso domenica sera, lunedì e dal 1° al 15 gennaio – **Pasto** carta 55/80000.

PONTE SANTA LUCIA *Perugia – Vedere Foligno.*

Read carefully the introduction it is the key to the Guide.

PONTE VALLECEPPI *Perugia* [430] M 19 – *Vedere Perugia.*

PONTIDA *24030 Bergamo* [428] E 10 – *2 813 ab. alt. 313 –* ☎ *035.*
Roma 609 – Bergamo 18 – Como 43 – Lecco 26 – Milano 52.

🍴 **Hosteria la Marina,** località Grombosto N : 2 km ☎ 795063 – [AE]. [S]. [E] [VISA]. ✂
chiuso martedì e dal 1° al 10 settembre – **Pasto** carta 35/55000.

PONTREMOLI *54027 Massa-Carrara* [988] ⑬ ⑭, [428], [429], [430] I 11 *G. Toscana – 8 486 ab. alt. 236* ☎ *0187.*
Roma 438 – La Spezia 41 – Carrara 53 – Firenze 164 – Massa 55 – Milano 186 – Parma 81.

🍴🍴 **Cà del Moro,** via Casa Corvi ☎ 830588, 🏠 – [P]. [AE]. [S]. [DC] [E] [VISA]
chiuso domenica sera, lunedì, dal 20 gennaio al 10 febbraio e dal 1° al 15 luglio – **Past** carta 35/55000.

🍴 **Trattoria Pelliccia,** via Garibaldi 137 ☎ 830577 – [S]. [DC] [E] [VISA]
chiuso martedì e febbraio – **Pasto** carta 35/55000.

🍴 **Da Bussè,** piazza Duomo 31 ☎ 831371, prenotare sabato-domenica
chiuso dal 1° al 20 luglio, la sera (escluso sabato-domenica) e venerdì – **Pasto** car 35/50000.

PONT SAINT MARTIN *11026 Aosta* [988] ②, [428] F 5 *G. Italia – 3 870 ab. alt. 345 – a.s. lugli agosto –* ☎ *0125.*
Roma 699 – Aosta 52 – Ivrea 24 – Milano 137 – Novara 91 – Torino 66.

Ponte Romano, piazza IV Novembre 14 ☎ 804320, Fax 807108 – 🛗 [TV] ☎. [AE]. [S]. [DC] [VISA]. ✂ rist
Pasto carta 35/50000 – ☕ 12000 – **13 cam** 65/95000.

PONZA (Isola di) *Latina* [988] ㉖, [430] ㉟ *G. Italia – 3 312 ab. alt. da 0 a 280 (monte Guardia) – a. Pasqua e luglio-agosto –* ☎ *0771.*
La limitazione d'accesso degli autoveicoli è regolata da norme legislative.
Vedere *Località*★.

⛴ *per Anzio 15 giugno-15 settembre giornalieri (2 h 30 mn) e Formia giornalie (2 h 30 mn) – Caremar-agenzia Regine, molo Musco* ☎ *80565, Fax 80565; per Terracin giornaliero (2 h) – Trasporti Marittima Mazzella, via Santa Maria* ☎ *809965 e Anxur Tour al porto* ☎ *723978, Telex 680594, Fax 726691.*

🚤 *per Formia giornalieri (1 h 10 mn) – Caremar-agenzia Regine, molo Musco* ☎ *8056 Fax 80565 e Agenzia Helios, molo Musco* ☎ *80549; per Anzio giornalieri (1 h 10 mn). – Trasporti Marittimi Mazzella, via Santa Maria* ☎ *809965 e Agenzia Helios, molo Musc* ☎ *80549.*

Ponza – ✉ *04027* :

Cernia, via Panoramica ✆ 809951, Fax 809954, « Terrazza-giardino con ⛱ », – ▤ TV ☎ – P – 150. AE. ⓢ. ⦿ E VISA. JCB. ✗
aprile-ottobre – **Pasto** (solo per alloggiati) carta 45/60000 – **47 cam** ☕ 195/330000 – ½ P 150/210000.

Bellavista, ✆ 80036, Fax 80395, ← scogliera e mare – |$| TV ☎. AE. ⓢ. E VISA. ✗
chiuso dal 15 dicembre al 15 gennaio – **Pasto** carta 55/70000 – **24 cam** ☕ 150/200000 – ½ P 150/160000.

Gennarino a Mare con cam, ✆ 80071, Fax 80140, ← mare e porto, « Servizio estivo in terrazza sul mare » – TV ☎. AE. ⓢ. ⦿ E VISA. JCB. ✗
Pasto *(chiuso giovedì escluso da giugno a settembre)* carta 45/65000 (10%) – **12 cam** ☕ 250/310000 – ½ P 150/195000.

Acqua Pazza, ✆ 80643, ←, Coperti limitati; prenotare – AE. ⓢ. ⦿ E VISA
chiuso gennaio e febbraio – **Pasto** carta 50/85000 (10%).

La Kambusa, via Banchina Nuova ✆ 80280, Fax 80280, – AE. ⓢ. ⦿ E VISA
giugno-settembre – **Pasto** carta 45/60000.

Lesen Sie die Einleitung, sie ist der Schlüssel zu diesem Führer.

PONZANO VENETO *31050 Treviso* 429 E 18 – *8 258 ab. alt. 28* – ☎ *0422.*
Roma 546 – Venezia 40 – Belluno 74 – Treviso 5 – Vicenza 62.

Paderno di Ponzano *NO : 2 km* – ✉ *31050 Ponzano Veneto :*

Relais el Toulà con cam, via Postumia 63 (N : 1 km) ✆ 440751, Fax 440754, , prenotare, « Parco con ⛱ » – TV ☎ P. AE. ⓢ. ⦿ E VISA. JCB. ✗ rist
Pasto carta 75/105000 (15%) – ☕ 25000 – **9 cam** 260/430000, appartamento – ½ P 270/430000.

Trattoria da Sergio, via Fanti 14 ✆ 967000, Fax 967000, – P. AE. ⓢ. ⦿ E VISA. JCB. ✗
chiuso domenica, dal 24 dicembre al 1° gennaio e dal 1° al 20 agosto – **Pasto** carta 35/65000.

PONZONE *15010 Alessandria* 428 I 7 – *1 188 ab. alt. 606* – ☎ *0144.*
Roma 579 – Genova 87 – Acqui Terme 13 – Alessandria 47 – Milano 143 – Savona 48.

ad Abasse *SE : 10 km* – ✉ *15010 Ponzone :*

Diana, strada provinciale 210 n° 275 ✆ 70227, prenotare – P. ⓢ. E VISA
chiuso lunedì e dal 25 giugno al 5 luglio – **Pasto** carta 25/45000.

POPPI *52014 Arezzo* 988 ⑮, 429, 430 K 17 *G. Toscana* – *5 644 ab. alt. 437* – ☎ *0575.*
Vedere *Cortile* del Castello*.*
Casentino (chiuso martedì) ✆ 52810, Fax 520167.
Roma 247 – Arezzo 33 – Firenze 58 – Ravenna 118.

Parc Hotel, via Roma 214 (località Ponte) ✆ 529994, Fax 529984, , ⛱, – ▤ TV ☎ P – 50. AE. ⓢ. ⦿ E VISA. ✗
Pasto *(chiuso venerdì escluso dal 15 giugno al 15 settembre)* carta 30/55000 – ☕ 12000 – **27 cam** 80/125000 – ½ P 80/110000.

Campaldino con cam, località Ponte, via Roma 95 ✆ 529008, Fax 529032 – TV ☎. AE. ⓢ. ⦿ E VISA. ✗
Pasto *(chiuso dal 1° al 15 luglio e mercoledì escluso agosto)* carta 30/55000 – ☕ 8500 – **10 cam** 60/90000 – ½ P 60/70000.

POPULONIA *Livorno* 430 N 13 – *Vedere Piombino.*

PORCIA *33080 Pordenone* 429 E 19 – *13 216 ab. alt. 29* – ☎ *0434.*
Roma 608 – Belluno 67 – Milano 333 – Pordenone 4 – Treviso 54 – Trieste 117.

Gildo, viale Marconi 17 ✆ 921212, , – P – 150. ⓢ. ⦿ E VISA. JCB. ✗
chiuso domenica sera, lunedì, dal 1° al 10 gennaio e dal 1° al 20 agosto – **Pasto** carta 40/50000.

Casetta, località Palse S : 1 km ✆ 922720, Coperti limitati; prenotare – ▤ P. AE. ⓢ. ⦿ E VISA. ✗
chiuso mercoledì ed agosto – **Pasto** carta 30/45000.

PORDENONE *33170* [P] [988] ⑤, [429] E 20 – *48 960 ab. alt. 24* – ☏ *0434.*

⛳[9] *(chiuso martedì) a Castel d'Aviano* ✉ *33081* ℘ *652305, Fax 660496, NO : 10 km.*

[i] *corso Vittorio Emanuele 38* ℘ *21912, Fax 523814.*

[A.C.I.] *viale Dante 40* ℘ *208965.*

Roma 605 – Udine 54 – Belluno 66 – Milano 343 – Treviso 54 – Trieste 113 – Venezia 93.

🏨 **Villa Ottoboni,** piazzetta Ottoboni 2 ℘ 208891, Fax 208148 – [lift] ▤ [TV] ☎ 🚗 [P] 🏛 100. [AE]. [S]. ● [E] [VISA]. ✂
Pasto *(chiuso sabato sera, domenica, dal 26 dicembre al 6 gennaio ed agosto)* ca 50/75000 – **93 cam** ☕ 140/180000, 3 appartamenti.

🏨 **Palace Hotel Moderno,** viale Martelli 1 ℘ 28215, Fax 520315 – [lift] ▤ rist [TV] ☎ 🏛 150. [AE]. [S]. ● [E] [VISA]. ✂
Pasto *(chiuso venerdì)* carta 50/70000 – ☕ 20000 – **111 cam** 100/170000 – ½ P 1 160000.

🏨 **Park Hotel** senza rist, via Mazzini 43 ℘ 27901, Fax 522353 – [lift] ▤ [TV] ☎ ♿ [P]. [AE]. [S]. [E] [VISA]. ✂
☕ 12000 – **64 cam** 95/150000.

🍴 **Da Zelina,** piazza San Marco 13 ℘ 27290, Fax 27588 – [AE] ● [E] [VISA]
chiuso sabato a mezzogiorno, lunedì e dal 20 al 30 agosto – **Pasto** carta 30/50000.

PORDOI (Passo del) *Belluno e Trento G. Italia – alt. 2 239.*

Vedere *Posizione pittoresca*★★★.

Roma 699 – Belluno 85 – Bolzano 63 – Canazei 12 – Cortina d'Ampezzo 46 – Milano 35 Trento 116.

PORLEZZA *22018 Como* [428] D 9, [219] ⑨ – *4 119 ab. alt. 271* – ☏ *0344.*

Vedere *Lago di Lugano*★★.

Roma 673 – Como 47 – Lugano 16 – Milano 95 – Sondrio 80.

🏨 **Regina,** lungolago Matteotti 11 ℘ 61228, Fax 61228, ⩤ – [lift] [TV] ☎. [AE]. [S]. ● [E] [VISA]
chiuso dall'11 gennaio a febbraio – **Pasto** *(chiuso lunedì escluso dal 15 giugno 15 settembre)* 25000 e carta 35/60000 – **24 cam** ☕ 80/100000 – ½ P 75/85000.

PORRETTA TERME *40046 Bologna* [988] ⑭, [428], [429], [430] J 14 – *4 683 ab. alt. 349 – Stazio termale (maggio-ottobre), a.s. luglio-20 settembre* – ☏ *0534.*

[i] *piazza Libertà 11* ℘ *22021, Fax 22021.*

Roma 345 – Bologna 59 – Firenze 72 – Milano 261 – Modena 92 – Pistoia 35.

🏨 **Santoli,** via Roma 3 ℘ 23206, Fax 22744, 🌳, ⚕ – [lift] [TV] ☎ 🚗 [P] – 🏛 150. [AE]. [S]. ● [VISA]. ✂
Pasto *(chiuso lunedì)* carta 35/45000 – ☕ 15000 – **48 cam** 100/150000 – ½ P 75/110000

PORRI *Savona* [428] I 6 – *Vedere Dego.*

PORTESE *Brescia – Vedere San Felice del Benaco.*

PORTICELLO *Palermo* [432] M 22 – *Vedere Sicilia (Santa Flavia) alla fine dell'elenco alfabetico.*

PORTICO DI ROMAGNA *47010 Forlì-Cesena* [429], [430] J 17 – *alt. 301* – ☏ *0543.*

Roma 320 – Firenze 75 – Forlì 34 – Ravenna 61.

🏨 **Al Vecchio Convento,** via Roma 7 ℘ 967157, Fax 967053 – [TV] ☎. [AE]. [S]. ● [E] [VISA] ✂ rist
Pasto *(chiuso mercoledì escluso da luglio al 15 settembre)* carta 40/65000 – ☕ 15000 **9 cam** 80/120000 – ½ P 110000.

ORTO ALABE *Oristano* 433 G 7 – *Vedere Sardegna (Tresnuraghes) alla fine dell'elenco alfabetico.*

ORTO AZZURRO *Livorno* 988 ㉔, 430 N 13 – *Vedere Elba (Isola d').*

ORTOBUFFOLÈ *31019 Treviso* 429 E 19 – *694 ab. alt. 11* – ☎ *0422.*
Roma 567 – Belluno 58 – Pordenone 15 – Treviso 37 – Udine 63 – Venezia 45.

Villa Giustinian ⚲, via Giustiniani 11 ☎ 850244, Fax 850260, ⛱, « Prestigiosa villa veneta del 17° secolo in un parco » – ▤ TV ☎ P – 150. AE. ⓢ. ⓞ E VISA. JCB. ⌘
Pasto *(chiuso domenica sera, lunedì e dal 4 al 23 agosto)* carta 50/90000 – ☕ 15000 – **35 cam** 140/250000, 8 appartamenti – 1/2 P 180/210000.

ORTO CESAREO *73010 Lecce* 988 ㉚, 431 G 35 – *4 439 ab.* – *a.s. luglio-agosto* – ☎ *0833.*
Roma 600 – Brindisi 55 – Gallipoli 30 – Lecce 27 – Otranto 59 – Taranto 65.

Lo Scoglio ⚲, su un isolotto raggiungibile in auto ☎ 569079, Fax 569078, ←, ⛱, – ▤ cam ☎ ♿ P. AE. ⓢ. ⓞ E VISA. ⌘
Pasto *(chiuso novembre e martedì escluso da giugno a settembre)* carta 35/55000 – **45 cam** ☕ 75/125000 – 1/2 P 65/100000.

Il Veliero, litoranea Sant'Isidoro ☎ 569201, Fax 569201 – ▤. AE. ⓢ. ⓞ E VISA. ⌘
chiuso martedì e novembre – **Pasto** carta 35/60000.

Torre Lapillo *NO : 5 km* – ✉ *73050 Santa Chiara di Nardò :*

L'Angolo di Beppe con cam, ☎ 565305 e hotel ☎ 565333, Fax 565331, – |‡| ▤ TV ☎ P – 50. AE. ⓢ. ⓞ E VISA. JCB. ⌘
Pasto *(chiuso lunedì escluso luglio-agosto)* carta 35/70000 – **19 cam** ☕ 80/140000 – 1/2 P 90/120000.

Das italienische Straßennetz wird laufend verbessert.
Die rote ***Michelin-Straßenkarte*** *Nr.* 988 *im Maßstab 1:1 000 000*
trägt diesem Rechnung.
Beschaffen Sie sich immer die neuste Ausgabe.

ORTO CONTE *Sassari* 433 F 6 – *Vedere Sardegna (Alghero) alla fine dell'elenco alfabetico.*

ORTO D'ASCOLI *Ascoli Piceno* 430 N 23 – *Vedere San Benedetto del Tronto.*

ORTO ERCOLE *58018 Grosseto* 430 O 15 *G. Toscana* – *a.s. Pasqua e 15 giugno-15 settembre* – ☎ *0564.*
Roma 159 – Grosseto 50 – Civitavecchia 83 – Firenze 190 – Orbetello 7 – Viterbo 95.

Don Pedro, via Panoramica 7 ☎ 833914, Fax 833129, ← porto, ⛱ – |‡| ▤ cam TV ☎ P. AE. ⓢ. E VISA. ⌘
Pasqua-ottobre – **Pasto** carta 50/80000 – **44 cam** ☕ 180/200000 – 1/2 P 130/150000.

Il Gambero Rosso, lungomare Andrea Doria ☎ 832650, ←, ⛱ – AE. ⓢ. ⓞ E VISA
chiuso febbraio, mercoledì a mezzogiorno in luglio-agosto, tutto il giorno negli altri mesi – **Pasto** specialità di mare carta 45/70000.

ulla strada Panoramica *SO : 4,5 km :*

Il Pellicano ⚲, località Lo Sbarcatello ✉ 58018 ☎ 833801, Fax 833418, ← mare e scogliere, ⛱, Ascensore per la spiaggia, « Villini indipendenti tra il verde e gli ulivi », riscaldata, – ▤ TV ☎ P. AE. ⓢ. ⓞ E VISA. ⌘
21 marzo-2 novembre – **Pasto** 105000 – **27 cam** ☕ 830/870000, 14 appartamenti – 1/2 P 390/990000.

ORTOFERRAIO *Livorno* 988 ㉔, 430 N 12 – *Vedere Elba (Isola d').*

ORTOFINO *16034 Genova* 988 ⑬, 428 J 9 *G. Italia* – *611 ab.* – ☎ *0185.*
Vedere *Località e posizione pittoresca★★★* – *←★★★ dal Castello.*
Dintorni *Passeggiata al faro★★★ E : 1 h a piedi AR* – *Strada panoramica★★★ per Santa Margherita Ligure Nord* – *Portofino Vetta★★ NO 14 km (strada a pedaggio)* – *San Fruttuoso★★ O : 20 mn di motobarca.*
ℹ *via Roma 35 ☎ 269024.*
Roma 485 – Genova 38 – Milano 171 – Rapallo 8 – Santa Margherita Ligure 5 – La Spezia 87.

Splendido, salita Baratta 13 ✆ 269551, Telex 281057, Fax 269614, ≤ promontorio mare, « Parco ombreggiato », riscaldata, – |‡| ▤ TV ☎ P – 100. AE. 🅂. ⦿ E VISA. JCB. ✼ rist
chiuso dal 3 gennaio al 22 marzo – **Pasto** carta 115/175000 – **55 cam** ☐ 590/1240000 9 appartamenti 2050/2200000 – P 690/720000.

Piccolo Hotel, ✆ 269015, Fax 269621, ≤, – |‡| ▤ rist TV ☎ P. AE. 🅂. ⦿ E VISA. JCB. ✼ rist
chiuso novembre – **Pasto** (solo per alloggiati e *chiuso giovedì*) 50000 – **22 cam** ☐ 220/320000 – ½ P 160/240000.

Nazionale senza rist, ✆ 269575, Fax 269578 – TV ☎. 🅂. E VISA
16 marzo-novembre – ☐ 25000 – 10 appartamenti 400/500000.

Delfino, piazza Martiri dell'Olivetta 40 ✆ 269081, Fax 269394, ≤, – AE. 🅂. ⦿ E VISA ✼
chiuso da gennaio a marzo e lunedì (escluso da giugno al 15 ottobre) – **Pasto** carta 90/125000 (15 %).

Da Puny, ✆ 269037, ≤, – ✼
chiuso giovedì e dal 15 dicembre al 20 febbraio – **Pasto** carta 70/85000 (13 %).

PORTOFINO (Promontorio di) *Genova – G. Italia.*

PORTO GARIBALDI *Ferrara* 988 ⑮, 430 H 18 – *Vedere Comacchio.*

PORTOGRUARO *30026 Venezia* 988 ⑤, 429 E 20 *G. Italia – 24 468 ab. – ☎ 0421.*
Vedere *corso Martiri della Libertà★★ Municipio★.*
🅘 *borgo Sant'Agnese 57 ✆ 274600, Fax 274600.*
Roma 584 – Udine 50 – Belluno 95 – Milano 323 – Pordenone 28 – Treviso 60 – Trieste 93 Venezia 73.

Antico Spessotto senza rist, via Roma 2 ✆ 71040, Fax 71053 – |‡| ▤ TV ☎ P. AE. 🅂. ⦿ E VISA. ✼
☐ 9000 – **46 cam** 75/100000.

Alla Botte con cam, viale Pordenone 46 ✆ 760122, Fax 74833, – ▤ TV ☎ P – 45. AE. 🅂. ⦿ E VISA. JCB. ✼
Pasto *(chiuso domenica escluso da giugno al 19 settembre)* 30/70000 (a mezzogiorno) 35/100000 (alla sera) – ☐ 12000 – **24 cam** 70/105000.

PORTO MANTOVANO *Mantova – Vedere Mantova.*

PORTO MAURIZIO *Imperia* 988 ⑫ – *Vedere Imperia.*

PORTONOVO *Ancona* 430 L 22 – *Vedere Ancona.*

PORTOPALO DI CAPO PASSERO *Siracusa* 432 Q 27 – *Vedere Sicilia alla fine dell'elenco alfabetico.*

RTO POTENZA PICENA *62016 Macerata* 430 L 23 – *a.s. luglio-agosto* – *0733.*
Roma 284 – Ancona 38 – Macerata 34 – Pescara 120.

XX Nettuno, Lungomare 688258, <,

RTO RECANATI *62017 Macerata* 988 ⑯, 430 L 22 – *8 724 ab. – a.s. luglio-agosto* – *071.*
corso Matteotti 111 9799084.
Roma 292 – Ancona 29 – Ascoli Piceno 96 – Macerata 32 – Pescara 130.

Enzo, corso Matteotti 21/23 7590734, Fax 9799029 – – 30. AE. . E VISA. JCB.
Pasto vedere rist **Torcoletto** – 10000 – **21 cam** 100/160000, 2 appartamenti – 1/2 P 120000.

XX **Torcoletto,** corso Matteotti 21/23 7590196 – . AE. . E VISA. JCB.
chiuso dal 1° al 6 gennaio, dal 1° al 5 settembre e lunedì (escluso luglio-agosto) – **Pasto** carta 55/85000.

X **Fatatis,** via Vespucci 2 (N : 2 km) 9797442, Fax 9799366, – AE. . E VISA
chiuso dal 9 al 31 gennaio e lunedì (escluso da giugno a settembre) – **Pasto** carta 35/65000.

ORTO ROTONDO *Sassari* 988 ㉔, 433 D 10 – *Vedere Sardegna (Olbia) alla fine dell'elenco alfabetico.*

ORTO SAN GIORGIO *63017 Ascoli Piceno* 988 ⑯ ⑰, 430 M 23 – *16 065 ab. – a.s. luglio-agosto* – *0734.*
via Oberdan 5 678461, Fax 678461.
Roma 258 – Ancona 64 – Ascoli Piceno 61 – Macerata 42 – Pescara 95.

Il Timone, via Kennedy 61 679505, Fax 679556 – – 100. AE. . E VISA. JCB.
Pasto *(chiuso venerdì da ottobre a marzo)* 50/80000 – 12000 – **78 cam** 90/130000, appartamento – 1/2 P 95/130000.

David Palace, via Spontini 676848, Fax 676468, <, – – 120. AE. . E VISA. JCB. cam
Pasto 35/45000 e al Rist. **Davide** carta 40/60000 – 10000 – **36 cam** 110/140000 – 1/2 P 110/160000.

Garden, via Cesare Battisti 6 679414, Fax 676457 – – 100. AE. . E VISA.
Pasto 35/55000 – 12000 – **61 cam** 130/150000 – 1/2 P 90/120000.

Il Caminetto, lungomare Gramsci 283 675558, Fax 673477, < – rist . AE. . E VISA. cam
Pasto *(chiuso lunedì)* carta 30/60000 – 8000 – **27 cam** 80/120000 – P 90/130000.

Tritone, via San Martino 36 677104, Fax 677962, <, , – . AE. . E VISA.
Pasto carta 35/60000 – 8000 – **36 cam** 80/100000 – 1/2 P 70/90000.

Lanterna, via 20 Settembre 298 679073, Fax 679097 – cam .
giugno-settembre – **Pasto** 35000 – 5000 – **39 cam** 90/110000 – P 70/95000.

La Terrazza, via Castelfidardo 2 676005, Fax 672651, – rist . AE. . E VISA. rist
Pasto *(chiuso lunedì)* carta 30/50000 – **30 cam** 70/90000 – 1/2 P 70/80000.

XX **Al Capitano,** lungomare Gramsci 183 678100 – AE. . E VISA.
chiuso lunedì, dal 24 al 29 dicembre e dall'8 al 21 settembre – **Pasto** carta 55/80000.

ORTO SAN PAOLO *Sassari* 433 E 10 – *Vedere Sardegna alla fine dell'elenco alfabetico.*

ORTO SANTA MARGHERITA *Venezia* – *Vedere Caorle.*

ORTO SANT'ELPIDIO *63018 Ascoli Piceno* 988 ⑯, 430 M 23 – *21 360 ab.* – *0734.*
Roma 265 – Ancona 53 – Ascoli Piceno 70 – Pescara 103.

XX **Il Gambero,** via Mazzini 1 900238 –. . E VISA.
chiuso domenica sera, lunedì ed agosto – **Pasto** carta 40/70000.

PORTO SANTO STEFANO *58019 Grosseto* [988] ㉔ ㉕, [430] O 15 *G. Toscana – a.s. Pasq e 15 giugno-15 settembre –* ☎ *0564.*
Vedere ≤★ *dal forte aragonese.*
⛴ *per l'Isola del Giglio giornalieri (1 h) – Toremar-agenzia Metrano, piazzale Ca* ☎ *818506, Telex 590107, Fax 818455.*
[i] *corso Umberto 55/a* ☎ *814208.*
Roma 162 – Grosseto 41 – Civitavecchia 86 – Firenze 193 – Orbetello 10 – Viterbo 98.

🏨 **Vittoria** ⛱, strada del Sole 65 ☎ 818580, Fax 818055, ≤ mare e costa, 🏊, 🎾 – [lift] [TV] [P]. 🚫
aprile-ottobre – **Pasto** 60000 – **28 cam** ☕ 130/175000 – ½ P 150000.

🏨 **La Lucciola** senza rist, via Panoramica 245 ☎ 812976, Fax 812298 – [lift] [TV] ☎. [AE]. [S]. [D] [VISA]. 🚫
chiuso gennaio – **59 cam** ☕ 85/140000.

🍴🍴 La Bussola, piazza Facchinetti 11 ☎ 814225, ⛱
Pasto specialità di mare.

🍴🍴 **Armando,** via Marconi 1/3 ☎ 812568, ⛱ – [AE]. [S]. [E] [VISA]
chiuso mercoledì e dal 1° al 25 dicembre – **Pasto** specialità di mare carta 50/700 (15 %).

🍴🍴 **Il Moresco,** via Panoramica località Cala Moresca SO: 6 km ☎ 824158, ≤ mare e Isola d Giglio, ⛱ – [P]. [AE]. [S]. [D] [E] [VISA]
chiuso martedì e febbraio – **Pasto** specialità di mare carta 55/95000.

🍴🍴 **Il Veliero,** via Panoramica 149 ☎ 812226, ⛱ – [AE]. [S]. [D] [E] [VISA]
chiuso lunedì e dall'8 gennaio al 1° febbraio – **Pasto** specialità di mare carta 45/60000.

🍴 **Dal Greco,** via Del Molo 1/2 ☎ 814885, ⛱ – [AE]. [S]. [D] [E] [VISA]. 🚫
chiuso martedì e gennaio – **Pasto** specialità di mare carta 50/75000.

🍴 **La Fontanina di San Pietro,** S : 3 km ☎ 825261, Fax 817620, ≤, « Servizio estivo sot un pergolato » – [P]. [AE]. [S]. [D] [E] [VISA]
chiuso mercoledì e gennaio – **Pasto** carta 40/80000 (12 %).

a Santa Liberata *E : 4 km –* ✉ *58010 :*

🏨 **Villa Domizia,** ☎ 812735, Fax 812735, ≤ mare e costa, 🏖, ⛱ – [AC] [TV] ☎ [P]. [AE]. [S]. [D] [E] [VISA]. [JCB]. 🚫
aprile-15 ottobre – **Pasto** *(chiuso martedì)* carta 45/60000 – **24 cam** ☕ 175000 – ½ P 9 170000.

PORTOSCUSO *Cagliari* [988] ㉝, [433] J 7 – *Vedere Sardegna alla fine dell'elenco alfabetico.*

PORTO TOLLE *45018 Rovigo* [988] ⑮ – *11 013 ab. –* ☎ *0426.*
Roma 491 – Ravenna 72 – Ferrara 72 – Venezia 87.

🍴 **Da Brodon,** a Cà Dolfin E : 9 km ✉ 45010 Cà Dolfin ☎ 384240 – [AC] [P]. [AE]. [S]. [D] [E] [VISA] 🚫
chiuso lunedì e dal 1° al 15 luglio – **Pasto** carta 40/80000.

PORTO TORRES *Sassari* [988] ㉓ ㉝, [433] E 7 – *Vedere Sardegna alla fine dell'elenco alfabetico.*

PORTOVENERE *19025 La Spezia* [988] ⑬ ⑭, [428], [429], [430] J 11 *G. Italia – 4 653 ab. –* ☎ *0187.*
Vedere *Località*★★.
Roma 430 – La Spezia 15 – Genova 114 – Massa 47 – Milano 232 – Parma 127.

🏨 **Royal Sporting,** ☎ 790326, Fax 529060, « Terrazza con 🏊 e ≤ », ⛱, 🎾 – [lift] [AC] [TV] ☎ ♿ 🚗 – 🏛 70. [AE]. [S]. [D] [E] [VISA]. 🚫 rist
Pasqua-15 ottobre – **Pasto** carta 65/90000 – **62 cam** ☕ 170/300000 – ½ P 180/220000.

🏨 **Grand Hotel Portovenere,** ☎ 792610, Fax 790661, ≤ – [lift] [AC] [TV] ☎ ♿ [P]. [AE]. [S]. [D] [VISA]. 🚫
Pasto al Rist. ***Al Co*** *(marzo-ottobre; chiuso lunedì)* carta 40/65000 – ☕ 22000 – **44 car** 190/300000, 10 appartamenti – ½ P 170/195000.

🏨 **Paradiso,** ☎ 790612, Fax 792582, ≤ – [TV] ☎ ♿. [AE]. [S]. [D] [E] [VISA]. [JCB]. 🚫 rist
Pasto *(chiuso mercoledì)* carta 50/75000 – **22 cam** ☕ 130/180000 – ½ P 100/130000.

🍴🍴 **Taverna del Corsaro,** Calata Doria 102 ☎ 790622, Fax 790622, ≤ – [AE]. [S]. [D] [E] [VISA]
chiuso martedì e dal 10 novembre al 5 dicembre – **Pasto** carta 60/95000.

🍴 **Trattoria La Marina-da Antonio,** piazza Marina 6 ☎ 790686, ⛱ –. [S]. [E] [VISA]
chiuso giovedì e marzo – **Pasto** carta 45/70000.

Le Grazie *N : 3 km – ✉ 19022 Le Grazie Varignano :*

Le Grazie, via Roma 43 ☎ 790017 – TV ☎ ♿ P. AE. ① E VISA. ✻ rist
aprile-ottobre – **Pasto** 40/45000 – **36 cam** ☐ 100/140000 – ½ P 110000.

POSADA *Nuoro* 433 F 11 – *Vedere Sardegna alla fine dell'elenco alfabetico.*

POSITANO *84017 Salerno* 988 ㉗, 431 F 25 *G. Italia – 3 795 ab. – a.s. Pasqua, giugno-settembre e Natale* – ☎ *089.*

Vedere *Località*★★.

Dintorni *Vettica Maggiore :* ≤★★ *SE : 5 km.*

via del Saracino 4 ☎ 875067, Fax 875760.

Roma 266 – Napoli 57 – Amalfi 17 – Salerno 42 – Sorrento 17.

Le Sirenuse ⛰, via Colombo 30 ☎ 875066, Telex 770066, Fax 811798, ≤ mare e costa, ☂, « Terrazza panoramica con ⛱ riscaldata », – |‡| ▤ cam TV ☎ – 🏔 60. AE. ① E VISA. JCB. ✻ rist
Pasto carta 95/135000 – **56 cam** ☐ 650/700000, 2 appartamenti – ½ P 435/735000.

Le Agavi ⛰, località Belvedere Fornillo ☎ 875733, Telex 770186, Fax 875965, ≤ mare e costa, Ascensore per la spiaggia, ⛱, – |‡| ▤ TV ☎ P – 🏔 150. AE. ① E VISA. ✻
15 aprile-15 ottobre – **Pasto** carta 75/105000 – **70 cam** ☐ 340/440000, appartamento – ½ P 265/290000.

Poseidon, via Pasitea 148 ☎ 811111, Fax 875833, ≤ mare e costa, ☂, « Terrazza-giardino panoramica con ⛱ riscaldata », ♗, ≘s – |‡| ▤ cam TV ☎ 🚗 – 🏔 60. AE. ① E VISA. ✻ rist
20 marzo-1° novembre – **Pasto** 60/70000 – **42 cam** ☐ 350/370000, 2 appartamenti – ½ P 245000.

Murat ⛰ senza rist, via dei Mulini 23 ☎ 875177, Fax 811419, ≤, « Terrazza-giardino » – ▤ TV ☎
stagionale – **28 cam.**

Villa Franca e Residence, via Pasitea 318 ☎ 875655, Fax 875735, ≤ mare e costa, ⛱ – |‡| ▤ cam TV ☎. AE. ① E VISA. ✻
22 marzo-ottobre – **Pasto** 40000 – **38 cam** ☐ 330/360000 – ½ P 190/220000.

Buca di Bacco ⛰, via Rampa Teglia 4 ☎ 875699, Fax 875731, ≤ mare e costa, ☂ – |‡| ▤ cam TV ☎. AE. ① E VISA. ✻ rist
aprile-20 ottobre – **Pasto** carta 55/110000 – ☐ 20000 – **53 cam** 240/245000 – ½ P 170/195000.

Marincanto ⛰ senza rist, via Colombo ☎ 875130, Fax 875595, ≤ mare e costa, « Terrazza-giardino » – |‡| TV ☎ P. AE. ① E VISA. JCB
27 marzo-12 ottobre – ☐ 15000 – **25 cam** 130/150000.

L'Ancora ⛰ senza rist, via Colombo 36 ☎ 875318, Fax 811784, ≤ mare e costa – TV ☎ P. AE. ① E VISA. JCB
aprile-ottobre – **18 cam** ☐ 190/240000.

Savoia senza rist, via Colombo 73 ☎ 875003, Fax 811844, ≤ – |‡| TV ☎. E VISA
aprile-15 ottobre – **43 cam** ☐ 100/170000.

Casa Albertina ⛰, via della Tavolozza 3 ☎ 875143, Fax 811540, ≤ mare e costa – |‡| ▤ cam ☎. AE. ① E VISA. ✻ rist
Pasto (solo per alloggiati) – **20 cam** ☐ 190/210000 – ½ P 130/160000.

Il Capitano, via Pasitea 119 ☎ 811351, ≤ mare e costa, « Servizio estivo in terrazza panoramica » – ⚞ P. AE. ① E VISA. JCB
chiuso da novembre al 26 dicembre – **Pasto** carta 60/90000 (15 %).

Chez Black, via del Brigantino 19/21 ☎ 875036, Fax 875789, ≤, ☂, Rist. e pizzeria – AE. ① E VISA. JCB. ✻
chiuso dal 7 gennaio al 7 febbraio – **Pasto** carta 40/65000 (15 %).

La Cambusa, piazza Vespucci ☎ 875432, Fax 875432, ≤, ☂ – AE. ① E VISA
chiuso dal 10 novembre al 25 dicembre – **Pasto** carta 40/70000 (15 %).

sulla costiera Amalfitana *E : 2 km :*

San Pietro ⛰, via Laurito 2 ☎ 875455, Fax 811449, ≤ mare e costa, Ascensore per la spiaggia, ☂, « Terrazze fiorite », ⛱, ✕ – |‡| ▤ cam TV ☎ P. AE. ① E VISA. ✻ rist
28 marzo-3 novembre – **Pasto** carta 80/115000 (15 %) – **52 cam** ☐ 600/700000, 6 appartamenti – ½ P 400/420000.

POSTA FIBRENO *03030 Frosinone* 430 Q 23 – *1 352 ab. alt. 430* – ☎ *0776.*
Roma 121 – Frosinone 40 – Avezzano 51 – Latina 91 – Napoli 130.

sulla strada statale 627 *O : 4 km :*

XXX **Il Mantova del Lago,** località La Pesca 9 ✉ 03030 ☎ 887344, Fax 887345, « In riva lago », – ▤ P. AE. S. ●. ✻
chiuso domenica sera, lunedì, dall'11 al 17 agosto e novembre – **Pasto** carta 50/70000.

POTENZA *85100* P 988 ㉘, 431 F 29 *G. Italia* – *66 039 ab. alt. 823* – ☎ *0971.*
Vedere *Portale* della chiesa di San Francesco* **Y.**
via Alianelli angolo via Plebiscito ☎ *21812, Fax 36196.*
A.C.I. *viale del Basento* ☎ *56466.*
Roma 363 ③ – Bari 151 ② – Foggia 109 ① – Napoli 157 ③ – Salerno 106 ③ – Taranto 157

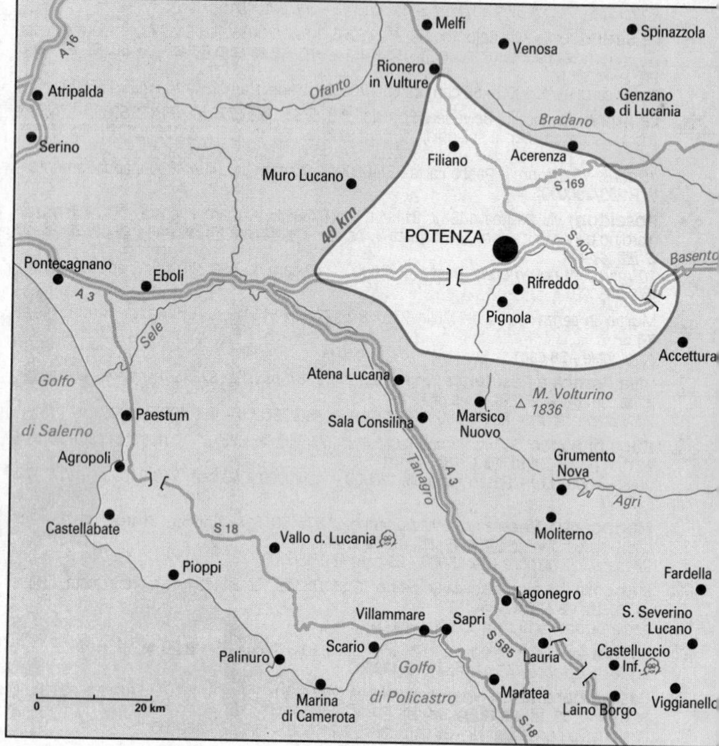

Grande Albergo, corso 18 Agosto 46 ☎ 410220, Fax 410220, ≤ – |\$| TV ☎ – 150. AE S. ● E VISA — Y a
Pasto *(chiuso agosto)* carta 40/60000 – **63 cam** ☐ 120/185000 – P 135/190000.

Vittoria, via della Tecnica ☎ 56632, Fax 56802 – |\$| ▤ TV ☎ P. AE. S. E VISA. JCB ✻ — X a
Pasto *(chiuso domenica)* carta 30/45000 – **22 cam** ☐ 75/120000 – 1/2 P 95000.

XX **Mimì,** via Rosica 22 ☎ 37592, Coperti limitati; prenotare — Z b
chiuso domenica sera e lunedì – **Pasto** carta 25/35000.

XX **La Pergola,** contrada Macchia Romana ☎ 444982, Fax 444982, ≤ – ▤ P – 300. S. ● E VISA. ✻ — 2 km per ①
chiuso martedì – **Pasto** carta 30/50000.

X **Fuori le Mura,** via IV Novembre 34 ☎ 25409 – AE. S. ● VISA — Z a
chiuso lunedì – **Pasto** carta 35/50000.

POTENZA

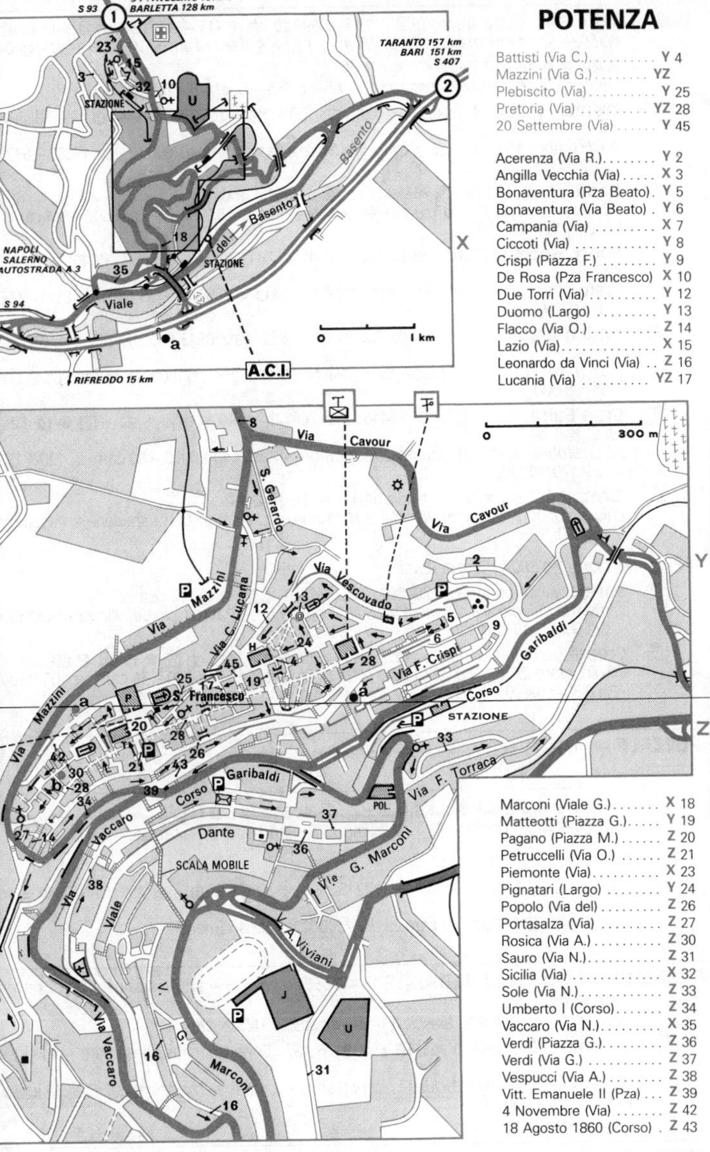

Battisti (Via C.) .... Y 4
Mazzini (Via G.) .... YZ
Plebiscito (Via) .... Y 25
Pretoria (Via) .... YZ 28
20 Settembre (Via) ...... Y 45

Acerenza (Via R.) .... Y 2
Angilla Vecchia (Via) ..... X 3
Bonaventura (Pza Beato) . Y 5
Bonaventura (Via Beato) . Y 6
Campania (Via) .... X 7
Ciccoti (Via) .... Y 8
Crispi (Piazza F.) .... Y 9
De Rosa (Pza Francesco) X 10
Due Torri (Via) .... Y 12
Duomo (Largo) .... Y 13
Flacco (Via O.) .... Z 14
Lazio (Via) .... X 15
Leonardo da Vinci (Via) .. Z 16
Lucania (Via) .... YZ 17

Marconi (Viale G.) .... X 18
Matteotti (Piazza G.) ..... Y 19
Pagano (Piazza M.) ...... Z 20
Petruccelli (Via O.) ...... Z 21
Piemonte (Via) .... X 23
Pignatari (Largo) .... Y 24
Popolo (Via del) .... Z 26
Portasalza (Via) .... Z 27
Rosica (Via A.) .... Z 30
Sauro (Via N.) .... Z 31
Sicilia (Via) .... X 32
Sole (Via N.) .... Z 33
Umberto I (Corso) .... Z 34
Vaccaro (Via N.) .... X 35
Verdi (Piazza G.) .... Z 36
Verdi (Via G.) .... Z 37
Vespucci (Via A.) .... Z 38
Vitt. Emanuele II (Pza) ... Z 39
4 Novembre (Via) .... Z 42
18 Agosto 1860 (Corso) . Z 43

*Sono utili complementi di questa guida, per i viaggi in **ITALIA** :*

- *La **carta stradale Michelin** nº* 988 *in scala 1/1 000 000.*
- *Le **carte*** 428, 429, 430, 431, 432, 433 *in scala 1/400 000.*
- *L'Atlante stradale Italia in scala 1/300 000.*
  - *Le guide Verdi turistiche **Michelin "Italia", "Roma", "Venezia"** e **"Toscana"** :*
    itinerari regionali,
    musei, chiese,
    monumenti e bellezze artistiche.

POZZA DI FASSA *38036 Trento* 429 C 17 – *1 697 ab. alt. 1 315 – a.s. 28 gennaio-11 marzo Natale – Sport invernali : 1 320/2 153 m 1 5, (vedere anche Vigo di Fassa) – 04*
piazza Municipio 1 764117, Fax 763717.
Roma 677 – Bolzano 40 – Canazei 10 – Milano 335 – Moena 6 – Trento 95.

Trento, 764279, Fax 764888, ←, – rist . .
20 dicembre-15 aprile e 20 giugno-5 ottobre – **Pasto** carta 40/60000 – 15000 – **63 ca** 120/240000 – ½ P 80/160000.

René , 764258, Fax 763594, ←, , , – .
18 dicembre-aprile e 20 giugno-settembre – **Pasto** 25/35000 – 8500 – **34 cam** 90000 – ½ P 60/80000.

Sport Hotel Majarè, via Buffaure 21/b 764760, Fax 763565 –
Pasto *(chiuso mercoledì in bassa stagione)* carta 45/65000 – **33 cam** 85/140000 ½ P 110000.

Antico Bagno , via Antico Bagno 763232, Fax 763232, ← monti, –
chiuso dal 5 ottobre al 4 dicembre – **Pasto** 35/50000 – 16000 – **18 cam** 60/80000 P 80/120000.

Gran Baita, via Roma 57 764163, Fax 764745, ←, « Giardino », – .
E VISA.
20 dicembre-aprile e 15 giugno-20 settembre – **Pasto** 40/60000 – **30 cam** 120/2150 – ½ P 170/190000.

Zirm, 763254, « Cucina tradizionale » – . . E VISA
chiuso dal 10 al 22 dicembre, dal 2 al 15 aprile e lunedì in bassa stagione – **Pasto** car 35/50000.

a Pera *N : 1 km – 38030 Pera di Fassa :*

Soreje, via Dolomiti 19 764882, Fax 763790 – . rist
chiuso da maggio al 9 giugno e dal 5 al 30 novembre – **Pasto** (solo per alloggiati) 25/350 – 10000 – **16 cam** 70/100000 – ½ P 65/85000.

Crepei, via Giumella 2 764103, Fax 764312, ←, , – . . E VISA.
20 dicembre-25 aprile e 20 giugno-settembre – **Pasto** 25/30000 – **36 cam** 105/1300 – ½ P 80/110000.

POZZALE *Firenze* 429, 430 K 14 – *Vedere Empoli.*

POZZILLI *86077 Isernia* 430 R 24, 431 C 24 – *2 117 ab. alt. 235 – 0865.*
Roma 153 – Campobasso 68 – Avezzano 154 – Benevento 90 – Isernia 36 – Napoli 91.

sulla strada statale 85 *SE : 4 km :*

Dora, 86077 908006, Fax 927215, – – 250. . . E VISA
JCB.
Pasto carta 35/50000 – **46 cam** 110/140000, 2 appartamenti.

POZZOLENGO *25010 Brescia* 428, 429 F 13 – *2 660 ab. alt. 135 – a.s. Pasqua e luglio-15 settembre – 030.*
Roma 522 – Verona 37 – Brescia 40 – Mantova 36 – Milano 128.

Vecchio '800, via S. Maria 13 918176, , Coperti limitati; prenotare – . .
VISA
chiuso a mezzogiorno (escluso i giorni festivi e domenica), martedì e dal 15 al 30 luglio – **Pasto** carta 35/50000.

POZZOLO *46040 Mantova* 428, 429 G 14 – *alt. 49 – 0376.*
Roma 488 – Verona 34 – Brescia 149 – Mantova 20.

Ancilla, via Ponte 3 460007 – . . . E VISA.
chiuso lunedì sera, martedì e novembre – **Pasto** 20000 (solo a mezzogiorno) e cart 40/55000.

Per escursioni nel **Nord della Lombardia** e nella **Valle d'Aosta** utilizzate la **carta stradale** n. 219 scala 1/200 000.

)ZZUOLI *80078 Napoli* 988 ㉗, 431 E 24 *G. Italia – 79 977 ab. – Stazione termale, a.s. maggio-15 ottobre – ☎ 081.*

Vedere *Anfiteatro★★ – Solfatara★★ NE : 2 km – Tempio di Serapide★ – Tempio di Augusto★.*

Dintorni *Rovine di Cuma★ : Acropoli★★, Arco Felice★ NO : 6 km – Lago d'Averno★ NO : 7 km.*

Escursioni *Campi Flegrei★★ SO per la strada costiera – Isola d'Ischia★★★ e Isola di Procida★.*

per Procida (30 mn) ed Ischia (1 h), giornalieri – Caremar-agenzia Ser.Mar. e Travel, banchina Emporio ☎ 5262711, Fax 5261335 e Alilauro, al porto ☎ 5267736, Fax 5268411; Ischia (1 h), giornalieri – Linee Lauro, al porto ☎ 5267736, Fax 5268411.

per Procida giornaliero (15 mn) – Caremar-agenzia Ser.Mar. e Travel, banchina Emporio ☎ 5262711, Fax 5261335.

via Campi Flegrei 3 ☎ 5261481.

Roma 235 – Napoli 16 – Caserta 48 – Formia 74.

Villaverde, via Licola Patria 99 ☎ 8661342, Fax 8042292, ← – TV ☎ P
16 cam.

Santa Marta, via Licola Patria 28 ☎ 8042404, Fax 8042406 – |‡| ▤ TV ☎ P. AE. 𝕊. ● E VISA. ✗
Pasto carta 35/60000 (10 %) – **34 cam** ☐ 100/140000 – ½ P 80/95000.

Solfatara, via Solfatara 163 ☎ 5262666, Fax 5263365, ← – |‡| ▤ TV ☎ ♿ P – 🏛 100. AE. 𝕊. ● E VISA. ✗ rist
Pasto *(chiuso domenica)* 30/40000 – **31 cam** ☐ 120/150000, ▤ 20000 – ½ P 90/110000.

Trattoria degli Amici, Corso Umberto I 47 ☎ 5269393 –. 𝕊. VISA. ✗
chiuso martedì – **Pasto** carta 40/50000.

l lago Lucrino *O : 5 km – Vedere Guida Verde.*

La Ninfea, via Italia 1 ✉ 80072 Arco Felice ☎ 8661326, Fax 8665308 – P. AE. 𝕊. ● VISA
chiuso martedì escluso da maggio a settembre – **Pasto** carta 50/70000 (15 %).

RADIPOZZO *30020 Venezia* 429 E 20 – ☎ *0421.*

Roma 587 – Udine 56 – Venezia 63 – Milano 328 – Pordenone 33 – Treviso 49 – Trieste 98.

Tavernetta del Tocai, via Fornace 93 ☎ 204280, Fax 204264 – P. AE. 𝕊. ● VISA
chiuso lunedì – **Pasto** carta 30/45000.

'RAGS = *Braies.*

RAIA A MARE *87028 Cosenza* 988 ㊳, 431 H 29 – *6 585 ab. – ☎ 0985.*

Escursioni *Golfo di Policastro★★ Nord per la strada costiera.*

Roma 417 – Cosenza 100 – Napoli 211 – Potenza 139 – Salerno 160 – Taranto 230.

Germania, via Roma 44 ☎ 72016, Fax 72755, ←, 🏖 – |‡| ☎ ♿ P. AE. ✗
aprile-settembre – **Pasto** 35000 – ☐ 15000 – **62 cam** 70/120000 – ½ P 65/105000.

Garden, via Roma 8 ☎ 72828, 🏖 – ☎ P. AE 𝕊 VISA
aprile-ottobre – **Pasto** 25/40000 – **39 cam** ☐ 70/110000 – ½ P 95/100000.

'RAIANO *84010 Salerno* 431 F 25 – *1 958 ab. – a.s. Pasqua, giugno-settembre e Natale – ☎ 089.*

Roma 274 – Napoli 64 – Amalfi 9 – Salerno 34 – Sorrento 25.

Tramonto d'Oro, via Gennaro Capriglione 119 ☎ 874008, Fax 874670, ← mare e costa, « Terrazza-solarium con 🏊 » – |‡| ▤ cam TV ☎ P. AE. 𝕊. ● E VISA. JCB. ✗ rist
Pasto carta 50/65000 – **40 cam** ☐ 170/200000 – ½ P 100/140000.

Le Fioriere senza rist, via Nazionale 138 ☎ 874203, Fax 874343, ← – |‡| ▤ ☎ P. AE. 𝕊. ● E VISA. ✗
14 cam ☐ 70/120000.

Onda Verde 🐚, via Terra Mare 3 ☎ 874143, Fax 874125, ← mare e costa – TV ☎ P. AE. 𝕊. ● E VISA. JCB. ✗
Pasto carta 35/50000 – **20 cam** ☐ 85/110000 – ½ P 90/120000.

Margherita 🐚, via Umberto I 70 ☎ 874227, Fax 874628, ← mare e costa – |‡| ☎ 🚗 P. AE. 𝕊. ● E VISA. ✗ cam
Pasto (solo per alloggiati) – **28 cam** ☐ 115000 – ½ P 95000.

La Brace, via Capriglione ☎ 874226, ←, 🍽 – P. AE. 𝕊. ● E VISA. ✗
chiuso mercoledì escluso dal 15 marzo al 15 ottobre – **Pasto** carta 40/60000 (10 %).

La Bugia, via Capriglione 186 ☎ 874653, ← mare e costa, 🍽, Rist. e pizzeria alla sera – AE. 𝕊. ● E VISA
chiuso lunedì escluso da aprile a settembre – **Pasto** carta 30/55000 (10 %).

sulla strada statale 163 *O : 2 km :*

🏨 **Tritone** 🐚, via Campo 5 ✉ 84010 ☎ 874333, Fax 874374, ≤ mare e costa, ⛱, « Su scogliera dominante il mare, ascensore per la spiaggia », 🏊 riscaldata, 🏊 – |$| ▤ ☎ [P] 🎪 150. [AE]. [S]. ⦿ E VISA. JCB. ✗ rist
25 marzo-25 ottobre – **Pasto** 65/80000 – **57 cam** ☕ 300/350000, 3 appartamenti ½ P 190/220000.

PRALBOINO *25020 Brescia* [428], [429] I 8 – *2 514 ab. alt. 47* – ☎ *030.*
Roma 550 – Brescia 44 – Cremona 24 – Mantova 61 – Milano 127.

🍴🍴🍴 **Leon d'Oro,** via Gambara 6 ☎ 954156, « In un edificio seicentesco » – [AE]. [S]. ⦿ E VIS
✗
✿ *chiuso domenica sera, lunedì, dal 1° al 10 gennaio ed agosto* – **Pasto** 40/100000 e car 55/90000
Spec. "Padellata" di funghi misti con formaggella. Tortelli d'anatra in salsa di fegat Piccione disossato e farcito.

PRALORMO *10040 Torino* [428] H 5 – *1 664 ab. alt. 303* – ☎ *011.*
Roma 654 – Torino 37 – Asti 40 – Cuneo 82 – Milano 165 – Savona 129.

🏨 **Lo Scoiattolo,** frazione Scarrone 15 bis - strada statale 29 (N : 1 km) ☎ 948114 Fax 9481481, ⛱ – ⛔ cam [TV] ☎ ♿ 🚗 [P]. [S]. E VISA. JCB. ✗ cam
Pasto *(chiuso domenica sera, martedì a mezzogiorno ed agosto)* carta 25/60000 ☕ 15000 – **52 cam** 85/110000 – ½ P 100000.

PRASCORSANO *10080 Torino* [428] F 4, [219] ⑬ – *771 ab. alt. 581* – ☎ *0124.*
Roma 702 – Torino 43 – Aosta 104 – Ivrea 27.

🍴🍴 **Società Prascorsano,** via Villa 23 ☎ 698135, ⛱, Rist.tipico, prenotare – [P]. [S] E VISA
chiuso martedì e dal 1° al 15 novembre – **Pasto** 50/70000 bc e carta 35/60000.

PRATA *Grosseto* [430] M 14 – *Vedere Massa Marittima.*

PRATA DI PORDENONE *33080 Pordenone* [429] E 19 – *6 643 ab. alt. 18* – ☎ *0434.*
Roma 581 – Belluno 74 – Pordenone 9 – Treviso 45 – Udine 60 – Venezia 78.

a Villanova *S : 5 km* – ✉ *33080 Ghirano :*

🍴🍴 **Secondo** con cam, piazza della Repubblica 6 ☎ 626145, Fax 626147 – ▤ [P]. [AE]. [S]. ⦿
VISA. ✗
chiuso dal 1° al 10 gennaio e dal 5 al 25 agosto – **Pasto** *(chiuso martedì sera e mercoled* carta 30/55000 – ☕ 10000 – **6 cam** 45/65000 – ½ P 60/80000.

PRATI (WIESEN) *Bolzano – Vedere Vipiteno.*

PRATI DI TIVO *Teramo* [988] ㉖, [430] O 22 – *Vedere Pietracamela.*

PRATO *50047* [P] [988] ⑭, [429], [430] K 15 *G. Toscana* – *167 991 ab. alt. 63* – ☎ *0574.*
Vedere *Duomo★ : affreschi★★ dell'abside (Banchetto di Erode★★★) – Palazzo Pretorio★ – Affreschi★ nella chiesa di San Francesco* **D** *– Pannelli★ al museo dell'Opera del Duomo* **M** *– Castello dell'Imperatore★* **A.**
⛳ *Le Pavoniere (chiuso lunedì) a Tavola ✉ 50040, ☎ 620855, Fax 624558.*
ℹ *via Cairoli 48 ☎ 24112.*
[A.C.I.] *via dei Fossi 14c ☎ 626831.*
Roma 293 ④ – Firenze 17 ④ – Bologna 99 ② – Milano 293 ② – Pisa 81 ④ – Pistoia 18 ④ – Siena 84 ④.

Pianta pagina a lato

🏨 **Art Hotel Museo** [M], viale Repubblica ☎ 5787, Telex 573208, Fax 578880, 🏋, ≘s, 🏊, ✗ – |$| ▤ [TV] ☎ ♿ 🚗 [P] – 🎪 200. [AE]. [S]. ⦿ E VISA
Pasto *(chiuso domenica e dal 4 al 25 agosto)* carta 55/75000 – **108 cam** ☕ 180/230000, 2 appartamenti. per viale Monte Grappa

🏨 **President,** via Simintendi ang. via Baldinucci ☎ 30251, Fax 36064 – |$| ▤ [TV] ☎. [AE]. [S]. ⦿ E VISA. ✗ rist a
Pasto carta 45/65000 – **78 cam** ☕ 170/240000 – ½ P 150/160000.

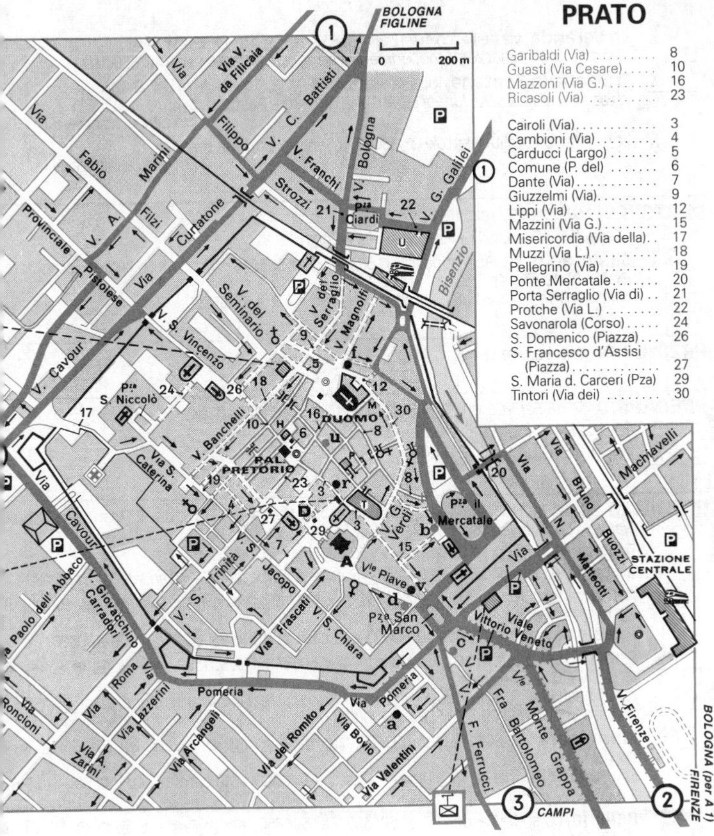

Giardino senza rist, via Magnolfi 4 ☎ 606588, Fax 606591 – 🛗 ▤ TV ☎. AE. 🅂. ⓓ E VISA f
☕ 18000 – **28 cam** 140/160000.

Flora senza rist, via Cairoli 31 ☎ 33521, Fax 40289 – 🛗 ▤ TV ☎ – 🏛 50. AE. 🅂. ⓓ E VISA r
☕ 16000 – **31 cam** 120/140000.

San Marco senza rist, piazza San Marco 48 ☎ 21321, Fax 22378 – 🛗 ▤ TV ☎. AE. 🅂. ⓓ E VISA. 🐕 v
40 cam ☕ 90/135000.

XXX **Il Piraña,** via Tobia Bertini angolo via Valentini ☎ 25746, prenotare – ▤. AE. 🅂. ⓓ E VISA. 🐕 per via Valentini
✿ *chiuso sabato a mezzogiorno, domenica ed agosto* – **Pasto** specialità di mare carta 60/85000
Spec. Fantasia di crostacei. Taglierini con scampi e fiori di zucchina. Pescatrice al rosmarino.

XXX **Osvaldo Baroncelli,** via Fra Bartolomeo 13 ☎ 23810, prenotare – ▤. AE. 🅂. E VISA c
chiuso sabato a mezzogiorno, domenica ed agosto – **Pasto** carta 55/70000 (12 %).

XX **Tonio,** piazza il Mercatale 161 ☎ 21266, Fax 21266, 🏖 – ▤. AE. 🅂. ⓓ E VISA JCB b
chiuso domenica, lunedì, dal 23 dicembre al 7 gennaio ed agosto – **Pasto** specialità di mare carta 45/65000 (10 %).

XX **Baghino,** via dell'Accademia 9 ☎ 27920 – ▤. AE. 🅂. ⓓ E VISA u
chiuso dal 10 al 25 agosto, lunedì a mezzogiorno, domenica sera da novembre a maggio, tutto il giorno negli altri mesi – **Pasto** carta 45/70000 (12 %).

XX **Il Capriolo,** via Roma 306 ☎ 633650, Rist. e pizzeria – ▤. AE. 🅂. E VISA. 🐕
chiuso sabato a mezzogiorno, mercoledì e dal 2 al 30 agosto – **Pasto** carta 55/70000. per via Roma

La Veranda, via dell'Arco 10/12 ☎ 38235 – ▤. AE. ⑤. ● E VISA. JCB
chiuso sabato a mezzogiorno, domenica ed agosto – **Pasto** carta 45/65000.

Trattoria la Fontana, località Filettole ☎ 27282, – ▤ P. ⑤. E VISA.
chiuso domenica sera, lunedì e dal 6 al 27 agosto – **Pasto** carta 45/65000.
2 km per via Machiavelli

Logli Mario, località Filettole ☎ 23010, « Servizio estivo in terrazza »
2 km per via Machiavelli

PRATOVECCHIO *52015 Arezzo* 430 K 17 – *3 002 ab. alt. 420* – ☎ *0575.*
Roma 261 – Firenze 47 – Arezzo 46 – Ravenna 129.

Gli Accaniti, via Fiorentina 12 ☎ 583345, Fax 583345, , Coperti limitati; prenotare
P. AE. ⑤. E VISA.
chiuso martedì e dal 1° al 20 novembre – Pasto carta 35/55000.

PREDAIA *Trento – Vedere Vervò.*

PREDAPPIO *47016 Forlì-Cesena* 988 ⑮, 429, 430 J 17 – *5 976 ab. alt. 133* – ☎ *0543.*
Roma 347 – Ravenna 45 – Rimini 65 – Bologna 79 – Firenze 102 – Forlì 16.

Del Moro, viale Roma 8 ☎ 922257

PREDAZZO *38037 Trento* 988 ④⑤, 429 D 16 – *4 134 ab. alt. 1 018 – a.s. 25 gennaio-Pasqua*
Natale – Sport invernali : 1 018/1 121 m 1 2, – ☎ *0462.*
piazza Santi Filippo e Giacomo 2 ☎ 501237, Fax 502093.
Roma 662 – Bolzano 55 – Belluno 78 – Cortina d'Ampezzo 83 – Milano 320 – Trento 80.

Ancora, via IX Novembre 1 ☎ 501651, Fax 502745, – P – 100. AE. ⑤
● E VISA. JCB.
Pasto *(chiuso giovedì)* carta 40/60000 – **40 cam** 160/195000 – ½ P 100/160000.

Sporthotel Sass Maor, via Marconi 4 ☎ 501538, Fax 501538, –
AE. ⑤. ● E VISA. JCB.
chiuso dal 15 al 30 novembre – **Pasto** *(chiuso martedì in bassa stagione)* carta 35/45000
24 cam 100/120000 – ½ P 80/120000.

Montanara, ☎ 501116, Fax 502658, , – P. AE. ⑤. ● E VISA. JCB
rist
chiuso dal 13 aprile al 15 giugno – **Pasto** 20/40000 – **40 cam** 90/160000 – ½ P 5O
110000.

Bellaria, corso De Gasperi 20 ☎ 501369, Fax 501650, , , – P. AE. ⑤. ●
E VISA.
chiuso maggio, ottobre e novembre – **Pasto** 30/35000 – 10000 – **58 cam** 110/200000
½ P 100/135000.

Vinella, via Mazzini 76 ☎ 501151, Fax 502330, – P. AE. ⑤. ● VISA

20 dicembre-20 aprile e 20 giugno-20 settembre – **Pasto** 25/35000 – 10000 – **29 cam**
85/160000 – ½ P 85/100000.

PREDORE *24060 Bergamo* 428, 429 E 12 – *1 661 ab. alt. 190 – a.s. luglio-agosto* – ☎ *035.*
Roma 590 – Brescia 41 – Bergamo 37 – Milano 78.

Eurovil, via Sarnico 94 ☎ 938327, Fax 938227, – P – 150. AE. ⑤. ● E VISA

Pasto *(chiuso lunedì)* 25/30000 – **23 cam** 65/100000 – ½ P 80/85000.

PREGANZIOL *31022 Treviso* 429 F 18 – *13 958 ab. alt. 12* – ☎ *0422.*
Roma 534 – Venezia 22 – Mestre 13 – Milano 273 – Padova 43 – Treviso 7.

Park Hotel Bolognese-Villa Pace, via Terraglio 175 (N : 3 km) ☎ 49039C
e rist ☎ 381706, « Parco ombreggiato » – ▤ P – 120. AE. ⑤. ● E VISA.
Pasto al Rist. ***Bolognese*** *(chiuso dal 1° al 24 agosto)* carta 45/55000 – 20000 – **50 cam**
160/190000 – ½ P 135000.

Magnolia, N : 1 km ☎ 93375, Fax 93713, – P. AE. ⑤. ● E VISA.
Pasto vedere rist ***Magnolia*** – 11000 – **29 cam** 75/110000.

Magnolia, N : 1 km ☎ 633131, Fax 330176, – ▤ P. AE. ⑤. ● E VISA
chiuso domenica sera, lunedì e dal 1° al 25 agosto – **Pasto** carta 45/65000.

an Trovaso N : 2 km – ✉ 31022 :

Sole senza rist, via Silvio Pellico 1 ☎ 383126, Fax 383126 – |♦| ▤ TV ☎ ⇔ P. AE. S. E VISA. ✗
☕ 10000 – **18 cam** 80/90000.

REMADIO *Sondrio* 218 ⑰ – *Vedere Valdidentro.*

REMENO *28057 Verbania* 428 E 7, 219 ⑦ – *744 ab. alt. 817 – ☎ 0323.*
Piandisole (aprile-novembre; chiuso mercoledì escluso dal 20 giugno al 10 settembre) ☎ 587100, Fax 587100.
Roma 681 – Stresa 30 – Locarno 49 – Milano 104 – Novara 81 – Torino 155 – Verbania 11.

Premeno ⛰, viale Bonomi 31 ☎ 587021, Fax 587328, ←, ⛱, 🌳 – |♦| ☎ P. AE. S. E VISA. ✗
aprile-settembre – **Pasto** carta 35/50000 – ☕ 16000 – **61 cam** 90/130000 – 1/2 P 65/95000.

RÉ SAINT DIDIER *11010 Aosta* 988 ①, 428 E 2, 219 ① – *980 ab. alt. 1 000 – a.s. febbraio-Pasqua, 12 luglio-agosto e Natale – ☎ 0165.*
Roma 779 – Aosta 30 – Courmayeur 5 – Milano 217 – Colle del Piccolo San Bernardo 23.

Pianta : vedere Courmayeur.

Pallusieux *N : 2,5 km – alt. 1 100 – ✉ 11010 Pré Saint Didier :*

Beau Séjour ⛰, ☎ 87801, Fax 87961, 🏔, « Giardino ombreggiato con ← Monte Bianco » – TV ☎ ⇔ P. AE. S. E VISA. ✗ rist BYZ b
dicembre-aprile e 15 giugno-settembre – **Pasto** 35/45000 – ☕ 12000 – **33 cam** 65/110000 – 1/2 P 85/95000.

Le Marmotte ⛰, ☎ 87049, Fax 87049, ← Monte Bianco – |♦| TV ☎ P. ✗ cam
dicembre-aprile e 15 giugno-ottobre – **Pasto** (solo per alloggiati) 35/45000 – ☕ 12000 – **20 cam** 65/110000 – 1/2 P 85/95000. BZ c

RESOLANA (Passo della) *Bergamo e Brescia* 988 ③ ④, 429 E 12 – *alt. 1 289 – a.s. 15 luglio-agosto e Natale – Sport invernali : 1 286/2 220 m ⛷5.*
Roma 650 – Brescia 97 – Bergamo 49.

Del Passo, ✉ 24020 Colere ☎ (0346) 32081, prenotare – P
chiuso ottobre e martedì (escluso dal 15 giugno al 15 settembre) – **Pasto** carta 35/50000.

RESTINE *25040 Brescia – 418 ab. alt. 604 – ☎ 0364.*
Roma 600 – Brescia 60 – Bergamo 63 – Milano 117 – Rovereto 114.

Al Videt, via S. F. Bianchi 8 ☎ 300627 – ✗
chiuso dal 1° al 15 settembre e martedì (escluso dal 15 giugno ad agosto) – **Pasto** carta 40/60000.

RETURO *L'Aquila* 430 O 21 – *Vedere L'Aquila.*

RIMIERO *Trento – Vedere Fiera di Primiero.*

RINCIPINA A MARE *Grosseto* 430 N 15 – *Vedere Grosseto (Marina di).*

RIOCCA D'ALBA *12040 Cuneo* 428 H 6 – *1 821 ab. alt. 253 – ☎ 0173.*
Roma 631 – Torino 59 – Alessandria 56 – Asti 24 – Cuneo 76.

Il Centro, via Umberto I 5 ☎ 616112, Fax 616112, prenotare – ▤. AE. S. E VISA. ✗
chiuso martedì – **Pasto** carta 25/40000.

ROCIDA (Isola di) *Napoli* 431 E 24 *G. Italia – 10 803 ab. – a.s. maggio-15 ottobre – ☎ 081.*
– La limitazione d'accesso degli autoveicoli è regolata da norme legislative.
⛴ *per Napoli giornalieri (1 h); per Pozzuoli ed Ischia (30 mn), giornalieri – Caremar-agenzia Lubrano, al porto ☎ 8967280; per Pozzuoli giornalieri (30 mn) – Alilauro, al porto ☎ 5267736, Fax 5268411.*
⛴ *per Napoli giornalieri (35 mn), Pozzuoli ed Ischia giornaliero (15 mn) – Caremar-agenzia Lubrano, al porto ☎ 8967280.*
ℹ *via Roma 92 ☎ 8969594.*

Procida [988] ㉗ – ✉ 80079 :

🍴 **La Medusa,** via Roma 116 ☎ 8967481, ←, ☂ – [AE]. [S]. ⓪ E [VISA]. ✗
chiuso gennaio, febbraio e martedì (escluso da maggio a settembre) – **Pasto** carta 3
65000.

🍴 **Gorgonia,** località Marina Corricella ☎ 8101060, ☂, Coperti limitati; prenotare – [AE].
E [VISA]. ✗
giugno-settembre; chiuso lunedì – **Pasto** carta 40/65000.

PROH *Novara* [219] ⑯ – *Vedere Briona.*

PRUNETTA *51020 Pistoia* [988] ⑭, [428], [429], [430] J 14 – *alt. 958* – *a.s. luglio-agosto* – ☎ *0573.*
Roma 327 – *Firenze 51* – *Pisa 82* – *Lucca 48* – *Milano 291* – *Pistoia 17* – *San Marce*
Pistoiese 14.

🏠 **Le Lari,** via statale Mammianese 403 ☎ 672931, Fax 672931, « Giardino » – Ⓟ. ✗
Pasqua-15 ottobre – **Pasto** 25/30000 – ☕ 6000 – **25 cam** 40/70000 – ½ P 50/55000.

PULA *Cagliari* [988] ㉝, [433] J 9 – *Vedere Sardegna alla fine dell'elenco alfabetico.*

PULFERO *33046 Udine* [429] D 22 – *1 343 ab. alt. 221* – ☎ *0432.*
Roma 662 – *Udine 28* – *Gorizia 42* – *Tarvisio 66.*

🍴🍴 **Al Vescovo** con cam, ☎ 726375, Fax 726376, « Terrazza ombreggiata in riva al fiume »
[TV] ☎
chiuso dal 22 gennaio all'11 febbraio – **Pasto** carta 35/45000 – ☕ 7000 – **18 cam** 55/850
– ½ P 50/55000.

PUNTA ALA *58040 Grosseto* [988] ㉔, [430] N 14 *G. Toscana* – *a.s. Pasqua e 15 giugno-15 settemb*
– ☎ *0564.*
⛳18 ☎ *922121, Fax 920182.*
Roma 225 – *Grosseto 43* – *Firenze 170* – *Follonica 18* – *Siena 102.*

🏨 **Gallia Palace Hotel** 🐦, ☎ 922022, Fax 920229, ←, ☂, « Giardino fiorito con
riscaldata », 🏊, 🎾 – 🛗 ▤ [TV] ☎ ♿ Ⓟ. [AE]. [S]. ⓪ E [VISA]. ✗
21 maggio-1° ottobre – **Pasto** 75/90000 – ☕ 33000 – **94 cam** 300/520000 – ½ P 21
380000.

🏨 **Piccolo Hotel Alleluja** 🐦, ☎ 922050, Telex 500449, « Parco ombreggiato e serviz
rist. estivo all'aperto », 🏖, 🏊, 🎾 – 🛗 ▤ [TV] ☎ ♿ Ⓟ. [AE]. [S]. ⓪ E [VISA]. ✗
Pasto 75/100000 – **38 cam** ☕ 600/760000, appartamento – ½ P 325/430000.

🏨 **Cala del Porto** 🐦, ☎ 922455, Fax 920716, ←, ☂, « Terrazze fiorite », 🏖, 🏊, 🛏 –
[TV] ☎ Ⓟ. [AE]. [S]. ⓪ E [VISA]. ✗
Pasqua-settembre – **Pasto** 80000 – ☕ 30000 – **36 cam** 660000, 5 appartamenti – ½ P 38
455000.

🍴🍴 **Lo Scalino,** località Il Porto ☎ 922168, ←, ☂ – [AE]. [S]. E [VISA]. ✗
marzo-ottobre; chiuso martedì in bassa stagione e a mezzogiorno in luglio-agosto – **Past**
specialità di mare carta 55/95000.

PUNTA DEL LAGO *Viterbo* [430] P 18 – *Vedere Ronciglione.*

PUNTALDIA *Nuoro* – *Vedere Sardegna (San Teodoro) alla fine dell'elenco alfabetico.*

PUOS D'ALPAGO *32015 Belluno* [429] D 19 – *2 266 ab. alt. 419* – ☎ *0437.*
Roma 605 – *Belluno 20* – *Cortina d'Ampezzo 75* – *Venezia 95.*

🍴🍴 ✿ **Locanda San Lorenzo** con cam, via IV Novembre 79 ☎ 454048, Fax 454049, prenota
– [TV] ☎ Ⓟ. [AE]. [S]. ⓪ E [VISA]
Pasto *(chiuso mercoledì)* 35/65000 – ☕ 10000 – **11 cam** 80/130000, 2 appartamenti
P 110/130000
Spec. Animelle di vitello all'aceto balsamico. Rotolo di rape rosse e ricotta. Filetto di vitell
ai porcini.

PUTIGNANO *70017 Bari* [988] ㉙, [431] E 33 – *27 674 ab. alt. 368* – ☎ *080.*
Roma 490 – *Bari 41* – *Brindisi 81* – *Taranto 54.*

🏨 **Plaza** senza rist, via Roma ☎ 731266 – 🛗 ▤ [TV] ☎ – 🏛 80. [AE]. [S]. ⓪ E [VISA]. ✗
☕ 6500 – **41 cam** 90/120000.

JAGLIUZZO *10010 Torino* [428] F 5, [219] ⑭ – *328 ab. alt. 344* – ☎ *0125.*
Roma 674 – Torino 44 – Aosta 72 – Ivrea 9 – Milano 120.

🍴🍴 Michel, piazza XX Settembre 9 ℘ 76204 – ▤

UARONA *13017 Vercelli* [428] E 6, [219] ⑥ – *4 174 ab. alt. 415* – ☎ *0163.*
Roma 668 – Stresa 49 – Milano 94 – Torino 110.

🍴🍴 **Italia,** piazza della Libertà 27 ℘ 430147 – [AE]. [S]. [O] [E] [VISA]. ⊁
chiuso lunedì e dal 1º al 21 agosto – **Pasto** carta 35/70000.

UARRATA *51039 Pistoia* [428], [429], [430] K 14 – *21 403 ab. alt. 48* – ☎ *0573.*
Roma 307 – Firenze 32 – Lucca 53 – Livorno 95 – Pistoia 13.

Catena *E : 4 km* – ✉ *51030 :*

🍴🍴 La Bussola-da Gino, con cam, via Vecchia Fiorentina 328 ℘ 743128, Fax 743128, ⛱, 🌳 – [TV] ☎ [P]
7 cam

When visiting ***northern Italy*** *use* ***Michelin maps*** [428] *and* [429].

UARTACCIO *Viterbo – Vedere Civita Castellana.*

UARTO D'ALTINO *30020 Venezia* [988] ⑤, [429] F 19 – *6 760 ab.* – ☎ *0422.*
Roma 537 – Venezia 24 – Milano 276 – Treviso 17 – Trieste 134.

🏨 **Park Hotel Junior** ⛰ senza rist, via Roma 93 ℘ 823777, Fax 823777, « Prco ombreggiato » – ▤ [TV] ☎ ♿ 🚗 [P]. [AE]. [S]. [O] [E] [VISA]
15 cam ☕ 95/150000.

🏨 **Villa Odino** ⛰ senza rist, via Roma 146 ℘ 823117, Fax 823235, « Sulla riva del fiume », 🌳 – ▤ [TV] ☎ ♿ [P] – 🏛 50. [AE]. [S]. [O] [E] [VISA]. ⊁
9 cam ☕ 100/160000, 3 appartamenti.

🍴🍴 **Da Odino,** via Roma 87 ℘ 825421, Fax 823777, « Piccolo parco » – ▤ [P]. [AE]. [S]. [O] [E] [VISA]
chiuso martedì sera e mercoledì – **Pasto** carta 40/60000.

🍴 **Cà delle Anfore,** via Marconi 51 (SE : 3 km) ℘ 824153, « Giardino con laghetto », 🌳 – ▤ [P]. [S]. [E] [VISA]
chiuso lunedì, martedì e gennaio – **Pasto** carta 45/90000.

UARTO DEI MILLE *Genova – Vedere Genova.*

UARTU SANT'ELENA *Cagliari* [988] ㉝, [433] J 9 – *Vedere Sardegna alla fine dell'elenco alfabetico.*

UATTRO CASTELLA *42020 Reggio nell'Emilia* [428], [429] I 13 – *10 119 ab. alt. 162* – ☎ *0522.*
Roma 450 – Parma 29 – Modena 48.

🏨 **Casa Matilde** ⛰ senza rist, località Puianello SE : 6 km ✉ 42030 Puianello ℘ 889006, Fax 889006, ≤, « Elegante dimora patrizia in un parco-giardino » – [TV] ☎ [P]. [AE]. [S]. [E] [VISA]. ⊁
6 cam ☕ 200/250000, appartamento 300000.

QUERCE AL PINO *Siena* [430] M 17 – *Vedere Chiusi.*

QUERCEGROSSA *Siena* [430] L 15 – *Vedere Siena.*

QUERCETA *Lucca* [428], [429], [430] K 12 – *Vedere Seravezza.*

QUINCINETTO *10010 Torino* [988] ②, [428] F 5 – *1 111 ab. alt. 295* – ☎ *0125.*
Roma 694 – Aosta 55 – Ivrea 18 – Milano 131 – Novara 85 – Torino 60.

🏨 **Mini Hotel Praiale** ⛰ senza rist, via Umberto I 5 ℘ 757188, Fax 757349 – [TV] ☎. [AE]. [S]. [O] [E] [VISA]
☕ 10000 – **9 cam** 65/85000.

XX **Da Giovanni,** località Montellina, via Fontana Riola 3 ✆ 757447, Fax 757447, ☂, prenotare – P. AE. 🅂. ⓓ E VISA. JCB. ✂
chiuso martedì sera e mercoledì – **Pasto** carta 40/70000.

X **Da Marino,** località Montellina, via Montellina 7 ✆ 757952, ←, ☂ – P. AE. 🅂. ⓓ E VISA
chiuso lunedì, dal 16 gennaio al 4 febbraio e dal 1° al 15 settembre – **Pasto** carta 40/55000

QUINTO AL MARE *Genova* – *Vedere Genova.*

QUINTO DI TREVISO *31055 Treviso* 429 F 18 – *9 106 ab. alt. 17* – ☎ *0422.*
Roma 548 – Padova 41 – Venezia 36 – Treviso 7 – Vicenza 57.

XX **Locanda Righetto** con cam, ✆ 470080, Fax 470080 – ▤ TV ☎ P. AE. 🅂. ⓓ E. ✂
Pasto *(chiuso dal 2 al 10 gennaio)* carta 30/65000 – ☕ 8000 – **11 cam** 65/100000
½ P 85/95000.

QUISTELLO *46026 Mantova* 428, 429 G 14 – *5 790 ab. alt. 17* – ☎ *0376.*
Roma 458 – Verona 65 – Ferrara 61 – Mantova 29 – Milano 203 – Modena 56.

XXX ✿✿ **Ambasciata,** via Martiri di Belfiore 33 ✆ 619169, Fax 618255, prenotare – ▤ P. AE.
ⓓ E VISA. JCB. ✂
chiuso dal 1° al 16 gennaio, dal 1° al 24 agosto, domenica sera, lunedì e le sere di Natale, Capodanno e Pasqua – **Pasto** 80/120000
Spec. Coscia d'anatra muta con ciliege e gelatina di mele cotogne (maggio-agosto). Agnolotti asciutti al burro e parmigiano (settembre-dicembre). Stufato d'asina tartufato (gennaio-aprile).

XX **Al Sole-Cincana,** piazza Semeghini 14 ✆ 618146, Coperti limitati; prenotare – AE. 🅂.
VISA
chiuso domenica sera, mercoledì, dal 29 dicembre al 10 gennaio e da luglio al 20 agosto –
Pasto carta 50/90000.

RADDA IN CHIANTI *53017 Siena* 430 L 16 *G. Toscana* – *1 659 ab. alt. 531* – ☎ *0577.*
Roma 261 – Firenze 54 – Siena 33 – Arezzo 57.

🏠 **Fattoria Vignale** senza rist, via Pianigiani 9 ✆ 738300, Fax 738592, ←, ⛱, 🌳 – ▤ ☎
– 🏛 60. AE. 🅂. E VISA. ✂
22 marzo-17 novembre – **34 cam** ☕ 200/360000.

XX **Vignale,** via XX Settembre 23 ✆ 738094, prenotare – ▤. AE. 🅂. E VISA. ✂
marzo-novembre; chiuso giovedì – **Pasto** carta 70/115000 (15 %).

X **Le Vigne,** podere Le Vigne E : 1 km ✆ 738640, Fax 738640, ☂ – P. AE. 🅂. ⓓ E VISA
JCB. ✂
chiuso gennaio, febbraio e martedì (escluso da Pasqua ad ottobre) – **Pasto** carta 40/65000
(15 %).

sulla strada provinciale 429 *O : 6,5 km :*

🏠 **Vescine** 🐎 senza rist, località Vescine ✉ 53017 ✆ 741144, Fax 740263, ←, « In un borgo antico », ⛱, 🌳, 🎾 – ☎ P. AE. 🅂. E VISA
Capodanno e 18 marzo-15 novembre – **20 cam** ☕ 190/350000, 4 appartamenti.

RADEIN = *Redagno.*

RADICOFANI *53040 Siena* 430 N 17 *G. Toscana* – *1 279 ab. alt. 896* – ☎ *0578.*
Roma 169 – Siena 71 – Arezzo 93 – Perugia 113.

🏠 **La Palazzina** 🐎, località Le Vigne E : 6 km ✆ 55771, Fax 55585, ←, Azienda agrituristica
Solo su prenotazione, « Fattoria del 18° secolo », ⛱, 🌳 – P. AE. 🅂 E VISA
25 marzo-5 novembre – **Pasto** carta 35/45000 – **10 cam** solo ½ P 95/110000.

RAGUSA P 988 ㊲, 432 Q 26 – *Vedere Sicilia alla fine dell'elenco alfabetico.*

RAITO *Salerno* – *Vedere Vietri sul Mare.*

RANCIO VALCUVIA *21030 Varese* 428 E 8, 219 ⑦ – *823 ab. alt. 296* – ☎ *0332.*
Roma 651 – Stresa 59 – Lugano 28 – Luino 12 – Milano 74 – Varese 18.

XX **Gibigiana,** via Roma 19 ✆ 995085, prenotare – P. 🅂. E VISA. ✂
chiuso martedì e gennaio – **Pasto** carta 45/70000.

NCO *21020 Varese* 428 E 7, 219 ⑦ – *1 097 ab. alt. 214* – ☎ *0331.*
Roma 644 – Stresa 37 – Laveno Mombello 21 – Milano 67 – Novara 51 – Sesto Calende 12 – Varese 27.

Conca Azzurra ♨, ℘ 976526, Fax 976721, ≤, ☂, ☒, ⛵, ⛱, ✗ – ▤ cam 📺 ☎ 🅿 – 🏛 150. AE. 🅱. ◐ E VISA. ✗ rist
chiuso gennaio e febbraio – **Pasto** *(chiuso venerdì da ottobre a maggio)* carta 50/85000 – **28 cam** ☐ 140/200000 – ½ P 115/145000.

XXX ✿✿ **Il Sole** ♨ con cam, piazza Venezia 5 ℘ 976507, Fax 976620, ≤, Coperti limitati; prenotare, « Servizio estivo sotto un pergolato », ⛵, ⛱ – ▤ cam 📺 ☎ 🅿. AE. 🅱. ◐ E VISA. ✗
chiuso dicembre e gennaio – **Pasto** *(chiuso lunedì sera escluso da maggio a settembre e martedì)* 70/80000 (10%) a mezzogiorno 115/125000 (10%) alla sera e carta 90/145000 (10%) – ☐ 15000 – **9 cam** 210/380000, 6 appartamenti 400/600000 – ½ P 290/420000
Spec. Tortino d'astice con patate croccanti al basilico. Lasagna multicolore con scampi al Sauternes. Rostin negàa.

NDAZZO *Catania* 988 ㊲, 432 N 26 – *Vedere Sicilia alla fine dell'elenco alfabetico.*

NZANICO *24060 Bergamo* 428, 429 E 11 – *930 ab. alt. 510* – ☎ *035.*
Roma 622 – Bergamo 30 – Brescia 62 – Milano 94.

XX **Pampero,** al lago ℘ 811304, ≤, ☂, prenotare, « Giardino con laghetto » – 🅿. AE. 🅱. ◐ E VISA
chiuso lunedì e martedì a mezzogiorno – **Pasto** carta 45/70000.

Leggete attentamente l'introduzione : è la « chiave » della guida.

NZO *18028 Imperia* 428 J 6 – *539 ab. alt. 300* – ☎ *0183.*
Roma 595 – Imperia 30 – Savona 58 – Torino 191.

XX **Moisello,** via Umberto I 103 ℘ 318073 – 🅿. ✗
chiuso lunedì sera e martedì – **Pasto** carta 35/55000.

PALLO *16035 Genova* 988 ⑬, 428 I 9 *G. Italia* – *28 176 ab.* – *a.s. 15 dicembre-febbraio, Pasqua e luglio-ottobre* – ☎ *0185.*

Vedere *Lungomare Vittorio Veneto★.*

Dintorni *Penisola di Portofino★★★ per la strada panoramica★★ per Santa Margherita Ligure e Portofino SO per ②.*

🏌18 *(chiuso martedì) ℘ 261777, Fax 261779, per ④ : 2 km.*

🅱 *via Diaz 9 ℘ 230346, Fax 63051.*

Roma 477 ④ – Genova 37 ④ – Milano 163 ④ – Parma 142 ① – La Spezia 79 ④.

Gd H. Bristol ♨, via Aurelia Orientale 369 ℘ 273313, Fax 55800, « Rist. roof-garden con ≤ mare e golfo », ≘s, ☒ riscaldata, ⛵, ⛱ – 🛗 ▤ 📺 ☎ 🚗 🅿 – 🏛 250. AE. 🅱. E VISA. ✗ rist per ①
chiuso gennaio e febbraio – **Pasto** 85000 e al Rist. ***Le Cupole*** carta 75/115000 – ☐ 25000 – **91 cam** 220/380000, 2 appartamenti – ½ P 200/310000.

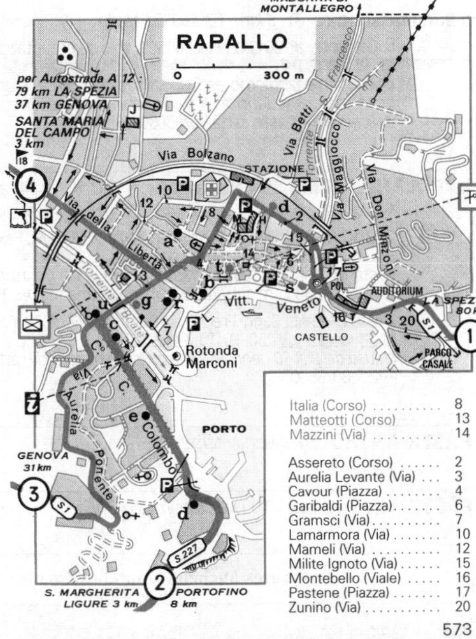

Italia (Corso)	8
Matteotti (Corso)	13
Mazzini (Via)	14

Assereto (Corso)	2
Aurelia Levante (Via)	3
Cavour (Piazza)	4
Garibaldi (Piazza)	6
Gramsci (Via)	7
Lamarmora (Via)	10
Mameli (Via)	12
Milite Ignoto (Via)	15
Montebello (Viale)	16
Pastene (Piazza)	17
Zunino (Via)	20

Excelsior Palace Hotel, via San Michele di Pagana 8 ✆ 230666, Fax 230214, ≤, … , … – 450. AE. SI. ⦿ E VISA. ✻ rist
Pasto carta 75/115000 – **127 cam** ☕ 330/450000 – ½ P 295/360000.

Astoria senza rist, via Gramsci 4 ✆ 273533, Telex 272117, Fax 62793, ≤ – … 40. AE. SI. ⦿ E VISA. JCB. ✻
chiuso dal 10 dicembre al 10 gennaio – **19 cam** ☕ 180/300000.

Rosabianca senza rist, lungomare Vittorio Veneto 42 ✆ 50390, Fax 65035, ≤ mare – … AE. SI. ⦿ E VISA. ✻
16 cam ☕ 130/250000, 2 appartamenti.

Riviera, piazza 4 Novembre 2 ✆ 50248, Fax 65668, ≤ mare – … cam … AE. SI … VISA. JCB. ✻ rist
chiuso da novembre al 22 dicembre – **Pasto** 50/55000 – **16 cam** ☕ 130/200000 – ½ P 1… 160000.

Minerva, corso Colombo 7 ✆ 230388, Fax 67078 – …
35 cam.

Giulio Cesare, corso Colombo 52 ✆ 50685, Fax 60896 – … cam … AE. SI … VISA. ✻ rist
chiuso da novembre al 19 dicembre – **Pasto** 40/50000 – ☕ 15000 – **33 cam** 90/12000… ½ P 100/110000.

Vittoria, via San Filippo Neri 11 ✆ 231030, Fax 66250 – …
40 cam.

Stella senza rist, via Aurelia Ponente 6 ✆ 50367, Fax 272837 – … AE. SI. ⦿ VISA
☕ 12000 – **31 cam** 70/105000.

Hostaria Vecchia Rapallo, via Cairoli 20/24 ✆ 50053 –. SI. E VISA
chiuso giovedì escluso agosto – **Pasto** carta 60/80000 (5 %).

Da Monique, lungomare Vittorio Veneto 6 ✆ 50541, ≤ – AE. SI. ⦿ E VISA
chiuso martedì e dal 7 gennaio al 10 febbraio – **Pasto** carta 45/70000.

Eden, via Diaz 5 ✆ 50553, … – AE. SI. E VISA
chiuso mercoledì (escluso luglio-agosto) e dal 20 gennaio al 20 febbraio – **Pasto** ca… 50/90000 (12 %).

Roccabruna, località Savagna, lungomare Vittorio Veneto 42 ✆ 261400, …, Cop… limitati; prenotare – P. SI. E VISA 5 km per ④
chiuso a mezzogiorno (escluso domenica) e lunedì – **Pasto** 50/80000.

a San Massimo *per ④ : 3 km – ✉ 16035 Rapallo :*

Ü Giancu, ✆ 261212, Fax 260505, solo su prenotazione, « Servizio estivo in giardino … P. SI. ⦿ E VISA
chiuso a mezzogiorno escluso sabato-domenica, mercoledì sera, dal 9 gennaio al 2 f… braio, dal 26 giugno al 5 luglio, dal 27 settembre al 4 ottobre e dal 6 novembr… 6 dicembre – **Pasto** carta 50/65000.

RAPOLANO TERME *53040 Siena* 988 ⑮, 430 M 16 – *4 849 ab. alt. 334 – ✆ 0577.*
Roma 202 – Siena 27 – Arezzo 48 – Firenze 96 – Perugia 81.

Grand Motel Serre, località Crocevia ✆ 704777, Fax 704780, … – … 80. AE. SI. ⦿ E. ✻
Pasto al Rist. ***La Sosta*** *(chiuso lunedì e da gennaio al 15 febbraio)* carta 40/6000…
☕ 18000 – **46 cam** 140/200000, 4 appartamenti – ½ P 120/140000.

2 Mari, località Bagni Freddi, via Giotto 1 ✆ 724070, Fax 725414, …, « Giardino con … 250. AE. SI. ⦿ E VISA. ✻
chiuso dal 2 al 10 gennaio – **Pasto** *(chiuso martedì)* carta 30/50000 – **42 cam** ☕ 75/115… – ½ P 80/85000.

RASEN ANTHOLZ = *Rasun Anterselva.*

RASTELLINO *Modena – Vedere Castelfranco Emilia.*

Les **cartes Michelin** sont constamment tenues à jour.

SUN ANTERSELVA (RASEN ANTHOLZ) *39030 Bolzano* 429 B 18 – *2 639 ab. alt. 1 000 – Sport invernali : Plan de Corones : 1 000/2 273 m 11 21, – 0474.*

Roma 728 – Cortina d'Ampezzo 50 – Bolzano 87 – Brunico 13 – Lienz 66 – Milano 382.

asun (Rasen) – *alt. 1 030 – ✉ 39030.*

a Rasun di Sotto ✆ 496269, Fax 498099 :

Alpenhof, a Rasun di Sotto ✆ 496451, Fax 498047, ←, « Caratteristiche stuben tirolesi », – ☎ . rist
16 dicembre-13 aprile e 16 maggio-26 ottobre – **Pasto** 35/65000 – **31 cam** 170000, 6 appartamenti – ½ P 85/190000.

Anterselva (Antholz) – *alt. 1 100 – ✉ 39030.*

ad Anterselva di Mezzo ✆ 492116, Fax 492370 :

Antholzerhof, ad Anterselva di Sotto ✆ 492148, Fax 492344, ←, , , , – rist ☎ . rist
18 dicembre-8 aprile e 28 maggio-10 ottobre – **Pasto** carta 50/80000 – **26 cam** 140/240000 – ½ P 145/165000.

Santéshotel Wegerhof, ad Anterselva di Mezzo ✆ 492130, Fax 492479, , , – cam ☎ . rist
Natale-Pasqua e maggio-ottobre – **Pasto** al Rist. ***Peter Stube*** carta 45/65000 – **28 cam** 135/220000 – ½ P 90/145000.

Bagni di Salomone-Bad Salomonsbrunn, ad Anterselva di Sotto SO : 1,5 km ✆ 492199, Fax 492378, , – ☎ . AE. . E VISA. rist
chiuso dal 1º al 20 giugno e dal 15 ottobre al 5 dicembre – **Pasto** *(chiuso giovedì)* 30/50000 – **24 cam** 85/140000 – ½ P 70/105000.

VASCLETTO *33020 Udine* 429 C 20 – *713 ab. alt. 957 – a.s. 15 luglio-agosto e Natale – Sport invernali : 957/1 764 m 1 10, – 0433.*

✆ 66477, Fax 66487.

Roma 712 – Udine 67 – Milano 457 – Monte Croce Carnico 28 – Tolmezzo 24 – Trieste 146.

Valcalda, viale Edelweiss 8/10 ✆ 66120, Fax 66420, ←, – ☎ . AE. . E VISA.
chiuso maggio e novembre – **Pasto** *(chiuso giovedì in bassa stagione)* carta 30/45000 – 10000 – **32 cam** 70/110000 – ½ P 70/90000.

VELLO *84010 Salerno* 988 ㉗, 431 F 25 *G. Italia – 2 496 ab. alt. 350 – a.s. Pasqua, giugno-settembre e Natale – 089.*

Vedere *Posizione e cornice pittoresche*** – Villa Rufolo*** : *** – Villa Cimbrone*** : *** – Pulpito** e porta in bronzo* del Duomo – Chiesa di San Giovanni del Toro* – piazza Duomo 10 ✆ 857096, Fax 857977.*

Roma 276 – Napoli 59 – Amalfi 6 – Salerno 29 – Sorrento 40.

Palumbo, ✆ 857244, Fax 858133, ← golfo, Capo d'Orso e monti, , « Edificio del 12º secolo con terrazza-giardino fiorita » – ☎ . AE. . E VISA. JCB. rist
Pasto *(chiuso gennaio e febbraio)* 95000 – **13 cam** 430/600000, 3 appartamenti – ½ P 330/385000.

Villa Maria, ✆ 857255, Fax 857071, « Servizio rist. estivo sotto un pergolato con ← mare e costa », – ☎. AE. . E VISA.
Pasto carta 50/70000 (15 %) – **17 cam** 220/240000 – ½ P 150/170000.

Rufolo, ✆ 857133, Fax 857935, ← golfo, Capo d'Orso e monti, , « Terrazza-giardino con » – ☎ . AE. . E VISA. rist
Pasto *(marzo-ottobre)* carta 50/70000 – **30 cam** 170/290000, 2 appartamenti – ½ P 180/200000.

Graal, via della Repubblica 8 ✆ 857222, Fax 857551, ← golfo, Capo d'Orso e monti, – ☎ – 250. AE. . E VISA. rist
Pasto *(marzo-ottobre e Natale)* 35/60000 – **32 cam** 150/180000, 20000 – ½ P 115/150000.

Giordano, ✆ 857255, Fax 857071, riscaldata, – . AE. . E VISA.
Pasto *(aprile settembre)* 55/70000 – **16 cam** 160/180000 – ½ P 125/140000.

Palazzo della Marra, via della Marra 7/9 ✆ 858302, , prenotare la sera – AE. . E VISA JCB
chiuso martedì (escluso da aprile ad ottobre) – **Pasto** carta 40/70000 (10 %).

Cumpa' Cosimo, ✆ 857156, Rist. e pizzeria serale – AE. . E VISA
chiuso lunedì escluso da marzo al 10 novembre – **Pasto** carta 35/50000.

la costiera amalfitana *S : 6 km :*

Marmorata, ✉ 84010 ✆ 877777, Fax 851189, ← golfo, , « Ambiente in stile marinaro », , – ☎ – 50. AE. . E VISA.
Pasto *(Pasqua-ottobre)* 50/65000 – **40 cam** 240/330000 – ½ P 140/215000.

RAVENNA *48100* P 988 ⑮, 429, 430 I 18 – *137 216 ab.* – ☎ *0544.*

Vedere *Mausoleo di Galla Placidia*** Y – Chiesa di San Vitale** : mosaici*** Y – Battistero Neoniano* : mosaici*** Z – Basilica di Sant'Apollinare Nuovo* : mosaici*** Z – Mosaici*** nel Battistero degli Ariani Y* **D** *– Cattedra d'avorio** e cappella arcivescovile nel museo dell'Arcivescovado Z* **M2** *– Mausoleo di Teodorico* Y* **B** *– Statua giacente* nella Pinacoteca Comunale Z.*

Dintorni *Basilica di Sant'Apollinare in Classe** : mosaici*** per ③ : 5 km.*

via Salara 8/12 ☎ 35404, Fax 35094 – (maggio-settembre) viale delle Industrie ☎ 451539 – A.C.I. *piazza Mameli 4 ☎ 37333.*

Roma 366 ④ – Bologna 74 ⑤ – Ferrara 74 ⑤ – Firenze 136 ④ – Milano 285 ⑤ – Venezia 145 ①.

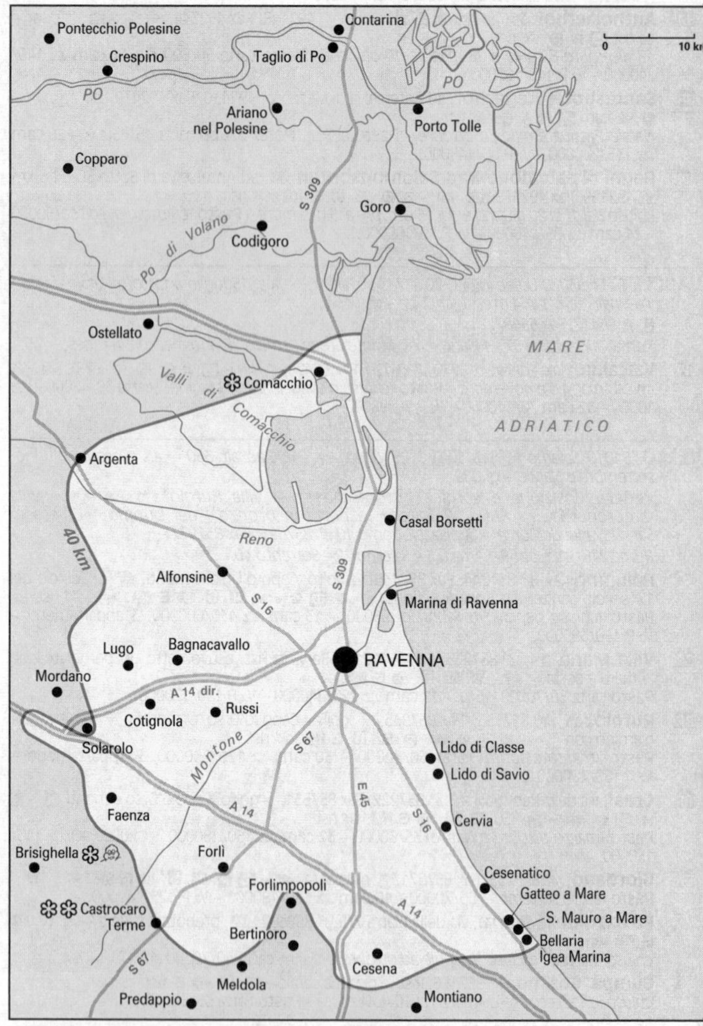

Bisanzio senza rist, via Salara 30 ☎ 217111, Fax 32539, – | ▤ TV ☎ – 40. AE. Y
Ⓓ E VISA
38 cam ☕ 135/200000.

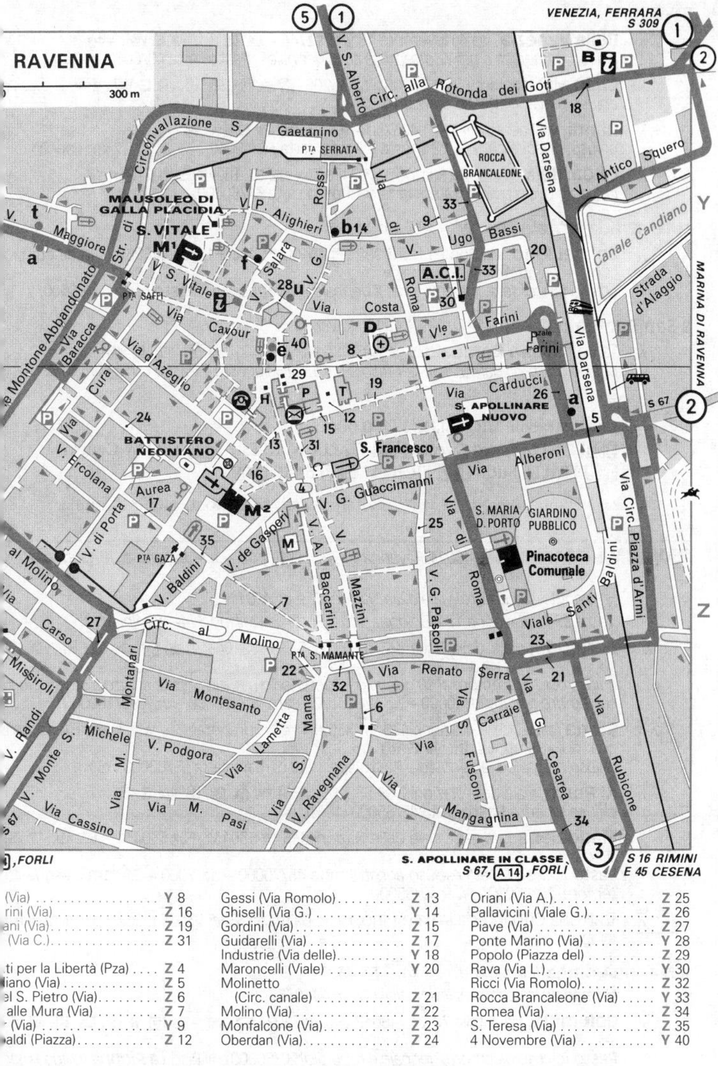

Diana senza rist, via G. Rossi 47 ℰ 39164, Fax 30001 – 🛗 ▤ TV ☎ ♿. AE. ⓢ. ⓞ E VISA
☐ 12000 – **33 cam** 115/150000. Y b

Italia senza rist, viale Pallavicini 4/6 ℰ 212363, Fax 217004 – ▤ TV ☎ ♿. AE. ⓢ. ⓞ E VISA
☐ 15000 – **42 cam** 140/180000. Z a

Centrale-Byron senza rist, via 4 Novembre 14 ℰ 212225, Telex 551070, Fax 34114 – 🛗 ▤ TV ☎. AE. ⓢ. ⓞ E VISA. ✻ Y e
☐ 7000 – **54 cam** 95/125000.

Tre Spade, via Faentina 136 ℰ 500522, Fax 500820, ☂ – Ⓟ. AE. ⓢ. ⓞ E VISA. ✻ 2 km : per ⑤
chiuso domenica sera, lunedì e dal 1° al 21 agosto – **Pasto** carta 60/80000.

Al Gallo, via Maggiore 87 ℰ 213775, Fax 213775, ☂, Coperti limitati; prenotare – AE. ⓢ. ⓞ E VISA. JCB. ✻ Y t
chiuso domenica sera, lunedì, martedì, dal 20 dicembre al 10 gennaio e Pasqua – **Pasto** carta 40/60000.

XX **Bella Venezia,** via 4 Novembre 16 ✆ 212746 – ▤. AE. Ⓢ. ⓓ E VISA. JCB Y
chiuso domenica e dal 22 dicembre al 15 gennaio – **Pasto** carta 40/60000 (10 %).

XX **Chilò,** via Maggiore 62 ✆ 36206, Fax 36206, 🏕 – ⋟. AE. Ⓢ. ⓓ E VISA. JCB Y
chiuso giovedì – **Pasto** carta 30/45000.

XX **Randi,** via Faentina 137 ✆ 463750 – Ⓟ. AE. Ⓢ. ⓓ E VISA. ✻
chiuso lunedì e dall'8 al 22 agosto – **Pasto** carta 30/40000. 2 km : per ⑤

X **La Gardèla,** via Ponte Marino 3 ✆ 217147 – ▤. AE. Ⓢ. ⓓ E VISA. JCB. ✻ Y
chiuso giovedì e dal 10 al 25 agosto – **Pasto** carta 30/50000.

sulla strada statale 309 *per ① : 9,5 km :*

XX **Ca' del Pino,** via Romea Nord 295 ✉ 48100 ✆ 446061, Fax 446061, « In pineta-picc zoo » – Ⓟ. AE. Ⓢ. ⓓ E VISA. JCB
chiuso lunedì sera, martedì e dal 7 gennaio al 10 febbraio – **Pasto** carta 35/65000.

a San Romualdo *per ① : 12 km – ✉ 48100 Ravenna :*

X **Taverna San Romualdo,** ✆ 483447, Fax 483447 – AE. Ⓢ. ⓓ. E VISA. ✻
chiuso martedì, dal 15 al 30 gennaio e dal 15 al 30 agosto – **Pasto** carta 30/55000.

Carte stradali MICHELIN 1/400 000 :
428 ITALIA Nord-Ovest/ 429 ITALIA Nord-Est/ 430 ITALIA Centro
431 ITALIA Sud/ 432 SICILIA/ 433 SARDEGNA

Le località sottolineate in rosso su queste carte sono citate in guida.

RAVENNA (Marina di) *48023 Ravenna* 988 ⑮, 430 I 18 – *a.s. Pasqua e 18 giugno-agost*
☎ 0544.
ℹ *(maggio-settembre) viale delle Nazioni 159 ✆ 430117.*
Roma 390 – Ravenna 12 – Bologna 103 – Forlì 42 – Milano 314 – Rimini 61.

🏠 **Bermuda,** viale della Pace 363 ✆ 530560, Fax 531643 – ▤ TV ☎. AE. Ⓢ. ⓓ E ✻
chiuso dal 20 dicembre al 10 gennaio – **Pasto** (solo per alloggiati e *chiuso a mezzogiorn settembre a maggio*) 40000 – ☕ 12000 – **23 cam** 90/120000 – 1/2 P 90/100000.

XX **Gloria,** viale delle Nazioni 420 ✆ 530274, 🏕, prenotare, « Whiskyteca e raccolta quadri » – ▤ Ⓟ. AE. Ⓢ. ⓓ E VISA. ✻
chiuso mercoledì ed agosto – **Pasto** specialità di mare carta 55/80000 (18 %).

XX **Al Porto,** viale delle Nazioni 2 ✆ 530105, 🏕 – ▤ Ⓟ. AE. Ⓢ. ⓓ E VISA
chiuso lunedì – **Pasto** carta 45/65000 (10 %).

X **Maddalena** con cam, viale delle Nazioni 345 ✆ 530431, Fax 530431 – AE. Ⓢ. ⓓ E ✻ rist
Pasto *(chiuso lunedì escluso agosto)* carta 45/70000 – ☕ 7000 – **21 cam** *(Pasqua-15 tembre)* 70/90000 – 1/2 P 60/85000.

X Trattoria Cubana-da Irma e Pino, molo Dalmazia 35 ✆ 530231, Solo specialità di ma ▤ Ⓟ

a Marina Romea *N : traghetto e 3 km – ✉ 48023.*
ℹ *(maggio-settembre) viale Italia 112 ✆ 446035 :*

🏨 **Columbia,** viale Italia 70 ✆ 446038, Fax 447202, ⛱, 🌳 – |♦| TV ☎ Ⓟ. AE. Ⓢ. ⓓ E ✻
Pasto *(chiuso dicembre, gennaio e febbraio)* 20/50000 e al Rist. ***La Pioppa*** *(chiuso mart* carta 40/60000 – ☕ 10000 – **40 cam** 90/130000 – 1/2 P 65/90000.

RAZZES (RATZES) *Bolzano – Vedere Siusi.*

REANA DEL ROIALE *33010 Udine* 429 D 21 – *4 796 ab. alt. 168 – ☎ 0432.*
Roma 648 – Udine 12 – Trieste 86.

a Cortale *NE : 2 km – ✉ 33010 Reana del Roiale :*

XX **Al Scus,** via Monsignor Cattarossi 3 ✆ 853872, Fax 853872, « Ambiente caratteristic 🌳 – Ⓟ. AE. Ⓢ. E VISA. ✻
chiuso lunedì sera, martedì, dal 16 al 27 gennaio e dal 1° al 23 agosto – **Pasto** solo speci di mare carta 55/85000.

CCO *16036 Genova* 988 ⑬, 428 I 9 – *10 207 ab. – ☎ 0185.*
Roma 484 – Genova 32 – Milano 160 – Portofino 15 – La Spezia 86.

La Villa, via Roma 272 ☎ 720779, Fax 721095, – ▯ ≡ TV ☎ ♿ – P – 🎤 80. AE. 🅂. ⊙ E VISA. JCB
Pasto vedere rist ***Manuelina*** – **23 cam** ☕ 180/240000 – ½ P 120/170000.

XX **Manuelina,** via Roma 278 ☎ 74128, Fax 721677 – ≡ P. AE. 🅂. ⊙ E VISA. JCB
chiuso mercoledì e dal 27 gennaio al 9 febbraio – **Pasto** carta 55/90000.

XX **Vitturin,** via dei Giustiniani 48 (N : 1,5 km) ☎ 720225, Fax 723686, – ≡ P – 🎤 80. AE. 🅂. ⊙ E VISA. JCB. ✗
chiuso lunedì – **Pasto** carta 55/90000.

XX **Da ö Vittorio** con cam, via Roma 160 ☎ 74029, Fax 723605, – ▯ TV ☎. AE. 🅂. ⊙ E VISA. JCB. ✗ cam
chiuso dal 24 novembre al 15 dicembre – **Pasto** *(chiuso giovedì)* 30/60000 e carta 45/80000 – ☕ 10000 – **23 cam** 110/150000 – ½ P 80/130000.

COARO TERME *36076 Vicenza* 988 ④, 429 E 15 – *7 479 ab. alt. 445 – Stazione termale (giugno-settembre) – Sport invernali : a Recoaro Mille : 1 007/1 600 m 1 3 – ☎ 0445.*
via Roma 25 ☎ 75070, Fax 75158.
Roma 576 – Verona 72 – Milano 227 – Trento 78 – Venezia 108 – Vicenza 44.

Verona, via Roma 60 ☎ 75065, Fax 75065 – ▯ TV ☎. AE VISA. ✗
maggio-settembre – **Pasto** carta 35/45000 – ☕ 8000 – **35 cam** 85/125000 – ½ P 60/80000.

Pittore, via Roma 58 ☎ 75039 – ▯ TV ☎. AE. 🅂. VISA. ✗
maggio-5 ottobre – **Pasto** carta 30/40000 – ☕ 10000 – **23 cam** 60/110000 – ½ P 65/70000.

DAGNO (RADEIN) *39040 Bolzano* 429 C 16 – *alt. 1 566 – ☎ 0471.*
Roma 630 – Bolzano 38 – Belluno 111 – Trento 60.

Zirmerhof , ☎ 887215, Fax 887225, ≤ monti e vallata, « Antico maso nel verde », – P. ✗ rist
26 dicembre-10 marzo e 20 maggio-6 novembre – **Pasto** carta 45/70000 – ☕ 17000 – **32 cam** 105/190000 – ½ P 140/150000.

GGELLO *50066 Firenze* 988 ⑮, 429, 430 K 16 – *13 552 ab. alt. 390 – ☎ 055.*
Roma 250 – Firenze 38 – Siena 69 – Arezzo 58 – Forlì 128 – Milano 339.

Fattoria degli Usignoli , località San Donato in Fronzano ☎ 8652018, Fax 8652270, ≤, , « Antico Borgo del 1400 fra i vigneti », , , – TV ☎ P – 🎤 130. AE. 🅂. E VISA. ✗
Pasto *(chiuso dall'11 gennaio a febbraio e novembre)* carta 40/65000 – ☕ 12000 – 40 appartamenti 135/270000 – ½ P 90/140000.

Archimede , strada per Vallombrosa N : 3,5 km ☎ 869055, Fax 868584, , – TV ☎ P. AE. 🅂. ⊙ E VISA. ✗
chiuso dall'11 al 22 novembre – **Pasto** vedere rist ***Da Archimede*** – **18 cam** ☕ 95/140000 – ½ P 90/100000.

XX **Da Archimede,** strada per Vallombrosa N : 3,5 km ☎ 8667500, ≤, « Ristorante caratteristico » – P. AE. 🅂. ⊙ E VISA. ✗
chiuso dall'11 al 22 novembre e martedì (escluso da luglio al 15 settembre) – **Pasto** carta 35/50000.

'aggio *SO : 5 km – ✉ 50066 :*

Villa Rigacci , via Manzoni 76 ☎ 8656562, Fax 8656537, ≤, , – ≡ TV ☎ P. AE. 🅂. ⊙ E VISA. ✗ rist
Pasto al Rist. ***Relais le Vieux Pressoir*** (prenotare) carta 45/65000 – **23 cam** ☕ 140/305000 – ½ P 155/205000.

Sono utili complementi di questa guida, per i viaggi in ITALIA :
- *La carta stradale Michelin n°* 988 *in scala 1/1 000 000.*
- *Le carte* 428, 429, 430, 431, 432, 433 *in scala 1/400 000.*
- *L'Atlante stradale Italia in scala 1/300 000.*
  - *Le guide Verdi turistiche Michelin "Italia", "Roma", "Venezia" e "Toscana" :*
    itinerari regionali,
    musei, chiese,
    monumenti e bellezze artistiche.

REGGIO DI CALABRIA *89100* P 988 ㊲ ㊴, 431 M 28 *G. Italia – 179 623 ab. – ☎ 0965.*

Vedere *Museo Nazionale*★★ Y : *Bronzi di Riace*★★★ – *Lungomare*★ YZ.

di Ravagnese per ③ : 4 km ☎ 643095 – Alitalia, Agenzia Simonetta, corso Garib 521/525 ✉ 89127 ☎ 331445.

a Villa San Giovanni, ☎ 751026-int. 393.

per Messina giornalieri (45 mn) – Stazione Ferrovie Stato, ☎ 97957.

per Messina-Isole Eolie giornalieri (da 15 mn a 2 h circa) – Aliscafi SNAV, Stazi Marittima ✉ 89100 ☎ 29568.

corso Garibaldi 329 ✉ 89127 ☎ 892012 – all'Aeroporto ☎ 643291 – Stazione Cen ☎ 27120.

A.C.I. *via De Nava 43 ✉ 89122 ☎ 21431.*

Roma 705 ② – Catanzaro 161 ② – Napoli 499 ②.

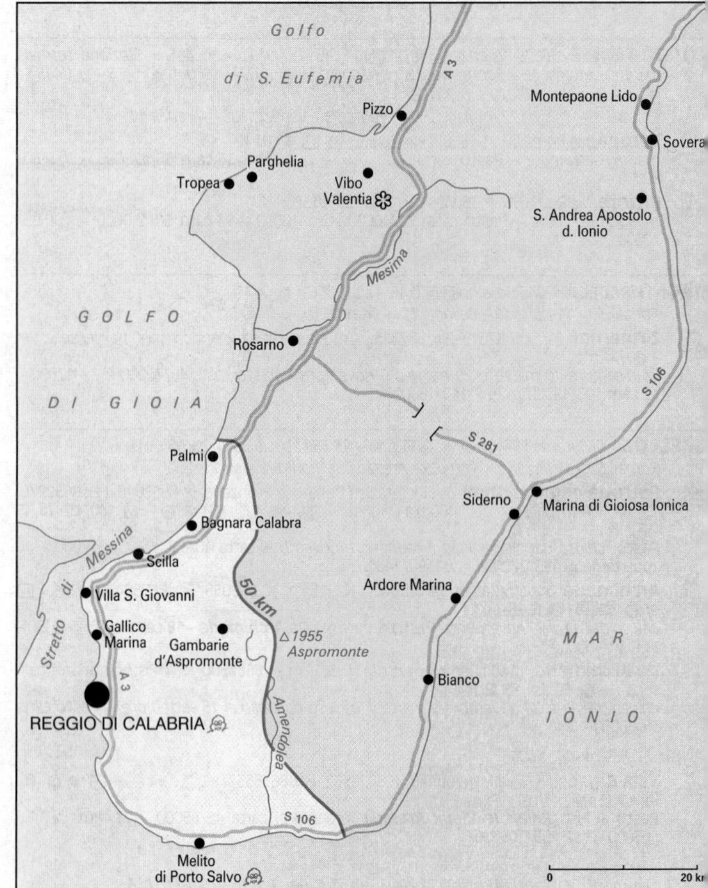

Gd H. Excelsior, via Vittorio Veneto 66 ✉ 89121 ☎ 812211, Fax 893084 – 350. AE. . . E VISA. JCB. ⋘ rist
Pasto 40000 – **72 cam** 270/295000, 8 appartamenti – ½ P 280000.

Ascioti, senza rist, via San Francesco da Paola 79 ✉ 89704 ☎ 897041, Fax 26063 –
50 cam.

REGGIO DI CALABRIA

aribaldi (Corso) .... YZ

gam Spanò (Via)........... Z 2
rcovito (Via)............... Z 3
ärlaam (Via)................ Z 4
attolica dei Greci (Via)...... Z 6
mino (Via Antonio) .... Z 7
ocefisso (Via).............. Z 9
e Nava (Piazza) .... Y 10
aribaldi (Piazza)............ Z 12
enoese Zerbi (Viale) .... Y 14
dipendenza (Piazza) .... Y 15
alia (Via).................. Y 17
anfroce (Viale)............. Y 18
issori (Via) .... Z 19
polo (Piazza del).......... Y 21
lvatore (Via del) .... Z 22
Caterina (Via) .... Y 24
Francesco da Paola (Via) .. Z 25
Marco (Via)................. Y 27
t. Emanuele III (Corso)... YZ 28
t. Emanuele III (Pza) ...... Z 29
Luglio 1943 (Viale)....... Y 31

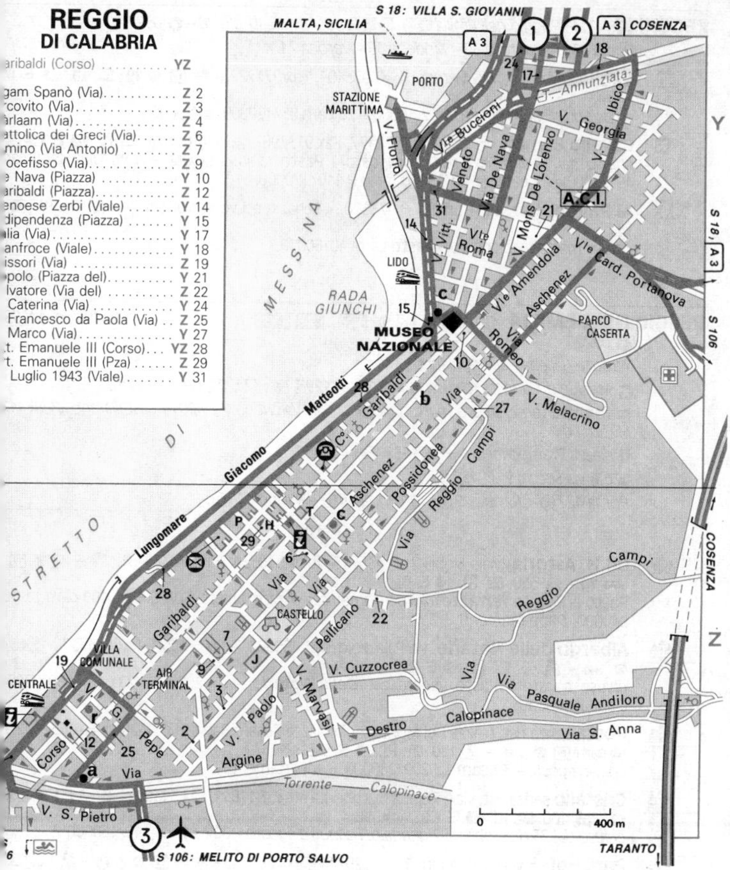

Bonaccorso, via Nino Bixio 5 ✉ 89127 ☎ 896048, Fax 896048 – ▤. AE. Ⓢ. ● E VISA — Z r
chiuso dall'8 al 22 agosto – **Pasto** carta 40/65000.

Baylik, vico Leone 1 ✉ 89121 ☎ 48624, prenotare – ▤. AE. Ⓢ. ● E VISA. JCB
chiuso giovedì e dal 5 al 18 agosto – **Pasto** specialità di mare carta 35/65000 (15 %). — per ①

Rodrigo, via XXIV Maggio 25 ✉ 89125 ☎ 20170 – ▤ — Y b

Da Giovanni, via Torrione 77 ✉ 89125 ☎ 25481, prenotare –. Ⓢ. ● E VISA. ✻ — Z c
chiuso domenica ed agosto – **Pasto** carta 40/60000.

Trattoria da Pepè, via Bligny 11 ✉ 89122 ☎ 44044 – ▤ — per ①

REGGIOLO *42046 Reggio nell'Emilia* [428], [429] H 14 – *8 145 ab. alt. 20* – ☎ *0522.*
Roma 434 – Mantova 39 – Modena 36 – Verona 71.

🏨 **Nabila** senza rist, via Marconi 4 ☎ 973197, Fax 971222 – ▤ [TV] ☎ [P]. [AE]. [S]. ● E . JCB
chiuso dal 1° al 21 agosto – ☕ 10000 – **26 cam** 85/120000, ▤ 10000.

🏨 **Cavallo Bianco,** via Italia 5 ☎ 972177, Fax 973798 – |‡| ▤ [TV] ☎ [P]. [AE]. [S]. ● E [VISA]
chiuso dal 1° al 10 gennaio ed agosto – **Pasto** *(chiuso sabato e domenica sera)* c 45/75000 – **15 cam** ☕ 90/130000 – ½ P 110/120000.

🍴🍴🍴 **Ai Pavoni,** piazza Martiri 29 ☎ 973520, « Servizio estivo in giardino » – [P]. [AE]. [S]. ● [VISA]
chiuso martedì ed agosto – **Pasto** carta 40/60000.

REGGIO NELL'EMILIA *42100* [P] [988] ⑭, [428], [429], [430] H 13 *G. Italia* – *135 406 ab. alt.* 5
☎ *0522.*
Vedere *Galleria Parmeggiani*★ Y **M1.**
⛳18 *Matilde di Canossa (chiuso lunedì)* ☎ *371295, Fax 371204, per* ④ *: 6 km;*
⛳9 *San Valentino (chiuso martedì) località San Valentino* ✉ *42014 Castellarano* ☎ *854 SE : 20 km.*
[i] *piazza Prampolini 5/c* ☎ *451152, Fax 436739.*
[A.C.I.] *via Secchi 9* ☎ *452565.*
Roma 427 ② – *Parma 29* ⑤ – *Bologna 65* ② – *Milano 149* ②.

Pianta pagina a lato

🏨 **Gd H. Astoria,** viale Nobili 2 ☎ 435245, Telex 530534, Fax 453365, ≤, ☂ – |‡| ▤ [TV] 🚗 [P] – 🏛 350. [AE]. [S]. ● E [VISA]. ✂ rist Y
Pasto al Rist. ***Le Terrazze*** *(chiuso domenica ed agosto)* carta 50/80000 – **109 cam** ☕ 1 240000, 3 appartamenti.

🏨 **Albergo delle Notarie,** via Palazzolo 5 ☎ 453500, Telex 530271, Fax 453737 – |‡| ▤ ☎ 🚗 – 🏛 65. [AE]. [S]. ● E [VISA]. JCB. ✂ Z
chiuso agosto – **Pasto** vedere rist ***Delle Notarie*** – ☕ 20000 – **28 cam** 180/220 6 appartamenti.

🏨 **Posta** senza rist, piazza Del Monte 2 già piazza Cesare Battisti ☎ 432944, Fax 452602 ▤ cam [TV] ☎ 🚗 – 🏛 120. [AE]. [S]. ● E [VISA]. ✂ Z
chiuso agosto – **34 cam** ☕ 200/260000, 9 appartamenti.

🏨 **Cristallo** senza rist, viale Regina Margherita 30 ☎ 511811, Fax 513073 – |‡| ▤ [TV] ☎ ♿ [P] – 🏛 100. [AE]. [S]. ● E [VISA]. JCB. ✂ Y
chiuso dal 23 dicembre al 2 gennaio, Pasqua e agosto – **80 cam** ☕ 110/160000.

🏨 **Park Hotel,** via De Ruggero 1/b ☎ 292141, Fax 292143 – |‡| ▤ [TV] ☎ ♿ [P] – 🏛 40. [AE] ● E [VISA]. ✂ rist per ④
Pasto (solo per alloggiati; *chiuso a mezzogiorno, domenica ed agosto)* 25/35000 – **41 c** ☕ 110/160000 – ½ P 95/110000.

🍴🍴🍴 **Delle Notarie** - Albergo delle Notarie, via Aschieri 4 ☎ 453700, prenotare – ▤. [AE]. [S]. E [VISA]. JCB. ✂ Z
chiuso domenica ed agosto – **Pasto** 45/50000 (a mezzogiorno) 50/70000 (alla sera) e c 50/75000.

🍴🍴 **5 Pini-da Pelati,** viale Martiri di Cervarolo 46 ☎ 553663, Fax 553614, prenotare – ▤ [AE]. [S]. ● E [VISA]. ✂ per viale Simonazzi Z
✿ *chiuso martedì sera, mercoledì e dal 1° al 20 agosto* – **Pasto** carta 55/80000
Spec. Fegato grasso d'oca su velo di cipolle e mele all'aceto balsamico. Tortelli di zucca contadina. Filetto di manzo in salsa di porri al balsamico.

🍴🍴 **Caffe' Arti e Mestieri,** via Emilia San Pietro 16 ☎ 432202, ☂, Rist. e caffetteria – ▤. [S]. ● E [VISA] Z
chiuso domenica, lunedì, dal 24 al 30 dicembre e dal 7 al 23 agosto – **Pasto** carta 50/75

🍴 **Il Pozzo,** viale Allegri 7 ☎ 451300, Fax 451300, Rist. con enoteca; cucina anche oltr mezzanotte, « Servizio estivo all'aperto » – ▤. [S]. E [VISA] Y
chiuso domenica a mezzogiorno, lunedì e dall'11 giugno al 3 luglio – **Pasto** carta 40/60

a Codemondo *O : 6 km* – ✉ *42020 :*

🍴🍴 **La Brace,** ☎ 308800 – ▤ [P]. [AE]. [S]. ● E [VISA]. ✂
chiuso dal 1° al 6 gennaio, agosto, domenica ed in luglio anche sabato – **Pasto** c 35/50000.

REGGIO NELL'EMILIA

…i (Via Francesco)	Y 8						
…ia S. Pietro (Via)	Z						
…ia S. Stefano (Via)	X						
…sto (Via L.)	Z 2	Guidelli (Via)	Z 16	S. Pietro Martire (Via)	Z 29		
…oli (Corso)	Y 4	Malta (Via)	Z 18	S. Prospero (Piazza)	Z 30		
…tello (Via Guido da)	Z 6	Martiri del 7 Luglio (Piazza)	Y 19	S. Rocco (Via)	Y 32		
…a d'Aosta (Piazza)	Y 9	Mazzini (Via Giuseppe)	Y 21	Secchi (Via)	Y 33		
…a degli Abruzzi (…iazza)	Y 10	Monte (Piazza del)	Z 22	Sforza (Via G.)	Y 35		
…lia all' Angelo (Via)	Y 12	Panciroli (Via Guido)	Z 23	Spallanzani (Viale Lazzaro)	Y 36		
…lia all'Ospizio (Via)	Z 13	Prampolini (Piazza)	Z 24	Squadroni (Via)	Z 37		
…sco (Via)	Y 14	S. Carlo (Via)	Z 25	Tricolore (Piazzale)	Z 39		
…zzatoio (Via)	Z 15	S. Domenico (Via)	Z 26	Umberto 1° (Viale)	Z 40		
		S. Martino (Via)	Z 28	Vittoria (Piazza della)	Y 42		

…GOLEDO DI COSIO VALTELLINO *Sondrio* 219 ⑩ – *Vedere Morbegno.*

…NDE PAESE *Cosenza* 988 ㊴, 431 J 30 – *Vedere Cosenza.*

…NON (RITTEN) *Bolzano* 429 C 16 – *6 527 ab. alt. (frazione Collalbo) 1 154* – ☎ *0471.*
Da Collalbo : Roma 664 – Bolzano 16 – Bressanone 52 – Milano 319 – Trento 80.

…ollalbo (Klobenstein) – *alt. 1 154* – ✉ *39054.*
Municipio ☎ *356100, Fax 356799 :*

Kematen 🐴, località Caminata NO : 2,5 km ☎ 356356, Fax 356363, ← Dolomiti, « Giardino con laghetto », – TV ☎ P. S E VISA
chiuso dall'11 novembre al 13 dicembre, dal 13 al 24 gennaio e dal 14 al 24 aprile – **Pasto** carta 35/75000 – **15 cam** 120/150000 – ½ P 100/140000.

Kematen, località Caminata NO : 2,5 km ☎ 346148, – P

a Costalovara (Wolfsgruben) *SO : 5 km – alt. 1 206 – ✉ 39059 Soprabolzano :*

Am Wolfsgrubener See ⛰, ☎ 345119, Fax 345065, ≤, ☂, « In riva al lago », 🚗 – 📺 ☎ 🅿
chiuso marzo e novembre – **Pasto** *(chiuso lunedì)* 30/70000 – **25 cam** ☕ 90/18000
½ P 75/110000.

Maier ⛰, ☎ 345114, Fax 345615, ≤, « Giardino con 🏊 riscaldata e 🎾 », ♨ – 🛗 ☎
🚫 rist
aprile-5 novembre – **Pasto** (solo per alloggiati) 30/40000 – **24 cam** ☕ 75/14000
½ P 80000.

a Soprabolzano (Oberbozen) *SO : 7 km – alt. 1 221 – ✉ 39059.*
ℹ *(Pasqua-ottobre)* ☎ *345245 :*

Haus Fink, ☎ 345340, Fax 345074, ≤ Dolomiti e vallata, 🚗 – 📺 ☎ 🅿. 🚫 rist
24 dicembre-15 febbraio e 25 marzo-novembre – **Pasto** (solo per alloggiati e *chius mezzogiorno)* – **15 cam** ☕ 85/170000 – ½ P 65/110000.

Regina ⛰, ☎ 345142, Fax 345596, ≤ Dolomiti e vallata, 🚗 – 🛗 📺 ☎ 🅿. 🅂. E
🚫 rist
16 dicembre-16 gennaio e aprile-14 novembre – **Pasto** (solo per alloggiati) 25/3000
27 cam ☕ 105/190000 – ½ P 105/120000.

RESCHEN = *Resia.*

Read carefully the introduction it is the key to the Guide.

RESIA (RESCHEN) *Bolzano* 428, 429 B 13, 218 ⑧ – *alt. 1 494 – ✉ 39027 Resia all'Adige* – ☎ *04*
ℹ ☎ *633101, Fax 633140.*
Roma 742 – Sondrio 141 – Bolzano 105 – Landeck 49 – Milano 281 – Trento 163.

Al Moro-Zum Mohren, ☎ 633120, Fax 633550, ♨, 🏊 – 🛗 📺 ☎ 🅿. 🅂. E
🚫 rist
chiuso dal 10 al 30 aprile e da novembre al 15 dicembre – **Pasto** carta 50/70000 – **26 c**
☕ 120/240000 – ½ P 95/175000.

REVERE *46036 Mantova* 429 G 15 – *2 635 ab. alt. 15* – ☎ *0386.*
Roma 458 – Verona 48 – Ferrara 58 – Mantova 35 – Milano 210 – Modena 54.

Il Tartufo, via Guido Rossa 13 ☎ 46404, Coperti limitati; prenotare – ▤. AE. 🅂. ⓓ E
🚫
chiuso giovedì e dal 5 al 20 gennaio – **Pasto** carta 45/70000.

REVIGLIASCO *Torino – Vedere Moncalieri.*

REVIGLIASCO D'ASTI *14010 Asti* 428 H 6 – *850 ab. alt. 203* – ☎ *0141.*
Roma 626 – Torino 63 – Alessandria 49 – Asti 11 – Cuneo 91.

Il Rustico, piazza Vittorio Veneto 2 ☎ 208210, Fax 208210, solo su prenotazione –
AE. 🅂. ⓓ VISA. 🚫
chiuso a mezzogiorno (escluso domenica), martedì ed agosto – **Pasto** 80000 bc.

REVINE *31020 Treviso* 429 D 18 – *alt. 260* – ☎ *0438.*
Roma 590 – Belluno 37 – Milano 329 – Trento 131 – Treviso 50.

Ai Cadelach-Hotel Giulia con cam, via Grava 1 ☎ 523011, Fax 524000, « Giardino
piscina », 🎾 – ☎ 🅿. 🅂. E VISA. 🚫
chiuso dal 1° al 15 novembre – **Pasto** *(chiuso lunedì)* carta 40/55000 – ☕ 10000 – **23 c**
85/120000 – ½ P 85/90000.

REZZANELLO *29010 Piacenza* 428 H 10 – *alt. 380* – ☎ *0523.*
Roma 538 – Piacenza 31 – Alessandria 102 – Milano 92.

Pineta ⛰ con cam, ☎ 970239, Fax 970277, ≤ – 📺 ☎ 🅿. AE. 🅂. VISA
chiuso dal 15 gennaio a febbraio – **Pasto** *(chiuso martedì)* carta 35/50000 – ☕ 1200
14 cam 60/90000 – ½ P 70/85000.

ZZATO *25086 Brescia* 428, 429 *F 12 – 12 057 ab. alt. 147 – ☎ 030.*
Roma 558 – Brescia 9 – Bergamo 62 – Milano 103 – Trento 117.

✗ **Il Filatoio,** via Leonardo da Vinci ℘ 2590172 – P. AE. S. ● E VISA. ✻
chiuso lunedì, dal 1° al 10 gennaio ed agosto – **Pasto** carta 30/60000.

ÊMES-NOTRE-DAME *11010 Aosta* 988 ① ②, 428 *F 3 – 95 ab. alt. 1 723 – a.s. Pasqua, luglio-settembre e Natale – Sport invernali : 1 723/2 000 m ≰3, ⛷ – ☎ 0165.*
Roma 779 – Aosta 31 – Courmayeur 45 – Milano 216.

hanavey *N : 1,5 km – alt. 1 696 – ✉ 11010 Rhêmes-Notre-Dame :*

Granta Parey ⛰, ℘ 936104, Fax 936144, ≤ monti e vallata, ⛱, ✕ – |♦| TV ☎ P. S. VISA. ✻ rist
Pasto carta 35/55000 – **33 cam** ☐ 70/130000 – ½ P 90/110000.

O *20017 Milano* 988 ③, 428 *F 9 – 51 997 ab. alt. 158 – ☎ 02.*
⛳9 Green Club, a Lainate ✉ 20020 ℘ 9370869, Fax 9374401, N : 6 km.
Roma 590 – Milano 16 – Como 36 – Novara 38 – Pavia 49 – Torino 127.

✗✗ **Locanda dell'Angelo,** via Matteotti ℘ 9303897, Fax 9313194, prenotare – ▤. AE. S. E VISA. ✻
chiuso mercoledì, dal 26 dicembre al 3 gennaio e dal 10 al 22 agosto – **Pasto** specialità milanesi e lombarde carta 50/60000.

BERA *Agrigento* 988 ㉟, 432 *O 21 – Vedere Sicilia.*

CAVO *Siena* 430 *L 15 – Vedere Castellina in Chianti.*

CCIONE *47036 Rimini* 988 ⑮ ⑯, 429, 430 *J 19 – 33 433 ab. – a.s. 15 giugno-agosto – ☎ 0541.*
ℹ piazzale Ceccarini 10 ℘ 693302, Fax 605750.
Roma 326 – Rimini 13 – Bologna 120 – Forlì 59 – Milano 331 – Pesaro 30 – Ravenna 64.

Gd H. Des Bains, viale Gramsci 56 ℘ 601650, Fax 606350, ≘s, ⛆, ⛆ – |♦| ▤ TV ☎ ⛟ – 🔬 500. AE. S. ● E VISA. ✻
Pasto carta 75/125000 – **64 cam** ☐ 260/460000, 6 appartamenti – ½ P 300/360000.

Atlantic, lungomare della Libertà 15 ℘ 601155, Fax 606402, ≤, ⛆ riscaldata – |♦| ▤ TV ☎ ⛟ – 🔬 250. AE. S. ● E VISA. ✻
Pasto 60/80000 – **65 cam** ☐ 200/320000, 4 appartamenti – ½ P 190/200000.

Corallo, viale Gramsci 113 ℘ 600807, Fax 606400, ⛆ riscaldata, ⛱, ✕ – |♦| ▤ TV ☎ P – 🔬 200. AE. S. ● E VISA. ✻ rist
aprile-ottobre – **Pasto** 30/40000 – **74 cam** ☐ 160/260000, 5 appartamenti – ½ P 160/220000.

Lungomare, lungomare della Libertà 7 ℘ 692880, Fax 692354, ≤, ƒ₆ – |♦| ▤ TV ☎ ⛟ P – 🔬 200. AE. S. ● E VISA. ✻ rist
Pasto *(20 maggio-20 settembre;* solo per alloggiati) 40/50000 – **50 cam** ☐ 160/190000, 6 appartamenti – ½ P 130/160000.

Nautico, lungomare della Libertà 19 ℘ 601237, Fax 606638, ≤, ≘s, ⛆ riscaldata – |♦| ▤ TV ☎ – 🔬 300. AE. S. ● E VISA. ✻
Pasto (solo per alloggiati) – **65 cam** ☐ 160/240000, 2 appartamenti – ½ P 125/175000.

President, viale Virgilio 12 ℘ 692662, Fax 692662 – |♦| ▤ TV ☎. AE. S. ● E VISA. ✻ rist
chiuso da novembre a gennaio – **Pasto** *(chiuso sino a febbraio)* carta 40/50000 – ☐ 25000 – **26 cam** 170/285000 – ½ P 145/195000.

Roma, lungomare della Libertà 17 ℘ 693222, Fax 692503, ≤, ⛆ riscaldata – |♦| ▤ TV ☎ P. AE. S. ● E VISA. JCB. ✻ rist
Pasto *(20 maggio-25 settembre;* solo per alloggiati) 40000 – **34 cam** ☐ 160/220000, 4 appartamenti – ½ P 125/165000.

De la Ville, via Spalato 5 ℘ 692720, Fax 692580, ⛱, « Giardino con ⛆ » – |♦| ▤ TV ☎ P – 🔬 100. AE. S. ● E VISA. ✻ rist
Pasto 45/65000 – **58 cam** ☐ 170/260000 – ½ P 145/160000.

Luna, viale Ariosto 5 ℘ 692150, Fax 692897, ⛆ riscaldata – |♦| ▤ TV ☎ P – 🔬 170. AE. S. ● E VISA. JCB. ✻ rist
chiuso gennaio – **Pasto** *(maggio-ottobre;* solo per alloggiati) 35/50000 – **59 cam** ☐ 160/230000 – ½ P 95/155000.

Diamond, viale Fratelli Bandiera 1 ℘ 602600, Fax 602935, ⛱ – |♦| ▤ TV ☎ P. S. E VISA. ✻ rist
Pasqua-settembre – **Pasto** 35/45000 – **40 cam** ☐ 110/200000, ▤ 15000 – ½ P 80/135000.

Boemia, viale Gramsci 87 ✆ 691772, Fax 606232, ←, – ▤ 📺 ☎ – 100
stagionale – **70 cam.**

Abner's, lungomare della Repubblica 7 ✆ 600601, Fax 605400, ←, riscaldata, –
▤ 📺 ☎ P. AE. 🅂. ⓓ E VISA.
Pasto *(chiuso venerdì)* 40/70000 – ☕ 20000 – **58 cam** 220/270000, ▤ 10000 – ½ P 1
190000.

Promenade, viale Milano 67 ✆ 600852, Fax 600502, ←, – ▤ 📺 ☎ – 120
40 cam.

Alexandra-Plaza, viale Torino 61 ✆ 610344, Telex 550330, Fax 610483, ←, « Giardino
riscaldata » – ▤ rist 📺 ☎ ♿ P
stagionale – **60 cam.**

Sarti, piazzale San Martino 4 ✆ 600978, Fax 600357, ←, riscaldata – ▤ 📺 ☎. AE.
ⓓ E VISA. JCB. rist
Pasto 35/50000 – **54 cam** ☕ 140/180000, ▤ 20000 – ½ P 100/160000.

Poker, viale D'Annunzio 61 ✆ 647710, Fax 648699, , riscaldata – ▤ 📺 ☎ P.
🅂. ⓓ E VISA. rist
marzo-settembre – **Pasto** 25/35000 – **60 cam** ☕ 100/200000 – ½ P 80/125000.

Michelangelo, via Ponchielli 1 ✆ 642887, Fax 643456, ← – ▤ 📺 ☎ – 60
stagionale – **36 cam.**

Dory, viale Puccini 4 ✆ 642896, Fax 644588, – ▤ 📺 ☎ P. AE. 🅂. ⓓ E VISA.
rist
chiuso dal 17 novembre al 25 dicembre e dal 6 gennaio a febbraio – **Pasto** (solo
alloggiati) 35/50000 – ☕ 30000 – **46 cam** 90/180000 – ½ P 65/120000.

Club Hotel, viale D'Annunzio 58 ✆ 648082, Fax 643240, ←, riscaldata – 📺 ☎ P.
🅂. VISA. rist
Pasqua-settembre – **Pasto** (solo per alloggiati) – ☕ 15000 – **68 cam** 90/160000 – P
140000.

Arizona, viale D'Annunzio 22 ✆ 644422, Fax 644108, ←, , – ▤ 📺 ☎ P –
🅂. VISA.
Pasto 30/50000 – ☕ 12000 – **56 cam** 110/200000 – ½ P 125/160000.

Soraya, via Bramante 2 ✆ 600917, Fax 694033, , – 📺 ☎ P. 🅂. E

maggio-settembre – **Pasto** (solo per alloggiati) 25000 – **42 cam** ☕ 130000 – ½ P
110000.

Gemma, viale D'Annunzio 82 ✆ 643436, Fax 644910, ←, riscaldata, – 📺 ☎
AE. 🅂. ⓓ E VISA. rist
chiuso dicembre – **Pasto** (solo per alloggiati e *chiuso sino al 15 marzo*) 30/50000 – **41 c**
☕ 90/140000 – ½ P 85/110000.

Mon Cheri, viale Milano 9 ✆ 601104 – ▤ 📺 ☎ P. rist
Pasqua-settembre – **Pasto** (solo per alloggiati) – ☕ 10000 – **52 cam** 70/120000 – ½ P
105000.

Strand Hotel, viale D'Annunzio 92 ✆ 646590, Fax 643488 – ▤ 📺 ☎ P. AE. 🅂.
VISA.
Pasto (solo per alloggiati) carta 45/60000 – ☕ 5000 – **47 cam** 80/130000, ▤ 1000
½ P 75/120000.

Maestri senza rist, viale Gorizia 4 ✆ 692486, Fax 691390, – ▤ 📺 ☎ P. AE. 🅂.
VISA.
25 maggio-25 settembre – ☕ 13000 – **51 cam** 95/150000, ▤ 5000.

Select, viale Gramsci 89 ✆ 600613, Fax 600613, – ▤ rist 📺 ☎ P. AE. 🅂. E

15 maggio-20 settembre – **Pasto** (solo per alloggiati) 25/35000 – ☕ 15000 – **45 c**
75/130000 – P 70/110000.

Marzia, viale De Amicis 18 ✆ 642287, Fax 643662, , , – ▤ 📺 ☎ ♿ P. AE.
ⓓ E VISA. rist
Pasto 25/50000 – ☕ 18000 – **36 cam** 90/165000, ▤ 10000 – ½ P 115/160000.

Ardea, viale Monti 77 ✆ 641846, Fax 641846, riscaldata – ▤ 📺 ☎.
Pasqua e maggio-settembre – **Pasto** (solo per alloggiati) 20/25000 – ☕ 8000 – **40 c**
80/120000, ▤ 10000 – P 60/100000.

Margareth, viale Mascagni 2 ✆ 645300, Fax 645369, ← – ☎ P
stagionale – **50 cam.**

Eliseo, viale Monteverdi 3 ✆ 646548, Fax 647604, – ☎ P.
Pasqua-1º maggio e 17 maggio-27 settembre – **Pasto** (solo per alloggiati e *chiuso sin
14 maggio)* 30/40000 – ☕ 10000 – **32 cam** 70/120000 – ½ P 55/90000.

Desiré, viale Cesare Battisti 33 ☎ 600851 – 🛗 ☎ 🅿. 🚫
10 giugno-14 settembre – **Pasto** (solo per alloggiati) 20000 – ☕ 6000 – **34 cam** 70/125000 – ½ P 55/85000.

Atlas, viale Catalani 28 ☎ 646666, Fax 647674 – 🛗 ▤ rist ☎ 🅿. 🚫
10 maggio-25 settembre – **Pasto** 15/25000 – **34 cam** ☕ 70/130000 – ½ P 50/80000.

Romagna, viale Gramsci 64 ☎ 600604 – 🛗 ☎ 🅿. 🚫
25 maggio-15 settembre – **Pasto** (solo per alloggiati) 35/45000 – ☕ 15000 – **40 cam** 90/135000 – ½ P 65/115000.

Carignano, viale Oberdan 9 ☎ 691810 – 🛗 TV ☎ 🅿. 🚫
Pasqua-settembre – **Pasto** (solo per alloggiati) 35/40000 – ☕ 13000 – **36 cam** 55/110000 – ½ P 80/110000.

Ida, viale D'Annunzio 59 ☎ 647510 – 🛗 ☎ 🅿. 🚫
giugno-settembre – **Pasto** 25000 – ☕ 10000 – **38 cam** 70/120000 – ½ P 50/80000.

Lugano, viale Trento Trieste 75 ☎ 606611 – 🛗 ▤ rist ☎ 🅿. 🚫 rist
15 maggio-settembre – **Pasto** (solo per alloggiati) – ☕ 10000 – **30 cam** 60/90000 – P 60/90000.

XX **Il Casale,** viale Abruzzi (Riccione alta) ☎ 604620, ≤, 🌳 – 🅿. AE. 🅂. ⓓ E VISA. JCB. 🚫
chiuso lunedì – **Pasto** carta 40/60000.

XX **Da Bibo,** via Parini 14 ☎ 692526, Fax 692526, Rist. e pizzeria – ▤. AE. 🅂. ⓓ E VISA
chiuso giovedì in bassa stagione – **Pasto** carta 45/80000.

XX **Da Fino,** viale Galli 1 (Darsena) ☎ 648542, ≤, 🌳 – ▤. AE. 🅂. ⓓ E VISA
chiuso novembre e mercoledì in bassa stagione – **Pasto** carta 45/85000 (10 %).

X **Gambero Rosso,** molo Levante ☎ 692674, Fax 692674, ≤ – AE. 🅂. ⓓ E VISA
chiuso dal 2 gennaio al 7 febbraio e martedì in bassa stagione – **Pasto** carta 50/80000.

X **Azzurra,** piazzale Azzarita 2 ☎ 648604, Fax 648604, 🌳 – AE. 🅂. ⓓ E VISA. JCB. 🚫
chiuso lunedì escluso dal 20 maggio al 20 settembre – **Pasto** specialità di mare carta 50/70000.

CCÓ DEL GOLFO DI SPEZIA *19020 La Spezia 428 J 11 – 3 357 ab. alt. 145 – ☎ 0187.*

Roma 430 – La Spezia 10 – Genova 103 – Parma 128.

algraveglia *E : 6 km – ✉ 19020 Riccó del Golfo di Spezia :*

XX **La Casaccia,** via Valgraveglia 36 ☎ 769700, 🌳, 🌳 – 🅿
chiuso mercoledì – **Pasto** carta 35/55000.

DANNA (RIDNAUN) *Bolzano 218 ⑩ – Vedere Vipiteno.*

ETI *02100 P 988 ㉖, 430 O 20 G. Italia – 45 700 ab. alt. 402 – ☎ 0746.*

Vedere *Giardino Pubblico★ in piazza Cesare Battisti – Volte★ del palazzo Vescovile.*

ℹ piazza Vittorio Emanuele 17-portici del Comune ☎ 203220.

A.C.I. via Lucandri 26 ☎ 203339.

Roma 78 – Terni 32 – L'Aquila 58 – Ascoli Piceno 113 – Milano 565 – Pescara 166 – Viterbo 99.

Miramonti, piazza Oberdan 5 ☎ 201333, Fax 205790 – 🛗 ▤ TV ☎ – 🏛 40. AE. 🅂. ⓓ E VISA. JCB. 🚫
Pasto vedere rist ***Da Checco al Calice d'Oro*** – **23 cam** ☕ 110/170000, 2 appartamenti.

Grande Albergo Quattro Stagioni senza rist, piazza Cesare Battisti 14 ☎ 271071, Fax 271090 – 🛗 ▤ TV ☎. AE. 🅂. ⓓ E VISA. 🚫
43 cam ☕ 115/150000.

Cavour senza rist, via Velina ang. piazza Cavour ☎ 485252, Fax 484072 – 🛗 TV ☎ – 🏛 45. AE. 🅂. ⓓ E VISA
36 cam ☕ 75/105000, 2 appartamenti.

XXX **Palazzo Sanizi,** via dei Tigli 3 ☎ 280599, Fax 274498, « Edificio del XVIII secolo » – ♿ – 🏛 150. AE. 🅂. ⓓ E VISA. 🚫
chiuso mercoledì e dal 1° al 7 agosto – **Pasto** carta 35/65000.

XX **Da Checco al Calice d'Oro** - Hotel Miramonti, via Marchetti 10 ☎ 204271 – ▤. AE. 🅂. ⓓ E VISA. JCB. 🚫
chiuso lunedì e luglio – **Pasto** carta 40/60000.

XX **Bistrot,** piazza San Rufo 25 ☎ 498798, 🌳, Coperti limitati; prenotare – AE. 🅂. ⓓ E VISA
chiuso domenica, lunedì a mezzogiorno e dal 20 ottobre al 5 novembre – **Pasto** 30/40000.

XX **La Pecora Nera,** via Terminillo 33 (NE : 1 km) ☎ 497669, 🌳 – 🅿. AE. 🅂. ⓓ E VISA. 🚫
chiuso domenica, dal 24 dicembre al 1° gennaio e dal 20 al 30 luglio – **Pasto** carta 35/50000.

RIFREDDO *85010 Potenza* 431 F 29 – *alt. 1 090* – ☎ *0971.*
Roma 370 – Potenza 12.

Giubileo ≫, strada statale 92 ℘ 479910, Fax 479910, « Parco », ⛶, ≘s, ✂ – |♦| ▤ ▭ ♿ 🚗 Ⓟ – 🏠 300. AE. Ⓢ. E VISA. ✂
Pasto carta 40/60000 – **75 cam** ☕ 110/140000 – ½ P 100/120000.

RIGOLI *Pisa* 430 K 13 – *Vedere San Giuliano Terme.*

RIMA *Vercelli* 428 E 6 – *alt. 1 411* – ✉ *13026 Rimasco* – ☎ *0163.*
Roma 701 – Aosta 190 – Biella 85 – Milano 136 – Novara 93 – Torino 145 – Vercelli 96.

Il Ghiottone, via Centro 7 ℘ 95001, Fax 95001, ☂ – AE. Ⓢ. E VISA. ✂
chiuso dal 6 al 19 gennaio, dal 13 al 26 ottobre, sabato e domenica da novembre a Pasqu giovedì negli altri mesi – **Pasto** carta 35/65000.

RIMINI *47037* P 988 ⑮ ⑯, 429, 430 J 19 *G. Italia* – *129 598 ab. – a.s. 15 giugno-agosto* – ☎ *05*
Vedere *Tempio Malatestiano*★ **ABZ A.**
(chiuso gennaio e lunedì escluso da aprile a settembre) a Villa Verucchio ✉ *47 ℘ 678122, Fax 670572, SO : 14 km.*
✈ *di Miramare (stagionale) per ① : 5 km ℘ 373132, Fax 377200 – Alitalia, Aeropo Miramare ℘ 373132.*
piazzale Indipendenza 3 ℘ 51101, Fax 26566 – A.C.I. *via Italia 29 ℘ 742960.*
Roma 334 ① – Ancona 107 ① – Milano 323 ④ – Ravenna 52 ④.

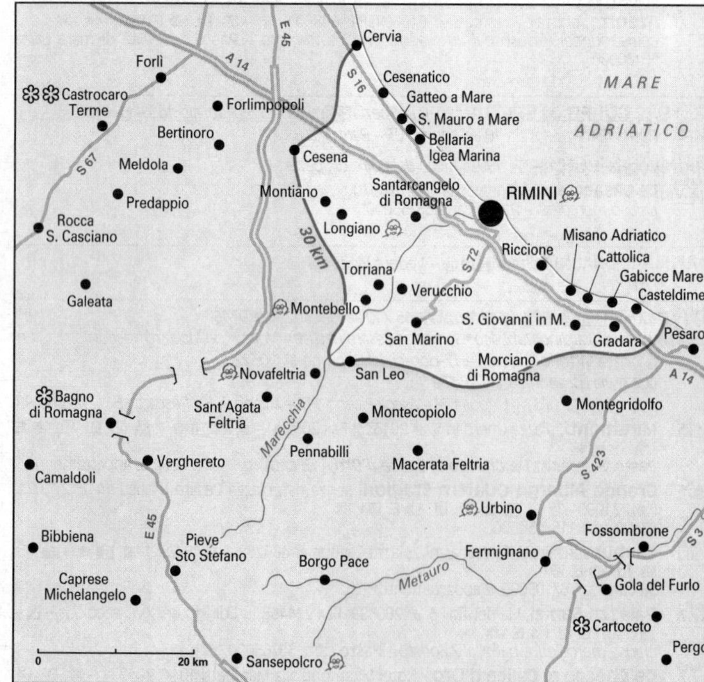

Duomo senza rist, via Giordano Bruno 28/d ℘ 24215, Fax 27842 – |♦| ▤ ▭ ☎ 🚗 – 🏠 50. AE. Ⓢ. ⓓ E VISA AZ
43 cam ☕ 120/200000, 3 appartamenti.

Rivadonda, via Carlo Farini 13 ℘ 27657, ☂, Coperti limitati; prenotare – AE. Ⓢ. ⓓ VISA AZ
chiuso lunedì e dal 7 al 20 gennaio – **Pasto** carta 50/90000.

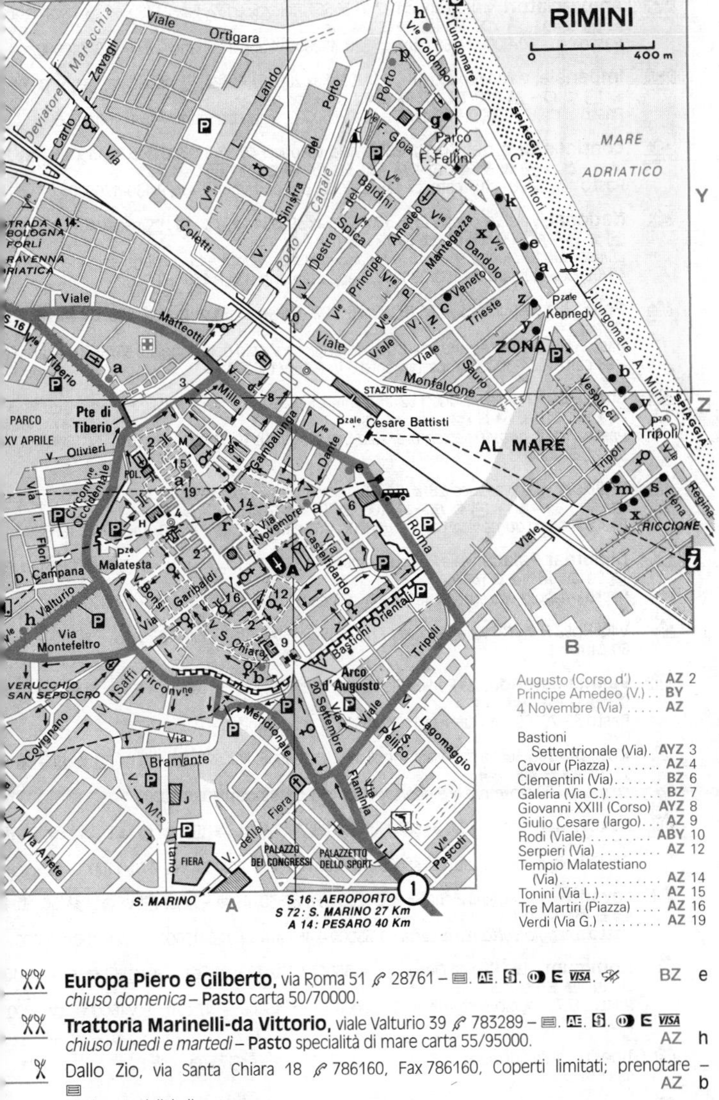

XX **Europa Piero e Gilberto,** via Roma 51 ☎ 28761 – ▤. AE. ⓢ. ● E VISA. ✖ — BZ e
chiuso domenica – **Pasto** carta 50/70000.

XX **Trattoria Marinelli-da Vittorio,** viale Valturio 39 ☎ 783289 – ▤. AE. ⓢ. ● E VISA — AZ h
chiuso lunedì e martedì – **Pasto** specialità di mare carta 55/95000.

X Dallo Zio, via Santa Chiara 18 ☎ 786160, Fax 786160, Coperti limitati; prenotare – ▤ — AZ b
Pasto specialità di mare.

X **Giorgini,** via Dante 18 ☎ 24322, « Servizio estivo all'aperto » –. ⓢ. E VISA. ✖ — BZ a
chiuso mercoledì escluso giugno-settembre – **Pasto** carta 40/75000.

X **Osteria de Börg,** via Forzieri 12 ☎ 56074, ☂ – AE. ⓢ. ● E VISA — AY a
chiuso a mezzogiorno (escluso i giorni festivi), lunedì e dal 15 al 31 luglio – **Pasto** carta 35/50000.

mare :

Grand Hotel, piazzale Fellini 2 ☎ 56000, Fax 56866, ≤, « Giardino ombreggiato con ⛱ riscaldata », ▲, ✕ – |‡| ▤ TV ☎ ♿ ⓟ – 🏛 350. AE. ⓢ. ● E VISA. ✖ rist — BY g
Pasto carta 70/120000 – **117 cam** ☕ 250/480000, 3 appartamenti – ½ P 300/400000.

Ambasciatori, viale Vespucci 22 ✆ 55561, Telex 550132, Fax 23790, ←, riscaldata – ☎ Ⓟ – 200. AE. Ⓢ. ⓞ E VISA. ✻ BY
Pasto carta 60/90000 – **62 cam** ☐ 220/350000, 4 appartamenti – ½ P 190/310000.

Imperiale, viale Vespucci 16 ✆ 52255, Fax 28806, ←, riscaldata, – ☎ Ⓟ – 220. AE. Ⓢ. ⓞ E VISA. JCB. ✻ rist BY
Pasto carta 65/90000 – **56 cam** ☐ 210/350000, 8 appartamenti – ½ P 200/260000.

Continental e dei Congressi, viale Vespucci 40 ✆ 391300, Fax 391350, ←, – ☎ Ⓟ – 300. AE. Ⓢ. ⓞ E VISA. JCB. ✻ rist BY
Pasto 40/65000 – **101 cam** ☐ 135/200000, 5 appartamenti – ½ P 130/170000.

National, viale Vespucci 42 ✆ 390940, Fax 390954, ←, riscaldata, – ☎ Ⓟ – 200. AE. Ⓢ. ⓞ E VISA. ✻ rist BYZ
chiuso dal 10 dicembre al 15 gennaio – **Pasto** *(maggio-15 ottobre;* solo per alloggi 45/65000 – **80 cam** ☐ 160/280000, 3 appartamenti – ½ P 130/170000.

Polo, viale Vespucci 23 ✆ 51180, Fax 51202 – ☎ Ⓟ – 100. AE. Ⓢ. ⓞ E ✻ rist BY
Pasto *(giugno-settembre; chiuso a mezzogiorno)* (solo per alloggiati) 35/55000 – ☐ 15 – **63 cam** 150/230000, appartamento – ½ P 130/190000.

Club House, viale Vespucci 52 ✆ 391460, Fax 391442, ←, riscaldata – ☎ – 50. AE. Ⓢ. ⓞ E VISA. JCB. ✻ rist BZ
Pasto *(10 giugno-10 settembre;* solo per alloggiati) 50/70000 – **28 cam** ☐ 160/34000 ½ P 145/200000.

Waldorf, viale Vespucci 28 ✆ 54725, Telex 551262, Fax 53153, ←, « Terrazza con », – ☎ Ⓟ – 100. AE. Ⓢ. ⓞ E VISA. JCB. ✻ rist BY
Pasto *(chiuso domenica)* carta 50/80000 – **60 cam** ☐ 210/280000 – ½ P 160/185000.

Diplomat Palace, viale Regina Elena 70 ✆ 380011, Fax 380414, ←, – ☎ 50. AE. Ⓢ. ⓞ E VISA. ✻ BZ
Pasto *(maggio-settembre)* 40/55000 – **75 cam** ☐ 200/250000 – ½ P 165000.

Villa Rosa Riviera, viale Vespucci 71 ✆ 22506, Fax 27940 – ☎ – 100
60 cam. BY

Vienna Ostenda, via Regina Elena 11 ✆ 391020, Fax 391032 – ☎ Ⓟ – 120. Ⓢ. ⓞ E VISA. JCB. ✻ BZ
Pasto 35/70000 – **46 cam** ☐130/240000, 3 appartamenti – P 95/170000.

Rosabianca senza rist, viale Tripoli 195 ✆ 390666, Fax 390666 – ☎ Ⓟ – AE. Ⓢ. ⓞ E VISA. JCB BZ
chiuso dal 20 dicembre al 9 gennaio – ☐ 15000 – **52 cam** 105/180000.

Luxor, viale Tripoli 203 ✆ 390990, Fax 392490 – ☎ Ⓟ. AE. Ⓢ. ⓞ E ✻
Pasto (solo per alloggiati) 25/35000 – **39 cam** ☐ 110/170000 – ½ P 70/110000. BZ

Levante, viale Regina Elena 88 ✆ 392554, Fax 383074, – ☎ Ⓟ – 30. AE. ⓞ E VISA. ✻ rist BZ
Pasto *(maggio-settembre)* carta 40/55000 – **46 cam** ☐ 120/150000 – ½ P 100/130000.

Ariminum, viale Regina Elena 159 ✆ 380472, Fax 389301, – ☎ Ⓟ – 12 AE. Ⓢ. ⓞ E VISA. ✻ BZ
Pasto *(15 maggio-settembre)* 30/50000 – ☐ 15000 – **47 cam** 90/160000, 5000 ½ P 75/110000.

Tiberius, viale Cormons 6 ✆ 54226, Fax 27631 – ☎ Ⓟ – 80 BY
49 cam.

Junior, viale Parisano 40 ✆ 391462, Fax 391492 – ☎ Ⓟ – 80. AE. Ⓢ. ⓞ VISA. ✻ rist BZ
Pasto carta 35/50000 – ☐ 13000 – **54 cam** 65/95000, 10000 – ½ P 55/100000.

Marittima senza rist, via Parisano 24 ✆ 392525, Fax 390892 – ☎. AE. Ⓢ. VISA BZ
40 cam ☐ 85/140000.

Acasamia, viale Parisano 34 ✆ 391370, Fax 391816 – ☎ Ⓟ. AE. Ⓢ. ⓞ E VISA JCB. ✻ rist BZ
Pasto *(aprile-settembre;* solo per alloggiati) 30/40000 – **40 cam** ☐ 95/160000 – P 6 110000.

Spiaggia Marconi, viale Regina Elena 100 ✆ 380368, Fax 380278, ←, – |♦| ▤ rist TV ☎ P. ✂ rist BZ
Pasqua-settembre – **Pasto** 30/35000 – ☐ 15000 – **45 cam** 80/150000 – 1/2 P 90/100000.

Villa Lalla, viale Vittorio Veneto 22 ✆ 55155, Fax 23570 – ▤ TV ☎. AE. Ⓢ. ⦿ E VISA. JCB. ✂ BY c
Pasto *(giugno-settembre)* 30/45000 – **35 cam** ☐ 75/130000 – 1/2 P 85/95000.

Rondinella, via Neri 3 ✆ 380567, Fax 380567, – |♦| ▤ rist TV ☎ P. ✂ rist
Pasqua-settembre – **Pasto** 25000 – ☐ 7000 – **31 cam** 55/80000 – 1/2 P 60/80000.
per viale Regina Elena BZ

Viola, via Imperia 2 ✆ 380674, – |♦| ☎ P. ✂ rist
Pasto vedere hotel ***Rondinella*** – ☐ 7000 – **21 cam** 55/80000 – 1/2 P 60/80000.
per viale Regina Elena BZ

XX Lo Squero, lungomare Tintori 7 ✆ 27676, ←, BY h
Pasto specialità di mare.

X **Da Oberdan-il Corsaro,** via Destra del Porto ✆ 27802 – ▤. AE. Ⓢ. ⦿ E VISA. JCB. ✂
marzo-novembre; chiuso mercoledì in bassa stagione – **Pasto** specialità di mare carta 50/90000. BY p

Rivabella *per ④ : 1,5 km – ✉ 47037 :*

Caesar Paladium, viale Toscanelli 15 ✆ 54213, Fax 54213, – |♦| TV ☎ P. AE. Ⓢ. E VISA. ✂
Pasto 30/35000 – **38 cam** ☐ 75/130000 – 1/2 P 60/85000.

Bellariva *per ① : 2 km – ✉ 47037.*
viale Regina Elena 43 ✆ 371057 :

Acerboli, via Bertinoro 14 ✆ 373051 – |♦| ▤ TV ☎. AE. Ⓢ. ⦿ E VISA. ✂ rist
giugno-20 settembre – **Pasto** (solo per alloggiati) 25/30000 – **33 cam** ☐ 80/140000 – 1/2 P 55/80000.

Marebello *per ① : 3 km – ✉ 47037 Rimini :*

Carlton, viale Regina Margherita 6 ✆ 372361, Fax 374540, ← – |♦| ▤ TV ☎ P – 80. ✂ rist
Pasto *(maggio-settembre)* 25/35000 – **67 cam** ☐ 80/120000 – P 70/110000.

Rivazzurra *per ① : 4 km – ✉ 47037 :*

De France, viale Regina Margherita 48 ✆ 371551, Fax 710001, ←, – |♦| ▤ ☎ & P. AE. Ⓢ. ⦿ E VISA. ✂ rist
9 aprile-settembre – **Pasto** (solo per alloggiati e *chiuso a mezzogiorno*) 30/50000 ☐ 17500 – **65 cam** 100/160000, ▤ 15000 – 1/2 P 75/145000.

Grand Meeting, viale Regina Margherita 46 ✆ 372123, Fax 371754, ←, riscaldata – |♦| ▤ TV ☎ P
44 cam.

Viserba *per ④ : 5 km – ✉ 47049 :*

La Torre senza rist, via Dati 52 ✆ 732855, Fax 732283 – |♦| ▤ TV ☎ P. AE. Ⓢ. E VISA
☐ 8000 – **18 cam** 70/120000.

Miramare *per ① : 5 km – ✉ 47045 Miramare di Rimini.*
via Martinelli 11/A ✆ 372112 :

Nettunia, via Regina Margherita 203 ✆ 372067, Fax 377877, – |♦| ▤ TV ☎ – 30. AE. Ⓢ. ⦿ E VISA. JCB. ✂ rist
Pasto *(giugno-settembre;* solo per alloggiati) 30000 – **44 cam** ☐ 180/280000 – 1/2 P 85/140000.

Giglio, viale Principe di Piemonte 18 ✆ 372738, Fax 377490, ←, – |♦| ▤ ☎ P. AE. Ⓢ. E VISA. ✂ rist
Pasqua-settembre – **Pasto** 35/40000 – ☐ 10000 – **42 cam** 80/125000, ▤ 10000 – 1/2 P 60/95000.

Miramare et de la Ville, viale Ivo Oliveti 93 ✆ 372510, Fax 375866 – |♦| ▤ ☎. AE. Ⓢ. ⦿ E VISA. ✂
19 marzo-ottobre – **Pasto** 30/40000 – ☐ 10000 – **60 cam** 60/90000, ▤ 7000 – P 60/90000.

Arno, via Martinelli 9 ✆ 372369, Fax 373106, riscaldata – |♦| ▤ rist TV ☎ P. AE. Ⓢ. ⦿ E VISA. ✂
15 maggio-15 settembre – **Pasto** (solo per alloggiati) – ☐ 10000 – **48 cam** 95/140000 – 1/2 P 75/110000.

a Viserbella *per ④ : 6 km – ✉ 47049 :*

Sirio, via Spina 3 ✆ 734639, Fax 733370, « Giardino con », – rist .
13 maggio-20 settembre – **Pasto** (solo per alloggiati) 30/35000 – **50 cam** 100/1600
½ P 80/95000.

Albatros, via Porto Palos 170 ✆ 720300, Fax 720549, ←, riscaldata –
rist
10 maggio-20 settembre – **Pasto** 20/35000 – 12000 – **40 cam** 60/85000 – ½ P
95000.

Biagini, via Porto Palos 85 ✆ 721202, Fax 722366, ←, – . AE. . E VISA.
10 maggio-settembre – **Pasto** 25/35000 – 20000 – **24 cam** 70/105000 – ½ P 60/95

Diana, via Porto Palos 15 ✆ 738158, Fax 738096, ←, riscaldata – rist . AE.
E VISA. rist
aprile-settembre – **Pasto** 25/35000 – 8000 – **38 cam** 75/85000 – ½ P 70/100000.

a Torre Pedrera *per ④ : 7 km – ✉ 47040.*
via San Salvador 44/E ✆ 720182 :

Doge, via San Salvador 156 ✆ 720170, Fax 330311, ←, – rist . . E
rist
10 maggio-settembre – **Pasto** (solo per alloggiati) – 15000 – **50 cam** 70/12000
½ P 70/100000.

Graziella, via San Salvador 56 ✆ 720316, Fax 720316, ←, – .
20 maggio-15 settembre – **Pasto** (solo per alloggiati) 25/30000 – 10000 – **81 c**
70/115000, 10000 – ½ P 65/105000.

Du Lac, via Lago Tana 12 ✆ 720462, Fax 720274 – rist rist . . E VISA.
15 maggio-20 settembre – **Pasto** 25/35000 – 12000 – **52 cam** 70/130000 – ½ P
80000.

Bolognese, via San Salvador 134 ✆ 720210, Fax 721240, ← – . AE. . E VISA.

aprile-settembre – **Pasto** (solo per alloggiati) 35000 – 15000 – **40 cam** 75/13000
½ P 65/95000.

sulla superstrada per San Marino *per ① : 11 km :*

Cucina della Nonna, via S. Aquilina 77 ✉ 47037 ✆ 759125, ←, – . AE. .
VISA.
chiuso mercoledì – **Pasto** carta 40/65000.

RIO DI PUSTERIA (MÜHLBACH) *39037 Bolzano 429 B 16 – 2 502 ab. alt. 777 – Sport invern*
777/2 010 m 8, – 0472.
✆ 849467, Fax 849849.
Roma 689 – Bolzano 48 – Brennero 43 – Brunico 25 – Milano 351 – Trento 112.

Ansitz Kandlburg, ✆ 849792, « Residenza nobiliare con origini del 13° secolo » –
– 80. . VISA.
Pasto (solo per alloggiati) – **14 cam** 130/180000 – ½ P 100/140000.

Pichler, ✆ 849458, Coperti limitati; prenotare – . . E VISA.
chiuso lunedì, martedì a mezzogiorno e luglio – **Pasto** carta 60/95000.

Giglio Bianco-Weisse Lilie con cam, piazza Chiesa 2 ✆ 849740, Fax 849730 – .
. E VISA
chiuso dal 5 novembre al 20 dicembre – **Pasto** (solo per alloggiati; *chiuso domenica*
mezzogiorno e lunedì da ottobre a marzo) – **13 cam** 50/100000 – ½ P 60/70000.

a Valles (Vals) *NO : 7 km – alt. 1 354 – ✉ 39037 Rio di Pusteria :*

Masl , ✆ 547187, Fax 547187, ←, , , , – rist . rist
dicembre-aprile e giugno-ottobre – **Pasto** 25/35000 – **40 cam** 70/120000 – ½ P 7
100000.

Huber, ✆ 547186, Fax 547240, ← monti e vallata, , – . rist
chiuso dal 21 aprile al 19 maggio e dal 2 novembre al 19 dicembre – **Pasto** carta 40/6000
26 cam 95/150000 – ½ P 70/115000.

RIOLO *Lodi – Vedere Lodi.*

RIOLO TERME *48025 Ravenna 988 ⑮, 429, 430 J 17 – 5 074 ab. alt. 98 – Stazione terma*
(15 aprile-ottobre), a.s. 20 luglio-settembre – 0546.
La Torre (chiuso martedì) ✆ 74035, Fax 74076.
via Aldo Moro 2 ✆ 71044.
Roma 368 – Bologna 52 – Ferrara 97 – Forlì 30 – Milano 265 – Ravenna 48.

🏨🏨🏨 **Gd H. Terme,** via Firenze 15 ☎ 71041, Fax 71215, « Parco ombreggiato » – [lift] [TV] ☎ [garage] [P]. [AE]. [s]. [D] [E] [VISA]. [JCB]. 🐕. 🐕 rist
chiuso gennaio – **Pasto** 40/50000 – **45 cam** ☕ 120/180000 – ½ P 95/130000.

🏨🏨 **Cristallo,** via Firenze 7 ☎ 71160, Fax 71879 – [lift] [A/C] rist [TV] ☎ [P]. [AE]. [s]. [D] [E] [VISA]. 🐕
marzo-ottobre – **Pasto** carta 35/55000 – ☕ 15000 – **62 cam** 80/105000 – ½ P 50/75000.

IOMAGGIORE *19017 La Spezia* [988] ⑬ ⑭, [428] J 11 *G. Italia – 1 961 ab. –* ☎ *0187.*

Roma 432 – La Spezia 10 – Genova 119 – Milano 234 – Massa.

🏨 **Due Gemelli** 🌙, località Campi E : 9 km ☎ 731320, Fax 731320, ≤ – ☎ [P]. 🐕
Pasto (solo per alloggiati) carta 40/55000 – ☕ 8000 – **13 cam** 70/100000 – ½ P 90000.

🍴 **La Lanterna,** via San Giacomo 10 ☎ 920589, [terrace] – [AE]. [s]. [D] [E] [VISA]
chiuso martedì (escluso giugno-ottobre) e novembre – **Pasto** carta 30/55000.

IO MARINA *Livorno* [430] N 13 – *Vedere Elba (Isola d').*

IONERO IN VULTURE *85028 Potenza* [988] ㉘, [431] E 29 – *13 560 ab. alt. 662 –* ☎ *0972.*

Roma 364 – Potenza 43 – Foggia 133 – Napoli 176 – Bari 46.

🏨 **La Pergola,** via Lavista 27/31 ☎ 721179, Fax 721819 – [lift] [A/C] [TV] ☎ [garage]. [AE]. [s]. [D] [E] [VISA]. 🐕
Pasto *(chiuso venerdì)* carta 30/40000 (10 %) – ☕ 10000 – **48 cam** 70/95000 – ½ P 65/95000.

IPALTA CREMASCA *26010 Cremona* [428] G 11 – *3 011 ab. alt. 77 –* ☎ *0373.*

Roma 542 – Piacenza 36 – Bergamo 44 – Brescia 55 – Cremona 39 – Milano 48.

🍴🍴 **La Rosa Gialla,** via Vittorio Veneto 26 ☎ 80235 – [A/C] [P]. [AE]. [s]. [E] [VISA]. 🐕
chiuso mercoledì e gennaio – **Pasto** carta 45/65000.

Bolzone *NO : 3 km – ✉ 26010 Ripalta Cremasca :*

🍴 **Via Vai,** ☎ 68697, [terrace], Coperti limitati; prenotare – [P]
chiuso martedì, mercoledì ed agosto – **Pasto** carta 40/60000.

ISCONE (REISCHACH) *Bolzano – Vedere Brunico.*

ITTEN *= Renon.*

IVABELLA *Forlì* [429], [430] J 19 – *Vedere Rimini.*

IVA DEI TESSALI *Taranto* [431] F 32 – *Vedere Castellaneta Marina.*

IVA DEL GARDA *38066 Trento* [988] ④, [428], [429] E 14 *G. Italia – 13 950 ab. alt. 70 – a.s. dicembre-20 gennaio e Pasqua –* ☎ *0464.*

Vedere *Lago di Garda*★★★ *– Città vecchia*★.

[i] *Giardini di Porta Orientale 8* ☎ *554444, Fax 520308.*

Roma 576 – Trento 43 – Bolzano 103 – Brescia 75 – Milano 170 – Venezia 199 – Verona 87.

🏨🏨🏨🏨 **Du Lac et du Parc** 🌙, viale Rovereto 44 ☎ 551500, Telex 400258, Fax 555200, ≤, « Grande parco con laghetti e [pool] riscaldata », [sauna], [indoor pool], [tennis] – [lift] [A/C] rist [TV] ☎ [P] – [meeting] 250. [AE]. [s]. [D] [E] [VISA]. 🐕 rist
aprile-ottobre – **Pasto** *(chiuso lunedì)* 65000 – **172 cam** ☕ 195/430000, 6 appartamenti – ½ P 175/255000.

🏨🏨🏨 **International Hotel Liberty,** viale Carducci 3/5 ☎ 553581, Fax 551144, [garden] – [lift] [TV] ☎ [P]. [AE]. [s]. [D] [E] [VISA]. [JCB]. 🐕 rist
Pasto *(chiuso martedì in bassa stagione)* carta 45/65000 – **74 cam** ☕ 180/230000 – ½ P 120/140000.

🏨🏨🏨 **Parc Hotel Flora** senza rist, viale Rovereto 54 ☎ 553221, Fax 554434, « Giardino », [pool] riscaldata – [lift] [A/C] [TV] ☎ [P] – [meeting] 45. [AE]. [s]. [D] [E] [VISA]
☕ 10000 – **32 cam** 100/200000.

🏨🏨 **Europa,** piazza Catena 9 ☎ 555433, Fax 521777, ≤, [terrace] – [lift] [A/C] [TV] ☎ [disabled] – [meeting] 80. [AE]. [s]. [D] [E] [VISA]. 🐕 rist
Pasqua-ottobre – **Pasto** 35000 – **63 cam** ☕ 120/210000 – ½ P 125/140000.

🏨🏨 **Mirage,** viale Rovereto 97/99 ☎ 552671, Fax 553211, ≤, [pool] riscaldata – [lift] [A/C] rist ☎ [garage] [P] – [meeting] 100. [AE]. [s]. [D] [E] [VISA]. 🐕
Pasqua-ottobre – **Pasto** 30000 – **55 cam** ☕ 105/180000 – ½ P 110/125000.

Riviera, viale Rovereto 95 ℰ 552279, Fax 554140, ≤, ⛱ – |♦| ▤ ☎ ⇔ 🅿. ⓢ. ① E
※ rist
aprile-ottobre – **Pasto** 25000 – ☕ 15000 – **36 cam** 80/130000 – ½ P 80/110000.

Venezia ⛰, viale Rovereto 62 ℰ 552216, Fax 556031, ⛱, ⛱ – ☎ 🅿. AE. ※ rist
10 marzo-ottobre – **Pasto** 45/50000 – **24 cam** ☕ 95/175000 – ½ P 90/110000.

Miravalle senza rist, via Monte Oro 9 ℰ 552335, Fax 521707, « Giardino ombreggiat
⛱ – TV ☎ 🅿. ⓢ. E VISA. ※
aprile-ottobre – **29 cam** ☕ 90/160000.

Villa Giuliana ⛰, via Belluno 12 ℰ 553338, Fax 521490, ⛱ – |♦| TV ☎ 🅿. ⓢ. VISA. ※
febbraio-ottobre – **Pasto** carta 40/60000 – **52 cam** ☕ 100/160000 – ½ P 80/100000.

Gardesana, via Brione 1 ℰ 552793, Fax 555814, ⛱, ⛱ – ▤ rist ☎ 🅿. ⓢ. VISA. ※
aprile-ottobre – **Pasto** *(chiuso venerdì)* carta 35/50000 – **38 cam** ☕ 90/150000 – ½ P
90000.

Bellavista senza rist, piazza Cesare Battisti 4 ℰ 554271, Fax 555754, ≤ – |♦| ☎. ⓢ. ①
VISA. ※
15 marzo-20 novembre – **30 cam** ☕ 235000.

Gabry ⛰, via Longa 6 ℰ 553600, Fax 553624, ⛱, ⛱ – |♦| ☎ 🅿. ⓢ. E VISA. ※
aprile-ottobre – **Pasto** *(chiuso a mezzogiorno)* 30000 – **39 cam** ☕ 100/140000 – ½ P
85000.

XXX **Vecchia Riva,** via Bastione 3 ℰ 555061, Fax 555550, Coperti limitati; prenotare – AE.
① E VISA. JCB
chiuso martedì e mercoledì a mezzogiorno in bassa stagione – **Pasto** carta 50/70000.

XX **Al Volt,** via Fiume 73 ℰ 552570, Fax 552570 – AE. ⓢ. ① E VISA
chiuso lunedì e febbraio – **Pasto** carta 45/65000.

XX **La Rocca,** piazza Cesare Battisti ℰ 552217, ⛱ – AE. ⓢ. ① E VISA
chiuso dal 15 novembre al 15 dicembre e mercoledì in bassa stagione – **Pasto** ca
50/70000.

RIVA DI SOLTO *24060 Bergamo* 428, 429 *E 12 – 868 ab. alt. 190 – ☎ 035.*

Roma 604 – Brescia 55 – Bergamo 40 – Lovere 7 – Milano 85.

XX **Zu,** via XXV Aprile 53, località Zu S : 2 km ℰ 986004, « Servizio estivo in terrazza con ≤ la
d'Iseo » – ♿ 🅿. AE. ⓢ. E VISA. ※
chiuso mercoledì e dall'8 al 30 gennaio – **Pasto** carta 45/65000.

a Zorzino *NO : 1,5 km – alt. 329 – ✉ 24060 Riva di Solto :*

Miranda-da Oreste ⛰, ℰ 986021, Fax 986021, ≤ lago d'Iseo e Monte Isola, « Servi
estivo in terrazza; giardino con ⛱ » – ☎ 🅿. AE. ⓢ. ① E VISA. ※
Pasto *(chiuso martedì da novembre a marzo)* carta 40/70000 – ☕ 7000 – **22 cam** 65/75
– ½ P 65/70000.

RIVALTA DI TORINO *10040 Torino* 428 *G 4 – 17 288 ab. alt. 294 – ☎ 011.*

Roma 675 – Torino 16 – Milano 155 – Susa 43.

Pianta d'insieme di Torino (Torino p. 4).

Rio senza rist, via Griva 75 ℰ 9091313, Fax 9091315 – |♦| TV ☎ ⇔ 🅿. ⓢ. E VISA. ※
☕ 15000 – **76 cam** 100/130000. EU

RIVALTA SCRIVIA *15050 Alessandria* 428 *H 8 – alt. 141 – ☎ 0131.*

*Roma 561 – Alessandria 24 – Genova 73 – Milano 80 – Novara 77 – Pavia 53 – Piacenza 8
Torino 117.*

X **L'Abbazia,** strada provinciale per Novi 77 ℰ 817497, ⛱ – AE. ⓢ. ① E VISA
chiuso mercoledì e dal 7 al 31 gennaio – **Pasto** carta 40/60000.

RIVANAZZANO *27055 Pavia* 428 *H 9 – 4 157 ab. alt. 157 – ☎ 0383.*

Roma 581 – Alessandria 36 – Genova 87 – Milano 71 – Pavia 39 – Piacenza 71.

XX **Selvatico** con cam, via Silvio Pellico 11 ℰ 944720 – ☎. AE. ⓢ. E VISA
chiuso dal 2 all'8 gennaio – **Pasto** *(chiuso domenica sera e lunedì)* carta 30/55000 – ☕ 50
– **21 cam** 50/80000 – ½ P 60000.

RIVAROSSA *10040 Torino* 428 *G 5 – 1 343 ab. alt. 286 – ☎ 011.*

Roma 662 – Torino 26 – Aosta 93.

XX **Il Mandracchio,** via San Francesco al Campo O : 2 km ℰ 9888494, Fax 9888494, ⛱ –
AE. ⓢ. ① E VISA. ※
chiuso lunedì e dal 5 al 27 agosto – **Pasto** 55000.

RIVAROTTA *Pordenone* 429 *E 20 – Vedere Pasiano di Pordenone.*

RIVA TRIGOSO *Genova – Vedere Sestri Levante.*

RIVAZZURRA *Rimini* 430 J 19 – *Vedere Rimini.*

RIVERGARO *29029 Piacenza* 428 H 10 – *4 982 ab. alt. 140 – ☎ 0523.*
Roma 531 – Piacenza 18 – Bologna 169 – Genova 121 – Milano 84.

XX **Castellaccio-da Attendolo,** dopo il ponte di Statto ☎ 957333, Fax 956424, ≤, – P. AE. 🅂. ⦿ E VISA
chiuso martedì, mercoledì a mezzogiorno, dal 10 al 31 gennaio e dal 1° al 10 agosto – **Pasto** carta 45/60000.

RIVIERA DI LEVANTE *Genova e La Spezia* 988 ⑬ ⑭ *G. Italia.*

RIVISONDOLI *67036 L'Aquila* 988 ㉗, 430 Q 24, 431 B 24 *G. Italia – 781 ab. alt. 1 310 – a.s. febbraio-20 aprile, 20 luglio-25 agosto e Natale – Sport invernali : a Monte Pratello : 1 365/2 035 m ≰ 1 ≴ 5 – ☎ 0864.*
ℹ *piazza Municipio ☎ 69351.*
Roma 188 – Campobasso 92 – L'Aquila 101 – Chieti 96 – Pescara 107 – Sulmona 34.

Como, via Dante Alighieri 45 ☎ 641942, Fax 641941, ≤, – |‡| TV ☎ P. AE. 🅂. ⚘
chiuso maggio e giugno – **Pasto** *(chiuso lunedì)* 35/40000 – ☕ 10000 – **44 cam** 90/120000 – ½ P 60/110000.

XX **Da Giocondo,** via Suffragio 2 ☎ 69123, Coperti limitati; prenotare – AE. 🅂. ⦿ E VISA. ⚘
chiuso giugno e martedì – **Pasto** carta 40/50000.

Lesen Sie die Einleitung, sie ist der Schlüssel zu diesem Führer.

RIVODORA *Torino – Vedere Baldissero Torinese.*

RIVODUTRI *02010 Rieti* 430 O 20 – *1 312 ab. alt. 560 – ☎ 0746.*
Roma 97 – Terni 28 – L'Aquila 73 – Rieti 17.

XX **La Trota,** località Piedicolle S : 4 km ☎ 685078, Fax 685078, « Grazioso giardino in riva al fiume » – ▤ P. AE. 🅂. VISA. ⚘
chiuso mercoledì e gennaio – **Pasto** carta 45/70000.

RIVOLI *10098 Torino* 988 ⑫, 428 G 4 *G. Italia – 52 548 ab. alt. 386 – ☎ 011.*
Roma 678 – Torino 15 – Asti 64 – Cuneo 103 – Milano 155 – Vercelli 82.

Pianta d'insieme di Torino (Torino p. 4).

Rivoli senza rist, corso Primo Levi 150 ☎ 9566586, Fax 9531338 – |‡| ▤ TV ☎ ♿ 🚗 P – 🏛 120. 🅂. E VISA. ⚘ ET b
☕ 15000 – **165 cam** 100/130000.

XX **Da Baston,** corso Susa 12/14 ☎ 9580398, prenotare – AE. 🅂. ⦿ E VISA ET c
chiuso i giorni festivi, domenica ed agosto – **Pasto** specialità di mare carta 55/75000.

RIVOLTA D'ADDA *26027 Cremona* 988 ③, 428 F10 – *7 126 ab. alt. 102 – ☎ 0363.*
Roma 560 – Bergamo 31 – Milano 26 – Brescia 59 – Piacenza 63.

XX La Rosa Blu, via Giulio Cesare 56 ☎ 79290, – P

ROANA *36010 Vicenza* 429 E 16 – *3 747 ab. alt. 992 – Sport invernali : vedere Asiago – ☎ 0424.*
Roma 588 – Trento 64 – Asiago 6 – Milano 270 – Venezia 121 – Vicenza 54.

All'Amicizia, via Roana di Sopra 22 ☎ 66014, Fax 66014 – |‡| ☎ 🚗. ⚘
Pasto *(chiuso mercoledì)* carta 30/45000 – **25 cam** ☕ 50/100000 – ½ P 70/80000.

ROASIO *13060 Vercelli* 428 F 6 – *2 451 ab. alt. 300 – ☎ 0163.*
Roma 659 – Stresa 51 – Biella 25 – Milano 94 – Novara 51 – Torino 85 – Vercelli 41.

Curavecchia *SO : 4 km – ✉ 13060 Roasio :*

XX **Cascina Ciocchetta,** via Roma 2 ☎ 87273, Fax 87273 – P. AE. 🅂. ⦿ E VISA. ⚘
chiuso domenica sera, lunedì, dal 7 al 21 gennaio e dal 5 al 26 agosto – **Pasto** carta 45/70000.

ROBBIO *27038 Pavia* 428 G 7 – *6 355 ab. alt. 122 – ☎ 0384.*
Roma 606 – Alessandria 61 – Milano 60 – Novara 22 – Pavia 51 – Torino 92 – Vercelli 16.

Da Mino, via San Valeriano 5 ✆ 672216, prenotare – AE. Ⓢ. E VISA. ✻
chiuso domenica sera, lunedì ed agosto – **Pasto** 30/40000 bc (a mezzogiorno) e 60/7000 bc (alla sera).

ROCCABRUNA *12020 Cuneo* 428 I 3 – *1 375 ab. alt. 700 – ☎ 0171.*
Roma 673 – Cuneo 30 – Genova 174 – Torino 103.

a Sant'Anna *N : 3 km – alt. 1 250 – ✉ 12020 Roccabruna :*

La Pineta con cam, ✆ 905856, Fax 905856 – TV ☎ P. ✻
chiuso gennaio – **Pasto** *(chiuso lunedì sera e martedì escluso luglio ed agosto)* 35/45000 ☐ 5000 – **9 cam** 50/85000 – ½ P 65000.

ROCCA DI CAMBIO *67047 L'Aquila* 430 P 22 – *461 ab. alt. 1 434 – ☎ 0862.*
Roma 142 – L'Aquila 23 – Pescara 99.

Cristall Hotel, via Saas Fee 2 ✆ 918119, Fax 918119, ←, – TV P. Ⓢ. ⓓ E VISA. ✻
chiuso maggio o novembre – **Pasto** carta 30/40000 – **19 cam** ☐ 75/100000 – ½ P 65 105000.

ROCCAFINADAMO *Pescara – Vedere Penne.*

ROCCALBEGNA *58053 Grosseto* 988 ㉕, 430 N 16 – *1 361 ab. alt. 522 – ☎ 0564.*
Roma 182 – Grosseto 43 – Orvieto 92 – Siena 96.

a Triana *E : 6 km – alt. 769 – ✉ 58050 :*

Osteria del Vecchio Castello, via della Chiesa 2 ✆ 989192, Fax 989192, Cope limitati; prenotare – AE. Ⓢ. ⓓ E VISA. ✻
chiuso mercoledì – **Pasto** carta 55/80000
Spec. Ravioli (con sfoglia al latte) ripieni di cipollotti freschi in vellutata di formaggio grar e pepe bianco (primavera-estate). Petto di quaglia con carciofo avvolto nel lardo Colonnata. Crema cotta in salsa inglese.

ROCCANTICA *02040 Rieti* 430 P 20 – *540 ab. alt. 457 – ☎ 0765.*
Roma 59 – Terni 43 – Rieti 35 – Viterbo 72.

La Rocca, via del Campanile 18 ✆ 63671, , prenotare –. AE
chiuso domenica sera e lunedì – **Pasto** carta 35/60000.

ROCCA PIA *67030 L'Aquila* 430 Q 23 – *241 ab. alt. 1 040 – ☎ 0864.*
Roma 183 – Frosinone 120 – Avezzano 78 – Isernia 59 – L'Aquila 88 – Sulmona 18.

Antica Stalla, via Conte di Torino 45 ✆ 48658, Fax 48658 – ☎
18 cam.

ROCCA PIETORE *32020 Belluno* 429 C 17 – *1 564 ab. alt. 1 142 – Sport invernali : a Malga Ciapel 1 428/3 270 m (Marmolada) 2 2 (anche sci estivo), – ☎ 0437.*
Dintorni *Marmolada*** : *** sulle Alpi per funivia O : 7 km – Lago di Fedaia NO : 13 km.*
a Rocca Pietore ✆ 721319, Fax 721319.
Roma 671 – Cortina d'Ampezzo 37 – Belluno 56 – Milano 374 – Passo del Pordoi 30 Venezia 162.

Sport Hotel Töler, via Marmolada 12 (O : 3 km, alt. 1 200) ✆ 722030, Fax 722188, ←, – TV ☎ P. ✻
dicembre-aprile e giugno-settembre – **Pasto** carta 30/55000 – **25 cam** ☐ 80/150000 ½ P 60/110000.

Rosalpina, località Bosco Verde O : 3 km ✆ 722004, Fax 722049, – TV ☎ P. ✻
dicembre-aprile e giugno-settembre – **Pasto** carta 30/40000 – **30 cam** ☐ 90/160000 ½ P 50/125000.

a Digonera *N : 5,5 km – alt. 1 158 – ✉ 32020 Laste di Rocca Pietore :*

Digonera, ✆ 529120, Fax 529150, ←, – ☎ P. AE. Ⓢ. E VISA. ✻ rist
chiuso dal 5 maggio al 20 giugno e dal 5 novembre al 10 dicembre – **Pasto** *(chiuso lune*
carta 35/60000 – **22 cam** ☐ 80/160000 – ½ P 70/110000.

ROCCAPORENA *Perugia* 430 N 20 – *Vedere Cascia.*

ROCCA PRIORA *00040 Roma* 430 Q 20 – *9 427 ab. alt. 768* – *06.*

Roma 34 – Anzio 56 – Frosinone 65.

Villa la Rocca, via Dei Castelli Romani 1 9472040, Fax 9471750, – 40. . rist
Pasto 50/120000 – **23 cam** 180/250000 – ½ P 160/190000.

ROCCARASO *67037 L'Aquila* 988 ㉗, 430 Q 24, 431 B 24 – *1 660 ab. alt. 1 236 – a.s. febbraio-20 aprile, 20 luglio-25 agosto e Natale – Sport invernali : 1 236/2 200 m 1 14,* – *0864.*

via Mori 1 - Palazzo del Comune 62210, Fax 62210.

Roma 190 – Campobasso 90 – L'Aquila 102 – Chieti 98 – Napoli 149 – Pescara 109.

Cristal, via Pietransieri 602333, Fax 63619, – – 120. .
Pasto carta 30/40000 – **30 cam** 130/170000 – ½ P 90/110000.

Excelsior, via Roma 27 602351, Fax 602351 – . .
18 dicembre-15 aprile e 24 giugno-15 settembre – **Pasto** 35/40000 – 12000 – **38 cam** 120/170000 – P 100/170000.

Iris, viale Iris 5 602366, Fax 602366 – . . .
Pasto carta 45/65000 – 10000 – **48 cam** 140/160000 – ½ P 140/150000.

Suisse, via Roma 22 602347, Fax 602347 – . . .
Pasto 35/40000 – **45 cam** 90/120000 – ½ P 60/130000.

Il Tratturo, via Pietransieri 5 62666, Ristorante e pizzeria –

Pietransieri *E : 4 km – alt. 1 288 – 67030 :*

La Preta, via Adua 62716, Fax 62716, Coperti limitati; prenotare – . .
chiuso martedì in bassa stagione – **Pasto** carta 35/50000.

ad Aremogna *SO : 9 km – alt. 1 622 – 67030 :*

Pizzalto, 602383, Fax 602383, , – . . .
chiuso maggio e giugno; dal 15 settembre a novembre aperto solo sabato-domenica – **Pasto** carta 30/65000 – **53 cam** 120/200000 – ½ P 120/190000.

Boschetto, via Aremogna 42 602367, Fax 602382, , , – .
. .
dicembre-Pasqua e 10 luglio-agosto – **Pasto** carta 35/55000 – 10000 – **48 cam** 65/105000 – ½ P 85/135000.

ROCCA SAN CASCIANO *47017 Forlì-Cesena* 988 ⑮, 429, 430 J 17 – *2 127 ab. alt. 210* – *0543.*

Roma 326 – Rimini 81 – Bologna 91 – Firenze 81 – Forlì 28.

La Pace, piazza Garibaldi 16 960137 – .
chiuso dal 15 al 30 gennaio e martedì (escluso agosto) – **Pasto** carta 20/30000 bc.

ROCCA SANT'ANGELO *Perugia* 430 M 19 – *Vedere Assisi.*

RODDI *12060 Cuneo* 428 H 5 – *1 215 ab. alt. 284* – *0173.*

Roma 650 – Cuneo 61 – Torino 63 – Asti 35.

La Cròta, piazza Principe Amedeo 1 615187, Fax 615187,

RODI GARGANICO *71012 Foggia* 988 ㉘, 431 B 29 – *3 990 ab. – a.s. luglio-13 settembre* – *0884.*

per le Isole Tremiti giugno-settembre giornaliero (50 mn) – Adriatica di Navigazione-agenzia Vi.Pi, piazza Garibaldi 10 966357.

Roma 385 – Foggia 100 – Bari 192 – Barletta 131 – Pescara 184.

Baia Santa Barbara, O : 1,5 km 965253, Fax 965414, , « In pineta », , ,
– . . rist
aprile-settembre – **Pasto** 30/50000 – **134 cam** 180/310000 – ½ P 60/150000.

Parco degli Aranci, E : 2 km 965033, Fax 98481, , « Parco-agrumeto », ,
, – . . .
aprile-ottobre – **Pasto** carta 25/40000 – **72 cam** 90/120000 – ½ P 90/135000.

X **Da Franco,** via Nenni 22/24 ℘ 965003, 🏠 –. Ⓢ. E VISA
chiuso dal 5 al 25 novembre e lunedì (escluso da giugno ad agosto) – **Pasto** carta 35/600

X **Bella Rodi,** via Scalo Marittimo 49/51 ℘ 965786 – ▤. AE. Ⓢ. ⓞ E VISA. JCB. ⚘
chiuso dal 10 al 16 gennaio, dal 17 al 23 ottobre e mercoledì (escluso da giugn settembre) – **Pasto** carta 40/60000.

ROGENO *22040 Lecco* 219 ⑨ ⑲ – *2 473 ab. alt. 290* – ☎ *031.*
Roma 613 – Como 20 – Bergamo 45 – Erba 6 – Lecco 15 – Milano 45.

XX **5 Cerchi,** località Maglio O : 2 km ℘ 865587, Fax 865587, Ambiente caratteristico, prenc re – Ⓟ. Ⓢ. ⓞ E VISA. ⚘
chiuso domenica sera, lunedì e dal 3 al 24 agosto – **Pasto** carta 45/75000.

ROLETTO *10060 Torino* 428 H 3-4 – *1 902 ab. alt. 412* – ☎ *0121.*
Roma 683 – Torino 37 – Asti 77 – Cuneo 67 – Sestriere 62.

X **Il Ciabot,** via Costa 7 ℘ 542132, 🏠, prenotare la sera –. Ⓢ. ⚘
chiuso lunedì – **Pasto** carta 30/55000.

ROLO *42047 Reggio nell'Emilia* 428, 429 H 14 – *3 361 ab. alt. 21* – ☎ *0522.*
Roma 442 – Bologna 76 – Mantova 38 – Modena 36 – Verona 67.

XX **L'Osteria dei Ricordi,** via Cesare Battisti 57 ℘ 658111, 🏠, Coperti limitati; prenotar ▤ Ⓟ. AE. Ⓢ. ⓞ VISA. ⚘
chiuso a mezzogiorno (escluso domenica), lunedì, gennaio ed agosto – **Pasto** carta 5 75000.

ROMA

00100 **P** 988 ㉖, 430 Q 19 – *2 654 187 ab. alt. 20* – ☎ *06.*

Distanze : nel testo delle altre città elencate nella Guida è indicata la distanza chilometrica da Roma.

INFORMAZIONI PRATICHE

via Parigi 5 ✉ 00185 ☎ 48899253, Fax 4819316 : alla stazione Termini ✉ 4871270 : all'aeroporto di Fiumicino ☎ 65956074.

A.C.I. *via Cristoforo Colombo 261 ✉ 00147 ☎ 514971 e via Marsala 8 ✉ 00185 ☎ 49981. Telex 610686, Fax 4998234.*

di Ciampino SE : 15 km BR *☎ 794941 e Leonardo da Vinci di Fiumicino per ⑧ : 26 km ☎ 65951 – Alitalia, via Bissolati 13 ✉ 00187 ☎ 46881 e via della Magliana 886 ✉ 00148 ☎ 65643.*

Termini ☎ 4775 – Tiburtina ☎ 47301.

18 *Parco de' Medici (chiuso martedì) ✉ 00148 Roma ☎ 6553477, Fax 6553344, SO : 4,5 km* BR.

18 *(chiuso lunedì) ad Acquasanta ✉ 00178 Roma ☎ 783407, Fax 78346219, SE : 12 km.*

18 e 18 *Marco Simone (chiuso martedì) a Guidonia Montecelio ✉ 00012 ☎ (0774) 366469, Fax 366476, per ③ : 7 km.*

18 e 9 *Arco di Costantino (chiuso martedì) ✉ 00188 Roma ☎ 33624440, Fax 33612919 per ② : 15 km.*

18 e 9 *(chiuso lunedì) ad Olgiata ✉ 00123 Roma ☎ 30889141, Fax 30889968, per ⑩ : 19 km.*

18 *Fioranello (chiuso mercoledì) a Santa Maria delle Mole ✉ 00040 ☎ 7138080, Fax 7138212, per ⑤ : 19 km.*

Per una visita turistica più dettagliata consultate la guida Verde Michelin Italia e in particolare la guida Verde Roma.

Pour une visite touristique plus détaillée, consultez le Guide Vert Italie et plus particulièrement le guide Vert Rome.

Eine ausführliche Beschreibung aller Sehenswürdigkeiten Inden Sie im Grünen Reiseführer Italien.

For a more complete visit consult the Green Guides Italy and Rome.

CURIOSITÀ

Museo Borghese★★★ ES **M**[6] – *Villa Giulia*★★★ DS – *Catacombe*★★★ BR – *Santa Sabina*★★ MZ – *Villa Borghese*★★ NOU – *Terme di Caracalla*★★ ET – *San Lorenzo Fuori Le Mura*★★ FST **E** – *San Paolo Fuori Le Mura*★★ BR – *Via Appia Antica*★★ BR – *Galleria Nazionale d'Arte Moderna*★ DS **M**[7] – *Piramide di Caio Cestio*★ DT – *Porta San Paolo*★ DT **B** – *Sant'Agnese e Santa Costanza*★ ES **C** – *Santa Croce in Gerusalemme*★ FT **D** – *San Saba*★ ET – *E.U.R.*★ BR – *Museo della Civiltà Romana*★ BR **M**[8].

ROMA ANTICA

Colosseo★★★ OYZ – *Foro Romano*★★★ NOY – *Basilica di Massenzio*★★★ OY **B** – *Fori Imperiali*★★★ NY – *Colonna Traiana*★★★ NY **C** – *Palatino*★★★ NOYZ – *Pantheon*★★★ MVX – *Area Sacra del Largo Argentina*★★ MY **W** – *Ara Pacis Augustae*★★ LU – *Tempio di Apollo Sosiano*★★ MY **X** – *Teatro di Marcello*★★ MY – *Tempio della Fortuna Virile*★ MZ **Y** – *Tempio di Vesta*★ MZ **Z** – *Isola Tiberina*★ MY.

ROMA CRISTIANA

Gesù★★★ MY – *Santa Maria Maggiore*★★★ PX – *San Giovanni in Laterano*★★★ FT – *Santa Maria d'Aracoeli*★★ NY **A** – *San Luigi dei Francesi*★★ LV – *Sant'Andrea al Quirinale*★★ OV **F** – *San Carlo alle Quattro Fontane*★★ OV **K** – *San Clemente*★★ PZ – *Sant'Ignazio*★★ MV **L** – *Santa Maria degli Angeli*★★ PV **N** – *Santa Maria della Vittoria*★★ PV – *Santa Susanna*★★ OV – *Santa Maria in Cosmedin*★★ MNZ – *Santa Maria in Trastevere*★★ KZ **S** – *Santa Maria sopra Minerva*★★ MX **V** – *Santa Maria del Popolo*★ MU **D** – *Chiesa Nuova*★ KX – *Sant'Agostino*★ LV **G** – *San Pietro in Vincoli*★ OY – *Santa Cecilia*★ MZ – *San Pietro in Montorio*★ JZ ⩽★★★ – *Sant'Andrea della Valle*★ LY **Q** – *Santa Maria della Pace*★ KV **R**.

PALAZZI E MUSEI

Palazzo dei Conservatori★★★ MNY **M**[1] – *Palazzo Nuovo*★★★ *(Museo Capitolino*★★*)* NY **M**[1] – *Palazzo Senatorio*★★★ NY **H** – *Castel Sant'Angelo*★★★ JKV – *Museo Nazionale Romano*★★★ FV – *Palazzo della Cancelleria*★★ KX **A** – *Palazzo Farnese*★★ KY – *Palazzo del Quirinale*★★ NOV – *Palazzo Barberini*★★ OV – *Villa Farnesina*★★ KY – *Palazzo Venezia*★ MY **M**[3] – *Palazzo Braschi*★ KX **M**[4] – *Palazzo Doria Pamphili*★ MX **M**[5] – *Palazzo Spada*★ KY – *Museo Napoleonico*★ KV.

CITTÀ DEL VATICANO

Piazza San Pietro★★★ HV – *Basilica di San Pietro*★★★ *(Cupola* ⩽★★★*)* GV – *Musei Vaticani*★★★ *(Cappella Sistina*★★★*)* GHUV – *Giardini Vaticani*★★★ GV.

PASSEGGIATE

Pincio ⩽★★★ MU – *Piazza del Campidoglio*★★★ MNY – *Piazza di Spagna*★★★ MNU – *Piazza Navona*★★★ LVX – *Fontana dei Fiumi*★★★ LV **E** – *Fontana di Trevi*★★★ NV – *Monumento a Vittorio Emanuele II (Vittoriano)* ⩽★★ MNY – *Piazza del Quirinale*★★ NV – *Piazza del Popolo*★★ MU – *Gianicolo*★ JY – *Via dei Coronari*★ KV – *Ponte Sant'Angelo*★ JKV – *Piazza Bocca della Verità*★ MNZ – *Piazza Campo dei Fiori*★ KY **28** – *Piazza Colonna*★ MV **46** – *Porta Maggiore*★ FT – *Piazza Venezia*★ MNY.

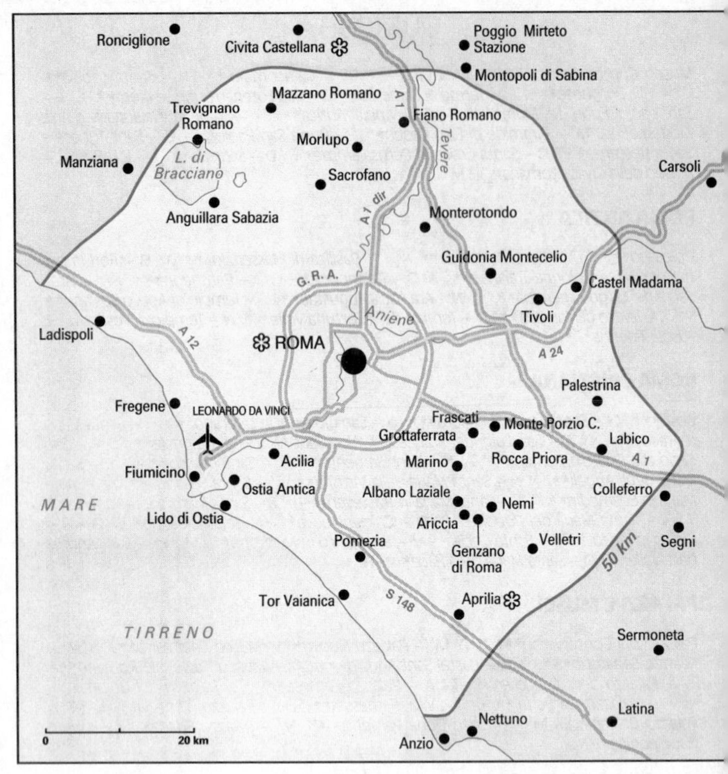

INDICE TOPONOMASTICO DELLE PIANTE DI ROMA

INDICE TOPONOMASTICO DELLE PIANTE DI ROMA

ROMA
PERCORSI DI ATTRAVERSAMENTO E DI CIRCONVALLAZIONE

0 — 3 km

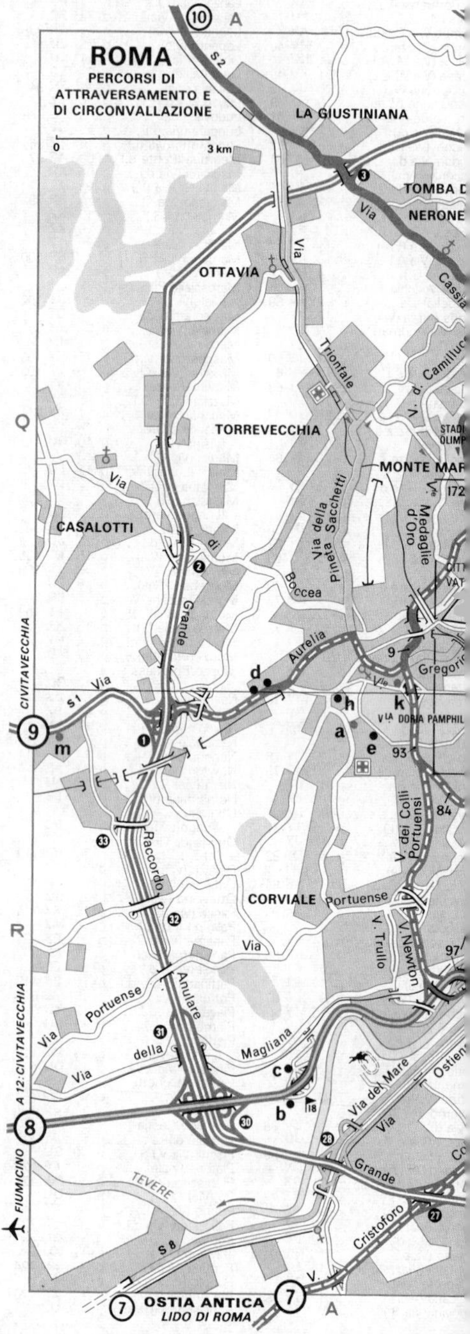

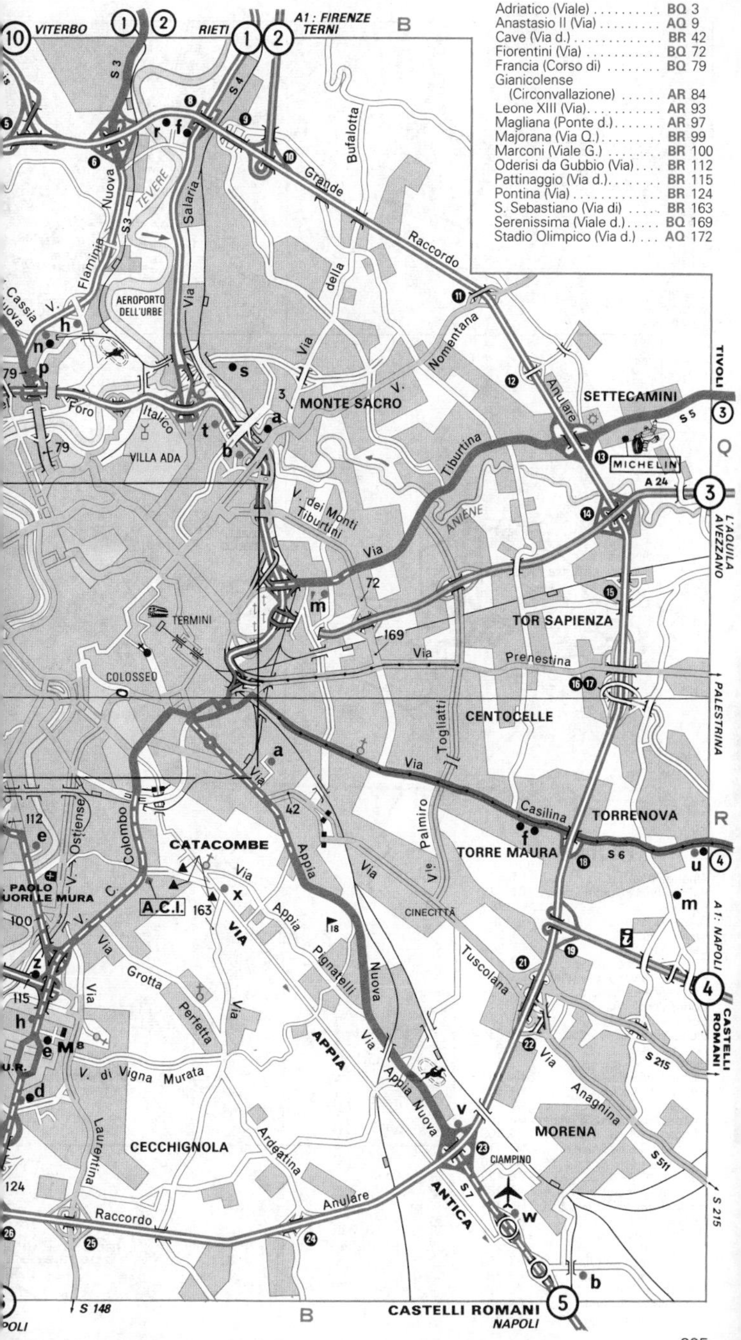
Adriatico (Viale) .... BQ 3
Anastasio II (Via) .... AQ 9
Cave (Via d.) .... BR 42
Fiorentini (Via) .... BQ 72
Francia (Corso di) .... BQ 79
Gianicolense (Circonvallazione) .... AR 84
Leone XIII (Via) .... AR 93
Magliana (Ponte d.) .... AR 97
Majorana (Via Q.) .... BR 99
Marconi (Viale G.) .... BR 100
Oderisi da Gubbio (Via) .... BR 112
Pattinaggio (Via d.) .... BR 115
Pontina (Via) .... BR 124
S. Sebastiano (Via di) .... BR 163
Serenissima (Viale d.) .... BQ 169
Stadio Olimpico (Via d.) .... AQ 172
VITERBO
RIETI
A1 : FIRENZE TERNI
B
Bufalotta
Grande Raccordo Anulare
Via della
Via Salaria
Via Flaminia Nuova
TEVERE
AEROPORTO DELL'URBE
Nomentana
MONTE SACRO
Foro Italico
VILLA ADA
TIVOLI
SETTECAMINI
MICHELIN
A 24
L'AQUILA AVEZZANO
Via Tiburtina
V. dei Monti Tiburtini
ANIENE
TERMINI
COLOSSEO
TOR SAPIENZA
Via Prenestina
PALESTRINA
CENTOCELLE
Via Casilina
V.le Palmiro Togliatti
TORRENOVA
TORRE MAURA
S 6
CATACOMBE
A.C.I.
Colombo
Ostiense
S. PAOLO FUORI LE MURA
Via Appia Nuova
VIA APPIA ANTICA
Via Appia Pignatelli
CINECITTÀ
Via Tuscolana
A1: NAPOLI
CASTELLI ROMANI
Via Grotta Perfetta
V. di Vigna Murata
Laurentina
CECCHIGNOLA
Ardeatina
Via Anagnina
MORENA
CIAMPINO
S 215
S 511
S 148
S 7
Raccordo Anulare
CASTELLI ROMANI NAPOLI

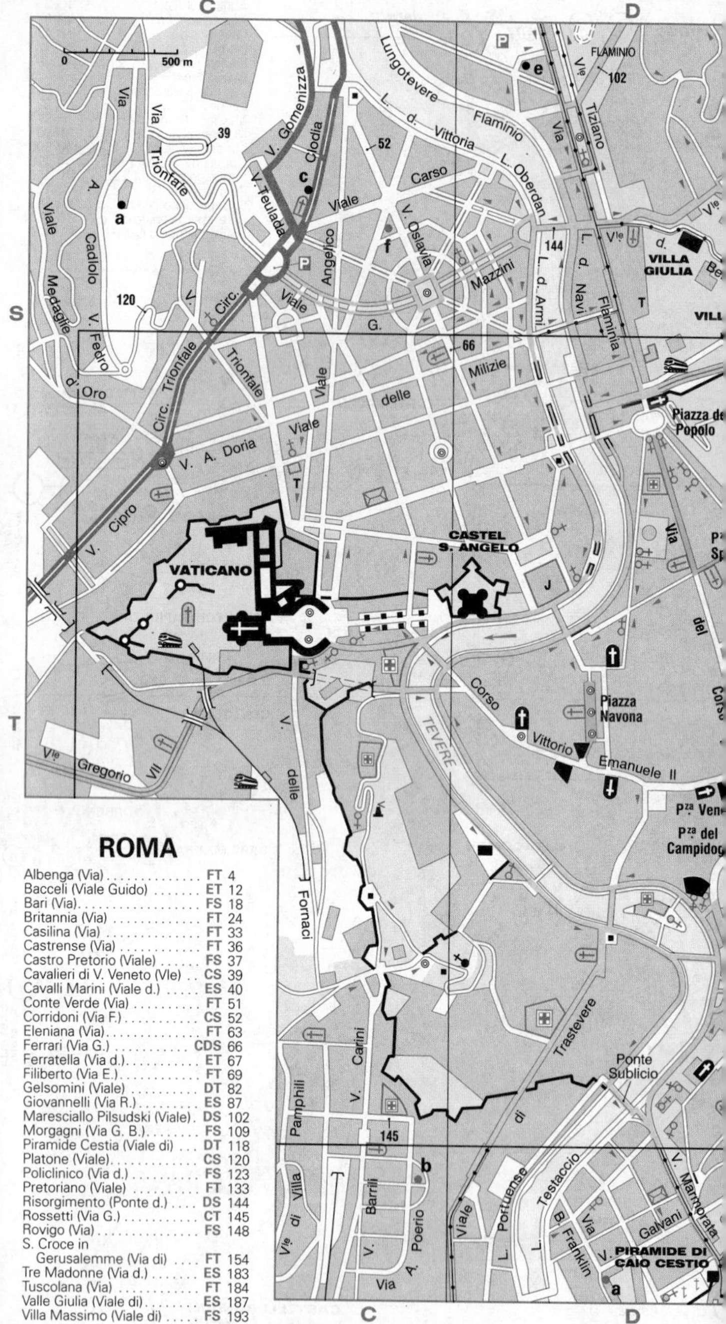

ROMA

- Albenga (Via) . . . . FT 4
- Bacceli (Viale Guido) . . . . ET 12
- Bari (Via). . . . . FS 18
- Britannia (Via) . . . . FT 24
- Casilina (Via) . . . . FT 33
- Castrense (Via) . . . . FT 36
- Castro Pretorio (Viale) . . . . . . FS 37
- Cavalieri di V. Veneto (Vle) . . CS 39
- Cavalli Marini (Viale d.) . . . . . ES 40
- Conte Verde (Via) . . . . FT 51
- Corridoni (Via F.) . . . . CS 52
- Eleniana (Via). . . . . FT 63
- Ferrari (Via G.) . . . . CDS 66
- Ferratella (Via d.). . . . . ET 67
- Filiberto (Via E.). . . . . FT 69
- Gelsomini (Viale) . . . . DT 82
- Giovannelli (Via R.) . . . . ES 87
- Maresciallo Pilsudski (Viale). DS 102
- Morgagni (Via G. B.). . . . . FS 109
- Piramide Cestia (Viale di) . . . DT 118
- Platone (Viale). . . . . CS 120
- Policlinico (Via d.) . . . . FS 123
- Pretoriano (Viale) . . . . FT 133
- Risorgimento (Ponte d.) . . . . DS 144
- Rossetti (Via G.) . . . . CT 145
- Rovigo (Via). . . . . FS 148
- S. Croce in Gerusalemme (Via di) . . . . FT 154
- Tre Madonne (Via d.) . . . . ES 183
- Tuscolana (Via) . . . . FT 184
- Valle Giulia (Viale di). . . . . ES 187
- Villa Massimo (Viale di) . . . . . FS 193

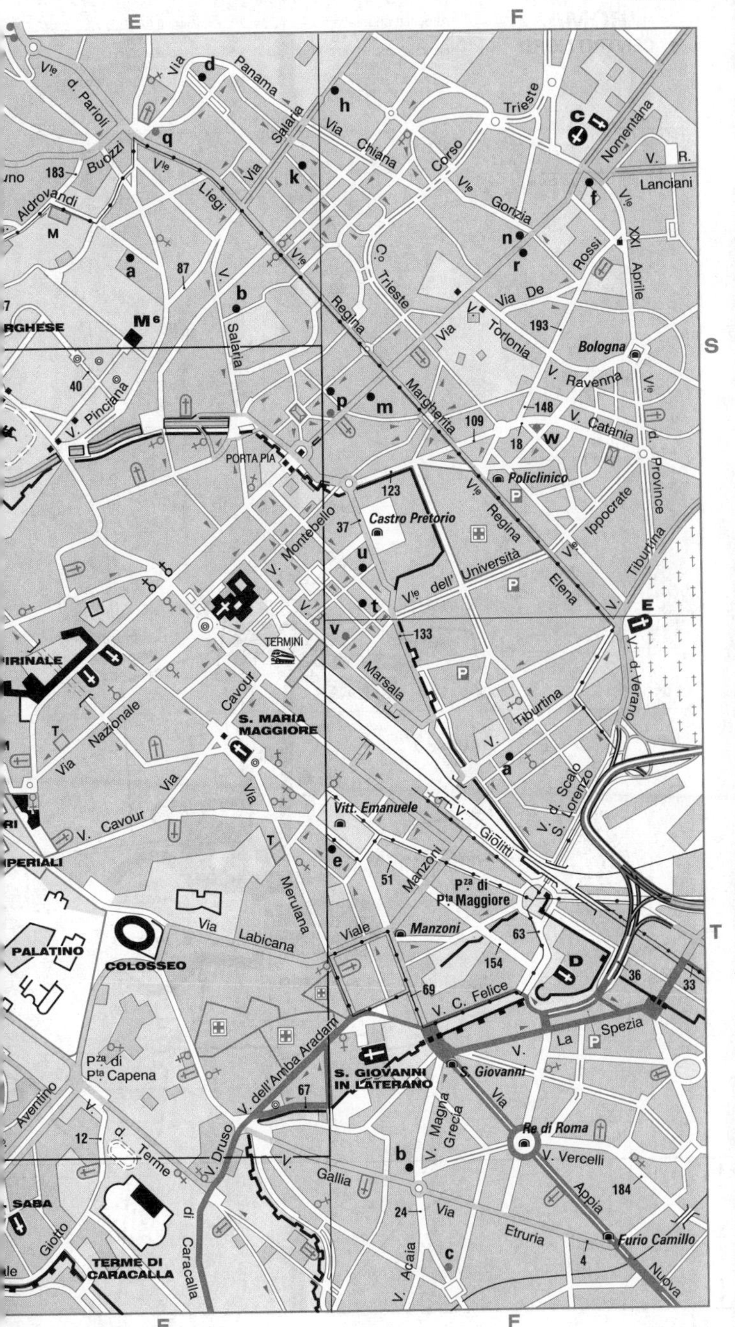
E
F
S
T
V. d. Parioli
Via Panama
Via Salaria
Via Chiana
Corso Trieste
Nomentana
V. R. Lanciani
Buozzi
V.le Liegi
Aldrovandi
V.le Gorizia
C.o Trieste
Rossi
V.le XXI Aprile
Via De
V. Torlonia
Bologna
V. Ravenna
V. Catania
V.le d. Province
Regina Margherita
Pinciana
PORTA PIA
Castro Pretorio
V. Montebello
V.le dell' Università
V.le Ippocrate
V.le Regina Elena
Tiburtina
V. d. Verano
Policlinico
TERMINI
Marsala
Tiburtina
V. d. Scalo S. Lorenzo
Via Nazionale
Cavour
S. MARIA MAGGIORE
Via Cavour
V. Cavour
Vitt. Emanuele
V. Giolitti
Manzoni
P.za di P.ta Maggiore
Merulana
Via Labicana
Viale Manzoni
PALATINO
COLOSSEO
V. C. Felice
V. La Spezia
S. GIOVANNI IN LATERANO
S. Giovanni
V. dell'Amba Aradam
P.za di P.ta Capena
Aventino
V. d. Terme di Caracalla
V. Drusso
V. Gallia
V. Magna Grecia
Re di Roma
V. Vercelli
Via Appia Nuova
Via Etruria
Furio Camillo
V. Acaia
Giotto
TERME DI CARACALLA
SABA
IMPERIALI
QUIRINALE
BORGHESE
M6
183
87
40
193
148
109
18
123
37
133
51
63
154
36
33
69
67
12
24
184
4

ROMA
CENTRO NORD

Circolazione regolamentata nel centro città

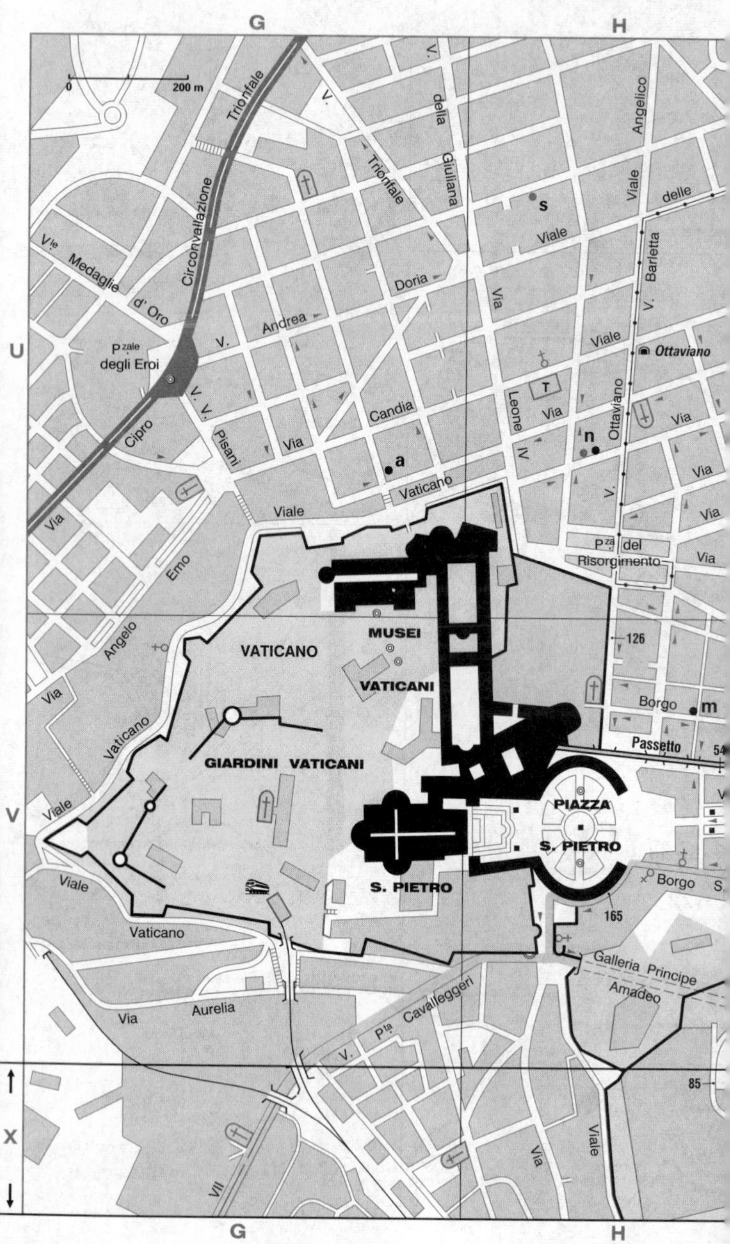

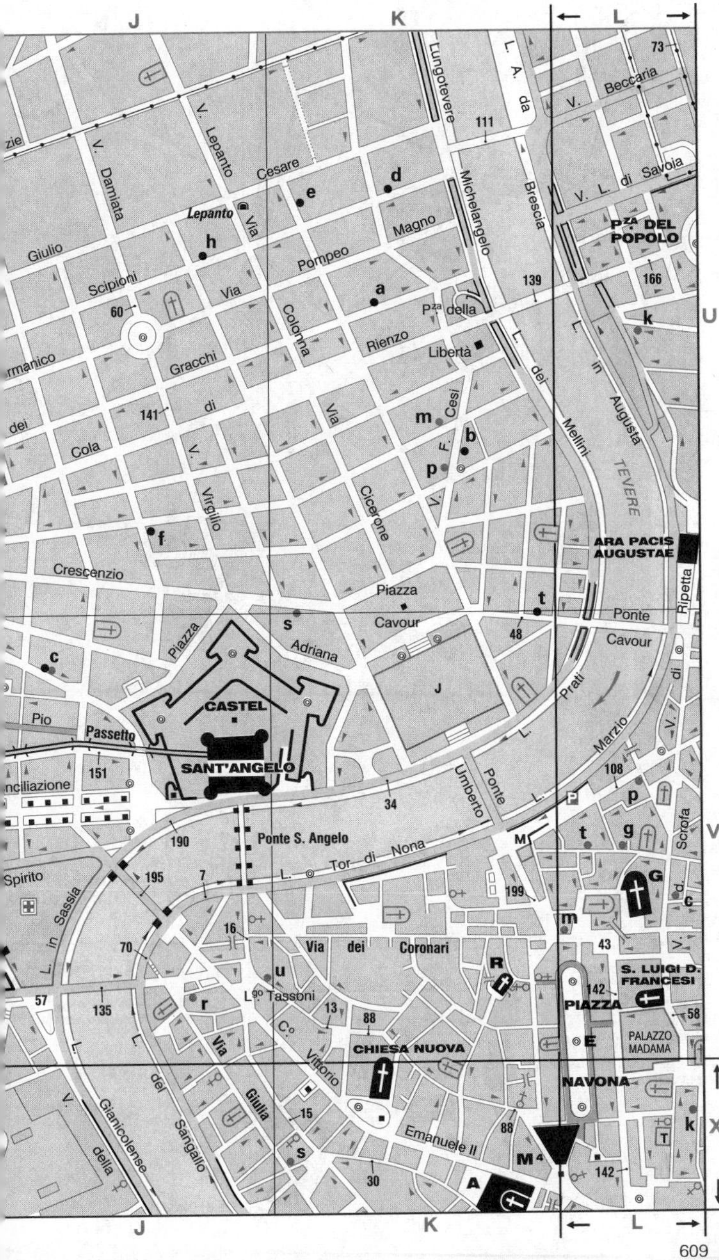

J
K
L
U
V
X
Lungotevere
L. A. da Brescia
V. Beccaria
V. L. di Savoia
P.ZA DEL POPOLO
Michelangelo
V. Lepanto
Cesare
Lepanto
Via
V. Damiata
Giulio
Scipioni
Pompeo
Magno
Via
Colonna
Pza della Libertà
Rienzo
Gracchi
di
Cola
dei
Via
Cesi
V. F.
L. dei Mellini
L. in Augusta
TEVERE
V. Virgilio
Cicerone
V.
Crescenzio
ARA PACIS AUGUSTAE
Ripetta
Piazza Cavour
Ponte Cavour
Piazza
Adriana
CASTEL SANT'ANGELO
Passetto
Pio
nciliazione
Prati
Marzio
Ponte Umberto
Ponte S. Angelo
L. Tor di Nona
Spirito
L. in Sassia
Via dei Coronari
Lgo Tassoni
Co Vittorio Emanuele II
CHIESA NUOVA
Via Giulia
del Sangallo
V. della Gianicolense
S. LUIGI D. FRANCESI
PIAZZA NAVONA
PALAZZO MADAMA
Scrofa

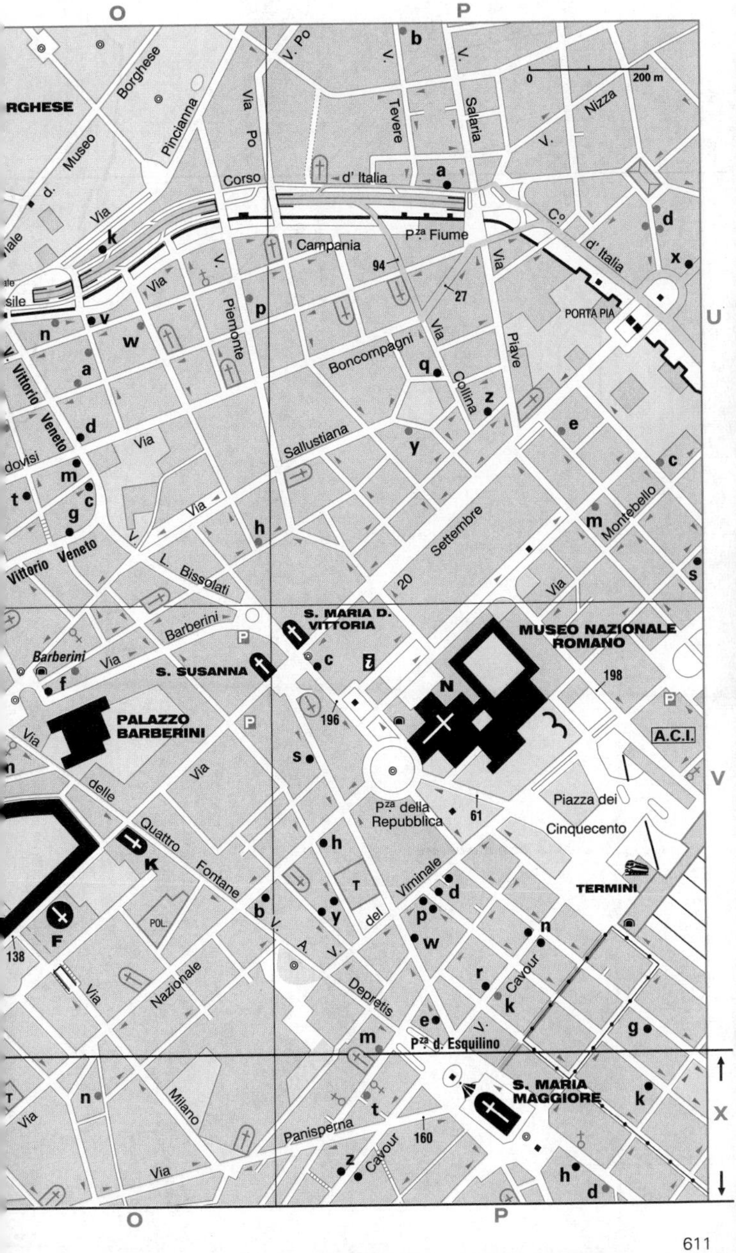

O
P
U
V
X
0
200 m
RGHESE
Borghese
Pinciana
Museo
Via
Via Po
V. Po
Tevere
Salaria
Nizza
Corso d' Italia
Pza Fiume
Campania
Piemonte
Boncompagni
Collina
Piave
Co d' Italia
PORTA PIA
Vittorio Veneto
Sallustiana
Via
Montebello
20 Settembre
L. Bissolati
Barberini
S. MARIA D. VITTORIA
S. SUSANNA
MUSEO NAZIONALE ROMANO
PALAZZO BARBERINI
A.C.I.
Pza della Repubblica
Piazza dei Cinquecento
TERMINI
Quattro Fontane
Viminale
Depretis
Nazionale
Cavour
Pza d. Esquilino
S. MARIA MAGGIORE
Milano
Panisperna
POL.
94
27
196
198
61
138
160

ROMA
CENTRO SUD
Circolazione regolamentata nel centro città

npo dei Fiori
Piazza) . . . . KY 28
ppellari (Via d.) . . . . KX 30
nsolazione (Via d.). . . . . . . NY 49
pricio (Ponte). . . . . MY 64
Florida (Via) . . . . MY 75
Foro Olitorio (Via d.) . . . . MY 78
Garibaldi (Ponte) . . . . LY 81
Gianicolo (Via d.) . . . . HX 85
Governo Vecchio (Via d.). . . . KX 88
Greca (Via d.) . . . . MZ 90
Jugario (Vico). . . . . MY 91
Lungaretta (Via d.) . . . . KZ 96
Mascherone (Via d.). . . . . . . KY 103
Massina (Via A.) . . . . JZ 105

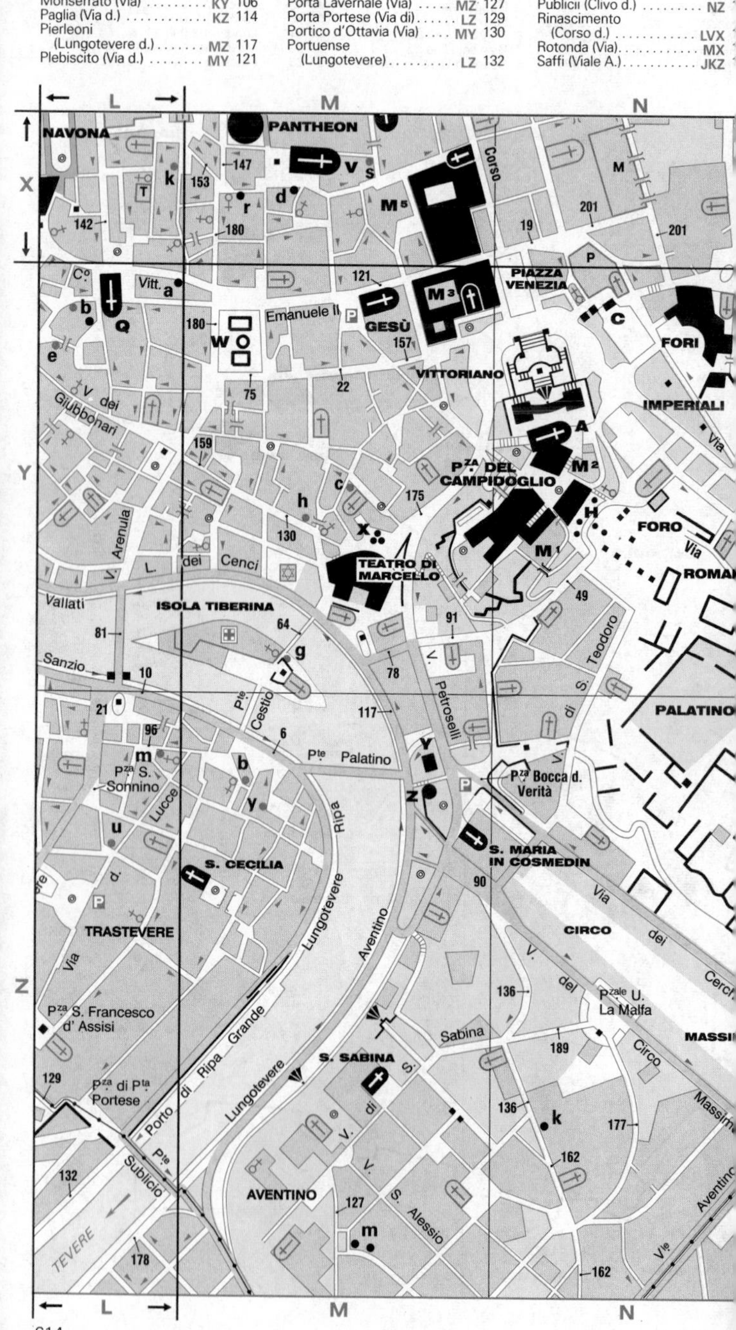

L
M
N
X
Y
Z
NAVONA
PANTHEON
Corso
PIAZZA VENEZIA
Vitt.
Emanuele II
GESÙ
VITTORIANO
FORI
IMPERIALI
V. dei Giubbonari
Arenula
dei Cenci
Vallati
P^ZA DEL CAMPIDOGLIO
TEATRO DI MARCELLO
FORO
ROMA
ISOLA TIBERINA
Sanzio
P^te Cestio
P^te Palatino
V. Petroselli
di S. Teodoro
PALATINO
P^za S. Sonnino
Lucce
P^za Bocca d. Verità
S. MARIA IN COSMEDIN
S. CECILIA
TRASTEVERE
Ripa
Lungotevere
Aventino
Via dei Cerchi
CIRCO
MASSI
P^zale U. La Malfa
Circo Massimo
P^za S. Francesco d' Assisi
Porto di Ripa Grande
Lungotevere
Sabina
S. SABINA
V. di S.
P^za di P^ta Portese
P^te Sublicio
TEVERE
AVENTINO
V. S. Alessio
V^le Aventino

Elenco alfabetico degli alberghi e ristoranti

A

B

C

D

E

F

G

H

I - J

L

M

N - O

P

Q - R

S

T - U

V - W

Centro Storico

Corso Vittorio Emanuele, Piazza Venezia, Pantheon e Quirinale, Piazza di Spagna, Piazza Navona (Pianta : Roma p. 11, 12, 15 e 16).

Hassler, piazza Trinità dei Monti 6 ✉ 00187 ☎ 6993401, Telex 610208, Fax 6789991, ≤ città dal rist. roof-garden – 70. AE. E VISA. JCB. — NU c
Pasto *(chiuso domenica sera)* carta 140/205000 – 48000 – **85 cam** 470/950000, 15 appartamenti.

Holiday Inn Minerva M, piazza della Minerva 69 ✉ 00186 ☎ 69941888, Telex 620091, Fax 6794165, « Terrazza con ≤ » – cam – 120. AE. E VISA. JCB. — MX d
Pasto carta 70/120000 – 34000 – **131 cam** 450/600000, 3 appartamenti.

De la Ville Inter-Continental, via Sistina 69 ✉ 00187 ☎ 67331, Fax 6784213, – 70. AE. E VISA. JCB. — NU e
Pasto 75/110000 – **169 cam** 540/675000, 23 appartamenti.

D'Inghilterra, via Bocca di Leone 14 ✉ 00187 ☎ 69981, Telex 614552, Fax 69922243, « Antica foresteria con arredamento d'epoca » – AE. E VISA. — MV f
Pasto carta 80/130000 – 30000 – **95 cam** 400/575000, 10 appartamenti.

Dei Borgognoni senza rist, via del Bufalo 126 ✉ 00187 ☎ 69941505, Telex 623074, Fax 69941501 – 70. AE. E VISA. JCB. — NV g
20000 – **50 cam** 390/470000.

Plaza senza rist, via del Corso 126 ✉ 00186 ☎ 69921111, Telex 624669, Fax 69941575, « Terrazza fiorita con ≤ » – 60. AE. E VISA. JCB — MV h
40000 – **195 cam** 370/540000, 12 appartamenti.

Valadier, via della Fontanella 15 ✉ 00187 ☎ 3611998 e rist. ☎ 3610880, Telex 620873, Fax 3201558, – 35. AE. E VISA. JCB. rist — MU k
Pasto al Rist. ***Valentino*** carta 40/75000 – **38 cam** 390/490000, 4 appartamenti – ½ P 380/440000.

Delle Nazioni, via Poli 7 ✉ 00187 ☎ 6792441, Telex 614193, Fax 6782400 – 50. AE. E VISA JCB. — NV m
Pasto vedere rist ***Le Grondici*** – 25000 – **83 cam** 320/400000 – ½ P 265/365000.

White M senza rist, via Arcione 77 ✉ 00187 ☎ 6991242, Telex 626065, Fax 6788451 – 40. AE. E VISA. — NV p
40 cam 280/350000.

Santa Chiara senza rist, via Santa Chiara 21 ✉ 00186 ☎ 6872979, Fax 6873144 – 40. AE. E VISA. JCB. — MX r
93 cam 245/340000, 3 appartamenti.

Della Torre Argentina senza rist, corso Vittorio Emanuele 102 ✉ 00186 ☎ 6833886, Fax 68801641 – AE. E VISA. JCB. — LY a
52 cam 215/305000, appartamento.

Tritone senza rist, via del Tritone 210 ✉ 00187 ☎ 69922575, Telex 614254, Fax 6782624 – — NV t
43 cam.

Accademia senza rist, piazza Accademia di San Luca 75 ✉ 00187 ☎ 69922607, Fax 6785897 – — NV u
58 cam.

Madrid senza rist, via Mario de' Fiori 95 ✉ 00187 ☎ 6991511, Fax 6791653 – AE VISA. — NV v
17 cam 190/280000, 6 appartamenti.

Condotti senza rist, via Mario de' Fiori 37 ✉ 00187 ☎ 6794661, Fax 6790457 – AE. E VISA. JCB. — MU w
16 cam 250/320000.

City senza rist, via Due Macelli 97 ✉ 00187 ☎ 6784037, Fax 6797972 – AE. E VISA. JCB. — NV k
29 cam 230/290000.

Teatro di Pompeo senza rist, largo del Pallaro 8 ✉ 00186 ☎ 68300170, Fax 68805531, « Volte del Teatro di Pompeo » – 30. AE. E VISA. — LY b
12 cam 200/260000.

Gregoriana senza rist, via Gregoriana 18 ✉ 00187 ☎ 6794269, Fax 6784258 – — NV x
19 cam 200/280000.

Senato senza rist, piazza della Rotonda 73 ✉ 00186 ☎ 6793231, Fax 69940297, ≤ Pantheon – AE. E VISA. — MV y
51 cam 205/270000.

Manfredi senza rist, via Margutta 61 ✉ 00187 ✆ 3207676, Fax 3207736 – MU
15 cam 240/350000.

Mozart senza rist, via dei Greci 23/b ✉ 00187 ✆ 36001915, Fax 36001735 – MU
31 cam 210/270000.

El Toulà, via della Lupa 29/b ✉ 00186 ✆ 6873498, Fax 6871115, Rist. elegante, prenot – MV
chiuso sabato a mezzogiorno, domenica, dal 24 al 26 dicembre ed agosto – **Pasto** ca 75/110000 (15 %).

Enoteca Capranica, piazza Capranica 100 ✉ 00186 ✆ 69940992, Fax 69940989, p notare la sera – MV
chiuso domenica e sabato a mezzogiorno – **Pasto** 50000 bc (solo a mezzogiorno) e ca 60/80000.

Camponeschi, piazza Farnese 50 ✉ 00186 ✆ 6874927, Fax 6865244, prenota « Servizio estivo con ≤ palazzo Farnese » – KY
chiuso a mezzogiorno, domenica e dal 13 al 22 agosto – **Pasto** carta 80/110000 (13 %).

Vecchia Roma, via della Tribuna di Campitelli 18 ✉ 00186 ✆ 6864604, , Rist. elega te – MY
chiuso mercoledì e dal 10 al 25 agosto – **Pasto** specialità romane e di mare carta 70/105C (12 %).

Quinzi Gabrieli, via delle Coppelle 6 ✉ 00186 ✆ 6879389, Fax 6874940, Coperti limit prenotare – MV
chiuso a mezzogiorno, domenica ed agosto – **Pasto** specialità di mare carta 90/130000
Spec. Carpaccio misto di mare. Spaghetti al granchio peloso. Ombrina al pepe verde Cerasuolo napoletano.

La Rosetta, via della Rosetta 9 ✉ 00187 ✆ 6861002, Fax 6872852, prenotare – MV
chiuso sabato a mezzogiorno, domenica e dal 5 al 25 agosto – **Pasto** specialità di ma carta 95/140000.

Le Grondici, via del Mortaro 14 ✉ 00187 ✆ 6795761 –
chiuso domenica – **Pasto** carta 50/85000. NV

Il Convivio, via dell'Orso 44 ✉ 00186 ✆ 6869432, Fax 6869432, Coperti limitati; preno re – LV
chiuso domenica – **Pasto** carta 90/145000
Spec. Insalata di girello di bue con caciocavallo, ruchetta e tartufo nero. Cavatelli con pes spada affumicato, melanzane e pesto. Rombo in crosta di asparagi con zabaione al limor

Piccola Roma, via Uffici del Vicario 36 ✉ 00186 ✆ 6798606 –
chiuso domenica ed agosto – **Pasto** carta 45/60000. MV

Eau Vive, via Monterone 85 ✉ 00186 ✆ 68801095, Fax 68802571, Missionarie laic cattoliche, prenotare la sera, « Edificio cinquecentesco » – LX
chiuso domenica ed agosto – **Pasto** cucina francese 15/30000 e carta 45/65000.

Taverna Giulia, vicolo dell'Oro 23 ✉ 00186 ✆ 6869768, Fax 6893720, prenotare la ser JV
chiuso domenica ed agosto – **Pasto** specialità liguri carta 50/70000.

Passetto, via Zanardelli 14 ✉ 00186 ✆ 68806569, Fax 68806569 – LV
Pasto carta 70/135000.

Il Drappo, vicolo del Malpasso 9 ✉ 00186 ✆ 6877365, , prenotare – KX
chiuso domenica ed agosto – **Pasto** specialità sarde 60/70000 bc.

Quirino, via delle Muratte 84 ✉ 00187 ✆ 6794108 – NV
chiuso domenica ed agosto – **Pasto** carta 55/75000.

Da Mario, via della Vite 55 ✉ 00187 ✆ 6783818, Fax 6798419 –
chiuso domenica ed agosto – **Pasto** specialità toscane carta 50/70000. MV

Da Pancrazio, piazza del Biscione 92 ✉ 00186 ✆ 6861246, Fax 6861246, « Taver ricostruita sui ruderi del Teatro di Pompeo » – LY
chiuso mercoledì, Natale e dal 1º al 20 agosto – **Pasto** carta 50/80000.

Da Giuseppe, via Brunetti 59 ✉ 00186 ✆ 3219019, Coperti limitati; prenotare LU
Pasto specialità emiliane.

Campana, vicolo della Campana 18 ✉ 00186 ✆ 6867820, Trattoria d'habitués – LV
chiuso lunedì ed agosto – **Pasto** 45/55000.

XX **Sangallo,** vicolo della Vaccarella 11 ✉ 00186 ☎ 6865549, prenotare – ▤. AE. ⓢ. ◑ E VISA LV c
chiuso domenica, lunedì a mezzogiorno, dal 1º al 10 gennaio e dal 1º al 15 agosto – **Pasto** specialità di mare carta 55/80000.

XX **Trattoria del Pantheon-da Fortunato,** via del Pantheon 55 ✉ 00186 ☎ 6792788 – ▤. AE. ◑ E VISA. ✻ MV c
chiuso domenica e dal 10 al 25 agosto – **Pasto** carta 50/70000.

X **L'Orso 80,** via dell'Orso 33 ✉ 00186 ☎ 6864904 – ▤. AE. ⓢ. ◑ E VISA. JCB. ✻ LV t
chiuso lunedì ed agosto – **Pasto** carta 45/70000.

X **Il Buco,** via Sant'Ignazio 8 ✉ 00186 ☎ 6793298 – ▤. AE. ⓢ. ◑. ✻ MX s
chiuso lunedì e dal 15 al 31 agosto – **Pasto** specialità toscane carta 40/60000.

X **Le Streghe,** vicolo del Curato 13 ✉ 00186 ☎ 6878182, prenotare la sera – AE. ⓢ. ◑ E VISA JKV u
chiuso domenica ed agosto – **Pasto** carta 45/60000.

X **Al Moro,** vicolo delle Bollette 13 ✉ 00187 ☎ 6783495, Trattoria romana, prenotare – ▤. ✻ NV f
chiuso domenica ed agosto – **Pasto** carta 55/85000 (10 %).

X **Costanza,** piazza del Paradiso 63/65 ✉ 00186 ☎ 6861717, « Resti del Teatro di Pompeo » – AE ◑ VISA LY b
chiuso domenica ed agosto – **Pasto** carta 45/70000.

X **La Tavernetta,** via del Nazareno 3/4 ✉ 00187 ☎ 6793124 – ▤. AE. ⓢ. ◑ E VISA. JCB. ✻ NV w
chiuso lunedì ed agosto – **Pasto** carta 35/60000 (12 %).

X **Da Giggetto,** via del Portico d'Ottavia 21/a ✉ 00186 ☎ 6861105, ☂, Trattoria tipica – AE. ⓢ. ◑ E VISA. ✻ MY h
chiuso lunedì e dal 15 al 30 luglio – **Pasto** specialità romane carta 50/70000.

X **Il Falchetto,** via dei Montecatini 12/14 ✉ 00186 ☎ 6791160, Trattoria rustica – AE. ⓢ. ◑ E VISA MV k
chiuso venerdì e dal 5 al 20 agosto – **Pasto** carta 45/65000.

X **La Buca di Ripetta,** via di Ripetta 36 ✉ 00186 ☎ 3219391, Trattoria d'habitués – ▤. AE. ⓢ. ◑. ✻ MU y
chiuso domenica sera, lunedì ed agosto – **Pasto** carta 40/55000.

Stazione Termini

via Vittorio Veneto, via Nazionale, Viminale, Santa Maria Maggiore, Porta Pia (Pianta : Roma p. 9, 12, 13 e 17).

Excelsior, via Vittorio Veneto 125 ✉ 00187 ☎ 47081, Telex 610232, Fax 4826205 – ▮ ⇆ cam ▤ ▣ ☎ – 🏛 600. AE. ⓢ. ◑ E VISA. JCB. ✻ rist OU d
Pasto carta 85/155000 – ☕ 54000 – **282 cam** 465/705000, 45 appartamenti.

Le Grand Hotel, via Vittorio Emanuele Orlando 3 ✉ 00185 ☎ 47091, Telex 610210, Fax 4747307 – ▮ ▤ ▣ ☎ – 🏛 300. AE. ⓢ. ◑ E VISA. JCB. ✻ PV c
Pasto carta 125/175000 – ☕ 33000 – **134 cam** 465/705000, 36 appartamenti.

Eden, via Ludovisi 49 ✉ 00187 ☎ 478121, Fax 4821584, ≤, ⚒ – ▮ ⇆ ▤ ▣ ☎ – 🏛 100. AE. ⓢ. ◑ E VISA. JCB. ✻ NU a
Pasto vedere rist ***La Terrazza*** – ☕ 45000 – **92 cam** 500/770000, 11 appartamenti.

Majestic, via Vittorio Veneto 50 ✉ 00187 ☎ 486841, Telex 622262, Fax 4880984 – ▮ ▤ ▣ ☎ ♿ – 🏛 150. AE. ⓢ. ◑ E VISA. JCB. ✻ OU e
Pasto carta 70/125000 – **88 cam** ☕ 470/560000, 6 appartamenti.

Bernini Bristol, piazza Barberini 23 ✉ 00187 ☎ 4883051, Telex 610554, Fax 4824266 – ▮ ⇆ cam ▤ ▣ ☎ – 🏛 100. AE. ⓢ. ◑ E VISA. JCB. ✻ rist OV f
Pasto carta 85/115000 – ☕ 32000 – **110 cam** 400/595000, 16 appartamenti.

Ambasciatori Palace, via Vittorio Veneto 62 ✉ 00187 ☎ 47493, Telex 610241, Fax 4743601, ⛱ – ▮ ▤ ▣ ☎ ♿ – 🏛 200. AE. ⓢ. ◑ E VISA. JCB. ✻ rist OU g
Pasto *(chiuso sabato sera e domenica)* carta 75/115000 – ☕ 25000 – **100 cam** 380/550000, 8 appartamenti.

Regina Baglioni, via Vittorio Veneto 72 ✉ 00187 ☎ 476851, Fax 485483 – ▮ ⇆ cam ▤ ▣ ☎ ♿ – 🏛 40. AE. ⓢ. ◑ E VISA. ✻ OU m
Pasto *(chiuso domenica)* carta 60/110000 – **130 cam** ☕ 390/560000, 7 appartamenti – 1/2 P 360000.

Jolly Vittorio Veneto, corso d'Italia 1 ✉ 00198 ☎ 8495, Telex 612293, Fax 8841104 – ▮ ⇆ cam ▤ ▣ ☎ ♿ – 🏛 400. AE. ⓢ. ◑ E VISA. ✻ rist OU k
Pasto *(chiuso domenica sera ed agosto)* carta 60/110000 – **200 cam** ☕ 355/435000, 3 appartamenti – 1/2 P 215/420000.

Quirinale, via Nazionale 7 ✉ 00184 ☎ 4707, Telex 610332, Fax 4820099, « Servizio rist. estivo in giardino » – ▮ ▤ ▣ ☎ ♿ – 🏛 250. AE. ⓢ. ◑ E VISA. JCB. ✻ PV h
Pasto carta 70/105000 – **198 cam** ☕ 300/400000, 3 appartamenti – 1/2 P 255/405000.

Grand Hotel Palace, via Veneto 70 ✉ 00187 ℘ 478719, Fax 47871800 – – 200. . OU
Pasto carta 60/105000 – **92 cam** 420/580000, 3 appartamenti.

Artemide senza rist, via Nazionale 22 ✉ 00184 ℘ 489911, Telex 623(Fax 48991700 – cam – 50 a 110. . OV
80 cam 320/460000, 5 appartamenti.

Mecenate Palace Hotel senza rist, via Carlo Alberto 3 ✉ 00185 ℘ 44702(Fax 4461354 – – 30. . PX
59 cam 350/470000, 3 appartamenti.

Starhotel Metropole, via Principe Amedeo 3 ✉ 00185 ℘ 4774, Telex 611(Fax 4740413 – – 200. . rist PV
Pasto carta 65/105000 – **269 cam** 370/480000 – 1/2 P 285/430000.

Londra e Cargill, piazza Sallustio 18 ✉ 00187 ℘ 473871, Telex 622227, Fax 4746674 – – 200. . PU
Pasto *(chiuso sabato, domenica a mezzogiorno ed agosto)* carta 45/65000 – **104 c** 300/390000, 6 appartamenti – 1/2 P 180/220000.

Victoria, via Campania 41 ✉ 00187 ℘ 473931, Telex 610212, Fax 4871890, « Terra roof-garden » – – 30. . rist OU
Pasto 45000 – **108 cam** 250/350000.

Mediterraneo, via Cavour 15 ✉ 00184 ℘ 4884051, Fax 4744105 – 90. . PV
Pasto *(chiuso a mezzogiorno e sabato)* 40/50000 – **251 cam** 355/470000, 11 appa menti.

Imperiale, via Vittorio Veneto 24 ✉ 00187 ℘ 4826351, Telex 621071, Fax 4826351 – . . OV
Pasto 65000 – **95 cam** 370/520000 – 1/2 P 310/420000.

Genova senza rist, via Cavour 33 ✉ 00184 ℘ 476951, Telex 621599, Fax 4827580 – . . PV
91 cam 295/400000.

Universo, via Principe Amedeo 5 ✉ 00185 ℘ 476811, Telex 610342, Fax 4745125 – – 300. . PV
Pasto 55000 – **198 cam** 255/360000 – 1/2 P 235/310000.

Sofitel, via Lombardia 47 ✉ 00187 ℘ 478021 e rist ℘ 4818965, Telex 622(Fax 4821019 – cam – 90. .
Pasto carta 50/80000 – **124 cam** 350/480000 – 1/2 P 410000. NU

La Residenza senza rist, via Emilia 22 ✉ 00187 ℘ 4880789, Fax 485721 – . . OU
28 cam 130/295000.

Massimo D'Azeglio, via Cavour 18 ✉ 00184 ℘ 4870270, Telex 610556, Fax 48273(– 200. . PV
Pasto *(chiuso domenica)* 40/50000 – **203 cam** 315/420000.

Eliseo senza rist, via di Porta Pinciana 30 ✉ 00187 ℘ 4870456, Fax 4819629 – – 25. . OU
51 cam 250/400000, 7 appartamenti.

Britannia senza rist, via Napoli 64 ✉ 00184 ℘ 4883153, Telex 611292, Fax 4882343 – . . PV
32 cam 230/330000.

Napoleon senza rist, piazza Vittorio Emanuele 105 ✉ 00185 ℘ 4467264, Telex 611(Fax 4467282 – – 80. . FT
79 cam 230/330000.

Rex senza rist, via Torino 149 ✉ 00184 ℘ 4824828, Fax 4882743 – – 50. . PV
50 cam 260/340000, 2 appartamenti.

Barocco senza rist, via della Purificazione 4 angolo piazza Barberini ✉ 00187 ℘ 4872(Fax 485994 – . . OV
28 cam 320/420000.

Commodore senza rist, via Torino 1 ✉ 00184 ℘ 485656, Telex 612170, Fax 4747562 – – 30. . PV
60 cam 275/410000.

Diana, via Principe Amedeo 4 ✉ 00185 ℘ 4827541, Telex 611198, Fax 486998 – – 25. . PV
Pasto (solo per alloggiati) 40000 – **183 cam** 205/290000, 2 appartamenti – 1/2 P 185(

Turner senza rist, via Nomentana 29 ✉ 00161 ℘ 44250077, Fax 44250165 – . . PU
37 cam 245/290000.

Venezia senza rist, via Varese 18 00185 4457101, Fax 4957687 – . AE. . E VISA. JCB. — FS t
59 cam 175/235000.

Patria, senza rist, via Torino 36 00184 4880756, Fax 4814872 – — PV s
49 cam.

Marcella senza rist, via Flavia 106 00187 4746451, Fax 4815832 – . AE. . VISA. JCB. — PU z
75 cam 210/300000.

De Petris, via del Boccaccio 25 00187 4819626, Fax 4820733 – . AE. . E VISA. JCB — OV m
25 cam 240/300000, appartamento.

Valle senza rist, via Cavour 134 00184 4815736, Fax 4885837 – – 25. AE. . E VISA. JCB. — PX z
33 cam 210/290000.

Ariston senza rist, via Turati 16 00185 4465399, Fax 4465396 – – 100. AE. . E VISA. JCB. — PV g
97 cam 180/250000, appartamento.

Sistina senza rist, via Sistina 136 00187 4745000, Fax 4818867 – . AE. . E VISA. JCB. — OV a
26 cam 200/290000.

Canada senza rist, via Vicenza 58 00185 4457770, Fax 4450749 – . AE. . E VISA. JCB. — FS u
71 cam 170/240000.

Laurentia senza rist, largo degli Osci 63 00185 4450218, Fax 4453821 – – 50. AE. . E VISA — FT a
15000 – **40 cam** 200/220000, appartamento.

Siviglia senza rist, via Gaeta 12 00185 4441196, Fax 4441195 – . AE. . E VISA. JCB. — PU s
41 cam 150/190000.

Nord-Nuova Roma senza rist, via Amendola 3 00185 4885441, Fax 4817163 – . AE. . E VISA. JCB. — PV d
165 cam 220/295000.

Centro senza rist, via Firenze 12 00184 4828002, Telex 612125, Fax 4871902 – . AE. . E VISA. — PV y
38 cam 160/240000.

Igea senza rist, via Principe Amedeo 97 00185 4466913, Fax 4466911 – . AE. . E VISA. — PX k
10000 – **42 cam** 100/150000.

La Terrazza - Hotel Eden, via Ludovisi 49 00187 478121, Fax 4821584, « Roof-garden con città » – . AE. . E VISA. JCB. — NU a
Pasto carta 90/160000
Spec. Medaglioni d'astice con favette e radicchio marinato al timo. Risotto "Regina Vittoria" (scampi e champagne). Filetto di rombo al forno con limone e capperi.

Sans Souci, via Sicilia 20/24 00187 4821814, Fax 4821771, Rist. elegante-soupers, prenotare – . AE. . E VISA. JCB. — OU a
chiuso a mezzogiorno, lunedì e dal 6 agosto al 3 settembre – **Pasto** carta 90/150000
Spec. Terrina di foie gras tartufata. Spaghetti all'astice e pomodorini freschi. Anatra all'arancia.

Grappolo d'Oro, via Palestro 4/10 00185 4941441, Fax 4452350 – . AE. . E VISA. JCB — PU c
chiuso domenica ed agosto – **Pasto** 30/50000 (a mezzogiorno) e carta 45/65000.

Agata e Romeo, via Carlo Alberto 45 00185 4466115, Fax 4465842, Coperti limitati; prenotare – . AE. . E VISA. JCB. — PX d
chiuso domenica, dal 26 dicembre al 6 gennaio ed agosto – **Pasto** carta 75/120000.

Edoardo, via Lucullo 2 00187 486428, Fax 486428 – . AE. . E VISA. — OU h
chiuso domenica ed agosto – **Pasto** carta 65/85000 (15 %).

Giovanni, via Marche 64 00187 4821834, Fax 4817366, Rist. d'habitués – . AE. . E VISA — OU a
chiuso venerdì sera, sabato ed agosto – **Pasto** carta 60/90000.

Cicilardone Monte Caruso, via Farini 12 00185 483549 – AE. . E VISA. — PV k
chiuso chiuso domenica, lunedì a mezzogiorno ed agosto – **Pasto** carta 60/100000.

Cesarina, via Piemonte 109 00187 4880073, Fax 4880828 – . AE. . E VISA. — OU p
chiuso domenica – **Pasto** specialità bolognesi carta 45/80000.

XX **Girarrosto Toscano,** via Campania 29 ✉ 00187 ☏ 4823835, Fax 4821899 – ▤. AE. ◑ E VISA. JCB. ⚔ OU
chiuso mercoledì – **Pasto** carta 50/95000.

XX **Dai Toscani,** via Forlì 41 ✉ 00161 ☏ 44231302 – ▤. AE. ⓢ. E VISA FS
chiuso domenica ed agosto – **Pasto** specialità toscane carta 50/70000.

XX **Mangrovia,** via Milazzo 6/a ✉ 00185 ☏ 4452755, Fax 4959204 – ▤. AE. ⓢ. ◑ VISA. J
⚔ EFS
Pasto specialità di mare carta 40/65000.

XX **Tullio,** via di San Nicola da Tolentino 26 ✉ 00187 ☏ 4745560, Fax 4818564, Tratt toscana con girarrosto – ▤. AE. ⓢ. ◑ E VISA. JCB. ⚔ OV
chiuso domenica ed agosto – **Pasto** carta 60/80000.

XX **Papà Baccus,** via Toscana 36 ✉ 00187 ☏ 42742808, Fax 42742808, prenotare – ▤. ⓢ. ◑ E VISA. JCB. ⚔ OU
chiuso sabato a mezzogiorno, domenica, dal 1° al 10 gennaio e dal 10 al 20 agosto – Pa specialità di mare e toscane carta 60/85000.

XX **Hostaria da Vincenzo,** via Castelfidardo 6 ✉ 00185 ☏ 484596, Fax 4870092 – ▤. ⓢ. ◑ E VISA PU
chiuso domenica ed agosto – **Pasto** carta 40/70000.

XX **Peppone,** via Emilia 60 ✉ 00187 ☏ 483976, Fax 483976, Rist. di tradizione – AE. ⓢ. ◑ VISA. ⚔ OU
chiuso sabato-domenica in agosto, solo domenica negli altri mesi – **Pasto** carta 45/75 (15 %).

X **Taverna Urbana,** via Urbana 137 ✉ 00184 ☏ 4884439 – ▤. AE. ⓢ. ◑ E VISA. ⚔
chiuso lunedì ed agosto – **Pasto** specialità di mare carta 40/75000. PVX

X **Crisciotti-al Boschetto,** via del Boschetto 30 ✉ 00184 ☏ 4744770, Trattoria rust « Servizio estivo sotto un pergolato » –. ⓢ. E VISA OX
chiuso venerdì sera, sabato, Natale ed agosto – **Pasto** carta 35/50000 (10 %).

X **Pulcinella,** via Urbana 11 ✉ 00184 ☏ 4743310, Fax 4819123 – AE. ⓢ. E VISA. ⚔ PX
chiuso domenica – **Pasto** specialità napoletane carta 35/55000 (12 %).

X **Trimani il Wine Bar,** via Cernaia 37/b ✉ 00185 ☏ 4469630, Fax 4468351, Enoteca ristorazione veloce – ▤. AE. ⓢ. ◑ E VISA. JCB PU
chiuso domenica e dall'11 al 17 agosto – **Pasto** carta 40/60000.

X **La Tana del Grillo,** via Alfieri 4/8 ✉ 00185 ☏ 70453517, prenotare – AE. ⓢ. ◑ E ⚔ – *chiuso domenica, lunedì a mezzogiorno e dal 15 al 30 agosto* – **Pasto** specia ferraresi carta 45/70000. PY

X Il Giardino, via Zucchelli 29 ✉ 00187 ☏ 4885202, ☂ NV

X **Cantina Cantarini,** piazza Sallustio 12 ✉ 00187 ☏ 485528, ☂, prenotare – AE. ⓢ. E VISA. ⚔ PU
chiuso domenica, dal 24 dicembre al 6 gennaio e dal 15 al 30 agosto – **Pasto** c 40/60000.

X **Colline Emiliane,** via degli Avignonesi 22 ✉ 00187 ☏ 4817538, prenotare – ▤. ⓢ VISA – *chiuso venerdì ed agosto* – **Pasto** specialità emiliane carta 45/65000. NV

Roma Antica

Colosseo, Fori Imperiali, Aventino, Terme di Caracalla, Porta San Paolo, Monte Testac
(Pianta : Roma p. 8, 9, 16 e 17)

🏨 **Forum,** via Tor de' Conti 25 ✉ 00184 ☏ 6792446, Telex 622549, Fax 6786479, « R roof-garden con ≤ Fori Imperiali » – |‡| ▤ TV ☎ 🚗 – 🔬 100. AE. ⓢ. ◑ E VISA. JCB. ⚔
Pasto *(chiuso domenica)* carta 80/130000 – **81 cam** ☕ 290/440000. OY

🏨 **Borromeo** senza rist, via Cavour 117 ✉ 00184 ☏ 485856, Fax 4882541 – |‡| ▤ TV ☎ AE. ⓢ. ◑ E VISA. JCB. ⚔ PX
28 cam ☕ 220/290000, appartamento.

🏨 **Piccadilly** senza rist, via Magna Grecia 122 ✉ 00183 ☏ 77207017, Fax 70476686 – ⚔ TV ☎. AE. ⓢ. ◑ E VISA. ⚔ FT
55 cam ☕ 170/230000.

🏨 **Duca d'Alba** senza rist, via Leonina 12/14 ✉ 00184 ☏ 484471, Telex 6204 Fax 4884840 – |‡| ▤ TV ☎. AE. ⓢ. ◑ E VISA. JCB OY
☕ 15000 – **24 cam** 140/190000.

🏨 **Domus Aventina** 🐚 senza rist, via Santa Prisca 11/b ✉ 00153 ☏ 57461 Fax 57300044 – ▤ TV ☎. AE. ⓢ. ◑ E VISA. JCB. ⚔ NZ
26 cam ☕ 180/270000.

🏨 **Nerva** senza rist, via Tor de' Conti 3/4/4 a ✉ 00184 ☏ 6781835, Fax 69922204 – |‡| ▤ ☎. AE. ⓢ. ◑ E VISA. JCB. ⚔ NY
☕ 18000 – **19 cam** 220/325000.

Sant'Anselmo senza rist, piazza Sant'Anselmo 2 00153 5748119, Fax 5783604, – . . . E VISA. MZ m
45 cam 170/240000.

Villa San Pio senza rist, via di Sant'Anselmo 19 00153 5743547, – . . . . E VISA. MZ m
59 cam 170/240000.

Checchino dal 1887, via Monte Testaccio 30 00153 5743816, Fax 5743816, Locale storico, prenotare – . . E VISA. DT a
chiuso dal 24 dicembre al 3 gennaio, agosto, domenica sera, lunedì e da giugno a settembre anche domenica a mezzogiorno – **Pasto** cucina romana carta 65/90000
Spec. Bucatini alla gricia. Coda alla vaccinara. Abbacchio alla cacciatora.

Charly's Saucière, via di San Giovanni in Laterano 270 00184 70495666, Fax 70494700, Coperti limitati; prenotare – . . . E VISA. JCB PZ e
chiusodal 5 al 20 agosto, domenica e i mezzogiorno di sabato-lunedì – **Pasto** cucina franco-svizzera carta 50/70000.

Mario's Hostaria, piazza del Grillo 9 00184 6793725, , prenotare – . . . E VISA. NY b
chiuso sabato a mezzogiorno e domenica – **Pasto** carta 40/85000.

San Pietro (Città del Vaticano)
Gianicolo, Monte Mario, Stadio Olimpico **(Pianta : Roma p. 8, 10 e 11).**

Cavalieri Hilton , via Cadlolo 101 00136 35091, Telex 625337, Fax 35092241, città, , « Terrazze solarium e parco con », – – 2100. . . E VISA. JCB. rist CS a
Pasto carta 70/120000 e vedere anche Rist. ***La Pergola*** – 37000 – **359 cam** 380/570000, 17 appartamenti.

Jolly Leonardo da Vinci, via dei Gracchi 324 00192 32499, Telex 611182, Fax 3610138 – cam – 220. . . E VISA. JCB. rist KU a
Pasto 60000 – **256 cam** 350/400000, 2 appartamenti – ½ P 260000.

Visconti Palace senza rist, via Federico Cesi 37 00193 3684, Telex 622489, Fax 3200551 – – 150. . . E VISA. JCB. KU b
234 cam 300/400000, 13 appartamenti.

Atlante Star, via Vitelleschi 34 00193 6873233, Telex 622355, Fax 6872300 – – 50. . . E VISA. JCB JV c
Pasto vedere rist ***Les Etoiles*** – **61 cam** 390/490000, 3 appartamenti – ½ P 235/315000.

Farnese senza rist, via Alessandro Farnese 30 00192 3212553, Fax 3215129 – KU e
22 cam.

Giulio Cesare senza rist, via degli Scipioni 287 00192 3210751, Telex 613010, Fax 3211736, – – 40. . . E VISA. JCB. KU d
90 cam 280/380000.

Sant'Anna senza rist, borgo Pio 133 00193 68801602, Fax 68308717 – . . . E VISA. JCB HV m
20 cam 200/270000.

Clodio senza rist, via di Santa Lucia 10 00195 3721122, Telex 625050, Fax 37350745 – – 60 CS c
114 cam.

Arcangelo senza rist, via Boezio 15 00192 6874143, Fax 6893050 – . . . E VISA. JU f
33 cam 190/250000.

Olympic senza rist, via Properzio 2/a 00193 6896650, Telex 623368, Fax 68308255 – . . . E VISA. JCB. JU g
52 cam 195/260000.

Gerber senza rist, via degli Scipioni 241 00192 3216485, Fax 3217048 – cam . . . E VISA. JCB. JU h
27 cam 170/220000.

Ara Pacis senza rist, via Vittoria Colonna 11 00193 3204446, Fax 3211325 – . . . E VISA. JCB KUV t
15000 – **37 cam** 165/250000.

Amalia senza rist, via Germanico 66 00192 39723356, Fax 39723365 – . . . E VISA. JCB. HU n
25 cam 130/180000.

Alimandi senza rist, via Tunisi 8 00192 39723948, Fax 39723943, « Roof-garden » – . . . E VISA GU a
13000 – **29 cam** 110/155000.

XXXX **La Pergola** - Hotel Cavalieri Hilton, via Cadlolo 101 ✉ 00136 ✆ 35091 – AE. ⑤. ⊙ E JCB. ※
chiuso a mezzogiorno, domenica, lunedì e gennaio – **Pasto** carta 90/145000 CS

XXX **Les Etoiles** - Atlante Star, via dei Bastioni 1 ✉ 00193 ✆ 6893434, « Roof-garde servizio estivo in terrazza con ≤ Basilica di San Pietro » – ▤. AE. ⑤. ⊙ E VISA. JCB. ※
Pasto 70/120000 (a mezzogiorno) 90/170000 (alla sera) e carta 105/155000. JV

XX **Lo Squalo Bianco,** via Federico Cesi 36 ✉ 00193 ✆ 3214700, prenotare – ▤. AE. ⑤ E VISA. ※ KU
chiuso domenica – **Pasto** specialità di mare carta 45/70000.

X **Da Enzo,** via Ennio Quirino Visconti 39/41 ✉ 00193 ✆ 3215743 – ▤. AE. ⑤. ⊙ E JCB. ※ KU
chiuso domenica ed agosto – **Pasto** carta 50/80000.

X **Dal Toscano-al Girarrosto,** via Germanico 58 ✉ 00192 ✆ 39725717, Rist. d'habi – ▤. AE. ⑤. ⊙ E VISA HU
chiuso lunedì ed agosto – **Pasto** specialità toscane carta 45/70000.

X **Taverna Angelica,** piazza delle Vaschette 14/a ✉ 00193 ✆ 6874514, Rist-soup cucina fino a mezzanotte, Coperti limitati; prenotare – ▤. AE. ⑤. E VISA. ※ JV
chiuso sabato a mezzogiorno, domenica, dal 23 dicembre al 3 gennaio e dal 10 al 30 ag – **Pasto** carta 45/85000.

X **Hostaria da Cesare,** via Crescenzio 13 ✉ 00193 ✆ 6861227, Trattoria-pizzeria – ▤ ⑤. ⊙ E VISA. ※ KUV
chiuso domenica sera, lunedì, Natale, Pasqua ed agosto – **Pasto** specialità di mare c 55/85000.

X **Delle Vittorie,** via Monte Santo 58/64 ✉ 00195 ✆ 37352776, ☂ – AE. ⑤. ⊙ E JCB. ※ CS
chiuso domenica, dal 23 dicembre al 3 gennaio e dal 1º al 20 agosto – **Pasto** c 45/70000.

X Hosteria dell'Angelo, via G. Bettolo 24 ✉ 00195 ✆ 3729470, Trattoria tipica HU
Pasto specialità romane .

Parioli

via Flaminia, Villa Borghese, Villa Glori, via Nomentana, via Salaria (Pianta : Roma p. 7, 8, 13).

Lord Byron ⛱, via De Notaris 5 ✉ 00197 ✆ 3220404, Telex 611217, Fax 3220405 – |$ TV ☎. AE. ⑤. ⊙ E VISA. JCB. ※ DS
Pasto vedere rist ***Relais le Jardin*** – **28 cam** ☕ 480/580000, 9 appartamenti.

Aldrovandi Palace Hotel, via Aldrovandi 15 ✉ 00197 ✆ 3223993, Telex 616 Fax 3221435, « Piccolo parco ombreggiato » – |$| ⅍ ▤ TV ☎ P – 🔬 350. AE. ⑤. ⊙ VISA. JCB. ※ ES
Pasto vedere rist ***Relais La Piscine*** – **128 cam** ☕ 550/600000, 10 appartamenti.

Parco dei Principi, via Gerolamo Frescobaldi 5 ✉ 00198 ✆ 854421, Telex 610 Fax 8845104, ≤, ☂, « Piccolo parco botanico con ⛱ » – |$| ▤ TV ☎ ⇔ – 🔬 1000. AE ⊙ E VISA. ※ ES
Pasto 60000 – **165 cam** ☕ 290/430000, 15 appartamenti.

Albani, via Adda 45 ✉ 00198 ✆ 84991, Telex 625594, Fax 8499399 – |$| ▤ TV ☎ 🔬 80. AE. ⑤. ⊙ E VISA. JCB. ※ ES
Pasto carta 40/75000 – **155 cam** ☕ 285/400000.

Polo senza rist, piazza Gastaldi 4 ✉ 00197 ✆ 3221041, Telex 623107, Fax 3221359 – |$ TV ☎ – 🔬 70. AE. ⑤. ⊙ E VISA. ※ DS
66 cam ☕ 375/405000.

Borromini, senza rist, via Lisbona 7 ✉ 00198 ✆ 8841321, Telex 621625, Fax 8417550 ▤ TV ☎ ⇔ – 🔬 100 ES
75 cam.

Degli Aranci, via Oriani 11 ✉ 00197 ✆ 8070202, Fax 8070704 – |$| ▤ TV ☎ – 🔬 40. ⑤. ⊙ E VISA. ※ ES
Pasto 35000 – ☕ 15000 – **54 cam** 235/330000 – ½ P 200/265000.

Villa Glori senza rist, via Celentano 11 ✉ 00196 ✆ 3227658, Fax 3219495 – |$| ▤ TV AE. ⑤. ⊙ E VISA. JCB. ※ DS
38 cam ☕ 230/310000.

Villa Florence senza rist, via Nomentana 28 ✉ 00161 ✆ 4403036, Telex 624 Fax 4402709, « In una villa patrizia della seconda metà dell'800, con collezione di rep marmorei romani » – |$| ▤ TV ☎ P. AE. ⑤. ⊙ E VISA. ※ FS
33 cam ☕ 210/250000.

Executive senza rist, via Aniene 3 ✉ 00198 ✆ 8552030, Telex 620415, Fax 8414078 – |$ TV ☎ ♿ PU
54 cam.

Villa del Parco senza rist, via Nomentana 110 ✉ 00161 ☎ 44237773, Fax 44237572, – ▤ TV ☎. AE. ⑤. ⓓ E VISA. JCB FS r
23 cam ☕ 180/230000.

Santa Costanza senza rist, viale 21 Aprile 4 ✉ 00162 ☎ 8600602, Fax 8602786, – |\$| TV ☎ ♿ – 🏢 50. AE. ⑤. E VISA FS f
50 cam ☕ 155/200000.

Panama senza rist, via Salaria 336 ✉ 00199 ☎ 8552558, Fax 8413929, – |\$| TV ☎. AE. ⑤. ⓓ E VISA FS h
43 cam ☕ 175/230000.

Buenos Aires senza rist, via Clitunno 9 ✉ 00198 ☎ 8554854, Fax 8415272 – |\$| ▤ TV ☎ P – 🏢 35. AE. ⑤. E VISA ES k
49 cam ☕ 190/250000.

Fenix, viale Gorizia 5 ✉ 00198 ☎ 8540741, Fax 8543632, – |\$| ▤ TV ☎. AE. ⑤. ⓓ E VISA. FS n
Pasto *(chiuso sabato sera, domenica ed agosto)* 35/40000 – **75 cam** ☕ 190/300000.

Lloyd senza rist, via Alessandria 110/a ✉ 00198 ☎ 8540432, Fax 8419846 – |\$| ▤ TV ☎
47 cam. FS p

Relais le Jardin - Hotel Lord Byron, via De Notaris 5 ✉ 00197 ☎ 3220404, Fax 3220405, Rist. elegante, Coperti limitati; prenotare – ▤. AE. ⑤. ⓓ E VISA. JCB. DS b
chiuso domenica ed agosto – **Pasto** carta 85/145000
Spec. Savarin di carciofi con guanciale saltato, vellutata di mentuccia e cialda di parmigiano (autunno-inverno). Spigola in crosta di patate al rosmarino con macedonia di verdure. Semifreddo di fragole e zenzero con salsa di cioccolato bianco (primavera-estate).

Relais la Piscine - Hotel Aldrovandi Palace, via Mangili 6 ✉ 00197 ☎ 3216126, « Servizio estivo all'aperto » – ▤ P. AE. ⑤. ⓓ E VISA. JCB. ES c
Pasto 70/90000 (a mezzogiorno) 90/110000 (alla sera) e carta 90/135000.

Al Ceppo, via Panama 2 ✉ 00198 ☎ 8551379, Fax 85301370, prenotare la sera – AE. ⑤. ⓓ E VISA ES q
chiuso lunedì e dall'8 al 30 agosto – **Pasto** carta 55/80000.

Coriolano, via Ancona 14 ✉ 00198 ☎ 44249863, Trattoria elegante, Coperti limitati; prenotare – ▤. AE. ⑤. ⓓ E VISA PU d
chiuso dal 5 al 30 agosto, domenica e in luglio anche sabato – **Pasto** carta 70/105000 (15 %).

Il Caminetto, viale dei Parioli 89 ✉ 00197 ☎ 8083946, – ▤. AE. ⑤. ⓓ VISA.
Pasto carta 50/70000. ES s

La Scala, viale dei Parioli 79/d ✉ 00197 ☎ 8083978, – ▤. AE. ⑤. ⓓ E VISA.
chiuso mercoledì e dal 2 al 25 agosto – **Pasto** carta 45/60000. ES s

Al Fogher, via Tevere 13/b ✉ 00198 ☎ 8417032, Rist. rustico – ▤. AE. ⑤. ⓓ E VISA. JCB. PU b
chiuso sabato a mezzogiorno, domenica ed agosto – **Pasto** specialità venete carta 55/80000.

Al Chianti, via Ancona 17 ✉ 00198 ☎ 44291534, Trattoria toscana con taverna, prenotare – ▤. AE. ⑤. ⓓ E VISA PU d
chiuso domenica e dal 6 al 22 agosto – **Pasto** carta 40/75000.

Franco l'Abruzzese, via Anerio 23/25 ✉ 00199 ☎ 8600704, Trattoria d'habitués – AE. ⑤. ⓓ E VISA. JCB BQ t
chiuso domenica – **Pasto** carta 30/50000.

Hostaria Costa Balena, via Messina 5/7 ✉ 00198 ☎ 44251257 – ▤. AE. ⑤. ⓓ E VISA. JCB. FS p
chiuso sabato a mezzogiorno, domenica e dal 10 al 29 agosto – **Pasto** trattoria con specialità di mare carta 40/75000.

Al Bersagliere-da Raffone, via Ancona 43 ✉ 00198 ☎ 44249846, Rist. rustico di tradizione – ▤. AE. ⑤. ⓓ E VISA PU d
chiuso sabato e dal 5 al 20 agosto – **Pasto** carta 40/60000.

Zona Trastevere

(quartiere tipico) (Pianta : Roma p. 15 e 16).

Alberto Ciarla, piazza San Cosimato 40 ✉ 00153 ☎ 5818668, Fax 5884377, , Coperti limitati; prenotare – ▤. AE. ⑤. ⓓ VISA. JCB. KZ k
chiuso a mezzogiorno, domenica, dal 12 al 19 gennaio e dal 10 al 20 agosto – **Pasto** specialità di mare 70/90000.

Corsetti-il Galeone, piazza San Cosimato 27 ✉ 00153 ☎ 5816311, Fax 5896255, , « Ambiente caratteristico » – ▤. AE. ⑤. ⓓ E VISA. JCB KZ m
Pasto specialità romane e di mare carta 50/80000.

XX Carlo Menta, via della Lungaretta 101 ✉ 00153 ☎ 5884450, 🏠, prenotare – ▤ KZ
chiuso a mezzogiorno – **Pasto** specialità di mare.

XX **Sora Lella,** via di Ponte Quattro Capi 16 (Isola Tiberina) ✉ 00186 ☎ 6861601, Fax 686 – ▤. AE. 🅂. ⦿. E VISA. ✂ MY
chiuso domenica e dal 10 al 31 agosto – **Pasto** cucina tradizionale romana carta 80000.

XX **Galeassi,** piazza di Santa Maria in Trastevere 3 ✉ 00153 ☎ 5803775, 🏠 – AE. 🅂. ⦿ VISA KZ
chiuso lunedì e dal 20 dicembre al 20 gennaio – **Pasto** specialità romane e di mare c 50/85000.

XX Il Cortile, via Alberto Mario 26 ✉ 00152 ☎ 5803433 CT

XXX **Paris,** piazza San Callisto 7/a ✉ 00153 ☎ 5815378, 🏠 – ▤. AE. 🅂. ⦿ E VISA. ✂ KZ
chiuso domenica sera, lunedì ed agosto – **Pasto** carta 60/90000.

XX Sabatini, vicolo Santa Maria in Trastevere 18 ✉ 00153 ☎ 5818307 – ▤ KZ
Pasto specialità romane e di mare.

XX **Checco er Carettiere,** via Benedetta 10 ✉ 00153 ☎ 5817018, 🏠, Rist. tipico – ▤. 🅂. ⦿ E VISA. JCB KY
chiuso domenica sera, lunedì e dall'11 al 18 agosto – **Pasto** specialità romane e di m carta 60/90000.

XX **Pastarellaro,** via di San Crisogono 33 ✉ 00153 ☎ 5810871 – ▤. AE. 🅂. ⦿ E ✂ LZ
chiuso mercoledì ed agosto – **Pasto** specialità romane e di mare carta 50/80000 (12 %).

XX **Taverna Trilussa,** via del Politeama 23 ✉ 00153 ☎ 5818918, Fax 5811064, 🏠, tipico – ▤. AE. 🅂. ⦿ VISA KY
chiuso domenica sera, lunedì e dal 30 luglio al 28 agosto – **Pasto** specialità romane c 40/60000.

X **Gino in Trastevere,** via della Lungaretta 85 ✉ 00153 ☎ 5803409, Rist. e pizzeria – AE. 🅂. ⦿ E VISA. ✂ LZ
chiuso mercoledì e a mezzogiorno (escluso i giorni festivi) – **Pasto** specialità romane c 35/50000.

X Cornucopia, piazza in Piscinula 18 ✉ 00153 ☎ 5800380, 🏠, Coperti limitati; prenota ▤ MZ
Pasto specialità romane e di mare.

X **Peccati di Gola,** piazza dei Ponziani 7/a ✉ 00153 ☎ 5814529, Fax 5816840, 🏠 – AE. ⦿ E VISA. ✂ MZ
chiuso lunedì, dal 2 al 16 gennaio e dal 4 al 18 settembre – **Pasto** carta 65/90000.

Zona Urbana Nord Ovest

via Flaminia, via Cassia, Balduina, Prima Valle, via Aurelia **(Pianta : Roma p. 6 e 7).**

🏨🏨🏨 **Jolly Hotel Midas,** via Aurelia 800 (al km 8) ✉ 00165 ☎ 66396, Telex 622 Fax 66418457, 🏊, 🎾, ✂ – 🛗 ⇹ cam ▤ 📺 ☎ 🅟 – 🎤 650. AE. 🅂. ⦿ E ✂ rist AQ
Pasto carta 60/90000 – **340 cam** ☕ 225/270000, 8 appartamenti – ½ P 285/320000.

🏨 **Forte Agip,** via Aurelia al km 8 ✉ 00165 ☎ 66411200, Fax 66414437, 🏠, 🏊, 🎾 ⇹ cam ▤ 📺 ☎ 🅟 – 🎤 150. AE. 🅂. ⦿ E VISA. JCB. ✂ AQ
Pasto carta 50/80000 – **213 cam** ☕ 250/350000 – ½ P 175/215000.

🏨 **Colony Flaminio** senza rist, via Monterosi 18 ✉ 00191 ☎ 36301843, Fax 36309495 ▤ 📺 ☎ 🅟 – 🎤 90. AE. 🅂. ⦿ E VISA. JCB BQ
72 cam ☕ 175/215000, appartamento.

XXX **L'Ortica,** via Flaminia Vecchia 573 ✉ 00191 ☎ 3338709, Fax 3338709, 🏠 – AE. 🅂. E JCB BQ
chiuso a mezzogiorno e domenica – **Pasto** specialità napoletane carta 60/90000.

XX **Da Benito,** via Flaminia Nuova 230/232 ✉ 00191 ☎ 36307851, Fax 36306079 – ▤ 🅟. 🅂. ⦿ E VISA BQ
chiuso domenica e dal 10 al 31 agosto – **Pasto** carta 40/80000.

X **La Campagnola,** via Flaminia Vecchia 863 ✉ 00191 ☎ 3335443, 🏠 – 🅟. AE. 🅂. ⦿ VISA BQ
chiuso dal 13 al 18 agosto – **Pasto** carta 40/60000.

Zona Urbana Nord Est

via Salaria, via Nomentana, via Tiburtina **(Pianta : Roma p. 7).**

🏨 Hotel la Giocca, via Salaria 1223 ✉ 00138 ☎ 8804365, Fax 8804495, 🏊 – 🛗 ⇹ cam ▤ ☎ 🚗 🅟 – 🎤 40 BQ
59 cam, 3 appartamenti.

🏨 **Eurogarden** senza rist, raccordo anulare Salaria-Flaminia-uscita n° 7 ✉ 00 ☎ 8804507, Fax 8804417, 🏊, 🎾 – ▤ 📺 ☎ 🅟. AE. 🅂. ⦿ E VISA. ✂ BQ
48 cam ☕ 165/195000.

Helios senza rist, via Sacco Pastore 13 ✉ 00141 ✆ 8603982, Fax 8604355 – 60. AE. ⓢ. E VISA BQ a
15000 – **45 cam** 165/230000, 5 appartamenti.

La Pergola senza rist, via dei Prati Fiscali 55 ✉ 00141 ✆ 8863290, Fax 8124353, – 50. AE. ⓢ. E VISA BQ s
81 cam 150/200000.

Gabriele, via Ottoboni 74 ✉ 00159 ✆ 4393498, Rist. e pizzeria – AE. ⓢ. E VISA. BQ m
chiuso sabato, domenica ed agosto – **Pasto** carta 45/65000.

Zona Urbana Sud Est

via Appia Antica, via Appia Nuova, via Tuscolana, via Casilina (Pianta : Roma p. 7).

Santa Maura 2, senza rist, via Casilina 1038 ✉ 00169 ✆ 2674041, Fax 2389061 – – 60 BR f
41 cam.

Santa Maura, senza rist, via Casilina 1038 ✉ 00169 ✆ 2674041, Fax 2389061 – BR f
42 cam.

Rinaldo all'Acquedotto, via Appia Nuova 1267 ✉ 00178 ✆ 7183910, Fax 7182968, – . AE. ⓢ. VISA. BR v
chiuso martedì e dall'11 al 19 agosto – **Pasto** carta 40/80000.

Da Severino, piazza Zama 5/c ✉ 00183 ✆ 7000872 – . AE. ⓢ. E VISA FT c
chiuso lunedì e dal 1° al 28 agosto – **Pasto** carta 40/65000.

Cecilia Metella, via Appia Antica 125/129 ✉ 00179 ✆ 5136743, Fax 5136743, , « Giardino ombreggiato » – . AE. ⓢ. E VISA BR x
chiuso lunedì e dal 12 al 30 agosto – **Pasto** carta 45/70000.

Lo Scoiattolo Sardo, viale Amelia 8/a ✉ 00181 ✆ 786206 – BR a
Pasto specialità sarde e di mare .

Zona Urbana Sud Ovest

via Aurelia Antica, E.U.R., Città Giardino, via della Magliana, Portuense (Pianta : Roma p. 6 e 7).

Sheraton M, viale del Pattinaggio 100/102 ✉ 00144 ✆ 5453, Telex 626074, Fax 5940689, , , – – 1800. AE. ⓢ. E VISA. JCB. BR z
Pasto carta 60/95000 – **600 cam** 455/500000, 22 appartamenti.

Sheraton Golf, viale Parco de' Medici 22 ✉ 00148 ✆ 522408, Telex 620297, Fax 52240742, , , , , – cam – 500. AE. ⓢ. E VISA. JCB. AR b
Pasto 75/90000 – **248 cam** 450/535000, 14 appartamenti.

Villa Pamphili, via della Nocetta 105 ✉ 00164 ✆ 5862, Telex 626539, Fax 66157747, , , , (coperta d'inverno), , – cam – 500. AE. ⓢ. E VISA. AR e
Pasto carta 55/85000 – **238 cam** 320/380000, 10 appartamenti.

Holiday Inn St. Peter's, via Aurelia Antica 415 ✉ 00165 ✆ 6642, Telex 625434, Fax 6637190, , , , – cam – 220 AQR h
321 cam.

Holiday Inn-Parco Medici, viale Castello della Magliana 65 ✉ 00148 ✆ 65581, Telex 613302, Fax 6557005, , , – cam – 650. AE. ⓢ. E VISA. JCB. AR c
Pasto carta 70/90000 – **316 cam** 280/410000.

Shangri Là-Corsetti, viale Algeria 141 ✉ 00144 ✆ 5916441 (prenderà 5936441), Telex 614664, Fax 5413813, riscaldata, – – 25 a 80. AE. ⓢ. E VISA. BR d
Pasto vedere rist ***Shangri Là-Corsetti*** – **52 cam** 265/330000, 11 appartamenti.

Dei Congressi, viale Shakespeare 29 ✉ 00144 ✆ 5926021, Fax 5911903, – – 300. AE. ⓢ. E VISA. BR e
Pasto al Rist. ***La Glorietta*** *(chiuso domenica)* carta 45/80000 – **96 cam** 190/210000.

Shangri Là-Corsetti, viale Algeria 141 ✉ 00144 ✆ 5918861 (prenderà 5928861), – . AE. ⓢ. E VISA. JCB BR d
Pasto specialità di mare carta 50/90000.

Vecchia America-Corsetti, piazza Marconi 32 ✉ 00144 ✆ 5926601, Fax 5922284, , Rist. tipico con piano-bar e birreria – AE. ⓢ. E VISA BR h
Pasto carta 45/80000.

La Maielletta, via Aurelia Antica 270 ✉ 00165 ✆ 39366595, Fax 39366595, Rist. tipico – . AE. ⓢ. E VISA. JCB. AQR k
chiuso lunedì e dal 15 al 30 agosto – **Pasto** specialità abruzzesi carta 35/45000.

Pietro al Forte, via Dei Capasso 56/64 ✉ 00164 ✆ 66158531, Fax 66165101, , Rist. e pizzeria – AE. ⓢ. E VISA. AR a
chiuso lunedì – **Pasto** carta 35/60000.

Dintorni di Roma

sulla strada statale 6 - via Casilina E : 13 km (Pianta : Roma p. 7) :

Myosotis, località Torre Gaia, piazza Pupinia 2 ✉ 00133 ✆ 2054470, Fax 2053 riscaldata, – 35. AE. 🅂. ◑ E VISA BF
Pasto vedere rist. ***Villa Marsili*** – **18 cam** 150/200000.

Città 2000 senza rist, via della Tenuta di Torrenova 60/68 ✉ 00133 ✆ 2025 Fax 2025539 – 30. AE. 🅂. ◑ E VISA. JCB BF
54 cam 90/110000.

Villa Marsili, via Casilina 1604 ✉ 00133 ✆ 2050200, Fax 2055176, «Servizio estiv giardino » – AE. 🅂. ◑ E VISA. JCB BF
Pasto carta 30/50000.

sulla strada statale 1 - via Aurelia O : 13 km (Pianta : Roma p. 6) :

13 Da Checco, via Aurelia al km 13 ✉ 00166 ✆ 66180096, Fax 66180040, – 🅂. E VISA AF
chiuso domenica sera, lunedì ed agosto – **Pasto** carta 45/65000.

a Ciampino SE : 15 km (Pianta Roma p. 7) :

Da Giacobbe, via Appia Nuova 1681 ✉ 00043 Ciampino ✆ 79340131, , prenota . AE. 🅂. ◑ E VISA. BF
chiuso domenica sera, lunedì e dal 10 al 30 agosto – **Pasto** carta 40/60000.

MICHELIN, via Corcolle 15 - località Settecamini (BQ Roma p. 7) – ✉ 00131, ✆ 4131 Fax 4131645.

ROMAGNANO SESIA *28078 Novara* 988 ②, 428 *F 7 – 4 346 ab. alt. 268 –* ✆ *0163.*
Roma 650 – Stresa 40 – Biella 32 – Milano 76 – Novara 30 – Torino 94 – Vercelli 37.

Alla Torre, via 1° Maggio 75 ✆ 826411, «In una torre del 15° secolo » – AE. 🅂. E VISA
chiuso lunedì e dal 27 dicembre al 5 gennaio – **Pasto** carta 30/55000.

ROMANO D'EZZELINO *36060 Vicenza* 429 *E 17 – 13 075 ab. alt. 132 –* ✆ *0424.*
Roma 547 – Padova 54 – Belluno 81 – Milano 238 – Trento 89 – Treviso 51 – Venezia Vicenza 39.

Cá Takea, via Col Roigo 17 ✆ 33426, Fax 33426, Coperti limitati; prenotare, – AE. 🅂 VISA
chiuso martedì e febbraio – **Pasto** carta 45/60000.

Da Giuliano, N : 1 km ✆ 36478 –

ROMANO DI LOMBARDIA *24058 Bergamo* 428 *F 11 – 15 373 ab. alt. 120 –* ✆ *0363.*
Roma 559 – Bergamo 26 – Brescia 41 – Milano 54 – Piacenza 67.

Mariet, piazza Locatelli 20 ✆ 901290, Fax 911328 – . AE. 🅂. ◑ E VISA.
chiuso agosto – **Pasto** carta 25/40000 – 5000 – **32 cam** 65/95000 – ½ P 65/75000.

RONCADELLE *Brescia – Vedere Brescia.*

RONCHI DEI LEGIONARI *34077 Gorizia* 988 ⑥, 429 *E 22 – 10 275 ab. alt. 11 –* ✆ *0481.*
O : 2 km, ✆ 773224, Telex 460220, Fax 474150.
Roma 639 – Udine 39 – Gorizia 22 – Milano 378 – Trieste 31.

Doge Inn, viale Serenissima 71 ✆ 779401, Fax 474194 – . AE. 🅂. ◑ E rist
chiuso dal 10 al 20 agosto – **Pasto** (solo su prenotazione a mezzogiorno e *ch domenica*) carta 30/45000 – 10000 – **22 cam** 100/135000 – ½ P 80/120000.

Trattoria la Corte, via Verdi 57 ✆ 777594, – . AE. 🅂. ◑ E VISA
chiuso martedì – **Pasto** carta 35/55000.

RONCIGLIONE *01037 Viterbo* 988 ㉕, 430 *P 18 – 7 463 ab. alt. 441 –* ✆ *0761.*
Vedere *Lago di Vico*★ *NO : 2 km.*
Dintorni *Caprarola : scala elicoidale*★★ *della Villa Farnese*★ *NE : 6,5 km.*
Roma 60 – Viterbo 20 – Civitavecchia 65 – Terni 80.

sulla via Cimina *NO : 2 km :*

Santa Lucia da Armando, ✉ 01037 ✆ 612169, «Servizio estivo in giardino » – E VISA.
chiuso mercoledì, dal 7 al 31 gennaio e dal 10 al 30 giugno – **Pasto** carta 40/55000.

NCITELLI *Ancona* [430] K 21 – *Vedere Senigallia.*

NZONE *38010 Trento* [429] C 15, [218] ⑳ – *339 ab. alt. 1097 – a.s. Pasqua e Natale –* ☎ *0463.*
Roma 634 – Bolzano 33 – Merano 43 – Milano 291 – Trento 52.

🍴🍴 **Orso Grigio,** via Regole 10 ☎ 880625, 🌳 – [P]. [AE]. [S]. [O] [E] [VISA] [JCB]
chiuso martedì e dal 10 gennaio al 10 febbraio – **Pasto** carta 50/70000.

RE *Cuneo – Vedere Sampèyre.*

SA *Pordenone – Vedere San Vito al Tagliamento.*

SARNO *89025 Reggio di Calabria* [988] ㊴, [431] L 29 – *13 404 ab. alt. 61 –* ☎ *0966.*
Roma 644 – Reggio di Calabria 65 – Catanzaro 100 – Cosenza 129.

🏨 **Vittoria,** via Nazionale 148 ☎ 712041, Fax 712045 – |‡| ▤ [TV] ☎ 🚗 [P] – 🏛 200. [AE]. [S]. [O] [E] [VISA]. ✂ cam
Pasto carta 30/40000 – ☕ 10000 – **68 cam** 80/110000 – ½ P 80/95000.

SETO DEGLI ABRUZZI *64026 Teramo* [988] ⑰ ㉗, [430] N 24 – *21 502 ab. – a.s. luglio-agosto –* ☎ *085.*
ℹ *piazza della Libertà 38 ☎ 8991157, Fax 8991157.*
Roma 214 – Ascoli Piceno 59 – Pescara 38 – Ancona 131 – L'Aquila 99 – Chieti 51 – Teramo 32.

🏨 **Palmarosa,** lungomare Trento 3 ☎ 8941615, Fax 8941656, 🏖 – |‡| ▤ ☎ 🚗 [P]. [AE]. [S]. [O] [E] [VISA]
Pasqua-ottobre – **Pasto** 30/35000 – ☕ 15000 – **54 cam** 110/130000 – ½ P 75/130000.

🏨 **Radar,** lungomare Roma 14 ☎ 8992140, Fax 8999200, 🏖 – |‡| [TV] ☎. [AE]. [S]. [E] [VISA]. ✂
Pasto 30000 – ☕ 10000 – **58 cam** 95/135000 – ½ P 110/120000.

🏨 **La Perla,** via Lucania 9 ☎ 8944173, Fax 8997216 – |‡| ▤ cam [TV] ☎ ♿ [P]. [AE]. [S]. [O] [E] [VISA]. ✂
Pasto carta 30/65000 – ☕ 10000 – **19 cam** 80/115000 – ½ P 60/105000.

🏨 **Tonino,** via Mazzini 15 ☎ 8993110, 🌳 – [TV] ☎ [P]. [AE]. [S]. [E] [VISA]. ✂ cam
15 marzo-settembre – **Pasto** *(chiuso lunedì)* carta 35/65000 – ☕ 6000 – **20 cam** 50/80000 – ½ P 65/80000.

🍴🍴 **Tonino** con cam, via Volturno 11 ☎ 8990274, 🌳 – [TV]. [AE]. [S]. [O] [E] [VISA]. ✂ cam
chiuso dal 13 dicembre al 6 gennaio – **Pasto** *(chiuso lunedì)* carta 40/65000 – ☕ 5000 – **7 cam** 45/60000 – ½ P 60/75000.

🍴🍴 **Al Focolare di Bacco** 🐚 con cam, via Solagna 18 (NO : 3 km) ☎ 8941004, Fax 8941004, ≤, 🌳 – ▤ [TV] ☎ ♿ 🚗 [P]. [AE]. [S]. [O] [E] [VISA]. [JCB]. ✂
chiuso novembre – **Pasto** *(chiuso martedì e mercoledì)* specialità alla brace carta 35/45000 – **9 cam** ☕ 70/110000 – ½ P 90/110000.

🍴 **Il Delfino,** strada Nazionale 241 ☎ 8942073, 🌳 – [AE]. [S]. [E] [VISA]. [JCB]. ✂
chiuso lunedì e dal 23 dicembre al 10 gennaio – **Pasto** carta 45/60000.

lla zona industriale vicino Scerne *SO : 4 km :*

🍴 **Al Caminetto,** via Piano Vomano 10 ✉ 64030 Casoli di Atri ☎ 8709243 – ▤ [P]. [AE]. [S]. [O] [VISA]. ✂
chiuso lunedì e gennaio – **Pasto** carta 30/45000.

SIGNANO SOLVAY *57013 Livorno* [988] ⑭, [430] L 13 – *a.s. 15 giugno-15 settembre –* ☎ *0586.*
Roma 294 – Pisa 43 – Grosseto 107 – Livorno 24 – Siena 104.

🏨 **Elba Hotel** senza rist, via Aurelia 301 ☎ 760939, Fax 760915 – |‡| ▤ [TV] ☎ [P]. [AE]. [S]. [O] [E] [VISA]. [JCB]. ✂
☕ 15000 – **26 cam** 85/125000.

SOLINA *45010 Rovigo* [429] G 18 – *5 862 ab. –* ☎ *0426.*
⛳ *(chiuso martedì) all'Isola Albarella ✉ 45010 Rosolina ☎ 330124, Fax 330628, E : 16 km.*
ℹ *piazza Albertin 16 ☎ 664541, Fax 664543.*
Roma 493 – Venezia 67 – Milano 298 – Ravenna 78 – Rovigo 39.

l'isola Albarella *E : 16 km – ✉ 45010 Rosolina :*

🏨 **Golf Hotel** 🐚, ☎ 367811, Fax 330628, 🌳, « Terrazza-giardino », 🏋, 🏖, 🎾, ⛳9 ⛳18 – |‡| ▤ [TV] ☎ ♿ [P] – 🏛 50. [AE]. [S]. [O] [E] [VISA]. ✂
3 aprile-3 ottobre – **Pasto** 50000 – **22 cam** ☕ 160/340000 – ½ P 200/220000.

ROSTA *10090 Torino 428 G 4 – 3 777 ab. alt. 399 – ☎ 011.*
Roma 677 – Torino 17 – Alessandria 106 – Col du Mont Cenis 65 – Pinerolo 34.

Des Alpes, strada statale 25 del Moncenisio 53 N : 3,5 km ☎ 9567777, Fax 9567780 – |₿| TV ☎ ♿ 🚗 P. AE. 🅂. ⓞ E VISA. ✂
Pasto vedere rist ***Sirio*** – ☕ 12000 – **46 cam** 120/140000.

Sirio, strada statale 25 del Moncenisio N : 3,5 km ☎ 9567760 – ▤ P. AE. 🅂. ⓞ E VISA.
chiuso domenica – **Pasto** 25/30000 e carta 40/70000.

ROTA D'IMAGNA *24037 Bergamo 428 E 10, 219 ⑩ – 818 ab. alt. 665 – a.s. luglio-agost*
☎ 035.
Roma 628 – Bergamo 26 – Lecco 40 – Milano 64.

Miramonti ⛰, via alle Fonti 5 ☎ 868000, Fax 868000, ≤, 🌳 – |₿| TV ☎ P. 🅂. ✂ rist
15 maggio-15 ottobre – **Pasto** carta 30/50000 – **51 cam** ☕ 90/120000 – ½ P 80/85000

Posta ⛰ ☎ 868322, ≤ – |₿| ☎ P
Pasto *(chiuso martedì in bassa stagione)* carta 40/50000 – ☕ 3500 – **36 cam** 55/9000
P 90/105000.

ROTA (Monte) (RADSBERG) *Bolzano – Vedere Dobbiaco.*

ROVATO *25038 Brescia 988 ③, 428, 429 F 11 – 13 528 ab. alt. 172 – ☎ 030.*
Roma 543 – Brescia 19 – Bergamo 33 – Cremona 71 – Milano 76.

Due Colombe, via Bonomelli 17 ☎ 7721534 – AE. 🅂. VISA. ✂
chiuso lunedì sera, domenica ed agosto – **Pasto** carta 55/75000.

ROVENNA *Como – Vedere Cernobbio.*

ROVERETO *38068 Trento 988 ④, 428, 429 E 15 – 33 488 ab. alt. 212 – a.s. dicembre-april*
☎ 0464.
ℹ via Dante 63 ☎ 430363, telex 400280, Fax 435528.
Roma 561 – Trento 22 – Bolzano 80 – Brescia 129 – Milano 216 – Riva del Garda 2
Verona 75 – Vicenza 72.

Rovereto, corso Rosmini 82 D ☎ 435222 e rist 435454, Fax 439644, 🌳 – |₿| ▤ TV ☎
P – 🎤 200. AE. 🅂. ⓞ E VISA
Pasto al Rist. ***Novecento*** *(chiuso domenica, dal 26 dicembre al 6 gennaio e dal 1*
25 agosto) carta 50/80000 – **49 cam** ☕ 110/180000 – ½ P 125/145000.

Leon d'Oro senza rist, via Tacchi 2 ☎ 437333, Fax 423777 – |₿| ▤ TV ☎ 🚗 P – 🎤
AE. 🅂. ⓞ E VISA
52 cam ☕ 120/180000.

Al Borgo, via Garibaldi 13 ☎ 436300, Fax 436300, prenotare – AE. 🅂. ⓞ E VISA. ✂
chiuso domenica sera (tutto il giorno in agosto), lunedì, dal 1° al 10 febbraio e dall'
31 luglio – **Pasto** carta 65/100000
Spec. Ravioli con fagioli borlotti al ragù d'astice. Filetto di rombo in fiore di zucchin
profumo di speck (primavera). Filetto di coniglio tiepido con fagiolini e noci (inver
primavera).

Mozart 1769, via Portici 36/38 ☎ 430727, Coperti limitati; prenotare –. 🅂. ⓞ E VISA
chiuso martedì, dal 15 al 31 gennaio e dal 1° al 10 giugno – **Pasto** carta 40/60000.

Antico Filatoio, via Tartarotti 12 ☎ 437283, Coperti limitati; prenotare – AE. 🅂. ⓞ E
chiuso a mezzogiorno, martedì e luglio – **Pasto** carta 40/55000.

San Colombano, via Vicenza 30 ☎ 436006, Fax 436006 – ▤ P. 🅂. ✂
chiuso domenica sera, lunedì e dal 6 al 21 agosto – **Pasto** carta 40/55000.

ROVERETO SULLA SECCHIA *41030 Modena 428 H 14 – alt. 22 – ☎ 059.*
Roma 435 – Bologna 68 – Ferrara 68 – Milano 186 – Modena 28 – Reggio nell'Emilia 3
Verona 97.

Belzebù, via Verga 4 (S : 2 km) ☎ 671078 – ▤ P. AE. 🅂. ⓞ VISA
chiuso lunedì e a mezzogiorno (escluso i giorni festivi) – **Pasto** solo specialità di m
60/90000 e carta 60/85000
Spec. Carpaccio di salmone fresco e petto d'oca affumicato in salsa agra al balsam
Tortelli di branzino e frutti di mare al profumo di angelica. Filetto di orata al cartoccio
patate, frutti di mare e gamberetti.

VIGO *45100* **P** 988 ⑤ ⑮, 429 G 17 – *51 146 ab.* – ☎ *0425.*

via Dunant 10 ☎ 361481, Fax 30416 – piazza Vittorio Emanuele 3 ☎ 422400.

A.C.I. *piazza 20 Settembre 9 ☎ 25833.*

Roma 457 ④ – Padova 41 ① – Bologna 79 ④ – Ferrara 33 ③ – Milano 285 ① – Venezia 78 ①.

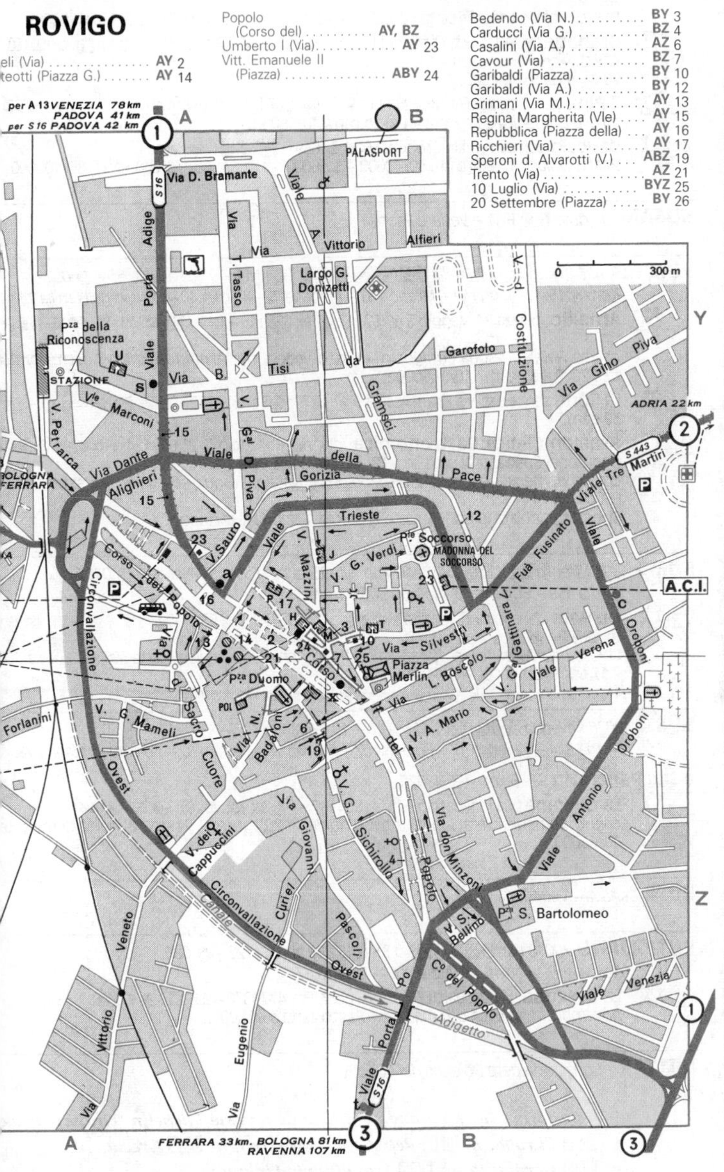

Le **carte stradali Michelin** sono costantemente aggiornate.

🏨 **Corona Ferrea** senza rist, via Umberto I 21 ☎ 422433, Fax 422292 – ⇅ ▤ [TV] ☎ ♿ 🚗 👥 50. [AE]. [S]. ⓓ E VISA AY
28 cam ☕ 120/160000.

🏨 **Cristallo,** viale Porta Adige 1 ☎ 30701, Fax 31083 – ⇅ ▤ [TV] ☎ [P] – 👥 200. [AE]. [S]. ⓓ VISA. JCB AY
Pasto *(chiuso venerdì)* carta 40/65000 – **43 cam** ☕ 120/170000 – ½ P 110/120000.

🏨 **Granatiere** senza rist, corso del Popolo 235 ☎ 22301, Fax 29388 – ⇅ ▤ [TV] ☎. [AE]. [S]. E VISA. JCB BZ
20 cam ☕ 85/120000.

🍴🍴 **3 Pini,** viale Porta Po 68 ☎ 421111, 🌳 – ▤ [P]. [S]. ⓓ E VISA. 🐾 BZ
chiuso domenica ed agosto – **Pasto** carta 40/55000.

🍴 **Cauccio** con cam, viale Oroboni 50 ☎ 31639 – [TV] ☎ [P]. 🐾 cam BY
Pasto *(chiuso lunedì)* carta 30/40000 – ☕ 6000 – **13 cam** 85/105000 – ½ P 85/100000.

RUBANO *Padova* [429] F 17 – *Vedere Padova.*

RUBIERA *42048 Reggio nell'Emilia* [988] ⑭, [428], [429], [430] I 14 – *9 805 ab. alt. 55* – ☎ *0522.*
Roma 415 – Bologna 61 – Milano 162 – Modena 12 – Parma 40 – Reggio nell'Emilia 13.

🏨 **Arnaldo,** piazza 24 Maggio 3 ☎ 626124, Fax 628145 – ⇅ ▤ [TV] ☎. [AE]. [S]. ⓓ E VISA. JCB 🐾
chiuso Natale, Pasqua ed agosto – **Pasto** vedere rist ***Arnaldo-Clinica Gastronomica*** – ☕ 22000 – **32 cam** 110/160000.

🏨 La Corte senza rist, via Brunelleschi 3 ☎ 627233, Fax 627255 – ⇅ ▤ [TV] ☎ 🚗 [P] – 👥 39 cam.

🍴🍴 ✿ **Arnaldo-Clinica Gastronomica,** piazza 24 Maggio 3 ☎ 626124, Fax 628145, Rist. tradizione, Specialità al carrello – [AE]. [S]. ⓓ E VISA. JCB. 🐾
chiuso domenica e lunedì a mezzogiorno, Natale, Pasqua ed agosto – **Pasto** carta 5 85000 (15 %)
Spec. Spugnolata (pasta). Arrosto al Barolo. Faraona al cartoccio.

RUMO *38020 Trento* [428], [429] C 15 – *824 ab. alt. 939 – a.s. Pasqua e Natale* – ☎ *0463.*
Roma 639 – Bolzano 45 – Milano 300 – Trento 55.

🍴🍴 **Du Parc** 🌙 con cam, località Mocenigo ☎ 530179, Fax 530059, ≤, 🌳, 🌲 – ▤ rist ☎ [S]. E VISA. 🐾
chiuso dal 10 gennaio al 10 febbraio – **Pasto** *(chiuso mercoledì)* carta 30/50000 – ☕ 100 – **17 cam** 70/140000 – ½ P 80/85000.

RUSSI *48026 Ravenna* [988] ⑮, [429], [430] I 18 – *10 671 ab. alt. 13* – ☎ *0544.*
Roma 374 – Ravenna 17 – Bologna 67 – Faenza 16 – Ferrara 82 – Forlì 20 – Milano 278.

a San Pancrazio *SE : 5 km* – ✉ *48020 :*

🍴🍴 **La Cucoma,** via Molinaccio 175 ☎ 534147 – 🚭 ▤ [P]. [AE]. [S]. ⓓ E VISA. 🐾
chiuso domenica sera, lunedì e dal 20 luglio al 20 agosto – **Pasto** specialità di mare ca 40/65000.

RUTA *Genova* – *Vedere Camogli.*

RUTIGLIANO *70018 Bari* [988] ㉙, [431] D 33 – *16 889 ab. alt. 122* – ☎ *080.*
Roma 463 – Bari 19 – Brindisi 100 – Taranto 87.

🍴🍴 **La Locanda,** via Leopardi 71 ☎ 4761152, Fax 4770870 – [AE]. [S]. ⓓ E VISA
novembre-marzo; chiuso martedì – **Pasto** carta 35/55000.

RUTTARS *Gorizia* – *Vedere Dolegna del Collio.*

*Per spostarvi più rapidamente utilizzate le **carte Michelin "Grandi Strade***
*n° **[970] Europa,** n° **[976] Rep. Ceca/Slovacchia,** n° **[980] Grecia,***
*n° **[984] Germania,** n° **[985] Scandinavia-Finlandia,***
*n° **[986] Gran Bretagna-Irlanda,** n° **[987] Germania-Austria-Benelux,***
*n° **[988] Italia,** n° **[989] Francia,** n° **[990] Spagna-Portogallo,** n° **[991] Jugoslav***

VO DI PUGLIA *70037 Bari* 988 ㉙, 431 D 31 *G. Italia – 25 384 ab. alt. 256 –* ☎ *080.*
Vedere *Cratere di Talos★★ nel museo Archeologico Jatta – Cattedrale★.*
Roma 441 – Bari 36 – Barletta 32 – Foggia 105 – Matera 64 – Taranto 117.

Pineta, via Carlo Marx 5 ☎ 811578, Fax 811578 – rist – 200. AE. E VISA. JCB.
chiuso novembre – **Pasto** *(chiuso venerdì)* carta 30/45000 (10%) – ☐ 10000 – **14 cam** 75/120000 – ½ P 105000.

Hostaria Pomponio, vico Pomponio 3 ☎ 829970, solo su prenotazione a mezzogiorno, « Ambiente caratteristico » – . AE. E VISA
chiuso domenica – **Pasto** 35/50000 bc.

BAUDIA *04016 Latina* 988 ㉖, 430 S 21 *G. Italia – 15 316 ab. – a.s. Pasqua e luglio-agosto –* ☎ *0773.*
Roma 96 – Frosinone 54 – Latina 28 – Napoli 149 – Terracina 26.

lungomare *SO : 2 km :*

Le Dune, via Lungomare 16 ✉ 04016 ☎ 511511, Fax 515643, ≤, – – 60. AE. E VISA.
aprile-settembre – **Pasto** 60000 – **76 cam** ☐ 310/420000, 2 appartamenti – P 160/280000.

CCA *Parma – Vedere Colorno.*

CILE *33077 Pordenone* 988 ⑤, 429 E 19 – *17 201 ab. alt. 25 –* ☎ *0434.*
Roma 596 – Belluno 53 – Treviso 45 – Trieste 126 – Udine 64.

Due Leoni M senza rist, piazza del Popolo 24 ☎ 788111, Fax 788112 – cam – 130. AE. E VISA.
57 cam ☐ 140/190000, 3 appartamenti.

Il Pedrocchino, piazza 4 Novembre 4 ☎ 70034 –. E VISA.
chiuso lunedì e dal 13 al 31 agosto – **Pasto** carta 50/105000.

CRA DI SAN MICHELE *Torino* 988 ⑫, 428 G 4 *G. Italia – alt. 962.*
Vedere *Abbazia★★★ : ≤★★★.*
Roma 702 – Aosta 147 – Briançon 97 – Cuneo 102 – Milano 174 – Torino 37.

CROFANO *00060 Roma* 430 P 19 – *5 006 ab. alt. 260 –* ☎ *06.*
Roma 29 – Viterbo 59.

Al Grottino, piazza XX Settembre 9 ☎ 9086263, , « Ambiente caratteristico » – AE
chiuso mercoledì e dal 16 al 30 agosto – **Pasto** carta 30/50000.

CRO MONTE *Novara* 219 ⑥ – *Vedere Orta San Giulio.*

CRO MONTE *Vercelli* 428 E 6, 219 ⑥ – *Vedere Varallo.*

INT CHRISTOPHE *Aosta* 428 E 4, 219 ② – *Vedere Aosta.*

INT PIERRE *11010 Aosta* 428 E 3, 219 ② – *100 ab. alt. 731 –* ☎ *0165.*
Roma 747 – Aosta 9 – Courmayeur 31 – Torino 122.

La Meridiana senza rist, località Chateau Feuillet ☎ 903626, Fax 903626 – . AE. E VISA
☐ 12500 – **20 cam** 70/95000.

INT RHEMY EN BOSSES *11010 Aosta* 428 E 3 – *425 ab. alt. 1 632 –* ☎ *0165.*
Roma 760 – Aosta 20 – Colle del Gran San Bernardo 24 – Martigny 50 – Torino 122.

Suisse con cam, via Roma 21 ☎ 780906 –. E VISA. cam
giugno-settembre – **Pasto** carta 45/75000 – ☐ 12000 – **7 cam** 65/95000 – ½ P 80/100000.

INT VINCENT *11027 Aosta* 988 ②, 428 E 4 *G. Italia – 4 989 ab. alt. 575 – Stazione termale (maggio-ottobre), a.s. 20 giugno-settembre e Natale –* ☎ *0166.*
via Roma 48 ☎ 512239, Fax 513149.
Roma 722 – Aosta 28 – Colle del Gran San Bernardo 61 – Ivrea 46 – Milano 159 – Torino 88 – Vercelli 97.

Gd H. Billia, viale Piemonte 72 ✆ 5231, Fax 523799, ←, « Parco ombreggiato », ⅃, ≘, ✗ – |♦| ▤ TV ☎ ♿ P – 430. AE ◑ E VISA. ✂
Pasto 90000 – **243 cam** ☕ 300/450000, 3 appartamenti – ½ P 390000.

De La Ville M senza rist, via Chanoux 6/8 ✆ 511502, Fax 512142 – |♦| TV ☎ ♿ ⇔ P. ⊟. ◑ E VISA. ✂
chiuso dal 21 al 26 dicembre – ☕ 16000 – **42 cam** 135/200000.

Elena senza rist, piazza Monte Zerbion ✆ 512140, Fax 537459 – |♦| TV ☎. AE. ⊟. ◑ E ✂
chiuso novembre – **Pasto** *(giugno-settembre)* 30/40000 – **48 cam** ☕ 100/150000.

Les Saisons senza rist, via Ponte Romano 186 ✆ 537335, Fax 512573, ←, – TV ☎ ⇔ P. ⊟. E VISA
☕ 10000 – **20 cam** 90/110000, appartamento.

Suisse, via Ponte Romano 80 ✆ 511633, Fax 511634 – |♦| TV ☎ ♿ ⇔ P. E VISA. ✂ ri
Pasto *(chiuso lunedì)* carta 35/55000 – ☕ 10000 – **37 cam** 90/100000 – ½ P 80/90000.

Posta, piazza 28 Aprile 1 ✆ 512250, Fax 537093 – |♦| TV ☎. AE. ⊟. ◑ E VISA. ✂
Pasto *(chiuso giovedì)* 35000 – ☕ 12000 – **39 cam** 70/105000 – ½ P 90/100000.

Nuovo Batezar-da Renato, via Marconi 1 ✆ 513164, Fax 512378, prenotare – ▤. ⊟. ◑ E VISA
chiuso a mezzogiorno (escluso sabato, domenica e i giorni festivi), mercoledì, dal 1 30 novembre e dal 15 al 30 giugno – **Pasto** 65/120000 e carta 75/125000
Spec. Sinfonia di pesce. Tajarin allo zafferano con verdure verdi allo speck d'anatra (prin vera). Piatto "della tradizione montanara".

Le Grenier, piazza Monte Zerbion 1 ✆ 512224, Fax 513198, « In un antico granaio » – ⊟. ◑ E VISA. JCB
chiuso martedì, mercoledì a mezzogiorno, dal 10 al 26 gennaio e dal 10 al 31 luglio – **Pas** carta 50/70000.

Del Viale, viale Piemonte 7 ✆ 512569, Fax 512569, – . ⊟. E VISA. ✂
chiuso giovedì, venerdì a mezzogiorno, dal 25 maggio al 15 giugno e dal 1° al 20 ottobr
Pasto carta 55/100000.

SALA BAGANZA *43038 Parma 428, 429 H 12 – 4 400 ab. alt. 162 – ☎ 0521.*

Dintorni *Torrechiara* : affreschi* e ←* dalla terrazza del Castello SE : 10 km.*
La Rocca (chiuso lunedì e gennaio) ✆ 834037, Fax 834575.
Roma 472 – Parma 12 – Milano 136 – La Spezia 105.

Da Eletta, via Campi 3 ✆ 833304, Fax 833304, prenotare – P. ⊟. VISA
chiuso lunedì, le sere di martedì e domenica, dal 1° al 7 gennaio e dal 3 luglio al 7 agost
Pasto carta 40/60000.

I Pifferi, via Zappati 62 (E : 1 km) ✆ 833243, « Servizio estivo all'aperto » – P. AE. ⊟. ◑ VISA. ✂
chiuso lunedì – **Pasto** carta 40/70000.

SALA BOLOGNESE *40010 Bologna 429, 430 I 15 – 5 442 ab. alt. 23 – ☎ 051.*

Roma 393 – Bologna 20 – Ferrara 54 – Modena 42.

La Taiadèla, località Bonconvento E : 4 km ✆ 828143, – P

SALA CONSILINA *84036 Salerno 988 ㉘, 431 F 28 – 13 128 ab. alt. 614 – ☎ 0975.*

Roma 350 – Potenza 74 – Castrovillari 104 – Napoli 144 – Salerno 93.

a Sant'Antonio *NO : 1 km – ✉ 84036 :*

Casablanca Club, via Pendinello 22 ✆ 21798, – P. AE. ⊟. E VISA. ✂
chiuso domenica – **Pasto** carta 30/50000.

sulla strada statale 19 *SE : 3 km :*

La Pergola con cam, via Trinità 239 ✉ 84030 Trinità ✆ 45054, Fax 45329 – |♦| TV ☎ P. AE. ⊟. ◑
Pasto 25/40000 (10 %) – ☕ 9000 – **24 cam** 40/70000 – ½ P 70000.

SALE MARASINO *25057 Brescia 428, 429 E 12 – 3 089 ab. alt. 190 – ☎ 030.*

Roma 558 – Brescia 31 – Bergamo 46 – Edolo 67 – Milano 90 – Sondrio 112.

Villa Kinzica senza rist, via Provinciale 1 ✆ 9820975, Fax 9820990, – |♦| ▤ TV ☎ ⇔ P. AE. ⊟. ◑ E VISA
18 cam ☕ 120/200000.

LERNO *84100* P 988 ㉗ ㉘, 431 E 26 *G. Italia – 143 863 ab. – ☎ 089.*

Vedere *Duomo*★★ B – *Via Mercanti*★ AB – *Lungomare Trieste*★ AB.

Escursioni *Costiera Amalfitana*★★★.

piazza Ferrovia o Vittorio Veneto ☎ 231432 – via Roma 258 ☎ 224744, Fax 252576.

A.C.I. *via Giacinto Vicinanza 11 ☎ 232339.*

Roma 263 ④ – Napoli 52 ④ – Foggia 154 ①.

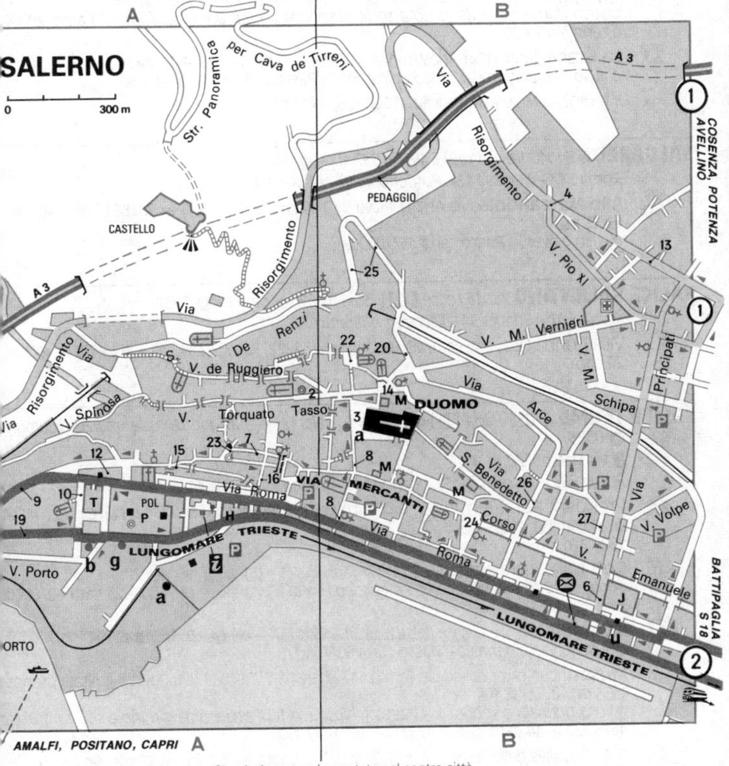

Circolazione regolamentata nel centro città

...rcanti (Via)	AB	Duomo (Via)	B 8	Sabatini (Via A.)	A 19
...torio Emanuele (Corso)	B	Indipendenza (Via)	A 9	S. Eremita (Via)	B 20
		Lista (Via Stanislas)	A 10	S. Tommaso d'Aquino (Largo)	B 22
...ate Coforti (Largo)	AB 2	Luciani (Piazza M.)	A 12	Sedile del Campo (Largo)	A 23
...fano 1° (Piazza)	B 3	Paglia (Via M.)	B 13	Sedile di Pta. Nuova (Pza)	B 24
...valiero (Via L.)	B 4	Plebiscito (Largo)	B 14	Sorgente (Via Camillo)	B 25
...ento (Via A.)	B 6	Portacatena (Via)	A 15	Velia (Via)	B 26
...gana Vecchia (Via)	A 7	Porta di Mare (Via)	A 16	24 Maggio (Piazza)	B 27

Lloyd's Baia, strada statale ☎ 210145, Telex 770043, Fax 210186, ≤ golfo di Salerno, Terrazze ed ascensore per la spiaggia, – ▤ TV ☎ – 250. AE. VISA. rist 3 km per ③

Pasto 50/55000 – **120 cam** ☕ 230/265000 – ½ P 155/175000.

Jolly, lungomare Trieste 1 ☎ 225222, Telex 770050, Fax 237571, ≤ – ▤ TV ☎ – 120. AE. E VISA. rist A a

Pasto 60000 – **104 cam** ☕ 210/240000 – ½ P 180/270000.

Plaza senza rist, piazza Ferrovia o Vittorio Veneto ☎ 224477, Fax 237311 – ▤ TV ☎. AE. E VISA. per corso Vittorio Emanuele B

☕ 12000 – **42 cam** 90/130000, ▤ 12000.

Fiorenza senza rist, a Mercatello via Trento 145 ☎ 338800, Fax 338800 – ▤ TV ☎ – 150. AE. E VISA per ②

☕ 12000 – **30 cam** 95/135000, ▤ 12000.

XX **Il Timone**, via Generale Clark 29/35 ✆ 335111 – ▤ per ②

XX **Al Cenacolo,** piazza Alfano I° 4/6 ✆ 238818 – AE. Ⓢ. ⓞ E VISA. ✻ B

chiuso domenica sera e lunedì – **Pasto** carta 45/65000.

XX **Sea Garden,** via Torre Angellara ✆ 339553, Fax 339553, 需, prenotare la sera – ▤ Ⓟ. Ⓢ. ⓞ E VISA. JCB. ✻ per ②

chiuso domenica sera e lunedì (escluso da giugno a settembre) – **Pasto** carta 40/65000

XX **Glykys,** lungomare Trieste 86 ✆ 241791, 需 – ▤. AE. Ⓢ. ⓞ E VISA. ✻ B

chiuso domenica e da luglio a settembre solo sabato a mezzogiorno – **Pasto** 20000 e carta 30/50000.

XX **La Brace,** lungomare Trieste 11 ✆ 225159 – ▤ Ⓟ. AE. Ⓢ. ⓞ E VISA. ✻ A

chiuso domenica e dal 20 al 31 dicembre – **Pasto** carta 40/65000 (12 %).

X Il Molo, via Molo Manfredi 38 ✆ 231756, 需 – ▤ A

SALGAREDA *31040 Treviso* 429 E 19 – *4 937 ab.* – ✆ *0422.*

Roma 547 – Venezia 42 – Pordenone 36 – Treviso 23 – Udine 94.

XX **Alle Marcandole,** via Argine Piave 9 (O : 2 km) ✆ 747026, Fax 807881, 需 – Ⓟ. AE. ⓞ E VISA

chiuso giovedì – **Pasto** carta 35/70000.

SALICE SALENTINO *73015 Lecce* 431 F 35 – *9 062 ab. alt. 48* – ✆ *0832.*

Roma 566 – Brindisi 34 – Lecce 21 – Taranto 70.

XX Villa Donna Lisa, con cam, via Marangi ✆ 732222, Fax 732224, 余 – |ቓ| ▤ TV ☎ Ⓟ

20 cam.

SALICE TERME *27056 Pavia* 988 ⑬, 428 H 9 – *alt. 171 – Stazione termale (marzo-dicembre)* – ✆ *0383.*

ℹ *via Marconi 20* ✆ *91207.*

Roma 583 – Alessandria 39 – Genova 89 – Milano 73 – Pavia 41.

🏨 President Hotel Terme ♨, via Enrico Fermi 5 ✆ 91941, Fax 92342, Fá, ≘s, 🏊, 余, – |ቓ| ▤ cam TV ☎ Ⓟ – 🎪 350

122 cam.

🏠 **Roby,** via Cesare Battisti 15 ✆ 91323, Fax 91323 – TV ☎ Ⓟ. ✻ rist

aprile-ottobre – **Pasto** *(chiuso mercoledì)* carta 25/45000 – ☕ 7500 – **23 cam** 60/8000 – ½ P 55/70000.

XXX **Il Caminetto,** via Cesare Battisti 11 ✆ 91391, 需 – ▤ Ⓟ. AE. Ⓢ. ⓞ E VISA. ✻

chiuso lunedì e gennaio – **Pasto** carta 50/75000.

XX **Musoni** con cam, viale delle Terme 147 ✆ 944731, Fax 944731, Coperti limitati; prenota – TV ☎. Ⓢ. ⓞ E VISA. ✻

chiuso gennaio o febbraio – **Pasto** *(chiuso martedì escluso da giugno a settembre)* ca 45/80000 – **14 cam** ☕ 60/100000 – ½ P 65/70000.

XX **Guado,** viale delle Terme 57 ✆ 91223, 需, prenotare – AE. Ⓢ. ⓞ E VISA. ✻

chiuso mercoledì, giovedì a mezzogiorno e dal 5 al 26 novembre – **Pasto** carta 50/70000

SALINA (Isola) *Messina* 988 ㊱ ㊲ ㊳, 431, 432 L 26 – *Vedere Sicilia (Eolie, isole) alla fine dell'ele co alfabetico.*

SALINE DI VOLTERRA *Pisa – Vedere Volterra.*

SALÒ *25087 Brescia* 988 ④, 428, 429 F 13 *G. Italia – 9 969 ab. alt. 75 – a.s. Pasqua e lugl. 15 settembre* – ✆ *0365.*

Vedere *Lago di Garda★★★ – Polittico★ nel Duomo.*

⛳18 e ⛳9 *Gardagolf (chiuso lunedì da novembre ad aprile) a Soiano del Lago* ✉ *250* ✆ *674707, Fax 674788, N : 12 km.*

ℹ *lungolago Zanardelli (presso Palazzo Comunale)* ✆ *21423, Fax 21423.*

Roma 548 – Brescia 30 – Bergamo 85 – Milano 126 – Trento 94 – Venezia 173 – Verona 63

🏨 **Laurin,** viale Landi 9 ✆ 22022, Fax 22382, 需, «Villa inizio secolo con saloni affresc e giardino con 🏊 » – |ቓ| ▤ cam TV ☎ Ⓟ – 🎪 30. AE. Ⓢ. ⓞ E VISA. ✻ rist

chiuso dal 20 dicembre al 20 gennaio – **Pasto** carta 65/85000 – ☕ 25000 – **35 ca** 180/350000, 2 appartamenti – ½ P 180/220000.

🏨🏨🏨 **Salò du Parc,** via Cure del Lino 4 ☎ 290043, Fax 520390, <, ⛱, « Giardino con 🏊 in riva al lago », 🏋, ♨ – 🛗 ❄ [TV] ☎ 🚗. AE. [S]. [O] E VISA. JCB. 🚫🐕 rist
Pasto (solo per alloggiati) 55/80000 – **32 cam** ☕ 220/320000 – ½ P 130/190000.

🏨🏨🏨 **Duomo,** ☎ 21026, Fax 21028, <, ⛱, ♨ – 🛗 [TV] ☎ – 👥 30. AE. [S]. [O] VISA. JCB. 🚫🐕 rist
Pasto *(chiuso dal 4 al 25 novembre, lunedì a mezzogiorno da giugno a settembre, anche la sera e martedì a mezzogiorno negli altri mesi)* carta 55/90000 – ☕ 18000 – **22 cam** 160/210000 – ½ P 160000.

🏨🏨 **Bellerive** senza rist, ☎ 520410, Fax 521969, « Giardino in riva al lago » – 🛗 ❄ [TV] ☎ [P]. AE. [S]. [O] E VISA
☕ 25000 – **20 cam** 150/250000.

🏨🏨 **Vigna,** ☎ 520144, Fax 20516, < – 🛗 ❄ rist ☎. [S]. [O] E VISA. 🚫🐕 rist
aprile-14 novembre – **Pasto** *(chiuso giovedì in bassa stagione)* carta 40/60000 – ☕ 13000 – **22 cam** 75/115000 – ½ P 80/90000.

🏨🏨 **Benaco,** ☎ 20308, Fax 20724, < – 🛗 [TV] ☎. AE. [S]. [O] E VISA. 🚫🐕 rist
Pasto (solo per alloggiati) 35000 – **19 cam** ☕ 80/110000 – ½ P 90000.

🍴🍴 **Lepanto** con cam, ☎ 20428, Fax 20428, <, ⛱ – AE. [S]. [O] E VISA. JCB. 🚫🐕
chiuso dal 15 gennaio a febbraio – **Pasto** *(chiuso giovedì)* carta 45/60000 – ☕ 11000 – **7 cam** 50/75000 – ½ P 65/70000.

🍴🍴 **Il Melograno,** località Campoverde O : 1 km ☎ 520421, ⛱ – AE. [S]. [O] E VISA
chiuso lunedì sera, martedì ed ottobre – **Pasto** carta 35/55000.

🍴🍴 **Gallo Rosso,** vicolo Tomacelli 4 ☎ 520757 – ❄. AE. [S]. E VISA. JCB. 🚫🐕
chiuso mercoledì e dal 3 al 13 luglio – **Pasto** 35000 bc.

🍴🍴 Antica Trattoria alle Rose, ☎ 43220, Fax 43220, ⛱ – ❄

🍴🍴 **Alla Campagnola,** ☎ 22153, ⛱, prenotare la sera – AE. [S]. [O] E VISA. 🚫🐕
chiuso lunedì, martedì a mezzogiorno e gennaio – **Pasto** carta 45/80000.

Barbarano *NE : 2,5 km verso Gardone Riviera – ✉ 25087 Salò :*

🏨🏨🏨 **Spiaggia d'Oro** 🔇, ☎ 290034, Fax 290092, <, ⛱, « Giardino sul lago con 🏊 », ♨ – 🛗 ❄ [TV] ☎ ♿ – 👥 25. AE. [S]. [O] E VISA. 🚫🐕
aprile-ottobre – **Pasto** 70000 – **39 cam** ☕ 160/360000 – ½ P 150/210000.

ALSOMAGGIORE TERME *43039 Parma [988] ⑬ ⑭, [428], [429] H 12 – 17 880 ab. alt. 160 –*

Stazione termale, a.s. agosto-25 ottobre – ☎ 0524.

⛳18 *(chiuso mercoledì e gennaio) località Contignaco-Pontegrosso ✉ 43039 Salsomaggiore Terme ☎ 574152, Fax 578649, S : 5 km.*

ℹ *viale Romagnosi 7 ☎ 574416, Fax 574518.*

Roma 488 ① – Parma 30 ① – Piacenza 52 ① – Cremona 57 ① – Milano 113 ① – La Spezia 128 ①.

Pianta pagina seguente

🏨🏨🏨🏨 **Gd H. et de Milan,** via Dante 1 ☎ 572241, Fax 573884, « Piccolo parco ombreggiato con 🏊 », 🏋, ♨, 🌳 – 🛗 ❄ [TV] ☎ ♿ [P] – 👥 80. AE. [S]. [O] E VISA. 🚫🐕 rist Z a
aprile-dicembre – **Pasto** 60/75000 – **120 cam** ☕ 215/380000, 6 appartamenti – ½ P 180/280000.

🏨🏨🏨🏨 **Porro** 🔇, viale Porro 10 ☎ 578221, Fax 577878, « Parco ombreggiato », 🌳 – 🛗 ❄ rist [TV] ☎ [P] – 👥 50. AE. [S]. [O] VISA. 🚫🐕 rist Y b
Pasto 50/60000 – ☕ 20000 – **75 cam** 140/190000, 6 appartamenti – ½ P 130/180000.

🏨🏨🏨 **Excelsior,** viale Berenini 3 ☎ 575641, Fax 573888, 🏋, 🏊 – 🛗 ❄ rist [TV] ☎ 🚗 [P] – 👥 60. [S]. E VISA. 🚫🐕 Z h
15 aprile-8 novembre – **Pasto** 45000 – **63 cam** ☕ 115/170000 – ½ P 105/135000.

🏨🏨🏨 **Valentini** 🔇, viale Porro 10 ☎ 578251, Fax 578266, « Parco ombreggiato », 🌳 – 🛗 [TV] ☎ [P] – 👥 200. AE. [S]. [O] VISA. 🚫🐕 rist Y e
15 marzo-20 novembre – **Pasto** 50000 – ☕ 15000 – **126 cam** 110/150000 – ½ P 95/135000.

🏨🏨🏨 **Regina,** largo Roma 3 ☎ 571611, Fax 576941, ♨, 🌳 – 🛗 [TV] ☎ [P] – 👥 80. AE. [S]. [O] E VISA Z g
chiuso novembre e dicembre – **Pasto** 50/60000 – **95 cam** ☕ 175/240000 – ½ P 130/190000.

🏨🏨🏨 **Cristallo,** via Rossini 1 ☎ 577241, Fax 574022, 🏋, ♨, 🏊 – 🛗 ❄ [TV] ☎ [P]. AE. [S]. [O] E VISA. JCB. 🚫🐕 rist Y g
Pasto *(aprile-dicembre)* 45/55000 – **64 cam** ☕ 120/165000 – ½ P 120/130000.

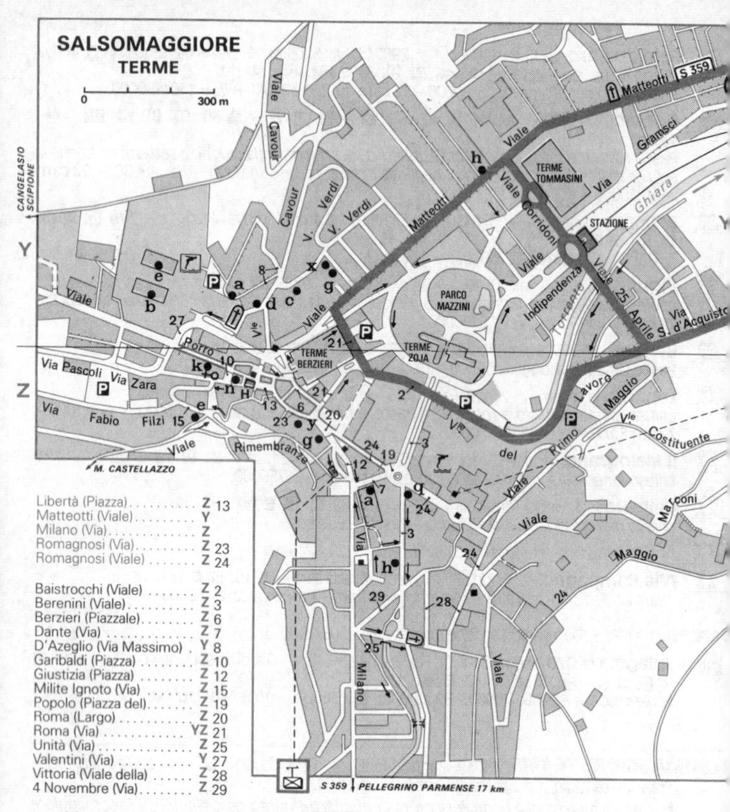

Daniel, via Massimo D'Azeglio 8 ✆ 572341, Fax 571768, – |‡| ▤ TV ☎ P. AE. S. E VISA JCB. ✻ rist Y
10 aprile-10 novembre – **Pasto** 40000 – ☐ 15000 – **36 cam** 100/150000 – ½ P 95/110000.

Tiffany's, viale Berenini 4 ✆ 577540, Fax 577549 – |‡| ▤ TV ☎ P. AE. S. ◑ E VISA. ✻ rist Z
marzo-novembre – **Pasto** 40/45000 – **30 cam** ☐ 120/170000 – ½ P 95/125000.

Roma, via Mascagni 10 ✆ 573371, Fax 573432 – |‡| ▤ TV ☎ P. AE. S. ◑ E VISA. ✻ rist Y
25 aprile-15 novembre – **Pasto** 30/35000 – **24 cam** ☐ 100/145000 – ½ P 90/125000.

Ritz, viale Milite Ignoto 5 ✆ 577744, Fax 574410, ≘s, ▢ – |‡| TV ☎ ♿ P. S. E VISA. ✻ Z
marzo-15 dicembre – **Pasto** 40/50000 – ☐ 15000 – **27 cam** 115/120000 – ½ P 95/105000.

Nazionale, viale Matteotti 43 ✆ 573757, Fax 573114, – |‡| ▤ rist TV ☎. AE. S. ◑ VISA. ✻ rist Y
marzo-novembre – **Pasto** 35/40000 – ☐ 10000 – **41 cam** 90/150000 – ½ P 85/105000.

Elite, viale Cavour 5 ✆ 579436, Fax 572988 – |‡| ▤ cam TV ☎ ♿. AE. S. ◑ E VISA. ✻ rist Y
chiuso dal 16 dicembre a febbraio – **Pasto** 30/45000 – **28 cam** ☐ 100/150000 – ½ P 110000.

De la Ville, piazza Garibaldi 1 ✆ 573526, Fax 576449 – |‡| TV ☎. AE. S. E VISA. ✻ rist
15 aprile-15 novembre – **Pasto** 25/35000 – **40 cam** ☐ 85/120000 – ½ P 75/85000. Z

Panda, via Mascagni 6 ✆ 574566, Fax 574567 – |‡| TV ☎. ✻ Y
15 aprile-15 novembre – **Pasto** 25/30000 – ☐ 10000 – **27 cam** 80/115000 – ½ P 70/90000.

Suisse, viale Porro 5 ✆ 579077, Fax 576449, – |‡| TV ☎ P. AE. S. E VISA. ✻ Z
20 marzo-15 novembre – **Pasto** *(chiuso martedì)* 30/35000 – **23 cam** ☐ 80/110000 – ½ P 90000.

ulla strada statale 16 *S : 7 km :*

Quadrifoglio, via Pasubio 50 ✉ 63037 Porto d'Ascoli ✆ 655248, Fax 655247 – |‡| ▤ TV ☎ P – 350. 🅂. E VISA. ✽
chiuso dal 23 dicembre all'8 gennaio – **Pasto** *(chiuso lunedì)* carta 35/65000 (15%) – ☕ 8000 – **40 cam** 100/140000 – ½ P 80/120000.

AN BENEDETTO PO *46027 Mantova 988 ⑭, 428, 429 G 14 – 7 534 ab. alt. 18 – ✆ 0376.*
Roma 447 – Verona 68 – Ferrara 72 – Mantova 23 – Modena 59.

San Siro *E : 4 Km – ✉ 46027 San Benedetto Po :*

Al Caret, via Schiappa 51 ✆ 612141 – ▤ P
chiuso lunedì e dal 10 al 20 agosto – **Pasto** carta 35/45000.

AN BENEDETTO VAL DI SAMBRO *40048 Bologna 429, 430 J 15 – 4 314 ab. alt. 612 – ✆ 0534.*
Roma 350 – Bologna 47 – Firenze 73 – Ravenna 123.

Madonna dei Fornelli *S : 3,5 km – ✉ 40048 :*

Musolesi, ✆ 94156, Fax 94350 – |‡| TV ☎ P. AE. 🅂. E VISA. ✽ rist
Pasto *(chiuso lunedì)* 25/30000 – **23 cam** ☕ 60/80000 – ½ P 55/60000.

AN BERNARDINO *Torino – Vedere Trana.*

AN BERNARDO *Torino – Vedere Ivrea.*

AN BIAGIO *Ravenna – Vedere Faenza.*

AN BIAGIO DI CALLALTA *31048 Treviso 429 E 19 – 11 215 ab. alt. 10 – ✆ 0422.*
Roma 547 – Venezia 40 – Pordenone 43 – Treviso 11 – Trieste 134.

L'Escargot, località San Martino O : 3 km ✉ 31050 Olmi ✆ 899006 – P. AE ⓞ E VISA. ✽
chiuso lunedì sera, martedì e dal 10 agosto al 1º settembre – **Pasto** specialità lumache e rane carta 35/50000.

Da Procida, località Spercenigo SO : 3 km ✆ 797818 – P. ✽
chiuso lunedì, martedì sera, dal 6 al 13 gennaio ed agosto – **Pasto** carta 35/50000.

AN BONIFACIO *37047 Verona 988 ④, 429 F 15 – 16 096 ab. alt. 31 – ✆ 045.*
Roma 523 – Verona 24 – Milano 177 – Rovigo 71 – Venezia 94 – Vicenza 31.

Bologna, viale Trieste 55 (al quadrivio) ✆ 7610233, Fax 7613733, ⛱, 🌳 – |‡| ▤ TV ☎ 🚗 P – 450. 🅂. E VISA. ✽
Pasto 30/35000 e al Rist. ***Caravel*** *(chiuso lunedì)* carta 35/45000 – ☕ 15000 – **58 cam** 90/125000.

Relais Villabella ⚲ con cam, località Villabella O : 2 km ✆ 6101777, Fax 6101799, 🏠, 🌳 – ▤ TV ☎ P – 70. 🅂. E VISA. ✽
Pasto *(chiuso domenica, lunedì, dal 1º al 13 gennaio e dal 3 al 18 agosto)* carta 60/100000 – **8 cam** ☕ 165/290000 – ½ P 210000.

AN CANDIDO (INNICHEN) *39038 Bolzano 988 ⑤, 429 B 18 G. Italia – 3 079 ab. alt. 1 175 – Sport invernali : 1 175/2 189 m 1 8, ; a Versciaco : 1 132/2 205 m 1 10, – ✆ 0474.*
🅘 piazza del Magistrato 2 ✆ 913149, Fax 913677.
Roma 710 – Cortina d'Ampezzo 38 – Belluno 109 – Bolzano 110 – Lienz 42 – Milano 409 – Trento 170.

Cavallino Bianco-Weisses Rossl, via Duca Tassilo 1 ✆ 913135, Fax 913733, ≘s, 🏊 – |‡| ▤ rist TV ☎ ♿ P. 🅂. ⓞ E VISA. ✽ rist
21 dicembre-2 aprile e 21 giugno-27 settembre – **Pasto** carta 55/70000 – **56 cam** ☕ 140/280000 – ½ P 110/220000.

Orso Grigio-Grauer Bär, ✆ 913115, Fax 914182, ≤, ≘s – |‡| TV ☎. 🅂. ⓞ E VISA. ✽ cam
8 dicembre-aprile e 15 giugno-ottobre – **Pasto** *(chiuso giovedì)* carta 45/70000 – **23 cam** ☕ 150/290000 – ½ P 75/165000.

Park Hotel Sole Paradiso-Sonnenparadies ⚲, ✆ 913120, Fax 913193, « Parco pineta », 🏋, ≘s, 🏊, 🎾 – |‡| ⚟ rist TV ☎ P. AE. 🅂. E VISA. ✽
21 dicembre-5 aprile e giugno-5 ottobre – **Pasto** (solo per alloggiati) 55/70000 – **37 cam** ☕ 175/350000 – ½ P 165/215000.

🏨 **Panoramahotel Leitlhof** 🌿, ☎ 913440, Fax 913440, ≤ Dolomiti e vallata, 🌳, [ⓘ], 🌳 – |♦| ▤ rist [TV] ☎ 🚗 [P]
Natale-Pasqua e giugno-10 ottobre – **Pasto** carta 50/85000 – **17 cam** ☕ 150/30000 ½ P 150/180000.

🏨 **Posta-Post**, ☎ 913133, Fax 913635, ≘, [ⓘ] – |♦| ▤ rist [TV] ☎ ♿ 🚗. [AE]. [$]. ⦿ [VISA]
20 dicembre-25 aprile e 30 maggio-settembre – **Pasto** *(chiuso lunedì)* 30/45000 ed al R ***Postillion*** carta 45/60000 – **39 cam** ☕ 140/240000 – ½ P 95/105000.

🏨 **Sporthotel Tyrol**, ☎ 913198, Fax 913593, 🏋, ≘, [ⓘ], 🌳, 🎾 – |♦| ▤ rist [TV] ☎ [P]. [$]. ⦿ [E] [VISA]
7 dicembre-7 aprile e giugno-10 ottobre – **Pasto** *(chiuso martedì)* 40/60000 – ☕ 1500 **28 cam** 165/230000 – ½ P 125/160000.

🏨 **Schmieder** 🌿, ☎ 913144, Fax 914080, 🌳 – |♦| ☎ [P]. [$]. [E] [VISA]. ✗
20 dicembre-10 aprile e giugno-15 ottobre – **Pasto** *(chiuso lunedì)* carta 50/6000 **25 cam** ☕ 95/200000 – ½ P 95/170000.

🏨 **Letizia** senza rist, via Firtaler 5 ☎ 913190, Fax 913372, ≤, ≘, 🌳 – |♦| [TV] ☎ [P]. [$]. [VISA]
chiuso novembre – **13 cam** ☕ 90/155000.

🍴 **Kupferdachl**, via Sesto 20 ☎ 913711, 🌳 – [P]. [$]. [E] [VISA]. ✗
chiuso giovedì, dal 20 giugno al 10 luglio e dal 5 al 20 novembre – **Pasto** carta 35/65000.

sulla strada statale 52 *SE : 4,5 km :*

🍴🍴 **Alte Säge**, via Sesto 28 ✉ 39038 ☎ 710231, Fax 710231 – [P]. [AE]. [$]. [E] [VISA]. ✗
chiuso lunedì, giugno e novembre – **Pasto** carta 50/80000.

*When visiting **northern Italy** use **Michelin maps** [428] and [429].*

SAN CANZIAN D'ISONZO *34075 Gorizia [429] E 22 – 5 743 ab. – ☎ 0481.*

Roma 635 – Udine 46 – Gorizia 31 – Grado 21.

🍴 **Arcimboldo**, via Risiera S. Sabba 17 ☎ 76089 – [P]. [AE]. [$]. ⦿ [E] [VISA]. ✗
chiuso lunedì, dal 24 al 31 gennaio e dal 15 luglio al 15 agosto – **Pasto** carta 35/45000.

SAN CASCIANO IN VAL DI PESA *50026 Firenze [988] ⑭ ⑮, [429], [430] L 15 G. Toscana*

16 121 ab. alt. 306 – ☎ 055.

Roma 283 – Firenze 17 – Siena 53 – Livorno 84.

a Mercatale *SE : 4 km : – ✉ 50024 :*

🏨 **Salvadonica** 🌿 senza rist, via Grevigiana 82 ✉ 50024 Mercatale Val di Pesa ☎ 82180 Fax 8218043, ≤, « Piccolo borgo agrituristico fra gli olivi », ⛱, 🌳, 🎾 – ☎ [P]. [AE]. [$]. [E] [VISA]. ✗
marzo-14 novembre – **5 cam** ☕ 105/155000, 10 appartamenti 170/220000.

🍴🍴 **Il Salotto del Chianti**, via Sonnino 92 ☎ 8218016, 🌳, Coperti limitati, prenotare – [$]. ⦿ [E] [VISA]
chiuso a mezzogiorno (escluso i giorni festivi), mercoledì e gennaio – **Pasto** carta 5 75000.

a Cerbaia *NO : 6 km – ✉ 50020 :*

🍴🍴🍴 **La Tenda Rossa**, piazza del Monumento 9/14 ☎ 826132, Fax 825210, prenotare – [AE]. [$]. ⦿ [E] [VISA]. [JCB]. ✗
✿ *chiuso mercoledì, giovedì a mezzogiorno e dal 31 luglio al 27 agosto* – **Pasto** car 90/140000
Spec. Astice al sale in zuppa di asparagi con velo di fegato grasso (inverno-primaver Cappelletti di baccalà saltati con taglierini di patate al burro tartufato e tartufo nero. Pet di piccione in crosta di olive nere e purea di fagioli bianchi all'alloro.

SAN CASSIANO (ST. KASSIAN) *Bolzano – Vedere Badia.*

SAN CATALDO *Caltanissetta [988] ㊱, [432] O 23 – Vedere Sicilia alla fine dell'elenco alfabetico.*

SAN CESARIO SUL PANARO *41018 Modena [428], [429], [430] I 15 – 5 170 ab. alt. 54 – ☎ 059.*

Roma 382 – Bologna 29 – Ferrara 76 – Modena 20 – Pistoia 115.

🏨 **Rocca Boschetti**, via Libertà 53 ☎ 933600 e rist ☎ 933422, Fax 933281, 🌳 – |♦| ▤ ☎ [P] – 🏛 120. [AE]. [$]. ⦿ [E] [VISA]. [JCB]. ✗ rist
chiuso dal 5 al 20 agosto – **Pasto** 35000 e al Rist ***Antica Locanda Boschetti*** *(chiu domenica sera e lunedì)* carta 45/70000 – **35 cam** ☕ 130/165000 – ½ P 125/145000.

SAN CIPRIANO *Genova* 428 I 8 – *alt. 239* – ✉ *16010 Serra Riccò* – ☎ *010.*

Roma 511 – Alessandria 75 – Genova 16 – Milano 136.

XX **Ferrando,** ☎ 751925, Fax 750276, – P. S. E VISA.
chiuso dal 10 al 20 gennaio, dal 25 luglio al 15 agosto, lunedì e le sere di domenica e mercoledì – **Pasto** carta 35/55000.

SAN CIPRIANO (ST. ZYPRIAN) *Bolzano – Vedere Tires.*

SAN CLEMENTE A CASAURIA (Abbazia di) *Pescara* 988 ㉑, 430 P 23 *G. Italia.*

Vedere *Abbazia*★★ : *ciborio*★★★.

Roma 172 – L'Aquila 68 – Chieti 29 – Pescara 40 – Popoli 13.

SAN COLOMBANO AL LAMBRO *20078 Milano* 988 ⑬, 428 G 10 – *7 069 ab. alt. 80* – ☎ *0371.*

Roma 527 – Piacenza 30 – Bergamo 63 – Brescia 111 – Cremona 47 – Lodi 15 – Milano 47 – Pavia 33.

XX La Caplania, strada Serafina 11 (S : 2 km) ☎ 897097, – P

X **Il Giardino,** via Mazzini 43 ☎ 89288,
chiuso lunedì – **Pasto** carta 40/60000.

SAN COSTANTINO (ST. KONSTANTIN) *Bolzano - Vedere Fiè allo Sciliar.*

SAN COSTANZO *61039 Pesaro* 430 K 21 – *4 003 ab. alt. 150* – ☎ *0721.*

Roma 268 – Ancona 43 – Fano 12 – Gubbio 96 – Pesaro 23 – Urbino 52.

X **Da Rolando,** ☎ 950990, – P. AE. S. E VISA.
chiuso mercoledì – **Pasto** 35/60000.

SAN DANIELE DEL FRIULI *33038 Udine* 988 ⑤ ⑥, 429 D 21 – *7 719 ab. alt. 252* – ☎ *0432.*

Roma 632 – Udine 27 – Milano 371 – Tarvisio 80 – Treviso 108 – Trieste 92 – Venezia 120.

Alla Torre senza rist, via del Lago 1 ☎ 954562, Fax 954562 – TV ☎ & – 30. AE. S. E VISA
10000 – **27 cam** 85/125000.

XX **Al Cantinon,** via Cesare Battisti 2 ☎ 955186, Fax 955186, « Ambiente rustico » –. S. E VISA
chiuso giovedì e novembre – **Pasto** carta 50/65000.

XX **Alle Vecchie Carceri,** via D'Artegna 25 ☎ 957403, Fax 957403, , prenotare – AE. S. E VISA.
chiuso lunedì sera, martedì, dal 24 febbraio al 7 marzo e dal 1° al 9 settembre – **Pasto** carta 40/60000.

X **Al Ponte,** via Tagliamento 13 ☎ 954909, Fax 954909, prenotare, « Servizio estivo in giardino sotto un fresco gazebo » – P. AE. S. E VISA.
chiuso lunedì dal 1° ottobre al 1° maggio e anche martedì negli altri mesi – **Pasto** specialità allo spiedo (inverno) e brace (estate) carta 40/55000.

AN DESIDERIO *Genova – Vedere Genova.*

ANDIGLIANO *13060 Biella* 428 F 6, 219 ⑮ – *2 712 ab. alt. 323* – ☎ *015.*

Roma 682 – Aosta 112 – Biella 6 – Novara 62 – Stresa 78 – Torino 68.

Cascina Era, via Casale 5 ☎ 2493085, Fax 2493266, « In un antico cascinale », – TV ☎ & P. AE. S. E VISA.
chiuso dal 5 al 25 agosto – **Pasto** *(chiuso lunedì)* carta 40/105000 – **15 cam** 130/180000, 13 appartamenti 150/200000.

AND IN TAUFERS *= Campo Tures.*

AN DOMENICO *Verbania – Vedere Varzo.*

AN DOMINO (Isola) *Foggia* 431 B 28 – *Vedere Tremiti (Isole).*

SAN DONÀ DI PIAVE *30027 Venezia* 988 ⑤, 429 F 19 – *34 868 ab.* – ✆ *0421.*

Roma 558 – Venezia 38 – Lido di Jesolo 20 – Milano 297 – Padova 67 – Treviso 34 – Trieste 121 – Udine 90.

Kristall senza rist, corso Trentin 16 ✆ 52861, Fax 53623 – cam – 50. AE. S. E VISA
18000 – **42 cam** 110/150000.

Forte del 48, via Vizzotto 1 ✆ 44018, Fax 44244 – – 200. AE. S. E VISA.
Pasto *(chiuso domenica)* carta 25/45000 – 8000 – **45 cam** 70/100000 – ½ P 70/90000.

a Isiata *SE : 4 km – ✉ 30027 San Donà di Piave :*

Siesta Ramon, ✆ 239030 – P. AE. S. E VISA.
chiuso martedì, dal 2 all'8 gennaio e dal 3 al 24 luglio – **Pasto** specialità di mare carta 35/60000.

SAN DONATO IN POGGIO *Firenze* 430 L 15 – *Vedere Tavarnelle Val di Pesa.*

SAN DONATO MILANESE *20097 Milano* 428 F 9, 219 ⑲ – *31 859 ab. alt. 102* – ✆ *02.*

Roma 566 – Milano 10 – Pavia 36 – Piacenza 57.

Pianta d'insieme di Milano (Milano p. 7).

Santa Barbara senza rist, piazzale Supercortemaggiore 4 ✆ 518911, Fax 5279169 – AE. S. E VISA CP
146 cam 220/280000.

Delta, via Emilia 2/a ✆ 5231021, Fax 5231418 – P – 45. AE. S. E VISA JCB. CP
Pasto (solo per alloggiati e *chiuso a mezzogiorno*) 25/40000 – **52 cam** 190/220000 ½ P 190/220000.

Osterietta, via Emilia 26 ✆ 5275082, Fax 55600831, – P. AE. S. E VISA
chiuso domenica ed agosto – **Pasto** carta 50/80000. CP

sull'autostrada A 1 - Metanopoli o per via Emilia :

Forte Crest Agip, ✉ 20097 ✆ 516001, Telex 320132, Fax 510115 – cam P – 500. AE. S. E VISA. JCB. rist CP
Pasto al Rist. ***Il Giardino*** *(chiuso sabato e domenica)* carta 60/105000 e self-service **445 cam** 330000, 14 appartamenti.

SAN DONATO VAL DI COMINO *03046 Frosinone* 430 Q 23 – *2 264 ab. alt. 728* – ✆ *0776.*

Roma 127 – Frosinone 54 – Avezzano 57 – Latina 111 – Napoli 125.

Villa Grancassa , via Roma 8 ✆ 508915, Fax 508914, « Antica residenza vescovile in un parco », , – P – 200. AE. S. E VISA.
Pasto *(chiuso lunedì da novembre a marzo)* carta 45/65000 – 10000 – **27 cam** 80/110000 – ½ P 100/130000.

SAN FELICE *Pistoia* 428 K 14 – *Vedere Pistoia.*

SAN FELICE CIRCEO *04017 Latina* 988 ㉖, 430 S 21 – *8 515 ab.* – *a.s. Pasqua e luglio-agosto* ✆ *0773.*

Roma 106 – Frosinone 62 – Latina 36 – Napoli 141 – Terracina 18.

Circeo Park Hotel, ✆ 548814, Fax 548028, <, , , – P – 12[illegible] AE. S. E VISA. JCB.
Pasto vedere rist ***La Stiva*** – **44 cam** 240/340000, 2 appartamenti – ½ P 140/210000.

La Stiva, ✆ 547276, <, – AE. S. E VISA. JCB.
chiuso martedì e da novembre al 2 dicembre – **Pasto** carta 50/70000.

SAN FELICE DEL BENACO *25010 Brescia* 428, 429 F 13 – *2 661 ab. alt. 119* – *a.s. Pasqua e luglio-15 settembre* – ✆ *0365.*

Roma 544 – Brescia 36 – Milano 134 – Salò 7 – Trento 102 – Verona 59.

Garden Zorzi , località Porticcioli N : 3,5 km ✆ 43688, Fax 41489, <, « Terrazza giardino sul lago », – P.
15 marzo-15 ottobre – **Pasto** (solo per alloggiati) 30/60000 – 15000 – **29 cam** 8[illegible]/130000 – ½ P 85/110000.

Portese *N : 1,5 km – ✉ 25010 San Felice del Benaco :*

XX **Piero Bella** con cam, ℘ 626090, Fax 559358, ←, « Servizio estivo in terrazza sul lago », – ▤ TV ☎ P
14 cam.

SAN FELICIANO *Perugia* 430 M 18 – *Vedere Magione.*

SAN FLORIANO (OBEREGGEN) *Bolzano* 429 C 16 – *alt. 1 512 – ✉ 39050 Ponte Nova – Sport invernali : 1 512/2 172 m 7, – ☎ 0471.*
ℹ ℘ *615795, Fax 615848.*
Roma 666 – Bolzano 22 – Cortina d'Ampezzo 103 – Milano 321 – Trento 82.

Sporthotel Obereggen, ℘ 615797, Fax 615673, ←, – TV ☎
dicembre-aprile e giugno-ottobre – **Pasto** carta 45/60000 – 20000 – **51 cam** 160/240000 – ½ P 310/380000.

Cristal , ℘ 615627, Fax 615698, ← monti e pinete, – TV ☎ P.
dicembre-aprile e giugno-settembre – **Pasto** carta 40/75000 – **42 cam** 140/240000 – ½ P 125/175000.

Bewallerhof , verso Pievalle (Bewaller) NE : 2 km ℘ 615729, Fax 615840, ← monti e pinete, – ☎ P.
chiuso maggio e novembre – **20 cam** solo ½ P 90/105000.

SAN FLORIANO DEL COLLIO *34070 Gorizia* 429 E 22 – *845 ab. alt. 278 – ☎ 0481.*
(chiuso lunedì, gennaio e febbraio) ℘ *884252, Fax 884252.*
Roma 653 – Udine 43 – Gorizia 4 – Trieste 47.

Golf Hotel , via Oslavia 2 ℘ 884051, Fax 884052, « Parco con », – TV ☎ P. AE. . E VISA
Capodanno e marzo-14 novembre – **Pasto** vedere rist ***Castello Formentini*** – **14 cam** 170/290000, appartamento.

XX **Castello Formentini,** piazza Libertà 3 ℘ 884034, Fax 884034 – P. AE. . E VISA. JCB
chiuso martedì a mezzogiorno e da gennaio al 15 febbraio – **Pasto** carta 55/75000.

SAN FOCA *Lecce* 431 G 37 – *Vedere Melendugno.*

SAN FRUTTUOSO *Genova* 428 J 9 *G. Italia* – ✉ *16030 San Fruttuoso di Camogli* – ☎ *0185.*
Vedere *Posizione pittoresca**.*
Camogli 30 mn di motobarca – Portofino 20 mn di motobarca.

X **Da Giovanni,** ℘ 770047, ← piccolo golfo, prenotare
Pasto carta 55/90000.

SAN GEMINI *05029 Terni* 988 ㉖, 430 O 19 – *4 332 ab. alt. 337 – ☎ 0744.*
Roma 102 – Terni 13 – Orvieto 66 – Perugia 70 – Spoleto 34 – Viterbo 59.

X **Taverna del Torchio,** piazza Garibaldi 2 ℘ 331136 – . E VISA. JCB
chiuso mercoledì – **Pasto** carta 35/45000.

SAN GERMANO CHISONE *10065 Torino* 428 H 3 – *1 771 ab. alt. 486 – ☎ 0121.*
Roma 696 – Torino 48 – Asti 87 – Cuneo 71 – Sestriere 48.

XX **Malan,** località Inverso Porte SE : 1 km, via Ponte Palestro 11 ℘ 58822, Fax 58822, – P. AE. . E VISA
chiuso lunedì, dal 7 al 15 gennaio e dal 1° al 15 novembre – **Pasto** carta 45/65000.

SAN GIACOMO *Cuneo – Vedere Boves.*

In questa guida
uno stesso simbolo, una stessa parola
stampati in rosso o in **nero**, in magro o in ***grassetto***
hanno un significato diverso.
Leggete attentamente le pagine esplicative.

SAN GIACOMO DI ROBURENT *Cuneo* [428] J 5 – *alt. 1 011 – ✉ 12080 Roburent – a.s. luglio-agosto e Natale – Sport invernali : 1 011/1 611 m* ⛷ *9,* ⛷ *– ☎ 0174.*

Roma 622 – Cuneo 52 – Savona 77 – Torino 92.

🏨 **Nazionale,** via Sant'Anna 111 ☎ 227127, Fax 227127, ⛰ – ⇅ ☎ [P]. [AE]. [S]. ⓓ [VISA]. ✂ rist *chiuso maggio e novembre* – **Pasto** carta 30/50000 – ☕ 10000 – **33 cam** 65/110000 – ½ P 75/85000.

SAN GIACOMO DI TEGLIO *23030 Sondrio* [428] D 12 – *alt. 394 – ☎ 0342.*

Roma 712 – Sondrio 13 – Edolo 32 – Milano 151 – Passo dello Stelvio 71.

🍴🍴 **La Corna-da Pola,** ☎ 786105, ⩽ – [P]. [S]. ⓓ [E] [VISA]
chiuso lunedì e dal 15 al 31 luglio – **Pasto** 30/50000.

SAN GIMIGNANO *53037 Siena* [988] ⑭, [428], [430] L 15 *G. Toscana – 7 051 ab. alt. 332 – ☎ 0577.*

Vedere *Località★★★ – Piazza della Cisterna★★ – Piazza del Duomo★★ :affreschi★★ di Barna da Siena nella Collegiata di Santa Maria Assunta★, ⩽★★ dalla torre del palazzo del Popolo★ – Affreschi★★ nella chiesa di Sant'Agostino.*

[i] piazza Duomo 1 ☎ 940008, Fax 940903.

Roma 268 ② – Firenze 57 ② – Siena 42 ② – Livorno 89 ① – Milano 350 ② – Pisa 79 ①.

🏨 **Relais Santa Chiara** 🐎 senza rist, via Matteotti 15 ☎ 940701, Fax 942096, ⩽ campagna, « Giardino con 🏊 » – ⇅ ▤ [TV] ☎ ♿ [P] – 🏛 70. [AE]. [S]. ⓓ [E] [VISA]. ✂
chiuso dal 7 gennaio al 21 febbraio – **41 cam** ☕ 180/250000. 0,5 km per ②

🏨 **La Cisterna,** piazza della Cisterna 24 ☎ 940328, Fax 942080, ⩽, « Sala in stile trecentesco » – ⇅ [TV] ☎. [AE]. [S]. ⓓ [E] [VISA]. [JCB]. ✂ rist e
chiuso dal 7 gennaio all'8 marzo – **Pasto** 35000 e al Rist. ***Le Terrazze*** *(chiuso dal 4 novembre all'8 marzo, martedì e mercoledì a mezzogiorno)* carta 50/80000 – **46 cam** ☕ 110/185000 – ½ P 115/150000.

🏨 **L'Antico Pozzo** senza rist, via San Matteo 87 ☎ 942014, Fax 942117 – ⇅ ▤ [TV] ☎. [AE]. [S]. ⓓ [E] [VISA]. [JCB]. ✂ a
chiuso dal 20 gennaio al 20 febbraio – **18 cam** ☕ 170/230000.

🏨 **Leon Bianco** senza rist, piazza della Cisterna 13 ☎ 941294, Fax 942123 – ⇅ ▤ [TV] ☎ 🚗. [AE]. [S]. ⓓ [E] [VISA] s
chiuso dal 15 gennaio a febbraio – ☕ 6500 – **19 cam** 115/135000, appartamento.

🏨 **Bel Soggiorno,** via San Giovanni 91 ☎ 940375, Fax 940375, ⩽ campagna – ⇅ ▤ [TV] ☎. [AE]. [S]. ⓓ [E] [VISA]. [JCB]. ✂ n
chiuso dal 9 gennaio al 7 febbraio – **Pasto** vedere rist ***Bel Soggiorno*** – ☕ 12000 – **18 cam** 100/140000, appartamento – ½ P 110/120000.

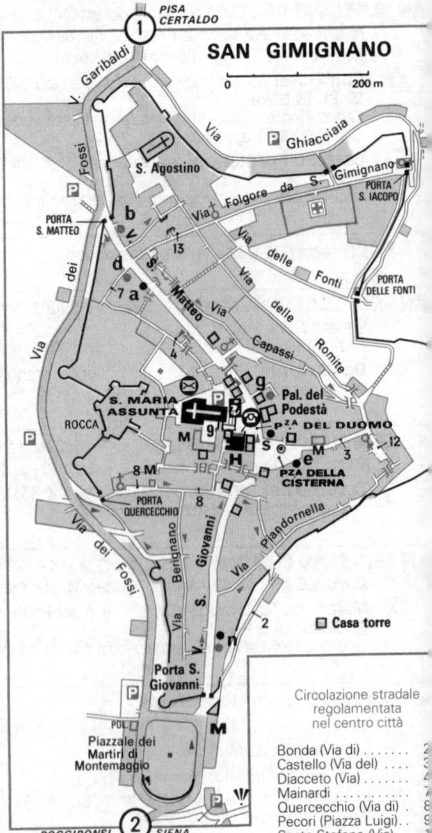

Sovestro, località Sovestro 63 (E : 2 km) ☎ 943153, ⛱, 🏊, ⛳ – ▤ 📺 ☎ ♿ 🚗 🅿. AE. 🅂. ⓪ E VISA. ✗ rist
chiuso da gennaio al 15 febbraio – **Pasto** al Rist. ***Da Pode*** *(chiuso lunedì)* carta 45/75000 – ☕ 15000 – **23 cam** 125/160000 – ½ P 130000.

Dorandò, vicolo dell'Oro 2 ☎ 941862, Fax 941862, Coperti limitati; prenotare – ▤. AE. 🅂. ⓪ E VISA. ✗ g
chiuso lunedì e dal 10 gennaio al 10 febbraio – **Pasto** antiche specialità toscane carta 50/75000 (10 %).

Bel Soggiorno - Hotel Bel Soggiorno, via San Giovanni 91 ☎ 940375, Fax 943149, ≤ campagna, prenotare la sera – ▤. AE. 🅂. ⓪ E VISA. JCB. ✗ n
chiuso lunedì e dal 10 gennaio a febbraio – **Pasto** carta 50/75000 (10 %).

Il Pino con cam, via San Matteo 102 ☎ 942225, Fax 940415 – 📺. AE. 🅂. ⓪ E VISA. JCB. ✗ b
Pasto *(chiuso giovedì)* carta 35/65000 – ☕ 8000 – **10 cam** 50/80000 – ½ P 75000.

La Mangiatoia, via Mainardi 5 ☎ 941528, Fax 941528 – E VISA d
chiuso lunedì e dal 4 al 25 novembre – **Pasto** 35/45000.

verso Castel San Gimignano :

Pescille 🐦 senza rist, località Pescille ✉ 53037 ☎ 940186, Fax 940186, ≤ campagna e San Gimignano, « Rustico di campagna; raccolta di attrezzi agricoli », 🏊, ⛳, 🎾 – ☎ 🅿. AE. 🅂. ⓪ E VISA. JCB. ✗ 4,5 km per ②
marzo-4 novembre – ☕ 15000 – **31 cam** 110/145000, 9 appartamenti.

Le Volpaie senza rist, via Nuova 9 ☎ 953140, Fax 953142, ≤ – 📺 ☎ 🚗 🅿. AE. 🅂. ⓪ E VISA. ✗ 12 km per ②
chiuso dal 10 gennaio al 10 marzo – **15 cam** ☕ 105/160000.

verso Certaldo :

Villa San Paolo 🐦 senza rist, località Casini ✉ 53037 ☎ 955100, Fax 955113, ≤, « Giardino fiorito con 🏊 », 🎾 – |♦| ▤ 📺 ☎ 🅿. AE. 🅂. ⓪ E VISA. ✗
chiuso dal 10 gennaio al 10 febbraio – **18 cam** ☕ 195/290000. 5 km per ①

Le Renaie 🐦, località Pancole 10/b ✉ 53037 Pancole ☎ 955044, Fax 955126, ≤, ⛱, 🏊, ⛳ – 📺 ☎ 🅿. AE. 🅂. ⓪ E VISA. ✗ rist 6 km per ①
chiuso dal 5 novembre al 5 dicembre – **Pasto** 40/70000 e al Rist. ***Leonetto*** *(chiuso martedì)* carta 45/70000 – ☕ 13000 – **25 cam** 125/160000 – ½ P 120/140000.

SAN GINESIO *62026 Macerata* 988 ⑯, 430 M 21 – *3 895 ab. alt. 687* – ☎ *0733.*
ℹ *(luglio-agosto) piazza Gentili* ☎ *656014.*
Roma 232 – Ascoli Piceno 58 – Ancona 81 – Foligno 76 – Macerata 30.

Centrale, ☎ 656832, Fax 656832 – ☎. 🅂. ✗
Pasto *(chiuso mercoledì)* carta 25/45000 – ☕ 5000 – **10 cam** 50/85000 – ½ P 50/75000.

SANGINETO LIDO *87020 Cosenza* 431 I 29 – *1 521 ab.* – ☎ *0982.*
Roma 456 – Cosenza 66 – Castrovillari 88 – Catanzaro 126 – Sapri 72.

Cinque Stelle 🐦, via della Libertà 22 ☎ 96091, Fax 96027, ≤, ⛱, « Palazzine fra il verde », 🏊, 🏖, ⛳, 🎾 – ☎ 🅿. AE. ✗ rist
Pasqua-15 ottobre – **Pasto** 35/60000 – ☕ 10000 – **144 cam** 90/110000 – ½ P 130000.

SAN GIORGIO (ST. GEORGEN) *Bolzano – Vedere Brunico.*

SAN GIORGIO *Verona – Vedere Sant'Ambrogio di Valpolicella.*

SAN GIORGIO A LIRI *03047 Frosinone* 430 R 23 – *3 134 ab. alt. 38* – ☎ *0776.*
Roma 132 – Frosinone 59 – Caserta 75 – Gaeta 32 – Isernia 59 – Napoli 85 – Sora 53.

sulla strada statale 630 *SO : 3 km :*

L'Espero, via Ausonia 114 ✉ 03047 ☎ 910123, Fax 911055 – |♦| ▤ 📺 ☎ 🅿. AE. 🅂. E VISA. ✗
chiuso dal 23 dicembre al 3 gennaio – **Pasto** *(chiuso mercoledì)* carta 25/40000 – **9 cam** ☕ 80/120000 – ½ P 60/85000.

SAN GIORGIO DEL SANNIO *82018 Benevento* [988] ㉘, [431] D 26 – *9 074 ab. alt. 380* – ☎ *0824*

Roma 276 – Foggia 103 – Avellino 27 – Benevento 11.

🏨 **Villa San Marco,** uscita svincolo superstrada ☎ 40081, Fax 49601, ≼ – [TV] ☎ [P] 100. [AE]. [S]. ● E [VISA]
Pasto al Rist. ***Dante's*** carta 30/45000 – **16 cam** ☕ 70/110000.

SAN GIORGIO DI LIVENZA *Venezia – Vedere Caorle.*

SAN GIORGIO IN BOSCO *35010 Padova* [429] F 17 – *5 520 ab. alt. 29* – ☎ *049.*

Roma 511 – Padova 24 – Belluno 101 – Treviso 52 – Venezia 51.

sulla strada statale 47 *S : 3 km :*

🏨 **Posta 77,** ✉ 35010 ☎ 5996700, Fax 5996181 – |‡| ▤ [TV] ☎ [P] – 200. [AE] [S] ● E [VISA]
rist
Pasto carta 35/65000 – ☕ 12000 – **38 cam** 95/125000 – ½ P 115000.

SAN GIORGIO MONFERRATO *15020 Alessandria* [428] G 7 – *1 298 ab. alt. 281* – ☎ *0142.*

Roma 610 – Alessandria 33 – Milano 83 – Pavia 74 – Torino 75 – Vercelli 31.

🍴🍴🍴 **Castello di San Giorgio** con cam, via Cavalli d'Olivola 3 ☎ 806203, Fax 80650
✿ prenotare, « Piccolo parco ombreggiato » – [TV] ☎ [P] – 60. [AE]. [S]. ● E [VISA]. JCB
chiuso dal 2 all'11 gennaio e dal 1° al 20 agosto – **Pasto** *(chiuso lunedì)* 60/90000 e car 65/100000 – ☕ 25000 – **10 cam** 150/220000, appartamento – ½ P 200/220000
Spec. Tonno di coniglio all'aceto balsamico. Agnolotti alla monferrina. Filetto di bue Barbaresco.

SAN GIOVANNI *Livorno – Vedere Elba (Isola d'): Portoferraio.*

SAN GIOVANNI AL NATISONE *33048 Udine* [429] E 22 – *5 689 ab. alt. 66* – ☎ *0432.*

Roma 653 – Udine 18 – Gorizia 19.

🏨 **Campiello,** via Nazionale 40 ☎ 757910, Fax 757426 – |‡| ▤ [TV] ☎ ♿ [P] – 50. [AE]. [S].
E [VISA]
chiuso dal 1° al 10 gennaio e dall'8 al 28 agosto – **Pasto** *(chiuso domenica)* carta 50/7000
☕ 12000 – **19 cam** 85/120000 – ½ P 100000.

🏨 **Wiener** senza rist, ☎ 757378, Fax 757359 – |‡| ▤ [TV] ☎ ♿ 🚗 [P]. [AE]. [S]. E [VISA]
chiuso dal 22 dicembre al 2 gennaio e dal 2 al 19 agosto – ☕ 12000 – **50 cam** 105/15000

SAN GIOVANNI IN MARIGNANO *47048 Rimini* [429], [430] K 20 – *7 384 ab. alt. 29* – ☎ *0541.*

Roma 310 – Rimini 21 – Ancona 85 – Pesaro 20 – Ravenna 72.

🍴🍴 **Il Granaio,** via R. Fabbro 18 ☎ 957205, Coperti limitati; prenotare – [AE]. [S]. ● E [VISA].
chiuso martedì ed agosto – **Pasto** carta 40/55000.

SAN GIOVANNI IN PERSICETO *40017 Bologna* [988] ⑭, [429], [430] I 15 – *23 149 ab. alt. 2*
☎ *051.*

Roma 392 – Bologna 21 – Ferrara 49 – Milano 193 – Modena 23.

🍴 **Giardinetto,** circonvallazione Italia 20 ☎ 821590, ≼, Coperti limitati; prenotare – [P].
[S]. ● E [VISA].
chiuso lunedì e dal 16 agosto al 15 settembre – **Pasto** carta 40/60000.

SAN GIOVANNI LA PUNTA *Catania* [432] O 27 – *Vedere Sicilia alla fine dell'elenco alfabetico.*

SAN GIOVANNI LUPATOTO *37057 Verona* [988] ④, [429] F 15 – *20 611 ab. alt. 42* – ☎ *045.*

Roma 507 – Verona 9 – Mantova 46 – Milano 157.

🏨 **City** senza rist, ☎ 9251500, Fax 545044 – |‡| ▤ [TV] ☎ [P]. [AE]. [S]. ● E [VISA].
39 cam ☕ 110/155000.

🍴🍴 **Alla Campagna** con cam, strada statale 434 (O : 1 km) ☎ 545513, Fax 9250680, –
[TV] ☎ 🚗 [P]. [AE]. [S]. E [VISA]
Pasto *(chiuso martedì)* 25/35000 e carta 35/55000 – ☕ 13000 – **13 cam** 90/13000
P 120000.

SAN GIOVANNI ROTONDO *71013 Foggia* [988] ㉘, [431] B 29 – *25 418 ab. alt. 557* – *a.s. agosto-settembre* – ☎ *0882.*

[i] *piazza Europa 104* ☎ *456240, Fax 456240.*

Roma 352 – Foggia 43 – Bari 142 – Manfredonia 23 – Termoli 86.

Parco delle Rose, via Aldo Moro 71 ☎ 456709, Fax 456405, ⛱, 🌳, 🎾 – 🛗 ▤ rist ☎ 🚗 🅿 – 🎓 500. AE. 🅂. ⓞ E VISA. ✂ rist
Pasto 30/50000 – ☕ 10000 – **210 cam** 70/90000 – ½ P 75/85000.

Colonne senza rist, viale Cappuccini 135 ☎ 412936, Fax 413268 – 🛗 📺 ☎ 🚗. 🅂. VISA. ✂
Pasto carta 35/55000 – ☕ 10000 – **23 cam** 110/120000 – ½ P 80/90000.

Gaggiano, viale Cappuccini 144 ☎ 453701, Fax 456650, ⛱ – 🛗 ▤ rist 📺 ☎ 🚗 – 🎓 40. AE. 🅂. ⓞ E VISA. ✂ rist
Pasto carta 35/50000 – ☕ 9500 – **67 cam** 65/90000 – ½ P 70/90000.

California, viale Cappuccini 69 ☎ 453983, Fax 454199 – 🌳 🚗 🅿. ✂
Pasto carta 35/60000 – ☕ 7000 – **25 cam** 70/90000 – ½ P 75/95000.

XX **Da Costanzo,** via Santa Croce 9 ☎ 452285, Fax 452285 – 🚭 ▤. AE. 🅂. ⓞ E VISA. ✂
chiuso domenica sera e lunedì – **Pasto** carta 35/70000.

SAN GIULIANO *Venezia – Vedere Mestre.*

SAN GIULIANO MILANESE *20098 Milano 428 F 9, 219 ⑲ – 32 578 ab. alt. 97 – ☎ 02.*

Roma 562 – Milano 12 – Bergamo 55 – Pavia 33 – Piacenza 54.

XX **La Ruota,** via Roma 57 ☎ 9848394, Fax 98241914, 🌳 – ▤ 🅿 – 🎓 50. AE. 🅂. ⓞ E VISA. ✂
chiuso martedì ed agosto – **Pasto** carta 40/65000.

sulla strada statale 9 - via Emilia *SE : 3 km :*

XX **La Rampina,** ✉ 20098 ☎ 9833273, Fax 98231632, 🌳 – ▤ 🅿. AE. 🅂. ⓞ E VISA. ✂
chiuso mercoledì – **Pasto** carta 70/100000.

SAN GIULIANO TERME *56017 Pisa 428, 429, 430 K 13 – 28 922 ab. alt. 10 – ☎ 050.*

Roma 358 – Pisa 9 – Firenze 85 – Lucca 15 – La Spezia 85.

Rigoli *NO : 2,5 km – ✉ 56010 :*

Villa di Corliano 🐦 senza rist, ☎ 818193, Fax 818341, « In un parco, villa cinquecentesca con affreschi del 1600 » – 🅿 – 🎓 100. 🅂. E VISA
☕ 18000 – **13 cam** 160000, 2 appartamenti.

XX **Sergio,** strada statale 12 ☎ 818858, Fax 817790, 🌳, « In una dependance nel parco della villa di Corliano » – 🅿. AE. 🅂. ⓞ E VISA. JCB
chiuso mercoledì e dal 10 gennaio al 10 febbraio – **Pasto** 35/50000 (a mezzogiorno) 50/60000 (alla sera) e carta 50/80000.

SAN GODENZO *50060 Firenze 429, 430 K 16 – 1 168 ab. alt. 430 – ☎ 055.*

Roma 290 – Firenze 46 – Arezzo 94 – Bologna 121 – Forlì 64 – Milano 314 – Siena 129.

X **Agnoletti,** via Forlivese 64 ☎ 8374016 –. 🅂. E VISA. ✂
chiuso martedì e dal 1° al 20 settembre – **Pasto** carta 20/30000.

a Passo del Muraglione *NE : 8,5 km – ✉ 50060 San Godenzo :*

Il Muraglione, ☎ 8374393, Fax 8374393, ≤ – 🛗 📺 ☎ ♿ 🅿. 🅂. ⓞ E VISA. ✂ cam
chiuso dal 7 gennaio al 7 febbraio – **Pasto** *(chiuso martedì)* 20/25000 – ☕ 8500 – **10 cam** 60/85000 – ½ P 85000.

SAN GREGORIO *Lecce 431 H 36 – ✉ 73053 Patù – ☎ 0833.*

Roma 682 – Brindisi 112 – Lecce 82 – Taranto 141.

X **Da Mimì,** via del Mare ☎ 767861, solo su prenotazione la sera da ottobre a marzo, « Servizio estivo su terrazza ombreggiata con ≤ mare » –. 🅂. E VISA
chiuso novembre – **Pasto** specialità di mare 30/45000.

SAN GREGORIO *Perugia – Vedere Assisi.*

SAN GREGORIO *Verona – Vedere Veronella.*

SAN GREGORIO NELLE ALPI *32030 Belluno 429 D 18 – 1 447 ab. alt. 527 – ☎ 0437.*

Roma 588 – Belluno 21 – Padova 94 – Pordenone 91 – Trento 95 – Venezia 99.

X **Locanda a l'Arte,** via Belvedere 43 ☎ 800124, Fax 800124, 🌳, Locanda in campagna, prenotare – 🅿. AE. 🅂. ⓞ E VISA. ✂
chiuso lunedì e martedì a mezzogiorno – **Pasto** carta 40/55000.

SANKTA CHRISTINA IN GRÖDEN = *Santa Cristina Valgardena.*

SANKT LEONHARD IN PASSEIER = *San Leonardo in Passiria.*

SANKT LORENZEN = *San Lorenzo di Sebato.*

SANKT MARTIN IN PASSEIER = *San Martino in Passiria.*

SANKT ULRICH = *Ortisei.*

SANKT VALENTIN AUF DER HAIDE = *San Valentino alla Muta.*

SANKT VIGIL ENNEBERG = *San Vigilio di Marebbe.*

SAN LAZZARO DI SAVENA *40068 Bologna* [988] ⑭ ⑮, [429], [430] I 16 – *28 970 ab. alt. 62* – ☎ *051.*
Roma 390 – Bologna 8 – Imola 27 – Milano 219.

Pianta d'insieme di Bologna.

🏨 **Le Siepi** 🐌 senza rist, località Idice via Emilia 514 ☎ 6256200, Fax 6256243, « Giardino ombreggiato » – 📺 ☎ ♿ [P] – 🏃 35. [AE]. [S]. ⦿ [E] [VISA] GU
chiuso dal 10 al 24 agosto – **39 cam** ☕ 190/295000.

🍴🍴 **Il Cerfoglio,** via Kennedy 11 ☎ 463339, Fax 455684, Coperti limitati; prenotare – ▤. [AE] [S]. ⦿ [E] [VISA]. [JCB] GU
chiuso sabato a mezzogiorno, domenica, dal 27 dicembre al 10 gennaio e dal 1° al 26 agosto – **Pasto** carta 50/70000.

SAN LAZZARO PARMENSE *Parma* – *Vedere Parma.*

SAN LEO *61018 Pesaro e Urbino* [988] ⑮, [429], [430] K 19 *G. Italia* – *2 640 ab. alt. 589* – *a.s. giugno-agosto* – ☎ *0541.*
Vedere *Posizione pittoresca*★★ – *Forte*★ : ✻★★★.
Roma 320 – Rimini 31 – Ancona 142 – Milano 351 – Pesaro 70 – San Marino 24.

🏨 **Castello** 🐌, piazza Dante 11/12 ☎ 916214, Fax 926926, ⋞ vallata – 📺 ☎. [AE]. [S]. ⦿ [VISA]. ✻
chiuso novembre – **Pasto** *(chiuso giovedì)* carta 35/45000 – ☕ 10000 – **14 cam** 80/10500 – ½ P 80/90000.

SAN LEONARDO IN PASSIRIA (ST. LEONHARD IN PASSEIER) *39015 Bolzano* [988] ④, [429] 15, [218] ⑩ *G. Italia* – *3 394 ab. alt. 689* – ☎ *0473.*
Dintorni *Strada del Passo di Monte Giovo*★ : ⋞★★ *verso l'Austria NE : 20 km* – *Strada del Passo del Rombo*★ *NO.*
Roma 685 – Bolzano 47 – Brennero 53 – Bressanone 65 – Merano 20 – Milano 346 – Trento 106.

verso Passo di Monte Giovo *NE : 10 km – alt. 1 269 :*

🍴 **Jägerhof** 🐌 con cam, località Valtina ✉ 39010 Valtina ☎ 656250, Fax 656822, ⋞, 🏞 – ☎ [P]. ✻ rist
chiuso da novembre al 4 dicembre – **Pasto** *(chiuso lunedì)* carta 30/55000 – **16 cam** ☕ 60/100000 – ½ P 60/70000.

SAN LEONE *Agrigento* [432] P 22 – *Vedere Sicilia (Agrigento) alla fine dell'elenco alfabetico.*

SAN LEONINO *Siena* – *Vedere Castellina in Chianti.*

SAN LORENZO DI SEBATO (SANKT LORENZEN) *39030 Bolzano* [429] B 17 – *3 203 ab. alt. 810* – *Sport invernali : Plan de Corones : 830/2 273 m* 🚡 *11* ⛷ *21,* ⛷ – ☎ *0474.*
[i] *Palazzo Comunale* ☎ *474092, Fax 474106.*
Roma 710 – Cortina d'Ampezzo 62 – Bolzano 69 – Brunico 4 – Lienz 78.

Santo Stefano (Stefansdorf) *S : 2,5 km – ✉ 39030 San Lorenzo di Sebato :*

🏨 **Mühlgarten** 🌳, via Santo Stefano 31 ☎ 548330, Fax 548030, ≤, 🏊, 🏊, 🌲 – 🛗 📺 📞 🅿. [S]. [CB] [E] [VISA]. ✗ rist
dicembre-aprile e giugno-ottobre – **Pasto** carta 35/65000 – **22 cam** ☕ 95/190000 – ½ P 75/150000.

AN LORENZO IN BANALE *38078 Trento [428], [429] D 14 – 1 084 ab. alt. 720 – a.s. Pasqua e Natale – ☎ 0465.*
Roma 609 – Trento 37 – Brescia 109 – Milano 200 – Riva del Garda 35.

🏨 **Soran,** ☎ 734330, Fax 734372 – 🛗 📺 📞 ♿ 🅿. [AE]. [S]. [CB] [E] [VISA]. ✗
aprile-ottobre – **Pasto** 25/50000 – **13 cam** ☕ 110/190000 – ½ P 85/100000.

🏨 **Castel Mani** 🌳, ☎ 734017, Fax 734017, ≤ – 🛗 📞 🅿. [E]. ✗
Pasto *(chiuso giovedì)* 25000 – ☕ 10000 – **39 cam** 60/105000 – ½ P 60/100000.

AN LORENZO IN CAMPO *61047 Pesaro e Urbino [429], [430] L 20 – 3 347 ab. alt. 209 – a.s. 25 giugno-agosto – ☎ 0721.*
Roma 257 – Ancona 64 – Perugia 105 – Pesaro 51.

🏨 ✿ **Giardino,** via Mattei 4 (O : 1,5 km) ☎ 776803, Fax 776236, 🏊 – ❄ 📺 📞 ♿ 🅿 – 🎤 30. [AE]. [S]. [CB] [E] [VISA]. ✗
chiuso 24-25 dicembre e dal 15 gennaio all'8 febbraio – **Pasto** *(chiuso lunedì; prenotare)* carta 40/60000 – **20 cam** ☕ 70/100000 – ½ P 90000
Spec. Maltagliati con fave e finocchietto selvatico (primavera). Agnello con cipolle di San Lorenzo (autunno). Filetto di coniglio al tartufo (inverno).

AN MACARIO IN PIANO *Lucca [430] K 13 – Vedere Lucca.*

AN MAMETE *Como [219] ⑧ – Vedere Valsolda.*

AN MARCELLO PISTOIESE *51028 Pistoia [988] ⑭, [428], [429], [430] J 14 G. Toscana – 7 471 ab. alt. 623 – a.s. luglio-agosto – ☎ 0573.*
[i] *via Marconi 28 ☎ 630145, Fax 622120.*
Roma 340 – Firenze 67 – Pisa 71 – Bologna 90 – Lucca 50 – Milano 291 – Pistoia 30.

🏨 **Il Cacciatore,** via Marconi 87 ☎ 630533, Fax 630134 – 📺 📞 🅿 – 🎤 40. [AE]. [S]. [CB] [E] [VISA]. ✗
chiuso dal 10 al 31 gennaio e dal 5 al 30 novembre – **Pasto** *(chiuso lunedì)* carta 30/50000 – **25 cam** ☕ 90/110000 – ½ P 60/95000.

AN MARCO *Perugia [430] M 19 – Vedere Perugia.*

AN MARCO *Salerno [431] G 26 – Vedere Castellabate.*

AN MARIANO *Perugia [430] M 18 – vedere Corciano.*

AN MARINO *47031 Repubblica di San Marino [988] ⑮, [429], [430] K 19 G. Italia – 4 385 ab. nella Capitale, 24 707 ab. nello Stato di San Marino alt. 749 (monte Titano) – a.s. 15 giugno-settembre – ☎ 0549.*
Vedere *Posizione pittoresca★★★ – ≤★★★ sugli Appennini e il mare dalle Rocche.*
[i] *palazzo del Turismo, contrada Omagnao 20 ☎ 882410, Fax 882575.*
[A.C.I.] *a Serravalle via Abate Stefano 5 ☎ 901767, Fax 901361.*
Roma 355 ① – Rimini 22 ① – Ancona 132 ① – Bologna 135 ① – Forlì 74 ① – Milano 346 ① – Ravenna 78 ①.

Pianta pagina seguente

🏨 **Gd H. San Marino,** viale Antonio Onofri 31 ☎ 992400, Fax 992951, ≤ – 🛗 ❄ cam 📺 📞 ♿ 🚗 – 🎤 150. [AE]. [S]. [CB] [E] [VISA]. [JCB]. ✗ rist Z a
chiuso dal 22 al 27 dicembre – **Pasto** 30/40000 e al Rist. ***Arengo*** *(chiuso da dicembre al 10 febbraio)* carta 50/70000 – ☕ 16000 – **56 cam** 130/180000 – ½ P 110/120000.

🏨 **Titano** 🌳, contrada del Collegio 21 ☎ 991006, Fax 991375, « Terrazza rist. con ≤ » – 🛗 📺 📞. [AE]. [S]. [CB] [E] [VISA]. [JCB] Y u
15 marzo-15 dicembre – **Pasto** carta 45/70000 – ☕ 15000 – **46 cam** 100/125000 – ½ P 95/105000.

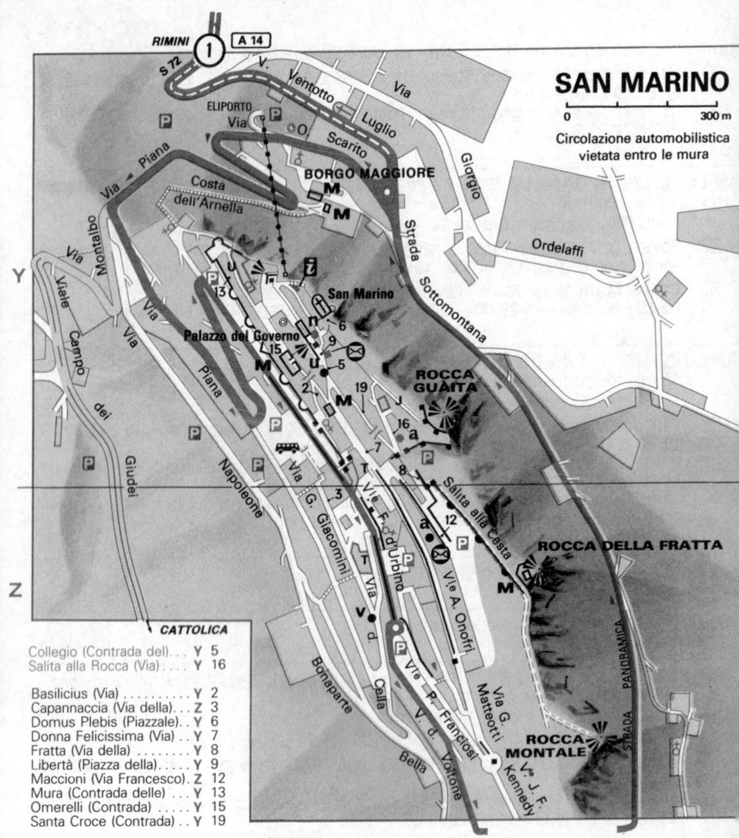

Quercia Antica, via Cella Bella ✆ 991257, Fax 990044 – TV ☎ 🚗. AE. 🅂. ⓪ E VISA Z
✻ rist
Pasto carta 50/60000 – **25 cam** ☕ 110/130000 – ½ P 80/90000.

Righi la Taverna, piazza della Libertà 10 ✆ 991196, Fax 990597, « Caratteristico arredamento » – ▤. AE. 🅂. ⓪ E VISA Y
chiuso Natale – **Pasto** 45/50000 e carta 40/65000.

La Fratta, via Salita alla Rocca 14 ✆ 991594, Fax 990320, 🏖 – AE. 🅂. ⓪ E VISA. ✻
chiuso febbraio, dal 10 al 25 novembre e mercoledì in bassa stagione – **Pasto** carta 40/70000. Y

a Domagnano *per ① : 4 km – ✉ 47031 San Marino :*

Rossi, ✆ 902263, Fax 906642, ← – |‡| ▤ cam TV ☎ 🅟. AE. 🅂. ⓪ E VISA. ✻
Pasto *(chiuso dal 15 al 31 dicembre e sabato in bassa stagione)* carta 35/50000 – ☕ 10000
34 cam 75/100000, ▤ 15000 – ½ P 80/90000.

SAN MARTINO *Livorno* 430 N 12 – *Vedere Elba (Isola d') : Portoferraio.*

SAN MARTINO AL CIMINO *Viterbo* 430 O 18 – *Vedere Viterbo.*

Carte stradali MICHELIN 1/400 000 :
428 ITALIA Nord-Ovest/ 429 ITALIA Nord-Est/ 430 ITALIA Centro
431 ITALIA Sud/ 432 SICILIA/ 433 SARDEGNA
Le località sottolineate in rosso su queste carte sono citate in guida.

AN MARTINO BUON ALBERGO *37036 Verona 429 F 15 – 13 117 ab. alt. 45 – ☎ 045.*

Roma 510 – Verona 8 – Milano 169 – Padova 73 – Vicenza 43.

Montresor Hotel Catullo, viale del Lavoro, casello autostrada A 4 Verona Est ☎ 995000, Fax 995173 – cam – 200. AE. 🅂. E VISA
Pasto carta 50/80000 – **132 cam** 230/250000.

Antica Trattoria da Momi, via Serena 38 ☎ 990752 – AE. 🅂. E VISA.
chiuso dal 5 al 25 agosto, lunedì e in luglio-agosto anche domenica – **Pasto** carta 35/50000.

Marcellise *N : 4 km – alt. 102 – ✉ 37030 :*

Trattoria Grobberio con cam, via Mezzavilla 69 ☎ 8740096, Fax 8740096 – AE. 🅂. E VISA. JCB.
Pasto *(chiuso venerdì e sabato a mezzogiorno)* carta 25/35000 – 7000 – **5 cam** 60/80000.

AN MARTINO DELLA BATTAGLIA *25010 Brescia 428, 429 F 13 – alt. 87 – ☎ 030.*

Roma 515 – Brescia 37 – Verona 35 – Milano 125.

Da Renato, via Unità d'italia 73 ☎ 9910117 –
chiuso dal 1° al 15 luglio, martedì sera e mercoledì (escluso da Pasqua ad ottobre) – **Pasto** carta 25/45000 (10 %).

AN MARTINO DI CASTROZZA *38058 Trento 988 ⑤, 429 D 17 G. Italia – alt. 1467 – a.s. 19 dicembre-Epifania, febbraio e Pasqua – Sport invernali : 1 450/2 600 m 2 19, ; al passo Rolle : 1 884/2 300 m 2 19, – ☎ 0439.*

Vedere *Località*★★.

via Passo Rolle 165/167 ☎ 768867, Fax 768814.

Roma 629 – Belluno 79 – Cortina d'Ampezzo 90 – Bolzano 86 – Milano 349 – Trento 109 – Treviso 105 – Venezia 135.

San Martino, via Passo Rolle 279 ☎ 68011, Fax 68550, ← gruppo delle Pale e vallata, , , , – – 30. 🅂. VISA. rist
20 dicembre-20 aprile e luglio-15 settembre – **Pasto** 25/50000 – 13000 – **48 cam** 100/180000 – 1/2 P 70/135000.

Orsingher, ☎ 68544, Fax 769043, ← – . 🅂. E VISA.
20 dicembre-Pasqua e 28 giugno-25 settembre – **Pasto** 25/35000 – **31 cam** 95/160000, 2 appartamenti – 1/2 P 105/165000.

Paladin, ☎ 768680, Fax 768695, ← gruppo delle Pale e vallata, – .
20 dicembre-20 aprile e 20 giugno-15 settembre – **Pasto** 30/40000 – **28 cam** 120/160000 – 1/2 P 90/120000.

Panorama, ☎ 768667, Fax 768667, ← – . AE.
20 dicembre-15 aprile e 28 giugno-16 settembre – **Pasto** carta 35/45000 – **22 cam** 170000 – 1/2 P 90/160000.

Regina, ☎ 68221, Fax 68017, ← gruppo delle Pale – . AE. 🅂. E VISA. rist
20 dicembre-20 aprile e 15 giugno-20 settembre – **Pasto** carta 35/50000 – **48 cam** 145/245000 – 1/2 P 145/170000.

Stalon, ☎ 68126, Fax 768738, ←, – . 🅂. .
dicembre-aprile e giugno-settembre – **Pasto** 30/40000 – 15000 – **33 cam** 200000 – 1/2 P 110/160000.

Letizia, via Colbricon 6 ☎ 768615, Fax 762386, ←, – . 🅂. VISA. rist
4 dicembre-Pasqua e 26 giugno-15 settembre – **Pasto** 25/35000 – **27 cam** 100/180000 – 1/2 P 70/160000.

Malga Ces, O : 3 km ☎ 68223, Fax 68223, – . AE. 🅂. VISA.
8 dicembre-15 aprile e 16 giugno-settembre – **Pasto** carta 40/55000.

AN MARTINO DI LUPARI *35018 Padova 429 F 17 – 11 164 ab. alt. 60 – ☎ 049.*

Roma 516 – Padova 35 – Belluno 101 – Treviso 41 – Venezia 50.

Da Belie, via Brenata 7 ☎ 9461088, Fax 9461236, – . AE. 🅂. E VISA.
chiuso sabato sera, domenica, dal 31 dicembre al 7 gennaio e dal 1° al 21 agosto – **Pasto** carta 35/50000.

AN MARTINO IN COLLE *Lucca – Vedere Montecarlo.*

Europe

Se il nome di un albergo è stampato in carattere magro, chiedete al vostro arrivo le condizioni che vi saranno praticate.

SAN MARTINO IN PASSIRIA (ST. MARTIN IN PASSEIER) *39010 Bolzano* 429 B 15, 218 ⑩ - *2 777 ab. alt. 597 – ☎ 0473.*

Roma 682 – Bolzano 43 – Merano 16 – Milano 342 – Trento 102.

Quellenhof-Forellenhof e Landhaus, S : 5 km ☎ 645474, Fax 645499, ≤, , Gol 4 buche, , , riscaldata, , , – , ☎ , – **P** *marzo-17 novembre* – **Pasto** carta 60/105000 – **80 cam** 160/300000, 12 appartamenti - ½ P 135/260000.

Kennenhof , S : 5 km ☎ 645440, ≤, Golf 4 buche, , – ☎ **P** *marzo-novembre* – **Pasto** (solo per alloggiati) 30/55000 – **13 cam** solo ½ P 135/150000.

a Saltusio (Saltaus) *S : 8 km – alt. 490 – ✉ 39010 :*

Saltauserhof, via Passiria 4 ☎ 645403, Fax 645515, ≤, , , , riscaldata, , , – ☎ **P** *marzo-10 novembre* – **Pasto** carta 30/55000 – **24 cam** 115/165000, 4 appartamenti ½ P 80/145000.

SAN MARTINO IN PENSILIS *86046 Campobasso* 431 B 27 – *4 775 ab. alt. 282 – ☎ 0875.*

Roma 285 – Campobasso 66 – Foggia 80 – Isernia 108 – Pescara 110 – Termoli 12.

Santoianni, via Tremiti ☎ 605023, Fax 605023 – ☎ **P**. **Pasto** *(chiuso venerdì)* carta 25/40000 – 4000 – **15 cam** 50/80000.

Se cercate un albergo tranquillo, oltre a consultare le carte dell'introduzione, rintracciate nell'elenco degli esercizi quelli con il simbolo o .

SAN MARTINO SICCOMARIO *27028 Pavia* 428 G 9 – *4 716 ab. alt. 63 – ☎ 0382.*

Roma 556 – Alessandria 63 – Milano 43 – Pavia 4 – Piacenza 57.

Plaza senza rist, strada statale 35 ☎ 559413, Fax 556085 – ☎ **P** – 25. AE. E VISA. JCB 15000 – **53 cam** 115/140000.

Antica Trattoria Goi, via Togliatti 2 ☎ 498887, Fax 498941, prenotare – **P**. AE. E VISA *chiuso a mezzogiorno, domenica, dal 6 al 20 gennaio e dal 5 al 25 agosto* – **Pasto** cart 55/80000.

SAN MASSIMO *Genova – Vedere Rapallo.*

SAN MAURIZIO CANAVESE *10077 Torino* 428 G 4 – *6 736 ab. alt. 317 – ☎ 011.*

Roma 697 – Torino 17 – Aosta 111 – Milano 142 – Vercelli 72.

La Credenza, via Cavour 22 ☎ 9278014, Fax 9278014 – . AE. . E VISA. JCB *chiuso martedì e dal 17 al 29 agosto* – **Pasto** carta 45/60000.

La Crota, via Matteotti 6 ☎ 9278075 – . AE. . E VISA *chiuso dal 7 al 14 gennaio, dal 5 al 25 agosto, lunedì e le sere di domenica, marte mercoledì e giovedì* – **Pasto** carta 30/60000.

SAN MAURIZIO D'OPAGLIO *28017 Novara* 428 E 7, 219 ⑥ – *2 926 ab. alt. 373 – ☎ 0322.*

Roma 657 – Stresa 34 – Alessandria 65 – Genova 118 – Milano 41 – Novara 43 – Piacenza 6

Da Grissino, via Roma 54 ☎ 96173 – **P**. AE. . E VISA. *chiuso martedì sera, mercoledì, dal 1° al 15 gennaio e dal 1° al 15 agosto* – **Pasto** speciali di mare carta 50/70000.

SAN MAURO A MARE *47030 Forlì-Cesena* 429, 430 J 19 – *a.s. 21 giugno-agosto – ☎ 0541.*

(aprile-settembre) via Repubblica 8 ☎ 346392, Fax 346392.

Roma 353 – Rimini 16 – Bologna 103 – Forlì 42 – Milano 314 – Ravenna 36.

Capitol, ☎ 345542, Telex 518516, Fax 345492, , , riscaldata – ☎ **P** 80. AE. . E VISA. rist **Pasto** carta 40/55000 – **35 cam** 130/190000 – ½ P 70/120000.

Internazionale, ☎ 346475, Fax 346937, ≤, , – ☎ **P**. rist *maggio-20 settembre* – **Pasto** (solo per alloggiati) – 15000 – **36 cam** 70/100000 P 70/100000.

Europa, ☎ 346312, Fax 346400, – rist ☎ **P**. AE. . E VISA. rist *Pasqua-15 ottobre* – **Pasto** (solo per alloggiati) – **47 cam** 70/100000 – ½ P 55/90000.

AN MAURO TORINESE *10099 Torino* [428] G 5 – *17 750 ab. alt. 211* – ☎ *011.*
Roma 666 – Torino 9 – Asti 54 – Milano 136 – Vercelli 66.

Pianta d'insieme di Torino (Torino p. 5).

🏨 **La Pace** senza rist, via Roma 36 ☎ 8221945, Fax 8222677 – 🛗 ▤ [TV] ☎ [P]. [AE]. [E] [VISA]. ✂
☕ 10000 – **35 cam** 80/100000, ▤ 20000. HT s

🍴🍴🍴 ✿ **Bontan,** via Canua 55 ☎ 8222680, Fax 8226658, ⋖ città, Coperti limitati; prenotare, « Servizio estivo in giardino » – [P]. [AE]. [S]. ◑ [VISA]. ✂ HT e
chiuso domenica, lunedì, dal 7 al 25 gennaio e dal 12 al 20 agosto – **Pasto** carta 75/120000
Spec. Insalata di astice con misticanza, melograno e noci (estate). Tortelli di robiola e zucchine al burro di montagna (primavera). Filetto di fassone con zabaione all'aceto balsamico (autunno).

🍴 **Frandin,** via Settimo 14 ☎ 8221177, ⛱ – [P]. [AE]. [S]. [E] [VISA] HT a
chiuso martedì e dal 16 agosto al 10 settembre – **Pasto** carta 35/70000.

AN MENAIO *71010 Foggia* [431] B 29 – *a.s. luglio-13 settembre* – ☎ *0884.*
Roma 389 – Foggia 104 – Bari 188 – San Severo 71.

🏨 **Sole,** via Lungomare 2 ☎ 98621, Fax 98624, ⛱ – 🛗 ☎ ♿ [P]. [S]. [E] [VISA]. ✂
aprile-settembre – **Pasto** 30000 bc – **45 cam** ☕ 100/160000 – ½ P 60/120000.

🏨 **Park Hotel Villa Maria** ⛶ senza rist, via del Carbonaro 15 ☎ 98548, Fax 98558 – ▤ [TV] ☎ [P]. [AE]. [S]. ◑ [E] [VISA]. [JCB]. ✂
aprile-15 ottobre – **15 cam** ☕ 90/150000.

AN MICHELE (ST. MICHAEL) *Bolzano* [218] ⑳ – *Vedere Appiano sulla Strada del Vino.*

AN MICHELE ALL'ADIGE *38010 Trento* [988] ④, [429] D 15 – *2 217 ab. alt. 229 – a.s. dicembre-aprile* – ☎ *0461.*
Roma 603 – Trento 15 – Bolzano 417 – Milano 257 – Moena 70.

🏨 **Lord Hotel** senza rist, località Masetta N : 1 km ☎ 650120, Fax 650138, ⋖, 🎾 – 🛗 [TV] ☎ 🚗 [P]. [AE]. [S]. ◑ [E] [VISA]. ✂
chiuso dal 24 dicembre al 5 gennaio – ☕ 7000 – **33 cam** 70/105000.

🍴🍴 **Da Silvio,** N : 1 km ☎ 650324, Fax 650604, ⛱ – [P] – 🏛 45. [AE]. [S]. ◑ [E] [VISA]. [JCB]. ✂
chiuso domenica sera, lunedì, dal 7 al 21 gennaio e dal 15 giugno al 2 luglio – **Pasto** carta 40/60000.

AN MICHELE AL TAGLIAMENTO *30028 Venezia* [429] E 20 – *11 990 ab.* – ☎ *0431.*
Roma 599 – Udine 43 – Milano 338 – Pordenone 44 – Trieste 81 – Venezia 88.

🍴🍴 **Mattarello,** strada statale ☎ 50450, Fax 50450 – ▤ [P]. [S]. [E] [VISA]. ✂
chiuso lunedì – **Pasto** carta 50/80000.

AN MICHELE DEL CARSO *Gorizia – Vedere Savogna d'Isonzo.*

AN MICHELE DI GANZARIA *Catania* [432] P25 – *Vedere Sicilia alla fine dell'elenco alfabetico.*

AN MINIATO *56027 Pisa* [988] ⑭, [428], [429], [430] K 14 *G. Toscana – 25 768 ab. alt. 140* – ☎ *0571.*
⛳ *Fontevivo (chiuso lunedì ed agosto)* ☎ *419012, Fax 418734.*
Roma 297 – Firenze 37 – Siena 68 – Livorno 52 – Pisa 42.

🏨 **Miravalle** ⛶, piazza Castello 3 ☎ 418075, Fax 419681, ⋖ – 🛗 [TV] ☎ – 🏛 60. [AE]. [S]. ◑ [E] [VISA]. [JCB]. ✂ rist
Pasto *(chiuso domenica e dal 6 al 24 agosto)* carta 35/70000 – ☕ 8000 – **18 cam** 90/150000 – ½ P 80/100000.

🍴🍴 **Il Convio-San Maiano,** via San Maiano 2 ☎ 408114, « Casale di campagna con servizio estivo all'aperto e ⋖ colline e dintorni », ⛱ – [P]. [AE]. [S]. ◑ [E] [VISA]
chiuso mercoledì – **Pasto** carta 25/55000.

AN NICOLA ARCELLA *87020 Cosenza* [431] H 29 – *1 391 ab. alt. 110* – ☎ *0985.*
Roma 425 – Cosenza 92 – Castrovillari 77 – Catanzaro 158 – Napoli 217.

🏨 **Principe,** ☎ 3125, ⋖ mare e costa, ⛱ – 🛗 ☎ 🚗 [P]. [S]. ◑. ✂
Pasto carta 30/45000 – ☕ 5000 – **28 cam** 60/95000 – ½ P 75/80000.

AN NICOLÒ (ST. NIKOLAUS) *Bolzano* [428] G 10, [218] ⑲ – *Vedere Ultimo.*

SAN NICOLÒ DI RICADI *Vibo Valentia* 431 L 29 – *Vedere Tropea.*

SAN PANCRAZIO *Brescia – Vedere Palazzolo sull'Oglio.*

SAN PANCRAZIO *Ravenna* 430 I 18 – *Vedere Russi.*

SAN PANTALEO *Sassari* 433 D 10 – *Vedere Sardegna alla fine dell'elenco alfabetico.*

SAN PAOLO (ST. PAULS) *Bolzano* 218 ⑳ – *Vedere Appiano sulla Strada del Vino.*

SAN PELLEGRINO (Passo di) *Trento* 988 ⑤, 429 C 17 – *alt. 1 918 – ✉ 38035 Moena – a. febbraio-Pasqua e Natale – Sport invernali : 1 970/2 480 m 1 19, – ✆ 0462.*

Roma 682 – Belluno 59 – Cortina d'Ampezzo 67 – Bolzano 56 – Milano 340 – Trento 100.

Monzoni, ✆ 573352, Fax 574490, ≤ Dolomiti, – – 120. . *8 dicembre-6 aprile e 12 luglio-6 settembre* – **Pasto** carta 55/75000 – 18000 – **87 ca** 145/210000 – 1/2 P 125/185000.

Costabella, ✆ 573326, Fax 574283, ≤ Dolomiti, – cam . . rist *7 dicembre-6 aprile e 6 luglio-7 settembre* – **Pasto** 35/60000 – **23 cam** 160/280000 1/2 P 80/110000.

XX **Fuciade** con cam, ✆ 574281, Servizio navetta invernale con motoslitta, prenotare a sera, « Rifugio in un alpeggio con servizio estivo in terrazza e ≤ Dolomiti, – . *Natale-Pasqua e 15 giugno-15 ottobre* – **Pasto** *(chiuso sabato e domenica in novembr dicembre)* carta 45/55000 – **6 cam** 120000 – 1/2 P 95/105000.

SAN PELLEGRINO TERME *24016 Bergamo* 988 ③, 428 E 10 *G. Italia – 5 174 ab. alt. 354 Stazione termale (maggio-settembre), a.s. luglio-agosto e Natale* – ✆ *0345.*

Dintorni *Val Brembana★ Nord e Sud per la strada S 470.*

via Papa Giovanni XXIII 18 ✆ 23344.

Roma 626 – Bergamo 24 – Brescia 77 – Como 71 – Milano 67.

Terme , ✆ 21125, Fax 21306, – – 50. . *22 maggio-settembre* – **Pasto** 50/65000 – 13000 – **49 cam** 120/150000 – 1/2 P 15500

Bigio, viale Papa Giovanni XXIII 60 ✆ 21058, Fax 23463, « Giardino ombreggiato » – – 100. . *15 maggio-settembre* – **Pasto** carta 35/60000 – 12000 – **50 cam** 80/105000 – 1/2 P 8 100000.

X **La Ruspinella** con cam, via De Medici 47 (S : 1,5 km) ✆ 21333, Fax 21333 – . *chiuso dal 15 al 30 settembre* – **Pasto** *(chiuso venerdì)* carta 35/65000 – 8000 – **18 ca** 70/100000 – 1/2 P 70/75000.

SAN PIERO A SIEVE *50037 Firenze* 988 ⑮, 429, 430 K 15 *G. Toscana – 3 810 ab. alt. 210* ✆ *055.*

Roma 318 – Firenze 25 – Bologna 82.

X **La Felicina,** piazza Colonna 14 ✆ 8498181, Fax 8498157 – . *chiuso venerdì e dal 1° al 7 marzo e dal 15 al 30 agosto* – **Pasto** carta 35/45000.

SAN PIETRO *Verona – Vedere Legnago.*

SAN PIETRO DI FELETTO *31020 Treviso* 429 E 18 – *4 572 ab. alt. 264* – ✆ *0438.*

Roma 577 – Belluno 47 – Pordenone 39 – Treviso 34 – Venezia 66.

XX **Al Doppio Fogher,** località San Michele S : 6 km ✆ 60157, « Servizio estivo in giardino – . *chiuso domenica sera, lunedì, dal 7 al 23 gennaio e dal 9 al 26 agosto* – **Pasto** specialità mare carta 45/70000

Spec. Scampetti crudi conditi con olio, peperoncino, sale e limone. Spaghetti all'asti Rombo al forno con patate e olive nere.

SAN PIETRO IN CARIANO *37029 Verona* [428], [429] *F 14 – 11 763 ab. alt. 160 –* ☎ *045.*
Roma 510 – Verona 19 – Brescia 77 – Milano 164 – Trento 85.

🏨 **Valpolicella International** senza rist, via Beethoven 3 ℘ 7703555, Fax 7703555 – ⇅ ▤ [TV] ☎ 🚗 [P] – 👥 200. [AE]. [S]. ⓞ [E] [VISA]. ✻
☕ 18000 – **42 cam** 130/150000.

Pedemonte *SO : 4 km – ✉ 37020 :*

🏨 **Villa del Quar** 🐦, via Quar 12 (SE : 1,5 km) ℘ 6800681, Fax 6800604, ≤, ⛱, 🏋, 🏊, 🌳 – ⇅ ▤ [TV] ☎ ♿ [P] – 👥 100. [AE]. [S]. ⓞ [E] [VISA]. ✻ rist
chiuso dal 7 gennaio al 15 febbraio – **Pasto** carta 65/115000 – **18 cam** ☕ 430000, 3 appartamenti.

SAN PIETRO IN CASALE *40018 Bologna* [988] [15], [429], [430] *H 16 – 9 120 ab. alt. 17 –* ☎ *051.*
Roma 397 – Bologna 25 – Ferrara 26 – Mantova 111 – Modena 52.

🍴🍴 **Dolce e Salato** con cam, piazza L. Calori 16/18 ℘ 811111 – ▤ [TV] ☎. [AE]. [S]. ⓞ [E] [VISA]. ✻ rist
Pasto *(chiuso giovedì)* specialità paste fresche carta 45/60000 – ☕ 13000 – **10 cam** 100/120000 – ½ P 90/120000.

SAN PIETRO IN CORTE *Piacenza – Vedere Monticelli d'Ongina.*

SAN PIETRO (Isola di) *Cagliari* [988] [33], [433] *J 6 – Vedere Sardegna alla fine dell'elenco alfabetico.*

SAN POLO *Parma – Vedere Torrile.*

SAN POLO D'ENZA *42020 Reggio Emilia* [988] [14], [428], [429], [430] *I 13 – 4 853 ab. alt. 66 –* ☎ *0522.*
Roma 457 – Parma 24 – La Spezia 125 – Mantova 78 – Modena 48 – Reggio nell'Emilia 23.

🍴🍴 **Mamma Rosa,** via 24 Maggio 1 ℘ 874760, ⛱ – [P]. [AE]. [S]. ⓞ [E] [VISA]. [JCB]. ✻
chiuso lunedì, dal 10 al 26 gennaio e dal 15 al 22 agosto – **Pasto** specialità di mare carta 45/80000.

SAN POLO DI PIAVE *31020 Treviso* [429] *E 19 – 4 180 ab. alt. 27 –* ☎ *0422.*
Roma 563 – Venezia 54 – Belluno 65 – Cortina d'Ampezzo 120 – Milano 302 – Treviso 23 – Udine 99.

🍴🍴 **Gambrinus,** via Gambrinus 22 ℘ 855043, Fax 855044, prenotare, « Servizio estivo nel parco con voliere e ruscello » – 🚭 ▤ [P] – 👥 80. [AE]. [S]. ⓞ [E] [VISA]. [JCB]. ✻
chiuso lunedì (escluso i giorni festivi) e dal 7 al 21 gennaio – **Pasto** 30000 e carta 50/70000.

SAN PROSPERO SULLA SECCHIA *41030 Modena* [429], [430] *H 15 – 4 113 ab. alt. 22 –* ☎ *059.*
Roma 415 – Bologna 58 – Ferrara 63 – Mantova 69 – Modena 20.

🍴 **Bistrò,** via Canaletto 38/a ℘ 906096, Rist. e pizzeria serale – [P]. [AE]. [S]. ⓞ [E] [VISA]. ✻
chiuso mercoledì ed agosto – **Pasto** carta 35/50000.

SAN QUIRICO D'ORCIA *53027 Siena* [988] [15], [430] *M 16 G. Toscana – 2 436 ab. alt. 424 –* ☎ *0577.*
Roma 196 – Siena 44 – Chianciano Terme 31 – Firenze 111 – Perugia 96.

🏨 **Casanova,** località Casanova 6/c ℘ 898177, Fax 898177, ≤ vallata, 🏋, 🏊, 🏊, 🎾 – ⇅ [TV] ☎ ♿ 🚗 [P]. [AE]. [S]. ⓞ [E] [VISA]. [JCB]
chiuso novembre, gennaio e febbraio – **Pasto** vedere rist ***Taverna del Barbarossa*** – ☕ 15000 – **11 cam** 140/165000, 26 appartamenti 195/220000.

🏨 **Palazzuolo** 🐦, via Santa Caterina da Siena 43 ℘ 897080, Fax 898264, ≤, 🏊, 🌳 – ⇅ ▤ [TV] ☎ ♿ [P] – 👥 200. [AE]. [S]. [E] [VISA]. ✻ rist
chiuso dal 9 gennaio a febbraio – **Pasto** carta 40/55000 – ☕ 15000 – **42 cam** 110/150000 – ½ P 110000.

🍴🍴 Taverna del Barbarossa - Hotel Casanova, località Casanova 8 ℘ 898299, ≤ vallata, ⛱ – [P]

Bagno Vignoni *SE : 5 km – ✉ 53020 :*

🏨 **Posta-Marcucci** 🐦, via Ara Urcea 43 ℘ 887112, Fax 887119, ≤, 🏋, 🏊, 🏊 termale, 🌳, 🎾 – ⇅ ▤ [TV] ☎ ♿ [P] – 👥 40. [AE]. [S]. ⓞ [E] [VISA]. ✻ rist
chiuso dal 15 gennaio al 15 febbraio – **Pasto** 45/60000 – **46 cam** ☕ 120/220000 – ½ P 110/150000.

SAN QUIRINO *33080 Pordenone* 429 *D 20 – 3 789 ab. alt. 116 –* ☎ *0434.*

Roma 613 – Udine 65 – Belluno 75 – Milano 352 – Pordenone 9 – Treviso 63 – Trieste 121.

XXX ✿ **La Primula** con cam, ☎ 91005, Fax 919280, – ▤ rist TV ☎ P – 🏛 40. AE. ⑤. ⓞ VISA. ✂

Pasto *(chiuso domenica sera, lunedì, dal 1° al 15 gennaio e dal 10 al 31 luglio)* 50/70000 carta 55/75000 – ☐ 10000 – **7 cam** 90/130000

Spec. Tavolozza con formaggio salato, ricotta affumicata e funghi (estate-autunno) Raviolo alle erbe selvatiche con asparagi e guanciale di maiale affumicato (primavera) Filetto di rombo con patate, capperi e dadolata di pomodoro.

SAN REMO *18038 Imperia* 988 ⑫, 428 *K 5 G. Italia – 56 507 ab. –* ☎ *0184.*

Vedere *Località*★★ *– La Pigna*★ *(città alta)* B : ≤★ *dal santuario della Madonna della Costa*

Dintorni *Monte Bignone*★★ : ✻★★ *N : 13 km.*

18 *(chiuso martedì)* ☎ *557093, Fax 557388, N : 5 km.*

ℹ *corso Nuvoloni 1* ☎ *571571, Fax 507649.*

A.C.I. *corso Raimondo 57* ☎ *500295.*

Roma 638 ① – Imperia 30 ① – Milano 262 ① – Nice 59 ② – Savona 93 ①.

SAN REMO

Feraldi (Via) . . . . B 6
Matteotti (Via) . . . . B
Palazzo (Via) . . . . B 14
Roma (Via) . . . . B

Cavallotti (Corso) . . . . . . B 3
Colombo (Piazza) . . . . B 4
Dante Alighieri (Via) . . . . B 5
Gioberti (Via) . . . . B 7
Manzoni (Via) . . . . B 9
Matuzia (Corso) . . . . A 10
Mombello (Corso) . . . . B 13
Roccasterone (Via) . . . . . A 15
San Francesco (Via) . . . . B 17
20 Settembre (Via) . . . . . B 18

🏨 **Royal,** corso Imperatrice 80 ☎ 5391, Telex 270511, Fax 661445, ≤, « Giardino fiorito c riscaldata e servizio rist. estivo all'aperto », ♨, ✂ – |☰| ▤ TV ☎ ♿ P – 🏛 300. AE. ⓞ E VISA. ✂ rist A

chiuso dal 5 ottobre al 21 dicembre – **Pasto** 95000 – **146 cam** ☐ 450/500000, 15 appartamenti – ½ P 265/365000.

🏨 **Gd H. Londra,** corso Matuzia 2 ☎ 668000, Telex 271420, Fax 668072, « Giardino con – |☰| ▤ cam TV ☎ ♿ P – 🏛 450. AE. ⑤. ⓞ E VISA. ✂ A

chiuso dal 3 ottobre al 17 dicembre – **Pasto** carta 75/105000 – **145 cam** ☐ 230/2650 7 appartamenti, ▤ 25000 – ½ P 195/215000.

🏨 **Méditerranée,** corso Cavallotti 76 ☎ 571000, Fax 541106, , « Parco con » – |☰| TV ☎ 🚗 – 🏛 250. AE. ⑤. ⓞ E VISA. ✂ rist B

Pasto 55/90000 – **58 cam** ☐ 150/300000, appartamento – ½ P 175/300000.

🏨 **Nazionale,** via Matteotti 5 ☎ 577577, Fax 541535 – |☰| ▤ TV ☎ ♿ – 🏛 70. AE. ⑤. ⓞ VISA. JCB. ✂ rist A

Pasto 45/80000 e al Rist. ***Panoramico*** *(chiuso mercoledì)* carta 65/120000 – ☐ 2000 **68 cam** 220/260000, 8 appartamenti – ½ P 185/215000.

🏨 **Villa Mafalda** senza rist, corso Nuvoloni 18 ☎ 572572, Fax 572574, – |☰| TV ☎. AE. ⓞ E VISA. ✂ A

chiuso dal 21 ottobre al 21 novembre – ☐ 12500 – **34 cam** 160000.

Paradiso ⛰, via Roccasterone 12 ☎ 571211, Fax 578176, – 🛗 📺 ☎ – 45. AE. 🅂. ⦿ E VISA. ✻ rist A g
Pasto 30/50000 – ☕ 20000 – **41 cam** 120/180000 – ½ P 110/160000.

Lolli Palace Hotel, corso Imperatrice 70 ☎ 531496, Fax 541574, ≤ – 🛗 ▤ 📺 ☎. AE. 🅂. ⦿ E VISA. JCB. ✻ rist A s
chiuso dal 4 novembre al 20 dicembre – **Pasto** 35/45000 – **50 cam** ☕ 130/180000 – ½ P 110/130000.

Eveline-Portosole senza rist, corso Cavallotti 111 ☎ 503430, Fax 503431 – 🛗 📺 ☎. AE. 🅂. ⦿ E VISA. JCB B c
48 cam ☕ 120/180000.

Nike senza rist, via F.lli Asquasciati 37 ☎ 531429, Fax 531428 – 🛗 📺 ☎. AE. 🅂. ⦿ E VISA. ✻ A c
chiuso dal 20 novembre al 22 dicembre – ☕ 12500 – **40 cam** 105/155000.

Morandi, corso Matuzia 51 ☎ 667641, Fax 666567, – 🛗 ▤ rist 📺 ☎ 🅟. AE. 🅂. ⦿ E VISA. ✻ rist A m
Pasto 30/40000 – ☕ 14000 – **33 cam** 100/150000 – ½ P 100/130000.

Villa Maria ⛰, corso Nuvoloni 30 ☎ 531422, Fax 531425, – 🛗 ☎ 🅟. AE. 🅂. E VISA. ✻ rist A e
Pasto 45000 – **38 cam** ☕ 110/180000 – ½ P 120/140000.

Eletto, via Matteotti 44 ☎ 531548, Fax 531506 – 🛗 📺 ☎ 🅟. AE. 🅂. E VISA. ✻ B u
Pasto (solo per alloggiati) 40000 – ☕ 8000 – **30 cam** 100/130000 – ½ P 110000.

XXX **Da Giannino,** lungomare Trento e Trieste 23 ☎ 504014, Coperti limitati; prenotare – ▤. AE. 🅂. ⦿ E VISA. JCB B k
✿ *chiuso domenica sera, lunedì e dal 15 maggio al 1° giugno* – **Pasto** carta 80/120000 (15 %)
Spec. Salmone marinato all'aneto con sorbetto di pomodoro al basilico (luglio-agosto). Trenette al nero di seppia. Scaloppa di branzino al forno con patate e funghi (maggio-ottobre).

XX **Paolo e Barbara,** via Roma 47 ☎ 531653, Fax 531653, Coperti limitati; prenotare – ▤. AE. 🅂. ⦿ E VISA B p
✿ *chiuso dal 13 al 20 dicembre, Natale, dal 7 al 14 gennaio, dal 1° al 10 luglio, mercoledì e giovedì a mezzogiorno; in luglio-agosto a mezzogiorno solo su prenotazione* – **Pasto** 75000 bc (solo a mezzogiorno) 100000 (alla sera) e carta 80/140000
Spec. Stoccafisso "Brandacujun". Cappon magro. Cinghiale al mosto d'uva fragola (autunno-inverno).

XX **Il Bagatto,** via Matteotti 145 ☎ 531925, Fax 531925 – ▤. 🅂. E VISA. JCB B e
chiuso domenica e dal 15 giugno al 15 luglio – **Pasto** 45/60000 (a mezzogiorno) e carta 70/80000 (15 %).

XX **La Pignese,** piazza Sardi 7 ☎ 501929, Fax 501929, – AE. 🅂. ⦿ E VISA. JCB B d
chiuso lunedì e giugno – **Pasto** carta 50/70000.

XX **Da Vittorio,** piazza Bresca 16 ☎ 501924, – 🅂. ⦿ VISA B d
chiuso mercoledì, dal 12 al 20 giugno e dal 20 al 30 ottobre – **Pasto** carta 55/80000.

X **Vela d'Oro,** via Gaudio 9 ☎ 504302, Coperti limitati; prenotare – ▤. AE. 🅂. ⦿ E VISA. JCB B e
chiuso lunedì, dal 24 febbraio al 6 marzo e dal 21 al 31 luglio – **Pasto** carta 50/80000.

X **Da Carluccio-Osteria del Marinaio,** via Gaudio 28 ☎ 501919, Coperti limitati; prenotare – *chiuso lunedì e da ottobre a dicembre* – **Pasto** carta 75/115000 (15 %). B z

X **La Lanterna,** via Molo di Ponente 16 ☎ 506855, – AE. 🅂. E VISA B v
chiuso giovedì e dal 15 novembre al 15 gennaio – **Pasto** carta 40/80000.

sulla strada statale 1 - Via Aurelia *per ① : 4 km :*

Ariston-Montecarlo, corso Mazzini 507 ✉ 18038 ☎ 513655, Fax 510702, ≤, – 🛗 ▤ rist 📺 ☎ 🅟. AE. 🅂. ⦿ E VISA. ✻ rist
Pasto *(chiuso da novembre al 15 dicembre)* carta 50/90000 – ☕ 18000 – **54 cam** 180/200000 – ½ P 105/175000.

Bussana *E : 5,5 km – ✉ 18032 :*

XX **Ai Torchi,** via al Mare 10 ☎ 513104 – ▤. AE. 🅂. ⦿ E VISA
chiuso mercoledì e novembre – **Pasto** carta 45/70000.

XX **La Kambusa,** via al Mare 87 ☎ 514537, – 🅂. ⦿ E VISA. ✻
chiuso a mezzogiorno, mercoledì, dal 10 al 17 gennaio, dal 10 al 17 maggio e dal 20 settembre al 10 ottobre – **Pasto** carta 50/85000.

San Romolo *NO : 15 km* B *– alt. 786 – ✉ 18038 San Remo :*

XX **Dall'Ava,** ☎ 669998, Fax 669998, prenotare, « Giardino ombreggiato con minigolf » – AE. 🅂. ⦿ E VISA
chiuso giovedì, dal 15 al 27 febbraio e dal 15 al 27 novembre – **Pasto** carta 35/60000 (10 %).

SAN ROCCO *Genova – Vedere Camogli.*

SAN ROCCO A PILLI *53010 Siena* 430 M 15 – *alt. 258* – ☎ *0577.*
Roma 227 – Siena 5 – Arezzo 67 – Firenze 75 – Grosseto 69.

Castello, via Grossetana ✆ 347711, Fax 347200 – AE. ⓢ. E VISA. ris
Pasto al Rist. ***Ai Girasoli*** *(chiuso lunedì e dal 1° al 10 agosto)* carta 45/60000 (15%)
8000 – **35 cam** 70/110000, appartamento – ½ P 85/95000.

SAN ROMOLO *Imperia* 115 ⑳ – *Vedere San Remo.*

SAN ROMUALDO *Ravenna* – *Vedere Ravenna.*

SAN SALVO *66050 Chieti* 988 ㉗, 430 P 26 – *16 302 ab. alt. 106* – ☎ *0873.*
Roma 280 – Pescara 83 – Campobasso 90 – Termoli 31.

a San Salvo Marina *NE : 4,5 km* – ✉ *66050 San Salvo :*

Falcon's, complesso le Nereidi ✆ 803431, Coperti limitati; prenotare – AE. ⓢ. E VISA
chiuso domenica sera, lunedì e dal 24 dicembre al 2 gennaio – **Pasto** specialità di ma
carta 35/50000.

SAN SANO *Siena* – *Vedere Gaiole in Chianti.*

Europe

Si le nom d'un hôtel figure en petits caractères,
demandez à l'arrivée les conditions à l'hôtelier.

SAN SECONDO DI PINEROLO *10060 Torino* 428 H 3 – *3 365 ab. alt. 413* – ☎ *0121.*
Roma 675 – Torino 45 – Asti 71 – Cuneo 100 – Sestriere 52.

Hosteria La Ciau, via Castello Miradolo 2 ✆ 500611, prenotare –. ⓢ. E VISA
chiuso mercoledì, dal 12 al 22 gennaio e dal 1° al 10 settembre – **Pasto** carta 40/65000
Spec. Crespelle farcite di sairass ed erba cipollina. Tagliata di fassone con verdure gratina
Filetto di orata in mantello di patate croccanti.

SANSEPOLCRO *52037 Arezzo* 988 ⑮, 430 L 18 *G. Toscana* – *15 665 ab. alt. 330* – ☎ *0575.*
Vedere *Museo Civico** : opere*** di Piero della FrancescaDeposizione* nella chiesa San Lorenzo – Case antiche*.*
Roma 258 – Rimini 91 – Arezzo 39 – Firenze 114 – Perugia 69 – Urbino 71.

La Balestra, via dei Montefeltro 29 ✆ 735151, Fax 740282,
200. AE. ⓢ. E VISA.
Pasto *(chiuso domenica sera e lunedì)* carta 35/45000 – **54 cam** 100/130000 – ½ P 9
100000.

Fiorentino, via Luca Pacioli 60 ✆ 740350, Fax 740370 – ⓢ. E VISA.
Pasto *(chiuso venerdì e dal 20 giugno al 20 luglio)* 35000 (10%) – 9000 – **26 ca**
55/85000 – ½ P 90000.

Oroscopo di Paola e Marco con cam, località Pieve Vecchia NO : 1 km, via P. Toglia
78 ✆ 735051, Fax 734875, Coperti limitati; prenotare – AE. ⓢ. E VISA.
Pasto *(chiuso a mezzogiorno, domenica e dall'8 luglio all'8 agosto)* carta 70/11000
12 cam 120/210000 – ½ P 180000.

Da Ventura con cam, via Aggiunti 30 ✆ 742560, Fax 742560 – AE. ⓢ. E VISA.
chiuso sabato, dall'8 al 20 gennaio e dal 1° al 20 agosto – **Pasto** carta 40/50000 – 400
7 cam 40/70000 – ½ P 60/80000.

SAN SEVERINO LUCANO *85030 Potenza* 431 G 30 – *2 110 ab. alt. 884* – ☎ *0973.*
Roma 406 – Cosenza 152 – Potenza 113 – Matera 139 – Sapri 90 – Taranto 142.

Paradiso ✆ 576586, Fax 576588, ≤ monti del Pollino, – AE.
E VISA.
Pasto *(chiuso mercoledì)* carta 30/40000 – **30 cam** 80/100000 – ½ P 70000.

SAN SEVERINO MARCHE *62019 Macerata* 988 ⑯, 430 M 21 – *12 982 ab. alt. 343* – ☎ *0733.*
Roma 228 - Ancona 72 – Foligno 71 – Macerata 30.

Due Torri con cam, via San Francesco 21 ✆ 645419, Fax 645439 – AE. ⓢ.
VISA. JCB.
Pasto *(chiuso lunedì e Natale)* carta 40/55000 – **16 cam** 65/90000 – ½ P 70/80000.

AN SEVERO *71016 Foggia* 988 ㉘, 431 B 28 – *55 389 ab. alt. 89 – a.s. 25 giugno-luglio e settembre –* ✆ *0882.*

Roma 320 – Foggia 36 – Bari 153 – Monte Sant'Angelo 57 – Pescara 151.

Le Arcate, piazza Cavallotti 29 ✆ 226025, Fax 226025 – ▤ – 50. AE. ⓢ. ⓞ E VISA. ✻
chiuso Ferragosto, lunedì sera e dal 4 luglio a settembre aperto solo a mezzogiorno – **Pasto** carta 35/50000.

AN SICARIO *Torino – Vedere Cesana Torinese.*

AN SIGISMONDO (ST. SIGMUND) *Bolzano – Vedere Chienes.*

AN SIRO *Mantova – Vedere San Benedetto Po.*

ANTA BARBARA *Trieste – Vedere Muggia.*

ANTA CATERINA VALFURVA *23030 Sondrio* 988 ④, 428, 429 C 13 – *alt. 1 738 – Sport invernali : 1 738/2 784 m* ⛷ *7,* ⛷ *(anche sci estivo) –* ✆ *0342.*

piazza Migliavacca ✆ *935598, Fax 935598.*

Roma 776 – Sondrio 77 – Bolzano 136 – Bormio 13 – Milano 215 – Passo dello Stelvio 33.

Santa Caterina, ✆ 925123, Fax 925110, ←, Iá, ≘s, 🌲 – |♦| TV ☎ ⇔ P
stagionale – **34 cam.**

Alle 3 Baite, via Santa Caterina 24 ✆ 935545, Fax 935561 – |♦| TV ☎ ⇔ P. AE. ⓢ. ⓞ E VISA. ✻ rist
dicembre-15 maggio e 25 giugno-15 settembre – **Pasto** 30/50000 – ☕ 15000 – **24 cam** 70/120000 – ½ P 95/125000.

San Matteo, via Santa Caterina 15 ✆ 925121, Fax 925089 – |♦| TV ☎ ⇔. AE. ⓢ. ⓞ E VISA. ✻
dicembre-aprile e 20 giugno-20 settembre – **Pasto** carta 30/45000 – **15 cam** ☕ 55/100000 – ½ P 70/95000.

La Pigna, via Santa Caterina 19 ✆ 935567, Fax 925124 – ☎ ⇔ P. AE. ⓢ. E VISA. ✻ rist
chiuso ottobre e novembre – **Pasto** 25/30000 – **18 cam** ☕ 60/95000 – ½ P 70/90000.

ANTA CESAREA TERME *73020 Lecce* 988 ㉚, 431 G 37 – *3 087 ab. alt. 94 –* ✆ *0836.*

Roma 661 – Brindisi 86 – Bari 200 – Otranto 16 – Taranto 126.

Santa Lucia, ✆ 944045, Fax 944022, « Terrazza-solarium con ⛱ », Iá, ≘s – ▤ TV ☎ P – 100. AE. ⓢ. VISA. ✻
Pasto carta 35/60000 – ☕ 10000 – **35 cam** 105/170000 – ½ P 115000.

ANTA CRISTINA VALGARDENA (ST. CHRISTINA IN GRÖDEN) *39047 Bolzano* 429 C 17 *G. Italia – 1 629 ab. alt. 1 428 – Sport invernali : della Val Gardena 1 428/ 2 299 m* ⛷ *11* ⛷ *68,* ⛷ *(vedere anche Ortisei e Selva di Val Gardena) –* ✆ *0471.*

Palazzo Comunale ✆ *793046, Fax 793198.*

Roma 681 – Bolzano 41 – Cortina d'Ampezzo 75 – Milano 338 – Trento 99.

Sporthotel Maciaconi, ✉ 39048 Selva di Val Gardena ✆ 793500, Fax 793535, Iá, ≘s, 🌲 – |♦| TV ☎ ⇔ P. ✻ rist
Pasto *(chiuso martedì in maggio, giugno e ottobre)* carta 40/55000 – **40 cam** ☕ 110/200000 – ½ P 100/160000.

Interski, ✆ 793460, Fax 793391, ← Sassolungo e vallata, ≘s, ⛶, 🌲 – TV ☎ P. VISA. ✻
20 dicembre-15 aprile e 30 giugno-5 ottobre – **Pasto** (solo per alloggiati e *chiuso a mezzogiorno*) 50/65000 – **22 cam** ☕ 180/320000 – ½ P 105/170000.

Dosses, ✆ 793326, Fax 793711, ≘s, 🌲 – |♦| TV ☎ P
49 cam.

Carmen, via Comune 16 ✆ 792110, Fax 793522, ← Sassolungo, ≘s – |♦| TV ☎ P. ✻
23 dicembre-8 aprile e 15 giugno-13 ottobre – **Pasto** (solo per alloggiati) – ☕ 12000 – **35 cam** 180/240000 – ½ P 125/165000.

Villa Martha, ✆ 792088, Fax 792173, ← Sassolungo – TV ☎ ⇔ P. ⓢ. E VISA. ✻ rist
Natale-Pasqua e giugno-settembre – **Pasto** (solo per alloggiati e *chiuso a mezzogiorno*) – **19 cam** ☕ 100/180000 – ½ P 100/130000.

sulla strada statale 242 *O : 2 km :*

Diamant, via Skasa 1 ✉ 39047 ☏ 796780, Fax 793580, ← Sassolungo e pinete, ⅃₆, ≘, ☒, ⛱, ✂ – |‡| ⇸ ☐ ☎ Ⓟ – ⚠ 50. ✂ rist
3 dicembre-Pasqua e 20 giugno-10 ottobre – **35 cam** solo ½ P 150/230000.

al monte Pana *S : 3 km – alt. 1 637 :*

Sport Hotel Monte Pana ⛬, ✉ 39047 ☏ 793600, Fax 793527, ← Sassolungo pinete, ⛷, ☒, ⛱, ✂ – ☐ ☎ Ⓟ – ⚠ 30. AE. Ⓢ. ⓓ VISA. ✂ rist
20 dicembre-10 aprile e luglio-20 settembre – **Pasto** 45/55000 – **58 cam** ☐ 220/44000
13 appartamenti 380/560000 – ½ P 200/250000.

all'arrivo della funivia Ruacia Sochers *SE : 10 mn di funivia – alt. 1 985 :*

Sochers Club ⛬, ✉ 39048 Selva di Val Gardena ☏ 792101, Fax 793537, ← Sassolungo – ☐ ☎
stagionale – **22 cam.**

SANTA CROCE DEL LAGO *32010 Belluno* 429 D 18 – *alt. 401* – ☏ *0437.*
Roma 596 – Belluno 22 – Cortina d'Ampezzo 76 – Milano 335 – Treviso 56 – Venezia 85.

La Baita, ☏ 471008, Fax 471008, ← – Ⓟ. AE. Ⓢ. ⓓ E VISA. ✂
chiuso lunedì, dal 26 maggio al 9 giugno e dal 27 ottobre al 9 novembre – **Pasto** ca 35/55000.

Per l'inserimento in ***guida,***
Michelin *non accetta*
né favori, né denaro!

SANTA CROCE SULL'ARNO *56029 Pisa* 430 K 14 – *12 247 ab. alt. 16* – ☏ *0571.*
Roma 316 – Firenze 43 – Pisa 42 – Livorno 46 – Pistoia 35 – Siena 74.

Cristallo senza rist, largo Galilei 11 ☏ 366440, Fax 366420 – |‡| ☰ ☐ ☎. AE. Ⓢ. ⓓ E VISA. ✂
chiuso dal 23 dicembre al 9 gennaio ed agosto – **36 cam** ☐ 140/210000.

SANTA FIORA *58037 Grosseto* 988 ㉕, 430 N 16 – *2 898 ab. alt. 687* – ☏ *0564.*
Roma 189 – Grosseto 67 – Siena 84 – Viterbo 75.

Il Barilotto, ☏ 977089 – AE. Ⓢ. ⓓ VISA. ✂
chiuso mercoledì e novembre – **Pasto** carta 30/50000.

SANTA FLAVIA *Palermo* 432 M 22 – *Vedere Sicilia alla fine dell'elenco alfabetico.*

SANTA FRANCA *Parma – Vedere Polesine Parmense.*

SANT'AGATA FELTRIA *61019 Pesaro* 430 K 18 – *2 354 ab. alt. 607* – ☏ *0541.*
Roma 278 – Rimini 49 – Arezzo 77 – Forlì 63 – Sansepolcro 47.

Perlini, piazza del Mercato 4 ☏ 929637
chiuso sabato e settembre – **Pasto** carta 30/45000.

SANT'AGATA SUI DUE GOLFI *80064 Napoli* 431 F 25 *G. Italia – alt. 391 – a.s. aprile-settem – ☏ 081.*
Dintorni *Penisola Sorrentina★★ (circuito di 33 km) : ←★★ su Sorrento dal capo di Sorre (1 h a piedi AR), ←★★ sul golfo di Napoli dalla strada S 163.*
Roma 266 – Napoli 55 – Castellammare di Stabia 28 – Salerno 56 – Sorrento 9.

Sant'Agata, via dei Campi 8/A ☏ 8080363, Fax 8080800 – |‡| ☎. AE. Ⓢ. E VISA. ✂
15 marzo-ottobre – **Pasto** carta 30/45000 – ☐ 9000 – **28 cam** 50/80000 – ½ P 70/8000

✿✿✿ **Don Alfonso 1890** con cam, corso Sant'Agata 11 ☏ 8780026, Fax 5330226, ⛱, pre tare – Ⓟ. AE. Ⓢ. ⓓ E VISA. ✂
chiuso dal 10 gennaio al 25 febbraio – **Pasto** *(chiuso lunedì da giugno a settembre, an martedì negli altri mesi)* carta 85/135000 – 3 appartamenti ☐ 160/250000
Spec. Patata novella farcita di ostriche con lenticchie e gamberetti (estate). Casseruola pesci di scoglio, crostacei e frutti di mare. Faraona picchettata d'aglio spontaneo tortino di fegato e barbabietole fritte.

ANT'AGNELLO *80065 Napoli* 431 F 25 – *8 507 ab. – a.s. aprile-settembre –* ☎ *081.*
a Sorrento, via De Maio 35 ☎ 8074033, Fax 8773397.
Roma 255 – Napoli 46 – Castellammare di Stabia 17 – Salerno 48 – Sorrento 2.

Cocumella, via Cocumella 7 ☎ 8782933, Telex 720370, Fax 8783712, « Agrumeto, giardino ed ascensore per la spiaggia », – 550. AE. 🅂. VISA. rist
aprile-ottobre – **Pasto** al Rist. ***La Scintilla*** carta 55/85000 – **48 cam** 320/520000, 2 appartamenti.

Alpha, viale dei Pini 14 ☎ 8782033, Telex 722028, Fax 8785612, « Giardino-agrumeto con » – AE. 🅂. VISA. rist
marzo-novembre – **Pasto** 50/60000 – 15000 – **46 cam** 195000, 20000 – 1/2 P 70/140000.

Caravel, corso Marion Crawford 61 ☎ 8782955, Fax 8071557, – AE. 🅂. VISA.
15 marzo-15 novembre – **Pasto** carta 40/65000 – **83 cam** 190/260000 – 1/2 P 110/150000.

Il Capanno, rione Cappuccini 58 ☎ 8782453, – AE. 🅂. VISA.
marzo-15 dicembre; chiuso lunedì – **Pasto** carta 40/80000.

ANT'AGOSTINO *44047 Ferrara* 429 H 16 – *5 928 ab. alt. 15 –* ☎ *0532.*
Roma 428 – Bologna 46 – Ferrara 23 – Milano 220 – Modena 50 – Padova 91.

Trattoria la Rosa, ☎ 84098, Fax 84098 – AE. 🅂. VISA JCB.
chiuso domenica sera, lunedì, Natale, dal 1° al 13 gennaio, Pasqua e dal 4 al 25 agosto – **Pasto** carta 40/80000
Spec. Tortelloni di zucca con tartufo bianco (settembre-dicembre). "Costolette" di faraona con vellutata di stagione. Dolce "fior di latte".

ANTA LIBERATA *Grosseto* 430 O 15 – *Vedere Porto Santo Stefano.*

ANTA LUCIA DEI MONTI *Verona – Vedere Valeggio sul Mincio.*

ANTA LUCIA DELLE SPIANATE *Ravenna* 430 J 17 – *Vedere Faenza.*

ANTA MARGHERITA *Cagliari* 988 ㉝, 433 K 8 – *Vedere Sardegna (Pula) alla fine dell'elenco alfabetico.*

ANTA MARGHERITA LIGURE *16038 Genova* 988 ⑬, 428 J 9 *G. Italia – 10 990 ab. – a.s. 15 dicembre-15 gennaio, Pasqua e giugno-settembre –* ☎ *0185.*
Dintorni *Penisola di Portofino★★★ per la strada panoramica★★ Sud – Strada panoramica★★ del golfo di Rapallo Nord.*
via XXV Aprile 2/b ☎ 287485, Fax 290222.
Roma 480 – Genova 40 – Milano 166 – Parma 149 – Portofino 5 – La Spezia 82.

Imperiale Palace Hotel, via Pagana 19 ☎ 288991, Fax 284223, ≤ golfo, « Parco-giardino sul mare con riscaldata », – – 200. AE. 🅂. VISA. rist
marzo-novembre – **Pasto** carta 90/125000 – **89 cam** 350/620000, 6 appartamenti – 1/2 P 275/405000.

Gd H. Miramare, lungomare Milite Ignoto 30 ☎ 287013, Telex 270437, Fax 284651, ≤ golfo, « Parco fiorito e terrazza con riscaldata », – – 420. AE. 🅂. VISA. rist
Pasto 80000 – **75 cam** 290/450000, 9 appartamenti – 1/2 P 230/460000.

Metropole, via Pagana 2 ☎ 286134, Fax 283495, ≤, « Parco fiorito sul mare », – AE. 🅂. VISA. rist
Pasto 60000 – **51 cam** 140/260000 – 1/2 P 145/175000.

Continental, via Pagana 8 ☎ 286512, Fax 284463, ≤ golfo, « Parco sul mare », – AE. 🅂. VISA. rist
Pasto 55/75000 – **76 cam** 170/295000 – 1/2 P 145/205000.

Regina Elena, lungomare Milite Ignoto 44 ☎ 287003, Fax 284473, ≤ mare e costa, – – 200. AE. 🅂. VISA. JCB. rist
Pasto 55/70000 – **93 cam** 160/280000 – 1/2 P 150/210000.

Lido Palace, via Doria 3 ☎ 285821, Fax 284708, ≤ – AE. 🅂. VISA. rist
chiuso dal 5 novembre al 2 dicembre – **Pasto** al Rist. ***La Ghiaia*** *(chiuso mercoledì e novembre)* carta 45/95000 – 20000 – **54 cam** 130/265000 – 1/2 P 140/180000.

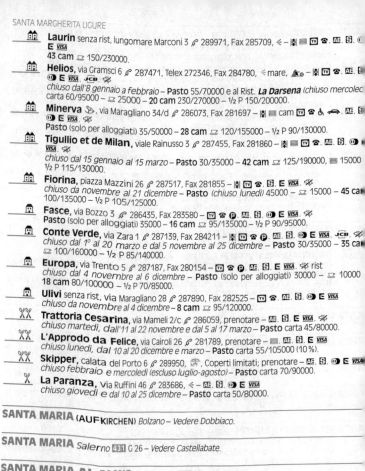

Laurin senza rist, lungomare Marconi 3 ℘ 289971, Fax 285709, ← – |‡| ▤ TV ☎. AE. $. ⊕ E VISA
43 cam ☕ 150/230000.

Helios, via Gramsci 6 ℘ 287471, Telex 272346, Fax 284780, ← mare, ▲ – |‡| TV ☎. AE. $ ⊕ E VISA. JCB. ✻
chiuso dall'8 gennaio a febbraio – **Pasto** 55/70000 e al Rist. ***La Darsena*** *(chiuso mercoled* carta 60/95000 – ☕ 25000 – **20 cam** 230/270000 – ½ P 150/200000.

Minerva ✻, via Maragliano 34/d ℘ 286073, Fax 281697 – |‡| ▤ cam TV ☎ ♿ 🚗. AE. $ ⊕ E VISA. ✻
Pasto (solo per alloggiati) 35/50000 – **28 cam** ☕ 120/155000 – ½ P 90/130000.

Tigullio et de Milan, viale Rainusso 3 ℘ 287455, Fax 281860 – |‡| ▤ TV ☎. AE. $. ⊕ VISA. ✻
chiuso dal 15 gennaio al 15 marzo – **Pasto** 30/35000 – **42 cam** ☕ 125/190000, ▤ 15000 ½ P 115/130000.

Fiorina, piazza Mazzini 26 ℘ 287517, Fax 281855 – |‡| TV ☎. $. E VISA. ✻
chiuso da novembre al 21 dicembre – **Pasto** *(chiuso lunedì)* 45000 – ☕ 15000 – **45 ca** 100/135000 – ½ P 105/125000.

Fasce, via Bozzo 3 ℘ 286435, Fax 283580 – TV ☎ P. AE. $. ⊕ E VISA. ✻
Pasto (solo per alloggiati) 35000 – **16 cam** ☕ 95/135000 – ½ P 90/95000.

Conte Verde, via Zara 1 ℘ 287139, Fax 284211 – |‡| TV ☎ P. AE. $. ⊕ E VISA. JCB. ✻
chiuso dal 1° al 20 marzo e dal 5 novembre al 25 dicembre – **Pasto** 30/35000 – **35 ca** ☕ 100/160000 – ½ P 85/140000.

Europa, via Trento 5 ℘ 287187, Fax 280154 – TV ☎ P. AE. $. E VISA. ✻ rist
chiuso dal 4 novembre al 6 dicembre – **Pasto** (solo per alloggiati) 30000 – ☕ 10000 **18 cam** 80/100000 – ½ P 70/85000.

Ulivi senza rist, via Maragliano 28 ℘ 287890, Fax 282525 – TV ☎. AE. $. ⊕ E VISA
chiuso da novembre al 4 dicembre – **8 cam** ☕ 95/120000.

Trattoria Cesarina, via Mameli 2/c ℘ 286059, prenotare – AE. $. E VISA. ✻
chiuso martedì, dall'11 al 22 novembre e dal 5 al 17 marzo – **Pasto** carta 45/80000.

L'Approdo da Felice, via Cairoli 26 ℘ 281789, prenotare – ▤. AE. $. E VISA
chiuso lunedì, dal 10 al 20 dicembre e marzo – **Pasto** carta 55/105000 (10 %).

Skipper, calata del Porto 6 ℘ 289950, ☂, Coperti limitati; prenotare – AE. $. ⊕ E VISA
chiuso febbraio e mercoledì (escluso luglio-agosto) – **Pasto** carta 70/90000.

La Paranza, via Ruffini 46 ℘ 283686, ← – AE. $. ⊕ E VISA
chiuso giovedì e dal 10 al 25 dicembre – **Pasto** carta 50/80000.

SANTA MARIA (AUFKIRCHEN) *Bolzano* – *Vedere Dobbiaco.*

SANTA MARIA *Salerno* 431 G 26 – *Vedere Castellabate.*

SANTA MARIA AL BAGNO *73050 Lecce* 431 G 35 – ☎ *0833.*

Roma 621 – Brindisi 85 – Gallipoli 10 – Lecce 31 – Taranto 87.

Gd H. Riviera, ℘ 573221, Fax 573024, ←, « Pineta », ⛱, ▲, 🎾 – |‡| ▤ rist ☎ 🚗 P ⛺ 200. AE. $. ⊕ E VISA. JCB. ✻
giugno-settembre – **Pasto** 50000 – ☕ 15000 – **105 cam** 80/150000 – ½ P 90/150000.

SANTA MARIA DEGLI ANGELI *Perugia* 988 ⑯, 430 M 19 – *Vedere Assisi.*

SANTA MARIA DELLA VERSA *27047 Pavia* 988 ⑬, 428 H 9 – *2 558 ab. alt. 216* – ☎ *0385.*

Roma 554 – Piacenza 47 – Genova 128 – Milano 71 – Pavia 33.

Al Ruinello, località Ruinello N : 3 km ℘ 798164, Coperti limitati; prenotare – P. AE. ⊕ E VISA. ✻
chiuso lunedì sera, martedì, dal 1° al 10 gennaio e luglio – **Pasto** carta 40/55000.

SANTA MARIA DEL MONTE *Varese* 428 E 8, 219 ⑦ – *Vedere Varese.*

SANTA MARIA DEL MONTE *Chieti* – *Vedere Castiglione Messer Marino.*

SANTA MARIA DI LEUCA *Lecce* 431 H 37 – *Vedere Marina di Leuca.*

ANTA MARIA MAGGIORE *28038 Verbania* 988 ②, 428 D 7 – *1 253 ab. alt. 816 – a.s. luglio-agosto e Natale – Sport invernali : a Piana di Vigezzo : 1 610/2 064 m 1 4, – 0324.*
piazza Risorgimento 28 95091.
Roma 715 – Stresa 50 – Domodossola 17 – Locarno 32 – Milano 139 – Novara 108 – Torino 182.

Miramonti, piazzale Diaz 3 95013, Fax 94283, – – 40. AE. . E VISA. rist
chiuso novembre – **Pasto** *(chiuso mercoledì)* carta 50/80000 – 15000 – **31 cam** 105/130000 – ½ P 75/115000.

ANTA MARINA *Pesaro-Urbino* 429 430 K 20 – *Vedere Pesaro.*

ANTA MARINELLA *00058 Roma* 988 ㉕, 430 P 17 – *14 815 ab. – a.s. 15 giugno-agosto – 0766 – via Aurelia 537376, Fax 536630.*
Roma 69 – Viterbo 67 – Lago di Bracciano 42 – Civitavecchia 10 – Ostia Antica 60.

Cavalluccio Marino, lungomare Marconi 64 534888, Fax 534866, <, , , – cam – 150. AE. . E VISA. rist
chiuso dicembre – **Pasto** 50000 – **32 cam** 140/160000 – ½ P 120/140000.

Del Sole, via Aurelia 164 511801, Fax 512193, <, , – . AE. . E VISA. rist
Pasto *(giugno-settembre)* 40/50000 – **27 cam** 120/140000 – ½ P 80/100000.

Fernanda, via Aurelia 575 536483, – AE. . E VISA.
chiuso gennaio e martedì (escluso luglio-agosto) – **Pasto** carta 35/75000.

Dei Cacciatori, via della Conciliazione 1 511777 –
chiuso mercoledì e dal 20 dicembre a febbraio – **Pasto** carta 35/50000.

ANT'AMBROGIO DI VALPOLICELLA *37010 Verona* 428, 429 F 14 – *9 143 ab. alt. 180 – 045.*
Roma 511 – Verona 20 – Brescia 65 – Garda 19 – Milano 152 – Trento 80 – Venezia 136.

Groto de Corgnan, via Corgnano 41 *7731372*, Fax 7731372, Coperti limitati; prenotare –
chiuso domenica, lunedì a mezzogiorno ed agosto – **Pasto** carta 55/75000.

San Giorgio *NO : 1,5 km – 37010 Sant'Ambrogio di Valpolicella :*

Dalla Rosa Alda con cam, 7701018, Fax 6800411, – . AE. . E VISA.
chiuso gennaio – **Pasto** *(chiuso lunedì da giugno a settembre anche domenica sera negli altri mesi)* carta 40/70000 – 15000 – **8 cam** 70/100000 – ½ P 105000.

ANT'ANDREA *Livorno* 430 N 12 – *Vedere Elba (Isola d') : Marciana.*

ANT'ANDREA *Cagliari* 433 J 9 – *Vedere Sardegna (Quartu Sant'Elena) alla fine dell'elenco alfabetico.*

ANT'ANDREA APOSTOLO DELLO IONIO *88066 Catanzaro* 431 L 31 – *2 628 ab. alt. 310 – 0967.*
Roma 615 – Reggio di Calabria 161 – Catanzaro 48 – Crotone 100.

lla strada statale 106 *E : 5 km :*

Vediamoci da Mario, 88066 45080 –
chiuso lunedì e dal 20 settembre al 20 ottobre – **Pasto** carta 40/55000 (10 %).

ANT'ANDREA BAGNI *Parma* 428, 429 H 12 – *Vedere Medesano.*

ANT'ANGELO *Napoli* 431 E 23 – *Vedere Ischia (Isola d').*

ANT'ANGELO IN PONTANO *62020 Macerata* 430 M 22 – *1 509 ab. alt. 473 – 0733.*
Roma 192 – Ascoli Piceno 65 – Ancona 119 – Macerata 29.

Pippo e Gabriella, località contrada l'Immacolata 33 661120 – .
chiuso lunedì e dal 15 giugno al 15 luglio – **Pasto** carta 30/45000.

ANT'ANNA *Cuneo – Vedere Roccabruna.*

SANT'ANTIOCO *Cagliari* 988 ㉝, 433 J 7 – *Vedere Sardegna alla fine dell'elenco alfabetico.*

SANT'ANTONIO *Salerno – Vedere Sala Consilina.*

SANT'ANTONIO DI MAVIGNOLA *Trento – Vedere Pinzolo.*

SANTARCANGELO DI ROMAGNA *47038 Rimini* 988 ⑮ – *17 933 ab. alt. 42 – ☎ 0541.*
Roma 345 – Rimini 10 – Bologna 104 – Forlì 43 – Milano 315 – Ravenna 53.

Della Porta senza rist, via Andrea Costa 85 ☎ 622152, Fax 622168, – 60. AE. S. E VISA. JCB.
20 cam 100/140000, 2 appartamenti.

Osteria la Sangiovesa, via Saffi 27 ☎ 620710, « Ambiente caratteristico » – . AE. S E VISA.
chiuso a mezzogiorno, lunedì, Natale e 1° gennaio – **Pasto** carta 40/55000.

SANTA REPARATA *Sassari* 433 D 9 – *Vedere Sardegna (Santa Teresa Gallura) alla fine dell'elenco alfabetico.*

SANTA SABINA *Perugia – Vedere Perugia.*

SANTA TECLA *Catania* 432 O 27 – *Vedere Sicilia (Acireale) alla fine dell'elenco alfabetico.*

SANTA TERESA GALLURA *Sassari* 988 ㉓, 433 D 9 – *Vedere Sardegna alla fine dell'elenco alfabetico.*

SANTA VITTORIA D'ALBA *12069 Cuneo* 428 H 5 – *2 541 ab. alt. 346 – ☎ 0172.*
Roma 655 – Cuneo 55 – Torino 57 – Alba 10 – Asti 37 – Milano 163.

Castello di Santa Vittoria , ☎ 478198, Fax 478465, – 150. AE. S. E VISA
chiuso da gennaio al 15 febbraio – **Pasto** vedere rist ***Al Castello*** – **40 cam** 95/150000 ½ P 95/110000.

Al Castello, ☎ 478147, Fax 478147, – .
chiuso mercoledì e gennaio – **Pasto** carta 35/50000.

SANT'ELIA *Palermo* 432 N 25 – *Vedere Sicilia (Santa Flavia) alla fine dell'elenco alfabetico.*

SANT'ELIA FIUMERAPIDO *03049 Frosinone* 430 R 23 – *6 412 ab. alt. 120 – ☎ 0776.*
Roma 137 – Frosinone 59 – Cassino 7 – Gaeta 54 – Isernia 55.

Cirelli, via Chiusanova ☎ 429801, Fax 350003 – – 80. AE. S. E VISA.
chiuso dal 23 dicembre al 3 gennaio – **Pasto** *(chiuso sabato)* 25/30000 – **22 cam** 7… 100000 – ½ P 85/100000.

Borgo San Francesco, via Picano 6 ☎ 429459, prenotare
chiuso lunedì – **Pasto** carta 45/70000.

SANTENA *10026 Torino* 428 H 5 – *10 248 ab. alt. 237 – ☎ 011.*
Roma 651 – Torino 20 – Asti 37 – Cuneo 89 – Milano 162.

Andrea con cam, via Torino 48 ☎ 9492783, Fax 9493257 – . AE. S. E VISA. cam
chiuso dal 10 al 30 luglio – **Pasto** *(chiuso martedì)* carta 40/60000 – **12 cam** 85/120000

SAN TEODORO *Nuoro* 433 E 11 – *Vedere Sardegna alla fine dell'elenco alfabetico.*

SANT'EUFEMIA DELLA FONTE *Brescia – Vedere Brescia.*

SANT'EUFEMIA LAMEZIA *Catanzaro* 988 ㊴, 431 K 30 – *Vedere Lamezia Terme.*

ANT'ILARIO D'ENZA *42049 Reggio nell'Emilia 428, 429 H 13 – 9 425 ab. alt. 58 – 0522.*

Roma 444 – Parma 12 – Bologna 82 – Milano 134 – Verona 113.

Forum senza rist, via Roma 4/a 671480, Fax 671475 – P – 60. AE. . E VISA.
chiuso dal 23 dicembre al 2 gennaio e dal 9 al 24 agosto – 12000 – **54 cam** 85/140000.

Prater, via Roma 39 672375, Fax 671236 – P. AE. . E VISA.
chiuso mercoledì ed agosto – **Pasto** carta 45/65000.

ANT'OLCESE *16010 Genova 428 I 8 – 6 312 ab. alt. 327 – 010.*

Roma 515 – Genova 21 – Alessandria 79 – Milano 140.

Agnese con cam, via Vicomorasso 22 (S : 1 km) 709895, – P. . E VISA. cam
chiuso dal 2 al 30 novembre – **Pasto** carta 45/65000 – 13000 – **15 cam** 80/100000 – 1/2 P 90/95000.

ANT'OMOBONO IMAGNA *24038 Bergamo 428 E 10, 219 ⑩ – 3 060 ab. alt. 498 – 035.*

Roma 625 – Bergamo 23 – Lecco 39 – Milano 68.

La Roncaglia, via Papa Giovanni XXIII, località Cepino 851767, – P

Taverna 800, località Mazzoleni 851162, , « Ambiente rustico » –. . E VISA.
chiuso martedì e dal 10 al 30 gennaio – **Pasto** carta 35/60000.

ANTO SPIRITO *70050 Bari 431 D 32 – 080.*

Roma 439 – Bari 11 – Barletta 44 – Foggia 122.

L'Aragosta, lungomare Colombo 235 5335427, Fax 5335427, – . AE. . E VISA. JCB.
chiuso lunedì e novembre – **Pasto** specialità di mare carta 35/45000 (12 %).

ANTO STEFANO (STEFANSDORF) *Bolzano – Vedere San Lorenzo di Sebato.*

ANTO STEFANO AL MARE *18010 Imperia 428 K 5 – 2 181 ab. – 0184.*

Roma 628 – Imperia 18 – Milano 252 – San Remo 12 – Savona 83 – Torino 193.

La Riserva, via Roma 51 484134, Fax 484134, , « Ambiente caratteristico » – AE. . E VISA
chiuso domenica sera e lunedì – **Pasto** carta 60/80000.

ANTO STEFANO D'AVETO *16049 Genova 988 ⑬, 428 I 10 – 1 361 ab. alt. 1 017 – a.s. 15 giugno-agosto e Natale – Sport invernali : 1 012/1 800 m 1 3, – 0185.*

piazza del Popolo 1 98046.

Roma 512 – Genova 88 – Piacenza 85 – Milano 224 – Rapallo 64 – La Spezia 114.

Leon d'Oro, 88073, Fax 88073 – .
chiuso novembre – **Pasto** *(chiuso lunedì escluso da luglio al 14 settembre)* carta 30/45000 – 6000 – **32 cam** 50/90000 – 1/2 P 70000.

Doria, 88052 – P.
chiuso mercoledì e dal 20 ottobre al 20 dicembre – **Pasto** carta 35/50000.

N TROVASO *Treviso – Vedere Preganziol.*

NTUARIO *Vedere nome proprio del santuario.*

N VALENTINO ALLA MUTA (ST. VALENTIN AUF DER HAIDE) *39020 Bolzano 988 ④, 428, 429 B 13, 218 ⑧ – alt. 1 488 – Sport invernali : 1 520/2 649 m 1 12, – 0473.*

634603, Fax 634713.

Roma 733 – Sondrio 133 – Bolzano 96 – Milano 272 – Passo di Resia 10 – Trento 154.

Stocker, 634632, Fax 634668, <, – P. . E VISA.
16 dicembre-aprile e giugno-3 ottobre – **Pasto** *(chiuso lunedì)* 25/45000 – **19 cam** 65/110000 – 1/2 P 65/80000.

Sporthotel Laret, via Principale 44 634666, Fax 634668, < – P. AE. . E VISA.
chiuso maggio e dal 10 ottobre al 15 dicembre – **Pasto** vedere hotel ***Stocker*** – **17 cam** 65/110000 – 1/2 P 65/80000.

SAN VIGILIO (VIGILJOCH) Bolzano 218 ⑳ – Vedere Lana.

SAN VIGILIO DI MAREBBE (ST. VIGIL ENNEBERG) 39030 Bolzano 988 ⑤, 429 B 17 G. Italia
alt. 1 201 – Sport invernali : Plan de Corones : 1 201/2 273 m 11 21, – 0474.

Ciasa Dolomites, via al Plan 97 501037, Fax 501566.

Roma 724 – Cortina d'Ampezzo 54 – Bolzano 87 – Brunico 18 – Milano 386 – Trento 147.

Almhof-Hotel Call, 501043, Fax 501569, <, – *dicembre-10 aprile e giugno-10 ottobre* – **Pasto** 40/90000 – **36 cam** 180/290000 ½ P 165/220000.

Excelsior, via Valiares 109 501036, Fax 501655, <, – E VISA. *13 dicembre-7 aprile e 21 giugno-5 ottobre* – **Pasto** 35/75000 – **23 cam** 130/23000 3 appartamenti – ½ P 130/140000.

Monte Sella, 501034, Fax 501714, <, – rist . E VISA. rist *dicembre-Pasqua e 15 giugno-settembre* – **Pasto** (solo per alloggiati) – **30 cam** 14 250000 – ½ P 110/145000.

Floralp, 501115, Fax 501633, <, – . *5 dicembre-7 aprile e 22 giugno-settembre* – **Pasto** *(chiuso lunedì)* 35/60000 – **32 ca** 105/210000 – ½ P 85/130000.

Olympia, 501028, Fax 501028, < – . AE. E VISA. rist *dicembre-aprile e giugno-settembre* – **Pasto** 25/30000 – **20 cam** 70/140000 – ½ P 8 120000.

Tabarel via San Vigilio 60 501210, Fax 501210 – AE. E VISA *chiuso da maggio al 15 giugno, novembre e martedì da ottobre a marzo* – **Pasto** ca 45/75000.

Da Attilio, 501109 – . E VISA *4 dicembre-Pasqua e 28 giugno-25 settembre* – **Pasto** carta 35/50000.

SAN VINCENZO 57027 Livorno 988 ⑭, 430 M 13 G. Toscana – 7 058 ab. – a.s. 15 giugr 15 settembre – 0565.

via Beatrice Alliata 2 701533, Fax 701533.

Roma 260 – Firenze 146 – Grosseto 73 – Livorno 60 – Piombino 21 – Siena 109.

Park Hotel I Lecci, via della Principessa 114 (S : 1,7 km) 704111, Fax 703224, « Grande parco sul mare con e », , – – 100. AE. E VISA. rist **Pasto** 50/60000 ed al Rist. ***La Campigiana*** *(chiuso a mezzogiorno da novembre a febbr* carta 50/70000 – **74 cam** 270/510000 – ½ P 195/305000.

Riva degli Etruschi, via della Principessa 120 (S : 2,5 km) 702351, Telex 5003 Fax 704011, « Villette in un grande parco sul mare », – . E VISA. **Pasto** 45/55000 – 18000 – **95 cam** 175/230000 – ½ P 110/220000.

Kon Tiki, via Umbria 2 701714, Fax 705014, , – . AE. E VISA. JCB. **Pasto** carta 35/50000 – **25 cam** 130/170000 – ½ P 90/160000.

La Coccinella senza rist, via Indipendenza 1 701794, Fax 701794, , – . AE. E VISA. *20 aprile-settembre* – **27 cam** 95/170000.

Il Delfino, via Cristoforo Colombo 15 701179, Fax 701383, <, – . AE. E VISA. **Pasto** al Rist. ***Il Delfino*** *(maggio-settembre)* carta 35/55000 – 15000 – **39 cam** 1 160000 – ½ P 100/130000.

Gambero Rosso, piazza della Vittoria 13 701021, Fax 704542, <, Coperti limi prenotare – AE. E VISA. *chiuso martedì e novembre* – **Pasto** 95/120000 (10 %) e carta 85/125000 (10 %) **Spec.** Insalata di piccione. Spaghetti con aragosta ed erbe. "Biscotto" al cioccolato.

La Bitta, via Vittorio Emanuele II 119 704080, <, – AE. E VISA. *chiuso dal 15 novembre al 15 dicembre, a mezzogiorno dal 15 giugno al 15 settem domenica sera e lunedì negli altri mesi* – **Pasto** specialità di pesce carta 60/80000.

SAN VITALIANO 80030 Napoli – 5 527 ab. alt. 31 – 081.
Roma 215 – Napoli 30 – Avellino 38 – Caserta 35 – Salerno 50.

Ferrari M, via Nazionale 125 5198083, Fax 5197021 – – AE. E VISA. **Pasto** carta 35/65000 (10 %) – **50 cam** 130/170000 – ½ P 150/170000.

AN VITO AL TAGLIAMENTO *33078 Pordenone 988 ⑤, 429 E 20 – 12 618 ab. alt. 31 – ☎ 0434.*

Roma 600 – Udine 42 – Belluno 89 – Milano 339 – Trieste 109 – Venezia 89.

Patriarca senza rist, via Pascatti 6 ✆ 875555, Fax 875353, – ◼ ▣ ☎ ♿ P – 🏛 50. AE. 🅂. ⓪ E VISA. ✗
☕ 12000 – **28 cam** 100/145000, appartamento.

Rosa *NE : 2,5 km – ✉ 33078 San Vito al Tagliamento :*

Griglia d'Oro, ✆ 80301, Fax 82842, prenotare – P. AE. 🅂. ⓪ E VISA. JCB. ✗
chiuso domenica sera e martedì – **Pasto** carta 40/65000.

AN VITO DEI NORMANNI *72019 Brindisi 988 ㉚, 431 F 35 – 20 862 ab. alt. 110 – ☎ 0831.*

Roma 488 – Brindisi 21 – Bari 96 – Taranto 55.

lla strada provinciale per Francavilla Fontana *SO : 8 km :*

Taverna del Cacciatore, contrada San Giacomo ✆ 966984, , – ▣ P – 🏛 100. AE. 🅂. ⓪ E VISA. ✗
chiuso lunedì sera e martedì – **Pasto** carta 30/50000.

AN VITO DI CADORE *32046 Belluno 988 ⑤, 429 C 18 G. Italia – 1 669 ab. alt. 1 010 – ☎ 0436.*

ℹ via Nazionale 9 ✆ 9119, Fax 99345.

Roma 661 – Cortina d'Ampezzo 11 – Belluno 60 – Milano 403 – Treviso 121 – Venezia 150.

Ladinia , via Ladinia 14 ✆ 890450, Fax 99211, ≤ Dolomiti e pinete, , , , , – ◼ ▣ ☎ P. 🅂. E VISA. ✗
20 dicembre-20 aprile e 15 giugno-15 settembre – **Pasto** 35/50000 – ☕ 20000 – **36 cam** 140/240000, 8 appartamenti – ½ P 100/225000.

Dolomiti, via Roma 33 ✆ 890184, Fax 890184, ≤, – ◼ ▣ ☎ P. AE. 🅂. ⓪ E VISA. ✗ rist
20 dicembre-Pasqua e 20 giugno-20 settembre – **Pasto** 30000 – ☕ 12000 – **30 cam** 100/160000 – ½ P 60/110000.

Nevada, corso Italia 26 ✆ 890400, Fax 890400 – ◼ ▣ ☎ . AE. ✗
chiuso maggio e novembre – **Pasto** 25/35000 – ☕ 9000 – **27 cam** 65/120000 – ½ P 80/130000.

AN VITO DI LEGUZZANO *36030 Vicenza 429 E 16 – 3 187 ab. alt. 158 – ☎ 0445.*

Roma 540 – Verona 67 – Bassano del Grappa 38 – Padova 62 – Trento 70 – Venezia 97 – Vicenza 20.

Antica Trattoria Due Mori con cam, Via Rigobello 41 ✆ 671635, Fax 511611 – ▣ ▣ ☎ P. 🅂. E VISA. ✗
chiuso agosto – **Pasto** *(chiuso lunedì)* carta 45/55000 – ☕ 15000 – **10 cam** 70/90000.

N VITO LO CAPO *Trapani 988 ㉟, 432 M 20 – Vedere Sicilia alla fine dell'elenco alfabetico.*

N VITTORE DEL LAZIO *03040 Frosinone 988 ㉗, 430 R 23 – 2 639 ab. alt. 210 – ☎ 0776.*

Roma 137 – Frosinone 62 – Caserta 62 – Gaeta 65 – Isernia 38 – Napoli 91.

All'Oliveto, via Passeggeri ✆ 335226, Fax 335447, – ▣ P. AE. 🅂. ⓪ E VISA. ✗
chiuso lunedì – **Pasto** carta 40/60000.

N ZENO DI MONTAGNA *37010 Verona 428, 429 F 14 – 1 142 ab. alt. 590 – ☎ 045.*

Roma 544 – Verona 46 – Garda 17 – Milano 168 – Riva del Garda 48 – Venezia 168.

Diana, ✆ 7285113, Fax 7285211, ≤, , « Boschetto-giardino », – ◼ ☎ P. 🅂. E VISA. ✗
26 aprile-settembre – **Pasto** 30/40000 – ☕ 15000 – **44 cam** 120000 – ½ P 60/90000.

N ZENONE DEGLI EZZELINI *31020 Treviso 429 E 17 – 5 883 ab. alt. 117 – ☎ 0423.*

Roma 551 – Padova 53 – Belluno 71 – Milano 247 – Trento 96 – Treviso 39 – Venezia 89 – Vicenza 43.

Alla Torre, località Sopracastello N : 2 km ✆ 567086, Fax 567086, « Servizio estivo sotto un pergolato con ≤ » – P. AE. 🅂. ⓪ VISA. ✗
chiuso martedì, mercoledì a mezzogiorno e dal 1° al 15 novembre – **Pasto** carta 40/65000.

SAONARA *35020 Padova* 429 F 17 – *8 113 ab. alt. 10 – ☎ 049.*
Roma 498 – Padova 15 – Chioggia 35 – Milano 245 – Padova 12 – Venezia 40.

Antica Trattoria al Bosco, via Valmarana 13 ☎ 640021, Fax 8790841, « Servizio esti sotto un pergolato » – P. AE. E VISA.
chiuso martedì – **Pasto** carta 45/65000.

SAPPADA *32047 Belluno* 988 ⑤, 429 C 20 – *1 413 ab. alt. 1 250 – Sport invernali : 1 250/2 032 16, – ☎ 0435.*
via Bach 20 ☎ 469131, Fax 66233.
Roma 680 – Udine 92 – Belluno 79 – Cortina d'Ampezzo 66 – Milano 422 – Tarvisio 11C Venezia 169.

Haus Michaela, borgata Fontana 40 ☎ 469377, Fax 66131, ≤ monti, risc data, – TV ☎ P. E VISA.
dicembre-Pasqua e giugno-settembre – **Pasto** (solo per alloggiati) 35/40000 – 1200 **16 cam** 100/150000, 3 appartamenti – ½ P 75/135000.

Corona Ferrea, borgata Kratten 11/12 ☎ 469103, Fax 469103, ≤, – TV ☎ P.
20 dicembre-marzo e luglio-settembre – **Pasto** 30/40000 – 10000 – **25 cam** 60/110C – ½ P 95/105000.

Posta, via Palù 22 ☎ 469116, Fax 469577, ≤ – TV ☎ P. AE. VISA.
dicembre-aprile e giugno-settembre – **Pasto** carta 30/55000 – 15000 – **15 cam** 140000 – ½ P 65/130000.

Cristina, borgata Hoffe 19 ☎ 469711, Fax 469430, ≤ – TV ☎ P. E
chiuso maggio e novembre – **Pasto** *(chiuso lunedì escluso dicembre, luglio ed agos* carta 35/60000 – 12000 – **8 cam** 90/150000 – ½ P 65/130000.

Keisn, borgata Kratten 3 ☎ 469070, Coperti limitati; prenotare – AE. E VISA
chiuso mercoledì, giovedì a mezzogiorno, giugno ed ottobre – **Pasto** 40/60000 e ca 50/65000
Spec. Gnocchetti d'erbette con dadolata di pomodoro e pecorino fresco. Filetto di ce all'aceto balsamico ed estragone. Torta di rabarbaro con crema inglese.

a Cima Sappada *E : 4 km – alt. 1 295 – ✉ 32047 Sappada :*

Belvedere, ☎ 469112, Fax 469112, ≤, – TV ☎ P. VISA.
dicembre-Pasqua e 20 giugno-20 settembre – **Pasto** carta 45/60000 – 12000 – **18 c** 80/160000 – ½ P 95/145000.

Bellavista, ☎ 469175, Fax 469175, ≤ monti e vallata – TV ☎ P.
dicembre-15 aprile e 15 giugno-settembre – **Pasto** *(chiuso martedì)* 30000 – 1500 **24 cam** 105/160000 – ½ P 65/115000.

SAPRI *84073 Salerno* 988 ㊳, 431 G 28 – *7 250 ab. – a.s. luglio-agosto – ☎ 0973.*
Escursioni *Golfo di Policastro★★ Sud per la strada costiera.*
Roma 407 – Potenza 131 – Castrovillari 94 – Napoli 201 – Salerno 150.

Mediterraneo, ☎ 391774, ≤, – ☎ P. rist
maggio-settembre – **Pasto** carta 35/45000 – 10000 – **20 cam** 70/100000 – ½ P 100000.

Tirreno, corso Italia 73 ☎ 391006, Fax 391157, – TV ☎ P. rist
Pasto *(giugno-settembre)* carta 30/45000 – 10000 – **45 cam** 60/90000 – ½ P 115000.

SARDEGNA (Isola) 988 ㉓ ㉔ ㉝ ㉞, 433 – *Vedere alla fine dell'elenco alfabetico.*

SARENTINO (SARNTHEIN) *39058 Bolzano* 988 ④, 429 C 16 – *6 421 ab. alt. 966 – ☎ 0471.*
Roma 662 – Bolzano 23 – Milano 316.

Bad Schörgau con cam, S : 2 km ☎ 623048, Fax 622442, « Servizio es all'aperto », – TV ☎ P. E VISA. rist
chiuso dal 10 gennaio al 7 febbraio – **Pasto** *(chiuso lunedì e martedì a mezzogiorno esc agosto)* carta 50/95000 – **10 cam** 75/150000 – ½ P 80/100000.

Auener Hof con cam, O : 7 km, alt. 1 600, ☎ 623055, Fax 623055, ≤ Dolom pinete, , Turismo equestre, – ☎ P. E VISA
chiuso dal 3 novembre al 19 dicembre – **Pasto** *(chiuso lunedì)* carta 35/65000 – 110 **7 cam** 60/85000 – ½ P 70/80000.

ARMEGO *Vicenza* 429 F 17 – *alt. 27* – ✉ *36040 Grumolo delle Abbadesse* – ☎ *0444.*
Roma 521 – Padova 21 – Milano 213 – Trento 104 – Treviso 64 – Venezia 55 – Vicenza 12.

Ai Cacciatori, via Venezia 35 ✆ 389018 – P. AE. 🅂. ⓞ VISA
chiuso martedì sera, mercoledì e luglio – **Pasto** carta 25/35000.

ARNANO *62028 Macerata* 988 ⑯, 430 M 21 – *3 411 ab. alt. 539* – *Stazione termale, a.s. 5 luglio-agosto e Natale* – *Sport invernali : a Sassotetto e Maddalena : 1 287/1 585 m* ⛷ *5* – ☎ *0733.*
ℹ *largo Enrico Ricciardi* ✆ *657144, Fax 657390.*
Roma 237 – Ascoli Piceno 54 – Ancona 89 – Macerata 39 – Porto San Giorgio 68.

Eden ⛰, O : 1 km ✆ 657197, Fax 657123, ←, « Giardino e pinetina » – 🛗 ☎ P. AE. 🅂. ⓞ VISA. ✂
Pasto *(chiuso mercoledì)* 25000 – **33 cam** ☕ 60/90000 – ½ P 75000.

Terme, piazza della Libertà 82 ✆ 657166, Fax 657427 – 🛗 TV ☎. 🅂. E VISA. ✂
chiuso dal 3 novembre al 21 dicembre – **Pasto** 25/30000 e al Rist. ***Il Girarrosto*** *(chiuso martedì)* carta 30/45000 – ☕ 3500 – **23 cam** 55/90000 – ½ P 65/75000.

ARNICO *24067 Bergamo* 988 ③, 428, 429 E 11 – *5 681 ab. alt. 197* – ☎ *035.*
Roma 585 – Bergamo 28 – Brescia 36 – Iseo 10 – Lovere 26 – Milano 73.

Al Desco, piazza XX Settembre 19 ✆ 910740, 🍽 – AE. 🅂. E VISA. ✂
chiuso lunedì e gennaio – **Pasto** solo specialità di pesce carta 60/70000.

Al Tram, via Roma 1 ✆ 910117, « Servizio estivo all'aperto » – P. 🅂. E VISA
chiuso mercoledì escluso dal 15 giugno al 15 settembre – **Pasto** carta 40/65000.

ARNTHEIN = *Sarentino.*

ARONNO *21047 Varese* 988 ③, 428 F 9 – *37 703 ab. alt. 212* – ☎ *02.*
⛳ *Green Club, a Lainate* ✉ *20020* ✆ *9370869, Fax 9374401, S : 6 km.*
Roma 603 – Milano 26 – Bergamo 67 – Como 26 – Novara 54 – Varese 29.

Albergo della Rotonda, via Novara 53 svincolo autostrada ✆ 96703232, Fax 96702770 – 🛗 ▤ TV ☎ ♿ P – 🏛 150. AE. 🅂. ⓞ E VISA
chiuso dal 20 dicembre al 7 gennaio e dal 1° al 24 agosto – **Pasto** vedere rist ***Mezzaluna-La Rotonda di Saronno*** – ☕ 25000 – **90 cam** 250/300000.

Cyrano senza rist, via IV Novembre 11/13 ✆ 96700081, Fax 96704513 – 🛗 🚭 cam ▤ TV ☎ 🚗 – 🏛 40
40 cam.

Mercurio senza rist, via Hermada 2 ✆ 9602795, Fax 9609330 – ▤ TV ☎ 🚗. AE. 🅂. ⓞ E VISA. JCB
chiuso dal 24 dicembre al 1° gennaio – ☕ 10000 – **24 cam** 90/120000.

Mezzaluna-La Rotonda di Saronno, svincolo autostrada ✆ 96424418, Fax 96703782 – ▤ P. AE. 🅂. ⓞ E VISA. ✂
chiuso sabato, domenica e dal 2 al 24 agosto – **Pasto** carta 55/70000.

Boeucc, via Mazzini 17 ✆ 9623227 – ▤. 🅂. E VISA
chiuso domenica e dal 13 al 20 agosto – **Pasto** 30000 e carta 40/70000.

RRE *11010 Aosta* 428 E 3, 219 ② *G. Italia* – *3 910 ab. alt. 780* – ☎ *0165.*
Roma 752 – Aosta 7 – Courmayeur 32 – Milano 190 – Colle del Piccolo San Bernardo 50.

Etoile du Nord, frazione Arensod 11/a ✆ 258219, Fax 258225, ← monti – 🛗 ▤ TV ☎ ♿ P – 🏛 130. AE. 🅂. ⓞ E VISA. ✂ rist
Pasto carta 45/70000 – **56 cam** ☕ 120/170000 – ½ P 115000.

Panoramique ⛰, località Pont d'Avisod 32 (NE : 2 km) ✆ 551246, Fax 552747, ← monti e vallata, 🌳 – 🛗 TV ☎ ♿ 🚗 P. 🅂. E VISA. ✂
chiuso novembre – **Pasto** 35000 – ☕ 12000 – **32 cam** 90/130000 – ½ P 85/100000.

Mille Miglia, sulla strada statale, località San Maurice 15 ✆ 257227, Fax 257621, prenotare – P. AE. 🅂. E VISA. ✂
chiuso lunedì, dal 1° al 15 febbraio e dal 1° al 15 luglio – **Pasto** carta 40/60000.

La Vie en Rose, frazione Poinsod 56 ✆ 554655, Fax 216196, 🍽 – P

ellun *O : 9 km* – ✉ *11010 Sarre :*

Mont Fallère ⛰, ✆ 257255, Fax 257255, ← monte Grivola e vallata – 🛗 TV ☎ ♿ P. ✂
aprile-15 ottobre; solo su prenotazione negli altri mesi – **Pasto** *(chiuso martedì dal 15 settembre al 16 giugno)* 30000 – ☕ 9000 – **13 cam** 85000, 2 appartamenti – ½ P 60/70000.

SARTEANO *53047 Siena* 988 ⑮, 430 N 17 *G. Toscana – 4 515 ab. alt. 573 –* ☎ *0578.*
Roma 156 – Perugia 60 – Orvieto 51 – Siena 81.

XX **Santa Chiara** con cam, piazza Santa Chiara 30 ☎ 265412, Fax 266849, ←, prenotar «In un convento del 16° secolo-servizio estivo in giardino », – ☎ P. S. E VISA rist
chiuso febbraio – **Pasto** *(chiuso martedì)* carta 50/75000 – **9 cam** ☐ 130/150000, appartamento – ½ P 130000.

SARZANA *19038 La Spezia* 988 ⑭, 428, 429, 430 J 14 *G. Italia – 20 088 ab. alt. 27 –* ☎ *0187.*
Vedere Pala scolpita★ e crocifisso★ nella Cattedrale – Fortezza di Sarzanello★ : ※★★ N 1 km.
Roma 403 – La Spezia 16 – Genova 102 – Massa 20 – Milano 219 – Pisa 60 – Reggio nell'Emilia 148.

X **Girarrosto-da Paolo,** via dei Molini 388 (N : 2,5 km) ☎ 621088, Fax 621088 – P. AE. VISA
chiuso mercoledì e luglio – **Pasto** carta 30/40000.

SASSARI P 988 ㉝, 433 E 7 – *Vedere Sardegna alla fine dell'elenco alfabetico.*

SASSELLA *Sondrio – Vedere Sondrio.*

SASSELLO *17046 Savona* 988 ⑫, 428 I 7 – *1 808 ab. alt. 386 –* ☎ *019.*
Roma 559 – Genova 65 – Alessandria 67 – Milano 155 – Savona 28 – Torino 150.

Pian del Sole, località Pianferioso 23 ☎ 724255, Fax 720038 – TV ☎ P – S. E VISA. rist
Pasto carta 35/50000 – **32 cam** ☐ 80/120000 – ½ P 60/80000.

SASSETTA *57020 Livorno* 988 ⑭, 430 M 13 – *613 ab. alt. 337 – a.s. 15 giugno-15 settembre* ☎ *0565.*
Roma 279 – Grosseto 77 – Livorno 64 – Piombino 40.

X **Il Castagno,** via Campagna Sud 72 (S : 1 km) ☎ 794219, – P.
chiuso lunedì – **Pasto** carta 30/50000.

SASSO MARCONI *40037 Bologna* 988 ⑭, 429, 430 I 15 – *13 301 ab. alt. 124 –* ☎ *051.*
Roma 361 – Bologna 16 – Firenze 87 – Milano 218 – Pistoia 78.

3 Galletti, via Val di Setta 148 ☎ 841128, Fax 841128 – TV ☎ P. AE. S. E VISA.
Pasto *(chiuso domenica sera e lunedì)* 40/55000 – ☐ 10000 – **24 cam** 110/150000.

SASSUOLO *41049 Modena* 988 ⑭, 428, 429, 430 I 14 – *40 649 ab. alt. 123 –* ☎ *0536.*
San Valentino (chiuso martedì) località San Valentino ✉ 42014 Castellarano ☎ 854 SO : 14 km.
Roma 427 – Bologna 67 – Lucca 153 – Modena 17 – Reggio nell'Emilia 23.

XX **La Paggeria,** piazzale della Rosa 19 ☎ 805190, Fax 805190 – AE. S. E VISA. JCB.
chiuso sabato a mezzogiorno, domenica, dal 1° all'8 gennaio ed agosto – **Pasto** c 45/65000.

SATURNIA *58050 Grosseto* 430 O 16 *G. Toscana – alt. 294 –* ☎ *0564.*
Roma 195 – Grosseto 57 – Orvieto 85 – Viterbo 91.

Villa Clodia senza rist, ☎ 601212, ←, – TV ☎. VISA.
chiuso febbraio – **10 cam** ☐ 85/125000.

Villa Garden senza rist, S : 1 km ☎ 601182, Fax 601207, – TV ☎ P. AE. S. VISA.
chiuso dal 10 al 20 dicembre – **8 cam** ☐ 90/120000, appartamento.

XX **I Due Cippi-da Michele,** piazza Veneto 26/a ☎ 601074, Fax 601207, – AE. S. VISA.
chiuso dal 10 al 24 dicembre e martedì (escluso da luglio a settembre) – **Pasto** 45/70000.

alle terme *SE : 3 km :*

Terme di Saturnia , ☎ 601061, Fax 601266, ←, « Giardino ombreggiato », termale, , – rist TV ☎ P – 90. AE. S. E VISA.
Pasto *(chiuso lunedì)* 75000 – ☐ 25000 – **90 cam** 335/590000, 4 appartamenti – ½ P 395000.

AURIS *33020 Udine* 988 ⑤, 429 C 20 – *443 ab. alt. 1 390 – a.s. 15 luglio-agosto e Natale – Sport invernali : 1 200/1 450 m* ⛷5, ⛷ – ☎ *0433.*

Roma 723 – Udine 84 – Cortina d'Ampezzo 102.

Morgenleit, località Sauris di Sotto ☎ 86166, Fax 86167, ←, – TV ☎
20 cam.

Alla Pace, località Sauris di Sotto ☎ 86010 –
chiuso mercoledì (escluso luglio-agosto), dal 10 al 31 maggio e dal 10 al 20 novembre – **Pasto** carta 40/60000.

AUZE D'OULX *10050 Torino* 988 ⑪, 428 G 2 – *1 041 ab. alt. 1 509 – a.s. febbraio-marzo e Natale – Sport invernali : 1 509/2 507 m* ⛷20, ⛷ – ☎ *0122.*

(chiuso domenica pomeriggio) piazza Assietta 18 ☎ 858009, Fax 850497.

Roma 746 – Briançon 37 – Cuneo 145 – Milano 218 – Sestriere 27 – Susa 28 – Torino 81.

Le Clotes *5 mn di seggiovia o E : 2 km (solo in estate) – alt. 1 790 – ✉ 10050 Sauze d'Oulx :*

Il Capricorno , via Case Sparse 21 ☎ 850273, Fax 850273, ← monti e vallate, prenotare, «In pineta» – TV ☎. AE. E VISA.
chiuso dal 15 maggio al 15 giugno e dal 15 settembre al 30 ottobre – **Pasto** carta 60/100000 – **7 cam** 200/250000 – ½ P 200000.

AVELLETRI *72015 Brindisi* 431 E 34 – *a.s. 20 giugno-agosto – ☎ 080.*

Roma 509 – Bari 65 – Brindisi 54 – Matera 92 – Taranto 55.

Da Renzina, piazza Roma 6 ☎ 729075, Fax 729075, ← – ▤ P. AE. E VISA
chiuso venerdì e gennaio – **Pasto** carta 40/60000 (15 %).

AVIGLIANO *12038 Cuneo* 988 ⑫, 428 I 4 – *19 230 ab. alt. 321 – ☎ 0172.*

Roma 650 – Cuneo 33 – Torino 54 – Asti 63 – Savona 104.

Granbaita, via Cuneo 25 ☎ 711500, Fax 711518, , , – ▤ TV ☎ & P – 100. AE. E VISA. JCB
Pasto vedere rist ***Granbaita*** – 15000 – **44 cam** 105/130000, 2 appartamenti.

Eden, via Novellis 43 ☎ 712239, Fax 716439, – ▤ rist TV ☎ P. AE. E VISA. rist
Pasto *(chiuso dal 1º al 10 gennaio e dal 10 al 20 agosto)* 25/45000 – 10000 – **21 cam** 90/120000 – ½ P 75/120000.

Granbaita, via Cuneo 23 ☎ 712060 – ▤ P. AE. E VISA. JCB.
chiuso domenica sera – **Pasto** carta 40/60000.

AVIGNANO SUL PANARO *41056 Modena* 429, 430 I 15 – *7 903 ab. alt. 102 – ☎ 059.*

Roma 394 – Bologna 29 – Milano 196 – Modena 26 – Pistoia 110 – Reggio nell'Emilia 52.

Il Formicone, verso Vignola SO : 1 km ☎ 771506 – P. E VISA
chiuso martedì, dal 2 al 10 gennaio e dal 20 luglio al 13 agosto – **Pasto** carta 50/60000.

AVIGNO *40060 Bologna* 429, 430 I 15 – *2 421 ab. alt. 259 – ☎ 051.*

Roma 394 – Bologna 39 – Modena 40 – Pistoia 80.

Trattoria da Amerigo, via Marconi 16 ☎ 6708326, Fax 6708326, prenotare – AE. E VISA
chiuso a mezzogiorno e da gennaio a giugno anche lunedì e martedì – **Pasto** carta 35/55000.

AVOGNA D'ISONZO *34070 Gorizia – 1 776 ab. alt. 40 – ☎ 0481.*

Roma 639 – Udine 40 – Gorizia 5 – Trieste 29.

abria *S : 2 km – ✉ 34070 Savogna d'Isonzo :*

Da Tommaso con cam, S : 1 km ☎ 882004, Fax 882321, , – TV ☎ P
12 cam.

an Michele del Carso *SO : 4 km – ✉ 34070 :*

Trattoria Gostilna Devetak, ☎ 882005, Fax 882488, – ▤ P – 25. AE. E VISA.
chiuso lunedì e martedì – **Pasto** carta 35/50000.

SAVONA

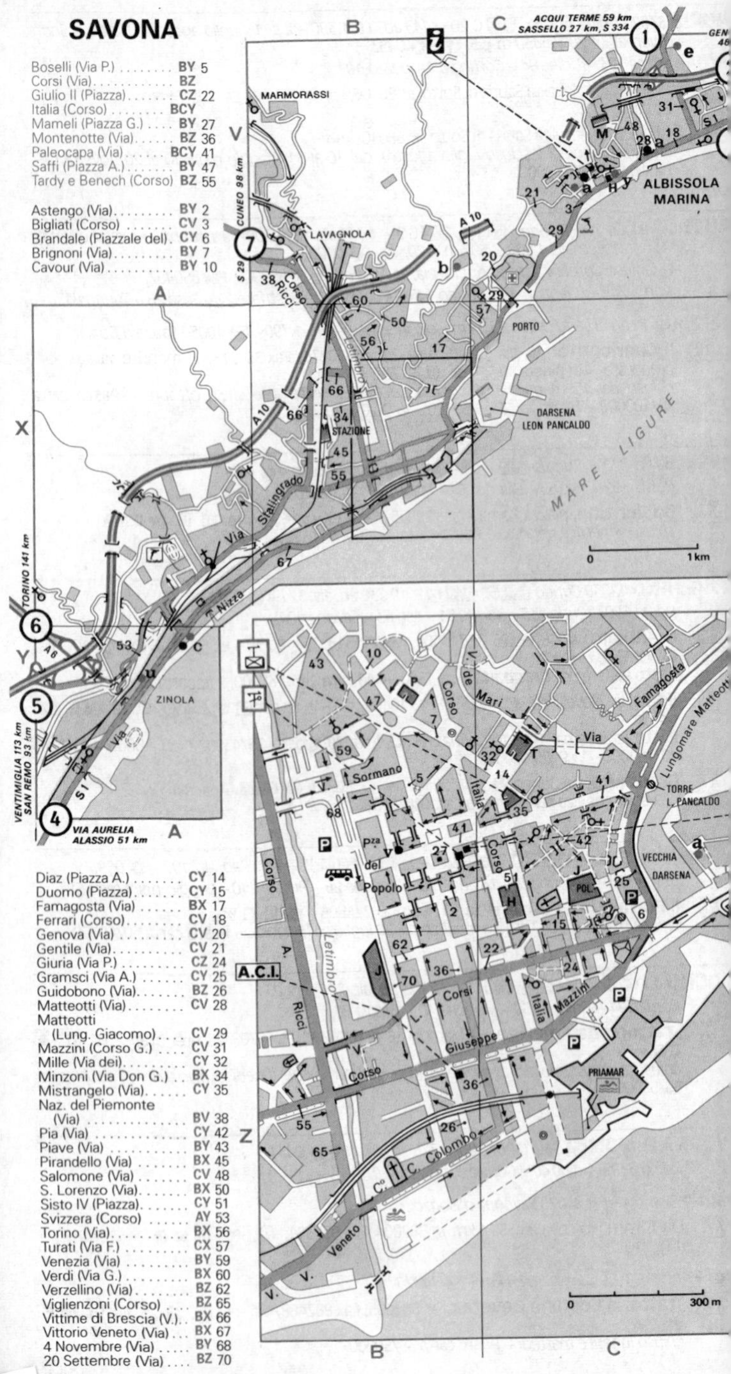
ACQUI TERME 59 km
SASSELLO 27 km, S 334
MARMORASSI
LAVAGNOLA
CUNEO 98 km
S 29
Corso Ricci
A 10
ALBISSOLA MARINA
PORTO
DARSENA LEON PANCALDO
STAZIONE
Via Stalingrado
Via Nizza
MARE LIGURE
ZINOLA
TORINO 141 km
VENTIMIGLIA 113 km
SAN REMO 93 km
VIA AURELIA
ALASSIO 51 km
A 6
S 1
Letimbro
Corso A. Ricci
Sormano
Pza del Popolo
Corso Italia
V. de Mari
Via Famagosta
Lungomare Matteotti
TORRE L. PANCALDO
VECCHIA DARSENA
A.C.I.
Corsi
Giuseppe
Mazzini
PRIAMAR
C. Colombo
Veneto
1 km
300 m

AVONA *17100* [P] [988] ⑫ ⑬, [428] J 7 *G. Italia – 64 776 ab. –* ☎ *019.*

ℹ *via Paleocapa 23/6* ☎ *825544, Fax 827805.*

[A.C.I.] *via Guidobono 23* ☎ *807669.*

Roma 545 ② *– Genova 48* ② *– Milano 169* ②.

Pianta pagina a lato

🏨 **Mare,** via Nizza 89/r ☎ 264065, Fax 263277, ≤, 🏖, 🏝 – |‡| ▤ [TV] ☎ ♿ 🚗 [P] – 🏛 80. [AE]. [$]. ⓞ [E] [VISA]. [JCB] AY c
Pasto vedere rist ***A Spurcacciun-a*** – ☕ 10000 – **57 cam** 120/180000, 8 appartamenti.

🏨 **Riviera Suisse,** via Paleocapa 24 ☎ 850853, Fax 853435 – |‡| [TV] ☎ – 🏛 60. [AE]. [$]. ⓞ [E] [VISA]. 🚭 rist BY v
chiuso dal 23 al 27 dicembre – **Pasto** *(chiuso a mezzogiorno e domenica)* 25/40000 – **80 cam** ☕ 110/165000 – ½ P 85/150000.

🍴🍴 **A Spurcacciun-a** - Hotel Mare, via Nizza 89/r ☎ 264065, Fax 263277, ≤, « Servizio estivo in giardino » – ▤ [P]. [AE]. [$]. ⓞ [E] [VISA]. [JCB] AY c
✿ *chiuso mercoledì e dal 23 dicembre al 22 gennaio* – **Pasto** specialità di mare 50/90000 e carta 60/115000
Spec. Polpo con fagioli di Pigna e bottarga. Linguine con cannolicchi alle erbe liguri. Fantasia di crostacei alla mediterranea.

🍴 **Da Cesco,** via Nizza 162 r ☎ 862198, Fax 853592 – [AE]. [$]. ⓞ [E] [VISA] AY u
chiuso martedì e novembre – **Pasto** carta 50/105000.

🍴 **Molo Vecchio,** via Baglietto 8 r ☎ 854219, 🏝 – ▤. [AE]. [$]. ⓞ [E] [VISA]. [JCB] CY a
chiuso martedì escluso dal 20 giugno al 20 settembre – **Pasto** carta 50/75000.

🍴 **Antica Osteria Bosco delle Ninfe,** via Ranco 10 ☎ 823976, prenotare, « Servizio estivo sotto un pergolato » – [P] BV b
chiuso lunedì e a mezzogiorno (escluso i giorni festivi); da luglio a settembre chiuso solo a mezzogiorno – **Pasto** 45/60000.

AGLIERI *Livorno* [430] N 12 – *Vedere Elba (Isola d') : Portoferraio.*

ALEA *87029 Cosenza* [988] ㊳, [431] H 29 – *9 474 ab. –* ☎ *0985.*

Roma 428 – Cosenza 87 – Castrovillari 72 – Catanzaro 153 – Napoli 222.

🏨 **Grand Hotel De Rose** 🌊, lungomare Mediterraneo ☎ 20273, Fax 920194, ≤, « 🏊 in giardino pensile », 🏖, 🏝, 🎾 – |‡| ▤ [TV] ☎ [P] – 🏛 200. [AE]. [$]. ⓞ [E] [VISA]. 🚭 rist
chiuso da dicembre al 15 febbraio – **Pasto** carta 40/80000 – ☕ 10000 – **66 cam** 135/180000 – ½ P 95/175000.

🏨 **Talao,** ☎ 20444, Fax 21702, ≤, 🏊, 🏖, 🎾 – |‡| ▤ [TV] ☎ [P] – 🏛 45. [AE]. [$]. ⓞ [E] [VISA]. 🚭 rist
Pasto *(chiuso dal 7 gennaio al 10 febbraio e dal 10 novembre al 20 dicembre)* 25/30000 – ☕ 7000 – **40 cam** 85/135000 – ½ P 70/120000.

ANDIANO *42019 Reggio nell'Emilia* [988] ⑭, [428], [429], [430] I 14 – *22 372 ab. alt. 95 –* ☎ *0522.*

Roma 426 – Parma 51 – Bologna 64 – Milano 162 – Modena 23 – Reggio nell'Emilia 13.

🏨 **Sirio** senza rist, via Palazzina 30 ☎ 981144, Fax 984084 – |‡| ▤ [TV] ☎ 🚗. [AE]. [$]. ⓞ [E] [VISA]
chiuso Natale, Capodanno e dal 2 al 17 agosto – ☕ 10000 – **32 cam** 85/110000.

🍴🍴 **Bosco,** località Bosco NO : 4 km ☎ 857242 – [P]. [AE]. [$]. ⓞ [E] [VISA]. 🚭
chiuso martedì, dal 7 al 14 gennaio e dal 1° al 20 agosto – **Pasto** carta 40/65000.

Arceto *NE : 3,5 km –* ✉ *42010 :*

🍴🍴 **Rostaria al Castello,** via Pasciani 2 ☎ 989157, Fax 989157, Coperti limitati; prenotare – [P]. [AE]. [$]. ⓞ [E] [VISA]. [JCB]. 🚭
chiuso lunedì, martedì a mezzogiorno, dal 9 al 17 gennaio e dal 10 al 25 luglio – **Pasto** carta 40/75000.

ANDOLARA RIPA D'OGLIO *26047 Cremona* [428], [429] G 12 – *657 ab. alt. 47 –* ☎ *0372.*

Roma 528 – Brescia 50 – Cremona 15 – Parma 68.

🍴🍴 **Al Caminetto** via Umberto I 26 ☎ 89589, Fax 89589, Coperti limitati; prenotare – ▤. [AE]. [$]. ⓞ [VISA]. 🚭
✿ *chiuso lunedì, martedì, dal 1° al 10 gennaio e dal 1° al 25 agosto* – **Pasto** carta 55/70000
Spec. Sformato di asparagi e ricotta con dadolata di legumi. Tagliolini di rape rosse con crema di cipollotti. Spezzatino di storione con carciofi.

urope

Wenn der Name eines Hotels dünn gedruckt ist,
hat uns der Hotelier Preise und Öfnungszeiten nicht angegeben.

16

SCANNO *67038 L'Aquila* 988 ㉗, 430 Q 23 *G. Italia – 2 212 ab. alt. 1 050 –* ✆ *0864.*
Vedere *Lago di Scanno★ NO : 2 km.*
Dintorni *Gole del Sagittario★★ NO : 6 km.*
🅸 *piazza Santa Maria della Valle 12* ✆ *74317, Fax 747121.*
Roma 155 – Frosinone 99 – L'Aquila 101 – Campobasso 124 – Chieti 87 – Pescara 9
Sulmona 31.

Garden, ✆ 74382, Fax 747488, – TV ☎ P. E VISA.
20 dicembre-10 gennaio, Pasqua e luglio-settembre – **Pasto** 40/50000 – 15000
30 cam 90/140000, 5 appartamenti – ½ P 100/125000.

Miramonti , ✆ 74369, Fax 74417, ← – TV ☎ P – 200. AE. E
JCB.
Natale e Pasqua-settembre – **Pasto** carta 30/45000 – 15000 – **38 cam** 90/11000
½ P 85/100000.

Vittoria , ✆ 74398, ←, – TV ☎ P. E VISA.
20 dicembre-10 gennaio, Pasqua e maggio-ottobre – **Pasto** 30/35000 – 20000 – **27 c**
80/120000 – ½ P 85/95000.

Grotta dei Colombi, viale dei Caduti 64 ✆ 74393, Fax 74393, ←, – ☎ P. AE.
Pasto *(chiuso mercoledì)* carta 25/40000 – 8000 – **16 cam** 50/75000 – ½ P 65000.

Lo Sgabello, via Pescatori 45 ✆ 747476 – P
chiuso mercoledì escluso da giugno a settembre – **Pasto** 25/40000.

al lago *N : 3 km :*

Del Lago , viale del Lago 202 ✉ 67038 ✆ 747427, Fax 747651, ←, In riva al lago – TV
P. AE. E VISA. JCB.
20 dicembre-10 gennaio e Pasqua-15 ottobre – **Pasto** *(chiuso mercoledì escluso lu*
agosto) carta 45/70000 – 15000 – **23 cam** 95/115000 – ½ P 105/130000.

Park Hotel, ✉ 67038 ✆ 74624, Fax 74608, ← lago, , – TV ☎ P –
AE. E VISA.
20 dicembre-10 gennaio, Pasqua e giugno-settembre – **Pasto** carta 30/40000 – 150
65 cam 90/100000 – ½ P 75/95000.

SCANSANO *58054 Grosseto* 988 ㉕, 430 N 16 – *4 578 ab. alt. 500 –* ✆ *0564.*
Roma 180 – Grosseto 29 – Civitavecchia 114 – Viterbo 98.

Antico Casale con cam, località Castagneta SE : 3 km ✆ 507219, Fax 507805, ←,
campagna, servizio estivo in terrazza e maneggio », – cam TV ☎ P. AE.
VISA.
chiuso dal 15 gennaio a febbraio – **Pasto** carta 35/50000 (10 %) – **15 cam** 140/2050
½ P 125/145000.

verso Montemerano *SE : 12 km :*

Saturnia Country Club , località Pomonte ✉ 58050 Pomonte ✆ 599
Fax 599214, « In una riserva naturale con , maneggio e laghetto per la pesca » – TV
– 60. AE. E VISA. rist
Pasto carta 35/45000 – **20 cam** 110/180000 – ½ P 120/150000.

SCANZANO IONICO *75020 Matera* 988 ㉙, 431 G 32 – *6 393 ab. alt. 14 –* ✆ *0835.*
Roma 483 – Matera 63 – Potenza 125 – Taranto 64.

Motel Due Palme, strada statale 106 ✉ 75020 ✆ 953024, Fax 954025 – TV
AE. E VISA.
Pasto 30000 – 5000 – **27 cam** 55/90000 – ½ P 90000.

SCANZOROSCIATE *24020 Bergamo* 428, 429 E 11 – *8 426 ab. alt. 279 –* ✆ *035.*
Roma 606 – Bergamo 7 – Brescia 49 – Milano 54.

La Taverna, via Martinengo Colleoni 35 ✆ 661068, Fax 661068, Coperti limitati; pre
re – P. AE. E VISA.
chiuso domenica sera, lunedì e dal 1º al 20 agosto – **Pasto** 40/70000 bc (solo a mezzo
no) e carta 60/90000
Spec. Stracci e pesci. Triglie di scoglio al pomodoro (primavera-estate). Scampi in buza

SCAPEZZANO *Ancona* 430 K 21 – *Vedere Senigallia.*

Europe

Se il nome di un albergo è stampato in carattere magro, chiedete al vostro arrivo le condizioni che vi saranno praticate.

CARIO *84070 Salerno* 431 G 28 – *a.s. luglio-agosto* – *0974.*
Roma 421 – *Potenza 126* – *Napoli 216* – *Salerno 165* – *Sapri 15.*

Approdo, via Nazionale 10 ☎ 986070, ≤, – ☎ P. AE VISA. ⁂
aprile-settembre – **Pasto** (solo per alloggiati e *chiuso sino a maggio*) – 10000 – 25 cam 75/100000 – ½ P 90/110000.

CARLINO *58020 Grosseto* 430 N 14 – *3 002 ab. alt. 230* – *0566.*
Roma 231 – *Grosseto 43* – *Siena 91* – *Livorno 97.*

XX **Da Balbo,** ☎ 37204, – AE. E VISA. ⁂
chiuso martedì ed ottobre – **Pasto** 35/45000 (10 %).

CENA (SCHENNA) *39017 Bolzano* 429 B 15, 218 ⑩ – *2 633 ab. alt. 640* – *0473.*
☎ *95669, Fax 95581.*
Roma 670 – *Bolzano 33* – *Merano 5* – *Milano 331.*

Pianta : vedere Merano.

Hohenwart ⛰, ☎ 945629, Fax 945996, ≤ monti e vallata, « Giardino con », , , – rist ☎ P – 35 B h
chiuso dal 10 gennaio al 15 marzo – **Pasto** *(chiuso mercoledì)* carta 50/70000 – **57 cam** 230/450000, 5 appartamenti.

Gutenberg ⛰, N : 1 km ☎ 945950, Fax 945511, ≤, , , , – ☎ P. ⁂ rist B a
chiuso dall'11 gennaio al 1º febbraio e dal 19 novembre al 20 dicembre – **Pasto** (solo per alloggiati) – **22 cam** 115/230000 – ½ P 75/130000.

Schlosswirt, ☎ 945620, Fax 945538, ≤, , riscaldata, – ☎ P B u
chiuso dal 15 gennaio al 7 marzo – **Pasto** *(chiuso lunedì)* carta 35/55000 – **31 cam** 50/120000 – ½ P 70/80000.

CHEGGINO *06040 Perugia* 430 N 20 – *487 ab. alt. 367* – *0743.*
Roma 131 – *Terni 28* – *Foligno 58* – *Rieti 45.*

X **Del Ponte** con cam, via Borgo 15 ☎ 61131, – ☎ P. AE. E VISA. ⁂
Pasto carta 35/60000 – 5000 – **12 cam** 40/80000 – ½ P 70/85000.

CHENNA = *Scena.*

CHIAVON *36060 Vicenza* 429 E 16 – *2 268 ab. alt. 74* – *0444.*
Roma 554 – *Padova 54* – *Milano 237* – *Treviso 60* – *Vicenza 24.*

Longa *S : 2 km* – ✉ *36060 :*

Alla Veneziana, ☎ 665500, Fax 665766 – ☎ P. AE. E VISA. JCB
Pasto *(chiuso lunedì)* carta 30/70000 – 12000 – **43 cam** 110/130000 – ½ P 80/110000.

CHIO *36015 Vicenza* 988 ④, 429 E 16 – *36 601 ab. alt. 200* – *0445.*
Roma 562 – *Verona 70* – *Milano 225* – *Padova 61* – *Trento 72* – *Venezia 94* – *Vicenza 23.*

Nuovo Miramonti senza rist, via Marconi 3 ☎ 529900, Fax 528134 – ☎. AE. E VISA. JCB. ⁂
60 cam 130/180000.

CHIRANNA *Varese* 219 ⑦ – *Vedere Varese.*

CHLANDERS = *Silandro.*

CHNALS = *Senales.*

CIACCA *Agrigento* 988 ㉟, 432 O 21 – *Vedere Sicilia alla fine dell'elenco alfabetico.*

CILLA *89058 Reggio di Calabria* 988 ㊴, 431 M 29 *G. Italia* – *5 533 ab. alt. 91* – *0965.*
Roma 642 – *Reggio di Calabria 23* – *Rosarno 44.*

XX **Grotta Azzurra-U Bais,** lungomare Cristoforo Colombo ☎ 754889, ≤, – AE. E VISA. ⁂
chiuso lunedì, dicembre e gennaio – **Pasto** specialità di mare carta 35/45000.

COGLITTI *Ragusa* 432 Q 25 – *Vedere Sicilia (Vittoria) alla fine dell'elenco alfabetico.*

SCOPELLO *13028 Vercelli 988 ②, 428 E 6 – 437 ab. alt. 659 – a.s. Natale-febbraio e 15 luglio-17 agosto – Sport invernali : 659/1 742 m ⛷7 – ☎ 0163.*

Mera (giugno-settembre) località Alpe di Mera ✉ 13028 Scopello ✆ 78188, Fax 7818 S : 20 mn di funivia.

Roma 695 – Aosta 180 – Milano 121 – Novara 75 – Torino 137 – Varallo 16 – Vercelli 81.

ad Alpe di Mera *S : 20 mn di seggiovia – alt. 1 570 :*

Sport Hotel Camparient ⛰, ✉ 13028 ✆ 78002, Fax 78190, ≤ Monte Rosa e vallat – ⛨ ☎. AE. 🅂. E VISA. ✂ dicembre-aprile e luglio-settembre – **Pasto** carta 50/75000 – ☕ 12000 – **34 cam** 85/140000 – 1/2 P 130/140000.

SCORZÈ *30037 Venezia 988 ⑤, 429 F 18 – 16 012 ab. alt. 16 – ☎ 041.*

Roma 527 – Padova 30 – Venezia 24 – Milano 266 – Treviso 17.

Villa Conestabile, via Roma 1 ✆ 445027, Fax 5840088, « Parco e laghetto » – TV ☎ P 🏛 150. AE. 🅂. ⊕ E VISA

Pasto *(chiuso domenica, gennaio, febbraio, dal 1° al 20 agosto e novembre)* carta 45/7000 – **22 cam** ☕ 110/160000 – 1/2 P 120/150000.

Piccolo Hotel, via Moglianese 37 ✆ 5840700, Fax 5840347 – ▤ TV ☎ P. AE. 🅂. E VIS ✂

Pasto *(chiuso sabato, domenica ed agosto)* carta 35/50000 – **25 cam** ☕ 95/125000 1/2 P 90/110000.

SCURCOLA MARSICANA *67068 L'Aquila 430 P 22 – 2 462 ab. alt. 730 – ☎ 0863.*

Roma 114 – L'Aquila 56 – Pescara 116 – Avezzano 10 – Frosinone 82.

a Cappelle *E : 3,5 km – ✉ 67060 :*

Olimpia, via Tiburtina Valeria km 111,200 ✆ 4521, Fax 452400, ⛱ – ⛨ ▤ TV ☎ 🚗 P 🏛 350

72 cam, 4 appartamenti.

SEBINO *Vedere Iseo (Lago d').*

SECCAGRANDE *Agrigento 432 O21 – Vedere Sicilia (Ribera) alla fine dell'elenco alfabetico.*

SEGESTA *Trapani 988 ㉟, 432 N 20 – Vedere Sicilia alla fine dell'elenco alfabetico.*

SEGGIANO *58038 Grosseto 430 N 16 – 1 061 ab. alt. 497 – ☎ 0564.*

Roma 199 – Grosseto 61 – Siena 66 – Orvieto 109.

Silene ⛰ con cam, località La Pescina E : 3 km ✆ 950805, Fax 950553, 🌳 – TV ☎ P. 🅂. ⊕ E VISA. JCB. ✂

chiuso dal 15 al 30 giugno e novembre – **Pasto** *(chiuso lunedì)* carta 30/45000 – ☕ 700 **7 cam** 80000 – 1/2 P 65000.

SEGNI *00037 Roma 988 ㉖, 430 Q 21 – 8 740 ab. alt. 650 – ☎ 06.*

Roma 57 – Frosinone 43 – Latina 52 – Napoli 176.

La Pace ⛰, ✆ 9767125, Fax 9766262 – ⛨ TV ☎ P – 🏛 150. AE. 🅂. ⊕ E VISA. ✂

Pasto 25/30000 – ☕ 6000 – **82 cam** 60/80000 – 1/2 P 60/65000.

SEGRATE *20090 Milano 428 F 9, 219 ⑲ – 33 823 ab. alt. 116 – ☎ 02.*

Roma 575 – Milano 10 – Bergamo 48.

Pianta d'insieme di Milano (Milano p. 7).

a Milano 2 *NO : 3 km – ✉ 20090 Segrate :*

Jolly Hotel Milano 2 ⛰, via Cervi ✆ 2175, Telex 321266, Fax 26410115 – ⛨ ▤ TV ☎ 🏛 450. AE. 🅂. ⊕ E VISA. ✂ rist CO

Pasto carta 65/85000 – **149 cam** ☕ 325/385000 – 1/2 P 315/390000.

SEGUSINO *31040 Treviso 429 E 17 – 1 996 ab. alt. 219 – ☎ 0423 – .*

Roma 560 – Belluno 38 – Padova 73 – Trento 92 – Treviso 42 – Vicenza 69.

Villa Finadri, piazza Papa Luciani 14 ✆ 979674 – P. AE. 🅂. E VISA. JCB. ✂

chiuso lunedì sera, martedì, dal 7 al 15 gennaio e dal 10 al 30 luglio – **Pasto** carta 55000.

EIS AM SCHLERN = *Siusi allo Sciliar.*

EISER ALM = *Alpe di Siusi.*

ELARGIUS *Cagliari* 433 J 9 – *Vedere Sardegna alla fine dell'elenco alfabetico.*

ELINUNTE *Trapani* 988 ㉟, 432 O 20 – *Vedere Sicilia alla fine dell'elenco alfabetico.*

ELLA (Passo di) (SELLA JOCH) *Bolzano* 988 ⑤ *G. Italia* – *alt. 2 240.*
Vedere ☀★★★.
Roma 694 – Bolzano 53 – Canazei 12 – Cortina d'Ampezzo 60 – Milano 352 – Trento 113.

ELVA *Vicenza* – *Vedere Montebello Vicentino.*

ELVA *Brindisi* 431 E 34 – *Vedere Fasano.*

ELVA DEI MOLINI (MÜHLWALD) *39030 Bolzano* 429 B 17 – *1 426 ab. alt. 1 229* – ☎ *0474.*
Roma 724 – Cortina d'Ampezzo 77 – Bolzano 92 – Dobbiaco 47.

Mühlwald, ℘ 653129, Fax 653346, ←, ≘, ⊠ – |♦| ✕ rist ☎ ⇔ P
stagionale – **22 cam.**

ELVA DI VAL GARDENA (WOLKENSTEIN IN GRÖDEN) *39048 Bolzano* 988 ⑤, 429 C 17 *G. Italia* – *2 399 ab. alt. 1 567 – Sport invernali : della Val Gardena 1 567/2 682 m* ⛷ *11* ⛷ *68,* ⛷ *(vedere anche Ortisei e Santa Cristina Val Gardena)* – ☎ *0471.*
Vedere *Postergale★ nella chiesa.*
Dintorni *Passo Sella★★★ : ☀★★★ S : 10,5 km – Val Gardena★★★ per la strada S 242.*
ℹ *palazzo Cassa Rurale ℘ 795122, Fax 794245.*
Roma 684 – Bolzano 42 – Brunico 59 – Canazei 23 – Cortina d'Ampezzo 72 – Milano 341 – Trento 102.

Tyrol, ℘ 795270, Fax 794022, ← Dolomiti, ⛹, ≘, ⊠, 🌳 – |♦| TV ☎ ⇔ P. ✕ rist
18 dicembre-20 aprile e 16 giugno-5 ottobre – **Pasto** *(solo per alloggiati e chiuso lunedì)* 35/50000 – ☕ 25000 – **34 cam** 150/260000, 8 appartamenti – ½ P 145/280000.

Gran Baita, via Meisules 145 ℘ 795210, Fax 795080, ← Dolomiti, ≘, ⊠, 🌳, 🎾 – |♦| TV ☎ ⇔ P. AE. ⓢ. E VISA. ✕ rist
20 dicembre-18 aprile e 20 giugno-10 ottobre – **Pasto** *(chiuso mercoledì)* carta 40/70000 – **57 cam** ☕ 80/150000 – ½ P 175/225000.

Genziana, via Ciampinei 2 ℘ 795187, Fax 794330, ←, ≘, ⊠, 🌳 – |♦| TV ☎ P. ✕
20 dicembre-20 aprile e 25 giugno-settembre – **Pasto** *(solo per alloggiati e chiuso a mezzogiorno)* – **27 cam** ☕ 210000 – ½ P 120/205000.

Sporthotel Granvara, SO : 1 km ℘ 795250, Fax 794336, ← Dolomiti e Selva, ⛹, ≘, ⊠, 🌳 – |♦| TV ☎ ⇔ P – 🏛 60. ⓢ. E VISA. ✕ rist
3 dicembre-20 aprile e giugno-10 ottobre – **Pasto** *(solo per alloggiati)* 55/80000 – **28 cam** ☕ 170/280000, 2 appartamenti – ½ P 180/220000.

Oswald, ℘ 795151, Fax 794131, ←, ≘ – |♦| TV ☎ P. AE. ⓢ. ⓓ E VISA. ✕
8 dicembre-15 aprile e 23 giugno-settembre – **Pasto** carta 35/65000 – ☕ 15000 – **62 cam** 140/250000 – ½ P 130/200000.

Alpenroyal, via Meisules 43 ℘ 795178, Fax 794161, ⛹, ≘, ⊠, 🌳, 🎾, ⛳ – |♦| ≡ TV ☎ ♿ ⇔ – 🏛 50. ✕
10 dicembre-20 aprile e giugno-ottobre – **Pasto** 55/70000 e al Rist. ***Le Stuben*** *(prenotare; chiuso a mezzogiorno)* carta 60/95000 – **38 cam** ☕ 250/320000 – ½ P 190/310000.

Chalet Portillo, ℘ 795205, Fax 794360, ←, ⛹, ≘, 🌳, 🎾 – |♦| TV ☎ P. ⓢ. E VISA. ✕
dicembre-17 aprile e 26 giugno-26 settembre – **Pasto** *(solo per alloggiati)* – **27 cam** ☕ 100/180000 – ½ P 135/170000.

Dorfer, via Cir 5 ℘ 795204, Fax 795068, ← Dolomiti, ≘, 🌳 – TV ☎ P. ⓢ. E VISA. ✕
18 dicembre-15 aprile e 14 giugno-settembre – **Pasto** carta 50/65000 – **30 cam** ☕ 90/190000 – ½ P 95/160000.

Astor, via Puez 9 ℘ 795207, Fax 794396, ← Dolomiti, ≘ – TV ☎ P. ✕ rist
dicembre-aprile e 15 giugno-settembre – **24 cam** solo ½ P 80/140000.

Armin, ℘ 795347, Fax 794363 – |♦| TV ☎ P. VISA. ✕ rist
5 dicembre-15 aprile e 5 luglio-settembre – **Pasto** 50/70000 e al Rist. ***Grillstube*** *(chiuso a mezzogiorno, lunedì e dal 5 luglio a settembre)* carta 50/80000 – **25 cam** ☕ 150/250000 – ½ P 150/170000.

Malleier ⛰, ☎ 795296, Fax 794364, ← Dolomiti, 🌳 – |♯| ☎ 🅿. ⚡
dicembre-aprile e giugno-settembre – **Pasto** (solo per alloggiati) – **18 cam** ☐ 22000
7 appartamenti 100/150000 – ½ P 140/160000.

Mignon, via Nives 4 ☎ 795092, Fax 794356, ≘s, 🌳 – |♯| TV ☎ 🅿. ⚡
19 dicembre-6 aprile e 22 giugno-5 ottobre – **Pasto** (solo per alloggiati) – **24 cam** ☐ 12
210000, appartamento – ½ P 155/170000.

Pralong, ☎ 795370, Fax 794103, ←, ≘s, 🌳 – |♯| TV ☎ 🅿. 🅂 VISA. ⚡
dicembre-aprile e luglio-settembre – **Pasto** (solo per alloggiati) – **25 cam** ☐ 115/190000
½ P 90/150000.

verso Passo Gardena (Grödner Joch) *SE : 6 km :*

Gerard ⛰ con cam, ✉ 39048 ☎ 795274, Fax 794508, ← Dolomiti, 🏌 – TV ☎ 🅿. ⚡ ca
18 dicembre-15 aprile e 25 giugno-15 ottobre – **Pasto** carta 40/60000 – **7 cam** ☐ 6
120000 – ½ P 100/110000.

SELVAZZANO DENTRO *35030 Padova 429 F 17 – 18 971 ab. alt. 16 – ☎ 049.*
Roma 492 – Padova 12 – Venezia 52 – Vicenza 27.

El Medievolo, via Scapacchiò 49 ☎ 8055635, 🏠, Rist. caratteristico – AE. 🅂. E VISA. ⚡
chiuso dal 1° al 20 luglio, lunedì e a mezzogiorno (escluso i giorni festivi) – **Pasto** specia
spagnole carta 40/60000.

a Tencarola *E : 3 km – ✉ 35030 :*

Piroga, ☎ 637966, Fax 637966, 🌳 – ▤ TV ☎ 🅿 – 🏛 150. AE. 🅂. ⓓ E VISA
Pasto *(chiuso lunedì)* carta 30/45000 – ☐ 10000 – **25 cam** 100/130000 – ½ P 80/100000

SELVINO *24020 Bergamo 988 ③, 428, 429 E 11 – 1 938 ab. alt. 956 – a.s. luglio-agosto e Natal*
Sport invernali : 956/1 400 m ⛷1 ⛷3, ⛷ – ☎ 035.
ℹ *(chiuso giovedì) corso Milano 19 ☎ 763362.*
Roma 622 – Bergamo 22 – Brescia 73 – Milano 68.

Elvezia ⛰, ☎ 763058, Fax 763058, 🌳 – TV ☎ 🚗 🅿. AE. 🅂. ⚡
chiuso dal 10 al 30 gennaio e dal 1° al 20 settembre – **Pasto** *(chiuso lunedì)* carta 35/5000
☐ 10000 – **17 cam** 90/120000 – ½ P 100/110000.

Marcellino, Corso Camozzi 38 ☎ 763013, Fax 763013, 🏠 – |♯| TV ☎ 🅿. 🅂. VISA. ⚡ ris
Pasto *(chiuso martedì)* 35/60000 – ☐ 10000 – **33 cam** 90/130000 – ½ P 90/110000.

SEMOGO *Sondrio 218 ⑰ – Vedere Valdidentro.*

SENALES (SCHNALS) *39020 Bolzano 428 429 B 14, 218 ⑨ – 1 401 ab. alt. (frazione Certosa) 1*
– Sport invernali : a Maso Corto : 2 009/3 260 m ⛷1 ⛷7 (anche sci estivo), ⛷ – ☎ 0473.
ℹ *a Certosa ☎ 89148, Fax 89177.*
Da Certosa : Roma 692 – Bolzano 55 – Merano 27 – Milano 353 – Passo di Resia 7
Trento 113.

a Madonna di Senales (Unserfrau) *NO : 4 km – alt. 1 500 – ✉ 39020 Senales :*

Berghotel Tyrol ⛰, via Madonna 114 ☎ 669690, Fax 669743, ←, ≘s, 🏊 – |♯| ☎ 🅿.
chiuso maggio – **Pasto** (solo per alloggiati) – **25 cam** ☐ 105/185000 – ½ P 75/105000.

a Vernago (Vernagt) *NO : 7 km – alt. 1 700 – ✉ 39020 Senales :*

Vernagt ⛰, ☎ 669636, Fax 669720, ← lago e monti, 🏋, ≘s, 🏊 – |♯| TV ☎ 🚗 🅿. 🅂
VISA. ⚡
chiuso dal 2 maggio al 16 giugno e dal 20 novembre al 22 dicembre – **Pasto** carta 50/65
– **43 cam** ☐ 115/240000, 4 appartamenti – ½ P 135/155000.

SENIGALLIA *60019 Ancona 988 ⑯, 429 430 K 21 – 41 613 ab. – a.s. luglio-agosto – ☎ 071.*
ℹ *piazzale Giardini Morandi 2 ☎ 7922725, Fax 7924930.*
Roma 296 – Ancona 29 – Fano 28 – Macerata 79 – Perugia 153 – Pesaro 39.

Duchi della Rovere, via Corridoni 3 ☎ 7927623, Fax 7927784 – |♯| ▤ TV ☎ ♿ 🚗
🏛 80. AE. 🅂. ⓓ E VISA. ⚡
Pasto carta 40/70000 – **44 cam** ☐ 135/190000, 7 appartamenti – ½ P 120/150000.

Ritz, lungomare Dante Alighieri 142 ☎ 63563, Fax 7922080, ←, « Giardino con perc
vita », 🏊 riscaldata, 🏖, 🎾 – |♯| ▤ rist ☎ ♿ 🅿 – 🏛 280. AE. 🅂. ⓓ E VISA
11 maggio-15 settembre – **Pasto** (solo per alloggiati) 50000 – **140 cam** ☐ 130/20000
½ P 110/140000.

Metropol, lungomare Leonardo da Vinci 11 ✆ 7925991, Fax 7925991, ←, ⛱, ✂ – |♦| ▤ TV ☎ P. AE. Ⓢ. E VISA. ✄
maggio-settembre – **Pasto** (solo per alloggiati) – ☕ 15000 – **64 cam** 140/200000 – ½ P 85/140000.

Senb Hotel, viale Bonopera 32 ✆ 7927500, Fax 64814 – |♦| ▤ TV ☎ 🚗 – 🅰 200. AE. Ⓢ. ⦿ E VISA. JCB. ✄ rist
Pasto *(chiuso venerdì e domenica sera)* carta 40/60000 – ☕ 12000 – **51 cam** 110/150000 – ½ P 100/135000.

Cristallo, lungomare Dante Alighieri 2 ✆ 7925767, Fax 7925767, ←, 🏖 – |♦| ▤ rist TV ☎. AE. Ⓢ. E VISA. ✄ rist
maggio-settembre – **Pasto** carta 35/50000 (15%) – ☕ 12000 – **57 cam** 75/105000 – ½ P 75/100000.

Palace Hotel, piazza della Libertà 7 ✆ 7926792, Fax 7925969, ← – |♦| ▤ cam TV ☎. AE. Ⓢ. ⦿ E VISA. ✄ rist
Pasto *(chiuso venerdì)* 35/45000 – **54 cam** ☕ 120/150000 – ½ P 85/105000.

Bologna, lungomare Mameli 57 ✆ 7923590, Fax 7921212, 🏖 – |♦| ▤ TV ☎ ♿. AE. Ⓢ. ⦿ E VISA. ✄
Pasto 30/40000 – **37 cam** ☕ 90/150000 – ½ P 80/135000.

Baltic, lungomare Dante Alighieri 66 ✆ 7925757, Fax 7925767, ← – |♦| ☎ P. AE. Ⓢ. E VISA. ✄ rist
maggio-settembre – **Pasto** carta 35/50000 (15%) – ☕ 12000 – **64 cam** 85/105000 – ½ P 85/95000.

Mareblù, lungomare Mameli 50 ✆ 7920104, Fax 7925402, ←, ⛱ – |♦| ▤ rist TV ☎ P. Ⓢ. E VISA. ✄
Pasqua-settembre – **Pasto** 35/40000 – ☕ 13000 – **57 cam** 80/130000 – ½ P 70/105000.

Europa, lungomare Dante Alighieri 108 ✆ 7926791, ← – |♦| ☎. AE. Ⓢ. ⦿ E VISA. ✄ rist
giugno-15 settembre – **Pasto** (solo per alloggiati) 30/40000 – **60 cam** ☕ 85/100000 – ½ P 70/85000.

Argentina, lungomare Dante Alighieri 82 ✆ 7924665, Fax 7925414, ← – |♦| ▤ rist ☎. AE. Ⓢ. E VISA. ✄
15 aprile-20 settembre – **Pasto** 20/40000 – ☕ 6000 – **37 cam** 90/100000 – ½ P 55/90000.

Riccardone's, via Rieti 69 ✆ 64762, 🌴 – ▤. AE. Ⓢ. ⦿ E VISA
chiuso lunedì in bassa stagione – **Pasto** specialità di mare carta 50/75000.

La Madonnina del Pescatore, lungomare Italia 11 a Marzocca SE : 6 km ✆ 698267, Fax 698484 – ▤. AE. Ⓢ. ⦿ E VISA
chiuso lunedì e dal 1° al 15 gennaio – **Pasto** specialità di mare carta 60/85000
Spec. Zuppa di fave con astice avvolto nel lardo (inverno). Taglierini alla granseola con piselli e basilico (primavera). San Pietro con purea di patate, melanzane, olive nere e salsa all'aceto balsamico.

Uliassi, banchina di Levante ✆ 65463, 🌴 –. Ⓢ. ⦿ VISA. ✄
chiuso gennaio, febbraio e lunedì (escluso luglio-agosto) – **Pasto** specialità di mare carta 65/75000
Spec. Schiacciata di patate con mazzancolle e tartufo nero. "Ciabattoni" in salsa di granchio con fave e vongole. Pescatrice arrosto con caponata di melanzane.

La Via Granda, via Pisacane 30 ✆ 63481, « In cantine vescovili del cinquecento » – AE. Ⓢ. ⦿ E VISA
chiuso martedì, luglio ed agosto – **Pasto** carta 45/60000.

Cesano *NO : 5 km – ✉ 60012 Cesano di Senigallia :*

Pongetti, strada statale ✆ 660064 – P. AE. Ⓢ. E VISA. ✄
chiuso domenica sera, lunedì e dal 10 al 30 settembre – **Pasto** specialità di mare carta 40/65000.

Scapezzano *O : 6 km – ✉ 60010 :*

Bel Sit 🔇, ✆ 660032, Fax 6608335, « Terrazza-giardino con ← mare e dintorni », ⛱, ✂ – ☎ P. AE. Ⓢ. E VISA. ✄
10 maggio-22 settembre – **Pasto** (solo per alloggiati) 30/45000 – ☕ 10000 – **26 cam** 95/115000 – ½ P 80/95000.

Roncitelli *O : 8 km – ✉ 60010 :*

Degli Ulivi, via Gioco del Pallone 2 ✆ 7919670 –. Ⓢ. VISA. ✄
chiuso martedì e dal 15 al 30 gennaio – **Pasto** carta 35/75000.

SENORBÌ *Cagliari* 988 ⑬, 433 I 9 – *Vedere Sardegna alla fine dell'elenco alfabetico.*

SEQUALS *33090 Pordenone* 429 *D 20 – 2 036 ab. alt. 234 – ☎ 0427.*
Roma 642 – Udine 39 – Milano 380 – Pordenone 37.

Belvedere, via Odorico 54 ✆ 93016, Fax 938994, « Servizio rist. estivo all'aperto » – ☎ P. AE. ⓢ. ⓞ E VISA
Pasto *(chiuso lunedì)* carta 35/55000 – ☕ 8000 – **22 cam** 70/100000 – ½ P 70000.

SERAVEZZA *55047 Lucca* 988 ⑭, 428, 429, 430 *K 12 G. Toscana – 12 841 ab. alt. 55 – ☎ 0584.*
Roma 376 – Pisa 40 – La Spezia 58 – Firenze 108 – Livorno 60 – Lucca 39 – Massa 24.

Da Ulisse, via Campana 63 ✆ 757420, , Trattoria casalinga, prenotare – AE. ⓢ. ⓞ VISA – *chiuso martedì escluso dal 15 giugno al 15 settembre* – **Pasto** 30000 bc.

a Querceta *SO : 4 km – ✉ 55046 :*

Da Alberto, via Alpi Apuane 33/35 ✆ 742300, – P. AE. ⓢ. ⓞ E VISA.
chiuso martedì, dal 1° al 15 febbraio e dal 1° al 15 novembre – **Pasto** carta 50/80000.

SEREGNO *20038 Milano* 988 ③, 428 *F 9 – 39 408 ab. alt. 224 – ☎ 0362.*
Roma 594 – Como 23 – Milano 25 – Bergamo 51 – Lecco 31 – Novara 66.

Umberto Primo senza rist, via Dante 63 ✆ 223377, Fax 221931 – ☎ P 100. AE. ⓢ. ⓞ E VISA.
chiuso dal 25 dicembre al 1° gennaio e dal 3 al 24 agosto – **52 cam** ☕ 135/185000.

Osteria del Pomiroeu, via Garibaldi 37 ✆ 237973, Fax 237973, – AE. ⓢ. E VISA.
chiuso lunedì, martedì a mezzogiorno e dal 5 al 25 agosto – **Pasto** carta 45/80000.

SERIATE *24068 Bergamo* 988 ③, 428, 429 *E 11 – 19 330 ab. alt. 248 – ☎ 035.*
Roma 568 – Bergamo 7 – Brescia 44 – Milano 52.

Meratti, via Paderno 4 (galleria Italia) ✆ 290290, Fax 290290, prenotare – – 35. ⓢ. ⓞ E VISA
chiuso mercoledì e dal 7 al 27 agosto – **Pasto** carta 45/80000.

SERINA *24017 Bergamo* 428, 429 *E 11 – 2 145 ab. alt. 820 – a.s. luglio-agosto e Natale – ☎ 034*
Roma 632 – Bergamo 30 – Milano 73 – San Pellegrino Terme 14.

Rosalpina, viale Papa Giovanni XXIII 4 ✆ 66020, Fax 66020 – ☎ P.
dicembre-aprile e giugno-settembre – **Pasto** *(chiuso lunedì escluso da giugno a settembre)* carta 40/55000 – ☕ 7000 – **24 cam** 70/95000 – ½ P 70/75000.

SERINO *83028 Avellino* 431 *E 26 – 7 142 ab. alt. 415 – ☎ 0825.*
Roma 260 – Avellino 14 – Napoli 55 – Potenza 126 – Salerno 28.

Serino , per via Terminio 119 (E : 4 km) ✆ 594901, Fax 594166, , « Giardino con – ☎ P – 500. AE. ⓢ. ⓞ E VISA.
Pasto al Rist. ***Antica Osteria "O Calabrisuotto"*** carta 30/45000 – **42 cam** ☕ 120/1500 2 appartamenti – ½ P 140/150000.

SERLE *25080 Brescia* 428, 429 *F 13 – 2 831 ab. alt. 493 – ☎ 030.*
Roma 550 – Brescia 21 – Verona 73.

a Castello *NO : 3 km – ✉ 25080 :*

Trattoria Castello, ✆ 6910001, Fax 6910001, prenotare – P. AE ⓞ
chiuso martedì, dal 15 al 30 gennaio e dal 15 al 30 agosto – **Pasto** carta 35/50000.

SERMONETA *04010 Latina* 988 ㉖, 430 *R 20 – 6 669 ab. alt. 257 – ☎ 0773.*
Roma 77 – Frosinone 65 – Latina 17.

Principe Serrone senza rist, via del Serrone 1 ✆ 30342, Fax 30336, ≤ vallata – AE. ⓢ. E VISA.
☕ 8000 – **13 cam** 80/130000.

SERPIOLLE *Firenze – Vedere Firenze.*

SERRA DE' CONTI *60030 Ancona* 430 *L 21 – 3 360 ab. alt. 217 – ☎ 0731.*
Roma 242 – Ancona 61 – Foligno 89 – Gubbio 57 – Pesaro 62.

De' Conti, via Santa Lucia 58 ✆ 879913, Fax 879913, – ☎ P. AE. ⓢ. ⓞ E V
Pasto *(chiuso domenica sera e lunedì a mezzogiorno)* carta 35/40000 – ☕ 10000 – **14 c** 70/100000, 10000 – ½ P 80/90000.

RRALUNGA DI CREA *15020 Alessandria* 428 G 6 – *642 ab. alt. 246 –* ☎ *0142.*
Roma 633 – Alessandria 39 – Torino 90 – Asti 32 – Milano 112 – Vercelli 26.

Amarotto, frazione La Madonnina, viale Stazione 1 ☎ 940125, Fax 940581 – rist TV ☎ P. AE. 🅂. ⓓ E VISA.
chiuso lunedì e dal 2 al 31 gennaio – **Pasto** 20/50000.

RRAMAZZONI *41028 Modena* 428, 429, 430 I 14 – *5 817 ab. alt. 822 –* ☎ *0536.*
Roma 357 – Bologna 77 – Modena 33 – Pistoia 101.

lontagnana *N : 10 km – ✉ 41020 :*

La Noce, via Giardini 7 ☎ 957174, Fax 957266, solo su prenotazione a mezzogiorno – P. AE. 🅂. ⓓ E VISA.
chiuso domenica e dal 1° al 10 settembre – **Pasto** 60/65000 bc e carta 60/95000.

RRAVALLE *Perugia* 430 N 21 – *Vedere Norcia.*

RRAVALLE PISTOIESE *51030 Pistoia* 428, 429, 430 K 14 – *9 066 ab. alt. 182 –* ☎ *0573.*
Roma 320 – Firenze 40 – Livorno 75 – Lucca 34 – Pistoia 8 – Pisa 51.

Lago Verde , via Castellani 4 ☎ 518262, Fax 518227, « Laghetto », – TV ☎ P – 120. AE. 🅂. ⓓ E VISA.
Pasto *(chiuso a mezzogiorno e domenica)* carta 40/55000 – 15000 – **85 cam** 110/150000.

Read carefully the introduction it is the key to the Guide.

RVIGLIANO *63029 Ascoli Piceno* 988 ⑯, 430 M 22 – *2 322 ab. alt. 216 –* ☎ *0734.*
Roma 224 – Ascoli Piceno 56 – Ancona 85 – Macerata 43.

San Marco, via Garibaldi 14 ☎ 750761, Fax 750740 – TV ☎. AE. 🅂. ⓓ VISA.
chiuso gennaio – **Pasto** *(chiuso giovedì)* carta 35/45000 – 6000 – **18 cam** 45/75000 – P 75/85000.

STO (SEXTEN) *39030 Bolzano* 988 ⑤, 429 B 19 *G. Italia – 1 872 ab. alt. 1 311 – Sport invernali : 1 311/2 205 m 1 5, ; a Versciaco : 1 132/2 050 m 1 2 –* ☎ *0474.*
Dintorni *Val di Sesto★★ Nord per la strada S 52 e Sud verso Campo Fiscalino.*
via Dolomiti 9 (palazzo del Comune) ☎ 710310, Fax 710318.
Roma 697 – Cortina d'Ampezzo 44 – Belluno 96 – Bolzano 116 – Milano 439 – Trento 173.

San Vito-St. Veit , ☎ 710390, Fax 710072, ← Dolomiti e vallata, , , – TV ☎ P. 🅂. VISA. rist
Natale-Pasqua e giugno-15 ottobre – **Pasto** 20/40000 – **26 cam** solo ½ P 90/130000.

Monika , via del Parco 2 ☎ 710384, Fax 710177, ←, , – rist ☎ P. cam
20 dicembre-8 aprile e 20 maggio-10 ottobre – **Pasto** 25/35000 – **27 cam** 110/200000 – ½ P 70/130000.

loso *(Moos) SE : 2 km – alt. 1 339 – ✉ 39030 Sesto :*

Rainer, via San Giuseppe 40 ☎ 710366, Fax 710163, ← Dolomiti e valle Fiscalina, , , , – rist TV ☎ P. 🅂. rist
20 dicembre-18 aprile e 20 maggio-10 ottobre – **Pasto** carta 25/70000 – **40 cam** solo ½ P 180/230000.

Sport e Kurhotel Bad Moos , via Val Fiscalina 27 ☎ 713100, Fax 713333, ← Dolomiti, « Ristorante serale in stuben del 15° e 16° secolo », , , , , , – rist TV ☎ P – 100. rist
15 dicembre-Pasqua e 25 maggio-20 ottobre – **Pasto** carta 45/85000 – **72 cam** 215/380000 – ½ P 175/235000.

Berghotel Tirol , ☎ 710386, Fax 710455, ← Dolomiti e valle Fiscalina, , – rist TV ☎ P. rist
20 dicembre-Pasqua e 25 maggio-10 ottobre – **28 cam** solo ½ P 140/165000.

Alpi , ☎ 710378, Fax 710009, ←, – rist ☎ . rist
20 dicembre-Pasqua e giugno-15 ottobre – **Pasto** (solo per alloggiati) – **11 cam** 90/100000 – ½ P 65/115000.

Patzenfeld con cam, via San Giuseppe 54 (SE : 5 km) ☎ 710444, Fax 710053, ←, – TV ☎ P. 🅂. E VISA. rist
Natale-Pasqua e 15 maggio-ottobre – **Pasto** carta 45/75000 – **3 cam** 90/150000, 6 appartamenti 185/220000.

a Campo Fiscalino (Fischleinboden) *S : 4 km – alt. 1 451 – ✉ 39030 Sesto :*

Dolomiti-Dolomitenhof ⛰, ✆ 710364, Fax 710131, ≤ pinete e Dolomiti, ≘, ⛆, – |‡| TV ☎ ♿ P. ⓢ. E VISA
18 dicembre-7 aprile e giugno-7 ottobre – **Pasto** carta 35/70000 – **30 cam** ☐ 160/300 – ½ P 90/160000.

SESTO CALENDE *21018 Varese 988 ② ③, 428 E 7 – 9 568 ab. alt. 198 – ☎ 0331.*
Roma 632 – Stresa 25 – Como 50 – Milano 55 – Novara 39 – Varese 23.

Tre Re, piazza Garibaldi 25 ✆ 924229, Fax 913023, ≤ – |‡| TV ☎. AE. ⓢ. E VISA. ✻ rist
marzo-novembre – **Pasto** *(chiuso venerdì)* carta 50/75000 – ☐ 15000 – **34 cam** 1 140000 – ½ P 100/120000.

David, via Roma 56 ✆ 920182, Fax 913939 – |‡| TV ☎ 🚗 P. AE. ⓢ. E VISA. ✻
chiuso dicembre – **Pasto** *(chiuso lunedì)* carta 35/75000 – ☐ 15000 – **13 cam** 90/11000 ½ P 110000.

La Biscia, piazza De Cristoforis 1 ✆ 924435, 🏠 – AE. ⓢ. ⓓ E VISA. JCB
chiuso domenica sera, lunedì e novembre – **Pasto** carta 50/125000.

a Lisanza *NO : 3 km – ✉ 21018 Sesto Calende :*

Da Mosè, ✆ 977210, Fax 977210, prenotare – P. AE. ⓢ. ⓓ E VISA. ✻
chiuso da gennaio al 6 febbraio, lunedì, martedì e in luglio-agosto anche a mezzogio (escluso sabato-domenica) – **Pasto** carta 60/95000
Spec. Cappesante in salsa allo zenzero con verdurine croccanti. Linguine saltate calamaretti (marzo-settembre). Filetti di lucioperca in salsa allo spumante e limone con selvaggio (marzo-settembre).

SESTOLA *41029 Modena 988 ⑭, 428, 429, 430 J 14 – 2 780 ab. alt. 1 020 – a.s. febbraio marzo, 15 luglio-agosto e Natale – Sport invernali : 1 020/2 010 m ⛷1 ⛷22, ⛷ – ☎ 053*
ℹ piazza Pier Maria Passerini 18 ✆ 62324, Fax 61621.
Roma 387 – Bologna 90 – Firenze 113 – Lucca 99 – Milano 240 – Modena 71 – Pistoia 77.

Tirolo ⛰, via delle Rose 2 ✆ 62523, Fax 62523, ≤, 🌳, ✻ – TV ☎ P. ⓢ. E VISA. ✻
23 dicembre-15 aprile e 15 giugno-15 settembre – **Pasto** 30/35000 – ☐ 12000 – **39 c** 55/100000 – ½ P 55/90000.

Capriolo, via Statale Ovest 42 ✆ 62325, Fax 60920, ≤ – ☎ P. ⓢ VISA. ✻
dicembre-aprile e luglio-agosto – **Pasto** 25/35000 – ☐ 10000 – **26 cam** 50/9000 ½ P 60/75000.

Nuovo Parco, corso Umberto I 61 ✆ 62322, Fax 60943, ≤, « Piccolo parco » – ☎ P.
chiuso maggio ed ottobre – **Pasto** 25/30000 – ☐ 8000 – **39 cam** 70/90000 – ½ P 90000.

San Rocco con cam, corso Umberto I ✆ 62382, Coperti limitati; prenotare – TV ☎ AE. ⓢ. ⓓ E VISA. JCB. ✻
dicembre-aprile e 15 giugno-settembre – **Pasto** *(chiuso lunedì)* carta 50/70000 – ☐ 17 – **11 cam** 90/120000 – ½ P 100/110000.

Il Faggio, ✆ 61566 – AE. ⓢ. ⓓ E VISA. JCB. ✻
chiuso lunedì e giugno – **Pasto** carta 45/75000.

SESTO SAN GIOVANNI *20099 Milano 428 F 9 – 83 756 ab. alt. 137 – ☎ 02.*
Roma 565 – Milano 9 – Bergamo 43.

Abacus senza rist, via Monte Grappa 39 ✆ 26225858, Fax 26225860, ≘, ⛆ – |‡| ▤ TV ♿ P – 🏛 35. AE. ⓢ. ⓓ E VISA. ✻
chiuso Natale ed agosto – ☐ 18000 – **84 cam** 250/350000, 2 appartamenti.

SESTRIERE *10058 Torino 988 ⑪, 428 H 2 – 856 ab. alt. 2 033 – a.s. 6 febbraio-6 marzo, Pasqu Natale – Sport invernali : 2 035/2 823 m ⛷1 ⛷55, ⛷ – ☎ 0122.*
⛳18 (15 giugno-15 settembre) ✆ 755170, Fax 76294.
ℹ via Pinerolo 14 ✆ 755444, Fax 755171.
Roma 750 – Briançon 32 – Cuneo 118 – Milano 240 – Torino 93.

Gd H. Principi di Piemonte, via Sauze 7941, Fax 755411, ≤, – |‡| TV ☎ – 70. AE. ⓢ. ⓓ E VISA. JCB. ✻ rist
dicembre-aprile e luglio-agosto – **Pasto** 45/65000 – **94 cam** ☐ 175/350000 – ½ P 190/215000.

Miramonti, via Cesana 3 755333, Fax 755375, ≤ – |‡| TV ☎ ♿ . ⓢ. ⓓ E VISA. ✻ rist
Pasto *(dicembre-10 aprile e 10 luglio-27 agosto)* 25/35000 – ☐ 15000 – **30 cam** 150/190000 – ½ P 160000.

XX **Last Tango**, via La Glesia 5/a 76337, Coperti limitati; prenotare –. ⓢ. ⓓ E VISA
chiuso dal 4 al 30 novembre e martedì in bassa stagione – **Pasto** carta 40/70000.

orgata Sestriere *NE : 3 km – ✉ 10058 Sestriere :*

Sciatori, via San Filippo 5 70323, Fax 70196 – TV ☎. ⓢ. E VISA. ✻
chiuso maggio, giugno e da settembre a novembre – **Pasto** 30000 – **25 cam** ☐ 100/140000 – ½ P 80/130000.

hamplas-Janvier *SO : 5 km – ✉ 10058 Sestriere :*

XX **Du Grand Père**, via Forte Seguin 14 755970, Coperti limitati; prenotare – P. ⓢ. E VISA. ✻
dicembre-aprile e giugno-settembre; chiuso martedì in bassa stagione – **Pasto** carta 55/70000.

STRI LEVANTE *16039 Genova* 988 ⑬, 428 J 10 *G. Italia – 20 295 ab. – ✆ 0185.*
viale 20 Settembre 33 41422.
Roma 457 – Genova 50 – Milano 183 – Portofino 34 – La Spezia 59.

Gd H. dei Castelli, via alla Penisola 26 485780, Fax 44767, – |‡| TV ☎ P. AE. ⓢ. ⓓ E VISA. ✻ rist
maggio-10 ottobre – **Pasto** carta 65/90000 – ☐ 20000 – **25 cam** 250/350000, 5 appartamenti – ½ P 230/250000.

Grand Hotel Villa Balbi, viale Rimembranza 1 42941, Fax 482459, « Parco-giardino con riscaldata », – |‡| TV ☎ P – 80. AE. ⓢ. ⓓ E VISA. ✻
aprile-ottobre – **Pasto** 65/75000 – **92 cam** ☐ 170/300000 – ½ P 190/250000.

Miramare, via Cappellini 9 480855, Fax 41055, ≤ baia del Silenzio, – |‡| TV ☎ – 40 a 80. AE. ⓢ. ⓓ. E VISA. ✻
Pasto 40/65000 – **31 cam** ☐ 180/320000 – ½ P 200/220000.

Vis à Vis, via della Chiusa 28 42661, Fax 480853, ≤ mare e città, riscaldata, – |‡| TV ☎ P – 180. AE. ⓢ. ⓓ E VISA. ✻ rist
chiuso dal 1° al 20 dicembre – **Pasto** 50/80000 – **47 cam** ☐ 160/250000 – ½ P 170/220000.

Helvetia senza rist, via Cappuccini 43 41175, Fax 457216, ≤ baia del Silenzio, « Terrazze-giardino fiorite », – |‡| TV ☎ . AE. ⓢ. E VISA
chiuso dal 16 novembre al 14 dicembre – **24 cam** ☐ 160/210000.

Due Mari, vico del Coro 18 42695, Fax 42698, ≤, – |‡| TV ☎ – 50. AE. ⓢ. E VISA. ✻ rist
chiuso da novembre al 21 dicembre – **Pasto** 45/55000 – ☐ 12500 – **26 cam** 120/150000 – ½ P 100/125000.

Sereno, via Val di Canepa 96 43303, Fax 457301 – TV ☎. AE. ⓢ. ⓓ VISA. ✻ rist
Pasto 35000 – ☐ 11000 – **10 cam** 90/100000 – ½ P 90000.

XX **Santi's**, viale Rimembranza 46 485019 – AE. ⓢ. ⓓ E VISA. JCB
chiuso lunedì e dal 5 novembre al 13 dicembre – **Pasto** carta 50/70000.

XX **San Marco**, al porto 41459, ≤, – AE. ⓢ. ⓓ E VISA. JCB
chiuso a mezzogiorno in agosto, mercoledì e dal 5 al 24 novembre – **Pasto** carta 45/70000.

XX **El Pescador**, via Queirolo 1 (al porto) 42888, Fax 41491, ≤ – P. AE. ⓢ. ⓓ E VISA
chiuso martedì e dal 15 dicembre al 1° marzo – **Pasto** carta 55/80000.

iva Trigoso *SE : 2 km – ✉ 16037 :*

XX **Fiammenghilla Fieschi**, località Trigoso, via Pestella 6 481041, Coperti limitati; prenotare, « In un antico palazzo », – P – 25. AE. ⓢ. ⓓ E VISA
chiuso a mezzogiorno (escluso i giorni festivi), lunedì, dal 27 gennaio al 10 febbraio e dal 1° al 10 novembre – **Pasto** carta 60/100000
Spec. Scampetti e verdure in pastella. Taglierini con ragù di mare. Zuppa di pesce di scoglio (primavera-estate).

XX **Asseü**, via G. B. da Ponzerone 2-strada per Moneglia 42342, ≤, « Servizio estivo in terrazza sul mare » – P. ⓢ. E VISA
chiuso mercoledì e novembre – **Pasto** carta 50/75000.

STRI PONENTE *Genova – Vedere Genova.*

SETTEQUERCE (SIEBENEICH) *Bolzano* [218] ⑳ – *Vedere Terlano.*

SETTIMO MILANESE *20019 Milano* [428] F 9, [219] ⑱ – *16 565 ab. alt. 134* – ☎ *02.*
Roma 586 – Milano 13 – Novara 43 – Pavia 45 – Varese 51.

🍴 **Olonella,** via Gramsci 3 ☎ 3281267, Fax 33500872, ⛱ – [P]. [AE]. [S]. ● E [VISA]. ✗
chiuso sabato ed agosto – **Pasto** carta 40/70000.

SETTIMO TORINESE *10036 Torino* [988] ⑫, [428] G 5 – *47 820 ab. alt. 207* – ☎ *011.*
Roma 698 – Torino 12 – Aosta 109 – Milano 132 – Novara 86 – Vercelli 62.
Pianta d'insieme di Torino (Torino p. 5).

sull'autostrada al bivio A4 - A5 *O : 5 km :*

🏨 **Forte Agip,** ✉ 10036 ☎ 8977966, Telex 214546, Fax 8977371 – |♦| ⇹ cam ▤ [TV] ☎ (HT
🏃 60. [AE]. [S]. ● E [VISA]. [JCB]. ✗ rist
Pasto carta 40/65000 – **100 cam** ☕ 175/215000 – ½ P 150/215000.

SETTIMO VITTONE *10010 Torino* [428] F 9, [219] ⑭ – *1 662 ab. alt. 282* – ☎ *0125.*
Roma 693 – Aosta 57 – Ivrea 10 – Milano 125 – Novara 79 – Torino 59.

🍴🍴 **Prà Giulì,** località Campiglie 35 (NE : 5 km) ☎ 658222, prenotare – [P]. [AE]. [S]. ● E [VISA]
chiuso mercoledì e gennaio – **Pasto** 30/60000.

🍴 **Locanda dell'Angelo,** via Marconi 6 ☎ 658453, ⛱ – [AE]. [S]. E [VISA]
chiuso mercoledì e luglio – **Pasto** carta 30/60000.

SEVESO *20030 Milano* [988] ③, [428] F 9 – *18 127 ab. alt. 207* – ☎ *0362.*
Roma 595 – Como 22 – Milano 21 – Monza 15 – Varese 41.

🍴🍴 **Osteria delle Bocce,** piazza Verdi 7 ☎ 502282, ⛱ – [AE]. [S]. E [VISA]. ✗
chiuso lunedì, sabato a mezzogiorno e dal 2 al 31 agosto – **Pasto** carta 60/90000.

SEXTEN = *Sesto.*

SFERRACAVALLO *Palermo* [988] ㉟, [432] M 21 – *Vedere Sicilia (Palermo) alla fine dell'eler alfabetico.*

SIBARI *87070 Cosenza* [988] ㊴, [431] H 31 *G. Italia – alt. 9* – ☎ *0981.*
Roma 488 – Cosenza 69 – Potenza 186 – Taranto 126.

ai Laghi di Sibari *SE : 7 km :*

🏨 **Oleandro** 🛥, ✉ 87070 ☎ 79141, Fax 79200, ⛱ – [TV] ☎ [P]. [AE]. [S]. ● E [VISA]. [JCB]
Pasto carta 35/55000 – ☕ 7000 – **23 cam** 100/110000 – ½ P 80000.

SICILIA (Isola di) [988] ㉟ ㊱ ㊲, [432] – *Vedere alla fine dell'elenco alfabetico.*

SIDERNO *89048 Reggio di Calabria* [988] ㊴, [431] M 30 – *16 648 ab.* – ☎ *0964.*
Roma 697 – Reggio di Calabria 103 – Catanzaro 93 – Crotone 144.

🏨 **Gd H. President,** strada statale 106 (SO : 2 km) ☎ 343191, Telex 890020, Fax 342746,
🏊, 🏖, 🏝, 🎾 – |♦| ▤ [TV] ☎ [P] – 🏃 400. [AE]. [S]. ● E [VISA]. ✗
Pasto carta 40/50000 – **86 cam** ☕ 110/180000, 15 appartamenti 200/280000, ▤ 1000
½ P 70/115000.

SIEBENEICH = *Settequerce.*

Sono utili complementi di questa guida, per i viaggi in ***ITALIA*** *:*

- *La* ***carta stradale Michelin*** *n°* [988] *in scala 1/1 000 000.*
- *Le* ***carte*** [428], [429], [430], [431], [432], [433] *in scala 1/400 000.*
- *L'Atlante stradale Italia in scala 1/300 000.*
  - *Le guide Verdi turistiche* ***Michelin "Italia", "Roma", "Venezia"*** *e* ***"Toscana"*** *:*
    itinerari regionali,
    musei, chiese,
    monumenti e bellezze artistiche.

 53100 P 988 ⑮, 430 M 16 G. Toscana – 55 090 ab. alt. 322 – ☎ 0577.

Vedere *Piazza del Campo**** BX : *palazzo Pubblico**** H, ✻** *dalla Torre del Mangia – Duomo**** AX – *Museo dell'Opera Metropolitana*** ABX M¹ – *Battistero di San Giovanni* : fonte battesimale*** AX A – *Palazzo Buonsignori* : pinacoteca**** BX – *Via di Città** BX – *Via Banchi di Sopra** BVX – *Piazza Salimbeni** BV – *Basilica di San Domenico* : tabernacolo* di Giovanni di Stefano e affreschi* del Sodoma* AVX – *Adorazione del Crocifisso* del Perugino, opere* di Ambrogio Lorenzetti, Matteo di Giovanni e Sodoma nella chiesa di Sant'Agostino* BX.

piazza del Campo 56 ☎ 280551, Fax 270676.

A.C.I. *viale Vittorio Veneto 47 ☎ 49001.*

Roma 230 ② – Firenze 68 ⑤ – Livorno 116 ⑤ – Milano 363 ⑤ – Perugia 107 ② – Pisa 106 ⑤.

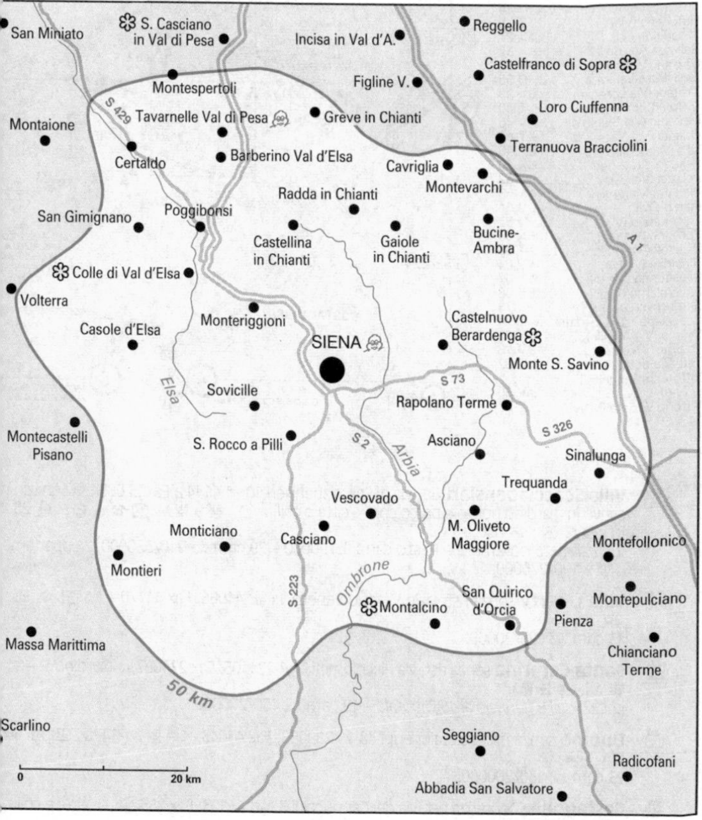

Park Hotel Siena ⛰, via di Marciano 18 ☎ 44803, Telex 571005, Fax 49020, <, 🏞, « Villa del 16° secolo in un parco », 🏊, 🎾, ⛳9 – 🛗 ▤ TV ☎ ♿ 🅿 – 🏛 100. AE. 🅢. ⓓ E VISA. ✂ rist T a
Pasto carta 90/130000 – ☕ 27500 – **63 cam** 330/475000, 2 appartamenti.

Certosa di Maggiano ⛰, strada di Certosa 82 ☎ 288180, Fax 288189, <, 🏞, « Certosa del 14° secolo; parco con 🏊 riscaldata », 🎾 – ▤ cam TV ☎ 🅿. AE. 🅢. ⓓ E VISA. ✂ rist
Pasto carta 100/175000 – **6 cam** ☕ 450/500000, 11 appartamenti 750/950000 – 1/2 P 370/570000. X m

Jolly Excelsior, piazza La Lizza 1 ☎ 288448, Telex 573345, Fax 41272, < – 🛗 ▤ TV ☎ – 🏛 220. AE. 🅢. ⓓ E VISA. JCB. ✂ rist AY a
Pasto 45000 – **123 cam** ☕ 275/400000, 3 appartamenti.

SIENA

Circolazione regolamentata nel centro città

Banchi di Sopra (Via) . . . BVX 4
Banchi di Sotto (Via) . . . . . BX 6
Città (Via di) . . . . BX
Montanini (Via dei) . . . . . . AV

Aretina (Via) . . . . U 3
Beccafumi (Via D.) . . . . . . BV 9
Bracci (Viale Mario) . . . . T 12
Cantine (Via delle) . . . . BX 15
Capitano (Via del) . . . . AX 17
Casato di Sopra . . . . BX 18
Cavour (Vle C. Benso di) . . . T 21
Esterna di Fontebranda (Via) . . . . U 26
Fiorentina (Via) . . . . T 28
Fusari (Via dei) . . . . AX 31
Galluzza (Via della) . . . . . . AX 32
Gazzani (Via) . . . . AV 33
Gigli (Via Girolamo) . . . . U 35
Maitani (Via Lorenzo) . . . . BV 39
Malizia (Strada di) . . . . T 40
Montluc (Via Biagio di) . . . AV 45
Orlandi (Via Nazareno) . . . . . T 47
Orti (Via degli) . . . . BV 49
Pellegrini (Via dei) . . . . BX 50
Peruzzi (Via B.) . . . . TU 52
Pian dei Mantellini . . . . . . AX 53
Pian d'Ovile . . . . ABV 54
Piccolomini (Via E.S.) . . . . . U 57
Porrione (Via del) . . . . BX 59
Ricasoli (Via) . . . . T 63
Rinaldini (Via) . . . . BX 64
S. Caterina (Via di) . . . . . . AX 67
S. Girolamo (Via) . . . . BX 68
Sardegna (Viale) . . . . T 73
Scacciapensieri (Strada) . . . T 74
Sclavo (Via Achille) . . . . T 75
Tolomei (Piazza) . . . . BV 78
Tufi (Via dei) . . . . U 82
Vittorio Emanuele II (Vle) . . . . AV 85
Vittorio Veneto (Viale) . . . . . T 87

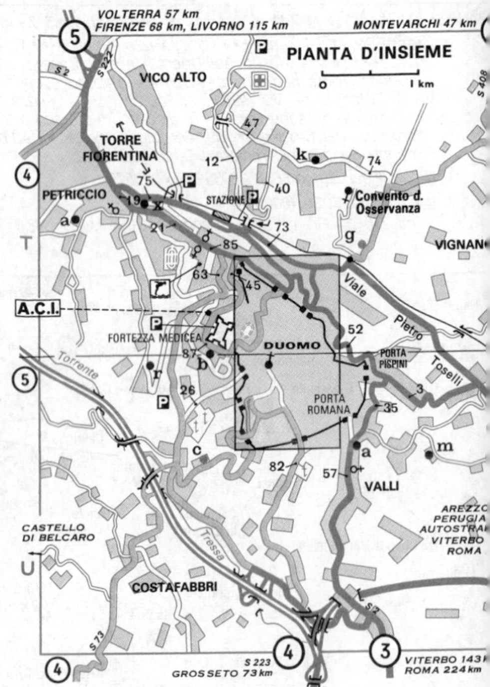

Villa Scacciapensieri ⛰, via di Scacciapensieri 10 ✆ 41441, Fax 270854, « Servizio r estivo in giardino fiorito e parco con ≤ città e colli », ⛱, ✂ – |♦| ▤ TV ☎ ♿ P – 🏔 25. V
15 marzo-26 novembre – **Pasto** carta 65/90000 – **29 cam** ☕ 210/350000, 2 appartame – ½ P 190/270000.

Villa Liberty senza rist, viale Vittorio Veneto 11 ✆ 44966, Fax 44770 – ▤ TV ☎. AE. VISA. ✂ VX
13 cam ☕ 125/200000.

Santa Caterina senza rist, via Piccolomini 7 ✆ 221105, Fax 271087, « Giardino » – ▤ AE. 🅂. ⦿ E VISA U
chiuso dall'8 gennaio al 15 febbraio – **19 cam** ☕ 150/200000.

Duomo senza rist, via Stalloreggi 38 ✆ 289088, Fax 43043, ≤ – |♦| ▤ TV ☎. AE. 🅂. ⦿ VISA. JCB. ✂ AX
23 cam ☕ 130/200000.

Castagneto ⛰ senza rist, via dei Cappuccini 39 ✆ 45103, Fax 283266, ≤ città e colli, – TV ☎ P. ✂ X
chiuso dal 10 gennaio al 20 marzo – ☕ 15000 – **11 cam** 110/150000.

Arcobaleno, via Fiorentina 32/40 ✆ 271092 e rist 271095, Fax 271423, ⛱, – ▤ ☎ P. AE. 🅂. ⦿ E VISA. ✂ T
Pasto al Rist. ***Il Vecchio Pozzo*** *(chiuso lunedì)* carta 30/50000 – ☕ 12000 – **12 ca** 100/130000 – ½ P 130000.

Minerva senza rist, via Garibaldi 72 ✆ 284474, Fax 284474, ≤ – |♦| TV ☎ ♿ 🚗. AE. 🅂. E VISA. ✂ BV
☕ 11000 – **49 cam** 85/125000.

Antica Torre senza rist, via Fieravecchia 7 ✆ 222255, Fax 222255 – ☎. AE. 🅂. E V ✂ BX
☕ 13000 – **8 cam** 120/150000.

ILVI MARINA *64029 Teramo* [988] ㉗, [430] O 24 – *13 396 ab. – a.s. luglio-agosto* – ☎ *085.*

Dintorni *Atri : Cattedrale★★ NO : 11 km – Paesaggio★★ (Bolge), NO : 12 km.*

[i] *lungomare Garibaldi 158 ☎ 930343, Fax 930026.*

Roma 216 – Pescara 19 – L'Aquila 114 – Ascoli Piceno 77 – Teramo 45.

Gd H. Berti, via della Marina ☎ 9350760, Fax 9352190, ⛱, 🌳, 🎾 – 🛗 ▤ [TV] ☎ ♿ 🚗 [P] – 🚶 3000. [AE]. [S]. ● E [VISA]. ✗

Pasto al Rist. ***Il Guazzetto*** carta 40/60000 – **142 cam** ☕ 200/300000, 12 appartamenti – ½ P 190/290000.

President, via Leonardo da Vinci 19 ☎ 9350241, Fax 9351074, 🏋, ⛱, 🌳, 🎾 – ▤ [TV] ☎ 🚗 [P] – 🚶 3000. [S]. ● E [VISA]. ✗

15 maggio-15 settembre – **Pasto** carta 35/50000 – **250 cam** ☕ 140/210000 – ½ P 160/200000.

Mion, viale Garibaldi 22 ☎ 9350935, Fax 9350864, ≤, « Servizio rist. estivo in terrazza fiorita », 🏖 – 🛗 [TV] ☎ 🚗 [P]. [AE]. [S]. ● E [VISA]. ✗

maggio-settembre – **Pasto** carta 60/80000 – ☕ 25000 – **59 cam** 140/205000, 5 appartamenti – ½ P 125/180000.

Parco delle Rose, viale Garibaldi 36 ☎ 9350989, Fax 9350987, ≤, ⛱, 🏖, 🌳 – 🛗 [TV] ☎ [P]. [AE]. [S]. ● E [VISA]. [JCB]. ✗

24 maggio-15 settembre – **Pasto** 40/50000 – **63 cam** ☕ 150/180000, 10 appartamenti – ½ P 110/180000.

Miramare, viale Garibaldi 134 ☎ 930235, Fax 9351533, ≤, ⛱, 🏖, 🌳 – 🛗 ☎. [AE]. [S]. ● E [VISA]. ✗ rist

aprile-settembre – **Pasto** carta 30/45000 – ☕ 8000 – **51 cam** 55/90000 – ½ P 105000.

Cirillo, viale Garibaldi 238 ☎ 930404, Fax 9350950, ≤, 🏖 – 🛗 ☎. [S]. E [VISA]. ✗

20 maggio-20 settembre – **Pasto** 30/40000 – ☕ 5000 – **45 cam** 80/130000 – ½ P 80/115000.

🍴🍴 **Asplenio,** via Roma 310 ☎ 9352446, 🏠 – [AE] [VISA]. ✗

chiuso mercoledì – **Pasto** carta 35/55000.

Silvi Paese *NO : 5,5 km – alt. 242 – ✉ 64028 :*

🍴🍴 **Vecchia Silvi,** ☎ 930141, Fax 9353880, 🏠 – [P] – 🚶 80. [AE]. [S]. ● E [VISA]. ✗

chiuso martedì escluso da giugno a settembre – **Pasto** carta 30/55000.

Pour être inscrit au ***guide Michelin***

– pas de piston,

– pas de pot-de-vin!

INALUNGA *53048 Siena* [988] ⑮, [430] M 17 *G. Toscana – 11 667 ab. alt. 365 –* ☎ *0577.*

Roma 188 – Siena 45 – Arezzo 44 – Firenze 103 – Perugia 65.

Locanda dell'Amorosa 🐦, S : 2 km ☎ 679497, Fax 632001, 🏠, prenotare, « In un'antica fattoria », 🌳 – ▤ cam [TV] ☎ [P] – 🚶 80. [AE]. [S]. ● E [VISA]. ✗

chiuso dal 7 gennaio al 7 marzo – **Pasto** *(chiuso lunedì e martedì a mezzogiorno)* carta 65/105000 – **12 cam** ☕ 390/410000, 5 appartamenti – ½ P 255/350000.

Da Santorotto, via Trento 171 (E : 1 km) ☎ 679012, Fax 679012 – [TV] ☎ [P]. [S]. E [VISA]. ✗ rist

Pasto (solo per alloggiati) carta 25/40000 – ☕ 6000 – **22 cam** 50/80000 – ½ P 70000.

Bettolle *E : 6,5 km – ✉ 53040 :*

🍴 **Locanda La Bandita** 🐦 con cam, via Bandita 72 (N : 1 km) ☎ 624649, Fax 624649, 🏠, Coperti limitati; prenotare, « In un'antica casa colonica », 🌳 – [P]. [S]. E [VISA]

chiuso dal 30 novembre al 15 dicembre – **Pasto** *(chiuso martedì)* carta 35/45000 – **8 cam** ☕ 120000 – ½ P 85000.

INISCOLA *Nuoro* [988] ㉞, [433] F 11 – *Vedere Sardegna alla fine dell'elenco alfabetico.*

IPONTO *Foggia – Vedere Manfredonia.*

IRACUSA [P] [988] ㊲, [432] P 27 – *Vedere Sicilia alla fine dell'elenco alfabetico.*

IRIO (Lago) *Torino* [219] ⑭ – *Vedere Ivrea.*

SIRMIONE 25019 Brescia 988 ④, 428, 429 F 13 *G. Italia – 5 637 ab. alt. 68 – Stazione terma (marzo-novembre), a.s. Pasqua e luglio-settembre – ☎ 030.*

La limitazione d'accesso degli autoveicoli al centro storico è regolata da norme legislative

Vedere *Località★★ – Grotte di Catullo : cornice pittoresca★★ – Rocca Scaligera★.*

viale Marconi 2 ☎ 916245, Fax 916222.

Roma 524 – Brescia 39 – Verona 35 – Bergamo 86 – Milano 127 – Trento 108 – Venezia 14

Villa Cortine, via Grotte 12 ☎ 9905890, Fax 916390, « Grande parco digradan sul lago », riscaldata, – AE. S. E VISA. rist
Pasqua-25 ottobre – **Pasto** 90/110000 – **47 cam** 520/730000, 2 appartamenti ½ P 315/365000.

Gd H. Terme, viale Marconi 7 ☎ 916261, Fax 916568, ≤, « Giardino in riva al lago con riscaldata », – – 140. AE. S. E VISA. rist
Pasqua-ottobre – **Pasto** 70/80000 – **57 cam** 380/400000, appartamento – ½ P 28 340000.

Olivi, via San Pietro 5 ☎ 9905365, Fax 916472, ≤, « Giardino ombreggiato con » – 150. AE. S. E VISA. rist
chiuso gennaio – **Pasto** 55000 – 20000 – **58 cam** 120/180000 – ½ P 115/170000.

Fonte Boiola, viale Marconi 11 ☎ 916431, Fax 916435, ≤, « Giardino in riva al lago – AE. S. E VISA. rist
Pasto 45/55000 – **60 cam** 110/180000 – ½ P 105/125000.

Sirmione, piazza Castello 19 ☎ 916331, Fax 916558, ≤, « Pergolato in riva al lago riscaldata, – AE. S. E VISA. rist
Pasqua-ottobre – **Pasto** carta 65/90000 – **72 cam** 145/240000 – ½ P 150/165000.

Eden senza rist, piazza Carducci 17/18 ☎ 916481, Fax 916483, ≤, – AE. S. E VISA.
chiuso dal 20 novembre al 20 febbraio – 16000 – **33 cam** 115/165000.

Catullo, piazza Flaminia 7 ☎ 9905811, Fax 916444, ≤, « Giardino in riva al lago », – AE. S. E VISA. JCB. rist
chiuso dal 10 gennaio a febbraio – **Pasto** (solo per alloggiati) 35/45000 – **57 cam** 13 190000 – ½ P 100/120000.

Ideal, via Catullo 31 ☎ 9904245, Fax 9904245, ≤, « Giardino-uliveto con discesa lago », – AE. S. E VISA.
aprile-ottobre – **Pasto** 50000 – **33 cam** 150/200000 – ½ P 110/140000.

Flaminia senza rist, piazza Flaminia 8 ☎ 916457, Fax 916193, ≤, « Terrazza solarium riva al lago » – AE. S. VISA
45 cam 115/210000.

Du Lac, via 25 Aprile 60 ☎ 916026, Fax 916582, ≤, – VISA.
28 marzo-25 ottobre – **Pasto** (solo per alloggiati e *chiuso a mezzogiorno*) 50/55000 **36 cam** 125/165000 – ½ P 105/115000.

Golf e Suisse senza rist, via Condominio 2 ☎ 9904590, Fax 916304, – AE. S. E VISA
17500 – **30 cam** 110/120000.

Desiree, via San Pietro 2 ☎ 9905244, Fax 916241, ≤, – S. E VI rist
marzo-ottobre – **Pasto** carta 35/50000 – 10000 – **34 cam** 90/115000, 10000 ½ P 70/115000.

La Paül, via 25 Aprile 32 ☎ 916077, Fax 9905505, ≤, – AE. S. VISA. rist
chiuso febbraio e marzo – **Pasto** (*15 giugno-settembre*; solo per alloggiati) carta 30/500 – **40 cam** 130/180000 – ½ P 90/120000.

Miramar, via 25 Aprile 22 ☎ 916239, Fax 916593, ≤, « Giardino in riva al lago », – S. E VISA.
marzo-novembre – **Pasto** (solo per alloggiati) 35000 – 8000 – **30 cam** 45/11000 ½ P 90/95000.

Mon Repos, via Arici 2 ☎ 9905290, Fax 916546, ≤, « Giardino-uliveto con » – AE. S. E VISA. rist
15 marzo-15 novembre – **Pasto** 45/50000 – 15000 – **24 cam** 105/150000 – ½ P 9 125000.

Villa Maria, via San Pietro in Mavino 8 ☎ 916090, Fax 916123 – AE. S. VI – *30 marzo-3 novembre* – **Pasto** (solo per alloggiati) 35/45000 – **25 cam** 80/1200 – ½ P 95000.

Garten Lido, via 25 Aprile 4 ☎ 916102, Fax 916170, ≤, – cam AE. S. E VISA. rist
marzo-novembre – **Pasto** 35/45000 – **21 cam** 100/150000 – ½ P 100/110000.

Speranza senza rist, via Casello 6 ☎ 916116, Fax 916403 – S. E VISA. JCB
marzo-novembre – **13 cam** 60/100000, 10000.

XXX **Signori,** via Romagnoli 23 ✆ 916017, Fax 916193, ≤, « Servizio estivo in terrazza sul lago » – AE. 🅂. ⓓ E VISA. JCB. ✻
chiuso lunedì – **Pasto** 40/95000 (a mezzogiorno) 60/100000 (alla sera) e carta 70/95000.

XX **Trattoria Antica Contrada,** via Colombare 23 ✆ 9904369, 🏛 – AE. 🅂. ⓓ E VISA
chiuso lunedì, martedì a mezzogiorno e gennaio – **Pasto** carta 45/80000.

XX **San Salvatore,** via San Salvatore 5 ✆ 916248 – AE. 🅂. ⓓ E VISA
chiuso mercoledì e dal 17 novembre a gennaio – **Pasto** carta 40/60000 (15 %).

X **Grifone,** vicolo delle Bisse 5 ✆ 916097, Fax 916548, ≤, « Servizio estivo in terrazza in riva al lago » – AE. 🅂. ⓓ E VISA
10 marzo-ottobre – **Pasto** carta 45/60000 (15 %).

X **Risorgimento-dal Rösa,** piazza Carducci 5 ✆ 916325, 🏛 – AE. 🅂. ⓓ E VISA
marzo-15 novembre; chiuso martedì – **Pasto** carta 40/60000 (15 %).

Colombare *S : 3,5 km – ✉ 25010 Colombare di Sirmione :*

Europa 🔇, ✆ 919047, Fax 9196472, ≤, 🏊, 🎾, 🌳 – ▤ TV ☎ P. AE. 🅂. ⓓ E VISA. ✻
aprile-ottobre – **Pasto** (solo per alloggiati) – **25 cam** ☕ 90/160000 – ½ P 90/115000.

Florida, via Colombare 91 ✆ 919018, Fax 9904254, « Giardino con 🏊 » – TV ☎ P. 🅂. E VISA. ✻ rist
aprile-ottobre – **Pasto** carta 35/50000 – ☕ 15000 – **26 cam** 80/140000 – ½ P 100/110000.

Mirage senza rist, ✆ 9196504, Fax 9196245 – |‡| ▤ TV ☎ 🚗. AE. 🅂. E VISA. JCB. ✻
chiuso dal 6 gennaio al 20 marzo – ☕ 17000 – **16 cam** 95/130000.

XX **La Griglia,** ✆ 919223 – P. 🅂. ⓓ E VISA. JCB
chiuso martedì e da gennaio al 15 febbraio – **Pasto** 25000 (solo a mezzogiorno) e carta 35/60000.

Lugana *SE : 5 km – ✉ 25010 Colombare di Sirmione:*

Arena senza rist, via Verona 90 ✆ 9904828, Fax 9904821 – ▤ TV ☎ & 🚗. AE. 🅂. E VISA. ✻ – *chiuso da gennaio al 6 marzo* – ☕ 10000 – **25 cam** 85/120000.

Derby, ✆ 919482, Fax 9906631 – ▤ cam TV ☎ 🚗 P. AE. 🅂. E VISA. ✻
chiuso dal 10 dicembre a gennaio – **Pasto** (solo per alloggiati e *chiuso a mezzogiorno*) 25000 – ☕ 14000 – **14 cam** 90/115000 – ½ P 95000.

XX ✿ **Vecchia Lugana,** ✆ 919012, Fax 9904045, « Servizio estivo in terrazza sul lago » – P – 🎪 50. AE. 🅂. ⓓ E VISA. JCB. ✻
chiuso lunedì sera, martedì e dal 9 gennaio al 22 febbraio – **Pasto** carta 55/90000 (15 %)
Spec. Paste fresche "della casa". Carni e pesci gardesani alla griglia. Crostate di frutta fresca.

SIROLO *60020 Ancona* 988 ⑯, 430 *L 22 – 3 176 ab. – a.s. luglio-agosto – ☎ 071.*
⛳18 e ⛳9 *Conero (chiuso dal 15 gennaio al 15 febbraio e martedì da novembre a marzo) ✆ 7360613, Fax 7360380 – 🅸 (giugno-settembre) piazza Vittorio Veneto ✆ 9330611.*
Roma 304 – Ancona 18 – Loreto 16 – Macerata 43 – Porto Recanati 11.

La Conchiglia Verde, via Giovanni XXIII ✆ 9330018, Fax 9330019, 🏊 riscaldata, 🌳 – TV ☎ P. AE. 🅂. ⓓ E VISA. JCB. ✻ rist
Pasto 30/60000 – **26 cam** ☕ 90/150000 – ½ P 80/110000.

Beatrice, ✆ 9330731, Fax 9330731, ≤ – P. ✻
giugno-settembre – **Pasto** (solo per alloggiati) – ☕ 6500 – **27 cam** 100000 – ½ P 95/105000.

a Monte Conero (Badia di San Pietro) *NO : 5,5 km – alt. 572 – ✉ 60020 Sirolo :*

Monteconero 🔇, ✆ 9330592, Fax 9330365, ≤ mare e costa, « In un'antica abbazia camaldolese », 🏊, 🌳, 🎾 – |‡| ▤ rist TV ☎ P – 🎪 70. AE. 🅂. ⓓ E VISA. ✻ rist
15 marzo-15 novembre – **Pasto** carta 45/70000 – **46 cam** ☕ 120/170000 – ½ P 120/130000.

SISTIANA *Trieste* 988 ⑥, 429 *E 22 – Vedere Duino Aurisina.*

SIUSI ALLO SCILIAR (SEIS AM SCHLERN) *39040 Bolzano* 988 ④, 429 *C 16 – alt. 988 – Sport invernali : vedere Alpe di Siusi – ☎ 0471 – 🅸 ✆ 706124, Fax 707134.*
Roma 664 – Bolzano 24 – Bressanone 29 – Milano 322 – Ortisei 15 – Trento 83.

Genziana-Enzian, ✆ 705050, Fax 707010, ≤, 🏋, ♨, 🏊, 🌳 – |‡| ▤ rist TV ☎ P. 🅂. E VISA. ✻ rist
18 dicembre-17 aprile e giugno-ottobre – **Pasto** (solo per alloggiati) – **32 cam** ☕ 75/200000 – ½ P 90/130000.

Sporthotel Europa, ✆ 706174, Fax 707222, ≤, 🏋, ♨, 🌳 – |‡| TV ☎ P. 🅂. ⓓ E VISA. ✻ rist
chiuso dal 14 aprile al 16 maggio e dal 3 novembre al 15 dicembre – **Pasto** (solo per alloggiati) 35/50000 – **33 cam** ☕ 100/180000, 2 appartamenti – ½ P 85/160000.

Dolomiti-Dolomitenhof, 706128, Fax 706163, ≤ Sciliar, Vacanze-salute, , – . rist
16 dicembre-14 aprile e giugno-ottobre – **Pasto** (solo per alloggiati) 35/55000 – 3200
27 cam 85/170000 – 1/2 P 125/135000.

Florian, 706137, Fax 707505, ≤ Sciliar, , riscaldata, – . rist
20 dicembre-20 aprile e giugno-15 ottobre – **24 cam** solo 1/2 P 90/130000.

a **Razzes** (Ratzes) *SE : 3 km – alt. 1 205 – 39040 Siusi :*

Bad Ratzes, 706131, Fax 706131, ≤ Sciliar e pinete, « Prato-giardino », , rist . cam
15 dicembre-6 aprile e 16 maggio-6 ottobre – **Pasto** *(chiuso lunedì)* carta 45/6000
39 cam 180/360000 – 1/2 P 100/170000.

SIZIANO *27010 Pavia 988 ③ ⑬, 428 G 9 – 4 583 ab. alt. 93 – 0382.*
Roma 570 – Milano 22 – Piacenza 59 – Novara 71 – Pavia 18.

a **Campomorto** *S : 2 km – 27010 Siziano :*

Cipperimerlo, strada Vigentina 67161, – . AE. . E VISA
chiuso martedì sera, mercoledì ed agosto – **Pasto** carta 40/60000.

SIZZANO *28070 Novara 428 F 13, 219 ⑯ – 1 451 ab. alt. 225 – 0321.*
Roma 641 – Stresa 50 – Biella 42 – Milano 66 – Novara 20.

Impero, via Roma 13 820576 – AE. . E VISA
chiuso lunedì, dal 15 febbraio al 1° marzo ed agosto – **Pasto** carta 40/60000.

SOAVE *37038 Verona 988 ④, 429 F 15 – 6 147 ab. alt. 40 – 045.*
Roma 524 – Verona 22 – Milano 178 – Rovigo 76 – Venezia 95 – Vicenza 32.

Cangrande M, viale del Commercio 20 6102424, Fax 6102567 – 60. AE. . E VISA. JCB. rist
Pasto *(chiuso a mezzogiorno e domenica)* carta 35/50000 – **56 cam** 125/19000
1/2 P 115/145000.

Lo Scudo, via San Matteo 46 7680766, Coperti limitati; prenotare – . AE. VISA.
chiuso domenica sera e lunedì – **Pasto** carta 40/65000.

Al Gambero con cam, corso Vittorio Emanuele 5 7680010, Fax 7680010 – rist 30. AE. . E VISA. cam
Pasto *(chiuso martedì sera e mercoledì)* carta 30/40000 – 10000 – **13 cam** 55/8000
1/2 P 70/80000.

SOIANO DEL LAGO *25080 Brescia 428 F13 – 1 314 ab. alt. 203 – 0365.*
Roma 538 – Brescia 27 – Mantova 77 – Milano 128 – Trento 106 – Verona 53.

Il Grillo Parlante, S : 1,5 km, via E. e P. Avanzi 9 502312, Fax 502312, – . AE. E VISA.
chiuso dal 7 al 14 gennaio, dal 1° al 15 novembre e lunedì (escluso luglio-agosto) – **Pas**
carta 45/70000.

Aurora, via Ciucani 1/7 674101, – . AE. . E VISA
chiuso mercoledì – **Pasto** carta 35/50000.

SOLAROLO *48027 Ravenna 429, 430 I 17 – 4 142 ab. alt. 24 – 0546.*
Roma 373 – Bologna 50 – Ravenna 41 – Forlì 29 – Rimini 72.

L'Ustarejà di Du Butò-Centrale con cam, 51109, Fax 51364 – – 25.
. E VISA.
Pasto *(chiuso lunedì)* carta 35/60000 – 12500 – **15 cam** 65/90000 – 1/2 P 75/85000.

SOLAROLO RAINERIO *26030 Cremona 428 G 13 – 950 ab. alt. 28 – 0375.*
Roma 487 – Brescia 67 – Cremona 27 – Mantova 42 – Parma 36.

La Clochette con cam, 91010, Fax 310151, , – . AE. . E VISA
chiuso dal 1° al 16 agosto – **Pasto** *(chiuso martedì)* carta 40/60000 – 7000 – **12 ca**
55/90000 – 1/2 P 75/90000.

SOLCIO *Novara 219 ⑦ – Vedere Lesa.*

LDA (SULDEN) *39029 Bolzano* 988 ④, 428, 429 C 13 – *alt. 1 906 – Sport invernali : 1 906/3 150 m* 1 12, – 0473.
613015, Fax 613182.
Roma 733 – Sondrio 115 – Bolzano 96 – Merano 68 – Milano 281 – Passo di Resia 50 – Passo dello Stelvio 29 – Trento 154.

Marlet, 613075, Fax 613190, gruppo Ortles e vallata, – .
28 novembre-10 maggio e luglio-settembre – **Pasto** (solo per alloggiati) 30000 – **23 cam** solo ½ P 115/125000.

Eller, 613021, Fax 613181, – . E VISA.
dicembre-5 maggio e luglio-29 settembre – **Pasto** *(chiuso a mezzogiorno da dicembre a marzo)* carta 50/70000 – **50 cam** 80/160000 – ½ P 100/115000.

Mignon, 613045, Fax 613194, gruppo Ortles, – . E VISA.
28 novembre-2 maggio e 26 giugno-25 settembre – **Pasto** (solo per alloggiati e chiuso martedì) 25/30000 – **19 cam** 95/180000 – ½ P 100/115000.

LFERINO *46040 Mantova* 988 ④, 428, 429 F 13 *G. Italia – 2 127 ab. alt. 131 –* 0376.
Roma 506 – Brescia 37 – Cremona 59 – Mantova 36 – Milano 127 – Parma 80 – Verona 44.

Da Claudio-al Nido del Falco, via Garibaldi 35 854249 – .
chiuso lunedì ed agosto – **Pasto** carta 40/55000.

LIERA *41019 Modena* 428, 429 H 14 – *11 801 ab. alt. 29 –* 059.
Roma 420 – Bologna 56 – Milano 176 – Modena 12 – Reggio nell'Emilia 33 – Verona 91.

Lancellotti con cam, via Grandi 120 567406, Fax 565431, prenotare – rist . E VISA. rist
chiuso dal 24 dicembre al 7 gennaio e dal 1° al 19 agosto – **Pasto** *(chiuso domenica e lunedì)* carta 60/90000 – 12000 – **13 cam** 85/120000, 3 appartamenti
Spec. Tortellini in brodo. Straccetti alle erbe odorose e aceto balsamico tradizionale. Misto di insalate, erbe aromatiche, fiori di nasturzio e borragine.

imidi *N : 3 km – 41010 :*

La Baita, via Carpi-Ravarino 124 561633 – . AE. E VISA JCB.
chiuso domenica ed agosto – **Pasto** specialità di mare carta 70/80000.

LIGHETTO *Treviso – Vedere Pieve di Soligo.*

LIGO *Treviso – Vedere Farra di Soligo.*

LTO COLLINA *24060 Bergamo* 428, 429 E 12 – *1 404 ab. alt. 449 – a.s. luglio-agosto –* 035.
Roma 582 – Brescia 58 – Bergamo 38 – Milano 83 – Sondrio 111.

La Romantica con cam, località Esmate N : 2 km 986174, Fax 986174 – . AE. E VISA. JCB
Pasto *(chiuso lunedì da ottobre a maggio)* carta 40/55000 – **15 cam** 65/90000 – ½ P 60/70000.

MANO *12060 Cuneo* 428 I 6 – *407 ab. alt. 516 –* 0173.
Roma 618 – Cuneo 60 – Asti 57 – Savona 73 – Torino 76.

Conte d'Aste, via Roma 6 730102, Fax 730142 – rist . E VISA
Pasto *(chiuso mercoledì)* carta 30/50000 – **15 cam** 70/120000 – ½ P 75/90000.

MERARO *Verbania* 219 ⑥ – *Vedere Stresa.*

MMACAMPAGNA *37066 Verona* 428, 429 F 14 – *11 560 ab. alt. 121 –* 045.
(chiuso martedì) 510060, Fax 510242.
Roma 500 – Verona 15 – Brescia 56 – Mantova 39 – Milano 144.

Merica con cam, località Palazzo 515160 – rist . AE. . VISA.
chiuso dal 1° al 25 agosto – **Pasto** *(chiuso lunedì e giovedì sera)* carta 40/60000 – 7000 – **11 cam** 70/120000.

l'autostrada A 4 - Monte Baldo Nord *NE : 3 km :*

Quadrante Europa senza rist, 37066 Sommacampagna 8581400, Fax 8581402, – – 400. AE. E VISA.
15000 – **117 cam** 180/230000, 6 appartamenti.

SOMMA LOMBARDO *21019 Varese* 428 *E 8,* 219 ⑰ *– 16 440 ab. alt. 281 –* ☎ *0331.*
Roma 626 – Stresa 35 – Como 58 – Milano 49 – Novara 38 – Varese 26.

a Coarezza *O : 6 km – ✉ 21010 Golasecca :*

XX **Da Pio,** via Alzaia 22 ☎ 256667, ← – ▤ P. AE. S. E VISA. ✂
chiuso mercoledì, dal 2 al 20 gennaio e dal 16 al 25 agosto – **Pasto** carta 55/85000.

a Case Nuove *S : 6 km – ✉ 21019 Somma Lombardo :*

X **La Quercia,** via per Tornavento 11 ☎ 230808 – ▤ P. AE. S. E VISA. ✂
chiuso lunedì sera, martedì, dal 22 dicembre all'8 gennaio ed agosto – **Pasto** carta 4
65000.

SOMMARIVA PERNO *12040 Cuneo* 428 *H 5 – 2 443 ab. alt. 389 –* ☎ *0172.*
Roma 648 – Torino 50 – Alessandria 77 – Asti 42 – Cuneo 53 – Savona 110.

Roero Park Hotel ⛭, ☎ 468822, Fax 468815, ← – |‡| ▤ TV ☎ P – 🏋 500
60 cam, 2 appartamenti.

SONA *37060 Verona* 429 *F 14 – 13 343 ab. alt. 169 –* ☎ *045.*
Roma 433 – Verona 15 – Brescia 57 – Mantova 39.

X **Gabriella,** località Valle di Sona ☎ 6081561, ☂ – P. AE. S. ◉ E VISA. ✂
chiuso giovedì e dal 20 luglio al 20 agosto – **Pasto** carta 35/55000.

Lesen Sie die Einleitung, sie ist der Schlüssel zu diesem Führer.

SONDRIO *23100* P 988 ③, 428, 429 *D 11 – 22 216 ab. alt. 307 –* ☎ *0342.*
ℹ *via Cesare Battisti 12* ☎ *512500, Fax 212590.*
A.C.I. *viale Milano 12* ☎ *212213.*
Roma 698 – Bergamo 115 – Bolzano 171 – Bormio 64 – Lugano 96 – Milano 138
St-Moritz 110.

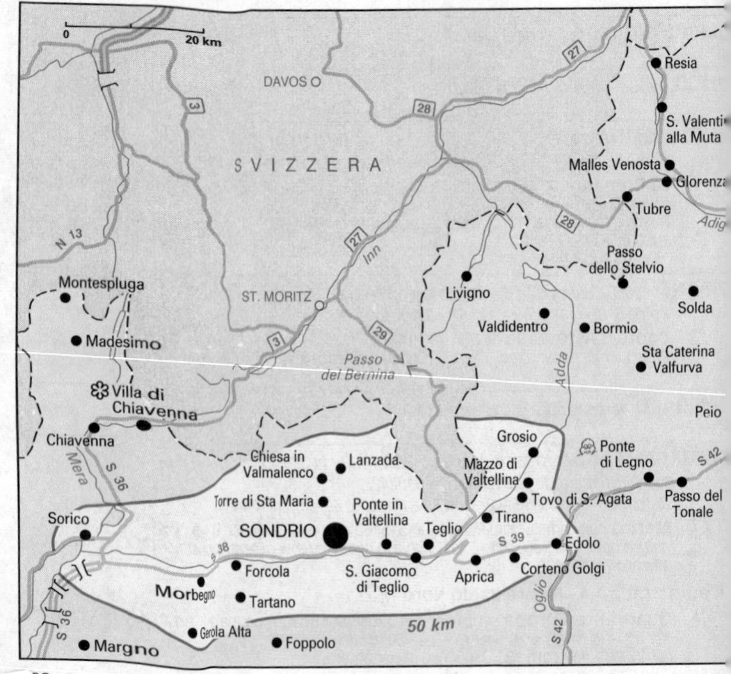

🏨 **Della Posta,** piazza Garibaldi 19 ☎ 510404, Fax 510210, – ⛓ ▤ [TV] ☎ ♿ [P] – 🏛 70. [AE]. [S]. ⊙ [E] [VISA]. ⛌ rist
Pasto 50/60000 e al Rist. ***Sozzani*** *(chiuso dal 28 luglio al 30 agosto)* carta 60/85000 – ☕ 20000 – **39 cam** 115/190000, appartamento – ½ P 165/180000.

🏨 **Europa,** lungo Mallero Cadorna 27 ☎ 515010, Fax 512895 – ⛓ ▤ [TV] ☎ [P]. [AE]. [S]. ⊙ [E] [VISA]. ⛌ rist
Pasto *(chiuso domenica)* carta 45/65000 – ☕ 14000 – **46 cam** 85/120000 – ½ P 100/110000.

erso Montagna in Valtellina *NE : 2 km – alt. 567 – ✉ 23020 Montagna in Valtellina :*

🍴🍴 **Dei Castelli,** ☎ 380445, prenotare – [P]. [AE]. [S]. [E] [VISA]. ⛌
chiuso domenica sera, lunedì, dal 6 al 20 maggio e dal 1° al 15 ottobre – **Pasto** carta 50/75000.

Sassella *O : 3 km – ✉ 23100 Sondrio :*

🍴🍴 **Torre della Sassella,** ☎ 218500, Fax 218500, ⋞, « In una torre del XV secolo » – ⛓. [AE]. [S]. [E] [VISA]
chiuso martedì sera, mercoledì e dal 13 luglio al 9 agosto – **Pasto** carta 55/75000.

Moia di Albosaggia *S : 5 km – alt. 409 – ✉ 23100 Sondrio :*

🏨 **Campelli** ⛰, ☎ 510662, Fax 213101, ⋞, 🏋, ♨, ⛱ ⛓ ▤ [TV] ☎ ♿ 🚗 [P] – 🏛 50. [AE]. [S]. ⊙ [E] [VISA]. [JCB]. ⛌
chiuso dal 1° al 20 agosto – **Pasto** *(chiuso domenica sera e lunedì a mezzogiorno)* 55000 – ☕ 15000 – **34 cam** 75/120000, appartamento.

OPRABOLZANO (OBERBOZEN) *Bolzano – Vedere Renon.*

ORA *03039 Frosinone* [988] ㉖ ㉗, [430] Q 22 – *27 302 ab. alt. 300* – ☎ *0776.*
Roma 111 – Frosinone 31 – Avezzano 55 – Latina 86 – Napoli 138 – Terracina 85.

🏨 **Valentino,** viale San Domenico 1 ☎ 824442, Fax 831071 – ⛓ ▤ [TV] ☎ 🚗 [P] – 🏛 180. [AE]. [S]. [E] [VISA]
Pasto 30000 – ☕ 10000 – **70 cam** 65/100000 – ½ P 65/75000.

🍴🍴 **Griglia d'Oro-Cercine,** via Campo Boario 7 ☎ 831512, ⛱ – [P]. ⛌
chiuso lunedì e dal 10 al 25 luglio – **Pasto** carta 40/60000.

ORAGNA *43019 Parma* [988] ⑭, [428] H 12 – *4 249 ab. alt. 47* – ☎ *0524.*
Roma 480 – Parma 27 – Bologna 118 – Cremona 35 – Fidenza 10 – Milano 104.

🏨 **Locanda del Lupo,** via Garibaldi 64 ☎ 597100, Fax 597066 – ▤ [TV] ☎ – 🏛 150. [AE]. [S]. ⊙ [E] [VISA]. ⛌ rist
chiuso dal 1° al 27 agosto – **Pasto** 50000 – ☕ 8000 – **45 cam** 140/200000, appartamento – ½ P 140/170000.

🍴 **Stella d'Oro** con cam, ☎ 597122 – ☎. [S]. ⊙ [E] [VISA]
chiuso dal 1° al 7 dicembre, dal 4 all'11 giugno e dal 16 al 30 novembre – **Pasto** *(chiuso martedì)* carta 40/65000 – ☕ 8000 – **14 cam** 70/110000 – ½ P 120/140000.

🍴 **Antica Osteria Ardenga,** località Diolo N : 5 km ☎ 599337, ⛱ – [AE]. [S]. ⊙ [VISA]. ⛌
chiuso martedì, dal 7 al 17 gennaio e dal 10 al 24 luglio – **Pasto** carta 30/45000.

ORGONO *Nuoro* [988] ㉝, [433] G 9 – *Vedere Sardegna alla fine dell'elenco alfabetico.*

ORI *16030 Genova* [428] I 9 – *4 548 ab.* – ☎ *0185.*
Roma 488 – Genova 17 – Milano 153 – Portofino 20 – La Spezia 91.

🍴 **Al Boschetto,** via Caorsi 44 ☎ 700659 – [AE]. [S]. ⊙ [E] [VISA]. ⛌
chiuso martedì, dal 15 al 25 marzo e dal 10 al 30 settembre – **Pasto** carta 40/70000.

ORIANO NEL CIMINO *01038 Viterbo* [988] ㉕, [430] O 18 – *8 266 ab. alt. 510* – ☎ *0761.*
Roma 95 – Viterbo 17 – Terni 50.

🍴🍴 **Gli Oleandri** con cam, via Cesare Battisti 51 ☎ 748383, Fax 748222, ⋞, ⛱ – [TV] ☎ [P]. [S]. [E] [VISA]. ⛌
chiuso dal 15 al 27 dicembre – **Pasto** *(chiuso martedì)* carta 35/55000 – ☕ 8000 – **16 cam** 60/90000 – ½ P 70/80000.

Usate le ***carte Michelin*** [428], [429], [430], [431], [432], [433]
per programmare agevolmente i vostri viaggi in ***Italia.***

SORICO *22010 Como* 428 D 10, 219 ⑩ – *1 189 ab. alt. 208* – ☎ *0344.*
Roma 686 – Como 75 – Sondrio 43 – Lugano 53 – Milano 109.

X **Beccaccino,** località Boschetto SE : 2,5 km ☎ 84241 – P
chiuso lunedì sera, martedì e gennaio – **Pasto** specialità pesce di lago carta 30/50000.

SORISO *28018 Novara* 428 E 7, 219 ⑯ – *747 ab. alt. 452* – ☎ *0322.*
Roma 654 – Torino 114 – Stresa 35 – Arona 20 – Milano 78 – Novara 40 – Varese 46.

XXXX ✿✿ **Al Sorriso** con cam, via Roma 18 ☎ 983228, Fax 983328, prenotare – ▤ rist TV ☎. AE. S
◑ E VISA. ✂ rist
chiuso dall'8 al 22 gennaio e dal 5 al 22 agosto – **Pasto** *(chiuso lunedì e martedì mezzogiorno)* carta 100/140000 – **8 cam** ☐ 150/220000 – ½ P 220000
Spec. Verdure di stagione in casseruola con triglie di scoglio e profumi mediterrane Lasagnetta di sedano con gamberi di fiume e finferli (maggio-novembre). Faraona granturco con tartufo (settembre-dicembre).

SORRENTO *80067 Napoli* 988 ㉗, 431 F 25 *G. Italia* – *17 046 ab.* – *a.s. aprile-settembre* – ☎ *081.*
Vedere *Villa Comunale* : ≤** A – *Belvedere di Correale* ≤** B A – *Museo Correale Terranova** B M – *Chiostro** *della chiesa di San Francesco* A F.
Dintorni *Penisola Sorrentina*** : ≤** *su Sorrento dal capo di Sorrento (1 h a piedi A*
≤** *sul golfo di Napoli dalla strada S 163 per* ② *(circuito di 33 km).*
Escursioni *Costiera Amalfitana**** – *Isola di Capri****.
⛴ per Capri giornalieri (45 mn) – Caremar-agenzia Morelli, piazza Marinai d'Ita ☎ 8073077, Fax 8072479.
⛴ per Capri giornalieri (da 20 mn a 1 h) – Alilauro, al porto ☎ 8073024, Fax 8072009 Navigazione Libera del Golfo, al porto ☎ 8071812, Fax 8781861.
i via De Maio 35 ☎ 8074033, Fax 8773397.
Roma 257 ① – *Napoli 49* ① – *Avellino 69* ① – *Caserta 74* ① – *Castellammare di Stabia 19* ① *Salerno 50* ①.

🏨 **Gd H. Excelsior Vittoria** ⛰, piazza Tasso 34 ☎ 8071044, Telex 720368, Fax 87712
≤ golfo di Napoli e Vesuvio, « Giardino-agrumeto con 🏊 » – |‡| ▤ cam TV ☎ P – 🏛 9
AE. S. ◑ E VISA. JCB. ✂ rist
Pasto 70000 – **106 cam** ☐ 340/375000, ▤ 25000 – ½ P 250/405000. B

🏨 **Sorrento Palace** ⛰, via Sant'Antonio ☎ 8784141, Telex 722025, Fax 8783933, ≤,
« Giardino-agrumeto con 🏊 », 🏊, ✂ – |‡| ▤ TV ☎ P – 🏛 1700. AE. S. ◑ E VISA. ✂
Pasto carta 40/80000 – **400 cam** ☐ 265/360000, 10 appartamenti. A

🏨 **Gd H. Capodimonte,** via del Capo 14 ☎ 8784555, Telex 721210, Fax 8071193, ≤ golfo
Napoli e Vesuvio, « Agrumeto e terrazze fiorite con 🏊 » – |‡| ▤ TV ☎ P – 🏛 250.
VISA. ✂ rist A
marzo-novembre – **Pasto** 65000 – **128 cam** ☐ 210/320000, 3 appartamenti – ½ P 21
260000.

SPARTAIA *Livorno – Vedere Elba (Isola d') : Marciana Marina.*

SPAZZAVENTO *Pistoia – Vedere Pistoia.*

SPELLO *06038 Perugia* 988 ⑯, 430 N 20 *G. Italia – 8 042 ab. alt. 314 –* ☎ *0742.*

Vedere *Affreschi*★★ *del Pinturicchio nella chiesa di Santa Maria Maggiore.*

Roma 165 – Perugia 31 – Assisi 12 – Foligno 5 – Terni 66.

Palazzo Bocci, via Cavour 17 ☎ 301021, Fax 301464, ≤, « Residenza signorile d'epoca » – |‡| ▤ TV ☎ ♿ – 🏛 25. AE. 🅢. ⓞ E VISA. JCB. ✻
Pasto vedere rist ***Il Molino*** – **17 cam** ☐ 130/220000, 6 appartamenti.

La Bastiglia ⛰, via dei Molini 17 ☎ 651277, Fax 301159, ≤, 🏠 – ▤ TV ☎. AE. 🅢. ⓞ E VISA. ✻
Pasto *(chiuso dal 15 gennaio al 15 febbraio e mercoledì da ottobre a marzo)* carta 35/50000 – **22 cam** ☐ 110/170000 – ½ P 100000.

Del Teatro, via Giulia 24 ☎ 301140, Fax 301612 – |‡| TV ☎ – 🏛 30. AE. 🅢. E VISA. ✻
chiuso dal 3 al 22 novembre – **Pasto** vedere rist ***Il Cacciatore*** – ☐ 10000 – **11 cam** 95/130000.

Il Molino, piazza Matteotti 6/7 ☎ 651305, 🏠 – AE. 🅢. ⓞ E VISA. JCB
chiuso martedì – **Pasto** carta 40/70000.

Il Cacciatore con cam, via Giulia 42 ☎ 651141, Fax 301603, ≤, « Servizio estivo in terrazza panoramica » – TV ☎ 🚗. AE. 🅢. E VISA. ✻
chiuso lunedì e dal 6 al 20 luglio – **Pasto** carta 35/50000 – ☐ 6000 – **17 cam** 70/100000 – ½ P 85/95000.

SPERLONGA *04029 Latina* 988 ㉖, 430 S 22 *G. Italia – 3 390 ab. – a.s. Pasqua e luglio-agosto –* ☎ *0771.*

Roma 127 – Frosinone 76 – Latina 57 – Napoli 106 – Terracina 18.

Parkhotel Fiorelle ⛰, O : 1 km ☎ 549246, Fax 54092, « Giardino », 🏊, 🏖 – 🅟. ✻ rist
Pasqua-settembre – **Pasto** 35000 – ☐ 10000 – **33 cam** 120/140000 – ½ P 110/120000.

La Sirenella, via Cristoforo Colombo 25 ☎ 549186, Fax 549189, ≤, 🏖 – ▤ TV ☎ 🅟. AE. 🅢. E VISA. ✻
Pasto (solo per alloggiati) 35/45000 – **40 cam** ☐ 110/160000 – P 115/150000.

Major, via I Romita 4 ☎ 549245, Fax 549244, 🏋, ≘s, 🏖 – ▤ TV ☎ 🚗 🅟. AE. 🅢. ⓞ E VISA. ✻
Pasto (solo per alloggiati) 30/60000 – **16 cam** ☐ 100/130000 – ½ P 100/120000.

La Bisaccia, via I Romita 25 ☎ 54576 – ▤. AE. 🅢. E VISA. JCB. ✻
chiuso novembre e martedì (escluso dal 15 giugno a settembre) – **Pasto** carta 30/55000 (10 %).

Gli Archi, via Ottaviano 17 (centro storico) ☎ 54300, Fax 54300, 🏠
chiuso mercoledì e gennaio – **Pasto** carta 50/85000.

SPEZZANO ALBANESE TERME *87010 Cosenza* 431 H 30 *– 7 593 ab. alt. 74 –* ☎ *0981.*

Roma 473 – Cosenza 50 – Castrovillari 23.

San Francesco Terme, S.S. 19 Strada delle Terme ☎ 953068, Fax 953251, ≤ – |‡| ▤ TV ☎ 🅟. AE. 🅢. ⓞ E VISA. ✻ rist
Pasto carta 25/35000 – ☐ 5000 – **42 cam** 90/120000 – ½ P 70/85000.

SPEZZANO PICCOLO *87050 Cosenza* 431 J 31 *– 2 012 ab. alt. 720 –* ☎ *0984.*

Roma 529 – Cosenza 15 – Catanzaro 110.

Petite Etoile, contrada Acqua Coperta NE : 2 km ☎ 435182, Fax 435912 – ☎ 🅟. ✻
Pasto carta 30/45000 – ☐ 3000 – **21 cam** 50/80000 – ½ P 70000.

SPIAZZO *38088 Trento* 428, 429 D 14 *– 1 080 ab. alt. 650 – a.s. 12 febbraio-12 marzo, Pasqua e Natale –* ☎ *0465.*

Roma 622 – Trento 49 – Bolzano 112 – Brescia 96 – Madonna di Campiglio 21 – Milano 187.

Mezzosoldo con cam, a Mortaso N : 1 km ☎ 801067, Fax 801078 – |‡| TV ☎ 🅟. VISA. ✻
5 dicembre-15 aprile e 10 giugno-25 settembre – **Pasto** *(chiuso giovedì)* 25/50000 – **26 cam** ☐ 80/130000 – ½ P 60/100000.

La Pila, località Fisto ☎ 801341 – 🅟. ✻
chiuso martedì sera, mercoledì ed ottobre – **Pasto** carta 35/50000.

SPILAMBERTO *41057 Modena* 428, 429, 430 I 15 – *10 610 ab. alt. 69* – ☎ *059.*
Roma 408 – *Bologna 38* – *Modena 16.*

XX **Da Cesare,** via San Giovanni 38 ☎ 784259, Coperti limitati; prenotare – AE. 🅂. E VISA. ✻
chiuso domenica sera, lunedì, dal 1° al 15 gennaio e dal 20 luglio al 20 agosto – **Pasto** carta 30/50000.

SPILIMBERGO *33097 Pordenone* 988 ⑤, 429 D 20 – *10 789 ab. alt. 132* – ☎ *0427.*
Roma 625 – *Udine 30* – *Milano 364* – *Pordenone 33* – *Tarvisio 97* – *Treviso 101* – *Trieste 98.*

Gd H. President, via Cividale ☎ 50050, Fax 50333, – ▤ TV ☎ ♿ P – 🏛 120. AE 🅂. ⦿ E VISA. ✻ rist
Pasto *(chiuso lunedì)* carta 35/60000 – ☕ 15000 – **33 cam** 95/150000 – ½ P 120/155000.

XX **La Torre,** piazza Castello ☎ 50555, Fax 2998, Coperti limitati; prenotare, « In un castello medioevale » – ▤. AE. 🅂. E VISA. ✻
chiuso domenica sera e lunedì – **Pasto** carta 40/55000.

SPINAZZOLA *70058 Bari* 988 ㉘, 431 E 30 – *7 714 ab. alt. 435* – ☎ *0883.*
Roma 395 – *Potenza 79* – *Foggia 80* – *Bari 80* – *Taranto 134.*

Golden Ear, via Coppa 27 ☎ 981525, Fax 981261 – TV ☎ P
21 cam.

SPINEA *30038 Venezia* 429 F 18 – *25 230 ab.* – ☎ *041.*
Roma 507 – *Padova 34* – *Venezia 18* – *Mestre 7.*

Raffaello senza rist, via Roma 305 ☎ 5411660, Fax 5411511 – ▤ TV ☎ ♿ P – 🏛 100. AE. 🅂. ⦿ E VISA. ✻
☕ 8000 – **27 cam** 90/140000.

SPINO D'ADDA *26016 Cremona* 428 F 10, 219 ⑳ – *5 623 ab. alt. 84* – ☎ *0373.*
Roma 558 – *Bergamo 41* – *Milano 30* – *Cremona 54* – *Piacenza 51.*

XXX **Paredes y Cereda,** via Roma 4 ☎ 965041, Fax 965041, – P. AE. 🅂. E VISA. ✻
chiuso lunedì, dal 1° al 22 gennaio e dal 6 al 16 agosto – **Pasto** carta 50/70000.

SPIRANO *24050 Bergamo* 428 F 11 – *4 107 ab. alt. 156* – ☎ *035.*
Roma 591 – *Bergamo 16* – *Brescia 48* – *Milano 42* – *Piacenza 75.*

X **Le 3 Noci-da Camillo,** ☎ 877158, – P. AE. 🅂. ⦿ E VISA. ✻
chiuso domenica sera, lunedì e dal 1° al 20 agosto – **Pasto** carta 35/60000.

SPOLETO *06049 Perugia* 988 ㉖, 430 N 20 *G. Italia* – *37 743 ab. alt. 405* – ☎ *0743.*
Vedere *Piazza del Duomo*★ : *Duomo*★★ Y – *Ponte delle Torri*★★ Z – *Chiesa di San Gregorio Maggiore*★ Y D – *Basilica di San Salvatore*★ Y B.
Dintorni *Strada*★ *per Monteluco per* ②.
ℹ *piazza Libertà 7* ☎ *220311, Fax 46241.*
Roma 130 ③ – *Perugia 63* ① – *Terni 28* ② – *Ascoli Piceno 123* ① – *Assisi 48* ① – *Foligno 28* ① – *Orvieto 84* ③ – *Rieti 58* ②.

Pianta pagina a lato

Albornoz Palace Hotel M, viale Matteotti ☎ 221221, Fax 221600, ←, – ▤ TV ☎ ♿ P – 🏛 400. AE. 🅂. ⦿ E VISA. ✻ 1 km per ②
Pasto *(chiuso lunedì)* carta 50/70000 – ☕ 20000 – **92 cam** 140/160000, 4 appartamenti ½ P 140000.

San Luca senza rist, via Interna delle Mura 21 ☎ 223399, Fax 223800, – ▤ TV ☎ – 🏛 90. AE. 🅂. ⦿ E VISA. ✻ Y
35 cam ☕ 145/200000, appartamento.

Dei Duchi, viale Matteotti 4 ☎ 44541, Fax 44543, ←, – ▤ rist TV ☎ ♿ P 🏛 50 a 70. AE. 🅂. ⦿ E VISA. ✻ Z
Pasto *(chiuso martedì)* 35/50000 – ☕ 20000 – **49 cam** 130/150000 – ½ P 100/135000.

Gattapone senza rist, via del Ponte 6 ☎ 223447, Fax 223448, ←, – ▤ TV ☎ 🏛 40. AE. 🅂. ⦿ E VISA. JCB Z
15 cam ☕ 170/230000.

Palazzo Dragoni senza rist, via Duomo 13 ☎ 222220, Fax 222225, ←, « Costruzione del 16° secolo » – TV ☎ – 🏛 25. 🅂. ⦿ E VISA. ✻ Y
chiuso da dicembre a febbraio – **15 cam** ☕ 200/250000.

Il Barbarossa, via Licina 12 ☎ 43644, Fax 222060, – ▤ TV ☎ P – 🏛 60. AE. 🅂. ⦿ E VISA. ✻ rist per ①
Pasto *(chiuso lunedì)* carta 35/60000 – **10 cam** ☕ 150/190000 – ½ P 120/150000.

TAFFOLI *56020 Pisa* 430 K 14 – *alt. 28* – ☎ *0571.*
Roma 312 – *Firenze 52* – *Pisa 36* – *Livorno 46* – *Pistoia 33* – *Siena 85.*

XX **Da Beppe,** via Livornese 35/37 ☎ 37002, – ▤. AE. ⓢ. ⊕ E VISA. ✻
✿ *chiuso lunedì e dall'11 al 30 agosto* – **Pasto** carta 60/90000.
Spec. Grande antipasto di pesce. Pappardelle al ragú di granchio. Rombo al sale.

TALLAVENA *Verona* 428, 429 F 14 – *Vedere Grezzana.*

TANGHELLA *35048 Padova* 429 G 17 – *4 602 ab.* – ☎ *0425.*
Roma 446 – *Padova 37* – *Bologna 84* – *Chioggia 57* – *Ferrara 37* – *Venezia 80.*

XX **Giardino** con cam, piazza Pighin 35/36 ☎ 958695, Fax 958696 – ▤ TV ☎ ⇔ P. AE. ⓢ. ⊕ E VISA. JCB. ✻ rist
Pasto carta 35/65000 – ☐ 12000 – **16 cam** 110/150000 – ½ P 110000.

TEINEGG = *Collepietra.*

TELVIO (Passo dello) (STILFSER JOCH) *Bolzano e Sondrio* 988 ④, 428, 429 C 13 – *alt. 2 757 – Sport invernali : solo sci estivo (giugno-ottobre) : 2 757/3 400 m ⛷3 ⛷14, ⛷.*
Roma 740 – *Sondrio 85* – *Bolzano 103* – *Bormio 20* – *Merano 75* – *Milano 222* – *Trento 161.*

🏨 **Passo dello Stelvio-Stilfserjoch,** ✉ 39020 Stelvio ☎ (0342) 903162, Fax 903664, ≤ gruppo Ortles e vallata, – ☎ ⇔ P. ⓢ. VISA. ✻ rist
25 maggio-2 novembre – **Pasto** carta 45/60000 – **60 cam** solo ½ P 100/125000.

TENICO *38070 Trento* 428, 429 D 14 – *1 019 ab. alt. 660* – *a.s. Pasqua e Natale* – ☎ *0465.*
Roma 603 – *Trento 31* – *Brescia 103* – *Milano 194* – *Riva del Garda 29.*

Villa Banale *E : 3 km* – ✉ *38070 :*

🏠 **Alpino,** ☎ 701459, Fax 702599 – ☎ P. ⓢ. E VISA. ✻
Pasto *(chiuso martedì e da novembre a marzo)* 30000 – ☐ 10000 – **33 cam** 50/90000 – ½ P 70/90000.

TERZING = *Vipiteno.*

TILFSER JOCH = *Stelvio (Passo dello).*

TINTINO *Sassari* 988 ㉓, 433 E 6 – *Vedere Sardegna alla fine dell'elenco alfabetico.*

TRADA IN CHIANTI *Firenze* 430 L 15 – *Vedere Greve in Chianti.*

TRADELLA *27049 Pavia* 988 ⑬, 428 G 9 – *11 071 ab. alt. 101* – ☎ *0385.*
Roma 547 – *Piacenza 37* – *Alessandria 62* – *Genova 116* – *Milano 59* – *Pavia 21.*

🏨 **Italia,** via Mazzini 4 ☎ 245178, Fax 48474 – ▤ TV ☎ ♿ P – 🏛 80. AE. ⓢ. ⊕ E VISA. JCB
Pasto *(chiuso domenica)* carta 30/45000 – ☐ 10000 – **30 cam** 80/130000 – ½ P 90/100000.

TRESA *28049 Verbania* 988 ②, 428 E 7 *G. Italia* – *4 809 ab. alt. 200* – *Sport invernali : vedere Mottarone* – ☎ *0323.*
Vedere *Cornice pittoresca*★★ – *Villa Pallavicino*★ Y.
Escursioni *Isole Borromee*★★★ *: giro turistico da 5 a 30 mn di battello* – *Mottarone*★★★ *O : 29 km (strada di Armeno) o 18 km (strada panoramica di Alpino, a pedaggio da Alpino) o 15 mn di funivia* Y.
⛳18 *Des Iles Borromeés (chiuso lunedì escluso luglio-agosto) località Motta Rossa* ✉ *28010 Brovello Carpugnino* ☎ *929285, Fax 929190, per* ① *: 5 km;*
⛳9 *Alpino (aprile-novembre; chiuso martedì escluso dal 27 giugno al 5settembre) a Vezzo* ✉ *28040* ☎ *20642, Fax 20642, per* ② *: 7,5 km.*
⛴ *per le Isole Borromee giornalieri (30 mn)* – *Navigazione Lago Maggiore-agenzia Borroni, corso Umberto I 4* ☎ *30251, Telex 223334, Fax 33398.*
ℹ *via Principe Tomaso 70/72* ☎ *30150, Fax 32561.*
Roma 657 ① – *Brig 108* ③ – *Como 75* ① – *Locarno 55* ③ – *Milano 80* ① – *Novara 56* ① – *Torino 134* ①.

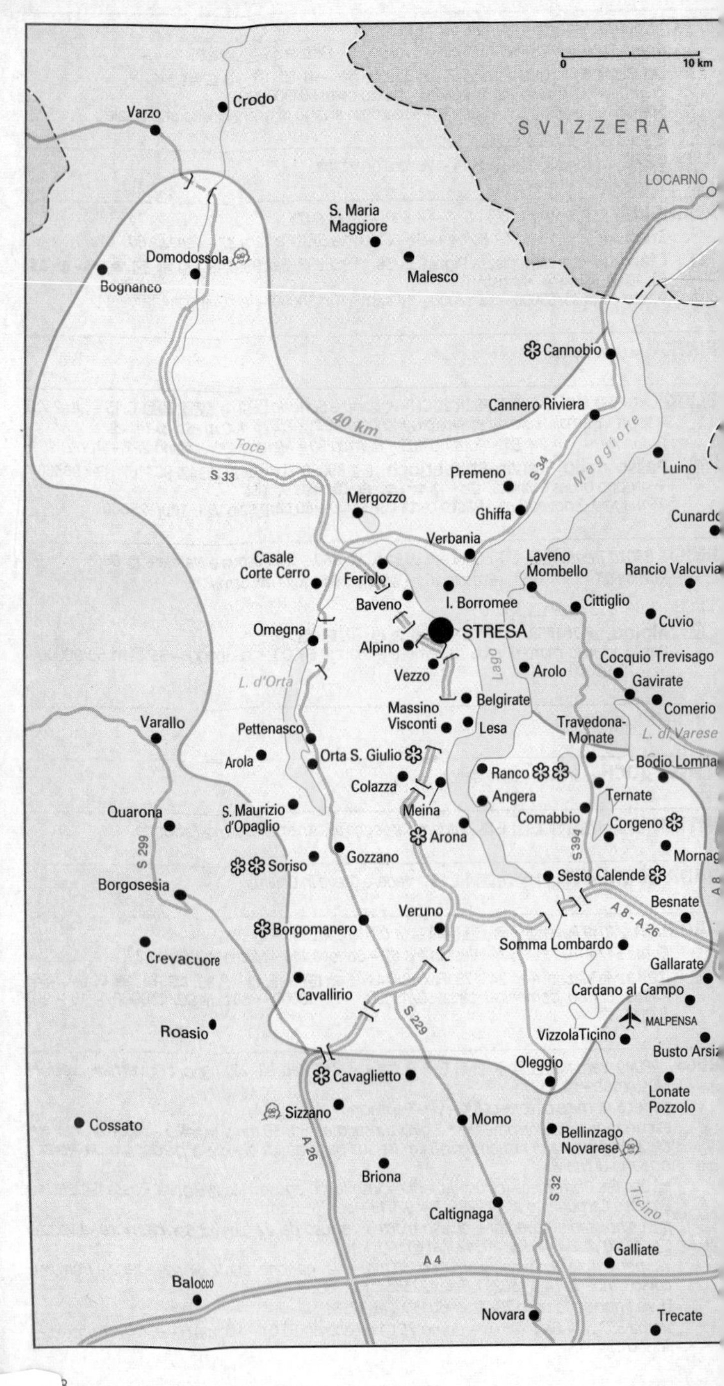

0
10 km
SVIZZERA
Crodo
Varzo
LOCARNO
S. Maria
Maggiore
Domodossola
Bognanco
Malesco
Cannobio
Cannero Riviera
40 km
Maggiore
Toce
S 33
S 34
Luino
Premeno
Mergozzo
Ghiffa
Cunardo
Verbania
Casale
Corte Cerro
Feriolo
Laveno
Mombello
Rancio Valcuvia
Baveno
I. Borromee
Cittiglio
Cuvio
Omegna
STRESA
Alpino
Vezzo
Lago
Arolo
Cocquio Trevisago
Gavirate
L. d'Orta
Belgirate
Comerio
Massino
Visconti
Lesa
Travedona-
Monate
L. di Varese
Varallo
Pettenasco
Arola
Orta S. Giulio
Ranco
Bodio Lomna
Colazza
Angera
Ternate
Quarona
S. Maurizio
d'Opaglio
Meina
Comabbio
Corgeno
Arona
S 394
Mornag
S 299
Gozzano
Soriso
Sesto Calende
Borgosesia
A 8
Besnate
Veruno
A 8 - A 26
Borgomanero
Somma Lombardo
Crevacuore
Gallarate
Cavallirio
Cardano al Campo
MALPENSA
S 229
Roasio
VizzolaTicino
Busto Arsi
Oleggio
Cavaglietto
Lonate
Pozzolo
Sizzano
Cossato
Momo
Bellinzago
Novarese
A 26
Briona
S 32
Ticino
Caltignaga
Galliate
A 4
Balocco
Novara
Trecate

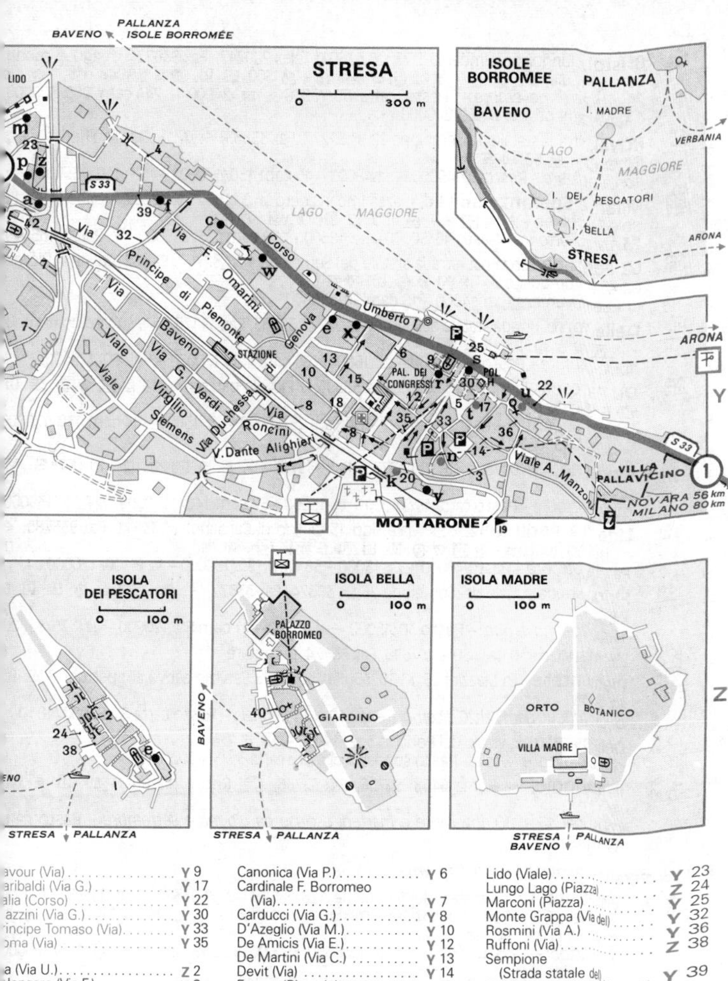

avour (Via) . . . . Y 9
aribaldi (Via G.) . . . . Y 17
alia (Corso) . . . . Y 22
azzini (Via G.) . . . . Y 30
rincipe Tomaso (Via) . . . . Y 33
oma (Via) . . . . Y 35

a (Via U.) . . . . Z 2
olongaro (Via F.) . . . . Y 3
orromeo (Via F.) . . . . Y 4
adorna (Piazza) . . . . Y 5

Canonica (Via P.) . . . . Y 6
Cardinale F. Borromeo (Via) . . . . Y 7
Carducci (Via G.) . . . . Y 8
D'Azeglio (Via M.) . . . . Y 10
De Amicis (Via E.) . . . . Y 12
De Martini (Via C.) . . . . Y 13
Devit (Via) . . . . Y 14
Europa (Piazzale) . . . . Y 15
Fulgosi (Via) . . . . Y 18
Gignous (Via) . . . . Y 20

Lido (Viale) . . . . Y 23
Lungo Lago (Piazza) . . . . Z 24
Marconi (Piazza) . . . . Y 25
Monte Grappa (Via del) . . . . Y 32
Rosmini (Via A.) . . . . Y 36
Ruffoni (Via) . . . . Z 38
Sempione (Strada statale del) . . . . Y 39
V. Emanuele III (Lungolago) . . . . Z 40
Volta (Via A.) . . . . Y 42

Des Iles Borromées, lungolago Umberto I 67 ✆ 30431, Fax 32405, « Parco e giardino fiorito con ≤ isole Borromee », – 250. rist Y w
Pasto 105000 – **129 cam** 440/585000, 11 appartamenti – ½ P 450/520000.

La Palma, lungolago Umberto I 33 ✆ 32401, Fax 933930, ≤ isole Borromee e monti, « Piccolo giardino con riscaldata direttamente sul lago », – 250. rist Y e
marzo-novembre – **Pasto** 45/55000 – 20000 – **119 cam** 200/285000, 5 appartamenti – ½ P 135/190000.

Astoria, lungolago Umberto I 31 ✆ 32566, Fax 933785, ≤ isole Borromee, « Parco e giardino fiorito con riscaldata », – 60. rist Y x
27 marzo-25 ottobre – **Pasto** 50000 – **96 cam** 220/290000 – ½ P 140/180000.

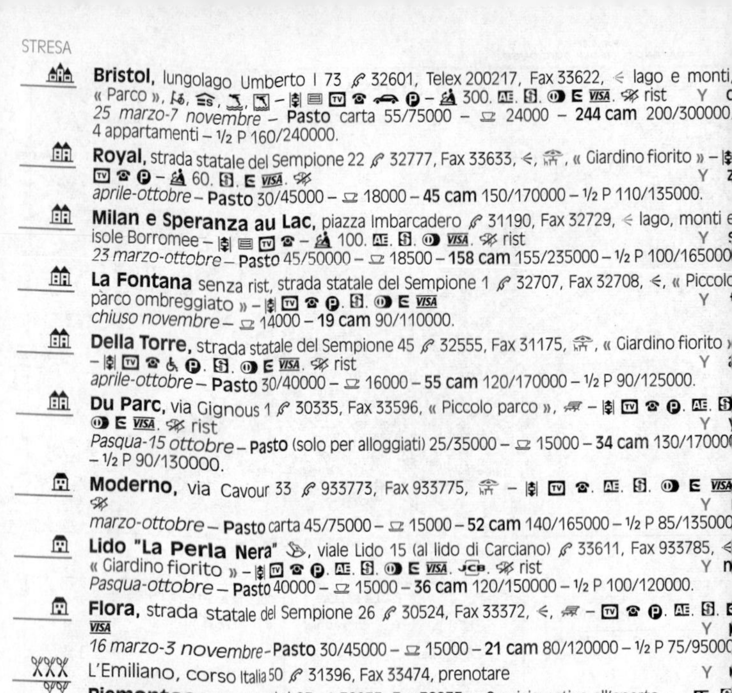

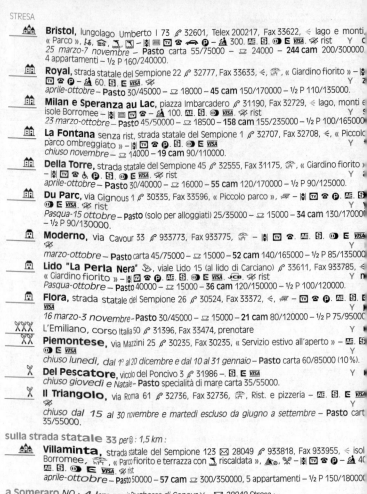

Bristol, lungolago Umberto I 73 ℰ 32601, Telex 200217, Fax 33622, ≤ lago e monti, « Parco », – 300. AE. 🅂. VISA. rist Y c
25 marzo-7 novembre – **Pasto** carta 55/75000 – 24000 – **244 cam** 200/300000, 4 appartamenti – ½ P 160/240000.

Royal, strada statale del Sempione 22 ℰ 32777, Fax 33633, ≤, « Giardino fiorito » – – 60. 🅂. E VISA. Y z
aprile-ottobre – **Pasto** 30/45000 – 18000 – **45 cam** 150/170000 – ½ P 110/135000.

Milan e Speranza au Lac, piazza Imbarcadero ℰ 31190, Fax 32729, ≤ lago, monti e isole Borromee – – 100. AE. 🅂. VISA. rist Y
23 marzo-ottobre – **Pasto** 45/50000 – 18500 – **158 cam** 155/235000 – ½ P 100/165000.

La Fontana senza rist, strada statale del Sempione 1 ℰ 32707, Fax 32708, ≤, « Piccolo parco ombreggiato » – . 🅂. E VISA Y
chiuso novembre – 14000 – **19 cam** 90/110000.

Della Torre, strada statale del Sempione 45 ℰ 32555, Fax 31175, , « Giardino fiorito » – . 🅂. E VISA. rist Y
aprile-ottobre – **Pasto** 30/40000 – 16000 – **55 cam** 120/170000 – ½ P 90/125000.

Du Parc, via Gignous 1 ℰ 30335, Fax 33596, « Piccolo parco », – . AE. 🅂 E VISA. rist Y
Pasqua-15 ottobre – **Pasto** (solo per alloggiati) 25/35000 – 15000 – **34 cam** 130/170000 – ½ P 90/130000.

Moderno, via Cavour 33 ℰ 933773, Fax 933775, – . AE. 🅂. E VISA Y
marzo-ottobre – **Pasto** carta 45/75000 – 15000 – **52 cam** 140/165000 – ½ P 85/135000.

Lido "La Perla Nera", viale Lido 15 (al lido di Carciano) ℰ 33611, Fax 933785, ≤, « Giardino fiorito » – . AE. 🅂. E VISA. JCB. rist Y n
Pasqua-ottobre – **Pasto** 40000 – 15000 – **36 cam** 120/150000 – ½ P 100/120000.

Flora, strada statale del Sempione 26 ℰ 30524, Fax 33372, ≤, – . AE. 🅂. E VISA Y
16 marzo-3 novembre – **Pasto** 30/45000 – 15000 – **21 cam** 80/120000 – ½ P 75/95000.

L'Emiliano, corso Italia 50 ℰ 31396, Fax 33474, prenotare Y

Piemontese, via Mazzini 25 ℰ 30235, Fax 30235, « Servizio estivo all'aperto » – AE. 🅂 E VISA Y
chiuso lunedì, dal 1° al 20 dicembre e dal 10 al 31 gennaio – **Pasto** carta 60/85000 (10%).

Del Pescatore, vicolo del Poncivo 3 ℰ 31986 –. 🅂. E VISA Y
chiuso giovedì e Natale – **Pasto** specialità di mare carta 35/55000.

Il Triangolo, via Roma 61 ℰ 32736, Fax 32736, , Rist. e pizzeria – AE. 🅂. E VISA Y
chiuso dal 15 al 30 novembre e martedì escluso da giugno a settembre – **Pasto** carta 35/55000.

sulla strada statale 33 *per ①: 1,5 km:*

Villaminta, strada statale del Sempione 123 ✉ 28049 ℰ 933818, Fax 933955, ≤ isole Borromee, , « Parco fiorito e terrazza con riscaldata », – – 40. AE. 🅂. E VISA. rist
aprile-ottobre – **Pasto** 50000 – **57 cam** 300/350000, 5 appartamenti – ½ P 150/180000.

a Someraro *NO : 4 km per via Duchessa di Genova Y – ✉ 28049 Stresa :*

Al Rustico, via degli Alpini ℰ 32172, Coperti limitati; prenotare, « Ambiente romantico » – . AE. 🅂. E VISA
chiuso mercoledì – **Pasto** carta 40/60000.

Vedere anche : **Borromee (Isole)** *N : da 5 a 30 mn di battello*

STROMBOLI (Isola) *Messina* 988 ㊲ ㊳, 431, 432 K 27 – *Vedere Sicilia (Eolie, isole) alla fine dell'elenco alfabetico.*

STRONCONE *05039 Terni* 430 O 20 – *alt. 451* – ☎ *0744.*
Roma 112 – Terni 12 - Rieti 45.

Taverna de Porta Nova, via Porta Nova 1 ℰ 60496, « In un convento quattrocentesco » –. 🅂. E VISA.
chiuso a mezzogiorno (escluso i giorni festivi), mercoledì, dal 1° al 26 gennaio e dal 15 al 30 luglio – **Pasto** carta 35/50000.

STROVE *Siena* 430 L 15 - *Vedere Monteriggioni.*

STURLA *Genova – Vedere Genova.*

SU GOLOGONE *Nuoro* [433] G 10 – *Vedere Sardegna (Oliena) alla fine dell'elenco alfabetico.*

SULDEN = *Solda.*

SULMONA *67039 L'Aquila* [988] ㉗, [430] P 23 *G. Italia – 25 641 ab. alt. 375 –* ☎ *0864.*

Vedere *Palazzo dell'Annunziata*★★ – *Porta Napoli*★.

Dintorni *itinerario nel Massiccio degli Abruzzi*★★★.

[i] *corso Ovidio 208* ℘ *53276, Fax 53276.*

Roma 154 – L'Aquila 73 – Avezzano 57 – Chieti 62 – Isernia 76 – Napoli 186 – Pescara 73.

🏠 **Armando's,** via Montenero 15 ℘ 210783, Fax 210786 – ↕ [TV] ☎ [P]. [AE] [S]. ⓞ E [VISA]. 🐕
Pasto (solo per alloggiati e *chiuso dal 22 dicembre al 7 gennaio*) 25/30000 – ☕ – 21 cam 90/120000.

🍴🍴 **Rigoletto,** via Stazione Introdacqua 46 ℘ 55529, « Servizio estivo all'aperto » – ❄. [AE] [S]. ⓞ E [VISA]. JCB. 🐕
chiuso domenica sera, lunedì, dal 23 dicembre al 5 gennaio e dal 15 al 31 luglio – **Pasto** carta 35/50000.

🍴 **Gino,** piazza Plebiscito 12 ℘ 52289 – ❄. 🐕
chiuso la sera e domenica – **Pasto** carta 35/45000.

SULZANO *25058 Brescia* [428], [429] E 12 – *1 398 ab. alt. 205 – a.s. Pasqua e luglio-15 settembre –* ☎ *030.*

Roma 586 – Brescia 28 – Bergamo 44 – Edolo 72 – Milano 85.

🏠 **Aquila,** ℘ 985383, 🏖, 🌳 – [P]
marzo-novembre – **Pasto** (*chiuso lunedì in bassa stagione*) carta 35/65000 – ☕ 8000 – **19 cam** 40/100000 – ½ P 65/80000.

🍴🍴 **Le Palafitte,** via Cesare Battisti 7 (S : 1,5 km) ℘ 985145, Fax 985295, ≤, 🏖, prenotare, « Padiglione sul lago » – [P]. [AE]. [S]. [VISA]
chiuso lunedì sera, martedì e gennaio – **Pasto** carta 45/75000.

SUNA *Verbania,* [428] E 7 – *Vedere Verbania.*

SUPERGA *Torino – alt. 670.*

Vedere *Basilica*★ : ≤★★★, *tombe reali*★.

Roma 662 – Asti 48 – Milano 144 – Torino 10 – Vercelli 75.

SUSA *10059 Torino* [988] ⑪, [428] G 3 – *6 650 ab. alt. 503 – a.s. giugno-settembre e Natale –* ☎ *0122.*

Roma 718 – Briançon 55 – Milano 190 – Col du Mont Cenis 30 – Torino 53.

🏠🏠 **Napoleon,** via Mazzini 44 ℘ 622855, Fax 31900 – ↕ [TV] ☎ 🚗 – 🏛 40. [AE]. [S]. E [VISA]. 🐕 rist
Pasto (*chiuso gennaio e sabato escluso da luglio a settembre*) 35/45000 – ☕ 14000 – **62 cam** 105/135000 – ½ P 105/140000.

SUSEGANA *31058 Treviso* [429] E 18 – *10 003 ab. alt. 77 –* ☎ *0438.*

Roma 572 – Belluno 57 – Trento 143 – Treviso 22.

🍴 La Vigna, via Barriera 20 (N : 2 km) ℘ 62430, Fax 62430, ≤, « Servizio estivo all'aperto » [P].

SUZZARA *46029 Mantova* [988] ⑭, [428], [429] I 9 – *17 475 ab. alt. 20 –* ☎ *0376.*

Roma 453 – Parma 48 – Verona 64 – Cremona 74 – Mantova 21 – Milano 167 – Modena 51 – Reggio nell'Emilia 41.

🍴🍴 **Cavallino Bianco** con cam, via Luppi Menotti 11 ℘ 531676, Fax 531148, « Raccolta di quadri moderni » – ❄ [TV] ☎. [AE]. [S]. ⓞ E [VISA]. 🐕 rist
chiuso dal 1° al 20 agosto – **Pasto** (*chiuso sabato*) carta 40/50000 – ☕ 5000 – **14 cam** 60/90000 – ½ P 70000.

🍴 **Da Battista,** piazza Castello 14/a ℘ 531225 –. [S]. ⓞ E [VISA]. 🐕
chiuso domenica e dall'11 al 25 agosto – **Pasto** carta 35/55000.

TABIANO BAGNI *43030 Parma* 428, 429 H 12 – *alt. 162 – Stazione termale (marzo-novembre), a.s. agosto-25 ottobre* – ☎ *0524.*

ℹ *(agosto-ottobre) viale delle Fonti* ☎ *565482.*

Roma 486 – Parma 31 – Piacenza 57 – Bologna 124 – Fidenza 8 – Milano 110 – Salsomaggiore Terme 5.

Grande Albergo Astro ⑤, via Castello 2 ☎ 565523, Fax 565497, ←, Få, ≘s, ‡ – |‡| ▤ cam TV ☎ ⇔ P – 🎪 850. AE. S. ⓓ E VISA. ✻ rist
Pasto carta 55/75000 – **115 cam** ☐ 150/200000 – ½ P 130/175000.

Napoleon, viale alle Terme 11 ☎ 565261, Fax 565230, Få, ≘s, ⊠, 🌳 – |‡| ⇎ rist ▤ rist TV ☎ P – 🎪 60. AE. S. ⓓ E VISA. ✻ rist
Pasto 40/60000 – **56 cam** ☐ 115/135000 – ½ P 95/105000.

Ducale, viale Respighi 3 ☎ 565132, Fax 565150, ← – |‡| TV ☎ P. AE. S. ⓓ E VISA. ✻
25 aprile-5 novembre – **Pasto** 35/50000 – ☐ 15000 – **104 cam** 90/140000 – ½ P 75/95000.

Pandos ⑤, via Mascagni 6 ☎ 565276, Fax 565287, ⊥, 🌳 – |‡| ⇎ rist TV ☎ P. S. ⓓ E VISA. ✻ rist
15 aprile-4 novembre – **Pasto** 40000 – ☐ 15000 – **57 cam** 95/120000 – ½ P 80/85000.

Park Hotel Fantoni ⑤, via Castello 6 ☎ 565141, Fax 565141, ⊥, 🌳 – |‡| ▤ cam TV ☎ ⇔ P. S. ⓓ E VISA. ✻
aprile-novembre – **Pasto** carta 35/50000 – ☐ 12000 – **34 cam** 75/110000 – ½ P 80/90000.

Quisisana, viale Fidenza 5 ☎ 565252, Fax 565101, 🌳 – |‡| TV ☎ P. S. E VISA. ✻ rist
15 aprile-15 novembre – **Pasto** (solo per alloggiati) 30000 – ☐ 10000 – **49 cam** 70/110000 – ½ P 75/85000.

Rossini ⑤, via alle Fonti 10 ☎ 565173, Fax 565734 – |‡| ⇎ rist TV ☎ P. ✻ rist
aprile-novembre – **Pasto** 45000 – ☐ 8000 – **57 cam** 85/115000 – ½ P 80/85000.

Panoramik, via Tabiano 50 ☎ 565423, Fax 565594, ←, ⊥, 🌳 – |‡| TV ☎ P. S. E VISA. ✻ rist
marzo-novembre – **Pasto** carta 35/50000 – **37 cam** ☐ 80/110000 – ½ P 85/90000.

Tabiano, via alle Terme 13 ☎ 565188, Fax 565293 – |‡| TV ☎ P. S. E VISA. ✻ rist
chiuso gennaio – **Pasto** carta 25/40000 – **35 cam** ☐ 75/115000 – ½ P 70/75000.

Locanda del Colle-da Oscar, al Castello S : 3,5 km ☎ 565702, 😊, Coperti limitati; prenotare – P. AE. S. ⓓ E VISA. JCB. ✻
chiuso dal 1° al 15 febbraio e lunedì (escluso da agosto a settembre) – **Pasto** carta 40/60000.

TAGLIACOZZO *67069 L'Aquila* 988 ㉖, 430 P 21 – *6 447 ab. alt. 775* – ☎ *0863.*

Roma 97 – L'Aquila 52 – Avezzano 16 – Frosinone 87 – Pescara 123.

Hotel Park senza rist, via Tiburtina Valeria km 99 ☎ 610786, Fax 610786, ⊥, ✕ – |‡| TV ☎ P. AE. S. ⓓ E VISA
60 cam ☐ 120/180000.

TAGLIATA *Ravenna – Vedere Cervia.*

TAGLIO DI PO *45019 Rovigo* 988 ⑮, 429 G 18 – *8 488 ab.* – ☎ *0426.*

Roma 425 – Ravenna 73 – Chioggia 27 – Rovigo 38.

Tessarin, piazza Venezia 4 ☎ 346347, Fax 346346 – |‡| ▤ TV ☎ ♿ P – 🎪 80. AE. S. ⓓ E VISA. ✻ rist
Pasto *(chiuso venerdì escluso luglio-agosto)* carta 35/70000 – **32 cam** ☐ 95/135000, 2 appartamenti – ½ P 90/125000.

TALAMONE *Grosseto* 430 O 15 – *Vedere Fonteblanda.*

TALSANO *74029 Taranto* 431 F 33 – *alt. 24* – ☎ *099.*

Roma 507 – Brindisi 65 – Lecce 82 – Taranto 11.

Bel Sit, S : 1,5 km ☎ 7716362, Fax 7717335, 😊 – ▤ TV ☎ ♿ P
38 cam.

a Lama *SO : 3,5 km* – ✉ *74020 :*

Le Vecchie Cantine, via Girasoli 23 ☎ 7772589, 😊, prenotare – P. AE. S. ⓓ E VISA
chiuso mercoledì e a mezzogiorno (escluso dal 20 giugno al 20 settembre) – **Pasto** carta 35/50000.

Carta Michelin n° 429 ITALIA Nord-Est scala 1:400 000.

TAMBRE *Belluno* 429 D 19 – *1 645 ab. alt. 922* – ✉ *32010 Tambre d'Alpago* – ☎ *0437.*

18 *Cansiglio (aprile-novembre) a Pian del Cansiglio* ✉ *31029 Vittorio Veneto* ☎ *(0438) 585398, S : 11 km* – *piazza 11 Gennaio 1945* ☎ *49277, Fax 49246.*

Roma 613 – *Belluno 30* – *Cortina d'Ampezzo 83* – *Milano 352* – *Treviso 73* – *Venezia 102.*

Alle Alpi, via Campei 32 ☎ 49022, ... – *chiuso ottobre e novembre* – **Pasto** *(chiuso mercoledì)* 25/35000 – ☕ 10000 – **28 cam** 80/100000 – P 60/110000.

Col Indes con cam, SE : 5 km, alt. 1 250 ☎ 49274, Fax 49601, ... *20 dicembre-20 gennaio e 25 giugno-settembre* – **Pasto** carta 30/45000 – **6 cam** ☕ 75/100000 – 1/2 P 45/75000.

Piano del Cansiglio *S : 11 km* – *alt. 1 028* – ✉ *32010 Spert d'Alpago :*

Rifugio Sant'Osvaldo , ☎ (0438) 585353, Fax 585062, ... AE. VISA. rist – *chiuso dal 1° al 10 giugno, 10 al 25 novembre, martedì sera e mercoledì (escluso dal 20 dicembre al 10 gennaio e dal 15 giugno al 15 settembre)* – **Pasto** carta 30/60000.

TAMION *Trento* – *Vedere Vigo di Fassa.*

TAORMINA *Messina* 988 ㊲, 432 N 27 – *Vedere Sicilia alla fine dell'elenco alfabetico.*

When visiting ***northern Italy*** *use* ***Michelin maps*** 428 *and* 429.

TARANTO *74100* 🅿 988 ㉙, 431 F 33 *G. Italia – 212 650 ab. – ✆ 099.*

Vedere *Museo Nazionale★★ : ceramiche★★★, sala degli ori★★★ – Lungomare Vittorio Emanuele★★ – Giardini Comunali★ – Cappella di San Cataldo★ nel Duomo.*

(chiuso martedì da ottobre a maggio) a Riva dei Tessali ✉ 74011 Castellaneta ✆ 6439251, Telex 860086, Fax 6439255, per ③ : 34 km.

corso Umberto 113 ✆ 4532392, Fax 4532397.

A.C.I. *via Giustino Fortunato ✆ 7796434.*

Roma 532 ③ – Brindisi 70 ① – Bari 94 ③ – Napoli 344 ③.

Pianta pagina precedente

Gd H. Delfino, viale Virgilio 66 ✆ 7323232, Telex 860113, Fax 7304654, ≤, – 350. AE. Ⓢ. ⓞ E VISA. d
Pasto carta 40/75000 – **198 cam** 150/190000, 6 appartamenti – ½ P 170/190000.

Palace, viale Virgilio 10 ✆ 4594771, Fax 4594771, ≤ – – 25 a 300 s
73 cam.

Plaza, via d'Aquino 46 ✆ 4590775, Fax 4590675 – – 250. AE. Ⓢ. ⓞ E VISA. z
Pasto carta 30/50000 – **112 cam** 120/160000 – ½ P 125/140000.

Al Gambero, vico del Ponte 4 ✆ 4711190, ≤, f

Al Faro, via Galeso 126 ✆ 4714444 – e
Pasto specialità di mare.

Il Caffè, via d'Aquino 8 ✆ 4525097, Rist. e pizzeria – AE. Ⓢ. ⓞ E VISA. JCB b
chiuso martedì – **Pasto** carta 35/60000.

Marcaurelio, via Cavour 17 ✆ 4527893, Rist. e pizzeria – AE. Ⓢ. ⓞ E VISA. JCB c
chiuso martedì, dal 24 al 28 dicembre e dal 12 al 17 agosto – **Pasto** carta 25/55000.

L'Assassino, lungomare Vittorio Emanuele III 29 ✆ 4593447 – AE. Ⓢ. ⓞ E VISA. a
chiuso venerdì, gennaio e Ferragosto – **Pasto** carta 40/60000 (10 %).

TARCENTO *33017 Udine* 988 ⑥, 429 D 21 – *8 521 ab. alt. 230 – a.s. luglio-agosto – ✆ 0432.*

Roma 657 – Udine 19 – Milano 396 – Tarvisio 76 – Trieste 90 – Venezia 146.

Al Mulin Vieri, via Dei Molini 10 ✆ 785076, Fax 785076, ≤, – AE. Ⓢ. ⓞ E VISA. JCB
chiuso lunedì sera, martedì e dal 10 al 28 ottobre – **Pasto** carta 50/65000.

Osteria di Villafredda, località Loneriacco S : 2 km ✆ 792153, « Casa di campagna con servizio estivo in giardino » – Ⓢ. E VISA
chiuso domenica sera, lunedì, dal 7 al 28 gennaio e dal 5 al 26 agosto – **Pasto** carta 40/60000.

Ostarie di Santine, località Pradandons SE : 2,5 km ✆ 785119, Fax 785119, – AE. Ⓢ. ⓞ E VISA. JCB
chiuso martedì sera, mercoledì e dal 23 agosto al 15 settembre – **Pasto** carta 35/50000.

Da Gaspar, località Zomeais N : 2,5 km ✆ 785950, prenotare –
chiuso lunedì, martedì e dal 15 giugno al 15 luglio – **Pasto** carta 35/50000.

TARQUINIA *01016 Viterbo* 988 ㉕, 430 P 17 *G. Italia – 14 656 ab. alt. 133 – ✆ 0766.*

Vedere *Necropoli Etrusca★★ : pitture★★★ nelle camere funerarie SE : 4 km – Palazzo Vitelleschi★ : cavalli alati★★★ nel museo Nazionale Tarquiniense★ – Chiesa di Santa Maria in Castello★.*

(chiuso martedì) località Marina Velca ✉ 01016 Tarquinia ✆ 812109, Fax 812109.

piazza Cavour 1 ✆ 856384, Fax 840479.

Roma 96 – Viterbo 45 – Civitavecchia 20 – Grosseto 92 – Orvieto 90.

a Lido di Tarquinia *SO : 6 km – ✉ 01010 :*

Velcamare, via degli Argonauti 1 ✆ 864380, Fax 864024, « Servizio estivo all'aperto », – AE. Ⓢ. ⓞ E VISA. JCB. rist
febbraio-ottobre – **Pasto** *(chiuso martedì escluso da giugno a settembre)* carta 55/95000 (10 %) – **20 cam** 110/180000 – ½ P 130/150000.

La Torraccia senza rist, viale Mediterraneo 45 ✆ 864375, Fax 864296, – 50. AE. Ⓢ. ⓞ E VISA.
chiuso dal 20 dicembre all'8 gennaio – **18 cam** 120/150000.

Gradinoro, lungomare dei Tirreni 17 ✆ 864045 – AE. Ⓢ. ⓞ E VISA
15 marzo-10 novembre – **Pasto** carta 30/80000.

TARSOGNO *43050 Parma* [428] I 10 – *alt. 822 – a.s. luglio-agosto* – ✆ *0525.*
Roma 472 – La Spezia 73 – Bologna 182 – Genova 108 – Milano 161 – Parma 86 – Piacenza 97.

🏨 **Sole,** ✆ 89142, Fax 89398, ≤ – |♿| ☎ ♿ [P]. ✗
chiuso ottobre – **Pasto** *(chiuso giovedì)* carta 40/50000 – ☕ 11000 – **24 cam** 70/100000 – ½ P 70/80000.

TARTANO *23010 Sondrio* [428] D 11 – *296 ab. alt. 1 147* – ✆ *0342.*
Roma 695 – Sondrio 34 – Chiavenna 61 – Lecco 77 – Milano 133.

🏨 **La Gran Baita** 🌿, via Castino 7 ✆ 645043, Fax 645043, ≤, 🌳 – |♿| ⊬ rist ☎ [P]. [AE]. [$]. E VISA. ✗ rist
chiuso dal 6 gennaio a Pasqua – **Pasto** carta 30/45000 – ☕ 6000 – **33 cam** 45/70000 – ½ P 50/55000.

TARVISIO *33018 Udine* [988] [6], [429] C 22 – *5 752 ab. alt. 754 – a.s. luglio-agosto e Natale – Sport invernali : 754/1 753 m* ⛷ *1* ⛷ *5,* ⛷ – ✆ *0428.*
⛳ *(aprile-ottobre)* ✆ *2047, Fax 41051.*
[i] *via Roma 10* ✆ *2135, Fax 2972.*
Roma 730 – Udine 95 – Cortina d'Ampezzo 170 – Gorizia 133 – Klagenfurt 67 – Ljubljana 100 – Milano 469.

🏨 **Nevada,** via Kugy 4 ✆ 2332, Fax 40566 – |♿| [TV] ☎ 🚗 [P]. [AE]. [$]. ⓞ E VISA. ✗
Pasto carta 40/55000 – ☕ 10000 – **60 cam** 80/115000 – ½ P 85/100000.

🍴 **Italia,** ✆ 2041 – 🏛 25. [AE] ⓞ VISA. ✗
chiuso martedì sera, mercoledì, dal 15 maggio al 15 giugno e dal 15 ottobre al 15 novembre – **Pasto** carta 40/55000.

TAUFERS IM MÜNSTERTAL = *Tubre.*

TAVAGNACCO *33010 Udine* [429] D 21 – *11 917 ab. alt. 137* – ✆ *0432.*
Roma 645 – Udine 9 – Tarvisio 84 – Trieste 78 – Venezia 134.

🍴🍴 **Al Grop,** via Matteotti 1 ✆ 660240, Fax 650158, 🏠 – [P]. [AE]. [$]. ⓞ E VISA. JCB
chiuso mercoledì sera, giovedì e dal 1º al 15 agosto – **Pasto** carta 45/70000.

TAVARNELLE VAL DI PESA *50028 Firenze* [988] [14] [15], [430] L 15 – *7 070 ab. alt. 378* – ✆ *055.*
Roma 268 – Firenze 29 – Siena 41 – Livorno 92.

🍴 **La Gramola,** via delle Fonti 1 ✆ 8050321, Fax 8050321, 🏠 – [AE]. [$]. E VISA
😊 *chiuso a mezzogiorno (escluso i giorni festivi), martedì e dal 15 gennaio al 3 febbraio* – **Pasto** carta 30/50000.

a Sambuca *E : 4 km* – ✉ *50020 :*

🏨 **Torricelle-Zucchi** senza rist, ✆ 8071780, Fax 8071102 – [TV] ☎ [P]. ✗
chiuso dal 20 dicembre al 14 gennaio – ☕ 12000 – **13 cam** 70/90000.

in prossimità uscita superstrada Firenze-Siena *NE : 5 km :*

🏨 **Park Hotel Chianti** senza rist, ✉ 50028 ✆ 8070106, Fax 8070121, 🏊 – |♿| ▤ [TV] ☎ [P]. [$]. E VISA. ✗
☕ 15000 – **43 cam** 140000.

a San Donato in Poggio *SE : 7 km* – ✉ *50020 :*

🍴 **La Toppa,** via del Giglio 43 ✆ 8072900, 🏠 – [AE]. [$]. E VISA
chiuso lunedì e dal 7 al 20 gennaio – **Pasto** carta 35/40000 (10 %).

TAVAZZANO CON VILLAVESCO *20080 Lodi* [428] G 10 – *4 716 ab. alt. 80* – ✆ *0371.*
Roma 543 – Milano 29 – Piacenza 48 – Bergamo 56 – Brescia 74 – Cremona 64 – Pavia 39.

🏨 **Napoleon** senza rist, via Garibaldi 34 ✆ 760824, Fax 76827 – |♿| ▤ [TV] ☎ ♿ [P]. [AE]. [$]. ⓞ E VISA
26 cam ☕ 110/140000.

TAVERNA *88055 Catanzaro* [988] [39], [431] J 31 – *2 728 ab. alt. 521* – ✆ *0961.*
Roma 600 – Cosenza 83 – Catanzaro 26 – Crotone 87.

a Villaggio Mancuso *N : 17 km alt. 1 306* – ✉ *88055 Taverna :*

🏨 Parco delle Fate, ✆ 922057, Fax 701272, « In un parco », 🎾 – [P]
stagionale – **41 cam**, 2 appartamenti.

TAVERNELLE *Modena – Vedere Vignola.*

TEGLIO *23036 Sondrio* 428, 429 D 12 – *5 072 ab. alt. 856 – ☎ 0342.*
Roma 719 – Sondrio 20 – Edolo 37 – Milano 158 – Passo dello Stelvio 76.

Combolo, ☎ 780083, Fax 781190, « Terrazza-giardino », – ▣ ☎ ⓟ. AE. ⑤. ⓓ E VISA.
Pasto *(chiuso martedì escluso da maggio a settembre)* carta 45/60000 – ☐ 8000 – **51 cam** 90/120000 – 1/2 P 90/120000.

Meden, ☎ 780080, – ☎ ⓟ. AE. ⑤. VISA.
luglio-ottobre – **Pasto** (solo per alloggiati) – ☐ 5000 – **36 cam** 55/100000 – 1/2 P 50/70000.

TEL (TÖLL) *Bolzano* 218 ⑩ – *Vedere Parcines.*

TELGATE *24060 Bergamo* 428, 429 F 11 – *3 891 ab. alt. 181 – ☎ 035.*
Roma 574 – Bergamo 19 – Brescia 32 – Cremona 84 – Milano 67.

Il Leone d'Oro con cam, via Dante Alighieri 17 ☎ 4420803, Fax 4420198 – ▣ ☎ ⓟ – 200. AE. ⑤. ⓓ E VISA. JCB
chiuso agosto – **Pasto** *(chiuso martedì)* carta 35/65000 – ☐ 8000 – **9 cam** 100/140000.

TELLARO *La Spezia* 428, 429, 430 J 11 – *Vedere Lerici.*

TEMPIO PAUSANIA *Sassari* 988 ㉓, 433 E 9 – *Vedere Sardegna alla fine dell'elenco alfabetico.*

TENCAROLA *Padova – Vedere Selvazzano Dentro.*

TENNA *38050 Trento* 429 D 15 – *780 ab. alt. 556 – a.s. Pasqua e Natale – ☎ 0461.*
(giugno-15 settembre) ☎ 706396.
Roma 607 – Trento 18 – Belluno 93 – Bolzano 79 – Milano 263 – Venezia 144.

Margherita, NO : 2 km ☎ 706445, Fax 707854, « In pineta », – ☎ ⓟ – 150. AE. ⑤. E VISA.
aprile-ottobre – **Pasto** carta 40/55000 – **50 cam** ☐ 95/170000 – 1/2 P 85/105000.

TENNO *38060 Trento* 428, 429 E 14 – *1 671 ab. alt. 435 – a.s. Natale-20 gennaio e Pasqua – ☎ 0464.*
Roma 585 – Trento 41 – Brescia 84 – Milano 179 – Riva del Garda 9.

Foci, località le Foci S : 4,5 km ☎ 555725, Fax 555725 – ⓟ. ⑤. VISA.
chiuso luglio e lunedì (escluso agosto) – **Pasto** carta 35/55000.

TEOLO *35037 Padova* 988 ⑤, 429 F 17 – *8 112 ab. alt. 175 – ☎ 049.*
Roma 498 – Padova 21 – Abano Terme 14 – Ferrara 83 – Mantova 95 – Milano 240 – Venezia 57.

a Castelnuovo *SE : 3 km – ✉ 35037 :*

Trattoria al Sasso di Ronco, via Ronco 11 ☎ 9925073 –. ⑤. VISA.
chiuso mercoledì – **Pasto** carta 40/55000.

TERAMO *64100* P 988 ㉖ ㉗, 430 O 23 – *52 099 ab. alt. 265 – ☎ 0861.*
via del Castello 10 ☎ 244222, Fax 244357.
A.C.I. *corso Cerulli 81 ☎ 243244.*
Roma 182 – Ascoli Piceno 39 – Ancona 137 – L'Aquila 66 – Chieti 72 – Pescara 57.

Duomo, via Stazio 9 ☎ 241774, Fax 242991 – ▣. AE. ⑤. ⓓ E VISA. JCB
chiuso lunedì e dal 5 al 25 agosto – **Pasto** carta 35/50000.

Moderno, Coste Sant'Agostino ☎ 414559 – ▣ ⓟ. AE. ⑤. ⓓ E VISA.
chiuso mercoledì, dal 23 dicembre al 10 gennaio e dal 10 al 20 agosto – **Pasto** carta 30/50000.

ERENTO (TERENTEN) *39030 Bolzano* 429 B 17 – *1 499 ab. alt. 1 210* – ☏ *0472.*
546140, Fax 546340.
Roma 692 – Cortina d'Ampezzo 76 – Bolzano 64 – Brunico 13 – Lienz 86.

Wiedenhofer, 546116, Fax 546366, ←, ⅉ, ≘s, ⊠, ⇌ – ⊫ ☎ P. ⓢ. E VISA. ✻ rist
chiuso da novembre a Natale – **Pasto** 25/40000 – **32 cam** ⊐ 85/175000 – ½ P 70/90000.

ERLAGO *38070 Trento* 428, 429 D 15 – *1 379 ab. alt. 456* – ☏ *0461.*
Roma 578 – Trento 8 – Bolzano 61 – Brescia 107 – Rovereto 28.

Al Portico, 860900, Fax 860900, ⛱, Rist. e pizzeria

ERLANO (TERLAN) *39018 Bolzano* 429 C 15, 218 ⑳ – *3 322 ab. alt. 246* – ☏ *0471.*
257165, Fax 257830.
Roma 646 – Bolzano 9 – Merano 19 – Milano 307 – Trento 67.

Weingarten, 257174, Fax 257776, ⛱, « Giardino ombreggiato con ⛱ riscaldata » – ⊫ TV ☎ P. ⓢ. E VISA
15 marzo-15 novembre – **Pasto** *(chiuso domenica)* carta 40/65000 – **20 cam** ⊐ 100/155000, 2 appartamenti – ½ P 80/100000.

Settequerce (Siebeneich) *SE : 3 km : – ✉ 39018 :*

Greifenstein senza rist, 918451, Fax 201584, ←, ⛱, ⇌ – ☎ P. ⓢ. E VISA. ✻
10 marzo-10 novembre – **12 cam** ⊐ 70/115000.

Patauner, 918502, ⛱ – P. ⓢ. E VISA
chiuso giovedì, dal 1° al 20 febbraio e dal 10 al 30 luglio – **Pasto** carta 35/50000.

Vilpiano (Vilpian) *NO : 4 km : – ✉ 39010 Bolzano :*

Sparerhof, via Nalles 2 678671, Fax 678342, ⛱, « Galleria d'arte contemporanea », ≘s, ⛱ riscaldata, ⇌ – TV ☎ P. ⓢ. E VISA. ✻ rist
Pasto *(chiuso domenica, lunedì a mezzogiorno e gennaio)* carta 35/60000 – **21 cam** ⊐ 70/120000 – ½ P 70/75000.

ERME – *Vedere di seguito o al nome proprio della località termale.*

ERME DI CARONTE *Catanzaro* 431 K 30 – *Vedere Lamezia Terme.*

ERME LUIGIANE *Cosenza* 988 ㊴, 431 I 29 – *alt. 178* – ✉ *87020 Acquappesa – Stazione termale (maggio-ottobre)* – ☏ *0982.*
Roma 475 – Cosenza 49 – Castrovillari 107 – Catanzaro 110 – Paola 16.

Parco delle Rose, via Pantano 78 94090, Fax 94479, ⛱, ✻ – ⊫ ☎ P. AE. ⓢ. ⓞ VISA. ✻
maggio-15 novembre – **Pasto** carta 30/45000 – **50 cam** ⊐ 85/120000 – ½ P 85/100000.

RMENO SULLA STRADA DEL VINO (TRAMIN AN DER WEINSTRASSE) *39040 Bolzano* 429 C 15, 218 ⑳ – *3 075 ab. alt. 276* – ☏ *0471.*
piazza Municipio 11 860131, Fax 860820.
Roma 630 – Bolzano 24 – Milano 288 – Trento 48.

Mühle-Mayer ⛱, 860219, Fax 860946, ←, ⛱, ⅉ, ≘s, ⊠, ⇌ – TV ☎ P. ✻
20 marzo-10 novembre – **Pasto** (solo per alloggiati e *chiuso a mezzogiorno*) 35/55000 – **14 cam** ⊐ 130/220000, appartamento – ½ P 110/150000.

Arndt, 860336, Fax 860901, ←, ≘s, ⛱ riscaldata, ⇌ – ⊫ TV ☎ P. ⓢ. E VISA. ✻
aprile-10 novembre – **Pasto** 30/40000 – **22 cam** ⊐ 90/180000 – ½ P 90/110000.

Traminer Hof, 860384, Fax 860844, ⛱, ⇌ – ⊫ ▤ rist ☎ ⇔ P
stagionale – **39 cam.**

Tirolerhof, via Parco 1 860163, Fax 860154, ←, ⛱, ≘s, ⛱ riscaldata, ⇌ – TV ☎ P. ✻ rist
Pasqua-ottobre – **Pasto** (solo per alloggiati) 25/40000 – **25 cam** ⊐ 105/190000 – ½ P 95/115000.

TERME VIGLIATORE *Messina*, 432 M 27 – *Vedere Sicilia alla fine dell'elenco alfabetico.*

TERMINI IMERESE *Palermo* 432 N 23 – *Vedere Sicilia alla fine dell'elenco alfabetico.*

TERMOLI *86039 Campobasso* 988 ㉗ ㉘, 430 P 26, 431 A 26 – *30 010 ab.* – *0875.*

per le Isole Tremiti aprile-settembre giornalieri (da 1 h a 1 h 40 mn) – Navigazion Libera del Golfo, al porto 704859, Fax 704648.

per le Isole Tremiti giornalieri (da 45 mn a 1 h 40 mn) – Adriatica di Navigazione-agenz. Intercontinental Viaggi, corso Umberto I 93 705341, Telex 602051, Fax 706429.

piazza Bega 706754, Fax 704956.

Roma 300 – Pescara 98 – Campobasso 69 – Foggia 88 – Isernia 112 – Napoli 200.

Gd H. Somerist via Vincenzo Cuoco 14 706760, Fax 706760, ← – 300. AE. 図. ⓓ E VISA. JCB. rist
Pasto al Rist. ***Ippocampo*** *(18 aprile-dicembre; chiuso lunedì)* carta 40/55000 – 15000 20 cam 145/205000 – ½ P 145/160000.

Mistral, lungomare Cristoforo Colombo 50 705246, Fax 705220, ← – cam AE. 図. ⓓ E VISA.
Pasto *(chiuso a mezzogiorno e lunedì escluso da aprile a settembre)* carta 45/70000 61 cam 135/200000, 2 appartamenti – ½ P 130000.

Corona, via Mario Milano 2/a 84041, Fax 84041 – AE. 図. E VISA.
Pasto al Rist. ***Bel Ami*** *(chiuso domenica e dal 20 dicembre al 10 gennaio)* carta 40/70000 39 cam 120/180000 – ½ P 140000.

Rosa dei Venti, Contrada Casa La Croce S : 2,5 km 752131, Fax 752056 – 150. AE. 図. ⓓ E VISA
Pasto 30/40000 – **40 cam** 160/200000 – ½ P 130/150000.

San Carlo, piazza Duomo 705295 – AE. 図. E VISA. JCB
chiuso martedì escluso agosto – **Pasto** specialità di mare-menu suggerito dal proprietar 35/45000.

Bellevue, via Fratelli Brigida 28 706632 – 図. E VISA
chiuso lunedì e dal 25 agosto al 15 settembre – **Pasto** specialità di mare carta 45/60000.

Borgo, via Borgo 10 707347,
chiuso lunedì da ottobre a marzo – **Pasto** cucina termolese carta 35/60000.

Da Noi Tre, via Fratelli Brigida 34 703639 – AE. 図. ⓓ E VISA.
chiuso lunedì e dal 24 dicembre al 10 gennaio – **Pasto** carta 25/50000.

sulla strada statale 87 *SE : 4 km :*

Europa, 86039 751815, Fax 751781 – rist – 100. AE. 図 ⓓ E VI
Pasto *(chiuso domenica)* carta 30/50000 – 12000 – **33 cam** 65/95000 – ½ P 75/90000

sulla strada statale 16 :

Glower, O : 6 km 86039 52528, Fax 52520, ← – AE. 図. ⓓ E VISA
Pasto carta 35/45000 – **22 cam** 70/120000 – ½ P 80/90000.

Torre Sinarca, O: 3 km 703318, ←, « In una torre del 16° secolo », AE. 図. VISA
chiuso lunedì e novembre – **Pasto** specialità di mare carta 45/60000.

Villa Delle Rose, O : 5 km 52565 – AE. 図. ⓓ E VISA
chiuso lunedì e novembre – **Pasto** carta 35/50000.

TERNATE *21020 Varese* 219 ⑦ – *2 254 ab. alt. 281* – *0332.*

Roma 626 – Stresa 35 – Como 45 – Laveno Mombello 22 – Lugano 54 – Varese 29.

Locanda del Lago, via Motta 24 960864, VISA.
chiuso lunedì, dal 1° al 15 gennaio e dal 16 agosto al 1° settembre – **Pasto** specialità pe di lago carta 50/80000.

TERNI *05100* P 988 ㉖, 430 O 19 *G. Italia* – *108 435 ab. alt. 130* – *0744.*

Dintorni *Cascata delle Marmore** per ③ : 7 km.*

viale Cesare Battisti 7 423047, Fax 427259.

A.C.I. *viale Cesare Battisti 121/C 425746.*

Roma 103 ⑤ – Napoli 316 ⑤ – Perugia 82 ⑤.

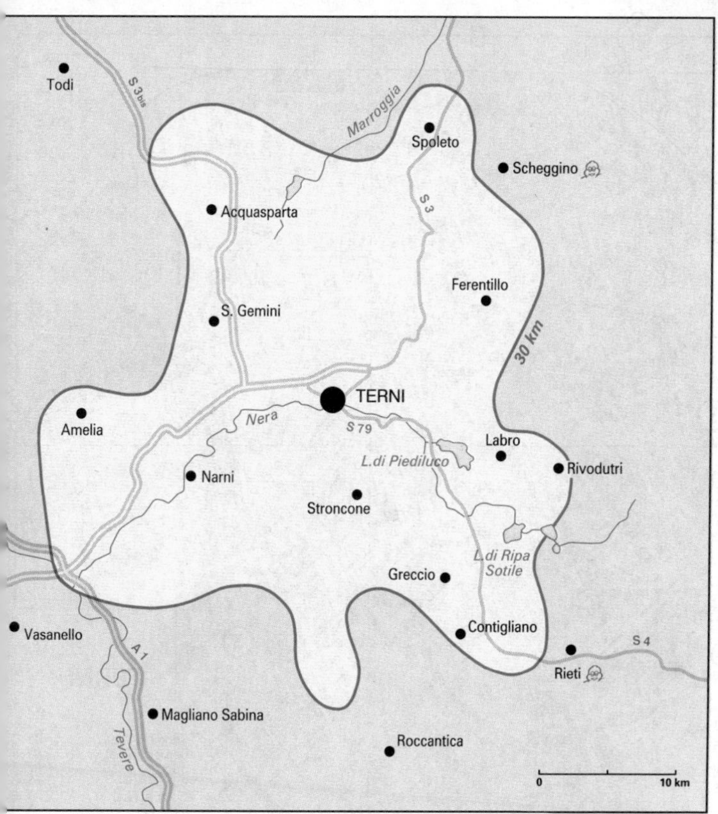

Garden, viale Bramante 4, uscita raccordo Terni Ovest ✆ 300041, Fax 300414, riscaldata, – ⊟ ▤ TV ☎ P – 300. AE. S. ● E VISA. ✻
Pasto al Rist. ***Garden*** *(chiuso domenica sera)* carta 40/60000 – **91 cam** ▭ 145/210000, 3 appartamenti – 1/2 P 115/180000. per via Cesare Battisti

Da Carlino, via Piemonte 1 ✆ 420163, « Servizio estivo all'aperto ». ✻ BY e
chiuso lunedì ed agosto – **Pasto** carta 30/55000.

Lu Vecchiu Spizzicu, vocabolo Larviano 7 ✆ 274956, – P. S. E VISA
chiuso martedì dal 10 al 25 luglio – **Pasto** carta 30/45000.
5 km per via Vitalone

lla strada statale 209 *per* ② :

Fonte Gaia ⛰, località Racognano E : 13 km ✉ 05030 Montefranco ✆ 388621, Fax 388598, , « In un piccolo parco » – TV ☎ P – 40. AE. S. E VISA. ✻
Pasto carta 30/45000 – **18 cam** ▭ 90/130000, 2 appartamenti – 1/2 P 85000.

Villa Graziani, Villa Valle Papigno E : 4 km ✉ 05031 Arrone ✆ 67138, Fax 67653, , prenotare – P. AE. S. ● E VISA
chiuso domenica sera, lunedì e dal 2 al 26 agosto – **Pasto** carta 35/60000.

Rossi, con cam, località Casteldilago E : 11 km, Vocabolo Isola 6/7 ✉ 05031 Arrone ✆ 388372 e rist ✆ 389105, Fax 388305, – TV ☎ P
16 cam.

Grottino del Nera, località Casteldilago E : 11 km, vocabolo Colleporto 21 ✉ 05031 Arrone ✆ 389104 – P. S. VISA. ✻
chiuso mercoledì – **Pasto** carta 25/50000.

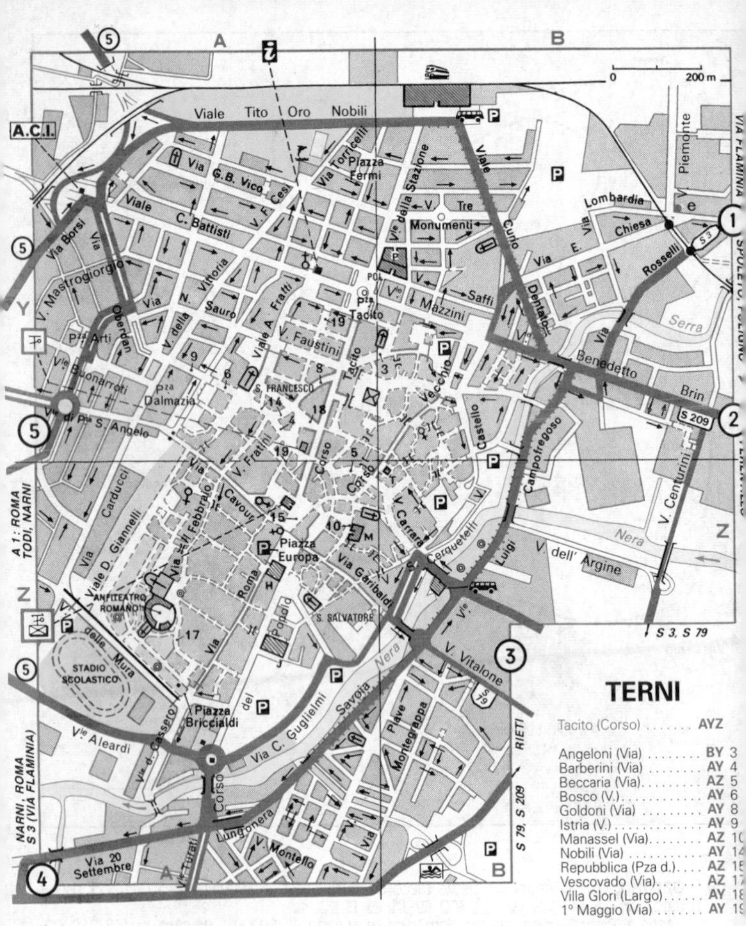

When visiting ***northern Italy*** *use* ***Michelin maps*** 428 *and* 429.

TERRACINA *04019 Latina* 988 ㉖, 430 S 21 *G. Italia – 37 800 ab. – a.s. Pasqua e luglio-agosto* – ☎ *0773 –* **Vedere** *Tempio di Giove Anxur★ : ✻★★ E : 4 km e 15 mn a piedi AR – Candelabro pasquale★ nel Duomo.*

per Ponza giornaliero (2 h) – Anxur Tours, viale della Vittoria 40 ☎ 723978, Telex 680594, Fax 726691 – ℹ via Leopardi ☎ 727759, Fax 727964.

Roma 109 – Frosinone 58 – Gaeta 35 – Latina 39 – Napoli 123.

Grand Hotel Palace, lungomare Matteotti 2 ☎ 709523, Fax 709623, ≤, – ... ☎ ... **P**. AE. ⑤. ⊙ E VISA. ✂
Pasto carta 55/75000 – **72 cam** ☕ 190/300000 – 1/2 P 130/190000.

Meson Feliz con cam, via Pontina al km 105 (O : 6 km) ☎ 764491, ... – ☎ AE. ⑤. ⊙ E VISA. JCB. ✂
Pasto *(chiuso lunedì)* carta 35/45000 (10%) – ☕ 8000 – **14 cam** 50/80000 – 1/2 P 100000

Il Grappolo d'Uva, lungomare Matteotti 1 ☎ 703839, Fax 702531, ≤ – **P**

L'Incontro da Baffone con cam, via Appia al km 104.500 (E : 2 km) ☎ 726007, ≤, – 8 cam.

La Tartana-da Mario l'Ostricaro, via Appia al km 102 ☎ 702461, Fax 703656, ≤, **P**. ⑤. ✂
chiuso martedì – **Pasto** specialità frutti di mare carta 55/90000 (10%).

X **Hostaria Gambero Rosso,** via Badino ✆ 700687, 🏖 – AE. 🅂. E VISA. JCB
chiuso martedì – **Pasto** carta 40/50000 (15 %).

X **Da Antonio al Geranio,** via Tripoli 36 ✆ 700101 – ▤
chiuso ottobre o novembre e lunedì in bassa stagione – **Pasto** carta 50/80000.

'ERRANOVA DI POLLINO *85030 Potenza* 988 ㊴, 431 H 30 – *1 866 ab. alt. 920* – ☎ *0973.*
Roma 467 – Cosenza 157 – Matera 136 – Potenza 152 – Sapri 116 – Taranto 145.

🏨 **Picchio Nero** 🐦, ✆ 93170, Fax 93170, ≤ – |♦| ▤ TV ☎ P. AE. 🅂. E VISA. ✂
Pasto carta 30/45000 – **25 cam** ☕ 70/90000 – 1/2 P 60/70000.

X **Luna Rossa,** ✆ 93254, Fax 93406, « Servizio estivo in terrazza panoramica » – AE. 🅂. E VISA
chiuso mercoledì – **Pasto** carta 30/40000.

'ERRANUOVA BRACCIOLINI *52028 Arezzo* 988 ⑮, 430 L 16 – *10 592 ab. alt. 156* – ☎ *055.*
Roma 227 – Firenze 47 – Siena 51 – Arezzo 37.

Penna Alta *NE : 3 km* – ✉ *52028 Terranuova Bracciolini :*

X **Il Canto del Maggio** 🐦 con cam, località Penna Alta 30/d ✆ 9705147, prenotare, « Servizio estivo in terrazza » – AE. 🅂. ⓓ E VISA. JCB
chiuso gennaio – **Pasto** *(chiuso lunedì, martedì e a mezzogiorno escluso i giorni festivi)* carta 35/45000 – 2 appartamenti ☕ 100/120000.

'ERRAROSSA *Grosseto – Vedere Orbetello.*

'ERRASINI *Palermo* 432 M 21 – *Vedere Sicilia alla fine dell'elenco alfabetico.*

'ERRUGGIA *15030 Alessandria* 428 G 7 – *790 ab. alt. 199* – ☎ *0142.*
Roma 623 – Alessandria 34 – Asti 38 – Milano 125 – Torino 92.

XX **Ariotto** 🐦 con cam, via Prato 39 ✆ 801200, Fax 801307, ≤, « Piccolo parco ombreggiato », 🏊 – ▤ TV ☎ 🚗 P – 🏛 100. 🅂. ⓓ E VISA
Pasto *(chiuso mercoledì)* 35/65000 – **45 cam** ☕ 100/180000, ▤ 15000 – 1/2 P 110/120000.

'ESERO *Trento* 429 D 16 – *Vedere Cavalese.*

'ESIDO (TAISTEN) *Bolzano – Vedere Monguelfo.*

'ESIMO (TISENS) *39010 Bolzano* 429 C 15, 218 ⑳ – *1 714 ab. alt. 631* – ☎ *0473.*
Roma 648 – Bolzano 20 – Merano 20 – Trento 77.

XX ✿ **Zum Löwen,** via Centro 72 ✆ 920927, Fax 920927, 🏖, prenotare –. 🅂. E VISA. ✂
chiuso lunedì, martedì a mezzogiorno, dal 10 al 23 febbraio e dal 16 giugno al 6 luglio – **Pasto** carta 55/80000
Spec. Animelle su letto di insalata con carciofi. Tagliatelle al ragù di capriolo. Filetto di manzo con finferli e gnocchetti alla ricotta.

'ESTACCIO *Napoli – Vedere Ischia (Isola d') : Barano.*

'EULADA *Cagliari* 988 ㉝, 433 K 8 – *Vedere Sardegna alla fine dell'elenco alfabetico.*

'HIENE *36016 Vicenza* 988 ④ ⑤, 429 E 16 – *20 476 ab. alt. 147* – ☎ *0445.*
Roma 559 – Padova 58 – Belluno 105 – Milano 241 – Trento 70 – Treviso 72 – Venezia 91 – Vicenza 20.

🏨 **Ariane,** via Cappuccini 9 ✆ 362982, Fax 361477 – |♦| ▤ TV ☎ ♿ 🚗 P – 🏛 60. AE. 🅂. ⓓ E VISA. JCB. ✂
Pasto *(chiuso sabato, domenica ed agosto)* 30/50000 – **38 cam** ☕ 135/210000.

'ERS = *Tires.*

TIGLIETO *16010 Genova* 428 I 7 – *622 ab. alt. 510* – ☎ *010.*
Roma 550 – Genova 51 – Alessandria 54 – Milano 130 – Savona 52.

Pigan, ☎ 929015, « Boschetto » – P.
Pasto *(chiuso martedì escluso da luglio a settembre)* carta 35/50000 – ☐ 10000 – **11 cam** 80/110000 – P 90/95000.

TIGLIOLE *14016 Asti* 428 H 6 – *1 549 ab. alt. 239* – ☎ *0141.*
Roma 628 – Torino 60 – Alessandria 49 – Asti 14 – Cuneo 91 – Milano 139.

Vittoria, via Roma 14 ☎ 667123, Fax 667630, prenotare, – AE. ⑤. ⑩ E VISA. JCB.
chiuso lunedì, gennaio e dal 14 al 28 agosto – **Pasto** carta 40/65000
Spec. Agnolotti al sugo d'arrosto. Coniglio alle erbe aromatiche. Tortino al gianduia.

TIGNALE *25080 Brescia* 428, 429 E 14 – *1 268 ab. alt. 560 – a.s. Pasqua e luglio-15 settembre* – ☎ *0365.*
Roma 574 – Trento 72 – Brescia 57 – Milano 152 – Salò 26.

Bellavista, località Gardola ☎ 760194, Fax 760214, ≤ lago e monte Baldo, – ☎ P. AE. ⑤ VISA. rist
10 aprile-ottobre – **Pasto** 25/30000 – **39 cam** ☐ 65/95000 – ½ P 60/80000.

La Rotonda, località Gardola ☎ 760066, Fax 760214, ≤, – ☎ P. AE. ⑤ VISA. rist
marzo-ottobre – **Pasto** carta 25/30000 – **39 cam** ☐ 65/95000 – ½ P 60/80000.

sulla strada statale 45 bis *E : 11,5 km :*

Forbisicle, ✉ 25010 Campione del Garda ☎ 73022, Fax 73407, ≤ lago, TV ☎ P
stagionale – **22 cam.**

TIMOLINE *Brescia – Vedere Corte Franca.*

TIRANO *23037 Sondrio* 988 ③ ④, 428, 429 D 12 *G. Italia – 8 948 ab. alt. 450* – ☎ *0342.*
Roma 725 – Sondrio 26 – Passo del Bernina 35 – Bolzano 163 – Milano 164 – Passo dello Stelvio 58.

Piccolo Mondo, Porta Milanese 81 ☎ 701489, Fax 701489, – TV ☎ P. AE. ⑤ ⑩ E VISA
Pasto 30/50000 e al Rist. ***Le Clochard*** *(chiuso le sere di domenica e lunedì)* carta 40/55000 – ☐ 10000 – **13 cam** 60/90000 – ½ P 85000.

Bernina con cam, piazza Stazione ☎ 701302, Fax 701430, – rist TV ☎. AE. ⑤. ⑩ VISA. JCB
chiuso dal 9 al 31 gennaio – **Pasto** *(chiuso lunedì escluso da giugno a novembre)* carta 40/60000 (10%) – ☐ 10000 – **7 cam** 60/85000 – ½ P 85/90000.

Ai Portici, viale Italia 87 ☎ 701255, Fax 701255, – AE. ⑤. ⑩ E VISA.
chiuso gennaio e lunedì (escluso da giugno a settembre) – **Pasto** carta 35/50000.

TIRES (TIERS) *39050 Bolzano* 429 C 16 – *860 ab. alt. 1 028* – ☎ *0471.*
☎ *642127, Fax 642005.*
Roma 658 – Bolzano 16 – Bressanone 40 – Milano 316 – Trento 77.

a San Cipriano (St. Zyprian) *E : 3 km* – ✉ *39050 Tires :*

Stefaner, ☎ 642175, Fax 642302, ≤ Catinaccio e pinete, – P.
chiuso dal 10 gennaio al 1° febbraio e dal 10 novembre al 20 dicembre – **15 cam** solo ½ P 65/90000.

Cyprianerhof con cam, ☎ 642143, Fax 642141, ≤ Catinaccio e pinete, – P. rist
chiuso dal 10 novembre al 25 dicembre – **Pasto** *(chiuso giovedì escluso giugno-ottobre)* carta 35/70000 – **11 cam** ☐ 100/225000 – ½ P 65/115000.

TIROLO (TIROL) *39019 Bolzano* 429 B 15, 218 ⑩ *G. Italia – 2 352 ab. alt. 592* – ☎ *0473.*
via Principale 31 ☎ 923314, Fax 923012.
Roma 669 – Bolzano 32 – Merano 4 – Milano 330.

Pianta : vedere Merano.

Castel, ☎ 923693, Fax 923113, ≤ monti e Merano, riscaldata, rist TV ☎ – 70. rist A
marzo-novembre – **Pasto** (solo per alloggiati e *chiuso a mezzogiorno*) – **32 cam** solo ½ P 180/330000, 5 appartamenti.

🏨 **Erika,** ℘ 923338, Fax 923066, ≤ monti e Merano, « Giardino con 🏊 riscaldata », 🏋, 🧖, 🏊, 🎾 – 🛗 🚭 rist ▤ rist 📺 ☎ 🚗 🅿. 🐕 rist A u
marzo-novembre – **Pasto** (solo per alloggiati) – **54 cam** ☕ 120/320000 – ½ P 145/270000.

🏨 **Gartner,** ℘ 923414, Fax 923120, ≤ monti e Merano, « Giardino con 🏊 », 🏋, 🧖, 🏊 – 🛗 🚭 rist 📺 ☎ 🅿. 🐕 rist AB z
marzo-novembre – **Pasto** 45000 – **30 cam** ☕ 165/340000 – ½ P 120/190000.

🏨 **Patrizia** 🌙, via Aslago 62 ℘ 923485, Fax 923144, ≤ monti e Merano, « Giardino con 🏊 », 🧖, 🏊 – 🛗 🚭 rist 📺 ☎ ♿ 🅿. 🐕 rist A c
marzo-novembre – **Pasto** (solo per alloggiati) – **24 cam** solo ½ P 130/185000.

🏨 **Küglerhof** 🌙, ℘ 923428, Fax 923699, ≤ monti e vallata, « Giardino con 🏊 riscaldata », 🧖 – 🛗 📺 ☎ 🅿. [AE]. [S]. [E] [VISA]. 🐕 A r
26 marzo-12 novembre – **Pasto** (solo per alloggiati e *chiuso a mezzogiorno*) – **24 cam** solo ½ P 150/180000.

🏨 **Lisetta,** ℘ 923422, Fax 923150, 🏋, 🧖, 🏊, 🏊, 🌳, 🎾 – 🛗 ▤ rist 📺 ☎ 🅿. 🐕 rist
aprile-7 novembre – **Pasto** (solo per alloggiati) carta 55/80000 – **30 cam** ☕ 220000, 3 appartamenti – ½ P 210/280000. B z

🏨 **Golserhof,** via Aica 32 ℘ 923294, Fax 923211, 🧖, 🏊, 🌳 – 🚭 rist 📺 ☎ 🚗 🅿. 🐕 rist
22 marzo-8 novembre – **Pasto** (solo per alloggiati) – **25 cam** ☕ 100/190000 – ½ P 95/135000. B w

*Le nuove **guide Verdi turistiche Michelin** offrono :*
- un testo descrittivo più ricco,
- un'informazione pratica più chiara,
- piante, schemi e foto a colori.
... e naturalmente sono delle opere aggiornate costantemente.
Utilizzate sempre l'ultima edizione.

TIRRENIA *56018 Pisa* [988] ⑭, [428], [429], [430] L 12 *G. Toscana – a.s. luglio-agosto –* ☎ *050.*

⛳18 *Cosmopolitan (chiuso lunedì escluso dal 15 giugno al 15 settembre)* ℘ *33633, Fax 33085;*
⛳9 *(chiuso martedì da ottobre ad aprile)* ℘ *37518, Fax 33286.*
Roma 332 – Pisa 18 – Firenze 108 – Livorno 11 – Siena 123 – Viareggio 36.

🏨 **Gd H. Golf** 🌙, via dell'Edera 29 ℘ 37545, Telex 502080, Fax 32111, « Parco con 🏊 e 🎾 », 🏋, 🧖, 🏖 – 🛗 ▤ 📺 ☎ 🚗 🅿 – 👥 200. [AE]. [S]. [O] [E] [VISA]. 🐕 rist
Pasto 40/60000 – **77 cam** ☕ 185/270000 – ½ P 190/220000.

🏨 **Gd H. Continental,** largo Belvedere 26 ℘ 37031, Telex 500103, Fax 37283, ≤, 🧖, 🏊, 🏖, 🌳, 🎾 – 🛗 ▤ 📺 ☎ 🚗 – 👥 280. [AE]. [S]. [O] [E] [VISA]. 🐕 rist
Pasto (solo per alloggiati) 30/50000 – **175 cam** ☕ 210/280000, 2 appartamenti – ½ P 175/180000.

🏨 **San Francesco** 🌙, via delle Salvie 50 ℘ 33572, Fax 33630, 🏊, 🌳 – 🛗 ▤ 📺 ☎ 🅿 – 👥 30. [AE]. [S]. [O] [E] [VISA]. 🐕 rist
Pasto 45/65000 – **25 cam** ☕ 135/230000 – ½ P 120/150000.

🏨 **Il Gabbiano,** via della Bigattiera 14 ℘ 32223, Fax 33064, 🌳 – ▤ 📺 ☎ 🅿 – 👥 40. [AE]. [S]. [O] [E] [VISA]. [JCB]. 🐕 rist
Pasto 30/70000 – **16 cam** ☕ 100/150000 – ½ P 105000.

🏨 **Bristol** senza rist, via delle Felci 38 ℘ 37161, Fax 37138, 🎾 – 🛗 ▤ 📺 ☎ 🅿. [AE]. [S]. [O] [E] [VISA]. 🐕
☕ 10000 – **36 cam** 115/150000.

🏨 **Medusa,** via degli Oleandri 37 ℘ 37125, Fax 30400, 🌳 – 📺 ☎ 🅿. [AE]. [S]. [O] [E] [VISA]. 🐕 rist
Pasqua-ottobre – **Pasto** (solo per alloggiati) – ☕ 10000 – **32 cam** 85/120000 – ½ P 85/105000.

🍴🍴 **Dante e Ivana,** via del Tirreno 207/c ℘ 32549, Fax 32549 – ▤. [AE]. [S]. [O] [E] [VISA]. 🐕
chiuso domenica e dal 7 al 30 gennaio – **Pasto** specialità di mare carta 55/75000.

🍴 **Martini,** via dell'Edera 16 ℘ 37592 – ▤. [AE]. [S]. [O] [E] [VISA]. [JCB]
chiuso lunedì a mezzogiorno e martedì – **Pasto** carta 55/70000 bc (12 %).

TISENS = *Tesimo.*

TIVOLI *00019 Roma* [988] ㉖, [430] Q 20 *G. Roma – 52 616 ab. alt. 225 –* ☎ *0774.*

Vedere *Località*★★★ *– Villa d'Este*★★★ *– Villa Gregoriana*★★ *: grande cascata*★★.
Dintorni *Villa Adriana*★★★ *per* ③ *: 6 km.*
[i] *largo Garibaldi* ℘ *21249, Fax 331294.*
Roma 36 ③ *– Avezzano 74* ② *– Frosinone 79* ③ *– Pescara 180* ② *– Rieti 76* ③.

Torre Sant'Angelo 🐎, via Quintilio Varo ✆ 332533, Fax 332533, ≤ Tivoli e vallata, 🌳, 🏊, 🛋 – |♦| ▤ 📺 ☎ ♿ 🅟 – 🏛 250. AE. 🅢. ◑ E VISA. ✂
Pasto carta 40/75000 – **31 cam** ☐ 180/250000, 4 appartamenti – ½ P 175000.

✗✗ **5 Statue,** largo Sant'Angelo 1 ✆ 335366, 🌳 – AE. 🅢. ◑ E VISA. JCB ✗
chiuso dal 15 agosto al 5 settembre, venerdì e le sere di domenica e lunedì – **Pasto** carta 55/70000 (15 %).

a Villa Adriana *per ③ : 6 km – ✉ 00010 :*

Maniero, ✆ 530208, Fax 533797, 🌳 – |♦| ▤ 📺 ☎ ♿ 🅟 – 🏛 160. AE. 🅢. E VISA. ✂
Pasto carta 30/40000 – **34 cam** ☐ 100/140000 – ½ P 80000.

✗✗✗ **Adriano** con cam, ✆ 382235, Fax 535122, « Servizio estivo all'aperto », 🛋, 🎾 – ▤ cam 📺 ☎ 🅟. AE. 🅢. ◑ E VISA. JCB. ✂ cam
Pasto *(chiuso domenica sera)* carta 70/100000 – **10 cam** ☐ 160/180000.

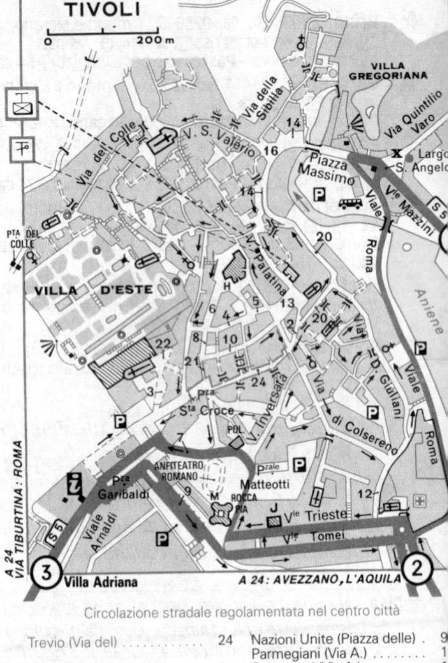

Circolazione stradale regolamentata nel centro città

Trevio (Via del)	24	Nazioni Unite (Piazza delle)	9
Battisti (Largo Cesare)	2	Parmegiani (Via A.)	1
Boselli (Via)	3	Parrozzani (Via A.)	1
Collegio (Via del)	4	Plebiscito (Piazza)	1
Gesù (Via del)	5	Ponte Gregoriano (Via)	1
Lione (Via)	6	Rivarola (Piazza)	1
Moro (Via Aldo)	7	Sosii (Via dei)	2
Munazio Planco (Via)	8	Todini (Vicolo)	2
		Trento (Piazza)	2

a Bagni di Tivoli *O : 9 km – ✉ 00011 :*

Grand Hotel Duca d'Este Ⓜ, via Tiburtina Valeria 330 ✆ 3883, Fax 388101 – |♦| ▤ 📺 ☎ ♿ 🚗 🅟 – 🏛 400. AE. 🅢. E VISA. JCB. ✂
Pasto carta 50/75000 – **176 cam** ☐ 170/240000, 8 appartamenti – ½ P 200/300000.

TOANO *42010 Reggio nell'Emilia 428, 429, 430 I 13 – 4 062 ab. alt. 844 – a.s. luglio-13 settembre – ☎ 0522.*
Roma 455 – Bologna 93 – Milano 205 – Modena 54 – Reggio nell'Emilia 56.

Miramonti, ✆ 805511, Fax 805540 – |♦| 📺 ☎ 🅟. 🅢. VISA. ✂
Pasto *(chiuso lunedì escluso dal 6 giugno all'11 settembre)* carta 35/45000 – ☐ 12000 – **27 cam** 65/100000 – ½ P 85/90000.

TOBLACH = *Dobbiaco.*

TOCCO DA CASAURIA *65028 Pescara 430 P 23 – 2 913 ab. alt. 356 – ☎ 085.*
Roma 185 – Pescara 51 – Chieti 30 – L'Aquila 72 – Sulmona 25.

✗✗ **Villa dei Venti,** contrada Mangiabuono 9 ✆ 8809395, 🌳, « Giardino-pineta » – 🅟. ◑ E VISA. ✂
chiuso lunedì – **Pasto** carta 30/50000.

TODI *06059 Perugia 988 ㉕ ㉖, 430 N 19 G. Italia – 16 876 ab. alt. 411 – ☎ 075.*
Vedere *Piazza del Popolo★★ : palazzo dei Priori★, palazzo del Capitano★, palazzo del Popolo★ – Chiesa di San Fortunato★★ – ≤★★ sulla vallata da piazza Garibaldi – Duomo★ – Chiesa di Santa Maria della Consolazione★ O : 1 km per la strada di Orvieto.*
ℹ *via Ciuffelli 8 ✆ 8943867, Fax 8942406.*
Roma 130 – Perugia 47 – Terni 42 – Viterbo 88 – Assisi 60 – Orvieto 39 – Spoleto 45.

Fonte Cesia, via Lorenzo Leonj 3 ✆ 8943737, Fax 8944677 – 🛗 ▤ 📺 ☎ ♿ 🅟 – 🏛 100. AE. 🅂. ⓓ E VISA. ✂
Pasto al Rist. ***Le Palme*** *(chiuso mercoledì)* carta 35/60000 – **36 cam** ☕ 155/240000 – ½ P 170/195000.

Bramante, via Orvietana 48 ✆ 8948382, Fax 8948074, « Servizio estivo in terrazza con ≤ », 🏊, 🌳, 🎾 – 🛗 ▤ 📺 ☎ ♿ 🅟 – 🏛 120. AE. 🅂. ⓓ E VISA
Pasto *(chiuso lunedì)* 40/60000 – ☕ 15000 – **43 cam** 160/200000 – ½ P 130/160000.

San Valentino Country House 🐎, località San Valentino S : 4 km ✆ 8944103, Fax 8944103, ≤, 🏖, « In un convento duecentesco », 🏊, 🌳, 🎾 – 📺 ☎ 🅟. AE. 🅂. E VISA
Pasto (solo per alloggiati e *chiuso a mezzogiorno*) 40000 – **7 cam** ☕ 150/250000, 3 appartamenti 300/450000.

Villaluisa, via Cortesi 147 ✆ 8948571, Fax 8948472, « Parco » – 🛗 📺 ☎ ♿ 🅟 – 🏛 100. AE. 🅂. ⓓ E VISA. ✂
Pasto *(chiuso mercoledì da ottobre a marzo)* 35/45000 – ☕ 10000 – **43 cam** 100/140000 – ½ P 80/100000.

Umbria, via San Bonaventura 13 ✆ 8942737, « Servizio estivo in terrazza con ≤ » – AE. 🅂. ⓓ E VISA. ✂
chiuso martedì e dal 19 dicembre all'8 gennaio – **Pasto** carta 60/80000.

Jacopone-da Peppino, piazza Jacopone 5 ✆ 8942366 – VISA. ✂
chiuso lunedì e dal 10 al 30 luglio – **Pasto** carta 40/55000.

OFANA DI MEZZO *Belluno G. Italia – alt. 3 244.*
Vedere ❋*★★★ Cortina d'Ampezzo 15 mn di funivia.*

OLE' *40040 Bologna* 429, 430 *J 15 – ✆ 051.*
Roma 374 – Bologna 42 – Modena 48 – Pistoia 66.

Falco D'Oro, via Venola 27 ✆ 919084, Fax 919068, 🏖 – 🛗 📺 ☎ 🅟. AE. 🅂. ⓓ E VISA
Pasto carta 35/60000 – **60 cam** ☕ 130/190000 – ½ P 55/90000.

OLENTINO *62029 Macerata* 988 ⑯, 430 *M 21 G. Italia – 18 418 ab. alt. 224 – a.s. 10 luglio-13 settembre – ✆ 0733.*
Vedere *Basilica di San Nicola★★.*
🅘 *piazza Libertà 19 ✆ 973002.*
Roma 246 – Ancona 88 – Ascoli Piceno 90 – Macerata 18.

Bell'Antonio, via San Nicola 68/70 ✆ 969829 – ▤. AE. 🅂. ⓓ E VISA. ✂
chiuso domenica ed agosto – **Pasto** carta 40/55000.

OLMEZZO *33028 Udine* 988 ⑤ ⑥, 429 *C 21 – 10 653 ab. alt. 323 – ✆ 0433.*
Roma 688 – Udine 48 – Cortina d'Ampezzo 105 – Milano 427 – Tarvisio 63 – Trieste 121 – Venezia 177.

Cimenti, via della Vittoria 28 ✆ 2926, Fax 43069 – 📺 ☎ 🅟. AE. 🅂. ⓓ E VISA. ✂
chiuso dal 29 giugno al 15 luglio – **Pasto** *(chiuso sabato e domenica sera)* carta 45/65000 – ☕ 16000 – **11 cam** 95/140000 – ½ P 100/120000.

Roma con cam, piazza 20 Settembre 14 ✆ 2081, Fax 43316, Coperti limitati; prenotare – ▤ rist 🅟. AE. 🅂. ⓓ E VISA. JCB. ✂ rist
chiuso dal 1° all'8 giugno e dal 1° al 16 novembre – **Pasto** *(chiuso domenica sera e lunedì)* carta 65/90000 – ☕ 10000 – **12 cam** 70/120000 – ½ P 120000.

ONALE (Passo del) *Trento e Brescia* 988 ④, 428, 429 *D 13 – alt. 1 883 – a.s. febbraio-aprile e Natale – Sport invernali : 1 883/3 016 m 🚡1 ⛷22 (anche sci estivo), ⛷.*
🅘 *via Nazionale 18 ✆ (0364) 903838, Fax 903895.*
Roma 688 – Sondrio 76 – Bolzano 94 – Brescia 130 – Milano 177 – Ponte di Legno 11 – Trento 90.

La Mirandola 🐎, ✉ 38020 Passo del Tonale ✆ (0364) 903933, Fax 903922, ≤, Nel periodo invernale raggiungibile solo con gatto delle nevi – 🛗 📺 ☎ 🅟. 🅂. E VISA. ✂
dicembre-aprile e giugno-settembre – **Pasto** carta 40/60000 – **27 cam** ☕ 110/170000 – ½ P 90/135000.

Sporting, ✉ 38020 Passo del Tonale ✆ (0364) 903781, Fax 903782, ≤, 🏋, ≘s – 📺 ☎ 🚗
stagionale – **43 cam.**

Sole, ✉ 38020 Passo del Tonale ℘ (0364) 903970, Fax 903944, ≤, – |‡| ☎ Ⓟ. VISA.
chiuso maggio e ottobre – **Pasto** carta 40/60000 – ☐ 20000 – **30 cam** 60/100000 – ½ P 95/100000.

Dolomiti, ✉ 25056 Ponte di Legno ℘ (0364) 900251, Fax 900260, ≤ – |‡| ☎ AE. E VISA. rist
Pasto carta 35/60000 – **36 cam** ☐ 110/130000 – ½ P 80/140000.

TONDI DI FALORIA *Belluno G. Italia – alt. 2 343.*

Vedere ✳★★★ *Cortina d'Ampezzo 20 mn di funivia.*

TORBOLE *38069 Trento 988 ④, 428, 429 E 14 G. Italia – alt. 85 – a.s. 23 dicembre-20 gennaio, Pasqua – ☎ 0464.*

lungolago Verona 19 ℘ 505177, Fax 505643.
Roma 569 – Trento 39 – Brescia 79 – Milano 174 – Verona 83.

Piccolo Mondo, via Matteotti 7 ℘ 505271, Fax 505295, – |‡| ☎ E VISA. rist
aprile-ottobre – **Pasto** carta 55/75000 – ☐ 25000 – **36 cam** 120/200000 – ½ P 160000.

Club Hotel la Vela, via Strada Granda ℘ 505940, Fax 505958, – rist ☎ 40. AE E VISA.
aprile-ottobre – **Pasto** 30/50000 – **39 cam** ☐ 120/290000 – ½ P 155000.

Lido Blu ℘ 505180, Fax 505931, ≤, – |‡| rist ☎ 50. AE. E VISA. rist
chiuso dal 10 novembre al 20 dicembre – **Pasto** carta 45/75000 – **40 cam** ☐ 150/270000 – ½ P 90/150000.

Caravel, via Coize 2 ℘ 505724, Fax 505935, – |‡| rist ☎ Ⓟ. AE. E VISA.
marzo-novembre – **Pasto** carta 35/50000 – ☐ 15000 – **58 cam** 110/180000 – ½ P 115000.

Villa Magnolia senza rist, via Al Cor 10 ℘ 505050, Fax 505050, – |‡| ☎ Ⓟ.
aprile-4 novembre – ☐ 10000 – **21 cam** 60/95000.

La Terrazza, via Pasubio 15 ℘ 506083, Fax 505142, prenotare, « Servizio in veranda ≤ lago » – AE. E VISA. JCB
chiuso martedì, febbraio, marzo e novembre – **Pasto** carta 50/75000.

TORCELLO *Venezia 988 ⑤ – Vedere Venezia.*

TORGIANO *06089 Perugia 430 M 19 G. Italia – 5 158 ab. alt. 219 – ☎ 075.*

Vedere *Museo del Vino★.*
Roma 158 – Perugia 15 – Assisi 27 – Orvieto 60 – Terni 69.

Le Tre Vaselle, via Garibaldi 48 ℘ 9880447, Fax 9880214, ≤, – |‡| Ⓟ – 200. AE. E VISA.
Pasto (prenotare) carta 60/85000 – **60 cam** ☐ 260/290000, appartamento – ½ P 330000.

TORGNON *11020 Aosta 428 E 4, 219 ③ – 488 ab. alt. 1 489 – a.s. luglio-agosto, Pasqua e Natale – ☎ 0166.*

Roma 737 – Aosta 42 – Breuil-Cervinia 26 – Milano 173 – Torino 102.

Panoramique, frazione Mongnod, place Frutaz 1 ℘ 540215, Fax 540101, ≤ monti e valle, – |‡| ☎ Ⓟ. VISA.
dicembre-Pasqua e luglio-settembre – **Pasto** carta 30/55000 – ☐ 15000 – **29 cam** 120000 – ½ P 100/120000.

Ermitage , frazione Septumian 55 ℘ 540089, Fax 540089, ≤ monti e vallata, ☎ Ⓟ. AE. E VISA. rist
Pasto *(chiuso martedì)* carta 35/55000 – **21 cam** ☐ 70/130000 – ½ P 75/95000.

Zerbion, frazione Mongnod 65 ℘ 540239, Fax 540091, ≤, – ☎ Ⓟ
11 cam, 5 appartamenti.

I prezzi del pernottamento e della pensione possono subire aumenti in relazione all'andamento generale del costo della vita; quando prenotate fatevi precisare il prezzo dall'albergo.

TORINO

10100 P 988 ⑫, 428 G 5 *G. Italia – 923 106 ab. alt. 239 –* ✆ *011.*

Roma 669 ⑦ – Briançon 108 ⑪ – Chambéry 209 ⑪ – Genève 252 ③ – Genova 170 ⑦ – Grenoble 224 ⑪ – Milano 140 ③ – Nice 220 ⑨.

UFFICIO INFORMAZIONI TURISTICHE

via Roma 226 (piazza C.L.N.) ✉ 10121 ✆ 535901, Fax 530070.

Stazione Porta Nuova ✉ 10125 ✆ 531327.

A.C.I. *via Giovanni Giolitti 15 ✉ 10123 ✆ 57791.*

INFORMAZIONI PRATICHE

Città di Torino di Caselle per ① : 15 km ✆ 5676361, Telex 225119, Fax 5676420. Alitalia, via Lagrange 35 ✉ 10123 ✆ 57698.

✆ 6651111-int. 2611.

18 e 9 I Roveri (marzo-novembre) a La Mandria ✉ 10070 Fiano ✆ 9235719, Fax 9235669 per ① : 18 km;

18 e 18 (chiuso lunedì, gennaio e febbraio) a Fiano Torinese ✉ 10070 ✆ 9235440, Fax 9235886, per ① : 20 km;

18 Le Fronde (chiuso martedì, gennaio e febbraio) ad Avigliana ✉ 10051 ✆ 938053, Fax 930928, O : 24 km;

9 Stupinigi (chiuso lunedì) ✆ 3472640, Fax 3978038 FU;

9 (chiuso lunedì e dal 21 dicembre al 9 gennaio) a Vinovo ✉ 10048 ✆ 9653880, Fax 9623748 FU.

CURIOSITÀ

Piazza San Carlo★★ CXY *– Museo Egizio★★, galleria Sabauda★★ nel palazzo dell'Accademia delle Scienze* CX **M**[1] *– Duomo★* VX *: reliquia della Sacra Sindone★★★ – Mole Antonelliana★ : ✳★★* DX

Palazzo Madama★ : museo d'Arte Antica★ CX **A** *– Palazzo Reale★ : Armeria Reale★* CDVX *– Museo del Risorgimento★ a palazzo Carignano* CX **M**[2] *– Museo dell'Automobile Carlo Biscaretti di Ruffia★* GU **M**[5] *– Borgo Medioevale★ nel parco del Valentino* CDZ.

DINTORNI

Basilica di Superga★ : ⩽★★★, tombe reali★ HT *– Circuito della Maddalena★* GHTU *: ⩽★★ sulla città dalla strada Superga-Pino Torinese, ⩽★ sulla città dalla strada Colle della Maddalena-Cavoretto.*

Piante : Torino p. 4 a 9.

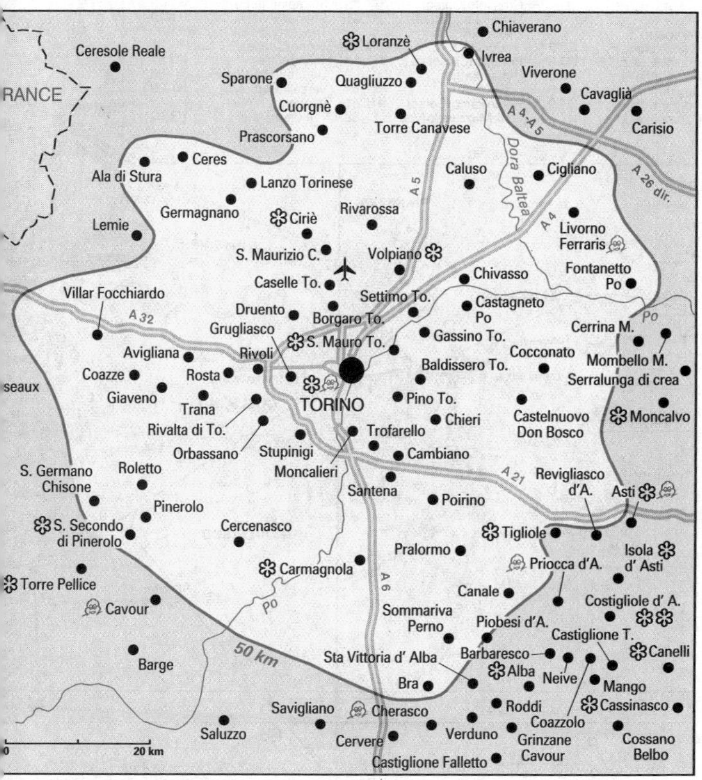

Turin Palace Hotel, via Sacchi 8 ✉ 10128 ☎ 5625511, Fax 5612187 – ▤ TV ☎ ♿ – 🅿 200. AE. 🅱. ⊙ E VISA. ✂ rist CY u
Pasto *(chiuso agosto)* carta 65/100000 – **121 cam** ☕ 310/390000, 2 appartamenti – ½ P 240/300000.

Jolly Principi di Piemonte, via Gobetti 15 ✉ 10123 ☎ 5629693, Telex 221120, Fax 5620270 – 🛗 ▤ TV ☎ – 🅿 300. AE. 🅱. ⊙ E VISA. JCB. ✂ rist CY z
Pasto carta 65/115000 – **99 cam** ☕ 420/450000, 8 appartamenti – ½ P 305/470000.

Le Meridien Lingotto, via Nizza 262 ✉ 10126 ☎ 6642000, Fax 6642001 – 🛗 ⚹ cam ▤ TV ☎ ♿ – 🅿 35. AE. 🅱. ⊙ E VISA. ✂ rist GU a
Pasto carta 55/95000 – **244 cam** ☕ 290/340000.

Gd H. Sitea, via Carlo Alberto 35 ✉ 10123 ☎ 5170171, Fax 548090 – 🛗 ▤ TV ☎ – 🅿 100. AE. 🅱. ⊙ E VISA. ✂ rist CY t
Pasto carta 70/95000 – **117 cam** ☕ 290/390000 – ½ P 250/320000.

Jolly Ambasciatori, corso Vittorio Emanuele II 104 ✉ 10121 ☎ 5752, Telex 221296, Fax 544978 – 🛗 ⚹ cam ▤ TV ☎ – 🅿 400. AE. 🅱. ⊙ E VISA. ✂ rist BX a
Pasto 55/60000 – **195 cam** ☕ 300/360000, 4 appartamenti – ½ P 360000.

Diplomatic, via Cernaia 42 ✉ 10122 ☎ 5612444, Telex 225445, Fax 540472 – 🛗 ▤ TV ☎ – 🅿 200 BX g
123 cam, 3 appartamenti.

Jolly Hotel Ligure, piazza Carlo Felice 85 ✉ 10123 ☎ 55641, Telex 220167, Fax 535438 – 🛗 ▤ TV ☎ – 🅿 200. AE. 🅱. ⊙ E VISA. ✂ rist CY b
Pasto carta 55/100000 – **167 cam** ☕ 320/380000, 2 appartamenti – ½ P 220/250000.

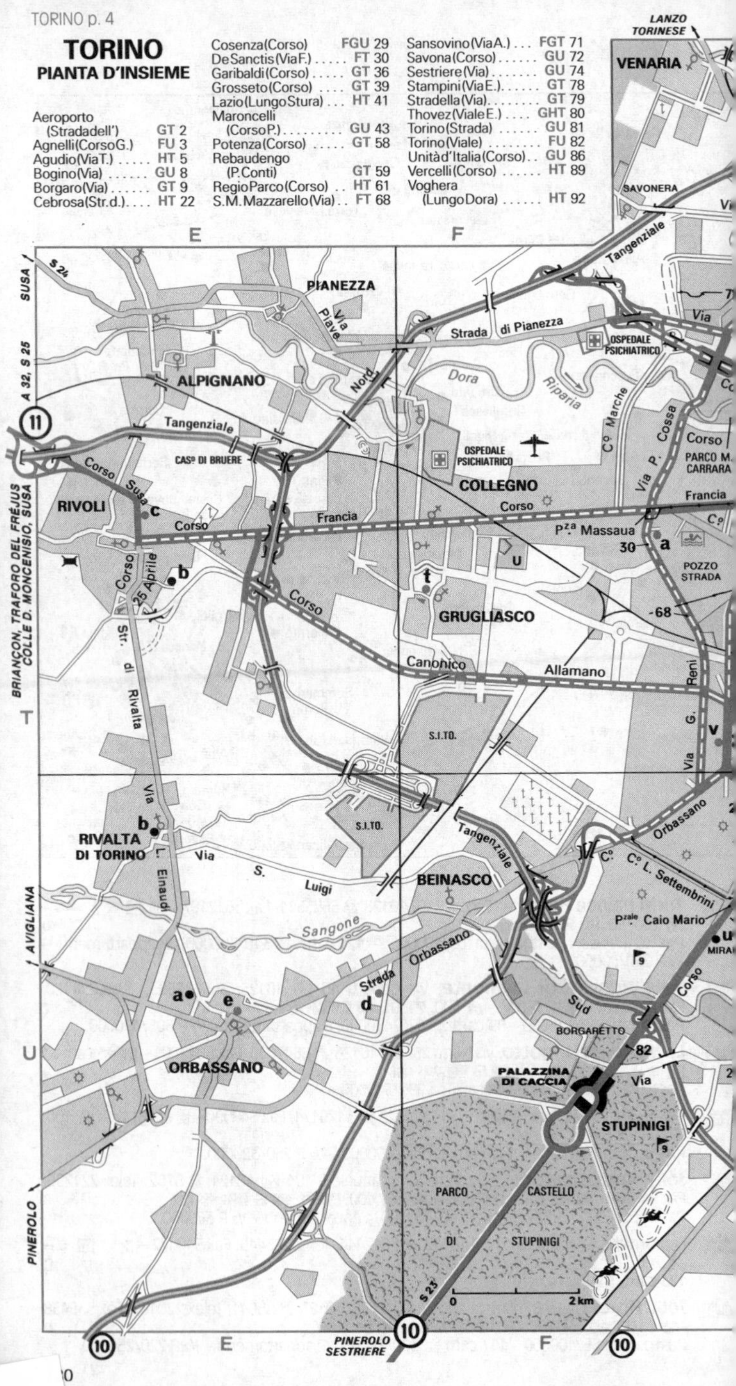
TORINO
PIANTA D'INSIEME
Aeroporto (Stradadell') ..... GT 2
Agnelli(CorsoG.) ..... FU 3
Agudio(ViaT.) ..... HT 5
Bogino(Via) ..... GU 8
Borgaro(Via) ..... GT 9
Cebrosa(Str.d.) ..... HT 22
Cosenza(Corso) ..... FGU 29
DeSanctis(ViaF.) ..... FT 30
Garibaldi(Corso) ..... GT 36
Grosseto(Corso) ..... GT 39
Lazio(LungoStura) ..... HT 41
Maroncelli (CorsoP.) ..... GU 43
Potenza(Corso) ..... GT 58
Rebaudengo (P.Conti) ..... GT 59
RegioParco(Corso) ..... HT 61
S.M.Mazzarello(Via) ..... FT 68
Sansovino(ViaA.) ..... FGT 71
Savona(Corso) ..... GU 72
Sestriere(Via) ..... GU 74
Stampini(ViaE.) ..... GT 78
Stradella(Via) ..... GT 79
Thovez(VialeE.) ..... GHT 80
Torino(Strada) ..... GU 81
Torino(Viale) ..... FU 82
Unitàd'Italia(Corso) ..... GU 86
Vercelli(Corso) ..... HT 89
Voghera (LungoDora) ..... HT 92
E
F
T
U
LANZO TORINESE
VENARIA
SAVONERA
Tangenziale
SUSA
S 24
A 32, S 25
BRIANÇON, TRAFORO DEL FRÉJUS COLLE D. MONCENISIO, SUSA
PIANEZZA
Via Piave
Nord
Strada di Pianezza
OSPEDALE PSICHIATRICO
Dora
Riparia
ALPIGNANO
Tangenziale
CASº DI BRUERE
Cº Marche
Via P. Cossa
Corso
PARCO M. CARRARA
OSPEDALE PSICHIATRICO
COLLEGNO
RIVOLI
Corso Susa
Corso
Francia
Corso
Francia
Pza Massaua
30
POZZO STRADA
Corso 25 Aprile
Corso
GRUGLIASCO
-68-
Str. di Rivalta
Canonico
Allamano
Via G. Reni
S.I.TO.
S.I.TO.
Via
RIVALTA DI TORINO
Via S. Luigi
L. Einaudi
Tangenziale
BEINASCO
Orbassano
Cº L. Settembrini
Pzale Caio Mario
Sangone
AVIGLIANA
Orbassano
Strada
Sud
Corso
BORGARETTO
82
MIRAFIORI
ORBASSANO
PALAZZINA DI CACCIA
Via
STUPINIGI
PARCO
CASTELLO
DI
STUPINIGI
PINEROLO
S 23
0
2 km
PINEROLO SESTRIERE
10
11

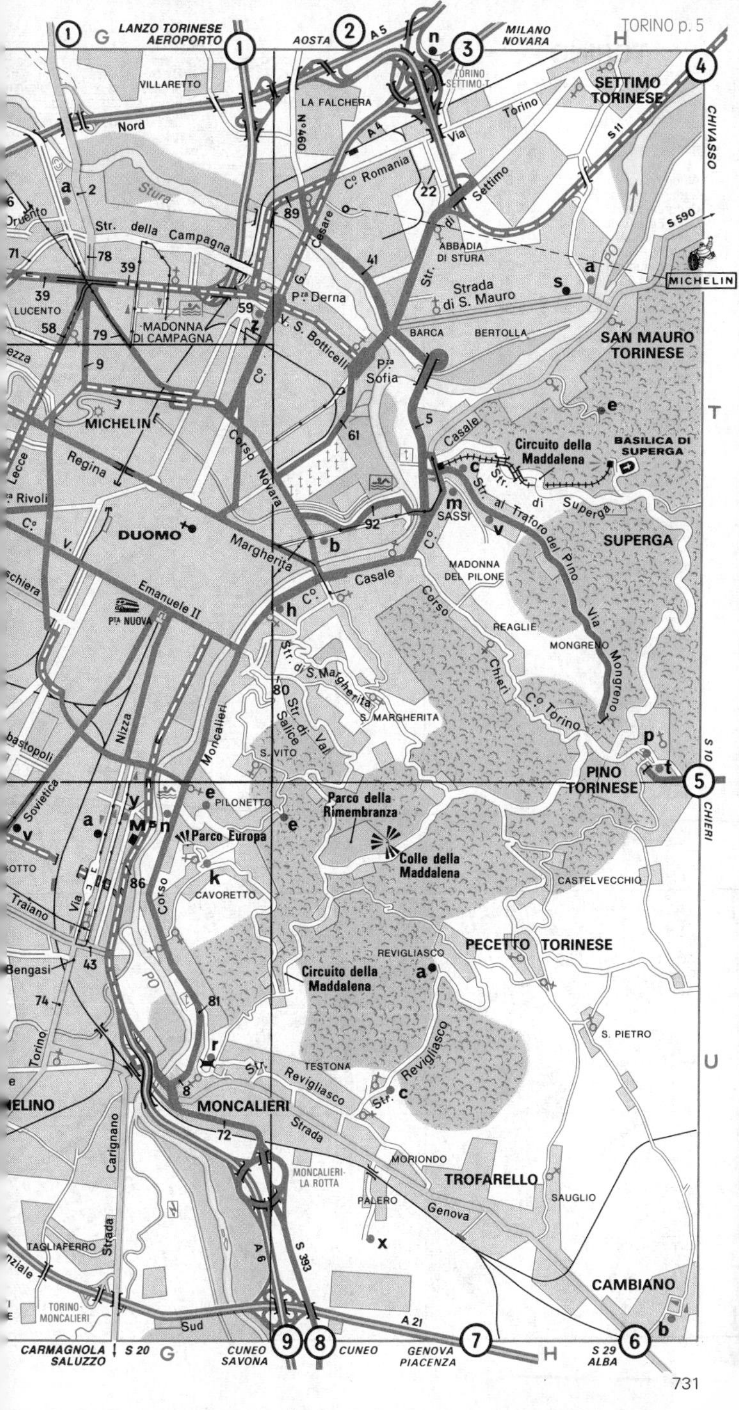
LANZO TORINESE
AEROPORTO
AOSTA
MILANO
NOVARA
CHIVASSO
VILLARETTO
LA FALCHERA
TORINO SETTIMO-T.
SETTIMO TORINESE
Via Torino
Nord
Stura
C° Romania
Str. di Settimo
Str. della Campagna
Cesare
ABBADIA DI STURA
Strada di S. Mauro
MICHELIN
P^za Derna
LUCENTO
MADONNA DI CAMPAGNA
V. S. Botticelli
BARCA
BERTOLLA
SAN MAURO TORINESE
P^za Sofia
MICHELIN
Corso Novara
Regina
Casale
Circuito della Maddalena
BASILICA DI SUPERGA
Rivoli
DUOMO
Margherita
SASSI
Str. al Traforo del Pino
Str. di Superga
SUPERGA
MADONNA DEL PILONE
Emanuele II
P^ta NUOVA
Casale
Corso Chieri
REAGLIE
MONGRENO
Via Mongreno
Str. di S. Margherita
Str. di Val Salice
S. MARGHERITA
C° Torino
Nizza
Moncalieri
S. VITO
PINO TORINESE
CHIERI
Sovietica
PILONETTO
Parco della Rimembranza
Parco Europa
Colle della Maddalena
CAVORETTO
CASTELVECCHIO
Traiano
Via
Corso
PO
Bengasi
REVIGLIASCO
PECETTO TORINESE
Circuito della Maddalena
Torino
Str. Revigliasco
S. PIETRO
TESTONA
MONCALIERI
Strada
Carignano
MORIONDO
MONCALIERI-LA ROTTA
TROFARELLO
SAUGLIO
PALERO
Genova
Strada
TAGLIAFERRO
A 6
S 393
CAMBIANO
TORINO-MONCALIERI
Sud
A 21
CARMAGNOLA
SALUZZO
S 20
CUNEO
SAVONA
CUNEO
GENOVA
PIACENZA
S 29
ALBA

TORINO

Circolazione regolamentata
nel centro città

Carlo Felice (Piazza) ..... CY 16
Roma (Via) .... CXY
S. Carlo (Piazza) .... CXY

Alfieri (Via) .... CY 6
Cadorna (Lungo Po L.) ... DY 10
Carignano (Piazza)....... CX 12
Carlo Emanuele II (Pza) .. DY 13
Casale (Corso).......... DY 18
Castello (Piazza) .... CX 19
Cesare Augusto (Pza).... CV 23
Consolata (Via della)..... CV 27
Diaz (Lungo Po A.) ...... DY 32
Gran Madre di Dio (Pza) . DY 38
Milano (Via) .... CV 46
Ponte Vitt. Emanuele I ... DY 55
Repubblica (Pza della) ... CV 62
S. F. d'Assisi (Via) .... CX 66
Solferino (Piazza)........ CX 75
Vitt. Emanuele II (Lgo) .. BCY 90
4 Marzo (Via) .... CX 93
20 Settembre (Via)..... CXY 96

C
D
V.
Stradella
Via Chiesa d. Salute
Via Stradella
Mortara
Corso
DORA
Oddone
Via Antonio
Cecchi
Lungo
Dora
C°
C° Emilia
Napoli
Cirié
Oddone
Cigna
Corso
V.
Corso
Principe Eugenio
Via
Vigevano
Pza F. Crispi
Vercelli
Cigna
Vercelli
Renato Martorelli
V.
Cesare
Corso
Giulio
Palermo
Corso
Corso
Novara
C° Novara
Corso
Corso
Aosta
V.
Bologna
Brescia
Via
Lungo
Dora
Corso Palermo
Corso
Corso
Parco
Dora
Riparia
Regio
Cesare
Giulio
C°
V
Giulio
27
62
Regina
Corso
Verona
Firenze
Statuto
C° Valdocco
Via
27
PTA PALATINA
46
23
M
DUOMO
PALAZZO REALE
Garibaldi
H
93
M
S. Lorenzo
Corso
Rossini
Margherita
b
d
c
Siccardi
66
r
19
P
C°
e
P. Micca
M
Cernaia
V.
A
T
Via
San
C
Via
MOLE ANTONELLIANA
Giuseppe
Ferraris
x
75
m
66
96
Roma
a
12
T
Via
X
Galileo
M1
M2
U
PIAZZA S. CARLO
6
Via
Albertina
c
Po
Verdi
Maurizio
Umberto
S. Carlo
S. Cristina
Via
13
Matteotti
u
Pza Vittorio Veneto
10
Corso Vitt. Emanuele II
Via
z
t
A.C.I.
v
Accademia
Maria
Giovanni
Y
96
16
n
Vittoria
32
55
18
Re
r
b
s
dell'
V.
Giolitti
Cairoli
38
e
e
a
w
C
D

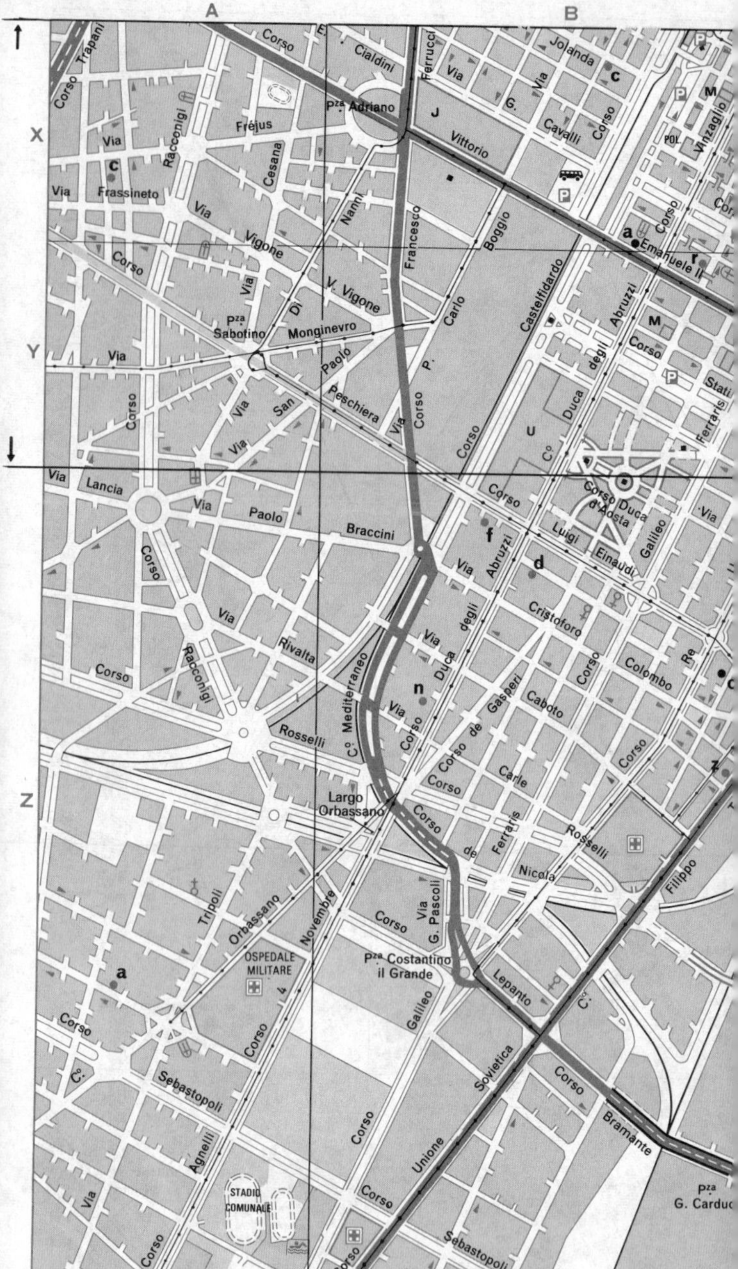

A B

X Y Z

Corso Trapani
Corso Cialdini
Pza Adriano
Corso Ferrucci
Via Jolanda
Via G. Cavalli
Corso Vittorio Emanuele II
Corso Vinzaglio
Via Racconigi
Via Fréjus
Via Cesana
Via Frassineto
Via Nanni
Corso Francesco
Corso Boggio
Via Vigone
V. Vigone
Via Di Nanni
Corso Castelfidardo
Corso Duca degli Abruzzi
Corso Stati Uniti
Pza Sabotino
Via Monginevro
Corso Peschiera
Via San Paolo
Corso P. Carlo
Via Ferraris
Corso Luigi Einaudi
Corso Duca d'Aosta
Via Galileo
Via Lancia
Via Paolo Braccini
Via Cristoforo Colombo
Corso Re
Via Rivalta
Co Mediterraneo
Via Duca degli Abruzzi
Corso Racconigi
Corso de Gasperi
Via Caboto
Corso Rosselli
Corso Carle
Largo Orbassano
Corso de Nicola
Corso Ferraris
Corso Filippo
Corso Orbassano
Via Tripoli
Corso 4 Novembre
Via G. Pascoli
Pza Costantino il Grande
OSPEDALE MILITARE
Corso Lepanto
Corso Galileo
Corso Sebastopoli
Corso Agnelli
Corso Unione Sovietica
Corso Bramante
STADIO COMUNALE
Pza G. Carducci

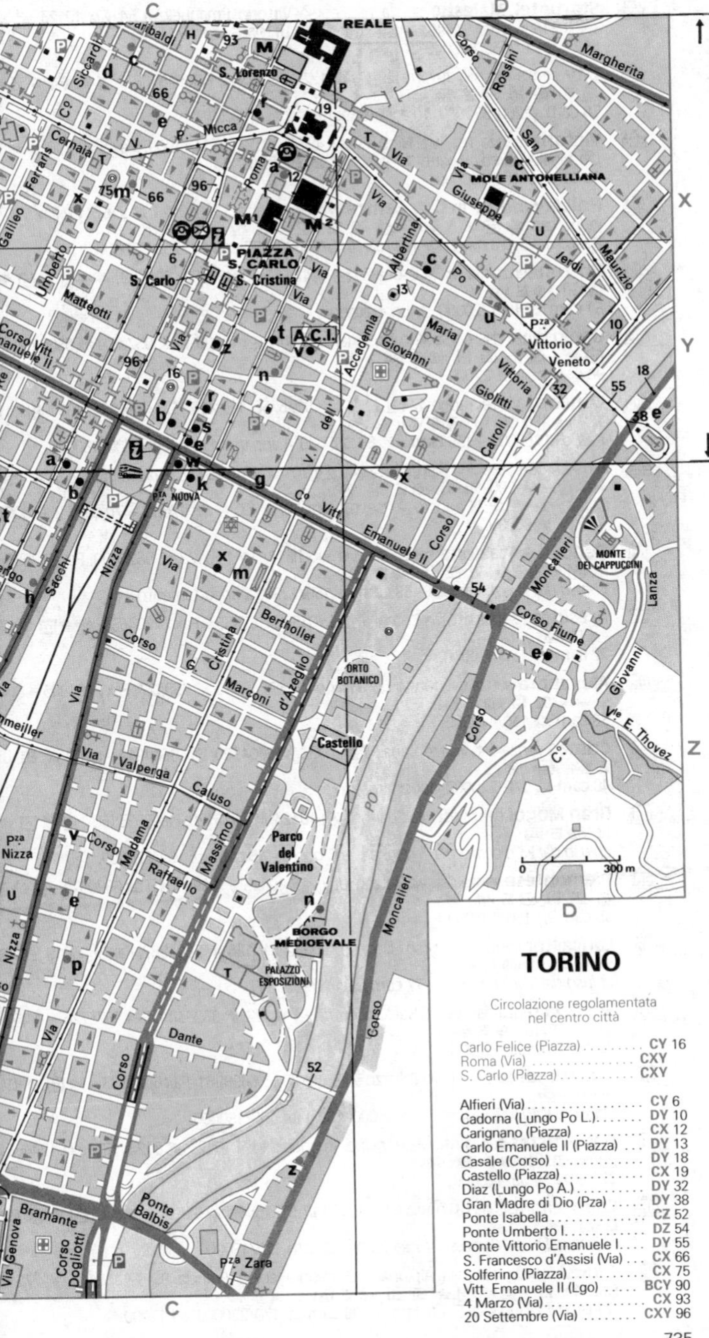

TORINO

Circolazione regolamentata nel centro città

Carlo Felice (Piazza)	CY 16
Roma (Via)	CXY
S. Carlo (Piazza)	CXY

Alfieri (Via)	CY 6
Cadorna (Lungo Po L.)	DY 10
Carignano (Piazza)	CX 12
Carlo Emanuele II (Piazza)	DY 13
Casale (Corso)	DY 18
Castello (Piazza)	CX 19
Diaz (Lungo Po A.)	DY 32
Gran Madre di Dio (Pza)	DY 38
Ponte Isabella	CZ 52
Ponte Umberto I.	DZ 54
Ponte Vittorio Emanuele I.	DY 55
S. Francesco d'Assisi (Via)	CX 66
Solferino (Piazza)	CX 75
Vitt. Emanuele II (Lgo)	BCY 90
4 Marzo (Via)	CX 93
20 Settembre (Via)	CXY 96

Starhotel Majestic senza rist, corso Vittorio Emanuele II 54 ✉ 10123 ✆ 53
Telex 216260, Fax 534963 – AE. 🅂. ⓘ E VISA. JCB C
152 cam ☕ 330/410000.

City senza rist, via Juvarra 25 ✉ 10122 ✆ 540546, Fax 548188 –
60. AE. 🅂. ⓘ E VISA B
50 cam ☕260/350000, 10 appartamenti.

Victoria senza rist, via Nino Costa 4 ✉ 10123 ✆ 5611909, Fax 5611806, « Amb
personalizzati ed eleganti » – AE. 🅂. E VISA. C
90 cam ☕ 180/250000.

Holiday Inn Turin City Centre Ⓜ, via Assietta 3 ✉ 10128 ✆ 5167111, Fax 5167
cam – 40. AE. 🅂. ⓘ E VISA. JCB. rist C
Pasto *(chiuso a mezzogiorno)* carta 45/65000 – **57 cam** ☕ 250/350000.

Boston senza rist, via Massena 70 ✉ 10128 ✆ 500359, Fax 599358, –
AE. 🅂. ⓘ E VISA B
51 cam ☕ 160/220000, 2 appartamenti.

Genio senza rist, corso Vittorio Emanuele II 47 ✉ 10125 ✆ 6505771, Fax 6508264 –
– 25. AE. 🅂. ⓘ E VISA. JCB CY
90 cam ☕ 160/220000.

Concord, via Lagrange 47 ✉ 10123 ✆ 5176756, Telex 221323, Fax 5176305 –
– 180. AE. 🅂. ⓘ E VISA. rist CY
Pasto 40/60000 – **135 cam** ☕ 260/335000, 4 appartamenti – ½ P 200/280000.

Royal, corso Regina Margherita 249 ✉ 10144 ✆ 4376777, Fax 4376393 –
Ⓟ – 600. AE. 🅂. ⓘ E VISA. BV
chiuso dal 1° al 28 agosto – **Pasto** carta 40/70000 – ☕ 17000 – **70 cam** 230/3000
½ P 210/290000.

Genova e Stazione senza rist, via Sacchi 14/b ✉ 10128 ✆ 5629400, Fax 5629896
– 60. AE. 🅂. ⓘ E VISA. CZ
chiuso dal 1° al 18 agosto – **58 cam** ☕ 150/220000, appartamento.

President senza rist, via Cecchi 67 ✉ 10152 ✆ 859555, Fax 2480465 – AE
ⓘ E VISA CV
72 cam ☕ 130/170000.

Alexandra senza rist, lungo Dora Napoli 14 ✉ 10152 ✆ 858327, Fax 2483805 –
AE. 🅂. ⓘ E VISA CV
56 cam ☕ 130/175000.

Crimea senza rist, via Mentana 3 ✉ 10133 ✆ 6604700, Fax 6604912 – AE. 🅂.
E VISA. JCB. DZ
48 cam ☕ 170/220000, appartamento.

Gran Mogol senza rist, via Guarini 2 ✉ 10123 ✆ 5612120, Fax 5623160 –
🅂. ⓘ E VISA. JCB CY
chiuso dal 23 dicembre al 3 gennaio ed agosto – **45 cam** ☕ 160/220000.

Piemontese senza rist, via Berthollet 21 ✉ 10125 ✆ 6698101, Fax 6690571 –
Ⓟ. AE. 🅂. ⓘ E VISA. CZ
35 cam ☕ 150/195000.

Lancaster senza rist, corso Filippo Turati 8 ✉ 10128 ✆ 5681982, Fax 5683019 –
AE. 🅂. ⓘ E VISA BZ
chiuso dal 5 al 31 agosto – **77 cam** ☕ 145/190000.

Venezia senza rist, via 20 Settembre 70 ✉ 10122 ✆ 5623384, Fax 5623726 –
60. AE. 🅂. ⓘ E VISA CX
75 cam ☕ 130/190000.

Due Mondi senza rist, via Saluzzo 3 ✉ 10125 ✆ 6698981, Fax 6699383 – AE.
E VISA. JCB CZ
chiuso dal 10 al 20 agosto – ☕ 15000 – **36 cam** 150/180000.

Des Artistes senza rist, via Principe Amedeo 21 ✉ 10123 ✆ 8124416, Fax 8124466 –
AE. 🅂. ⓘ E VISA. DY
22 cam ☕ 135/170000.

Cairo senza rist, via La Loggia 6 ✉ 10134 ✆ 3171555, Fax 3172027 – Ⓟ. AE.
E VISA. GU
chiuso dal 1° al 28 agosto – ☕ 15000 – **48 cam** 120/150000.

Tourist senza rist, via Alpignano 3 angolo corso Francia 92 ✉ 10143 ✆ 77617
Fax 7493431 – AE. 🅂. ⓘ E VISA AV
chiuso dal 28 luglio al 5 settembre – **28 cam** ☕ 170/220000, 12000.

Giada senza rist, via Gasparo Barbera 6 ✉ 10135 ☎ 3489383, Fax 3489383 – |‡| ▤ TV ☎ P. 🅂. ⓓ E VISA FU u
☕ 8000 – **28 cam** 110/140000, ▤ 10000.

Montevecchio senza rist, via Montevecchio 13 ✉ 10128 ☎ 5620023, Fax 5623047 – TV ☎ ♿. AE. 🅂. ⓓ E VISA CZ t
chiuso dal 1° al 20 agosto – ☕ 8000 – **29 cam** 100/130000.

Villa Sassi-El Toulà con cam, strada al Traforo del Pino 47 ✉ 10132 ☎ 8980556, Fax 8980095, « Villa settecentesca in un grande parco » – |‡| ▤ cam TV ☎ P – 200. AE. 🅂. ⓓ E VISA. rist HT c
chiuso agosto – **Pasto** *(chiuso domenica)* carta 70/105000 – **15 cam** ☕ 270/400000, appartamento – 1/2 P 270/320000.

Del Cambio, piazza Carignano 2 ✉ 10123 ☎ 546690, Fax 535282, Locale storico-gran tradizione, prenotare, « Decorazioni ottocentesche » – ▤. AE. 🅂. ⓓ E VISA. CX a
chiuso domenica, dal 1° al 6 gennaio e dall'8 al 31 agosto – **Pasto** 70/95000 (a mezzogiorno) 90/105000 (alla sera) e carta 65/120000 (15 %).

Balbo, via Andrea Doria 11 ✉ 10123 ☎ 8125566, Fax 8127524, prenotare – ▤. AE ⓓ E VISA. JCB. CY n
chiuso lunedì e dal 25 luglio al 20 agosto – **Pasto** carta 75/115000
Spec. Insalata di astice e riso selvaggio. Tagliatelline al rosso d'uovo con intingolo di verdure, pinoli e uvetta. Filetto di vitello piemontese in crosta di patate e salsa al Barbera.

Rendez Vous, corso Vittorio Emanuele II 38 ✉ 10123 ☎ 887666, Fax 889362, prenotare la sera – ▤. AE. 🅂. ⓓ E VISA. CZ g
chiuso sabato a mezzogiorno e domenica – **Pasto** 35/50000 (a mezzogiorno) e carta 65/85000.

Villa Somis, strada Val Pattonera 138 ✉ 10133 ☎ 6613086, Fax 6614626, ←, prenotare, « In una villa settecentesca con parco; servizio estivo sotto un pergolato » – P. AE. 🅂. ⓓ E VISA HU e
chiuso dal 2 al 9 gennaio, dal 5 al 26 agosto, lunedì e da ottobre a maggio anche a mezzogiorno (escluso i week-end) – **Pasto** carta 40/65000.

Tiffany, piazza Solferino 16/h ✉ 10121 ☎ 535948 – ▤. AE. 🅂. ⓓ E VISA CX x
chiuso sabato a mezzogiorno, domenica ed agosto – **Pasto** carta 40/70000.

Al Gatto Nero, corso Filippo Turati 14 ✉ 10128 ☎ 590414, Fax 502245 – ▤. AE. 🅂. ⓓ E VISA. – *chiuso domenica ed agosto* – **Pasto** carta 65/85000. BZ z

La Cloche, strada al Traforo del Pino 106 ✉ 10132 ☎ 8994213, Fax 8981522 – P – 100. AE. 🅂. ⓓ E VISA. HT v
chiuso domenica sera e lunedì – **Pasto** (menu a sorpresa) 40/60000 e carta 65/130000.

Trait d'Union, via degli Stampatori 4 ✉ 10122 ☎ 541979, , Coperti limitati; prenotare la sera CX c

Al Bue Rosso, corso Casale 10 ✉ 10131 ☎ 8191393 – ▤. AE. 🅂. ⓓ E VISA DY e
chiuso sabato a mezzogiorno, lunedì ed agosto – **Pasto** carta 60/85000 (10 %).

Perbacco, via Mazzini 31 ✉ 10123 ☎ 882110, Soupers, prenotare – ▤. AE. 🅂. ⓓ E VISA
chiuso a mezzogiorno, domenica ed agosto – **Pasto** carta 50/70000. DZ x

Galante, corso Palestro 15 ✉ 10122 ☎ 537757 – ▤. AE. 🅂. ⓓ E VISA. JCB CX b
chiuso sabato a mezzogiorno, domenica ed agosto – **Pasto** carta 50/85000.

Marco Polo, via Marco Polo 38 ✉ 10129 ☎ 599900, Fax 500096, prenotare – ▤. AE VISA BZ f
chiuso lunedì e a mezzogiorno (escluso domenica) – **Pasto** solo piatti di pesce 75000.

Porta Rossa, via Passalacqua 3/b ✉ 10122 ☎ 530816 – ▤. AE. 🅂. ⓓ E VISA.
chiuso sabato a mezzogiorno, domenica ed agosto – **Pasto** 25000 (solo a mezzogiorno) e carta 40/80000. CV a

Il Porticciolo, via Barletta 58 ✉ 10136 ☎ 321601, prenotare – ▤. AE. 🅂. E VISA.
chiuso sabato a mezzogiorno, domenica ed agosto – **Pasto** specialità di mare carta 50/80000. AZ a

Duchesse, via Duchessa Jolanda 7 angolo via Beaumont ✉ 10138 ☎ 4346494, Fax 4346494 – ▤. AE. 🅂. ⓓ E VISA. JCB BX c
chiuso domenica sera, lunedì, dal 25 dicembre al 3 gennaio ed agosto – **Pasto** carta 45/80000.

Etrusco, via Cibrario 52 ✉ 10144 ☎ 480285 – ▤. AE 🅂 ⓓ E VISA BV s
chiuso lunedì e dal 10 al 31 agosto – **Pasto** carta 40/90000.

Solferino, piazza Solferino 3 ✉ 10121 ☎ 535851 – ▤. AE. 🅂. ⓓ E VISA. CX m
chiuso venerdì sera, sabato ed agosto – **Pasto** carta 35/60000.

Al Ghibellin Fuggiasco, via Tunisi 50 ✉ 10134 ☎ 3196115, Fax 3196115 – ▤. AE. 🅂. ⓓ E VISA. JCB. BZ b
chiuso domenica sera, lunedì e dal 5 al 25 agosto – **Pasto** carta 50/70000.

XX **Gianfaldoni,** via Pastrengo 2 ✉ 10128 ✆ 5175041, Fax 5175041 – ▤. AE. ⓢ. ⓞ E
chiuso mercoledì ed agosto – **Pasto** carta 45/75000. C

XX **Da Benito,** corso Siracusa 142 ✉ 10137 ✆ 3090354, Fax 3090353 – ▤. AE. ⓢ. ⓞ E JCB. ✻ F
chiuso lunedì ed agosto – **Pasto** specialità di mare carta 40/65000.

XX **Da Giovanni,** via Gioberti 24 ✉ 10128 ✆ 539842 – ▤. AE. ⓢ. ⓞ E VISA. ✻ C
chiuso domenica ed agosto – **Pasto** carta 45/75000.

XX **Mina,** via Ellero 36 ✉ 10126 ✆ 6963608, Fax 6960459 – ▤. AE. ⓢ. ⓞ E VISA G
chiuso agosto, lunedì e dal 15 giugno al 31 luglio anche domenica sera – **Pasto** spec piemontesi carta 40/65000.

XX **Mara e Felice,** via Foglizzo 8 ✉ 10149 ✆ 731719, Fax 4557681 – ▤. AE. ⓢ. ⓞ E VI
chiuso sabato a mezzogiorno, domenica ed agosto – **Pasto** specialità di mare carta 80000. A

XX **La Pace,** via Galliari 22 ✉ 10125 ✆ 6505325 –. ⓢ. ⓞ E VISA C
chiuso domenica, lunedì a mezzogiorno, dal 2 al 6 gennaio ed agosto – **Pasto** c 40/70000.

XX **Il Ciacolon,** viale 25 Aprile 11 ✉ 10133 ✆ 6610911 – AE. ⓢ. ⓞ E VISA. JCB GU
chiuso a mezzogiorno, domenica sera, lunedì e dal 10 al 25 agosto – **Pasto** spec venete (menu a sorpresa) 50000.

XX **Il 58,** via San Secondo 58 ✉ 10128 ✆ 505566 – ▤. ⓢ E VISA CZ
chiuso lunedì e dal 1º al 7 settembre – **Pasto** carta 45/65000.

XX **Mon Ami,** via San Dalmazzo 16 angolo via Santa Maria ✉ 10122 ✆ 538288, 🏠 – AE ⓞ E VISA CX
chiuso domenica sera, lunedì ed agosto – **Pasto** carta 30/60000.

XX **L'Idrovolante,** viale Virgilio 105 ✉ 10126 ✆ 6687602, Coperti limitati; prenot «Servizio estivo in terrazza in riva al fiume» – AE. ⓢ. E VISA CZ
chiuso domenica sera, lunedì a mezzogiorno e dall'8 al 31 ottobre – **Pasto** carta 40/65(

XX Crocetta, via Marco Polo 21 ✉ 10129 ✆ 5817665, 🏠 – ▤ BZ

XX **La Gondola,** corso Moncalieri 190 ✉ 10133 ✆ 6614805, 🏠 – ▤. AE. ⓢ. E VISA. ✻
chiuso domenica, lunedì a mezzogiorno e dal 10 agosto al 10 settembre – **Pasto** speci di mare carta 55/80000. CZ

XX **Le Due Isole,** via Saluzzo 82 ✉ 10126 ✆ 6692591 –. ⓢ. E VISA. ✻ CZ
chiuso domenica, lunedì sera ed agosto – **Pasto** specialità di mare carta 40/65000.

X **Alberoni,** corso Moncalieri 288 ✉ 10133 ✆ 6615433, 🏠, «Terrazza sul fiume», Ⓟ. AE. ⓢ. E VISA GU
chiuso domenica sera, lunedì e gennaio – **Pasto** specialità piemontesi carta 35/50000.

X **Taverna delle Rose,** via Massena 24 ✉ 10128 ✆ 538345 – AE. ⓢ. ⓞ E VISA CZ
chiuso sabato a mezzogiorno, domenica ed agosto – **Pasto** carta 50/85000.

X **La Capannina,** via Donati 1 ✉ 10121 ✆ 545405, Fax 547451 – ▤. ⓢ. ⓞ E VISA BY
chiuso domenica ed agosto – **Pasto** specialità piemontesi carta 35/60000.

X **Trômlin,** a Cavoretto, via alla Parrocchia 7 ✉ 10133 ✆ 6613050, Coperti limit prenotare GU
chiuso a mezzogiorno (escluso i giorni festivi), lunedì e dal 15 luglio al 5 agosto – **Pa** (menu a sorpresa tipico piemontese) 50000 bc.

X **Al 24,** via Montebello 24 ✉ 10124 ✆ 8122981 – ▤. AE. ⓢ DX
chiusolunedì, martedì a mezzogiorno e dal 20 giugno al 15 luglio – **Pasto** carta 40/6000

X Trattoria Abetone, corso Raffaello 0 ✉ 10126 ✆ 655598, 🏠 CZ

X **C'era una volta,** corso Vittorio Emanuele II 41 ✉ 10125 ✆ 6504589, Fax 65057 prenotare – ▤. AE. ⓢ. ⓞ E VISA CZ
chiuso a mezzogiorno, domenica ed agosto – **Pasto** specialità piemontesi 35/45000.

X **'l Birichin,** via Monti 16 ✉ 10126 ✆ 657457 – ▤ ⓢ. E VISA. JCB CZ
chiuso domenica, dal 1º al 7 gennaio e dal 5 al 25 agosto – **Pasto** carta 30/60000.

X **Spada Reale,** via Principe Amedeo 53 ✉ 10123 ✆ 8171363, Fax 8171363 – ▤. AE. ⓢ. E VISA DY
chiuso domenica e dal 12 al 18 agosto – **Pasto** carta 40/65000.

X **Anaconda,** via Angiolino 16 (corso Potenza) ✉ 10143 ✆ 752903, Trattoria rusti «Servizio estivo all'aperto» – Ⓟ. AE. ⓢ. ⓞ E VISA. JCB BV
chiuso venerdì sera, sabato ed agosto – **Pasto** 50000 bc.

X **Le Maschere,** via Fidia 28 angolo via Vandalino ✉ 10141 ✆ 728928 – ▤. AE. ⓢ. ⓞ E V
chiuso domenica e mercoledì sera – **Pasto** carta 30/55000. FT

X **Ristorantino Tefy,** corso Belgio 26 ✉ 10153 ✆ 837332 – ▤. AE. ⓢ. E VISA
chiuso domenica – **Pasto** specialità umbre carta 40/75000. HT

)RRE DI SANTA MARIA *23020 Sondrio* 428, 429 D 11, 218 ⑮ – *935 ab. alt. 796* – ☎ *0342.*
Roma 708 – Sondrio 9 – Brescia 157 – Saint-Moritz 88.

XX **Il Gourmet,** località Tornadù S : 3 km ☎ 558271, Coperti limitati; prenotare – P. AE. 🅂. ⓓ E VISA
chiuso dal 1º al 20 giugno e mercoledì (escluso luglio-agosto) – **Pasto** carta 40/60000.

)RREGLIA *35038 Padova* 429 F 17 – *5 762 ab. alt. 18* – ☎ *049.*
Roma 486 – Padova 16 – Abano Terme 5 – Milano 251 – Rovigo 36 – Venezia 54.

XX **Antica Trattoria Ballotta,** O : 1 km ☎ 5212970, Fax 5211385, « Servizio estivo sotto un pergolato » – P. AE. 🅂. ⓓ E VISA
chiuso martedì e gennaio – **Pasto** carta 35/55000.

X Al Castelletto-da Tàparo, S : 1,5 km ☎ 5211060, Fax 5211685, « Servizio estivo sotto un pergolato », 🌳 – P

Torreglia Alta *SO : 2 km – alt. 300 – ✉ 35038 Torreglia :*

XX **Rifugio Monte Rua,** S : 1 km ☎ 5211049, Fax 5211049, « Servizio estivo in terrazza con ← colli Euganei e pianura » – P. AE. 🅂. ⓓ E VISA. ✂
chiuso martedì – **Pasto** carta 25/50000.

)RREGROTTA *Messina* 432 M 28 – *Vedere Sicilia alla fine dell'elenco alfabetico.*

When visiting ***northern Italy*** *use* ***Michelin maps*** 428 *and* 429.

)RRE LAPILLO *Lecce* 431 G 35 – *Vedere Porto Cesareo.*

)RREMAGGIORE *71017 Foggia* 988 ㉘, 431 B 27 – *17 324 ab. alt. 169* – ☎ *0882.*
Roma 325 – Foggia 43 – Bari 161 – Pescara 159 – Termoli 67.

X **Da Alfonso,** via Costituente 66 ☎ 391324, prenotare la sera – ✂
chiuso lunedì sera, martedì e novembre – **Pasto** carta 25/35000 (15 %).

)RRE PEDRERA *Rimini* 430 J 19 – *Vedere Rimini.*

)RRE PELLICE *10066 Torino* 988 ⑫, 428 H 3 – *4 622 ab. alt. 516* – ☎ *0121.*
Roma 708 – Torino 58 – Cuneo 64 – Milano 201 – Sestriere 71.

🏨 **Gilly,** corso Lombardini 1 ☎ 932477, Fax 932924, ≘s, 🏊, 🌳 – |♦| TV ☎ P – 🏛 120. AE. 🅂. ⓓ E VISA. ✂ rist
chiuso dal 2 al 20 gennaio – **Pasto** carta 35/70000 – **38 cam** ☐ 150/200000, 2 appartamenti – ½ P 130/170000.

XX **Flipot,** corso Gramsci 17 ☎ 953465, Fax 91236 – AE. 🅂. ⓓ E VISA. ✂
✿ *chiuso lunedì e martedì escluso da giugno a settembre* – **Pasto** carta 60/90000
Spec. Frittatina ai fiori di sambuco ed acacia (primavera). Agnoli di möstardele (sanguinaccio) ai porri dolci (inverno). Cosciotto d'agnello cotto nel fieno maggengo (primavera).

)RRE SAN GIOVANNI *Lecce* 431 H 36 – ✉ *73059 Ugento* – *a.s. luglio-agosto* – ☎ *0833.*
Roma 652 – Brindisi 105 – Gallipoli 24 – Lecce 62 – Otranto 50 – Taranto 117.

🏨 **Hyencos Calòs e Callyon,** piazza dei Re Ugentini ☎ 931088, Fax 931097, ←, 🏊, 🏖 – |♦| ▤ TV ☎ P – 🏛 100. AE. 🅂. ⓓ E VISA. ✂ rist
chiuso novembre e dicembre – **Pasto** *(chiuso da ottobre ad aprile)* carta 40/60000 – **63 cam** ☐ 170/240000 – ½ P 70/170000.

🏨 **Tito,** NO : 1,5 km ☎ 931054, Fax 931225, ←, 🏖, 🌳 – |♦| ▤ TV ☎ 🚗 P. 🅂. ⓓ E VISA. JCB. ✂ rist
aprile-ottobre – **Pasto** 35/40000 – ☐ 20000 – **40 cam** 100/110000 – ½ P 95/135000.

)RRETTE *Ancona* 430 L 22 – *Vedere Ancona.*

)RRIANA *47030 Rimini* 429, 430 K 19 – *1 055 ab. alt. 337* – ☎ *0541.*
Roma 307 – Rimini 21 – Forlì 56 – Ravenna 60.

X Osteria del Povero Diavolo, via Roma 30 ☎ 675060, 🏠
chiuso a mezzogiorno.

TORRI DEL BENACO *37010 Verona* 988 ④, 428, 429 F 14 – *2 602 ab. alt. 68* – ☎ *045.*

per Toscolano-Maderno giornalieri (30 mn) – a Toscolano Maderno, Navigazione La di Garda, Imbarcadero ℘ 641389.

via Gardesana 5 ℘ 6296482, Fax 7226482.

Roma 535 – Verona 37 – Brescia 72 – Mantova 73 – Milano 159 – Trento 81 – Venezia 159

Gardesana, piazza Calderini 20 ℘ 7225411, Fax 7225771, ≤, – |‡| ▤ TV ☎ ♿ P. ⑤. ① E VISA. ✻
chiuso dal 15 gennaio a febbraio e dal 2 novembre al 28 dicembre – **Pasto** *(aprile-ottob chiuso a mezzogiorno)* carta 55/80000 – **34 cam** ☐ 100/200000.

Galvani, località Pontirola 5 ℘ 7225103, Fax 6296618, ≤, , , – ▤ cam TV ☎ ⑤. E VISA. ✻
chiuso dal 6 gennaio al 15 febbraio – **Pasto** *(chiuso martedì)* carta 40/55000 – ☐ 2000 22 cam 95/130000 – ½ P 90/110000.

Europa , ℘ 7225086, Fax 6296632, ≤, « Parco-oliveto », – ☎ P. ✻
Pasqua-10 ottobre – **18 cam** solo ½ P 100/120000.

Al Caval con cam, via Gardesana 186 ℘ 7225666, Fax 6296570 – ▤ cam TV ☎ P. AE. ① E VISA. JCB. ✻ rist
chiuso dal 15 gennaio al 20 marzo – **Pasto** *(chiuso a mezzogiorno escluso i giorni festiv lunedì da ottobre al 15 giugno)* carta 40/65000 – **22 cam** solo ½ P 80/105000.

ad Albisano *NE : 4,5 km* – ✉ *37010 Torri del Benaco :*

Panorama, ℘ 7225102, Fax 6290162, ≤ lago, – ☎ P. ⑤. E VISA
Natale e aprile-ottobre – **Pasto** carta 35/45000 – ☐ 12000 – **26 cam** 70/85000 – ½ P 5 75000.

Lisez attentivement l'introduction : c'est la clé du guide.

TORRILE *43030 Parma* 428, 429 H 12 – *5 352 ab. alt. 32* – ☎ *0521.*

Roma 470 – Parma 13 – Mantova 51 – Milano 134.

a San Polo *SE : 4 km* – ✉ *43056 :*

Ducathotel, via Achille Grandi 7 ℘ 819929, Fax 813482 – |‡| ▤ TV ☎ P – 40. AE. ① E VISA. ✻ rist
Pasto *(chiuso a mezzogiorno e venerdì sera)* 30/40000 – ☐ 15000 – **18 cam** 80/1200 ▤ 7000 – ½ P 80/95000.

TORTOLÌ *Nuoro* 988 ㉞, 433 H 10 – *Vedere Sardegna alla fine dell'elenco alfabetico.*

TORTONA *15057 Alessandria* 988 ⑬, 428 H 8 – *26 910 ab. alt. 114* – ☎ *0131.*

Roma 567 – Alessandria 22 – Genova 73 – Milano 73 – Novara 71 – Pavia 52 – Piacenza 7 Torino 112.

Villa Giulia M, corso Alessandria 3/A ℘ 862396, Fax 868561, – |‡| ▤ TV ☎ P – AE. ⑤. ① E VISA. ✻
Pasto *(chiuso domenica)* carta 45/80000 – ☐ 20000 – **12 cam** 125/150000 – ½ P 17000

Vittoria senza rist, corso Romita 57 ℘ 861325, Fax 820714 – |‡| ▤ TV ☎ P. AE. ① E VISA
☐ 15000 – **27 cam** 85/130000.

Cavallino San Marziano, corso Romita 83 ℘ 862308, Fax 811485 – ▤ P. AE. ⑤. ① VISA
chiuso lunedì, dal 1º al 10 gennaio, Natale e dal 24 luglio al 24 agosto – **Pasto** ca 55/85000.

sulla strada statale 35 *S : 1,5 km :*

Aurora, Statale per Genova 13 ✉ 15057 ℘ 863033, Fax 821323 – |‡| ▤ TV ☎ P – AE. ⑤. ① E VISA. JCB
Pasto al Rist. ***Girarrosto*** *(chiuso lunedì)* carta 55/75000 – **16 cam** ☐ 95/130000, appar mento, ▤ 10000.

sulla strada statale 211 *S : 3 km :*

Il Carrettino, ✉ 15050 Rivalta Scrivia ℘ 860930, Fax 870955, « In un cascinale ristrut rato » – ▤ TV ☎ ♿ P. AE. ⑤. ① E VISA. ✻
chiuso dal 10 al 20 agosto – **Pasto** *(chiuso lunedì)* carta 35/50000 – **44 cam** ☐ 60/9000 ½ P 80000.

verso Sale *NO : 6 km :*

Motel 2 senza rist, strada statale per Sale 14 ✉ 15057 ℘ 881019, Fax 881020 – ▤ TV P. AE. ⑤. ① E VISA. JCB. ✻
☐ 12000 – **35 cam** 75/110000.

RTORETO *64018 Teramo* 430 N 23 – *7 605 ab. alt. 227 – a.s. luglio-agosto – ☎ 0861.*
Roma 215 – Ascoli Piceno 47 – Pescara 57 – Ancona 108 – L'Aquila 106 – Teramo 33.

ortoreto Lido *E : 3 km – ✉ 64019 :*

Costa Verde, lungomare Sirena 384 ☎ 787096, Fax 786647, ≤, – rist ☎ . rist
maggio-settembre – **Pasto** 30/35000 – ☐ 12000 – **50 cam** 100/120000 – 1/2 P 80/110000.

River, via Leonardo Da Vinci 21 ☎ 786125, Fax 787348, – ☎ .
maggio-settembre – **Pasto** (solo per alloggiati) – **27 cam** ☐ 70/105000 – 1/2 P 65/85000.

Lady G, via Amerigo Vespucci 21/23 ☎ 788008, Fax 788670, – ☎ . .
aprile-settembre – **Pasto** carta 35/60000 – ☐ 15000 – **34 cam** 110/180000 – 1/2 P 80/115000.

R VAIANICA *00040 Roma* 430 R 19 – *☎ 06.*
(chiuso lunedì) a Marina di Ardea ✉ 00040 ☎ 9133250, Fax 9133592.
Roma 34 – Anzio 25 – Latina 50 – Lido di Ostia 20.

Zi Checco, lungomare delle Sirene 1 ☎ 9157157, ≤, , – . AE. . E VISA.
chiuso giovedì e novembre – **Pasto** specialità di mare carta 45/65000.

SCANELLA *Bologna* 430 I 16 – *Vedere Dozza.*

SCOLANO-MADERNO *Brescia* 988 ④, 428, 429 F 13 – *6 881 ab. alt. 80 – a.s. Pasqua e luglio-15 settembre – ☎ 0365.*
per Torri del Benaco giornalieri (30 mn) – Navigazione Lago di Garda, Imbarcadero ☎ 641389.
a Maderno, via lungolago Zanardelli ✉ 25080 ☎ 641330.
Roma 556 – Brescia 39 – Verona 44 – Bergamo 93 – Mantova 95 – Milano 134 – Trento 86.

Maderno – *✉ 25080 :*

Milano, ☎ 540595, Fax 641223, ≤, « Giardino ombreggiato » – ☎ . AE VISA. rist
23 marzo-20 ottobre – **Pasto** (solo per alloggiati) 35000 – ☐ 18000 – **38 cam** 120/140000 – 1/2 P 120000.

Maderno, ☎ 641070, Fax 644277, « Giardino ombreggiato con » – ☎ . AE. . E VISA. JCB. rist
aprile-settembre – **Pasto** 40/45000 – **33 cam** ☐ 115/180000 – 1/2 P 90/130000.

San Marco con cam, piazza San Marco 5 ☎ 641103, Fax 540592, ≤, – ☎. AE. . E VISA. JCB
chiuso novembre – **Pasto** carta 40/70000 (10%) – ☐ 10000 – **21 cam** 90000 – 1/2 P 75/80000.

Vecchia Padella, ☎ 641042, Fax 541212, – AE. . E VISA
chiuso gennaio, febbraio e mercoledì (escluso da giugno al 27 settembre) – **Pasto** carta 35/65000.

SSIGNANO *40020 Bologna* 429, 430 J 16 – *alt. 272 – ☎ 0542.*
Roma 382 – Bologna 51 – Firenze 84 – Forlì 44 – Ravenna 59.

Locanda della Colonna, via Nuova 10/11 ☎ 91006, , Coperti limitati; prenotare, « Costruzione del 15° secolo » –. . E VISA.
chiuso a mezzogiorno, domenica, lunedì ed agosto – **Pasto** carta 50/85000
Spec. Insalata di cappone all'aceto balsamico. Ricottini di spinaci al sugo d'arrosto. Faraona arrosto con cipolle al miele.

VEL (Lago di) *Trento* 988 ④, 428, 429 D 14 *G. Italia.*

VO DI SANT'AGATA *23030 Sondrio* 428 D 12, 218 ⑰ – *547 ab. alt. 531 – ☎ 0342.*
Roma 680 – Sondrio 33 – Bormio 31.

Franca, ☎ 770064, Fax 770064 – . AE. . E VISA.
chiuso dal 15 giugno al 6 luglio e domenica (escluso luglio-agosto) – **Pasto** carta 35/55000.

TRADATE *21049 Varese* [428] E 8, [219] ⑱ *– 16 056 ab. alt. 303 –* ☎ *0331.*
Roma 614 – Como 29 – Gallarate 12 – Milano 39 – Varese 14.

XX **Antico Ostello Lombardo,** via Vincenzo Monti 8 ☎ 842832, ⛱, Coperti limita prenotare – 🚫
chiuso sabato a mezzogiorno, lunedì, dal 1° al 12 gennaio ed agosto – **Pasto** ca 55/95000.

XX **Tradate,** via Volta 20 ☎ 811225, Fax 841401 – AE. [S]. ⓓ E VISA. JCB. 🚫
chiuso domenica, dal 24 dicembre al 5 gennaio ed agosto – **Pasto** specialità di mare car 50/100000.

TRAMIN AN DER WEINSTRASSE = *Termeno sulla Strada del Vino.*

TRANA *10090 Torino* [428] G 4 *– 3 164 ab. alt. 372 –* ☎ *011.*
Roma 685 – Torino 32 – Briançon 90 – Milano 167.

a San Bernardino *E : 3 km – ✉ 10090 Trana :*

XXX **La Betulla,** strada provinciale Giaveno 29 ☎ 933106, prenotare – [P]. [S] VISA. 🚫
chiuso gennaio, martedì e da ottobre a maggio anche lunedì sera – **Pasto** carta 40/5500

TRANI *70059 Bari* [988] ㉙, [431] D 31 *G. Italia – 52 606 ab. –* ☎ *0883.*
Vedere *Cattedrale★★ – Giardino pubblico★.*
[i] *piazza della Repubblica* ☎ *43295, Fax 588830.*
Roma 414 – Bari 46 – Barletta 13 – Foggia 97 – Matera 78 – Taranto 132.

Royal, via De Robertis 29 ☎ 588777, Fax 582224 – |‡| ▤ [TV] ☎ 🚗. AE. [S]. ⓓ E VI 🚫 rist
Pasto 35000 – ☕ 15000 – **42 cam** 120/170000 – ½ P 110000.

Trani, corso Imbriani 137 ☎ 588010, Fax 587625 – |‡| [TV] ☎ 🚗 – 🎤 160. AE. [S]. ⓓ E VI 🚫
Pasto carta 35/65000 – ☕ 10000 – **50 cam** 80/125000 – ½ P 100/115000.

XX **Torrente Antico,** via Fusco 3 ☎ 47911, Coperti limitati; prenotare – ▤. AE. [S]. ⓓ E V
chiuso domenica sera, lunedì dal 7 al 14 gennaio e dal 15 al 30 luglio – **Pasto** car 65/80000.

XX Il Melograno, via Bovio 189 ☎ 46966, ⛱

TRAPANI [P] [988] ㉟, [432] M 19 *– Vedere Sicilia alla fine dell'elenco alfabetico.*

TRAVEDONA-MONATE *21028 Varese* [428] E 8, [219] ⑦ *– 3 442 ab. alt. 273 –* ☎ *0332.*
⛳18 *Dei Laghi (chiuso martedì e gennaio)* ☎ *978101, Fax 977532.*
Roma 638 – Stresa 39 – Milano 61 – Varese 19.

XX **Antica Trattoria-da Cesare,** via Aldo Moro 25 ☎ 977007, ⛱, Coperti limitati : solo prenotazione a mezzogiorno – AE. [S]. E VISA. JCB
chiuso lunedì – **Pasto** carta 50/75000.

TRAVERSELLA *10080 Torino* [428] F 5, [219] ⑭ *– 444 ab. alt. 827 –* ☎ *0125.*
Roma 703 – Aosta 85 – Milano 142 – Torino 70.

XX **Miniere** 🐌 con cam, ☎ 749005, Fax 749195, ≤ vallata, 🌳 – |‡| ☎. AE. [S]. ⓓ E VISA. 🚫
chiuso dal 6 gennaio al 6 febbraio – Pasto (chiuso lunedì) carta 35/55000 – ☕ 6000 **25 cam** 50/80000 – ½ P 75000.

TRAVERSETOLO *43029 Parma* [429] I 13 *– 7 353 ab. alt. 170 –* ☎ *0521.*
Roma 448 – Parma 20 – La Spezia 125 – Modena 50.

X **Colibrì,** ☎ 841784 – ▤ [P]. ⓓ
chiuso giovedì e dal 6 al 25 agosto – **Pasto** 45/60000.

TREBBO DI RENO *Bologna* [429], [430] I 15 *– Vedere Castel Maggiore.*

TREBIANO *La Spezia* [428] J 11 *– alt. 170 – ✉ 19030 Romito –* ☎ *0187.*
Roma 403 – La Spezia 8 – Livorno 79 – Lucca 69.

X Trattoria delle 7 Lune, via Sottocastello 2 ☎ 988566, ≤, « Servizio estivo all'aperto »
chiuso a mezzogiorno.

TREBISACCE *87075 Cosenza* 988 ㊴, 431 H 31 – *8 876 ab.* – ☎ *0981.*
Roma 484 – Cosenza 85 – Castrovillari 40 – Catanzaro 183 – Napoli 278 – Taranto 115.

Trattoria del Sole, via Piave 14 bis ☎ 51797, – . VISA
chiuso domenica escluso dal 15 giugno al 15 settembre – **Pasto** carta 25/35000.

TRECATE *28069 Novara* 988 ③, 428 F 8 – *15 943 ab. alt. 136* – ☎ *0321.*
Roma 621 – Stresa 62 – Milano 47 – Torino 102.

Macrì, piazza Cattaneo 20/A ☎ 71251, prenotare – . AE. E VISA.
chiuso lunedì – **Pasto** carta 40/70000.

TREDOZIO *47019 Forlì-Cesena* 988 ⑮, 429, 430 J 17 – *1 386 ab. alt. 334* – ☎ *0546.*
Roma 327 – Firenze 89 – Bologna 80 – Forlì 43.

Mulino San Michele, via Perisauli 6 ☎ 93677, Coperti limitati; prenotare –
chiuso a mezzogiorno (escluso i giorni festivi), lunedì e dal 20 giugno al 15 luglio – **Pasto** 65000 bc.

TREFIUMI *Parma – Vedere Monchio delle Corti.*

TREISO *12050 Cuneo* 428 H 6 – *735 ab. alt. 412* – ☎ *0173.*
Roma 644 – Alba 6 – Alessandria 65 – Cuneo 68 – Savona 105 – Torino 65.

Tornavento, piazza Baracco 7 ☎ 638333, Fax 638352, – . E VISA.
chiuso martedì e dal 7 gennaio al 7 febbraio – **Pasto** 35/50000 (a mezzogiorno) e 50/55000 (alla sera).

TREMEZZO *22019 Como* 988 ③, 428 E 9 *G. Italia* – *1 371 ab. alt. 245* – ☎ *0344.*
Vedere *Località*** – Villa Carlotta*** – Parco comunale*.*
Dintorni *Cadenabbia** : ≤** dalla cappella di San Martino (1 h e 30 mn a piedi AR).*
(maggio-ottobre) piazzale Trieste 1 ☎ 40493.
Roma 655 – Como 31 – Lugano 33 – Menaggio 5 – Milano 78 – Sondrio 73.

Gd H. Tremezzo Palace, ☎ 40446, Fax 40201, ≤ lago, , « Parco », riscaldata, – cam – 300. AE. E VISA. rist
marzo-ottobre – **Pasto** carta 70/105000 – **96 cam** 260/310000 – 1/2 P 130/180000.

Villa Edy senza rist, località Bolvedro O : 1 km ☎ 40161, Fax 40015, , , – . E VISA.
aprile-ottobre – 16000 – **12 cam** 110/120000.

Rusall , località Rogaro O : 1,5 km ☎ 40408, Fax 40447, ≤ lago e monti, « Terrazza-giardino », – . AE. E VISA. rist
chiuso dal 2 gennaio al 19 marzo – **Pasto** *(chiuso mercoledì escluso dal 15 giugno al 15 settembre)* carta 40/55000 – 12000 – **18 cam** 75/120000 – 1/2 P 90/95000.

Al Veluu, località Rogaro O : 1,5 km ☎ 40510, ≤ lago e monti, « Servizio estivo in terrazza panoramica » – . AE. E VISA
marzo-ottobre; chiuso martedì – **Pasto** carta 50/75000.

La Fagurida, località Rogaro O : 1,5 km ☎ 40676, , Trattoria tipica – . AE. VISA.
chiuso lunedì e dal 25 dicembre al 15 febbraio – **Pasto** cucina casalinga 70000.

TREMITI (Isole) *Foggia* 988 ㉘, 431 A 28 – *374 ab. alt. da 0 a 116 – a.s. luglio-13 settembre* – ☎ *0882.*
La limitazione d'accesso degli autoveicoli è regolata da norme legislative.
Vedere *Isola di San Domino* – Isola di San Nicola*.*
per Termoli aprile-settembre giornalieri (da 1 h a 1 h 40 mn) – Navigazione Libera del Golfo, al porto.
per Termoli giornalieri (da 45 mn a 1 h 40 mn); per Ortona 20 giugno-15 settembre giornaliero (1 h 45 mn); per Rodi Garganico giugno-settembre giornaliero (50 mn); per Punta Penna di Vasto 23 giugno-15 settembre giornaliero (1 h) – Adriatica di Navigazione-agenzia Cafiero, via degli Abbati 10 ☎ 663008, Fax 663008.

San Domino (Isola) – ✉ *71040 San Nicola di Tremiti :*

Gabbiano , ☎ 663410, Fax 663428, ≤ mare e isola di San Nicola, – – 50. AE. E VISA. rist
Pasto carta 55/75000 – **40 cam** 140/200000, 10000 – 1/2 P 105/130000.

San Domino , ☎ 663404, Fax 663221 – rist . E VISA.
Pasto 35000 – **24 cam** 130000 – 1/2 P 120000.

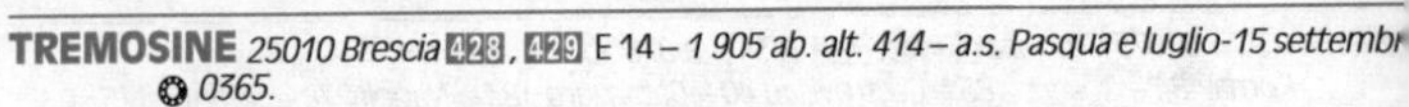

TREMOSINE *25010 Brescia* 428, 429 E 14 – *1 905 ab. alt. 414 – a.s. Pasqua e luglio-15 settembre*
☎ *0365.*
Roma 581 – Trento 62 – Brescia 64 – Milano 159 – Riva del Garda 19.

Le Balze ⊛, a Campi-Voltino alt. 690 ☎ 917179, Fax 917033, ← lago e monte Baldo, ..., ..., ..., ... – ... ☎ ... ℗. ... E VISA. ✻ rist
28 marzo-4 novembre – **Pasto** carta 55/75000 – ☕ 16000 – **76 cam** 90/145000 – ½ P 125000.

Pineta Campi ⊛, a Campi-Voltino alt. 690 ☎ 917158, Fax 917015, ← lago e monte Baldo, ..., ..., ..., ..., ... – ... ☎ ℗ – ... 50. ✻ rist
15 marzo-ottobre – **Pasto** carta 35/50000 – ☕ 11000 – **66 cam** 70/120000 – ½ P 90000.

Park Hotel Faver, a Voltino alt. 560 ☎ 917017, Fax 917019, ←, ..., ..., ..., ..., ... – ☎ – ... 80
stagionale 30 cam.

Lucia ⊛, ad Arias alt. 460 ☎ 953088, Fax 953421, ← lago e monte Baldo, ..., ..., ..., ... – ... ☎ ℗. ... E VISA. ✻ rist
marzo-novembre – **Pasto** carta 35/50000 – ☕ 10000 – **26 cam** 55/75000 – ½ P 75000.

Miralago e Benaco, a Pieve alt. 433 ☎ 953001, Fax 953046, ← lago e monte Baldo – ... ☎. ... VISA
Pasto *(chiuso giovedì escluso da aprile ad ottobre)* carta 30/50000 – ☕ 11000 – **25 cam** 60/90000 – ½ P 75000.

Villa Selene ⊛ con cam, a Pregasio alt. 478 ☎ 953036, Fax 918078, ... – ... ☎ ℗. ... E VISA. ✻ cam
Pasto *(chiuso martedì)* carta 30/50000 – **6 cam** ☕ 110/150000.

Alterations and improvements are constantly being made to the Italian road network.
Buy the latest edition of ***Michelin Map*** *988 at a scale of 1:1 000 000.*

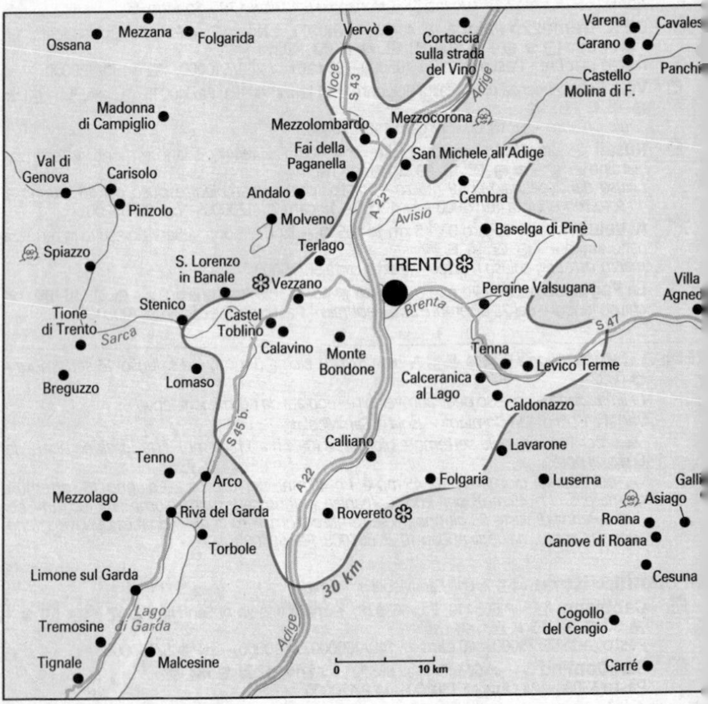

Ossana, Mezzana, Folgarida, Vervò, Cortaccia sulla strada del Vino, Varena, Carano, Cavalese, Panchià, Castello Molina di F., Madonna di Campiglio, Mezzolombardo, Mezzocorona, Fai della Paganella, San Michele all'Adige, Val di Genova, Carisolo, Pinzolo, Andalo, Cembra, Molveno, Baselga di Pinè, Spiazzo, Terlago, S. Lorenzo in Banale, Vezzano, TRENTO, Pergine Valsugana, Villa Agnedo, Stenico, Tione di Trento, Castel Toblino, Calavino, Monte Bondone, Tenna, Levico Terme, Breguzzo, Lomaso, Calceranica al Lago, Caldonazzo, Calliano, Lavarone, Tenno, Arco, Folgaria, Luserna, Gallio, Asiago, Mezzolago, Riva del Garda, Rovereto, Roana, Canove di Roana, Torbole, Cesuna, Limone sul Garda, Lago di Garda, Tremosine, Cogollo del Cengio, Tignale, Malcesine, Carrè, Noce, Adige, Avisio, Brenta, Sarca, S 43, A 22, S 47, S 45 b., 30 km, 0, 10 km

RENTO *38100* P 988 ④, 429 D 15 *G. Italia – 103 181 ab. alt. 194 – a.s. dicembre-aprile – Sport invernali : vedere Bondone (Monte) –* ☎ *0461.*

Vedere *Piazza del Duomo*★ BZ : *Duomo*★, *museo Diocesano*★ **M1** – *Castello del Buon Consiglio*★ BYZ – *Palazzo Tabarelli*★ BZ **F** – **Escursioni** *Massiccio di Brenta*★★★ *per* ⑤.

via Alfieri 4 ☎ *983880, Telex 400289, Fax 984508.*

A.C.I. *via Pozzo 6* ☎ *982118.*

Roma 588 ⑥ – *Bolzano 57* ⑥ – *Brescia 117* ⑤ – *Milano 230* ⑤ – *Verona 101* ⑥ – *Vicenza 96* ③.

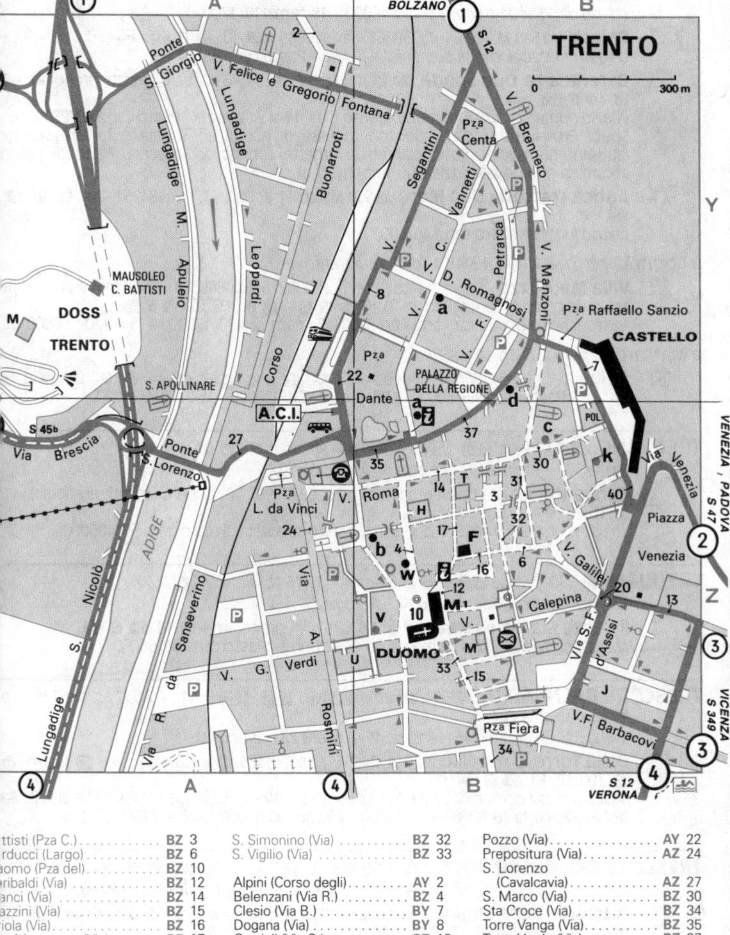

Grand Hotel Trento M, via Alfieri 1/3 ☎ 271000, Fax 271001, – cam ☎ 500. AE. . E VISA. rist — BZ a
Pasto al Rist. ***Clesio*** *(chiuso domenica)* carta 50/90000 – **126 cam** 240/290000, 6 appartamenti.

Buonconsiglio senza rist, via Romagnosi 16/18 ☎ 272888, Fax 272889 – ☎ – 40. AE. . E VISA — BY a
chiuso dal 10 al 25 agosto – **45 cam** 180/255000, appartamento.

Accademia, vicolo Colico 4/6 ✆ 233600, Fax 230174 – AE. Ⓢ. ⓓ VISA BZ
Pasto *(chiuso lunedì)* carta 50/80000 – **41 cam** ☕ 175/245000, 2 appartamenti.

America, via Torre Verde 50 ✆ 983010, Fax 230603 – 60. AE. Ⓢ. ⓓ VISA BYZ
Pasto *(chiuso domenica)* carta 35/65000 – ☕ 12000 – **50 cam** 110/150000 – 1/2 P 10… 140000.

Aquila d'Oro senza rist, via Belenzani 76 ✆ 986282, Fax 986282 – AE. Ⓢ. ⓓ VISA. BZ
chiuso dal 23 al 31 dicembre – ☕ 15000 – **18 cam** 110/170000.

Chiesa, via San Marco 64 ✆ 238766, Fax 986169 – AE. Ⓢ. ⓓ E VISA. JCB BZ
chiuso i mezzogiorno di domenica e lunedì – **Pasto** carta 35/70000.

Osteria a Le Due Spade, via Don Rizzi 11 ✆ 234343, Coperti limitati; prenotare – … Ⓢ. ⓓ E VISA. JCB BZ
chiuso domenica, lunedì a mezzogiorno e dal 14 al 21 agosto – **Pasto** carta 65/95000
Spec. Prosciutto di camoscio con mousse di ricotta affumicata e tartufo scorzo… (autunno-primavera). Strangolapreti di erbette con porcini e verza. Petto di fagian… in camicia di lardo, alle mele (autunno-inverno).

Antica Trattoria Due Mori, via San Marco 11 ✆ 984251, Fax 984251 – AE. Ⓢ. ⓓ VISA. BZ
chiuso lunedì – **Pasto** carta 40/60000.

a Cognola *per ② : 3 km – ✉ 38050 Cognola di Trento :*

Villa Madruzzo, via Ponte Alto 26 ✆ 986220, Fax 986361, « Villa ottocent… sca in un parco ombreggiato » – 80. AE. Ⓢ. ⓓ E VISA
Pasto *(chiuso domenica)* carta 40/60000 – **51 cam** ☕ 120/170000 – 1/2 P 120/150000.

a Mattarello *per ④ : 5 km – ✉ 38060 :*

Adige, N : 1 km ✆ 944545, Fax 944520 – AE. Ⓢ. ⓓ E VIS… rist – **Pasto** carta 45/60000 – **70 cam** ☕ 150/220000 – 1/2 P 120/170000.

TRENZANO *25030 Brescia* 428, 429 F 12 – *4 584 ab. alt. 108* – ☎ *030.*
Roma 570 – Brescia 19 – Bergamo – 45 – Milano 77.

Convento, località Convento N : 2 km ✆ 9977598, Coperti limitati; prenotare – … Ⓢ. E VISA.
chiuso mercoledì e dal 5 al 25 agosto – **Pasto** specialità di mare carta 50/105000.

TREQUANDA *53020 Siena* 430 M 17 *G. Toscana* – *1 416 ab. alt. 462* – ☎ *0577.*
Roma 202 – Siena 55 – Arezzo 53 – Perugia 77.

Il Conte Matto, via Maresca 1 ✆ 662079, prenotare – AE. Ⓢ. ⓓ E VISA.
chiuso martedì (escluso da maggio al 15 ottobre) – **Pasto** carta 30/50000 (7 %).

TRESCORE BALNEARIO *24069 Bergamo* 988 ③, 428, 429 E 11 – *7 532 ab. alt. 271* – *a. luglio-agosto* – ☎ *035.*
Roma 593 – Bergamo 15 – Brescia 49 – Lovere 27 – Milano 60.

Della Torre, piazza Cavour 26 ✆ 941365, Fax 941365, « Giardino » – 200. AE. Ⓢ. ⓓ E VISA.
Pasto *(chiuso domenica sera e lunedì escluso luglio-agosto)* carta 35/50000 e al Rist. ***Sa… del Pozzo*** carta 70/80000 – ☕ 10000 – **29 cam** 90/130000 – 1/2 P 100/110000.

TRESCORE CREMASCO *26017 Cremona* 428 F 10, 219 ⑳ – *2 252 ab. alt. 86* – ☎ *0373.*
Roma 554 – Bergamo 37 – Brescia 54 – Cremona 45 – Milano 42 – Piacenza 45.

Trattoria del Fulmine, via Carioni 12 ✆ 273103, Fax 273103, Coperti limita… prenotare – AE. Ⓢ. ⓓ E VISA.
chiuso domenica sera, lunedì, dal 1° al 10 gennaio ed agosto – **Pasto** carta 55/90000
Spec. Minestra di riso e verze con fegatini di pollo. Cosciotto di capretto al profumo … timo con crema all'aglio. Scaloppa di fegato d'oca con verza brasata, vino bianco e lard… (autunno).

Bistek, viale De Gasperi 31 ✆ 273046, Fax 273046, prenotare – AE. Ⓢ. ⓓ VISA.
chiuso martedì sera, mercoledì, dal 1° all'8 gennaio e dal 28 luglio al 22 agosto – **Pasto** car… 35/55000.

TRESNURAGHES *Oristano* 433 G 7 – *Vedere Sardegna alla fine dell'elenco alfabetico.*

TREVI *06039 Perugia* 988 ⑯, 430 N 20 – *7 595 ab. alt. 412* – ☎ *0742.*
Roma 150 – *Perugia 48* – *Foligno 13* – *Spoleto 21* – *Terni 52.*

a Matigge *N : 3 km* – ✉ *06039 :*

✗ **L'Ulivo,** via Monte Bianco 23 ✆ 78969, ☂ – ℗. VISA. ✂
chiuso lunedì e martedì – **Pasto** (menu tipici suggeriti dal proprietario) 45/50000 bc.

sulla strada statale 3 via Flaminia Vecchia *S : 4 km :*

✗✗ **Taverna del Pescatore,** via Chiesa Tonda 50 ✆ 780920, Fax 381599, « Servizio estivo all'aperto in riva al Clitunno » – ℗. AE. 🅂. ● E VISA
chiuso mercoledì – **Pasto** carta 40/65000.

*Un consiglio **Michelin:***
per la buona riuscita di un viaggio, preparatelo in anticipo.
*Le **carte** e le **guide Michelin** vi danno tutte le indicazioni utili su: itinerari, curiosità, sistemazioni, prezzi, ecc.*

TREVIGLIO *24047 Bergamo* 988 ③, 428 F 10 – *25 319 ab. alt. 126* – ☎ *0363.*
Roma 576 – *Bergamo 21* – *Brescia 57* – *Cremona 62* – *Milano 37* – *Piacenza 68.*

🏨 **Treviglio,** piazza Verdi 7 ✆ 43744 – |‡| ▤ TV ☎ ℗. AE. 🅂. ● E VISA
chiuso dal 7 al 29 agosto – **Pasto** carta 40/55000 – ☕ 10000 – **31 cam** 85/105000, ▤ 5000 – 1/2 P 100/105000.

✗✗✗ ✿ **San Martino,** viale Cesare Battisti 3 ✆ 49075, Fax 301572, prenotare – ▤. AE. 🅂. ● E VISA. ✂
chiuso domenica sera, lunedì, dal 7 al 14 gennaio e dal 5 al 19 agosto – **Pasto** 50/70000 (a mezzogiorno) 70/90000 (alla sera) e carta 70/105000
Spec. Scorfano farcito in brodo di bouillabaisse. Fritto leggero di fragolini (calamaretti) e pesci di scoglio. Anatra "colvert" alle tre cotture.

✗✗ **Taverna Colleoni,** via Portaluppi 75 ✆ 43384, prenotare –. 🅂. E VISA. ✂
chiuso agosto, domenica sera, lunedì e a mezzogiorno da martedì a sabato – **Pasto** carta 40/80000.

✗✗ **Cafe' Nazionale,** via Roma 10 ✆ 48720 – AE. 🅂. ● E VISA. ✂
chiuso lunedì, domenica, Natale ed agosto – **Pasto** 30/35000 bc (solo a mezzogiorno) e carta 45/70000.

TREVIGNANO ROMANO *00069 Roma* 988 ㉕, 430 P 18 – *4 085 ab. alt. 166* – ☎ *06.*
Roma 49 – *Viterbo 44* – *Civitavecchia 63* – *Terni 86.*

✗ **La Grotta Azzurra,** piazza Vittorio Emanuele 4 ✆ 9999420, Fax 9985072, ←, prenotare, « Servizio estivo in giardino » – AE. 🅂. E VISA. JCB. ✂
chiuso martedì, dal 24 dicembre al 4 gennaio e settembre – **Pasto** carta 45/65000.

TREVILLE *15030 Alessandria* 428 G 7 – *291 ab. alt. 310* – ☎ *0142.*
Roma 614 – *Alessandria 37* – *Milano 87* – *Pavia 78* – *Torino 79* – *Vercelli 35.*

✗ **Sauro e Donatella,** via Roma 26/a ✆ 487825, prenotare – ℗. 🅂. E VISA. ✂
chiuso mercoledì, venerdì a mezzogiorno ed agosto – **Pasto** 30/50000.

TREVIOLO *24048 Bergamo* 428 E 10 – *7 967 ab. alt. 222* – ☎ *035.*
Roma 584 – *Bergamo 6* – *Lecco 26* – *Milano 43.*

🏨 **Maxim** senza rist, via Compagnoni 31 ✆ 201100, Fax 692605 – |‡| ▤ TV ☎ ♿ ℗ – 🏛 200. AE. 🅂. ● E VISA. ✂
chiuso dal 10 al 24 agosto – ☕ 15000 – **63 cam** 105/150000.

TREVISO *31100* P 988 ⑤, 429 E 18 *G. Italia* – *81 195 ab. alt. 15* – ☎ *0422.*
Vedere *Piazza dei Signori** **BY 21** *: palazzo dei Trecento** **A**, *affreschi* nella chiesa di Santa Lucia* **B** – *Chiesa di San Nicolò** **AZ** – *Museo Civico Bailo** **AY M.**
⛳18 *e* ⛳9 *Villa Condulmer (chiuso lunedì) a Zerman* ✉ *31020* ✆ *(041) 4570622, Fax (041) 457202, per* ④ *: 13 km.*
✈ *San Giuseppe, SO : 5 km* **AZ** ✆ *20393*
🅘 *via Toniolo 41* ✆ *547632, Fax 541397.*
A.C.I. *piazza San Pio X 6* ✆ *547801.*
Roma 541 ④ – *Venezia 30* ④ – *Bolzano 197* ⑤ – *Milano 264* ④ – *Padova 50* ④ – *Trieste 145* ②.

Al Foghèr, viale della Repubblica 10 ☎ 432950 e rist ☎ 432970, Fax 430391 – |‡| ▤ TV ☎ ♿ P – 🏟 80. AE. Ⓢ. ⓪ E VISA. JCB per ⑤
Pasto *(chiuso domenica ed agosto)* carta 45/65000 – **54 cam** ☕ 145/230000, appartamento – 1/2 P 155/185000.

Cà del Galletto senza rist, via Santa Bona Vecchia 30 ☎ 432550, Fax 432510, ✂ – |‡| ▤ TV ☎ ♿ P – 🏟 200. AE. Ⓢ. ⓪ E VISA. JCB. ✻
58 cam ☕ 140/200000. AY
per viale Luzzatti

Carlton senza rist, largo Porta Altinia 15 ☎ 411661, Telex 410041, Fax 411620 – |‡| ▤ TV ☎ P. AE. Ⓢ. ⓪ E VISA JCB
☕ 18000 – **93 cam** 150/250000. BZ a

Scala, viale Felissent 1 ☎ 307600, Fax 305048, Coperti limitati; prenotare – ▤ TV ☎ P – 🏟 30. AE. Ⓢ. ⓪ E VISA. ✻ rist per ①
Pasto al Rist. ***Al Ristoro*** *(chiuso lunedì, dal 1° al 10 gennaio e dal 1° al 25 agosto)* carta 45/60000 – ☕ 13000 – **20 cam** 95/160000 – 1/2 P 120000.

Al Giardino, via S. Antonino 300/a ☎ 406406, Fax 406406, 🌳 – ▤ TV ☎ ♿ P. AE. Ⓢ. ⓪ E VISA. ✻ per ③
Pasto *(chiuso lunedì)* carta 30/45000 – ☕ 8000 – **30 cam** 65/100000 – 1/2 P 85/100000.

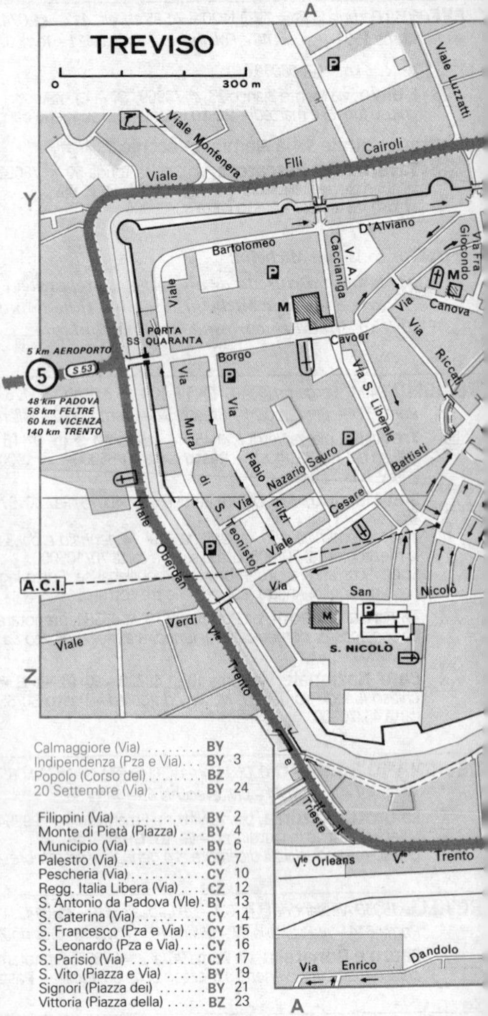

Calmaggiore (Via)	BY	
Indipendenza (Pza e Via)	BY	3
Popolo (Corso del)	BZ	
20 Settembre (Via)	BY	24
Filippini (Via)	BY	2
Monte di Pietà (Piazza)	BY	4
Municipio (Via)	BY	6
Palestro (Via)	CY	7
Pescheria (Via)	CY	10
Regg. Italia Libera (Via)	CZ	12
S. Antonio da Padova (Vle)	BY	13
S. Caterina (Via)	CY	14
S. Francesco (Pza e Via)	CY	15
S. Leonardo (Pza e Via)	CY	16
S. Parisio (Via)	CY	17
S. Vito (Piazza e Via)	BY	19
Signori (Piazza dei)	BY	21
Vittoria (Piazza della)	BZ	23

XXX **Alfredo-Relais El Toulà,** via Collalto 26 ☎ 540275, Fax 540275 – ▤. AE ⓪ VI JCB BZ
chiuso domenica sera, lunedì e dall'8 al 24 agosto – **Pasto** carta 55/80000 (13 %).

XX **Al Bersagliere,** via Barberia 21 ☎ 579902, Fax 51706, Coperti limitati; prenotare – ▤. A Ⓢ. ⓪ E VISA. JCB BY
chiuso sabato a mezzogiorno, domenica, dal 1° al 12 gennaio e dal 5 al 20 agosto – **Past** carta 40/70000.

XX **Beccherie,** piazza Ancillotto 10 ☎ 56601, Fax 540871, 🏛 – ▤. AE. Ⓢ. ⓪ E VISA. JC ✻ BY
chiuso domenica sera, lunedì e dal 15 al 30 luglio – **Pasto** carta 50/65000.

XX **L'Incontro,** largo Porta Altinia 13 ☎ 547717, Fax 547623 – ▤. AE. Ⓢ. ⓪ E VISA. JC ✻ BZ
chiuso mercoledì, giovedì a mezzogiorno e dal 10 al 31 agosto – **Pasto** carta 50/700 (12 %).

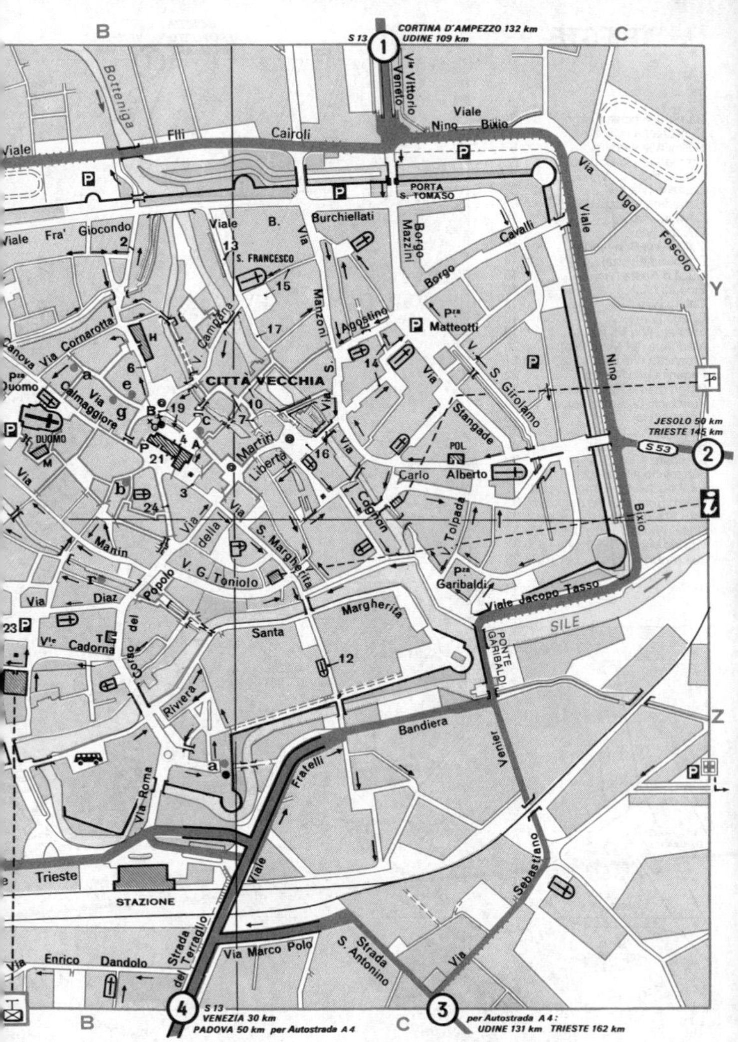

XX **All'Antica Torre,** via Inferiore 55 ✆ 53694 – ▤. AE. Ⓢ. ⓓ E VISA. JCB. ✈ BY a
chiuso domenica ed agosto – **Pasto** 30000 e specialità di mare carta 45/75000.

XX **Albertini,** piazza San Vito 8 ✆ 579268 – ▤. AE. Ⓢ. ⓓ E VISA BY e
chiuso sabato a mezzogiorno, domenica e dal 22 al 30 gennaio – **Pasto** specialità di mare carta 50/65000.

X Toni del Spin, via Inferiore 7 ✆ 543829, Trattoria tipica, prenotare BY g

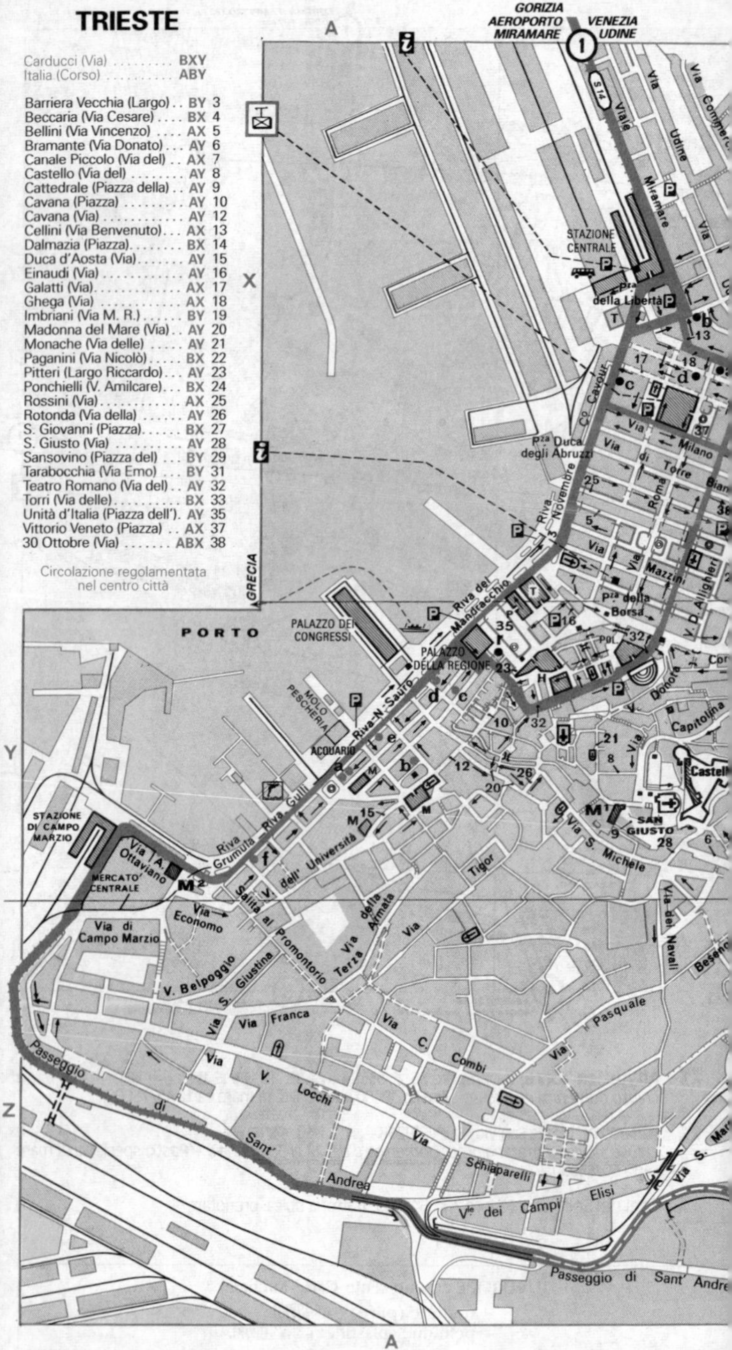
TRIESTE
Carducci (Via) .... BXY
Italia (Corso) .... ABY
Barriera Vecchia (Largo) .. BY 3
Beccaria (Via Cesare) .... BX 4
Bellini (Via Vincenzo) .... AX 5
Bramante (Via Donato) ... AY 6
Canale Piccolo (Via del) .. AX 7
Castello (Via del) .... AY 8
Cattedrale (Piazza della) .. AY 9
Cavana (Piazza) .... AY 10
Cavana (Via) .... AY 12
Cellini (Via Benvenuto) ... AX 13
Dalmazia (Piazza) .... BX 14
Duca d'Aosta (Via) .... AY 15
Einaudi (Via) .... AY 16
Galatti (Via) .... AX 17
Ghega (Via) .... AX 18
Imbriani (Via M. R.) ...... BY 19
Madonna del Mare (Via) .. AY 20
Monache (Via delle) ..... AY 21
Paganini (Via Nicolò) ..... BX 22
Pitteri (Largo Riccardo) ... AY 23
Ponchielli (V. Amilcare) ... BX 24
Rossini (Via) .... AX 25
Rotonda (Via della) ...... AY 26
S. Giovanni (Piazza) ...... BX 27
S. Giusto (Via) .... AY 28
Sansovino (Piazza del) ... BY 29
Tarabocchia (Via Emo) ... BY 31
Teatro Romano (Via del) .. AY 32
Torri (Via delle) .... BX 33
Unità d'Italia (Piazza dell'). AY 35
Vittorio Veneto (Piazza) .. AX 37
30 Ottobre (Via) .... ABX 38
Circolazione regolamentata nel centro città
GORIZIA
AEROPORTO
MIRAMARE
VENEZIA
UDINE
A
X
Y
Z
GRECIA
PORTO
STAZIONE CENTRALE
Pza della Libertà
Pza Duca degli Abruzzi
Riva 3 Novembre
Riva del Mandracchio
PALAZZO DEI CONGRESSI
PALAZZO DELLA REGIONE
MOLO PESCHERIA
ACQUARIO
Riva N. Sauro
Riva Gulli
Riva Grumula
STAZIONE DI CAMPO MARZIO
MERCATO CENTRALE
Via di Campo Marzio
Via A. Ottaviano
Via Economo
V. Belpoggio
Via S. Giustina
Salita al Promontorio
Via della Terza Armata
V. dell' Università
Via Tigor
Via S. Michele
SAN GIUSTO
Castello
Via Capitolina
Via Donota
Pza della Borsa
Via Mazzini
Via Roma
Via Milano
Via di Torre Bianca
Co Cavour
Viale Miramare
Via Udine
Via del Commercio
Via dei Navalli
Via Franca
Via V. Locchi
Via C. Combi
Via Pasquale
Via Schiaparelli
Vle dei Campi Elisi
Passeggio di Sant' Andrea
Passeggio di Sant' Andre

B
C
OPICINA
0
200 m
Via Cesare Cantù
Via Fabio Severo
Piazzale Europa
U
Via A. Valerio
S 14
2
OPICINA
FIUME (RIJEKA)
POSTUMIA
X
Via Commerciale
P^za di Scorcola
V. Martiri d. Libertà
Via Fabio Severo
Coroneo
d'Assisi
Via G. Marconi
Cologna
di
P^za dei Volontari Giuliani
Via Giulia
P^za G. Oberdan
V. Rismondo
Via del F.
S.
SINAGOGA
Via C. Battisti
Via Giulia
Via Settembre
20
Viale della Ginnastica
Via
27
33
19
31
Italia
Carducci
P^za dell' Ospedale
Via della Pietà
Domenico
Rossetti
V. del Monte
3
V. G. Parini
Via Oriani
V. G. Pascoli
Y
V. Capitolina
Via Madonnina
P^za Garibaldi
Via
Via del Bosco
V.le
Via Matteotti
S. Giacomo in Monte
Via C. della Guardia
Via Gabriele
Domenico
Via dell' Istria
Via S. Marco
a
b
Via delle
Via Settefontane
P.
Revoltella
Rossetti
FIERA
d'Annunzio
Via
dell'
P^za dei Foraggi
V^le dell' Ippodromo
Z
Via G. Orlandini
d'Alviano
Via Caduti sul Lavoro
Via B. d'Alviano
Via Molino
dell' a
Vento
GALLERIA DI MONTEBELLO
S 15
Istria
A.C.I.
FIUME
UDINE
POSTUMIA
S 202
Zorutti
V. P.
S 202
3
MUGGIA
PULA

TREZZO SULL'ADDA *20056 Milano* 988 ③, 428 F 10 – *11 226 ab. alt. 187* – ☎ *02.*

Roma 586 – Bergamo 17 – Lecco 45 – Milano 37.

XX **San Martino,** via Brasca 47 ✆ 9090612, Fax 9091978, Rist. e pizzeria – ▤ Ⓟ. AE. 🅂. ⓞ E VISA. ✻
chiuso lunedì – **Pasto** carta 40/65000.

TRIANA *Grosseto* 430 N 16 – *Vedere Roccalbegna.*

TRICASE *73039 Lecce* 988 ㉚, 431 H 37 – *17 183 ab. alt. 97* – ☎ *0833.*

Roma 670 – Brindisi 95 – Lecce 52 – Taranto 139.

Adriatico, via Tartini 34 ✆ 544737, Fax 544737 – |♦| ▤ rist TV ☎ Ⓟ – 🔺 100. 🅂. E VISA
✻ cam
Pasto *(chiuso domenica escluso da giugno a settembre)* carta 30/55000 – ☐ 7000 –
18 cam 55/90000 – ½ P 60/65000.

a Lucugnano *O : 4 km* – ✉ *73030 :*

X **Trattoria Iolanda,** ✆ 784164, 🏛. ✻
chiuso mercoledì escluso da giugno a settembre – **Pasto** carta 30/35000.

TRICESIMO *33019 Udine* 988 ⑥, 429 D 21 – *7 096 ab. alt. 198* – ☎ *0432.*

Roma 642 – Udine 12 – Pordenone 64 – Tarvisio 86 – Tolmezzo 38.

X **Da Toso,** località Leonacco SO : 2 km ✆ 852515, 🏛 – ▤ Ⓟ. VISA
chiuso martedì sera, mercoledì, dal 24 gennaio al 14 febbraio e dal 15 agosto al 1
settembre – **Pasto** carta 40/55000.

TRIESTE *34100* Ⓟ 988 ⑥, 429 F 23 *G. Italia* – *223 611 ab.* – ☎ *040.*

Vedere Colle San Giusto★★ *AY – Piazza della Cattedrale*★ *AY* **9** – *Basilica di San Giusto*★ *AY*
mosaico★★ *nell'abside,* ⋖★ *su Trieste dal campanile – Collezioni di armi antiche*★ *ne*
castello AY – Vasi greci★ *e bronzetti*★ *nel museo di Storia e d'Arte AY* **M¹** – *Piazza dell'Unit*
d'Italia★ *AY* **35** – *Museo del Mare*★ *AY* **M²** *: sezione della pesca*★★.

Dintorni Castello di Miramare★ *: giardino*★ *per* ① *: 8 km –* ⋖★★ *su Trieste e il golfo da*
Belvedere di Villa Opicina per ② *: 9 km –* ✻★★ *dal santuario del Monte Grisa per* ① *: 10 km*

⛳9 *(chiuso martedì)* ✆ *226159, Fax 226159, per* ② *: 7 km.*

✈ *di Ronchi dei Legionari per* ① *: 32 km* ✆ *(0481) 773224, Telex 460220, Fax 474150 –*
Alitalia, Agenzia Cosulich, piazza Sant'Antonio 1 ✉ *34122* ✆ *631100.*

i *via San Nicolò 20* ✉ *34121* ✆ *6796111, Fax 6796299 – Stazione Centrale* ✉ *3413*
✆ *420182.*

A.C.I. *via Cumano 2* ✉ *34139* ✆ *393224.*

Roma 669 ① *– Udine 68* ① *– Ljubljana 100* ② *– Milano 408* ① *– Venezia 158* ① *–*
Zagreb 236 ②.

Pianta pagina precedente

Grand Hotel Duchi d'Aosta, via dell'Orologio 2 ✉ 34121 ✆ 7600011, Fax 366092
« Servizio rist. estivo all'aperto » – |♦| ⇔ cam ▤ TV ☎ – 🔺 30. AE. 🅂. ⓞ E VISA. ✻ rist
Pasto al Rist. ***Harry's Grill*** carta 55/100000 – **50 cam** ☐ 250/330000, 2 appartamenti – AY
½ P 210/295000.

Jolly Hotel, corso Cavour 7 ✉ 34132 ✆ 7600055, Telex 460139, Fax 362699 – |♦| ⇔ can AX
▤ TV ☎ ♿ – 🔺 250. AE. 🅂. ⓞ E VISA. JCB. ✻ rist
Pasto carta 70/110000 – **170 cam** ☐ 280/330000, 4 appartamenti – ½ P 225000.

Novo Hotel Impero senza rist, via Sant'Anastasio 1 ✉ 34132 ✆ 364242, Fax 365023 – AX
|♦| ▤ cam TV ☎. AE. 🅂. ⓞ E VISA
48 cam ☐ 160/190000, 2 appartamenti.

San Giusto senza rist, via Belli 3 ✉ 34137 ✆ 762661, Fax 7606585 – |♦| ▤ TV ☎ 🚗. AE BZ
🅂. ⓞ E VISA
62 cam ☐ 135/195000.

Italia senza rist, via della Geppa 15 ✉ 34132 ✆ 369900, Fax 630540 – |♦| ▤ TV ☎. AE. 🅂 AX
ⓞ E VISA. JCB
☐ 14000 – **38 cam** 130/150000.

Colombia senza rist, via della Geppa 18 ✉ 34132 ✆ 369333, Fax 369644 – |♦| ▤ TV ☎ ♿ AX
AE. 🅂. ⓞ E VISA
40 cam ☐ 150/230000.

Abbazia senza rist, via della Geppa 20 ✉ 34132 ✆ 369464, Fax 369769 – |♦| TV ☎. AE. 🅂 AX
ⓞ E VISA
21 cam ☐ 135/190000.

XX **Hosteria Bellavista,** via Bonomea 52 ✉ 34136 ☎ 411150, Coperti limitati; prenotare, « Servizio estivo in terrazza con ≤ golfo e città » – AE. ⑤. E VISA. JCB
chiuso domenica e lunedì a mezzogiorno dal 20 al 30 agosto – **Pasto** carta 60/80000. per via Udine AX

XX **Ai Fiori,** piazza Hortis 7 ✉ 34124 ☎ 300633, Fax 300633 – ▤. AE. ⑤. ⓓ E VISA AY b
chiuso domenica, lunedì, dal 25 dicembre al 1° gennaio e dal 6 al 26 luglio – **Pasto** carta 45/65000.

XX Nastro Azzurro, via Nazario Sauro 12 ✉ 34124 ☎ 305789 AY e

XX **Città di Cherso,** via Cadorna 6 ✉ 34124 ☎ 366044, prenotare. AE. ⑤. ⓓ E VISA. JCB
chiuso martedì e luglio – **Pasto** carta 55/75000. AY c

XX **Montecarlo,** via San Marco 10 ✉ 34144 ☎ 662545, 🏠 –. ⑤. E VISA BZ a
chiuso lunedì ed ottobre – **Pasto** carta 30/45000.

XX **Al Bragozzo,** via Nazario Sauro 22 ✉ 34123 ☎ 303001, 🏠 – ▤. AE. ⑤. ⓓ E VISA. JCB AY a
chiuso domenica, lunedì, dal 20 dicembre al 10 gennaio e dal 20 giugno al 10 luglio – **Pasto** carta 50/70000.

XX **Al Nuovo Antico Pavone,** Riva Grumula 2 ✉ 34123 ☎ 303899, Fax 303899, 🏠 – AE. ⑤. ⓓ E VISA AY f
chiudo domenica e lunedì a mezzogiorno – **Pasto** carta 45/65000.

XX **Al Granzo,** piazza Venezia 7 ✉ 34123 ☎ 306788, 🏠 – AE. ⑤. ⓓ E VISA AY a
chiuso domenica sera e mercoledì – **Pasto** carta 45/70000 (12 %).

XX **L'Ambasciata d'Abruzzo,** via Furlani 6 ✉ 34149 ☎ 395050 – ⓟ. AE. ⑤. ⓓ E VISA
chiuso lunedì ed agosto – **Pasto** specialità abruzzesi carta 50/55000. CZ x

XX **Bandierette,** via Nazario Sauro 2 ✉ 34143 ☎ 300686, 🏠 – ▤. AE. ⑤. ⓓ E VISA. JCB
chiuso lunedì – **Pasto** carta 45/75000. AY d

X **Taverna "Al Coboldo",** via del Rivo 3 ✉ 34137 ☎ 637342, « Servizio estivo sotto un pergolato » – AE. ⑤. ⓓ E VISA BYZ c
chiuso domenica e dal 1° al 25 agosto – **Pasto** carta 35/50000.

TRINITÀ D'AGULTU *Sassari* 988 ㉓, 433 E 8 – *Vedere Sardegna alla fine dell'elenco alfabetico.*

TRIORA *18010 Imperia* 988 ⑫, 428 K 5 – *430 ab. alt. 776* – ☎ *0184.*
Roma 661 – Imperia 51 – Genova 162 – Milano 285 – San Remo 37.

🏠 **Colomba d'Oro,** ☎ 94051, Fax 94089, ≤, prenotare, 🚗 – ☎
Pasto *(chiuso lunedì, martedì e dall'8 gennaio a Pasqua)* carta 30/50000 – ☕ 7000 – **37 cam** *(15 aprile-15 ottobre)* 50/70000 – ½ P 60/65000.

TRISSINO *36070 Vicenza* 429 F 16 – *7 461 ab. alt. 221* – ☎ *0445.*
Roma 550 – Verona 49 – Milano 204 – Vicenza 21.

XXX **Cà Masieri** 🐦 con cam, O : 2 km ☎ 962100 e hotel ☎ 490122, Fax 490455, prenotare, « Servizio estivo all'aperto », 🏊 – ▤ 📺 ☎ ⓟ. AE E VISA
chiuso dal 19 gennaio al 16 febbraio – **Pasto** *(chiuso domenica e lunedì a mezzogiorno)* carta 60/100000 – ☕ 12000 – **7 cam** 100/140000, appartamento.

TRIVENTO *86029 Campobasso* 988 ㉗, 430 Q 25, 431 B 25 – *5 238 ab. alt. 599* – ☎ *0874.*
Roma 211 – Campobasso 45 – Foggia 148 – Napoli 141 – Pescara 124.

sulla Fondo Valle Trigno *NE : 6 km :*

XX Meo, ✉ 86029 ☎ 871430, Fax 871430, 🚗 – ▤ ⓟ

TROFARELLO *10028 Torino* 428 H 5 – *8 889 ab. alt. 276* – ☎ *011.*
Roma 656 – Torino 15 – Asti 46 – Cuneo 76.

Pianta d'insieme di Torino (Torino p. 5).

🏨 **Park Hotel Villa Salzea** 🐦, via Vicoforte 2 ☎ 6497809, Fax 6498549, 🏠, « Villa settecentesca con parco ombreggiato », 🏊 – 🛗 📺 ☎ ⓟ – 🏛 100. AE. ⑤. E VISA. ✂
Pasto carta 40/75000 – **22 cam** ☕ 140/170000 – ½ P 120/160000. HU m

I prezzi — Per ogni chiarimento sui prezzi riportati in guida, consultate le pagine dell'introduzione.

TROPEA *88038 Vibo Valentia* 988 ㊲ ㊳, 431 K 29 *G. Italia* – *7 276 ab.* – ☎ *0963.*

Vedere *Cattedrale*★.

Roma 636 – *Reggio di Calabria 140* – *Catanzaro 92* – *Cosenza 121* – *Gioia Tauro 77.*

XX **Pimm's,** corso Vittorio Emanuele ✆ 666105, Coperti limitati; prenotare –. 🅂. E VISA
chiuso dal 7 al 31 gennaio e lunedì (escluso luglio-agosto) – **Pasto** carta 45/65000.

a San Nicolò di Ricadi *SO : 9 km* – ✉ *88030 :*

X **La Fattoria,** località Torre Ruffa ✆ 663070 – 🅟. 🅂. ⓓ
giugno-settembre – **Pasto** carta 35/45000.

a Capo Vaticano *SO : 10 km* – ✉ *88030 San Nicolò di Ricadi :*

Punta Faro , ✆ 663139, Fax 663968, , – ☎ 🅟. 🅂.
giugno-settembre – **Pasto** 25/30000 – **25 cam** ☕ 70/120000 – ½ P 55/95000.

TRULLI (Regione dei) *Bari e Taranto* 431 E 33 *G. Italia.*

TUBRE (TAUFERS IM MÜNSTERTAL) *39020 Bolzano* 988 ④, 428, 429 C 13 – *962 ab. alt. 1 230* – ☎ *0473.*

Roma 728 – *Sondrio 119* – *Bolzano 91* – *Merano 63* – *Milano 246* – *Passo di Resia 37* – *Trento 149.*

Agnello-Lamm, ✆ 832168, Fax 832353, ←, , – ☎ 🅟. 🅂. E VISA
chiuso dal 12 gennaio al 1° febbraio e dal 10 novembre al 20 dicembre – **Pasto** *(chiuso mercoledì)* carta 35/50000 – **29 cam** ☕ 80/140000 – ½ P 70/95000.

TUENNO *38019 Trento* 428 D 15, 218 ⑲ – *2 238 ab. alt. 629* – *a.s. dicembre-aprile* – ☎ *0463.*

Dintorni *Lago di Tovel*★★★ *SO : 11 km.*

Roma 621 – *Bolzano 66* – *Milano 275* – *Trento 37.*

Tuenno, piazza Alpini 22 ✆ 450454, Fax 451606 – TV ☎. VISA.
chiuso dal 2 al 14 gennaio – **Pasto** carta 35/55000 – ☕ 7000 – **18 cam** 60/100000 – P 90000.

TULVE (TULFER) *Bolzano* – *Vedere Vipiteno.*

TURCHINO (Passo del) *Genova* 428 I 8 – *alt. 582.*

Roma 533 – *Genova 28* – *Alessandria 83.*

X **Da Mario,** ✉ 16010 Mele ✆ (010) 631824, Fax 631821 – 🅟. 🅂
chiuso lunedì sera, martedì, gennaio e febbraio – **Pasto** carta 40/65000.

TUSCANIA *01017 Viterbo* 988 ㉕, 430 O 17 *G. Italia* – *7 922 ab. alt. 166* – ☎ *0761.*

Vedere *Chiesa di San Pietro*★★ *: cripta*★★ – *Chiesa di Santa Maria Maggiore*★ *: portali*★★.

Roma 89 – *Viterbo 24* – *Civitavecchia 44* – *Orvieto 54* – *Siena 144* – *Tarquinia 25.*

XX **Al Gallo** con cam, via del Gallo 22 ✆ 443388, Fax 443628 – TV ☎ 🅟. AE. 🅂. ⓓ E VISA
✿ **Pasto** *(chiuso lunedì)* carta 45/70000 – ☕ 10000 – **12 cam** 110/160000 – ½ P 120/160000
Spec. Ventaglio di prosciutto d'oca con peperoni e zucchine arrosto (primavera-estate) Gnocchi verdi con melanzane alla griglia e salsiccia di prosciutto. Quaglie disossate, saltate all'aglio e rosmarino.

UBIALE CLANEZZO *24010 Bergamo – 1 201 ab. alt. 292 – ☎ 0345.*
Roma 581 – Bergamo 10 – Lecco 36 – Milano 55.

Clanezzo – ✉ *24010 Ubiale Clanezzo :*

Castello di Clanezzo ⛰, piazza Castello 4 ✆ 641567, Fax 641567, « Residenza d'epoca con parco » – 🛗 ▤ cam 📺 ☎ 🅿 – 🏛 150. AE. 🅂. E VISA. ✂ cam
Pasto *(chiuso martedì)* carta 55/75000 – **12 cam** ☕ 80/120000 – ½ P 100/110000.

UDINE *33100* 🅿 988 ⑥, 429 D 21 *G. Italia – 95 574 ab. alt. 114 – ☎ 0432.*
Vedere *Piazza della Libertà*★★ AY **14** – *Decorazioni interne*★ *nel Duomo* ABY **B** – *Affreschi*★ *nel palazzo Arcivescovile* BY **A**.
Dintorni *Passariano : Villa Manin*★★ *SO : 30 km.*
⛳9 *(chiuso martedì) a Fagagna-Villaverde* ✉ *33034* ✆ *800418, Fax 800418, O : 15 km per via Martignacco* AY.
✈ *di Ronchi dei Legionari per ③ : 37 km* ✆ *(0481) 773224, Telex 460220, Fax 474150 – Alitalia, Agenzia Boem e Paretti, via Cavour 1* ✆ *510340.*
ℹ *piazza I Maggio 6* ✆ *295972 Fax 504743 –* A.C.I. *viale Tricesimo 46 per ①* ✆ *482565.*
Roma 638 ④ – Milano 377 ④ – Trieste 71 ④ – Venezia 127 ④.

UDINE

Libertà (Piazza della)	AY 14
Mercato Vecchio (Via)	AY 19
Vittorio Veneto (Via)	BY 23
Bartolini (Riva)	AY 3
Calzolai (Via)	BZ 4
Carducci (Via)	BZ 5
Cavour (Via)	AY 7
Cavedalis (Piazzale G.B.)	AY 6
D'Annunzio (Piazzale)	BZ 8
Diacono (Piazzale Paolo)	AY 9
Gelso (Via del)	AZ 12
Leopardi (Viale G.)	BZ 13
Manin (Via)	BY 16
Marconi (Piazza)	AY 17
Matteotti (Piazza)	AY 18
Patriarcato (Piazza)	BY 20
Piave (Via)	BYZ 21
Rialto (Via)	AY 22
26 Luglio (Piazzale)	AZ 24

Astoria Hotel Italia, piazza 20 Settembre 24 ✆ 505091, Fax 509070 – [ ] ▤ TV ☎ ♿ - AZ a
150. AE. [ ]. [ ] E VISA. ✻ rist
Pasto carta 55/75000 – ☕ 19000 – **71 cam** 195/260000, 3 appartamenti – 1/2 P 160/
255000.

Ambassador Palace, via Carducci 46 ✆ 503777, Fax 503711 – [ ] ▤ TV ☎ – 100. AE BZ b
[ ]. [ ] E VISA. ✻ rist
Pasto *(chiuso domenica, lunedì a mezzogiorno ed agosto)* carta 75/105000 – **85 cam**
☕ 180/230000, appartamento – 1/2 P 160/210000.

Friuli, viale Ledra 24 ☎ 234351, Fax 234606 – 🛗 ▤ TV ☎ ♿ 🅿. AE. 🅂. ⓞ E VISA. ✻ rist
Pasto *(chiuso domenica)* carta 40/60000 – ☕ 16000 – **91 cam** 105/165000 – ½ P 105/150000. AY c

Là di Moret, viale Tricesimo 276 ☎ 545096, Fax 545096, ≘s, ⛱, 🌳, ✂ – 🛗 ▤ TV ☎ 🅿 – 🏛 200. AE. 🅂. ⓞ E VISA. ✻ rist per ①
Pasto *(chiuso domenica sera e lunedì a mezzogiorno)* carta 45/65000 – **60 cam** ☕ 120/190000 – ½ P 120/130000.

President senza rist, via Duino 8 ☎ 509905, Fax 507287 – 🛗 ▤ TV ☎ 🚗 🅿 – 🏛 70. AE. 🅂. ⓞ E VISA. ✻ BY b
☕ 12500 – **67 cam** 120/155000, ▤ 10000.

San Giorgio, piazzale Cella 4 ☎ 505577, Fax 506110 – 🛗 ▤ TV ☎ 🅿. AE. 🅂. ⓞ E VISA. JCB. ✻ rist AZ c
Pasto *(chiuso lunedì)* carta 40/60000 – ☕ 15000 – **37 cam** 110/170000 – ½ P 100/140000.

Sport Hotel senza rist, via Podgora 16 ☎ 235612, Fax 235612 – 🛗 TV ☎ ♿ 🚗 🅿
49 cam. per ④

Principe senza rist, viale Europa Unita 51 ☎ 506000, Fax 502221 – 🛗 ▤ TV ☎ 🅿. AE. 🅂. ⓞ E VISA. JCB BZ u
☕ 12000 – **29 cam** 95/145000.

Quo Vadis senza rist, piazzale Cella 28 ☎ 21091, Fax 21092 – TV ☎. ✻ AZ b
☕ 8000 – **25 cam** 55/85000.

Vitello d'Oro, via Valvason 4 ☎ 508982, Fax 508982, 🌳 – ▤. AE. 🅂. ⓞ E VISA AY n
chiuso mercoledì e luglio – **Pasto** carta 45/65000 (12 %).

Alla Vedova, via Tavagnacco 9 ☎ 470291, Fax 470291, « Servizio estivo in giardino » – 🅿. VISA per ①
chiuso domenica sera e lunedì – **Pasto** carta 40/60000.

Al Passeggio, viale Volontari della Libertà 49 ☎ 46216, 🌳, prenotare AY a

Alla Ghiacciaia, via Zanon 13 ☎ 508937, 🌳, « Piccola terrazza in riva al canale » – AE. 🅂. ⓞ E VISA. ✻ AY b
chiuso lunedì, dal 1° al 7 maggio e dal 10 al 17 ottobre – **Pasto** carta 45/70000.

a Godia *NE : 6 km* – ✉ *33100* :

Agli amici, via Liguria 250 ☎ 565411, prenotare – 🅿. AE. 🅂. ⓞ E VISA
chiuso lunedì e dal 1° al 7 agosto – **Pasto** carta 45/75000.

ULIVETO TERME *56010 Pisa* 428, 430 K 13 – ☎ *050.*

Roma 312 – Pisa 13 – Firenze 66 – Livorno 33 – Siena 104.

Osteria Vecchia Noce, località Noce E : 1 km ☎ 788229, Fax 788229, 🌳 – 🅿. 🅂. ⓞ
chiuso martedì sera, mercoledì e dal 5 al 25 agosto – **Pasto** carta 40/60000.

Da Cinotto, via Provinciale Vicarese 132 ☎ 788043, Trattoria casalinga – 🅿. 🅂. E VISA. ✻
chiuso venerdì sera, sabato ed agosto – **Pasto** carta 35/50000.

ULTEN = *Ultimo.*

ULTIMO (ULTEN) *Bolzano* 428, 429 C 15, 218 ⑲ – *3 002 ab. alt. (frazione Santa Valburga) 1 190* – ☎ *0473.*

Da Santa Valburga : Roma 680 – Bolzano 46 – Merano 28 – Milano 341 – Trento 102.

a San Nicolò (St. Nikolaus) *SO : 8 km – alt. 1 256* – ✉ *39010* :

Waltershof 🐦, ☎ 790144, Fax 790387, ≤, ≘s, ⛱, 🌳, ✂ – ☎ 🅿. 🅂. E VISA. ✻ rist
20 dicembre-14 aprile e giugno-5 novembre – **Pasto** (solo per alloggiati e *chiuso a mezzogiorno*) 35/50000 – **20 cam** ☕ 130/230000 – ½ P 120/135000.

UMBERTIDE *06019 Perugia* 988 ⑮, 430 M 18 – *14 779 ab. alt. 247* – ☎ *075.*

Roma 200 – Perugia 26 – Arezzo 63 – Siena 109.

Rio, strada statale S : 2 km ☎ 9415033, Fax 9417029 – 🛗 ▤ cam TV ☎ 🚗 🅿 – 🏛 700. AE. 🅂. ⓞ E VISA. JCB. ✻
Pasto *(chiuso lunedì)* 30/60000 – ☕ 12000 – **43 cam** 80/120000 – ½ P 90/110000.

URBINO *61029 Pesaro e Urbino 988 ⑮ ⑯, 429, 430 K 19 G. Italia – 15 132 ab. alt. 451 – a.s. luglio-settembre – ☎ 0722.*

Vedere *Palazzo Ducale*** : galleria nazionale delle Marche*** **M** *– Strada panoramica** : ≤** – Affreschi* nella chiesa-oratorio di San Giovanni Battista* **F** *– Presepio* nella chiesa di San Giuseppe* **B** *– Casa di Raffaello** **A.**

🅘 piazza Duca Federico 35 ✆ 2613, Fax 2441.

Roma 270 ② – Rimini 61 ① – Ancona 103 ① – Arezzo 107 ③ – Fano 47 ② – Perugia 101 ② – Pesaro 36 ①.

URBINO

Circolazione regolamentata nel centro città

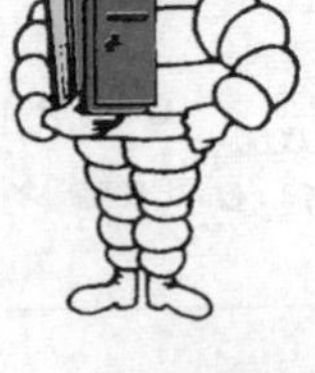

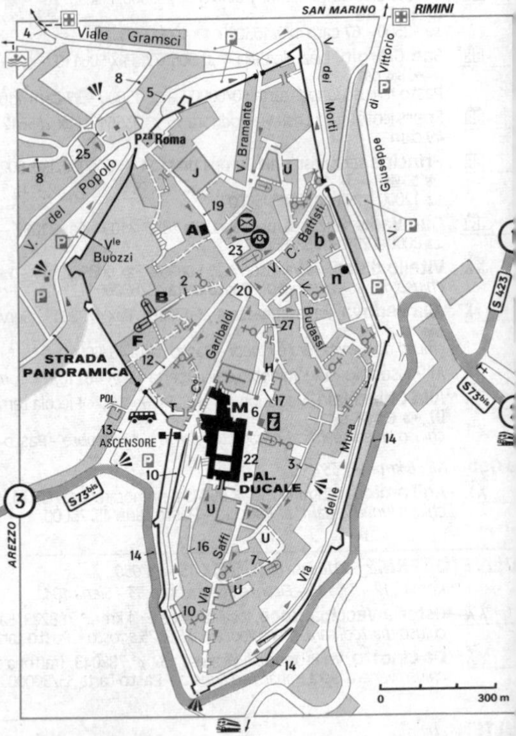

Mamiani 🐴, via Bernini 6 ✆ 322309, Fax 327742, ≤ – 🛗 ⇆ cam ▤ cam 📺 ☎ ♿ 🅟 – 🏃 120. AE. 🅢. ◐ E VISA. ✂ rist
per viale Gramsci
Pasto al Rist. ***Il Giardino della Gala*** carta 30/45000 – **72 cam** ☕ 100/180000 – ½ P 115/130000.

Bonconte, via delle Mura 28 ✆ 2463, Fax 4782 – ▤ 📺 ☎. AE. 🅢. ◐ E VISA. ✂ rist
Pasto *(chiuso a mezzogiorno e domenica da ottobre ad aprile)* carta 30/50000 – ☕ 20000 – **23 cam** 120/200000, appartamento.

Vecchia Urbino, via dei Vasari 3/5 ✆ 4447, Fax 4447 – AE. 🅢. ◐ E VISA. ✂
chiuso martedì escluso da aprile a settembre – **Pasto** carta 55/75000.

Vanda, Castel Cavallino ✆ 349117, ≤ – 🅟. AE. 🅢. E VISA. ✂
chiuso mercoledì, dal 22 dicembre al 4 gennaio e dall'8 al 21 luglio – **Pasto** carta 35/55000.
7 km per viale Gramsci

Nenè 🐴 con cam, via Crocicchia ✆ 2996, Fax 350161, 🏞 – 📺 ☎ ♿ 🅟. AE. 🅢. E VISA. ✂
chiuso dal 7 al 26 gennaio – **Pasto** *(chiuso lunedì)* carta 25/45000 – **7 cam** ☕ 80/150000 – ½ P 70/80000.
2,5 km per ③

USMATE VELATE *20040 Milano 428 F 10, 219 ⑲ – 7 623 ab. alt. 231 – ☎ 039.*

⛳9 Brianza (chiuso lunedì) località Cascina Cazzù ✉ 20040 Usmate Velate ✆ 6829079, Fax 6829059, O : 2 km.

Roma 596 – Como 41 – Milano 32 – Bergamo 30 – Lecco 26 – Monza 9.

XX **Il Chiodo,** via Michelangelo 1 svincolo Usmate Sud della superstrada 342 D ✆ 674275, 佘 – Ⓟ. ⑤. E VISA
chiuso lunedì e dal 10 al 20 agosto – **Pasto** carta 45/60000.

USSEAUX *10060 Torino* 428 G 3 – *223 ab. alt. 1 217* – *a.s. luglio-agosto e Natale* – ✆ *0121.*
Roma 806 – *Torino 79* – *Sestriere 18.*

X **Lago Laux** ♨ con cam, via al Lago 7 ✆ 83944, Fax 83944, « In riva ad un laghetto con minigolf e pesca sportiva » – ☎ Ⓟ. ⑤. ⓞ. E VISA. ✱
chiuso ottobre e dal 9 al 15 aprile – **Pasto** *(solo su prenotazione; chiuso mercoledì)* carta 40/50000 – ☕ 10000 – **6 cam** 110/120000 – ½ P 110000.

UZZANO *51017 Pistoia* 429 K 14 – *4 148 ab. alt. 261* – ✆ *0572.*
Roma 336 – *Pisa 42* – *Firenze 59* – *Lucca 20* – *Montecatini Terme 9* – *Pistoia 31.*

XX **Mason,** località San Allucio ✆ 451363, Coperti limitati; prenotare – ▤ Ⓟ. AE. ⑤. E VISA. ✱
✿ *chiuso mercoledì, sabato a mezzogiorno ed agosto* – **Pasto** carta 55/80000
Spec. Sformato di verdure e gamberi. Rognoncino di vitello ai funghi. Scorfano in guazzetto.

VADA *57018 Livorno* 430 L 13 – *a.s. 15 giugno-15 settembre* – ✆ *0586.*
Roma 292 – *Pisa 48* – *Firenze 143* – *Livorno 29* – *Piombino 53* – *Siena 101.*

Quisisana, via di Marina 37 ✆ 788220, Fax 788441, ⛱ – |‡| TV ☎ Ⓟ. ⑤. E VISA. ✱ rist
chiuso novembre – **Pasto** 30000 – ☕ 8000 – **32 cam** 95/140000 – ½ P 80/110000.

XX **Il Ducale,** piazza Garibaldi 33 ✆ 788600, Coperti limitati; prenotare – ▤ Ⓟ. AE. ⑤. ⓞ E VISA. JCB. ✱
chiuso lunedì – **Pasto** specialità di mare carta 55/70000.

VAGGIO *Firenze* 430 L 16 – *Vedere Reggello.*

VAGLIAGLI *Siena* – *Vedere Siena.*

VAHRN = *Varna.*

VALBREMBO *24030 Bergamo* 219 ⑳ – *3 453 ab. alt. 260* – ✆ *035.*
Roma 606 – *Bergamo 11* – *Lecco 29* – *Milano 47.*

XX **Ponte di Briolo,** località Briolo O : 1,5 km ✆ 611197, Fax 615944, 佘 – Ⓟ. AE. ⑤. E VISA. ✱
chiuso domenica sera, mercoledì, dal 1º al 10 gennaio ed agosto – **Pasto** carta 45/60000.

VALBRUNA *Udine* 429 C 22 – *Vedere Malborghetto.*

VAL CANALI *Trento* – *Vedere Fiera di Primiero.*

VALDAGNO *36078 Vicenza* 429 F 15 – *27 233 ab. alt. 266* – ✆ *0445.*
Roma 561 – *Verona 62* – *Milano 219* – *Trento 86* – *Vicenza 34.*

Pasubio ♨ senza rist, via dello Sport 6 ✆ 408042, Fax 402182 – |‡| TV ☎ ♿ Ⓟ. AE. ⑤. ⓞ E VISA
☕ 10000 – **30 cam** 70/120000.

X **Hostaria a le Bele,** località Maso O : 4 km ✆ 970270, prenotare, « Trattoria tipica » – Ⓟ. ⑤. ⓞ VISA. ✱
chiuso lunedì, martedì a mezzogiorno ed agosto – **Pasto** carta 40/50000.

VALDAORA **(OLANG)** *39030 Bolzano* 429 B 18 – *2 662 ab. alt. 1 083* – *Sport invernali : Plan de Corones : 1 083/2 273 m* 🚡 11 ⛷ 21, ⛷ – ✆ *0474.*
ℹ *a Valdaora di Mezzo-Palazzo del Comune* ✆ *496277, Fax 498005.*
Roma 726 – *Cortina d'Ampezzo 51* – *Bolzano 88* – *Brunico 11* – *Dobbiaco 19* – *Milano 387* – *Trento 148.*

Mirabell, a Valdaora di Mezzo ✆ 496191, Fax 498227, ←, ≋s, 🏊, ⛱, ✱ – ✱ rist TV ☎ 🚗 Ⓟ. ✱ rist
20 dicembre-10 aprile e 20 maggio-10 ottobre – **Pasto** (solo per alloggiati) 55/65000 – ☕ 18000 – **32 cam** 125/230000 – ½ P 130/155000.

🏨 **Post,** a Valdaora di Sopra ✆ 496127, Fax 498019, ≤, Maneggio con scuola di equitazione, « [🏊] riscaldata », ♨ – |♦| [TV] ☎ 🚗 🅿
7 dicembre-14 aprile e 20 maggio-25 ottobre – **Pasto** *(chiuso mercoledì)* carta 40/65000 – **36 cam** ☕ 165/275000 – ½ P 120/165000.

🏨 **Berghotel Zirm** 🔇, a Sorafurcia, alt. 1 360 ✆ 592054, Fax 592051, ≤ vallata e monti, 🏋, ♨, [🏊] – [TV] ☎ 🚗 🅿. [$]. 🐕 rist
dicembre-20 aprile e giugno-20 ottobre – **Pasto** (solo per alloggiati) 30/60000 – **23 cam** ☕ 120/240000 – ½ P 130/170000.

🏨 **Markushof** 🔇, via dei Prati 9 ✆ 496250, Fax 498241, ≤ vallata e monte Plan de Corones, ♨, 🌳 – 🚭 rist [TV] ☎ 🚗 🅿. [$]. E [VISA]. 🐕 rist
15 dicembre-6 aprile e 19 maggio-20 ottobre – **Pasto** (solo per alloggiati e *chiuso giovedì*) 30/40000 – **26 cam** ☕ 85/170000 – ½ P 110/135000.

🏨 **Messnerwirt,** a Valdaora di Sopra ✆ 496178, Fax 498087, ♨, 🌳 – [TV] ☎ 🅿. [$]. ◐ E [VISA]
chiuso dal 7 novembre al 17 dicembre – **Pasto** carta 35/65000 – **19 cam** ☕ 130/200000 – ½ P 90/125000.

VALDERICE *Trapani* [432] M 19 – *Vedere Sicilia alla fine dell'elenco alfabetico.*

VALDIDENTRO *23038 Sondrio* [428], [429] C 12, [218]⑰ – *3 818 ab. alt. (frazione Isolaccia) 1 345 –* ☎ *0342.*
⛳ *(15 aprile-1° novembre) a Bormio* ✉ *23032* ✆ *910730, Fax 903790, SE : 8 km.*
Roma 774 – Sondrio 73 – Bormio 11 – Milano 213.

ad Isolaccia – ✉ *23038 Valdidentro :*

🏠 **Cima Piazzi,** ✆ 985050, ≤ – ☎ 🚗 🅿. 🐕
chiuso giugno – **Pasto** carta 35/45000 – ☕ 5000 – **20 cam** 50/85000 – ½ P 60/75000.

a Semogo *O : 2 km* – ✉ *23030 :*

🏨 **Del Cardo,** località San Carlo S : 1,5 km ✆ 927171, Fax 985898, ≤ – |♦| [TV] ☎ 🚗 🅿. [AE]. [$]. ◐ [VISA]. 🐕 rist
chiuso dal 16 maggio al 19 giugno e novembre – **Pasto** *(chiuso mercoledì)* 25/40000 – ☕ 8000 – **41 cam** ☕ 55/80000 – ½ P 75/80000.

a Premadio *E : 6 km* – ✉ *23038 Valdidentro :*

🍴 **La Baita,** ✆ 904258 – 🅿. [AE]. [$]. ◐ E [VISA]. 🐕
chiuso maggio, novembre e lunedì (escluso da aprile a settembre) – **Pasto** carta 30/50000.

VAL DI GENOVA *Trento* [988]④, [428] D 13.
Vedere *Vallata*★★★ – *Cascata di Nardis*★★.
Roma 636 – Trento 66 – Bolzano 106 – Brescia 110 – Madonna di Campiglio 17 – Milano 201.

🍴 **Cascata Nardis,** alt. 945 ✉ 38080 Carisolo ✆ (0465) 51454, ≤ cascata, 🌳 – 🅿. 🐕
20 aprile-20 ottobre – **Pasto** carta 40/60000.

VAL DI SOGNO *Verona – Vedere Malcesine.*

VALDOBBIADENE *31049 Treviso* [988]⑤, [429] E 17 – *10 701 ab. alt. 252 – Sport invernali : Pianezze: 1 070/1 570 m* 🚡*4* – ☎ *0423.*
Roma 563 – Belluno 47 – Milano 268 – Trento 105 – Treviso 36 – Udine 112 – Venezia 66.

🏨 **Diana** senza rist, via Roma 49 ✆ 976222, Fax 972237 – |♦| ▤ [TV] ☎ 🚗 – 🏛 60. [AE]. [$]. E [VISA]
☕ 12000 – **47 cam** 115/140000.

a Bigolino *S : 5 km* – ✉ *31030 :*

🍴🍴 **Tre Noghere,** via Crede 1 ✆ 980316, Fax 981333 – 🅿. [AE]. [$]. [VISA]. 🐕
chiuso domenica sera, lunedì, dal 1° al 6 gennaio ed agosto – **Pasto** carta 45/60000.

VALEGGIO SUL MINCIO *37067 Verona* [988]④⑭, [428], [429] F 14 *G. Italia – 9 784 ab. alt. 88 –* ☎ *045.*
Vedere *Parco Giardino Sigurtà*★★.
Roma 496 – Verona 28 – Brescia 56 – Mantova 25 – Milano 143 – Venezia 147.

Eden senza rist, via Don G. Beltrame 10 ℘ 6370850, Fax 6370860 – |\$| ▤ TV ☎ ♿ P. AE. E VISA. ✗
30 cam ⊏ 90/130000.

Lepre, via Marsala 5 ℘ 7950011, Fax 6370735 – AE. E VISA. JCB
chiuso mercoledì, giovedì a mezzogiorno e dal 15 al 31 gennaio – **Pasto** carta 40/60000.

Borsa, via Goito 2 ℘ 7950093, Fax 7950776 – ▤ P. E VISA. ✗
chiuso martedì sera, mercoledì e dal 10 luglio al 10 agosto – **Pasto** carta 40/60000.

a Borghetto *O : 1 km – alt. 68 – ✉ 37067 Valeggio sul Mincio :*

Faccioli, via Tiepolo 4 ℘ 6370605, Fax 6370571 – ▤ TV ☎ P. AE. E. ◑ E VISA. JCB
chiuso dal 6 al 16 gennaio – **Pasto** vedere rist ***Gatto Moro*** – **7 cam** ⊏ 90/130000.

Antica Locanda Mincio, ℘ 7950059, « Servizio estivo in terrazza ombreggiata in riva al fiume » – AE. E. ◑ E VISA
chiuso mercoledì sera, giovedì, dal 1° al 15 febbraio e dal 2 al 16 novembre – **Pasto** carta 50/75000.

Gatto Moro, via Giotto 21 ℘ 6370570, Fax 6370571, ☂ – P. AE. E. ◑ E VISA. JCB
chiuso martedì sera, mercoledì, dal 30 gennaio al 15 febbraio e dal 1° al 10 agosto – **Pasto** carta 45/55000.

a Santa Lucia dei Monti *NE : 5 km – alt. 145 – ✉ 37067 Valeggio sul Mincio :*

Belvedere ⛰ con cam, ℘ 6301019, Fax 6303652, ≤, « Servizio estivo in giardino » – ▤ cam ☎ P. AE. E. ◑ E VISA. ✗
chiuso dal 25 gennaio al 10 febbraio e dal 15 giugno al 10 luglio – **Pasto** *(chiuso mercoledì e giovedì)* 40/50000 – ⊏ 12000 – **7 cam** 55/80000, ▤ 5000 – ½ P 80/100000.

VAL FERRET *Aosta* 219 ① *– Vedere Courmayeur.*

VALGRAVEGLIA *La Spezia – Vedere Riccò del Golfo di Spezia.*

VALGRISENCHE *11010 Aosta* 428 F 3, 219 ⑪ *– 190 ab. alt. 1 664 – a.s. 9 gennaio-marzo e luglio-agosto – ☎ 0165.*
Roma 776 – Aosta 30 – Courmayeur 39 – Milano 215 – Colle del Piccolo San Bernardo 57.

Grande Sassière ⛰, frazione Gerbelle N : 1 km ℘ 97113, ≤ – P. ✗
chiuso lunedì – carta 35/55000.

a Planaval *NE : 5 km – alt. 1 557 – ✉ 11010 Valgrisenche :*

Paramont ⛰, ℘ 97106, Fax 97159, ≤, 🌳 – ☎ 🚗 P. E. ◑ E VISA. ✗
Pasto *(chiuso lunedì)* 25/30000 – ⊏ 10000 – **20 cam** 55/85000 – ½ P 75/80000.

VALLADA AGORDINA *32020 Belluno – 583 ab. alt. 969 – ☎ 0437.*
Roma 660 – Belluno 47 – Cortina d'Ampezzo 55 – Bolzano 71 – Milano 361 – Trento 115 – Venezia 149.

Val Biois, frazione Celat ℘ 591233, Fax 591233 – P. AE. E. ◑ E VISA
chiuso novembre, lunedì e a mezzogiorno escluso sabato-domenica e luglio-agosto – **Pasto** carta 40/75000.

VALLE AURINA (AHRNTAL) *39030 Bolzano* 429 B 17 *– 5 359 ab. alt. 1457 – ☎ 0474.*
ℹ strada statale Lutago ℘ 671136, Fax 671666.
Roma 726 – Cortina d'Ampezzo 78 – Bolzano 94 – Dobbiaco 48.

Schwarzenstein ⛰, a Lutago ℘ 671124, Fax 671726, ≤, Fö, ≘s, 🏊 – |\$| TV ☎ 🚗 P. ✗
20 dicembre-15 aprile e 15 maggio-ottobre – **Pasto** 35000 – **50 cam** ⊏ 235/260000 – ½ P 150/255000.

Sporthotel Linderhof ⛰, a Cadipietra ℘ 652190, Fax 652414, ≤, ≘s, 🏊, 🌳 – |\$| TV ☎ P
37 cam.

VALLEBONA *18012 Imperia – 991 ab. alt. 149 – ☎ 0184.*
Roma 654 – Imperia 44 – Monte Carlo 26.

Degli Amici, piazza Libertà 25 ℘ 253526, ☂, prenotare
chiuso lunedì e dal 22 settembre al 20 ottobre –
Pasto carta 30/50000.

VALLECROSIA *18019 Imperia* 428 K 4 – *7 444 ab. alt. 45* – ☎ *0184.*

Roma 652 – Imperia 46 – Bordighera 2 – Cuneo 94 – Monte Carlo 26 – San Remo 14.

XX **Giappun,** via Maonaira 7 ✆ 250560, prenotare – ▤. AE. Ⓢ. ⓓ E VISA
chiuso mercoledì e dal 1º al 20 luglio – **Pasto** carta 65/110000
✿ **Spec.** Insalata di mare tiepida. Gnocchi alla bottarga. Pesci e crostacei al vapore con verdure croccanti.

VALLE DI CADORE *32040 Belluno* 429 C 18 – *2 114 ab. alt. 819* – ☎ *0435.*

Roma 646 – Cortina d'Ampezzo 27 – Belluno 45 – Bolzano 159.

XX Il Portico, ✆ 30236, Rist. e pizzeria – Ⓟ

VALLE DI CASIES (GSIES) *39030 Bolzano* 429 B 18 – *2 048 ab. – Sport invernali : Plan de*

Corones : 1 200/2 273 m ⛷ *11* ⛷ *21,* ⛷ – ☎ *0474.*

Roma 746 – Cortina d'Ampezzo 59 – Brunico 31.

Quelle ⛰, a Santa Maddalena alt. 1 398 ✆ 948111, Fax 948091, ≤, Fø, ≘s, ⊠, 🌳 – ⫼ TV ☎ ♿ Ⓟ
chiuso dal 5 aprile al 10 maggio e dal 4 novembre al 15 dicembre – **Pasto** carta 35/45000 – **33 cam** ☕ 135/180000, 6 appartamenti – ½ P 115/145000.

X **Durnwald,** a Planca di Sotto alt. 1 223 ✆ 746920, 🍽 – Ⓟ
chiuso lunedì e giugno – Pasto carta 30/65000.

VALLEDORIA *Sassari* 433 E 8 – *Vedere Sardegna alla fine dell'elenco alfabetico.*

VALLERANO *01030 Viterbo* 430 O 18 – *2 505 ab. alt. 403* – ☎ *0761.*

Roma 75 – Viterbo 15 – Civitavecchia 83 – Terni 54.

XX **Al Poggio,** via Janni 7 ✆ 751248, 🍽 – ▤ Ⓟ. Ⓢ. E VISA. ⛔
chiuso martedì – **Pasto** carta 30/60000.

VALLES (VALS) *Bolzano – Vedere Rio di Pusteria.*

VALLESACCARDA *83050 Avellino* 431 D 27 – *1 858 ab. alt. 600* – ☎ *0827.*

Roma 301 – Foggia 65 – Avellino 60 – Napoli 115 – Salerno 96.

XX **Minicuccio** con cam, via S. Maria 24/26 ✆ 97030, Fax 97030 – ▤ TV ☎ Ⓟ – 🏛 150. AE Ⓢ. E VISA. ⛔
Pasto *(chiuso lunedì)* carta 25/40000 – ☕ 5000 – **10 cam** 40/70000 – ½ P 65000.

X **Oasis,** via Provinciale Vallessaccarda ✆ 97021, Fax 97541 – AE. Ⓢ. ⓓ E VISA. ⛔
chiuso giovedì e luglio – **Pasto** antica cucina irpina carta 20/35000.

VALLE SAN FLORIANO *Vicenza – Vedere Marostica.*

VALLIO TERME *25080 Brescia* 428, 429 F 13 – *1 061 ab. alt. 308* – ☎ *0365.*

Roma 549 – Brescia 25 – Bergamo 72 – Milano 116.

Parco della Fonte ⛰, via Sopranico 2 ✆ 370032, Fax 370032, ≤ – ⫼ ☎ Ⓟ. AE. Ⓢ. E VISA. ⛔
Pasto carta 40/65000 – ☕ 8000 – **40 cam** 80/120000 – ½ P 70/85000.

VALLO DELLA LUCANIA *84078 Salerno* 988 ㉘, 431 G 27 – *8 383 ab. alt. 380* – ☎ *0974.*

Roma 343 – Potenza 148 – Agropoli 35 – Napoli 143 – Salerno 88 – Sapri 56.

X **La Chioccia d'Oro,** località Massa-al bivio per Novi Velia ✉ 84050 Massa della Lucania ✆ 70004, 🍽 – ▤ Ⓟ. Ⓢ. VISA. ⛔
chiuso venerdì e dal 1º al 10 settembre – Pasto carta 25/40000.

VALLONGA *Trento – Vedere Vigo di Fassa.*

VALMADRERA *22049 Lecco* 428 E 10, 219 ⑨ – *10 560 ab. alt. 237* – ☎ *0341.*

Roma 633 – Como 26 – Lecco 3 – Milano 56.

Al Terrazzo, via Parè 69 ✆ 583106, Fax 201118, « Servizio rist. estivo in terrazza sul lago », 🌳 – TV ☎ Ⓟ – 🏛 60. AE. Ⓢ. ⓓ E VISA
Pasto *(chiuso dal 1º al 10 gennaio)* carta 75/95000 (10 %) – ☕ 18000 – **12 cam** 100/180000 – ½ P 160/170000.

VALNONTEY *Aosta* 428 F 4 – *Vedere Cogne.*

VALSAVARENCHE *11010 Aosta* 988 ① ②, 428 F 3 – *200 ab. alt. 1 540 – a.s. Pasqua, luglio-agosto e Natale* – ☎ *0165.*

Roma 776 – Aosta 29 – Courmayeur 42 – Milano 214.

Parco Nazionale, frazione Degioz 75 ☎ 905706, Fax 905805, ≤, – 🛗 ☎ ♿. 🅂. E VISA. ✻
26 dicembre-7 gennaio e marzo-settembre – **Pasto** 30/40000 – ☕ 15000 – **28 cam** 60/110000 – ½ P 100/105000.

Eau Rousse *S : 3 km Aosta – ✉ 11010 :*

A l' Hostellerie du Paradis 🔇, ☎ 905972, Fax 905971, prenotare, « Caratteristico borgo di montagna », ≘, 🅿 – 📺 ☎. AE. 🅂. ① E VISA. ✻ rist
Pasto carta 40/65000 – ☕ 10000 – **31 cam** 70/95000, appartamento – ½ P 110000.

Pont *S : 9 km – alt. 1 946 – ✉ 11010 Valsavarenche :*

Genzianella 🔇, ☎ 95393 e rist ☎ 95934, Fax 95397, ≤ Gran Paradiso – ☎ 🅟. ✻ rist
15 giugno-20 settembre – **Pasto** carta 40/60000 – ☕ 17000 – **25 cam** 70/120000 – ½ P 100000.

VALSOLDA *22010 Como* 428 D 9, 219 ⑧ – *1 796 ab. alt. (frazione San Mamete) 265* – ☎ *0344.*

Roma 664 – Como 41 – Lugano 9 – Menaggio 18 – Milano 87.

a Albogasio – ✉ *22010 :*

Riviera, strada statale 127, località Oria ☎ 68156, Fax 68156, « Servizio rist. estivo in terrazza sul lago » – 🛗 ☎. AE. 🅂. ① E VISA
chiuso gennaio e febbraio – **Pasto** carta 40/60000 – **20 cam** ☕ 65/100000 – ½ P 60/75000.

a San Mamete – ✉ *22010 :*

Stella d'Italia, piazza Roma 1 ☎ 68139, Fax 68729, ≤, 🌳, « Terrazza-giardino sul lago », 🏖 – 🛗 ☎ 🚗. AE. 🅂. E VISA. ✻ rist
10 aprile-5 ottobre – **Pasto** 35000 – **35 cam** ☕ 85/165000 – ½ P 110/120000.

VALTOURNENCHE *11028 Aosta* 988 ②, 428 E 4 – *2 286 ab. alt. 1 524 – a.s. febbraio-Pasqua, 20 luglio-agosto e Natale – Sport invernali : 1 524/2 988 m* 🚡 1 ⛷ 6, ⛷ *(anche sci estivo a Breuil-Cervinia)* – ☎ *0166.*

ℹ *via Roma 48* ☎ *92029, Fax 92430.*

Roma 740 – Aosta 47 – Breuil-Cervinia 9 – Milano 178 – Torino 107.

Bijou, piazza Carrel 4 ☎ 92109, Fax 92264, ≤ – 🛗 📺 ☎ 🅟. AE. 🅂. E VISA. ✻ rist
chiuso maggio ed ottobre – **Pasto** *(chiuso lunedì in bassa stagione)* carta 30/45000 – ☕ 16000 – **20 cam** 55/100000 – ½ P 80/90000.

Al Caminetto, via Roma 30 ☎ 92150, Fax 92879, ≤ – 📺 ☎. ✻
chiuso maggio, giugno, settembre e ottobre – **Pasto** *(chiuso giovedì)* 25000 – ☕ 10000 – **18 cam** 65/95000 – ½ P 45/80000.

Jaj Alaj, frazione Evette 22 ☎ 92185 – AE. 🅂. ① E VISA. ✻
chiuso dal 10 al 30 giugno e giovedì in bassa stagione – **Pasto** carta 40/60000.

VAL VENY *Aosta* 219 ① – *Vedere Courmayeur.*

VALVERDE *Forlì-Cesena* 430 J 19 – *Vedere Cesenatico.*

VARALLO *13019 Vercelli* 988 ②, 428 E 6, 219 ⑥ – *7 655 ab. alt. 451 – a.s. luglio-agosto e Natale* – ☎ *0163.*

Vedere *Sacro Monte*★★.

ℹ *corso Roma 38* ☎ *51280, Fax 53091.*

Roma 679 – Biella 59 – Milano 105 – Novara 59 – Stresa 43 – Torino 121 – Vercelli 65.

Italia, corso Roma 6 ☎ 51106, Fax 54145 – 📺 ☎ 🅟
8 cam.

a Crosa *E : 3 km – ✉ 13019 Varallo :*

Delzanno, ☎ 51439, 🌳 – AE. 🅂. ① E VISA. ✻
chiuso lunedì e dal 1° al 10 settembre – **Pasto** carta 35/60000.

a **Sacro Monte** *N : 4 km – ✉ 13019 Varallo :*

Sacro Monte ⛰, ✆ 54254, Fax 51189, ☂, 🌳 – 📺 ☎ Ⓟ. AE. 🅂. ⓞ E VISA. ✂
marzo-novembre – **Pasto** *(chiuso lunedì escluso da maggio a settembre)* carta 40/65000
– ☕ 15000 – **24 cam** 80/140000 – ½ P 75/80000.

VARANO DE' MELEGARI *43040 Parma* 988 ⑭, 428, 429, 430 H 12 – *2 115 ab. alt. 190*
– ☎ *0525.*

Roma 489 – Parma 36 – Piacenza 79 – Cremona 85 – La Spezia 97.

Della Roccia Ⓜ, via Martiri della Libertà 2 ✆ 53728, Fax 53692, ☂, 🌳 – |‡| ▤ 📺 ☎
Ⓟ. AE. 🅂. ⓞ E VISA. JCB. ✂ rist
chiuso dal 4 al 24 agosto – **Pasto** *(chiuso lunedì)* carta 35/50000 – **36 cam** ☕ 120/16000
appartamento – ½ P 130/150000.

Castello, via Martiri della Libertà 129 ✆ 53156, solo su prenotazione – Ⓟ. 🅂. ✂
chiuso lunedì – **Pasto** carta 45/75000.

VARAZZE *17019 Savona* 988 ⑬, 428 I 7 *G. Italia* – *14 068 ab.* – ☎ *019.*

ℹ *viale Nazioni Unite (Palazzo Municipio) ✆ 934609, Fax 97298.*

Roma 534 – Genova 36 – Alessandria 82 – Cuneo 112 – Milano 158 – Savona 12 – Torino 15

El Chico, strada Romana 63 (strada statale Aurelia) E : 1 km ✆ 931388, Fax 932423,
« Parco ombreggiato con 🏊 », 🏋 – 📺 ☎ Ⓟ – 🎪 125. AE. 🅂. ⓞ E VISA. ✂
chiuso dal 20 dicembre a gennaio – **Pasto** 45000 – ☕ 12000 – **41 cam** 90/180000
½ P 140000.

Eden, via Villagrande 1 ✆ 932888, Fax 96315 – |‡| ▤ 📺 ☎ Ⓟ – 🎪 60. AE. 🅂. ⓞ E V
JCB. ✂
Pasto *(15 giugno-15 settembre)* carta 45/60000 e vedere anche rist **Antico Genovese**
☕ 10000 – **45 cam** 85/140000 – ½ P 100/135000.

Cristallo, via Cilea 4 ✆ 97264, Fax 96392, 🏋 – |‡| ▤ 📺 ☎ 🚗 Ⓟ – 🎪 60. AE. 🅂. ⓞ
VISA. JCB. ✂ rist
Pasto carta 40/55000 – ☕ 12000 – **45 cam** 100/160000 – ½ P 100/130000.

Royal, via Cavour 25 ✆ 931166, Fax 96664, ≤ – |‡| ▤ 📺 ☎ Ⓟ. AE. 🅂. ⓞ E VISA. J
✂ rist
Pasto carta 45/70000 – **31 cam** ☕ 120/150000 – ½ P 80/120000.

Manila, via Villagrande 3 ✆ 934656, 🌳 – 📺 ☎ Ⓟ. AE. 🅂. E VISA. ✂ rist
chiuso dal 20 settembre al 20 dicembre – **Pasto** carta 45/65000 – ☕ 12000 – **14 ca**
80/110000 – ½ P 90/110000.

Antico Genovese, corso Colombo 70 ✆ 96482, Fax 95965, solo su prenotazione
mezzogiorno – ▤. AE. 🅂. ⓞ E VISA. JCB. ✂
*chiuso dal 17 al 26 settembre dal 26 novembre al 3 dicembre e domenica (escluso da lug
a settembre)* – **Pasto** carta 55/90000.

Santa Caterina, piazza Santa Caterina 4 ✆ 934672 – ▤. AE. 🅂. ⓞ E VISA. JCB
chiuso lunedì e dal 5 novembre al 5 dicembre – **Pasto** carta 45/95000.

Cavetto, piazza Santa Caterina 7 ✆ 97311, ☂, prenotare – AE. 🅂. ⓞ E VISA. JCB
chiuso giovedì, dal 15 al 30 gennaio e dal 1° al 15 novembre – **Pasto** specialità di mare ca
40/85000.

VARENA *38030 Trento* 429 D 16 – *788 ab. alt. 1155* – ☎ *0462.*

Roma 638 – Trento 64 – Bolzano 44 – Cortina d'Ampezzo 104.

Alpino, via Mercato 8 ✆ 340640, Fax 231609, ≤, 🌳 – 📺 ☎. 🅂. E VISA. ✂
Pasto 30000 – **25 cam** ☕ 80/140000 – ½ P 60/100000.

VARENNA *22050 Lecco* 988 ③, 428 D 9 *G. Italia* – *883 ab. alt. 220* – ☎ *0341.*

Vedere *Giardini*★★ *di villa Monastero.*

⛴ *per Menaggio (15 mn) e Bellagio (da 15 a 30 mn), giornalieri – Navigazione Lago
Como, via La Riva ✆ 830270.*

Roma 642 – Como 50 – Bergamo 55 – Chiavenna 45 – Lecco 22 – Milano 78 – Sondrio 60

Royal Victoria, piazza San Giorgio 5 ✆ 815111, Fax 830722, ≤, 🌳 – |‡| 📺 ☎ – 🎪
AE. 🅂. ⓞ E VISA. ✂ rist
Pasto 50000 e al Rist. ***Victoria Grill*** *(chiuso lunedì)* carta 55/95000 – **43 cam** ☕ 2
260000 – ½ P 140/160000.

Du Lac ⛵, ☎ 830238, Fax 831081, ≤, 🏖 – |♦| TV ☎ 🚗 🅟. AE. 🅂. ⦿ E VISA. ✻ rist
chiuso gennaio e febbraio – **Pasto** *(chiuso da novembre a marzo)* 55000 – ☕ 19000 – **17 cam** 130/230000 – ½ P 165/220000.

✕✕ **Vecchia Varenna,** contrada Scoscesa 10 ☎ 830793, Fax 830793, « Servizio estivo in terrazza sul porticciolo con ≤ lago e monti » – AE. 🅂. ⦿ E VISA
chiuso gennaio, lunedì, anche martedì da febbraio al 10 marzo – **Pasto** carta 50/65000.

ARESE *21100* 🅟 988 ③, 428 E 8, 219 ⑧ *G. Italia – 84 634 ab. alt. 382 –* ☎ *0332.*

Dintorni *Sacro Monte** : ≤** NO : 8 km – Campo dei Fiori** : ✱** NO : 10 km.*

18 (chiuso lunedì) a Luvinate ✉ 21020 ☎ 229302, Fax 222107, per ⑤ : 6 km.

via Carrobio 2 ☎ 283604 – viale Ippodromo 9 ☎ 284624, Fax 238093.

A.C.I. *viale Milano 25 ☎ 285150.*

Roma 633 ④ – Como 27 ② – Bellinzona 65 ② – Lugano 32 ① – Milano 56 ④ – Novara 53 ③ – Stresa 48 ③.

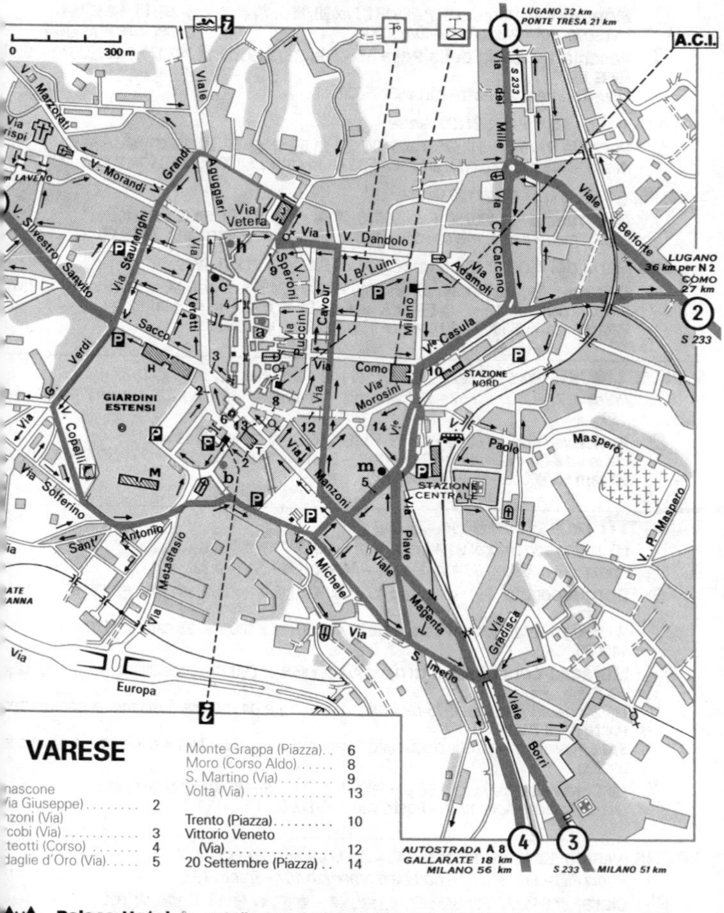

VARESE

...nascone	
...ia Giuseppe)	2
...nzoni (Via)	
...cobi (Via)	3
...teotti (Corso)	4
...daglie d'Oro (Via)	5
Monte Grappa (Piazza)	6
Moro (Corso Aldo)	8
S. Martino (Via)	9
Volta (Via)	13
Trento (Piazza)	10
Vittorio Veneto (Via)	12
20 Settembre (Piazza)	14

Palace Hotel ⛵, a Colle Campigli ☎ 312600, Telex 380163, Fax 312870, ≤, « Parco », ✕ – |♦| TV ☎ 🅟 – 🏛 250. AE. 🅂. ⦿ E VISA. ✻ rist per ⑤
Pasto carta 60/95000 – **112 cam** ☕ 265/390000, appartamento – ½ P 210/270000.

City Hotel senza rist, via Medaglie d'Oro 35 ☎ 281304, Fax 232882 – |♦| TV ☎ 🚗 – 🏛 50. AE. 🅂. ⦿ E VISA m
47 cam ☕ 160/210000.

Bologna, via Broggi 7 ✆ 234362, Fax 287500, – ▤ ☎ ♿ P. AE. ⑤. ⊕ VISA
chiuso dal 1° al 15 agosto – **Pasto** *(chiuso sabato)* 40/60000 – **14 cam** 80/100000 P 70/90000.

Lago Maggiore, via Carrobbio 19 ✆ 231183, Fax 231183, Coperti limitati; prenotare ▤. AE. ⑤. ⊕ E VISA.
chiuso domenica, lunedì a mezzogiorno, 25-26 dicembre, 1° gennaio e luglio – **Pasto** car 70/105000
Spec. Sformato di parmigiano. Tortelloni di riso al burro aromatizzato. Rostin negàa.

Teatro, via Croce 3 ✆ 241124, Fax 280994 – ▤. AE. ⑤. ⊕ E VISA. JCB.
chiuso martedì e dal 25 luglio al 25 agosto – **Pasto** carta 65/85000.

Al Vecchio Convento, viale Borri 348 ✆ 261005, Fax 810701 – P. AE. ⑤. ⊕ E VIS JCB per ③
chiuso domenica sera, lunedì, dal 1° al 7 gennaio e dal 10 al 20 agosto – **Pasto** 30/55000 mezzogiorno) 45/65000 (alla sera) e carta 50/70000.

Montello, via Montello 8 ✆ 286181, Fax 287895, – P. AE. ⑤. ⊕ E VISA per viale Aguggiari
chiuso lunedì – **Pasto** carta 40/65000.

Vecchia Trattoria della Pesa, via Carlo Cattaneo 14 ✆ 287070, Fax 287070 – AE. ⊕ E VISA
chiuso domenica – **Pasto** carta 50/65000.

a Schiranna *O : 3,5 km – ✉ 21100 Varese :*

Vecchia Riva, ✆ 311375, Fax 310452 – ▤ ☎ P. AE. ⑤. ⊕ E VISA. JCB.
Pasto *(chiuso mercoledì)* carta 30/45000 – **11 cam** 100/120000 – ½ P 100/120000.

a Capolago *SO : 5 km – ✉ 21100 Varese :*

Da Annetta, ✆ 490230, Fax 490020, – ▤ P. AE. ⑤. ⊕ E VISA.
chiuso martedì sera, mercoledì e dall'8 al 20 agosto – **Pasto** carta 50/75000.

a Santa Maria del Monte *NO : 8 km per ⑤ : alt. 880 – ✉ 21100 Varese :*

Colonne, via Fincarà 37 ✆ 224633, Fax 821593, ← vallata, « Servizio rist. estivo terrazza panoramica » – ☎ ♿ P. ⑤. E VISA. JCB. cam
Pasto carta 45/65000 – **10 cam** 130/200000 – ½ P 160000.

VARESE LIGURE *19028 La Spezia 988 ⑬, 428 I 10 – 2 533 ab. alt. 353 – ☎ 0187.*

Roma 457 – La Spezia 57 – Bologna 194 – Genova 90 – Milano 203 – Parma 98 – Piacer 139.

Amici, via Garibaldi 80 ✆ 842139, Fax 842168 – ☎ P. AE. ⑤. E VISA
chiuso dal 24 dicembre al 2 gennaio – **Pasto** *(chiuso mercoledì)* 25/35000 – 9000 **29 cam** 60/80000 – ½ P 60/70000.

VARIGOTTI *17029 Savona 428 J 7 – ☎ 019.*

(giugno-settembre) via Aurelia 79 ✆ 698013.
Roma 567 – Genova 68 – Imperia 58 – Milano 191 – Savona 22.

Borgovecchio, via al Capo 45 ✆ 698010, Fax 698559, – ☎ P. AE. ⑤. ⊕ E VI rist
20 maggio-settembre – **Pasto** carta 35/45000 – 10000 – **28 cam** 80/120000 – ½ P 9 110000.

Muraglia-Conchiglia d'Oro, via Aurelia 133 ✆ 698015, Specialità di mare – P. AE. ⊕ E VISA. JCB.
chiuso dal 15 gennaio al 15 febbraio, mercoledì e da ottobre a maggio anche marted **Pasto** carta 70/95000
Spec. Passato di gallinella o scorfano. Spaghetti alle triglie. Crostacei alle erbe aromatiche padella.

La Caravella, via Aurelia 56 ✆ 698028, ←, – P. AE. ⑤. ⊕ E VISA.
chiuso lunedì e novembre – **Pasto** carta 55/80000.

VARNA (VAHRN) *39040 Bolzano 429 B 16 – 3 349 ab. alt. 670 – ☎ 0472.*

Roma 683 – Bolzano 47 – Cortina d'Ampezzo 107 – Trento 102.

Clara, ✆ 833777, Fax 835582, ←, – ☎ P. ⑤. E VISA. rist
chiuso dal 7 al 20 gennaio e dal 1° al 22 dicembre – **Pasto** carta 40/50000 – **30 c** 75/120000 – ½ P 90/100000.

Europe — Se il nome di un albergo è stampato in carattere magro, chiedete al vostro arrivo le condizioni che vi saranno praticate.

VARZI *27057 Pavia* 988 ⑬, 428 *H 9 – 3 670 ab. alt. 416 –* ✆ *0383.*

piazza della Fiera ✆ *545221.*

Roma 585 – Piacenza 69 – Alessandria 59 – Genova 111 – Pavia 54.

X **Corona da Andrea** con cam, piazza della Fiera 19 ✆ 52043, Fax 545345 – TV ☎. AE. E VISA. JCB. ✻
Pasto *(chiuso lunedì)* carta 30/60000 – ☐ 8000 – **13 cam** 75/95000 – 1/2 P 80000.

VARZO *28039 Verbania* 428 *D 6,* 217 ⑲ *– 2 352 ab. alt. 568 –* ✆ *0324.*

Roma 711 – Stresa 45 – Domodossola 13 – Iselle 13 – Milano 104 – Novara 55 – Torino 176.

San Domenico *NO : 11 km – alt. 1 420 – ✉ 28039 Varzo :*

Cuccini ✆ 7061, Fax 7061, ←, – P. ✻
20 dicembre-10 aprile e giugno-settembre – **Pasto** *(chiuso mercoledì)* carta 35/50000 (10 %) – ☐ 10000 – **23 cam** 40/80000 – 1/2 P 65/70000.

VASANELLO *01030 Viterbo* 430 *O 19 – 3 819 ab. alt. 265 –* ✆ *0761.*

Roma 85 – Terni 39 – Viterbo 35 – Perugia 106.

X Il Sassolino, via Cesare Battisti 6 ✆ 409558, Rist. e rosticceria

VASON *Trento – Vedere Bondone (Monte).*

Das italienische Straßennetz wird laufend verbessert.
Die rote ***Michelin-Straßenkarte*** *Nr.* 988 *im Maßstab 1:1 000 000*
trägt diesem Rechnung.
Beschaffen Sie sich immer die neuste Ausgabe.

VASTO *66054 Chieti* 988 ㉗, 430 *P 26 – 34 086 ab. alt. 144 – a.s. 20 giugno-agosto –* ✆ *0873.*

da Punta Penna per le Isole Tremiti 23 giugno-15 settembre giornaliero (1 h) – Adriatica di Navigazione-agenzia Massacesi, piazza Diomede 3 ✆ *367174, Telex 600205, Fax 69380.*

piazza del Popolo 18 ✆ *367312.*

Roma 271 – Pescara 70 – L'Aquila 166 – Campobasso 96 – Chieti 75 – Foggia 118.

XX **Castello Aragona,** via San Michele 105 ✆ 69885, « Servizio estivo in terrazza-giardino ombreggiato con ← mare » – P. AE. E VISA. ✻
chiuso lunedì e dal 24 al 28 dicembre – **Pasto** specialità di mare carta 40/65000.

X **Lo Scudo,** corso Garibaldi 39 ✆ 367782, Fax 367782, – AE. E VISA. JCB
chiuso dal 24 dicembre al 3 gennaio e martedì in bassa stagione – **Pasto** carta 40/60000.

X **Del Torrione,** via Cavour 13 ✆ 367444 – AE. E VISA. ✻
chiuso lunedì, dal 7 al 14 settembre e dal 23 al 29 dicembre – **Pasto** specialità di mare carta 35/60000.

VASTO (Marina di) *66055 Chieti* 430 *P 26 – a.s. 20 giugno-agosto –* ✆ *0873.*

(15 giugno-settembre) rotonda lungomare Dalmazia ✆ *801751.*

Roma 275 – Pescara 72 – Chieti 74 – Vasto 3.

Europa, via Itaca 5 ✆ 801227, Fax 801495, ←, – TV ☎ – 60 – **20 cam.**

Baiocco, viale Dalmazia 137 ✆ 801976, Fax 802376, – TV ☎ P – 30. AE. E VISA. ✻ rist
Pasto carta 30/55000 – ☐ 6000 – **32 cam** 75/100000 – 1/2 P 75/95000.

sulla strada statale 16 :

Excelsior, contrada Buonanotte S : 4 km ✉ 66055 ✆ 802222, Fax 802403, – TV ☎ P – 100. AE. E VISA. JCB. ✻
Pasto carta 40/55000 – **55 cam** ☐ 115/170000 – 1/2 P 115/140000.

Sabrina, S : 1,5 km ✉ 66055 ✆ 802020, Fax 802211, ←, – rist TV ☎ P – 120. AE. E VISA. ✻ rist
Pasto 20/25000 – ☐ 8000 – **70 cam** 120000 – 1/2 P 90/100000.

Sporting, S : 2,5 km ✉ 66055 ✆ 801908, Fax 801404, « Terrazza-giardino fiorita », – TV ☎ P. AE. E VISA. ✻
Pasto carta 35/50000 – ☐ 10000 – **22 cam** 95/120000 – 1/2 P 80/95000.

Rio, S : 1,5 km ✉ 66055 ✆ 801409, Fax 801960, ←, – rist TV ☎ P – 100. AE. E VISA. ✻ rist
Pasto 25/35000 – ☐ 8000 – **58 cam** 85/120000 – 1/2 P 70/105000.

XXX **Villa Vignola** con cam, località Vignola N : 6 km ✉ 66054 Vasto ☎ 310050 Fax 310060, ≤, prenotare, « Giardino con accesso diretto al mare » – ▤ TV ☎ P. AE Ⓢ. ● E VISA. JCB. ✻
chiuso dal 21 al 28 dicembre – **Pasto** specialità di mare carta 60/70000 – **5 cam** ☐ 200/260000.

XX **Il Corsaro,** località Punta Penna-Porto di Vasto N : 8 km ✉ 66054 Vasto ☎ 310113, ≤ prenotare, « Servizio estivo in terrazza sul mare », – P. AE. Ⓢ. E VISA. ✻
chiuso lunedì (escluso da aprile ad ottobre) – **Pasto** specialità di mare carta 70/85000 (10 %)

VEDELAGO *31050 Treviso* 988 ⑤, 429 E 18 – *13 285 ab. alt. 43* – ☎ *0423.*
Roma 534 – Padova 43 – Bassano del Grappa 28 – Belluno 28 – Treviso 18.

Antica Postumia, via Monte Grappa 36 (NE : 3 km) ☎ 476278, Fax 702257, ✻ – ▤ TV ☎ ♿ P – 100. AE. Ⓢ. ● E VISA. ✻
Pasto *(chiuso mercoledì a mezzogiorno)* carta 30/45000 – **48 cam** ☐ 80/120000 – ½ P 85/95000.

VEDOLE *Parma – Vedere Colorno.*

VELLETRI *00049 Roma* 988 ㉖, 430 Q 20 *G. Roma* – *48 146 ab. alt. 352* – ☎ *06.*
Escursioni *Castelli romani*** *NO per la via dei Laghi o per la strada S 7, Appia Antic (circuito di 60 km).*
ℹ *viale dei Volsci 8 ☎ 9630896, Fax 963367.*
Roma 36 – Anzio 43 – Frosinone 61 – Latina 29 – Terracina 63 – Tivoli 56.

XX **Da Benito al Bosco** con cam, contrada Morice 20 ☎ 9633991, Fax 9641414, « Piccolo parco con » – ▤ rist TV ☎ P. AE. Ⓢ. ● VISA. ✻
Pasto *(chiuso martedì da ottobre a marzo)* carta 50/65000 – ☐ 6000 – **20 cam** 60/90000 P 120000.

XX **Da Benito,** via Lata 241 ☎ 9632220. AE. Ⓢ. ● E VISA
chiuso lunedì ed agosto – **Pasto** carta 45/55000.

VELLO *Brescia* 428 E 12 – *alt. 190* – ✉ *25054 Marone* – ☎ *030.*
Roma 591 – Brescia 34 – Milano 100.

X **Trattoria Glisenti,** ☎ 987222, . ✻
chiuso giovedì e gennaio – **Pasto** specialità pesce di lago carta 40/55000.

VELTURNO (FELDTHURNS) *39040 Bolzano* 429 B 16 – *2 367 ab. alt. 851* – ☎ *0472.*
Roma 664 – Bolzano 33 – Bressanone 8 – Cortina d'Ampezzo 84.

Feldthurner Hof, ☎ 855333, Fax 855483, ≤, – ☎ P. Ⓢ. E VISA. ✻ rist
chiuso dall'11 novembre al 19 dicembre – **Pasto** carta 35/70000 – **28 cam** ☐ 70/125000 ½ P 60/80000.

VENAFRO *86079 Isernia* 988 ㉗, 430 R 24, 431 C 24 – *10 592 ab. alt. 220* – ☎ *0865.*
Roma 147 – Campobasso 70 – Avezzano 149 – Benevento 85 – Isernia 28 – Napoli 86.

Venafro Palace Hotel, strada statale 85 (S : 1 km) ☎ 900182, Fax 903709, ✻ – ▤ TV ☎ P – 400. AE. Ⓢ. E VISA. ✻
Pasto al Rist. ***Il Verlasce*** carta 30/45000 – **50 cam** ☐ 110/150000 – ½ P 115000.

VENEZIA

30100 P 988 ⑤, 429 F 19 G. Venezia – 298 915 ab. – 041.

Roma 528 – Bologna 152 – Milano 267 – Trieste 158.

UFFICIO INFORMAZIONI TURISTICHE

Palazzetto Selva-Molo di San Marco 71/c ✉ 30124 ☎ 5226356.
Stazione Santa Lucia ✉ 30121 ☎ 719078.

INFORMAZIONI PRATICHE

Marco Polo di Tessera, NE : 13 km ☎ 2609260.
Alitalia, via Sansovino 7 Mestre-Venezia ✉ 30173 ☎ 2581222.

da piazzale Roma (Tronchetto) per il Lido-San Nicolò giornalieri (35 mn); dal Lido Alberoni per l'Isola di Pellestrina-Santa Maria del Mare giornalieri (15 mn).

da Riva degli Schiavoni per Punta Sabbioni giornalieri (40 mn); da Punta Sabbioni per le Isole di Burano (30 mn), Torcello (40 mn), Murano (1 h 10 mn), giornalieri; dalle Fondamenta Nuove per le Isole di Murano (10 mn), Burano (50 mn), Torcello (50 mn), giornalieri; dalle Fondamenta Nuove per Treporti di Cavallino giornalieri (1 h 10 mn); da Treporti di Cavallino per Venezia-Fondamenta Nuove (1 h 10 mn) per le Isole di Murano (1 h), Burano (20 mn), Torcello (25 mn), giornalieri – Informazioni: ACTV-Azienda Consorzio Trasporti Veneziano, piazzale Roma ✉ 30135 ☎ 5287886, Fax 5207135.

18 (chiuso lunedì) al Lido Alberoni ✉ 30011 ☎ 731333, Fax 731339, 15 mn di vaporetto e 9 km;

18 e 9 Ca' della Nave (chiuso martedì) a Martellago ✉ 30030 ☎ 5401555, Fax 5401926, NO : 12 km;

18 e 9 Villa Condulmer (chiuso lunedì) a Zerman ✉ 31020 ☎ 457062, Fax 457202, N : 17 km.

CURIOSITÀ

Piazza San Marco★★★ KZ – Basilica★★★ LZ – Palazzo Ducale★★★ LZ – Campanile★★ : ✻★★ KLZ **Q** – Museo Correr★★ FZ **M**[1] – Ponte dei Sospiri★★ LZ.

Canal Grande★★★ :

Ponte di Rialto★★ KY – Riva destra : Ca' d'Oro★★★ JX – Palazzo Vendramin-Calergi★ CT – Palazzo Grassi★ BV – Riva sinistra : gallerie dell'Accademia★★★ BV – Ca' Dario★ BV Collezione Peggy Guggenheim★ nel palazzo Venier dei Leoni DV **M**[2] – Ca' Rezzonico★★ BV – Fondazione Querini-Stampalia★ LY – Ca' Pesaro★ JX.

Chiese :

Santa Maria della Salute★★ DV – San Giorgio Maggiore★ : ✻★★★ dal campanile FV – San Zanipolo★★ LX – Santa Maria Gloriosa dei Frari★★★ BTU – San Zaccaria★★ LZ – Decorazione interna★★ del Veronese nella chiesa di San Sebastiano ABV – Soffitto★ della chiesa di San Pantaleone BU – Santa Maria dei Miracoli★ KLX – San Francesco della Vigna★ FT Redentore★ (isola della Giudecca) BV – Ghetto★★ BT – Scuola Grande di San Rocco★★★ BU Scuola di San Giorgio degli Schiavoni★★★ FU – Scuola Grande dei Carmini★ BV – Scuola Grande di San Marco★ LX – Palazzo Labia★★ BT

Lido★★ – Murano★★ : museo Vetrario★, chiesa dei Santi Maria e Donato★★ – Burano★★ – Torcello★★ : mosaici★★ nella cattedrale di Santa Maria Assunta.

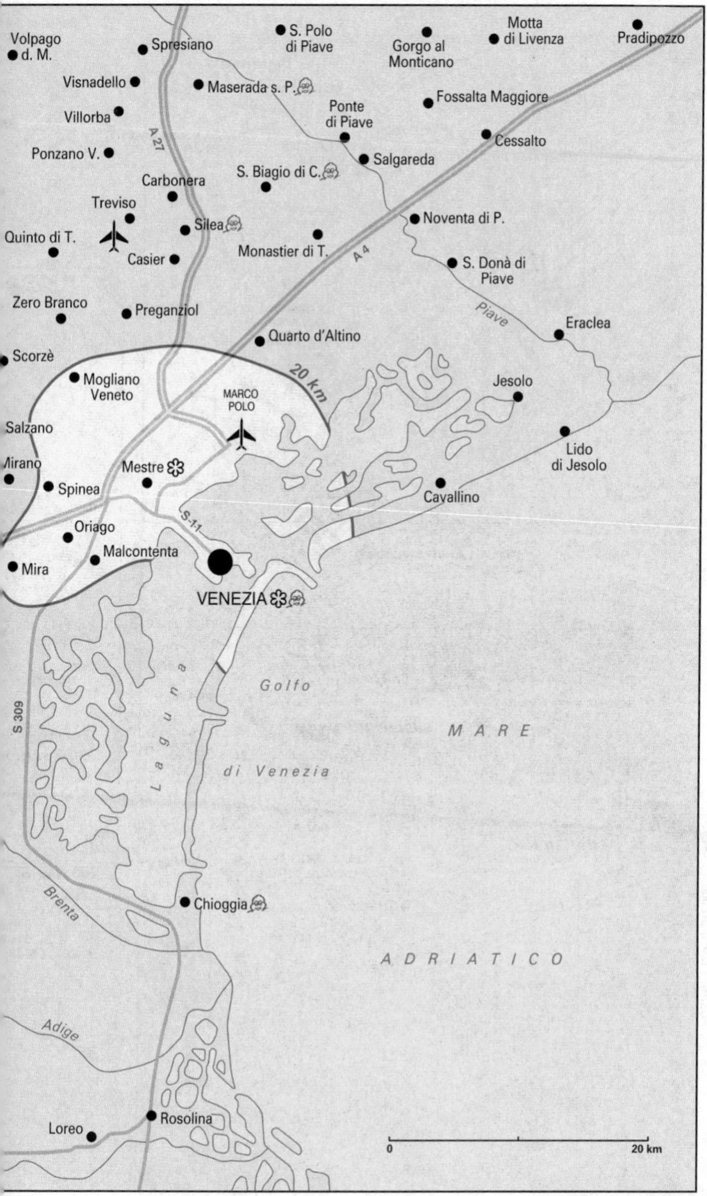

Volpago d. M.
Spresiano
S. Polo di Piave
Gorgo al Monticano
Motta di Livenza
Pradipozzo
Visnadello
Maserada s. P.
Fossalta Maggiore
Villorba
Ponte di Piave
A 27
Cessalto
Ponzano V.
Salgareda
Carbonera
S. Biagio di C.
Treviso
Noventa di P.
Silea
Quinto di T.
Monastier di T.
Casier
A 4
S. Donà di Piave
Zero Branco
Preganziol
Piave
Eraclea
Quarto d'Altino
Scorzè
20 km
Mogliano Veneto
Jesolo
MARCO POLO
Salzano
Lido di Jesolo
Mirano
Mestre ✿
Spinea
Cavallino
S 11
Oriago
Malcontenta
Mira
VENEZIA ✿
Laguna
Golfo
S 309
MARE
di Venezia
Brenta
Chioggia
ADRIATICO
Adige
Rosolina
Loreo
0 — 20 km

Non confondete :

Confort degli alberghi	:	🏨🏨🏨 ... 🏠, ⛱
Confort dei ristoranti	:	✕✕✕✕✕ ... ✕
Qualità della tavola	:	✿✿✿, ✿✿, ✿

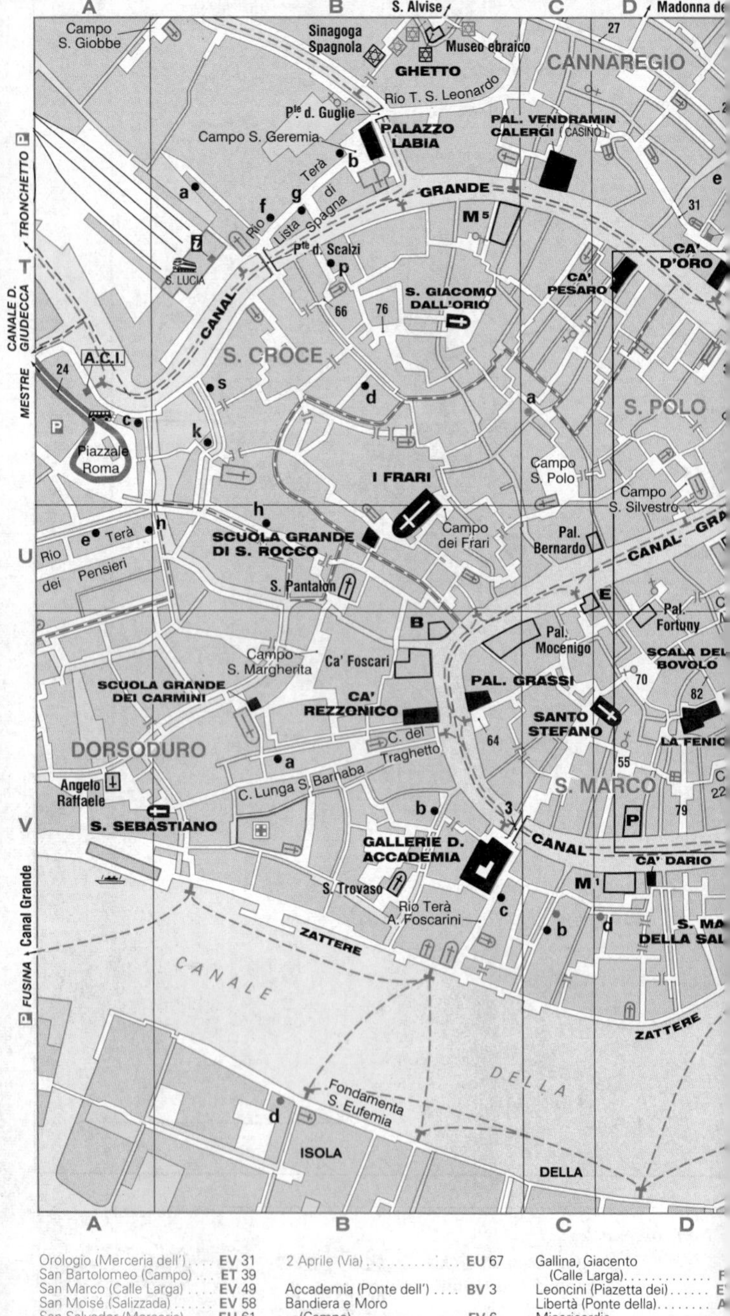

A
B
C
D
S. Alvise
Madonna de
Campo S. Giobbe
Sinagoga Spagnola
Museo ebraico
GHETTO
CANNAREGIO
Rio T. S. Leonardo
Pte d. Guglie
PALAZZO LABIA
PAL. VENDRAMIN CALERGI (CASINO)
Campo S. Geremia
Terà
Lista
di
Spagna
Rio
GRANDE
M 5
CANALE D. GIUDECCA
TRONCHETTO
T
S. LUCIA
Pte d. Scalzi
CA' D'ORO
CA' PESARO
S. GIACOMO DALL'ORIO
CANAL
66
76
A.C.I.
S. CROCE
MESTRE
24
S. POLO
Piazzale Roma
Campo S. Polo
I FRARI
Campo S. Silvestro
SCUOLA GRANDE DI S. ROCCO
Campo dei Frari
Pal. Bernardo
U
Rio
Terà
dei
Pensieri
CANAL
S. Pantalon
Pal. Fortuny
Pal. Mocenigo
Campo S. Margherita
Ca' Foscari
SCALA DEL BOVOLO
SCUOLA GRANDE DEI CARMINI
CA' REZZONICO
PAL. GRASSI
70
82
SANTO STEFANO
LA FENIC
DORSODURO
C. del Traghetto
64
55
Angelo Raffaele
C. Lunga S. Barnaba
S. MARCO
S. SEBASTIANO
V
GALLERIE D. ACCADEMIA
CANAL
CA' DARIO
79
M 1
S. Trovaso
Rio Terà A. Foscarini
S. MA DELLA SAL
ZATTERE
Canal Grande
FUSINA
CANALE
DELLA
ZATTERE
Fondamenta S. Eufemia
ISOLA
DELLA

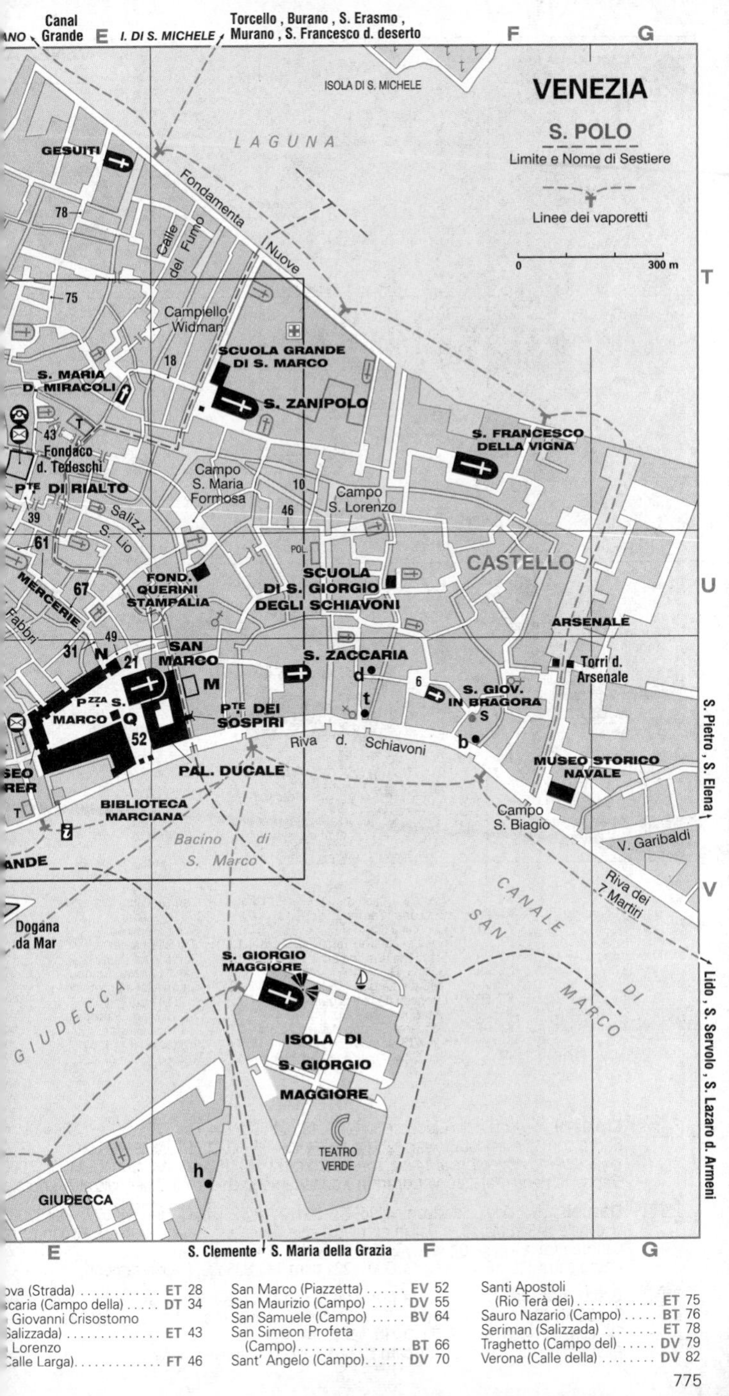

ova (Strada) . . . . ET 28
scaria (Campo della) . . . . . DT 34
Giovanni Crisostomo
Salizzada) . . . . ET 43
Lorenzo
Calle Larga). . . . . FT 46

San Marco (Piazzetta) . . . . . . EV 52
San Maurizio (Campo) . . . . . DV 55
San Samuele (Campo) . . . . . BV 64
San Simeon Profeta
(Campo). . . . . BT 66
Sant' Angelo (Campo). . . . . . DV 70

Santi Apostoli
(Rio Terà dei). . . . . ET 75
Sauro Nazario (Campo) . . . . . BT 76
Seriman (Salizzada) . . . . ET 78
Traghetto (Campo del) . . . . . DV 79
Verona (Calle della) . . . . DV 82

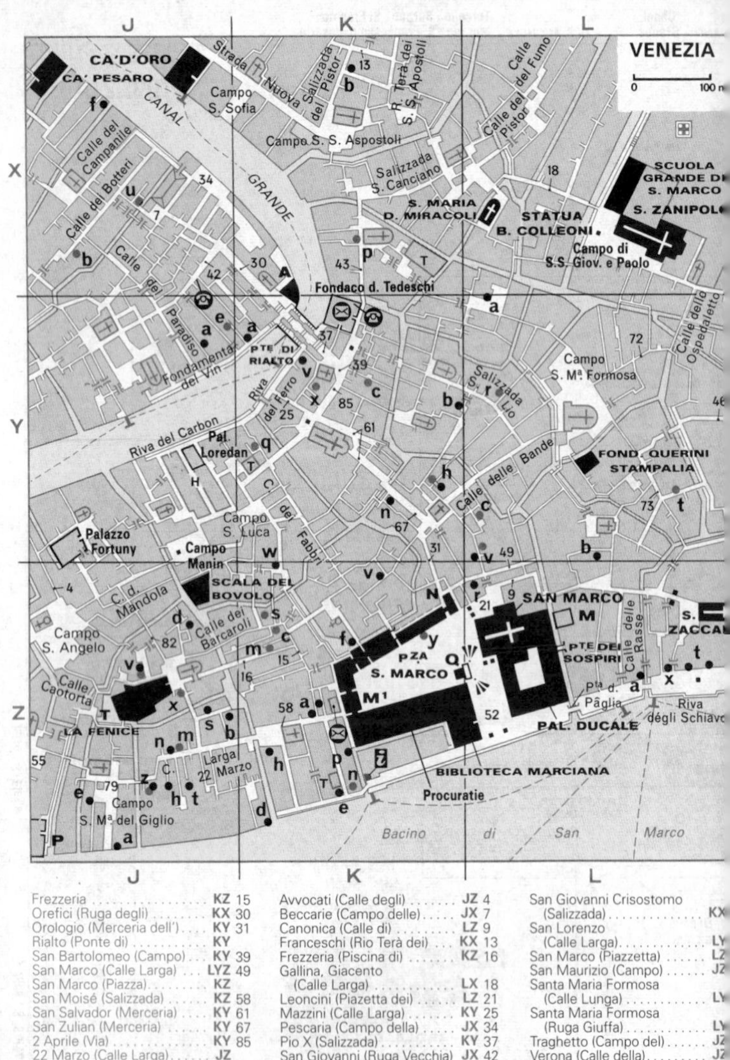

Frezzeria	KZ	15
Orefici (Ruga degli)	KX	30
Orologio (Merceria dell')	KY	31
Rialto (Ponte di)	KY	
San Bartolomeo (Campo)	KY	39
San Marco (Calle Larga)	LYZ	49
San Marco (Piazza)	KZ	
San Moisè (Salizzada)	KZ	58
San Salvador (Merceria)	KY	61
San Zulian (Merceria)	KY	67
2 Aprile (Via)	KY	85
22 Marzo (Calle Larga)	JZ	
Avvocati (Calle degli)	JZ	4
Beccarie (Campo delle)	JX	7
Canonica (Calle di)	LZ	9
Franceschi (Rio Terà dei)	KX	13
Frezzeria (Piscina di)	KZ	16
Gallina, Giacento (Calle Larga)	LX	18
Leoncini (Piazetta dei)	LZ	21
Mazzini (Calle Larga)	KY	25
Pescaria (Campo della)	JX	34
Pio X (Salizzada)	KY	37
San Giovanni (Ruga Vecchia)	JX	42
San Giovanni Crisostomo (Salizzada)	KX	
San Lorenzo (Calle Larga)	LY	
San Marco (Piazzetta)	LZ	
San Maurizio (Campo)	JZ	
Santa Maria Formosa (Calle Lunga)	LY	
Santa Maria Formosa (Ruga Giuffa)	LY	
Traghetto (Campo del)	JZ	
Verona (Calle della)	JZ	

Cipriani, isola della Giudecca 10 ✉ 30133 ✆ 5207744, Fax 5203930, ≤, « Giarc fiorito con riscaldata », – 80. VISA. FV
chiuso dal 10 novembre al 14 marzo – **Pasto** carta 130/180000 – **92 cam** 1100/13000 5 appartamenti (**Palazzo Vendramin** 7 appartamenti chiuso dal 7 gennaio al 7 febbraio

Danieli, riva degli Schiavoni 4196 ✉ 30122 ✆ 5226480, Telex 410077, Fax 52002 ≤ canale di San Marco, « Hall in cortiletto stile veneziano e servizio rist. estivo in terra panoramica » – 150. VISA. JCB. LZ
Pasto carta 110/160000 – 36500 – **221 cam** 485/825000, 9 appartamenti.

Gritti Palace, campo Santa Maria del Giglio 2467 ✉ 30124 ✆ 794611, Telex 410 Fax 5200942, ≤ Canal Grande, « Servizio rist. estivo all'aperto sul Canal Grande » – cam – 50. VISA. JCB. JZ
Pasto carta 120/200000 – **93 cam** 565/840000, 2 appartamenti.

DINTORNI DI VENEZIA CON RISORSE ALBERGHIERE

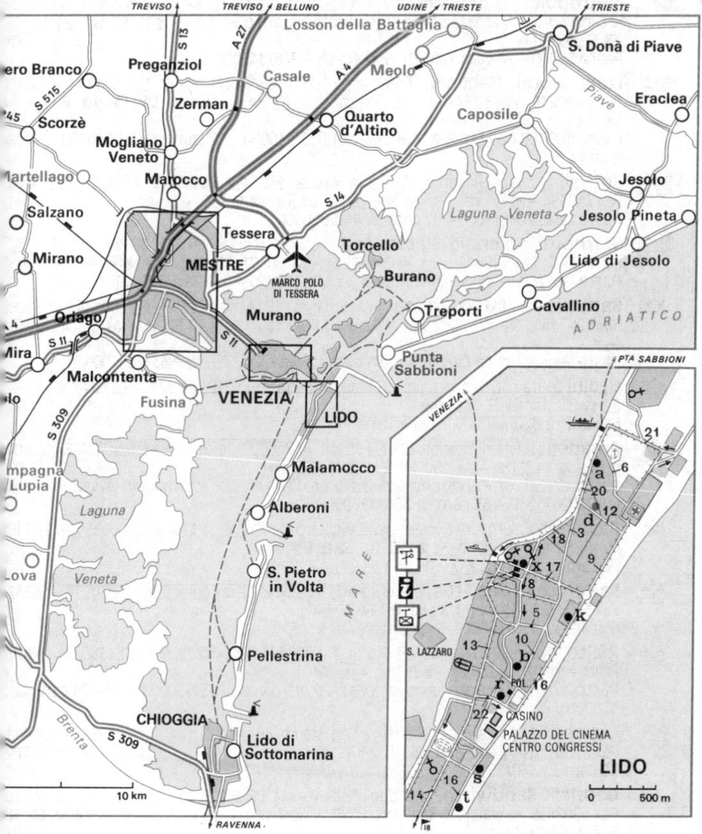

...eia (Via)	3	Dardanelli (Via)	10	S. M. Elisabetta (Gr. Viale)	17
...adin (Via M.A.)	5	Duodo (Via F.)	12	S. M. Elisabetta (Riviera)	18
...o (Via)	6	Gallo (Via S.)	13	S. Nicolò (Riviera)	20
...dolo (Viale E.)	8	Malamocco (Via)	14	Selva (Via G.)	21
...nunzio (Lungomare)	9	Marconi (Lungomare)	16	4 Fontane (Via)	22

Bauer Grünwald, campo San Moisè 1459 ✉ 30124 ☎ 5207022, Telex 410075, Fax 5207557, ≤ Canal Grande, – |‡| ▤ TV ☎ – 🏛 150. AE. Ⓢ. ⓞ E VISA. ✂ rist
Pasto carta 100/150000 – **214 cam** ☐ 390/750000, 3 appartamenti. KZ h

Londra Palace, riva degli Schiavoni 4171 ✉ 30122 ☎ 5200533, Telex 420681, Fax 5225032, ≤ canale di San Marco – |‡| ▤ TV ☎. AE. Ⓢ. ⓞ E VISA. JCB. ✂ rist LZ t
Pasto al Rist. ***Do Leoni*** (Rist. elegante coperti limitati prenotare) carta 100/155000 – **53 cam** ☐ 480/580000.

Europa e Regina Cigahotel, calle larga 22 Marzo 2159 ✉ 30124 ☎ 5200477, Telex 410123, Fax 5231533, ≤ Canal Grande, « Servizio rist. estivo all'aperto sul Canal Grande » – |‡| ▤ TV ☎ ♿ – 🏛 140. AE. Ⓢ. ⓞ E VISA. JCB. ✂ rist KZ d
Pasto 85/90000 – ☐ 46000 – **192 cam** 360/540000, 13 appartamenti.

Monaco e Grand Canal, calle Vallaresso 1325 ✉ 30124 ☎ 5200211, Telex 410450, Fax 5200501, ≤ Canal Grande e Chiesa di Santa Maria della Salute, « Servizio rist. estivo all'aperto sul Canal Grande » – |‡| ▤ TV ☎ ♿ – 🏛 40. AE. Ⓢ. ⓞ E VISA. JCB. ✂ KZ e
Pasto al Rist. ***Grand Canal*** carta 105/155000 – **70 cam** ☐ 420/590000, 2 appartamenti.

Metropole, riva degli Schiavoni 4149 ✉ 30122 ☎ 5205044, Telex 410340, Fax 5223
≤ canale di San Marco, « Collezioni di piccoli oggetti d'epoca » – |♦| ▤ TV ☎ – 🏛 40. AE
① E VISA. JCB FV
Pasto 55000 – **74 cam** ☕ 400/595000 – ½ P 245/345000.

Luna Hotel Baglioni, calle larga dell'Ascensione 1243 ✉ 30124 ☎ 5289
Telex 410236, Fax 5287160 – |♦| ⇆ cam ▤ TV ☎ – 🏛 150. AE. Ⓢ. ① E VISA. J
✻ rist KZ
Pasto 100/120000 e al Rist. ***Canova*** carta 85/130000 – **87 cam** ☕ 370/640000, 6 appa menti.

Sofitel, giardini Papadopoli, Santa Croce 245 ✉ 30135 ☎ 710400, Telex 410
Fax 710394 – |♦| ⇆ cam ▤ TV ☎ – 🏛 60. AE. Ⓢ. ① E VISA. ✻ rist BT
Pasto carta 70/115000 – **92 cam** ☕ 460/560000.

Starhotel Splendid-Suisse, San Marco-Mercerie 760 ✉ 30124 ☎ 5200755,
lex 410590, Fax 5286498 – |♦| ⇆ ▤ TV ☎ – 🏛 80. AE. Ⓢ. ① E VISA. JCB. ✻ rist KY
Pasto (solo per alloggiati) – **157 cam** ☕ 440/660000 – ½ P 390/500000.

Saturnia e International, calle larga 22 Marzo 2398 ✉ 30124 ☎ 5208
Fax 5207131, ☂, « Palazzo patrizio del 14° secolo » – |♦| ▤ TV ☎ – 🏛 60. AE. Ⓢ E
JCB JZ
Pasto vedere rist ***La Caravella*** – **95 cam** ☕ 380/520000 – ½ P 335/455000.

Bellini senza rist, Cannaregio 116-Lista di Spagna ✉ 30121 ☎ 5242488, Fax 715193 – |
TV ☎. AE. Ⓢ. ① E VISA. JCB BT
64 cam ☕ 320/440000, 3 appartamenti.

Amadeus, Lista di Spagna 227 ✉ 30121 ☎ 715300, Telex 420811, Fax 5240841, « Gi
no » – |♦| ▤ TV ☎ – 🏛 150. AE. Ⓢ. ① E VISA. JCB BT
Pasto al Rist. ***Il Papageno*** *(chiuso mercoledì escluso da maggio a settembre)* c
60/80000 (12 %) – **63 cam** ☕ 380/420000.

Cavalletto senza rist, calle del Cavalletto 1107 ✉ 30124 ☎ 5200955, Telex 410
Fax 5238184, ≤ – |♦| ▤ TV ☎. AE. Ⓢ. ① E VISA. JCB KZ
96 cam ☕ 360/480000.

La Fenice et des Artistes senza rist, campiello de la Fenice 1936 ✉ 30124 ☎ 5232
Fax 5203721 – |♦| ▤ TV ☎. AE. Ⓢ. ① E VISA JZ
65 cam ☕ 190/300000, 3 appartamenti.

Rialto, riva del Ferro 5149 ✉ 30124 ☎ 5209166, Telex 420809, Fax 5238958, ≤ Pon
Rialto – ▤ TV ☎. AE. Ⓢ. ① E VISA. JCB. ✻ JY
Pasto *(chiuso giovedì e da novembre al 20 marzo)* carta 55/85000 (12 %) – **71 cam** ☕
330000.

Concordia senza rist, calle larga San Marco 367 ✉ 30124 ☎ 5206866, Telex 41
Fax 5206775 – |♦| ▤ TV ☎. AE. Ⓢ. ① E VISA. JCB LZ
55 cam ☕ 360/530000.

Gabrielli Sandwirth, riva degli Schiavoni 4109 ✉ 30122 ☎ 5231580, Telex 410
Fax 5209455, ≤ canale di San Marco, ☂, « Cortiletto e giardino » – |♦| ▤ TV ☎. AE. Ⓢ
E VISA JCB. ✻ rist FV
chiuso dal 30 novembre al 12 febbraio – **Pasto** 50/75000 – **95 cam** ☕ 350/5700
½ P 145/400000.

Giorgione senza rist, SS. Apostoli 4587 ✉ 30131 ☎ 5225810, Fax 5239092 – |♦| ▤ T
AE. Ⓢ. ① E VISA. ✻ KX
57 cam ☕ 220/330000, 6 appartamenti.

Flora 🐦 senza rist, calle larga 22 Marzo 2283/a ✉ 30124 ☎ 5205844, Fax 5228
« Piccolo giardino fiorito » – |♦| ▤ TV ☎. AE. Ⓢ. ① E VISA. JCB J
44 cam ☕ 235/320000.

Marconi senza rist, San Polo 729 ✉ 30125 ☎ 5222068, Telex 410073, Fax 5229700
TV ☎. AE. Ⓢ. ① E VISA. JCB. ✻ K
26 cam ☕ 230/330000.

Ai Due Fanali 🐦 senza rist, Santa Croce 946 ✉ 30135 ☎ 718490, Fax 718344 – |♦| ▤
☎. AE. Ⓢ. ① E VISA. ✻ B
16 cam ☕ 220/280000.

Santa Chiara senza rist, Santa Croce 548 ✉ 30125 ☎ 5206955, Telex 42
Fax 5228799 – |♦| ▤ TV ☎ Ⓟ. AE. Ⓢ. ① E VISA. ✻ A
28 cam ☕ 215/360000.

San Cassiano-Cà Favretto senza rist, Santa Croce 2232 ✉ 30135 ☎ 524
Telex 420810, Fax 721033, ≤ – ▤ TV ☎. AE. Ⓢ. ① E VISA. JCB J
35 cam ☕ 230/330000.

Spagna senza rist, lista di Spagna 184 ✉ 30121 ☎ 715011, Telex 420360, Fax 71531
▤ TV ☎. AE. Ⓢ. ① E VISA. JCB B
19 cam ☕ 200/290000.

Firenze senza rist, San Marco 1490 ✉ 30124 ☎ 5222858, Fax 5202668 – AE. E VISA. JCB. KZ a
25 cam 300/340000.

Ala senza rist, campo Santa Maria del Giglio 2494 ✉ 30124 ☎ 5208333, Telex 410275, Fax 5206390 – AE. E VISA. JCB. JZ e
85 cam 190/280000.

Panada senza rist, San Marco-calle dei Specchieri 646 ✉ 30124 ☎ 5209088, Telex 410153, Fax 5209619 – AE. E VISA. JCB. LY v
48 cam 250/350000.

Pausania senza rist, Dorsoduro 2824-fondamenta Gherardini ✉ 30123 ☎ 5222083, Telex 420178, Fax 5222989 – AE. E VISA. JCB BV a
23 cam 210/310000.

Savoia e Jolanda, riva degli Schiavoni 4187 ✉ 30122 ☎ 5206644, Telex 410620, Fax 5207494, ≤ canale di San Marco, – AE. E VISA. rist LZ x
Pasto *(chiuso martedì)* 50000 (12 %) – **79 cam** 240/340000.

Bisanzio senza rist, calle della Pietà 3651 ✉ 30122 ☎ 5203100, Telex 420099, Fax 5204114 – AE. E VISA. JCB FV d
39 cam 220/300000.

Santa Marina senza rist, campo Santa Marina 6068 ✉ 30122 ☎ 5239202, Fax 5200907 – AE. E VISA. JCB LXY a
16 cam 240/350000.

Castello senza rist, Castello-calle Figher 4365 ✉ 30122 ☎ 5230217, Fax 5211023 – AE. E VISA LY b
26 cam 280/320000.

Torino senza rist, calle delle Ostreghe 2356 ✉ 30124 ☎ 5205222, Fax 5228227 – AE. E VISA JZ z
19 cam 210/300000.

Gardena senza rist, fondamenta dei Tolentini 239 ✉ 30135 ☎ 5235549, Fax 5220782 – AE. E VISA. JCB BT s
22 cam 200/320000.

Do Pozzi, calle larga 22 Marzo 2373 ✉ 30124 ☎ 5207855, Fax 5229413 – AE. E VISA. JCB JZ h
chiuso dal 7 al 31 gennaio – **Pasto** vedere rist **Da Raffaele** – **29 cam** 170/250000 – ½ P 160/205000.

American senza rist, San Vio 628 ✉ 30123 ☎ 5204733, Fax 5204048 – AE. E VISA. CV b
29 cam 210/320000.

Kette senza rist, San Marco-piscina San Moisè 2053 ✉ 30124 ☎ 5207766, Telex 420653, Fax 5228964 – AE. E VISA. JCB. JZ s
44 cam 220/320000.

Olimpia senza rist, Santa Croce 395-fondamenta delle Burchielle ✉ 30135 ☎ 711041, Fax 5246777, – AE. E VISA. JCB. AU e
31 cam 200/300000.

Abbazia senza rist, calle Priuli 68 ✉ 30121 ☎ 717333, Telex 420680, Fax 717949, – AE. E VISA. BT a
39 cam 210/265000.

Arlecchino senza rist, Santa Croce 390 ✉ 30135 ☎ 710723, Fax 710965 – AE. E VISA. JCB ABU n
21 cam 200/300000.

Casanova senza rist, San Marco-Frezzeria 1284 ✉ 30124 ☎ 5206855, Fax 5206413 – AE. E VISA. JCB KZ a
45 cam 320/340000.

San Moisè senza rist, San Marco 2058 ✉ 30124 ☎ 5203755, Fax 5210670 – AE. E VISA. JCB JZ b
16 cam 225/320000.

Locanda Sturion senza rist, San Polo-calle Sturion 679 ✉ 30125 ☎ 5236243, Fax 5228378 – AE. E VISA. JY a
11 cam 230/290000.

Falier senza rist, salizzada San Pantalon 130 ✉ 30135 ☎ 710882, Fax 5206554 – AE. E VISA. BU h
19 cam 170/200000.

Ateneo senza rist, San Marco 1876-calle Minelli ✉ 30124 ✆ 5200777, Fax 5228550 – TV ☎. AE. 🅂. ① E VISA. JCB JZ
20 cam ☕ 230/330000.

Canaletto senza rist, Castello San Lio 5487 ✉ 30122 ✆ 5220518, Fax 5229023 – ▤ TV AE. 🅂. E VISA KY
20 cam ☕ 160/220000.

Agli Alboretti senza rist, Accademia 884 ✉ 30123 ✆ 5230058, Fax 5210158, 🏠 – AE. 🅂. ① E VISA BV
20 cam ☕ 135/210000.

San Zulian senza rist, San Marco 535 ✉ 30124 ✆ 5225872, Fax 5232265 – ▤ TV ☎. 🅂. ① E VISA. JCB KY
18 cam ☕ 180/210000.

Paganelli senza rist, riva degli Schiavoni 4687 ✉ 30122 ✆ 5224324, Fax 5239267 – ▤ AE. 🅂. E VISA. ✂ LZ
22 cam ☕ 140/230000.

Accademia senza rist, Dorsoduro-fondamenta Bollani 1058 ✉ 30123 ✆ 5237[8] Fax 5239152, « Giardino » – ▤ ☎. AE. 🅂. ① E VISA. ✂ BV
27 cam ☕ 160/260000.

Basilea senza rist, rio Marin 817 ✉ 30135 ✆ 718477, Telex 420320, Fax 720851 – ▤ ☎. 🅂. VISA. ✂ BT
30 cam ☕ 200/270000.

Serenissima senza rist, calle Goldoni 4486 ✉ 30124 ✆ 5200011, Fax 5223292 – ▤ AE. 🅂. E VISA KYZ
chiuso dal 15 novembre al 1º febbraio – **34 cam** ☕ 150/210000.

Astoria senza rist, calle Fiubera 951 ✉ 30124 ✆ 5225381, Fax 5200771 – TV ☎. AE. 🅂. E VISA. JCB. ✂ KZ
15 marzo-15 novembre – **28 cam** ☕ 140/190000.

XXXX **Caffè Quadri,** piazza San Marco 120 ✉ 30124 ✆ 5289299, Fax 5208041 – AE. 🅂. ① VISA. JCB. ✂ KZ
chiuso lunedì – **Pasto** carta 100/150000.

XXXX **Antico Martini,** campo San Fantin 1983 ✉ 30124 ✆ 5224121, Fax 5289857, 🏠 – ▤. 🅂. ① E VISA. JCB. ✂ JZ
chiuso a mezzogiorno dal 24 novembre a marzo – **Pasto** carta 85/130000 (15 %).

XXX **Harry's Bar,** calle Vallaresso 1323 ✉ 30124 ✆ 5285777, Fax 5208822, Rist.-american – ▤. AE. 🅂. ① E VISA KZ
✿ **Pasto** carta 140/205000 (10 %)
Spec. Risotto alle seppie. Scampi alla Thermidor. Pasticceria della casa.

XXX **La Caravella** - Hotel Saturnia e International, calle larga 22 Marzo 2397 ✉ 30[124] ✆ 5208901, 🏠, Rist. caratteristico, Coperti limitati; prenotare – ▤. AE. 🅂 E VISA. ✂ JZ
chiuso mercoledì escluso da giugno a settembre – **Pasto** carta 85/140000.

XXX **La Colomba,** piscina di Frezzeria 1665 ✉ 30124 ✆ 5221175, Fax 5221468, 🏠, « Rac[col]ta di quadri d'arte contemporanea » – ▤ – 🏛 60. AE. 🅂. ① E VISA. JCB. ✂ KZ
chiuso mercoledì escluso maggio-giugno e settembre-ottobre – **Pasto** carta 85/150[000] (15 %).

XXX **Taverna la Fenice,** campiello de la Fenice ✉ 30124 ✆ 5223856, Fax 5236866, « Se[r]zio estivo all'aperto » – AE. 🅂. ① E VISA. JCB. ✂ JZ
chiuso domenica, lunedì a mezzogiorno e dal 10 al 31 gennaio – **Pasto** 40/60000 (15 [%]) mezzogiorno 60/80000 (15 %) alla sera e carta 65/85000 (15 %).

XX **Do Forni,** calle dei Specchieri 457/468 ✉ 30124 ✆ 5237729, Fax 5288132 – ▤. AE. 🅂 E VISA. JCB LY
Pasto carta 65/95000 (12 %).

XX **Harry's Dolci,** Giudecca 773 ✉ 30133 ✆ 5224844, Fax 5222322, « Servizio estivo a[l]perto sul Canale della Giudecca » – ▤. AE. 🅂. ① E VISA BV
aprile-10 novembre; chiuso martedì – **Pasto** 75/80000 (12 %) e carta 85/105000 (12 %).

XX **Osteria da Fiore,** San Polo-calle del Scaleter 2202/A ✉ 30125 ✆ 721308, Fax 721[3…] Coperti limitati, prenotare – ▤. AE. 🅂. ① E VISA CT
✿ *chiuso domenica, lunedì, dal 23 dicembre all'11 gennaio ed agosto* – **Pasto** specialit[à di] mare carta 80/130000.
Spec. Risotto agli scampi e porcini (estate-autunno). Filetto di branzino all'aceto balsam[ico]. Rombo al forno in crosta di patate.

XX **Al Covo,** campiello della Pescaria 3968 ✉ 30122 ✆ 5223812 – ✂. AE. 🅂. VISA FV
chiuso mercoledì, giovedì, gennaio e dal 10 al 20 agosto – **Pasto** 40000 e carta 70/900[00]

XX **Ai Gondolieri,** Dorsoduro-San Vio 366 ✉ 30123 ✆ 5286396 – AE. 🅂. ① E VISA. ✂ DV
chiuso martedì – **Pasto** carta 65/100000 (10 %).

XX **Ai Mercanti,** San Polo 1588 ✉ 30125 ☎ 5240282, Fax 5240282 – ▤. AE. Ⓢ. ◑ E VISA. ⛔ JX u
chiuso domenica e lunedì a mezzogiorno – **Pasto** carta 70/105000 (12 %).

XX **Antico Pignolo,** calle dei Specchieri 451 ✉ 30124 ☎ 5228123, Fax 5209007 – ▤. AE. Ⓢ. ◑ E VISA LY v
chiuso martedì escluso maggio-giugno e settembre-ottobre – **Pasto** carta 60/105000 (12 %).

XX Cantinone Storico, Dorsoduro-San Vio 660/661 ✉ 30123 ☎ 5239577, Fax 5239577 CV b

XX **Al Graspo de Ua,** calle dei Bombaseri 5094 ✉ 30124 ☎ 5200150, Fax 5233917, Taverna caratteristica – ▤. AE. Ⓢ. ◑ E VISA KY x
chiuso dal 2 al 14 gennaio, dal 1° al 14 agosto e lunedì da aprile-maggio e da ottobre-novembre – **Pasto** carta 60/95000 (16 %).

XX **Fiaschetteria Toscana,** San Giovanni Crisostomo 5719 ✉ 30121 ☎ 5285281, Fax 5285521, 🏠 – ▤. AE. Ⓢ. ◑ E VISA KX p
chiuso martedì e dal 6 luglio al 2 agosto – **Pasto** carta 50/85000 (12 %).

XX **Vini da Gigio,** Cannaregio 3628/a - Fondamenta San Felice ✉ 30131 ☎ 5285140, Coperti limitati; prenotare – AE. Ⓢ. ◑ E VISA DT e
chiuso lunedì, dal 7 al 21 gennaio e dal 7 al 21 agosto – **Pasto** carta 45/70000.

XX **Da Mario alla Fava,** San Bartolomeo-calle Stagneri 5242 e Galiazzo 5265 ✉ 30124 ☎ 5285147 – AE. Ⓢ. ◑ E VISA KY c
chiuso mercoledì e dal 7 al 20 gennaio – **Pasto** 30/60000 e carta 40/75000 (12 %).

XX **Da Ivo,** San Marco-calle dei Fuseri 1809 ✉ 30124 ☎ 5285004, Fax 5205889, Coperti limitati; prenotare – ▤. AE. Ⓢ. ◑ E VISA. ⛔ KZ s
chiuso domenica e gennaio – **Pasto** carta 70/120000 (14 %).

XX **Da Raffaele,** calle larga 22 Marzo 2347 ✉ 30124 ☎ 5232317, 🏠, « Collezione di armi antiche, ceramiche ed oggetti in rame » – ▤. AE. Ⓢ. ◑ E VISA. JCB JZ z
chiuso giovedì e dal 10 dicembre al 25 gennaio – **Pasto** carta 60/100000 (12 %).

X **Agli Amici,** San Polo-calle Botteri 1544 ✉ 30125 ☎ 5241309, Coperti limitati; prenotare – VISA JX b
chiuso mercoledì – **Pasto** carta 45/75000 (10 %).

X **Trattoria alla Madonna,** calle della Madonna 594 ✉ 30125 ☎ 5223824, Fax 5210167, Trattoria veneziana – AE. Ⓢ. E VISA. JCB. ⛔ JY e
chiuso mercoledì, dal 24 dicembre a gennaio e dal 4 al 17 agosto – **Pasto** carta 45/70000 (12 %).

X **Al Conte Pescaor,** piscina San Zulian 544 ✉ 30124 ☎ 5221483, Rist. rustico – ▤. AE. Ⓢ. ◑ E VISA. ⛔ KY h
chiuso domenica e dal 7 gennaio al 7 febbraio – **Pasto** carta 45/75000.

X **Antica Carbonera,** calle Bembo 4648 ✉ 30124 ☎ 5225479, Trattoria veneziana – ▤. Ⓢ. ◑ E VISA. JCB KY q
chiuso dall'8 gennaio al 2 febbraio, dal 20 luglio al 10 agosto, domenica in luglio-agosto e giovedì negli altri mesi – **Pasto** carta 45/75000 (12 %).

X **Da Bruno,** Castello-calle del Paradiso 5731 ✉ 30122 ☎ 5221480 – ▤. AE. Ⓢ. VISA. JCB LY r
chiuso martedì, dal 15 al 31 gennaio e dal 15 al 30 luglio – **Pasto** carta 35/50000 (10 %).

X **Al Giardinetto-da Severino,** ruga Giuffa 4928 ✉ 30122 ☎ 5285332, Fax 5238778, « Servizio estivo all'aperto sotto un pergolato » – AE. Ⓢ. ◑ E VISA. JCB LY t
chiuso giovedì e dal 7 gennaio al 7 febbraio – **Pasto** carta 45/65000 (12 %).

X **Da Nico,** piscina di Frezzeria 1702 ✉ 30124 ☎ 5221543, Fax 5221543 – ▤. AE. Ⓢ. ◑ E VISA KZ c
chiuso domenica, dal 10 gennaio al 10 febbraio e dal 30 luglio al 14 agosto – **Pasto** carta 55/85000 (12 %).

al Lido *15 mn di vaporetto da San Marco* KZ – ✉ *30126 Venezia Lido.*
Accesso consentito agli autoveicoli durante tutto l'anno da Piazzale Roma.
ℹ *Gran Viale S. M. Elisabetta 6 ☎ 5265721 :*

Excelsior, lungomare Marconi 41 ☎ 5260201, Telex 410023, Fax 5267276, <, 🏠, 🏊, 🎾, 🏌 9 18 – 🛗 ▤ 📺 ☎ ♿ 🚗 🅟 – 🏛 600. AE. Ⓢ. ◑ E VISA. ⛔ rist s
15 marzo-15 novembre – **Pasto** 125000 – ☕ 54000 – **191 cam** 540/685000 – 1/2 P 430/485000.

Des Bains, lungomare Marconi 17 ☎ 5265921, Telex 410142, Fax 5260113, <, 🏠, « Parco fiorito con 🏊 riscaldata e 🎾 », 🛁, 🎾 – 🛗 ▤ 📺 ☎ 🅟 – 🏛 380. AE. Ⓢ. ◑ E VISA. ⛔ rist k
aprile-ottobre – **Pasto** 100/120000 – ☕ 32000 – **191 cam** 460/550000, appartamento – 1/2 P 375/470000.

Villa Mabapa, riviera San Nicolò 16 ✆ 5260590, Telex 410357, Fax 5269441, « Servizio rist. estivo in giardino » – ⬚ ⬚ ⬚ ☎ ♿ – 🏛 85. AE. ⬚. ⬚ E VISA. JCB. ✗ rist
chiuso dal 7 al 30 gennaio – **Pasto** carta 55/80000 – **61 cam** ⬚ 270/400000 – ½ P 230000.

Quattro Fontane ⬚, via 4 Fontane 16 ✆ 5260227, Telex 411006, Fax 5260726, « Servizio rist. estivo in giardino », ✗ – ⬚ ⬚ ☎ Ⓟ – 🏛 40. AE. ⬚. ⬚ E VISA. ✗ rist
28 marzo-3 novembre – **Pasto** carta 105/155000 – **62 cam** ⬚ 390/430000 – ½ P 295000.

Le Boulevard senza rist, Gran Viale S. M. Elisabetta 41 ✆ 5261990, Telex 410... Fax 5261917 – ⬚ ⬚ ⬚ ☎ Ⓟ – 🏛 60. AE. ⬚. ⬚ E VISA. JCB. ✗
45 cam ⬚ 320/430000.

La Meridiana senza rist, via Lepanto 45 ✆ 5260343, Fax 5269240, ⬚ – ⬚ ⬚ ⬚ ☎. ⬚. ⬚ E VISA
marzo-14 novembre – **33 cam** ⬚ 220/280000.

Petit Palais senza rist, lungomare Marconi 54 ✆ 5265993, Fax 5260781, ⬚ – ⬚ ⬚ ⬚ AE. ⬚. ⬚ E VISA
chiuso dal 7 al 30 gennaio – **26 cam** ⬚ 210/280000.

Trattoria Favorita, via Francesco Duodo 33 ✆ 5261626, Fax 5267296, « Servizio estivo all'aperto » – AE. ⬚. ⬚ E VISA. JCB
chiuso lunedì e dal 15 gennaio al 15 febbraio – **Pasto** carta 55/85000.

Al Vecio Cantier, via della Droma 76 località Alberoni S : 10 km ⬚ 30011 Alberoni ✆ 5268130, ⬚, prenotare – AE. ⬚. E VISA
febbraio-ottobre; chiuso lunedì e martedì, da luglio a settembre aperto martedì sera – **Pasto** specialità di mare carta 50/95000.

a Murano *10 mn di vaporetto da Fondamenta Nuove* EFT *e 1 h 10 mn di vaporetto da Punta Sabbioni* – ⬚ *30121* :

Ai Frati, ✆ 736694, ⬚, Trattoria marinara. ⬚. E VISA
chiuso giovedì e febbraio – **Pasto** carta 45/70000 (12 %).

a Burano *50 mn di vaporetto da Fondamenta Nuove* EFT *e 32 mn di vaporetto da Punta Sabbioni* – ⬚ *30012* :

Da Romano, via Galuppi 221 ✆ 730030, Fax 735217, ⬚ – ⬚. AE ⬚ ⬚ E VISA
chiuso domenica sera, martedì e dal 15 dicembre al 15 febbraio – **Pasto** carta 45/800... (12 %).

Al Gatto Nero-da Ruggero, ✆ 730120, Fax 735570, ⬚, Trattoria tipica – AE. ⬚. ⬚ VISA
chiuso lunedì, dal 30 gennaio al 10 febbraio e dal 30 ottobre al 15 novembre – **Pasto** carta 40/75000.

Galuppi, Via Galuppi 468 ✆ 730081, Fax 730081, ⬚ – AE. ⬚. E VISA
chiuso dal 15 gennaio al 15 febbraio e giovedì (escluso da aprile a settembre) – **Pasto** carta 50/75000 (10 %).

a Torcello *45 mn di vaporetto da Fondamenta Nuove* EFT *e 37 mn di vaporetto da Punta Sabbioni* – ⬚ *30012 Burano* :

Locanda Cipriani, ✆ 730150, Fax 735433, « Servizio estivo in giardino » – ⬚. AE. ⬚. ⬚ E VISA
chiuso martedì e da gennaio al 18 febbraio – **Pasto** carta 90/125000.

Ostaria al Ponte del Diavolo, ✆ 730401, Fax 730250, « Servizio estivo all'aperto » – ⬚ – AE. ⬚. E VISA. JCB
chiuso gennaio, febbraio, giovedì e la sera (escluso sabato) – **Pasto** carta 65/100000 (10 %).

VENOSA *85029 Potenza* 988 ㉘, 431 E 29 – *12 454 ab. alt. 412* – ☎ *0972.*
Roma 327 – Bari 128 – Foggia 74 – Napoli 139 – Potenza 68.

Il Guiscardo, via Accademia dei Rinascenti 106 ✆ 32362, Fax 32916 – ⬚ ⬚ ⬚ ☎ Ⓟ 🏛 200. AE. ⬚. E VISA. ✗
Pasto carta 30/40000 – **36 cam** ⬚ 75/110000 – ½ P 100000.

Villa del Sorriso, via Appia 135 ✆ 35975, Fax 35976 – ⬚ ☎ ⬚ Ⓟ – 29 cam.

Gli alberghi o ristoranti ameni sono indicati nella guida con un simbolo rosso.
Contribuite a mantenere la guida aggiornata segnalandoci gli alberghi ed i ristoranti dove avete soggiornato piacevolmente.

VENTIMIGLIA *18039 Imperia 988 ⑫, 428 K 4 G. Italia – 26 889 ab. – ☎ 0184.*

Dintorni *Giardini Hanbury★★ a Mortola Inferiore O : 6 km.*

Escursioni *Riviera di Ponente★ Est.*

ℹ via Cavour 59 ☎ 351183.

Roma 658 ① – Imperia 48 ② – Cuneo 89 ① – Genova 159 ① – Milano 282 ① – Nice 40 ① – San Remo 17 ②.

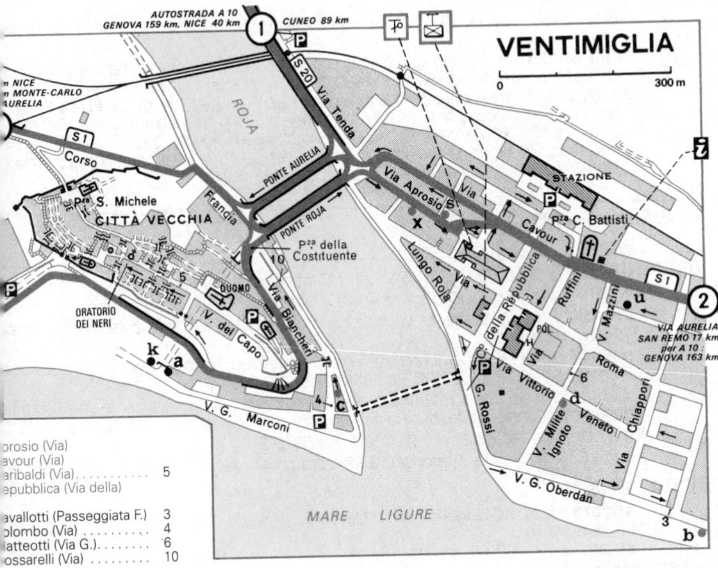

Kaly, lungomare Trento e Trieste 44 ☎ 295218, Fax 295218, ≤ – |♦| TV ☎ P. AE. ⑤. ⊙ E VISA. ✂ per via G. Oberdan

Pasto (solo per alloggiati) 30/45000 – ☐ 7500 – **26 cam** 75/105000 – ½ P 105000.

Sole Mare, via Marconi 12 ☎ 351854, Fax 230988, ≤ – |♦| TV ☎ ☎. AE. ⑤. ⊙ E VISA. ✂ cam a

chiuso dal 5 novembre al 20 dicembre – **Pasto** al Rist. ***Pasta e Basta*** (solo primi piatti) *chiuso a mezzogiorno (escluso sabato-domenica) e mercoledì* carta 20/25000 – ☐ 12000 – **28 cam** 100/120000.

Sea Gull senza rist, via Marconi 24 ☎ 351726, Fax 231217, ≤ – |♦| TV ☎. AE. ⑤. ⊙ E VISA k

☐ 10000 – **27 cam** 75/105000.

Posta senza rist, via Sottoconvento 15 ☎ 351218, Fax 231600 – |♦| TV ☎. AE. ⑤. ⊙ E VISA. ✂ u

chiuso dal 7 gennaio al 20 marzo – **18 cam** ☐ 60/100000.

Marco Polo, passeggiata Cavallotti 2 ☎ 352678, Fax 355684, ☂, ⛵ – AE. ⑤. E VISA b

chiuso dall'8 gennaio a febbraio, domenica sera e lunedì (escluso luglio-agosto) – **Pasto** 35000 e carta 55/80000.

Ustaria d'a Porta Marina, via Trossarelli 22 ☎ 351650, ☂ – AE. ⑤. ⊙ E VISA. JCB c

chiuso dal 13 novembre al 7 dicembre, martedì sera e mercoledì (escluso luglio-agosto) – **Pasto** carta 45/65000 (15 %).

Nanni, via Milite Ignoto 3/d ☎ 33230, Fax 33230, ☂ –. ⑤. ⊙ E VISA d

chiuso le sere di domenica e lunedì (escluso luglio-agosto) – **Pasto** carta 40/65000.

Cuneo, via Aprosio 16 ☎ 33576 – ▤ x

chiuso martedì sera, mercoledì e giugno – **Pasto** carta 50/80000 (10 %).

Bolognese, via Aprosio 21/a ☎ 351779 –. ⑤. E VISA s

chiuso domenica sera, lunedì e dal 28 settembre al 22 ottobre – **Pasto** carta 30/60000.

a Castel d'Appio *per ③ : 5 km – alt. 344 – ✉ 18039 :*

La Riserva ✎ con cam, ☎ 229533, Fax 229712, ≤ mare e costa, « Servizio rist. estivo in terrazza panoramica », ⛱, ☂ – TV ☎ P. AE. ⑤. ⊙ E VISA. ✂

22 dicembre-6 gennaio e Pasqua-settembre – **Pasto** carta 60/95000 (15 %) – **25 cam** ☐ 150/180000 – ½ P 140000.

verso la frontiera di Ponte San Ludovico :

XXX ✿✿ **Balzi Rossi,** alla frontiera per ③ : *8 km, via Balzi Rossi 2-ponte San Ludovico* ✉ 180 Ventimiglia ☎ 38132, Fax 38532, 🏔, Coperti limitati; prenotare, « Servizio estivo in terra za con ≤ mare e costa » – ▤. AE. 🅂. ◑ E VISA
chiuso dal 1º al 15 marzo, dal 13 novembre al 1º dicembre, lunedì, martedì a mezzogiorn ed in luglio-agosto anche domenica a mezzogiorno – **Pasto** 75000 bc (escluso sabato ser 130000 bc e carta 105/175000.
Spec. "Cundiun" con crostacei e bottarga (maggio-novembre). Zuppetta di pesce. Griglia di mare.

XXX ✿ **Baia Beniamin** 🐚 con cam, corso Europa 63 località Grimaldi Inferiore per ③ : *6* ✉ 18039 Ventimiglia ☎ 38002, Fax 38002, ≤, 🏔, Coperti limitati; prenotare, « In u piccola baia-terrazze fiorite digradanti verso il mare », ⛵ – TV ☎ P. AE. 🅂. ◑ E VISA.
chiuso dal 6 al 20 novembre – **Pasto** *(chiuso lunedì)* 55000 (solo a mezzogiorno ed esclus i giorni festivi) 100000 e carta 80/115000 – **5 cam** ☕ 300/400000, 2 appartamenti
Spec. Piccata di branzino con petali di melone (estate). Tortelli d'erbette al burro versato maggiorana fresca. Grande insalata di crostacei e coquillages.

VENUSIO *Matera* 431 E 31 – *Vedere Matera.*

VERBANIA P 988 ②, 428 E 7 – *30 155 ab. alt. 197 (frazione Pallanza)* – ✆ *0323.*

Vedere *Pallanza*★★ – *Lungolago*★★ – *Villa Taranto*★★.

Escursioni *Isole Borromee*★★★ *(giro turistico : da Intra 25-50 mn di battello e da Pallanz 10-30 mn di battello).*

⛳9 *Piandisole (aprile-novembre; chiuso mercoledì escluso dal 20 giugno al 10 settembre) Premeno* ✉ *28057* ☎ *587100, Fax 587100, NE : 11 km.*

⛴ *da Intra per Laveno-Mombello giornalieri (20 mm); da Pallanza per le Isole Borrome giornalieri (30 mn) – Navigazione Lago Maggiore: a Intra* ☎ *402321 e a Pallanza* ☎ *503220.*

ℹ *a Pallanza, corso Zanitello 8* ☎ *503249, Fax 503249.*

Roma 674 – Stresa 17 – Domodossola 38 – Locarno 42 – Milano 95 – Novara 72 – Torino 14

a Intra – ✉ *28044 :*

Ancora senza rist, lungolago corso Mameli 65 ☎ 53951, Fax 53978, ≤ – 🛗 ▤ TV ☎. AE 🅂. ◑ E VISA
21 cam ☕ 140/200000, appartamento.

Intra senza rist, corso Mameli 135 ☎ 581393, Fax 581404 – 🛗 TV ☎ ♿. 🅂. E VISA
☕ 15000 – **35 cam** 95/150000.

Touring, corso Garibaldi 26 ☎ 404040, Fax 519001 – ▤ rist TV ☎ 🚗 P. 🅂. E VISA
chiuso dal 23 dicembre al 23 gennaio – **Pasto** *(chiuso domenica)* carta 30/45000 – ☕ 1000 – **24 cam** 70/100000 – ½ P 80000.

X **La Tavernetta,** via San Vittore 22 ☎ 402635 – AE. 🅂. E VISA
chiuso martedì e novembre – **Pasto** carta 35/55000.

X **Trattoria le Volte,** via San Vittore 149 ☎ 404051 – AE. 🅂. ◑ E VISA
chiuso mercoledì e dal 20 al 31 luglio – **Pasto** carta 35/70000.

a Pallanza – ✉ *28048 :*

Europalace, viale delle Magnolie 16 ☎ 556441, Fax 556442, ≤ – 🛗 TV ☎. AE. 🅂. ◑ E VISA
Pasto vedere rist ***La Cave*** – ☕ 15000 – **44 cam** 120/170000 – ½ P 130000.

Belvedere, piazza Imbarcadero ☎ 503202, Fax 504466, ≤ – 🛗 ☎. AE. 🅂. ◑ E VISA
⊗ rist
marzo-ottobre – **Pasto** 40/45000 – ☕ 12500 – **52 cam** 110/140000 – ½ P 100/120000.

San Gottardo, piazza Imbarcadero ☎ 504465, ≤ – 🛗 ☎. AE. 🅂. ◑ E VISA. ⊗ rist
marzo-ottobre – **Pasto** 40/45000 – ☕ 12500 – **37 cam** 110/140000 – ½ P 100/120000.

XXX **La Cave,** viale delle Magnolie 16 ☎ 503346, Fax 556442 – AE. 🅂. ◑ E VISA
chiuso mercoledì e gennaio o novembre – **Pasto** carta 45/95000 (10 %).

XX **Il Torchio,** via Manzoni 20 ☎ 503352, Fax 503352, Coperti limitati; prenotare – AE. 🅂. ◑ E VISA
chiuso lunedì – **Pasto** carta 50/70000.

XX **Pace** con cam, via Cietti 1 ☎ 557207, Fax 557341, ≤ lago e monti – 🛗 TV ☎ – 🏛 60. AE 🅂. E VISA. ⊗ rist
Pasto *(chiuso martedì da ottobre a maggio)* carta 50/70000 – ☕ 13000 – **9 cam** 130000 – ½ P 110/140000.

XX **Osteria dell'Angolo,** piazza Garibaldi 35 ☎ 556362, 🏔, Coperti limitati; prenotare – VISA
chiuso lunedì e gennaio – **Pasto** carta 45/70000.

Suna *NO : 2 km – ⊠ 25058 :*

XXX **Il Monastero,** lungolago di Suna ℘ 502544, prenotare – ▤. AE. Ⓢ. ● E VISA
chiuso lunedì – **Pasto** carta 50/90000.

Fondotoce *NO : 6 km – ⊠ 28040 :*

XXX **Piccolo Lago** con cam, al lago di Mergozzo NO : 2 km ℘ 496045, Fax 496313, ≤, « Servizio estivo in terrazza sul lago », ▲, ⇌ – TV ☎ P. AE. Ⓢ. ● E VISA
chiuso gennaio – **Pasto** *(chiuso lunedì escluso da aprile a ottobre)* carta 55/100000 (10 %) – ☐ 13000 – **12 cam** *(aprile-ottobre)* 95/115000 – ½ P 90/110000.
Vedere anche : **Borromee (Isole)** *SO : da 10 a 50 mn di battello*

ERBANO *Vedere Lago Maggiore.*

Per i grandi viaggi d'affari o di turismo,
guida MICHELIN rossa : EUROPE.

ERCELLI *13100* P 988 ② ⑫, 428 *G 7 – 48 531 ab. alt. 131 – ☎ 0161.*
ℹ *viale Garibaldi 90 ℘ 58002, Fax 64632.*
A.C.I. *corso Fiume 73 ℘ 255153.*
Roma 633 ⑤ – Alessandria 55 ③ – Aosta 121 ③ – Milano 74 ⑤ – Novara 23 ① – Pavia 70 ① – Torino 80 ③.

VERCELLI

vour (Piazza)
nte Alighieri (Via)
rraris (Via G.)
ertà (Corso)

Borgogna (Via Antonio)	2
Brigata Cagliari (Via)	3
Cagna (Via G. A.)	4
D'Angennes (Piazza Alessandro)	8
De Amicis (Via Edmondo)	10
Fratelli Ponti (Via)	12
Gastaldi (Corso)	13
Goito (Via)	15
Martiri della Libertà (Piazza)	16
Matteotti (Corso)	18
Mazzucchelli (Piazza)	19
Monte di Pietà (Via)	21
S. Eusebio (Piazza)	22
Vallotti (Via)	24
20 Settembre (Via)	25

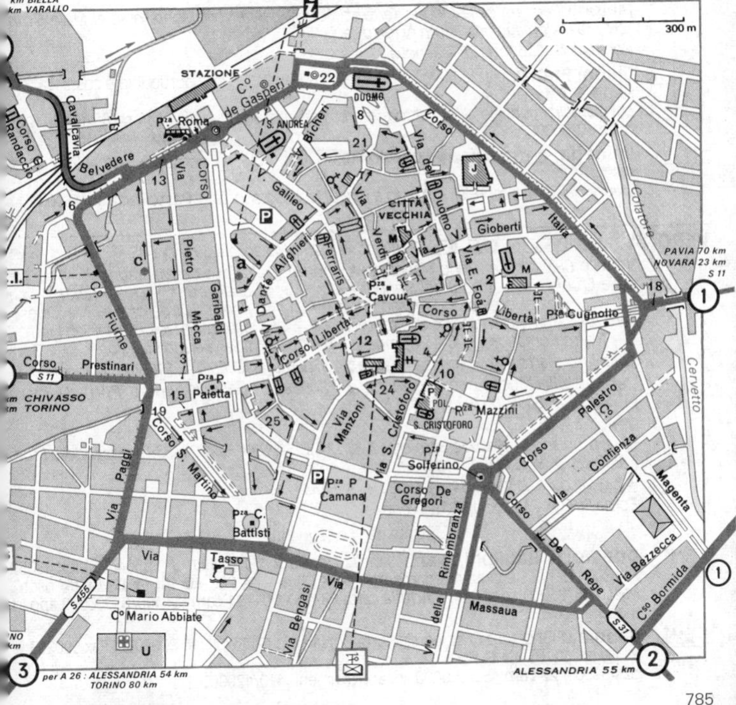

XX **Giardinetto** con cam, via Sereno 3 ☎ 257230, Fax 259311, – ▤ TV ☎. AE. ⓢ. VISA. ✻
chiuso dal 3 al 18 agosto – **Pasto** *(chiuso lunedì)* carta 45/80000 – ☐ 15000 – 8 85/125000, ▤ 13000 – 1/2 P 105/120000.

X **Il Paiolo,** corso Garibaldi 72 ☎ 250577, prenotare – AE. ⓢ. ✻
chiuso giovedì e dal 20 luglio al 20 agosto – **Pasto** carta 40/60000.

VERDUNO *12060 Cuneo 428 I 5 – 460 ab. alt. 378 – ☎ 0172.*
Roma 645 – Cuneo 59 – Torino 61 – Asti 45 – Milano 165 – Savona 98.

Real Castello , ☎ 470125, Fax 470298, – Ⓟ. AE. ⓢ. ⓞ E VISA. ✻
marzo-novembre – **Pasto** (solo su prenotazione) carta 55/90000 – **11 cam** ☐ 170/190 2 appartamenti – 1/2 P 150000.

XX **Il Falstaff,** ☎ 470244, Fax 470244, solo su prenotazione – AE. ⓢ. ⓞ E VISA. ✻
chiuso lunedì, gennaio e dal 1° al 15 agosto – **Pasto** 60/80000.

VERGHERETO *47028 Forlì-Cesena 429, 430 K 18 – 2 196 ab. alt. 812 – ☎ 0543.*
Roma 287 – Rimini 97 – Arezzo 72 – Firenze 97 – Forlì 72 – Milano 354 – Ravenna 96.

a Balze *SE : 12,5 km – alt. 1 091 – ✉ 47020 :*

Monte Fumaiolo , NO : 1,5 km, alt. 1 227, ☎ 906614, Fax 906614, ←, – TV ☎ 100. VISA. ✻
aprile-ottobre – **Pasto** 30/35000 – **49 cam** ☐ 50/90000 – 1/2 P 50/80000.

Paradiso , NO : 3 km, alt. 1 408, ☎ 906653, Fax 906653, ←, – TV Ⓟ. ✻
chiuso novembre – **Pasto** carta 40/55000 – ☐ 8000 – **12 cam** 100000 – 1/2 P 60/100000

VERNAGO (VERNAGT) *Bolzano 218 ⑨ – Vedere Senales.*

VERNAZZA *19018 La Spezia 428 J 11 G. Italia – 1 187 ab. – ☎ 0187.*
Vedere *Località★★.*
Dintorni *Regione delle Cinque Terre★★ SE e O per ferroviaMonterosso al Mare 5 mn ferrovia – Riomaggiore 10 mn di ferrovia.*
Roma 454 – La Spezia 29 – Genova 97.

X **Gianni Franzi,** piazza Marconi 5 ☎ 812228, Fax 812228, ← porticciolo e costa, – ⓢ. ⓞ E VISA
chiuso dall'8 gennaio all'8 marzo e mercoledì (escluso da luglio al 15 settembre) – **Pas** carta 50/80000.

X **Vulnetia,** piazza Marconi 29 ☎ 821193, Fax 821193, ← porticciolo, –. ⓢ. E V ✻
chiuso dal 20 dicembre al 1° marzo e lunedì (escluso agosto) – **Pasto** carta 40/65000.

VERONA *37100 P 988 ④, 428, 429 F 14 G. Italia – 254 145 ab. alt. 59 – ☎ 045.*
Vedere *Chiesa di San Zeno Maggiore★★ : porte★★★, trittico del Mantegna★★* AY – *Piazza delle Erbe★★* CY – *Piazza dei Signori★★* CY – *Arche Scaligere★★* CYK – *Arena★★ : ✻* BCYZ – *Castelvecchio★★ : museo d'Arte★★* BY – *Ponte Scaligero★★* BY – *Chiesa Sant'Anastasia★ : affresco★★ di Pisanello* CY **F** – *←★★ dalle terrazze di Castel San Pietro* **D** – *Teatro Romano★* CY **C** – *Duomo★* CY **A** – *Chiesa di San Fermo Maggiore★* CYZ **B.**
18 (chiuso martedì) a Sommacampagna ✉ 37066 ☎ 510060, Fax 510242, O : 13 km.
di Villafranca, per ④ : 14 km ☎ 8095666 – Alitalia, corso Porta Nuova ✉ 37122 ☎ 8035700.
☎ 590688.
via Leoncino 61 (Palazzo Barbieri) ✉ 37121 ☎ 592828, Fax 8003638 – piazza delle Erbe ✉ 37121 ☎ 8030086.
A.C.I. *via della Valverde 34 ✉ 37122 ☎ 595333.*
Roma 503 ③ – Milano 157 ③ – Venezia 114 ②.

Piante pagine seguenti

Due Torri Baglioni, piazza Sant'Anastasia 4 ✉ 37121 ☎ 595044, Telex 48052 Fax 8004130, « Elegante arredamento » – ▤ TV ☎ – 200. AE. ⓢ. ⓞ E VISA. ✻ rist
Pasto 65/85000 ed al Rist. ***L'Aquila*** carta 65/100000 – **91 cam** ☐ 400/630000, 9 appartamenti. CY

Gabbia d'Oro senza rist, corso Porta Borsari 4/a ✉ 37121 ☎ 8003060, Fax 590293 – ▤ TV ☎. AE. ⓢ. ⓞ E VISA CY
☐ 45000 – **27 cam** 450/550000, 19 appartamenti 410/1200000.

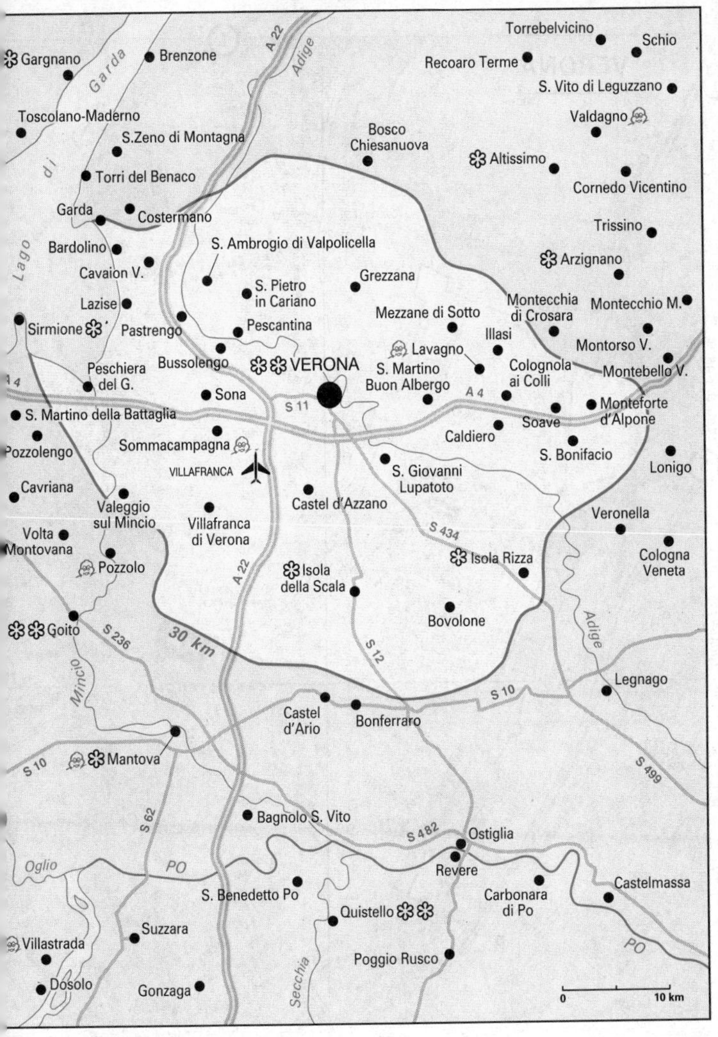

Victoria M senza rist, via Adua 6 ✉ 37121 ℰ 590566, Fax 590155, Ⅎ6, ≘s – 🛗 ▤ TV ☎ 🚗. AE. Ⓢ. ⓞ E VISA. JCB. ✻ BY r
67 cam ☐ 230/420000, 4 appartamenti.

Montresor Hotel Palace, via Galvani 19 ✉ 37138 ℰ 575700, Fax 576667 – 🛗 ▤ TV ☎ 🚗 – 🏔 100 AY x
64 cam.

Accademia, via Scala 12 ✉ 37121 ℰ 596222, Telex 480874, Fax 596222 – 🛗 ▤ TV ☎ – 🏔 110. AE. Ⓢ. ⓞ E VISA. JCB. ✻ CY d
Pasto vedere rist ***Accademia*** – **91 cam** ☐ 210/330000, 4 appartamenti.

Montresor Hotel Giberti senza rist, via Giberti 7 ✉ 37122 ℰ 8006900, Telex 482210, Fax 8003302 – 🛗 ▤ TV ☎ 🚗 Ⓟ. AE. Ⓢ. ⓞ E VISA. ✻ BZ e
80 cam ☐ 250/350000.

Grand Hotel senza rist, corso Porta Nuova 105 ✉ 37122 ℰ 595600, Fax 596385 – 🛗 ▤ TV ☎ – 🏔 170. AE. Ⓢ. ⓞ E VISA. ✻ BZ b
62 cam ☐ 250/350000, 5 appartamenti.

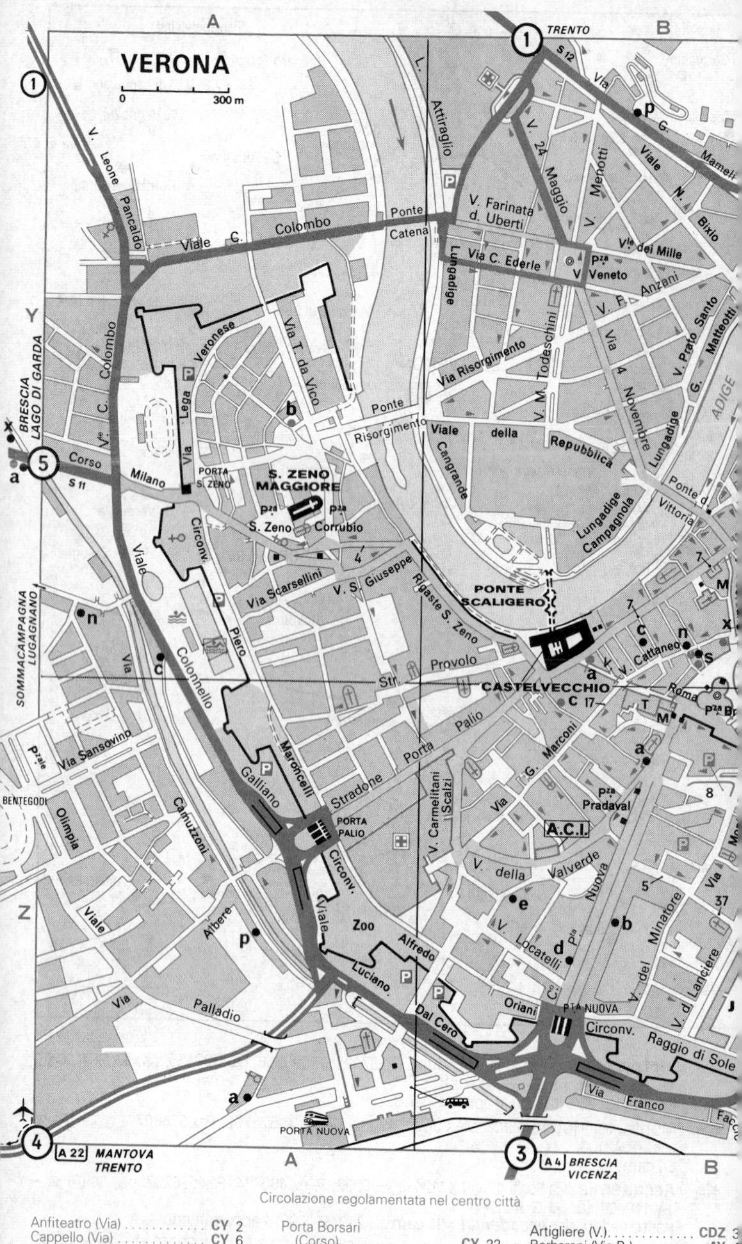

Circolazione regolamentata nel centro città

- Anfiteatro (Via) . . . . CY 2
- Cappello (Via) . . . . CY 6
- Erbe (Piazza delle) . . . . CY 10
- Leoni (Via) . . . . CY 15
- Mazzini (Via) . . . . CY
- Oberdan (Via) . . . . BY
- Porta Borsari (Corso) . . . . CY 22
- Roma (Via) . . . . BYZ
- S. Anastasia (Corso) . . . . BCY 27
- Signori (Piazza dei) . . . . CY 39
- Stella (Via) . . . . CY 42
- Artigliere (V.) . . . . CDZ 3
- Barbarani (Via B.) . . . . AY 4
- Battisti (Via C.) . . . . BZ 5
- Cavour (Corso) . . . . BY 7
- Cittadella (Piazza) . . . . BZ 8
- Emilei (Via Francesco) . . . . . . CY 9

Per visitare una città o una regione : utilizzate le guide Verdi Michelin

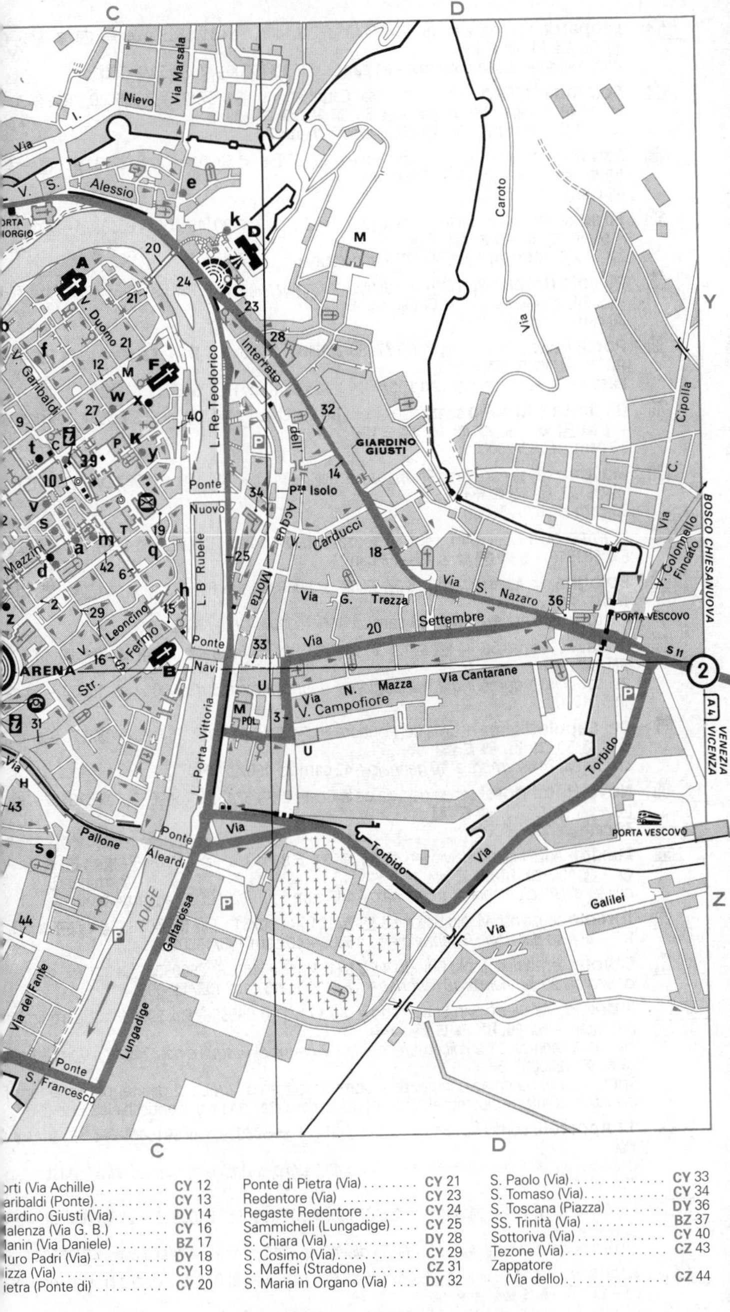

orti (Via Achille)	CY	12
aribaldi (Ponte).	CY	13
iardino Giusti (Via).	DY	14
alenza (Via G. B.)	CY	16
anin (Via Daniele)	BZ	17
uro Padri (Via).	DY	18
izza (Via)	CY	19
ietra (Ponte di)	CY	20
Ponte di Pietra (Via)	CY	21
Redentore (Via)	CY	23
Regaste Redentore	CY	24
Sammicheli (Lungadige)	CY	25
S. Chiara (Via).	DY	28
S. Cosimo (Via).	CY	29
S. Maffei (Stradone)	CZ	31
S. Maria in Organo (Via)	DY	32
S. Paolo (Via).	CY	33
S. Tomaso (Via).	CY	34
S. Toscana (Piazza)	DY	36
SS. Trinità (Via)	BZ	37
Sottoriva (Via).	CY	40
Tezone (Via).	CZ	43
Zappatore (Via dello).	CZ	44

Leopardi, via Leopardi 16 ✉ 37138 ☎ 8101444, Fax 8100523 – 80. AE. ⓢ. ⓓ E VISA AY
Pasto vedere rist ***La Ginestra*** – **81 cam** ☐ 235/315000 – 1/2 P 150/215000.

Colomba d'Oro senza rist, via Cattaneo 10 ✉ 37121 ☎ 595300, Telex 480ɛ Fax 594974 – 50. AE. ⓢ. ⓓ E VISA. ✂ BY
☐ 23000 – **49 cam** 200/330000, 2 appartamenti.

San Marco senza rist, via Longhena 42 ✉ 37138 ☎ 569011, Fax 572299, – – 100. AE. ⓢ. ⓓ E VISA AY
62 cam ☐ 235/315000.

Firenze senza rist, corso Porta Nuova 88 ✉ 37122 ☎ 8011510, Fax 8030374 – – 50. AE. ⓢ. ⓓ E VISA. JCB BZ
☐ 22000 – **54 cam** 190/230000, 2 appartamenti.

Piccolo Hotel e Martini senza rist, via Camuzzoni 3/b ✉ 37138 ☎ 569128, Fax 577ɛ – . AE. ⓢ. ⓓ E VISA. ✂ AZ
80 cam ☐ 210/265000.

Porta Palio, via Galliano 21 ✉ 37138 ☎ 8102140, Fax 8101721, – P. AE. ⓢ. ⓓ E VISA. ✂ rist AY
Pasto *(chiuso domenica)* carta 50/70000 – **55 cam** ☐ 175/235000.

Giulietta e Romeo senza rist, vicolo Tre Marchetti 3 ✉ 37121 ☎ 8003554, Fax 8010ɛ – – 25. AE. ⓢ. ⓓ E VISA CY
30 cam ☐ 180/260000.

Mastino senza rist, corso Porta Nuova 16 ✉ 37131 ☎ 595388, Fax 597718 – 25. AE. ⓢ. ⓓ E VISA BZ
33 cam ☐ 180/235000.

Montresor Hotel San Pietro senza rist, via Santa Teresa 1 ✉ 37135 ☎ 5826 Fax 582313 – P – **53 cam.** 1 km per ③

Bologna, via Alberto Mario 18 ✉ 37121 ☎ 8006830, Fax 8010602 – . AE. ⓢ. E VISA. ✂ BY
Pasto vedere rist ***Rubiani*** – **31 cam** ☐ 165/230000 – 1/2 P 160/210000.

Italia, via Mameli 58/64 ✉ 37126 ☎ 918088, Fax 8348028 – . AE. ⓢ. ⓓ VISA. ✂ cam BY
Pasto *(chiuso domenica a mezzogiorno e lunedì)* carta 30/55000 – ☐ 15000 – **51 ca** 145/210000.

De' Capuleti senza rist, via del Pontiere 26 ✉ 37122 ☎ 8000154, Fax 8032970 – – 30. AE. ⓢ. ⓓ E VISA. ✂ CZ
chiuso dal 24 dicembre al 10 gennaio – **42 cam** ☐ 160/220000.

Novo Hotel Rossi senza rist, via delle Coste 2 ✉ 37138 ☎ 569022, Fax 578297 – P. AE. ⓢ. ⓓ E VISA AZ
38 cam ☐ 150/200000.

Maxim senza rist, via Belviglieri 42 ✉ 37131 ☎ 8401800, Fax 8401818 – P – 100. AE. ⓢ. ⓓ E VISA. JCB. ✂ 2 km per ②
chiuso dal 20 dicembre al 10 gennaio – **145 cam** ☐ 190/210000, appartamento.

Torcolo senza rist, vicolo Listone 3 ✉ 37121 ☎ 8007512, Fax 8004058 – . ⓢ. VISA – *chiuso dal 10 al 30 gennaio* – ☐ 15000 – **19 cam** 105/135000. BY

Cavour senza rist, vicolo Chiodo 4 ✉ 37121 ☎ 590166, Fax 590508 – . ✂ *chiuso dal 20 gennaio al 10 febbriao* – ☐ 14000 – **16 cam** 105/135000. BY

✿✿ **Il Desco,** via Dietro San Sebastiano 7 ✉ 37121 ☎ 595358, Fax 590236, Coperti limita prenotare – . AE. ⓢ. ⓓ E VISA. JCB. ✂ CY
chiuso domenica, 25-26 dicembre, dal 1° al 7 gennaio, Pasqua e dal 17 al 30 giugno – **Past** carta 80/120000 (15 %)
Spec. Flan di zucchine con cozze e pomodoro fresco. Zuppa di patate, porcini e tartuf bianco (settembre-dicembre). Coda di rospo rosolata con fave e lenticchie stufate.

12 Apostoli, corticella San Marco 3 ✉ 37121 ☎ 596999, Fax 591530 – . AE. ⓢ. ⓓ VISA CY
chiuso dal 2 all'8 gennaio, dal 15 giugno al 5 luglio, lunedì e domenica sera – **Pasto** car 70/110000 (15 %).

La Ginestra, corso Milano 101 ✉ 37138 ☎ 575455, Fax 8100523 – P. AE. ⓢ. ⓓ VISA. JCB. ✂ AY
chiuso domenica sera, lunedì e dal 23 dicembre al 15 gennaio – **Pasto** carta 45/65000.

Arche, via Arche Scaligere 6 ✉ 37121 ☎ 8007415, Fax 8007415, Coperti limitati; prenota re – AE. ⓢ. ⓓ E VISA. JCB. ✂ CY
chiuso domenica, lunedì a mezzogiorno e gennaio – **Pasto** specialità di mare 80/10000 (solo a mezzogiorno) e carta 75/105000 (16 %).

XX **Maffei,** piazza delle Erbe 38 ✉ 37121 ✆ 8010015, Fax 8005124 – ▤. AE. 🅂. ⓓ E VISA
chiuso lunedì in luglio-agosto e domenica negli altri mesi – **Pasto** 55/80000 e carta 55/105000 (15 %). CY c

XX **Tre Corone,** piazza Brà 16 ✉ 37121 ✆ 8002462, Fax 8011810, 帝 – AE. 🅂. ⓓ E VISA. ✻
chiuso giovedì e dal 1° al 20 gennaio – **Pasto** carta 60/90000 (15 %). BY s

XX **Baracca,** via Legnago 120 ✉ 37134 ✆ 500013, 帝, prenotare – Ⓟ. 🅂. ⓓ E VISA. ✻
chiuso domenica – **Pasto** specialità di mare carta 55/90000. 2,5 km per ③

XX **Accademia,** via Scala 10 ✉ 37121 ✆ 8006072, Fax 8006072 – ▤. AE. 🅂. ⓓ E VISA
chiuso domencia escluso luglio-agosto – **Pasto** carta 65/100000. CY d

XX **El Cantinon,** via San Rocchetto 11 ✉ 37121 ✆ 595291, Fax 595291 – ▤. AE. 🅂. ⓓ E VISA. ✻ CY s
chiuso febbraio, lunedì in luglio-agosto, mercoledì negli altri mesi – **Pasto** carta 55/100000.

XX **Re Teodorico,** piazzale Castel San Pietro ✉ 37129 ✆ 8349990, Fax 8349990, ≤ città e fiume Adige, « Servizio estivo in terrazza » – AE. 🅂. ⓓ E VISA. ✻ CY k
chiuso mercoledì e dal 7 al 31 gennaio – **Pasto** carta 65/95000.

XX **Torcolo,** via Cattaneo 11 ✉ 37121 ✆ 8030440, Fax 8011083 – ▤. AE. 🅂. E VISA. ✻
chiuso domenica sera e lunedì escluso luglio-agosto – **Pasto** carta 50/70000. BY s

XX **Rubiani,** piazzetta Scalette Rubiani 3 ✉ 37121 ✆ 8006830, Fax 8010602, 帝 – AE. 🅂. ⓓ E VISA. ✻ BY x
chiuso venerdì e dal 24 dicembre a febbraio – **Pasto** carta 50/70000 (15 %).

XX **Trattoria Sant'Anastasia,** corso Sant'Anastasia 27 ✉ 37121 ✆ 8009177 – ▤. AE. 🅂. ⓓ E VISA. JCB CY w
chiuso domenica e mercoledì sera da maggio a settembre, domenica sera e mercoledì negli altri mesi – **Pasto** carta 45/60000.

XX **Locanda di Castelvecchio,** corso Cavour 49 ✉ 37121 ✆ 8030097, 帝 – ▤. AE. 🅂. ⓓ E VISA. ✻ BY a
chiuso martedì, mercoledì a mezzogiorno, dal 26 dicembre al 4 gennaio e dal 25 giugno al 10 luglio – **Pasto** carta 40/60000.

XX **Greppia,** vicolo Samaritana 3 ✉ 37121 ✆ 8004577 – ▤. AE. 🅂. ⓓ E VISA CY m
chiuso lunedì e dal 15 al 30 giugno – **Pasto** carta 45/65000.

XX **Antica Trattoria-da l'Amelia,** lungadige Rubele 32 ✉ 37121 ✆ 8005526, Fax 8005526 – AE. 🅂. ⓓ E VISA. JCB CY h
chiuso domenica, lunedì a mezzogiorno, dal 7 al 15 gennaio ed agosto – **Pasto** carta 35/60000.

XX **Antico Tripoli,** via Spagna 2/b ✉ 37123 ✆ 8035756, Fax 8035756, 帝 – AE. 🅂. ⓓ E VISA AY b
chiuso martedì, mercoledì a mezzogiorno e dall'8 al 21 agosto – **Pasto** carta 40/80000.

X **Tre Marchetti,** vicolo Tre Marchetti 19/b ✉ 37121 ✆ 8030463, Fax 8002928 – ▤. AE. 🅂. ⓓ E VISA. ✻ CY z
✿ *chiuso dal 1° al 15 settembre e domenica (escluso luglio-agosto)* – **Pasto** carta 50/65000
Spec. Tagliatelle ai porcini e scorzone. Stracotto di cavallo. Baccalà alla vicentina.

X **San Basilio alla Pergola,** via Pisano 9 ✉ 37131 ✆ 520475. ✻ per ②
chiuso domenica e gennaio – Pasto carta 35/60000.

X **Alla Fiera-da Ruggero,** via Scopoli 9 ✉ 37136 ✆ 508808, Fax 500861, 帝 – ▤ – 🏠 60. AE. 🅂. ⓓ E VISA 1 km per ③
chiuso domenica, dal 1° al 10 gennaio e dal 15 al 30 agosto – **Pasto** specialità di mare carta 55/80000.

X **Alla Pergola,** piazzetta Santa Maria in Solaro 10 ✉ 37121 ✆ 8004744 – AE. 🅂. ⓓ E VISA. ✻ – *chiuso mercoledì ed agosto* – **Pasto** carta 40/65000. CY b

X **Osteria la Fontanina,** Portichetti Fontanelle Santo Stefano 3 ✉ 37129 ✆ 913305, prenotare la sera, « Ambiente caratteristico » – AE. 🅂. E VISA CY e
chiuso domenica, lunedì a mezzogiorno e dal 6 al 25 agosto – **Pasto** carta 55/85000.

X **Bottega del Vino,** via Scudo di Francia 3 ✉ 37121 ✆ 8004535, Fax 8012273, « Tipica taverna con mescita vini » – AE. 🅂. ⓓ E VISA. JCB. ✻ CY a
chiuso martedì escluso luglio-agosto – **Pasto** carta 55/90000.

X **Osteria all'Oste Scuro,** vicolo San Silvestro 10 ✉ 37122 ✆ 592650 – AE. 🅂. ⓓ E VISA. JCB. ✻ BZ c
chiuso dal 25 dicembre al 3 gennaio, dal 7 al 20 agosto, sabato a mezzogiorno, domenica e in luglio-agosto anche sabato sera – **Pasto** carta 45/70000.

sulla strada statale 11 :

Forte Agip, via Unità d'Italia 346 (per ② : *4 km)* ✉ 37132 San Michele Extra ☎ 9720
Telex 482064, Fax 972677 – 🏨 TV ☎ P – 🏃 100. AE. 🅂. ◑ E VISA. JCB. ✻ rist
Pasto carta 55/75000 – **116 cam** ☕ 180/200000 – 1/2 P 70/135000.

Euromotel Crocebianca senza rist, via Bresciana 2 (per ⑤ : *4 km)* ✉ 37139 Ver
☎ 8903890, Fax 8903999 – 🏨 TV ☎ ♿ P. AE. 🅂. ◑ E VISA. JCB
☕ 20000 – **67 cam** 160/200000.

Gardenia, via Unità d'Italia 350 (per ② : *4 km)* ✉ 37132 San Michele Extra ☎ 9721
Fax 8920157 – 🏨 TV ☎ ♿ 🚗 P. AE. 🅂. ◑ E VISA. JCB. ✻
Pasto vedere rist ***Gardenia*** – **28 cam** ☕ 150/200000 – 1/2 P 130/140000.

Elefante con cam, via Bresciana 27 (per ⑤ : *5 km)* ✉ 37139 Verona ☎ 89037
Fax 8903900, 🌳, 🌳 – TV ☎ P. AE. 🅂. ◑ E VISA. ✻
Pasto *(chiuso sabato sera, domenica e dal 9 al 24 agosto)* carta 40/55000 – ☕ 1500
10 cam 85/125000 – 1/2 P 135000.

Gardenia con cam, via Unità d'Italia 350/a (per ② : *4 km)* ✉ 37132 San Michele Ex
☎ 972122 – P. AE. 🅂. ◑ E VISA. JCB. ✻
Pasto *(chiuso domenica)* carta 35/60000 – **28 cam** ☕ 120/160000 – 1/2 P 100/110000.

Nuova Cà de l'Ebreo, via Bresciana 48/b-Verona Nord (per ⑤ : *5,5 km)* ✉ 371
Verona ☎ 8510240, Fax 8510033, 🌳 – P. AE. 🅂. ◑ E VISA. ✻
chiuso lunedì sera, martedì e dal 1º al 21 agosto – **Pasto** carta 40/65000.

Trattoria dal Gal, via Don Segala 39/a rione San Massimo (per ⑤ : *5 km)* ✉ 37139 Verc
☎ 8903097

in prossimità casello autostrada A 4-Verona Sud *per ③ : 5 km :*

Ibis, via Fermi 11/c ✉ 37135 ☎ 8203720, Fax 8203903 – 🏨 🚭 cam TV ☎ ♿ 🚗 P
🏃 160. AE. 🅂. ◑ E VISA. ✻
Pasto carta 40/75000 – **145 cam** ☕ 175/220000.

Sud Point Hotel, via Fermi 13/b ✉ 37135 ☎ 8200922, Fax 8200933 – 🏨 TV ☎ ♿
P – 🏃 50. AE. 🅂. ◑ E VISA. ✻
chiuso dal 22 dicembre all'8 gennaio – **Pasto** carta 35/50000 – **64 cam** ☕ 170/20000
1/2 P 85/105000.

a Madonna di Dossobuono *per ③ : 8 km – ✉ 37062 Dossobuono :*

Ciccarelli, Via Mantovana 171 ☎ 953986, Trattoria di campagna – P. 🅂. E VI
✻
chiuso venerdì sera, sabato, dal 24 al 31 dicembre e dal 27 luglio al 24 agosto – Pasto car
40/55000.

sulla strada statale 62 *per ③ : 10 km :*

Cavour, ✉ 37062 Dossobuono ☎ 513038, Fax 8600595 – P. AE. 🅂. ◑ E VI
✻
chiuso dal 10 al 24 agosto, domenica in luglio-agosto e mercoledì negli altri mesi – Past
carta 45/65000.

MICHELIN, via della Scienza 12 Z.A.I.2 - località Basson per ④ – ✉ 37139, ☎ 851057
Fax 957075.

VERONELLA *37040 Verona* 429 G 15 – *3 447 ab. alt. 22* – ☎ *0442.*

Roma 512 – Verona 37 – Mantova 62 – Milano 184 – Padova 62 – Vicenza 38.

a San Gregorio *NO : 2 km – ✉ 37040 :*

Bassotto, via Casetta di Veronella 75 ☎ 47177, 🌳 – P
chiuso domenica, lunedì e dal 1º al 15 luglio – **Pasto** specialità di mare carta 45/65000.

VERRÈS *11029 Aosta* 988 ②, 428 F 5 *G. Italia* – *2 652 ab. alt. 395* – *a.s. luglio-agosto* – ☎ *0125.*

Roma 711 – Aosta 38 – Ivrea 35 – Milano 149 – Torino 78.

Evançon, via Circonvallazione 33 ☎ 929152, Fax 929259, « Giardino » – TV ☎ P. AE. 🅂
◑ E VISA. JCB. ✻
Pasto *(chiuso lunedì escluso dal 16 luglio al 15 settembre)* carta 35/60000 – ☕ 10000
26 cam 80/110000 – 1/2 P 105/130000.

Da Pierre con cam, via Martorey 73 ☎ 929376, Fax 920404, « Servizio rist. estivo i
giardino » – 🚭 rist TV ☎ P. AE. 🅂. ◑ E VISA. ✻
Pasto *(chiuso martedì)* carta 60/90000 – ☕ 12000 – **12 cam** 70/115000 – 1/2 P 125000.

ERUCCHIO *47040 Rimini* 988 ⑮, 429, 430 K 19 – *7 887 ab. alt. 333* – ☎ *0541.*
(chiuso gennaio e lunedì escluso da aprile a settembre) ☎ *678122, Fax 670572.*
Roma 351 – *Rimini 18* – *Bologna 125* – *Forlì 64* – *Milano 336* – *Ravenna 66.*

La Rocca, via Rocca 42 ☎ 679850, ← – ▤. AE. Ⓢ. ⓞ E VISA. ✱
chiuso mercoledì e dicembre – **Pasto** carta 40/60000.

Villa Verucchio *NE : 3 km* – ✉ *47040 :.*

Zanni, ☎ 678449, Fax 679454, ⌂, « Ambiente caratteristico » – ⓟ. AE. Ⓢ. ⓞ E VISA. ✱
chiuso martedì escluso da giugno al 15 settembre – **Pasto** carta 40/45000.

ERUNO *28010 Novara* 219 ⑯ – *1 454 ab. alt. 357* – ☎ *0322.*
Roma 650 – *Stresa 23* – *Domodossola 57* – *Milano 78* – *Novara 35* – *Torino 109* – *Varese 40.*

L'Olimpia, via Martiri 5 ☎ 830138, prenotare – ▤. Ⓢ. E
chiuso a mezzogiorno, lunedì, gennaio ed agosto – **Pasto** carta 45/60000.

ERVÒ *38010 Trento* 429 D 15, 218 ⑳ – *648 ab. alt. 886* – *a.s. dicembre-aprile* – ☎ *0463.*
Roma 626 – *Bolzano 65* – *Trento 40* – *Milano 282.*

Predaia *E : 3 km* – *alt. 1 200* – ✉ *38010 Vervò :*

Rifugio Sores ⑤, ☎ 463147, Fax 463500, ⌂ – TV ⓟ. ✱
chiuso novembre – **Pasto** *(chiuso martedì)* carta 35/50000 – **26 cam** ☐ 90/180000 – 1/2 P 55/80000.

*When visiting **northern Italy** use **Michelin maps** 428 and 429.*

ERZUOLO *12039 Cuneo* 988 ⑫, 428 I 4 – *6 009 ab. alt. 420* – ☎ *0175.*
Roma 668 – *Cuneo 26* – *Asti 82* – *Sestriere 92* – *Torino 58.*

La Scala, via Provinciale Cuneo 4 ☎ 85194 –. Ⓢ. E VISA. ✱
chiuso lunedì ed agosto – **Pasto** specialità di mare carta 45/60000.

ESCOVADO *Siena* 430 M 16 – *alt. 317* – ✉ *53016 Murlo* – ☎ *0577.*
Roma 233 – *Siena 24* – *Grosseto 64.*

Di Murlo, via Martiri di Rigosecco 1 ☎ 814033, Fax 814243, ←, ⛱, ✱ – ☎ ⓟ. AE. Ⓢ. ⓞ E VISA. ✱
marzo-6 novembre – **Pasto** *(chiuso a mezzogiorno)* carta 30/45000 (10 %) – ☐ 10000 – **44 cam** 80/130000 – 1/2 P 80/90000.

ESUVIO *Napoli* 988 ㉗, 431 E 25 *G. Italia.*

ETRIOLO TERME *Trento* 988 ④ – *Vedere Levico Terme.*

EZZA D'ALBA *12040 Cuneo* – *2 019 ab. alt. 353* – ☎ *0173.*
Roma 641 – *Asti 30* – *Cuneo 68* – *Milano 170* – *Torino 54.*

La Pergola, località Borgonuovo ☎ 65178, Fax 65178, solo su prenotazione –. Ⓢ. E VISA
chiuso martedì – **Pasto** 35/60000 e carta 60/90000.

VEZZANO *38070 Trento* 988 ④, 428, 429 D 14 – *1 821 ab. alt. 385* – *a.s. dicembre-aprile* – ☎ *0461.*
Vedere *Lago di Toblino* S : 4 km.*
Roma 599 – *Trento 11* – *Bolzano 68* – *Brescia 104* – *Milano 197.*

Fior di Roccia, località Lon N : 2,5 km ☎ 864029, ⌂, prenotare – ⓟ. AE. Ⓢ. ⓞ E VISA. JCB
chiuso domenica sera e lunedì – **Pasto** carta 50/75000
Spec. Capriolo in agrodolce con cuoricini di mais. Mezzelune di patate con puzzone di Moena (formaggio) e ragù di finferli (luglio-settembre). Filetto di maiale in crosta di erbette aromatiche.

Al Vecchio Mulino, E : 2 km ☎ 864277, « Laghetto con pesca sportiva » – ⓟ. AE. Ⓢ. ⓞ E VISA. ✱
chiuso mercoledì e dall'8 al 30 gennaio – **Pasto** carta 40/65000.

VEZZANO (VEZZAN) *Bolzano* 428, 429 D 14, 218 ⑱ ⑲ – *Vedere Silandro.*

VEZZANO SUL CROSTOLO *42030 Reggio nell'Emilia* [428], [429], [430] *I 13 – 3 453 ab. alt. 16*
☏ 0522.

Roma 441 – Parma 43 – Milano 163 – Reggio nell'Emilia 14 – La Spezia 114.

🍴 **Antica Locanda Posta,** via Roma 51/c ℘ 601141 –. [S]. E VISA. 🚫🐕
chiuso martedì e dal 6 al 26 agosto – **Pasto** carta 35/45000.

VEZZO *28040 Verbania* [428] *E 7,* [219] ⑥ ⑦ *– alt. 530 – ☏ 0323.*

⛳ *Alpino (aprile-novembre; chiuso martedì escluso dal 27 giugno al 5 settembre) ℘ 2064 Fax 20642, O : 2,5 km.*

Roma 662 – Stresa 5 – Milano 85 – Novara 61 – Torino 139.

🏠 **Bel Soggiorno** 🐦, (frazione di Gignese) via 4 Novembre 8 ℘ 20021, Fax 20021 – ☎ [AE]. [S]. E VISA. 🚫🐕 rist
aprile-settembre – **Pasto** (solo per alloggiati e *chiuso lunedì*) 30/35000 – ☕ 15000 **26 cam** 75/120000 – ½ P 80/90000.

VIADANA *46019 Mantova* [988] ⑭, [428], [429] *H 13 – 16 180 ab. alt. 26 – ☏ 0375.*

Roma 458 – Parma 27 – Cremona 52 – Mantova 39 – Milano 149 – Modena 56 – Regg nell'Emilia 33.

🏠 **Europa,** vicolo Ginnasio 9 ℘ 780404, Fax 780404 – ❄ rist [TV] ☎ [P]. [AE]. [S]. ◐ E VISA. 🚫🐕
chiuso dal 24 dicembre al 6 gennaio ed agosto – **Pasto** *(chiuso martedì e domenica ser* carta 40/65000 – **18 cam** ☕ 85/125000 – ½ P 85/105000.

a Cicognara *NO : 2 km – ✉ 46015 :*

🏠 **Vittoria,** ℘ 790222, Fax 790232 – 🛗 ❄ cam [TV] ☎ [P] – 👥 60. [S]. E VISA. JCB
chiuso dal 1° al 15 gennaio – **Pasto** 20/25000 e al Rist. ***Davide*** *(chiuso mercoledì)* car 25/40000 – **11 cam** ☕ 70/90000 – ½ P 75/80000.

VIANO *42030 Reggio nell'Emilia* [428], [430] *I 13 – 2 795 ab. alt. 275 – ☏ 0522.*

Roma 435 – Parma 59 – Milano 171 – Modena 35 – Reggio nell'Emilia 22.

🍴 **La Capannina,** via Provinciale 16 ℘ 988526 – [P]
chiuso domenica, lunedì, dal 24 dicembre al 6 gennaio e dal 17 luglio al 23 agosto – Past carta 35/50000.

VIAREGGIO *55049 Lucca* [988] ⑭, [428], [429], [430] *K 12 G. Toscana – 57 765 ab. – a.s. Carnevale Pasqua, 15 giugno-15 settembre e Natale – ☏ 0584.*

ℹ *viale Carducci 10 ℘ 962233, Fax 47336.*

Roma 371 ② – La Spezia 65 ① – Pisa 21 ② – Bologna 180 ② – Firenze 97 ② – Livorno 39 ③

Pianta pagina a lato

🏠 **Plaza,** piazza d'Azeglio 1 ℘ 44449, Fax 44031 – 🛗 ❄ [TV] ☎ ♿ – 👥 90. [AE]. [S]. ◐ E VISA 🚫🐕 rist Z
Pasto al Rist. ***La Terrazza*** carta 50/90000 – **49 cam** ☕ 240/350000, 3 appartamenti – ½ P 170/260000.

🏠 **Excelsior,** viale Carducci 88 ℘ 50726, Fax 50729, ← – 🛗 ❄ [TV] ☎ ♿. [AE]. [S]. ◐ E VISA 🚫🐕 rist Y
aprile-ottobre – **Pasto** 40/60000 – **83 cam** ☕ 180/300000, 6 appartamenti – ½ P 120, 160000.

🏠 **Palace Hotel,** via Flavio Gioia 2 ℘ 46134 e rist ℘ 31320, Telex 501044, Fax 47351 « Terrazza-solarium » – 🛗 ❄ [TV] ☎ – 👥 150. [AE]. [S]. ◐ E VISA. 🚫🐕 rist Z
Pasto 60000 e al Rist. ***Il Cancello*** *(chiuso lunedì in bassa stagione)* carta 60/90000 – **70 cam** ☕ 220/300000, appartamento – ½ P 160/250000.

🏠 **Astor,** lungomare Carducci 54 ℘ 50301, Telex 501031, Fax 55181, ⛱, 🏋, 🏊 – 🛗 ❄ [TV] ☎ ♿ 🚗 – 👥 150. [AE]. [S]. ◐ E VISA. JCB. 🚫🐕 rist Y
Pasto carta 60/95000 – **50 cam** ☕ 275/410000, 9 appartamenti.

🏠 **Eden** senza rist, viale Manin 27 ℘ 30902, Fax 963807 – 🛗 ❄ [TV] ☎. [AE]. [S]. ◐ E VISA
42 cam ☕ 115/195000. Z p

🏠 **President,** viale Carducci 5 ℘ 962712, Fax 963658, ⛰ – 🛗 ❄ [TV] ☎ [P] – 👥 100. [AE]. [S]. ◐ E VISA. 🚫🐕 Z a
Pasto *(maggio-settembre)* 55/65000 – **37 cam** ☕ 220/290000 – ½ P 180/240000.

🏠 **London** senza rist, viale Manin 16 ℘ 49841, Fax 47522 – 🛗 [TV] ☎. [AE]. [S]. ◐ E VISA
22 cam ☕ 110/180000. Z s

🏠 **Bristol** senza rist, viale Manin 14 ℘ 46442, Fax 46441 – 🛗 [TV] ☎. [AE]. [S]. ◐ E VISA. JCB
32 cam ☕ 110/175000. Z t

Lupori senza rist, via Galvani 9 ✆ 962266, Fax 962267 – |‡| TV ☎ . AE. 🅂. ⦿ E VISA. ✗ Z w
☕ 12000 – **19 cam** 70/105000.

Arcangelo, via Carrara 23 ✆ 47123, Fax 48386 – TV ☎. AE. 🅂. ⦿ E VISA. ✗ rist Y x
15 aprile-20 settembre – **Pasto** (solo per alloggiati e *chiuso sino a maggio*) 35/40000 – ☕ 10000 – **19 cam** 80/105000 – 1/2 P 85/100000.

Dei Cantieri, via Indipendenza 72 ✆ 388112, Fax 388561, – TV ☎ P. 🅂. E VISA. ✗ Z d
Pasto *(maggio-settembre;* solo per alloggiati) **7 cam** ☕ 85/135000 – 1/2 P 95/105000.

XXX **L'Oca Bianca,** via Coppino 409 ✆ 388477, Fax 913023 – ▤. Ⓢ. ◑ E VISA. ✂ Z
chiuso a mezzogiorno in luglio-agosto, negli altri mesi martedì e mercoledì a mezzogiorr – **Pasto** carta 65/95000.

XXX **Il Patriarca,** viale Carducci 79 ✆ 53126, Fax 54240, prenotare – ▤. AE. Ⓢ. ◑ E VISA
chiuso dal 2 al 31 gennaio, a mezzogiorno dal 15 giugno al 15 settembre, mercoledì giovadì a mezzogiorno negli altri mesi – **Pasto** 60000 bc e carta 90/100000. Y

XXX **Tito del Molo,** lungomolo Corrado del Greco 3 ✆ 962016, Fax 962016, 🏠 – 🏛 100. A
Ⓢ. ◑ E VISA. JCB. ✂ Z
chiuso mercoledì e novembre – **Pasto** carta 65/90000 (18 %).

XX **Romano,** via Mazzini 120 ✆ 31382, Fax 31382, prenotare – ▤. AE. Ⓢ. ◑ E VISA Z r
✿ *chiuso lunedì e dall'8 al 26 gennaio* – **Pasto** carta 75/110000.
Spec. Calamaretti ripieni di verdure e crostacei. Spaghetti con frutti di mare e pesc Branzino "all'acqua pazza".

XX Gusmano, via Regia 58/64 ✆ 31233, Fax 31233 – ▤ Z

XX **Montecatini,** viale Manin 8 ✆ 962129, 🏠 – AE. Ⓢ. ◑ E VISA Z
chiuso lunedì escluso da luglio al 15 settembre – **Pasto** 35/60000 (solo a mezzogiorno) carta 60/80000 (10 %).

XX **Scintilla,** via Nicola Pisano 33 ✆ 387096 – ▤. AE. Ⓢ. ◑ E VISA. ✂ Z
chiuso lunedì, Natale e dal 10 al 20 agosto – **Pasto** specialità di mare carta 50/70000.

XX **Mirage** con cam, via Zanardelli 12/14 ✆ 48446 e hotel ✆ 32222, Fax 30348 – |‡| ▤ TV ☎
AE. Ⓢ. ◑ E VISA Z
Pasto *(chiuso martedì e gennaio)* carta 45/80000 – **10 cam** ☐ 110/185000.

XX **Il Garibaldino,** via Fratti 66 ✆ 961337, prenotare – AE. Ⓢ. ◑ E VISA Z
chiuso dal 12 al 28 ottobre, lunedì, in luglio ed agosto anche a mezzogiorno (esclus sabato-domenica) – **Pasto** carta 45/75000.

XX **Pino,** via Matteotti 18 ✆ 961356 – ▤. AE. Ⓢ. ◑ E VISA. JCB. ✂ Z
chiuso mercoledì, giovedì a mezzogiorno e dal 20 dicembre al 20 gennaio – **Pasto** cart 50/100000.

X **Da Giorgio,** via Zanardelli 71 ✆ 44493 – AE. Ⓢ. ◑ E VISA. ✂ Z
chiuso mercoledì, dall'8 al 18 ottobre e dal 5 al 20 dicembre – **Pasto** carta 50/75000.

X **Bombetta,** via Fratti 27 ✆ 961380 – AE. Ⓢ. ◑ VISA Z
chiuso lunedì sera, martedì e novembre – **Pasto** specialità di mare carta 55/85000.

X **Da Remo,** via Paolina Bonaparte 49 ✆ 48440 – ▤. AE. Ⓢ. ◑ E VISA. JCB Z
chiuso lunedì e dal 15 al 30 novembre – **Pasto** carta 45/70000.

X **Il Puntodivino,** via Mazzini 229 ✆ 31046 – AE. Ⓢ. ◑ E VISA Z
chiuso lunedì e dal 25 dicembre al 25 gennaio – **Pasto** carta 30/45000.

VIARIGI *14030 Asti* 428 G 7 – *1 087 ab. alt. 252* – ☎ *0141.*
Roma 621 – Alessandria 44 – Asti 22 – Milano 98 – Torino 77 – Vercelli 48.

X Il Glicine, frazione Pergatti S : 2 km ✆ 649276, prenotare – Ⓟ

VIBO VALENTIA *88018* Ⓟ 988㊴, 431 K 30 – *35 192 ab. alt. 476* – ☎ *0963.*
ℹ *via Forgiani 1* ✆ *42008.*
A.C.I. *strada statale 522* ✆ *591732.*
Roma 613 – Reggio di Calabria 94 – Catanzaro 69 – Cosenza 98 – Gioia Tauro 40.

🏨 **501 Hotel,** via Madonnella ✆ 43951, Fax 43400, ≤, ⛱ – |‡| ▤ TV ☎ Ⓟ – 🏛 350. AE. Ⓢ. E
VISA
Pasto carta 45/80000 – **119 cam** ☐ 160/220000, 5 appartamenti – ½ P 150/195000.

XX **Daffinà,** via San Ruba 20 ✆ 592444 – ▤. AE Ⓢ ◑ E VISA
chiuso domenica – **Pasto** carta 35/65000.

a Vibo Valentia Marina *N : 10 km* – ✉ *88019 :*

XXX **L'Approdo,** via Roma 22 ✆ 572640, Fax 572640, 🏠 – ▤. AE. Ⓢ. ◑ E VISA. ✂
✿ *chiuso lunedì escluso da maggio al 15 settembre* – **Pasto** carta 40/65000.
Spec. Pesce misto marinato agli agrumi su letto di insalata. Linguine alla pescatrice con pomodoro fresco. Filetto di pesce castagna ai porcini.

XX **Maria Rosa,** via Toscana 13/15 ✆ 572538, 🏠 – AE. Ⓢ. ◑ E VISA
chiuso dal 15 dicembre al 15 gennaio e lunedì (escluso dal 15 giugno al 15 settembre) – **Pasto** carta 30/50000.

CCHIO *50039 Firenze* 429 K 16 *G. Toscana – 6 673 ab. alt. 203 – ☎ 055.*
Roma 301 – Firenze 32 – Bologna 96.

Campestri *S : 5 km – ✉ 50039 Vicchio :*

Villa Campestri ✆ 8490107, Fax 8490108, « Villa trecentesca in un parco con ⛵ e maneggio » – TV ☎ P. AE E VISA. ✗ rist
aprile-dicembre – **Pasto** *(chiuso lunedì escluso luglio-agosto)* carta 50/65000 – **17 cam** ☕ 200/240000.

CENO *Verbania* 217 ⑲ *– Vedere Crodo.*

CENZA *36100* P 988 ④ ⑤, 429 F 16 *G. Italia – 107 786 ab. alt. 40 – ☎ 0444.*
Vedere *Teatro Olimpico*** BY **A** : *scena*** – Piazza dei Signori*** BYZ **34** : *Basilica*** BZ **B** *Torre Bissara** BZ **C**, *Loggia del Capitanio** BZ **D** – *Museo Civico** BY **M** : *Crocifissione** di Memling – Battesimo di Cristo** del Bellini, Adorazione dei Magi** del Veronese, soffitto* nella chiesa della Santa Corona* BY **E** – *Corso Andrea Palladio** ABYZ – *Polittico* nel Duomo* AZ **F** – *Villa Valmarana "ai Nani"** : affreschi del Tiepolo*** per ④ : 2 km – La Rotonda* del Palladio per ④ : 2 km – Basilica di Monte Berico* : ※** 2 km* BZ.
18 Colli Berici (chiuso lunedì) a Brendola ✉ 36040 ✆ 601780, Fax 501780;
9 (chiuso martedì e gennaio) a Creazzo ✉ 36051 ✆ 340448 , O : 7 km.
piazza Matteotti 12 ✆ 320854, Telex 480223, Fax 325001.
A.C.I. *viale della Pace 260 ✆ 510501.*
Roma 523 ③ – Padova 37 ③ – Milano 204 ⑤ – Verona 51 ⑤.

Pianta pagina seguente

Jolly Hotel Europa, viale San Lazzaro 11 ✆ 564111, Telex 482261, Fax 564382, Fø – |♦| ⇆ cam ▤ TV ☎ ♿ ⇔ P – 🏛 200. AE. 🅂. ⓓ E VISA. ✗ rist — 2 km per ⑤
Pasto carta 55/90000 – **120 cam** ☕ 245/340000, 6 appartamenti – ½ P 215/240000.

Da Porto, via del Sole ✆ 964848, Fax 964852 – |♦| ▤ TV ☎ ♿ P. AE. 🅂. ⓓ E VISA. ✗ — 1 km per ⑤
Pasto al Rist. ***Arabesque*** *(chiuso dal 1° al 27 agosto)* carta 40/60000 – **54 cam** ☕ 160/190000.

Cristina senza rist, corso SS. Felice e Fortunato 32 ✆ 323751, Fax 543656, ≘s – |♦| ▤ TV ☎ P. AE. 🅂. ⓓ E VISA — AZ r
33 cam ☕ 140/190000.

Cinzia e Valerio, piazzetta Porta Padova 65/67 ✆ 505213, Fax 512796 – ▤. AE. 🅂. ⓓ E VISA. ✗ — BY s
chiuso domenica sera, lunedì, dal 1° al 7 gennaio ed agosto – **Pasto** specialità di mare carta 50/65000.

Storione, via Pasubio 62/64 ✆ 566506, 🏠 – P. AE. 🅂. ⓓ E VISA. ✗ — 2 km per ⑥
chiuso domenica – **Pasto** specialità di mare carta 55/90000.

Agli Schioppi, contrà del Castello 26 ✆ 543701, Fax 543701 – AE. 🅂. ⓓ E VISA. ✗ — AZ c
chiuso sabato sera, domenica, dal 1° al 6 gennaio e dal 20 luglio al 10 agosto – **Pasto** 25/30000 e carta 40/55000.

Il Tinello, corso Padova 181 ✆ 500325, Fax 500325 – ▤. AE. 🅂. ⓓ E VISA — 2 km per ③
chiuso lunedì e dal 7 al 19 agosto – **Pasto** carta 40/60000.

in prossimità casello autostrada A 4 - Vicenza Ovest *per ⑤ : 3 km :*

Alfa Hotel, via dell'Oreficeria 50 ✉ 36100 ✆ 565455 e rist ✆ 571577, Fax 566027, Fø, ≘s – |♦| ▤ TV ☎ ♿ P – 🏛 270. AE. 🅂. ⓓ E VISA. ✗
Pasto carta 35/55000 – **83 cam** ☕ 150/230000, 2 appartamenti.

Forte Agip, viale degli Scaligeri 64 ✉ 36100 ✆ 564711, Telex 482111, Fax 566852 – |♦| ⇆ cam ▤ TV ☎ ♿ P – 🏛 100. AE. 🅂. ⓓ E VISA. ✗ rist
Pasto carta 50/70000 – **130 cam** ☕ 190/205000 – ½ P 140/200000.

ad Olmo *per ⑤ : 4 km – ✉ 36050 :*

De Gobbi, ✆ 520509 – ▤ P. AE. 🅂. ⓓ E VISA. ✗
chiuso venerdì, sabato a mezzogiorno e dal 1° al 25 agosto – **Pasto** carta 40/65000.

Story, ✆ 521065, Fax 521065 – P. AE. 🅂. ⓓ E VISA. ✗
chiuso lunedì e dal 1° al 22 agosto – **Pasto** carta 35/55000.

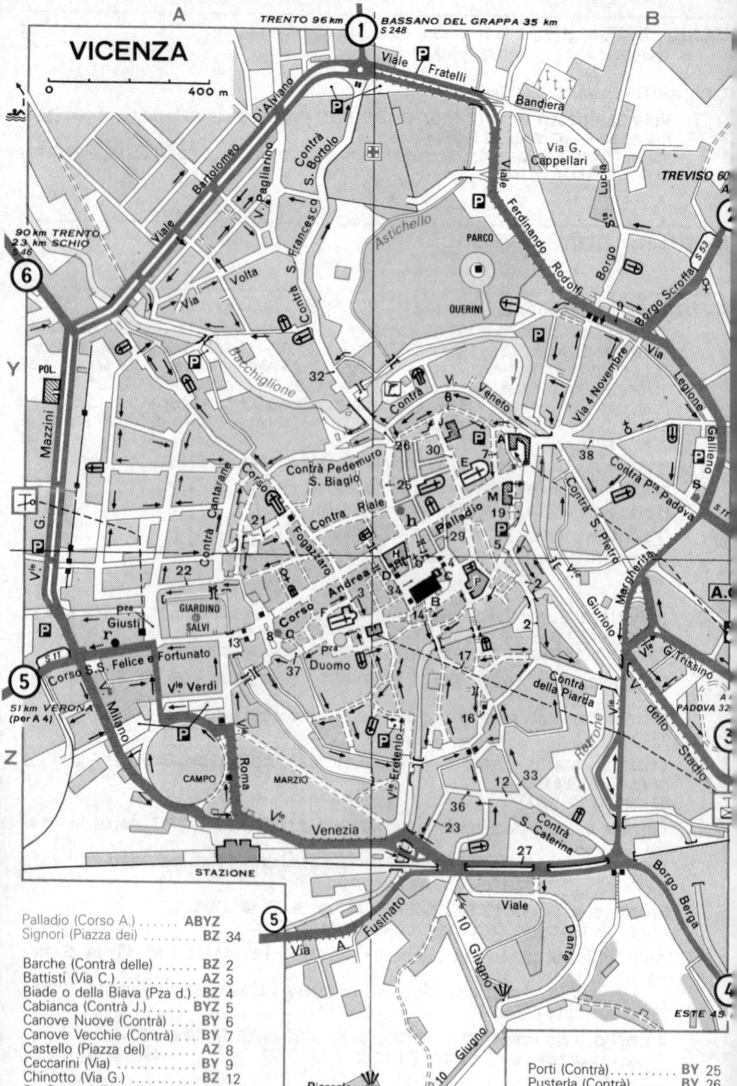

VICENZA

Palladio (Corso A.) . . . . . . ABYZ
Signori (Piazza dei) . . . . BZ 34

Barche (Contrà delle) . . . . . . BZ 2
Battisti (Via C.) . . . . AZ 3
Biade o della Biava (Pza d.). BZ 4
Cabianca (Contrà J.) . . . . . . BYZ 5
Canove Nuove (Contrà) . . . . BY 6
Canove Vecchie (Contrà) . . . BY 7
Castello (Piazza del) . . . . AZ 8
Ceccarini (Via) . . . . BY 9
Chinotto (Via G.) . . . . BZ 12
De Gasperi (Piazzale) . . . . . . AZ 13
Erbe (Piazza delle) . . . . BZ 14
Gualdi (Piazza) . . . . BZ 16
Lioy (Via P.) . . . . BZ 17
Matteotti (Piazza) . . . . BY 19
Montagna (Via B.) . . . . AY 21
Mure Pta Nuova (Contrà) . . . AZ 22
Porta Lupia (Contrà) . . . . BZ 23

Porti (Contrà) . . . . BY 25
Pusterla (Contrà) . . . . BY 26
Risorgimento (Viale) . . . . BZ 27
S. Barbara (Contrà) . . . . . BY 29
S. Corona (Contrà) . . . . . BY 30
S. Marco (Contrà) . . . . . . AY 32
S. Tomaso (Contrà) . . . . . BZ 33
Valmerlara (Contrà) . . . . . BZ 36
Vescovado (Contrà) . . . . . AZ 37
20 Settembre (Contrà) . BY 38

Segnalateci il vostro parere sui ristoranti che raccomandiamo, indicandoci le loro specialità ed i vini di produzione locale da essi serviti.

lla strada statale 11 *per ③ : 5 km :*

Victoria senza rist, ✉ 36100 ☎ 912299, Fax 912570 – |‡| ▤ TV ☎ ♿ ⇔ P – 🏔 100. AE. 🅂. ⓓ E VISA
☕ 10000 – **57 cam** 120/160000.

Da Remo, via Caimpenta 14 ✉ 36100 ☎ 911007, Fax 911856, « Casa colonica con servizio estivo all'aperto » – P. AE. 🅂. ⓓ E VISA
chiuso domenica sera, lunedì, dal 23 dicembre al 7 gennaio e dal 30 luglio al 28 agosto – **Pasto** carta 45/80000.

prossimità casello autostrada A 4-Vicenza Est *per ③ : 7 km :*

Quality Inn Viest Motel senza rist, via Pelosa 241 ✉ 36100 ☎ 582677, Telex 481819, Fax 582434, 🚗, ✂ – ▤ TV ☎ ♿ P. AE. 🅂. ⓓ E VISA
☕ 20000 – **61 cam** 160/260000.

Cavazzale *per ① : 7 km – ✉ 36010 :*

Rizzi, ☎ 946099, Fax 945669 – |‡| ▤ rist TV ☎. AE. 🅂. ⓓ E VISA. ✗
Pasto 20/30000 e al Rist. ***Da Giancarlo*** *(chiuso martedì)* carta 30/45000 – ☕ 7000 – **12 cam** 90/115000 – ½ P 85/90000.

Al Giardinetto, via Roi ☎ 595044, 🏠 – P. AE. 🅂. ⓓ E VISA. ✗
chiuso martedì sera, mercoledì, dal 25 gennaio al 6 febbraio e dal 20 luglio al 20 agosto – **Pasto** carta 35/45000.

ICO EQUENSE *80069 Napoli* 988 ㉑, 431 F 25 *G. Italia – 20 038 ab. – a.s. luglio-settembre – ☎ 081.*
Dintorni *Monte Faito** : ✳*** dal belvedere dei Capi e ✳*** dalla cappella di San Michele E : 14 km.*
🅘 *via San Ciro 16 ☎ 8015751.*
Roma 248 – Napoli 40 – Castellammare di Stabia 10 – Salerno 41 – Sorrento 9.

Sporting, via Filangieri 127 ☎ 8015186, Fax 8790465, ≤ mare, « A picco sul mare », ⛱ – |‡| ▤ TV ☎ P – 🏔 90. AE. 🅂. ⓓ E VISA. ✗ rist
Pasto carta 40/60000 – ☕ 15000 – **44 cam** 170/220000 – ½ P 110/150000.

Nonna Rosa, località Pietrapiana E : 2 km, via privata Bonea 4 ☎ 8799055 –. 🅂. VISA. ✗
chiuso mercoledì escluso luglio-agosto – **Pasto** carta 35/55000.

lla strada statale 145 *SO : 2 km*

Mega Mare 🔇 senza rist, Punta Scutolo ✉ 80069 ☎ 8028494, Fax 8928777, « Posizione panoramica a picco sul mare » – |‡| ▤ TV ☎ P. AE. 🅂. ⓓ E VISA. ✗
27 cam ☕ 150/220000, ▤ 25000.

Marina Equa *S : 2,5 km – ✉ 80069 Vico Equense :*

Le Axidie 🔇, ☎ 8028562, Fax 8028565, ≤, 🏠, 🏊, ⛱, 🚗, ✂ – ▤ TV ☎ P. AE. 🅂. E VISA. ✗ rist
marzo-ottobre – **Pasto** 40/50000 – ☕ 15000 – **29 cam** 160/240000 – ½ P 155/190000.

Eden Bleu, via Murrano 17 ☎ 8028550, Fax 8028574 – |‡| ☎ P. AE 🅂 ⓓ VISA. ✗ rist
aprile-ottobre – **Pasto** carta 40/55000 – ☕ 12500 – **17 cam** 110/155000, 4 appartamenti – ½ P 110/145000.

Capo la Gala *N : 3 km – ✉ 80069 Vico Equense :*

Capo la Gala 🔇, ☎ 8015758, Fax 8798747, ≤ mare, 🏠, « Sulla scogliera », 🏊, ⛱, 🚗 – |‡| ▤ cam TV ☎ P. AE. 🅂. E VISA. ✗
aprile-ottobre – **Pasto** 60/80000 (18%) – **18 cam** ☕ 165/240000, ▤ 50000 – ½ P 160/170000.

IDICIATICO *Bologna* 430 J 14 – *Vedere Lizzano in Belvedere.*

IESTE *71019 Foggia* 988 ㉘, 431 B 30 *G. Italia – 13 617 ab. – a.s. luglio-13 settembre – ☎ 0884.*
Vedere *≤* sulla cala di San Felice dalla Testa del Gargano S : 8 km.*
Escursioni *Strada panoramica** per Mattinata SO.*
🅘 *piazza Kennedy ☎ 708806, Fax 707130.*
Roma 420 – Foggia 92 – Bari 179 – San Severo 101 – Termoli 127.

Pizzomunno Vieste Palace Hotel, ☎ 708741, Telex 810267, Fax 707325, 🏠, « Giardino ombreggiato con 🏊 », 🏋, ≘s, ⛱, ✂ – |‡| ▤ TV ☎ P – 🏔 250. AE. 🅂. ⓓ E VISA. JCB. ✗ rist
27 marzo-3 ottobre – **Pasto** carta 90/100000 bc – **150 cam** ☕ 480/760000 – ½ P 300/590000.

Degli Aranci, piazza Santa Maria delle Grazie 10 ☏ 708557, Fax 707326, ...
79 cam.

Seggio, via Veste 7 ☏ 708123, Fax 708727, ...
aprile-ottobre – **Pasto** carta 30/50000 – **24 cam** 70/115000 – 1/2 P 135000.

Svevo senza rist, via Fratelli Bandiera 10 ☏ 708830, Fax 708830, ... cam ...
30 maggio-15 ottobre – **30 cam** 180000.

Al Dragone, via Duomo 8 ☏ 701212, Fax 701212, « In una grotta naturale » – ...
aprile-10 ottobre – **Pasto** carta 35/60000.

San Michele, viale 24 Maggio 72 ☏ 708143, ... JCB
chiuso lunedì, gennaio e febbraio – **Pasto** carta 40/70000.

Taverna al Cantinone, via Mafrolla 26 ☏ 707940 – ...
Pasqua-ottobre; chiuso venerdì sino a maggio – **Pasto** carta 30/55000.

a Lido di Portonuovo *SE : 5 km – ✉ 71019 Vieste :*

Gargano, ☏ 700911, Fax 700912, ≤ mare, isolotti e Vieste, ...
stagionale – **76 cam.**

sulla strada litoranea *NO : 10 km :*

Sfinalicchio, ✉ 71019 ☏ 706529, Fax 702010, ...
Pasqua-ottobre – **Pasto** carta 25/50000 – 5000 – **24 cam** 90/140000 – 1/2 P 90/130000

VIETRI SUL MARE

84019 Salerno 988 ㉗ ㉘, 431 E 26 *G. Italia – 9 214 ab. – a.s. Pasqua, giugno-settembre e Natale – ☎ 089.*

Vedere ≤★ *sulla costiera amalfitana.*

Roma 259 – Napoli 50 – Amalfi 20 – Avellino 41 – Salerno 5.

La Sosta, via Costiera 6 ☏ 211790 – ...
chiuso mercoledì e gennaio – **Pasto** specialità di mare carta 30/40000 (12 %).

a Raito *O : 3 km – alt. 100 – ✉ 84010 :*

Raito, ☏ 210033, Telex 770125, Fax 211434, ≤ golfo di Salerno, ... 300. ... rist
Pasto carta 50/80000 – 15000 – **50 cam** 180/280000 – P 200/240000.

VIGANÒ

22060 Lecco 219 ⑲ *– 1 686 ab. alt. 395 – ☎ 039.*

Roma 607 – Como 30 – Bergamo 33 – Lecco 20 – Milano 38.

Pierino Penati, via XXIV Maggio 36 ☏ 956020, Fax 9211400, « Veranda immersa nel verde », ... 50. ...
chiuso domenica sera, lunedì, dal 2 all'11 gennaio e dal 2 al 23 agosto – **Pasto** 50000 (a mezzogiorno) 85000 (alla sera) e carta 35/90000.

VIGARANO MAINARDA

44049 Ferrara 429 H 16 *– 6 534 ab. alt. 11 – ☎ 0532.*

Roma 435 – Bologna 60 – Ferrara 12 – Milano 230 – Modena 60 – Padova 80.

Elsa, via Cento 318 ☏ 43222, ...
chiuso martedì escluso dal 15 giugno al 15 settembre – **Pasto** carta 30/65000.

VIGEVANO

27029 Pavia 988 ③ ⑬, 428 G 8 *G. Italia – 60 003 ab. alt. 116 – ☎ 0381.*

Vedere *Piazza Ducale★★.*

18 Santa Martretta (chiuso lunedì) ☏ 346628, Fax 346091, SE : 3 km.

A.C.I. *viale Mazzini 40 ☏ 78032.*

Roma 601 – Alessandria 69 – Milano 35 – Novara 27 – Pavia 37 – Torino 106 – Vercelli 44.

Europa senza rist, via Trivulzio 8 ☏ 690483, Fax 87054 – ... 25. ...
chiuso dal 5 al 26 agosto – 15000 – **42 cam** 130/170000.

I Castagni, via Ottobiano 8/20 (S : 2 km) ☏ 42860, Coperti limitati; prenotare, ...
chiuso domenica sera, lunedì, dal 1º al 7 gennaio ed agosto – **Pasto** 50/60000 e carta 50/85000.

IGGIANELLO *85040 Potenza* [431] H 30 – *3 814 ab. alt. 500* – ☎ *0973.*
Roma 423 – Cosenza 130 – Lagonegro 45 – Potenza 135.

🏨 Parco Hotel Pollino, ℘ 664018, Fax 664019, ⛰, 🏊, 🎾 – |‡| 📺 ☎ 🅿 – 🏛 150
30 cam.

IGNOLA *41058 Modena* [988] ⑭, [428], [429], [430] I 15 – *20 084 ab. alt. 125* – ☎ *059.*
Roma 398 – Bologna 43 – Milano 192 – Modena 22 – Pistoia 110 – Reggio nell'Emilia 47.

🍴 **La Bolognese,** via Muratori 1 ℘ 771207 –. [$]. ⓓ [E] [VISA]. ✂
chiuso venerdì sera, sabato ed agosto – **Pasto** carta 40/55000.

Tavernelle *SO : 3 km* – ✉ *41058 Vignola :*

🍴🍴 **Antica Trattoria Moretto,** via Frignanese 2373 ℘ 772785, 🌳 – 🅿. [$]. [E] [VISA]. ✂
chiuso dal 10 al 20 gennaio – **Pasto** carta 40/50000.

IGODARZERE *35010 Padova,* [429] F 17 – *10 629 ab. alt. 17* – ☎ *049.*
Roma 491 – Padova 7 – Bassano del Grappa 39 – Venezia 44 – Verona 83 – Vicenza 38.

🍴🍴 **Bacco Tabacco,** Via Roma 26 ℘ 8874636, Coperti limitati; prenotare – ▤. [$]. [E] [VISA]
chiuso lunedì e martedì a mezzogiorno – **Pasto** carta 50/75000
✿ **Spec.** Timballo di carciofi e porcini in crosta di patate. Ravioli di branzino ai frutti di mare. Controfiletto d'agnello con purea di zucchine e scaglie di grana.

IGO DI CADORE *32040 Belluno* [429] C 19 – *1 714 ab. alt. 951* – ☎ *0435.*
[i] *(giugno-15 settembre)* ℘ *77058.*
Roma 658 – Cortina d'Ampezzo 46 – Belluno 57 – Milano 400 – Venezia 147.

🏨 **Sporting** 🐦, a Pelos, via Fabbro 32 ℘ 77103, Fax 77103, ≤, 🏊 riscaldata, 🌲 – 📺 ☎ 🅿. ✂
15 giugno-15 settembre – **Pasto** carta 40/55000 – ☕ 15000 – **24 cam** 125/170000 – P 95/140000.

IGO DI FASSA *38039 Trento* [988] ④ ⑤, [429] C 17 *G. Italia* – *968 ab. alt. 1 342* – *a.s. 28 gennaio-11 marzo e Natale* – *Sport invernali : 1 382/2 100 m* 🚡 *1* ⛷ *6,* ⛷ *(vedere anche Pozza di Fassa)* – ☎ *0462.*
[i] *via Roma 2* ℘ *64093, Fax 64877.*
Roma 676 – Bolzano 36 – Canazei 13 – Passo di Costalunga 9 – Milano 334 – Trento 94.

🏨 **Park Hotel Corona,** ℘ 764211, Telex 400180, Fax 764777, ≤, 🏋, ⛰, 🏊, 🌲, 🎾 – |‡| 📺 ☎ 🅿. ✂ rist
18 dicembre-6 aprile e 18 giugno-5 ottobre – **Pasto** (solo per alloggiati) 45/65000 – **60 cam** ☕ 180/300000, 10 appartamenti – ½ P 170/210000.

🏨 **Catinaccio,** piazza Europa ℘ 764209, Fax 763712, ≤, ⛰ – |‡| 📺 ☎ 🅿. ✂
dicembre-20 aprile e giugno-25 settembre – **Pasto** *(chiuso venerdì a mezzogiorno in bassa stagione)* 25/30000 – **22 cam** ☕ 125/190000 – ½ P 80/120000.

🏨 **Andes,** ℘ 764575, Fax 764598, ≤, 🏋, ⛰ – |‡| ☎ 🚗 🅿. ✂
chiuso maggio e novembre – **Pasto** *(chiuso lunedì in bassa stagione)* carta 30/45000 – ☕ 13500 – **31 cam** 90/160000 – ½ P 90/120000.

🏨 **Olympic,** ℘ 764225, Fax 764636, ≤, 🌲 – |‡| 🚭 rist 📺 ☎ 🅿. [$]. [E] [VISA]. ✂
chiuso dal 15 al 30 giugno e novembre – **Pasto** *(chiuso lunedì a mezzogiorno)* carta 40/60000 – **12 cam** ☕ 150/200000, 12 appartamenti 180/240000 – ½ P 60/130000.

a Vallonga *SO : 2,5 km* – ✉ *38039 Vigo di Fassa :*

🏨 **Millefiori,** ℘ 769000, Fax 769119, ≤ Dolomiti e pinete, 🌳 – 📺 ☎ 🚗 🅿. [$] [E] [VISA]. ✂ rist
chiuso dal 4 novembre al 4 dicembre e dal 25 maggio al 20 giugno – **Pasto** carta 25/40000 – **14 cam** ☕ 55/110000 – ½ P 60/80000.

a Tamion *SO : 3,5 km* – ✉ *38039 Vigo di Fassa :*

🏨 **Gran Mugon** 🐦, ℘ 769111, Fax 769108, ≤, ⛰ – 🚭 rist 📺 ☎ 🅿. [$]. [E] [VISA]. ✂ rist
20 dicembre-24 aprile e 25 giugno-15 ottobre – **Pasto** (solo per alloggiati) 25/30000 – **21 cam** ☕ 90/115000 – ½ P 100000.

Vedere anche : **Costalunga (Passo di)** *SO : 10,2 km*

VILLA *Brescia* – *Vedere Gargnano.*

VILLA ADRIANA *Roma* [988] ㉖, [430] Q 20 – *Vedere Tivoli.*

VILLA AGNEDO *38050 Trento* [429] D 16 – *718 ab. alt. 351 – a.s. dicembre-aprile* – ☎ *0461.*
Roma 591 – Trento 41 – Belluno 71 – Treviso 100 – Venezia 130.

🏨 **Cà Bianca 2**, NE : 2 km ☎ 762788, Fax 763450, ≤ vallata, ... – [TV] ☎ ... [P]. [S]. ... VISA. ...
Pasto carta 40/70000 – ☕ 10000 – **15 cam** 50/90000.

VILLA BANALE *Trento – Vedere Stenico.*

VILLABASSA (NIEDERDORF) *39039 Bolzano* [429] B 18 – *1 296 ab. alt. 1 158* – ☎ *0474.*
[i] *Palazzo del Comune* ☎ *745136, Fax 745283.*
Roma 738 – Cortina d'Ampezzo 36 – Bolzano 100 – Brunico 23 – Milano 399 – Trento 160

🏨 **Aquila-Adler,** piazza Municipio 108 ☎ 745128, Fax 745278, ..., ... – |‡| [TV] ☎ [P]. [AE]. [S]. E VISA
chiuso dal 5 novembre al 18 dicembre ed aprile – **Pasto** vedere rist ***Aquila-Adler*** – **48 cam** ☕ 115/220000 – 1/2 P 110/140000.

🍴 **Aquila-Adler** - Hotel Aquila-Adler, piazza Municipio 108 ☎ 745128, prenotare – [P]. [AE]. [S]. E VISA. ...
chiuso martedì e dal 5 novembre al 18 dicembre – **Pasto** carta 45/75000.

VILLA D'ALMÈ *24018 Bergamo* [428] E 10 – *5 896 ab. alt. 289* – ☎ *035.*
Roma 601 – Bergamo 14 – Lecco 31 – Milano 58.

🍴 **Osteria della Brughiera,** via Brughiera 49 ☎ 638008, Fax 638008, « Servizio estivo in giardino » – [AE]. [S]. VISA. ...
chiuso lunedì, martedì a mezzogiorno, dal 1° al 7 gennaio ed agosto – **Pasto** carta 50/75000.

VILLA DI CHIAVENNA *23029 Sondrio* [428] C 10, [218] ⑭ – *1 123 ab. alt. 625* – ☎ *0343.*
Roma 692 – Sondrio 69 – Chiavenna 8 – Milano 131 – Saint Moritz 41.

🍴 ✿ **La Lanterna Verde,** a San Barnaba SE : 2 km ☎ 38588, Fax 38593, ... – [P]. [AE]. [S]. E VISA. ...
chiuso mercoledì in luglio-agosto, dal 15 al 30 giugno e dal 15 al 30 novembre – **Pasto** carta 45/65000
Spec. Terrina d'agnello con insalata dell'orto e aceto balsamico (estate). Pizzoccheri alla valtellinese. Medaglione di capriolo al Sassella.

VILLAFRANCA DI VERONA *37069 Verona* [988] ④, [429] F 14 – *27 636 ab. alt. 54* – ☎ *045.*
Roma 483 – Verona 19 – Brescia 61 – Mantova 22 – Vicenza 70.

🍴 Cà 21, via Quadrato 21 ☎ 6304079 – ... [P]

VILLAGGIO MANCUSO *Catanzaro* [988] ㊴, [431] J 31 – *Vedere Taverna.*

VILLAIR DE QUART *Aosta* [428] E 4, [219] ③ – *Vedere Aosta.*

VILLAMARINA *Forlì-Cesena* [430] J 19 – *Vedere Cesenatico.*

VILLAMMARE *84070 Salerno* [431] G 28 – *a.s. luglio-agosto* – ☎ *0973.*
Roma 411 – Potenza 135 – Napoli 205 – Salerno 154 – Sapri 4.

🏨 **Rivamare,** via Lungomare 11 ☎ 365282, ≤, ..., ... – ☎ [P]. ...
Pasto *(13 giugno-15 settembre;* solo per clienti alloggiati*)* 25/35000 – ☕ 6500 – **20 cam** 65/80000 – 1/2 P 80/85000.

VILLANDRO (VILLANDERS) *39043 Bolzano* [429] C 16 – *1 772 ab. alt. 880* – ☎ *0472.*
Roma 669 – Bolzano 28 – Bressanone 13 – Cortina d'Ampezzo 100 – Trento 88.

🍴 **Ansitz Zum Steinbock** con cam, ☎ 843111, Fax 843468, ≤, « Edificio del 18° secolo con servizio estivo all'aperto » – ☎ [P]. [AE]. [S]. E VISA
chiuso dal 6 gennaio al 5 marzo – **Pasto** *(chiuso lunedì)* carta 50/80000 – **16 cam** ☕ 70/120000 – 1/2 P 75/95000.

VILLANOVA *Pordenone – Vedere Prata di Pordenone.*

.LANOVA *Bologna* 430 I 16 – *Vedere Bologna.*

LLANOVA D'ALBENGA *17038 Savona* 428 J 6 – *1 838 ab. alt. 35* – ☎ *0182.*
Roma 587 – *Imperia 33* – *Alassio 15* – *Genova 92* – *Mondovì 83* – *San Remo 60* – *Savona 46.*

XX **Il Cenacolo,** vico Lerrone 2 ☎ 582187, Coperti limitati; prenotare – ▤. 🅂. E VISA
chiuso martedì sera e mercoledì (escluso luglio-settembre), dal 10 al 30 novembre – **Pasto** specialità alle erbe selvatiche e verdure carta 60/100000.

LLANOVAFORRU *Cagliari* 433 I 8 – *Vedere Sardegna alla fine dell'elenco alfabetico.*

LLA OPICINA *34016 Trieste* 988 ⑥, 429 E 23 *G. Italia* – *alt. 348* – ☎ *040.*
Vedere *≤★★ su Trieste e il golfo* – *Grotta Gigante★ NO : 3 km.*
Roma 664 – *Udine 64* – *Gorizia 40* – *Milano 403* – *Trieste 11* – *Venezia 153.*

X **Daneu** con cam, via Nazionale 194 ☎ 214214, Fax 214215, « Servizio estivo all'aperto », – TV ☎ P. AE. 🅂. ◑ E VISA. ✻
Pasto *(chiuso lunedì)* carta 35/60000 – **17 cam** ☐ 80/110000 – ½ P 80/90000.

LLAR FOCCHIARDO *10050 Torino* 428 G 3 – *alt. 450* – ☎ *011.*
Roma 703 – *Torino 42* – *Susa 16.*

XX **La Giaconera,** via Antica di Francia 1 ☎ 9645000, Fax 9645143, « In un'antica locanda del seicento » – P. 🅂. VISA. ✻
chiuso lunedì, martedì ed agosto – **Pasto** 50/55000.

ILLA ROSA *Teramo* 430 N 23 – *Vedere Martinsicuro.*

ILLA SAN GIOVANNI *89018 Reggio di Calabria* 988 ㊲ ㊴, 431 M 28 *G. Italia* – *12 837 ab. alt. 21* – ☎ *0965.*
Escursioni *Costa Viola★ a Nord per la strada S 18.*
☎ 751026-int. 393.
per Messina giornalieri (30 mn) – *Società Caronte Shipping, via Marina 30 ☎ 751413, Telex 980091, Fax 751651 e Ferrovie Stato, piazza Stazione ☎ 758241.*
Roma 653 – *Reggio di Calabria 14.*

Gd H. De la Ville, via Ammiraglio Curzon prolungamento Sud ☎ 795600, Fax 795640 – |♦| ✻ cam ▤ TV ☎ P. AE. 🅂. ◑ E VISA. ✻ rist
Pasto carta 45/85000 – **50 cam** ☐ 210/275000, 10 appartamenti – ½ P 180/205000.

ILLASIMIUS *Cagliari* 988 ㉞, 433 J 10 – *Vedere Sardegna alla fine dell'elenco alfabetico.*

ILLASTRADA *46030 Mantova* 428, 429 H 13 – *alt. 22* – ☎ *0375.*
Roma 461 – *Parma 40* – *Verona 74* – *Mantova 33* – *Milano 161* – *Modena 58* – *Reggio nell'Emilia 38.*

XX **Nizzoli,** ☎ 89150, Fax 899991 –. 🅂. ✻
chiuso mercoledì e dal 24 al 29 dicembre – Pasto carta 40/55000.

ILLA VERUCCHIO *Rimini* 430 J 19 – *Vedere Verucchio.*

ILLA VICENTINA *33059 Udine* 429 D 21 – *1 184 ab. alt. 11* – ☎ *0431.*
Roma 619 – *Udine 40* – *Gorizia 28* – *Trieste 45* – *Venezia 120.*

Ai Cjastinars, strada statale 14 (S : 1 km) ☎ 970282, Fax 969037, ✻ – ▤ TV ☎ ♿ P. AE. 🅂. ◑ E VISA. ✻
Pasto *(chiuso giovedì)* carta 30/55000 – **13 cam** ☐ 110/150000 – ½ P 85/100000.

ILLETTA BARREA *67030 L'Aquila* 988 ㉗, 430 Q 23, 431 B 23 – *612 ab. alt. 990* – ☎ *0864.*
Roma 179 – *Frosinone 72* – *L'Aquila 151* – *Isernia 50* – *Pescara 138.*

Il Pescatore, via Roma ☎ 89253, Fax 89439 – TV ☎ ♿ P. 🅂. E VISA. ✻
Pasto carta 30/45000 – **30 cam** ☐ 30/70000 – P 75/90000.

Degli Olmi, via Fossato 8/b ☎ 89159, Fax 89185 – TV ☎ P
20 cam.

Il Vecchio Pescatore, via Benedetto Virgilio ☎ 89274, Fax 89255 – TV ☎. AE. 🅂. ◑ E VISA. ✻
Pasto (solo per alloggiati) carta 30/40000 – **12 cam** ☐ 50/85000 – ½ P 60/75000.

🍴 **Trattoria del Pescatore,** via Benedetto Virgilio 175 ☎ 89152, prenotare – [AE]. [S]. [O] [VISA]. ⛔
Pasto carta 30/40000.

VILLNOSS = *Funes.*

VILLORBA *31050 Treviso* [429] E 18 – *15 921 ab. alt. 38* – ☎ *0422.*
Roma 554 – Venezia 49 – Belluno 71 – Trento 134 – Treviso 10.

a Fontane *S : 6 km* – ✉ *31020 :.*

🍴🍴 **Da Dino,** via Doberdò 3 ☎ 300792, 🏠, prenotare – [P]. [AE]. [S]. [E] [VISA]. ⛔
chiuso domenica e dal 5 al 20 agosto – **Pasto** carta 35/50000.

VILPIAN = *Vilpiano.*

VILPIANO (VILPIAN) *Bolzano* [429] C 15, [218] ⑳ – *Vedere Terlano.*

VINCI *50059 Firenze* [988] ⑭, [429], [430] K 14 *G. Toscana* – *13 697 ab. alt. 98* – ☎ *0571.*
[i] *via della Torre 11* ☎ *568012, Fax 568012.*
Roma 304 – Firenze 40 – Lucca 54 – Livorno 72 – Pistoia 25.

🏨 **Alexandra,** via Dei Martiri 38 ☎ 56224, Fax 567972 – ▤ [TV] ☎ [P] – 🏛 30. [AE]. [S]. [O] [E] [VISA]. [JCB]. ⛔
Pasto al Rist. ***La Limonaia*** carta 35/50000 (10 %) – ☕ 12000 – **37 cam** 95/120000, ▤ 1200[0] – ½ P 75/95000.

VIPITENO (STERZING) *39049 Bolzano* [988] ④, [429] B 16 *G. Italia* – *5 615 ab. alt. 948* – *Sport invernali : 948/2 161 m* 🚡 1 ⛷ 4, ⛷ – ☎ *0472.*
Vedere Via Città Nuova★.
[i] *piazza Città 3* ☎ *765325, Fax 765441.*
Roma 708 – Bolzano 66 – Brennero 13 – Bressanone 30 – Merano 58 – Milano 369 – Trento 130.

🏨 **Aquila Nera-Schwarzer Adler,** piazza Città 1 ☎ 764064, Fax 766522, ≘s, [🏊] – [TV] ☎ [P] – 🏛 30. [S]. [E] [VISA]
chiuso dal 26 giugno al 13 luglio e dall'8 novembre al 20 dicembre – **Pasto** *(chiuso lunedì)* carta 65/95000 – **21 cam** ☕ 140/195000, 6 appartamenti – ½ P 135/190000.

a Casateia (Gasteig) *SO : 2,5 km – alt. 970* – ✉ *39040 Racines :*

🏨 **Gasteigerhof,** ☎ 779090, Fax 779043, ≤, 🏠, 🏋, ≘s, 🌳 – [TV] ☎ [P]. [AE]. [S]. [E] [VISA]. ⛔ rist
chiuso dal 15 al 29 giugno e dal 3 novembre al 6 dicembre – **Pasto** carta 45/80000 – **30 cam** ☕ 95/180000 – ½ P 90/125000.

a Prati (Wiesen) *E : 3 km – alt. 948* – ✉ *39049 Vipiteno :*

🏨 **Wiesnerhof,** ☎ 765222, Fax 765703, ≤, 🏋, ≘s, [🏊], 🌳, 🎾 – [🛗] [TV] ☎ [P]. [S]. [VISA]. ⛔ rist
chiuso dal 1º al 22 aprile e dal 10 novembre al 25 dicembre – **Pasto** *(chiuso lunedì)* 30/7000[0] – **34 cam** ☕ 110/180000 – ½ P 90/115000.

🏨 **Rose,** ☎ 764300, Fax 764639, 🏋, ≘s – [🛗] [TV] ☎ [P]. ⛔ rist
Natale-Pasqua e 15 maggio-settembre – **Pasto** (solo per alloggiati) 25/40000 – **22 cam** ☕ 100/160000 – ½ P 75/95000.

a Tulve (Tulfer) *E : 8 km – alt. 1 280* – ✉ *39049 Vipiteno :*

🍴🍴 **Pretzhof,** ☎ 764455, Fax 764455, ≤, 🏠, « Ambiente caratteristico » – [P]. [AE]. [S]. [E] [VISA]
chiuso 15 al 26 dicembre, dal 13 al 27 gennaio, dal 20 giugno al 10 luglio, lunedì e martedì – Pasto carta 40/65000.

a Ridanna (Ridnaun) *O : 12 km – alt. 1 342* – ✉ *39040 :*

🏨 **Sonklarhof** 🐦, ☎ 656212, Fax 656224, ≤, 🏋, ≘s, [🏊], 🌳, 🎾 – [🛗] 🚭 rist [TV] ☎ [P]. ⛔ rist
20 dicembre-10 aprile e 15 maggio-27 ottobre – **Pasto** carta 50/60000 – **45 cam** ☕ 110/240000, 5 appartamenti – ½ P 90/120000.

VISERBA *Rimini* [988] ⑮, [430] J 19 – *Vedere Rimini.*

VISERBELLA *Rimini* [988] ⑮, [430] J 19 – *Vedere Rimini.*

ISNADELLO *31050 Treviso* 429 E 18 – *alt. 46* – ☎ *0422.*

Roma 555 – Venezia 41 – Belluno 67 – Treviso 11 – Vicenza 69.

XX **Da Nano,** via Gritti 145 ☎ 928911 – ▤ ⓟ. AE. Ⓢ. ⓞ E VISA
chiuso domenica sera, lunedì ed agosto – **Pasto** specialità di mare carta 60/80000.

VITERBO *01100* P 988 ㉕, 430 O 18 *G. Italia* – *60 430 ab. alt. 327* – ☎ *0761.*

Vedere *Piazza San Lorenzo★★ Z – Palazzo dei Papi★★ Z – Quartiere San Pellegrino★★ Z.*

Dintorni *Villa Lante★★ a Bagnaia per ① : 5 km – Teatro romano★ di Ferento 9 km a Nord per viale Baracca Y.*

piazza San Carluccio ☎ 304795, Fax 220957 – piazza Verdi 4/a ☎ 226666, Fax 346029.

A.C.I. *via Marini 16 ☎ 324806.*

Roma 104 ③ – Chianciano Terme 100 ④ – Civitavecchia 58 ③ – Grosseto 123 ③ – Milano 508 ④ – Orvieto 45 ④ – Perugia 127 ④ – Siena 143 ④ – Terni 62 ①.

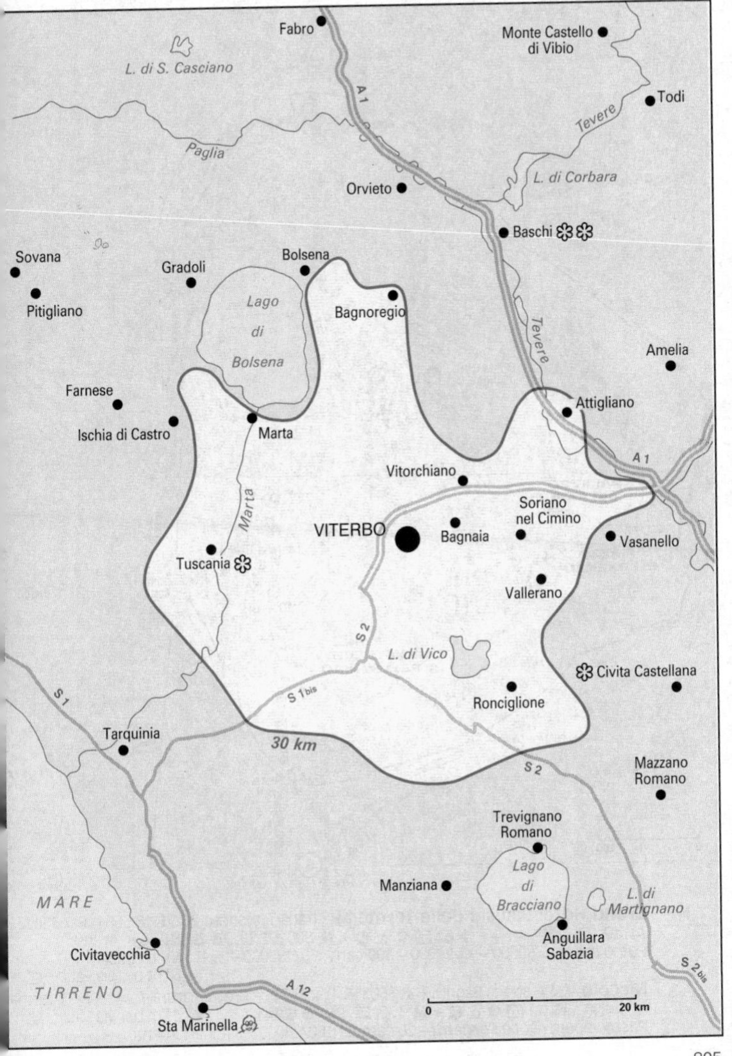

VITERBO

Italia (Corso) . . . . Y
Marconi (Via G.) . . . . Y
Matteotti (Via G.) . . . . Y

Ascenzi (Via F.) . . . . Y 2
Caduti (Piazza dei) . . . . Y 3
Cardinale La Fontaine (Via) . . . . Z 4
Carmine (Via del) . . . . Z 6
Crispi (Piazza F.) . . . . Y 7
Fabbriche (Via delle) . . . . Z 10
Gesù (Piazza del) . . . . Z 12
Lorenzo da Viterbo (Via) . . . . . . Z 13
Maria SS. Liberatrice (Via) . . . . Y 15
Meone (Via del) . . . . Z 16
Mille (Via dei) . . . . Z 17
Morte (Piazza della) . . . . Z 18
Orologio Vecchio (Via) . . . . Y 19
Pace (Via della) . . . . Z 20
Piaggiarelle (Via D.) . . . . Z 23
Pianoscarano (Via di) . . . . Z 24
Pietra del Presce (Via) . . . . Z 25
Plebiscito (Piazza del) . . . . Y
Roma (Via) . . . . Y
Rosselli (Via Fratelli) . . . . Y
Saffi (Via) . . . . YZ
San Bonaventura (Via) . . . . Y
San Carluccio (Piazza) . . . . Z
San Leonardo (Via) . . . . Z
San Pellegrino (Piazza) . . . . Z
San Pellegrino (Via) . . . . Z
Trinità (Piazza della) . . . . Y
Vallepiatta (Via) . . . . Y
Verità (Via della) . . . . Y

Circolazione stradale regolamentata nel centro città

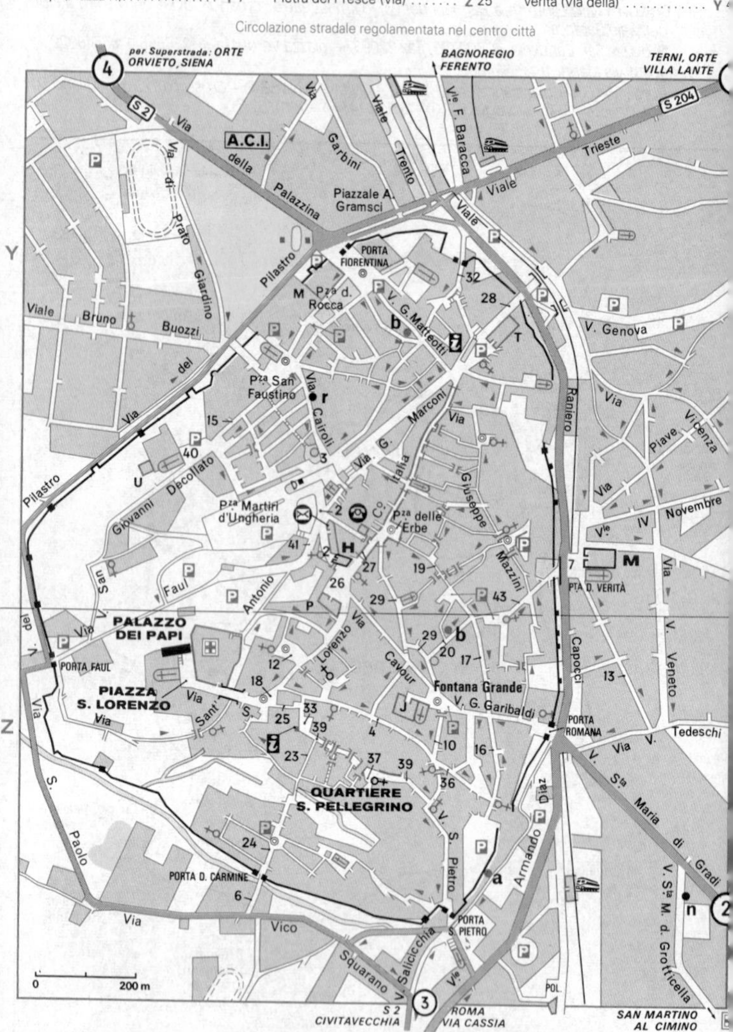

Grand Hotel Salus e delle Terme M, strada Tuscanese 26/28 ✆ 3581, Fax 354262 – 500. AE. 🅂. ◑ E VISA. JCB. ✂ rist
Pasto carta 45/60000 – ☕ 20000 – **100 cam** 160/180000 – ½ P 140/170000.
3 km per via Faul YZ

Niccolò V, strada Bagni 12 ✆ 350555, Fax 352451, Grotta naturale, terma-le, – 300. AE. 🅂. ◑ E VISA. ✂ 3 km per via Faul YZ
Pasto vedere rist ***Le Sorgenti*** – **20 cam** ☕ 180/240000, 3 appartamenti.

Mini Palace Hotel senza rist, via Santa Maria della Grotticella 2 ☎ 309742, Fax 344715 – ▯ ▯ ▯ ☎ ▯ P – 🚶 25. AE. 🗐. ⊙ E VISA. ✗ Z n
35 cam ▭ 120/190000.

Balletti Palace Hotel senza rist, viale Francesco Molini 8 ☎ 344777, Fax 344777 – ▯ ▯ ☎ – 🚶 200. AE. 🗐. ⊙ E VISA. ✗ per viale Trento Y
105 cam ▭ 130/160000, 2 appartamenti.

Tuscia senza rist, via Cairoli 41 ☎ 344400, Fax 345976 – ▯ ▯ ☎ ▯. AE. 🗐. ⊙ E VISA. ✗ Y r
▭ 12000 – **37 cam** 80/125000.

Le Sorgenti - Hotel Niccolò V, strada Bagni 12 ☎ 353796, Fax 354437 – ▯ P. AE. 🗐. ⊙ E VISA JCB. ✗ 3 km per via Faul YZ
chiuso lunedì – **Pasto** carta 35/65000.

Il Grottino, via della Cava 7 ☎ 308188, Coperti limitati; prenotare – ▯. AE ⊙. ✗
chiuso martedì – **Pasto** carta 50/70000. Y b

Aquila Nera, via delle Fortezze 29 ☎ 344220, « Servizio estivo all'aperto ». ✗
chiuso domenica – **Pasto** 25/30000 (solo a mezzogiorno) 30/35000 (solo alla sera) e carta 40/60000. Z a

La Spigola, via Della Pace 40 ☎ 303049. AE. 🗐. ⊙ E VISA Z b
chiuso mercoledì – **Pasto** specialità di mare carta 45/70000.

sulla strada statale 2 - via Cassia *per ③ : 5 km :*

Il Portico, via Cassia Sud 91/95, località Ponte Cetti ✉ 01100 ☎ 263041 – P

a San Martino al Cimino *S : 6,5 km Z – alt. 561 – ✉ 01030 :*

Balletti Park Hotel ⛰, via Umbria 2/A ☎ 3771, Fax 379496, ≤, ▯, ▯, ▯, ▯, ▯, ▯ – ▯ ▯ ▯ ☎ P – 🚶 350. AE. 🗐. ⊙ E VISA. ✗
Pasto carta 40/60000 – **114 cam** ▭ 115/285000, 26 appartamenti – P 150/205000.

VITICCIO *Livorno – Vedere Elba (Isola d') : Portoferraio.*

VITORCHIANO *01030 Viterbo* 430 O 18 – *2 808 ab. alt. 285* – ☎ *0761.*
Roma 113 – Viterbo 11 – Orvieto 45 – Terni 55.

Al Pallone ⛰ con cam, strada Sorianese 1 ☎ 370344, Fax 371111, ▯, ▯ – ▯ ☎ ♿ ▯ P. AE. 🗐. ⊙ E VISA. ✗ cam
chiuso dal 7 al 24 gennaio e dal 6 al 21 luglio – **Pasto** *(chiuso domenica sera e mercoledì)* carta 35/70000 – **8 cam** ▭ 60/100000, 4 appartamenti 150000.

VITTORIA *Ragusa* 432 Q 25 – *Vedere Sicilia.*

VITTORIA (Santuario della) *Genova – Vedere Mignanego.*

VITTORIO VENETO *31029 Treviso* 988 ⑤, 429 E 18 – *28 762 ab. alt. 136* – ☎ *0438.*
Vedere *Affreschi★ nella chiesa di San Giovanni.*
▯18 *Cansiglio (aprile-novembre) a Pian del Cansiglio ✉ 31029 Vittorio Veneto ☎ 585398, NE : 21 km.*
▯ *piazza del Popolo ☎ 57243, Fax 53629.*
Roma 581 – Belluno 37 – Cortina d'Ampezzo 92 – Milano 320 – Treviso 41 – Udine 80 – Venezia 70.

Terme, via delle Terme 4 ☎ 554345, Fax 554347, ▯ – ▯ ▯ ▯ ☎ ▯ – 🚶 200. AE. 🗐. E VISA
Pasto *(chiuso lunedì)* carta 45/70000 – ▭ 15000 – **39 cam** 110/150000 – 1/2 P 130000.

Locanda al Postiglione, via Cavour 39 ☎ 556924, Fax 556924 – P. AE. 🗐. ⊙ E VISA. ✗
chiuso martedì e dal 16 luglio al 6 agosto – **Pasto** carta 35/50000.

VIVERONE *13040 Biella* 428 F 6, 219 ⑮ – *1 375 ab. alt. 407 – a.s. luglio-13 settembre* – ☎ *0161.*
Roma 661 – Torino 58 – Biella 23 – Ivrea 16 – Milano 97 – Novara 51 – Vercelli 32.

Marina ⛰, frazione Comuna 10 ☎ 987577, Fax 98689, ≤, ▯, « Giardino in riva al lago », ▯, ▯, ▯ – ▯ ▯ ☎ P – 🚶 30. AE. 🗐. E VISA. ✗
Pasto *(chiuso venerdì escluso da giugno ad agosto)* carta 45/60000 – ▭ 15000 – **40 cam** 130/140000 – 1/2 P 110/120000.

Royal, al lido, viale Lungolago 19 ☎ 98142, Fax 987038, ≤, ▯ – ▯ ▯ ▯ ☎ ▯ – 🚶 60. AE. 🗐. ⊙ E VISA
Pasto 25/50000 – ▭ 8000 – **47 cam** 70/90000 – 1/2 P 85000.

VIZZOLA TICINO *21010 Varese* 428 F 8, 219 ⑰ – *419 ab. alt. 221* – ☎ *0331*.
Roma 619 – Stresa 42 – Como 55 – Milano 51 – Novara 27 – Varese 33.

a Castelnovate *NO : 2,5 km* – ✉ *21010 Vizzola Ticino :*

X **Concorde,** via Mazzini 2 ✆ 230839, 🏡, « Trattoria rustica ». ⋘
chiuso mercoledì ed agosto – **Pasto** carta 30/50000.

Lisez attentivement l'introduction : c'est la clé du guide.

VOBARNO *25079 Brescia* 428, 429 F 13 – *7 345 ab. alt. 246* – ☎ *0365.*
Roma 555 – Brescia 41 – Milano 126 – Trento 96 – Verona 69.

🏠 **Eureka,** località Carpeneda NO : 2 km ✆ 61066 – TV ☎ P
chiuso dal 7 al 30 gennaio – **Pasto** carta 25/45000 – ☕ 9000 – **17 cam** 65/85000 ½ P 70/75000.

VODO CADORE *32040 Belluno* 429 C 18 – *928 ab. alt. 901* – ☎ *0435.*
Roma 654 – Cortina d'Ampezzo 17 – Belluno 49 – Milano 392 – Venezia 139.

XX **Al Capriolo,** via Nazionale 108 ✆ 489207, Fax 489207 – P. AE. 🅂. ⓓ E VISA. ⋘
chiuso dal 2 novembre al 4 dicembre, dal 16 maggio al 19 giugno, martedì e mercoledì a mezzogiorno in gennaio-febbraio – **Pasto** carta 45/65000.

VOGHERA *27058 Pavia* 988 ⑬, 428 G 9 – *40 566 ab. alt. 93* – ☎ *0383.*
Roma 574 – Alessandria 38 – Genova 94 – Milano 64 – Pavia 32 – Piacenza 64.

sulla strada statale 10 *SO : 2 km :*

🏨 **Rallye,** via Tortona 51 ✉ 27058 ✆ 45321, Fax 49647, 🏡, 🚗 – ▤ TV ☎ P. AE. 🅂. ⓓ E VISA. ⋘ rist
chiuso dal 20 dicembre al 10 gennaio e dal 10 al 20 agosto – **Pasto** *(chiuso lunedì)* carta 35/70000 – ☕ 15000 – **34 cam** 85/110000, ▤ 10000 – ½ P 85/95000.

VOGHIERA *44019 Ferrara* 429 H 17 – *4 064 ab.* – ☎ *0532.*
Roma 444 – Bologna 60 – Ferrara 16 – Ravenna 61.

XX **Trattoria del Belriguardo,** ✆ 815503 – ▤. AE. 🅂. ⓓ E VISA
chiuso mercoledì, dal 17 al 31 gennaio e dal 15 al 30 agosto – **Pasto** carta 30/55000.

X Al Pirata, ✆ 818281 – ▤
Pasto specialità di mare.

VOLASTRA *La Spezia* 428 J 11 – *Vedere Manarola.*

VOLPAGO DEL MONTELLO *31040 Treviso* 429 E 18 – *8 791 ab. alt. 90* – ☎ *0423.*
Roma 552 – Padova 57 – Venezia 56 – Belluno 74 – Treviso 16 – Vicenza 54.

X La Paesana, ✆ 620313, Fax 620313, 🏡 – P

VOLPEDO *15059 Alessandria* 428 H 8 – *1 225 ab. alt. 182* – ☎ *0131.*
Roma 578 – Alessandria 33 – Genova 84 – Piacenza 87.

XX **La Palmana,** via De Antoni 32 ✆ 80222, 🏡 – AE. 🅂. ⓓ E VISA. JCB. ⋘
chiuso mercoledì e dal 7 al 31 gennaio – **Pasto** 30/50000 (a mezzogiorno) 40/70000 (alla sera) e carta 50/70000.

VOLPIANO *10088 Torino* 988 ⑫, 428 G 5 – *12 780 ab. alt. 219* – ☎ *011.*
Roma 687 – Torino 17 – Aosta 97 – Milano 126.

🏨 **RestHotel Primevère,** via Brandizzo 115 ✆ 9952369, Fax 9951992 – 🚭 cam ▤ ☎ ♿ 🚗 P – 🏛 60. AE. 🅂. ⓓ E VISA. ⋘
Pasto 35000 – **40 cam** ☕ 140/170000.

XXX **La Noce,** corso Regina Margherita 19 ✆ 9882383, solo su prenotazione – ▤. AE. 🅂. ⓓ E VISA. ⋘
✿ *chiuso domenica, lunedì e dal 7 al 30 agosto* – **Pasto** specialità di mare (menu suggerito dal proprietario) 60/95000 (a mezzogiorno) e 100/120000 (alla sera).
Spec. Gamberi rossi in tegame di indivia e porcini (autunno). Spaghetti ai ricci di mare. Pesci dorati in crosta di semola.

VÖLS AM SCHLERN = *Fiè allo Sciliar.*

OLTAGGIO *15060 Alessandria* [428] I 8 – *817 ab. alt. 342* – ☎ *010.*

Roma 528 – Genova 40 – Acqui Terme 56 – Milano 112 – Savona 77 – Torino 134.

🍴 **La Filanda,** via Filanda 84 ☎ 9601137 prenotare, ⛱ – [P]. [AE]. [$]. ◑ E [VISA]. ✂
chiuso lunedì e febbraio – **Pasto** carta 30/40000.

OLTA MANTOVANA *46049 Mantova* [428], [429] G 13 – *6 104 ab. alt. 127* – ☎ *0376.*

Roma 488 – Verona 39 – Brescia 60 – Mantova 25.

🏨 **Buca di Bacco,** via San Martino ☎ 801277, Fax 801664 – |♦| ▤ [TV] ☎ [P] – 👥 40. [$]. E [VISA]. ✂
Pasto *(chiuso martedì)* carta 30/40000 – ☕ 8000 – **37 cam** 70/100000 – ½ P 65/70000.

OLTERRA *56048 Pisa* [988] ⑭, [430] L 14 *G. Toscana* – *12 231 ab. alt. 531* – ☎ *0588.*

Vedere *Piazza dei Priori*★★ – *Duomo*★: *Deposizione lignea*★★ – *Battistero*★ **A** – ≤★★ *dal viale dei Ponti* – *Museo Etrusco Guarnacci*★ – *Porta all'Arco*★.

[i] *via Turazza 2* ☎ *86150, Fax 86150.*

Roma 287 ② – Firenze 76 ② – Siena 50 ② – Livorno 73 ③ – Milano 377 ② – Pisa 64 ①.

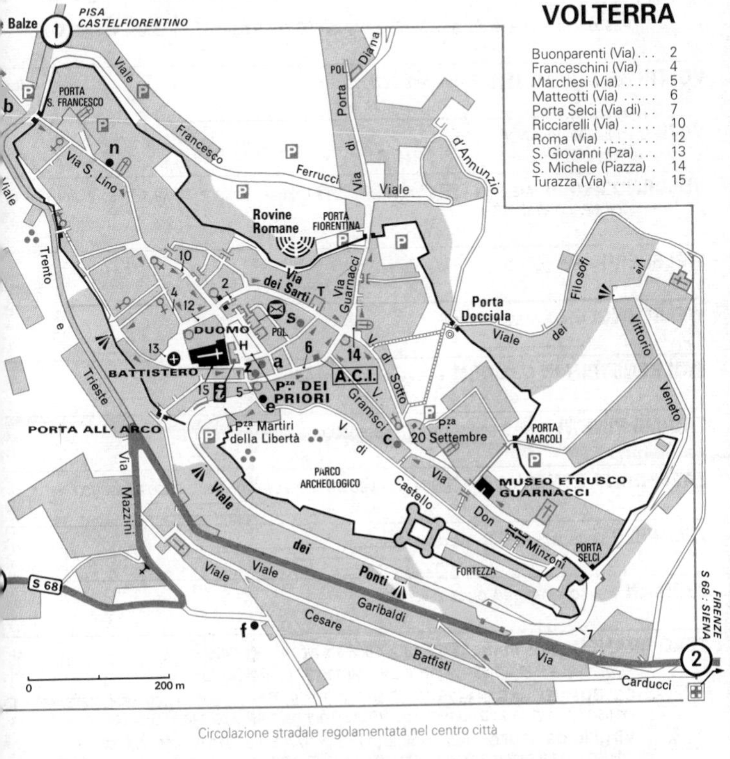

Circolazione stradale regolamentata nel centro città

🏨 **San Lino,** via San Lino 26 ☎ 85250, Fax 80620, 🏊 – |♦| ▤ [TV] ☎ 🚗. [AE]. [$]. ◑ E [VISA]. ✂ n
Pasto *(aprile-ottobre; chiuso a mezzogiorno, mercoledì e solo per alloggiati)* 25/35000 – **43 cam** ☕ 140/180000 – ½ P 140/170000.

🏨 **Sole** 🐦 senza rist, via dei Cappuccini 10 ☎ 84000, Fax 84000, 🌳 – [TV] ☎ [P]. [$]. E [VISA]. ✂ f
☕ 10000 – **10 cam** 85/110000.

🏨 **Villa Nencini** 🐦 senza rist, borgo Santo Stefano 55 ☎ 86386, Fax 80601, ≤, « Giardino e boschetto con 🏊 » – ☎ [P]. [$]. E [VISA] b
☕ 10000 – **34 cam** 90/110000.

Villa Rioddi senza rist, località Rioddi ✆ 88053, Fax 88074, ←, – ▤ TV ☎ P. Ⓢ. ⓞ E VISA. ✻ 2 km per ③
chiuso dal 15 gennaio al 22 marzo e dal 10 al 30 novembre – ☐ 10000 – **9 cam** 90/1100

Nazionale, via dei Marchesi 11 ✆ 86284, Fax 84097 – |♦| TV ☎ ♿. Ⓢ. ⓞ E VISA
Pasto *(chiuso venerdì)* carta 40/55000 (12 %) – ☐ 10000 – **36 cam** 85/110000 – ½ P 850

XX **Il Sacco Fiorentino,** piazza 20 Settembre 18 ✆ 88537 – AE. Ⓢ. ⓞ E VISA. JCB
chiuso venerdì, gennaio e febbraio – **Pasto** carta 30/65000.

XX **Osteria dei Poeti,** via Matteotti 55 ✆ 86029 – AE. Ⓢ. ⓞ E VISA. JCB
chiuso giovedì e dal 15 gennaio al 15 febbraio – **Pasto** carta 35/60000.

X **Da Beppino,** via delle Prigioni 15/19 ✆ 86051, Fax 86051, Rist. e pizzeria – AE. Ⓢ E VIS
chiuso mercoledì e dal 10 al 20 gennaio – **Pasto** carta 30/45000 (10 %).

X **Biscondola,** strada statale 68 ✆ 85197, – P. AE. Ⓢ. ⓞ E VISA. JCB
chiuso lunedì e dal 9 al 31 gennaio – **Pasto** carta 35/60000. 2 km per ③

a Saline di Volterra *SO : 9 km – ✉ 56047 :*

Africa, ✆ 44193, Fax 44193 – TV ☎ P. AE. Ⓢ. E VISA
Pasto *(chiuso domenica)* carta 25/45000 – ☐ 10000 – **11 cam** 70/90000 – ½ P 55/8500

XX **Il Vecchio Mulino** con cam, via del Molino ✆ 44060, Fax 44060, – TV ☎ P. AE.
ⓞ E VISA. ✻
Pasto *(chiuso venerdì)* carta 35/65000 – ☐ 10000 – **9 cam** 85/110000 – ½ P 100000.

VOLTRI *Genova* 988 ⑬, 428 I 8 – *Vedere Genova.*

VOZE *Savona – Vedere Noli.*

VULCANO (Isola) *Messina* 988 ㊲ ㊳, 431, 432 L 26 – *Vedere Sicilia (Eolie, isole) alla fi dell'elenco alfabetico.*

WELSBERG = *Monguelfo.*

WELSCHNOFEN = *Nova Levante.*

WOLKENSTEIN IN GRÖDEN = *Selva di Val Gardena.*

ZADINA PINETA *Forlì-Cesena – Vedere Cesenatico.*

ZAFFERANA ETNEA *Catania* 432 N 27 – *Vedere Sicilia alla fine dell'elenco alfabetico.*

ZELARINO *Venezia* 429 F 18 – *Vedere Mestre.*

ZERMAN *Treviso – Vedere Mogliano Veneto.*

ZERO BRANCO *31059 Treviso* 429 F 18 – *7 868 ab. alt. 18 – ☎ 0422.*
Roma 538 – Padova 35 – Venezia 29 – Milano 271 – Treviso 13.

XXX **Ca' Busatti,** via Gallese 26 (NO : 3 km) ✆ 97629, , Coperti limitati; prenotare, – P
chiuso domenica sera, lunedì e dal 10 al 30 gennaio – **Pasto** carta 50/65000.

XX **Virgilio da Sauro,** piazza Umberto I 30 ✆ 97715, Fax 97116 – ▤. VISA. ✻
chiuso lunedì sera e martedì – **Pasto** specialità mantovane e venete carta 30/45000.

ZIANO DI FIEMME *38030 Trento* 429 D 16 – *1 378 ab. alt. 953 – a.s. 25 gennaio-Pasqua e Nata – Sport invernali : 1 354/1 800 m ≤2, ⛷ – ☎ 0462.*
ℹ piazza Italia ✆ 502890.
Roma 657 – Bolzano 53 – Belluno 83 – Canazei 30 – Milano 315 – Trento 75.

Polo, via Nazionale 7/9 ✆ 571131, Fax 571833, , – |♦| ▤ rist TV ☎ P. AE. Ⓢ. VISA.
18 dicembre-25 aprile e giugno-20 ottobre – **Pasto** *(chiuso giovedì)* carta 35/50000 – ☐ 10000 – **40 cam** 80/140000 – ½ P 70/110000.

BELLO *43010 Parma* 428, 429 G 12 – *2 108 ab. alt. 35* – ☎ *0524.*
Roma 493 – Parma 36 – Cremona 28 – Milano 103 – Piacenza 41.

Trattoria la Buca, via Ghizzi 6 ☎ 99214, prenotare – P
chiuso lunedì sera, martedì e dal 1° al 15 luglio – **Pasto** carta 50/75000.

BIDO SAN GIACOMO *20080 Milano* 428 F 9 – *5 146 ab. alt. 103* – ☎ *02.*
Roma 559 – Alessandria 78 – Milano 15 – Novara 60 – Pavia 21 – Vigevano 29.

Antica Osteria di Moirago, strada statale 35 ☎ 90002174, Fax 90003399, – P

NZULUSA (Grotta) *Lecce* 431 G 37 – *Vedere Castro Marina.*

CCA *41059 Modena* 428, 429, 430 I 14 – *4 326 ab. alt. 758 – a.s. luglio-agosto* – ☎ *059.*
Roma 385 – Bologna 57 – Milano 218 – Modena 49 – Pistoia 84 – Reggio nell'Emilia 75.

Panoramic, via Tesi 690 ☎ 987010, ←, – ☎ P. AE. E VISA.
chiuso dal 7 gennaio al 28 febbraio – **Pasto** *(chiuso lunedì escluso da giugno al 15 settembre)* carta 30/50000 – ☐ 8000 – **36 cam** 80/110000 – 1/2 P 80/105000.

OGNO *24019 Bergamo* 428 E 10 – *8 816 ab. alt. 334* – ☎ *0345.*
Roma 619 – Bergamo 18 – Brescia 70 – Como 64 – Milano 60 – San Pellegrino Terme 7.

a Ambria *NE : 2 km* – ✉ *24019 Zogno :*

Da Gianni con cam, via Tiolo 37 ☎ 91093, Fax 93675 – TV ☎ P. AE. E VISA
chiuso dal 15 al 30 giugno – **Pasto** *(chiuso lunedì escluso lulgio-agosto)* carta 25/50000 – ☐ 7000 – **9 cam** 60/85000 – 1/2 P 55/65000.

OLA PREDOSA *40069 Bologna* 429, 430 I 15 – *16 177 ab. alt. 82* – ☎ *051.*
Roma 378 – Bologna 12 – Milano 209 – Modena 33.

Zolahotel senza rist, via Risorgimento 186 ☎ 751101, Fax 751101 – TV ☎ P – 150. AE. E VISA
☐ 15000 – **108 cam** ☐ 125/185000.

Masetti, località Gesso S :1 km ☎ 755131, – P. AE. E VISA.
chiuso venerdì, sabato a mezzogiorno e dal 1° al 24 agosto – **Pasto** carta 35/50000.

OLDO ALTO *32010 Belluno* 429 C 18 – *1 267 ab. alt. (frazione Fusine) 1 177 – Sport invernali : 1 177/2 050 m 1 10, (vedere anche Alleghe)* – ☎ *0437.*
frazione Mareson ☎ 789145.
Roma 646 – Cortina d'Ampezzo 48 – Belluno 40 – Milano 388 – Pieve di Cadore 39 – Venezia 135.

Sporting, frazione Pecol, alt. 1 375 ☎ 789484, Fax 788616, ←, – TV ☎ P. VISA.
dicembre-Pasqua e luglio-15 settembre – **Pasto** 40000 – ☐ 15000 – **24 cam** 90/180000 – 1/2 P 60/160000.

Corona, frazione Mareson, alt. 1 338 ☎ 789290, Fax 789490 – ☎ P.
dicembre-Pasqua e 20 giugno-10 settembre – **Pasto** (solo per alloggiati) 30000 – **40 cam** ☐ 95/160000 – 1/2 P 65/120000.

Bosco Verde , frazione Pecol, alt. 1 375 ☎ 789151, Fax 788757 – rist ☎ P. AE. E VISA.
giugno-ottobre – **Pasto** carta 35/60000 – **22 cam** ☐ 95/150000 – 1/2 P 75/105000.

La Baita senza rist, frazione Pecol, alt. 1 375 ☎ 789445, – TV ☎ P.
12 cam ☐ 75/140000.

Maè, frazione Mareson, alt. 1 338 ☎ 789189, Fax 789117, ← – TV ☎ P.
4 dicembre-15 aprile e luglio-15 settembre – **Pasto** *(chiuso a mezzogiorno da ottobre a marzo)* 20/30000 – **19 cam** ☐ 90/145000 – 1/2 P 60/100000.

ORZINO *Bergamo – Vedere Riva di Solto.*

WISCHENWASSER = *Longega.*

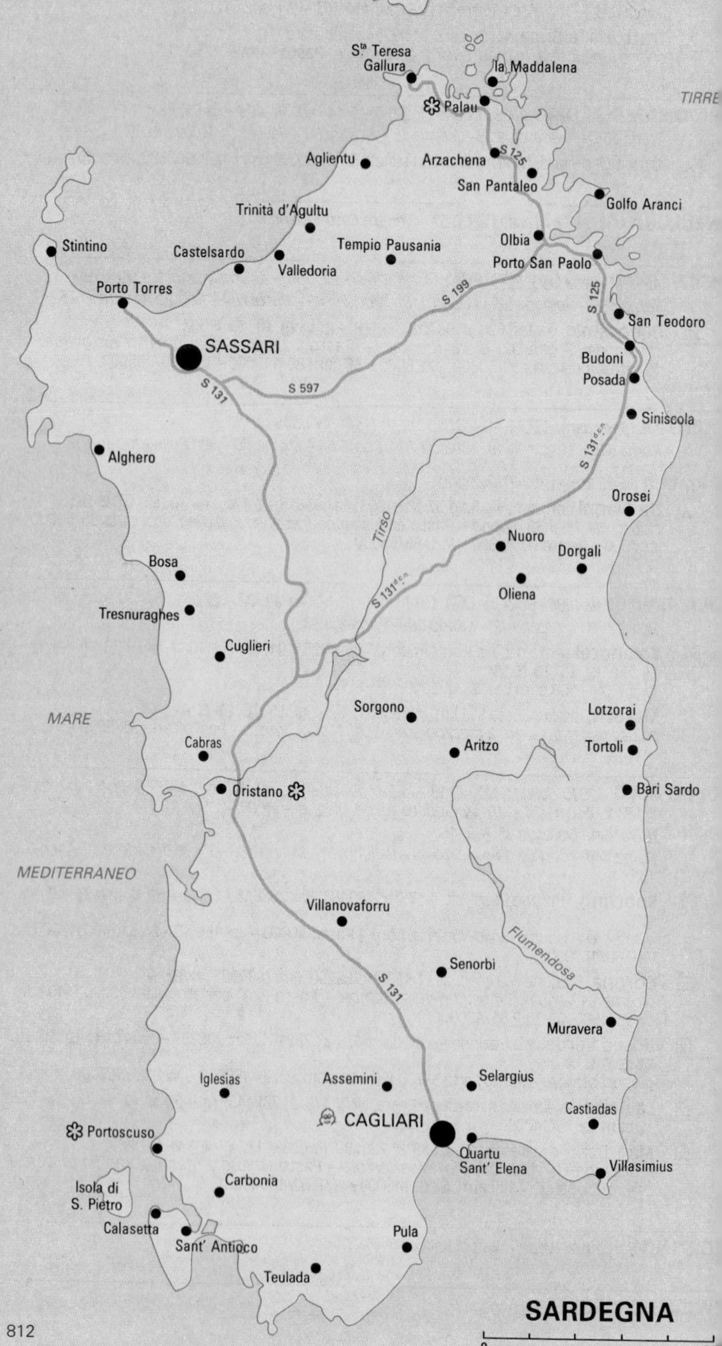
CORSE
MARE
TIRRE
Sta Teresa Gallura
la Maddalena
Palau
Aglientu
Arzachena
S 125
San Pantaleo
Golfo Aranci
Trinità d'Agultu
Stintino
Castelsardo
Valledoria
Tempio Pausania
Olbia
Porto San Paolo
Porto Torres
S 199
S 125
San Teodoro
SASSARI
Budoni
Posada
S 597
S 131
Siniscola
S 131 dcn
Alghero
Orosei
Tirso
Nuoro
Dorgali
Bosa
S 131 dcn
Oliena
Tresnuraghes
Cuglieri
Sorgono
Lotzorai
MARE
Cabras
Aritzo
Tortolì
Oristano
Bari Sardo
MEDITERRANEO
Villanovaforru
Flumendosa
Senorbì
S 131
Muravera
Iglesias
Assemini
Selargius
Castiadas
CAGLIARI
Portoscuso
Quartu Sant' Elena
Villasimius
Isola di S. Pietro
Carbonia
Calasetta
Sant' Antioco
Pula
Teulada
SARDEGNA
0
50

SARDEGNA

8 ㉓ ㉔ ㉝ ㉞, 433 – *1 660 701 ab. alt. da 0 a 1 834 (Punta La Marmora, monti del Gennargentu).*
vedere : *Alghero, Cagliari, Olbia e Sassari.*
per la Sardegna vedere : *Civitavecchia, Genova, La Spezia, Livorno, Palermo, Trapani;* dalla Sardegna vedere : *Cagliari, Golfo Aranci, Olbia, Porto Torres, Tortolì (Arbatax).*

GLIENTU *07020 Sassari* 433 D 9 – *1 085 ab.* – *079.*
Cagliari 253 – Olbia 70 – Sassari 88.

Lu Fraili, via Dante 32 654369 – . E VISA.
maggio-settembre; chiuso lunedì sino al 15 giugno – **Pasto** carta 35/50000.

LGHERO *07041 Sassari* 988 ㉝, 433 F 6 *G. Italia* – *40 180 ab.* – *a.s. 20 giugno-15 settembre* – *079.*
Vedere *Città vecchia★.*
Dintorni *Grotta di Nettuno★★★ NO : 26,5 km – Strada per Capo Caccia ≤★★ – Nuraghe Palmavera★ NO : 10 km.*
di Fertilia NO : 11 km 935033.
piazza Portaterra 9 979054, Fax 974881.
Cagliari 227 – Nuoro 136 – Olbia 137 – Porto Torres 35 – Sassari 35.

Calabona, località Calabona 975728, Fax 981046, ≤, , , , – – 400. AE. . E VISA. rist
25 marzo-ottobre – **Pasto** 45/50000 – **110 cam** 170/235000 – ½ P 170/240000.

Rina, via delle Baleari 34 984240, Telex 791021, Fax 984297, – – 120. AE. . E VISA JCB.
Pasto 35/50000 – 18000 – **80 cam** 165/195000 – ½ P 140/170000.

Villa Las Tronas , lungomare Valencia 1 981818, Fax 981044, ≤ mare e scogliere, « Giardino », , – . AE. . E VISA.
Pasto *(16 maggio-14 settembre)* carta 70/100000 – **29 cam** 210/330000 – ½ P 210/265000.

Florida, via Lido 15 950535, Fax 985424, ≤, – . . E VISA. rist
Pasto *(aprile-ottobre; solo per alloggiati)* 35/45000 – 10000 – **78 cam** 145/170000 – ½ P 145/155000.

Continental senza rist, via Fratelli Kennedy 66 975250, – . AE. . E VISA
maggio-settembre – **32 cam** 105/150000.

Palaureal, via Sant'Erasmo 14 980688, « In un palazzo duecentesco » – . AE. . E VISA
chiuso mercoledì e gennaio o novembre – **Pasto** carta 40/65000 (10 %).

Al Tuguri, via Maiorca 113/115 976772 – . . E VISA.
chiuso domenica e dal 20 dicembre al 20 gennaio – **Pasto** carta 45/60000 (15 %).

Rafel, via Lido 20 950385, ≤ – .
chiuso novembre e giovedì in bassa stagione – **Pasto** carta 45/70000.

Porto Conte *NO : 13 km* 433 F 6 – ✉ *07041 Alghero :*

El Faro , 942010, Fax 942030, ≤ golfo, , , , – – 150. AE. . E VISA. rist
12 maggio-15 ottobre – **Pasto** 75000 – **92 cam** 240/430000, 5 appartamenti – ½ P 220/310000.

RITZO *08031 Nuoro* 988 ㉝, 433 H 9 *G. Italia* – *1 609 ab. alt. 796* – *a.s. luglio-10 settembre* – *0784.*
Escursioni *Monti del Gennargentu★★ NE – Strada per Villanova Tulo : ≤★★ sul lago di Flumendosa.*
Cagliari 114 – Nuoro 80 – Olbia 184 – Oristano 85 – Porto Torres 177.

Park Hotel, via Antonio Maxia 56 629201, Fax 629318, ≤ – . AE. . E VISA.
Pasto 30/40000 – 10000 – **24 cam** 50/80000 – ½ P 65/75000.

RZACHENA *07021 Sassari* 988 ㉓, 433 D 10 *G. Italia* – *10 014 ab. alt. 83* – *a.s. 20 giugno-15 settembre* – *0789.*
Dintorni *Costa Smeralda★★ – Tomba dei Giganti di Li Muri★ SO : 10 km per la strada di Luogosanto.*
Pevero (chiuso martedì da novembre a marzo) a Porto Cervo (Costa Smeralda) ✉ 07020, 96210, Fax 96572, NE : 18,5 km.
della Costa Smeralda : vedere Olbia.
viale Costa Smeralda-palazzo Delfino 2 82624, Fax 81090.
Cagliari 311 – Olbia 26 – Palau 14 – Porto Torres 147 – Sassari 129.

Citti senza rist, viale Costa Smeralda 197 ✆ 82662, Fax 81920, – 📺 ☎ ♿ Ⓟ. *chiuso dal 25 dicembre al 7 gennaio* – ☐ 6000 – **50 cam** 70/105000.

sulla strada per Baia Sardinia *NE : 8,5 km :*

Grazia Deledda con cam, ✉ 07021 Arzachena ✆ 98988, Fax 98990, prenotare – ▤ 📺 Ⓟ
stagionale – **11 cam.**

a Baia Sardinia *NE : 16,5 km – ✉ 07020 – a.s. 20 giugno-15 settembre :*

Club Hotel, ✆ 99006, Telex 792108, Fax 99286, ←, – |‡| ▤ 📺 ☎ Ⓟ. AE Ⓢ ⓞ E VISA rist
chiuso dal 3 gennaio a Pasqua – **Pasto** al Rist. ***Casablanca*** *(maggio-settembre; chiuso mezzogiorno)* carta 70/90000 – **85 cam** ☐ 180/280000 – P 220/280000.

La Bisaccia, ✆ 99002, Telex 790331, Fax 99162, ← arcipelago della Maddalena, « Giardino », , – |‡| ▤ 📺 ☎ Ⓟ – 80. AE. Ⓢ. ⓞ E VISA. rist
maggio-20 ottobre – **Pasto** carta 70/100000 – **49 cam** ☐ 180/280000 – P 220/310000.

Mon Repos, ✆ 99011, Fax 99050, ←, , , – ▤ 📺 ☎ Ⓟ. Ⓢ. E VISA.
Pasqua-15 ottobre – **Pasto** 50000 – ☐ 20000 – **46 cam** 120/220000 – 1/2 P 175/185000.

Selis, località Santa Teresina S : 2 km ✆ 98630, Fax 98631, – ▤ 📺 ☎ Ⓟ
18 cam.

Pulicinu, località Pulicinu S : 3 km ✆ 933001, Fax 933090, « Giardino con » – ▤ ☎ Ⓟ. Ⓢ. ⓞ.
aprile-ottobre – **Pasto** 30/90000 – **29 cam** ☐ 180/330000 – 1/2 P 120/210000.

La Jacia, ✆ 99810, Fax 99803, – 📺 ☎ Ⓟ. AE. Ⓢ. ⓞ E VISA. rist
maggio-settembre – **Pasto** (solo per alloggiati) 35000 – **24 cam** ☐ 160/250000 – 1/2 P 8 170000.

Olimpia senza rist, ✆ 99176, Fax 99191, – ☎ Ⓟ. AE ⓞ VISA
10 maggio-settembre – ☐ 16500 – **17 cam** 140/235000.

Casablanca, ✆ 99006, , Rist.-piano bar, Coperti limitati; prenotare – AE. Ⓢ. ⓞ E VIS
10 maggio-2 ottobre; chiuso a mezzogiorno – **Pasto** carta 80/95000.

sulla Costa Smeralda – *✉ 07020 Porto Cervo – a.s. 20 giugno-15 settembre :*

Cala di Volpe, a Cala di Volpe E : 16,5 km ✆ 976111, Fax 976617, ← baia e porticciol , , , , , – |‡| ▤ 📺 ☎ Ⓟ. AE. Ⓢ. ⓞ E VISA.
27 marzo-19 ottobre – **112 cam** solo 1/2 P 770000, 11 appartamenti.

Pitrizza, a Pitrizza NE : 19 km ✆ 930111, Telex 792079, Fax 930611, ← baia, , « Vi indipendenti », , , – ▤ 📺 ☎ Ⓟ – 50. AE. Ⓢ. ⓞ E VISA. JCB.
7 maggio-19 ottobre – **51 cam** solo 1/2 P 830000.

Romazzino, a Romazzino E : 19 km ✆ 977111, Fax 977612, ← mare ed isolotti, « Giardino con », , , – |‡| ▤ 📺 ☎ Ⓟ. AE. Ⓢ. ⓞ E VISA. JCB.
23 aprile-12 ottobre – **77 cam** solo 1/2 P 748000, 4 appartamenti.

Cervo, a Porto Cervo NE : 18,5 km ✆ 931111, Telex 790037, Fax 92593, ←, , « Picc lo patio », riscaldata, – ▤ 📺 ☎
stagionale – **90 cam.**

Le Ginestre, verso Porto Cervo NE : 17 km ✆ 92030, Fax 94087, ←, , riscalda , – ▤ ☎ Ⓟ – 200. AE. Ⓢ. ⓞ E VISA. JCB.
maggio-settembre – **Pasto** 65000 – **78 cam** ☐ 320/500000 – 1/2 P 270000.

Cervo Tennis Club senza rist, a Porto Cervo NE : 18,5 km ✆ 93612, Fax 94013, ←, , , , , – ▤ 📺 ☎ Ⓟ – 200
16 cam.

Dante, località Sottovento E : 17,5 km ✆ 92432 – Ⓟ. AE. Ⓢ. ⓞ E VISA
15 marzo-ottobre – **Pasto** carta 50/75000 (10 %).

ASSEMINI *09032 Cagliari* 988 ㉝, 433 J 8 – *22 036 ab.* – ✆ *070.*
Cagliari 14.

Grillo, via Carmine 132 ✆ 946350, Fax 946826, – |‡| ▤ 📺 ☎ – Ⓟ – 250. AE. Ⓢ. E VISA.
chiuso agosto – **Pasto** *(chiuso domenica)* carta 30/45000 – ☐ 10000 – **72 cam** 100/1300 – 1/2 P 95000.

BAIA SARDINIA *Sassari* 988 ㉓ ㉔, 433 D 10 – *Vedere Arzachena.*

BOSA *08013 Nuoro 988 ㉝, 433 G 7 – 7 768 ab. alt. 10 – ☎ 0785.*
Alghero 64 – Cagliari 172 – Nuoro 86 – Olbia 151 – Oristano 64 – Porto Torres 99 – Sassari 99.

Mannu, viale Alghero ☎ 375307, Fax 375308 – TV ☎ P. rist
Pasto carta 30/55000 – **28 cam** 80/120000 – 1/2 P 80/100000.

a **Bosa Marina** *SO : 2,5 km – ✉ 08013 – a.s. luglio-10 settembre :*

Al Gabbiano, viale Mediterraneo ☎ 374123, Fax 374123, – TV ☎ P. AE. E VISA.
Pasto *(chiuso da novembre a marzo)* carta 35/55000 – 10000 – **30 cam** 85/120000, 5000 – 1/2 P 100/110000.

BUDONI *08020 Nuoro 433 E 11 – 3 906 ab. – a.s. luglio-10 settembre – ☎ 0784.*
Cagliari 248 – Nuoro 67 – Olbia 37 – Porto Torres 154 – Sassari 136.

Il Portico, via Nazionale 107 ☎ 844450, , Rist. e pizzeria serale – . AE. E VISA.
chiuso dal 10 ottobre al 20 novembre e lunedì in bassa stagione – **Pasto** carta 35/65000 (10%).

CABRAS *09072 Oristano 988 ㉝, 433 H 7 – 9 019 ab. – ☎ 0783.*
Alghero 108 – Cagliari 101 – Iglesias 114 – Nuoro 95 – Oristano 7 – Sassari 122.

Sinis Vacanze-Sa Pedrera, strada provinciale Cabras-S.Giovanni di Sinis km 5,500 ☎ 370040 e rist. ☎ 370052, Fax 370040, , , – TV ☎ P. AE. E VISA.
Pasto *(chiuso lunedì)* carta 30/60000 bc – **14 cam** 100/135000 – 1/2 P 130000.

Sa Funtà, via Garibaldi 25 ☎ 290685
chiuso domenica, gennaio e febbraio – **Pasto** carta 35/60000.

CAGLIARI *09100* P *988 ㉝, 433 J 9 G. Italia – 174 543 ab. – ☎ 070.*
Vedere *Museo Nazionale Archeologico* : bronzetti*** Y – ** dalla terrazza Umberto I Z – Pulpiti** nella Cattedrale Y – Torre di San Pancrazio* Y – Torre dell'Elefante* Y.*
Escursioni *Strada*** per Muravera per ①.*
di Elmas per ② : 6 km ☎ 240079 – Alitalia, via Caprera 14 ✉ 09123 ☎ 60101.
per Civitavecchia giornaliero (13 h 30 mn)) e Genova 18 giugno-17 settembre mercoledì e domenica (20 h 45 mn); per Napoli mercoledì e dal 19 giugno al 17 settembre anche venerdì (15 h 45 mn); per Palermo venerdì (14 h 30 mn) e Trapani domenica (11 h) – Tirrenia Navigazione-agenzia Agenave, molo Sabaudo ☎ 669501, Fax 652337.
piazza Matteotti 9 ✉ 09123 ☎ 669255 – Aeroporto di Elmas ✉ 09132 ☎ 240200.
A.C.I. *via San Simone 60 ✉ 09122 ☎ 283000.*
Nuoro 182 ② – Porto Torres 229 ② – Sassari 211 ②.

Pianta pagina seguente

Regina Margherita senza rist, viale Regina Margherita 44 ✉ 09124 ☎ 670342, Fax 668325 – TV ☎ – 300. AE. E VISA. Z g
99 cam 200/260000.

Caesar's M, via Darwin 2/4 ✉ 09126 ☎ 340750, Fax 340755 – TV ☎ . AE. E VISA. per viale Armando Diaz Z
Pasto al Rist. ***Da Cesare*** *(chiuso dal 5 al 25 agosto)* carta 40/60000 – **44 cam** 180/230000, 4 appartamenti – 1/2 P 130/160000.

Mediterraneo, lungomare Cristoforo Colombo 46 ✉ 09125 ☎ 301271, Telex 790180, Fax 301274, , – TV ☎ P – 650. AE. E VISA. rist Z s
Pasto *(chiuso domenica)* 50000 e al Rist. ***Al Golfo*** carta 50/80000 – **124 cam** 200/250000, 12 appartamenti – 1/2 P 140/155000.

Panorama, viale Armando Diaz 231 ✉ 09126 ☎ 307691, Fax 305413, – TV ☎ – 150. AE. E VISA. Z
Pasto carta 45/70000 – **62 cam** 185/220000 – 1/2 P 180/225000.

Forte Agip, circonvallazione Nuova ✉ 09134 Pirri ☎ 521373, Telex 792104, Fax 502222 – TV ☎ P – 200. AE. E VISA. JCB. 4 km per via Dante Y
Pasto carta 40/65000 – **129 cam** 140/180000 – 1/2 P 150/175000.

Dal Corsaro, viale Regina Margherita 28 ✉ 09124 ☎ 664318, Fax 653439 – . AE. E VISA. Z e
chiuso domenica, dal 23 dicembre al 6 gennaio ed agosto – **Pasto** carta 55/80000 (10%).

Antica Hostaria, via Cavour 60 ✉ 09124 ☎ 665870, Fax 665878, « Collezione di quadri » – . AE. E VISA. Z x
chiuso domenica ed agosto – **Pasto** carta 45/65000 (12%).

St. Remy, via Torino 16 ✉ 09124 ☎ 657377 – . AE. E VISA Z v
chiuso sabato a mezzogiorno e domenica – **Pasto** carta 40/80000 (10%).

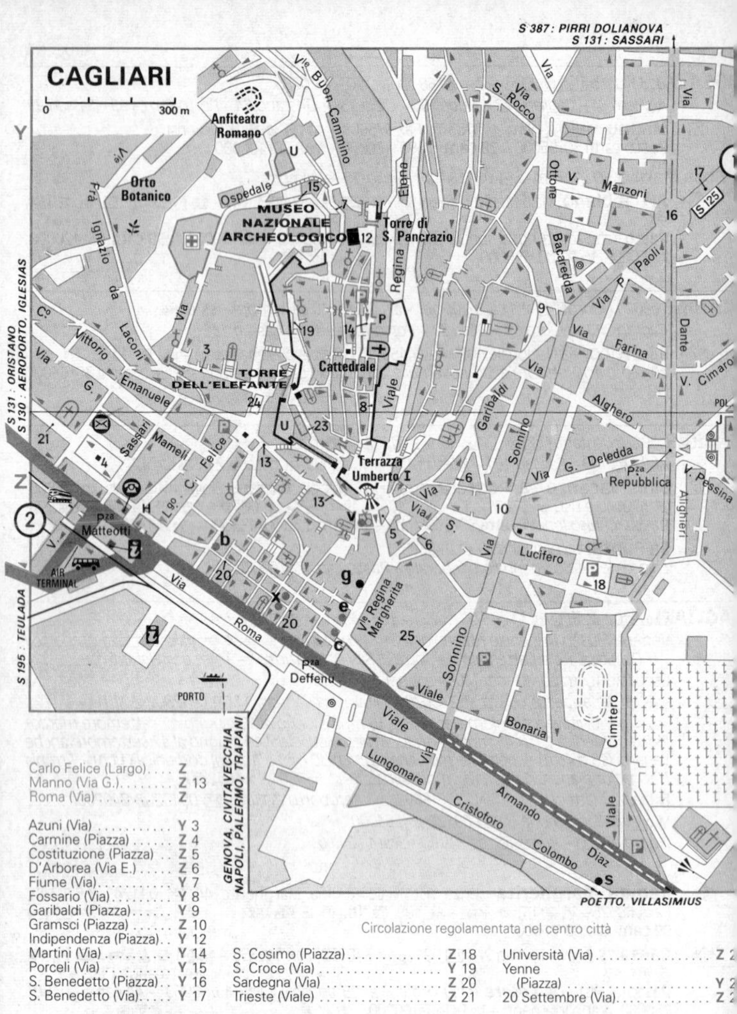

Circolazione regolamentata nel centro città

Carlo Felice (Largo) .... Z
Manno (Via G.) .... Z 13
Roma (Via) .... Z

Azuni (Via) .... Y 3
Carmine (Piazza) ...... Z 4
Costituzione (Piazza) .. Z 5
D'Arborea (Via E.) ..... Z 6
Fiume (Via) .... Y 7
Fossario (Via) .... Y 8
Garibaldi (Piazza) ...... Y 9
Gramsci (Piazza) ...... Z 10
Indipendenza (Piazza) .. Y 12
Martini (Via) .... Y 14
Porceli (Via) .... Y 15
S. Benedetto (Piazza) .. Y 16
S. Benedetto (Via) ..... Y 17

S. Cosimo (Piazza) .... Z 18
S. Croce (Via) .... Y 19
Sardegna (Via) .... Z 20
Trieste (Viale) .... Z 21

Università (Via) .... Z 2
Yenne (Piazza) .... Y 2
20 Settembre (Via) .... Z 2

XX **Al Porto,** via Sardegna 44 ☒ 09124 ℘ 663131 – ▤. AE. Ⓢ. E VISA. JCB. ⛒ Z
chiuso lunedì – **Pasto** carta 35/60000.

X **Il Molo,** Calata dei Trinitari ☒ 09125 ℘ 308959 – AE. Ⓢ. ◑ E VISA
chiuso domenica sera (escluso da giugno a settembre) e lunedì a mezzogiorno – **Past**
carta 50/65000. per lungomare C. Colombo Z

X **La Stella Marina di Montecristo,** via Sardegna 140 ☒ 09124 ℘ 666692 – ▤. ⛒
chiuso lunedì – **Pasto** carta 45/55000. Z

X **Lillicu,** via Sardegna 78 ☒ 09124 ℘ 652970 – ▤. Ⓢ. E VISA.
⛒ Z
chiuso domenica – **Pasto** carta 35/55000.

al bivio per Capoterra *per ② : 12 km :*

XX **Sa Cardiga e Su Schironi,** strada statale 195 bivio per Capoterra ☒ 09012 Capoter
℘ 71652, Fax 71613 – ▤ Ⓟ. AE. Ⓢ. ◑ E VISA
chiuso lunedì e dal 10 al 30 novembre – **Pasto** specialità di mare carta 45/70000.

Vedere anche : **Quartu Sant'Elena** *E : 7 km*

MICHELIN, a Sestu, strada statale 131 km 7,200 per ② – ☒ 09028 Sestu, ℘ 2212
Fax 22602.

ALA GINEPRO *Nuoro – Vedere Orosei.*

ALA GONONE *Nuoro* 988 ㉞, 433 G 10 – *Vedere Dorgali.*

ALASETTA *09011 Cagliari* 988 ㉝, 433 J 7 – *2 714 ab.* – ✆ *0781.*

per l'Isola di San Pietro-Carloforte giornalieri (30 mn) – Saremar-agenzia Ser.Ma.Sa., al porto ✆ 88430.

per l'Isola di San Pietro-Carloforte giornalieri (10 mn) – Saremar-agenzia Ser.Ma.Sa., al porto ✆ 88430.

Cagliari 105 – Oristano 145.

Stella del Sud, località Spiaggia Grande ✆ 810188, Fax 810148, ⛱, ✗ – ▤ TV ☎ P. AE. 🅂. ⓓ E VISA. ⚡
chiuso dicembre – **Pasto** *(aprile-ottobre)* carta 40/60000 – **49 cam** ☐ 145/170000 – 1/2 P 140/165000.

Cala di Seta, via Regina Margherita 31 ✆ 88304, ☂ – ▤ ☎. AE. 🅂. E VISA. ⚡ rist
Pasto *(aprile-ottobre)* carta 35/55000 – ☐ 8000 – **17 cam** 60/100000, ▤ 5000 – 1/2 P 70/95000.

Bellavista con cam, ✆ 88971, Fax 88211, ≤, ☂ – ▤. 🅂. ⚡
chiuso dal 4 novembre al 15 dicembre – **Pasto** *(chiuso lunedì da ottobre ad aprile)* carta 35/50000 – ☐ 11000 – **12 cam** 80/105000, ▤ 5000 – P 100/130000.

APO D'ORSO *Sassari – Vedere Palau.*

ARBONIA *09013 Cagliari* 988 ㉝, 433 J 7 – *32 905 ab. alt. 100* – ✆ *0781.*

Cagliari 71 – Oristano 121.

Bovo-da Tonino, via Costituente 18 ✆ 62217, ☂ – ▤ P. 🅂. E VISA. ⚡
chiuso domenica e i giorni festivi – **Pasto** carta 35/60000.

ARLOFORTE *Cagliari* 988 ㉝, 433 J 6 – *Vedere San Pietro (Isola di).*

ASTELSARDO *07031 Sassari* 988 ㉓, 433 E 8 – *5 319 ab.* – *a.s. 20 giugno-15 settembre* – ✆ *079.*

Cagliari 243 – Nuoro 152 – Olbia 100 – Porto Torres 34 – Sassari 32.

Riviera da Fofò, via lungomare Anglona 1 ✆ 470143, Fax 470270, ≤ – |‡| ▤ cam TV ☎ P – 🚶 60. AE. 🅂. ⓓ E VISA. JCB
Pasto *(chiuso mercoledì da novembre ad aprile)* carta 45/70000 – ☐ 10000 – **31 cam** 100/180000 – 1/2 P 100/130000.

Sa Ferula, località Lu Bagnu SO : 4 km, corso Italia 1 ✆ 474049, Fax 474049, ≤, ☂ – P. AE. 🅂. ⓓ E VISA. ⚡
chiuso mercoledì in bassa stagione e dal 15 al 30 novembre – **Pasto** carta 30/65000.

ASTIADAS *09040 Cagliari* 988 ㉝, 433 J 10 – *alt. 168* – ✆ *070.*

Cagliari 66 – Muravera 30.

Sant'Elmo Beach Hotel 🐚, località Villa Rey E : 9 km ✆ 995161, Telex 790187, Fax 995140, « Giardino digradante sul mare », ⛱, ✗ – ▤ TV ☎ ♿ P – 🚶 200. AE. 🅂. E VISA. ⚡
maggio-ottobre – **Pasto** carta 60/120000 – **170 cam** ☐ 295000, 5 appartamenti – 1/2 P 115/295000.

OSTA DORATA *Sassari* 433 E 10 – *Vedere Porto San Paolo.*

OSTA PARADISO *Sassari* 433 D 8 – *Vedere Trinità d'Agultu.*

OSTA REI *Cagliari* 433 J 10 – *Vedere Muravera.*

OSTA SMERALDA *Sassari* 988 ㉓ ㉔, 433 D 10 – *Vedere Arzachena.*

UGLIERI *09073 Oristano* 433 G 7 – *3 316 ab. alt. 479* – ✆ *0785.*

Cagliari 133 – Alghero 68 – Oristano 40 – Sassari 106.

La Villa Pedras-Longas, strada statale 292 (NE : 6,5 km) ✆ 38433, ≤, ☂ – ▤ P. AE. 🅂. ⓓ E VISA. ⚡
chiuso martedì da ottobre a marzo – **Pasto** carta 35/60000 (10 %).

La Meridiana, ✆ 39400, ☂

DORGALI *08022 Nuoro* 988 ㉞, 433 G 10 *G. Italia – 8 125 ab. alt. 387 – a.s. luglio-10 settembr*
0784.

Vedere *Dolmen Motorra★ N : 4 km.*

Dintorni *Grotta di Ispinigoli : colonna★★ N : 8 km – Strada★★ per Cala Gonone E : 10 km Nuraghi di Serra Orios★ NO : 10 km – Strada★★★ per Arbatax Sud.*

Cagliari 213 – Nuoro 32 – Olbia 114 – Porto Torres 170 – Sassari 152.

X **Colibrì,** via Gramsci 14 (circonvallazione panoramica) ✆ 96054, ⛱ – ✻
aprile-ottobre; chiuso domenica aprile-maggio ed ottobre – **Pasto** carta 40/60000.

a Cala Gonone *E : 9 km – ✉ 08020 :*

Costa Dorada, ✆ 93332, Fax 93445, ≤ – ✻ rist ▤ TV ☎. AE. 🅂. ⓓ E VISA. ✻ rist
Pasqua-ottobre – **Pasto** (solo per alloggiati) 30/45000 – ☕ 18000 – **26 cam** 120/1700 appartamento – ½ P 130/155000.

Miramare, ✆ 93140, Fax 93469, ≤ – |‡| TV ☎. AE. 🅂. ⓓ E VISA
aprile-10 ottobre – **Pasto** *(chiuso sino a maggio e dal 1º al 10 ottobre)* carta 35/55000 (1C – **35 cam** ☕ 85/145000 – ½ P 125000.

L'Oasi ⛰, ✆ 93111, Fax 93444, ≤ mare e costa, ⛱, « Giardino fiorito a terrazze » – ▤ Ⓟ. E VISA. ✻
Pasqua-10 ottobre – **Pasto** (solo per alloggiati) 25/30000 – ☕ 13000 – **32 cam** 100/120C ▤ 11000 – ½ P 80/100000.

XX **Aquarius,** lungomare Palmasera 34 ✆ 93428, ⛱ – ▤. AE. 🅂. E VISA
20-31 dicembre, Pasqua e maggio-ottobre; chiuso giovedì escluso da maggio a settem – **Pasto** carta 40/60000.

X **Il Pescatore,** via Acqua Dolce ✆ 93174, ≤, ⛱, prenotare – AE. 🅂. E VISA
marzo-ottobre – **Pasto** carta 45/60000.

alla Grotta di Ispinigoli *N : 12 km :*

XX **Ispinigoli** ⛰ con cam, strada statale 125 al km 210 ✉ 08022 Dorgali ✆ 95268, « Servizio estivo in terrazza » – TV ☎ Ⓟ – 🏛 200. AE. 🅂. E VISA. ✻ rist
marzo-ottobre – **Pasto** carta 45/65000 – **18 cam** ☕ 100/140000 – ½ P 80/110000.

FUILE MARE *Nuoro – Vedere Orosei.*

GOLFO ARANCI *07020 Sassari* 988 ㉔, 433 E 10 – *2 084 ab. – a.s. 20 giugno-15 settembr*
0789.

⛴ *per Civitavecchia (7 h) e Livorno (9 h 15 mn) aprile-settembre giornalieri Sard Ferries, molo Sud ✆ 46780.*

Cagliari 304 – Olbia 19 – PortoTorres 140 – Sassari 122 – Tempio Pausania 64.

Margherita senza rist, ✆ 46906, Fax 46851, ≤, 🏊, 🌳 – |‡| ▤ TV ☎ Ⓟ. AE. 🅂. ⓓ E
26 cam ☕ 190/290000.

IGLESIAS *09016 Cagliari* 988 ㉝, 433 J 7 – *29 832 ab. alt. 199* – *0781.*

Cagliari 59 – Oristano 107.

XX Villa di Chiesa, piazza Municipio 9/10 ✆ 23124, Rist. e pizzeria serale – ▤

IS MOLAS *Cagliari – Vedere Pula.*

LA CALETTA *Nuoro* 433 F 11 – *Vedere Siniscola.*

LOTZORAI *08040 Nuoro* 433 H 10 – *2 082 ab. alt. 16 – a.s.luglio-10 settembre* – *0782.*

Cagliari 145 – Arbatax 9,5 – Nuoro 91.

X L'Isolotto, via Dante ✆ 669431, ⛱
stagionale.

MADDALENA (Arcipelago della) *Sassari* 988 ㉓ ㉔, 433 D 10 *G. Italia – alt. da 0 a 212 (monte Teialone).*
La limitazione d'accesso degli autoveicoli è regolata da norme legislative.
Vedere *Isola della Maddalena★★ – Isola di Caprera★ : casa-museo★ di Garibaldi.*

La Maddalena *Sassari* 988 ㉓ ㉔, 433 D 10 – *11 117 ab. – ✉ 07024 – a.s. 20 giugno-15 settembre – ☎ 0789.*
per Palau giornalieri (15 mn) – Saremar-agenzia Contemar, via Amendola 15 ☎ 737660, Fax 736449.
via XX Settembre 24 ☎ 736321.

Cala Lunga ⑤, a Porto Massimo N : 6 km ☎ 734042, Fax 734033, ←, ⛱, – ☎ P. AE. ⑤. ⓞ E VISA. JCB. ✻
20 maggio-6 ottobre – **Pasto** 35/45000 – **71 cam** ☐ 200/320000 – 1/2 P 110/230000.

Nido d'Aquila ⑤, località Nido d'Aquila O : 3 km ☎ 722130, Fax 722159, ← mare e costa – ☎ P. AE. ⑤. E VISA. ✻
chiuso dal 23 dicembre al 6 gennaio – **Pasto** *(aprile-ottobre)* carta 35/55000 – **36 cam** ☐ 145/190000 – 1/2 P 110/135000.

Garibaldi ⑤ senza rist, ☎ 737314, Fax 737314 – ☎. AE. ⑤. ⓞ E VISA. JCB. ✻
☐ 12500 – **19 cam** 125/175000.

Miralonga, via Don Vico ☎ 722563, Fax 722404, ← mare e costa, ⛱ – ☎ ♿ P. AE. ⑤. VISA. ✻
Pasto (solo per alloggiati) – **42 cam** ☐ 130/170000, 8 appartamenti – 1/2 P 160000.

Mistral, ☎ 738088, Fax 738088 – AE. ⑤. ⓞ E VISA. ✻
chiuso novembre e venerdì (escluso dal 12 aprile a settembre) – **Pasto** carta 50/80000.

Mangana, ☎ 738477 – AE. ⑤. ⓞ E VISA. ✻
chiuso dal 20 dicembre al 20 gennaio e mercoledì (escluso luglio-agosto) – **Pasto** carta 40/65000.

MARAZZINO *Sassari* 433 D 9 – *Vedere Santa Teresa Gallura.*

MURAVERA *09043 Cagliari* 988 ㉞, 433 I 10 – *4 638 ab. alt. 11 – ☎ 070.*
Escursioni *Strada★★★ per Cagliari SO.*
via Europa 22 ☎ 9930760, Fax 9931286.
Cagliari 64 – Nuoro 166 – Olbia 253 – Porto Torres 288.

Costa Rei *S : 31 km – ✉ 09043 Muravera.*
(giugno-ottobre) piazza Italia 12 ☎ 991350 :

Sa Cardiga e Su Pisci, ☎ 991108, – P. AE. ⑤. ⓞ E VISA. ✻
marzo-ottobre; chiuso giovedì (escluso da giugno a settembre) – **Pasto** carta 40/75000.

NETTUNO (Grotta di) *Sassari* 988 ㉜ ㉝, 433 F 6 *G. Italia.*

NUORO *08100* P 988 ㉝, 433 G 9 *G. Italia – 37 986 ab. alt. 553 – a.s. luglio-10 settembre – ☎ 0784.*
Vedere *Museo della vita e delle tradizioni popolari sarde★.*
Dintorni *Monte Ortobene★ E : 9 km.*
piazza Italia 19 ☎ 30083, Fax 33432.
A.C.I. *via Sicilia 39 ☎ 30034.*
Cagliari 182 – Sassari 120.

Paradiso, via Aosta ☎ 35585, Fax 232782 – ☎ – 160
42 cam.

Europa 2, località Biscollai ☎ 204374, Rist. e pizzeria serale –

OLBIA *07026 Sassari* 988 ㉓ ㉔, 433 E 10 – *43 292 ab. – a.s. 20 giugno-15 settembre – ☎ 0789.*
della Costa Smeralda SO : 4 km ☎ 52634 – Alisarda, corso Umberto 193 ☎ 66155.
da Golfo Aranci per Livorno aprile-ottobre giornalieri (9 h 15 mn) – Sardinia Ferries, corso Umberto 4 ☎ 25200, Fax 24146; per Civitavecchia giornaliero (da 3 h 30 mn a 7 h 30 mn); per Genova giugno-settembre giornalieri , negli altri mesi martedì, giovedì e sabato (13 h) e La Spezia giugno-5 settembre giornaliero (5 h 30 mn) – Tirrenia Navigazione, stazione marittima Isola Bianca ☎ 24691, Telex 790023, Fax 22688.
via Catello Piro 1 ☎ 21453, Fax 22221.
Cagliari 268 – Nuoro 102 – Sassari 103.

Martini senza rist, via D'Annunzio ☎ 26066, Fax 26418 – ▮ ▤ TV ☎ P – 🏊 70. AE. ⑤. E VISA. ✂
66 cam ☕ 160/250000.

Moderno, via G. Buon ☎ 50550, Fax 53350 – ▮ ▤ TV ☎ ♿ 🚗 – 🏊 25
32 cam.

La Corte senza rist, viale Aldo Moro 136 ☎ 53400, Fax 58116 – ▤ TV ☎ P. AE. ⑤. VISA
14 cam ☕ 140/200000.

Centrale senza rist, corso Umberto 85 ☎ 23017, Fax 26464 – ▤ TV ☎ P. ⑤. E VISA
☕ 10000 – **19 cam** 110/150000.

Il Portico, via Rimini-via Assisi ☎ 25670, Fax 25780, Rist.-enoteca, prenotare – ▤
🏊 150. AE. ⑤. E VISA
chiuso martedì (escluso luglio-agosto) – **Pasto** carta 45/75000.

Leone e Anna, via Barcellona 90 ☎ 26333 – ▤. AE. ⑤. E VISA
chiuso gennaio e mercoledì (escluso da maggio a settembre) – **Pasto** carta 55/80000.

Bacchus, via Gabriele d'Annunzio ☎ 21612 – ▤. AE. ⑤. ◑ E VISA. ✂
chiuso domenica a mezzogiorno dal 15 giugno a settembre, tutto il giorno negli altri me
Pasto carta 45/70000.

La Palma, via del Castagno ☎ 51549, ☂ – AE. ⑤. E VISA. ✂
chiuso domenica e dal 20 dicembre al 10 gennaio – **Pasto** carta 40/75000.

Canne al Vento, via Vignola 33 ☎ 51609 – ▤ P. AE. ⑤. E VISA. ✂
chiuso domenica, Natale e Pasqua – **Pasto** carta 35/50000 (10 %).

sulla strada Panoramica Olbia-Golfo Aranci :

Stefania, località Pittulongu NE : 4 km ✉ 07026 ☎ 39027, Fax 39186, ← mare, 🏊 – ▮
TV ☎ P. AE. ⑤. E VISA. ✂
Pasto vedere rist ***Da Nino's*** – **28 cam** ☕ 240/300000 – ½ P 170/205000.

Pozzo Sacro con cam, NE : 3 km ✉ 07026 Olbia ☎ 57855, 🌳 – TV ☎ P. AE. ⑤. ◑
VISA. JCB. ✂
Pasto carta 45/60000 – **22 cam** ☕ 150/200000 – ½ P 115/150000.

Da Nino's, località Pittulongu NE : 4 km ✉ 07026 ☎ 39027 – P. AE. ⑤. E VISA
✂
chiuso mercoledì escluso da giugno a settembre – **Pasto** carta 70/105000 (10 %).

Trattoria Rossi, località Pittulongu NE : 4 km ✉ 07026 ☎ 39042, ← mare, ☂ – ▤.
⑤. ◑ E VISA. ✂
chiuso novembre e giovedì in bassa stagione – **Pasto** carta 50/70000.

a Porto Rotondo *N : 15,5 km* – ✉ *07020 :*

Sporting 🐎, ☎ 34005, Telex 790113, Fax 34383, ← mare e costa, ☂, 🏊, 🏖, 🌳 –
TV ☎ P. AE. ⑤. ◑ E VISA. JCB. ✂
10 maggio-6 ottobre – **Pasto** carta 90/125000 – **27 cam** solo ½ P 495/605000.

Locanda da Giovannino, ☎ 35280, Fax 35280, ☂ – ▤. AE. ⑤. E VISA. ✂
chiuso gennaio e lunedì in bassa stagione – **Pasto** carta 70/100000 (15 %).

Vedere anche : **Porto San Paolo** *SE : 15 km*
Golfo Aranci *NE : 19 km*
San Pantaleo *N : 20 km*

OLIENA *08025 Nuoro* 988 ㉝ ㉞, 433 *G 10 G. Italia – 7 764 ab. alt. 378 – a.s. luglio-10 settembr*
0784.

Dintorni *Sorgente Su Gologone* NE : 8 km.*

Cagliari 193 – Nuoro 12 – Olbia 116 – Porto Torres 150.

Enis 🐎 con cam, località Monte Maccione E : 4 km ☎ 288363, Fax 28873, ← su Ba
Manna e monte Ortobene, ☂ – ☎ P. ✂
Pasto carta 25/50000 – ☕ 6000 – **17 cam** 50/75000 – ½ P 60000.

alla sorgente Su Gologone *NE : 8 km :*

Su Gologone 🐎, ✉ 08025 ☎ 287512, Telex 792110, Fax 287668, ←, ☂, 🏊, 🌳, 🎾 –
TV ☎ P – 🏊 200. AE. ⑤. E VISA
marzo-ottobre – **Pasto** vedere rist ***Su Gologone*** – **65 cam** ☕ 140/180000 – ½ P 1
170000.

Su Gologone, ✉ 08025 ☎ 287512, ☂ – P. AE. ⑤. E VISA
marzo-ottobre – **Pasto** carta 45/65000 (10 %).

RISTANO *09170* P 988 ㉝, 433 H 7 *G. Italia – 32 076 ab. –* ☎ *0783.*

Vedere *Opere d'arte★ nella chiesa di San Francesco – Basilica di Santa Giusta★ S : 3 km.*

via Cagliari 278 ☎ 74191, Fax 302518.

A.C.I. *via Cagliari 39 ☎ 212458.*

Alghero 137 – Cagliari 93 – Iglesias 97 – Nuoro 92 – Sassari 121.

Mistral 2, via 20 Settembre ☎ 210389, Fax 211000, – cam – 300. AE. . E VISA. rist
Pasto carta 35/55000 – **132 cam** 100/150000 – 1/2 P 85/115000.

Mistral, via Martiri di Belfiore ☎ 212505, Fax 210058 – – 50. AE. . E VISA. rist
Pasto carta 35/60000 – **48 cam** 75/115000 – 1/2 P 75/95000.

Il Faro, via Bellini 25 ☎ 70002, Fax 300861, Coperti limitati; prenotare – . . E VISA.
chiuso domenica e dall'11 al 25 luglio – **Pasto** 55/90000 (15 %) a mezzogiorno 65/95000 (15 %) alla sera e carta 55/90000 (15 %)
Spec. Su succu: tagliolini di grano duro con pecorino fresco e zafferano (marzo-dicembre). Porchetto da latte arrosto (aprile-novembre). Padruas di ricotta o formaggella (aprile-settembre).

La Forchetta d'Oro, via Giovanni XXIII ☎ 302731, Fax 302731 – . AE. . E VISA.
chiuso domenica – **Pasto** carta 35/60000.

Da Salvatore, via Carbonia 1 ☎ 357134, Fax 357134 – . . E VISA
chiuso domenica – **Pasto** carta 25/45000.

lla strada statale 131 :

Tucano, al bivio per Arborea S : 5 km ✉ 09096 Santa Giusta ☎ 358105, Fax 358688 – .
chiuso le sere di domenica e mercoledì – **Pasto** specialità di mare carta 35/55000.

ROSEI *08028 Nuoro* 988 ㉞, 433 F 11 – *5 547 ab. alt. 19 – a.s. luglio-10 settembre –* ☎ *0784.*

Dorgali 18 – Nuoro 40 – Olbia 93.

Maria Rosaria, via Grazia Deledda 13 ☎ 98657, Fax 98596, , – . AE. . E VISA.
Pasto carta 35/60000 – 10000 – **61 cam** 140/200000 – 1/2 P 120/170000.

Fuile Mare *NE : 10 km – ✉ 08028 Orosei :*

Villa Campana , località Fuile Mare-Cala Liberotto ☎ 91068, , « Giardino fiorito » – . AE. . E VISA. rist
aprile-ottobre – **Pasto** carta 50/75000 – 15000 – **17 cam** 220/250000 – 1/2 P 130/200000.

Cala Ginepro *NE : 14 km – ✉ 08028 Orosei :*

Club Hotel Torre Moresca , ☎ 91230, Fax 91270, , – – 400. AE. . E VISA.
maggio-ottobre – **Pasto** carta 40/60000 – 15000 – **140 cam** 180/220000 – 1/2 P 140/230000.

PALAU *07020 Sassari* 988 ㉓, 433 D 10 – *3 274 ab. – a.s. 20 giugno-15 settembre –* ☎ *0789.*

Dintorni *Arcipelago della Maddalena★★ – Costa Smeralda★★.*

per La Maddalena giornalieri (15 mn) – Saremar-agenzia Contemar, piazza del Molo 2 ☎ 709270, Fax 709270.

via Nazionale 94 ☎ 709570, Fax 709570.

Cagliari 325 – Nuoro 144 – Olbia 40 – Porto Torres 127 – Sassari 117 – Tempio Pausania 48.

Palau, via Baragge ☎ 708468, Fax 709817, ≤ mare, – – 250
stagionale – **95 cam.**

Da Franco, via Capo d'Orso 1 ☎ 709558 – . . E VISA.
chiuso dal 19 al 25 dicembre e lunedì (escluso da giugno a settembre) – **Pasto** carta 65/95000 (15 %).

La Gritta, località Porto Faro ☎ 708045, Fax 708045, ≤ mare e isole, « Servizio estivo all'aperto », – . AE. . E VISA.
aprile-ottobre; chiuso mercoledì da aprile al 15 giugno – **Pasto** carta 65/90000
Spec. Zuppa di crostacei in pasta sfoglia. Tagliolini neri con gamberi e arselle. Porcetto gallurese al profumo di mirto o allo spiedo.

Faro, località Porto Faro ☎ 709565, ≤ –. . E VISA.
giugno-settembre – **Pasto** carta 50/75000.

La Taverna, ☎ 709289 – . AE. . E VISA.
marzo-novembre; chiuso martedì escluso da giugno a settembre – **Pasto** carta 55/80000 (5 %).

a Capo d'Orso *E : 5 km – ✉ 07020 Palau :*

Capo d'Orso 🔇, ☏ 702000, Telex 791124, Fax 702009, ≤, « In pineta », ⛱, – ▤ TV ☎ P – 🏛 150. AE. 🅂. VISA. ⚔
Pasqua-ottobre – **62 cam** solo ½ P 90/230000.

PORTO ALABE *Oristano* 433 *G 7 – Vedere Tresnuraghes.*

PORTO CONTE *Sassari* 433 *F 6 – Vedere Alghero.*

PORTO ROTONDO *Sassari* 988 ㉔, 433 *D 10 – Vedere Olbia.*

PORTO SAN PAOLO *Sassari* 433 *E 10 – ✉ 07020 Vaccileddi – a.s. 20 giugno-15 settembre – ☏ 0789.*
Cagliari 268 – Nuoro 87 – Olbia 15 – Sassari 114.

San Paolo, ☏ 40001, Fax 40622, ≤ mare ed isola di Tavolara, – ☎ P *stagionale* – **39 cam.**

Cala Junco, via Nenni 8/10 ☏ 40260 – ▤. 🅂. ⓓ E VISA. ⚔
chiuso martedì escluso da maggio a settembre – **Pasto** carta 45/65000.

a Costa Dorata *SE : 1,5 km – ✉ 07020 Vaccileddi :*

Don Diego 🔇, ☏ 40007, Fax 40026, ≤ mare ed isola di Tavolara, « Villini indipendenti terrazze fiorite con ⛱ », – ▤ TV ☎ P. AE. 🅂. ⓓ E VISA. ⚔
maggio-settembre – **Pasto** (solo per alloggiati) 80000 – ☕ 30000 – **60 cam** 300/5500… 6 appartamenti – ½ P 265000.

PORTOSCUSO *09010 Cagliari* 988 ㉝, 433 *J 7 – 5 628 ab. – ☏ 0781.*
⛴ *da Portovesme per l'Isola di San Pietro-Carloforte giornalieri (40 mn) – a Portovesme Saremar-agenzia Ser.Ma.Sa., al porto ☏ 509065.*
⛴ *da Portovesme per l'Isola di San Pietro-Carloforte giornalieri (10 mn) – a Portovesme Saremar-agenzia Ser.Ma.Sa., al porto ☏ 509065.*
Cagliari 77 – Oristano 119.

Panorama senza rist, via Giulio Cesare 42 ☏ 508077, Fax 509327, ≤ – 🛗 ▤ TV ☎. AE. E VISA. ⚔
☕ 10000 – **37 cam** 75/100000.

La Ghinghetta 🔇 con cam, via Cavour 26 ☏ 508143, Fax 508144, ≤, Coperti limitati; prenotare – ▤ TV ☎. AE. 🅂. ⓓ E VISA. ⚔
✿ *maggio-settembre* – **Pasto** *(chiuso domenica)* carta 70/95000 – **8 cam** ☕ 165/19500… ½ P 230/245000
Spec. Fregola sarda in brodo di astice. Scaloppa di tonno all'aceto balsamico e foie g… (maggio-giugno). Guazzetto di aragosta e coquillages.

PORTO TORRES *07046 Sassari* 988 ㉓ ㉝, 433 *E 7 G. Italia – 21 396 ab. – ☏ 079.*
Vedere *Chiesa di San Gavino*★.
⛴ *per Genova giornalieri (da 10 a 12 h) – Tirrenia Navigazione, Stazione Maritt… ☏ 514107, Telex 790019, Fax 514109 e Grandi Navi Veloci-agenzia Paglietti Peter T… corso Vittorio Emanuele 19 ☏ 514477, Fax 514063.*
Alghero 35 – Sassari 19.

sulla strada statale 131 :

Libyssonis, Li Pidriazzi SE : 2 km ✉ 07046 ☏ 501613, Fax 501613, ⛱ – 🛗 ▤ TV ☎ P. 🅂. E VISA. ⚔ rist
Pasto *(chiuso lunedì)* carta 45/65000 – ☕ 11000 – **36 cam** 90/125000 – ½ P 100000.

Li Lioni, regione Li Lioni SE : 3 km ✉ 07046 ☏ 502286, Fax 512242, « Servizio estivo all'aperto », – P. AE. 🅂. ⓓ E VISA. ⚔
chiuso mercoledì e ottobre o novembre – **Pasto** specialità regionali carta 45/65000.

POSADA *08020 Nuoro* 433 *F 11 – 2 224 ab. – ☏ 0784.*
Nuoro 54 – Olbia 47.

Donatella, via Gramsci ☏ 854145, Fax 854433 – TV ☎ P. 🅂. E VISA. ⚔
chiuso dal 20 al 30 dicembre – **Pasto** carta 30/55000 – ☕ 10000 – **19 cam** 75/950… ½ P 60/90000.

ULA *09010 Cagliari 988 ㉝, 433 J 9 – 6 112 ab. alt. 10 – ☎ 070.*

Is Molas, Casella Postale 49 ✉ 09010 Pula ☎ 9241013, Fax 9241015, SO : 6 km.
Cagliari 29 – Nuoro 210 – Olbia 314 – Oristano 122 – Porto Torres 258.

Baia di Nora, località Su Guventeddu ☎ 9245551, Fax 9245600, – 240. AE. 🅂. E VISA.
marzo-ottobre – **Pasto** 70000 – **121 cam** solo 1/2 P 110/250000.

Sant'Efis, località Su Guventeddu ☎ 9245370, Fax 9245373, « Giardino con », – *stagionale* – **50 cam.**

Nora Club Hotel senza rist, strada per Nora ☎ 9245450, Fax 9209129, – . AE. 🅂. E VISA
25 cam 120/200000.

Is Molas *O : 4 km – ✉ 09010 Pula :*

Is Molas Golf Hotel, ☎ 9241006, Telex 791059, Fax 9241002, – . AE. 🅂. E VISA.
chiuso sino al 25 febbraio – **Pasto** carta 50/60000 – 15000 – **84 cam** 150/240000 – 1/2 P 160/190000.

Santa Margherita *SO : 6 km – ✉ 09010 Pula :*

Costa dei Fiori, strada statale 195 al Km 33 ☎ 245333, Fax 9245335, « Giardino con e » – – 100
stagionale – **71 cam.**

New Barcavela, strada statale 195 al km 40 ☎ 9290476, Fax 9290480, « In pineta, giardino con », – . AE. 🅂. E VISA.
Pasto carta 35/70000 (10 %) – **19 cam** 140/280000, 8 appartamenti – 1/2 P 170/220000.

Abamar, strada statale 195 al Km 140 ☎ 921555, Fax 921145, ←, « In pineta, giardino con e », – . AE. 🅂. E VISA. rist
15 maggio-15 settembre – **Pasto** 45000 – 15000 – **71 cam** 100/190000 – 1/2 P 160/180000.

Urru, ☎ 921491, « Servizio estivo in terrazza », – . AE. 🅂. E VISA.
chiuso dall'8 gennaio all'8 febbraio e lunedì (escluso dal 15 giugno al 15 settembre) – **Pasto** carta 35/55000

UNTALDIA *Nuoro – Vedere San Teodoro.*

UARTU SANT'ELENA *09045 Cagliari 988 ㉝, 433 J 9 – 66 344 ab. – ☎ 070.*
Cagliari 7 – Nuoro 184 – Olbia 288 – Porto Torres 232 – Sassari 214.

Residence Hotel Italia senza rist, via Panzini ang. viale Colombo ☎ 827070, Fax 827071 – – 50. AE. 🅂. E VISA
10000 – **67 cam** 120/160000, 7 appartamenti.

Sant'Andrea *E : 8 km – ✉ 09046 :*

Su Meriagu con cam, via Leonardo Da Vinci 140 ☎ 890842, Fax 890842, Rist. e pizzeria serale – . AE. cam
Pasto *(chiuso martedì escluso dal 15 giugno a settembre)* carta 35/50000 – **8 cam** 90/160000 – 1/2 P 100/130000.

AN PANTALEO *07020 Sassari 433 D 10 – alt. 169 – a.s. 20 giugno-15 settembre – ☎ 0789.*
Cagliari 306 – Olbia 21 – Sassari 124.

Rocce Sarde, località Milmeggiu SE : 3 km ☎ 65265, Fax 65268, ← costa Smeralda, « Servizio rist. estivo in terrazza panoramica », – . AE. 🅂. E VISA. rist
aprile-ottobre – **Pasto** 30/50000 – **72 cam** 160/240000 – 1/2 P 140/180000.

SAN PIETRO (Isola di) *Cagliari* 988 ㉝, 433 J 6 – *6 692 ab. alt. da 0 a 211 (monte Guardia dei Mori)* – *0781.*

Carloforte 988 ㉝, 433 J 6 – ✉ *09014 – a.s. 25 giugno-7 settembre.*

per Portovesme di Portoscuso (40 mn) e Calasetta (30 mn), giornalieri – Saremar agenzia Ser.Ma.Sa., piazza Carlo Emanuele 20 ☎ 854005, Fax 855589.

per Portovesme di Portoscuso (10 mn) e Calasetta (10 mn), giornalieri – Saremar agenzia Ser.Ma.Sa., piazza Carlo Emanuele 20 ☎ 854005, Fax 855589.

Hieracon, corso Cavour 62 ☎ 854028, Fax 854893, ≤, – ☎. AE. E VISA rist
Pasto carta 35/65000 (5%) – 6000 – **16 cam** 80/120000, 6 appartamenti 175/200000 – ½ P 110/125000.

Da Nicolo, corso Cavour 32 (dal 15 ottobre al 15 giugno in via Dante) ☎ 854048, – E VISA
chiuso dicembre e lunedì (escluso da luglio a settembre) – **Pasto** carta 45/70000.

Al Tonno di Corsa, ☎ 855106, – AE. E VISA.
chiuso lunedì e dal 23 dicembre al 23 gennaio – **Pasto** carta 50/85000.

SANTA MARGHERITA *Cagliari* 988 ㉝, 433 K 8 – *Vedere Pula.*

SANT'ANDREA *Cagliari* 433 J 9 – *Vedere Quartu Sant'Elena.*

SANT'ANTIOCO *09017 Cagliari* 988 ㉝, 433 J 7 *G. Italia – 12 111 ab. – 0781.*
Vedere *Vestigia di Sulcis* : tophet*, collezione di stele* nel museo.*
Cagliari 92 – Calasetta 9 – Nuoro 224 – Olbia 328 – Porto Torres 272 – Sassari 254.

L'Eden, piazza Parrocchia 15/16/17 ☎ 840768, Fax 840768, « Catacombe del V secolo a.C. » – ☎. AE. VISA. rist
Pasto *(chiuso lunedì)* 40000 – **14 cam** 75/105000 – ½ P 90000.

Moderno con cam, via Nazionale 82 ☎ 83105, – ☎. AE. E VISA.
chiuso dal 20 dicembre al 10 gennaio – **Pasto** *(chiuso domenica)* carta 45/65000 (10%) – 6000 – **10 cam** 60/85000 – ½ P 80000.

SANTA REPARATA *Sassari* 433 D 9 – *Vedere Santa Teresa Gallura.*

SANTA TERESA GALLURA *07028 Sassari* 988 ㉓, 433 D 9 – *4 128 ab. – a.s. 20 giugno-15 settembre – 0789.*
Escursioni *Arcipelago della Maddalena**.*
piazza Vittorio Emanuele 24 ☎ 754127, Fax 754185.
Olbia 61 – Porto Torres 105 – Sassari 103.

Bacchus, via Firenze 5 ☎ 754556, – rist ☎. AE. E VISA. JCB.
chiuso dal 20 dicembre al 20 gennaio – **Pasto** carta 40/70000 – 12000 – **14 cam** 80/100000 – ½ P 90/130000.

Marinaro, ☎ 754112, Fax 755817 – ☎. E VISA.
chiuso da febbraio al 15 marzo – **Pasto** *(chiuso venerdì)* carta 35/55000 – 12000 – **26 cam** 110/130000 – ½ P 85/125000.

Miramare , ☎ 754103, ≤ mare e Corsica – ☎ . AE. E VISA.
20 maggio-20 ottobre – **Pasto** 35/40000 – 10000 – **14 cam** 70/100000 – ½ P 110000.

Canne al Vento-da Brancaccio con cam, via Nazionale 23 ☎ 754219, Fax 75494 – ☎. E VISA.
aprile-settembre – **Pasto** *(chiuso lunedì in bassa stagione)* carta 50/75000 (10%) – 10000 – **22 cam** 65/95000 – ½ P 85/95000.

a Santa Reparata *O : 3 km* – ✉ *07028 Santa Teresa Gallura :*

S'Andira, ☎ 754273, – AE. E VISA. JCB.
20 maggio-settembre – **Pasto** specialità di mare carta 60/95000.

a Marazzino *E : 5 km* – ✉ *07028 Santa Teresa Gallura :*

La Stalla, ☎ 751514, – . AE. E VISA
giugno-settembre – **Pasto** carta 40/80000.

AN TEODORO *08020 Nuoro* 433 E 11 – *2 999 ab.* – *a.s. luglio-10 settembre* – ☎ *0784.*

Puntaldia (marzo-novembre; chiuso martedì escluso da giugno a settembre) ☏ *864477.*

Cagliari 258 – Nuoro 77 – Olbia 29 – Porto Torres 146 – Sassari 128.

Puntaldia *N : 6 km* – ✉ *08020 San Teodoro :*

Due Lune ☏ 864075, Telex 791043, Fax 864017, ≤ mare e golfo, – 180. AE. ⑤. ⊙ E VISA.
maggio-settembre – **Pasto** carta 50/90000 – ☕ 15000 – **65 cam** 400/700000 – 1/2 P 300/450000.

SASSARI *07100* P 988 ㉝, 433 E 7 *G. Italia* – *121 639 ab. alt. 225* – ☎ *079.*

Vedere *Museo Nazionale Sanna*★ Z **M** – *Facciata*★ *del Duomo* Y.

Dintorni *Chiesa della Santissima Trinità di Saccargia*★★ *per* ③ *: 15 km.*

di Alghero-Fertilia, SO : 30 km ☏ *935033 – Alitalia, Agenzia Sardaviaggi, via Cagliari 30* ☏ *234498.*

viale Caprera 36 ☏ *299579, Fax 299415 – viale Umberto 72* ☏ *233534, Fax 237585.*

A.C.I. *viale Adua 32* ☏ *272107.*

Cagliari 211.

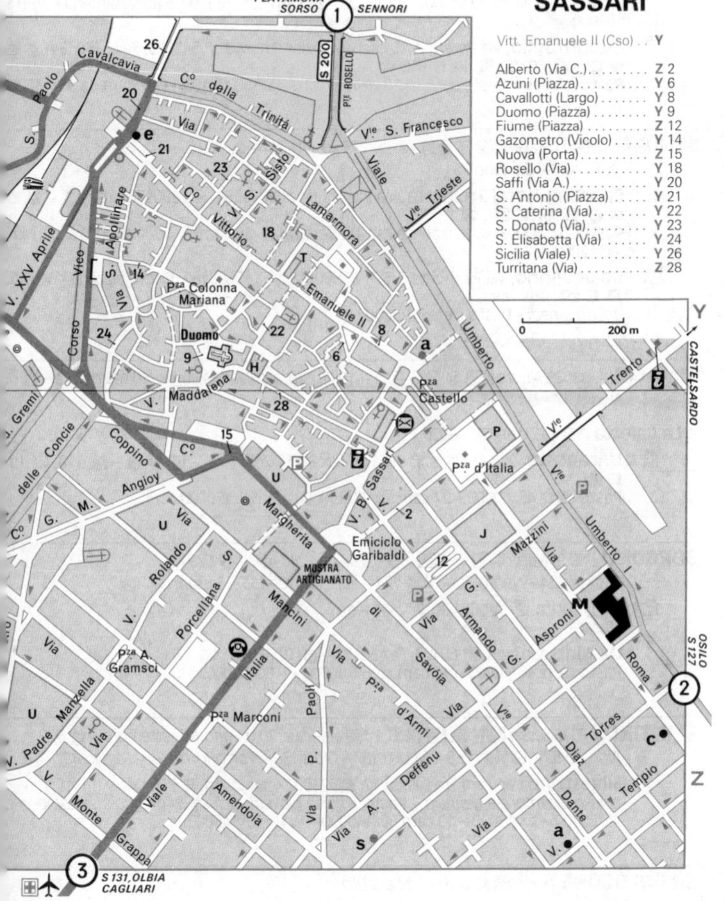

Grazia Deledda, viale Dante 47 ✆ 271235, Fax 280884 – 🛗 ▤ 📺 ☎ 🚗 🅿 – 🏛 AE. 🄱. ⦿ E VISA. ⚔ rist Z
Pasto *(chiuso domenica)* carta 45/65000 – **146 cam** ☕ 120/170000 – ½ P 130000.

Leonardo da Vinci senza rist, via Roma 79 ✆ 280744, Telex 630587, Fax 280744 – 🛗 📺 ☎ 🚗 – 🏛 160. AE. 🄱. ⦿ E VISA. JCB. ⚔ Z
☕ 16000 – **115 cam** 135/165000, 2 appartamenti.

Giusy senza rist, piazza Sant'Antonio 21 ✆ 233327, Fax 239490 – 🛗 ☎. ⚔ Y
24 cam ☕ 50/70000.

Trattoria del Giamaranto di Gianni e Amedeo, via Alghero 69 ✆ 274 Fax 274598 – ▤. AE. 🄱. ⦿ E VISA. ⚔ Z
chiuso agosto e sabato sera da giugno a settembre – **Pasto** specialità di mare c 55/65000.

Il Castello, piazza Castello 6/7 ✆ 232041, Fax 232041, Pizzeria serale – ▤ Y
Pasto specialità di mare.

SELARGIUS *09047 Cagliari 433 J 9 – 25 257 ab. alt. 11 – ☎ 070.*

Cagliari 8 – Oristano 98.

Hinterland, viale Vienna angolo viale Trieste ✆ 853009, Fax 853151, 🏊 – 🛗 ▤ 📺 ☎ – 🏛 250. AE. 🄱. ⦿ E VISA. ⚔
Pasto *(chiuso lunedì)* 35000 – ☕ 10000 – **73 cam** 135/160000, 3 appartamenti – ½ P 150000.

Quadrifoglio, via Peretti 8/10 circonvallazione nuova ✆ 543093, Fax 543036 – 🛗 ▤ ☎ 🅿 – 🏛 60. AE. 🄱. ⦿ E VISA. ⚔
Pasto *(chiuso lunedì e dal 1° al 20 agosto)* carta 35/55000 (10%) – **87 cam** ☕ 95/13000

SENORBÌ *09040 Cagliari 988 ㉝, 433 I 9 – 4 295 ab. alt. 204 – ☎ 070.*

Cagliari 41 – Oristano 75.

Sporting Hotel Trexenta, via Piemonte ✆ 9809384, Fax 9809386, 🏋, 🏊 – 🛗 ▤ ☎ 🅿. AE. 🄱. E VISA. ⚔
Pasto 25/30000 e vedere anche rist. ***Da Severino*** – **30 cam** ☕ 70/110000, 2 appartam – P 120000.

Da Severino, via Piemonte 3/5/7 ✆ 9808181, Fax 9808181, Rist. e pizzeria – ▤. AE ⦿ E VISA. ⚔
chiuso lunedì – **Pasto** carta 50/60000.

SINISCOLA 08029 *Nuoro 988 ㉞, 433 F 11 – 10 703 ab. alt. 42 – a.s. luglio-10 settembre – ☎ 0*

Nuoro 47 – Olbia 57.

a La Caletta *NE : 6,5 km – ✉ 08020 :*

L'Aragosta 🐎, via Ciusa ✆ 810129, Fax 810576, 🏖, 🌳 – 📺 ☎ 🅿 – 🏛 120. AE. 🄱 E VISA. ⚔
Pasto carta 45/60000 – **27 cam** ☕ 90/130000 – P 120/150000.

SORGONO *08038 Nuoro 988 ㉝, 433 G 9 – 2 057 ab. alt. 688 – ☎ 0784.*

Cagliari 124 – Nuoro 70 – Olbia 174 – Porto Torres 155 – Sassari 137.

Villa Fiorita 🐎, ✆ 60129, 🏖, 🌳 – 🅿
19 cam.

Da Nino con cam, ✆ 60127, Fax 60127 – 🅿. 🄱. E VISA. ⚔
Pasto carta 40/60000 – **10 cam** ☕ 60/90000 – P 80/90000.

STINTINO *07040 Sassari 988 ㉓, 433 E 6 1 199 ab. – a.s. 20 giugno-15 settembre – ☎ 079.*

Alghero 53 – Cagliari 258 – Nuoro 167 – Olbia 150 – Porto Torres 29 – Sassari 48.

Silvestrino con cam, via Sassari 12 ✆ 523007 – ☎. AE. 🄱. E VISA. ⚔
chiuso dicembre e gennaio – **Pasto** *(chiuso giovedì escluso da giugno a settembre)* c 45/60000 – ☕ 15000 – **10 cam** 80/140000 – ½ P 115/145000.

SU GOLOGONE *Nuoro 433 G 10 – Vedere Oliena.*

EMPIO PAUSANIA *07029 Sassari* 988 ㉓, 433 E 9 – *13 955 ab. alt. 566 – ✆ 079.*
Cagliari 253 – Nuoro 135 – Olbia 45 – Palau 48 – Porto Torres 89 – Sassari 69.

Petit Hotel M, piazza De Gasperi 10 ✆ 631134, Fax 631760 – |♦| ▤ TV ☎ ♿. AE. Ⓢ. ⓓ E VISA. ✂
Pasto carta 35/65000 – **58 cam** ☕ 130/180000 – 1/2 P 110/120000.

EULADA *09019 Cagliari* 988 ㉝, 433 K 8 – *4 438 ab. alt. 50 – ✆ 070.*
Cagliari 62 – Oristano 141.

Sebera con cam, via San Francesco 8 ✆ 9270876, Fax 9270020 – ▤ rist TV ☎. Ⓢ. E VISA. ✂
Pasto *(chiuso lunedì escluso da luglio a settembre)* carta 35/45000 – ☕ 7000 – **10 cam** 60/75000 – 1/2 P 65/75000.

ORTOLÌ *08048 Nuoro* 988 ㉞, 433 H 10 – *9 332 ab. alt. 15 – a.s. luglio-10 settembre – ✆ 0782.*
Dintorni *Strada per Dorgali*** Nord.*
⛴ ; da Arbatax per: Civitavecchia 25 luglio-18 settembre martedì, venerdì e domenica, negli altri mesi mercoledì e domenica (10 h 30 mn) e Genova giugno-settembre giovedì e sabato, negli altri mesi martedì e sabato (18 h 30 mn) – Tirrenia Navigazione-agenzia Torchiani, via Venezia 10 ✆ 667062, Fax 667047.
Cagliari 140 – Muravera 76 – Nuoro 96 – Olbia 177 – Porto Torres 234 – Sassari 216.

Victoria, via Monsignor Virgilio ✆ 623457, Fax 624116, ⛱ – |♦| ▤ TV ☎ Ⓟ – 🏛 35. AE. Ⓢ. ⓓ E VISA. ✂
Pasto *(chiuso domenica)* carta 30/50000 – **60 cam** ☕ 125/160000 – 1/2 P 120/150000.

La Perla senza rist, località Porto Frailis, viale Europa ✆ 667800, Fax 667810, 🌳 – ▤ TV ☎ Ⓟ. AE. Ⓢ. ⓓ E VISA. ✂
chiuso dicembre – **10 cam** ☕ 95/140000.

TRESNURAGHES *09079 Oristano* 433 G 7 – *1 403 ab. alt. 257 – a.s. luglio-10 settembre – ✆ 0785.*
Cagliari 144 – Nuoro 83 – Oristano 51 – Sassari 88.

a Porto Alabe *O : 5,5 km – ✉ 09079 Tresnuraghes :*

Porto Alabe, ✆ 359056, Fax 359080, ≤, 🎾 – ☎ Ⓟ
Pasto 30/40000 – ☕ 10000 – **20 cam** 90/120000 – 1/2 P 100/110000.

TRINITÀ D'AGULTU *07038 Sassari* 988 ㉓, 433 E 8 – *1 992 ab. alt. 365 – a.s. 20 giugno-15 settembre – ✆ 079.*
Cagliari 271 – Nuoro 180 – Olbia 73 – Porto Torres 62 – Sassari 60.

a Isola Costa Paradiso *NE : 16 km :*

Li Rosi Marini 🐦, ✉ 07038 ✆ 689731, Fax 689732, ≤ mare e scogliere, ⛱, 🏖, 🎾 – ☎ Ⓟ
Pasto *(chiuso martedì)* 30000 – **30 cam** ☕ 90/140000 – 1/2 P 100/125000.

VALLEDORIA *07039 Sassari* 433 E 8 – *3 699 ab. alt. 16 – ✆ 079.*
Cagliari 235 – Olbia 81 – Sassari 42.

Park Hotel con cam, corso Europa ✆ 582800, Fax 582600, 🌳, Rist. e pizzeria serale – TV ☎ Ⓟ. AE. Ⓢ. ⓓ E VISA
Pasto *(chiuso mercoledì)* carta 40/55000 – ☕ 10000 – **7 cam** 60/100000 – 1/2 P 75/100000.

VILLANOVAFORRU *09020 Cagliari* 433 I 8 – *721 ab. alt. 324 – ✆ 070.*
Cagliari 62 – Iglesias 71 – Nuoro 142 – Olbia 246 – Porto Torres 190 – Sassari 170.

Le Colline 🐦 con cam, NE : 1 km ✆ 9300123, Fax 9300134 – ▤ TV ☎ Ⓟ. AE. Ⓢ. E VISA. ✂
chiuso dal 20 al 27 dicembre – **Pasto** carta 35/50000 – ☕ 8000 – **20 cam** 75/100000 – 1/2 P 95000.

VILLASIMIUS *09049 Cagliari* 988 ㉞, 433 J 10 – *2 750 ab. alt. 44 – ✆ 070.*
Cagliari 49 – Muravera 43 – Nuoro 225 – Olbia 296 – Porto Torres 273 – Sassari 255.

Stella Maris 🐦, località Campulongo SO : 5 km ✆ 797100, Fax 707367, ≤ mare e costa, 🌳, « Giardino sul mare », 🏖, 🎾 – |♦| ▤ TV ☎ ♿ Ⓟ – 🏛 80. AE. Ⓢ. E VISA. ✂ rist
18 maggio-6 ottobre – **Pasto** 50/80000 – **42 cam** ☕ 200/350000, appartamento – 1/2 P 200/250000.

La Lanterna, ✆ 791659 – AE. Ⓢ. ⓓ E VISA. ✂
aprile-novembre; chiuso lunedì – **Pasto** carta 30/60000.

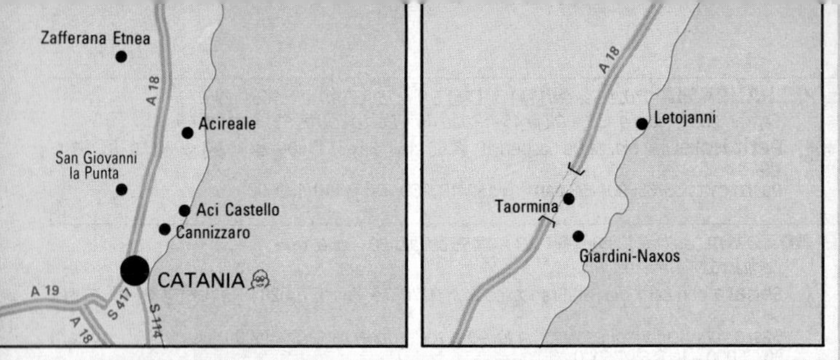

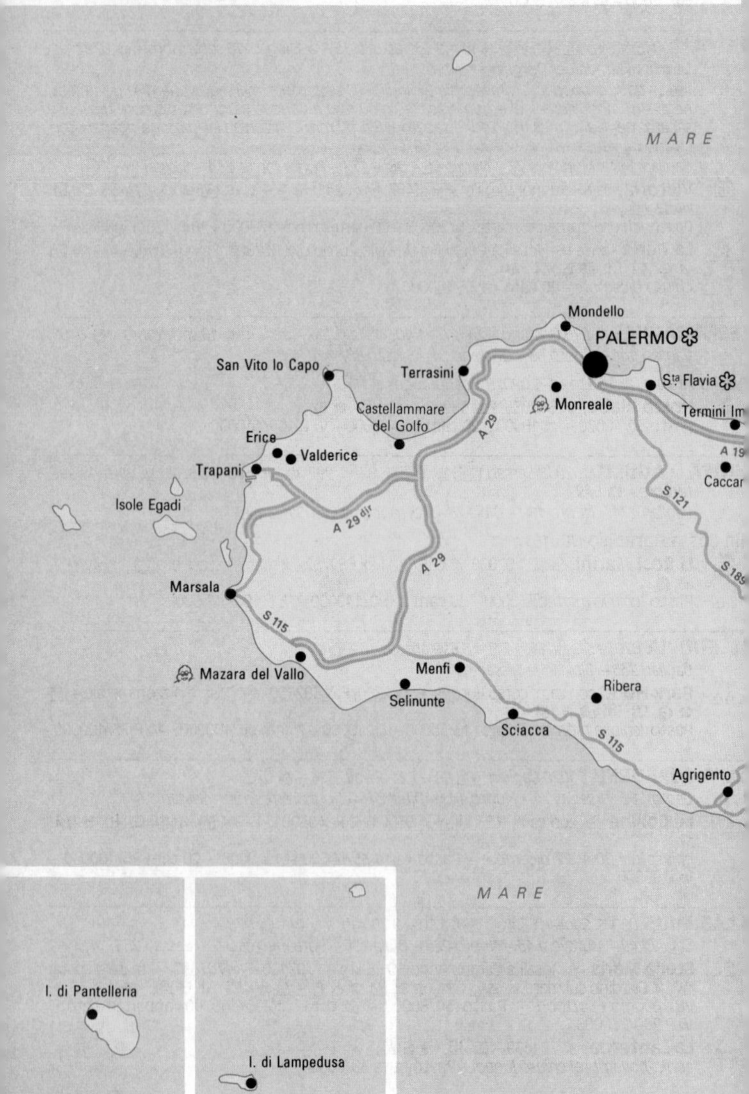

MARE

Mondello
PALERMO
San Vito lo Capo
Terrasini
Sta Flavia
Monreale
Termini Im
Castellammare
del Golfo
A 29
Erice
Valderice
A 19
Trapani
Caccar
S 121
Isole Egadi
A 29 dir
A 29
S 189
Marsala
S 115
Menfi
Mazara del Vallo
Ribera
Selinunte
Sciacca
S 115
Agrigento

MARE

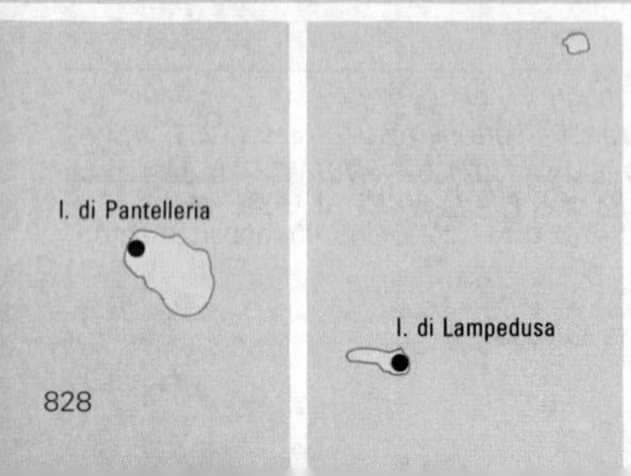

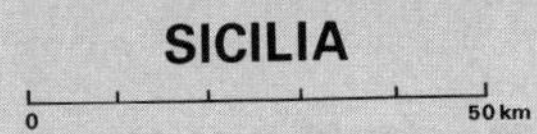

Isole Eolie o Lipari
TIRRENO
Milazzo
Messina
Torregrotta
Marina di Patti
Capo d'Orlando
Barcellona
Pozzo di Gotto
A 20
Terme Vigliatore
Cefalù
Castel di Tusa
S 113
Francavilla di Sicilia
Taormina
Campofelice di Roccella
Randazzo
Piano Zucchi
Geraci Siculo
A 18
Nicosia
Simeto
CATANIA
A 19
Dittaino
Enna
A 18
an Cataldo
Caltanissetta
S 114
Piazza Armerina
S 640
S 194
Augusta
Canicattì
Salso
S. Michele
di Ganzaria
Caltagirone
Siracusa
S 514
lma
Montechiaro
Palazzolo Acreide
Chiaramonte Gulfi
S 115
Gela
Comiso
Noto
Vittoria
Ragusa
Modica
S 115
Portopalo
di Capo Passero
Marina di Ragusa
MEDITERRANEO

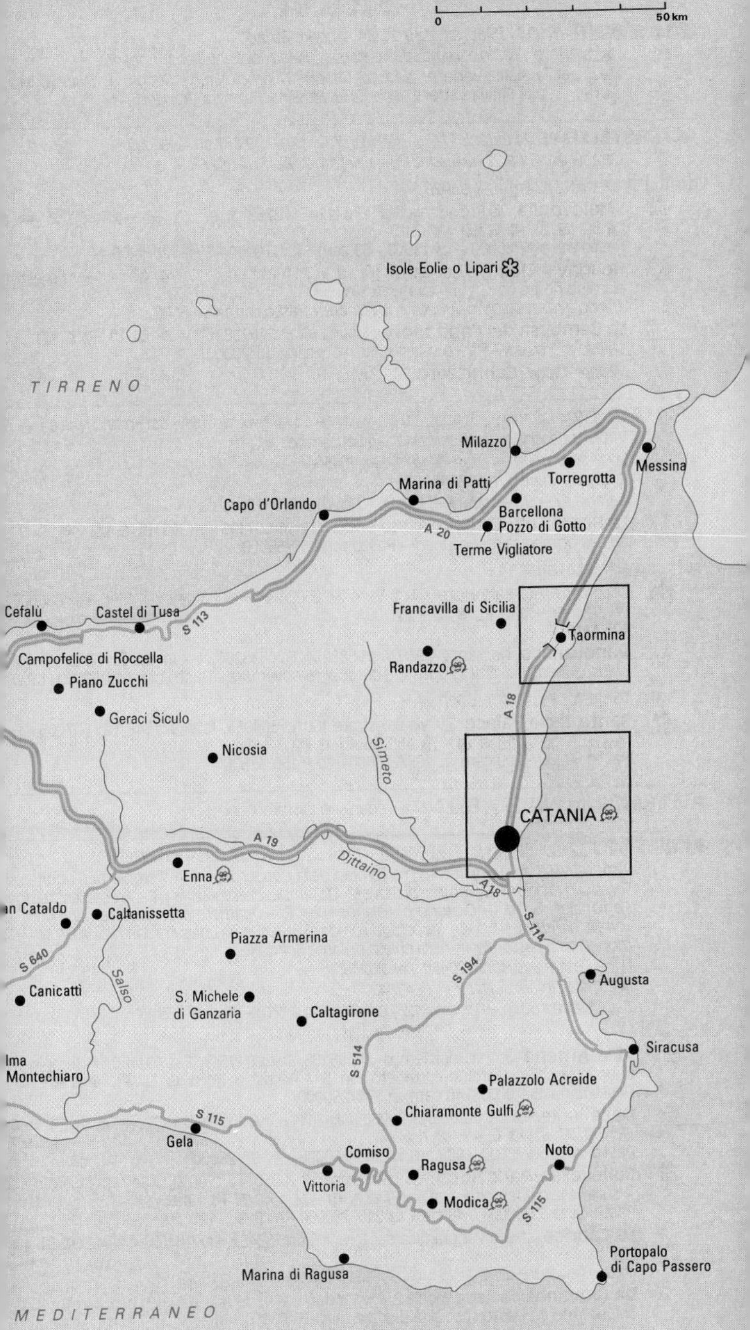

SICILIA

988 ㉟ ㊱ ㊲, 432 – *5 094 735 ab. alt. da 0 a 3 340 (monte Etna).*

✈ **vedere** : *Catania, Lampedusa, Marsala, Palermo, Pantelleria, Trapani.*

⛴ **per la Sicilia vedere** : *Cagliari, Genova, Livorno, Napoli, Reggio di Calabria, Villa Giovanni;* **dalla Sicilia vedere** *Isole Eolie, Messina, Palermo, Trapani.*

ACI CASTELLO *95021 Catania* 988 ㊲, 432 O 27 *G. Italia – 19 237 ab. –* ☎ *095.*
Catania 9 – Enna 92 – Messina 95 – Palermo 217 – Siracusa 68.

ad Aci Trezza *NE : 2 km –* ✉ *95026 :*

- **I Malavoglia,** via Provinciale 3 ☎ 276711, Fax 276873, ☂, 🏊, ✗ – 🛗 ▤ 📺 ☎ 🚗 🅿 🏛 50. AE. 🅂. ⊙ E VISA. ✗ rist
  Pasto carta 40/65000 – ☕ 15000 – **83 cam** 130/170000 – ½ P 120/140000.
- ✗✗ **Holiday's Club,** via dei Malavoglia 10 ☎ 7116811, Fax 277874, ☂, « Servizio estivo giardino fiorito con 🏊 » – ▤ 🅿. AE VISA
  chiuso a mezzogiorno, lunedì e novembre – **Pasto** carta 45/65000.
- ✗ **La Cambusa del Capitano,** via Marina 65 ☎ 276298, ☂ – ▤. AE. 🅂. ⊙ E VISA
  chiuso mercoledì – **Pasto** specialità di mare carta 55/80000.

Vedere anche : **Cannizzaro** *SO : 2 km*

ACIREALE *95024 Catania* 988 ㊲, 432 O 27 *G. Italia – 51 469 ab. alt. 161 – Stazione termale –* ☎ *0*
Vedere *Facciata★ della chiesa di San Sebastiano.*
ℹ *corso Umberto 179* ☎ *604521, Fax 604306.*
A.C.I. *via Mancini 1* ☎ *7647971.*
Catania 17 – Enna 100 – Messina 86 – Palermo 225 – Siracusa 76.

- ✗✗ **La Brocca d'u Cinc'oru,** corso Savoia 49/a ☎ 607196 – ▤. AE. 🅂. E VISA. ✗
  chiuso domenica sera e lunedì – **Pasto** carta 50/65000.

sulla strada statale 114 :

- Orizzonte Acireale Hotel, N : 2,5 km ✉ 95024 ☎ 886006, Telex 971515, Fax 886006, ☂, 🏊, 🌳 – 🛗 ▤ 📺 ☎ 🅿 – 🏛 200
  127 cam.
- ✗✗ **Panoramico,** N : 3 km ✉ 95024 ☎ 885291, Fax 885280, ← – 🅿. AE. 🅂. ⊙ E VISA. ✗
  chiuso lunedì, dal 1º al 15 agosto e dal 1º al 15 novembre – **Pasto** carta 45/60000 (15 %).

a Santa Tecla *N : 3 km –* ✉ *95020 :*

- **Santa Tecla Palace** ⛰, via Balestrate 100 ☎ 604933, Telex 971548, Fax 607705, ←, 🏖, ✗ – 🛗 ▤ 📺 ☎ 🅿 – 🏛 450. AE. 🅂. E VISA. ✗ rist
  Pasto 50000 – **209 cam** ☕ 185/270000 – ½ P 150/175000.

ACI TREZZA *Catania* 988 ㊲, 432 O 27 – *Vedere Aci Castello.*

AGRIGENTO *92100* P 988 ㊱, 432 P 22 *G. Italia – 55 833 ab. alt. 326 –* ☎ *0922.*
Vedere *Valle dei Templi★★★* BY : *Tempio della Concordia★★★* **A**, *Tempio di Giunone★★ Tempio d'Ercole★★* **C**, *Tempio di Giove★★* **D**, *Tempio dei Dioscuri★★* **E** – *Museo Archeolog. Regionale★* BY **M**¹ – *Oratorio di Falaride★* BY **F** – *Quartiere ellenistico-romano★* BY **G** *Tomba di Terone★* BY **K** – *Sarcofago romano★ e ←★ dalla chiesa di San Nicola* BY **N** – *Ci. moderna★ : bassorilievi★ nella chiesa di Santo Spirito* BZ.
ℹ *via Cesare Battisti* ☎ *20454, Fax 20246.*
A.C.I. *via Cimarra S.N. 38* ☎ *604284.*
Caltanissetta 58 ③ – Palermo 128 ② – Siracusa 212 ③ – Trapani 175 ⑤.

Pianta pagina seguente

- **Villa Athena** ⛰, via dei Templi ☎ 596288, Telex 910617, Fax 402180, ← Tempio della Concordia, ☂, « Giardino-agrumeto con 🏊 » ✗ rist ▤ 📺 ☎ 🅿. AE. 🅂. ⊙ E VISA. ✗
  Pasto carta 45/70000 – **40 cam** ☕ 170/250000. BY
- **Della Valle,** via dei Templi ☎ 26966, Fax 26412, « Giardino con 🏊 » – 🛗 ▤ 📺 ☎ 🅿 🏛 150. AE. 🅂. ⊙ E VISA. ✗ rist BY
  Pasto carta 50/75000 – **90 cam** ☕ 200/260000 – P 190/280000.
- **Colleverde Park Hotel,** via dei Templi ☎ 29555, Fax 29012, « Terrazza-giardino con ← sulla valle dei Templi » – 🛗 ▤ 📺 ☎ ♿ 🅿 – 🏛 150. AE. 🅂. ⊙ E VISA. ✗ BY
  Pasto carta 30/50000 – **48 cam** ☕ 210/220000 – ½ P 125/140000.
- ✗✗ **Le Caprice,** strada Panoramica dei Templi 51 ☎ 26469, Fax 26469, ← – ▤. AE. 🅂. ⊙ VISA BY
  chiuso venerdì e dal 1º al 15 luglio – **Pasto** carta 45/70000 (15 %).
- ✗ **Da Giovanni,** piazzetta Vadalà 2 ☎ 21110, ☂ –. 🅂. E VISA BZ
  chiuso lunedì – **Pasto** specialità di mare carta 35/60000.

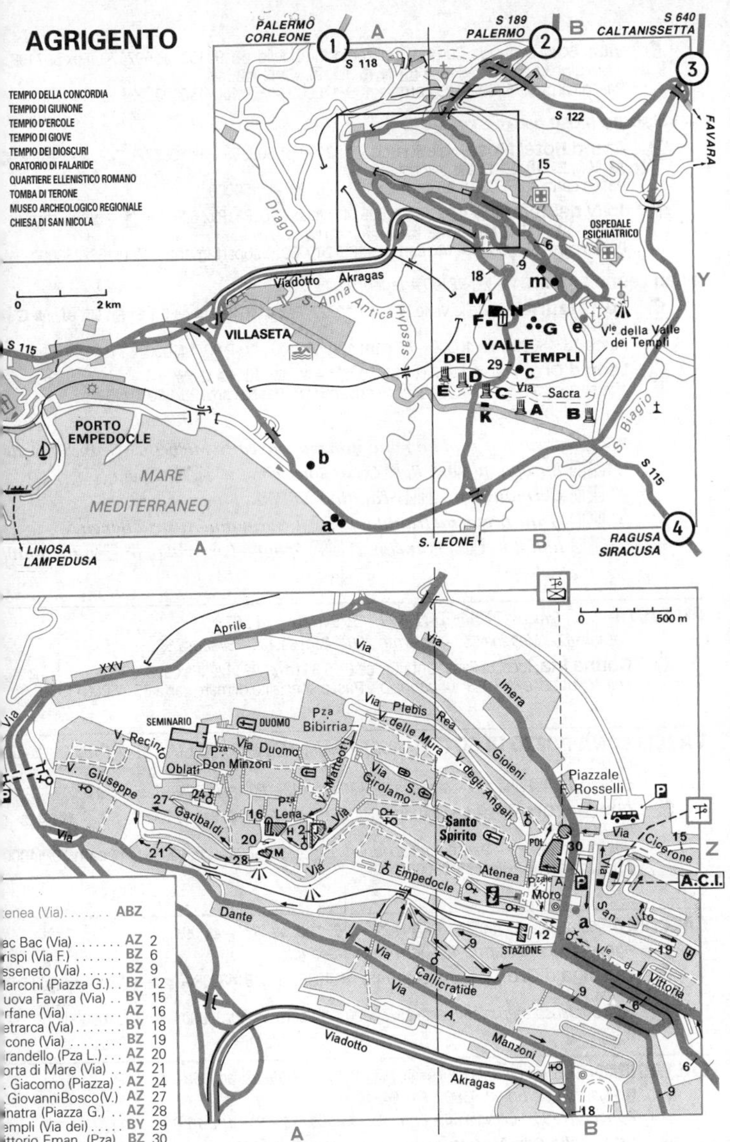

sulla strada statale 115 :

Kaos, ⊠ 92100 ✆ 598622, Telex 911280, Fax 598770, ≤, « Giardino fiorito con 🏊 », 🎾 – 🛗 ▤ TV ☎ P – 🎭 1000. AE. 🅂. ⓞ E VISA. ✈ — AY a
Pasto carta 50/70000 – **105 cam** ☕ 230/280000 – ½ P 275/320000.

Baglio della Luna 🐴, contrada Maddalusa ⊠ 92100 ✆ 511061, Fax 598802, ⛱, « In una vecchia torre d'avvistamento con giardino fiorito e ≤ sulla valle dei Templi » – ▤ TV ☎ P. AE. 🅂. ⓞ E VISA. ✈ — AY b
Pasto carta 65/95000 – **23 cam** ☕ 225/350000, appartamento – ½ P 200/275000.

Villa Eos, contrada Cumbo - villaggio Pirandello ✉ 92100 ✆ 597170, Fax 597188, « Giardino con 🏊 », ✗ – ▤ 📺 ☎ 🅿. AE. 🅂. ⦿ E VISA. ✂ AY
Pasto carta 30/55000 – **23 cam** ☕ 100/170000 – ½ P 110/130000.

al Villaggio Mosè *per ④ : 8 km :*

Grand Hotel Mosè, viale Sciascia ✉ 92100 ✆ 608388, Fax 608377, 🏊 – |♦| ▤ 📺 ☎ 🅿 – 🏛 100. AE. 🅂. ⦿ E VISA. ✂ rist
Pasto carta 40/75000 – **96 cam** ☕ 120/180000 – P 150000.

Jolly dei Templi, ✉ 92100 ✆ 606144, Telex 910086, Fax 606685, 🏊 – |♦| ⇆ cam ▤ ☎ 🅿 – 🏛 400. AE. 🅂. ⦿ E VISA. JCB. ✂ rist
Pasto carta 55/85000 – **144 cam** ☕ 185/240000, 2 appartamenti – ½ P 165/230000.

a San Leone *S : 7 km BY – ✉ 92100 Agrigento :*

Costazzurra, via Delle Viole 2/4 ✆ 411222, Fax 414040 – |♦| ▤ 📺 ☎ 🅿. AE. 🅂. ⦿ E VISA JCB. ✂
Pasto 25/45000 – ☕ 10000 – **32 cam** 100/120000 – ½ P 90/140000.

Leon d'Oro, ✆ 414400, Fax 414400, 帀 – ▤. AE. 🅂. ⦿ E VISA
chiuso lunedì e dal 20 ottobre al 15 novembre – **Pasto** carta 25/50000 (15 %).

Per spostarvi più rapidamente utilizzate le ***carte Michelin "Grandi Strade"*** *n° 970 Europa, n° 976 Rep. Ceca/Slovacchia, n° 980 Grecia, n° 984 Germania, n° 985 Scandinavia-Finlandia, n° 986 Gran Bretagna-Irlanda, n° 987 Germania-Austria-Benelux, n° 988 Italia, n° 989 Francia, n° 990 Spagna-Portogallo, n° 991 Jugoslavia*

AUGUSTA *96011 Siracusa* 988 ㊲, 432 P 27 – *33 946 ab.* – ✪ *0931.*
Catania 42 – Messina 139 – Palermo 250 – Ragusa 103 – Siracusa 32.

Donna Ina, località Faro Santa Croce E : 6,5 km ✆ 983422, Fax 998727
chiuso lunedì e dall' 8 al 14 gennaio – **Pasto** specialità di mare carta 35/45000 (15 %).

BARCELLONA POZZO DI GOTTO *98051 Messina* 988 ㊲ ㊳, 432 M 27 – *41 185 ab. alt. 60* – ✪ *090.*
Catania 130 – Enna 181 – Messina 39 – Milazzo 12 – Palermo 195 – Taormina 85.

Conca d'Oro, località Spinesante N : 3 km ✆ 9710128, Fax 9710618, 帀 – ▤ 📺 ☎ 🅿. AE. 🅂. E VISA. ✂
chiuso novembre – **Pasto** *(chiuso lunedì)* carta 35/55000 – ☕ 10000 – **13 cam** 70/110000, 3 appartamenti – ½ P 75/95000.

CACCAMO *90012 Palermo* 988 ㊱, 432 N 22 – *8 671 ab. alt. 521* – ✪ *091.*
Agrigento 93 – Palermo 43 – Termini Imerese 10.

La Spiga d'Oro, via Margherita 74 ✆ 8148968, Fax 8148968 – |♦| ▤ 📺 ☎ 🚗 🅿. AE. 🅂. E VISA. ✂
Pasto *(chiuso mercoledì)* carta 25/30000 – **14 cam** ☕ 60/95000 – ½ P 75/85000.

CALTAGIRONE *95041 Catania* 988 ㊱ ㊲, 432 P 25 – *38 116 ab. alt. 608* – ✪ *0933.*
🅑 *Palazzo Libertini ✆ 53809, Fax 54610.*
Agrigento 153 – Catania 64 – Enna 75 – Ragusa 71 – Siracusa 100.

Gd H. Villa San Mauro 🐦, via Portosalvo 10 ✆ 26500, Fax 31661, 🏊 – |♦| ▤ 📺 ☎ 🅿 – 🏛 300. AE. 🅂. ⦿ E VISA. ✂
Pasto 40/55000 – **92 cam** ☕ 160/190000 – ½ P 150000.

San Giorgio, viale Regina Elena 15 ✆ 55228 – ▤. AE. 🅂. E VISA
chiuso martedì ed agosto – **Pasto** carta 30/45000 (10 %).

CALTANISSETTA *93100* 🅟 988 ㊱, 432 O 24 – *62 686 ab. alt. 588* – ✪ *0934.*
🅑 *viale Conte Testasecca 21 ✆ 21089, Fax 21239.*
A.C.I. *via Leone 2 ✆ 501111.*
Catania 109 – Palermo 127.

San Michele, via Fasci Siciliani ✆ 553750, Fax 598791, ≤, ⛱ – |‡| ▤ TV ☎ ♿ P – 🏛 300. AE. ⑤. ● E VISA. ✗ rist
Pasto carta 45/65000 – **122 cam** ☕ 140/180000, 12 appartamenti – ½ P 120000.

Ventura, strada statale 640 (SO : 1,5 km) ✆ 553780, Fax 553785 – |‡| ▤ TV ☎ P – 🏛 200. AE. ⑤. E VISA. ✗
Pasto 20/25000 – ☕ 6000 – **34 cam** 80/110000 – ½ P 100/110000.

Plaza senza rist, via Berengario Gaetani 5 ✆ 583877, Fax 583877 – |‡| ▤ TV ☎ ♿ – 🏛 40. AE. ⑤. ● E VISA
21 cam ☕ 90/125000.

Cortese, viale Sicilia 166 ✆ 591686 – ▤. ⑤. E VISA
chiuso lunedì – **Pasto** carta 40/45000.

Vedere anche : **San Cataldo** *SO : 8 km*

AMPOFELICE DI ROCCELLA *90010 Palermo* 432 N 23 – *5 593 ab. alt. 50* – ☎ *0921.*
Palermo 53 – Caltanissetta 83 – Catania 164.

Plaia d'Himera Park Hotel 🔇, strada statale 113, contrada Pistavecchia ✆ 933815, Fax 933843, ≤, « ⛱ caratteristica in ampio giardino-solarium », 🎾, 🌳, ✗ – |‡| ▤ TV ☎ P – 🏛 150. AE. ⑤. E VISA. ✗
marzo-novembre – **Pasto** (solo per alloggiati) 30/40000 – **139 cam** ☕ 170/180000 – ½ P 80/155000.

ANICATTÌ *92024 Agrigento* 988 ⑯, 432 O 23 – *33 123 ab. alt. 470* – ☎ *0922.*
Agrigento 39 – Caltanissetta 28 – Catania 137 – Ragusa 133.

Collina del Faro, via La Marmora 30 ✆ 853062, Fax 851160, 🍴 – ▤ TV ☎ P. ⑤. E VISA. ✗
Pasto *(chiuso lunedì e dal 10 al 22 agosto)* carta 35/45000 – ☕ 10000 – **27 cam** 50/80000, ▤ 10000 – ½ P 70/80000.

ANNIZZARO *95020 Catania* 432 O 27 – ☎ *095.*
Catania 7 – Enna 90 – Messina 97 – Palermo 215 – Siracusa 66.

Sheraton Catania Hotel, ✆ 271557, Telex 971438, Fax 271380, ≤, 🍴, Fø, ≘s, ⛱, 🎾, ✗ – |‡| ▤ TV ☎ ♿ 🚗 – 🏛 900. AE. ⑤. E VISA. ✗
Pasto al Rist. ***Il Timo*** carta 60/90000 – **167 cam** ☕ 295/350000, 2 appartamenti – ½ P 215/285000.

Gd H. Baia Verde, ✆ 491522, Fax 494464, ≤, 🍴, « Sulla scogliera », ⛱, 🎾, 🌳, ✗ – |‡| ▤ TV ☎ 🚗 P – 🏛 400
124 cam.

Selene, via Mollica 24/26 ✆ 494444, Fax 492209, ≤, « Servizio estivo in terrazza sul mare » – P. AE. ⑤. ● E VISA. ✗
chiuso martedì e dal 4 al 27 agosto – **Pasto** specialità di mare carta 45/70000 (15 %).

APO D'ORLANDO *98071 Messina* 988 ㊱ ㊲ ㊳, 432 M 26 – *12 395 ab.* – ☎ *0941.*
ℹ *via Piave 71 A/B ✆ 912784, Fax 912517.*
Catania 135 – Enna 143 – Messina 88 – Palermo 149 – Taormina 132.

La Meridiana, località Piana SO : 3 km ✆ 957713, Fax 957713, 🍴, Fø, ≘s, ⛱, 🌳 – |‡| ▤ TV ☎ ♿ P – 🏛 200. AE. ⑤. ● E VISA. ✗
Pasto *(chiuso domenica da novembre a marzo)* carta 35/55000 – ☕ 10000 – **45 cam** 120/170000 – ½ P 80/130000.

Il Mulino, via Andrea Doria 46 ✆ 902431, Fax 911614, ≤, 🍴 – |‡| ▤ TV ☎. AE. ⑤. ● E VISA. ✗
Pasto carta 40/55000 – ☕ 10000 – **70 cam** 110/170000, 6 appartamenti – ½ P 80/135000.

La Tartaruga con cam, contrada Lido San Gregorio ✆ 955012, Fax 955056, 🍴, ⛱ con acqua di mare – |‡| ▤ TV ☎
52 cam.

Trattoria La Tettoia, contrada Certari 80 (S : 2,5 km) ✆ 902146, « Servizio estivo in terrazza con ≤ mare e costa » – P. ✗
chiuso dal 15 al 30 settembre e lunedì (escluso da luglio a settembre) – **Pasto** cucina casalinga carta 25/35000.

Fiumara *SE : 10 km* – ✉ *98074 Naso :*

Bontempo, ✆ 961188, Fax 961189, 🍴, prenotare – ▤ P. AE. ⑤. ● VISA. ✗
chiuso lunedì – **Pasto** 45/90000 bc.

CASTEL DI TUSA *98070 Messina* 432 M 24 – ☎ *0921.*
Agrigento 163 – Cefalù 23 – Messina 143 – Palermo 90.

Grand Hotel Atelier sul Mare, via Cesare Battisti 4 ☎ 334295, Fax 334283, « Piccolo museo con camere arredate da artisti contemporanei », – ☎ . rist
marzo-ottobre – **Pasto** (solo per alloggiati) 20/35000 – **40 cam** 140/200000 – ½ P 1 175000.

CASTELLAMMARE DEL GOLFO *91014 Trapani* 988 ㉟, 432 M 20 – *14 024 ab.* – ☎ *0924.*
Dintorni *Rovine di Segesta*★★★ *S : 16 km.*
Agrigento 144 – Catania 269 – Messina 295 – Palermo 61 – Trapani 34.

Al Madarig, piazza Petrolo 7 ☎ 33533, Fax 33790 – ☎ – 90. . . E rist
Pasto carta 30/50000 – 12000 – **33 cam** 100/135000 – ½ P 95/105000.

CASTELMOLA *Messina – Vedere Taormina.*

We suggest:
for a successful tour, that you prepare it in advance. ***Michelin maps*** *and* ***guides,*** *will give you much useful information on route planning, places of interest, accommodation, prices etc.*

CATANIA *95100* P 988 ㊲, 432 O 27 *G. Italia – 341 623 ab.* – ☎ *095.*
Vedere *Via Etnea*★ *: villa Bellini*★ DXY – *Piazza del Duomo*★ DZ – *Castello Ursino*★ DZ.
Escursioni *Etna*★★★ *Nord per Nicolosi.*
di Fontana Rossa S : 4 km BV ☎ *252111 – Alitalia, corso Sicilia 111* ✉ *95131* ☎ *2521*
largo Paisiello 5 ✉ *95124* ☎ *310888, Fax 316407 – Stazione Ferrovie Stato* ✉ *95* ☎ *531802 – Aeroporto Civile Fontanarossa* ☎ *341900.*
A.C.I. *via Mascagni 73/A* ✉ *95168* ☎ *533381.*
Messina 97 ① – Siracusa 59 ③.

Piante pagine seguenti

Jolly, piazza Trento 13 ✉ 95129 ☎ 316933, Telex 970080, Fax 316832 – ☎ 180. . . E VISA. rist EX
Pasto 55000 – **159 cam** 190/240000 – ½ P 215/235000.

Forte Agip senza rist, via Messina 626 località Ognina ✉ 95126 ☎ 7122300, Telex 9723 Fax 7121856 – ☎ – 80. . . E VISA JCB CU
56 cam 170/210000.

Poggio Ducale con cam, via Paolo Gaifami 5 ✉ 95126 ☎ 330016, Fax 580103 – ☎ BU
25 cam.

La Siciliana, viale Marco Polo 52/a ✉ 95126 ☎ 376400, Fax 7221300, prenota « Servizio estivo in giardino » – . . E VISA CU
chiuso dal 12 al 18 agosto, domenica sera, lunedì e la sera dei giorni festivi – **Pasto** ca 40/60000 (15 %).

La Lampara, via Pasubio 49 ✉ 95127 ☎ 383237 – . VISA. CU
chiuso mercoledì ed agosto – **Pasto** carta 35/50000.

Pagano, via De Roberto 37 ✉ 95129 ☎ 537045 – . . E VISA EX
chiuso sabato e dal 10 al 20 agosto – **Pasto** carta 30/50000 (15 %).

Da Rinaldo, via Simili 59 ✉ 95129 ☎ 532312, « Ambiente tipico » – . . E VISA
chiuso dal 5 agosto al 10 settembre, martedì da ottobre a maggio e domenica negli a mesi – **Pasto** carta 40/55000. EX

in prossimità casello autostrada Catania Nord uscita Etna-San Gregorio *per 4 km :*

Garden, ✉ 95030 Trappeto ☎ 7177767, Fax 7177991, , – ☎ – 2 . . E VISA.
Pasto carta 50/70000 – **94 cam** 190/245000, appartamento – ½ P 105/210000.

Vedere anche : **Cannizzaro** *per ② : 7 km*

MICHELIN, a Misterbianco, per ⑤ *: 5 km, corso Carlo Marx 71* – ✉ 95045 Misterbian ☎ 471133, Fax 7291123.

CATANIA

ona Artale (Viale) . . . . . . CU 2
elo Custode (Via) . . . . . . BV 3
ora (Via) . . . . BV 4
ellona (Via) . . . . BV 6
caria (Via Cesare) . . . . . . BU 8
iore (Via) . . . . BV 10
co (Via del) . . . . BU 13
tone (Via) . . . . BU 16
acciolo
(Via Amm. Antonio) . . . . . . BV 17
our (Piazza) . . . . BU 23
ombo (Via Cristoforo) . . . BV 24
nnunzio (Via Gabriele) . . CU 27
opa (Piazza) . . . . CU 29
como (Via) . . . . BU 31
(Via Fabio) . . . . BV 32
anini (Via Carlo) . . . . BV 33

Galatioto (Via) . . . . CU 36
Giovanni XXIII
(Piazza Papa) . . . . CV 38
Giuffrida (Via Vincenzo) . . . . . CU 39
Grassi (Via Battista) . . . . BU 41
Imbriani
(Via Matteo Renato) . . . . . BU 43
Indipendenza (Corso) . . . . . . BV 44
Lavaggi (Via Giovanni) . . . . . . BV 45
Maria SS. Assunta (Via) . . . . BV 48
Marotta (Via Erasmo) . . . . . . CU 49
Martelli Castaldi
(Via Sabato) . . . . BV 51
Martiri della
Libertà (Corso) . . . . CV 52
Monserrato (Via) . . . . BU 55
Montenero (Via) . . . . BV 56
Nava (Via Cardinale) . . . . BU 57
Odorico da Pordenone
(Viale) . . . . BU 59

Palestro (Piazza) . . . . BV 61
Passo Gravina (Via) . . . . BU 64
Plaja (Via) . . . . BV 65
Plebiscito (Via) . . . . BV 67
Regina Margherita
(Viale) . . . . BV 71
Regione (Viale della) . . . . BV 72
Risorgimento (Piazza) . . . . . . BV 73
Roccaromana (Via) . . . . BV 75
Rotolo (Viale del) . . . . CU 76
Ruggero di Lauria (Vle) . . . . . CU 77
San Nicolò
al Borgo (Via) . . . . BU 81
Santa Maria
della Catena (Via) . . . . BV 84
Sanzio (Viale Raffaello) . . . . . CU 85
Stadio (Via dello) . . . . BV 88
Stella Polare (Via) . . . . BV 89
Tempio (Via Domenico) . . . . . BV 93
Vivaldi (Viale Fratelli) . . . . BU 99

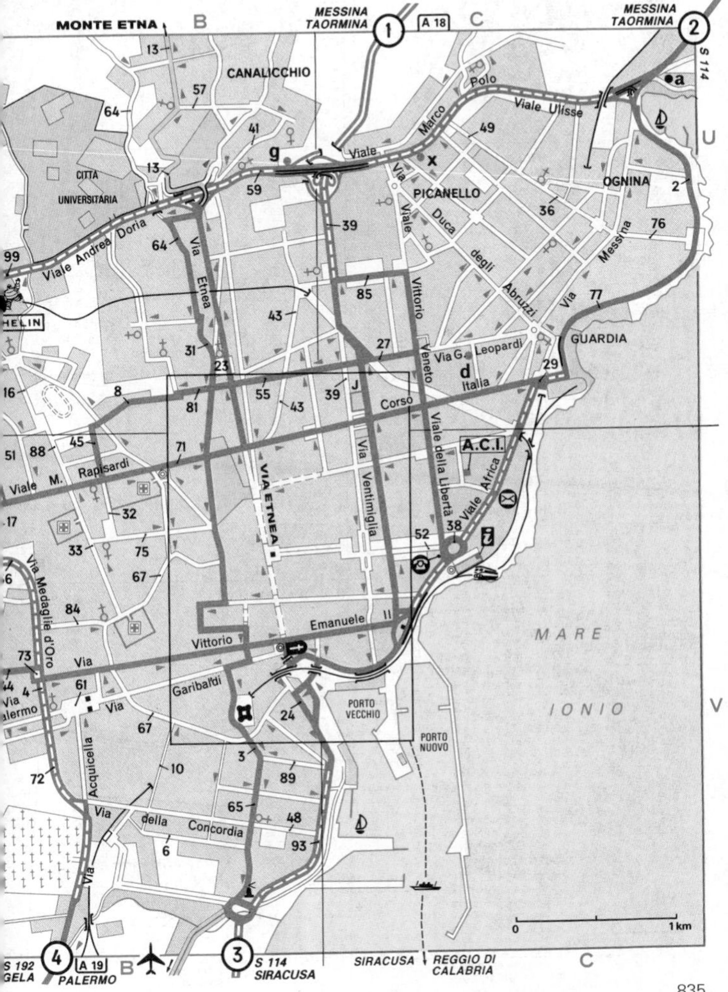

CATANIA

Etnea (Via) . . . . DXY
Umberto I (Via) . . . . DEX

Angelo Custode (Via). . . . . . . DZ 3
Biondi (Via) . . . . EY 12
Bovio (Piazza G.). . . . . EY 15
Carlo Alberto (Piazza). . . . . . . EY 19
Castello Ursino (Via) . . . . DZ 21
Conte di Torino (Via). . . . . EY 25
Cutelli (Piazza). . . . . EZ 26
Dante (Piazza). . . . . DY 28
Giuffrida (Via Vincenzo) . . . . . EX 39
Guardie (Piazza delle) . . . . . . EY 42
Imbriani
(Via Matteo Renato) . . . . DEX 43
Lupo (Piazza Pietro) . . . . EY 47
Orlando (V. Vitt. E.) . . . . EX 60
Porticello (Via) . . . . EZ 68
Rabbordone (Via) . . . . EY 69
Rapisarda (Via Michele). . . . . EY 70
San Francesco (Piazza) . . . . . DZ 78
San Gaetano
alle Grotte (Via) . . . . DEY
San Giuseppe
al Duomo (Via) . . . . DZ
Spirito Santo (Piazza). . . . . . . EY
Stesicoro (Piazza) . . . . DY
Teatro Massimo (Via) . . . . . EYZ
Trento (Piazza) . . . . EX
Università (Piazza dell') . . . . DZ
Verga (Piazza) . . . . EX
Vittorio Emanuele III
(Piazza) . . . . EY

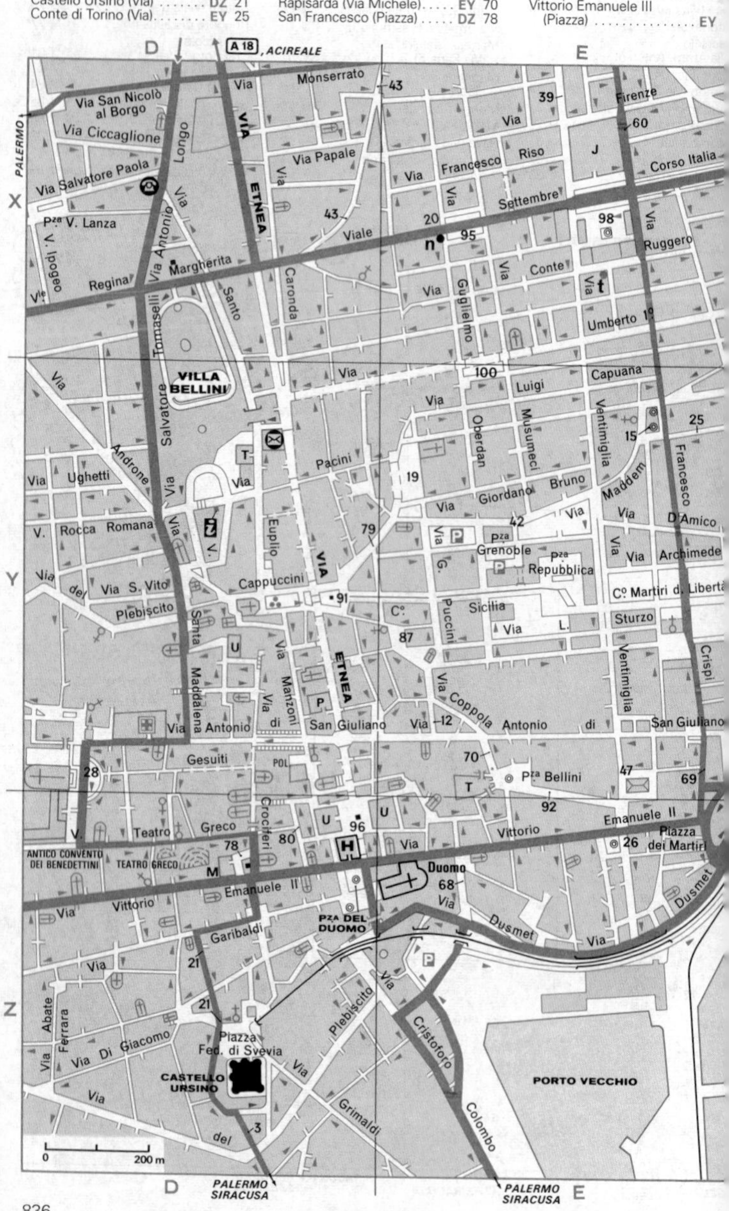

FALÙ *90015 Palermo* 988 ㊱, 432 M 24 *G. Italia – 13 943 ab. –* ✆ *0921.*
Vedere *Posizione pittoresca★★ – Cattedrale★★.*
per le Isole Eolie giugno-settembre giovedì, venerdì e sabato (1 h 30 mn) – Aliscafi SNAV-agenzia Barbaro, corso Ruggero 76 ✆ 21595, Telex 910205.
corso Ruggero 77 ✆ 21050, Fax 22386.
Agrigento 140 – Caltanissetta 101 – Catania 182 – Enna 107 – Messina 166 – Palermo 68.

Riva del Sole, lungomare Colombo 25 ✆ 21230, Fax 21984, ←, – – 100. AE. . E VISA.
chiuso novembre – **Pasto** carta 40/45000 (15%) – 12000 – **28 cam** 105/155000, 10000 – ½ P 110/120000.

Vecchia Marina, via Vittorio Emanuele 73 ✆ 20388, Fax 20388, – AE. . E VISA. JCB
chiuso novembre e lunedì (escluso dal 15 giugno al 15 settembre) – **Pasto** carta 40/55000.

La Brace, via 25 Novembre 10 ✆ 423570, prenotare – . AE. . E VISA.
chiuso lunedì e dal 15 dicembre al 15 gennaio – **Pasto** carta 30/55000.

Ostaria del Duomo, via Seminario 5 ✆ 21838, « Servizio estivo sulla piazza » – AE. . E VISA
chiuso dal 15 dicembre al 20 gennaio e lunedì (escluso da giugno a settembre) – **Pasto** carta 45/75000.

lla strada statale 113 *O : 3 km :*

La Villa del Vescovo, contrada Santa Lucia ✉ 90015 Cefalù ✆ 921803, Fax 921803, ← Cefalù e costa, , –

HIARAMONTE GULFI *97012 Ragusa* 988 ㊲, 432 P 26 *– 8 363 ab. alt. 668 –* ✆ *0932.*
Agrigento 133 – Catania 88 – Messina 185 – Palermo 257 – Ragusa 20 – Siracusa 77.

Majore, ✆ 928019, Fax 928019 – AE. . E VISA
chiuso lunedì e luglio – **Pasto** carta 20/35000.

OMISO *97013 Ragusa* 988 ㊲, 432 Q 25 *– 28 966 ab. alt. 246 –* ✆ *0932.*
Agrigento 121 – Catania 121 – Siracusa 96 – Palermo 250.

Cordial Hotel senza rist, strada statale 115 (O : 1 km) ✆ 967866, Fax 967867, – – 90. AE. . E VISA.
6000 – **37 cam** 65/100000.

GADI (Isole) *Trapani* 988 ㉟, 432 N 18 19 *G. Italia – 4 621 ab. alt. da 0 a 686 (monte Falcone nell'isola di Marettimo) –* ✆ *0923.*
Vedere *Favignana★ : Cave di Tufo★, Grotta Azzurra★ – Levanzo★ – Marettimo★ : porto★.*

avignana *(Isola)* 988 ㉟, 432 N 18 – ✉ *91023.*
Vedere *Cave di Tufo★, Grotta Azzurra★.*
per Trapani giornalieri (da 1 h a 2 h 45 mn) – a Favignana, Siremar-agenzia Catalano, molo San Leonardo ✆ 921368, Fax 921368.
per Trapani giornalieri (da 15 mn a 1 h) – a Favignana, Siremar-agenzia Catalano, molo San Leonardo ✆ 921368, Fax 921368.

Aegusa, via Garibaldi 11/17 ✆ 922430, Fax 922440, , – . . E VISA. cam
10 aprile-15 ottobre – **Pasto** *(chiuso sino a maggio)* carta 40/55000 – **11 cam** 110/180000 – ½ P 90/125000.

Egadi con cam, ✆ 921232, Fax 921232 – cam .
Pasto *(aprile-ottobre; chiuso a mezzogiorno)* carta 40/55000 – 8000 – **11 cam** 50/90000, 6000 – ½ P 100000.

NNA *94100* P 988 ㊱, 432 O 24 *G. Italia – 28 439 ab. alt. 942 –* ✆ *0935.*
Vedere *Posizione pittoresca★★ – Castello★ : ★★★ – ←★ dal belvedere.*
via Roma 413 ✆ 500544, Fax 500720 – piazza Colaianni ✆ 500875, Fax 26119.
A.C.I. *via Roma 200 ✆ 26299.*
Agrigento 92 – Caltanissetta 34 – Catania 83 – Messina 180 – Palermo 133 – Ragusa 138 – Siracusa 136 – Trapani 237.

Grande Albergo Sicilia senza rist, piazza Colaianni 7 ✆ 500850, Fax 500488 – – 120. AE. . E VISA. JCB
9000 – **70 cam** 110/140000.

Centrale, piazza 6 Dicembre 9 ✆ 500963 – AE. . E VISA. JCB
chiuso sabato escluso da giugno a settembre – **Pasto** carta 30/50000 (10%).

EOLIE o LIPARI (Isole) *Messina* 988 ㊱ ㊲ ㊳, 431 K 26 27, 432 L 26 27 *G. Italia*
12 945 ab. alt. da 0 a 962 (monte Fossa delle Felci nell'isola di Salina) – ☎ 090.

Vedere *Vulcano*** : gran cratere*** (2-3 h a piedi AR) – Stromboli*** – Lipari** ※*** dal belvedere di Quattrocchi, giro dell'isola in macchina**, escursione in battello* lungo la costa SO, museo*.*

per Milazzo giornalieri (da 1 h 30 mn a 4 h) e Napoli lunedì e giovedì, dal 15 giugno 15 settembre lunedì, mercoledì, giovedì, venerdì, sabato e domenica (14 h) – a Lipa Siremar-agenzia Eolian Tours, via Amendola ☎ 9811312, Fax 9880170.

per Milazzo giornalieri (da 40 mn a 2 h 10 mn) – a Lipari, Siremar-agenzia Eolian Tou via Amendola ☎ 9811312, Fax 9880170; Aliscafi SNAV-agenzia Eoltravel, via Vittorio Em nuele 116 ☎ 9811122, Fax 9880311; per Messina-Reggio di Calabria giornalieri (2 h), Cefa giugno-settembre giovedì, venerdì e sabato (1 h 30 mn) e Palermo giugno-settemb giornaliero (1 h 50 mn); per Napoli giugno-settembre giornaliero (4 h) – a Lipari, Alisc SNAV-agenzia Eoltravel, via Vittorio Emanuele 116 ☎ 9811122, Fax 9880311.

Lipari *(Isola)* 988 ㊲ ㊳, 431, 432 L 26 – *10 787 ab.* – ✉ *98055.*
La limitazione d'accesso degli autoveicoli è regolata da norme legislative.
corso Vittorio Emanuele 202 ☎ 9880095, Telex 980133, Fax 9811190.

Carasco ⛫, a Porto delle Genti ☎ 9811605, Telex 980095, Fax 9811828, ≤ mare e cos , « su terrazza panoramica », – rist ☎ P. AE. ⓢ. ⓞ E VISA. ✻
15 marzo-ottobre – **Pasto** 30/50000 – **86 cam** ▭ 160/320000, 2 appartamenti – ½ P 12 190000.

Meligunis, via Marte 7 ☎ 9812426, Fax 9880149, ≤, – TV ☎. AE. ⓢ. ⓞ E VISA ✻
marzo-ottobre – **Pasto** carta 50/55000 – ▭ 20000 – **30 cam** 225/300000, 2 appartament ½ P 125/195000.

Gattopardo Park Hotel ⛫, via Diana ☎ 9811035, Fax 9880207, « Terrazze fiorite – ☎. AE. ⓢ. E VISA. ✻
marzo-ottobre – **Pasto** 30000 – **60 cam** solo ½ P 85/180000.

Giardino sul Mare ⛫, via Maddalena 65 ☎ 9811004, Fax 9880150, ≤ mare e costa, « su terrazza fiorita », – TV ☎. AE. ⓢ. ⓞ E VISA. ✻
15 marzo-15 novembre – **Pasto** 30/45000 – **40 cam** ▭ 215/300000 – ½ P 115/180000.

Augustus senza rist, vico Ausonia 16 ☎ 9811232, Fax 9812233, – TV ☎ P. ⓢ. E VISA ✻
marzo-ottobre – **34 cam** ▭ 140/200000.

Poseidon senza rist, via Ausonia ☎ 9812876, Fax 9880252 – ☎. E VISA
marzo-ottobre – **15 cam** ▭ 105/180000.

Oriente senza rist, via Marconi 35 ☎ 9811493, Fax 9880198, « Giardino ombreggiato raccolta di materiale etnografico » – ☎. AE. ⓢ. ⓞ E VISA. JCB
Pasqua-ottobre – **32 cam** ▭ 150/200000.

Filippino, piazza Municipio ☎ 9811002, Fax 9812878, – AE. ⓢ. ⓞ E VISA. JC ✻
chiuso dal 16 novembre al 15 dicembre e lunedì (escluso da giugno a settembre) – **Pas** 35/45000 (12 %) solo a mezzogiorno e carta 50/70000 (12 %)
Spec. Antipasto misto "del pescatore" (marzo-ottobre). Zuppa di pesce alla pescato (febbraio-ottobre). Cupolette di pesce spada al basilico (marzo-ottobre).

E Pulera, via Diana ☎ 9811158, Fax 9811158, prenotare, « Servizio estivo in giardi fiorito con pergolato » – AE. ⓢ. ⓞ E VISA. ✻
giugno-ottobre; chiuso a mezzogiorno – **Pasto** cucina tipica isolana 45/50000 (15 %) e ca 50/70000 (15 %).

La Nassa, via Franza 36 ☎ 9811319, Fax 9811617, – . ✻
chiuso giovedì, novembre, gennaio e febbraio – **Pasto** carta 40/65000.

Panarea *(Isola)* 988 ㊲ ㊳, 431, 432 L 27 – ✉ *98050.*
La limitazione d'accesso degli autoveicoli è regolata da norme legislative.

Cincotta ⛫, ☎ 983014, Fax 983211, ≤ mare ed isolotti, , – cam TV ☎ – 10 AE. ⓢ. E VISA. ✻
Pasqua-settembre – **Pasto** carta 50/70000 – **29 cam** ▭ 280/300000 – ½ P 150/200000.

La Piazza ⛫ senza rist, ☎ 983176, Fax 983003, ≤ mare ed isolotti, , – ☎. AE. ⓢ. VISA. ✻
Pasqua-ottobre – **25 cam** ▭ 130/170000.

Lisca Bianca ⛫ senza rist, via Lani 1 ☎ 983004, Fax 983291, ≤ mare ed isolotti – ☎. ⓢ. E VISA. ✻
Pasqua-ottobre – ▭ 10000 – **25 cam** 150/240000.

lina *(Isola)* 988 ㊱ ㊲ ㊳, 431, 432 L 26 – *2 381 ab.*

Signum, a Malfa ✉ 98050 Malfa ☎ 9844222, Fax 9844102, ← mare e costa, – . E VISA.
Pasto (solo per alloggiati e *chiuso a mezzogiorno*) 35/45000 – **16 cam** 170/250000 – ½ P 90/170000.

Porto Bello, a Santa Marina Salina ✉ 98050 Leni ☎ 9843125, ←, « Servizio estivo sotto un pergolato » – AE. E VISA.
chiuso dal 1° al 30 novembre e mercoledì (escluso da giugno a settembre) – **Pasto** cucina tipica eoliana carta 40/55000.

romboli *(Isola)* 988 ㊲ ㊳, 431, 432 K 27 – ✉ *98050.*
La limitazione d'accesso degli autoveicoli è regolata da norme legislative.

La Sirenetta-Park Hotel, a Ficogrande ☎ 986025, Fax 986124, ← isolotto di Strombolicchio, – . AE. E VISA. rist
aprile-ottobre – **Pasto** 40/65000 – **56 cam** 150/270000 – ½ P 120/195000.

La Sciara Residence, a Piscità ☎ 986005, Fax 986284, ← isolotto di Strombolicchio, « d'acqua di mare in un piacevole giardino tropicale », – . AE. E VISA. JCB.
15 maggio-10 ottobre – **Pasto** 70000 (5 %) – **62 cam** 130/200000 – ½ P 100/215000.

lcano *(Isola)* 988 ㊲ ㊳, 431, 432 L 26 – ✉ *98050.*
La limitazione d'accesso degli autoveicoli è regolata da norme legislative.
(luglio-settembre) a Porto Levante ☎ 9852028.

Les Sables Noirs, a Porto Ponente ☎ 9850, Fax 9852454, ←, – . AE. E VISA.
20 maggio-5 ottobre – **Pasto** carta 55/100000 – **33 cam** 310/380000 – ½ P 160/255000.

Eolian, a Porto Ponente ☎ 9852151, Telex 980119, Fax 9852153, ←, acqua di mare, – cam . AE. E VISA. JCB. rist
maggio-settembre – **Pasto** 55000 – **88 cam** 165/270000 – ½ P 110/175000.

Conti, a Porto Ponente ☎ 9852012, Fax 9852012, – . AE E VISA. rist
maggio-20 ottobre – **Pasto** 30/40000 – **67 cam** 140/180000 – ½ P 75/120000.

RICE *91016 Trapani* 988 ㉟, 432 M 19 *G. Italia* – *30 995 ab. alt. 751* – ☎ *0923.*
Vedere *Posizione pittoresca**** – ←** *dal castello di Venere.*
viale Conte Pepoli 11 ☎ 869388, Fax 869544.
Catania 304 – Marsala 45 – Messina 330 – Palermo 96 – Trapani 14 .

Elimo, via Vittorio Emanuele 75 ☎ 869377, Fax 869252, ← – . AE. E VISA.
Pasto *(chiuso gennaio)* carta 50/85000 – **21 cam** 140/250000 – ½ P 130/150000.

Moderno, via Vittorio Emanuele 63 ☎ 869300, Fax 869139 – . AE. E VISA. rist
Pasto carta 35/60000 – **40 cam** 130/180000 – ½ P 120/150000.

Monte San Giuliano, vicolo San Rocco 7 ☎ 869595, Fax 869595, ← – AE. E VISA.
chiuso lunedì, dal 7 al 20 gennaio e dal 10 al 20 novembre – **Pasto** carta 40/50000.

Cortile di Venere, via Sales 31 ☎ 869362, « Servizio estivo in un caratteristico patio » –
chiuso mercoledì – **Pasto** carta 25/55000.

TNA *Catania* 988 ㊲, 432 N 26 *G. Italia.*

AVIGNANA (Isola di) *Trapani* 988 ㉟, 432 N 18 – *Vedere Egadi (Isole).*

UMARA *Messina* – *Vedere Capo d'Orlando.*

ONTANE BIANCHE *Siracusa* 432 Q 27 – *Vedere Siracusa.*

RANCAVILLA DI SICILIA *98034 Messina* 988 ㊲, 432 N 27 – *4 966 ab. alt. 330* – ☎ *0942.*
Picciolo (chiuso martedì) contrada Rovitello ✉ 95012 Castiglione di Sicilia ☎ 986171, Fax 98652, S : 10 km.
Catania 69 – Messina 69 – Palermo 238.

D'Orange Alcantara, ☎ 981374, Fax 981704, – . AE. E VISA.
Pasto al Rist. ***D'Aragona*** carta 30/55000 – 10000 – **41 cam** 75/90000 – ½ P 75/95000.

GELA *93012 Caltanissetta* 988 ㊱, 432 P 24 *G. Italia – 75 321 ab. – ☏ 0933.*
Vedere *Fortificazioni greche★★ a Capo Soprano – Museo Archeologico Regionale★.*
via Giacomo Navarra Bresmes 105 ✆ 911423, Fax 923268.
Agrigento 77 – Caltanissetta 82 – Catania 97 – Messina 194 – Palermo 206 – Ragusa 6
Siracusa 146.

XX Gelone 2, via Generale Cascino ✆ 913254 – ▤

GERACI SICULO *90010 Palermo* 432 N 24 – *2 217 ab. alt. 1 077 – ☏ 0921.*
Agrigento 140 – Cefalù 44 – Palermo 112.

Ventimiglia, ✆ 43240, Fax 43678, ←, – ☎ P
30 cam.

GIARDINI-NAXOS *98035 Messina* 988 ㊲, 432 N 27 – *8 980 ab. – ☏ 0942.*
via Tysandros 54 ✉ 98035 ✆ 51010, Fax 52848.
Catania 47 – Messina 54 – Palermo 257 – Taormina 5.

Hellenia Yachting Hotel, via Jannuzzo 41 ✆ 51737, Telex 980104, Fax 54310, ←,
– ▤ TV ☎ P – 100. AE. ⑤. ◑ E VISA.
Pasto 40000 – ☐ 25000 – **112 cam** 165/260000, 6 appartamenti – ½ P 210/260000.

Arathena Rocks, via Calcide Eubea 55 ✆ 51348, Fax 51690, ←, , , – ☎
AE. ⑤. ◑ E VISA.
10 aprile-20 ottobre – **Pasto** (solo per alloggiati) 40/45000 – **37 cam** solo ½ P 100/10500

Sant'Alphio Garden Hotel, via Recanati ✆ 51383, Telex 981015, Fax 53934,
▤ TV ☎ P – 200
101 cam.

Le Sabbie d'Oro, via Schisò 12 ✆ 51227, Fax 56913, ← mare e costa, , – ▤
☎. AE. ⑤. ◑ E VISA. cam
chiuso gennaio e febbraio – **Pasto** 55/100000 – ☐ 18000 – **39 cam** 85/135000 – ½ P 8
115000.

La Riva, via Tysandros 52 ✆ 51329, Fax 51329, ← – TV ☎. ⑤. E VISA. rist
chiuso novembre – **Pasto** (solo per alloggiati) – **37 cam** ☐ 80/110000 – ½ P 75/90000.

Marika, via Vulcano 2 ✆ 56583, Fax 56584 – TV ☎. AE. ⑤. E VISA. JCB.
Pasto (solo per alloggiati) – ☐ 12000 – **10 cam** 65/100000 – ½ P 105000.

La Sirenetta, via Naxos 177 ✆ 53637, Fax 53637, ← – ▤ rist TV. AE. ⑤. ◑ E VISA. JC
chiuso dal 20 novembre al 15 febbraio – **Pasto** 25/35000 – ☐ 10000 – **14 cam** 65/9000
½ P 65/80000.

X **Sea Sound,** via Jannuzzo 37/A ✆ 54330, – AE. ⑤. ◑ E VISA
maggio-ottobre – **Pasto** carta 45/75000.

LAMPEDUSA (Isola di) *Agrigento* 988 ㉟, 432 U 19 – *5 795 ab. alt. da 0 a 133 (Albero Sole*
☏ 0922.

Lampedusa 432 U 19 – ✉ *92010.*
✆ 970006.

Martello, piazza Medusa 1 ✆ 970025, Fax 971696, ← – ▤ ☎. AE. ⑤. E VISA.
marzo-novembre – **Pasto** 30/35000 – **24 cam** ☐ 85/130000 – ½ P 100/160000.

Guitgia Tommasino, ✆ 970879, Fax 970316, ←, – ▤ rist ☎ P. AE. ⑤. VI
rist
15 marzo-novembre – **Pasto** carta 40/65000 – **28 cam** ☐ 150/170000 – ½ P 160/19000

Cavalluccio Marino, contrada Cala Croce 13 ✆ 970053, Fax 970053, ←, ,
TV ☎ P. rist
marzo-novembre – **Pasto** 35/40000 (5 %) – **10 cam** ☐ 75/110000 – ½ P 100/150000.

XX **Gemelli,** via Cala Pisana 2 ✆ 970699 – AE. ⑤. E VISA.
giugno-ottobre; chiuso a mezzogiorno in luglio-agosto – **Pasto** carta 45/70000.

XX **Lipadusa,** via Bonfiglio 6 ✆ 971691 – ▤. ⑤. E VISA.
giugno-ottobre – **Pasto** carta 40/65000.

X **Trattoria Pugliese,** contrada Calapisana 1 ✆ 970531, – AE. ⑤. ◑ E VISA
aprile-ottobre – **Pasto** cucina casalinga carta 35/55000.

ETOJANNI *98037 Messina* 432 N 27 – *2 415 ab.* – *0942.*
Catania 53 – Messina 47 – Palermo 274 – Taormina 8.

Peppe con cam, via Vittorio Emanuele 346 ☎ 36159, Fax 36843, – cam. E VISA
15 marzo-novembre – **Pasto** carta 35/65000 – **28 cam** 80/120000 – ½ P 80/100000.

IDO DI SPISONE *Messina* – *Vedere Taormina.*

IPARI (Isola) *Messina* 988 ㊲ ㊳, 431, 432 L 26 – *Vedere Eolie (Isole).*

IARINELLA *Trapani* 988 ㉟, 432 O 20 – *Vedere Selinunte.*

IARSALA *91025 Trapani* 988 ㉟, 432 N 19 *G. Italia* – *80 475 ab.* – *0923.*
Vedere *Relitto di una nave da guerra punica*★ *al museo Archeologico.*
di Birgi N : 15 km ☎ 841124 – Alitalia, Agenzia Ruggieri, via Mazzini 111 ☎ 951444.
via Garibaldi 45 ☎ 714097.
Agrigento 134 – Catania 301 – Messina 358 – Palermo 124 – Trapani 31.

President, via Nino Bixio 1 ☎ 999333, Fax 999115, – P – 450. AE. E VISA. rist
Pasto 35000 – 15000 – **84 cam** 90/150000 – ½ P 115/135000.

Cap 3000, via Trapani 161 ☎ 989055, Fax 989634, – P. AE. E VISA. rist
Pasto carta 30/50000 – 9500 – **61 cam** 90/150000 – ½ P 90/120000.

Delfino, lungomare Mediterraneo S : 4 km ☎ 998188, Fax 998188, – P. AE. E VISA
chiuso martedì escluso da giugno ad agosto – **Pasto** carta 40/55000.

IAZARA DEL VALLO *91026 Trapani* 988 ㉟, 432 O 19 – *50 846 ab.* – *0923.*
piazza della Repubblica 9 ☎ 941727.
Agrigento 116 – Catania 283 – Marsala 22 – Messina 361 – Palermo 127 – Trapani 53.

Il Pescatore, via Castelvetrano 191 ☎ 947580, Fax 947580 – P AE. E VISA
chiuso lunedì – Pasto carta 40/60000 (10 %).

Papaya, via Ten. Gaspare Romano 1 ang. corso Umberto ☎ 946221 –
chiuso mercoledì – **Pasto** carta 40/65000 (10 %).

IAZZARÒ *Messina* 988 ㊲, 432 N 27 – *Vedere Taormina.*

IENFI *92013 Agrigento* 988 ㉟, 432 O 20 – *13 237 ab. alt. 119* – *0925.*
Agrigento 79 – Palermo 122 – Trapani 100.

n prossimità del bivio per Porto Palo *SO : 4 km :*

Il Vigneto ✉ 92013 ☎ 71732, « In campagna » – P
chiuso la sera (escluso venerdì e sabato) e il lunedì da ottobre ad aprile – **Pasto** carta 30/50000 (10 %).

IESSINA *98100* P 988 ㊲ ㊳, 431, 432 M 28 *G. Italia* – *263 092 ab.* – *090.*
Vedere *Museo Regionale*★ – *Portale*★ *del Duomo e orologio astronomico*★ *sul campanile.*
per Reggio di Calabria (45 mn) e Villa San Giovanni (35 mn), giornalieri – Stazione Ferrovie Stato, piazzale Don Blasco ✉ 98123 ☎ 675201 int. 552; per Villa San Giovanni giornalieri (20 mn) – Società Caronte Shipping, viale della Libertà ✉ 98121 ☎ 44982.
per Reggio di Calabria giornalieri (15 mn) e le Isole Eolie giornalieri (1 h 20 mn) – Aliscafi SNAV, via San Raineri 22 ✉ 98122 ☎ 7775, Telex 981163, Fax 717358.
via Calabria 301 bis ✉ 98122 ☎ 674236, Fax 601005 – piazza Cairoli 45 (4° piano) ✉ 98123 ☎ 2935292, Fax 694780 – A.C.I. *via Manara, isol. 125/127 ✉ 98123 ☎ 2930774.*
Catania 97 ④ – Palermo 235 ⑤.

Pianta pagina seguente

Jolly, corso Garibaldi 126 ✉ 98126 ☎ 363860, Telex 980074, Fax 5902526, ← – – 150. AE. E VISA. JCB. rist BY v
Pasto 55000 – **96 cam** 190/230000 – ½ P 215/235000.

Paradis, via Consolare Pompea 441 ✉ 98168 ☎ 310682, Telex 981047, Fax 312043, ← – . AE. VISA. N : 3 km per viale della Libertà BY
Pasto 25/35000 – **92 cam** 90/160000 – ½ P 105/120000.

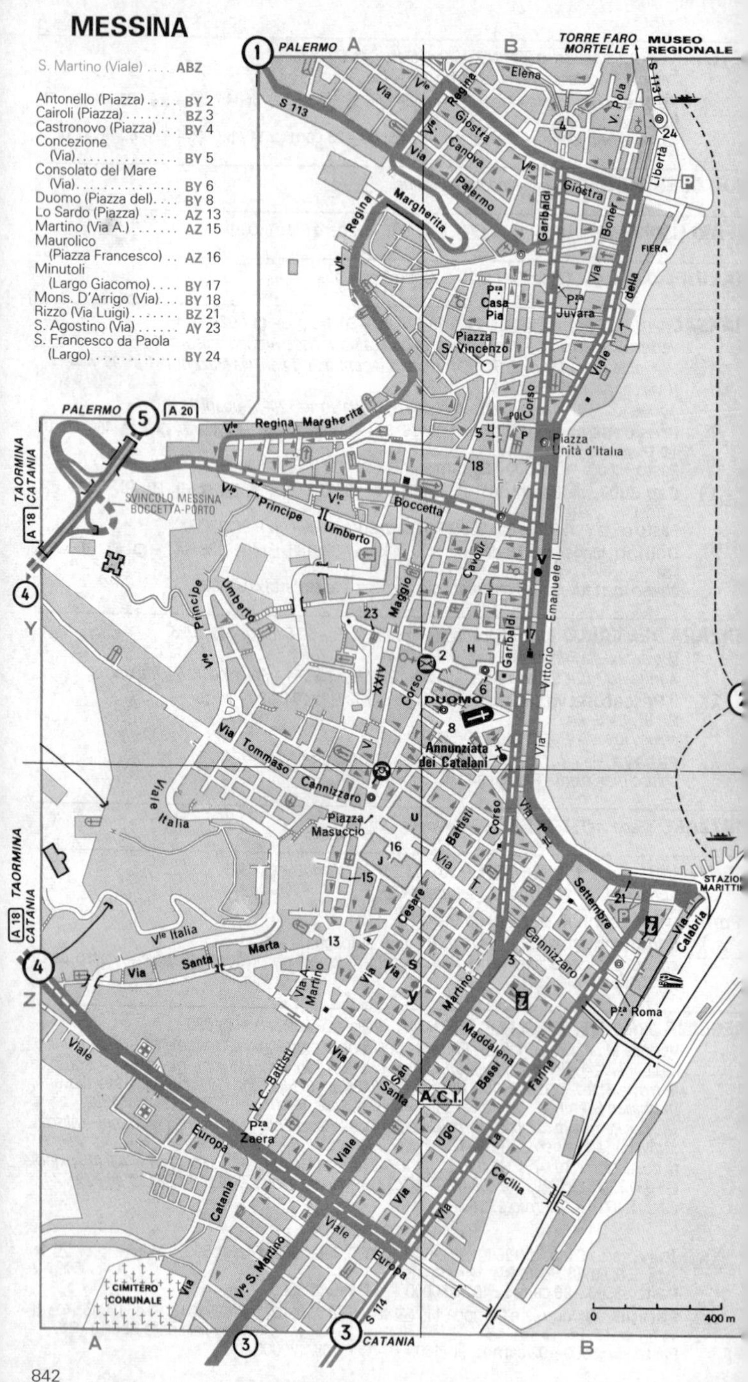
MESSINA
S. Martino (Viale) .... ABZ
Antonello (Piazza) .... BY 2
Cairoli (Piazza) .... BZ 3
Castronovo (Piazza) .... BY 4
Concezione (Via) .... BY 5
Consolato del Mare (Via) .... BY 6
Duomo (Piazza del) ..... BY 8
Lo Sardo (Piazza) ..... AZ 13
Martino (Via A.) .... AZ 15
Maurolico (Piazza Francesco) .. AZ 16
Minutoli (Largo Giacomo) .... BY 17
Mons. D'Arrigo (Via) ... BY 18
Rizzo (Via Luigi) .... BZ 21
S. Agostino (Via) ...... AY 23
S. Francesco da Paola (Largo) .... BY 24
PALERMO
TORRE FARO MORTELLE
MUSEO REGIONALE
S 113
S 113 d
Elena
V. Pola
Via Regina Giostra
Via Canova
Via Palermo
Libertà
Giostra
V.le Regina Margherita
Garibaldi
Via Boner
FIERA
P.za Casa Pia
P.za Juvara
Viale della
Piazza S. Vincenzo
Corso
PALERMO
A 20
V.le Regina Margherita
Piazza Unità d'Italia
TAORMINA CATANIA
A 18
SVINCOLO MESSINA BOCCETTA-PORTO
V.le Principe Umberto
V.le Boccetta
Cavour
Emanuele II
Umberto
V.le Principe
23
Maggio
XXIV
Garibaldi
Vittorio
Corso
DUOMO
Annunziata dei Catalani
Via Tommaso Cannizzaro
Viale Italia
Piazza Masuccio
Battisti
Corso
Via I° Settembre
Via Cesare
Via T.
STAZIONE MARITTIMA
Via Calabria
TAORMINA CATANIA
A 18
V.le Italia
Via Santa Marta
Via A. Martino
Via S.
Cannizzaro
Martino
P.za Roma
Viale
Via C. Battisti
Via Santa
San
Maddalena
Bassi
Farina
A.C.I.
P.za Zaera
Europa
Viale
Ugo
La
Catania
Via
Cecilia
Viale Europa
V.le S. Martino
CIMITERO COMUNALE
S 114
CATANIA
0
400 m

XX **Piero,** via Ghibellina 121 ✉ 98123 ☎ 718365 – ▤. AE. ⓈⒹ. E VISA — AZ s
chiuso domenica ed agosto – **Pasto** carta 45/65000 (10 %).

X **Orchidea,** via Risorgimento 106/108 ✉ 98123 ☎ 771537 – ▤. ✳ — AZ y
chiuso giovedì escluso luglio-agosto – **Pasto** carta 35/65000.

Mortelle *NE : 12 km BY – ✉ 98164 :*

XXX **Sporting-Alberto,** ☎ 321009, Fax 321009, ≤ – ▤ P. AE. ⓈⒹ. ⦿ E VISA. ✳
chiuso lunedì e novembre – **Pasto** carta 60/95000.

MILAZZO *98057 Messina* 988 ㊲ ㊳, 432 *M 27 – 31 878 ab. – ☎ 090.*

Escursioni *Isole Eolie*** per motonave o aliscafo.*

per le Isole Eolie giornalieri (da 1 h 30 mn a 4 h) – Siremar-agenzia Alliatour, via dei Mille ☎ 9283242, Fax 9283243.

per le Isole Eolie giornalieri (da 40 mn a 2 h 45 mn) – Siremar-agenzia Alliatour, via dei Mille ☎ 9283242, Fax 9283243; Aliscafi SNAV-agenzia Delfo Viaggi, via Rizzo 9/10 ☎ 9287728, Fax 9281798.

piazza Caio Duilio 20 ☎ 9222865, Fax 9222790.

Catania 130 – Enna 193 – Messina 41 – Palermo 209 – Taormina 85.

La Bussola, via XX Luglio 29 ☎ 9221244, Fax 9282955 – ▤ TV ☎ 🚗. AE. ⓈⒹ. ⦿ E VISA
Pasto (solo per alloggiati) 30/40000 – **16 cam** ☕ 85/120000 – P 100/130000.

Jack's Hotel senza rist, via Colonnello Magistri 47 ☎ 9283300, Fax 9287219 – ▤ TV ☎. AE. ⓈⒹ. ⦿ E VISA. JCB
☕ 6000 – **14 cam** 80/115000.

XXX **Villa Esperanza,** via Baronia 191 ☎ 9222916, Fax 9222916, « Servizio estivo in terrazza con ≤ costa e isole di Lipari e Vulcano » – P. AE. ⓈⒹ. ⦿ VISA. ✳
chiuso lunedì e novembre – **Pasto** 50/70000 (a mezzogiorno) 60/100000 (alla sera) e carta 55/75000.

XX **Il Covo del Pirata,** via Marina Garibaldi 2 ☎ 9284437, Rist. e pizzeria – ▤. AE. ⓈⒹ. ⦿ E VISA. ✳
chiuso mercoledì escluso agosto – **Pasto** carta 40/60000 (15 %).

X **Al Pescatore,** via Marina Garibaldi 176 ☎ 9286595, ☂, Rist. e pizzeria – AE. ⓈⒹ. ⦿ E VISA. JCB
chiuso giovedì escluso dal 16 giugno al 14 settembre – **Pasto** carta 35/60000 (10 %).

MODICA *97015 Ragusa* 988 ㊲, 432 *Q 26 – 51 517 ab. alt. 381 – ☎ 0932.*

Agrigento 153 – Catania 119 – Messina 216 – Palermo 282 – Ragusa 15 – Siracusa 71.

X **Fattoria delle Torri,** a Modica Alta via Nativo 30 ☎ 751286, prenotare – AE. ⓈⒹ. ⦿ E VISA
chiuso lunedì e dal 25 giugno al 15 luglio – Pasto carta 35/45000.

MONDELLO *Palermo* 988 ㉟, 432 *M 21 – ✉ Palermo – ☎ 091.*

Catania 219 – Marsala 117 – Messina 245 – Palermo 11 – Trapani 97.

Pianta d'insieme di Palermo.

Mondello Palace, viale Principe di Scalea 2 ✉ 90151 ☎ 450001, Fax 450657, « Piccolo parco con ⛱ », 🎾 – |♦| ▤ TV ☎ P – 🏛 300. AE. ⓈⒹ. ⦿ VISA. ✳
Pasto 50/75000 – **74 cam** ☕ 175/260000, 8 appartamenti – P 215/260000. — EU c

La Torre, via Piano Gallo 11 ✉ 90151 ☎ 450222, Telex 910183, Fax 450033, ≤, ☂, « Terrazze fiorite sulla scogliera », ⛱, 🏖, 🎾 – |♦| ▤ TV ☎ P – 🏛 300. AE. ⓈⒹ. ⦿ E VISA. ✳ — EU z
Pasto carta 50/60000 – **178 cam** ☕ 170/200000 – ½ P 130/145000.

X **Al Gabbiano,** via Piano Gallo 1 ✉ 90151 ☎ 450313, Fax 450313, ≤, ☂ – AE. ⓈⒹ. ⦿ E VISA
chiuso mercoledì e gennaio – **Pasto** carta 40/55000 (15 %). — EU e

X **La Barcaccia,** via Piano di Gallo 4/6 ✉ 90151 ☎ 451519 – ▤. AE ⦿. ✳ — EU a
chiuso martedì – **Pasto** carta 50/70000.

MONREALE *90046 Palermo* 988 ㉟, 432 *M 21 G. Italia – 28 318 ab. alt. 301 – ☎ 091.*

Vedere *Località*** – Duomo*** – Chiostro*** – ≤** dalle terrazze.*

Agrigento 136 – Catania 216 – Marsala 108 – Messina 242 – Palermo 8 – Trapani 88.

X **Taverna del Pavone,** vicolo Pensato 18 ☎ 6406209, ☂ – AE. ⓈⒹ. ⦿ E VISA. ✳
chiuso lunedì e dal 26 settembre al 10 ottobre – Pasto carta 35/45000.

sulla strada statale 186 :

XX **La Botte,** SO : 3 km ✉ 90046 ✆ 414051, « Servizio estivo all'aperto » – Ⓟ. AE. Ⓢ. ⦿ VISA. ✂
aperto venerdì, sabato, domenica e festivi o su prentazione - chiuso dal 20 giugno 20 settembre – **Pasto** carta 40/55000.

X **Villa 3 Fontane,** NE : 2 km ✉ 90046 ✆ 6405400, ≤ – ▤ Ⓟ. AE. Ⓢ. ⦿ E VISA. JCB
chiuso martedì e dal 10 al 25 agosto – **Pasto** carta 30/50000.

MORTELLE *Messina* 431, 432 M 28 – *Vedere Messina.*

NICOSIA *94014 Enna* 988 ㊱, 432 N 25 – *15 092 ab. alt. 700* – ✆ *0935.*
Catania 103 – Enna 48 – Messina 174 – Palermo 150.

Pineta ⛰, via San Paolo 35/A ✆ 647002, Fax 646927, ≤ – |‡| TV ☎ ♿ Ⓟ – 🏛 100. AE. Ⓢ ⦿ E VISA. ✂
Pasto 25000 – **41 cam** ☕ 80/100000 – 1/2 P 80000.

NOTO *96017 Siracusa* 988 ㊲, 432 Q 27 *G. Italia* – *21 796 ab. alt. 159* – ✆ *0931.*
Vedere *Corso Vittorio Emanuele★★ – Via Corrado Nicolaci★.*
ℹ *piazza XVI Maggio ✆ 836744, Fax 836744.*
Catania 91 – Messina 188 – Palermo 299 – Ragusa 53 – Siracusa 32.

a Noto Marina *SE : 8 km – ✉ 96017 Noto :*

Hotel Club Helios ⛰, viale Lido ✆ 812366, Fax 812378, ≤, ♨, 🏊, ⛱, 🎾 – |‡| ▤ TV Ⓟ – 🏛 500
stagionale – **147 cam.**

When visiting ***northern Italy*** *use* ***Michelin maps*** 428 *and* 429.

PALAZZOLO ACREIDE *96010 Siracusa* 988 ㊲, 432 P 26 – *9 396 ab. alt. 697* – ✆ *0931.*
Agrigento 220 – Catania 90 – Enna 142 – Ragusa 40 – Siracusa 49.

XX **Valentino,** via Galeno ang. Ronco Pisacane ✆ 881840, Fax 881840, Rist. e pizzeria – ▤ AE. Ⓢ. ⦿ E VISA. ✂
chiuso mercoledì e dal 31 agosto al 15 settembre – **Pasto** carta 35/60000.

sulla strada statale 287 *SE : 7 km :*

XX **La Trota,** via Giardino Pubblico 1 ✉ 96010 ✆ 883433, Fax 875694, ⛱, Rist. e pizzeri « Prato con laghetto per la pesca sportiva » – ▤ Ⓟ. AE. Ⓢ. ⦿ E VISA. ✂
chiuso lunedì – **Pasto** carta 35/50000.

PALERMO *90100* Ⓟ 988 ㉟, 432 M 22 *G. Italia* – *689 301 ab.* – ✆ *091.*
Vedere *Palazzo dei Normanni★★ : cappella Palatina★★★, mosaici★★★* AZ – *Galleria Regiona le della Sicilia★★ nel palazzo Abbatellis★ : affresco del Trionfo della Morte★★★* CY – *Piazz Bellini★* BY *: chiesa della Martorana★★, chiesa di San Cataldo★★ – Chiesa di San Giovan degli Eremiti★★* AZ – *Catacombe dei Cappuccini★★* EV – *Piazza Pretoria★* BY *: fontana★★ Museo Archeologico★ : metope dei Templi di Selinunte★★, ariete★★* BY – *Palazzo Chiar monte★ : ficus magnolioides★★ nel giardino Garibaldi* CY – *Oratorio di San Lorenzo★* CY *Quattro Canti★* BY – *Cattedrale★* AYZ – *Palazzo Mirto★* CY **B** – *Villa Bonanno★* AZ *Palazzo della Zisa★* EV – *Orto Botanico★* CDZ – *Museo Internazionale delle Marionette★* C **A** – *Carretti siciliani★ al museo Etnografico* EU **M**.
Dintorni *Monreale★★★* EV *per ③ : 8 km – Monte Pellegrino★★* FU *per ④ : 14 km.*
✈ *di Punta Raisi per ④ : 30 km ✆ 591690, Fax 595030 – Alitalia, via Mazzini 59 ✉ 901 ✆ 6019111.*
⛴ *per Genova giornalieri (20 h) e Livorno martedì, giovedì e sabato (20 h) – Grandi Na Veloci, calata Marinai d'Italia ✉ 90133 ✆ 587404, Telex 910098, Fax 6112242; per Napo giornaliero (11 h), Genova lunedì, mercoledì, venerdì e dal 18 giugno al 31 dicembre anch domenica (24 h) e Cagliari sabato (14 h 30 mn) – Tirrenia Navigazione, calata Marinai d'Ital ✉ 90133 ✆ 333300, Telex 910057, Fax 6021221.*
⛴ *per le Isole Eolie giugno-settembre giornaliero (1 h 50 mn) – Aliscafi SNAV-agenz Barbaro, piazza Principe di Belmonte 51/55 ✉ 90139 ✆ 586533, Fax 584830.*
ℹ *piazza Castelnuovo 34 ✉ 90141 ✆ 583847, Telex 910179, Fax 331854 – Aeroporto Pun Raisi a Cinisi ✆ 591698.*
A.C.I. *via delle Alpi 6 ✉ 90144 ✆ 300468.*
Messina 235 ①.

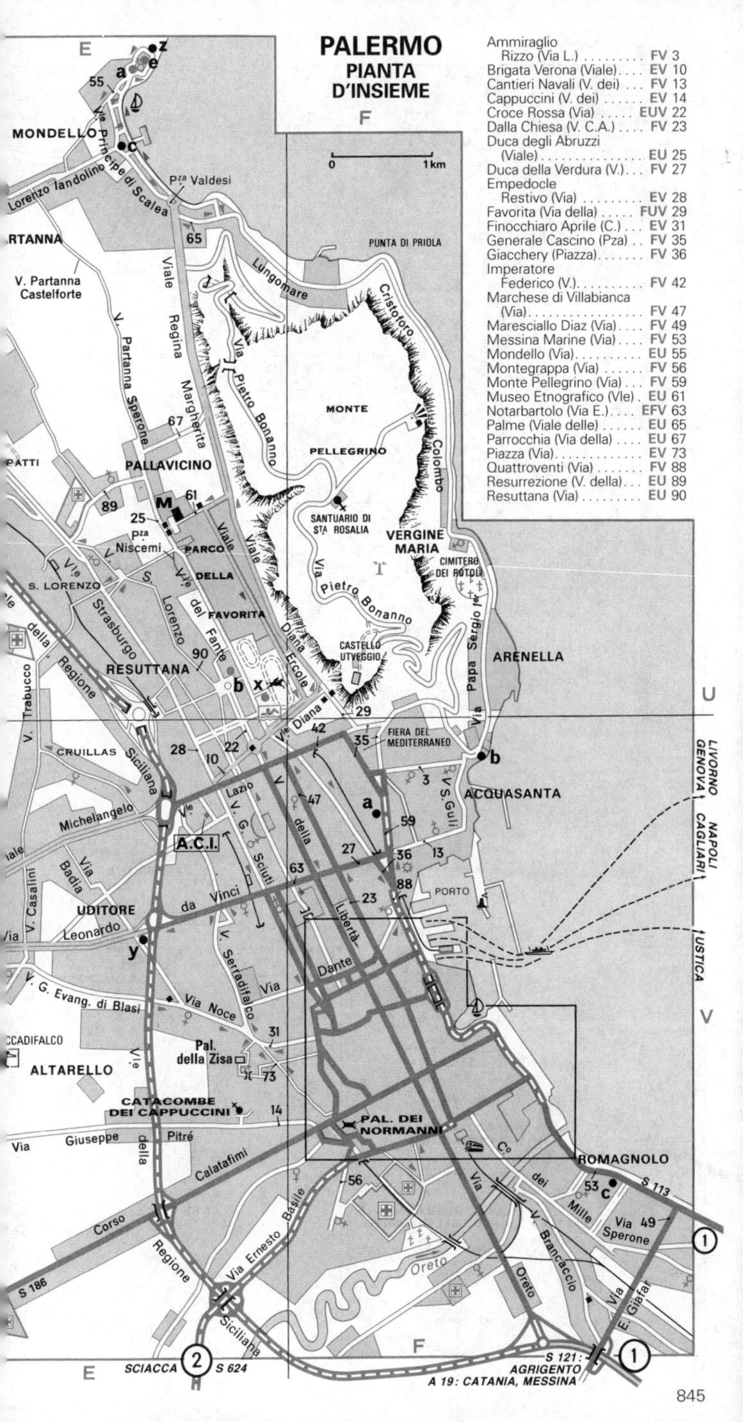
PALERMO
PIANTA D'INSIEME
Ammiraglio Rizzo (Via L.) . . . . FV 3
Brigata Verona (Viale) . . . . EV 10
Cantieri Navali (V. dei) . . . FV 13
Cappuccini (V. dei) . . . . . . EV 14
Croce Rossa (Via) . . . . . EUV 22
Dalla Chiesa (V. C.A.) . . . . FV 23
Duca degli Abruzzi (Viale) . . . . EU 25
Duca della Verdura (V.) . . . FV 27
Empedocle Restivo (Via) . . . . EV 28
Favorita (Via della) . . . . . FUV 29
Finocchiaro Aprile (C.) . . . EV 31
Generale Cascino (Pza) . . FV 35
Giacchery (Piazza) . . . . FV 36
Imperatore Federico (V.) . . . . FV 42
Marchese di Villabianca (Via) . . . . FV 47
Maresciallo Diaz (Via) . . . . FV 49
Messina Marine (Via) . . . . FV 53
Mondello (Via) . . . . EU 55
Montegrappa (Via) . . . . . . FV 56
Monte Pellegrino (Via) . . . FV 59
Museo Etnografico (Vle) . EU 61
Notarbartolo (Via E.) . . . . EFV 63
Palme (Viale delle) . . . . . . EU 65
Parrocchia (Via della) . . . . EU 67
Piazza (Via) . . . . EV 73
Quattroventi (Via) . . . . FV 88
Resurrezione (V. della) . . . EU 89
Resuttana (Via) . . . . EU 90
MONDELLO
Vle Principe di Scalea
Lorenzo Iandolino
Pza Valdesi
PUNTA DI PRIOLA
Lungomare Cristoforo Colombo
Viale Regina Margherita
V. Partanna Castelforte
V. Partanna Sperone
Via Pietro Bonanno
MONTE PELLEGRINO
SANTUARIO DI STA ROSALIA
VERGINE MARIA
CIMITERO DEI ROTOLI
PALLAVICINO
Pza Niscemi
PARCO DELLA FAVORITA
S. LORENZO
Vle Strasburgo
Vle del Fante
Viale Diana
Viale Ercole
CASTELLO UTVEGGIO
ARENELLA
Via Papa Sergio Ier
RESUTTANA
Vle della Regione Siciliana
V. Trabucco
CRUILLAS
Vle Diana
FIERA DEL MEDITERRANEO
ACQUASANTA
V. S. Gulì
Vle Lazio
V. G. Sciuti
Via della Libertà
A.C.I.
Michelangelo
Via Badia
V. Casalini
UDITORE
Leonardo da Vinci
PORTO
V. Serradifalco
Via Dante
V. G. Evang. di Blasi
Via Noce
Pal. della Zisa
ALTARELLO
CATACOMBE DEI CAPPUCCINI
Via Giuseppe Pitrè
PAL. DEI NORMANNI
Corso Calatafimi
Via Ernesto Basile
Co dei Mille
ROMAGNOLO
Via Sperone
Via Oreto
V. Brancaccio
Via E. Giafar
Oreto
LIVORNO GENOVA
NAPOLI CAGLIARI
USTICA
S 113
S 186
S 121: AGRIGENTO
A 19: CATANIA, MESSINA
SCIACCA
S 624
0
1 km

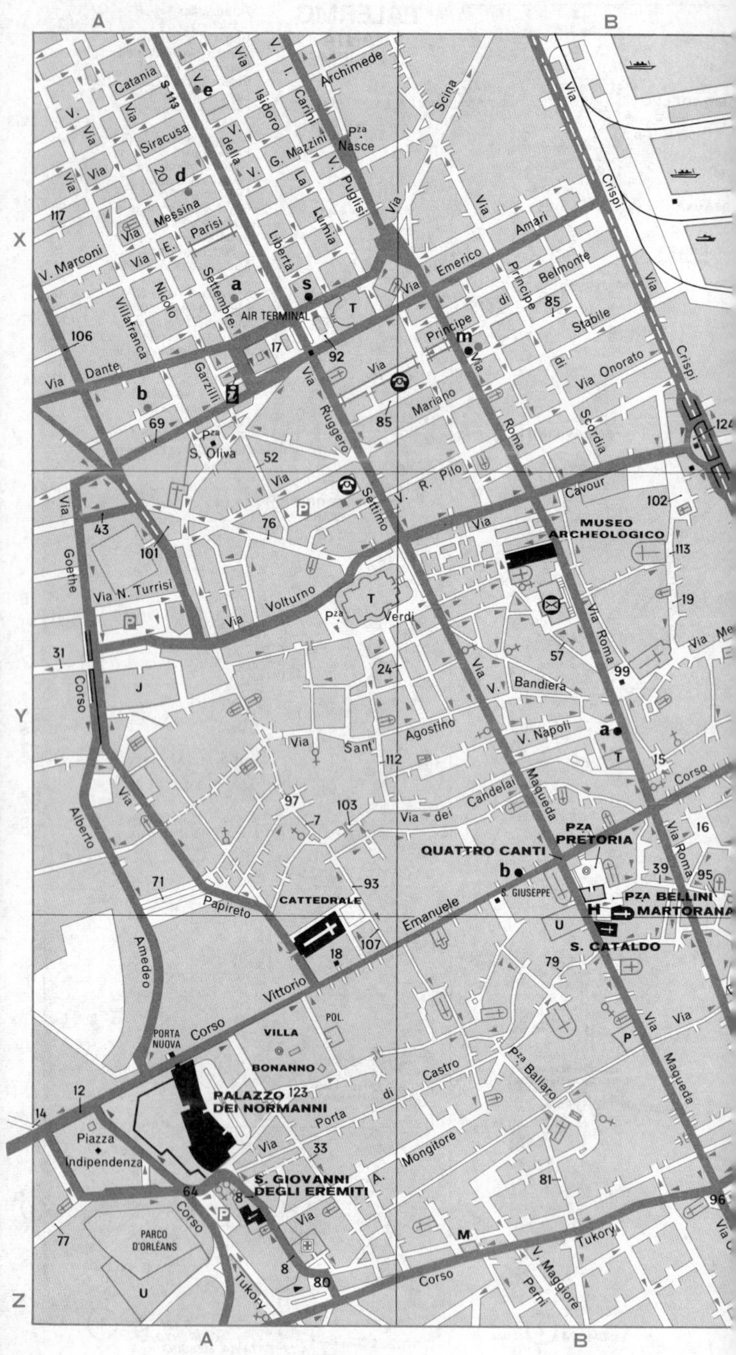

PALERMO
A
B
X
Y
Z
Via Catania
Via Siracusa
Via Messina
Via E. Parisi
V. Marconi
Via Nicolò
Villafranca
Via Dante
Garzilli
Settembre
Via della Libertà
Via Isidoro Carini
Archimede
Via G. Mazzini
Via La Lumia
V. Puglisi
Pza Nasce
Via Scinà
Via Amari
Via Emerico
Principe di Belmonte
Via Principe di Stabile
Via Onorato
Via Crispi
AIR TERMINAL
Via Ruggero Settimo
Via Mariano Stabile
Via Roma
Via Scordia
Pza S. Oliva
V. R. Pilo
Via Cavour
MUSEO ARCHEOLOGICO
Via Goethe
Via N. Turrisi
Via Volturno
Pza Verdi
Corso Alberto Amedeo
Via Maqueda
V. Bandiera
V. Napoli
Via Sant' Agostino
Via dei Candelai
PZA PRETORIA
QUATTRO CANTI
PZA BELLINI
MARTORANA
S. CATALDO
S. GIUSEPPE
CATTEDRALE
Papireto
Corso Vittorio Emanuele
PORTA NUOVA
VILLA BONANNO
POL.
PALAZZO DEI NORMANNI
Via Porta di Castro
Pza Ballarò
Piazza Indipendenza
S. GIOVANNI DEGLI EREMITI
Via A. Mongitore
PARCO D'ORLÉANS
Corso Tukory
V. Maggiore Perni
S 113

PALERMO

Maqueda (Via) . . . . BY
Roma (Via) . . . . BXY
Ruggero Settimo (Via) . . . . . AXY
Vittorio Emanuele (Corso) . . BCY

Aragona (Piazza) . . . . CY 4
Aragona (Via) . . . . CY 6
Beati Paoli (Via) . . . . AY 7
Benedettini (Via dei) . . . . AZ 8
Calatafimi (Corso) . . . . AZ 12
Cappuccini (Via dei) . . . . AZ 14
Caracciolo (Piazza) . . . . BY 15
Cassa di Risparmio (Piazza) . . BY 16
Castelnuovo (Piazza) . . . . AX 17
Cattedrale (Piazza della) . . . . . AZ 18
Cavalieri di Malta (Largo) . . . . . BY 19
Cervello (Via) . . . . CY 20
Croce dei Vespri
(Piazza della) . . . . BY 21
Donizetti (Via Gaetano) . . . . . ABY 24
Finocchiaro Aprile (Corso) . . . . AY 31
Fonderia (Piazza) . . . . CY 32
Generale Cadorna (Via) . . . . . . AZ 33
Giudici (Discesa dei) . . . . BY 39
Immacolatella (Via) . . . . CY 41
Juvara Cluviero (Via) . . . . AY 43
Meccio (Via Salvatore) . . . . . . AX 52
Monteleone (Via) . . . . BY 57
Mura delle Cattive (Salita) . . . . CY 60
Orleans (Piazza d') . . . . AZ 64
Paternostro (V. Alessandro) BCY 68
Paternostro (Via Paolo) . . . . . AX 69
Peranni (Pza Domenico) . . . . . AY 71
Pignatelli d'Aragona (Via) . . . . AY 76
Pisani (Corse P.) . . . . AZ 77
Ponticello (Via) . . . . BZ 79
Porta Montalto (Piazza) . . . . . . AZ 80
Porta Sant'Agata (Via) . . . . BZ 81
Porto Salvo (Via) . . . . CY 83
Principe Granatelli (Via) . . . . ABX 85
Rivoluzione (Piazza) . . . . CZ 91
Ruggero Settimo (Piazza) . . . . AX 92
S. Agata (Via) . . . . AY 93
S. Anna (Piazza) . . . . BY 95
S. Antonino (Piazza) . . . . BZ 96
S. Cosmo (Piazza) . . . . AY 97
S. Domenico (Piazza) . . . . BY 99
S. Francesco d'Assisi (Pza) . . CY 100
S. Francesco da Paola (Pza) . . AY 101
S. Giorgio dei Genovesi
(Piazza) . . . . BY 102
S. Isidoro alla Guilla (Via) . . . . AY 103
S. Sebastiano (Via) . . . . BY 104
S. Teresa (Via) . . . . CY 105
Sammartino (Via) . . . . AX 106
Scuole (Via delle) . . . . AZ 107
Spasimo (Via dello) . . . . CY 109
Spirito Santo (Via dello) . . . . ABY 112
Squarcialupo (Via) . . . . BY 113
Torremuzza (Via) . . . . CY 116
Turrisi Colonna (Via) . . . . AX 117
Vittoria (Piazza della) . . . . AZ 123
13 Vittime (Pza delle) . . . . BX 124

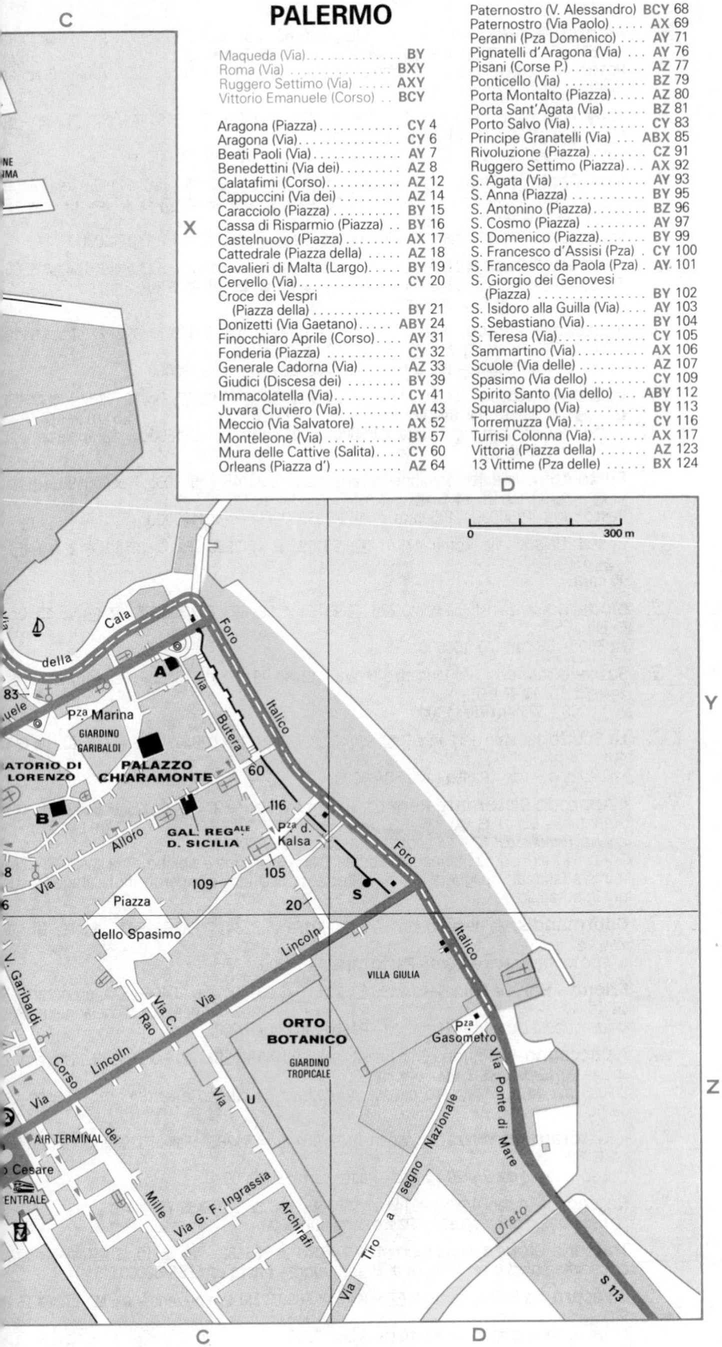

Astoria Palace, via Monte Pellegrino 62 ✉ 90142 ☎ 6371820, Telex 9110 Fax 6372178 – |♦| ▤ TV ☎ ♿ P – 🧑‍🏫 800. AE. 🅂. ◑ E VISA. ✂ FV
Pasto 55/90000 e al Rist. ***Il Cedro*** carta 55/90000 – **326 cam** ☕ 220/270000, 8 appar menti – ½ P 195000.

Jolly, Foro Italico 22 ✉ 90133 ☎ 6165090, Telex 910076, Fax 6161441, ⛱, ⛱, ⛱ – |♦| TV ☎ P – 🧑‍🏫 300. AE. 🅂. ◑ E VISA. ✂ rist DY
Pasto carta 55/85000 – **235 cam** ☕ 185/240000 – ½ P 145/225000.

San Paolo Palace, via Messina Marine 91 ✉ 90123 ☎ 6211112, Telex 9100 Fax 6215300, ≤, « Rist. roof-garden », ⛱, ⛱, ⛱, ✂ – |♦| ▤ TV ☎ ♿ 🚗 P – 🧑‍🏫 15 AE. 🅂. ◑ E VISA. ✂ FV
Pasto 45/55000 – **274 cam** ☕ 160/200000, 9 appartamenti – ½ P 130/140000.

Centrale Palace Hotel senza rist, corso Vittorio Emanuele 327 ✉ 90134 ☎ 3366 Fax 334881, « In un palazzo del 1600 » – |♦| ▤ TV ☎. AE. 🅂 ◑ E VISA JCB. ✂ BY
61 cam ☕ 190/280000, appartamento.

Politeama Palace, piazza Ruggero Settimo 15 ✉ 90139 ☎ 322777, Telex 9110 Fax 6111589 – |♦| ▤ TV ☎ – 🧑‍🏫 130. AE. 🅂 ◑ E VISA. ✂ AX
Pasto carta 40/55000 – **102 cam** ☕ 150/200000 – ½ P 130/180000.

Villa D'Amato, via Messina Marine 180 ✉ 90123 ☎ 6212767, Fax 6212767 – |♦| ▤ TV P – 🧑‍🏫 100. AE. 🅂. ◑ VISA. ✂ rist 1,5 km per ①
Pasto *(chiuso domenica)* carta 40/50000 – **25 cam** ☕ 110/160000, 12 appartament ½ P 100/130000.

Forte Agip, viale della Regione Siciliana 2620 ✉ 90145 ☎ 552033, Fax 408198 – |♦| ▤ ☎ P – 🧑‍🏫 90. AE. 🅂. ◑ E VISA. ✂ rist EV
Pasto carta 40/50000 – **105 cam** ☕ 165/205000 – ½ P 140/170000.

Cristal Palace, via Roma 477/d ✉ 90139 ☎ 6112580, Fax 6112589 – |♦| ▤ TV – 🧑‍🏫 130 BX
90 cam.

Moderno senza rist, via Roma 276 ✉ 90133 ☎ 588683, Fax 588683 – |♦| TV ☎. AE. 🅂. E VISA. JCB BY
☕ 3500 – **38 cam** 70/100000.

Sausele senza rist, via Vincenzo Errante 12 ✉ 90127 ☎ 6161308, Fax 6167525 – |♦| 🚗. AE. 🅂. ◑ E VISA BZ
☕ 10000 – **37 cam** 75/115000.

La Scuderia, viale del Fante 9 ✉ 90146 ☎ 520323, Fax 520467 – ▤ P. AE. 🅂. ◑ E V ✂ EU
chiuso domenica – **Pasto** carta 50/80000.

L'Approdo Ristorante Renato, via Messina Marine 224 ✉ 90123 ☎ 6302881, ≤, prenotare – AE. 🅂. E VISA. ✂ 2 km per ①
✿ *chiuso lunedì e dal 10 al 25 agosto* – **Pasto** carta 50/90000
Spec. Lonza di porco marinata alle erbe in salsa di prugne e zibibbo. "Trìa bastarda ca sa murìsca Taratatà" (spaghetti in salsa di bottarga, acciughe e peperoncino). Sarago "Sacris nu" in potaggio.

Gourmand's, via della Libertà 37/e ✉ 90139 ☎ 323431, Fax 322507 – ▤. AE. 🅂. ◑ VISA. ✂ AX
chiuso domenica ed agosto – **Pasto** carta 45/75000.

Friend's Bar, via Brunelleschi 138 ✉ 90145 ☎ 201401, Fax 201066, ⛱, prenotare – AE. 🅂. ◑. ✂ per viale Michelangelo EV
chiuso lunedì e dal 16 al 31 agosto – **Pasto** carta 50/70000.

A Cuccagna, via Principe Granatelli 21/a ✉ 90139 ☎ 587267, Fax 584575, Rist. caratte stico – ▤. AE. 🅂. ◑ E VISA. JCB. ✂ BX
chiuso dal 14 al 31 agosto e venerdì (escluso da giugno a settembre) – **Pasto** ca 35/60000.

Il Ristorantino, piazza De Gasperi 19 ✉ 90146 ☎ 512861, Fax 6702999, ⛱ – ▤. AE. ◑ E VISA. ✂ EU
chiuso lunedì e dal 5 al 20 agosto – **Pasto** carta 50/80000.

Regine, via Trapani 4/a ✉ 90141 ☎ 586566 – ▤. AE. 🅂. ◑ E VISA. ✂ AX
chiuso domenica ed agosto – **Pasto** carta 50/65000.

Trattoria Biondo, via Carducci 15 ✉ 90141 ☎ 583662 – ▤. AE. 🅂. E VISA. ✂ AX
chiuso mercoledì e dal 15 luglio al 15 settembre – **Pasto** carta 35/50000 (15 %).

Il Vespro, via B. D'Acquisto 9 ✉ 90141 ☎ 589932, Rist. e pizzeria – ▤. AE. 🅂. ◑ E V ✂ AX
chiuso lunedì ed agosto – **Pasto** carta 25/50000.

Sferracavallo *NO : 12 km – ✉ 90148 Palermo :*

✗ Il Delfino, via Torretta 80 ☎ 530282 – ▤
Pasto solo piatti di pesce .

Vedere anche : **Monreale** *per ② : 8 km*
Mondello *N : 11 km* EU
Santa Flavia *per ② : 18 km*

ALMA DI MONTECHIARO *92020 Agrigento* 988 ㊱, 432 *P 23 – 24 943 ab. alt. 165 – ☎ 0922.*
Agrigento 25 – Caltanissetta 53 – Ragusa 112.

✗ Da Vittorio, sulla strada statale 115 (S : 1 km) ☎ 968677 – Ⓟ

ANAREA (Isola) *Messina* 988 ㊲ ㊳, 431 , 432 *L 27 – Vedere Eolie (Isole).*

ANTELLERIA (Isola di) *Trapani* 988 ㉟, 432 *Q 18 G. Italia – 7 442 ab. alt. da 0 a 836 (Montagna Grande) – ☎ 0923.*
Vedere *≤★★ a Sud dell'Isola – Montagna Grande★★ SE : 13 km.*
Escursioni *Giro dell'isola in macchina★★.*
✈ SE : 4 km ☎ 911398 – Alitalia, Agenzia La Cossira, via Borgo ☎ 911078.
⛴ per Trapani giornaliero (4 h 45 mn) – Siremar-agenzia Rizzo, via Borgo Italia 12 ☎ 911104, Telx 910109, Fax 911104.

antelleria 432 *Q 17 – ✉ 91017 :*

🏨 **Khamma** senza rist, via lungomare Borgo Italia 24 ☎ 912680, Fax 912570, ≤ – |♦| ▤ TV ☎. AE. 🅂. E VISA
☕ 10000 – **39 cam** 90/140000.

🏨 Port Hotel, ☎ 911299, Fax 912203, ≤ – |♦| ▤ TV ☎
43 cam.

ATTI (Marina di) *98060 Messina* 988 ㊲, 432 *M 26 – ☎ 0941.*
Dintorni *Tindari : rovine★ SE : 10 km.*
Catania 155 – Messina 66 – Palermo 174.

✗ Cani Cani, località Saliceto ☎ 361022, 🏖 – Ⓟ

IANO ZUCCHI *Palermo* 432 *N 23 – alt. 1 105 – ✉ 90010 Isnello – ☎ 0921.*
Agrigento 137 – Caltanissetta 79 – Catania 160 – Messina 207 – Palermo 80.

🏨 **La Montanina** 🐚, ☎ 662030, Fax 662752, ≤, 🌳 – ☎ Ⓟ. AE. 🐕
Pasto carta 30/45000 – ☕ 10000 – **42 cam** 55/90000 – 1/2 P 80000.

✗ Rifugio Alpino Orestano, ☎ 662159, ≤ – Ⓟ.

Piano Torre *NO : 4 km – ✉ 90010 Isnello :*

🏨 **Park Hotel** 🐚, ☎ 662671, Fax 662672, 🏖, 🏊, 🌳, 🎾 – ▤ ☎ Ⓟ – 🏛 300. 🅂 VISA. 🐕
Pasto carta 35/50000 – ☕ 15000 – **26 cam** 90/120000 – 1/2 P 110/130000.

IAZZA ARMERINA *94015 Enna* 988 ㊱, 432 *O 25 G. Italia – 22 683 ab. alt. 697 – ☎ 0935.*
Dintorni *Villa romana del Casale★★ SO : 6 km.*
ℹ via Cavour 15 ☎ 680201, Fax 684565.
Caltanissetta 49 – Catania 84 – Enna 34 – Messina 181 – Palermo 164 – Ragusa 103 – Siracusa 134.

🏨 **Mosaici-da Battiato,** contrada Casale O : 3,5 km ☎ 685453, Fax 685453 – Ⓟ. 🐕
chiuso dal 20 novembre al 25 dicembre – **Pasto** carta 30/40000 – ☕ 7500 – **13 cam** 60/80000 – 1/2 P 65000.

✗ **Bellia,** strada statale 117 bis (N : 1,5 km) ☎ 680622, 🏖 – Ⓟ. 🅂. VISA
chiuso mercoledì escluso agosto – **Pasto** carta 25/45000.

✗ **Trattoria la Ruota,** contrada Casale O : 3,5 km ☎ 680542, 🏖 , prenotare – Ⓟ. AE VISA
chiuso la sera escluso da luglio a settembre – **Pasto** cucina casalinga carta 30/40000.

ORTICELLO *Palermo* 432 *M 22 – Vedere Santa Flavia.*

PORTOPALO DI CAPO PASSERO *96010 Siracusa* 432 Q 27 – *3 373 ab. alt. 20* – ☎ *0931.*
Catania 121 – Palermo 325 – Ragusa 56 – Siracusa 58.

XX **Alta Marea,** via Tasca ☎ 843081, ← – ▤. AE. 🅂. E VISA
chiuso mercoledì escluso da giugno a settembre – **Pasto** carta 45/65000.

X **Da Maurizio,** via Tagliamento 22 ☎ 842644 – AE. 🅂. ⓓ E VISA. ✂
chiuso martedì e dal 15 al 30 novembre – **Pasto** specialità di mare carta 40/60000 (10 %).

RAGUSA *97100* P 988 ㊲, 432 Q 26 *G. Italia* – *69 146 ab. alt. 498* – *a.s. luglio-agosto* – ☎ *0932.*
Vedere ←★★ *sulla città vecchia dalla strada per Siracusa – Posizione pittoresca★ – Ragusa Ibla★ : chiesa di San Giorgio★.*
🅘 *via Capitano Bocchieri 33-(Ibla-Palazzo La Rocca)* ☎ *621421, Fax 622288.*
A.C.I. *via G. Nicastro, 33* ☎ *642566.*
Agrigento 138 – Caltanissetta 143 – Catania 104 – Palermo 267 – Siracusa 79.

Mediterraneo Palace M, via Roma 189 ☎ 621944, Fax 623799 – |‡| ▤ TV ☎ ♿ ⇔. AE. 🅂. ⓓ E VISA. ✂
Pasto carta 35/60000 – **92 cam** ☕ 140/170000 – ½ P 110/115000.

Rafael, senza rist, corso Italia 40 ☎ 654080, Fax 653418 – |‡| ▤ TV ☎
22 cam.

Montreal, via San Giuseppe 6 ang. corso Italia ☎ 621133, Fax 621133 – |‡| ▤ TV ☎ ⇔. AE. 🅂. ⓓ E VISA
Pasto *(chiuso domenica)* 25000 – ☕ 10000 – **50 cam** 85/110000 – ½ P 75/80000.

XX **U' Saracinu,** via del Convento 9 (Ibla) ☎ 246976 – AE. 🅂. ⓓ E VISA. ✂
chiuso mercoledì – **Pasto** carta 30/35000.

X **Il Barocco,** via Orfanatrofio 29 (Ibla) ☎ 652397, Rist. e pizzeria – AE. 🅂. ⓓ E VISA
chiuso mercoledì ed agosto – **Pasto** carta 30/45000.

X **Orfeo,** via Sant'Anna 117 ☎ 621035 – ✂
chiuso sabato, domenica e dal 5 al 20 agosto – **Pasto** carta 30/45000.

RAGUSA (Marina di) *97010 Ragusa* 988 ㊱ ㊲, 432 Q 25 – ☎ *0932.*
Agrigento 131 – Catania 128 – Messina 225 – Palermo 260 – Ragusa 24 – Siracusa 93.

Terraqua, via delle Sirene 35 ☎ 615600, Fax 615580, ⛱, 🏖, ✂ – |‡| ▤ TV ☎ ♿ P
🏛 500 – **62 cam**, 15 appartamenti.

X **Alberto,** lungomare Doria 48 ☎ 239023, ←, 🏠 – AE. 🅂. VISA. ✂
chiuso novembre e mercoledì (escluso agosto) – **Pasto** specialità di mare carta 40/55000.

RANDAZZO *95036 Catania* 988 ㊲, 432 N 26 – *11 680 ab. alt. 754* – ☎ *095.*
Catania 69 – Caltanissetta 133 – Messina 88 – Taormina 45.

XX **Trattoria Veneziano,** via Romano 8 ☎ 7991353, Fax 7991353, prenotare – AE. 🅂. ⓓ VISA. ✂
chiuso domenica sera e lunedì – **Pasto** carta 25/45000.

RIBERA *92016 Agrigento* 988 ㉟, 432 O 21 – *21 151 ab. alt. 230* – ☎ *0925.*
Agrigento 53 – Palermo 147 – Sciacca 23.

a Seccagrande *S : 8 km* – ✉ *92016 Ribera :*

X La Fattoria, prossimità strada statale 115 ☎ 69111, 🏠 – ▤ P

SALINA (Isola) *Messina* 988 ㊱ ㊲ ㊳, 431, 432 L 26 – *Vedere Eolie (Isole).*

SAN CATALDO *93017 Caltanissetta* 988 ㊱, 432 O 23 – *23 718 ab. alt. 625* – ☎ *0934.*
Messina 214 – Agrigento 55 – Caltanissetta 8 – Catania 117 – Palermo 135.

Helios, contrada Zubbi San Leonardo ☎ 574500, Fax 588208, ← – ▤ TV ☎ P. 🅂. ⓓ VISA. ✂
Pasto carta 30/50000 – **40 cam** ☕ 90/130000 – ½ P 95/105000.

SAN GIOVANNI LA PUNTA *95037 Catania* 432 O 27 – *19 979 ab. alt. 355* – ☎ *095.*
Catania 10 – Enna 92 – Messina 95 – Siracusa 75.

Villa Paradiso dell'Etna, via per Viagrande 37 ☎ 7512409, Fax 7413861, « Giardino con riscaldata » – |‡| ⇎ cam ▤ TV ☎ P – 🏛 80
31 cam, 4 appartamenti.

AN LEONE *Agrigento* 432 P 22 – *Vedere Agrigento.*

AN MICHELE DI GANZARIA *95040 Catania* 432 P 25 – *4 894 ab. alt. 450* – *0933.*
Agrigento 120 – Catania 88 – Caltagirone 15 – Ragusa 78.

Pomara, via Vittorio Veneto 84 ℘ 977090, Fax 976976, ≤ – ‹ ▤ TV ☎ P – 150. AE. ⑤. ⊙ E VISA. ✂
Pasto carta 30/40000 – **36 cam** ☐ 80/100000, ▤ 10000 – ½ P 95/125000.

ANTA FLAVIA *90017 Palermo* 432 M 22 – *9 395 ab.* – *091.*
Vedere *Rovine di Solunto★ : posizione pittoresca★★, ≤★★ dalla cima del colle NO : 2,5 km – Sculture★ di Villa Palagonia a Bagheria SO : 2,5 km.*
Agrigento 130 – Caltanissetta 116 – Catania 197 – Messina 223 – Palermo 18.

Porticello *NE : 1 km* – ✉ *90010 :*

La Muciara-Nello el Greco, ℘ 957868, Fax 957271, « Servizio estivo all'aperto » – ▤. AE. ⑤. ⊙ E VISA. ✂
chiuso lunedì – **Pasto** solo specialità di mare carta 50/80000 (10 %)
Spec. Filetto di tonno fresco in salsa di aceto balsamico con pinoli e mandorle (maggio-ottobre). Anelli al ragù di pesce. Pesce alla brace.

Sant'Elia *NE : 2 km* – ✉ *90010 :*

Kafara ⊗, ℘ 957377, Fax 957021, ≤, « Terrazze fiorite con ☐ », ▲, ✂ – ‹ ▤ TV ☎ P. AE. ⑤. ⊙ E VISA. ✂
Pasto 60/80000 – **63 cam** ☐ 170/200000 – ½ P 160/220000.

ANTA TECLA *Catania* 432 O 27 – *Vedere Acireale.*

ANT'ELIA *Palermo* 432 N 25 – *Vedere Santa Flavia.*

AN VITO LO CAPO *91010 Trapani* 988 ㉟, 432 M 20 – *3 818 ab.* – *0923.*
Palermo 108 – Trapani 38.

Capo San Vito, ℘ 972122, Fax 972559, ≤, ▲ – ‹ ▤ ☎. AE. ⑤. ⊙ E VISA. ✂
Pasqua-settembre – **Pasto** 30/40000 – **35 cam** ☐ 135/190000 – ½ P 130/180000.

Riva del Sole, via Generale Arimondi 11 ℘ 972629, Fax 972629 – ▤ ☎. AE. ⑤. E VISA. ✂
chiuso gennaio e febbraio – **Pasto** carta 30/40000 – **9 cam** ☐ 70/100000 – ½ P 75/100000.

Miraspiaggia, via Lungomare 40 ℘ 972355, Fax 972009, ≤, ▲ – ▤ cam ☎ P. AE. ⑤. ⊙ E VISA. ✂
Pasqua-ottobre – **Pasto** carta 25/35000 – ☐ 7000 – **19 cam** 90/100000 – ½ P 70/115000.

Egitarso, via Lungomare 54 ℘ 972111, Fax 972062, ≤, ▲ – ▤ cam TV ☎. AE. ⑤. ⊙ E VISA
Pasto carta 30/55000 (15 %) – ☐ 14000 – **17 cam** 90/120000 – ½ P 80/130000.

Da Alfredo, contrada Valanga 3 (S : 1 km) ℘ 972366, ≤, « Servizio estivo all'aperto in terrazza-giardino » – P. AE. ⑤. ⊙ E VISA. ✂
chiuso lunedì e dal 20 ottobre a novembre – **Pasto** carta 25/60000.

Thaam, via Abruzzi 32 ℘ 972836, Coperti limitati; prenotare – ▤. AE. ⑤. ⊙ E VISA. JCB. ✂
chiuso mercoledì escluso da giugno a settembre – **Pasto** specialità siciliane e tunisine carta 35/55000.

CIACCA *92019 Agrigento* 988 ㉟, 432 O 21 – *39 412 ab. alt. 60* – *Stazione termale (15 aprile-15 novembre)* – *0925.*
corso Vittorio Emanuele 84 ℘ 21182, Fax 84121.
Agrigento 63 – Catania 230 – Marsala 71 – Messina 327 – Palermo 134 – Trapani 112.

Grande Albergo Terme, lungomare Nuove Terme ℘ 23133, Fax 21746, ≤, ☐ riscaldata, – ‹ ☎. AE. ⑤. ⊙ E VISA. ✂
Pasto *(chiuso dicembre e gennaio)* 40000 – ☐ 6000 – **72 cam** 95/155000 – ½ P 85/115000.

Hostaria del Vicolo, vicolo Sammaritano 10 ℘ 23071 – ▤. AE. ⑤. ⊙ E VISA
chiuso lunedì e dal 14 ottobre al 1º novembre – **Pasto** carta 45/65000.

COGLITTI *Ragusa* 432 Q 25 – *Vedere Vittoria.*

ECCAGRANDE *Agrigento* 432 O 21 – *Vedere Ribera.*

SEGESTA *Trapani* 988 ㉟, 432 N 20 *G. Italia – alt. 318 (Ruderi di un'antica città ellenistica).*
Vedere *Rovine*★★★ – *Tempio*★★★ – ≤★★ *dalla strada per il Teatro – Teatro*★.
Agrigento 146 – Catania 283 – Messina 305 – Palermo 75 – Trapani 35.

SELINUNTE *Trapani* 988 ㉟, 432 O 20 *G. Italia (Ruderi di un'antica città sorta attorno al 500 avar Cristo)* – Vedere *Rovine*★★.
Agrigento 102 – Catania 269 – Messina 344 – Palermo 114 – Trapani 92.

a Marinella *S : 1 km – ✉ 91020 :*

Alceste, ☎ (0924) 46184, Fax (0924) 46143, – | ▤ cam TV ☎ P. AE. Ⓢ. ⓞ E VISA. ✻ cam
marzo-ottobre – **Pasto** carta 30/50000 (10%) – ☕ 10000 – **26 cam** 80/110000 – ½ P 8 100000.

Garzia, ☎ (0924) 46024, Fax (0924) 46196, – | ▤ TV ☎. Ⓢ. E VISA. ✻
Pasto 35/45000 – ☕ 10000 – **70 cam** 100/110000 – ½ P 100/120000.

SFERRACAVALLO *Palermo* 988 ㉟, 432 M 21 – *Vedere Palermo.*

SIRACUSA *96100* P 988 ㊲, 432 P 27 *G. Italia – 127 448 ab. – ✆ 0931.*
Vedere *Zona archeologica*★★★ AY : *Teatro Greco*★★★, *Latomia del Paradiso*★★★ L *(Orecch di Dionisio*★★★ B, *grotta dei Cordari*★★ G*), Anfiteatro Romano*★ AY C – *Museo Archeologi Nazionale*★★ AY – *Catacombe di San Giovanni*★★ AY – *Latomia dei Cappuccini*★★ BY F *Città vecchia*★★ BZ : *Duomo*★ D, *Fonte Aretusa*★ – *Museo Regionale di palazzo Bellomo* BZ M[1] – Escursioni *Passeggiata in barca sul fiume Ciane*★★ *fino a Fonte Ciane*★ *SO : 4 h barca (a richiesta) o 8 km.*
ℹ *largo Paradiso (zona archeologica)* ☎ *60510 – via San Sebastiano 45* ☎ *67710, Fax 678 – via Maestranza 33* ☎ *464255, Fax 60204.*
A.C.I. *Foro Siracusano 27* ☎ *66656.*
Catania 59 ②.

Pianta pagina a lato

Grand Hotel, viale Mazzini 12 ☎ 464600, Fax 464611, « Servizio rist. in terrazza panoramica » – | ▤ TV ☎ ♿ P – 🎪 50. AE. Ⓢ. ⓞ E VISA. ✻ BZ
Pasto carta 50/80000 – **40 cam** ☕ 220/300000, 19 appartamenti 500000 – ½ P 20 260000.

Jolly, corso Gelone 45 ☎ 461111, Telex 970108, Fax 461126 – | ▤ TV ☎ P – 🎪 100. AE Ⓢ. ⓞ E VISA. ✻ rist AYZ
Pasto carta 50/85000 – ☕ 15000 – **100 cam** 210/240000 – ½ P 165/255000.

Palace Hotel Helios, viale Scala Greca 201 ☎ 491566, Fax 756612 – | ▤ TV ☎ P 🎪 250. AE. Ⓢ. ⓞ E VISA. ✻ rist per ②
Pasto 45/65000 – **136 cam** ☕ 190/220000 – ½ P 150/200000.

Domus Mariae, via Vittorio Veneto 76 ☎ 24854, Fax 24858 – ▤ TV ☎ – 🎪 30. AE. Ⓢ. VISA BZ
Pasto (solo per alloggiati) 30/40000 – **12 cam** ☕ 130/180000 – ½ P 100/130000.

Relax ⛰, viale Epipoli 159 ☎ 740122, Fax 740933, – | ▤ TV ☎ ♿ P. AE. Ⓢ. ⓞ VISA. ✻ rist per Castello Eurialo AY
Pasto carta 35/45000 – **40 cam** ☕ 130/150000 – ½ P 120000.

Don Camillo, via Maestranza 92/100 ☎ 67133, Fax 67133 – ▤. AE. Ⓢ. ⓞ E VISA
chiuso domenica – **Pasto** carta 45/65000 (15%). BZ

Archimede, via Gemmellaro 8 ☎ 69701, Fax 69701 – ▤. AE. Ⓢ. ⓞ E VISA BZ
Pasto carta 40/60000 (10%).

Dafne, via Elorina ☎ 21616, Fax 21628, – ▤. AE. Ⓢ. E VISA. ✻ 1 km per ①
chiuso lunedì e dal 1° al 15 novembre – **Pasto** carta 35/55000.

Jonico-a Rutta e Ciauli, riviera Dionisio il Grande 194 ☎ 65540, Fax 65540, « Serviz estivo in terrazza con ≤ mare e scogliera » – AE. Ⓢ. ⓞ. E VISA BY
chiuso martedì, Natale, Capodanno, Pasqua e Ferragosto – **Pasto** cucina tipica siciliar carta 50/75000.

Minosse, via Mirabella 6 ☎ 66366, Fax 66366 – ▤. AE. Ⓢ. E VISA JCB BZ
chiuso lunedì e dal 1° al 15 novembre – **Pasto** carta 40/65000.

a Fontane Bianche *per ① : 15 km – ✉ 96010 Cassibile :*

La Spiaggetta, viale dei Lidi 473 ☎ 790334, Fax 790317, ≤ – ▤ P. AE. Ⓢ. ⓞ E VISA. JC
chiuso martedì escluso da aprile a settembre – **Pasto** carta 40/50000 (10%).

SIRACUSA

elone (Corso) . . . . AY
atteotti
(Corso Giacomo) . . . . . BZ 15
mberto I (Corso) . . . . . . AZ

chimede (Piazza) . . . . . BZ 2
apodieci (Via) . . . . BZ 3
astello
Maniace (Via) . . . . BZ 4
atania (Via) . . . . AZ 5
rispi
(Via Francesco) . . . . . . AZ 6
az (Viale Armando) . . . AZ 7
onisio il
Grande (Via) . . . . BY 8

Duomo (Piazza) . . . . BZ 9
Federico di Svevia
(Piazza) . . . . BZ 10
Foro Siracusano . . . . AZ 12
Maestranza (Via) . . . . BZ 13
Marconi
(Piazzale) . . . . AZ 14
Necropoli
Grotticelli (Via dei) . . . . AY 16
Pancali (Piazza) . . . . BZ 17
Paradiso (Via) . . . . AY 18
Puglia (Via) . . . . BY 19
Regina Margherita
(Viale) . . . . AZ 20
S. Giovanni (Viale) . . . . . . AY 21
Testaferrata (Via G.) . . . . AY 24
Tripoli (Via) . . . . AZ 25
20 Settembre (Via) . . . . . BZ 26

TROMBOLI (Isola) *Messina* 988 ㊲ ㊳, 431 , 432 K 27 – *Vedere Eolie (Isole).*

AORMINA *98039 Messina* 988 ㊲, 432 N 27 *G. Italia – 10 537 ab. alt. 250 –* ☎ *0942.*

Vedere *Località*★★★ – *Teatro Greco*★★ : ≤★★★ B – *Giardino pubblico*★★ B – ✱★★ *dalla piazza 9 Aprile* A 13 – *Corso Umberto*★ A – *Belvedere*★ B – *Castello*★ : ≤★ A.

Escursioni *Etna*★★★ *SO per Linguaglossa.*

Picciolo (chiuso martedì) contrada Rovitello ✉ *95012 Castiglione di Sicilia* ☎ *986171, Fax 98652, O : 25 km.*

piazza Santa Caterina (Palazzo Corvaja) ☎ *23243, Fax 24941.*

Catania 52 ② – Messina 52 ① – Palermo 255 ② – Siracusa 111 ② – Trapani 359 ②.

TAORMINA

Circolazione regolamentata nel centro città da giugno a settembre

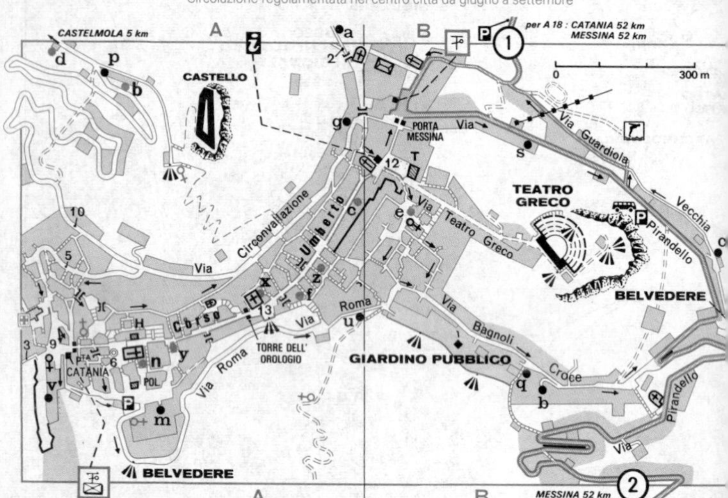

San Domenico Palace , piazza San Domenico 5 ✆ 23701, Telex 98001 Fax 625506, , « Convento del 15° secolo con giardino fiorito e ≤ mare, costa ed Etna riscaldata – 400. AE. . E VISA. A
Pasto 100000 – **102 cam** 400/685000, 6 appartamenti – 1/2 P 440000.

Excelsior Palace , via Toselli 8 ✆ 23975, Telex 980185, Fax 23978, ≤ mare, costa e Etna, « Piccolo parco e riscaldata su terrazza panoramica » – – 100. . E VISA. rist A
Pasto 65000 – **89 cam** 180/270000 – 1/2 P 170/205000.

Gd H. Miramare, via Guardiola Vecchia 27 ✆ 23401, Fax 626223, ≤ mare e costa, risca data, , – B
67 cam.

Monte Tauro , via Madonna delle Grazie 3 ✆ 24402, Telex 980048, Fax 24403, ≤ ma e costa, – – 100. AE. . E VISA. JCB. AB
Pasto carta 45/70000 – **70 cam** 230/290000 – 1/2 P 150/190000.

Jolly Diodoro, via Bagnoli Croci 75 ✆ 23312, Telex 980028, Fax 23391, ≤ mare, costa e Etna, « su terrazza panoramica », , – – 250 B
102 cam.

Villa Ducale senza rist, via Leonardo da Vinci 60 ✆ 28153, Fax 28710, ≤ mare, cos ed Etna – . AE. . E VISA. JCB A
chiuso dal 10 gennaio al 15 febbraio – **10 cam** 200/320000.

Villa Fiorita senza rist, via Pirandello 39 ✆ 24122, Fax 625967, ≤ mare e costa, , – . AE. . E VISA B
24 cam 160000.

Villa Belvedere senza rist, via Bagnoli Croci 79 ✆ 23791, Fax 625830, ≤ giardini, ma ed Etna, « Giardino con » – cam . . E VISA B
47 cam 155/235000.

Villa Sirina, contrada Sirina ✆ 51776, Fax 51671, , – . AE. . E VIS
2 km per via Crocifisso A
chiuso dal 10 gennaio al 20 marzo – **Pasto** (solo per alloggiati e *chiuso a mezzogiorno*)
15 cam 160/190000 – 1/2 P 80/125000.

Andromaco senza rist, via Fontana Vecchia ✆ 23436, Fax 24985, ≤, – AE. . E VISA.
per via Cappuccini A
20 cam 85/150000.

La Campanella senza rist, via Circonvallazione 3 ✆ 23381, Fax 625248, ≤, « Collezione d'acquerelli d'autore » – ✻ A g
12 cam ⊒ 75/120000.

Condor senza rist, via Dietro Cappuccini 25 ✆ 23124, Fax 625726, ≤ – TV ☎. AE. 𝔖. ⊙ E VISA A a
chiuso da novembre al 15 dicembre – **12 cam** ⊒ 80/120000.

XXXX **La Giara,** vico la Floresta 1 ✆ 23360, Fax 23233, Rist. e piano-bar – ▤. AE. 𝔖. ⊙ E VISA. JCB. ✻ A f
chiuso a mezzogiorno e lunedì (escluso da luglio a settembre) – **Pasto** carta 55/80000.

XX **La Griglia,** corso Umberto 54 ✆ 23980, Fax 626047 – ▤. AE. 𝔖. ⊙ E VISA. ✻ A c
chiuso martedì e dal 20 novembre al 20 dicembre – **Pasto** carta 40/60000.

XX **Al Castello,** via Madonna della Rocca 11 ✆ 28158, « Servizio estivo in terrazza panoramica con ≤ mare e costa ». AE. 𝔖. E VISA. ✻ A b
chiuso mercoledì a mezzogiorno – **Pasto** carta 50/70000.

XX **A' Zammàra,** via Fratelli Bandiera 15 ✆ 24596, Fax 24408, « Servizio estivo in un piccolo giardino ombreggiato » – AE. 𝔖. ⊙ E VISA. ✻ A z
chiuso dal 5 al 20 gennaio e mercoledì (escluso da giugno a settembre) – **Pasto** carta 40/60000.

XX **Da Lorenzo,** via Michele Amari 4 ✆ 23480, Fax 23480, 帝 – AE. 𝔖. ⊙ E VISA A n
chiuso dal 1º al 15 novembre e mercoledì (escluso da giugno a settembre) – **Pasto** carta 40/65000.

X **Il Ciclope,** corso Umberto ✆ 23263, Fax 625910, 帝 – ▤. AE. 𝔖. E VISA. JCB. ✻ A y
chiuso mercoledì e dal 10 al 31 gennaio – **Pasto** carta 35/45000.

X **Il Baccanale,** piazzetta Filea 1 ✆ 625390, 帝 – ▤. 𝔖. E VISA. ✻ B e
chiuso giovedì escluso da aprile a settembre – **Pasto** carta 30/60000.

X **La Chioccia d'Oro,** via Leonardo da Vinci ✆ 28066, ≤ A d
chiuso giovedì e novembre – **Pasto** carta 30/45000.

X Vicolo Stretto, via Vicolo Stretto ✆ 23849, 帝 – ▤ A x

Mazzarò *per ② : 5,5 km* – ✉ *98030 :*

Mazzarò Sea Palace, ✆ 24004, Fax 626237, ≤ piccola baia, 帝, ⛱, ▲ – |$| ▤ TV ☎ 🚗 – 🏛 90. AE. 𝔖. ⊙ E VISA. ✻ rist
aprile-ottobre – **Pasto** 65/120000 – **84 cam** ⊒ 250/470000, 3 appartamenti – ½ P 170/285000.

La Plage, via Nazionale 107 A ✆ 626095, Fax 625850, ≤ baia di Isolabella, 帝, « Boungalows in pineta e terrazze-solarium fiorite », ▲ – ▤ TV ☎ Ⓟ. AE. 𝔖. E VISA. ✻ rist
marzo-ottobre – **Pasto** al Rist. ***Re Artù*** carta 40/80000 – **64 cam** ⊒ 165/240000 – ½ P 180000.

X **Il Delfino-da Angelo,** ✆ 23004, ≤ piccola baia, 帝 – AE. 𝔖. ⊙ E VISA
15 marzo-ottobre – **Pasto** carta 40/60000.

X **Da Giovanni,** via Nazionale ✆ 23531, ≤ mare ed Isolabella – AE. 𝔖. ⊙ E VISA. JCB. ✻
chiuso lunedì e dal 7 gennaio al 10 febbraio – **Pasto** carta 45/75000.

X **Il Pescatore,** ✆ 23460, ≤ mare, scogliere ed Isolabella – Ⓟ. AE. 𝔖. E VISA
chiuso dal 7 gennaio a febbraio, sabato-domenica da novembre al 6 gennaio e lunedì da giugno a settembre – **Pasto** carta 35/65000.

Lido di Spisone *per ① : 7 km* – ✉ *98030 Mazzarò :*

Lido Caparena, via Nazionale 189 ✆ 652033, Fax 36913, ≤, « Ampio giardino fiorito con servizio rist. estivo all'aperto », ⛱, ▲ – |$| ▤ TV ☎ ♿ Ⓟ – 🏛 200. AE. 𝔖. ⊙ E VISA. JCB. ✻
Pasto carta 50/75000 – **88 cam** ⊒ 230/320000 – ½ P 250/400000.

Lido Méditerranée, ✆ 24422, Telex 980175, Fax 24774, ≤, 帝, ▲ – |$| ▤ TV ☎ Ⓟ – 🏛 100. AE. 𝔖. ⊙ E VISA. ✻ rist
22 marzo-ottobre – **Pasto** 60000 – **72 cam** ⊒ 250/350000 – ½ P 120/200000.

Bay Palace, via Nazionale ✆ 626200, Fax 626199, « Terrazze-solarium con ⛱ panoramica » – |$| ▤ ☎. AE. 𝔖. ⊙ E VISA. ✻ rist
Pasto *(chiuso a mezzogiorno)* 30/65000 – **47 cam** ⊒ 130/220000 – ½ P 125/160000.

Vedere anche : **Giardini-Naxos** *per ② : 5 km*
Letojanni *per ② : 8 km*

TERME VIGLIATORE *98050 Messina* 432 M 27 – *6 200 ab.* – *090.*
Catania 123 – Enna 174 – Messina 50 – Palermo 184.

Il Gabbiano, località Lido Marchesana 9782343, Fax 9781385 – . AE. . VISA.
aprile-ottobre – **Pasto** 30/50000 – 8000 – **39 cam** 70/90000 – ½ P 85000.

TERMINI IMERESE *90018 Palermo* 988 ㊱, 432 N 23 – *27 969 ab. alt. 113* – *091.*
Agrigento 150 – Messina 202 – Palermo 36.

Gd H. delle Terme, piazza Terme 2 8113557, Fax 8113107, « Giardino fiorito con e terrazza panoramica con < », , , – – 150. AE. . E VIS
Pasto carta 40/70000 – **70 cam** 160/220000, 10 appartamenti – ½ P 200000.

Il Gabbiano senza rist, via Libertà 221 8113262, Fax 8114225 – . AE VISA.
20 cam 95/120000.

TERRASINI *90049 Palermo* 432 M 21 *G. Italia* – *11 040 ab. alt. 35* – *091.*
Vedere *Museo del carretto siciliano*★.
Palermo 29 – Trapani 71.

Azzolini Palm Beach, 8682033, Fax 8682618, <, , – – 150
AE. . E VISA.
Pasto 35/40000 – 15000 – **37 cam** 110/180000 – ½ P 100/110000.

TORREGROTTA *98040 Messina* 432 M 28 – *6 472 ab. alt. 48* – *090.*
Catania 141 – Messina 29 – Palermo 215.

Thomas, località Scala 9981947, Fax 9982273 – . . VISA.
chiuso dicembre – **Pasto** *(chiuso lunedì)* carta 40/55000 – 4500 – **18 cam** 55/8000 10000 – ½ P 75/80000.

TRAPANI *91100* P 988 ㉟, 432 M 19 *G. Italia* – *69 796 ab.* – *0923.*
Vedere *Museo Pepoli*★ Y **M¹** – *Cappella della Madonna*★ *nel santuario dell'Annunziata* Y **A.**
Escursioni *Isola di Pantelleria*★★ *Sud per motonave* – *Isole Egadi*★ *Ovest per motonave o aliscafo.*
di Birgi S : 15 km Y 841124 – Alitalia, Agenzia Salvo, corso Italia 52/56 545411.
per Cagliari martedì (11 h 30 mn) – Tirrenia Navigazione-agenzia Salvo, corso Italia 48/52 21896, Fax 29436; per le Isole Egadi giornalieri (da 1 h a 2 h 45 mn) e Pantelleria giornaliero (5 h 45 mn) – Siremar-agenzia Mare Viaggi, via Staiti 61/63 540515, Telex 910132, Fax 20663.
per le Isole Egadi giornalieri (da 15 mn a 1 h) – Siremar-agenzia Mare Viaggi, via Staiti 61/63 540515, Telex 910132, Fax 20663.
via Sorba 15 (Villa Aula) 27077, Fax 29430 – piazza Saturno 29000.
A.C.I. *via Virgilio 165 27064.*
Palermo 104 ②.

Pianta pagina a lato

Crystal, via San Giovanni Bosco 17 20000, Fax 25555 – – 140. AE. E VISA. BZ
Pasto carta 35/65000 – 20000 – **68 cam** 170/205000, 2 appartamenti – ½ P 135/170000.

Vittoria senza rist, via Crispi 4 873044, Fax 29870 – . AE. . VISA BZ
8000 – **65 cam** 85/140000.

Da Peppe, via Spalti 54 28246, BZ

Trattoria del Porto, via Ammiraglio Staiti 45 547822 – . BZ
chiuso lunedì e dal 20 al 31 dicembre – **Pasto** carta 40/55000.

Del Corso, corso Italia 51 23475, Fax 23475 BZ

Vedere anche : **Erice** *NE : 14 km.*

TRAPANI

rdella (Via G.B.) .... BZ 13
t. Emanuele (C.) ...... AZ 56

xio (Via Nino) .... Y 2
accio Montalto (Pza) ... BZ 3
ociferi (Via dei) .... BZ 6
ba (Via della) .... AZ 8
ca d'Aosta (Viale) ..... AZ 9
adonna di Fatima (Via)... Y 19
attarella (Via Piersanti)... Y 21
ercè (Via) .... BZ 25
onte S. Giuliano (Via) .... Y 27
nfe (Largo delle) .... AZ 28
poli (V. Conte A.) .... Y 33
rtogalli (Largo) .... BZ 34
ocida (Via Giov. da) .... AZ 35
gina Margherita (Vle) .. BZ 36
Francesco d'Assisi (V.). AZ 37
Francesco di Paola (V.). BZ 38
Giovanni Bosco (Via) .. BZ 39
alo d'Alaggio (Pza) .... AZ 40
arlatti (Piazza) .... AZ 41
Scio (Pza Generale) .... AZ 42
Scontrino (Via A.) .... BZ 44
Serisso (Via) .... AZ 45
Tartaglia (Via Giacomo) .... AZ 48
Torre di Ligny (Viale) ...... AZ 49
Torrearsa (Via) .... AZ 50
Umberto I (Piazza) .... BZ 52
Vespri (Via) .... Y 55
Vittorio Veneto (Piazza) .... BZ 57

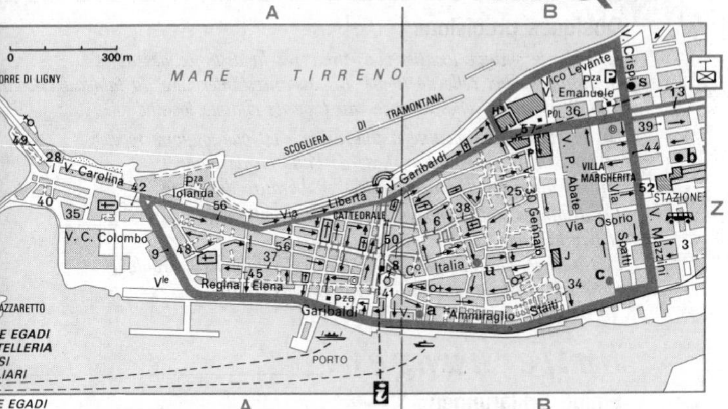

ALDERICE *91019 Trapani* 432 M 19 – *11 102 ab. alt. 250* – *0923.*
Agrigento 99 – Palermo 184 – Trapani 9.

Baglio Santacroce, E : 2 km ✆ 891111, Fax 891192, « Terrazze fiorite con mare e costa », – TV. AE. VISA.
Pasto *(chiuso lunedì)* carta 35/55000 – ☐ 10000 – **23 cam** 80/120000 – ½ P 100/120000.

Ericevalle, via del Cipresso 1 ✆ 891133, Fax 833178 – TV. AE. VISA.
Pasto *(chiuso martedì)* carta 35/55000 – ☐ 10000 – **26 cam** 100/120000 – ½ P 100/120000.

TTORIA *97019 Ragusa* 432 Q 25 – *57 969 ab. alt. 169* – *0932.*
Agrigento 107 – Catania 96 – Ragusa 26 – Siracusa 104.

Grand Hotel senza rist, vico III Carlo Pisacane 53/B ✆ 863888, Fax 863888 – TV. AE. VISA. – **27 cam** ☐ 80/120000.

Scoglitti *SO : 13 km* – ✉ *97010 :*

Agathae, via Montale 33 ✆ 980730, Fax 871500, – cam TV. AE. VISA. rist
Pasto *(chiuso lunedì)* 20/30000 – ☐ 12000 – **27 cam** 70/120000 – ½ P 70/90000.

Al Gabbiano, ✆ 980179, Fax 980505, – TV – **20 cam.**

ULCANO (Isola) *Messina* 988 ㊲ ㊳, 431, 432 L 26 – *Vedere Eolie (Isole).*

AFFERANA ETNEA *95019 Catania* 432 N 27 – *7 930 ab. alt. 600* – *095.*
Catania 24 – Enna 104 – Messina 79 – Palermo 231 – Taormina 35.

Airone, via Cassone 67 (O : 2 km) ✆ 7081819, Fax 7082142, mare e costa, – TV. AE. VISA. rist – **Pasto** carta 40/60000 – **48 cam** ☐ 90/130000 – ½ P 90000.

Distanze

Qualche chiarimento

Nel testo di ciascuna località troverete la distanza dalle città limitrofe e da Roma. Le distanze fra le città della tabella accanto completano quelle indicate nel testo di ciascuna località.

La distanza da una località ad un'altra non è sempre ripetuta in senso inverso : guardate al testo dell'una o dell'altra. Utilizzate anche le distanze riportate a margine delle piante.

Le distanze sono calcolate a partire dal centro delle città e seguendo la strada più pratica, ossia quella che offre le migliori condizioni di viagg ma che non è necessariamente la più breve.

Distances

Quelques précisions

Au texte de chaque localité vous trouverez la distance des villes environnantes et celle de Rome. Les distances intervilles du tableau ci-cont complètent ainsi celles données au texte de chaque localité.

La distance d'une localité à une autre n'est pas toujours répétée en sens inverse : voyez au texte de l'une ou de l'autre. Utilisez aussi les distances portées en bordure des plans.

Les distances sont comptées à partir du centre-ville et par la route la plus pratique, c'est-à-dire celle qui offre les meilleures conditions de roulage, mais qui n'est pas nécessairement la plus courte.

Entfernungen

Einige Erklärungen

In jedem Ortstext finden Sie Entfernungen zu größeren Städten in der Umgebung und nach Rom. Die Kilometerangaben dieser Tabelle ergänzen somit die Angaben des Ortstextes.

Da die Entfernung von einer Stadt zu einer anderen nicht immer unter beiden Städten zugleich aufgeführt ist, sehen Sie bitte unter beiden entsprechenden Ortstexten nach. Eine weitere Hilfe sind die am Rande der Stadtpläne erwähnten Kilometerangaben.

Die Entfernungen gelten ab Stadtmitte unter Berücksichtigung der günstigste (nicht immer kürzesten) Strecke.

Distances

Commentary

The text on each town includes its distance from its immediate neighbours and from Rome. The kilometrage in the table completes that given under individual town headings for calculating total distances.

A town's distance from another is not necessarily repeated in the text under both town names, you may have to look, therefore, under one or the other to find it. Note also that some distances appear in the margins of the town plans.

Distances are calculated from centres and along the best roads from a motoring point of view not necessarily the shortest.

Distanze tra le principali città
Distances entre principales villes
Entfernungen zwischen den größeren Städten
Distances between major towns

Bergamo - Livorno: 335 km

	Anc	Bari	Bergamo	Bologna	Bolzano	Brescia	Brindisi	Catanzaro	Como	Cosenza	Ferrara	Firenze	Foggia	Genova	L'Aquila	La Spezia	Livorno	Milano	Modena	Napoli	Padova	Parma	Perugia	Pescara	Potenza	Ravenna	Reggio di Calabria	Roma	Salerno	S. Marino	Taranto	Torino	Trieste	Udine	Venezia
Bari	466																																		
Bergamo	433	887																																	
Bologna	217	671	216																																
Bolzano	491	946	234	274																															
Brescia	386	840	49	169	188																														
Brindisi	580	114	1001	786	1060	955																													
Catanzaro	747	354	1127	924	1186	1080	357																												
Como	474	928	59	257	292	106	1043	1168																											
Cosenza	690	260	1070	867	1129	1024	264	98	1111																										
Ferrara	225	679	197	50	247	151	793	973	303	916																									
Firenze	265	662	305	101	363	258	777	822	346	765	150																								
Foggia	347	136	768	552	827	721	250	412	809	356	560	578																							
Genova	508	899	194	291	409	232	1014	1059	190	1002	337	236	815																						
L'Aquila	187	407	609	393	667	562	522	584	650	528	400	314	288	551																					
La Spezia	427	811	256	210	356	212	926	971	268	914	257	148	727	109	463																				
Livorno	396	743	335	176	438	291	858	903	346	846	225	84	659	188	395	100																			
Milano	424	878	48	207	278	92	993	1118	49	1061	253	296	759	146	600	218	296																		
Modena	258	712	178	41	236	131	827	952	219	895	87	130	593	253	434	172	205	169																	
Napoli	391	252	772	568	830	725	366	372	813	315	617	466	167	703	229	615	547	763	597																
Padova	325	779	193	116	186	147	893	1039	251	982	72	216	660	368	501	298	291	237	153	683															
Parma	313	768	158	96	242	114	882	1008	170	951	143	185	649	204	489	114	193	120	58	652	184														
Perugia	140	565	456	252	514	409	680	725	497	668	247	150	450	387	171	299	231	447	281	369	324	336													
Pescara	162	301	584	368	642	537	415	598	625	541	376	412	182	659	104	578	493	575	409	233	476	464	266												
Potenza	463	137	884	668	943	838	220	278	925	221	676	607	112	844	370	756	688	875	709	157	776	765	510	298											
Ravenna	155	609	294	78	352	247	724	901	335	845	71	182	490	369	331	288	257	285	119	546	136	174	179	306	607										
Reggio di Calabria	839	445	1219	1015	1277	1172	449	161	1260	190	1064	913	504	1150	676	1062	994	1210	1044	463	1130	1099	816	690	369	993									
Roma	307	413	573	369	631	526	527	572	614	515	418	267	329	504	122	416	305	564	398	217	484	453	170	213	358	347	664								
Salerno	434	234	814	611	873	768	320	317	855	260	660	509	150	746	272	658	590	805	639	56	726	695	412	276	103	589	409	259							
S. Marino	120	575	351	135	409	304	689	856	392	799	142	159	456	426	296	345	314	342	176	500	243	231	142	271	572	72	948	310	543						
Taranto	548	95	970	754	1028	923	71	292	1011	198	761	745	219	982	490	894	826	961	795	309	862	850	648	383	154	692	384	496	255	657					
Torino	542	996	179	325	409	223	1111	1217	164	1160	371	394	877	168	718	267	346	138	287	861	368	238	545	693	1002	403	1308	662	904	460	1079				
Trieste	438	892	362	291	292	316	1007	1213	420	1157	247	391	773	537	614	466	466	406	328	858	176	352	464	589	890	283	1305	659	901	355	975	537			
Udine	412	866	336	264	242	289	980	1187	393	1130	220	365	747	510	588	440	440	379	302	832	149	326	438	563	863	256	1279	633	874	329	949	510	68		
Venezia	300	754	226	154	221	179	869	1077	283	1020	110	255	635	400	476	330	330	269	192	722	39	216	326	451	752	145	1169	523	764	217	837	400	154	127	
Verona	354	809	115	137	151	68	923	1049	172	992	95	226	690	289	530	219	301	158	99	693	82	105	377	505	806	215	1140	494	736	272	891	289	251	224	114

SICILIA

	Agrigento	Caltanissetta	Catania	Messina	Palermo	Siracusa
Caltanissetta	58					
Catania	165	110				
Messina	255	201	92			
Palermo	124	130	210	221		
Siracusa	213	158	61	157	258	
Trapani	161	226	306	317	106	354

SARDEGNA

	Nuoro	Olbia	Oristano	Sassari
Cagliari	184	263	94	211
Nuoro		108	92	118
Olbia			170	101
Oristano				119

Genova	Milano	Torino	Venezia	
1225	1083	1145	1240	***Amsterdam***
857	981	789	1235	***Barcelona***
487	345	407	599	***Basel***
1173	1033	1127	1060	***Berlin***
442	357	311	611	***Bern***
1441	1341	1311	1595	***Birmingham***
1006	1130	871	1384	***Bordeaux***
1431	1332	1301	1585	***Bristol***
1032	890	952	1144	***Bruxelles/Brussel***
1328	1452	1260	1706	***Burgos***
1265	1205	1131	1467	***Cherbourg***
666	641	507	903	***Clermont-Ferrand***
1012	870	932	1027	***Düsseldorf***
1857	1758	1727	2011	***Edinburgh***
816	674	736	874	***Frankfurt***
377	317	247	579	***Genève***
1257	1117	1211	1264	***Hamburg***
1108	1047	973	1309	***Le Havre***
1566	1426	1520	1420	***København***
1057	983	926	1237	***Lille***
2078	2202	2010	2456	***Lisboa***
1598	1498	1467	1751	***Liverpool***
1237	1137	1106	1391	***London***
821	679	740	932	***Luxembourg***
470	445	311	707	***Lyon***
1457	1581	1389	1835	***Madrid***
1812	1936	1744	2190	***Málaga***
385	509	379	763	***Marseille***
640	498	592	472	***München***
1089	1191	924	1453	***Nantes***
1846	1707	1800	2001	***Oslo***
907	846	772	1108	***Paris***
1851	1975	1783	2229	***Porto***
1008	869	962	810	***Praha***
1106	1230	1038	1484	***San Sebastián***
2173	2033	2127	2029	***Stockholm***
630	488	549	741	***Strasbourg***
760	884	692	1138	***Toulouse***
954	823	954	571	***Wien***
767	636	767	384	***Zagreb***

Hamburg - Milano

1117 km

PRINCIPALI STRADE

Autostrada, doppia carreggiata di tipo autostradale ....

N° di strada statale .... S 10

Distanza chilometrica 20

Esercizi sulle autostrade :
- Motel.........................
- Self-Service o Ristorante ......

Solo i motel sono citati nella guida

Città con carta dei dintorni...............

PRINCIPALES ROUTES

toroute, double chaussée e type autoroutier ....

de route d'Etat .... S 10

tance en kilomètres...... 20

tels et restaurants d'autoroute :
- ôtel .... ■
- elf-Service ou restaurant ..... ■

uls les hôtels sont cités dans le guide

rte de voisinage :
oir à la ville choisie ......

HAUPVERKEHRSSTRASSEN

Autobahn, Schnellstraße mit getrennten Fahrbahnen

Nummer der Staatsstraße... S 10

Entfernung in Kilometern ... 20

Hotels und Restaurants an der Autobahn :
- Motel........................ ■
- Selbstbedienungsrestaurant oder Restaurant.................... ■

In diesem Führer werden nur die Motels erwähnt

Stadt mit Umgebungskarte ....

MAIN ROADS

Motorway, dual carriageway with motorway characteristics...

State road number.......... S 10

Distance in kilometres 20

Hotels and restaurants on motorways :
- Motel........................ ■
- Self-service or restaurant...... ■

Only the motels are listed in the guide

Town with a local map...............

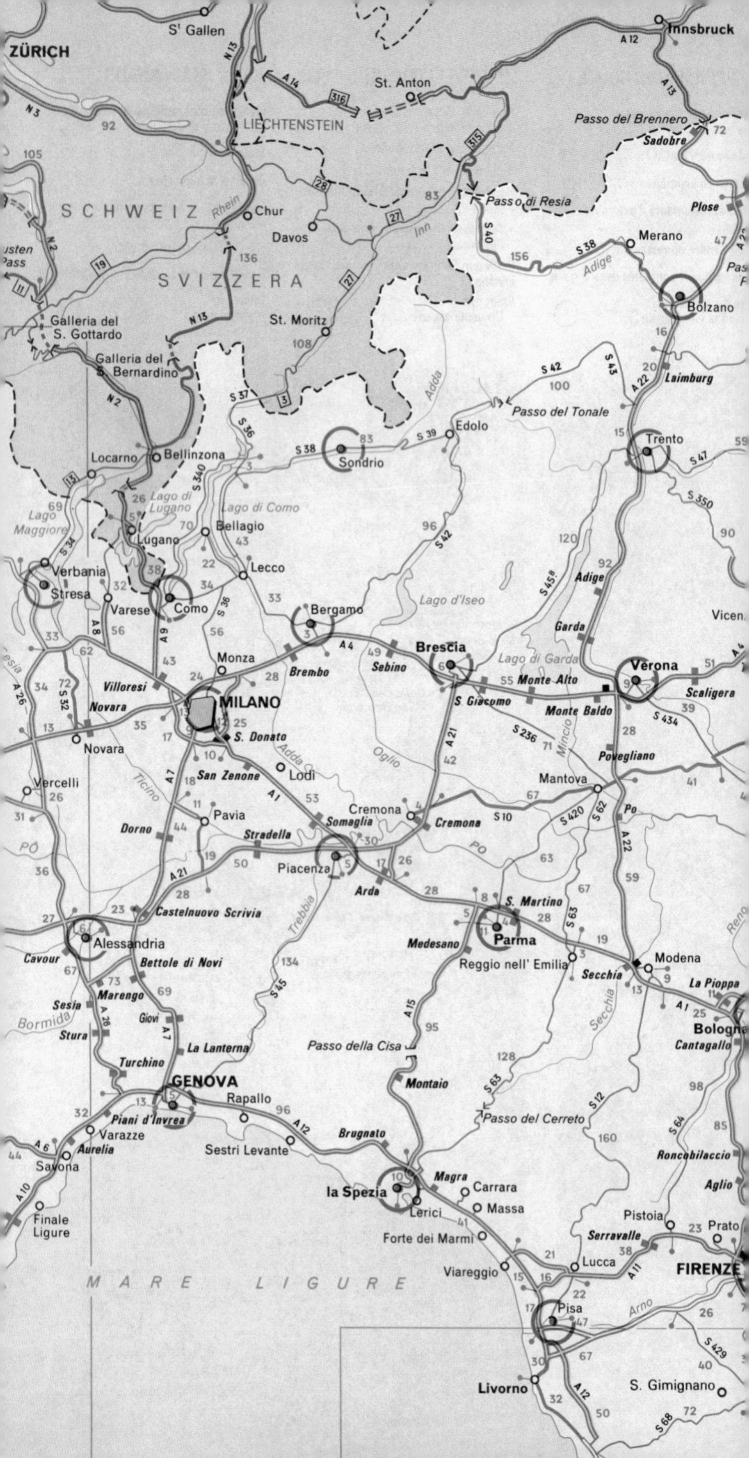

ZÜRICH
St Gallen
Innsbruck
A 12
A 13
N 13
A 14
316
St. Anton
LIECHTENSTEIN
Passo del Brennero
72
Sadobre
N 3
92
105
315
28
SCHWEIZ
Rhein
Chur
83
27
Inn
Passo di Resia
Plose
Davos
S 40
S 38
Merano
47
Susten Pass
N 2
19
136
156
Adige
SVIZZERA
27
11
Bolzano
Galleria del S. Gottardo
N 13
St. Moritz
108
16
Galleria del S. Bernardino
S 42
S 43
20
Laimburg
N 2
100
A 22
S 37
3
Adda
Passo del Tonale
S 36
Edolo
15
Trento
83
S 39
S 38
Sondrio
S 47
Locarno
Bellinzona
3
13
S 340
S 350
26
Lago di Lugano
Lago di Como
69
Lago Maggiore
5
70
Bellagio
96
90
S 34
Lugano
43
S 42
120
22
Verbania
Lecco
92
Stresa
32
38
34
Adige
Varese
Como
S 36
33
S 45B
Lago d'Iseo
Vicenza
A 8
56
56
Bergamo
3
Garda
33
62
A 9
A 4
49
Brescia
Lago di Garda
Verona
51
34
72
43
24
Monza
Brembo
Sebino
6
55
Monte Alto
9
Scaligera
A 26
S 32
Villoresi
28
MILANO
S. Giacomo
Monte Baldo
39
Novara
35
25
S 434
13
17
S. Donato
S 236
71
28
Novara
A 21
Adda
Oglio
Mincio
Povegliano
Ticino
10
42
Vercelli
A 7
18
San Zenone
Lodi
Mantova
41
26
A 1
53
67
S 420
S 62
31
11
Pavia
Cremona
4
Po
Dorno
44
Somaglia
Cremona
S 10
A 22
Stradella
30
Po
Po
19
50
Piacenza
5
17
26
63
36
A 21
Arda
59
28
67
28
8
S. Martino
S 63
Trebbia
23
Castelnuovo Scrivia
5
4
28
19
Reno
27
6
11
Parma
Medesano
3
Modena
Alessandria
Reggio nell' Emilia
Cavour
Bettole di Novi
134
Secchia
9
La Pioppa
67
73
S 45
13
Marengo
69
Secchia
11
Sesia
A 15
A 1
25
A 26
Giovi
Bologna
Bormida
A 7
Stura
95
Cantagallo
La Lanterna
Passo della Cisa
Turchino
128
98
GENOVA
Montaio
13
5
Rapallo
S 63
S 12
32
96
Piani d'Invrea
Passo del Cerreto
85
Varazze
A 12
S 64
A 6
Aurelia
Brugnato
160
44
Savona
Sestri Levante
Roncobilaccio
10
Magra
Carrara
A 10
la Spezia
Aglio
Lerici
Massa
Finale Ligure
41
Pistoia
Prato
23
Forte dei Marmi
Serravalle
38
21
A 11
Viareggio
Lucca
15
FIRENZE
16
M A R E L I G U R E
22
Arno
17
Pisa
47
26
S 429
67
40
30
Livorno
S. Gimignano
A 12
32
50
72
S 68

Badgastein
Katschberg-Tunnel
ÖSTERREICH
Lienz
Passo di Monte Croce Carnico
Villach
Drau
Wörther See
Klagenfurt
Passo di Tre Croci
Cortina-d'Ampezzo
Campiolo
Carnia
Sava
Ljubljana
Belluno
Udine
Tagliamento
SLOVENIJA
Pordenone
Gorizia
Gonars
Duino
Fratta
Trieste
Calstorta
Piave
Treviso
Bazzera
Opatija
Rijeka
Arino
Marghera
VENEZIA
HRVATSKA
S. Pelagio
Chioggia
ADIGE
Rovigo
PO
Pula
Valli di Comacchio
MARE
ADRIATICO
Ravenna
Santerno
Faenza
Forlì
Bevano
Cesena
Rimini
Riccione
Pesaro
Montefeltro
S. Marino
Fano
Senigallia
Metauro
Ancona
Conero
Sansepolcro
Reggello
Arezzo
Badia al Pino
Gubbio
Civitanova Marche
Macerata
Chienti
Lucignano

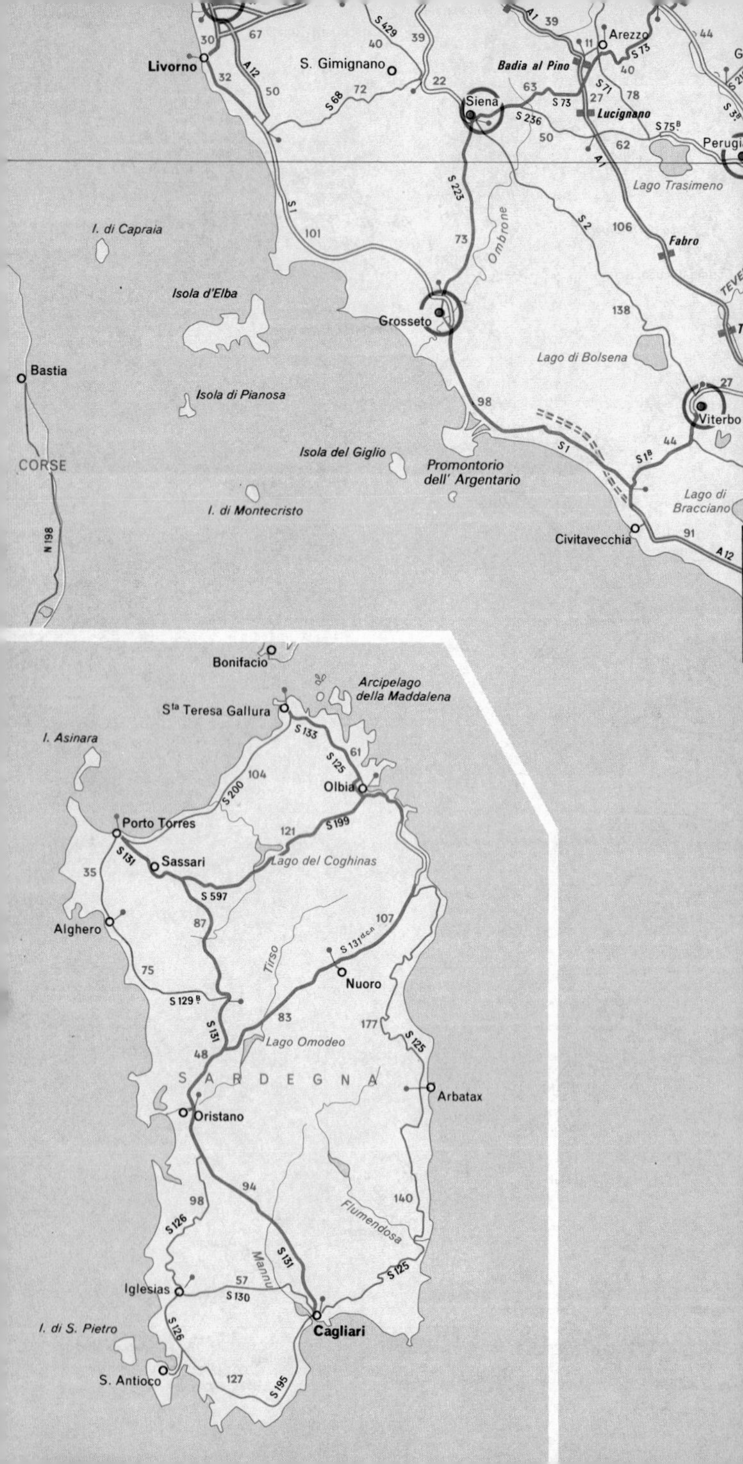

Livorno
S. Gimignano
Arezzo
Badia al Pino
Siena
Lucignano
Perugia
Lago Trasimeno
I. di Capraia
Ombrone
Fabro
Isola d'Elba
Grosseto
Lago di Bolsena
Bastia
Isola di Pianosa
Viterbo
Isola del Giglio
Promontorio dell' Argentario
CORSE
Lago di Bracciano
I. di Montecristo
Civitavecchia
Bonifacio
Arcipelago della Maddalena
Sta Teresa Gallura
I. Asinara
Olbia
Porto Torres
Sassari
Lago del Coghinas
Alghero
Tirso
Nuoro
Lago Omodeo
SARDEGNA
Arbatax
Oristano
Flumendosa
Mannu
Iglesias
Cagliari
I. di S. Pietro
S. Antioco

Civitanova Marche
Macerata
Chienti
San Benedetto del Tronto
Foligno
Ascoli Piceno
Tortoreto
Teramo
Torre Cerrano
Pescara
Lago di Campotosto
Terni
Alento
Chieti
l'Aquila
Rieti
Sangro
Termoli
Popoli
Avezzano
Mascherone
Civita
Sangro
Fortore
Campobasso
Isernia
Frosinone
La Macchia
Velletri
Casilina
Volturno
Garigliano
Latina
Teano
Benevento
Formia
Caserta
Mirabella
Irpinia
San Nicola la Strada
Avellino
NAPOLI
Angioina
Pozzuoli
Isola di Ponza
Torre Annunziata
Ischia
Salerno
Isola d'Ischia
Sorrento
Capri
MARE TIRRENO
Monterotondo
Via Salaria
Via Nomentana
Via Flaminia
Via Cassia
Tevere
Prenestina
Tivoli
V. Tiburtina
Villa Adriana
Aurelia
ROMA
Via Casilina
Frascati
Frascati
Via Latina
Via Appia Nuova
Via del Mare
Ostia Antica
Via C. Colombo
Marino
Lago Albano
Castel Gandolfo
Albano Laziale
Ostia
Velletri

I. Tremiti
Popoli
Sangro
Termoli
Lago di Varano
L. di Lesina
Avezzano
Sangro
Fortore
Foggia
Frosinone
Isernia
Campobasso
Casilina
Volturno
Ofanto
Garigliano
Teano
Benevento
Formia
Caserta
Mirabella
Irpinia
San Nicola la Strada
Avellino
Ofanto
NAPOLI
Angioina
Potenza
Pozzuoli
Torre Annunziata
Ischia
Salerno
Isola d'Ischia
Sorrento
Capri
M A R E   T I R R E N O
I. di Ustica
Isole Eolie o Lipari
Milazzo
M A R E   T I R R E N O
PALERMO
Cefalù
Taormina
Randazzo
Trapani
Alcamo
S I C I L I A
Simeto
Isole Egadi
Adrano
Marsala
Enna
Dittaino
Catani
Piazza Armerina
Caltanissetta
Platani
Caltagirone
Salso
Agrigento
Gela
Ragusa

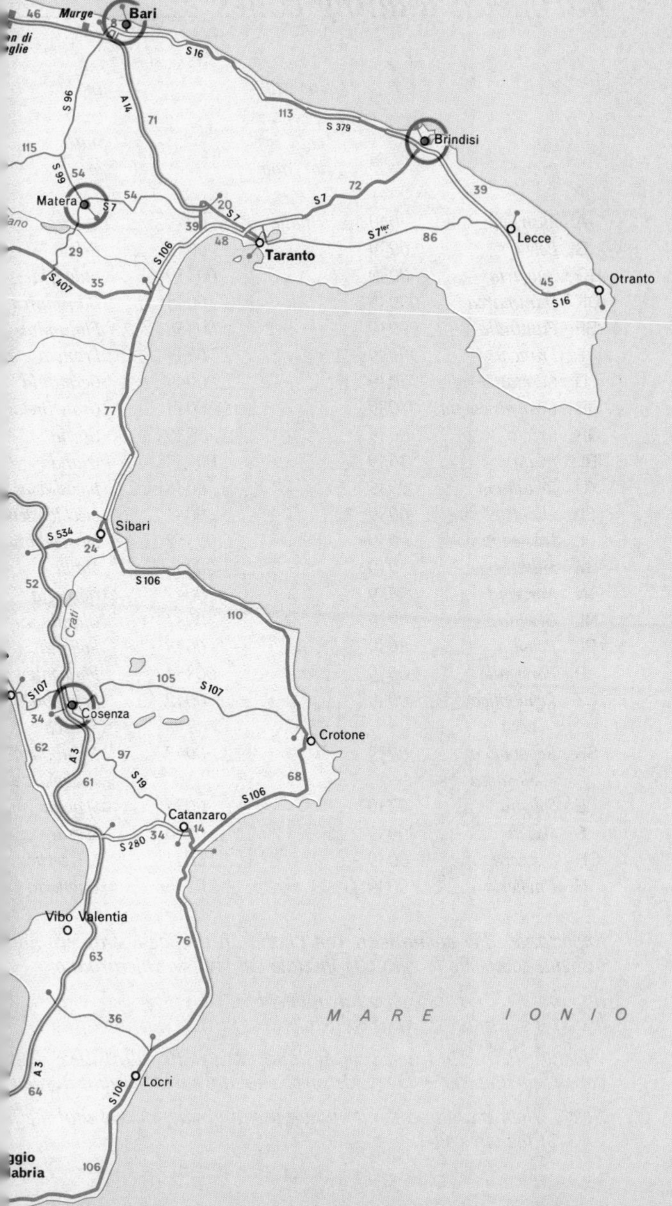
MARE ADRIATICO
Bari
Murge
Brindisi
Lecce
Otranto
Matera
Taranto
Sibari
Crati
Cosenza
Crotone
Catanzaro
Vibo Valentia
Locri
MARE IONIO
S 16
S 379
S 96
A 14
S 99
S 7
S 7ter
S 106
S 407
S 534
S 107
A 3
S 19
S 280
46
8
113
71
115
54
72
20
39
48
86
29
35
45
77
24
52
110
105
34
62
97
61
68
14
63
76
36
64
106

Prefissi telefonici dei paesi europei
Indicatifs téléphoniques européens
Telefon-Vorwahlnummern europäische Länder
European dialling codes

	da *de* *von* *from*		*in* *en* *nach* *to*	*dall'* *de* *von* *from*	*in* *en* *nach* *to*
A	*Austria*	*040*	*Italia*	*0043*	*Austria*
B	*Belgio*	*0039*	»	*0032*	*Belgio*
BG	*Bulgaria*	*0039*	»	*00359*	*Bulgaria*
DK	*Danimarca*	*00939*	»	*0045*	*Danimarca*
SF	*Finlandia*	*99039*	»	*00358*	*Finlandia*
F	*Francia*	*0039*	»	*0033*	*Francia*
D	*Germania*	*0039*	»	*0049*	*Germania*
GB	*Gran Bretagna*	*01039*	»	*0044*	*Gran Bretag*
GR	*Grecia*	*0039*	»	*0030*	*Grecia*
IRL	*Irlanda*	*1639*	»	*00353*	*Irlanda*
YU	*Jugoslavia*	*9939*	»	*0038*	*Jugoslavia*
FL	*Liechtenstein*	*0039*	»	*0041*	*Liechtenstein*
L	*Lussemburgo*	*0039*	»	*00352*	*Lussemburgo*
M	*Malta*	*039*	»	*00356*	*Malta*
N	*Norvegia*	*09539*	»	*0047*	*Norvegia*
NL	*Olanda*	*0939*	»	*0031*	*Olanda*
PL	*Polonia*	*8039*	»	*0048*	*Polonia*
P	*Portogallo*	*0039*	»	*00351*	*Portogallo*
CZ	*Repubblica Ceca*	*0039*	»	*0042*	*Repubblica Ceca*
SK	*Repubblica Slovacca*	*0039*	»	*0042*	*Repubblica Slovacca*
E	*Spagna*	*0739*	»	*0034*	*Spagna*
S	*Svezia*	*00939*	»	*0046*	*Svezia*
CH	*Svizzera*	*0039*	»	*0041*	*Svizzera*
H	*Ungheria*	*0039*	»	*0036*	*Ungheria*

Importante : Per comunicare con l'Italia da un paese straniero non bisogna comporre lo zero (0) iniziale del prefisso interurbano.

Important : Pour les communications d'un pays étranger vers l'Itali le zéro (0) initial de l'indicatif interurbain n'est pas à chiffrer.

Wichtig : Bei Gesprächen vom Ausland nach Italien darf die voranstehende Null (0) der Ortsnetzkennzahl nicht gewählt werden.

Note : When making an international call to Italy do not dial the fi « 0 » of the city codes.

Manufacture française des pneumatiques Michelin
Société en commandite par actions au capital de 2 000 000 000 de F.
Place des Carmes-Déchaux – 63 Clermont-Ferrand (France)
R.C.S. Clermont-Fd B 855 200 507

Michelin et Cie, Propriétaires-Éditeurs 1997

Dépôt légal décembre 96 – ISBN 2-06-006779-0

Printed in the EU 11-96

Carte e piante disegnate dall' Ufficio Cartografico Michelin
Piante topografiche : autorizzazione I.G.M. Nr. 467 del 27-12-1995
Controllato ai sensi della legge 2.2.1960 N. 68.
Nulla-osta alla diffusione n. 467 in data 27/12/1995.

Fotocomposizione : APS, 37000 Tours (Francia)
Stampa e rilegatura – Officine Grafiche De Agostini – Novara

Fonti dei disegni : da p. 4 a p. 13 – da p. 16 a p. 25 – da p. 28 a p. 37 – da p. 40 a p. 49 Illustration Cécile Imbert / MICHELIN
p. 282 – 414 – 476 – 600 – 728 – 772 Illustration Rodolphe Corbel

Les cartes et les guides Michelin sont complémentaires, utilisez-les ensemble.

Michelin maps and guides are complementary publications. Use them together.

Los mapas y las guías Michelin se complementan, utilícelos juntos.

Le carte e le guide Michelin sono complementari : utilizzatele insieme

---

De Michelin kaarten en gidsen vullen elkaar aan. Gebruik ze samen.

Die Karten, Reise- und Hotelführer von Michelin ergänzen sich. Benutzen Sie sie zusammen.